RUSSIAN-ENGLISH
DICTIONARY

РУССКО-АНГЛИЙСКИЙ СЛОВАРЬ

составили
проф. В. К. МЮЛЛЕР

60 000 СЛОВ,
УПОТРЕБЛЯЕМЫХ В РАЗГОВОРНОЙ РЕЧИ, НАУКЕ,
ПОЛИТИКЕ, ЛИТЕРАТУРЕ И ТЕХНИКЕ
С ПРИЛОЖЕНИЕМ
КРАТКИХ ГРАММАТИЧЕСКИХ УКАЗАНИЙ

ИЗДАНИЕ ТРЕТЬЕ, ИСПРАВЛЕННОЕ И ДОПОЛНЕННОЕ

NEW YORK
E. P. DUTTON & COMPANY, INC.

RUSSIAN-ENGLISH DICTIONARY

COMPILED BY

PROF. V. K. MÜLLER

60,000 WORDS
USED IN THE RUSSIAN SPOKEN LANGUAGE,
SCIENCE, POLITICS, LITERATURE AND
MECHANICS (TECHNOLOGY)
WITH THE ADDITION OF SHORT GRAMMATICAL
RULES

Third Edition, Revised and Enlarged

NEW YORK
E. P. DUTTON & COMPANY, INC.

First published in the United States, 1944

Printed in the U.S.A. — All rights reserved

First Printing February, 1944
Second Printing May, 1944
Third Printing April, 1945
Fourth Printing September, 1945
Fifth Printing March, 1947
Sixth Printing July, 1948
Seventh Printing December, 1949
Eighth Printing February, 1952
Ninth Printing July, 1957
Tenth Printing, April, 1958

FROM THE EDITOR

In the selection of words, taking into account the size of the dictionary (about 60,000 words) we oriented ourselves toward living contemporary speech, to the literary language of the second half of the 19th and of the 20th century, to socio-economic and Marxist terminology and in part to popular-technical (general educational, and not specialist) literature. Russian neologisms are widely used in the dictionary. In the translations of the neologisms into English we were guided by expressions in use in English and American literature, but very · often we had to resort to our own — at times even descriptive translations, since there are a great many of our concepts which do not find expression in English literature, or which are given incorrect interpretation there. (For example, милиционер, единоначалие, etc.).

The greatest difficulties arose out of the differences in grammatical forms in the Russian and English languages. For instance, the Russian word дисциплинированность does not have an equivalent in English in the form of a noun — to translate it we must resort to a descriptive translation: дисциплинированность — disciplined state (состояние дисциплины).

The compilers of this dictionary, from the first edition, have tried to give, wherever that was possible, in separate paragraphs, the semantic explanations in order to make it easier to use the dictionary. This work was even further intensified in the preparation for press of the third edition of the dictionary. We will give only one illustration of the above. The word "легкий" translated by Alexandrov without any explanation by the words "light" and "easy", we give in the following way: "light (на вес); slight (незначительный) easy, simple, facile (нетрудный).

Illustrative examples are given in all cases in which the use of the word can be understood only in context and when it is not used except in that context. Cases were carefully selected, when a word in a certain context assumes a special, idiomatic meaning.

For the third edition, a great deal of work was done to remove from the dictionary a considerable number of archaisms, not found in contemporary literature. Substantial corrections in the translations were also made. A considerable change was made in the character of the phraseology to make it more real and more precise. Idiomatic expressions, adages and proverbs which cannot be translated literally are translated in the dictionary by the nearest English equivalent in meaning.

The material in the dictionary is arranged in strict alphabetical order. Geographical names and proper names are included in the text of the dictionary.

In addition to the lexicographical sources listed below, we tried to use for the present edition of the dictionary contemporary Soviet literature.

Despite the great revision of the third edition of the dictionary, the editors realize that even in its present form, the dictionary is not free from a number of omissions and mistakes and it requests that all those who notice inadequacies notify the American publishers.

Лексикографические источники

А л е к с а н д р о в А. Полный русско-английский словарь, изд. 6-е испр. и доп., New-York, 1927. Д а л ь В. Толковый словарь живого великорусского языка. Словари Издательства «Советская Энциклопедия». W i n s t o n. Simplified Dictionary, Philadelphia, 1927. F o w l e r H. W. and F o w l e r F. G. The Concise Oxford Dictionary, 1929. F o w l e r F. G. and F o w l e r H. W. The Pocket Oxford Dictionary, 1931. Webster's New International Dictionary, 1928. F u n k and W a g n a l l s. Practical Standard Dictionary, New-York, 1932. V i z e t e l l y. A Desk Book of Idioms and idiomatic Phrases. New-York, 1923.

ON THE USE OF THE DICTIONARY

Words with one root are for the most part grouped in one paragraph. The symbol ‖ (parallel lines) at the beginning of a word in a paragraph separates the unchanging part of the word which is repeated in all the other words in the paragraph from the part which changes. This division was not intended to be a strict division into syllables, or the division of the suffix from the root, but was intended exclusively to economize on type setting.

The symbol ~ (tilde) is substituted for the unchanging part of the word, i. e. the part that is on the left side of the parallels ‖ e. g. in the paragraph осно́в‖а: ~а́ние, ~а́тель(ница), ~а́тельный, ~а́ть, etc., means the words: основание, основатель, основательница, основательный, основать, etc.

If there is no symbol ‖ at the beginning of a word in a paragraph, then ~ means that the entire word is repeated; e. g.: запа́с, ~а́ть. ~ливый, etc., mean: запасать, запасливый, etc.

When the first word is to be repeated in its entirety, it is indicated by its first letter: e. g. in the paragraph дрожь: д. в голосе, лихорадочная д mean: дрожь в голосе, лихорадочная дрожь.

Each new word in the paragraph or each new form of the word when it is first presented is printed in boldface for convenience in finding it.

Words of different grammatical categories and of different origin but with the same sound (homonyms) are given as separate words and are indicated by Roman numerals.

Different groups of meanings of the same Russian word are indicated by Arabic numerals.

The accent is indicated on all Russian words, printed in boldface, except in the case of one-syllable words. If the accent on some word in a paragraph changes from the accent on the basic word, beginning the paragraph, and falls on the syllable immediately preceding the parallel lines ‖, then the accent is placed before the tilde; e. g. авиа‖ба́за, '~тор.

The accent is also not indicated in those cases when the word beginning the paragraph is a one-syllable word and the accent on some word in the paragraph falls on the first syllable, e. g. счет, ~ный.

Parentheses are used for the explanation of a word or the refinement of its meaning; in that case, the explanation (set in italics) refers to the preceding or to the several preceding words back as far as the nearest semicolon; e. g. драть to tear; to whip, flog, thrash (бить) means that the meaning "бить" applies to the last three verbs but not to tear. Parentheses are also in order to economize space in giving substitutes for the preceding word, e. g. in the expression "ни в грош не ставить not to care a straw (fig, button) for" the parenthesis takes the place of three expressions: not to care a straw for, not to care a fig for, not to care a button for; in the expression "слишком большая (малая) доза overdose (underdose)" the parenthesis takes the place of two expressions: слишком большая доза overdose; слишком малая доза underdose.

In the verb forms, we have used the parenthesis in order to avoid giving separately the different aspects — обеспе́чи(ва)ть, means both обеспе́чить and обеспе́чивать in those cases where both words have the same accent, as in the above example; in the other cases both aspects are given as two separate words; e. g. отогре‖ва́ть, '~ть.

The meaning of verbs is given as a rule under the imperfect tense; verbs in the perfect tense are given separately in those cases where they have a special meaning, e. g. носить одежду and нести обязанности.

In cases where the reader does not find a verb with a prefix in its alphabetical order, it is necessary to look for this verb without its prefix and also for the explanation under the respective prefix.

All words are placed in alphabetical order. There are the following exceptions:

1) adverbs are, as a rule, placed after the adjectives, without regard for alphabetical order, e. g. наýчн‖ый, ∼о;

2) participles are given as examples of verbs, e. g. исковéрка‖ть, ∼нное слово;

3) perfect and imperfect forms of verbs which can have the same translation even in those cases where the reflexive forms break the alphabetical order, e. g. образов‖áть, ′∼ывать...; ∼áться, ′∼ываться.

Phraseology and examples of word order are divided into four groups:

1) for any word, examples which begin with that word: e. g. for the word день — д. нового года, д. отдыха;

2) the combination of the basic word with adjectives; e. g. for the word день — будний д., выходной д.;

3) all other phrases and examples in which the basic word is included without change: e. g. for the word день — на черный д., через д.;

4) phrases and examples which included altered forms of the basic word — oblique cases of nouns, personal forms of verbs, etc. — are placed as a rule according to the grammatical principle, e. g. for the word день — изо дня в д., днем, etc.

If some grammatical form of the basic word has more than one example or phrase, the latter observe the principles of order of the examples for the basic word, e. g. for the word глаз: ∼á у него завидущие, веселые ∼а, за∼а.

Within each of the first three groups alphabetical order is observed in listing the examples and phrases.

RUSSIAN ALPHABET

РУССКИЙ АЛФАВИТ

а	б	в	г	д	е	ж	з	и	й	К
л	м	н	о	п	р	с	т	у	ф	Х
ц	ч	ш	щ	ъ	ы	ь	э	ю	я	

RUSSIAN ABBREVIATIONS

СПИСОК СОКРАЩЕНИЙ

ав. термин авиации.
агр. агрономия.
амер. американизм.
анат. анатомия.
англ. англицизм.
арх. архитектура.
археол. археология.
астр. астрономия.
бакт. бактериология.
безл. безлично.
библ. библейское выражение.
библиогр. библиография.
биол. биология.
бот. ботаника.
буд. будущее (время).
вет. ветеринария.
вин. винительный (падеж).
вм. вместо.
военн. военное дело.
вр. время.
в слжн. в сложных словах.
в соед. в соединении с другими словами.
вульг. вульгарное выражение.
геогр. география.
геол. геология.
геом. геометрия.
гл. глагол.
гор. горное дело.
гос. государственный.
гр. грамматика.
дат. дательный (падеж).
дет. детский язык.
диал. диалектизм.
др.-гр. ист. древне-греческая история.
др.-рим. ист. древне-римская история.
ед. ч. единственное число.
ест. ист. естественная история.
ж. женский род.
ж.-д. железнодорожное дело.
жив. живопись.
знач. значение.
зоол. зоология.
и пр. и прочее.
ирон. ироническое выражение.
ист. история.
ихт. ихтиология.
карт. термин карточной игры.
к.-л. кто-либо.
комм. коммерческий термин.
к-рый, к-рого который, которого.
л. лицо.
ласк. ласкательное выражение.

лат. латинское слово.
лес. лесоводство.
лит. литература, литературное выражение.
лог. логика.
м. мужской род.
мат. математика.
мед. медицина.
мет. метеорология.
метал. металлургия.
мех. механика.
мин. минералогия.
миф. мифология.
мн. ч. множественное число.
мор. морской термин.
муз. музыка.
напр. например.
наст. настоящее (время).
научн. научное выражение.
неол. неологизм.
обществ. общественный.
особ. особенно.
офиц. официальное выражение.
охотн. охотничье выражение.
п. падеж.
парл. парламентский термин.
погов. поговорка.
пол. политика.
посл. пословица.
поэт. поэтическое выражение; поэтика.
презр. презрительно.
преим. преимущественно.
прибл. приблизительно.
прос. просодия, стихосложение.
противоп. по смыслу противоположно.
р. род.
рад. радиотехника.
разг. разговорное выражение.
распр. распространенное выраж.
редк. редкое выражение.
рел. религия.
рит. риторическое выражение; риторика речи.
род. родительный (падеж).
см. смотри.
соб. в собирательном значении.
сокр. сокращение.
спорт. спортивное выражение.
ср. сравни.
стр. строительное дело.
студ. студенческое выражение.
сущ. существительное.
твор. творительный (падеж).

театр. театральное выражение.
текст. текстильное производство.
техн. техника; технология.
тж. также.
тип. типографский термин.
укр. украинизм.
уменьш. уменьшительное слово.
уст. устаревшее слово (или отдельное значение).
фиг. фигуральное выражение.
физ. физика.
физл. физиология.
фил. филология.
филос. философия.
фин. финансовый термин.
фон. фонетика.
фот. фотография.
франц. французское слово (выражение).
хим. химия.

церк. церковное выражение.
ч.-л. что-либо.
шахм. термин шахматной игры.
шк. школьное выражение.
шут. шутливое выражение.
юр. юридический термин.
экон. экономика.
эл. электричество.
энтом. энтомология.
этим. этимология.

a. прилагательное.
adv. наречие.
attr. атрибутивное употребление.
etc. и пр.
pl. множественное число.
s. существительное.
sing. единственное число.
sl. употребляется как slang.
v. глагол.

ERRATA

СПИСОК ОПЕЧАТОК

Страница	Столбец	Строка	Напечатано	Следует читать
36	левый	2 сн.	stand	strand
116	правый	20 св.	(bring light)	(bring to light)
181	правый	5 сн.	far	fat
296	левый	3 св.	laddle	laddie
314	правый	1 сн.	Communist	Communists
331	левый	1 св.	din	pin
363	левый	6 св.	to drood	to droop
452	правый	10 сн.	lay	play
682	правый	18 св.	inanities	vanities

A I. 1. but, and; не он, а его брат not he but his brother; он засмеялся, а я за ним he laughed and I followed suit; а так как now as; а так как он не пришёл now as he has not put in an appearance; а то or else; беги́те, а то вы опоздаете run, or else you will be late; 2. *вопросит. частица* eh.

а! II. ah!

а- (*приставка в иностр. словах, придающая отриц. значение*) a-.

Áахен Aachen, Aix-la-Chapelle.

абажýр (lamp-)shade.

абáка *арх.* abacus (*pl.* -ci).

аббáт abbot; ∼и́сса abbess; ∼ство abbey.

Аббáция Abbazia.

Абердúн Aberdeen.

аберрáция aberration.

абзáц paragraph; делать а. *тип.* to indent.

абиссúнец Abyssinian.

Абиссúн‖ия Abyssinia; а∼ский Abyssinian.

Або Abo.

аболицио‖нúзм abolitionism; ∼нúст abolitionist.

абон‖емéнт subscription (*to, for*); season ticket; ∼éнт subscriber; ∼úровать(ся) to subscribe.

абордáж *мор.* boarding; брать на а. to grapple (*with*); ∼ный крюк grapnel.

абориге́н aboriginal (*pl. тж.* aborigines); native, autochthon.

абóрт abortion, miscarriage; сделать а. to procure (cause) an abortion; ∼úвный abortive.

абрáзия *геол.* abrasion.

абракадáбра abracadabra, gibberish.

Абрáм Abram, *уменьш.* Abe.

абревиатýра abbreviation.

абрикóс, ∼овый apricot.

абрикотúн apricot liqueur.

áбрис contour, outline, sketch.

Абрýццы Abruzzi.

абсе́нт *бот.* absinth, wormwood; absinth (*ликёр*).

абсенте‖úзм absenteeism; ∼úст absentee.

абсúда *см.* апсида.

абсолю́т the absolute; ∼úзм absolutism; ∼úст absolutist; ∼ность absoluteness; ∼ный absolute, irrelative; unmitigated, utter, sheer;

∼ный вздор *амер.* plumb nonsense; ∼ный ноль температуры *физ.* absolute zero; ∼ный покой *физ.* absolute rest; ∼ный слух perfect ear; ∼ная монархия absolute monarchy; ∼ное большинство absolute majority; ∼ное невежество perfect (sheer, utter) ignorance; ∼ное повиновение implicit obedience; ∼но absolutely; это ∼но верно it is absolutely true; it is beyond (past) dispute; это ∼но невозможно it is a sheer impossibility.

абсор‖бúровать to absorb; ∼бцибóнный absorbent; ' ∼бция, ' ∼пция *хим.* absorption.

абстине́нция abstinence.

абстрагúровать to abstract.

абстрáктн‖ость abstractness, abstraction; ∼ый abstract, abstracted.

абстрáкция abstraction.

абсýрд absurdity; доводить до ∼а to carry to an absurd extreme; ∼ность absurdness, ineptness, ineptitude; ∼ный absur⸗, incongruous, inept; ∼ный вывод absurd conclusion; ∼ное предприятие wild goose chase.

абсцúсса *мат.* abscissa.

абхáзец Abkhazian.

Абхáз‖ия Abkhazia; ∼ская ССР the Abkhazian Soviet Socialist Republic.

абхáзский Abkhazian.

авангáрд van, vanguard, outpost; в ∼е революции in the vanguard (front rank, outposts) of the revolution.

аванпóст outpost; ∼ная служба service in the outposts (*of*).

авáнс deposit, advance (*денежный*); а. зарплаты (платежа) wages (pay) in advance; делать ∼ы to make overtures (advances); ∼úровать to advance; ∼овый advance (*attr.*).

авансце́на *театр.* proscenium.

авантáжный looking one's best, showing to good advantage.

авантю́р‖а adventure; белогвардейская а. white guard adventure; участвовать в ∼е to join in an adventure; ∼úзм hazardous activity; ∼úст adventurer; ∼úстка adventuress; ∼úстский adventurous, venturesome; ∼ный *пренебр.*

adventuresome; picaresque (*о лит. жанре*).

-авáрец Avarian.

авáри‖я wreck, damage; *комм.* average, injury; потерпеть ⌒ю to be wrecked, damaged, injured.

авáр‖ка, ⌒ский *см.* аварец.

Áвгиевы конюшни Augean stables.

авгýр augur, oracle, diviner, soothsayer.

áвгуст August; первого ⌒а the first of August.

Áвгуст Augustus, *уменьш.* Gus.

августéйший *ист.* august.

Августúн Augustin, *уменьш.* Austin.

Áвель Abel.

Авдóтья *см.* Евдокия.

авиа- *см.* авиационный.

авиа‖бáза air base; ⌒бóмба air-bomb; ⌒завóд aeroplane (aero-) works (factory); ⌒кáмера aerocamera; ⌒констрýктор aero-constructor; ⌒мáтка aircraft-carrier; ⌒мехáник air-mechanic; ⌒нóсец *см.* авиаматка; ⌒съёмка aero-photography; '⌒тор aviator, airman, flier; А⌒трéст (*Гос. трест авиационной промышленности*) Aviatrust (*State Trust for Air Industry*); ⌒ционный aviation (*attr.*); ⌒ционный двигатель aeromotor; ⌒ционная промышленность aircraft industry; ⌒ционная школа air services training school; flying school; '⌒ция aviation.

авиéтка small airplane with weak motor.

авúз *комм.* aviso, letter of advice.

авúзо aviso (*вестовое судно*).

авиóтка *см.* авиетка.

авóсь may be, perhaps; на a. in a happy-go-lucky fashion; пойти на a. to venture at random; to chance it.

Авраáм Abraham, *уменьш.* Abe.

аврáл *мор.* all hands on deck.

аврипигмéнт *мин.* orpiment.

Аврóра *поэт.* Aurora.

Австралáзия Australasia.

австралú‖ец, ⌒йка, ⌒йский Australian.

Австрáлия Australia.

австрú‖ец, ⌒йка, ⌒йский Austrian.

Áвстрия Austria.

áвто- auto-.

автобиóграф autobiographer; ⌒ический autobiographic(al); '⌒ия autobiography.

автоблокирóвка *ж.-д.* automatic block (control) system.

автоброневúк armoured motor-car.

автóбус motor-bus, autobus; *разг.* bus.

автогарáж motor garage.

автогéнн‖ый autogenous; ⌒ая резка autogenous cutting; ⌒ая сварка autogenous welding.

автóграф autograph.

автозавóд autoworks, motorworks, automobile plant.

автоклáв *техн.* autoclave.

автокрáт autocrat; ⌒ический autocratic(al); ⌒ия autocracy.

автомáт automaton; automatic telephone; a., выбрасывающий ч.-л. при опускании монеты slot-machine; ⌒изм automatism; ⌒ический automatic(al); self-acting; ⌒ический револьвер automatic pistol; ⌒ическая телефонная станция *см.* АТС; ⌒ическое ружьё automatic rifle; ⌒ически automatically.

автомашúна motor-car.

автомоби‖лúзм automobilism; ⌒лúст motorist.

автомобú‖ль automobile, motor-car, car; electric car (*с электрическим двигателем*); coupé, roadster, two-seater (*амер.* двухместный); limousine (*крытый*); runabout (*маленький*); *амер.* flivver (*sl.*) (*дешёвый*); tin Lizzie (*sl.*) (*фордовский*); Ford cab (*извозчичий а. Форда*); autocar (*торговый*); lorry, truck (*грузовой*); armoured car (*бронир.*); пустить a. to start the engine; ехать, везти в ⌒ле to motor; управлять ⌒лем to be at the wheel; ⌒льный automobile; ⌒льный верх bonnet, hood; ⌒льный рожок motor horn; *амер.* honk; издавать звук ⌒льного рожка to sound the horn; *амер.* to honk.

автонóм‖ия autonomy, self-government; ⌒ный autonomous, autonomic; ⌒ная область autonomous region.

автоплýг motor plough.

автопортрéт painter's portrait by himself, autoportrait, selfportrait.

áвтор author; begetter, mover (*предложения, резолюции*); ⌒изóванный authorized.

авторитéт authority; он пользуется большим авторитетом he enjoys great authority; ⌒ный authoritative; ⌒но authoritatively.

áвтор‖ский author's; a. гонорар author's fee; royalty (*с каждого экземпляра*); ⌒ская правка author's corrections; ~ское право copyright; нарушить ~ское право to pirate; нарушение ~ского права piracy; ~ские author's fees (remuneration) (*гонорар*).

а́вторство authorship.

автосбо́р‖**ка** automatic assemblage; ~очный цех assembling section.

автосва́рка autowelding.

авто сообще́ние motor communication; ~строе́ние motor construction.

автоти́пия half-tone (engraving *или* etching), autotype.

автото́рмоз autobrake.

автотра́нспорт motor-transport.

автохро́мная пласти́нка Lumière plate.

автоши́на tyre, tire.

ага́! ah! ah!; oh!; well!; all right!

ага́ва *бот.* agave.

ага́т *мин.* agate.

Ага́фья Agatha.

а́гент agent (*тж. хим.*); factor; дипломатический a. diplomatic agent.

а́гент‖**ство**, ~у́ра agency; телеграфное a. telegraph agency.

агит- agitational.

агит‖**а́тор** agitator (*тж. техн.*); ~аци о́нный (political) agitation (*attr.*); ~аци о́нная пьеса agitational play; ~а́ция agitation; предвыборная ~а́ция electioneering campaign; ~ба́за base for (political) agitation work; ~брига́да agitation brigade; ~и́ровать to agitate; '~ка leaflet; ~кампа́ния agitation campaign.

агитма́ссовый mass agitation (*attr.*); a. отдел mass agitation section.

агитпро́п (*агитационно-пропагандистский отдел*) Agitprop (*Agitation and Propaganda Department*).

агитпу́нкт agitation section (branch).

агломера́‖**т** agglomerate; ~ция agglomeration.

аглютин‖**а́ция** agglutination; ~и́рующие языки agglutinative languages.

Агне́сса Agnes.

а́гнец: кроткий как a. gentle as a lamb.

агно́сти‖**к** agnostic; ~ци́зм agnosticism.

агонизи́ровать to agonize.

аго́ния agony, death struggle; mental anguish.

аграма́нт trimming of interlaced strands.

агра́р‖**ии** *pl.* squirearchy, landlords; ~ный squirearchal; ~ный вопрос agrarian question; ~ный кризис agrarian crisis; ~ный переворот agrarian revolution; ~ная война agrarian war (outrage); ~ное перенаселение agrarian overpopulation; ~ные законы agrarian law.

агрега́т *физ., мин., техн.* aggregate; ~ное состояние aggregation.

агресси́‖**вность** aggressiveness; ~вный aggressive; ~вный национализм aggressive nationalism.

агре́ссия aggression.

агрикульту́р‖**а** agriculture, husbandry, farming; ~ный agricultural; ~ные мероприятия agricultural measures.

Агриппи́на Agrippina.

агроба́за (*аграрная база*) agricultural base.

агроно́м agronomist; ~и́ческий agronomic(al).

агроно́мия agronomy; agronomics; scientific management of land.

агропу́нкт agronomic(al) station.

агроте́хни‖**ка** agrotechny; '~ческий of technical agronomy.

агроучёба agricultural training.

ад hell, infernal regions, Hades (муки ~a the torments of Hades); the nether world.

Ада́м Adam, *уменьш.* Ade, Edie.

ада́мов: ~а голова *зоол.* death's head; ~о яблоко Adam's apple (*кады́к*).

адапт‖**а́ция** adaptation; '~ер *техн.* adapter.

адвербиа́льный *гр.* adverbial.

адвока́т barrister, legal adviser; lawyer (*юрист*); лишать звания ~a to disbar; стать ~ом to be called to the bar.

адвокату́р‖**a** bar; заниматься ~ой to attend the bar.

Адди́со́нова боле́знь *мед.* Addison's disease, bronzed skin, suprarenal melasma.

адеква́тн‖**ость** adequacy; ~ый adequate, equal (*to*); не ~ый (*для*) inadequate (*to*), unequal (*to*); ~о adequately, equally.

Адела́й‖**да** Adelaide, *уменьш.* Addie, (-d).

А́ден Aden.

адено́иды *анат.* adenoids.

адепт adherent, partisan.

аджа́рец Adzharian.

Аджа́р‖**ия** Adzharia; a~ка, a~ский Adzharian; ~ская АССР the Adzharian Autonomous Soviet Socialist Republic.

адиабát‖а, ~**и́ческий** *физ.* adiabatic.

Адис-Абéба Addis Ababa.

администра‖ти́вный administrative; а. аппарат administrative apparatus; а. зажим administrative pressure; ~**ти́вная единица** administrative unit; в ~**ти́вном порядке** administratively; '~**тор** administrator; '~**ция** administration.

администри́рова‖ние administration; ~**ть** to administer.

адмирáл admiral; вице-а. Vice-Admiral; контр-а. Rear-Admiral; ~**тéйство** Admiralty; ~**ьское судно** admiral, flagship.

Адóльф Adolph(us).

адони́ческий стих *прос.* Adonic verse.

адреналин adrenalin.

áдрес address; superscription (*на конверте, на верху письма*); обратиться не по ~**у** to come to the wrong shop (*sl.*); to address the wrong person; ~**áт** addressee; в случае ненахождения ~**áта** возвратить по адресу in case of non-delivery please return to this address; а.-**календáрь** directory; ~**ный стол** inquiry address office; address bureau; ~**овáть** to address, direct; ~**овáться** к кому-л. to address oneself to somebody.

Адриáн Adrian.

Адриáнополь Adrianople.

Адриати́ческое море the Adriatic Sea.

áдск‖ий hellish, infernal; а. шум infernal noise; a hell of a noise (*sl.*); ~**ая машина** infernal machine; ~**ая скука** infernal bore.

адъюнкт adjunct.

адъютáнт adjutant, aide-de-camp; звание ~**а** adjutancy.

адюльтéр adultery, misconduct.

áжио *комм.* agio; ~**тáж** agiotage, stock-jobbing (*в Америке часто пренебр.*).

а-жýр up-to-date (*в бухгалтерии*).

ажýр open work; ~**ный** open-work; ~**ная строчка** hemstitch, drawn (thread) work.

аз Slavonic name of the letter А; не знать ни ~**й** *погов.* ≅ not to know a great A from a bull's foot; твердить ~**ы** *фиг.* not to get farther than abc.

азáлия *бот.* azalea.

азáрт heat, risk; войти в а. to grow heated, excited; to let oneself go; ~**ный** venturesome; ~**ная игра** hazard, chance game; ~**но** reckless-

ly; играть ~**но** to gamble deeply; *sl.* to plunge.

азбéст asbestos, asbestus; ~**овый** asbestine.

áзбу‖ка alphabet, ABC; а. глухонемых alphabet for the deaf and dumb, manual alphabet; а. для слепых Braille; а. Морзе Morse alphabet (code); ~**чная истина** truism.

Азербайджáн Azerbaijan.

азербайджáн‖ец, ~**ка**, ~**ский** Azerbaijanian; ~**ская ССР** the Azerbaijan Soviet Socialist Republic.

азиáт, ~**ский** Asiatic, oriental.

áзимут *астр.* azimuth.

Áзия Asia.

Азнéфть (*Азербайджанское центральное нефтяное управление*) Azneft (*Azerbaijan Oil Administration*).

Азóв Azof.

Азóвское мóре the Sea of Azof.

азокраси́тели *хим.* azo dyes.

Азóрские островá the Azores.

азосоединéния azo compounds.

азóт *хим.* nitrogen; закись ~**а** nitrous oxide; ~**истая кислота** nitrous acid; ~**нокислая соль** nitrate; ~**ный** nitric, nitrogenous; ~**ная кислота** nitric acid; ~**ные удобрения** nitrogenous fertilizers.

áист stork; marabou (*зобатый*).

ай! oh! (*выражение сожаления*).

айвá quince.

айдá! *разг.* come along!

áйсберг iceberg (*пловучая ледяная гора*).

айсóр, ~**ка**, ~**ский** Aisor(ian).

академи‖к academician, member of an (the) academy; '~**ст** academist; '~**ческий** academic(al); ~**я** academy; А~**я наук** (*в СССР*) Academy of Sciences of the USSR; член-корреспондент А~**и наук** corresponding member of the Academy; А~**я художеств** Academy of Arts; Военная ~**я** Military Academy; Военная воздушная ~**я** Military Air Academy; Коммунистическая ~**я** Communist(ic) Academy; Медицинская ~**я** Medical Academy.

акáнт *арх.* acanthus (*орнамент*).

áканье regional Russian pronunciation of an unaccented «о» as if it were an «а».

акáция *бот.* acacia; белая (душистая) a. false acacia, locust-tree; жёлтая а. Siberian acacia

аквамари́н aquamarine, beryl.

акваре‖ли́ст painter in water-colours; '~**ль** water-colour; писать

'~лью to paint in water-colours; '~льный in water-colours (*портрет, ландшафт*).

аквариум aquarium.

акватинта aquatint.

акведук aqueduct, conduit.

Аким Ioachim.

акклиматиз‖ация acclimatization; ~ировать to acclimatize; ~ироваться to become acclimatized (*to*).

аккомодация *физл.* accommodation.

аккомпан‖емент *муз.* accompaniment; ~иатор accompanist; ~ировать to accompany (*on—на*).

аккорд *муз.* accord, chord; ~ная плата lump payment; ~ная работа lump work.

аккредити‖в letter of credit; ~рованный accredited; ~ровать to accredit.

аккумул‖ирование accumulation (*тепла и пр.*); ~ировать to accumulate; ~ятор accumulator, storage-cell; *рад.* storage-battery; ~яция accumulation.

аккурат: *разг.* в а. exactly, to a tittle, quite; ~ность accuracy, exactness (*в денежных делах и т. п.*); punctuality, regularity (*в посещении лекций и т. п.*); tidiness, neatness (*в одежде и т. п.*); ~ный accurate, punctual, exact; tidy, neat; безупречно ~ный neat as a (new) pin; ~но accurately, exactly, tidily, neatly.

аконит *бот.* aconite.

акр acre (2,5 акра = 1 *га*).

акрида *зоол.* locust.

акробат acrobat, contortionist, tumbler; цирковой номер ~ов act; ~ика acrobatism; ~ический acrobatic.

акрополь Acropolis.

акростих acrostic.

акселератор accelerator (*у автомобиля*).

аксельбант shoulder-knot, aglet.

аксессуары accessories.

аксиальный *техн.* axial.

аксиома axiom; это а. *разг.* that's a self-evident truth.

аксолотль *зоол.* axolotl.

акт *театр.* act; (legal) deed (*деловой, нотариальный*); indictment (*обвинительный*); act, bill (*парламентский*); а. о личной свободе (*в Англии*) habeas corpus; а. отречения abdication; а. в учебном заведении speech day.

актёр actor, player, performer; ⁺leading actor (*главный*); walking gentleman (*на выходных ролях*); utility (man)(*на маленьких ролях*); super (*статист*); comedian (*комик*); tragedian (*трагик*); *поэт., рит.* Thespian; *пренебр.* play-actor; кинематографический а. motion-picture player; отличный а. first-class performer (player); crack performer (player) (*разг.*); плохой а. bad actor; *sl.* jay; третьестепенный а. third rate actor; barn-stormer (*разг.*); дублировать ~а to understudy; волнение ~ а перед выходом stage-fright; ~ский actor's; histrionic; ~ская физиономия an actor's face; ~ство profession of an actor; ~ствовать to be an actor, to exercise the profession of an actor.

актив assets; active members (*партии и т. п.*); а. и пассив assets and liabilities; ~изация activization; ~изировать to render more active; ~ирование activation; ~ированный activated; ~ист active, working member (*полит. партии*); ~ность activity; ~ный active, industrious; ~ный ток *эл.* active current.

актиния *зоол.* sea-anemone.

актовый: а. зал assembly hall.

актриса actress, stage lady; leading lady (*главная*); comedienne, tragedienne, walking lady, utility lady (*ср. актёр*); а. на малые роли small part actress.

актуальн‖ость actuality; ~ый instant, essential; actual; ~ая проблема actual problem; ~ые условия actual conditions; present-day conditions.

акула *зоол.* shark; сельдяная а. porbeagle; собачья а. dog-fish.

акусти‖ка acoustics; '~ческий acoustic, phonic.

акушёр accoucheur, obstetrician; ~ка accoucheuse, midwife; ~ский obstetric(al); ~ство midwifery, obstetrics.

акцелерометр accelerometer.

акцент accent; он говорит с сильным французским ~ом he speaks with a strong French accent; ~ирование accentuation; ~ировать to accent, accentuate; ~уация *см.* акцентирование.

акцепт *комм.* acceptance; ~ант acceptor; ~овать to accept (*вексель и т. п.*).

акцидентный accidental.

акциз excise (duty); сборщик ~а exciseman; подлежащее обложению ~ом excisable; ~ный чиновник excise official; взимать ~ный сбор to excise.

акционе́р shareholder, stockholder; ⁓ное об-во joint-stock company.

а́кци‖я share (*комм.*); *полит.* action; a. на предъявителя ordinary share; именная a. nominal share; привилегированная a. preference (preferred) share; ⁓и поднима́ются (па́дают) в цене́ shares go up (go down, give way); спекуля́ция ⁓ями stock-jobbing.

Алаба́ма Alabama.

ала́дья fritter.

Ала́ндские острова́ the Aland Islands.

алармѝст alarmist.

алба́нец Albanian.

Алба́ния Albania.

а́лгебра algebra; ⁓и́ческий algebraic(al).

алгори́фм algorithm.

альдеги́д *хим.* aldehyde.

алеба́рд‖а *ист.* halberd(-rt), partisan; ⁓щик halberdier.

алеба́стр, ⁓овый alabaster.

Алекса́ндр Alexander, *уменьш.* Aleck, Alex, Sandy.

Алекса́ндра Alexandra (-rina).

александри́йск‖ий: a. лист senna (*слабительное*); a. стих Alexandrine verse; ⁓ая бума́га paper of superior quality for drawing *etc.*

александри́т *мин.* chrysoberyl (*жёлтый, бледнозелёный*); chrysolite (*оливково-зелёный*).

Александри́я Alexandria.

Алексе́й Alexis.

але́мбик *хим.* alembic (*дистилля́тор*).

а́ленький *см.* алый.

Але́ппо Aleppo.

але́ть to redden; glow (*о зака́те*).

алеу́т, ⁓ка Aleutian.

Алеу́тские острова́ the Aleutian Islands.

Алжези́рас Algeciras.

Алжи́р Algiers.

Алжи́р‖ия Algeria; a ⁓ский Algerian.

а́ли *см.* или.

али́би *юр.* alibi; доказа́ть a. to establish an alibi.

алида́да *техн.* alidade.

ализари́н *хим.* alizarin.

алиме́нт‖ы alimony; обяза́тельство вы́платы ⁓ов obligation of alimony.

Али́са Alice, *уменьш.* Allie (-ly).

алка́л‖и *хим.* alkali; ⁓иза́ция alkalization; ⁓изи́ровать to alkalize; ⁓о́ид *хим.* alkaloid.

алка́‖ние *уст.* hunger; *физ.* craving; ⁓ть to hunger, crave (*for, after*).

алкого́л‖изм alcoholism (*де́йствие алкого́ля*); dipsomania (*страсть к алкого́лю*); ⁓ик alcoholic, dipsomaniac; inveterate drunkard; nipper (*sl.*); ⁓и́ческий alcoholic; ⁓ь alcohol.

Алла́х *рел.* Allah.

аллего́р‖ический allegorical, figurative, parabolic(al); ⁓и́чески allegorically, figuratively, parabolically; ⁓и́я выска́зываться, изобража́ть ⁓и́чески to allegorize; ⁓и́я allegory.

алле́гри winning lottery, raffle.

алле́гро *муз.* allegro.

алле́я avenue, vista, alley.

аллига́тор alligator.

аллилу́‖йщи‖к *неол.* panegyrist; ⁓на panegyrizing, singing of praises.

аллитера́ция alliteration.

алло́ hullo! (*англ.*); hello! (*амер.*).

аллопа́т allopath, allopathist; ⁓и́ческий allopathic; ⁓и́чески allopathically; ⁓ия allopathy.

аллотро́пия *хим.* allotropy.

алл‖ювиа́льный *геол.* alluvial; ⁓ю́вий alluvion, alluvium.

аллю́р gait, pace; ster; бе́шеный a. breakneck speed (*о еде́*).

Алма́-Ата́ Alma-Ata.

алма́з diamond, adamant; a. для ре́зки стекла́ diamond-point; вста́вить a. в механи́зм часо́в to jewel; подо́бный ⁓у adamantine; грани́льщик ⁓ов diamond-cutter; ⁓ный порошо́к diamond powder, diamond dust; ⁓ное буре́ние diamond boring.

ало́э *бот.* aloe.

алта́‖ец Altaian; ⁓йка Altaian.

Алта́йские го́ры the Altai Mountains.

алта́рь altar (*же́ртвенник*); sanctuary, chancel; apse (*в правосл. це́ркви*).

алте́й *бот.* althæa, mallow; ⁓ный ко́рень marsh-mallow.

алты́н *уст.* three copecks; ⁓ник skinflint, churl, curmudgeon.

алфави́т alphabet; ⁓ный alphabetic(al); ⁓ный указа́тель index; в ⁓ном поря́дке alphabetically, in alphabetical order.

алхи́ми‖к alchemist; ⁓ческий alchemic(al); ⁓я alchemy.

а́лч‖ность cupidity, greed, avidity (*for*) (*к деньга́м, сла́ве*); ⁓ный greedy, grasping, avid; ⁓ный челове́к greedy (grasping) man.

а́л‖ый light-red, scarlet, incarnadine; ⁓ая ро́за damask rose; цве́та ⁓ой ро́зы damask; ⁓о glowingly-red.

аль *см.* или.

альбатро́с *зоол.* albatross.

Альбе́рт Albert, *уменьш.* Al, Bertie.

альбин‖**и́зм** albinism; **~о́с** albino (*pl.*-nos).

Альбио́н Albion.

альбо́м album (*для фотографий, стихов*); sketch-book (*для набросков карандашом и пр.*); scrap-book (*для газетных и др. вырезок*).

альбуми́н *хим.* albumen.

альвео́л‖**а** alveolus, alveole; **~я́рный** alveolar.

альдеги́д aldehyde.

алько́в *арх.* alcove, recess.

альмана́х almanac, calendar.

альманди́н *мин.* almandite, almandine.

альпака́ alpaca (*зоол. и текст.*); argentan, German silver (*сплав*).

альпа́ри *комм.* at par (*об акциях, паях и пр.*).

аль‖**пи́йский** alpine; **~пини́зм** mountaineering, mountain-climbing; **~пини́ст** alpinist.

А́льпы the Alps.

альт alto, counter-tenor (*голос*); viola (*струнный инструмент*).

альтернати́в‖**а** choice; alternative; **~ный** *лог.* alternative, disjunctive.

альтерна́тор *техн.* alternator.

альти́ст violist.

альтруи́‖**зм** altruism, unselfishness; **~ст** altruist; **~сти́ческий** altruistic, unselfish.

а́льфа I. Alpha; a. и оме́га Alpha and Omega (*beginning and end*); a.-лучи́ alpha rays.

а́льфа II. *бот.* esparto, esparto grass.

Альфо́нс Alphonso.

Альфре́д Alfred, *уменьш.* Al, Alf.

алюми́н‖**иевый**, **~ий** aluminium; **~иевая** бронза aluminium bronze.

аляпова́т‖**ость** clumsiness, awkwardness; gawkishness; **~ый** clumsy, awkward, gawkish; **~ый** рису́нок coarse drawing; **~о** clumsily, awkwardly.

Аля́ска Alaska.

амазо́нка Amazon, horsewoman; riding-habit (*женское платье для верховой езды*).

Амазо́нка the Amazon.

Ама́лия Amelia.

амальга́м‖**а** amalgam; **~и́ровать** to amalgamate, unite, combine (*with*).

амара́нт *бот.* amaranth.

амба́р barn, granary (*в сельском хозяйстве*); warehouse, storehouse (*для хранения товаров*); складывать в a. to garner, store.

амба́рго *мор.* embargo; наложи́ть (снять) a. to lay an embargo on (to lift an embargo).

амби́ци‖**я** ambition; уда́риться в **~ю** *разг.* to ride the high horse.

а́мбра amber; се́рая a. ambergris.

амбразу́ра *военн.*, *арх.* embrasure.

амбулато́р‖**ия** out-patient department of a hospital; dispensary (*амер.*); вое́нная передвижна́я a. ambulance, hospital unit; **~ный** dispensary (*attr.*); **~ный** больно́й out patient; **~ный** приём dispensary reception (hours).

амво́н *арх.* tribune; *церк.* pulpit, ambo.

амёба *зоол.* amœba (*pl.*-bae,-bas).

амелиора́ция (a)melioration, land amelioration; improvement, betterment.

Аме́рика America, the New World.

америка́н‖**ец** American; он стал настоя́щим **~цем** he has become a perfect American, Yankee; *разг. амер.* he is perfectly yankeefied; **~и́зм** Americanism; **~ка** *см.* америка́нец; **~ский** American; вводи́ть **~скую** культу́ру to Americanize.

аметист *мин.* amethyst; **~овый** amethystine.

ами́д *хим.* amidin.

ами́л *хим.* amyl.

аминокислота́ aminoacid.

аммиа́к *хим.* ammoniac; **~чный** ammoniacal.

аммо́ни‖**й** *хим.* ammonium; '**~т** *геол.* ammonite.

амне́зия *мед.* amnesia, loss of memory.

амнист‖**и́ровать** *пол.* to amnesty; '**~ия** amnesty, oblivion, act of general pardon.

А́МО (*автомоби́льный заво́д им. Ста́лина в Москве́*) the Stalin Motor-Car Works in Moscow.

амора́льный amoral.

амортиза́‖**тор** *техн.* shockabsorber; **~ция** *экон.*, *юр.* amortization; **~и́ровать** to amortize.

аморф‖**ность** amorphousness; **~ный** amorphous, shapeless, formless, unorganized.

ампе́р (*единица тока*) ampere; **~ви́ток** ampere-turn; **~ме́тр** amperemeter; **~ча́с** ampere hour.

ампи́р Empire style (*стиль*).

амплиту́да *физ.* amplitude.

амплифика́ция amplification.

амплуа́ *театр.* type; capacity (*тэж. фиг.*).

а́мпула ampulla.

ампут‖**а́ция** amputation, abscission; ∼**и́ровать** to amputate.

Амстерда́м Amsterdam.

Амстерда́мск‖**ий:** ∼**ая междунаро́дная федера́ция профсою́зов** Amsterdam International Federation of Trade Unions.

Амто́рг Amtorg (Trading Corporation).

Аму́-Дарья́ the Amu-Daria.

амуле́т amulet, talisman, charm.

амуни́ция ammunition; munitions, supplies.

аму́р *миф.* Cupid.

Аму́р the Amur.

амфи́бия *зоол.* amphibia; amphibian (*тж. ав.*).

амфибра́хи‖**й** *прос.* amphibrach; '∼**ческий** amphibrachic.

амфитеа́тр amphitheatre; *театр.* dress circle.

Амье́н Amiens.

ан *разг.* on the contrary.

анабапти́‖**зм** anabaptism; ∼**ст** anabaptist.

анабио́з *биол., мед.* anabiosis.

анагра́мма anagramm.

анакреонти́ческий anacreontic.

ана́лиз analysis; *гр.* parsing; ка́чественный (коли́чественный) *a. хим.* qualitative (quantitative) analysis; математи́ческий (хими́ческий) a. mathematical (chemical) analysis; не поддаю́щийся ∼**у** unanalysable; ∼**и́ровать** to analyse; *гр.* to parse.

анали́ти‖**к** analyser; ∼**ка** *лог.* analytics; '∼**ческий** analytic(al).

анал‖**оги́чный** analogous; быть ∼**оги́чным** to correspond; ∼**о́гия** analogy; correspondence; по ∼**о́гии** by analogy, by parity of reasoning; проводи́ть ∼**о́гию** to draw an analogy.

анало́й *см.* нало́й.

анамне́з *мед.* anamnesis.

анана́с pine-apple; ∼**ная тепли́ца** pinery.

ана́пест *прос.* anapæst; ∼**и́ческий** anapæstic.

ан‖**архи́зм** anarchism; ∼**архи́ст** anarchist; ∼**архи́ческий** anarchaic; ∼**а́рхия** anarchy, anarchism; ∼**ap-хия капиталисти́ческого произво́дства** anarchy of capitalist production; вверга́ть в ∼**а́рхию** to reduce to anarchy; ∼**архосиндикали́зм** anarcho-syndicalism.

Анастаси́я Anastasia.

Анато́лия Anatolia.

ана́том anatomist; ∼**и́рование** anatomization, dissection; ∼**и́ровать** to anatomize, dissect; ∼**и́че-**

ский anatomic(al); ∼**и́ческий теа́тр** dissecting room (theatre); '∼**ия** anatomy, dissection; описа́тельная ∼**ия** descriptive anatomy.

ана́фем‖**а** anathema; предава́ть ∼**е** to anathematize.

анахоре́т anchoret, anchorite (*ж. р.* anchoress); hermit, recluse.

анахрони́зм anachronism; *разг.* out-of-date thing.

ангаж‖**еме́нт** *театр.* contract engagement; ∼**и́ровать** to engage, to invite.

Ангальт Anhalt.

анга́р hangar.

а́нгел angel; a. храни́тель guardian angel.

ангидри́‖**д** *хим.* anhydride; ∼**т** *мин.* anhydrite.

анги́на *мед.* quinsy, tonsillitis.

англ‖**изи́ровать** to anglicize; ∼**и́йский (язык)** English; ∼**и́йская боле́знь** rickets; *мед.* rachitis; ∼**и́йская соль** Epsom salt(s); ∼**ика́нский** Anglican; ∼**ика́нская це́рковь** the Church of England; ∼**ици́зм** Anglicism; ∼**ича́нин** Englishman; ∼**ича́нка** Englishwoman; ∼**ича́не** the English, the English people (*в противопол.* ирла́ндцам или валли́йцам).

А́нглия England.

англо‖**ма́н** Anglomaniac; ∼**ма́ния** Anglomania; ∼**ру́сский** Anglo-Russian; ∼**са́кс** Anglo-Saxon; ∼**саксо́нский (язык)** Anglo-Saxon; ∼**фи́л** Anglophil; ∼**фо́б** Anglophobe; ∼**фо́бия** Anglophobia.

Анго́ра Angora.

анго́рск‖**ий:** ∼**ая коза́** Angora goat; ∼**ая ко́шка** Angora cat; ∼**ая шерсть** Angora wool.

а́нгстрем *физ.* Angström unit (*едини́ца измере́ния*).

Андижа́н Andijan.

Андо́рра Andorra.

Андре́й Andrew, *уменьш.* Andy.

А́нды the Andes.

аневри́‖**зм** *мед.* aneurism; ∼**че-ский** aneurismal.

анекдо́т anecdote, story, tale; ∼**и́ческий**, ∼**и́чный** anecdotic(al).

анеми́‖**чный** an(a)emic, languishing; ∼**я** an(a)emia.

анемо́граф anemograph.

анемо́метр anemometer, wind-gauge (*ветроме́р*).

анемо́н *бот.* anemone.

анеро́ид aneroid (*баро́метр*).

анестези́‖**ровать** to anæsthetize; ∼**рующее сре́дство** anæsthetic; ∼**я** anæsthesia.

Анжели́ка Angelica.

Анжу́ Anjou.

анили́н *хим.* anilin(e); ∼овая краска aniline dye.

анимали́ст animal painter.

аними́зм animism.

ани́с *бот.* anise; ∼овый ликёр anisette; ∼овое семя aniseed.

я́нкер *техн.* anchor; ∼ный болт *техн.* rag-bolt; ∼ные плиты anchor plates; ∼ные часы lever watch, watch with a lever escapement.

анке́т‖а questionary, questionnaire, form; заполнить ∼у to fill in a form; ∼ный опрос getting information by means of questionaries.

А́нна Ann, Anna.

анна́лы annals, fasti, records.

Анна́м Annam.

анне́кси‖я annexation; приверженец политики ∼и annexationist; без ∼й и контрибуций without annexation or indemnity.

аннот‖а́ция annotation; ∼и́ровать to annotate.

аннули́рова‖ние annulment, nullification (*мандата и т. п.*); abrogation, abolition (*закона и т. п.*); cancellation (*долга, назначения и т. п.*); dissolution (*брака*); ∼ть to annul, nullify, to make invalid, cancel, abrogate, abolish.

аннунциа́тор *эл.* annunciator (*сигнальн. аппарат*).

ано́д *физ.* anode; ∼ный anode (*attr.*); ∼ная лампа anode lamp; ∼ное напряжение anode pressure.

анома́л‖ия anomaly; магнитная а. magnetic anomaly; умственная а. aberration; ∼ный anomalous.

анони́м anonym; ∼ность anonymity.

анони́м‖ный anonymous, nameless; ∼но anonymously.

ано́нс announcement, notice.

анорма́ль‖ность abnormality; ∼ный abnormal.

ано́фелес *энт.* anopheles.

анса́мбль *муз.* ensemble; general appearance (effect).

антаблеме́нт *арх.* entablement, entablature.

антагони́‖зм antagonism (*to*); ∼ст antagonist.

Антананари́во Tananarive.

Анта́нта *ист.:* Большая А. the (Triple) Entente; Малая А. the Little Entente.

антаркти‖ка the Antarctic (regions); ∼ческий antarctic.

Антве́рпен Antwerp, Anvers.

анте́нна *рад.* aerial antenna; *биол.* antenna (*насекомых*); рамоч-

ная а. loop aerial; веерная а. harp (fan) antenna.

антери́дии *бот.* antheridia (*муж. пол. органы споровых раст.*).

антецеде́нт antecedent.

анти- anti-.

антигигиени́чный insanitary.

антиимпериалисти́ческий anti-imperialistic.

анти́к antique; ∼ва́рий antiquary; antiquarian; ∼ва́рный antiquarian; ∼варный магазин curiosity shop.

антило́па *зоол.* antelope.

Анти́льские острова́ the Antilles.

антимарксо́стский antimarxian.

антимилитари́зм antimilitarism.

антинациона́льный antinational.

антино‖ми́чный antinomical; ∼мия antinomy.

антиобще́ственный antisocial.

Антиохи́я Antioch.

антипарти́йный anti-Party.

анти‖пати́чный antipathetic; ∼па́тия antipathy, dislike (*for*); почувствовать ∼па́тию to take (feel) a dislike (*for*).

антипири́н *мед.* antipyrine.

антипо́д antipode.

антирелигио́зн‖ый antireligious; ∼ая пропаганда antireligious propaganda.

антисанита́рный insanitary.

антисеми́т anti-Semite; ∼и́зм anti-Semitism; ∼и́ческий anti-Semitic.

антисе́пти‖ка antisepsis; ∼ческий antiseptic.

антисове́тский antisoviet.

антисоциа́льный antisocial.

антистрофа́ antistrophe.

антите́за antithesis.

антите́ло *физл.* antibody.

антитети́ческий antithetic.

антитокси́н antitoxin.

антифаши́стский antifascist (*attr.*).

анти́христ antichrist.

антихудо́жественный inartistic, unartistic.

антицикло́н anticyclone.

анти́чный antique.

анто‖логи́ческий anthological; ∼ло́гия anthology, garland.

Анто́н Anthony, *уменьш.* Tony.

Антони́на Antonia, *уменьш.* Tonie.

анто́новка sort of winter apple.

анто́нов ого́нь *см.* гангрена.

антра́кт entre'acte, interval.

антраце́н anthracene; ∼овое масло anthracene oil.

антраци́т anthracite, blind coal.

антраша́ gambol, gambado, gambade, caper; сделать a. to cut a caper.

антрекóт entrecôte.

антрепр‖енёр *театр.* managing director, director of the company; theatrical enterpriser; ~и́за theatrical enterprise.

антресóль *арх.* mezzanine.

антропó‖лог anthropologist; ~логи́ческий anthropologic(al); ~лóгия anthropology; ~ме́трия anthropometry; ~морфи́зм anthropomorphism; ~морфи́ческий anthropomorphic; ~фáг anthropophagus (*pl.*-phagi), cannibal; ~фáгия (*людоедство*) anthropophagy; cannibalism.

антурáж entourage.

анфилáда enfilade.

анфил‖áдный: a. огóнь *военн.* enfilade fire; ~и́ровать to enfilade.

анчáр upas(-tree); antiar.

анчóус anchovy.

аншлáг *театр.* full house; notice; спектáкль c ~ом the house was sold out.

аню́тины глáзки *бот.* pansy, heartsease.

аóрт‖а *анат.* aorta; ~ный aortic.

апартамéнт apartment.

апати́т *мин.* apatite.

апати́чный apathetic, torpid, languid; a. характер languid disposition.

апáтия apathy, indifference, insensibility.

апáш apache.

апелл‖и́ровать to appeal; a. прóтив решéния судá to appeal against the decision of the Court; ~и́рующий, ~я́нт appealer; ~яцио́нный суд Court of Appeal; ~я́ция appeal; отказáть в ~я́ции to deny an appeal.

апельси́н orange; ~овый цвет orange blossom; ~овая плантáция orangery; ~овое дéрево orange-tree.

апéндикс appendix.

апендици́т *мед.* appendicitis; подвéргнуться операции при ~e to be operated on for appendicitis.

Апенни́ны the Apennines.

апертýра *физ., мед.* aperture.

аперце́пция apperception.

апланати́‖зм *физ.* aplanatism; ~ческий aplanatic.

апликатýра *муз.* fingering.

апликáция application.

апликé plated (*о серебре и т. п.*).

аплоди́‖ровать to applaud; ~сме́нты applause, plaudit; бýрные ~сме́нты loud applause; a storm of applause.

апломб self-confidence, aplomb.

апогéй apogee, climax, culmination; a. благополýчия (слáвы) zenith of prosperity (power).

апокáлип‖сис Apocalypse, Revelation; ~ти́ческий apocalyptic.

апóкриф apocrypha (*pl.*-as); ~и́ческий apocryphal.

аполити́чный apolitical, uninterested in politics, politically indifferent.

апол‖огéт apologist; ~огети́ческий apologetical; ~óгия apologetics.

апоплéк‖сия apoplexy; ~ти́к apoplectic; ~ти́ческий удáр apoplectic stroke; егó хвати́л ~ти́ческий удáр he was struck with apoplexy.

апостерио́р‖и, ~ный a posteriori (*attr.*).

апóстол apostle; ~ьский apostolic.

апострóф apostrophe.

апофéма *мат.* apothem.

апофеóз apotheosis; glorification.

аппарáт apparatus (*о телефоне*); instrument; a. для вдыхáния inhaler; госудáрственный a. State apparatus; ми́нный a. torpedo-tube; парти́йный a. Party apparatus; совéтский a. Soviet apparatus; фотографи́ческий a. camera; ~ýра apparatus, gear.

аппети́т appetite; a. прихóдит во врéмя еды *погов.* appetite comes with eating; one leg of mutton helps down another; умéрьте свой a. moderate your appetite; лишённый ~a off one's feed; прия́тного ~a! good appetite!; срéдство для возбуждéния ~a appetizer; есть c ~ом to eat with appetite; to make a hearty meal.

аппети́тный appetizing.

апрéл‖ь April; 1-e ~я All-Fools' Day.

апретýр‖а finishing; ~щик finisher.

априóр‖и, ~ный à priori.

апроб‖áция approbation, approval; ~и́ровать to approbate, approve.

апрóши *военн.* approaches; *тип.* spaces left between words (*in type-setting*).

апси́да *арх.* apse, tribune.

апте́‖ка chemist's (shop), dispensary; пойти в ~ку to go to the chemist's; ~карский магази́н *амер.* drug-store; ~карь chemist, druggist; ~коуправлéние administration of dispensaries; ~чка portable medicine chest.

Апу́лия Apulia.

ар are (*мера*).

ара́б Arab(ian); **~е́ска** arabesque; **~и́ст** Arabist; **~ский** Arabian, Arabic; **~ский язык** Arabic; **~ская ло́шадь** Arab; **~ские цифры** Arabic numerals.

арави́йский Arabian.

Ара́вия Aravia.

ара́к arrack (*напиток*).

аракче́евщина *ист.* the Arakteheev regime.

Ара́льское мо́ре the Aral Sea.

араме́йский: а. язык Aramaic.

аранжиро́в‖ать *муз.* to arrange; **'~ка** arrangement.

ара́п *уст.* black, negro.

ара́пник whip (*a long whip-lash on a short flexible rod*).

арапчо́нок piccaninny.

Арара́т Mount Ararat.

араука́рия *бот.* araucaria, monkey-puzzle.

арба́ (canopied) bullockcart.

арби́тр arbiter, arbitrator; judge (*третейский судья*); umpire, referee (*в играх*); **~а́ж** arbitration; **~а́жный суд** Court of Referees (*третейский*); **~а́жная коми́ссия** Arbitration Committee.

арбу́з water-melon.

аргама́к Caucasian riding horse.

Аргенти́на Argentina.

аргенти́н‖ец, ~ский Argentine.

арго́ *лингв.* argot, jargon, cant, lingo.

арго́н *хим.* argon.

аргона́вт *миф.* argonaut.

аргуме́нт argument; **~а́ция** argumentation; **~и́ровать** to argue.

А́ргус Argus; **бди́тельный как А.** Argus-eyed.

Арде́нны the Ardennes.

аре́на arena; ring; **а. борьбы́** arena of contest, battlefield; **а. де́ятельности** field of action.

аре́нд‖а lease, tenantry; **долгосро́чная а.** long term(ed) lease; **краткосро́чная а.** short term(ed) lease; **сдава́ть в ~у** to rent, lease (*to*); **брать в ~у** to rent, lease; **брать сли́шком высо́кую ~у** to over-rent; **~а́тор** lessee, tenant, occupier, land- (lease-)holder; **~а́тор испо́льщик** metayer; положе́ние **~а́тора** tenancy; **~ный догово́р** lease; **~ная пла́та** rent(al); освобождённый от **~ной пла́ты** rent-free; **~ное пра́во** tenant-right; **~ó- ванный** leased, rented; **~ова́ть** to rent, lease, have a lease (*on*), have (hold) on lease.

арео́метр areometer.

аре́ст arrest, apprehension; **а.**

имущества *юр.* distress, distraint; **незако́нный а.** illegal arrest; **снять а.** to release; **наложе́ние ~а** arrestment; **о́рдер об ~е** writ of arrest; **быть под ~ом** to be under arrest; **~а́нт** convict; **~а́нтская уст.** lock-up; **~ный** arrest, apprehension (*attr.*); **~ова́ть, ~о́вывать** to arrest, take up; to take into custody (in charge); (*sl.*) to pinch.

ариерга́рд rear(-guard).

ари́й‖ец, ~йский Aryan.

Арима́н *миф.* Arimanes.

аристокра́т aristocrat, nobleman; **~и́зм** aristocratism; **~и́ческий** aristocratic(al); **~ия** aristocracy, nobility; **де́нежная ~ия** plutocracy; **рабо́чая ~ия** labour aristocracy; aristocracy of labour (*в империалисти́ческих стра́нах*).

Аристо́тель Aristoteles.

аритми́ч‖еский, ~ный arythmical.

арифме́ти‖ка arithmetic(s); **'~ческий арифметический**; **~ческая зада́ча** sum; **~ческая прогре́ссия** arithmetical progression; **сре́днее '~ческое** arithmetical mean.

арифмо́метр arithmometer, calculating machine.

а́рия aria, air.

а́рка arc, arch; **триумфа́льная а.** triumphal arch.

арка́да *арх.* arcade.

арка́н lariat, lasso; **лови́ть ~ом** to lasso.

А́ркос Anglo-Russian Co-operative Society.

А́рктика Arctic regions.

аркти́ческий arctic, northern.

арлеки́н harlequin; **~а́да** harlequinade.

армату́ра armature; **электри́ческая а.** electric fittings.

арме́‖ец *уст.* soldier (officer) in the line; **~йский** of the line.

Арме́ния Armenia.

а́рми‖я army, troops, force; **а. спасе́ния** Salvation-Army; **бе́лая а.** White Guard army; **де́йствующая а.** active army; **доброво́льческая а.** voluntary army; **Кра́сная а.** Red Army; **регуля́рная а.** regular (standing) army; **гла́вная кварти́ра ~и** head-quarters; **служи́ть в ~и** to be (serve) in the army.

армя́к peasant's (drab) overcoat.

армя́н‖ин, ~ка Armenian.

Армя́нская ССР The Armenian Soviet Socialist Republic.

армя́нский Armenian; **а. язык** Armenian.

арнау́тка *бот.* summer (*или* bearded) wheat.

áрника *мед.* arnica.

аромáт aroma, perfume, scent, odour, fragrance; ~**ичный** aromatic; ~**ный воздух** balmy air.

áрочный arch (*attr.*), vaulted, arched.

арсенáл arsenal; **морской** а. dock-yard.

арсéник *мед.* arsenic; **содержащий** а. arsenious.

артáч‖**иться** *разг.* to balk; to show unwillingness, restiveness, to jib (*о лошади*); ~**ливый** restive, stubborn; ~**ливая лошадь** jibber.

артезиáнский artesian; **а. колодец** artesian well.

артéль association for common work; company; «artel» (*в СССР*); **кустарная** а. association (artel) of handicraftsmen; **сельскохозяйственная** а. farmers' artel; ~**щик** member of an artel.

Артемúда *миф.* Artemis.

арт‖**ериáльный** *мед.* arterial; ~**ериосклерóз** arteriosclerosis; ~**éрия** artery; **сонная** ~**ерия** carotid; **затвердение** ~**éрий** hardening of the arteries.

артúкул *военн.* Articles of War.

артикуля́ция articulation.

артилл‖**ерúйский** *военн.*: ~**ерийский обоз** artillery-train; ~**ерийский парк** artillery park; ~**ерийский склад** ordnance depot; **тяжёлый** ~**ерийский огонь** drum-fire; ~**ерúйская установка** artillery mount; ~**ерúйское сражение** artillery engagement (fight); ~**ерúйские орудия** ordnance (*соб.*); ~**éрия** artillery; **зенитная** ~**ерия** zenith artillery; **крепостная** ~**ерия** garrison artillery; **лёгкая** ~**ерия** light artillery; **морская** ~**ерия** naval artillery; **тяжёлая** ~**ерия** heavy artillery, heavy metal; **устанавливать** ~**éрию в лагере** to park the artillery.

артúст artist; **драматический** а. actor; **заслуженный** а. a distinguished actor; **народный** а. the People's actor (*official honorary title in the USSR*); **оперный** а. opera singer; **балетный** а. ballet-dancer; ~**úческий** artistic(al); ~**úческая** (*комната*) green-room; ~**ка** artiste; actress (*драматическая*).

артишóк *бот.* artichoke.

артрúт *мед.* arthritis.

Артýр Arthur, *уменьш.* Art.

áрф‖**а** harp; **играть на** ~**е** to play (on) the harp; ~**úст**, ~**úстка** harpier, harpist.

архай‖**úзм** archaism, an obsolete idiom *or* word; ~**úческий** archaic.

архáнгел *рел.* archangel.

Архáнгельск Archangel.

архегóнии *бот.* archegonia (*жен. пол. органы споровых растений*).

археóграф archeograph; '~**ия** archeography.

археóлог archæologist; ~**úческий** archæologic(al); '~**ия** archæology.

архи- *в сложн.* arch-, multi-; ~**миллионер** multi-millionaire; ~**плут** arch-knave, arrant knave.

архúв archives, chancery; **государственный** а. Record Office; **сдать в** а. to place in the archives, to place among the records; ~**áриус**, ~**úст** archivist, keeper of records; ~**ный** archival.

архи‖**епúскоп** *церк.* archbishop; ~**ерéй** *церк.* bishop.

Архимéд Archimedes; ~**ов винт** Archimedean screw.

архипелáг archipelago.

архитектóника architectonics.

архитéкт‖**ор** architect; ~**ýра** architecture; ~**ýрный** architectural; ~**урный стиль** architectural style.

архитрáв *арх.* architrave.

арчáк saddle-tree.

аршúн *уст.* arshine; **мерить на свой** а. to measure other people's corn by one's own measure.

арьк channel for irrigation (*в Средней Азии*).

асбéст *см.* азбест.

асéпти‖**ка** asepticism; '~**ческий** aseptic.

асимметрú‖**ческий** asymmetrical; ~**я** asymmetry.

асимптóта *мат.* asymptote.

асинхрóнный asynchronous; а. **двигатель** asynchronous motor.

аскéт ascetic; ~**úзм** asceticism; ~**úческий** ascetic.

аспéкт aspect.

áспид I. *зоол.* aspic, asp.

áспид II. *мин.*, ~**ный**, ~**ная доска** slate; **цвета** ~**ной доски** slate-blue.

аспирáнт post graduate student; ~**ýра** post graduate studentship, post graduate course of study.

аспирáтор aspirator; suction pump.

аспирúн *мед.* aspirin; **порошок** ~**а** aspirin powder; **таблетка** ~**а** aspirin tablet (tabloid).

ассенизац‖**иóнный** sanitary; а. **обоз** sanitary brigade; '~**ия** sanitation.

ассигн‖**áция** banknote, note, *уст.* assignation; ~**овáние** assignation; ~**овáть** to assign, grant; **денежная** ~**óвка** assignment, grant.

ассимил‖и́ровать(ся) to assimilate; **~я́ция** assimilation; способный к **~я́ции** assimilative.

ассист‖е́нт assistant; **~и́ровать** to assist.

ассона́нс assonance.

ассортиме́нт assortment, choice, selection (*товаров*); принудительный a. forced assortment.

ассоци‖а́ция association; a. иде́й association of ideas; **~и́роваться** to associate, join, unite (*with*).

Ассуа́н Assuan.

Аста́рта *миф.* Astarte.

астени́я *мед.* asthenia.

астеро́ид *астр.* asteroid, planetoid.

астигмати́‖зм astigmatism; **~ческий** astigmatic.

а́стма asthma; '**~тик, ~ти́ческий** asthmatic.

а́стра *бот.* aster.

астрага́л *бот.* astragalus.

астра́льный astral.

А́страхань Astrakhan.

астро́лог astrologer; **~и́ческий** astrologic(al); **~ия** astrology.

астроля́бия astrolabe.

астроно́м astronomer; **~и́ческий** astronomic(al); **~ия** astronomy.

астрофи́зика astrophysics.

асфа́льт asphalt; покрыва́ть **~ом** *см.* асфальти́ровать; **~и́рование** laying with asphalt; **~и́ровать** to asphalt; to pave, cover with asphalt; **~овая** мостова́я asphalt pavement.

ась? *разг.* what?, eh?

ата́ва *см.* отава.

атави́‖зм atavism; **~сти́ческий** atavistic.

ата́к‖а attack, assault, charge, onrush, onset, rush on; возду́шная a. air attack (raid); га́зовая a. gas-attack; кавалери́йская a. charge of cavalry; ло́жная a. mock-charge; морска́я a. naval attack; штыкова́я a. bayonet charge; итти́ в **~у** to charge, attack; отрази́ть **~у** to beat off an attack; произвести́ **~у** to carry (deliver) the attack; та́ктика внеза́пных кавалери́йских ата́к shock tactics.

атакова́ть to charge, assault, rush; a. с фла́нга to take in flank; a. с ты́ла to take in rear.

атама́н ataman; **~ство** atamanship.

атеи́‖зм atheism; **~ст** atheist; **~сти́ческий** atheistic(al).

ателье́ studio, atelier.

Атланти́да Atlantis.

Атланти́ческий океа́н the Atlantic Ocean.

а́тлас (*географи́ческий и проч.*) atlas.

атла́с (*мате́рия*) satin; **~истый** satiny; **~ный** satin.

А́тлас *миф.* Atlas.

Атла́сские го́ры the Atlas Mountains.

атле́т athlete; **a.-боре́ц** wrestler; **~ика** athleticism; **~и́ческий** спорт athletics.

атмосфе́р‖а atmosphere; *фиг.* surrounding influence; a. дове́рия atmosphere of confidence and trust; дру́жественная a. congenial atmosphere; **~и́ческий** atmospheric; **~ное** давле́ние atmospheric pressure; **~ные** оса́дки atmospheric precipitation.

ато́лл *геогр.* atoll.

а́том atom; **~и́зм** atomism; **~исти́ческое** уче́ние atomic theory; **~ность** atomicity; '**~ный** вес atomic weight; '**~ная** тео́рия atomic theory; '**~ное** расщепле́ние splitting of atoms; **~ное** ядро́ atomic nucleus.

атони́‖ческий *мед.* atonic; **~я** atony.

атракцио́н attraction.

атрибу́т attribute; a. вла́сти attribute (ensign) of power; **~и́вный** attributive.

атропи́н *мед.* atropine.

атрофи‖́рованный atrophied; **~ роваться** to atrophy; **~я** *мед.* atrophy.

АТС *сокр.* automatic telephone station (exchange).

атташе́ attaché (*при посо́льстве*); вое́нный a. military attaché.

аттест‖а́т testimonial, character; **~а́ция** attestation, character; дать ду́рную **~а́цию** (*отзыв*) to give a bad character; **~ова́ть** to testify, certify.

атти́ческ‖ий Attic; **~ая** соль Attic salt.

аттракцио́н attraction.

ату́! at him!; sick him! (*на псово́й охо́те*).

ауди́енция audience.

аудито́ри‖я Room (*в университе́те*); auditory, audience (*слуша́тели*); auditorium (*теа́тр., конце́рт., университе́т. зал и пр.*); a., постро́енная амфитеа́тром (amphi)theatre; захвати́ть (увле́чь) **~ю** to hold (carry away) one's audience.

ау́к‖анье hallooing; **~ать, ~аться** to halloo.

аукцио́н auction; продава́ть с **~а** to sell by (put to) auction; про́дано! (*с аукцио́на*) gone!, sold!;

⤳ный зал auction room; ⤳щик auctioneer; молоток ⤳щика auctioneer's hammer; *амер.* gavel.

ау́л village (*in the Caucasus*).

аускульта́ция *мед.* auscultation.

а́ут *спорт.* out.

а́уто- *см.* авто-.

аутодафе́ auto-da-fe.

аутоинтоксика́ция auto-intoxication.

ауто́псия autopsy.

афа́зия *мед.* aphasia.

Афана́сий Athanasius.

афга́нец Afghan.

Афган‖**иста́н** Afghanistan; а⤳истанский Afghanistan.

афе́р‖**а** speculation; ⤳и́ст speculator; ⤳и́стка adventuress.

Афи́на Палла́да *миф.* Athene Pallas.

Афи́ны Athens.

афиня́н‖**ин,** ⤳ка Athenian.

афи́ш‖**а** bill, poster, placard; ⤳и́ровать to make a display of.

афори́‖**зм** aphorism; ⤳сти́ческий aphoristic.

А́фрика Africa.

африка́н‖**ец,** ⤳ский African.

Афроди́та *миф.* Aphrodite.

афро́нт insult, affront.

а́фты *мед.* aphthæ, thrush.

аффе́кт *псих.* affect; *мед.* temporary insanity; в состоянии ⤳а in a state of affect.

аффект‖**а́ция** affectation, pretension; ⤳и́рованный affected, pretentious; не ⤳и́рованный unaffected, unpretentious.

ах! ah!, oh!

а́х‖**анье** sighing; ⤳ать to ah and oh, to sigh; ⤳нуть не успел *разг.* before he could say Jack Robinson.

Ахилле́сов‖**а пята́** *фиг.* the heel of Achilles; ⤳о сухожилие *анат.* Achilles' tendon.

ахине́‖**я** nonsense; rot (*sl.*); *см. тж.* чепуха; нести ⤳ю to talk nonsense.

а́ховый *разг.* surprising; no good whatever.

АХР (*ассоциация художников революции*) Association of Artists (Painters) of the Revolution.

ахромати́‖**зм** achromatism; ⤳ческий achromatic.

а́хтерштевень *мор.* stern-post.

ахти́! alas!; не а. какой *разг.* not so very wonderful.

ацетиле́н *хим.* acetylene.

ацето́н *хим.* acetone.

Ашхаба́д Ashkabad.

аэро‖**бо́мба** air bomb; ⤳дина́мика aerodynamics; ⤳дро́м aero-

drome; ⤳ли́т aerolite; ⤳ло́гия aerology; ⤳ме́тр aerometer; ⤳метри́ческий aerometric(al); ⤳ме́трия aerometry; ⤳меха́ник aeromechanic; ⤳меха́ника aeromechanics; ⤳на́вт aeronaut; ⤳на́втика aeronautics; ⤳навти́ческий aeronautic(al).

аэропла́н aeroplane, airplane; twoseater (*двуместный*); passenger plane (*пассажирский*); battle-(war-)plane (*военный*); pusher (*с пропеллером сзади*); tractor (*с пропеллером впереди*); пустить а. to start the engine; *амер.* to swing the prop (*sl.*); грузить, сажать на а. to emplane; выгружать, высаживать с ⤳а to deplane; посадка ⤳а grounding; лететь на ⤳е to aviate, fly; место пилота на ⤳е cockpit; перевернуться на ⤳е to capsize; пробный полёт на ⤳е flying test, reliability trial; сделать крутой спуск на ⤳е to nose-dive; сделать петлю на ⤳е to loop the loop; сняться с земли на ⤳е to take off; спуститься на ⤳е to land, make a landing, take ground; терять равновесие на ⤳е to stall; шум, производимый ⤳ом drone; ⤳ы (air) craft (*собират.*).

аэро‖**по́чта** air mail; ⤳са́ни aerosleigh; ⤳се́в sowing from the aeroplane; ⤳ста́т (air) balloon; змейковый ⤳стат kite balloon; ⤳ста́тика aerostatics (*наука*); aerostation (*практика*); ⤳статический aerostatic; ⤳те́хника aerotechnics, aeronautical engineering.

аэрофотосъёмка vertical (aero) survey (*вертикальная*), oblique (aero) survey (*перспективная*).

Аяччо Ajaccio.

Б б *см.* бы.

ба́! oh!

ба́ба *пренебр.* woman, country-woman; *техн. см.* бабка; *фиг.* milksop, sissy (*о мужчине*); б.-яга ogress, witch, hag; бой-б. virago, termagant; каменная б. ancient rough hewn stone statue; ромовая б. rum cake; снежная б. snowman.

бабби́т babbit (*металл*).

ба́б‖**ий** womanish (*презр.*); ⤳ье лето Indian summer.

ба́бк‖**а** 1. *уст.* grandmother; повивальная б. midwife; 2. chestnut, pastern (*у лошади*); knucklebone (*игральная*); 3. *техн.* monkey (*для забивки свай*); mandrel, post (*токарная*); игра в ⤳и knucklebones, dibs.

ба́бник dangler after petticoats.

ба́бочка butterfly.

бабуи́н *зоол.* baboon.

бабу́к *зоол.* jerboa.

ба́бушк‖а grandmother, grandmama; *разг.* granny; это ещё б. надвое сказала we shall see!; ~и-ны сказки old wives' tales.

Баб-эль-Мандебский проли́в the Strait of Bab-el-Mandeb.

бава́рец Bavarian.

Бава́рия Bavaria.

бава́рский Bavarian.

бага́ж luggage; baggage (*амер.*); *военн.* impedimenta; б. сверх дозволенного веса overweight luggage, excess luggage; ручной б. small luggage; сдать вещи в б. to have one's luggage registered; умственный б. mental furniture; камера хранения ручного ~а на жел. дор. cloakroom, left-luggage room; ~ный вагон luggage van; ~ная квитанция luggage receipt; ~ная тележка truck.

Бага́мские острова́ the Bahama Islands.

Багда́д Baghdad.

баге́т material for framing; деревянный б. wood border.

бага́р boat-hook.

ба́гр‖ение spearing; ~ить to spear.

багро‖ве́ть to grow (get) red; ~вый blood-red.

багря́н‖ец purple; ~ик *бот.* Judas-tree; ~и́ца *уст.* royal purple.

багря́нка *зоол.* purpura.

багря́но-кра́сный scarlet.

багу́льник *бот.* marsh rosemary, marsh tea.

Ба́ден Baden.

бадья́ tub, bucket.

бадья́н *бот.* Chinese (*или* Star) anise.

ба́з‖а base (*тж. военн.*); б. колонны *арх.* pedestal; передовая б. advanced base; промежуточная б. intermediate base; экономическая б. economic basis; экскурсионная б. resting place for tourists; на ~е социализма on the basis of socialism.

база́льт basalt; ~овый basaltic.

база́р baza(a)r, market; она на ~е she's out marketing.

база́рный *фиг.* cheap; б. день market day.

Базе́дова боле́знь Basedow's disease.

Ба́зель Basel, Bâle.

базили́к *бот.* basil; ~а *арх.* basilica.

бази́ровать to base (*on*); ~ся to base oneself (*on*).

ба́зис base, basis (*pl.* bases).

ба́зовый basis.

ба́иньки *дет.* hushaby; пора б. time to go to bed (*или* to bye-bye).

бай rich landowner in Central Asia.

бай-бай *см.* баиньки.

байба́к *зоол.* bobac(k), polish marmot; *фиг.* one leading a solitary life; a lazy person.

байда́р(к)а canoe.

ба́йка baize; грубая ворсистая б. frieze.

Байка́л Lake Baikal.

ба́йков‖ый baize (*attr.*); ~ое одеяло blanket.

Байра́м Bairam.

Байре́йт Bayreuth.

Ба́йрон Byron; б~изм Byronism.

ба́йство class of rich landowners in Central Asia; *см.* бай.

бак cistern, tank; forecastle (*часть корабля*).

бакале́‖йный: ~йные товары groceries; ~йщик *уст.* grocer; ~я grocery.

ба́кан *мор.* beacon, (nun-)buoy; ставить б. to buoy.

бакау́т *бот.* lignum vitae.

ба́кборт *мор.* backboard.

бакенба́рд‖ы whiskers; длинные б. Dundreary whiskers; с ~ами whiskered.

ба́кены *см.* бакенбарды.

бак(к)ала́вр bachelor (*окончивший английский или американский университет с младшей степенью*).

баккара́ I. *карт.* baccarat.

баккара́ II. cut glass.

бакла́га wooden vessel, flask.

баклажа́н *бот.* eggplant, aubergine.

бакла́н *зоол.* noddy; большой б. cormorant.

баклу́ш‖и: бить б., ~ничать to dawdle, to loiter (*away*); to idle.

бактери‖о́лог bacteriologist; ~ологи́ческий bacteriological; ~ология bacteriology.

бакте́рия bacterium (*pl.* -ia).

Баку́ Baku.

бакши́ш baksheesh, gratuity, tip.

бакште́йн a kind of cheese.

бал ball, dance; б.-маскара́д masked ball; костюмированный б. fancy-ball, masked ball; ~ьный ball-; ~ьное платье ball-dress.

балабо́лка trinket; *фиг.* chatterbox.

балага́н booth (*лавка*); show-booth (*для представления*); *фиг.*

buffoonery, low farce; ~ить to fool about; to play the fool; ~щик showman.

балагу́р joker, merry fellow; ~ить to jest, joke; ~ство jesting, joking.

балала́||ечник balalaika player; ~йка balalaika.

баламу́тить to trouble, to stir up (*воду*); to render muddy, muddle; *фиг.* to disturb, disconcert, trouble.

бала́нс *комм. и лесн.* balance; б. счетов balance-sheet; подвести б. to strike a balance; ~ир *техн.* bob; ~и́ровать to balance; to counter-balance.

Балаха́ны Balakhana.

балахо́н kind of loose overall.

балбе́с dunce; ~ничать to idle away one's time.

балда́ knob; *техн.* heavy hammer; *фиг.* blockhead, dolt.

балдахи́н baldachin, canopy; tester (*над постелью*).

Балеа́рские острова́ the Baleares, Balearic Islands.

балери́на ballet-dancer.

бале́т ballet; ~ме́йстер ballet-master; ~ный танцо́вщик, ~ная танцо́вщица ballet-dancer; ~ома́н lover of ballet, ballet fan.

ба́лка I. ravíne (*овраг*).

ба́лк||а II. beam, girder, rafter; joist; outrigger (*выступающая у здания*); анкерная б. tie-beam; решётчатая б. lattice-girder; клёпанные ~и riveted girders; прокатные ~и rolled girders.

балка́нский Balkan.

Балка́нский полуо́стров the Balkan Peninsula.

Балка́ны the Balkans.

балко́н balcony (*тж. театр.*); ~ная дверь French window.

балл mark; *мет.* point.

балла́да ballad.

балла́ст ballast; *фиг.* something superfluous and bulky; грузить ~ом to ballast.

балли́сти||ка ballistics; ' ~ческий ballistic.

балло́н *мед.* rubber bulb syringe; *техн.* balloon.

баллоти́ров||ание ballot, poll; голос за (против) при ~ании ay, aye (no, *pl.* noes); ~а́ть to ballot, poll; ~а́ться to stand for, to be a candidate for (*на должность*); ' ~ка ballot, poll, vote; лишённый права голоса при ' ~ке excluded from the poll.

ба́лов||анный spoiled (*ребёнок*); ~а́ть to spoil, pet; ~а́ть(ся) to be up to mischief, to be naughty (*шалить*); ~а́ть(ся) с огнём to play

with fire; ~ень pet; ~ень судьбы minion of fortune; быть о́бщим ~нем to be a general pet, to be the craze; ~ни́к naughty child, scape-grace; one who spoils (children) by over-indulgence; ~ство́ over-indulgence (*потакание*); mischievousness, naughtiness (*шалость*).

балти́йский Baltic.

Балти́йское мо́ре the Baltic sea.

Балтимо́ра Baltimore.

балтфло́т Red Baltic fleet.

балы́к cured back of sturgeon.

бальза́м balm, balsam; *бот.* Balm-mint; кана́дский б. Canada balsam; копа́йский б. copaiba; ~и́н *бот.* balsamin; ~и́рование embalment; ~и́ровать (*труп*) to embalm; ~иро́вщик embalmer; ~и́ческий balsamic.

бальнео́||лог balneolog; ~логи́ческий balneological; ~ло́гия balneology; ~терапи́я balneotherapy.

ба́льный *см.* бал.

балюстра́да balustrade (*террасы*), banisters (*лестницы*).

баля́с||ина baluster; ~ник prater; ~ничать to prate.

бамбу́к bamboo; ~овая трость bamboo cane.

бана́льн||ость banality, platitude, commonplace; ~ый banal, common, commonplace, trite; де́лать ~ым to hackney.

бана́н, ~овое дерево banana.

ба́нда band, gang.

банда́ж bandage; *техн.* tyre; грыжевой б. truss; ~и́ст bandage-maker.

банде́роль wrapper; посыла́ть ~ю to send by book-post (*противопол.* parcel-post).

ба́нд(ж)о banjo.

банди́т gangster; bandit, bravo (*pl.* -s); ша́йка ~ов gang; ~и́зм banditry.

банду́р||а bandore; ~и́ст bandore-player.

банк bank (*тж. карт.*); акционерный б. joint-stock bank; Государственный б. State Bank; держа́ть (срыва́ть) б. *карт.* to keep (to break) the bank; класть (де́ньги) в б. to bank (money); учётный б. discount bank; быть клиентом б. to bank with.

ба́нк||а I. jar; *мед.* cup, cupping glass; апте́чная б. gallipot; консе́рвная б. tin for preserves; ле́йденская б. Leyden jar; ста́вить ~и *мед.* to cup.

ба́нка II. *геогр.* bank, shoal (*отмель*).

ба́нка III. *мор.* bank, thwart (*сиденье для гребца*).

банкабро́ш *текст.* flyer.

банке́т banquet; *воен.* banquette, firing-step; устраивать б., участвовать в ~e to banquet; участник ~a banqueter.

банк||и́р banker; ~и́рский дом banking-house.

банкно́та banknote.

ба́нк||овский *см.* банковый; ~овская счётная книжка pass-book; ~овый bank, banking; ~овый аккредитив circular note; ~овый служащий bank official, (bank) clerk.

Банко́к Bangkok.

банкоме́т banker, croupier.

банкро́т bankrupt (*тж.* злостный); объявлять ~ом to declare someone defaulter (bankrupt); to hammer; ~ство bankruptcy; *фиг.* failure, inefficiency.

ба́нник *воен.* sponge.

ба́нно-пра́чечный (трест) bathhouse and laundry (trust).

бант bow, knot, top-knot; ~свяя складка (*на платье и пр.*) plait, pleat; закладывать ~овые складки to plait, pleat.

ба́н||щик bath-house attendant; rubber; ~я bath (*часто pl.* -s), bath-house, bagnio; кровавая ~я blood-bath, carnage; паровая ~я steam (hot-air *или* Turkish) bath; задам ему ~ю I will give it him hot.

баоба́б baobab; плоды ~a monkey-bread.

бапти́||зм sect of Baptists; ~ст Baptist; dipper (*sl.*).

Бапти́ст Baptist.

баптисте́рий baptist(e)ry.

бар bar, *амер.* saloon (*ресторан*); bar, sand-bank across the mouth of a river (*мель*); служащая ~a barmaid.

бараба́н drum; *техн.* reel, revolver (*в машине*); barrel (*в часах*); б. для записей recording drum; б. для наматывания проволоки coiling drum; бить в б. to drum; турецкий б. double drum; кожа ~a drumhead; ~ить to drum, to beat a drum; ~ить на рояле to bang the piano; ~ить пальцами to drum with fingers; to beat (tap) the (a) devil's tattoo; ~ить по ч.-л. to drum (on), thrum; ~ный бой beat of the drum, tattoo; ~ная палочка drumstick; ~ная перепонка tympanic membrane, *разг.* eardrum.

бараба́нщик drummer.

бара́к barrack; *воен.* hut; жить в ~ax to hut.

бара́н ram; sheep (*pl.* sheep); *техн.* battering-ram; кастрированный б. wether; ~ина mutton; молодая ~ина lamb; тушёная ~ина с картофелем Irish stew, hotchpotch; ~ья голова с фаршем jemmy; ~ья кожа sheepskin; roan (*для переплётов*); ~ья котлета mutton-chop (*отбивная*).

бара́нка ring-shaped baked dough.

бара́нок *техн.* plane.

бара́нчик *бот.* cowslip.

барахло́ *разг.* jumble, trash.

барахта||ние flounder; ~ться (*в воде, в грязи и пр.*) to flounder, welter, dabble, puddle, wallow (*in water, in mud etc.*).

бара́ш||ек young ram, lamb; б. на вербе *бот.* catkin; ~ки (*облака*) fleece; ~ки на море white horses; небо, покрытое ~ками fleecy (mackerel) sky; ~ковый lambskin (*attr.*); ~ковая шапка lambskin cap.

Барба́дос Barbados.

барбари́с barberry; ~овый куст barberry bush.

барбе́т *воен.* barbette.

барбо́с *разг.* dog's name.

барбу́лька mullet (*рыба*); большая б. surmullet.

барви́нок *бот.* periwinkle.

бард *поэт.* bard.

бард||а́ grains and distillery wash; откармливаемый ~о́й distillery-fed.

барелье́ф bas-relief, low relief.

Ба́ренцово мо́ре the Barents sea.

ба́ржа barge; *воен.* pinnace.

ба́рий *хим.* barium; хлористый б. barium chloride.

ба́рин *уст.* gentleman, nobleman; sir (*в обращении*); жить ~ом to live like a lord.

бари́т *хим.* barytes, heavy spar.

барито́н barytone, baritone.

ба́рич *уст.* nobleman's son; master (*уст. в обращении*).

ба́рка bark, barque, barquentine.

баркаро́лла *муз.* barcarole (*песнь гондольера*).

барка́с barge, launch.

барко́ут *мор.* main wales, wale.

баро́кко baroque (*стиль*).

баро́метр barometer, weatherglass; металлический б. aneroid (barometer); ртутный б. mercurial barometer; б. поднимается (падает) the barometer is rising (falling); ~и́ческий barometric(al).

баро́н baron; ~есса baroness; ~ет baronet, *сокр.* Bart.; звание ~ета baronetage, baronetcy; ~ский baronial; ~ское поместье, ~ство barony.

бароско́п baroscope.

ба́рочни∥к barge-man; owner of a barge; ~ый груз freight carried on barges.

баррика́д∥а barricade; строить ~у to barricade; строить ~ы на улице to block the street with barricades; защищать ~ами to defend with barricades; ~и́ровать to barricade, block; ~и́роваться to barricade oneself.

барс a variety of the panther, snow leopard.

ба́р∥ский уст. seignorial; ~ская спесь haughtiness, arrogance; жить на ~скую ногу to live like a lord; (по-)~ски lordly; ~ственный lordly; ~ство gentility (тж. фиг. и ирон.).

барсу́к badger; охота на ~á badger-baiting.

бархáн sandy hillock.

ба́рхат velvet; неразрезной б. terry (velvet); торговец, торговля ~ом mercer, mercery; ~и́стый velvety; ~ка velvet ribbon; ~ный velvet; ~ное платье velvet dress; ~цы бот. African marigold.

барч∥о́нок, ~у́к см. барич.

ба́рщина ист. work done by a serf for his lord; corvée.

ба́рыня уст. lady, nobleman's wife; mistress; сокр. Mrs; madam; madame.

барыш profit, gain; ирон. lucre; не до ~á, была бы слава хороша посл. a good name is better than riches; он получил несколько тысяч чистого ~a he cleared several thousands; ~ник jobber, profiteer; лошадиный ~ник horsecoper, horsedealer; ~ничать to job; ~ничество jobbery.

ба́рышня уст. girl, young girl, young lady, unmarried lady; Miss (с именем или фамилией).

барье́р barrier; б. ложи ledge; б. на скачках hurdle; эта лошадь берёт б. в 5 футов this horse can clear 5 feet.

бас bass (голос, певец); ~и́стый голос bass, deep sounding voice; ~и́ть to speak (sing) in a deep sounding voice.

баск Basque.

баскетбо́л спорт. basket ball.

басма́ч basmatch (bandit belonging to counter-revolutionary kulak bands in Central Asia); ~ество outlawry, banditism, banditry (in Central Asia).

басн∥описец fabulist; ~осло́вный fabulous; legendary, incredible, passing belief; ~осло́вно fabulously и пр.; '~я fable; lie, idle talk; рассказывать '~и to fable; соловья '~ями не кормят посл. a fine cage won't feed the bird; см. тж. соловей.

басо́∥вый: б. ключ муз. bass-clef; ~к муз. bass-string (струна).

басо́н galloon, tape; ~щик one who makes galloon.

бассе́йн reservoir; б. реки basin; разг. watershed; б. для плаванья swimming-bath; каменноугольный б. coal-fields.

Ба́ссов проли́в Bass Strait.

бáста! enough! that'll do.

Басти́лия Bastille.

бастио́н воен. bastion.

баст∥ова́ть to strike, to go out; б. за повышение заработной платы to strike for higher pay; б. из-за продолжительности рабочих часов to strike against long hours; углекопы ~уют the miners are on strike (are out).

бастр brown sugar.

басту́ющий s. striker; a. on strike.

басурмáн уст. pagan, non-Christian; ~ский pagan; ~ство, ~щина paganism.

Батáвия Batavia.

батал∥и́ст painter of battle pieces; '~ия battle, fight, engagement; '~ьная живопись battle painting.

баталья́н военн. battalion; командир ~a battalion commander.

батаре́я battery; б. отопления central heating radiator; б. сухих элементов эл. dry battery; брешь-б. военн. breach battery; гальваническая б. galvanic battery; запасная б. depot-battery; мортирная б. mortar-battery; пловучая б. floating battery; прикрытая б. masked battery; электрическая б. battery, pile.

ба́тенька разг. my dear sir, old chap, old dad (в обращении); ~и! см. батюшки.

бати́ст, ~овый cambric, lawn, batiste.

бато́∥г stick, rod, cudgel; ~жо́к maul-stick, rest-stick.

бато́н long loaf of bread.

батрá∥к farm-labourer; hind, hired labourer; фиг. mere hireling; ~цкий farm hand, farm-labourer (attr.); ~чество condition of farm labourers; ~чить to work as a farm hand (a hind); to do hack work; ~чка (female) farm-labourer.

ба́||тька, ~тюшка father, dad; ~~ тюшки! dear me!; oh dear!; ~тя *см.* батюшка.

бау́л trunk; ~ьчик small trunk.

Баффи́нов зали́в Baffin Bay.

Баффи́нова земля́ Baffin-Island.

бахва́л braggart, boaster, swaggerer; ~иться to bluster, brag, rodomontade; ~ьство bluster, brag, rodomontade; gas (*sl.*).

бахром||а́ fringe (edging formed into tassels), thrum; украша́ть ~о́й to fringe; де́лать ~у́ to knot; '~ча́тый fringy; '~щик fringe-maker.

бахч||а́ melon-plot, melon-field; ~ево́дство cultivation of melons, cucumbers *etc.*; ~евы́е культу́ры crops of melons *etc.*

бац! bang!, slapbang!; plonk! (*о бро́шен. предме́те*); plop! (*о вы́стреле*); б. ему́ в глаз hit him slap in the eye; ~ать to bang, hit.

баци́лла bacillus (*pl.* -lli).

ба́цнуть *см.* бацать.

ба́шен||ка turret; ~ные часы́ tower clock.

башибузу́к bashi-bazouk.

башк||а́ *вульг.* head; *разг.* pate, noddle, sconce; nob (*sl.*); глупа́я б. blockhead; пуста́я б. addle brains *или* pate, empty pate; уда́рить по ~е́ to give a crack on the sconce.

башки́р, ~ский Bashkir.

Башки́рская АССР the Bashkir Autonomous Soviet Socialist Republic.

башкови́тый *вульг.* sharp, keen witted; *амер.* brainy.

башлы́к Caucasian hood.

башма́к||ъ shoe (*тж. техн.* = тормозно́й б.); деревя́нный б. clog, sabot; сва́йный б. iron shoe; гру́бые ~ки́ brogues; я себе́ купи́ла но́вые ~ки I've bought a new pair of shoes; ~чник shoemaker; cobbler (*почи́нщик*); ~чничать to cobble.

ба́шня tower; б. в за́мке donjon; водонапо́рная б. water-tower; враща́ющаяся б. для ору́дий *военн.* cupola, turret; силосная б. silo tower, сторожева́я б. watch-tower.

башта́н *см.* бахча.

баю-ба́й *см.* бай-бай, баюшки-баю.

баю||ка́ние lulling; ~кать to lullaby.

ба́юшки-баю lullaby (*песнь*).

баяде́рка buyadere.

ба́ян ancient Slavonic minstrel; kind of accordion.

ба́ять *разг.* to say, talk, tell.

бди́тельн||ость vigilance; watch, watchfulness; усилим классовую б. greater class vigilance; ~ый vigilant, watchful, wakeful, alert, unslumbering; *фиг.* open-eyed; ~o vigilantly, watchfully, wakefully, alertly, unslumberingly; with open eyes.

Беатри́са Beatrice, Beatrix; *уменьш.* Beattie.

бег run; *военн.* double (quick) time, at the double; б. на ме́сте stationary running; б. на расстоя́ние sprint; бы́стрый б. career; состяза́ние в ~е foot-race; ~á *pl.* the races; пуска́ть на ~a (ло́шадь) to run (a horse); быть в ~áх to be in hiding; ~ать to run (about); ~ать взапу́ски to chase; ~ать за к.-л. to run, dangle after; ~ать от к.-л. to avoid; ~ающий cursorial (*о пти́цах*); ~ающие глаза́ restless eyes.

бегемо́т hippopotamus.

бегл||е́ц fugitive, runaway; б. из тюрьмы́ prison breaker; '~ость fluency; '~ый fugitive, runaway (*бежа́вший*); fluent (*свобо́дный, бы́стрый*); ~ый взгля́д glance, momentary look; ~ый осмо́тр cursory inspection; ~ый по́черк running hand; '~oe замеча́ние a passing remark; ~oe чте́ние fluent reading; ~o fluently.

бего||во́й: б. ипподро́м race-course; ~ва́я ло́шадь race-horse; '~м running; он прибежа́л ~м he came running; ~м марш! *военн.* double march! (*кома́нда*); ~мéр hodometer.

бего́ния *бот.* begonia.

бегот||ня́ scamper, bustle; (hurry-)scurry, running; у меня́ мно́го ~ни́ I've such a lot of running to do.

бе́гство flight, hasty retreat, scamper; пани́ческое б. stampede; позо́рное б. scuttle; б. войск disarray; обрати́ть в б. to put to flight (to rout); обрати́ться в б., спаса́ться ~м to take to flight, to flee.

бегу́||н runner; *техн.* runner, traveller; б. на расстоя́ние спри́нтер; ~но́к *ж.-д.* pilot truck wheel; ~чий такела́ж *мор.* running rigging.

бед||á misfortune, trouble, ill luck, mishap, harm, scrape; predicament, plight (*тяжёлое положе́ние*); б. не прихо́дит одна́ *посл.* misfortune never (seldom) comes single; it never rains but it pours; в том-то и б. there is the rub; лиха́ б. нача́ло *послов.* it is the first step that costs; не велика́ б., что за б., э́то ещё не б. there is no great harm in that; быть ⌐е́! there's sure to be trouble; в ⌐е in trouble; как на ⌐у́ to make matters worse; на ⌐у unfortunately, unhappily; накликать ⌐у *фиг.* to be a screech-owl; попасть в ⌐у to come to grief, to get into trouble *или* into a scrape; семь бед—один ответ *погов.* in for a penny in for a pound; as well be hanged for a sheep as for a lamb.

беде́кер guide book, Baedeker.

бедла́м bedlam.

бедне́ть to grow poor.

бернова́тый poorish.

бе́дн∥ость poverty, indigence, penury, poorness, bareness; ⌐ота́ poverty, destitution; the poor, the submerged tenth (*беднейший класс*); poor peasants; комитет ⌐оты́ Committee of Poor Peasants; ⌐ый 1. *s.* pauper; закон о вспомоществовании ⌐ым poor-law; в пользу ⌐ых for the benefit of the poor; дом призрения ⌐ых poor-house; кружка для сбора в пользу ⌐ых poor-box; 2. *a.* poor, indigent, penurious, badly off; ⌐ый по замыслу, содержанию barren, jejune; ⌐о poorly; scantily (*скупо*); ⌐яга poor wretch (fellow, man); ⌐яжка poor soul, poor little thing; ⌐як poor (poorest) peasant; ⌐яцкий poor; ⌐яцко-середня́цкий belonging to the poor and middle class peasant.

бедо́∥вый mischievous; full of pranks, full of fun and mischief; naughty (*о детях*); ⌐во mischievously; ⌐кур one who is up to mischief; ⌐куритъ to be up to mischief, to play pranks.

бедрене́ц *бот.* yarrow, common milfoil (*Achillea*); burnet (*Poterium Sanguisorba*).

бе́др∥енный femoral; ⌐енная кость thigh-bone, femur; ⌐о́ hip, thigh, femur; ham, haunch (*у животных*); ⌐яно́й *см.* бедренный.

бе́дств∥енный calamitous, disastrous; быть в ⌐енном положении to be hard up; to be under hatches; ⌐ие calamity, disaster, distress, affliction; tribulation, plague, scourge; ⌐ие причинённое неурожаем the distress caused by bad harvest; неожиданное ⌐ие unexpected disaster; thunderbolt; стихийное ⌐ие huge (elemental, unpreventable) calamity; сигнал ⌐ия с корабля distress gun; ⌐овать to live in great poverty; to be in distress, in need.

бедуи́н bedouin.

бе́ж∥а́ть *см.* бегать; to run, to course; to flee, scuttle (*от врага, опасности и пр.*); б. за кем-л. to run after; б. из тюрьмы to escape from prison; б. рысью to trot; б. с военной службы to desert; б. сломя голову, со всех ног to run for one's life; время ⌐и́т time slips by; горячая вода ⌐и́т из крана hot water runs from the tap.

бе́жен∥ец, ⌐ка refugee.

без 1. without (*против.* with); б. друзей without friends; б. оговорок without reserve; ясно б. слов goes without saying; to: б. 5 минут 6 five minutes to six; minus, less: год б. 3 дней a year less three days; no: б. вольностей none of your impudence!; б. глупостей! no nonsense now!; б. даты *библиогр.* no date, *сокр.* n. d.; 2. *приставка;* придаёт обыкн. *значение, противоп. значению того же слова без этой приставки или аннулирующее его, и соответствует англ.* in-, ir-, -less, un-: бездеятельный inactive; безукоризненный irreproachable; бездетный childless; беззаконный unlawful; *слова, не помещённые под без,- безо-, см. под соответствующим словом без этой приставки.*

безакци́зный free of excise.

безала́бер∥ность lack of order (system, plan); ⌐ный acting without the least system, unsystematic, unmethodical; ⌐но inconsistently; ⌐щина *см.* безалаберность.

безалкого́льный temperance (*attr.*); б. напиток temperance drink; soft drink (*амер.*).

безапелляцио́нн∥ый peremptory, without appeal (*о приказании, требовании и пр.*); ⌐о peremptorily.

безбе́дн∥ость competence; sufficiency; ⌐ый secure, comfortable; ⌐о securely, comfortably.

безбиле́тный: б. пассажир stowaway.

безбо́ж∥ие atheism, ungodliness; ⌐ник atheist; ⌐ническое движение atheistic movement; ⌐ный atheistic(al), irreligious, ⌐но impiously.

безболе́зненн∥ость painlessness; ⌐ый painless; ⌐о painlessly.

безборо́дый beardless.

безбоя́зненн∥ость fearlessness, daring, bravery; ⌐ый fearless, daring, brave; ⌐о fearlessly, daringly, bravely.

безбра́ч‖ие celibacy, single life; *биол.* agamy; человек, давший обет ~ия celibate; сторонник ~ия celibatarian; ~ный celibate, single; celibatarian; *биол.* agamous.

безбре́ж‖ность vast, infinite; ~ный shoreless, boundless, unlimited; ~ье *см.* безбрежность.

безбро́вый browless.

безбу́рный stormless, calm.

безве́рье unbelief, disbelief.

безве́сти‖ость obscurity; ~ый unknown (*to*), obscure.

безве́тр‖енный calm, windless; ~ие calm, want of wind.

безви́нн‖ый guiltless, innocent; ~о guiltlessly, innocently.

безвку́с‖ие, ~ица, ~ность tastelessness, insipidity; tawdriness; ~ный tasteless, insipid, savourless; *фиг.* tasteless, unrefined; tawdry (*крикливо безвкусный*); ~ное платье dress without taste; ~но tastelessly, insipidly.

безвла́жный without moisture.

безвла́ст‖ие anarchy; ~ный powerless.

безво́д‖ность aridity; ~ный arid, dry; *хим.* anhydrous; ~ье *см.* безводность.

безвозвра́тн‖ость irrevocability; ~ый irrevocable; ~о irrevocably.

безвозду́шн‖ый airless; ~ое пространство vacuum.

безвозме́здн‖ый gratuitous, free of charge (cost); ~о gratis, free of charge, for nothing.

безволо́сый hairless, bald.

безво́л‖ие deficiency of will; weak will; ~ный weak willed, lacking firmness.

безвре́дн‖ость harmlessness, innocuousness, innocence; ~ый harmless, innocuous, innoxious, innocent; ~ое лекарство innocent (innocuous) medicine; ~о harmlessly *и пр.*

безвре́мен‖ность inopportuneness, prematureness, prematurity; ~ный untimely; inopportune, premature; ~но untimely; inopportunely, prematurely; ~ье confusion, anarchy.

безвые́здн‖ый, ~о never leaving; он жил там ~о 4 года he never left the place during 4 years.

безвы́ходн‖ость state of helplessness; hopelessness (*положения*); ~ый hopeless, desperate; having no way out (no issue); в ~ом положении in a helpless (hopeless) position, in a most critical state; ~о hopelessly; desperately, having no way out.

безгла́вый headless, acephalous.

безгла́зый eyeless, (one) without an eye.

безгла́сный mute, voiceless.

безголо́вый headless; stupid, brainless (*глупый*); forgetful (*забывчивый*).

безголо́сый voiceless.

безгра́мотн‖ость illiteracy, illiterateness; ignorance; политическая б. political illiteracy; ликвидация ~ости abolition of illiteracy; ~ый illiterate, unlettered, ignorant; ~ый человек illiterate; ~ое письмо ungrammatical letter; ~о: вы ~о пишете your spelling is bad.

безграни́чн‖ость infinitude, unboundedness, limitlessness; ~ый infinite, limitless, unbounded; ~ое невежество abysmal ignorance; ~о infinitely *и пр.*

безгре́шн‖ость impeccability; innocence; ~ый impeccable, sinless, innocent; ~о impeccably, sinlessly, innocently.

безда́нно-беспо́шлинно *ист.* without paying the entry duties; *фиг.* without rhyme or reason.

безда́рн‖ость want of talent; talentlessness; giftlessness; ~ый ungifted.

безде́йственный *см.* бездействующий.

безде́йств‖ие inaction, inactivity, inertness, slack, standstill; ~овать to remain inactive, to slack(en); ~ующий inactive, inert, passive.

безде́л‖ица trifle; ~ка, ~ушка knick-knack, gew-gaw, bagatelle, toy, kick-shaw; ~ушки *pl.* knick-knackery.

безде́ль‖е idleness, slothfulness, indolence; ~ник idler, loafer, do-nothing; shirker, fainéant; ~ничание idling, loafing; mike (*sl.*); ~ничать to idle, loaf, dally; to fiddle, potter (*about*); ~нический idle, indolent.

безде́не‖жность impecuniosity, lack of money; ~ный impecunious, penniless; ~ье *см.* безденежность.

безде́тн‖ость childlessness; ~ый childless.

бездефици́тный self-supporting, causing no deficit.

безде́ятельн‖ость inaction, inactivity, passivity; ~ый inactive, passive; stagnant, inoperative; ~о inactively, passively; stagnantly, inoperatively.

бе́здна chasm, gulf, deep, abyss; б. волнений, горя a sea of troubles; б. забот a thousand and one cares.

бездо́ждие want of rain.

бездоказа́тельный not proved, not based on evidence.

бездо́ль||е unluckiness; **~ный** unfortunate, unlucky; *бот.* acotyledonous; **~ное** *бот.* acotyledon.

бездо́мн||ик waif; **~ый** houseless, homeless; **~ые** дети waifs and strays; **~ые** скитальцы homeless wanderers.

бездо́нный bottomless; *фиг.* fathomless, unfathomable, abysmal.

бездоро́ж||ный pathless, impassable; **~ье** roads admitting no transit *or* travel; по такому **~ью** мы туда и вовек не доедем we'll never reach there by these impassable roads.

бездохо́дн||ость profitlessness; **~ый** profitless.

безду́ш||ие, **~ность** soullessness; heartlessness, want of feeling; **~ный** soulless, heartless, spiritless; **~но** soullessly, heartlessly, spiritlessly.

безды́мный smokeless.

бездыха́нн||ость lifelessness, breathlessness; **~ый** no longer breathing, lifeless, breathless.

безе́ *кул.* meringue.

безжа́лостн||ость pitilessness, mercilessness; relentlessness, ruthlessness; **~ый** pitiless, merciless; relentless, ruthless, unpitying; **~о** pitilessly *и пр.*

безжи́зненн||ость lifelessness, inanimation; spiritlessness, insipidity; **~ый** lifeless, inanimate; spiritless, insipid; **~о** lifelessly *и пр.*

беззабо́т||ливость, **~ность** lightheartedness, carelessness, recklessness; **~ный** light-hearted, careless, reckless, unconcerned; **~ливо**, **~но** light-heartedly, carelessly.

беззаве́тн||ый supreme; **~ая** преданность supreme fidelity; **~о** supremely, extremely.

беззако́н||ие iniquity; **~ник** one who breaks a law, transgressor; **~ничать** to act against the law; **~ность** lawlessness, illegality (*противозаконность*); **~ный** lawless, iniquitous, regardless of (contrary to) law; illegal (*противозаконный*); **~но** lawlessly, iniquitously, contrary to law; illegally.

беззаро́дышевый *бот.* inembryonate.

беззасте́нчив||ость barefacedness, shamelessness; **~ый** barefaced, shameless; impudent, Machiavellian; **~ый** человек a cool hand, an unabashed person; **~ая** ложь a barefaced lie; **~о** barefacedly, shamelessly.

беззате́й||ливый, **~ный** simple, uninvolved, unadorned.

беззащи́тн||ость defencelessness; indefensibility; **~ый** defenceless, unprotected.

беззвёздный starless.

беззву́чн||ость noiselessness, dullness; **~ый** noiseless, soundless, silent; **~о** noiselessly *и пр.*

безземе́ль||е want of land; **~ный** 1. landless, lackland; 2.: **~ный** (крестьянин) lackland; Иоанн Б**~ный** *ист.* John Lackland.

беззло́б||ие kind-heartedness, good nature; **~ный** bearing no malice.

беззу́бый toothless; *зоол.* edentate.

бези́к *карт.* bezique.

беззлепестко́вый *бот.* apetalous.

безле́с||ие woodless tract; **~ный** woodless.

безли́кий faceless.

безли́ст||венный, **~ный**, **~ый** leafless.

безли́чн||ость impersonality; **~ый** impersonal (*особ. о глаголе, употребл. только в 3-м лице ед. ч.; напр.* it snows); **~ый** человек one lacking personality (individuality); **~о** impersonally.

безлоша́дный horseless.

безлу́нный moonless.

безлю́д||ный desolate, uninhabited, scantily populated, cleared of people; **~ье** scantiness (deficiency) of population.

без-ма́ла almost, nearly.

безме́н steelyard; б. (на пружине) spring-balance.

безме́рн||ость immeasurableness, immensity, excess, enormity; **~ый** immense, immeasurable, enormous, extreme; **~о** immensely, immeasurably *и пр.*

безме́стный without a place, having no place.

безмо́згл||ость brainlessness, silliness, stupidity; **~ый** brainless, silly, stupid; **~о** brainlessly *и пр.*

безмо́лв||ие silence, stillness, speechlessness; **~ный** silent, speechless; **~ное** обещание implicit promise; **~но** silently, speechlessly; **~ствовать** to be silent, never to utter a word.

безмото́рный motorless.

безмяте́ж||н||ость serenity, sereneness, imperturbability, placidity; **~ый** serene, placid, undisturbed, imperturbable, tranquil, quiet; ~о serenely *и пр.*

безнадёжн‖ость hopelessness, despair; hopeless (desperate) state; ~ый hopeless, despairing, desperate; ~ая болезнь a desperate illness; доктора признали его ~ым the doctors have given him up; ~о hopelessly *и пр.*

безнадзо́рный without supervision (surveillance).

безнака́занн‖ость impunity, freedom from punishment; ~ый free from punishment, unpunished; ~о with impunity.

безнали́чный: б. расчёт payment by cheque, without cash.

безнасле́д‖ие want of heirs; ~ный without posterity.

безнача́л‖ие anarchy, disorder; ~ьный anarchic(al); having no beginning, source *or* origin; ~ьственный having no chiefs.

безно́гий (one) without feet *or* without legs, footless; *зоол.* apod.

безно́сый (one) without a nose.

безнра́вственн‖ость immorality, wickedness; ~ый immoral, wicked, unprincipled, ill-principled, reprobate; ~ый образ жизни a life of dissipation; ~ый человек reprobate; ~о immorally, wickedly.

безо́ *см.* без.

безоби́дн‖ость inoffensiveness, harmlessness; ~ый inoffensive, harmless, unoffending; ~о inoffensively *и пр.*

безо́блачн‖ость cloudlessness; *фиг.* serenity; ~ый cloudless; *фиг.* serene; ~ое счастье an unclouded happiness; ~о cloudlessly; *фиг.* serenely.

безобра́з‖ие infamy, ugliness (*о внешности*); unseemliness; что за б.! what a shame, infamy!; ~ить to disfigure, mutilate; ~ник one behaving in an unseemly manner; ~ничать to behave in an unseemly (unbecoming) manner; to be up to mischief (*о детях*); ~но monstrously, hideously.

безобра́зность want of form.

безобра́зность unseemliness.

безобра́зный unseemly, hideous, ugly.

безобро́чный *ист.* free (exempt) from the poll-tax.

безогово́рочн‖ый unconditional, unrestricted, unreserved; ~о unconditionally *и пр.*

безопа́слив‖ость incautiousness; ~ый incautious; ~о incautiously.

безопа́сн‖ость safety, security; комитет общественной ~ости Committee of Public Safety; (находиться) в ~ости (to be) out of danger, out of harm's way; ~ый safe, secure, not dangerous; ~ая нагрузка safety-weight; ~ые спички safety-matches; ~о safely, not dangerously.

безору́жный unarmed, without arms, defenceless.

безоснова́тельн‖ый groundless, unfounded; ~о groundlessly *и пр.*

безостано́вочн‖ость ceaselessness; ~ый unceasing, ceaseless, incessant; ~ый перелёт non-stop flight; ~о unceasingly *и пр.*; without a stop (interruption).

безо́стный *бот.* awnless.

безотве́тн‖ость mildness, timidity; ~ый mild, timid, lamblike.

безотве́тственн‖ость irresponsibility, unaccountableness; ~ый irresponsible, unaccountable; ~о irresponsibly, unaccountably; поступать ~о to play fast and loose.

безотвя́зный haunting.

безотгово́рочный without excuse.

безотлага́тельн‖ость urgency; ~ый urgent, pressing; ~о urgently, pressingly, without delay.

безотло́жность *см.* безотлагательность.

безотлу́чн‖ость constant presence; ~ый constantly (continually) present; ~о never leaving; он ~о находился при больном he never left the patient.

безотме́нн‖ый irrevocable; ~о irrevocably.

безотноси́тельн‖ость the state (quality) of being irrespective; ~ый irrespective (*of*); ~о irrespectively, without reference to.

безотра́дн‖ость desolateness, disconsolateness, dee) affliction; ~ый desolate, disconsolate; ~о desolately, disconsolately.

безотчётн‖ость unaccountableness, unconsciousness; б. поступка the unconsciousness of an action; ~ый unaccountable, unconscious; ~о unaccountably, unconsciously, without being aware (*of*).

безоши́бочн‖ость faultlessness, infallibility, certainty; ~ый faultless, infallible, inerrable, unerring, correct; ~о faultlessly *и пр.*

безрабо́т‖ица unemployment; ~ный unemployed, out of work (of a place); jobless (*амер.*); ~ные the unemployed.

безра́достно sadly.

безразде́льн‖ый inseparable; complete, entire; ~о inseparably *и пр.*

безразли́ч‖ие indiference, apathy, insensibility (*to*); nonchalance; **~ный** indifferent, listless, apathetic, insensible (*to*), nonchalant; **~но** indifferently, apathetically, insensibly (*to*), nonchalantly; **~но** как бы дело ни обернулось no matter how things may turn out; мне **~но** it is all the same to me; относиться **~но** not to care a straw *или* two straws (a groat).

безрассу́дничать *см.* безрассудствовать.

безрассу́д‖ность *см.* безрассудство; **~ный** reckless, rash, foolhardy, blind, temerarious, unreasonable; hare-brained; **~но** recklessly *и пр.*; **~ство** recklessness, rashness, foolhardiness; *лит.* temerity; **~ствовать** to act rashly (recklessly, inconsiderately); *фиг.* to ride for a fall, go blind.

безрезульта́тн‖ость futility; vainness; **~ый** futile, vain, without result; **~о** in vain, to no effect, without result.

безре́льсовый without rails; б. транспорт road transport.

безрессо́рный without springs.

безро́г‖ий hornless; б. вол, **~ая** корова *и пр.* poll-beast, pollard.

безро́дный without kindred.

безро́потн‖ость resignation, submissiveness, endurance; **~ый** resigned, submissive, unmurmuring; **~о** resignedly *и пр.*; like a lamb.

безрука́вка sleeveless garment.

безру́кий one having no arm(s); armless; *фиг.* clumsy, unhandy, awkward; butter-fingers.

безры́бь‖е lack of fish; на **~и** и рак рыба *посл.* among the blind the one-eyed is king.

безубы́точн‖ый, **~о** without any losses.

безу́гольный without coals.

безугло́вный having no angles.

безуда́рный (*о звуке, слоге*) unstressed, unaccented; *фон.* atonic.

безуде́рж‖ность impetuosity, impetuousness; impulsiveness; **~ный** impetuous, impulsive, unrestrained; **~ный** поток impetuous current; **~но** impetuously *и пр.*

безукори́зненн‖ость irreproachability, irreproachableness, blamelessness, faultlessness; **~ый** irreproachable; unimpeachable; **~ая** честность unimpeachable honesty; **~ое** поведение unexceptionable conduct; **~о** irreproachably.

безу́м‖ец madman, maniac; **~ие** insanity, frenzy, lunacy, craziness (*болезнь*); extravagant folly, extreme foolishness (*безрассудство*); доводить до **~ия** to craze; любить до **~ия** to love to distraction, to dote upon; любящий до **~ия** doting; **~ный** crazy, insane, mad, frantic, hare-brained; он как **~ный** he behaves like one frenzied, he seems to be off his head; **~ные** глаза the eyes of a madman; **~ные** цены exorbitant (extravagant) prices; **~но** insanely, madly, frantically; *разг.* awfully; я **~но** устал I'm awfully tired.

безумо́л‖ку incessantly, uninterruptedly; '**~чный** (*о шуме, говоре и пр.*) incessant, never ceasing; '**~чно** *см.* безумолку.

безу́мство *см.* безумие; **~вать** to act insanely (recklessly); to behave like one frenzied.

безупре́чн‖ость, **~ый** *см.* безукоризненность, безукоризненный.

безуря́дица disorder, confusion.

безусло́вн‖ость absoluteness; certainty; **~ый** absolute, categorical, positive; unconditional, irrespective; **~ое** доказательство positive proof; **~ое** требование categorical demand; **~о** undoubtedly, absolutely *и пр.*

безуспе́шн‖ость unsuccessfulness, failure; **~ый** unsuccessful, vain; **~ое** начинание an unlucky undertaking; **~о** unsuccessfully, (all) in vain.

безуста́‖ли untiringly, unceasingly; '**~нный** indefatigable, untiring; incessant; '**~нно** indefatigably *и пр.*

безу́сый having no moustache; *фиг.* very young, green.

безуте́шн‖ость disconsolateness; **~ый** inconsolable, disconsolate; **~о** inconsolably, disconsolately.

безу́хий without one *or* both ears, earless.

безуча́ст‖ие, **~ность** indifference, unconcern; impassibility, apathy; **~ный** indifferent, unconcerned, impassible, neutral, cold; **~ный** взгляд a vacant look; **~но** indifferently *и пр.*

безъязы́чный tongueless; *фиг.* dumb, speechless.

безыде́йный lacking ideas.

безызве́стн‖ость uncertainty, obscurity; **~ый** unknown, obscure.

безым‖е́нный, **~я́нный** nameless, innominate; anonymous; б. палец ring-finger (*на левой руке*); б. труд anonymous work.

безынтере́сный uninteresting.

безыску́ственн‖ость artlessness; simplicity, simpleness; ingenuousness; ∼ый artless; simple; ingenuous; unsophisticated, inartificial; naïve; ∼о artlessly и пр.

безысхо́дн‖ость the state (property) of being everlasting; ∼ый everlasting, perpetual, continual; ∼ое го́ре inconsolable grief.

бей bey (туре́цкий).

бе́йдевинд мор. close-hauled.

Бейру́т Beirut.

бек спорт. back.

бека́р муз. natural, cancel.

бека́с snipe pl., sing.; стреля́ть ∼ов to go snipe-shooting; ∼и́нник small shot.

беке́ша a kind of short winter overcoat.

бе́кон bacon, gammon (копчёная груди́нка); ∼ный заво́д bacon factory; bacon plant (амер.).

Бе́лград Belgrade.

белемни́т геол. belemnite; a thunderstone.

беле́н‖а́ бот. henbane (Hyoscyamus niger); что ты, ∼ы объе́лся? have you gone crazy?

бел‖ёный bleached; ∼е́нье тка́ней bleaching; ∼е́нье во́ска, мета́ллов blanching.

белесова́‖тость whitishness; ∼тый whitish.

беле́‖ть to grow white, to whiten; ∼ющий albescent.

бе́ли мед. leucorrh(o)ea, the whites.

белиберда́ nonsense, absurdity; rot (sl.); кака́я б.! what rot!

белизна́ whiteness, white; snow.

бели́ла: б. для полиро́вки Paris white; б. свинцо́вые white lead; космет. ceruse; б. ци́нковые zink white; б. жемчу́жные космет. pearl-powder.

бели́‖льный: б. порошо́к, ∼льная и́звесть bleaching powder, chloride of lime; ∼льня bleachery; ∼льщик bleacher, blancher; ∼ть to whiten; ∼ть зда́ние, сте́ну и пр. to whitewash; ∼ть мета́лл, воск to blanch; ∼ть ткань to bleach.

бе́л‖ичий squirrel (attr.); б. мех squirrel fur; calabar; ∼ка squirrel; bunny (кличка).

белко́в‖ина albumen; хим. albumin; '∼ый albuminous.

белладо́нна бот. bella-donna, Deadly Nightshade.

беллетри́ст belletrist, writer of fiction; ∼ика fiction, belles lettres, writings of a purely literary kind; ∼и́ческий belletristic.

бело- white.

белобанди́т one belonging to a White Guard band.

бело‖боро́дый white-bearded, grey-bearded; ∼бры́сый разг. having white (colourless) eye-lashes and eye-brows, fair-haired; ∼брю́хий having a white belly; ∼ва́тый whitish; ∼во́й экземпля́р fair (clean, transcribed) copy; ∼воло́сый white-haired, fair.

белогварде́‖ец, ∼йский white guard.

белоголо́вец бот. meadow-sweet.

бело‖голо́вый white-headed; grey-haired; ∼гри́вый having a white mane.

Бе́лое мо́ре the White Sea.

белозёрск‖ий from Beloozero; ∼ие снетки́ Beloozero smelt.

бел‖о́к хим. albumen; б. яйца́ white (of an egg), glair; б. гла́за white (of the eye); сма́зывать ∼ко́м to smear (overlay) with glair, to glair.

бело‖кали́льный incandescent, white-hot; ∼ка́менный (обыкн. в сочета́нии: Москва́ белока́менная; уст.) built of white stone.

белокопы́тник бот. butterbur.

белокро́вие мед. leucœmia.

беловур‖ость fairness; ∼ый fair, blond.

белоли́цый fair-skinned; having a fair complexion.

белоподкла́дочник ист. young snobbish dandy.

белору́сс Byelorussian.

Белору́ссия Byelorussia.

Белору́сская ССР the Byelorussian Soviet Socialist Republic.

белору́сский Byelorussian.

белору́чка kid-glove, one who shirks work; fine gentleman (lady).

белоры́бица white fish.

белосне́жный snowy, snow-white.

белоте́лый fair-skinned.

белоту́рка a variety of wheat.

белоу́сый having a white moustache.

белошве́‖йка seamstress, sempstress; a needle (sewing) woman; ∼ная мастерска́я seamstress's establishment (workrooms).

белоэмигра́нт white guard emigrant.

белу́га beluga, great sturgeon.

Белуджиста́н Baluchistan.

белу́ха зоол. white whale.

бе́л‖ый 1. white; б. гриб an edible kind of fungus; б. лист бума́ги a blank sheet of paper; б. с чёрным black and white; pied; б. терро́р white terror; б. у́голь white coal (water power); ∼ая эмигра́ция white emigration; ∼ое духове́нство secular clergy; ∼ое мясо white meat; одетый во всё ⁓ое dressed in white; среди ⁓ого дня in broad daylight; на ⁓ом свете in the wide (in the great) world; ⁓ые стихи blank verses; 2. *тж. полит.* a White; ⁓ые the Whites (*противопол.* the Reds).

бельведер belvedere.

бельги‖ец, ⁓йский Belgian.

Бельгия Belgium.

бель‖ё linen; under-clothes, under-clothing, underwear; *дет. pl.* undies; б., собранное для (пришедшее из) стирки washing; постельное б. bed-linen; столовое б. table-linen; ⁓евой linen.

бельмес *разг.:* он ни ⁓а не смыслит he doesn't understand a darn thing.

бельм‖о wall-eye; у него б. на глазу he has a wall-eye; он у меня как б. на глазу *фиг.* he is an eyesore to me; что ⁓а уставил? *вульг.* what are you staring at?

Бельфаст Belfast.

бель-этаж first floor (1-й этаж ground floor); *театр.* dress-circle.

беляк (*заяц*) white hare.

беляна a sort of barge on the Volga.

белянка a sort of mushroom; fair-faced woman.

бемоль *муз.* flat.

Бенарес Benares.

Бенгальск‖ий залив the Bay of Bengal; б. огонь Bengal light; б⁓ая свеча paper tube.

бенедиктин benedictine (*ликёр*); ⁓ец Benedictine.

бенефи‖с benefit(-night); я ему устрою б. *фиг.* I'll give him what for!; I'll curl his whiskers!; ⁓с-ный спектакль benefit performance; ⁓циант beneficiary; ⁓ция *ист.* benefice, living; жаловать ⁓цией to collate.

бензель *мор.* seizing, lashing.

бенз‖ин *хим.* benzine, petrol; ⁓и-нохранилище benzine tank; ⁓ой *хим.* benzoin; ⁓ойный benzoic; ⁓ол *хим.* benzol(e), benzene.

бенуар *театр.* boxes on the level of the stalls.

бергамот bergamot.

Берген Bergen.

берданка Berdan's rifle (*formerly used in the Russian army*).

бёрдо *техн.* the reed of a weaver's loom.

бердыш *ист.* pole-axe.

берег shore, water-side; *лит.* stand; б. канала canal bank; б. моря sea-shore, coast; отлогий б.

моря beach; б. реки (*особ. пологий*) bank; высокий, крутой б. bluff; б., затопляемый приливом fore-shore; наскочить на б. *мор.* to ground; ветер с ⁓а off shore wind; держаться близ ⁓а to coast (hug the shore); держаться дальше от ⁓а *мор.* to clear off the land; достичь ⁓а to get (come) ashore; недалеко от ⁓а off shore; итти к ⁓у *мор.* to make for the shore; к ⁓у landward(s), ashore, shoreward; на ⁓у on shore, ashore.

берегись *см.* беречься; б.! look out, take care!; caution!, beware of.

берегов‖ой water-side (*attr.*); б. ландшафт water-side landscape; ⁓ая линия coastal line; ⁓ая оборона coast(al) defence.

бередить to rip up, irritate; б. старые раны to re-open old sores.

бережёный well protected; *см.* осторожный.

береж‖ливость thrift, parsimony, economy, frugality; ⁓ый thrifty, parsimonious, frugal, saving, economical; ⁓о thriftily, economically.

береж‖ность cautiousness, caution, heed, prudence; ⁓ый cautious, careful, heedy; ⁓о cautiously, heedily, with care.

берёза birch; плакучая б. weeping birch.

Березина the Beresina.

березн‖к birch grove.

берёзов‖ик a kind of edible mushroom; ⁓ый birch(en); угостить ⁓ой кашей to birch, to give a flogging.

берейтор riding-master.

берёменеть to conceive (child), to become pregnant (*with*).

берё‖мен‖ная pregnant woman; pregnant (big) with child; *разг.* in the family way; with young (о *животных*); сделать ⁓ной to impregnate; сделаться ⁓ной to become pregnant; to get with child; ⁓ность pregnancy, gestation (period); ложная ⁓ность false pregnancy.

берёст‖а birch-bark; ⁓овый birch-bark (*attr.*), made of birch-bark.

берестяный *см.* берестовый.

берет beret, tam-o'-shanter; *сокр.* tammy.

берё‖чь to take care of, to look after; to respect, spare; б. свое здоровье to take care of one's health; б. свои силы to spare one self; копейка рубль ⁓жёт *посл.* look after the pence and the pounds will look after themselves *или* many a little makes a mickle; ᴖчься to guard (*against*), to beware, mind; ᴖгитесь воров! beware of pick-pockets!

бери-бери *мед.* beriberi.

берилл *мин.* beryl; ᴖий *хим.* beryllium, glucinum.

Берингов пролив Bering Strait.

берковец *уст.* weight of 360 lbs.

беркут *зоол.* golden eagle.

Берлин Berlin.

берлинская лазурь Prussian blue.

берлога den, haunt, lair.

Бермудские острова the Bermuda Islands.

Берн Bern.

Бернард Bernard, *уменьш.* Barney.

бернштейнианство Bernsteinism.

Берта Bertha, *уменьш.* Berty.

бертолетова соль potassium chlorate.

берцов‖**ый** crural; больше-б. tibial; мало-б. fibular; большая ᴖая кость shin(-bone), tibia (*pl.* -æ); малая ᴖая кость fibula (*pl.* -æ).

бес demon, devil, the Evil One; какой в тебя б. вселился? *вульг.* what possesses you?; рассыпаться мелким ᴖом to wheedle, to ingratiate oneself with.

бес- *см.* **без-**.

бесед‖**а** conversation, talk, colloquy; провести ᴖу to lead a discussion.

беседка arbour, summer-house, bower; б., украшенная вьющимися растениями pergola.

беседовать to converse, to talk (together).

бесёнок a little devil, imp, hobgoblin.

бесить to enrage, madden; to drive mad; ᴖся to run mad, rage, rave, storm; с жиру ᴖся *разг.* not to know what one wants.

бесклассов‖**ый** classless; ᴖ ое общество classless society.

бескозыр‖**ный** *карт.*: ᴖ ая игра a hand in no trumps.

бесконечн‖**ость** infinitude, infinity, the infinite, eternity; ᴖ ый infinite, endless, without end, interminable, everlasting; ᴖ ый винт *техн.* endless (perpetual) screw; ᴖ ая кольцевая цепь *техн.* endless chain; ᴖ ое пространство infinite space; ᴖ ые возможности infinite possibilities; ᴖ ые заседания interminable conferences; ᴖ о infinitely, endlessly, without end,

interminably, everlastingly; ᴖ о-малая величина *мат.* infinitesimal value.

бесконтрольн‖**ый** uncontrolled; ᴖ о without control.

бескормица want of fodder.

бескорыст‖**ие, ᴖ ность** disinterestedness; ᴖ ный disinterested; ᴖ но disinterestedly.

бескостный boneless.

бескров‖**ие, ᴖ ность** an(a)emia, bloodlessness.

бескровный I. an(a)emic, bloodless.

бескровный II. roofless, homeless; having no parents and no relatives.

бескручинный free from anxiety, trouble.

бескрылый wingless.

беснова‖**ние** raging, raving, frenzy; ᴖ тый demoniac; possessed of an evil spirit, lunatic; ᴖ ться to rage, storm, to act in an uncontrolled fashion, to let oneself go.

бесов‖**ский** demonic, diabolic (-al); ᴖ щина devilry.

беспалубн‖**ый** undecked; ᴖ ое судно open boat.

беспалый without fingers, without toes.

беспамят‖**ность** forgetfulness; ᴖ ный forgetful, having a poor memory (*забывчивый*); unconscious (*без сознания*); в ᴖ ном состоянии in an unconscious state; он становится ᴖ ным his memory is getting poor; ᴖ ство unconsciousness; впасть в ᴖ ство to lose consciousness; в ᴖ стве unconscious.

беспардонн‖**ый** desperate; ᴖ ая голова desperado.

беспартийный *a.* non-party, independent; *s.* non-party man.

беспаспортный having no passport.

беспатентный unlicensed.

бесперебойн‖**ый** without interruption; ᴖ ое снабжение regular supply.

бесперевóдный non transferable.

беспеременн‖**ый** changeless, unchangeable; ᴖ о changelessly, unchangeably.

беспересадочный through; б. билет a through ticket.

бесперый featherless.

беспечальный *см.* беззаботный.

беспечн‖**ость** unconcern, carelessness, heedlessness; ᴖ ый unconcerned, careless; secure; ᴖ ое существование a secure life; ᴖ о unconcernedly *и пр.*

бесплáнов‖ость planlessness; lack of plan; ~ый planless.

бесплáтн‖ость gratuitousness; ~ый free (of charge), gratuitous; ~ый билет free ticket; ~ая школа free school; ~о free of charge, gratis, gratuitously.

бесплéменный without kindred.

бесплóд‖ие sterility, infertility, infecundity, barrenness; ~ность fruitlessness, futility; ~ный sterile, fruitless, barren, infertile; abortive, ineffectual; *бот.* acarpous; делать ~ным to sterilize; ~но sterily *и пр.*; *фиг.* in vain.

бесплóтн‖ость incorporeity; ~ый incorporeal, immaterial, unbodied.

бесповорóтн‖ость irreversibility, irrevocability; ~ый irreversible, irrevocable; ~о irreversibly, irrevocably.

бесподóбн‖ость peerlessness; ~ый unrivalled, inimitable, beyond comparison; second to none; ~о beyond comparison, unsurpassably.

беспозвонóчн‖ый invertebrate, spineless; ~ое животное *зоол.* invertebrate.

беспокó‖ить to trouble, bother, harass, disturb; ~иться to worry, fret (*о к.-л.*), to be uneasy (*about*), to be anxious (*about, for*); не ~йтесь don't trouble.

беспокóй‖ный restless, fidgety, agitated; б. взгляд a troubled (an anxious) look; б. ребёнок a troublesome child; б. сон troubled (restless) sleep; б. человек a fidget; ~ное море turbulent sea; у меня ~ное состояние I've got the fidgets; ~но restlessly, in an agitated manner; ~ство worry, unrest, trouble, bother; disturbance, turmoil; причинять ~ство to disturb, worry.

бесполéзн‖ость uselessness, inutility; ~ый useless, inutile, unavailing, unprofitable; ~ое начинание *разг.* fool's errand; ~о of no avail, no use; ~о разговаривать it's no use talking.

бесполóсный *уст.* landless.

беспóл‖ый sexless, asexual; *бот.* neuter; *биол.* agamous.

беспомéстный *см.* бесполосный.

беспóмощн‖ость helplessness; ~ый helpless; *фиг.* palsied; он совсем ~ый he is quite palsied; быть в ~ом состоянии to be in a helpless state; ~о helplessly.

беспонятный unintelligent.

беспопóв‖ец *ист.* member of a religious sect which recognizes no priests; ~щина such a religious sect.

беспорóчн‖ость immaculacy, faultlessness; ~ый immaculate, pure, blameless, spotless; ~о immaculately *и пр.*

беспорядок disorder, confusion; mess, huddle; untidiness; приводить в б. to disarrange, disturb; производить б. to mess up; в ~ке in disorder, all in a tumble, off the hinges, at sixes and sevens, higgledy-piggledy; в каком ~ке комната! what a mess the room is in!; what a bear-garden!; ~ки *пол.* disorder, riots, disturbances.

беспорядочн‖ость promiscuity; ~ый disorderly, irregular, promiscuous; hugger-mugger, rough-and-tumble; ~ая груда, куча *и пр.* huddle; ~о all anyhow, confusedly, helter-skelter, pell-mell.

беспосéвный unsown.

беспóчвенн‖ость groundlessness; ~ый groundless, unfounded, without a sound basis; ~ое обвинение fictitious accusation; ~о groundlessly, unfoundedly, without a sound basis.

беспóшлинн‖ый, ~о free of duty (charge); ~ая торговля free trade.

беспощáдн‖ость mercilessness, relentlessness; ~ый unmerciful, unsparing, merciless, pitiless, relentless; ~ый критик merciless critic; ~о unmercifully *и пр.*

беспрáв‖ие lawlessness, arbitrariness, want of justice; ~ный lawless, arbitrary.

беспредéльн‖ость boundlessness, illimitableness; infinity; ~ый illimitable, limitless; infinite; ~о illimitably, limitlessly, infinitely.

беспредмéтный objectless, aimless.

беспрекослóвн‖ость incontrovertibility, indisputability; ~ый incontestable, incontrovertible; ~ое повиновение an absolute submission; ~о incontestably, incontrovertibly.

беспрепятственн‖ый unimpeded, unobstructed, unhampered, clear of obstruction; ~о free to, at liberty, without hindrance; вы можете ~о заниматься чем хотите you are free to do what you like.

беспрерыв‖ность continuity, perpetuity; ~ый continual, continuous, perpetual, incessant; unremitting; ~о continually, perpetually, incessantly, unremittingly, continuously; without ceasing, on end; ~о в течение трех недель for three weeks on end.

беспреста́нность perpetuity, perpetualness.

беспри́быльн‖ый profitless, unprofitable; ~о profitlessly, unprofitably; without benefit or gain.

бесприда́нница a dowerless girl.

беспризо́рн‖ость dereliction; ~ик см. ~ый ребёнок; ~ый derelict; uncared for; homeless; ~ый ребёнок gutter (snipe) child, wastrel, waif, homeless child, street араб; ~ые дети waifs and strays.

бесприме́рн‖ость the state of being unexampled; incomparability; б. его поведения his atrocious behaviour; ~ый unexampled, unprecedented, unheard of; ~о without example.

беспри́месный unalloyed, pure; unmixed with any other substance; neat (о спиртных напитках).

беспринци́пн‖ость unscrupulousness; lack of principle; ~ый unscrupulous, unprincipled; ~о unscrupulously и пр.

беспристра́ст‖ие impartiality; ~ность disinterestedness, equity; ~ный impartial, unprejudiced; unbiassed; ~ный человек impartial, unprejudiced person; a cross--bench mind; ~но impartially, disinterestedly.

беспричи́нн‖ый causeless, uncaused; gratuitous; ~ое оскорбление a gratuitous insult; ~о causelessly, without cause; gratuitously.

приприю́тн‖ость homelessness; ~ый homeless.

беспробу́дн‖ый: б. сон sound sleep, unwakeful sleep; фиг. the eternal sleep, death; спать ~ым сном to sleep soundly, to be fast asleep; ~о without waking.

беспро́волочн‖ый wireless; б. телеграф wireless (telegraphy); б. телефон wireless telephony; ~ая связь wireless communication.

беспро́игрышн‖ый without loss; ~ая лотерея all-prize lottery.

беспросве́тн‖ый without a glimmer of light; without a gleam of hope; desperate; gloomy; ~ая тьма utter darkness.

беспро́сыпу см. беспробудно.

беспроце́нтный carrying no interest, non-interest-bearing.

беспу́т‖ник debauchee; ~ничать to live an immoral life; ~ный given to vice (dissipation); morally loose, dissolute, disreputable, licentious; ~но wantonly,

dissolutely; ~ство dissipation, dissoluteness; ~ствовать см. беспутничать.

Бессара́бия Bessarabia.

бессвя́зн‖ость incoherence, inconsistency; ~ый incoherent, inconsistent, rambling, disconnected; ~о incoherently и пр.

бессеме́йный single, unmarried, having no family.

бессем‖ено́дольный бот. acotyledonous; растение из семейства ~енодо́льных acotyledon; '~енный seedless.

бессемерова́ние техн. Bessemer process.

бессемя́нный см. бессеменный.

бессерде́чн‖ость heartlessness, hard-heartedness; ~ый heartless; hard-hearted, pitiless; unfeeling; ~о heartlessly и пр.

бесси́л‖ие impotence, feebleness, utter inability to accomplish a purpose; половое б. мед. impotence; ~ьный impotent, powerless; inefficacious.

бессисте́мн‖ость the state (quality) of being unsystematic; lack of system; ~ый unsystematic(al), systemless, wanting a proper system; ~о unsystematically.

бессла́в‖ие, ~ность ingloriousness; ~ный inglorious; disgraceful, shameful; ~ная смерть inglorious death; ~но ingloriously и пр.

бессле́дн‖ый not to be traced; ~о leaving no trace; он исчез ~о фиг. he vanished into thin air.

бессло́весн‖ость speechlessness, dumbness; ~ый dumb, speechless; ~ые твари dumb animals.

бессме́нн‖ость permanency; ~ый permanent; ~ая стража permanent guard; ~о permanently.

бессме́рт‖ие immortality; ~ник бот. immortelle; ~ность см. бессмертие; ~ный immortal, deathless, undying, everlasting; ~ная слава everlasting fame, immortality; ~ное существо immortal; ~ые боги миф. the immortals.

бессмы́сленн‖ость senselessness, absurdity, foolishness; ~ый senseless, nonsensical, absurd, inane; ~ая улыбка an inane smile; ~ая ярость insensate rage; ~о senselessly и пр.

бессмы́слица nonsense, absurdity.

бессне́ж‖ный without snow, snowless; ~ье want of snow.

бессо́вестн‖ость unscrupulousness, dishonesty; ~ый unscrupulous, disgraceful, shameless; ⌐ый поступок a shameful deed; ⌐о shamefully, disgracefully.

бессодер ка́тельн‖ость emptiness; ⌐ый empty; его речь ⌐а his speech is mere wind.

бессозна́тельн‖ость unconsciousness; ⌐ый unconscious; в ⌐ом состоянии in a state of unconsciousness; ⌐о unconsciously.

бессо́нн‖ица sleeplessness; insomnia; во время ⌐ицы in the watches of the night; ⌐ый sleepless, wakeful; ⌐о sleeplessly, wakefully; without sleep.

бесспо́рн‖ость indisputability, incontrovertibility; ⌐ый indisputable, incontrovertible, beyond debate; ⌐о indisputably, incontrovertibly, beyond debate.

бессре́бренник *уст.* disinterested person; one acting without a mercenary motive.

бессро́чн‖ый not limited by any definite time (date); termless; б. отпуск unlimited leave; ⌐ая ссуда permanent loan; ⌐ое удостоверение личности permanent passport.

бесстра́ст‖ие apathy; indifference; phlegm; ⌐ность indifference; ⌐ный indifferent.

бесстра́ш‖ие fearlessness, intrepidity; boldness; ⌐ный fearless, intrepid; bold, daring; ⌐ный человек dare-devil; ⌐но fearlessly *и пр.*

бессты́д‖ник a shameless person; one lost to shame; ⌐ный shameless, immodest, unblushing; obscene, lewd, brazen; ⌐но shamelessly *и пр.*; ⌐ство shamelessness, brazenness, immodesty, obscenity; у него хватило ⌐ства he had the face (front) to do it.

бессты́жий *см.* бесстыдный; brassy (*sl.*).

бессуста́вчатый *зоол.* inarticulate.

бессчётный *см.* несчётный.

беста́ктн‖ость tactlessness, indelicacy; ⌐ый tactless, indelicate; ⌐о tactlessly, indelicately.

беста́ланный lacking talent; *уст.* ill-fated, ill-starred (*незадачливый*).

бестеле́сность *см.* бесплотность.

бестиа́рий bestiary.

бе́стия rogue, cheat, knave.

бестова́рье shortage of goods.

бестол‖ко́вость fatuity; ⌐ко́вщина disorder, confusion, huddle; ⌐ко́вый fatuous, harum-scarum; silly, senseless; dull of apprehen-

sion; ⌐ко́во fatuously; anyhow; он все делает ⌐ково he does things anyhow.

бестол‖ку in vain; *см. тж.* бестолково; ⌐очь *см.* бестолковщина.

бестре́петный fearless, undaunted.

бесфами́льный having no surname.

бесфо́рменн‖ость shapelessness, formlessness, amorphousness; ⌐ый shapeless, formless, amorphous; ⌐о shapelessly *и пр.*

бесхара́ктерн‖ость lack of backbone (character); ⌐ый lacking in character, weak willed, soft, yielding, compliant; ⌐о softly *и пр.*

бесхво́стый tailless.

бесхи́трост‖ость artlessness; ⌐ый artless; simple-minded; ⌐о artlessly.

бесхле́бица *разг..* want of corn (of bread); corn shortage; famine.

бесхло́потный causing no trouble, without trouble.

бесхозя́й‖ный: ⌐ная земля no man's land; ⌐ное имущество no man's property.

бесхозя́йственн‖ость thriftlessness; ⌐ый thriftless; ⌐ое ведение дел business mismanagement; ⌐о thriftlessly.

бесцве́тн‖ость colourlessness, paleness; deadness; ⌐о colourlessly, palely; *фиг.* without expression; ⌐ый colourless, pale; *фиг.* without expression; *физ.* achromatic.

бесце́льн‖ость aimlessness, purposelessness; ⌐ый aimless, objectless, purposeless; ⌐ый протест idle protest; ⌐ое действие objectless action; ⌐о aimlessly; objectlessly.

бесце́нн‖ость inestimable value, pricelessness; ⌐ый priceless, inestimable, invaluable; beyond (above, without) price; ⌐о pricelessly *и пр.*; beyond (above, without) price.

бесце́нок an absurdly low price; продать (купить) за б. to sell (buy) for a trifle (for a mere song).

бесцеремо́нн‖ость familiarity, absence of constraint; ⌐ый familiar, unceremonious, off-hand(ed); ⌐о familiarly *и пр.*

бесчелове́чн‖ость inhumanity, barbarity; ⌐ый inhuman, barbarous; ⌐о inhumanly, barbarously.

бесче́ст‖ие dishonour, infamy, ignominy, disgrace; ⌐ить to dishonour, disgrace, blot; to bring disrepute; to prostitute; ∽ность dishonesty; improbity; ∽ный dishonourable, dishonest, disgraceful; ∽но dishonourably *и пр.*; ∽ящий dishonourable.

бесчешу́йный without scales.

бесчи́н∥ный rowdy, indecorous; ∽но rowdily, indecorously; ∽ство indecorum, roistering, uproar; ∽ствовать to roister.

бесчи́сленн∥ость innumerability, innumerable quantity; ∽ый innumerable, numberless, countless; ∽ое коли́чество раз times out of number, times without end, over and over again; ∽ое мно́жество immense quantity, countless numbers.

бесчу́вств∥енность insensibility, numbness, impassivity, absence of feeling; ∽енный insensible, senseless, impassive, impassible, unmovable; ∽енно insensibly, senselessly, impassively, impassibly, unmovably; ∽ие *см.* бесчувственность.

бесшаба́ш∥ность rashness, recklessness, carelessness; ∽ный reckless, devil-may-care, slapdash; ∽ная голова́ heedless, reckless person; ∽но rashly, recklessly.

бесшёрстный hairless.

бесшу́мн∥ый noiseless; ∽о noiselessly.

бе́та beta; б. лучи́ *физ.* beta rays.

бе́тель *бот.* betel.

бето́н *техн.* concrete; ∽и́рование treating with concrete, concreting; ∽и́рованный treated with concrete; ∽и́ровать to (treat with) concrete; ∽ный строи́тельный ка́мень concrete ashlar; ∽о-меша́лка concrete-mixer; ∽щик concrete-worker.

бечева́ *см.* бичева.

бешаме́ль bechamel (*соус*).

бе́шен∥ство rage, madness, fury; *мед.* hydrophobia, rabies; в ∽стве in a frenzy; ∽ый mad, furious, raging, rabid; ∽ый ве́тер turbulent wind; ∽ая ско́рость slapping pace (*sl.*); плати́ть ∽ую це́ну to pay an exorbitant price; to pay through the nose; ∽о madly, furiously.

бешме́т Caucasian long coat.

Биа́рриц Biarritz.

библе́йский biblical, scriptural.

библио́∥граф bibliograph(er); ∽графи́ческий bibliographic(al); ∽гра́фия bibliography; ∽ма́н bibliomaniac; ∽ма́ния bibliomania; ∽те́ка library; ∽те́ка без выда́чи

на дом reference library; ∽те́ка с выда́чей на дом lending library, circulating library (*после́дняя— то́лько пла́тная*); передвижна́я ∽те́ка movable library; фундамента́льная ∽те́ка central (main) library; ∽те́карь librarian; ∽текове́дение library science; ∽те́чный library; ∽те́чная сеть library system; ∽те́чные ку́рсы Librarian training school; ∽фи́л bibliophil.

би́блия Bible.

би́вень incisor, tusk.

бив(у)а́∥к bivouac, camp; стоя́ть на ∽ке to (en)camp, bivouac; ∽чный camp (*attr.*).

бига́мия bigamy.

бидо́н can; б. для молока́ milk can; б. для кероси́на petroleum can.

бие́ние beat, pulse, pant, throb (*се́рдца, пу́льса*); palpitation (*особ. боле́зненное*).

биза́нь *мор.* miz(z)en (sail).

бизо́н *зоол.* bison.

бикарбона́т bicarbonate.

биквадра́т, ∽ный biquadratic (*в матема́тике*).

Бикфо́рдов шнур Bickford fuse.

билабиа́льный *фон.* bilabial.

биле́т ticket; брать б. to book, take a ticket; во́лчий б. no right to enter another office *or* school; входно́й б. entrance card; желе́знодоро́жный б. railway (train) ticket; креди́тный б. banknote; обра́тный б. return ticket; парти́йный б. party card; почётный б. complimentary ticket; пригласи́тельный б. invitation card; профсою́зный б. trade-union card; сезо́нный б. season ticket; трамва́йный б. tram ticket; экскурсио́нный б. excursion ticket; все ∽ы про́даны *театр.* the house is sold out; купи́ть ∽ы заблаговре́менно to book tickets in advance; ∽ёр ticket-collector, ticket-man; ∽ёрша ticket-woman; ∽ная ка́сса booking-office.

биллио́н billion.

билло́н, ∽ная моне́та billon.

биль bill; б. прошёл the bill is passed.

бильбоке́ cup and ball.

билья́рд billiards *pl., sing.*; ∽ная billiard room; ∽ные шары́ billiard balls.

биметалли́∥зм bimetallism; ∽ческий bimetallic.

бимс *мор.* beam.

бино́кль opera-glass(es); binocular glasses, binocle; ночно́й морской б. night glass; полевой б. field-glass.

бино́м *мат.* binomial; б. Нью-тона binomial theorem.

бинт bandage; ∼ова́ние bandaging; ∼ова́ть to bandage, swathe.

био- *в сложн.* bio-.

биоге́не‖**зис** biogenesis; ∼ти́ческий biogenetic.

био́граф biographer; ∼и́ческий biographic(al); '∼ия biography.

биодина́ми‖**ка** biodynamics; '∼-ческий biodynamical.

био́лог biologist; ∼и́ческий biologic(al); '∼ия biology.

биомагнети́‖**зм** biomagnetism; ∼ческий biomagnetic.

биоме́трия biometry.

биомеха́ни́зм biomechanism.

биоско́п bioscope.

биоста́нция biostation.

биоста́тика biostatics.

биохим‖**и́ческий** biochemical; '∼ия biochemistry.

биплан biplane.

би́ржа (stock-)exchange; б. труда labour exchange; извозчичья б. cab-stand; товарная б. goods exchange; фондовая б. stock-exchange; хлебная б. corn exchange; ∼еви́к, ∼ево́й маклер stock-broker; ∼ево́й заяц stock-jobber; ∼ева́я игра (stock-)jobbing.

би́рка tally, score.

Би́рма Burma.

Би́рмингам Birmingham.

бирюз‖**а́**, ∼о́вый turquoise.

бирю́к wolf; *фиг.* bear; rough, unsociable person.

бирю́льк‖**а** spillikin; игра в ∼и game of spillikins.

бирю́ч *ист.* herald, crier.

бирю́чина *бот.* privet.

бис encore; кричать б., исполнять на б. to encore.

би́сер *pl.* beads; метать б. перед свиньями to cast pearls before swine; ∼ина bead.

биси́ровать to encore.

Биска́йский зали́в the Bay of Biscay.

бискви́т sponge-cake; bisque, biscuit (*неглазуренный фарфор*); ∼-ный пирог sponge-cake.

биссектри́са *геом.* bisector.

бисульфа́т *хим.* bisulphate.

би́тва battle, fight, combat, engagement, action.

бите́нг *мор. pl.* bitts.

бит‖**о́к** beetle, a heavy wooden mallet; beef cutlet; ∼ко́м наби́тый crowded, full up; packed, tight.

биту́м bitumen; ∼ино́зный bituminos.

бит‖**ый** beaten; cracked (*о посуде, яйце*); я вас жду б. час I've been waiting for you a full hour; ∼ые сливки whipped cream.

бить to beat, flog, thrash; to strike (*о часах*); б. баклуши *см.* баклушничать; б. в барабан to beat a drum; б. в колокол (набат) to sound a bell (an alarm); б. в ладоши to clap one's hands; б. задом to kick (*о лошади*); б. ключом to spring; б. масло to churn; б. на что-л. to drive (to aim) at; б. отбой to sound the retreat, beat a retreat; б. по карману to cause losses; б. посуду to smash china; б. прикладом to club; б. сваи to drive piles; б. скотину to slaughter cattle; b. струёй to spout, jet, spurt, squirt; б. тревогу to raise (to sound) an alarm; б. хвостом to lash the tail.

битьё beating, flogging; б. посуды smash.

би́ться to fight (*с врагом*); to break (*о посуде и пр.*); to strive, struggle (*to; стараться*); to beat, throb, thump (*о сердце*); to flutter (*слабо, неровно*); б. головой об стену to knock one's head against the wall; б. из-за куска хлеба to struggle for one's living; б. как рыба об лёд to struggle hard; б. крыльями to flutter, to beat one's wings; б. над чем-л. to give oneself much trouble over, to plague oneself over; б. на кулачках to take a round at fisticuffs; б. на поединке to fight a duel; б. об заклад to bet.

битю́г Russian cart-horse.

бифиля́рный *техн.* bifilar.

бифурка́ция *техн.* bifurcation.

бифште́кс beefsteak.

би́цепс *анат.* biceps.

бич whip, lash; stock-whip (*пастуха*); *фиг.* scourge, plague, pest; ∼ева́ towline, towing rope; тянуть ∼еву́ to tow; ∼ева́ние flogging, flagellation; towing; ∼ева́ть to flog, lash, flagellate; to scourge (*пороки*); to tow (*суда*); ∼ёвка twine, string, whipcord; pack-thread (*для завязывания пакетов*); ∼ёвник tow(ing)-path.

бишь now then; как б. его зовут? now then what's his name?; what d'you call him?; то б. it is, that is to say.

благ‖**о** 1. the good, blessing, welfare, weal; общее б. common weal; общественное б. public (general) wealth; признали за б. they judged it right (well) to do so; земные ∼а blessings of the world; 2. since (так как); пользуйтесь случаем, б. вы здесь don't miss your chance, since you are here.

благове́рн‖**ый** *ирон.*, *шут.* husband; **~ая** wife. ,

бла́говест *уст. рел.* ringing of church bells.

благови́дн‖**ость** comeliness; plausibility; **~ый** comely, fair-seeming; **~ый предлог** a plausible excuse.

благовол‖**е́ние** benevolence; graciousness, favour, kindness; выказывать б. to show favour (to), to smile (to); **~и́ть** to favour, regard with good will; to deign, condescend; **~и́те** это сделать have the kindness to do it; к нему **~я́т** he is favoured (by).

благово́н‖**ие** perfume, aroma, fragrance; наполнять **~ием** to perfume; **~ость** fragrancy; **~ый** fragrant, aromatic, odoriferous.

благовоспи́танн‖**ость** good breeding, politeness; **~ый** well-bred, polite, well-mannered; он ведёт себя **~о** he has good manners.

благовре́мени‖**е:** во **~и** *уст.* in good time.

благогове́‖**йный** reverent, reverential; **~йно** reverently, reverentially; **~ние** reverence, veneration, awe; внушать **~ние** to strike with awe; **~ть** (перед кем-л.) to venerate one.

благодар‖**и́ть** to thank, to give (return) thank (за ч.-л.—for); '**~ность** gratitude, thank(s) (обыкн. pl., кроме сложн. слов); в **~ность** in acknowledgement; заслуживающий '**~ности** worthy of thanks; не стоит **~ности** don't mention it; '**~ный** thankful (for), grateful; **~ный труд** grateful work; я (вам) очень '**~ен** I am very thankful (much obliged) to you; '**~но** thankfully, gratefully; '**~ственное** письмо letter of thanks; **~я** thanks to, owing to.

благода́т‖**ный** beneficial, blissful; abundant; **~ь** grace, blessing; abundance.

благоде́нств‖**енный** *уст.* prosperous, thriving; **~ие** bliss, prosperity; **~овать** to prosper, thrive, flourish.

благоде́тель benefactor (тж. ирон.); **~ница** benefactress; **~ный** beneficial, beneficent; **~ьно** beneficially, beneficently; **~ствовать** to be a benefactor (to).

благодея́ние benefaction, blessing, boon, benefit.

благоду́ш‖**ие** placidity, benignity, complacency; **~ный** placid, benign, complacent; **~но** placidly и пр.

благожела́тель well-wisher; **~ный** well-disposed (to, towards); benevolent; **~но** benevolently.

благозву́ч‖**ие**, **~ность** euphony; **~ный** euphonious, euphonic; harmonious; melodious; **~но** euphoniously, euphonically и пр.

благ‖**о́й** good, happy, favourable, useful; б. совет good advice; **~а́я** мысль a happy idea; **~о́е** намерение good intention; кричать **~и́м** матом to shout at the top of one's voice; to cry blue murder.

благоле́п‖**ие** *уст.* magnificence, grandeur of appearance, splendour; **~ный** magnificent, splendid, pompous; **~но** magnificently.

благонадёжн‖**ость** reliability, dependableness; **~ый** reliable, dependable; (politically) trustworthy.

благонаме́рен‖**ие**, **~ность** good intention; **~ный** well-meaning, well-intentioned, well-meant.

благонра́в‖**ие** good conduct (behaviour); **~ный** well-behaved.

благообра́з‖**ие** comeliness, sightliness; **~ный** comely, sightly; у него **~ный** вид he has a comely look; **~но** in a comely manner.

благополу́ч‖**ие** well-being, security; happiness, felicity; **~ный** safe, secure; fortunate; **~но** all right; всё кончилось **~но** everything ended happily; всё обстоит **~но** everything is all right.

благоприобрет‖**а́ть** to acquire; '**~ение** acquisition; '**~енный** acquired.

благопристо́йн‖**ость** decency, decorum, seemliness; **~ый** decent, decorous, seemly; **~о** decently, decorously.

благоприя́тн‖**ость** favourableness; **~ый** favourable, auspicious; propitious; **~ый** ветер propitious wind; **~ый** для... friendly to...; **~ый** день для сенокоса a favourable day for hay-making; **~ый** момент, случай opportunity; **~ый** фактор contributory factor; почва **~ая** для роз soil favourable to roses; **~ые** условия favourable conditions; одинаково **~ые** для всех условия a fair field and no favour; о нём самые **~ые** отзывы в газетах he has a good press; **~о** favourably, auspiciously.

благоприя́т‖**ствовать** to favour; foster, advantage; to be conducive (*to*); *фиг.* to smile on; всё ему ~ствует all things conspire to please him.

благоразум‖**ие** prudence, common sense, reasonableness; в пределах ~**ия** in reason; ~**ный** reasonable, wise, prudent, sensible, cautious, judicious; ~**но** reasonably, wisely, prudently.

благораспо‖**ложе́ние** benevolence, favour; ~**ло́женный** well--disposed, benevolent.

благоро́дие: *уст.* ваше б. your worship.

благоро́д‖**ный** noble; honourable; generous; б. металл noble metal; ~**но** nobly; honourably; generously; ~**ство** nobleness; honourableness; ~**ство** характера greatness.

благоскло́нн‖**ость** favour; benevolence; affability; заслужить чью-л. б. to find favour in the eyes of (with); стремиться снискать б. to curry favour, to seek to ingratiate oneself; пользоваться чьей-л. ~**остью** to be in a person's good graces; ~**ый** favourable, benevolent; ~**ый** читатель the gentle (courteous) reader; ~**о** favourably, benevolently; относиться ~**о** to favour; слушать ~**о** to incline one's ear (*to*); смотреть ~**о** (*на что-л.*) to look with favour (*on*).

благослов‖**е́ние** blessing, benediction; benison; ~**е́нный** blessed, blest; ~**ля́ть** to bless, to give one's blessing.

благосостоя́ние well-being, prosperity, welfare, weal.

благотвори́тель philanthropist; ~**ность** philanthropy, charity; ~**ный** philanthropic(al), charitable; ~**ный** базар *уст.* charity baza(a)r; ~**ные** учреждения *уст.* charitable institutions.

благотвори́ть to exercise charity, to do good.

благотво́р‖**ность** beneficence; ~**ный** beneficial; salutary; ~**но** beneficently; это действует ~**но** it has a salutary effect.

благоусмотре́ние *уст.* judgment, decision.

благоуспе́шность *уст. см.* успешность.

благоустро́‖**енный** well-arranged, well-organized, well-managed; ~**й**-**ство** good order; public welfare.

благоуха́‖**ние** fragrance, perfume; ~**ющий** sweet-smelling, fragrant.

благо‖**чести́вый** *уст.* pious, religious, devout; ~**чести́во** piously *и пр.;* ~**че́стие** piety, devotion.

благочи́нный *уст.* archdeacon.

блажен‖**ный** blessed, blissful, beatific; *фиг.* silly; ~**но** blissfully; ~**ство** beatitude, blessedness, felicity; дающий ~**ство** beatific (-al); ~**ствовать** to enjoy felicity, to be blissfully happy.

блажи́ть *разг.* to be freakish; to have a bee in one's bonnet (*фиг.*).

блаж‖**но́й** freakish, cranky; ~**ь** fad, fancy.

бланк form; б., заполняемый при переписи census; б. заявления application form; заполнять б. to fill in a form; ставить б. to endorse; ~**овая** надпись endorsement.

бланманже́ blancmangé.

бланши́ровать to blanch.

блатно́й: б. язык thieves' Latin.

блев‖**а́ть** to vomit, puke; to throw up; ~**о́тина** vomit, puke.

блед‖**не́ть** to grow (to turn) pale, to lose colour; ~**ни́ть** to render wan; to pale; ~**нова́тый** palish; ~**ноли́цый** palefaced; '~**ность** paleness, pallor; '~**ный** pale, wan, pallid; ~**ный** как полотно as white as a sheet; ~**ный** стиль jejune style; '~**но** pale, light.

блёк‖**лость** wanness, witheredness; ~**лый** faded, withered, colourless; ~**нуть** to fade, wither.

бле́нда *мин., горн.* blende; miner's lamp.

бленорре́я *мед.* blennorrhoea.

блеск lustre, glitter, shine, glare, gloss; brilliance, resplendence; б. остроумия brilliancy of wit; б. славы blaze of publicity; дешёвый б. tinsel; придавать б. to add lustre (*to*), to throw lustre (*on*); to burnish, shine; свести б. to take the shine out of; превосходить ~**ом** to outshine.

блесна́ spoon-bait.

блесну́‖**ть** *см.* блестеть; to flash; *фиг.* to display, to make a show of, to show off; б. красноречием to display great eloquence; молния ~**ла** there was a flash of lightning; у меня ~**ла** мысль an idea flashed across my mind.

блес‖**те́ть** to shine, glitter; б. умом to sparkle with wit; не всё то золото, что ~**ти́т** *посл.* all that glitters is not gold.

блёст‖**ка** spangle, sparkle; ~**ки** *соб.* tinsel; осыпать ~**ками** to bespangle; усеянный ~**ками** spangled.

блестя́щ‖**ий** lustrous, shining, shiny, brilliant, resplendent; ganoid (*о рыбьей чешуе*); ~**ее** общество the most fashionable society.

блеф bluff.

блея́‖**ние** bleat(ing); ⌐**ть** to bleat.

ближа́йш‖**ий** near, next, proximate, the nearest; б. друг the most intimate friend; б. родственник next of kin; б. сосед the nearest neighbour; ⌐**ая** дорога the nearest way; ⌐**ая** причина the immediate cause; в один из ⌐**их** дней on some near day.

бли́же nearer, closer; я с ним б. знаком I know him better.

ближневосто́чный Near-Eastern.

бли́жн‖**ий** fellow creature, fellow man, neighbour; near, nigh; любить ⌐**его** to love one's neighbour.

близ near, in the vicinity of, nigh, close to; б. берега off the coast; ⌐**иться** to approach, near, draw near, come near.

бли́зк‖**ий** near, nigh, close by; б. и дорогой near and dear; б. друг close (near, old, intimate, familiar) friend; б. родственник near relation; ⌐**ое** знакомство (с предметом) an intimate knowledge (of); на ⌐**ом** расстоянии at short range (о стрельбе); его ⌐**ие** his own people; они в ⌐**их** отношениях they are on good terms (on terms of intimacy); ⌐**о** near, (near) at hand; (hard) by, nearly, ⌐**о** его сердцу lies near his heart; ⌐**о** меня касается concerns me nearly.

близлежа́щий adjacent, contiguous (to), neighbouring, near.

близна́ (при тканье полотна) a flaw in the web.

близне́ц twin; Б⌐**ы** (знак зодиака), созвездие Б⌐**ов** Gemini, the Twins.

близору́к‖**ий** short-sighted, near-sighted (тж. фиг.); мед. myope; ⌐**ость** short-sight(edness), near-sightedness; мед. myopia.

бли́зост‖**ь** nearness, proximity, vicinity, neighbourhood; intimacy; propinquity (особ. родства); по ⌐**и** near at hand, somewhere about; within call.

блик жив. light.

блин kind of pancake; плоский как б. flat as a pancake.

блинд‖**а́ж** военн. blindage; ⌐**ирова́ть** to blind.

бли́нч‖**атый**: б. пирог kind of pie made of pancakes and filled with minced meat; ⌐**ик** см. блин.

блиста́‖**ние** shining, glittering, flashing; фиг. resplendence, splendour; ⌐**тельность** brilliancy, splen-

dour; ⌐**тельный** brilliant, splendid; ⌐**тельно** brilliantly, splendidly; ⌐**ть** см. блестеть; ⌐**ющий** красотой (молодостью) radiant with beauty (with youth).

блок 1. техн. block, pulley, sheave; б. и канат подъёмного крана block and fall; б. на рудниках winding engine (machine); дифференциальный б. differential pulley; канатный б. rope pulley; цепной б. chain sheave; 2. пол. bloc.

блок‖**а́да** blockade; объявлять (снимать, прорвать) ⌐**а́ду** to declare (raise, run) the blockade; ⌐**га́уз** военн. blockhouse; ⌐**и́рование** blockade, blockading; ⌐**и́ровать** to blockade, block up, cumber, obstruct (тж. фиг.); ⌐**иро́вка**, ⌐**иро́вочная** система block system.

блокно́т pad, writing-pad; note-book; tablets (из тонких листков слоновой кости и т. п.).

блонди́н fair man; он—б. he is fair, his complexion is fair; ⌐**ка**, ⌐**очка** blond(e).

блонды blonde lace, white silk lace.

блох‖**а́** зоол. flea; укус ⌐**и́** flea-bite; рассердившись на блох, да шубу в печь посл. burn not your house to fright away the mice; искусанный '⌐**ами** flea-bitten.

блош‖**и́ный**: б. укус flea-bite; ⌐**истый** full of fleas; '⌐**ки** (игра) tiddly-winks; '⌐**ник** бот. flea-bane.

блуд уст. fornication, lechery; предаваться ⌐**у** to fornicate, lecher; ⌐**и́ть** см. блуждать; to wanton, to be up to mischief; ⌐**ли́вость** wantonness, roguishness; ⌐**ли́вый** thievish, knavish, roguish; ⌐**ли́в** как кошка, труслив как заяц погов. thievish as a cat and timid as a hare; ⌐**ни́к** fornicator; ⌐**ни́ца** fornicatrix (pl. -ces); ⌐**ный** profligate, lecherous; ⌐**ный** сын prodigal son.

блужда́‖**ние** roaming, wandering; errancy; б. по улицам perambulation; ⌐**ть** to roam, wander, ramble, rove; взгляд его ⌐**л** his eyes roved; мысли его ⌐**ют** his mind wanders; ⌐**ющий** errant, wandering, rambling, vagrant; ⌐**ющий** огонёк will-o'-the-wisp; Jack-o'-lantern, ignis fatuus; ⌐**ющая** почка floating kidney.

блу́з‖**а** blouse; рабочая б. smock-frock; на нём рабочая б. he is bloused; ⌐**ник** фиг. labourer, worker.

блюд‖ечко saucer; ~o dish; charger (*большое*); course (*кушанье*); выкладывать кушанье на ~o to dish (*up*); за рыбой следовало мясное ~o fish was followed by meat; обед в три ~a dinner of three courses.

блюдолиз toady, sycophant; ~-ничать to toady; ~ничество toadyism.

блюдце *см.* блюдечко.

блюминг blooming.

блюсти *уст.* to keep, guard, preserve, fulfil, observe.

блюститель keeper, guardian (*тж. фиг.*); б. закона observer of the law; б. порядка keeper of order.

бляха metal plate.

боа boa, tippet, necklet; *зоол.* boa; б.-констриктор *зоол.* boa constrictor.

боб bean; соевый б. soy-bean (-pea); турецкий б. kidney bean, haricot; остаться на ~ах *разг.* to get nothing for one's trouble.

бобёр *см.* бобр.

бобина *техн.* bobbin.

бобов‖идный bean-like, bean-shaped; ~ик bean-stalk; ' ~ина bean bean trefoil; ~ник bean trefoil; dwarf almond; ' ~ый стручок bean-pod; ' ~ые растения *бот.* leguminous plants.

бобр *зоол.* beaver; болотный б. nutria; камчатский б. *см.* выдра морская; ~ик beaver (*ткань*); причёска ~иком (под ~ик) French crop.

Бобриковский комбинат Bobriki Combine (*coal, chemical and keramic industries*).

бобр‖овый beaver (*attr.*); б. мех beaver (fur); ~овая плотина beaver-dam; ~овая струя *мед.* castoreum.

бобыль single man; a poor peasant owning no land; жить ~ём to live a lonely (solitary) life.

бог god.

богадель‖ка *уст.* alms-woman; ~ьня alms-house, poor-house, work-house.

бога‖тей *разг.* wealthy man; ~теть to grow (to become) rich (wealthy); to thrive.

богат‖ство riches (*pl.*); wealth, fortune; richness; pelf (*обыкнов. презрит.*); *фиг.* money, gold, long purse, deep pocket; oof, shekels (*sl.*); б. народов the wealth of nations; большое б. opulence; естественные ~ства natural resources; накопление ~ства accumulation

of wealth; ~ый rich, wealthy, moneyed, opulent, affluent; oofy (*sl.*); ~ый новостями newsy (*разг.*); ~ый ч.-л. fruitful (*in, of*); rife with; он очень богат he is a man of opulence; чем богат, тем и рад you are welcome to all I have; ~ая жатва abundant harvest; ~ая земля fruitful earth; ~ая растительность rich vegetation; ~ые люди wealthy people, the wealthy; ~o richly, sumptuously.

богатыр‖ский athletic, heroic, valiant; б. сон a very sound sleep; ~кое здоровье exuberant health; ~кое сложение powerful physique; ~ки athletically, heroically, valiantly; он ~ки сложён he is a man of athletic build.

богатырь hero of the Russian folklore; a valiant knight, a robust, vigorous man.

богач rich man; plutocrat; *фиг.* money-bags; ~й the rich; ~йха, ~ка rich woman.

богдыхан *ист.* Chinese emperor.

богема bohemianism.

Богемия Bohemia.

богемный bohemian.

богиня goddess.

бого‖борец theomachist; ~искатель *ист.* seeker after god; ~маз *уст.* a painter of images (icons).

богоматерь *рел.* mother of god.

богомёрзк‖ий *уст.* impious, ungodly; ~o impiously.

богомол *зоол.* praying mantis.

богомол‖ец, ~ка *уст.* pilgrim, devotee; ~ье pilgrimage; ~ьный devout, religious, prayerful; ~ьно devoutly, religiously, prayerfully.

богоотступн‖ик *уст.* apostate; ~ичество apostasy; ~ый apostate.

бого‖почитание *уст.* worship of god; ~противный *уст.* godless, impious.

богородица *рел.* mother of god.

богородская трава *бот.* wild thyme.

богослов theologian; ~ие theology, divinity; заниматься ~ием to theologize; ~ский theologic (-al).

богослуже‖бный *церк.* pertaining to the divine service; ~ние divine service, worship.

богоспасаемый *уст.* blessed.

боготвор‖ение deification, apotheosis; worship (*идолов*); ~имый человек demigod; ~ить to deify, idolize; to worship (*идолов*).

богоугодный *уст.* pleasing to god.

богохрани́мый *уст.* protected by god.

богоху́ль‖ник *уст.* blasphemer; ∼ный blasphemous, profane; ∼ные клятвы swear; ∼ство blasphemy, profanity, oath; ∼ствовать to blaspheme; to use profane language.

богхе́д (*сорт каменного угля*) bituminous coal.

бод‖а́ние butting; ∼а́ть(ся) to but (*о козе, баране*); to gore (*о быке*).

Бо́денское о́зеро *геогр.* Lake Constance.

боди́ло goad.

бодли́в‖ость the habit of butting (*о козле, баране*); the habit of goring (*о быке*); ∼ый given to butting (goring); ∼ой корове бог рог не даёт *посл.* god sends the shrewd cow short horns.

бодме́р‖я *комм., мор., юр.* bottomry, gross-adventure.

бодр‖и́ть *см.* ободрять; to brace (*о воздухе*); to stimulate (*о лекарстве и пр.*); ∼и́ться to take (pluck up) courage; ∼ость courage, nerve; cheerfulness; придавать ∼ость to nerve.

бо́дрэтв‖ова́ние vigil(ance), watching, keeping awake; изнуренный ∼ованием overwatched; ∼овать to watch,·wake, to keep vigil; ∼овать всю ночь to sit up (stay up) the night; ∼ующий awake, wide-awake.

бо́др‖ый cheerful, cheery, of good cheer, brisk, sprightly, jaunty; hale and hearty; б. духом in good spirits; ∼ящий enlivening; bracing, invigorating (*о свежем воздухе*).

боеви́к nailer; feature (*картина, пьеса*); *ав.* battle airplane.

боев‖о́й battle, fighting (*attr.*); б. аэроплан battle-plane; б. корабль battle-ship; б. патрон live cartridge; б. порядок battle array; б. танк battle-cruiser tank; привести в б. порядок to embattle; ∼а́я задача emergency task; ∼ая мощь fighting efficiency; ∼ая организация battle (fighting) organization; в ∼о́й готовности ready to fight, ready for action (for battle); ∼о́е крещение baptism of fire; ∼ое настроение fighting spirit; ∼ые запасы ammunition; *фиг.* powder and shot.

боеспосо́бн‖ость fighting capacities (value); ∼ый battle fit.

бое́ц fighter, warrior, wrestler, slaughterman, butcher (*на бой-*

 нях); кулачный б. pugilist, boxer.

божба́ oath, swearing.

бо́же *см.* бог; б. мой! god!, my god!, o dear me!; good heavens!, good gracious!

боже́ственн‖ость divinity, divine nature, heavenliness; ∼ый divine, godlike, heavenly; ∼о divinely.

божество́ deity, divinity, god; *фиг.* demigod.

бо́ж‖ий god's, of god; ∼ья коровка *зоол.* lady-bird.

бож‖и́ться to swear (in god's name); ∼ни́ца *церк.* image-case; ∼о́к idol.

бо‖й battle, fight; *военн.* conflict, engagement; striking (*о часах*); breakage (*стекла*); б. быков bull-fight; барабанный б. beat of the drum; встречный б. encounter attack; кулачный б. fisticuffs; открытый б. open battle; без ∼я without striking a blow; взять с ∼я to take by storm (by force); приготовиться к ∼ю на море to clear the decks for action; революционно-классовые ∼й revolutionary class battles.

бо́йк‖ий clever, smart; quick-witted (*сообразительный*); forward; pert, dashing (*разбитной*); glib (*о языке*); ∼ая улица busy thoroughfare; ∼о cleverly, smartly, quick-wittedly; forwardly, pertly, dashingly; ∼ость smartness; pertness; glibness; alertness.

бойко́т boycott; ∼и́ровать to boycott.

Бойл‖ь: закон ∼я-Мариотта *физ.* Boyle and Mariotte's law.

бойни́ц‖а loop-hole; сооружать ∼ы to crenellate; снабженный ∼ами crenelled, machicolated.

бо́йня slaughter-house, butchery; shambles (*sing. часто как pl., тж. фиг.*); *фиг.* slaughter, carnage, massacre.

бойска́ут boy scout; ∼и́зм boy-scoutism.

бойцо́вый: б. петух game-cock, fighting cock.

бок side; flank (*здания; животного; армии*); б. о́ б. side by side, shoulder-to-shoulder, alongside (*of*); итти в б. to go sideways; под ∼ом at hand; колотьё в ∼у́ a stitch in the side; к ∼у (*от*) laterally (*о положении органа тела*); на ∼у́ on one side; с ∼у́ at the side of, by the side; in flank (*здания; армии*); с ∼у на́ б. from side to side; двигаться, охранять, угрожать с '⌣у to flank; по́ ⌣у set aside; взять к.-л. за ⌣а́ to put the screw on one; намять ⌣а to beat to a mummy; схватиться за ⌣а от смеха to split one's sides with laughter; по ⌣а́м on each side.

бока́л goblet, champagne-glass.

боков‖**о́й** lateral, sidelong; б. взгляд sidelong glance; б. разрез lateral incision; ⌣а́я дверь side door; ⌣ая качка rolling; ⌣ая тропинка by-path; ⌣ая улица by-street, off street; ⌣о́е движение side-slip (аэроплана); пора на ⌣у́ю it's time to go to bed; ⌣у́шки тип. margins.

бо́ком sideways, sidewise; подходить б. to go sidewise, to sidle.

бокс boxing, pugilism; ⌣ёр boxer, pugilist; prize-fighter, bruiser (профессиональный); Boxer (в Китае); ⌣ёрское движение Boxer movement; ⌣и́рование boxing, prize-fighting; ⌣и́ровать to box.

боксит мин. bauxite (алюминиевая руда).

болва́н blockhead, booby, dolt, chuckle-head, jackass; карт. dummy; он совершеннейший б. he is an ass in grain.

болва́н‖**ить** to rough-hew; ⌣ка техн. block, pig, mould.

бо́лверк воен. bulwark, bastion.

болга́рин Bulgarian.

Болга́р‖**ия** Bulgaria; б⌣ка, б⌣ский Bulgarian.

бо́ле см. более.

болево́й мед. painful.

бо́л‖**ее** (перед прилагательным и нареч. образов. от них срав. степени); б. и б. more and more; б. всего most, most of all, above all, above everything; б. или менее more or less; ⌣ьше не no more; мы его ⌣ьше не видели we saw no more of him; спасибо, ⌣ьше не хочу no more, thank you (на предложение ч.-л. съесть); это ⌣ьше не существует it is no more; я ⌣ьше не работаю I am no longer working; как можно ⌣ьше as much as possible; мне ⌣ьше нравится it pleases me much better; много ⌣ьше much more; разг., ирон. a precious sight more; не б., не менее neither more, nor less; не б. чем no (not any) more than (о возрасте, сумме денег); no (not any) longer than (о сроке); немного б. a little more; тем б. so much the more; тем б. его следует избегать he is so much the more to be avoided; чем ⌣ьше, тем... the more... the...;

чем нас ⌣ьше, тем веселее the more, the merrier.

боле́знен‖**ость** sickliness (слабость здоровья); painfulness, soreness (ощущения); morbidity, morbidity (мыслей, настроения); ⌣ый ailing, sickly (слабый здоровьем); painful, sore (причин. боль); morbid (ненормальный); ⌣ый на вид pallid; ⌣ое состояние affection; ⌣о painfully; ⌣о подозрительный morbid.

болезнетво́рный morbific.

боле́зн‖**ь** illness, disease, sickness, malady; consumption (разрушительная для организма, особ. чахотка); врождённая б. congenital disease; душевная б. mental disease; заразная (инфекционная) б. contagious (infectious) disease; морская б. sea-sickness, nausea; профессиональная б. occupational disease; скрытая б. insidious disease; тяжёлая б. a severe (nasty) illness; одр ⌣и sick-bed; очаг ⌣и the seat of disease; приступ ⌣и an attack of illness; поражённый ⌣ью affected with.

боле́ро bolero.

Болесла́в Boleslaus.

бо‖**ле́ть** to ache, hurt, smart (причинять боль); to ail, to be ill, to be ailing, to suffer from (страдать какой-л. болезнью); б. душой to be anxious (about); он вечно ⌣ле́ет he is always ailing; у меня ⌣ли́т голова my head aches; у меня ⌣лит горло I have a sore throat; у меня ⌣ля́т глаза my eyes smart.

болеутоля́ющ‖**ий** anodyne, sedative; ⌣ее средство anodyne, sedative, painkiller.

Боли́вия Bolivia.

болиголо́в бот. (тж. добываемый из ⌣а яд) hemlock.

боли́д астр. fireball.

боло́нка small, fluffy white lap-dog.

Боло́нья Bologna.

боло́т‖**ина** marshland, fen; ⌣истый swampy, marshy, slimy, fenny, sloughy; ⌣истая местность marshland; ⌣ный см. болотистый; ⌣ный газ marsh gas; ⌣ные огни will-o'-the wisp.

боло́т‖**о** bog, swamp, marsh, fen; slough (тж. фиг.); было бы б., а черти заведутся посл. ≅ land was never lost for want of an heir; всякий кулик своё б. хвалит посл. it is an ill bird that fouls its own nest; мещанское б. sordidness of middle-class life; обитатель ∾a bog-trotter; часть осушенного ∾a intake.

болт *техн.* bolt; сквозные ∾ы in and out bolts; скреплять ∾ами to bolt.

болтáть to shake, stir (*жидкость*); to chat, chatter, babble, jabber, blab, quack, to wag one's tongue (*разговаривать*); to prattle (*лепетать, о детях*); to dangle (*ногами*); ∾ся to dangle, swing, sway, hang loosely (*висеть*); to dally, knock about, dilly-dally (*зря, без дела*).

болтлив‖**ость** undue talkativeness, loquacity, garrulity; ∾ый chatty, talkative, gossipy, garrulous.

болтовня chat, gossip, jabber, blab, twaddle, talk, rigmarole, patter, wagging of tongues; clatter (*шумная*).

болторéзный bolt-screwing; б. станок bolt-screwing machine.

болту‖**н** 1. chatterbox, chatterer, blabber, gas-bag, copious speaker; leaky vessel (*разбалтывающий секреты*); 2. addle(d) (barren) egg (*яйцо*); ∾нья, ∾шка 1. scrambled eggs (*яичница*); 2. см болтун.

боль pain; ache; stitch (*в боку*); sore throat (*в горле*); stomach-ache (*в животе*); epigastralgia (*под ложечкой*); pang, stab (*внезапная*); headache (*головная*); anguish (*душевная*); smart (*острая*); toothache (*зубная*); причинять б. to pain, hurt, smart.

больни‖**ца** hospital, infirmary; б. для выздоравливающих convalescent hospital; ∾чный служитель orderly; ∾чная касса *уст.* Hospital fund at a factory; ∾чная палата hospital ward.

бóльно painfully; *разг.* very, terribly, awfully; вам будет б. it will give you pain; мне б. слышать it grieves me to hear; он б. горяч he is awfully hot-tempered.

больн‖**ой** 1. *s.* a patient, sick person; амбулаторный б. out-patient; психический б. mental patient; стационарный б. in-patient; туберкулёзный б. consumptive (patient); хронический б. confirmed invalid; ∾ые the sick, the diseased, the ailing; 2. *a.* sick, unwell, ill; б. вопрос sore subject; burning question (*животрепещ.*); б. зуб bad (peccant) tooth; ∾ая нога sore foot; ∾ое место sore (tender) spot; свалить с ∾ой головы на здоровую to lay the fault at another man's door.

большáк *диал.* 1. eldest son; the eldest in a family; 2. high-road.

бóльше larger; *см. тж.* более.

большеберцóв‖**ый** *анат.* tibial; ∾ая кость tibia, shin (bone).

большеви‖**зáция** Bolshevization; ∾ам Bolshevism; ∾к Bolshevik; ∾стский Bolshevist; ∾стский сев Bolshevik sowing; ∾чка Bolshevik (*fem.*).

большеголóвый macrocephalic.

бóльш‖**ий** greater, larger, major; с ∾им вниманием with more attention; ∾ая часть the greater (the greatest) part; ∾ая часть дня the major part of the day; самое ∾ее at the utmost, at most; ∾ей частью, по ∾ей части for the most (the greatest) part.

большинств‖**ó** majority, plurality, the generality (*of*); б. так думает most people think so; б. человечества the majority of mankind; огромное б. vast (overwhelming) majority; thumping majority (*sl.*); в ∾é случаев for the most part; по ∾у голосов by majority (plurality) of votes; быть избранным значительным ∾ом to be elected by a handsome majority.

больш‖**ой** large, big, bulky, great, high; б. дурак a precious fool; б. палец thumb (*на руке*), big (great) toe (*на ноге*); б. промежуток wide interval; б. свет society, high life; ∾áя буква capital letter; ∾ая дорога high (public) road; ∾ая интуиция great insight; ∾ая разница wide difference; ∾óе наследство a fair heritage; придавать ∾ое значение to make much of; to attach great importance to; самое ∾ее at the (ut)most; ∾ие ноги и руки large limbs; ∾óй разницы нет no tremendous difference; ∾ущий uncommonly large; vast (*sl.*).

боля‖**щий** *см.* больной.

бóмб‖**а** bomb, shell; egg (*военн. sl.*); сбрасывать ∾ы to bomb.

бомбазин bombazine (*материя*).

бомбардир bombardier (*тж.* жук б.), gunner; ∾овáние bombarding, bombardment; ∾овáть to bombard, to shell (*тж. фиг.*); ∾овка *см.* бомбардирование.

Бомбéй Bombay.

бомбо‖**вóз** bomber; ∾держáтель bomb-carrier; ∾мёт bomb thrower; ∾метáние bombing, bomb-dropping.

бом-брáмсель *мор.* royal (sail).

бо́на cheque.

бонапарти́‖зм Bonapartism; ~ст Bonapartist.

бонбонье́рка sweet-box, bonbonnière.

бонвива́н bon vivant, good liver; epicure.

бонда́р‖ить to cooper; ~ное ремесло́, ~ня cooperage; ~ь cooper, hooper.

бо́нза bonze.

бонифика́ция bonification.

бонмо́ bon mot (pl. bons mots); a witty saying (word).

бо́нна nursery-governess, mother's help.

бонто́н bon ton, the height of fashion; the thing.

бор I. pine wood, pine grove, pine forest.

бор II. хим. boron.

бораци́т хим. borax.

бо́ргес тип. bourgeois.

бордо́ claret (вино); claret-colour (цвет).

Бордо́ Bordeaux.

бордю́р border; ~ный ка́мень kerb-stone.

боре́й поэт. north wind.

Боре́й миф. Boreas.

боре́ние strife, fight, struggle.

боре́ц wrestler, athlete, champion; бот. aconite.

борза́я borzoi, Russian wolf-hound (русская); grey-hound (английская); deer-hound (шотландская).

борзопи́сец hack-writer; penny-a-liner.

бо́рзый swift, fleet.

Бори́с Boris.

бормаши́на dentist's drill.

бормота́‖ние mumble, mutter; ~а́ть to mumble, mutter, maunder; ~у́н mutterer, mumbler.

Борне́о Borneo.

бо́рн‖ый хим. boric, boracic; ~ая кислота́ boric (boracic) acid.

бо́ров boar, male pig; flue (у трубы).

борови́к a variety of edible mushroom.

борови́нка kind of apple.

борода́ beard; full beard (большая); beaver (sl.).

борода́в‖ка wart; ~ник бот. nipple-wort; ~чатый warty.

бород‖а́тый (long-)bearded; ~а́ч one wearing a heavy beard; '~ка tuft; peak (клинообразная); goatee (козлиная); key-bit (ключа); ~о́к техн. puncher.

борозд‖а́ furrow; анат. brain fissure; испещрённый ~а́ми, '~

чатый furrowed; ~и́ть to furrow, plough.

борон‖а́ harrow; ~и́ть to harrow; ~ова́льщик harrower; ~ова́ние, ~ьба́ harrowing.

боро́ться to wrestle, struggle; б. за to champion, to contend for, combat for; б. за де́ло револю́ции to fight for the revolutionary cause; б. за и́стину to combat for truth; б. из-за чего́-л. to fight for; б. с кем-л. to wrestle, strive, contend with; б. с чем-л. to strive, struggle, wrestle against; б. с искуше́нием to wrestle against temptation; б. с поро́ками to strive against vices.

борт border, hem, edge (матери́и, пла́тья); brim, edge (шля́пы); cushion (билья́рда); broadside (корабля́); б.-о́-б. broadside to broadside; вы́бросить за́ б. to throw overboard; упа́сть за́ б. to fall (go) overboard; б.-меха́ник air-mechanic; ~ова́я ка́чка rolling motion; ~ово́е отве́рстие мор. port(hole).

борщ soup made of beetroot, cabbage and meat; ~о́к clear soup made of red beet.

борьба́ fight, contest, struggle, strife, combat; wrestle (атлети́ческая); б. за ка́чество drive for quality; б. за овладе́ние те́хникой struggle for the mastery of technics; б. за повыше́ние урожа́йности struggle to increase crop yield; б. за существова́ние struggle for existence; б. кла́ссов class strife (war); идеологи́ческая б. ideological struggle, struggle on ideological lines.

босико́м with bare feet, barefoot(ed).

боске́т bosket.

Бо́сния Bosnia.

бос‖о́й, ~оно́гий barefoot(ed); на ~у́(ю) но́гу with bare feet; ~оно́жка one who is barefooted; a dancer who dances with her feet bare.

Босто́н Boston.

Босфо́р Bosporus.

бося́к tramp, vagabond, scamp.

бот 1. см. бо́тик; 2. boat, skiff, ship's boat.

ботан‖изи́ровать to botanize, to herborize; ~ик botanist; '~ика botany; ~и́ческий botanic, botanical.

ботв‖а́ leaf of beet, pot-herbs; ~и́нья cold soup of beet, leaves, pot-herbs and fish.

бо́тик I. мор. small boat, skiff.

бо́ти‖к II. high (felt) over-shoe; '~нок boot; па́ра ~нок a pair of boots.

Ботни́ческий зали́в the Gulf of Bothnia.

ботфо́рты jack-boots, Hessian boots.

бо́ты high (felt) over-shoes.

бо́цман *мор.* boatswain.

бочаг deep, pool.

бочар *см.* бонда́рь.

бо́чк‖а a tub, vat; cask, barrel *(небольша́я)*; tun *(для вина́)*; tierce *(сре́днего разме́ра)*; вино́ из ~и wine from the wood; де́ньги на ~у *разг.* pay on the nail.

бочко́м *см.* бо́ком.

бочо́н‖ок barrel, cask, keg; поча́тый б. вина́ cask (wine) on tap; вы уже́ пи́ли из э́того ~ка you know the tap; разлива́ть по ~кам to barrel.

боязли́в‖ость timidity; timorousness, fearfulness; ~ый timid, timorous, fearful, apprehensive; ~о timidly *и пр.*

боя́зн‖ь fear, dread, terror, fright; б. простра́нства *мед.* agoraphobia; из ~и for fear *(of, that, lest).*

боя́р‖ин *ист.* boyar, boiar, old--Russian nobleman; ~ство the rank of a boyar; ~щина boyardom; ~ыня old-Russian noble woman.

боя́рышник *бот.* hawthorn, whitethorn; я́года ~a haw.

боя́рышня *ист.* the unmarried daughter of a boyar.

боя́‖ться to fear, dread, to be afraid *(of)*; б. за кого́-л. to fear for someone; б. зла to be apprehensive of evil (harm); вам не́чего б. you need not fear; ~щийся чего́-л. fearful, afraid, frightened *(of)*.

бра sconce.

брав‖а́да, ~и́рование bravado; ~и́ровать to defy, to brave (it out); ~и́ровать опа́сностью to defy danger; ~и́ссимо bravissimo; '~о bravo; '~ость manliness of appearance; ~у́рный bravura *(attr.)*; ~у́рная а́рия bravura.

бра́га home-made country beer; (brewer's) mash.

брадобре́й *уст.* barber.

бра́жни‖к *уст.* reveller, feaster; ~ча́ние revelling, feasting, revelry, carouse; ~чать to revel, carouse, drink.

бразды́ *фиг.* reins; брать б. правле́ния to assume the reins of government, to take the helm;

упуска́ть б. правле́ния to drop the reins of government.

брази́лец Brazilian.

Брази́лия Brazil.

брази́льский Brazilian.

Бра́йтова боле́знь *мед.* Bright's disease.

брак I. marriage, matrimony, wedlock, union; *поэт.* hymen; б. по любви́ love-match; б. по расчё́ту marriage of convenience; гражда́нский б. civil marriage; морганати́ческий б. morganatic marriage; незако́нный б. illegal marriage *(в капиталисти́ческих стра́нах)*; нера́вный б. misalliance; рождё́нный вне ~а born out of wedlock; bastard; рождё́нный в ~е born in wedlock; свиде́тельство о ~е certificate of marriage, marriage lines.

брак II. waster, wastrel, defective goods *(материа́л)*; defect, flaw *(недоста́ток)*; ~о́ванный flawed (spoiled) in manufacture; ~ова́ть to sort out articles spoilt in manufacture; to condemn; ~о́вка the rejecting of flawed articles; ~о́вщик the sorter out of flawed articles, goods *и пр.*

браконье́р poacher; ~ство poaching; занима́ться ~ством to poach.

брако‖разво́дный: б. проце́сс divorce suit; ~сочета́ние marriage, wedding, nuptials.

Бра́ма *миф.* Brahma.

брам‖ани́зм brahminism; ~и́н brahmin.

бра́м‖сель *мор.* topsail; ~сте́ньга *мор.* topgallant.

брандахлы́ст *разг.* slops, any sloppy beverage.

брандва́хта fire-watch, guard--ship.

Бранденбу́рг Brandenburg.

бра́нд‖ер fire-ship; ~майо́р head of the fire-brigade; ~ма́уер wall between houses to prevent fire spreading; *уст.* fire-wall; ~ме́йстер head of the firemen at a fire; ~спо́йт fire-engine, fire-pump.

брани́ть to scold, chide, rate; to abuse; to upbraid *(with, for)*; *разг.* to dress one down; to give one beans *(sl.)*; ~ся to quarrel *(ссо́риться)*; to use bad (insulting) language, to swear *(руга́ться)*; to scold, rail *(ворча́ть)*.

бра́н‖ный 1. abusive; libelous; ~ная речь abusive speech; 2. *уст.* martial, warlike; ~ное по́ле martial field; ~ь 1. bad language, abuse, invective; scolding; wigging; 2. *уст.* warfare.

браслéт bracelet; anklet (*на ноге*).

брасовáть *мор.* to brace, set a sail.

брат brother (*pl.* -s; *см.* братия); двоюродный б. (first) cousin; единородный (единоутробный) б. half-brother (uterinebrother); молочный б. foster-brother; названный б. sworn brother; наш (ваш, их) б. *фиг.* the likes of us (you, them); наш б. актёр we, actors; ну, б.! well, my friend!; побочный б. natural brother; троюродный (четвероюродный) б. second (third) cousin; по рублю на ~а one rouble to each.

братá‖ние fraternization; ~ться to fraternize.

братвá *разг.* chaps, comrades.

брáт‖ия brotherhood, fraternity; *библ.* brethren; нищая б. the poor; beggars; ~ний, ~нин brother's; ~оубийственный fratricidal; ~оубийство, ~оубийца fratricide.

брáт‖ский brotherly, fraternal; ~ская любовь brotherly love; ~ские компартии fraternal communist parties; ~ские узы brotherly ties; (по-)~ски fraternally, like brothers; ~ство brotherhood, fraternity, confraternity; fellowship.

брать to take (*уроки, ванну, работу*); to seize, capture (*крепость*); to take in (*жильца, на дом работу*); to withdraw (*ребёнка из школы*); to book (*билеты, места*); б. быка за рога *погов.* to take the bull by the horns; б. в аренду to take on lease, to rent; б. верх to have (get) the upper hand (*of*); б. в долг, взаймы to borrow; б. врасплох to take unawares, to surprise; б. в жёны to take to wife; б. внаём, на прокат to hire; to job (*экипаж, лошадей*); б. в плен to take prisoner; б. в свидетели to call (take) to witness; б. за горло to take by the throat; б. лестью to gain by means of flattery; б. лишнее to charge too much; б. на буксир to take in tow; б. назад сказанное to unspeak, unsay; to swallow one's words; б. налево (направо) to turn to the left (to the right); б. на поруки to go bail (*for*); б. на своё попечение to take charge of; б. на себя to take it upon oneself; б. на себя руководство (труд) to take the lead (trouble); б. на себя смелость to take the liberty (*of*); б. начало to originate (*from, in*); б. обратно to

take back (away); б. обратно требования to withdraw the demands; б. препятствие to take an obstacle; б. пример с к.-л. to follow (take) one's example; б. приступом to take by storm; б. себя в руки to control oneself; *разг.* to pull oneself together; б. ч.-л. в свои руки to take in hand; б. (чью-л.) сторону to take the side (*of*), to side (*with*); его ничто не берёт nothing seems to affect him; нож не берёт the knife does not cut; он в рот ничего (спиртного) не берёт he is not given to drinking; отчаяние берёт его he is filled with despair.

брáться to take up, to turn to, to begin (*за работу, дело*); to undertake (*принять обязательство*); to touch (*руками*); б. за ч.-л. снова to resume; откуда могут б. эти слухи? where can such rumours spring from?

брáунинг Browning (automatic pistol).

Брáуншвейг Brunswick.

брахицефáл(ы) brachycephal(i).

брáчн‖ый nuptial, conjugal, matrimonial, connubial; *поэт.* hymeneal; б. контракт marriage settlement; б. союз conjugal union; ~ое свидетельство marriage certificate; ~ое сожительство cohabitation; ~ые узы the bonds of marriage, the nuptial knot.

брáшпиль *техн.* windlass.

брев‖енчатый timbered; ~нó beam, ba(u)lk, joist; log (*тж. фиг.*).

брег *поэт. см.* берег.

бред delirium (*о состоянии*); frenzy (*буйное состояние*); ravings (*бессвязная речь*); б. сумасшедшего the wanderings of a madman; впасть в б., быть в ~у to become (to be) delirious.

брéдень drag-net.

брéд‖ить to be delirious, to rave, to wander; б. чем-л. to be mad on; ~ни nonsense; rot (*sl.*); ~ящий delirious.

брéзг‖ать to be fastidious, squeamish, particular; ~ливость fastidiousness, squeamishness; ~ливый squeamish, fastidious, particular; *разг.* pernickety; ~ливо squeamishly, fastidiously; ~овать *см.* брезгать.

брезéнт, ~овое пальто tarpaulin.

брéзжи‖ть(ся) to dawn; заря чуть ~т(ся) the day is beginning to break, it is hardly dawn.

брейд-вы́мпел *мор.* commander's pendant.

бре́кчия *геол.* breccia.

брело́к trinket, pendant.

Бре́мен Bremen.

бре́м‖я burden, load, weight; снять б. (*вины, долга*) to exonerate; разрешение от ∼ени *см.* разрешение; под ∼енем under the burden.

бре́нн‖ость transitoriness, corruptibility, perishableness; ∼ый transitory, perishable, corruptible; всё земное ∼о all life on earth is perishable; то, что ∼о perishables (*обыкн. pl.*).

бренча́‖ние jingling, thrum, strum; ∼ть to jingle (*деньгами, ключами*), to thrum, to strum (*on*) (*на муз. инструменте*).

брести́ *см.* бродить.

Брест-Лито́вск Brest-Litovsk.

Брета́нь Brittany.

брете́лька shoulder strap.

брете́р bully, brawler.

брето́н‖ец, ∼ка, ∼ский Breton.

брех‖а́ть to yelp, bark (*о собаке*); to brag, boast, lie; ∼ня́ yelping, barking; boasting, bragging; ∼у́н boaster, bragger.

брешь breach, gap; flaw; пробивать б. to breach.

бриг brig.

брига́д‖а brigade; паровозная б. locomotive brigade; рабкоровская б. worker correspondent brigade; ударная б. shock brigade; ∼и́р brigadier; ∼ник member of a brigade; ∼ный генерал *уст.* brigadier general.

бриганти́на brigantine (*легкое судно, прежде—для сторожевой службы*).

бридж *карт.* bridge.

бриз breeze; береговой б. land-breeze.

Бриз (*бюро рабочего изобретательства*) workers' inventions bureau.

брике́т briquet(te).

бриллиа́нт diamond, brilliant; ∼овый diamond.

брио́ния *бот.* briony, bryony.

Брита́ния Britain.

Бристо́ль Bristol.

бристо́льская бума́га Bristol board.

Бристо́льский кана́л the Bristol Channel.

брита́н‖ец Britisher; ∼ский British; Britannic (*особ. о королевском титуле*).

бри́тв‖а razor; безопасная б. safety razor; острый как б. as

sharp as a razor; ∼енный ремень (razor-)strop.

бритт Briton.

бри́т‖ый smooth-faced, clean-shaven; ∼ь to shave; *разг.* to scrape one's chin; ∼ьё shave, shaving; ∼ься *см.* брить.

бри́чка britz(s)ka.

бров‖ь (eye)brow; попасть не в б., а в глаз *погов.* to hit the nail on the head; нависшие ∼и beetle brows; насупить ∼и to knit the brows; ∼ью не повёл he didn't turn a hair; с нависшими ∼ями beetle-browed.

брод ford; переходить в б. to ford, cross a ford; to wade (a stream *etc.*); не спросясь ∼у, не суйся в воду *посл.* look before you leap.

броди́л‖о leaven; ∼ьный fermentative; *мед.* zymotic; ∼ьный чан fermenting tub.

брод‖и́ть 1. to ferment, work, rise (*о вине, дрожжах и пр.*); 2. to wander, rove, ramble; to stroll (*пешком*); ∼я́га vagabond, vagrant; *разг.* tramp, scamp; ∼я́жить, ∼я́жничать to vagabondize, tramp; ∼я́жничество vagabondage, vagabondism, vagrancy; ∼я́чий vagabond, wandering; migratory; вести ∼я́чий образ жизни to be on the tramp; ∼я́чая собака a loose (stray) dog.

бро‖же́ни‖е *хим.* fermentation; *фиг.* intellectual fermentation; discontent (*недовольство*); вызывать б. to ferment (*хим.*); to cause discontent (*пол.*); вызывающий б. fermentative; подвергающийся ∼ю fermentable.

брок(к)оли broccoli (*капуста*).

бром *хим., мед.* bromin(e); ∼а́т bromate; ∼истый bromic; ∼истый натр bromide of potassium; ∼истое серебро silver bromide.

броне‖ба́шня armoured turret; ∼бо́йный снаряд armour piercing shell; ∼вик, ∼во́й автомобиль armoured motor-car; ∼во́й крейсер iron-clad cruiser; ∼но́сец battleship, ironclad; *зоол.* armadillo; ∼но́сный armour-clad, iron-clad; steel-clad; ∼по́езд armed (armoured) train.

бро́нз‖а bronze; ormolu (*позолоченная*); ∼ирова́ние bronzing; ∼ирова́ть to bronze; ∼овый bronze; ∼овая болезнь *см.* Аддисонова болезнь; ∼олите́йщик bronze founder.

брониро́ва‖нный *см.* броненосный; б. кабель armoured cable; б. кулак mailed fist; ∼нное место (вакансия) seat (vacancy) reserved by special order; '~ть кредиты to assure credits; ~ть место в санатории to reserve a place at a sanatorium; ~ть товары to reserve goods.

бронх *анат.* bronchus (*pl.* -i); ~иа́льный bronchial; ~и́т *мед.* bronchitis; ~остено́з bronchostenosis.

бро́н‖**я** armour, cuirass, coat of mail; something reserved by special order; б. на место *см.* бронированное место; закованный в ~ю steel-clad.

броса́ние throwing, casting, flinging, hurling.

брос‖**а́ть** to throw, cast, fling launch, hurl; to leave off, give up, quit, abandon (*оставить*); to chuck (*разг.*) (*дело, должность*); to cast (*игральные кости, сети*); to desert, forsake, abandon, to turn one's back on (*жену, семью, друзей*); to leave off (*заниматься, курить, пить и пр.*); to give up (*привычку*); б. взгляд to shoot (cast, dart) a glance; б. злобный взгляд to cast an angry look; look daggers at; б. войска на неприятеля to fling one's troops on the enemy; б. все силы на хлебозаготовки to mobilize all forces for grain collection; б. деньги to chuck away money; б. карты на стол to throw down the cards; б. кого-л. на произвол судьбы to turn one's back on, to desert, abandon; б. кому-л. в лицо to fling fact into person's teeth (*обвинение, упрёк*); б. недоделанным to leave undone; б. работу to throw up work; б. свет (тень) to cast light (shadow); меня ~а́ло то в жар, то в холод I went hot and cold (*от волнения или в лихорадке*); он '~ил музыку he has given up music; он ~ил службу he has chucked his job; '~ь-те его leave him alone (*оставьте в покое*).

брос‖**а́ться** to throw oneself; to precipitate oneself (*сломя голову, вниз головой*); to shy (*в сторону*); *преим. о лошади*); to dash, rush, to make a dash for (*стремительно*); to spring at (*на добычу, противника*); to pounce (*о налёту*); to plunge (*в воду*); б. вверх (вниз) по лестнице tumble up (down) the stairs; б. в глаза to catch one's eye, to stand out; б. в кровать to tumble into bed; б. в объятия to fling oneself into person's arms; б. кому-л. на шею to throw one-

self into person's arms; б. на колени to fall upon one's knees; кровь ~а́ется в голову (лицо) blood rushes to the head (face); ~а́ющийся в глаза conspicuous, staring.

бро́сить(ся) *см.* бросать(ся).

бро́‖**совый**: б. экспорт dumping; ~со́к hurl, throw; ~ско́м at a throw; ~шенный deserted, abandoned; хорошо ~шенный мяч a well pitched ball.

броширо́в‖**а́ние** stitching; ~а́ть to stitch a book.

броширо́в‖**ка** stitching; '~щик stitcher.

брошь brooch.

брошю́ра brochure, pamphlet, stitched booklet.

брудерша́фт: пить (на) б. to drink brotherhood.

брульо́н *уст. см.* черновик.

брус squared beam; joist (*продольный*); girder (*поперечный*); tie-beam (*стягивающий*); ~ко́вый hewn; ~ко́вое железо bar-iron.

брусни́‖**ка** *бот.* red bilberry, cranberry; *амер.* red huckleberry; ~чное варенье red bilberry jam.

брусо́‖**вка** large square file; ~к rail; ingot (*металла, особ. золота, серебра, стали*); точи́льный ~к whetstone; scythe-stone (*для отбивки кос*).

бру́ствер *военн.* breastwork, parapet.

бру́сья *см.* брус; cross-bars; параллельные б. *спорт.* parallel bars.

бру́тто *комм.* gross-weight.

брыжже́йка *анат.* mesentery.

брыжи *уст.* frill, ruff, ruffle.

брызгание splashing; sprinkling; spatter (*о дожде*).

брыз‖**гать** to sprinkle, splash, spatter (*грязью, краской, чернилами*); to gush (*о слезах*); to sputter (*слюной*); to jet, squirt (*струёй*); ~гаться to splash; ~гаться духами to scent oneself, spray oneself with scent; ~ги splash, spray (*морской воды*); ~нуть *см.* брызгать.

брык‖**а́ние** kick(ing); buck (*о лошади*); ~а́ть, ~а́ться to kick; to buck(-jump) (*о лошади*); ~ли́вая лошадь bucker, kicker; ~ну́ть to give a kick.

бры́нза kind of cheese made of ewe's-milk.

брысь! begone!, shoo!

Брю́гге Bruges.

брюз‖**га́** grumbler; ~гли́вость snappishness, irritability; ~гли́-

вый morose, snappish; *разг.* grumpy; ～жа́ние grumbling; ～жа́ть to grumble.

брю́кв‖а turnip; rape; swede (*шведская*); ～енный made of turnip.

брю́к‖и trousers; *разг.* breeches; knee-breeches, knicker-bockers, *разг.* knickers (*короткие, до колен*); ～овыпрями́тель trouser-stretcher.

брюме́р *ист.* Brumaire.

брюне́т a dark man (boy); ～ка brunette.

Брю́ссель Brussels.

брю́ссельск‖ий: ～ие кружева Brussels lace.

брюх‖а́стый *вульг.* big-bellied; ～а́тая *вульг. см.* бере́менная; '～о belly, abdomen, paunch; ～оно́гие *зоол.* gasteropoda; ～опёрые *ихт.* abdominal fishes.

брюши́н‖а *анат.* peritoneum; воспале́ние ～ы *мед.* peritonitis; в о́бласти ～ы in the abdominal region; ～ный peritoneal.

брюш‖ко́ *зоол.* abdomen; *разг.* little belly (paunch); ～но́й abdominal; ～но́й тиф typhoid fever, enteric fever; ～на́я по́лость the abdominal cavity.

бряк! bang!, whack!; ～ание clatter(ing), rattle, rattling; ～ать, ～нуть to clatter, rattle, bang, to let fall with a clash; to say a thing rashly, to say the wrong thing; ～нуться to fall heavily, to go bang.

бряца́‖ние clattering; б. ору́жием *фиг.* the clatter of arms; ～ть to clatter.

БССР *см.* Белору́сская ССР.

БСЭ (*Большая советская энциклопедия*) the Large Soviet Encyclopædia.

бу́бен tambourine; ～е́ц (sleigh-)bell; ～цы́ bells; '～чик *см.* бубене́ц.

бу́блики rings of dough scalded and baked.

бубни́ть *разг.* to grumble.

бубно́в‖ка *карт. см.* бубны; ～ый туз the ace of diamonds (*тж. ист. нашивка на спине арестанта*).

бу́б‖ны 1. *карт.* diamonds; ходи́ть с ～ён to play diamonds; 2. tambourine.

бубо́н *мед.* bubo; ～ный bubonic; ～ная чума́ bubonic plague, pestilence; the plague.

Буг the Bug.

буга́й *см.* выпь.

бу́гель *эл.* bow-collector.

буго́р hill, hillock, mound, heap; protuberance; ～о́к *см.* бугор; *мед.* tubercle; ～ча́тка *мед.* tuberculosis; ～ча́тый tuberculous, tubercular.

бугр‖и́стый, ～ова́тый hilly, knobby.

буго́прит *мор.* bowsprit.

Будапе́шт Budapest.

будди́‖зм Buddhism; ～йский Buddhistic(al); ～ст Buddhist.

бу́д‖ень workday, working day, week-day; се́рые ～ни the trivial routine of life.

бу́дет *см.* быть; enough; that'll do!; б. с вас э́того? will that do? (*хватит ли?*); ему́ за э́то б. he'll pay for it; he'll get it hot! (*попадёт*).

буди́льник alarm-clock.

буди́ровать to set someone against.

буди́ть to wake, call (*разбуди́ть*); to rouse, raise, arouse, wake (*возбуждать, пробуждать*).

бу́дка booth; stall (*ларёк*); карау́льная б. sentry-box; соба́чья б. (dog)kennel; телефо́нная б. telephone booth (box); б. машини́ста driver's stand.

бу́дни workdays, every day; *см. тж.* бу́день.

бу́дничн‖ость triviality; ～ый every-day; *фиг.* trivial; ～ый день workday; ～ая жизнь the trivial round (routine) of life; ～ое пла́тье every day dress.

будора́жить to disturb; to deprive of peace (quiet).

бу́дочник *ист.* policeman.

бу́дра *бот.* ground-ivy.

бу́дто, б. бы as if, as though, that; б. вы э́того не зна́ли as if you did not know; у вас тако́й вид, б. вы не по́няли you look as though you did not understand.

будуа́р boudoir; *поэт.* bower.

бу́дучи being.

бу́дущ‖ий future, coming, next; моя́ ～ая жена́ my bride; ～ее 1. the future, futurity; 2. ～ее вре́мя *гр.* future (tense); в ～ем in future, in days to come; for the future (*впредь*); в ～ем году́ next year; ～ие времена́ after times; ～ие собы́тия the coming events; в ～ую пя́тницу (on) Friday next.

бу́дущность future, career.

будь: б. что бу́дет come what may; б. он про́клят damn him!; б. по-тво́ему let it be as you wish; не б. вас, он бы утону́л but for you he would have been drowned; ～те добры́ be so kind; do you mind?

буёк *мор. см.* буй.
бу́ер ice-boat.
буера́к ravine.
буже́нина pork.
бужи́ *мед.* bougie.
буза́ I. rock-salt.
буз‖**а́** II. kind of home-made groats ale; *фиг.* meddling, trouble--making; ~**и́ло** *см.* бузотёр.
бузин‖**а́** *бот.* elder; '~**ный**, '~**о-вый** куст elder bush.
буз‖**и́ть** to meddle, find fault (*with*); ~**отёр** *вульг.* meddlesome person, fault finder, trouble maker; ~**отёрство** *см.* буза.
бузу́н *см.* буза I.
буй *мор.* buoy, float; nun-buoy (*двойной*); life-buoy (*спасатель-ный*).
бу́йвол buffalo.
бу́йн‖**ость** violence, impetuosity, fury, wildness; ~**ый** violent, tempestuous, furious, raging (*о ветре*); wanton (*о ребёнке, росте, настроении*); uproarious (*о смехе, веселье*); ungovernable (*о стра-стях*); ~**о** violently *и пр.*
бу́йреп *мор.* buoy-rope.
бу́йство tumult, uproar; ~**вать** to rage, storm, to behave violently; to rampage; *шут.* to be on the rampage.
бук beech.
бу́ка bugbear; bog(e)yman; an unsociable fellow.
бука́шка small insect.
бу́кв‖**а** letter, character; *тип.* type; гласная б. vowel; готиче-ская б. black letter; начальная б. initial letter; прописная б. capi-tal letter; согласная б. consonant; строчная б. small letter (lower--case); б. закона the letter of the law; б. в ~у literatim; печатные ~ы printed letters, type; обозна-чать ~ами to letter.
буква́льн‖**ость** literalness, liter-alism; ~**ый** literal; verbal (*о пе-реводе*); в ~**ом** смысле in a literal sense; ~**о** literally, word for word, to the letter.
буква́р‖**ный** alphabetic(al); ~**ь** ABC-book, primer, spelling-book.
бу́квенный by (in) letter(s).
бу́квица *бот.* cowslip, oxlip.
букво́ед a pedantic scientist; one who adheres strictly to the letter of the law; ~**ство** pedantry, bookishness.
буквоотли́вный *тип.* letter cast-ing.
буке́т nosegay, bouquet, posy; bunch of flowers; flavour, bouquet (*о вине и пр.*).

букини́ст second-hand booksell-er; dealer in old books; ~**и́ческий** dealing in second-hand books.
бу́кля ringlet, lock, curly lock of hair, hanging curl.
букме́кер book-maker.
бу́ков‖**ый** beechen (*сделанный из букового дерева*); б. жолудь beech nut; ~**ое** масло beech-oil.
буко́ли‖**ки** the Bucolics (*Вирги-лия*); '~**ческий** bucolic, pastoral.
букс *бот.* box.
бу́кса *ж.-д.* axle-bearing(-box).
букси́р tow, tow-rope, tow-line (*канат*); tug, tugboat (*пароход*); общественный б. *фиг.* public (so-cial) tow; взять на б. to take in tow (*тж. фиг.*); *фиг.* to coach up; ~**ование** towing; плата за ~**ование** towage; ~**овать** to tow, to have in tow, to tug.
бу́ксовый boxen.
булава́ mace.
була́в‖**ка** pin; английская б. safety pin; б. для галстука scarf--pin; деньги «на ~**ки**» pin-money; подушечка для ~**ок** pin-cushion; ~**очный** укол pin-prick; ~**очная** головка pin head (*тж. фиг.*).
була́ный Isabella, dun (*о лоша-ди*).
була́т *уст.* steel, sword, blade.
бу́линь *мор.* bowline.
бу́лка loaf.
бу́лла Papal bull (*папская*).
Було́нь Boulogne.
бу́лочка roll (*круглая*); bun (*сдоб-ная*).
бу́лочн‖**ая** baker's shop, bakery; ~**ик** baker.
булты́х! plop!; ~**а́ние** plopping; plop (*звук бултыхания*); ~**а́ть(ся)**, ~**ну́ть(ся)** to plop, to go plop, to souse; ~**ну́лся** в воду he went plop into the water.
булы́жн‖**ик** cobble-stone; *собир.* cobbles; ~**ая** мостовая cobble.
буль buhl (*стиль мебели 17—18 вв.*).
бульва́р boulevard, avenue; ~**ный** роман shilling shocker; ~**ная** пресса gutter-press.
бульдо́г bulldog (*тж. револь-вер*).
бу́лька‖**нье** gurgle; ~**ть** to gurgle.
бульо́н broth; bovril, beef-tea (*бутылочный*); chicken-broth (*ку-риный*).
бума́г‖**а** paper; cotton (*хлопча-тая*); б. для обоев crude wall paper; б. для рисования drawing paper, sketching paper; б. из дре-весной массы wood pulp paper; б. от мух fly paper; ватманская б.

Whatman (paper); веленевая б. vellum paper; б. верже laid paper; восковая б. wax paper; голландская б. Dutch handmade paper; копировальная б. carbon-paper; лакмусовая б. litmus paper; линованная б. ruled paper; линованная в клетку б. paper ruled in squares; меловая б. art printing paper, coated paper; нотная б. music-paper; обёрточная б. brown paper; официальная б. dispatch, official document; папиросная б. tissue-paper; печатная б. printing paper; писчая б. writing paper, foolscap; почтовая б. note-paper; промасленная б. oil-paper; промокательная б. blotting paper; ролевая б. endless paper; слоновая б. ivory paper; срочная б. dispatch; стеклянная б. glass and sand paper; на ～е on paper; изложить на ～е to commit to paper; существующий лишь на ～е paper (*attr.*) (*о доходах и пр.*); оклеивать ～ой to paper.

бумагоде́лательный paper (*attr.*).

бумагодержа́тель holder of securities (shares *etc.*).

бумагомара́тель scrawler, scribbler.

бумагопряди́лПный textile; ～я cotton-factory, cotton-mill.

бума́жПка см. бумага; slip of paper; *разг. неол.* official paper; *разг.* (bank)note; пятирублевая б. five rouble note; ～ник pocket book, leather case.

бума́жПный paper (*писчебумажный*); cotton (*хлопчатобумажный*); б. змей (paper) kite; ～ая пряжа cotton thread; ～ая ткань cotton; ～ая фабрика paper mill; ～ое производство paper industry; ～ые деньги paper money, paper currency; ～ые полуфабрикаты semimanufactured cotton goods.

бумазе́Пйный fustian; ～я fustian, swan's-down.

бунд *пол.* Bund (*Jewish Social-Democratic Opportunist Party in Tzarist Russia and Poland*); ～овец member of the Bund.

бу́нкер *техн.* bunker.

бунт I. bale, packet, bundle.

бунт II. revolt, uprising, insurrection, sedition, rebellion, insurgence; mutiny (*военный*); riot (*толпы*); народный б. popular tumult; ～а́рский seditious; ～а́рство sedition; ～а́рь rioter, insurgent, insurrectionist; ～ова́ть, ～ова́ться to revolt, rebel; to rise, to uprise, to rise in mutiny; ～ овско́й riot-

ous, mutinous; ～овщи́к rebel, revolter, mutineer; ～у́ющий rebellious, riotous, mutinous.

бунчу́к *ист.* the mace of a hetman; old-Turkish standard.

бур I. auger, borer.

бур II. Boer.

бура́ *хим.* borax; borax calcined (*прокалённая в порошке*).

бура́в auger, gimlet, borer, perforator.

буравец *зоол.* borer.

бура́вПить to bore, perforate; ～ление boring; ～чатый auger-shaped; ～чик gimlet.

бура́к 1. maroon, marron (*в фейерверке*); 2. cylindrical box made of birch-bark; 3. см. свёкла.

бура́н snow-storm.

бура́чник *бот.* borage.

бурбо́н a rude upstart; Б～ы *ист.* the Bourbon dynasty.

бургоми́стр 1. burgomaster; 2. glaucous gull (*чайка*).

бургу́ндское вино́ burgundy.

бурда́ slops, dish-washing, wish-wash (*sl.*).

бурдю́к wine skin.

буреве́стник *зоол.* (storm-)petrel, stormy petrel.

бурело́м windfallen trees.

буре́ние boring.

буре́ть to grow brown.

буржу́Па bourgeois; ～азия bourgeoisie; ～азно-демократи́ческий bourgeois-democratic; ～азность bourgeois habits; ～азный bourgeois; мелко-～азный petty bourgeois; ～азная идеология bourgeois ideology; '～й *разг.* bourgeois; ～йка 1. см. буржуй; 2. a small stove; '～йский *разг.* bourgeois.

бури́Пльный boring; ～льщик borer; ～ть to bore.

бу́рка Caucasian felt cloak.

бу́ркалы *вульг.* goggle eyes.

бу́ркПать, ～нуть *разг.* to mumble; to talk indistinctly, with sudden irritation.

бурла́Пк *ист.* hauler of a barge on the Volga; ～цкий pertaining to a hauler.

бурла́чПество hauler's trade; ～ить to haul barges.

бурли́Пвость tempestuousness, storminess; ～вый tempestuous, stormy; ～ть to bubble, storm, boil.

бурми́стр *ист.* bailiff.

бу́рность storminess, violence, boisterousness, impetuosity.

бурну́с burnous.

бу́рнПый stormy; tempestuous, boisterous, roaring; wild (*о моло-*

дости, страсти, ночи); stormy (о свидании, разговоре); squally (о погоде); rough, heavy, stormy (о море); б. порыв ветра strong gust of wind; ⁓о stormily, tempestuously, boisterously, wildly; после ⁓о проведенной молодости after a wild youth.

буров‖ой: ⁓ая вышка derrick; ⁓ая машина boring machine; ⁓ая мука bore meal, borings; ⁓ая скважина bore, boring, borehole.

бурса ист. theological college supported by the crown; '⁓к student of such college.

бурский Boer.

бурун мор. breaker, surf.

бурундук зоол. chipmuck, chipmunk, hackee.

бурча‖ние rumbling (в желудке); grumbling (ворчанье); ⁓ть to grumble; см. бормотать.

бурый brown, fulvous, fallow; б. железняк brown iron ore.

бурьян wild bushy weeds in the field.

буря storm, tempest; б. в стакане воды a storm in a tea-cup; б. и натиск storm and stress; снежная б. snow storm, blizzard.

бурят, ⁓ка Buryat.

Бурято-Монгольская АССР the Buryat-Mongolian Autonomous Soviet Socialist Republic.

бус‖инка bead; имеющий форму ⁓ины beady; ⁓ы beads.

буссоль surveying compass.

бут стр. rubble, quarry stone.

бутафор театр. property-man (-master); ⁓ия properties; ⁓ский properties (attr.); фиг. sham, dummy; ⁓ская театр. properties room; ⁓ская мастерская properties work-shop; ⁓ские вещи properties.

бутерброд a slice of bread and butter; open sandwich.

бутириновая кислота butyric acid.

бут‖ить to fill with rubble; '⁓овый rubble (attr.).

бутон 1. bud; 2. фиг. см. прыщик; ⁓ьёрка button-hole (flower).

бутсы спорт. football boots.

бутуз chubby child.

бутыл‖ка bottle; винная б. winebottle; разливать по ⁓кам to bottle, pour in bottles; откупорка (закупорка) ⁓ок corkage; раздавить ⁓очку фиг. to crack a bottle; ⁓очного цвета bottle-green; ⁓ь large bottle; carboy (для кислот, корзине).

буф 1. puff; 2. см. театр-буф.

буфер buffer; ⁓ная платформа пол. buffer platform; ⁓ное государство buffer state.

буфет side-board, cupboard (мебель); refreshment room, bar, buffet (помещение); чайный б. в саду tea-garden; ⁓ная 1. pantry; 2.: ⁓ная стойка bar, buffet; ⁓чик barman (за стойкой); butler (в частном доме); ⁓чица barmaid (за стойкой).

буфон buffoon; ⁓ада buffoonery; ⁓ить to buffoon, play the buffoon.

бух! plump!, plop!, bang!

Бухара Bokhara.

Бухарест Bucharest.

бухарский: б. язык Bokhara language.

бухать to plump (down); ⁓ся to sit (go) down plump.

бухгалтер accountant; book-keeper; главный б. chief accountant; '⁓ия book-keeping; двойная ⁓ия book-keeping by double entry; здание (помещение) '⁓ии counting-house; ⁓ский accountant (attr.).

бухнуть 1. to swell (набухать); 2. см. бухать; ⁓ся см. бухаться.

бухта 1. bay, bight, creek, cove; 2.: б. каната мор. coil.

бухточка см. бухта; inlet, basin.

бухты-барахты plop, plump; с б.-б. rashly, foolhardily.

Буцефал Bucephalus.

буч‖а row; поднять ⁓у to kick up a row; ⁓ить 1. to buck, to steep (wash) in lye; 2. фиг. to rate, scold.

бушева‖ние storming, raging, blustering; ⁓ть to storm, rage, bluster.

бушель bushel.

бушмен bushman.

бушприт мор. bowsprit.

буян 1. ruffian, bully; 2. wharf, landing-place; ⁓ить to rage (см. буйствовать).

бы, сокр. б, выражается посредством сослагательного и условного наклонения: should, would; если бы я (он, она и пр.) был(а) if I (he, she и пр.) were; я (он) сказал бы вам I should (he would) tell you; он (я) написал бы, если бы мог he would (I should) have written, if he (I) had been able; я так сделал бы, если бы был на вашем месте I should have done it had I been in your place (if I were you); без какого бы то ни было труда without any trouble what(so)ever; где бы вы ни были wherever you may be; как бы то ни

бы́ло be it as it may; however; кого бы это ни каса́лось whomsoever it may concern; кто бы это мог быть? whoever can that be?; чего бы это ни сто́ило at whatever cost; что бы из этого ни вы́шло whatever may come of it; что бы ни случи́лось whatever may happen.

быва́ло formerly, used to; б. ходи́л дилижа́нс formerly there was a coach running; он, б., слу́шал he used to listen; и вдруг его́ как не б. and in a moment he was gone; как ни в чём не б. as if nothing were the matter.

быва́лый that happened; experienced, worldly-wise; б. челове́к one who had considerable experience in life.

быва́||ть *см.* **быть**; to come to pass, to occur, happen (*случа́ться*); to visit, frequent (*посеща́ть*); to be held, to take place (*о заседа́нии, ми́тинге, ле́кции*); этому не б. this will never be (happen); вы ре́дко ~ете you are quite a stranger here; ~ют и таки́е слу́чаи there are indeed cases; заседа́ния ~ют раз в ме́сяц meetings are held once a month.

бы́вш||ий former, late, quondam, ex-; б. заве́дующий the former (late) manager; б. президе́нт ex--president; ~ие лю́ди former people of consequence; have beens; оди́н из мои́х ~их друзе́й a quondam friend of mine.

бык 1. bull; ox (*холощёный; pl.* oxen); рабо́чий б. draught ox; тибе́тский б. yak; здоро́в как б. *погов.* as sound as a roach; бой ~о́в bullfight; 2. abutment, pier (*мо́ста*).

была́ не была́ come what may.

были́н||а bilina (*a metrical Russian folklore story*); ~ный э́пос old Russian epos.

были́нка blade of grass.

бы́ло 1. nearly, on the point of; его́ чуть-б. не уби́ло he was within a hair's breadth of being killed; он чуть-б. не упа́л he very nearly fell; я чуть-б. не ушёл I was on the point of going; я чуть-б. не сказа́л I was just going to say; 2. *см.* **быть**; что́бы этого бо́льше не б. this is not to (must not) happen again; не тут-то б. no such luck.

было́е bygone.

был||о́й past, bygone; в ~ые времена́ in former days, (in days) of yore, in days of old.

быль fact; true tale.

быстрина́ rapid, swift course.

бы́стр||о swiftly, with speed; о́чень б. in no time; так б., как то́лько мо́жно at the top of one's speed; б. сообража́ющий nimble of mind; тот, кто отве́тит ~ее the one that answers readiest.

быстроно́гий nimble, light--footed.

быстрот||а́ rapidity, speed, swiftness, quickness; б. сообра́жения nimbleness of mind; с ~о́й ве́тра like the wind, on the wings of the wind; с ~о́й мо́лнии with lightning speed.

быстрохо́дны||й high speed (*attr.*); эска́дра ~х корабле́й flying squadron.

бы́стр||ый rapid, fast, swift; speedy, prompt, quick (*реше́ние, отве́т*); smart (*шаг, рысь*); мо́жет разви́ть б. ход has a good turn of speed; прогу́лка ~ым ша́гом a sharp walk; ~ая сообрази́тельность quick understanding; ~ая река́ a rapid river.

быт mode of life; manners and customs; но́вый б. new life conditions, new mode of life; ~ие́ being, existence; ~ие определя́ет созна́ние existence determines consciousness.

бы́тность stay, sojourn.

быто́||во́й referring to the life of a people, taken from life; ~вы́е усло́вия living conditions; ~писа́ние history, record of events; ~писа́тель historian, recorder of events.

быть to be, exist; б. в отсу́тствии to be away (absent); б. впору́ to fit; б. в си́лах to have the strength (*to*) (*о физи́ческой возмо́жности*); to have the power (*to*) (*иметь власть*); б. в состоя́нии to be able (*to*); б. вы́нужденным to have (*to*); б. действи́тельным to inure, *юр.* enure; be valid; б. знако́мым to know; to be acquainted (*with*) (*гл. обр. с челове́ком*); to have a knowledge (*of*) (*с предме́том*); б. изве́стным под и́менем to go by the name (*of*); б. начеку́ to be on the alert (on one's guard); б. незави́симым to be one's own master; б. обя́занным to be obliged, to have to; б. посвящённым в та́йну to be in the know; б. по сему́ be it so; so be it; б. при ч.-л. to be present; б. свиде́телем чего́-л. to witness; име́ющий б. to come; как б.? what is to be done?; мо́жет б. may be, perhaps; мо́жет б. это так it seems so, it may be so. **бытьё** *см.* бытие.

быч‖**а́чий** bovine; б. язык neat's tongue; ∼**и́ще** very large bull; ∼**о́к** 1. steer (*молодой бык*); 2. goby (*рыба*).

бьеф *гидр.*: верхний (нижний) б. upper (under) water.

бюва́р pad, blotting (writing) pad.

бюдже́т budget; проект государственного ∼а the Estimates; предусматривать в ∼е to budget (*for*); ∼**ный** budgetary; ∼**ный** год budget year; ∼**ные** предположения budgetary considerations.

бюллете́нь bulletin; vote, voting paper (*избирательный*); weather-chart (*метеорологический*); б. съезда bulletin of the congress; больничный б. sick bulletin.

бю́ргер burgher.

бюре́тка *хим.* burette.

бюро́ 1. bureau, office; б. повреждений telephone repair bureau; б. по обслуживанию иностранцев bureau for the service of foreigners; б. рабочего изобретательства *см.* Бриз; похоронное б. undertaker's office; funeral supply bureau; справочное б. enquiry bureau; 2. secretaire, secretary, writing desk (*мебель*).

бюрокра́т bureaucrat; Jack-in-office; ∼**иам** bureaucracy; чиновничий ∼**изм** official red tape; ∼**ийеский** bureaucratic; ∼**ия** bureaucracy.

бюст bust; ∼**га́льтер** corset, bodice.

бязь cheap cotton stuff.

бя́ка *дет.* oh, fie!

В в 1. in; в армии in the army; в Европе in Europe; в коричневых ботинках in brown boots; в 1929 году in the year 1929; в январе in January; 2. into, to; войти в комнату to come into the room; заглянуть в ящик to look into the box; итти в парк to go to the park; поехать в Лондон to go to London; пойти в театр to go to the theatre; 3. for; выехать пароходом в Гамбург to sail for Hamburg; уехать в Париж to leave for Paris; 4. at; в 5 часов at five o'clock; в театре at the theatre; 5. on; в огне on fire; в понедельник on Monday; в виду этого therefore; в совершенстве to perfection; в том числе и он including him; в этом году (месяце) this year (month).

ва-ба́нк: итти в. to go nap.

ва́б‖**ик** *охотн.* bird-call; decoy-bird; ∼**и́ло** lure, hawk's lure, decoy-duck; ∼**и́льщик** falconer, trainer of birds; ∼**и́ть** to lure.

вавило́нск‖**ая** ба́шня the tower of Babel; ∼**ое** столпотворение Babel.

вавило́ны undulatory (wavy) ornament; scrawl, scribble (*каракули*).

ва́га swingletree; splinter-bar (*каретная*).

ваго́н carriage (*англ.*), car (*амер.*); luggage-van (*багажный*); goods-carriage (*товарный*); waggon, truck (*платформа*); pantechnicon van (*для перевозки мебели*); в. микст composite carriage; в.-ресторан dining-car, diner; в.-цистерна tank-truck; жёсткий в. hard (seated) railway carriage; мягкий в. soft (seated) railway carriage; спальный в. sleeping-car; трамвайный в. tramcar (*англ.*), street-car, trolley (*амер.*); ∼**ет-ка** trolley, truck; ∼**ная** ось car axle; ∼**овожа́тый** tram-driver; ∼**оремо́нтный** car repairing (*attr.*); ∼**остро́ительный** car building (*attr.*).

вагра́нка *техн.* cupola.

ва́женка *зоол.* female reindeer.

ва́жнича‖**ние** giving oneself (putting on) airs; ∼**ть** to put on (to give oneself) airs, to bridle oneself up; to mount (to ride) the high horse; to put on side (*sl.*).

ва́ж‖**ность** importance, significance, consequence, weight; pretentiousness, pompousness (*напыщенность*); напускать на себя в. to assume (to put on) airs; не велика в. it's of no consequence; эка в.! what does it matter!; большой ∼**ности** of great importance (moment); ∼**ный** important, significant, consequential, grave; pompous, grand (*ирон.*); особо ∼**ный** of special importance; ∼**ен** первый шаг the great thing is to make a start; ∼**ная** персона a man of consequence; ∼**ная** шишка *разг.* big wig (knob, pot); ∼**ное** дело important business; самое ∼**ное** не потерять голову the thing is not to lose one's head; ∼**но** importantly, significantly, consequentially, gravely; pompously; это очень ∼**но** this is very important; это не ∼**но** it's of no consequence.

ва́за vase; bowl; в. для цветов flower-vase.

вазели́н, ∼**овый** vaseline.

ва́зов‖ый: ~ая жи́вопись vase painting.

вазомото́рный vasomotorial.

ВАИ (*Всесою́зная ассоциа́ция инжене́ров*) All-Union Association of Engineers.

Вайга́ч Vaigach.

ва́йда *бот.* woad (*тж. синяя краска*).

вака́н‖сия vacancy; у него́ есть в. в шко́ле (в шта́те) he has a vacancy for a pupil (on his staff); освобожда́ть ~сию to vacate; ~тный vacant.

вака́ции *уст.* vacation; ле́тние в. the (long) summer vacation, the summer holidays.

ва́кс‖а blacking; чи́стить ~ой to blacken.

ва́куум vacuum.

вакх‖ана́лия bacchanalia; ~а́нка Bacchante, mænad; ~и́ческий bacchanal, Bacchic.

вакци́н‖а *мед.* vaccine; ~а́ция vaccination; ~отерапи́я vaccino-therapeutics, vaccinotherapy.

вал billow, roller, surge (*о волне́*); bank (*насыпь*); *воен.* rampart, bulwark; traverse (*попере́чный*); *техн.* shaft; arbor (*маши́нный*); spindle (*махови́ка*); цапфа ~а journal of a shaft; окружа́ть ~ом to bank.

вала́нда‖нье *разг.* dallying, loitering, lingering; ~ться to dally, loiter, linger, lag.

валансье́н, ~ское кру́жево Valenciennes; *разг.* Vallace.

вала́х Wallach(ian).

Вала́хия Wallachia.

вала́шский Wallachian.

Валга́лла *сканд. миф.* Valhalla.

Валда́йские го́ры the Valdai Hills.

валёжн‖ик, ~ый лес windfall.

валёк battledore, mangle (*для сти́рки белья́*); loom (*у весла́*).

ва́ленки valenki, felt boots.

вале́нтность *хим.* valence.

ва́лен‖ый: ~ые сапоги́ см. ва́ленки.

валериа́н‖а *бот.* valerian; ~ка *разг.*, ~овые ка́пли valerian drops.

валёт *карт.* knave, Jack.

ва́лец *техн.*, *тип.* roller.

ва́лик bolster (*дива́на*); *техн.* cylinder; *тип.* inker; inking-roller.

вал‖и́ть to throw down, to overturn, topple, to cause to fall over; to heap up, to pile up (*в ку́чу*); to fell (*дере́вья*); to come in thick clouds (*о ды́ме*); to fall in great

flakes (*о снеге*); в. ва́лом to throng, to go (to come) in flocks; ему́ сча́стье ~и́т he has a run of luck; ~и́ться to fall, topple, to tumble down; ~и́ться от уста́лости to drop with fatigue; на бе́дного Мака́ра все ши́шки' ~ятся *прибл.* an unfortunate man would be drowned in a tea-cup.

ва́лк‖а felling, cutting down (*дере́вьев*); ~ий shaky, unsteady, tottery, faltering; crank, rickety (*о су́дне, маши́не*); ~о unsteadily, crankily; ни ша́тко ни ~о just middling; ~ость crankness (*о су́дне*).

валли́‖ец Welsh(man); ~йский Welsh; ~йцы the Welsh.

валло́н, ~ский, ~ский язы́к Walloon.

валов‖о́й gross (*вес, дохо́д*); в. сбор total yield; ~а́я при́быль gross profit (*про́тивоп.* net profit); ~а́я проду́кция the gross output; ~а́я су́мма total sum.

ва́лом см. вали́ть.

валто́рна French horn.

валу́й a kind of mushroom.

валу́н bowlder, boulder.

ва́льдшнеп woodcock.

Вальки́рия *миф.* Valkyria.

Вальпу́ргиева ночь Walpurgis Night.

вальс waltz; ~ирова́ть to waltz.

ва́льцов‖а́ть to roll; '~ка *техн.* rolling; '~щик worker at a rolling press.

валю́т‖а currency, value of currency; разме́нная в. exchangeable value; в америка́нской ~е in American currency; ~ный currency (*attr.*); ~чик an unauthorized holder of gold coins, foreign currency *etc.*

валя́ль‖ный: ~ная маши́на fulling-machine; ~ня fulling-mill; ~щик fuller.

валя́‖ть 1. to roll; to full (*сукно́*); to knead (*те́сто*); 2. to botch, bungle (*де́лать кое-как*); 3. в. дурака́ to fool about, to play the fool, to tomfool; ~й во все лопа́тки! tear along! (*беги́!*); ~й (~й) да́льше! go on!; ~й, начина́й! fire away!

валя́ться to roll about; to loll (*в крова́ти, на дива́не*); в. в беспоря́дке to be scattered about; to be in a litter (*о веща́х*); в. в грязи́ to wallow in the mire; в. в нога́х to lie at one's feet; в. в пыли́ to lie in the dust; в. на полу́ to roll on the floor.

вам см. вы.

вампи́р vampire.

ванáдий *хим.* vanadium.

вандáл Vandal (*ист.*); Vandal, Hun (*фиг.*); ‿и́зм vandalism.

ванил‖и́н vanillin; '‿ь vanilla; '‿ьный vanillic, vanilla (*attr.*).

вáнн‖а bath; plunge-bath (*глубокая*); (bath-)tub (*круглая, комнатная, дорожная*); закалочная в. *техн.* hardening-bath; ножная в. foot-bath; паровая в. vapour-bath; сидячая в. hip-bath; солнечная в. sun-bath; брать ‿у to take a bath; ‿ая комната bath-room; ‿очка *фот.* developing dish.

вáнты *мор.* shrouds.

вáнька nickname of a shabby droshki-driver; ≅ cabby; в.-встáнька *фиг.* one who always falls on his feet however thrown.

ВА́О (*Всесоюзное объединение авиационной промышленности*) All--Union Aircraft Industry Combine.

вапоризá‖тор *техн.* vaporizer; ‿ция vaporization.

вар pitch (*смола*); cobbler's wax (*сапожный*); boiling water (*кипяток*).

варáн *зоол.* monitor.

вáрвар barbarian, savage; ‿и́зм barbarism; ‿ский barbarian, barbaric; heathenish (*присущий варварам*); barbarous, cruel, inhuman (*жестокий*); ‿ски barbarically, heathenishly; barbarously, cruelly, inhumanly; ‿ство barbarism; heathenism; cruelty; остатки (*следы*) ‿ства relics of barbarism.

варгáнить *разг.* to bungle, botch.

вáрево pottage, concoction, soup, broth.

вáрежки wool(l)en mittens.

варен‖éц boiled fermented milk (cream), clotted cream; '‿ики curd dumplings.

варёный boiled.

варéнье jam.

вариá‖нт version, reading, variant (*текста, отрывка*); ‿ция variation.

варикóзный *мед.* varicose.

вариóметр *эл.* variometer.

вари́ть to boil, cook (*пищу*); to steam (*на пару*); to poach (*яйца в мешочек*); to digest (*о желудке*); в. пиво to brew; ‿ся to boil, to be boiled, to be cooked; ‿ся в собственном соку to stew in one's own juice.

вáрка boiling, cooking (*молока, пищи*); в. варенья jam making; в. пива brewing.

варнáк *уст.* convict (*in Siberia*).

Варни́тсó (*Всесоюзная ассоциация работников науки и техники для содействия социалистическому строительству СССР*) All-Union Association of Scientific and Technical Workers for active participation in Socialist Construction in the USSR.

вáрн‖ица, ‿я boilery, brewery.

варовú‖к hand-leather; ‿на waxed thread.

варрáнт *комм.* custom-house licence; dock-warrant.

Варфоломéевская ночь *ист.* Massacre of St. Bartholomew.

Варшáва Warsaw.

варьетé variety entertainment (show); театр-в. variety theatre, music-hall.

варьи́ровать to vary, modify, diversify.

варя́‖г, ‿жский Varangian.

вас см. вы.

василёк *бот.* cornflower, bluebottle, bachelor's-button.

Васи́лий Basil.

васили́ск basilisk.

василькóвый cornflower blue.

вассáл *ист.* vassal, liege(man); ‿ы the lieges; ‿ьный liege, feudatory; ‿ьная зависимость vassalage.

вáта cotton-wool, wadding; гигроскопическая в. absorbent cotton.

ватáга gang, band, horde.

вáтер *текст.* ringspinning frame.

вáтер‖клозéт water-closet; toilet (*амер.*); ‿ли́ния *мор.* water-line; loadline (*грузовая*); ‿маши́на spinning jenny; ‿пáс level; ‿прýф waterproof (coat).

Ватикáн Vatican.

ват‖и́н sheet wadding; '‿ный wadded, quilted; ‿ный материал wadding; '‿ное одеяло quilt.

ВАТО́ (*Всесоюзное автомобильно-тракторное объединение*) All-Union Automobile and Tractor Combine.

ватрýшка round tart filled with sweetened curds; cheese cake.

ватт *эл.* watt; ‿мéтр wattmeter; ‿ность wattage; ‿чáс watt-hour.

вáф‖ельница waffle-iron (*для печенья вафель*); ‿ля wafer, waffle.

вахлáк *разг.* clumsy, uncouth person.

вáхмистр *военн. уст.* sergeant.

вáхня *амер.* wachna cod (*рыба*).

вáхт‖а *мор.* watch, duty, lookout; morning watch (*от 4 до 8 ч. у.*); стоять на ‿е to keep (be on) watch; ‿енный look-out.

вахтер beadle, janitor.

ваш *см.* вы.

вашгерд buddle (*лоток для промывания золота*).

Вашингтон Washington.

вай‖ло chisel, graver; ~ние sculpture, statuary, chiselling, carving; искусство ~ния plastic skill; ~тель sculptor, statuary, carver; ~тельный sculptural, statuary; ~ть to sculpture, chisel.

вбе‖гать, ~жать to run in(to); rush in(to).

вбивать to hammer, to drive (*гвозди, колья*); to wedge (*клин*); to peg in (*колышки и пр.*); to pile (*сваи*); кому-л. в голову to rub (to hammer) into one's head, to impress an idea on the mind (on person); в. себе ч.-л. в голову to put it into one's head.

вбира‖ние soaking up, absorbing *и пр.*; *см.* вбирать; ~ть to soak up, absorb, imbibe, suck up, drink in (*влагу, жидкость*); ~ть в лёгкие to inhale, imbibe (*воздух, дым*); ~ть в себя to suck up, imbibe, take in (*знания и пр.*).

вбит‖ый: в. в землю кол stake fast in the ground; ~ь *см.* вбивать.

вблизи near, not far from, in the neighbourhood (the vicinity, the proximity) (*of*); где-то в. от... somewhere short of...

вброд *см.* брод.

ввали‖вать to tumble into; ~ваться to tumble in, to plump into; to flock in (*толпой*); с '~вшимися глазами sunken eyes, hollow-eyed; '~ть(ся) *см.* вваливаться.

введение preface, introduction, prolegomena (*к книге, докладу*); exordium, preamble (*к речи и пр.*).

ввезти *см.* ввозить.

ввек: в. не забуду I'll never forget.

вверг‖ать to cause to fall into; в. в нищету (в погибель) to bring to ruin; в. в отчаяние to drive to despair; в. в пропасть to throw down a precipice, to precipitate; ~аться to fall into; ~аться в отчаяние to fall into despair; '~нуть *см.* ввергать.

ввер‖енный entrusted to; в. мне entrusted to me, committed to my charge; в. чьим-либо заботам entrusted to one's care; ~ить *см.* вверять.

ввернуть, ввёртывать to screw in; в. словцо to put in a word (a remark).

вверх up, upward(s); в. дном upside down; *разг.* topsy turvy; в. и вниз up and down; в. ногами head over heels; в. по лестнице upstairs; в. по течению up stream, up (the) river; подниматься в. to ascend, mount; смотреть в. to look upwards; ~у above; overhead (*над головой*); ~у дома (страницы) at the top of the house (of the page).

вверить (*кому-л. ч.-л.*) to entrust (*one with something*), trust (*to*); в. попечению to commit to the charge (*of*), to put one in trust (*of*); в. тайну to trust with a secret, to take into one's confidence.

ввести *см.* вводить.

ввечеру in the evening.

в виду in view (*of*); в. того, что as; whereas (*юр., офиц.*); в. моего отсутствия as I was (am) absent.

ввин‖тить, '~чивать to screw (in).

ввод *эл.* lead in; в. во владение *юр.* the act of putting one into possession.

вводить to bring in, to introduce, insert; *мат.* to interpolate; в. в долги to get one into debt; в. в должность to install in an office; в. в заблуждение to mislead, deceive; в. в комнату to bring (to usher) into a room; в. в общество (в семью) to introduce into society (to a family); в. во владение to put one into possession; в. в искушение to lead into temptation; в. в расход to put one to expense; в. закон в действие to put a law in operation; в. ряд реформ to initiate a series of reforms; в. судно в гавань to bring a ship to harbour.

вводн‖ый introductory, prefatory, exordial; parenthetic (*о слове, предложении*); ~ое слово (предложение) parenthesis; вставлять ~ое слово (предложение) to parenthesize.

ввоз import(ation); незаконный в. оружия smuggling of arms; gun-running (*в зависимые страны*); годный к ~у importable; ~ить to import; ~ные товары imported commodities.

ввол‖акивать, ~очить to drag in.

вволю to one's heart's content.

ввысь (higher) up.

ввязать, ввязывать to tie in; to knit in; *фиг.* to involve, entangle, implicate; ~ся to meddle, interfere (*with*); ~ся в историю *разг.* to get oneself into a pretty mess; ~

ся в чужие дела to meddle with other people's affairs.

вгиб a bend inwards; incurvation; ~**áть** to curve inwards.

вглубь: в. лесов into the heart of the forests; в. страны inland; проникать в. ч.-л. to penetrate deep into.

вгляд‖**éться**, '~**ываться** to peer, look narrowly; в. в к.-л. to observe closely; в. в темноту to peer into darkness.

вгон‖**ять** to drive in; в. в краску to put to the blush; он меня в гроб '~**ит** he will be the death of me.

вдаваться: в. в крайности to rush to extremes; в. в подробности to go (enter) into detail, to particularize; в. в тонкости to elaborate, subtilize, to refine upon; мыс вдаётся в море the promontory juts out into the sea.

вдавить см. вдавливать.

вдáвлива‖**ние** pressing in, caving in; ~**ть(ся)** to press in, cave in, smash in.

вдáлбливать: в. кому-л. в голову *разг.* to cram a thing down one's throat.

вдал‖**екé**, ~**й** in the distance, far off, afar (off), beyond; держаться в. to keep away, to keep aloof (*обособленно*); исчез в. vanished into space; ~**ь** into the distance, into space.

вдáться см. вдаваться.

вдви‖**гáть(ся)**, '~**нуть(ся)** to push in, shift in, squeeze in.

вдвó‖**е** double, twice; в. больше twice as much; в. дороже double the price (the value), double as dear; в. лучше twice as good; в. старше double the age; складывать в. to fold in two, to double; у него в. больше силы he has twice the strength; ~**ём** the two together; они отправились ~**ём** the two went together; ~**йнé** twice, twofold, doubly, twice as much; заплатить ~**йне** to pay double.

вдевá‖**ние**: в. нитки в иголку threading a needle; ~**ть** нитку в иголку to thread a needle.

вдéвятеро ninefold, nine times; '~**м** the nine together.

вдéл‖**анный**: в. в золото set in gold; ~**ать** см. вделывать; ~**ывание** fitting (*in*); setting (*in*); ~**ывать** to fit (*in*), set (*in*), inlay (*in*, *with*).

вдёр‖**гивать**, ~**нуть** to pull in, draw in; в. нитку см. вдевать.

вдéсятеро ten times; в. больше

ten times more, ten times as much (as many); сложить ч.-л. в. to fold in ten; '~**м** the ten together.

вдеть см. вдевать.

вдобáвок besides, in addition, furthermore, moreover, on the top of, into the bargain, more than that.

вдов‖**á** widow; dowager (*наследовавшая имущество и титул*); jointress (*получившая свою долю наследства*); в. такого-то the widow of; соломенная в. grass widow; ~**éть** to be a widow (*о женщине*); ~**éц** to be a widower (*о мужчине*); ~**éц** widower; соломенный ~**éц** grass widower; '~**ий** дом *уст.* Widows' Home.

вдóволь enough, plenty, to one's heart's content.

вдов‖**ствó** widowhood; '~**ствовать** см. вдоветь; '~**ствующая** королева Queen Dowager; '~**ый** widowed; '~**ья** часть наследства dower, jointure.

вдогóнку in pursuit of, after; броситься в. to rush after one.

вдолбёжку *шк.* by heart, by rote.

вдолб‖**ить** см. вдалбливать; ~**йте** ему, что он должен ram it into him that he must.

вдоль along (в. спины along the back); by (тропинка в. берега path by the river); lengthwise, lengthways, longways (*по длине*); в. по along; в. и поперёк far and wide, through length and breadth; знать в. и поперёк to know a thing thoroughly, to know the ins and outs (*of*).

вдóсталь см. вдоволь.

вдохнов‖**éние** inspiration; ~**éнный** inspired; ~**éнно** with inspiration; ~**ител[ь]** inspirer; ~**лять** to inspire; ~**ляться** to be inspired, to be carried away; ~**ляющим** образом in an inspiring manner.

вдохнýть см. вдыхать; в. в к.-л. мужество to inspire one with courage; в. жизнь to breathe new life into...

вдребезги in pieces, to pieces, to atoms, to fragments; разбить (-ся) в. to smash to pieces (smithereens); стекло разлетелось в. the glass flew into pieces.

вдруг suddenly, (all) of a sudden, on a sudden, all at once; on the spur of the moment.

вдрызг: *разг.* быть в. пьяным, напиться в. to be (to get) beastly (blind, dead) drunk.

вдувá‖**ние** insufflation, blowing in; ~**ть** to blow in, insufflate.

вдуматься *см.* вдумываться.

вдумчив‖ость meditativeness, considerateness; ~ый meditative, considerate, pensive, thoughtful; ~о meditatively, pensively, thoughtfully.

вдумываться to consider carefully, to meditate, to ponder over, to go into a matter.

вду‖нуть, ~ть *см.* вдувать.

вдыха‖ние inspiration; *мед.* inhalation; аппарат для ~ния inhaler; ~ть inspire, breathe in, imbibe; inhale (*тж. мед.*).

Вега *астр.* Vega.

вегетариан‖ец, ~ский vegetarian; ~ство vegetarianism.

вегета‖тивный, ~ционный vegetative; ' ~ция vegetation.

Веда the Veda.

ведать to know; в. чем-либо to manage, control, to be concerned with the control of; to be in charge of.

ведени‖е knowledge; в моём ~и within my province.

ведение leading, conduct(ing); в. внешней политики the conduct of foreign policy; в. дела transaction; в. судебного дела the pleading of a cause; в. счетов book-keeping; в. хозяйства house-keeping.

ведом‖о: без моего ~а unknown to me, without my knowledge; с моего ~а with my knowledge; ~ость journal, list; report; pay-roll (*платёжная*); ~ости newspaper; ~ственный departamental; ~ство department, office; военное ~ство War Office; судебное ~ство Law Department; ~ый known to.

ведро pail, bucket; slop-pail (*для помоев*); полное в. чего-л. a pailful of.

вёдро fine weather.

ведущ‖ий leading; ~ая отрасль хозяйства most important branch of economy; ~ие отрасли промышленности key industries.

ведь (well) but, why; да в. он же знал well, but he did know about it; да в. это она! why, it's she!; но в. это так well, but it's so.

ведьма witch, vixen, hag, hell-cat; старая в. old hag, harridan; шабаш ведьм witches' sabbath.

веер fan; обмахивать(ся) ~ом to fan (oneself); ~ообразный fan-shaped; ~ообразный свод *арх.* fan tracery.

вежды *уст. мн. ч. от* веко.

вежетáль toilet water.

вежлив‖ость civility, courtesy, politeness; gallantry, urbanity (*манер*); ~ый civil, courteous, polite; gallant, urbane; ~о civilly *и пр.*

везде everywhere; в., где угодно anywhere; в. и всюду here and there and everywhere; ~сущий ubiquitous, omnipresent; ~сущность omnipresence.

вез‖ти *см.* возить; ему ~ёт he has luck; ему ~ёт в любви (в картах) he is lucky in love (at cards); ему не ~ёт he has no luck.

Везувий Mount Vesuvius.

век age, century; бронзовый в. the bronze (brazen) age; железный в. the iron age; золотой в. the golden age; 20 в. the 20th century; в. живи—в. учись! *погов.* live and learn!; доживать свой в. to spend the rest of one's life; отжить свой в. to have lived one's time (*о человеке*); to have had its day (*о платье, вещи*); на наш в. хватит it will last our time; на моём ~у in my time; средние ~á the middle ages; освящённый ~áми time-honoured; в кои-то ~и once in a blue moon; на ~и вечные for ever.

веко eyelid.

веко‖вечный everlasting, eternal; ~вой secular.

векселе‖датель drawer (of a bill); ~держатель payee, holder of a bill, drawee.

вексел‖ь bill of exchange, draft (*переводный*); promissory note (*простой*); в. к уплате mature bill; индоссировать в. to endorse (to back) a bill of exchange; льготные дни для уплаты по ~ю days of grace; платить в срок по ~ю to honour; уплатить по ~ю to meet a bill; ~ьный курс rate (course) of exchange.

вектор *мат.* vector.

вёкша *см.* белка.

веленевый vellum.

веление *уст.* decree.

велеречивый *ирон.* big talking, loquacious.

вел‖еть to order, command, bid, tell; в. кому-л. уйти to tell (to order) one to go; в. ч.-л. сделать to have a thing done; ему ~ят отдохнуть he is ordered to take a rest; ему не ~ят есть мяса he is not allowed meat; делайте как вам ' ~ено do as you are told.

великан giant; ~ша giantess.

велик‖ий great; ~ая хартия вольностей Magna Charta (Libertatum); ~ие державы the Great Powers.

Великобритания Great Britain; *фиг.* the British Lion.

великовозрастный over grown.

великодержавный: в. шовинизм imperialistic chauvinism of the national majority.

великодуш|ие generosity, magnanimity; **~начать** to act the generous; **~ный** generous, large-hearted, magnanimous, high-minded, greathearted, great-souled; **~но** generously.

великокняжеский grand-ducal.

великолеп|ие splendour, magnificence, grandeur; **~ный** magnificent, splendid, superb, admirable, brilliant; *разг.* glorious, gorgeous; **~но** magnificently *и пр.*; просто **~но**! just splendid!

великомученик *уст., фиг.* great martyr.

вел ко|ррос, ~русский *ист.* Great-Russian.

великосветский belonging to the fashionable world.

величав|ость stateliness; **~ый** stately, lofty, majestic, dignified; **~о** loftily, majestically, with dignity.

величайш|ий greatest, extreme; дело **~ей** важности a matter of paramount importance.

в личй|ние glorifying; extolling; **~ть** to glorify; extoll; как вас **~ть?** *уст.* what is your name?

величественн|ость majestic air, stateliness, sublimity; **~ый** majestic, stately, grand, Olympian; **~о** majestically, grandly.

величество majesty.

в личие grandeur, greatness, loftiness.

величин|а size; bigness, greatness, largeness; *мат.* magnitude, quantity, value; бесконечно малая в. infinitesimal; отрицательная в. negative quantity; определять **~у** to size up; звезда первой **~ы** a star of the first magnitude; недостаточной **~ы** not large enough, deficient in size.

вело- *см.* велосипедный.

велодром cycle-track.

велосипед (bi)cycle; bike (*sl.*); iron horse (*шут.*); machine; tricycle (*трехколёсный*); ездить на **~е** to (bi)cycle; **~ист** (bi)cyclist, wheelman; **~ный** bicycle (*attr.*).

вельбот *мор.* whaler, whale-boat.

вельвет, ~ин velveteen; **~овый** velveteen (*attr.*).

вельмож|а magnate, lord; **~ный** lordly.

велюр velours.

вена *анат.* vein; воспаление вен phlebitis; расширение вен varix, varicose veins.

Вена Vienna.

венгер|ец, ~ка, ~ский, ~ский язык Magyar, Hungarian.

Венгрия Hungary.

вендетта vendetta.

Венер|а *миф.* Venus; *астр.* Venus, evening star; в **~ин** волосок *бот.* maidenhair.

венерическ|ий venereal; **~ая** болезнь venereal disease (*часто* social disease).

венерология the science of venereal diseases.

венец Viennese.

венец crown; вести под в. *уст.* to lead to the altar; конец делу в. *посл.* all's well that ends well.

венеци|анец, ~анский Venetian. **Венеция** Venice.

венечный *анат.* coronal; в. шов coronal suture.

вензель monogram, initials.

вени|к whisk-broom; **~чек** *бот.* panicle (*у злаков*); имеющий форму **~чка** panicular, paniculate(d).

венка Viennese.

венозный venous.

венок wreath, garland; chaplet (*на голову*).

венский Viennese.

венти|лировать to ventilate; **~ль** *техн.* ventil, valve; **~лятор** ventilator, ventilating apparatus, fan; **~ляция** ventilation.

венце|видный, ~образный coronary.

венчá|льный: **~льное** кольцо (платье) wedding ring (dress); **~ние** wedding, marriage ceremony, nuptials; **~ть** to marry; **~ться** to be married.

венчик halo, nimbus, coronal; *бот.* corolla, crown, corona.

вепрь wild boar.

вер|а faith, beli f, religion; trust, credit (*доверие*); наивная (слепая) в. naked (implicit) faith; принять на **~у** to take on trust; не давать **~ы** словам to give no credit to one's words; символ **~ы** the Creed.

Вера Vera.

веранда verandah; piazza (*амер.*).

верба osier, pussy willow.

вербальный verbal.

вербена *бот.* verbena, vervain.

верблю|д camel; двугорбый в. Bactrian camel; одногорбый в. Arabian camel; dromedary; погонщик **~дов** camel driver, cameleer; **~жий** camel; **~жья** трава *бот.* fenugreek.

ве́рбн‖ый: в. база́р *ист.* Palm bazaar; ⌐ое воскресе́нье Palm Sunday.

вербо́в‖а́ть: в. в а́рмию to recruit (enlist, impress) for the army; в. ка́дры to enlist workers, personnel, staff; '⌐ка recruitment; impressment (*насильственная*); ⌐щи́к recruiter, recruiting sergeant (agent); отря́д ⌐щико́в pressgang.

ве́рва cobbler's thread.

верди́кт verdict.

верёв‖ка cord; горе (*толстая*); string (*тонкая*); halter; свя́зывать ⌐кой to cord; ⌐ки cordage; ⌐очный мешо́к string-bag; ⌐очная ле́стница rope-ladder.

ве́ред *уст. см.* нары́в.

верени́ца row, file, line; в. автомоби́лей a string of cars; в. экипаже́й a train (rank) of carriages.

ве́реск heather, heath; цвето́к ⌐а heathbell; заро́сший ⌐ом heathy, heathery; поро́сшая ⌐ом местность heath, moorland.

веретени́ца *зоол.* slow-worm.

веретено́ spindle; shank (*якоря*); ⌐обра́зный spindle-shaped.

вереща́ть to squeal, whimper, whine.

вере́й gate-post.

вера́йла *разг.* a tall and clumsy man; a man as tall as a maypole.

вери́ги *уст.* chains, irons, fetters.

ве́рит‖ь to believe, to have faith; в. кому́-л. to have confidence in, to give credit to, to trust; в. на сло́во to take on trust; е́сли можно в. слуха́м if tales be true; не в. ни сло́ву not to believe a word of it; сле́по в. кому́-л. to have implicit faith in someone; to swear by someone; мне не ⌐ся I can hardly believe.

ве́рки *военн.* works.

вермили́н vermilion.

вермише́ль vermicelli.

верниса́ж opening-day of an art exhibition.

ве́рн‖о faithfully, truly (*преданно*); correctly, right, rightly (*правильно*); в.! that's right!; в. как два́жды два четы́ре as sure as eggs is eggs; в. он на меня́ серди́тся he is probably angry with me, I suppose he is angry with me; к сожале́нию это в. I am sorry to say it is true; ⌐ее rather (*скорее*); ⌐опо́зданный *уст.* 1. *a.* loyal; 2. *s.* a loyal subject; ⌐опо́дданство loyalty, allegiance; ⌐ость faithfulness, loyalty, fidelity (*преданность*); truth, correctness (*правильность*); ⌐ость го́лоса true voice; ⌐ость

правительству allegiance; ⌐ость прися́ге loyalty; ⌐ость слу́ха good ear; я не руча́юсь за ⌐ость э́тих све́дений I cannot guarantee the truth of this information.

верну́‖ть to give back, return; to get back, regain, retrieve; в. здоро́вье to recover health; в. кни́гу to return a book; в. потеря́нное вре́мя to recover (make up for) lost time; в. уте́рянное to recover (regain, retrieve) lost property; ⌐ться to return, come back; get back; ⌐ться в га́вань to put back (*мор.*); ⌐ться домо́й to come (return) home; как то́лько к ней ⌐лось созна́ние as soon as she recovered (regained) consciousness.

ве́рн‖ый faithful, loyal, true, staunch, trusty (*преданный*); true, correct, right (*правильный*); sure, unfailing, infallible (*о средстве*); в. до гро́ба true till death; в. инсти́нкт unerring instinct; в. слух good ear; я зна́ю из ⌐ого исто́чника I know from an authoritative source; быть ⌐ым своему́ сло́ву to be true to one's word; ⌐ая жена́ faithful wife; ⌐ая рука́ steady hand; ⌐ое соотноше́ние just proportion; име́ть ⌐ое представле́ние о ч.-л. to have a correct notion of; у вас ⌐ые часы́? is your watch right?

ве́рова‖ние belief, creed; ⌐ть to believe (in).

вероисповеда́ни‖е religion, faith; свобо́да ⌐я religious liberty, liberty of conscience.

вероло́м‖ный treacherous, disloyal, perfidious, insidious; ⌐но treacherously, disloyally, perfidiously; ⌐ство treachery, disloyalty, perfidy.

верона́л *мед.* veronal.

верони́ка *бот.* speedwell, veronica.

вероотсту́пни‖к apostate, backslider; ⌐чество apostasy.

веротерпи́м‖ость toleration; ⌐ый tolerant.

вероуче́ние religious doctrine.

вероя́т‖ие, ⌐ность probability, likelihood; по всей ⌐ности in all probability; тео́рия ⌐ностей *мат.* theory of chances.

вероя́т‖ный probable, likely; в. насле́дник heir presumptive; ⌐но probably, most (very) likely, presumably; ⌐но он не придёт he is not likely to come.

Верса́ль Versailles; ⌐ский догово́р Treaty of Versailles.

версифика́ция versification.

ве́рсия version.

верста́ *уст.* verst.

верста́к joiner's bench.

верста́∥тка *тип.* composing-stick; **~ть** *тип.* to impose, make up into pages.

вёрстка *тип.* imposing.

верстово́й столб mile-post.

ве́ртел spit; насаживать на в. to spit.

верте́п *уст.* cave, den; в. разбо́йников a den of robbers.

верте́ть to turn, whirl, twirl; в. пальцами twiddle (twirl) one's thumbs; она ве́ртит им, как хочет she can twist him round her little finger; **~ся** to turn round, whirl, spin; **~ся** в голове to run in one's head; **~ся** на кончике языка to be on the tip of one's tongue; **~ся** вокруг ч.-л. to run upon (*о мыслях*); разговор **верте́лся** около одного предмета the conversation ran on the same subject; земля́ ве́ртится вокруг солнца the earth revolves round the sun.

вертика́ль vertical; **~ность** verticality; **~ный** vertical, upright, plumb; **~но** vertically.

вертля́в∥ость restlessness; **~ый** restless, fidgety.

вертопра́х *разг.* giddy-goat, weather-cock.

верту́шка 1. whirligig (*игрушка*); revolving stand, shelves; **2.** flirt (*о женщине*).

ве́рующий believer.

верфь dockyard.

верх top, upper part; *фиг.* upperhand (*перевес*); в. вежливости (совершенства) the pink of politeness (perfection); в. глупости the height of folly; в. славы the pinnacle (summit) of glory; в. шубы covering (outside) of a fur coat; в. экипажа bonnet, hood; **~ний** upper; **~ний ящик** top drawer; **~нее** платье overcoat.

Ве́рхнее о́зеро Lake Superior.

верхо́в∥енство supremacy, sovereignty;' **~ный** supreme, sovereign; **~ный владыка** sovereign, overlord; **~ный главнокомандующий** commander-in-chief; **~ный суд** Supreme (High) Court of Justice; **~ная власть** supreme power, sovereignty, supremacy; **~о́дить** *ирон.* to lord (it) over.

верхо́в∥ой 1. *s.* rider; **2.**: *a.* **~ая** лошадь riding (saddle) horse; **~ая** езда riding; horsemanship; школа **~о́й езды** school of horsemanship, riding school.

верхо́вье source, upper part (of a river); в. Волги the Upper Volga.

верхогля́д superficial person; **~ничать** to be superficial; **~ство** superficiality.

верхо́м on horse-back; mounted; ездить в. to ride; в. на стуле astride (a) a chair; катать ребёнка в. на спине to ride a child; прогулка в. ride.

ве́рхом quite full; чайная ложка с в. heaped tea-spoonful.

верху́шка top, summit.

верче́ние turning round, whirling.

ве́рша *рыболовн.* creel.

верша́ть *см.* вершить.

верши́н∥а top, summit; peak (*остроконечная*); *геом.* vertex; в. треугольника apex of a triangle; достигать **~ы** холма to crest a hill.

верши́ть: в. дела to manage affairs; в. судьбы людей to accomplish people's destinies; в. стог to top a rick.

верш∥ко́вый *уст.* one vershok long; **~о́к** *уст.* vershok.

вес weight; иметь в. *фиг.* to carry weight; этот аргумент в моих глазах имеет в. this argument weighs (has great weight) with me; продавать на в. to sell by weight; на в. золота *фиг.* at an exorbitant price; удельный в. specific gravity; чистый в. net weight; tare (*автомобиля*); изли́шек **~а** overweight; багаж сверх дозволенного **~а** overweight luggage; прибавить в **~е** to gain in weight; человек с **~ом** man of weight.

весели́ть to cheer, gladden, enliven, to make merry; **~ся** to make merry, to enjoy oneself, to be merry, to rejoice.

ве́сел∥о gaily, merrily, joyfully; в. проводить время to make merry, to have a good time; как в! what fun!, what sport!; **~ее** смотреть на жизнь to take a happier view of life.

весёл∥ость mirth, gaiety, merriment, cheerfulness, hilarity; **~ый** gay, merry, cheerful, joyful, mirthful, jolly; **~ая** жизнь merry life; **~ое** зрелище diverting sight; **~ое** настроение high spirits, jovial mood; **~ые** времена merry (piping) times.

весе́лье mirth, gaiety, merriment, merry-making, rejoicings.

весе́льный *см.* весло.

весел∥ьча́к merry chap; **~я́щий** газ laughing gas; **~я́щаяся** публика pleasure seekers.

весе́нн‖ий spring; ~ее время spring-time; ~ее равноденствие vernal equinox.

ве́с‖ить to weigh; ~кий weighty; ~ко weightily; ~кость weight, weightiness.

вес‖ло́ оаг (*при гребле одним веслом*); scull (*при гребле двумя сразу или кормовое*); paddle (*без уключины*); завязить в. to catch a crab (*шут.*); поднять вёсла to rest upon one's oars; двух- (четырех-) ~ёльная лодка pair (four) oar boat; эта лодка шести~ельная this boat rows (pulls) six oars.

вес‖на́ spring; ранняя (поздняя) в. early (late) spring; ~но́ю in spring.

вес‖ну́шка freckle; покрываться ~ну́шками to freckle; ~ну́щатый freckled.

весни́нка *зоол.* mayfly.

весово́й sold by weight.

весовщи́к weigher.

весо́м‖ость ponderability; ~ый ponderable.

веста́лка vestal.

вести́ to conduct, lead (*см. тж.* водить); в. войну to be at war (*with*), to make (wage) war (*upon*); в. борьбу to carry on a struggle; в. дело to run (conduct, carry on, manage) a business; в. за собой массы to lead the masses; в. книги to keep books; в. начало от ч.-л. to take rise (origin) from; в. переговоры to negotiate, treat (*с к.-л.—with, о ч.-л.—for*); в. переписку to correspond; в. правильный образ жизни to lead a regular life; в. разговор to hold a conversation, to talk; в. себя to behave (oneself), conduct oneself; плохо в. себя to misbehave; в. себя неосторожно to ask (look) for trouble; в. собрание to preside over (take the chair at) a meeting; в. судебный процесс to carry on a law-suit; в. счета to keep accounts; в. хозяйство to be the housekeeper; веди́те себя прилично! behave yourself!; летосчисление **ведётся** (*от*) time is reckoned (*from*); этот обычай ведётся издревле this custom comes from ancient times.

вестибю́ль lobby, entrance-hall, vestibule.

вести́мо *разг. уст.* surely, certainly.

Вестинга́уа: тормоз ~а Westinghouse brake.

Вест-Индия the West Indies.

ве́стник herald, messenger, bringer of news.

вест‖ово́й orderly; '~очка news; дайте о себе '~очку let me hear from you; я получил ~очку из дома I have had a letter from home; ~ь piece of news, tidings, news; радостные '~и glad news; пропасть без ~и (*на войне*) to be missing; худые ~и не лежат на месте *посл.* ill news comes apace.

весы́ scales, balance; weighing-machine (*для больших тяжестей*); В. *астр.* Scales, Balance, Libra; десятичные в. decimal balance; крутильные в. *физ.* torsion-balance; мостовые в. weighbridge; пружинные в. spring-balance.

весь all, the whole, total; в. день all day (long), the whole day; в. свет the whole (wide) world; в. сюртук изорван the coat is all torn; через в. 19 век throughout the 19th century; во в. голос at the top of one's voice; всем сердцем with all one's heart; при всём том for all that; по всему городу throughout the town; вся сумма sum total; во-всю like anything; солнце светит во-всю the sun shines like anything; во всю длину at full length; и это всё? is that all?; всего altogether, in all, all told, total (*итого*); but (*только*); ей всего 19 лет she is but 19; нас было всего четверо there were four of us all told (*иначе:* there were but four of us); все all, everybody; все до единого everyone of them, all to a man, all to the last man; они все живы they are all alive; приложу все старания I will do my very best.

весьма́ extremely.

ветви́стый branchy.

ветвь branch, bough; twig, sprig, shoot; оливковая в. olive-branch; в. языка *лингв.* branch, filiation.

ве́т‖ер wind; в. поднимается (стихает) the wind rises (sinks, falls); в. с берега off-shore wind; боковой в. side-wind; встречный в. head-wind, noser; пассатный в. trade wind; попутный в. fair (favourable) wind; порывистый в. choppy wind; противный в. contrary (foul, dead) wind; свежий в. gale; северный в. north (wind); северо-западный в. north-wester, nor'-wester; сквозной в. draught; выжидать, куда в. подует *фиг.* to see which way the cat jumps; говорить на в. to speak at random, to talk idly; у него в. в голове he is a thoughtless fellow; незащищённый от ~ра windswept, bleak;

порыв ~ра gust, blast; против ~ра against the wind, in the teeth of the wind; под ~ром leeward; держать ближе к ~ру to sail near (close) to the wind; держать круто к ~ру to haul; поворачивать нос корабля по ~ру to luff; развеваться по ~ру to flutter in the wind.

ветера́н veteran.

ветерина́р veterinary (surgeon) (*сокр.* vet.), horse-doctor; ~ая veterinary science; ~ный veterinary; ~ная помощь veterinary assistance.

ветеро́к breeze.

ве́тка *см.* ветвь; железнодорожная в. railway branch.

ветла́ willow.

ве́то veto; наложить на ч.-л. в. to veto, to put a veto on.

ве́точка twig, sprig, shoot.

вето́шка rag; ~ник ragman, old-clothes man.

вето́шь rags, old clothes.

ве́треник feather-brained fellow, fly-away; ~ца feather-brained woman; *бот.* anemone.

ве́треность giddiness, flightiness, levity; ~ый windy (*о погоде*); giddy, flighty, light-minded, feather-brained (*о человеке*); ~ая оспа chicken-pox; ~о giddily; на дворе ~о it is windy.

ветри́ло *поэт.* sail; ~оген *см.* ветреник; ~огонный, ~огонное средство carminative; ~одвигатель wind-motor; '~ы *мед.* wind; ~як, ~яная мельница, ~янка windmill; сражаться с ~яными мельницами to tilt at windmills; ~яной двигатель wind-motor.

ве́тхий old, ancient, dilapidated, tumbledown, ramshackle (*разваливающийся*); decrepit, infirm (*дряхлый*); ~ое платье old (worn) clothes; ~озаве́тный *фиг.* of the Old Testament; ~ость oldness, dilapidation, decay, decrepitude; приходить в ~ость to fall into decay, to get old.

ветчина́ ham.

ветша́ние dilapidation, decay; ~ть to get old, to fall into decay.

веха́ landmark, boundary mark; *мор.* spar-buoy.

ве́че *ист.* Vetche (*old-Slavonic popular assembly*).

ве́чер evening; evening-party (*вечеринка*); выходной в. домашней работницы night-out; картина, изображающая в. night-piece; под в. towards evening, far in the day; ~ом in the evening, at nightfall;

вчера ~ом last night; накануне ~ом the night before, on the previous night; поздним ~ом late in the night; сегодня ~ом я обедаю в гостях I am dining out tonight; утром и ~ом morning and night; ~е́ть to get dusk; ~е́ет dusk is falling; ~и́нка (evening-)party.

вече́рний evening; в. звон curfew, vesper bell; в. рабфак night classes of the Workers' Faculty; ~яя звезда evening star; ~яя школа night-school; ~ее платье evening dress; ~я vespers.

вече́рня *уст.* supper.

вечнозелёный evergreen.

ве́чность eternity; я его не видел уже целую в. it's ages since I saw him, I haven't seen him for ages.

ве́чный eternal, everlasting, perpetual; endless; в. город eternal city (*Рим*); ~ое движение perpetual motion; ~ое перо fountain-pen; ~ые придирки perpetual nagging; ~ые снега eternal snow; ~о eternally, perpetually, always.

вечо́р last night.

вечо́рка *разг.* evening paper (*вечерняя газета*).

ве́шалка peg; rack, stand; tab (*у платья*).

ве́шать to hang, hang up, suspend; to weigh (*взвешивать*); to hang, gibbet (*преступника*); в. бельё для просушки to hang up clothes to dry; ~ся to be hung; to hang oneself (*кончать самоубийством*).

ве́шний vernal; ~е воды spring floods.

веща́ние prophesying, prophetic utterance; ~тель soothsayer; ~ть to prophesy.

вещево́й ammunition (*attr.*); в. мешок hold all; в. склад store, warehouse; '~ственность substantiality, materiality; '~ственный substantial, material; '~ственное доказательство material evidence; ~ство́ substance, matter, material, stuff.

ве́щий prophetic, weird.

ве́щное пра́во *юр.* law of estate.

вещу́н soothsayer; ~ья prophetess.

вещь thing, object; в. в себе *филос.* noumenon (*pl.* noumena); thing-in-itself; ~и things; belongings; luggage (*пожитки, багаж*); со всеми ~ами bag and baggage.

ве́ялка winnowing-machine; ~ние 1. breathing (*ветра*); 2. winnowing (*зерна*); 3.: новые ~ния new ideas; ~ть 1. to blow softly, breathe (*о ветре*); to wave (*о знамени*); 2. to winnow, fan (*зерно*).

взад: в. и вперёд to and fro, back and forth, backwards and forwards; ни в. ни вперёд neither forwards nor backwards; in a tight place (*sl.*).

взаймност||**ь** reciprocity, reciprocal love; добиться ~и to attain a return of affection; любить без ~и to love without return.

взаймн||**ый** mutual, reciprocal; в. глагол reciprocal verb; ~ая зависимость interdependence; ~ое восхваление log-rolling; ~ое проникновение interpenetration; ~ое страхование mutual insurance; ~ые обвинения cross accusations; ~о mutually, reciprocally.

взаимодейств||**ие** interaction, reciprocal action, interplay; ~овать to interact, act reciprocally.

взаимо||**отношение** relation, interrelation, correlation; ~пóмощь reciprocal help; касса ~пóмощи mutual benefit club.

взаймы: брать в. to borrow; давать в. to lend, advance; давать в. под залог to lend on deposit.

взамéн instead, in return, in exchange.

взаперти́ under lock and key; сидеть в. to be shut (locked) up.

взаправду actually, in truth.

взапуски *см.* вперегонки.

ваяшей *вульг.* прогнать в. to chuck out, turn out.

взбаламу́||**тить** to stir, rouse, agitate; ~ченное море a troubled sea; ~чивать *см.* взбаламутить.

взбалмошн||**ость** giddiness, flightiness; ~ый giddy, flighty.

взбáлтыва||**ние** shaking up; ~ть to shake up.

взбе||**гáть**, ~жáть to run up; в. на гору to run up a hill.

взбелени́ться *вульг.* to get furious.

взбе||**си́ть** to enrage; ~си́ться to get furious (*о человеке*); to go mad (*тж. о собаке*); ~шённый furious, frenzied, in a rage; waxy (*sl.*); red-hot (*фиг.*).

взби||**вáть** to beat up, to whip (*яйца, сливки*); to beat up (*подушки*); to fluff up (*волосы*).

взбирáться to climb up, clamber up, mount, get up.

взбит||**ый**: ~ые сливки whipped cream.

взбить *см.* взбивать.

взболтáть *см.* взбалтывать.

взборони́ть to harrow.

взбрáсывать to throw up, hurl up, toss up.

взбре||**сти́** to come into one's head (*на ум*); говорить что ~дёт на ум to say whatever comes uppermost.

взбрóсить *см.* взбрасывать.

взбудорáжи(**ва**)**ть** *см.* будоражить.

взбунтовáться to rise, revolt, mutiny.

взбу́чк||**а** rating, rowing; дать ~у to give it one hot; to give one his gruel (*sl.*); получить ~у to take one's gruel, to get into a row.

взвá||**ливать**, ~и́ть: в. на спину to load on (hoist on to) one's back; в. на плечи to shoulder; в. вину на к.-л. *фиг.* to lay at the door of; в. на к.-л. работу to burden one with work; в. на себя обузу (ответственность) to take upon oneself a burden (responsibility).

взвéсить *см.* взвешивать.

взвести́ *см.* взводить.

взвéшивание weighing; в. жокея перед скачками (после выигрыша) weighing-out (weighing-in) a jockey.

взвé||**шивать** to weigh (*на весах и фиг.*); to weigh in one's mind, to consider (*в уме*); ~ся to be weighed, to try one's weight.

взвивáться to fly up, to rise in the air (*о птице*); to rise, to be raised (*о занавесе; противоп.* to drop, fall).

взви||**деть**: он света не ~дел everything swam before his eyes, his head swam.

взви́зг||**ивать**, ~нуть to squeak, scream; собака жалобно ~ивала the dog whimpered piteously.

взвин||**ти́ть** to excite; в. цены to raise (inflate) prices; он ~ти́л свою аудиторию he wrought his audience into enthusiasm; '~ченные нервы wrought up (highly strung) nerves; ~ченные чувства wound up feelings; '~чивать *см.* взвинтить.

взви́ться *см.* взвиваться.

взвод *военн.* platoon.

взводи́ть to lead up; в. курок to raise the sock, to cock; в. обвинение to charge, accuse.

взвóдный в. командир commander of a platoon.

взволнóв||**анный** agitated, disturbed, excited *и пр.*; *см.* взволновать; ~áть to disturb, ruffle (*воду*); to agitate, stir, shake, upset; ~áть кровь to stir one's blood; ~áть народ to stir (rouse) up the people; ∽ать страсти to wake the passions; он страшно ∽ан he is in great agitation; ∽áться to be agitated, to be upset.

взвыть to set up a howl.

взгляд look; glance (*мимолётный*); gaze, regard, glare (*пристальный*); view, opinion, outlook (*воззрение*); в. искоса (*на*) sidelong glance (*at*); в. украдкой covert glance; бросить в. (*на*) to throw (cast, dart) a look (*at*), to glance (*at*); здравый в. на вещи sound judg(e)ment; изумленный в. astonished look, gape, stare; любовный в. amorous glance; на в. in appearance; на мой в. to my mind, in my judg(e)ment; на первый в. at first sight; неузнающий в. stare, stony look; суровый в. stern, severe look; ничто не укроется от его ∽а nothing escapes him; он придерживается того ∽а, что... he is of the opinion that...; с первого ∽а at a glimpse, at first sight, at the first blush; при ∽е на... on looking at...; обвести ∽ом to look round; ∽ы на жизнь way of looking at things, views; они встретились ∽ами their eyes met; не соглашаться с чьими-л. ∽ами to have different views; to disagree with somebody's views.

взгля∥дывать, ∽нýть to cast (throw) a glance (*at*), to glance (*at*), look (*at*); to have a squint (*at*) (*sl.*); она сердито на меня ∽нýла she cast me an angry look.

взгреть *вульг.* to give it one hot.

взгромоздиться to clamber up.

взгруст∥нýться: ей ∽нýлось по дому she felt homesick.

вздв∥áивать, ∽óить *военн.*: в. ряды to file up.

вздёр∥гивать to hitch up, jerk up; в. на виселицу to hang, gibbet; to stretch, string up (*sl.*); ∽нутый нос a turned-up nose; ∽нуть *см.* вздёргивать.

вздор nonsense, rubbish, stuff and nonsense, trash; rot, tosh (*sl.*); молоть в. to talk nonsense; полный в. clotted nonsense; ∽ить to quarrel; ∽ность absurdity; quarrelsomeness; ∽ный absurd; quarrelsome.

вздорожá∥ние a rise in price; ∽ть to rise in price.

вздох sigh; испустить последний в. to breathe one's last.

вздохнýть *см.* вздыхать; в. свободно to breathe again (*или* freely).

вздрáгивать to start (*от неожиданности*); to wince, flinch (*от*

боли); to jump out of one's skin (*от испуга, радости*); to shudder (*от ужаса*); в. от радости to start with joy.

вздремнýть to nap, to take a nap, to doze, snooze; to have forty winks.

вздрóгнуть *см.* вздрагивать.

вздувáть to run up (*о ценах*); в. огонь to blow a fire; ∽ся to swell, inflate.

взду́м∥ать to take it into one's head; не ∽áйте рассердиться mind you don't get angry; он ∽ал заниматься английским языком he took it into his head to study English; ∽áться: как ∽áется at one's own will; ему ∽алось he had a fancy, he took it into his head (*to*).

взду́т∥ие swelling; в. живота *вет.* hoove; ∽ые расценки swollen estimates; ∽ь *см.* вздувать; *разг.* to give one a good drubbing, to thrash, to give it one hot (*sl.*).

вздымáться to rise (*о волнах и пр.*); to heave, swell (*о груди*).

вздыхáтель *фиг.* suitor, wooer.

вздыхáть to sigh; to take breath (*перевести дух*); to sigh (*for*), pant (*for*), long (*for*), pine (*for*) (*о ч.-л.*); тяжело в. to groan, to heave a sigh.

взимá∥ние levy, collecting; ∽ть to levy, collect, raise (*налоги и пр.*); ∽ть дань to lay under tribute; ∽ть пошлину to levy a duty.

взирá∥ть to look at; не ∽я (*на*) in spite (*of*), notwithstanding, disregarding; не ∽я на лица disregarding personalities.

взлáмыва∥ние breaking open; ∽ть to break (force, burst) open.

взлезáть to climb up.

взлелéять to foster, nurture, bring up.

взлезть *см.* взлезать.

взлёт upward flight, flying up.

взле∥тáть, ∽тéть to fly up, take wing; to flush (*о птице*); в. на воздух to be blown up (*от взрыва*); высоко в. to fly a high pitch.

взлом breaking open; кража со ∽ом burglary, house-breaking; ∽áть *см.* взламывать; ∽ать замок to smash a lock; ∽щик burglar, cracksman, house-breaker; добыча ∽щика swag (*sl.*).

взлохмáтить to ruffle.

взлюбить: не в. to conceive (feel) a dislike (*for*).

взмах stroke (*крыла*), sweep (*косы и пр.*); одним ∽ом at one stroke; ∽ивать, ∽нýть to flourish, swing; to flap (*крыльями*); to wave.

вамёт *агр.* first tilth.
вамет||а́ть, ⁓ну́ть to throw up, fling up.
взмоли́ть(ся) to cry out in anguish, to ask for mercy, to cry quarter.
взмо́рье sea-shore.
взмости́ться to perch (*on*).
взмыва́ть to rocket, shoot upwards (*о птице*).
взмы́л||енный foamy, lathery; ⁓и(ва)ться to foam (*о лошади*).
взмыть *см.* взмывать.
взнос payment, fee; instalment (*при уплате по частям*); deposit; платить вступительный в. to pay one's entrance fee; профсоюзный в. Trade Union dues; членский в. membership fee, membership dues.
взнузда́ть, взну́здывать to bridle, bit, curb.
взобра́ться *см.* взбираться.
взойти́ *см.* восходить, всходить.
взор look, glance, gaze; потупить ⁓ы to cast one's eyes down; устремить ⁓ы to fix one's eyes; обращать на себя все ⁓ы to attract all eyes.
взорва́||ть *см.* взрывать II; это меня ⁓ло that roused my indignation.
взраст||а́ть, ⁓и́ to grow, grow up.
взра́щивать to grow.
взреза́||ние cutting open; '⁓а́ть to cut open; '⁓ывание,'⁓ывать *см.* взрезание, взрезать.
взро́сл||ость mature age, maturity; ⁓ый grown-up, adult; ⁓ая дочь grown-up (marriageable) daughter; вечерняя школа для ⁓ых night-school for adults (grown-ups).
взрыв explosion, detonation, burst; в. аплодисментов round of cheers, burst of applause; в. гнева outbreak of anger; в. чувства outburst of feeling; ⁓ы смеха peals (screams, outbursts) of laughter.
взрыва́ть I. to dig up, turn up; в. рылом to grout, rout.
взрыва́ть II. to blow up, explode, blast; to torpedo (*миной*); в. корабль to blow up a ship; ⁓ся to burst, explode, detonate, to be blown up.
взрыв||но́й explosive; в. звук *фон.* stop(-consonant); '⁓чатость explosiveness; '⁓чатый, '⁓чатое вещество explosive.
взрыть *см.* взрывать I.
взрыхл||и́ть, ⁓я́ть to turn up; to loosen (*землю*).
взъеда́ться, взъерепе́ни(ва)ться *разг.* to get angry (furious).

взъеро́ши(ва)ть to tousle, dishevel.
взъе́сться *см.* взъедаться.
взыва́||ние invocation, appeal; ⁓ть to appeal (*to*), invoke (*к кому-л.*); to call (*for*) (*о чем-л.*).
взыгра́ть to leap for joy, rejoice.
взыска́||ние exaction; penalty; наложить строгое в. to punish severely; партийное в. Party reprimand, rebuke; подвергнуться ⁓нию to get under penalty; ⁓тельность exigence, severity; ⁓тельный exigent, exacting, strict.
взыска́ть, взы́скивать to exact; в. долг to exact the payment of a debt; в. издержки судом to recover damages.
взя́тие taking.
взя́т||ка bribe, palm-oil; hush-money (*за молчание*); *карт.* trick; в., решающая исход игры the odd trick; брать ⁓ки to take bribes; давать ⁓ки to bribe, to grease one's palm; с него ⁓ки гладки nothing can be got out of him; ⁓кода́тель briber; ⁓очник bribee; ⁓очничество bribery; борьба со ⁓очничеством anti-bribery struggle.
взять, ⁓ся *см.* брать, браться; в. под огонь самокритики to subject to the fire of self-criticism; с него нечего в. nothing can be got out of him; ⁓ся за руки to join hands; с чего вы это взяли? what put that into your head?; чорт возьми! damn it!, the devil (deuce) take it!, the devil!, what the dickens!; откуда ни возьми́сь является он when suddenly he appears.
виаду́к viaduct.
вибр||а́тор *рад.* oscillator; *эл.* vibrator; ⁓ацио́нный массаж vibro-massage; ⁓а́ция vibration.
вибрио́н *уст.* vibrio(n).
вибри́р||ованный: ⁓ованное «р» a rolled «г»; ⁓овать to vibrate, oscillate; to quaver (*о голосе*); ⁓ующий голос tremulous voice.
вива́т! viva!; long live!
виве́рр||а *зоол.* civet (cat); мех ⁓ы civet.
вивисе́кция vivisection.
виг *ист.* whig.
вигва́м wigwam.
виго́н||евый: ⁓евая пряжа vicugna wool, swan's down; ⁓ь *зоол.* vicugna.
вид aspect, look, appearance, air (*наружность, выражение*); view, prospect (*о местности*); kind, sort, species (*род, сорт*); *ест. ист.* species; благодушный в. good-natur-

ed air; благородный в. noble aspect; важный (осанистый) в. portly (stately) presence; внешний в. (outward) appearance; в. на жительство passport; sojourn permit (*иностранца*); делать в. to pretend, feign; здоровый в. healthy look; морской в. *жив.* sea-scape, sea-piece, marine; придавать в. (*шара и пр.*) to fashion (*into a ball etc.*); принимать в. to assume an air; принимать серьёзный в. to assume a grave (serious) aspect; (не)совершенный в. *гр.* (im)perfective aspect; странный в. strange appearance; открытки с ~ами города postcards with views of the town; в ~ах экономии for the sake of economy; в ~е in the form of; в ~е напоминания by way of a reminder; в любом ~е in any shape (form); в нетрезвом, пьяном ~е in a state of intoxication, in a drunken state; в трезвом ~е sober; в хорошем ~е in good condition; при ~е at the sight (*of*); дом с ~ом на море a house with a view on the sea; ни под каким ~ом by no means, on no consideration; под ~ом дружбы under a show (pretence) of friendship; я ~ом не видал, слыхом не слыхал I've no idea (notion) about it; быть в ~у́ (*берега и пр.*) to be in sight, in view (*of the shore etc.*); быть на ~у to be in the eye of (*у начальства и пр.*); в ~у того, что seeing that, considering that; для ~у for form's sake; имеется в ~у is in view; не терять из ~у to have, keep an eye (*over*); потерять ч.-л. из ~у to lose sight of a thing; с ~у он похож на обезьяну he is like a monkey in appearance; судя по ~у judging by the appearance; ~ы на наследство expectations; ~ы на урожай the prospects of the new harvest; иметь ~ы (*на ч.-л.*) to aim (*at*), have an eye (*to*); этот человек видал ~ы this man has seen much in his life, has had experience of life; никаких ~ов на успех there is no prospect of success.

вид‖**анный**: ну ~анное ли это дело! have you ever heard of such a thing! *см.* видеть.

виде́ние vision.

ви‖**деть** to see, behold, view; в. во сне to dream of; в. мельком to glimpse, have (catch) a glimpse of; в. собственными глазами to see with one's own eyes; его нельзя в. e is invisible (not visible); берег

уже ~ден the land is in sight; я ~жу его как живого I have a vivid picture of him before my eyes; я ~жу его насквозь I can see through him; я не ~жу в этом никакого смысла I find no sense in it; ~деться to see each other (one another); мне нужно с ней ~деться I must see her; мы с ним долго не ~де ись we have not seen each other for a long time; мне ~делся сон I dreamed; я с ней редко ~жусь за последнее время I have seen little of her lately.

ви́дим‖**ость** visibility (*физическая*); semblance (*подобие*); ~ый visible; без ~ой причины without an apparent cause; делать ~ым to visualize; ~о evidently; он ~о хотел это сделать he evidently intended to do it; ~с-неви́димо an immense quantity; народу было ~о-невидимо there was an immense crowd of people.

видн‖**еться** to be seen; вдали ~лись огоньки дома the lights of the house were to be seen in the distance.

видн‖**о 1.** apparently, evidently; **2.** is seen; его далеко в. he is seen far off; корабля не в. the ship is not yet in view; мне всё в. I can see everything; по всему в. it is evident; ~ый noticeable, conspicuous, prominent, showy, sightly; ~ый мужчина a good-looking (stately) man; занимать ~ое положение to occupy a high post; на самом ~ом месте in the most conspicuous place.

видово́й pertaining to a species.

видоизмен‖**е́ние** change, alteration; ~я́ть(ся) to change, alter.

ви́за visa.

визави́ vis-à-vis, opposite.

византи‖**ец**. ~йский Byzantine; ~йский стиль Byzantine, Byzantinesque.

визг scream, shriek, squeal; собачий в. yelp; ~ли́вый shrill, squeaking; ~ли́во shrilly, squeakingly; ~отня́ squeaking, screaming, squealing; дети подняли такую ~отню́ the children started such a screaming.

визжа́ть to scream, shriek, squeal; to yelp (*о собаке*); в. пронзительно to shrill (out).

визи́га dried spinal cord of a sturgeon.

визионе́р visionary.

визи́р (peep-)sight (*прицел*); ~овать to visé, visa; паспорт ~ован passport has been visé(d).

ви́зирь vizi(e)r.

визи́т call, visit; дневно́й в. morning call; коро́ткий в. a flying visit; ночно́й в. врача́ a night call; официа́льный в. duty-call; отда́ть в. to return a call; сде́лать в. to call, pay a call (a visit); **~а́ция** visitation; **~ёр** caller; **~ка** cut-away, morning coat; **~ная** ка́рточка visiting card.

вик (*волостно́й исполни́тельный комите́т*) *ист.* the volost (district) executive committee.

ви́ка *бот.* vetch, tares.

вика́р‖**ий** vicar; **~ный** vicarial.

ви́кинг viking.

вико́нт viscount; **~е́сса** viscountess; **~ство** viscountship, viscounty, viscouncy.

Ви́ктор Victor.

вилайе́т vilayet.

ви́лка fork; bird's breast-bone, merry-thought, wishing-bone (*грудная ко́сточка пти́цы*); ште́псельная в. two-pin plug.

ви́лла villa.

вило́к head of cabbage.

вилообра́зный forked.

ви́лочка *см.* вилка.

ви́л‖**ы** pitchfork, fork, hay-fork; поднима́ть, броса́ть **~ами** to toss with a pitchfork, to fork; э́то ещё **~ами** на воде́ пи́сано *погов.* it is not certain yet, it is very doubtful.

Вильге́льм William.

вил‖**ьну́ть** *см.* виля́ть; **~я́ние** prevarication; **~я́ние** хвосто́м tail-wagging.

виля́ть to wriggle, prevaricate; в. хвосто́м to wag one's tail, to fawn.

вин‖**а́** fault, guilt; моя́ в. it is my fault; э́то случи́лось не по его́ **~е́** it isn't his fault, it happened through no fault of his; вмени́ть, поста́вить в **~у́** to incriminate; искупи́ть **~у** to redeem one's fault; to make up for; обстоя́тельство, усугубля́ющее **~у** aggravating circumstances; сва́ливать **~у** на друго́го to lay the fault at another person's door.

винегре́т salad, mixed salad; vegetable salad; *фиг.* medley, omnium gatherum.

вини́тель‖**ный** *гр.*: в. паде́ж accusative (objective) case.

вин‖**и́ть** to accuse, impute to, attribute a fault to a person; не **~и́те** его́ don't blame him; я **~ю́** себя́ во всём I blame no one but myself; **~и́ться** *см.* пови́ниться.

вини́ще *вульг.* vodka.

ви́нкель *столя́рн. см.* уго́льник.

Ви́нни́пег Winnipeg.

виннока́менн‖**ый** tartaric; **~ая** кислота́ tartaric acid.

ви́нн‖**ый** winy, vinous; в. ка́мень tartar, scale (*на зуба́х*); в. по́греб wine-vault; в. спирт alcohol; **~ая** бо́чка wine-cask; **~ая** ла́вка wine shop; **~ая** я́года fig.

вин‖**о́** wine; vodka; бе́лое в. white wine; hock (*неме́цкое*); кра́сное в. red wine, claret; кре́пкое в. strong (beady) wine; но́вое в. в ста́рые меха́ new wine in old bottles; не употребля́ть **~а́** to abstain; неигри́стые **~а** still wines.

винова́т: в.! (I am) sorry; excuse me, (I beg your) pardon!; он тут не в. it isn't his fault; я в. it is my fault; **~ый** guilty, culpable; **~ый** взгляд guilty look; име́ть **~ый** вид to have a guilty look.

вино́вн‖**ик** author, begetter; в. дней мои́х the author of my existence; **~ость** guilt, culpability, guiltiness; отрица́ть свою́ **~ость** to plead not guilty; **~ый** guilty, culpable, in fault; **~ый** в госуда́рственной изме́не guilty of (high) treason, treasonous; **~ый** в чём-либо guilty of; объявля́ть **~ым** to bring one in guilty, to convict; признаёте ли себя́ **~ым?** do you plead guilty?

виного́нный distillatory, for distilling.

виногра́д grapes; vine (*лоза́*); зе́лен в.! sour grapes!; муска́тный в. muscadine; оранжере́я для **~а** vinery, grapery; **~арство** viniculture; **~арь** wine dresser; **~ина** grape; **~ник** vineyard; **~ный** са́хар grape-sugar, dextrose; **~ная** кисть a bunch of grapes; **~ная** лоза́ vine; **~ное** вино́ grape wine; **~ное** зёрнышко grape-stone; **~ное** лече́ние grape-cure; **~ное** су́сло must.

вино‖**де́л** vine-grower, vinicultur alist; **~де́лательный** viniculturist; **~де́лие** viniculture, vine-growing; **~ку́р** distiller; **~куре́ние** distillation; **~ку́ренный** заво́д distillery; **~торго́вец** wine-merchant; **~торго́вля** wine trade; **~че́рпий** *уст.* cup-bearer.

винт I. screw, male screw; архиме́дов в. Archimedes water-screw; бесконе́чный в. endless (perpetual) screw; возду́шный в. air-screw, propeller; гребно́й в. propelling-screw; нажимно́й в. pressing-screw.

винт II. vint (*карт. игра́*).

ви́нт‖**ик** small screw; у него́ **~ика** нехвата́ет *фиг.* he has a tile loose, he has a screw loose somewhere; ∼и́ть 1. to screw; 2. to play vint; ∼о́вка rifle; ставить ∼о́вки в ко́злы (к ноге) to pile (order) arms; ∼ово́й spiral; ∼ово́й домкра́т screw-jack; ∼ово́й парохо́д screw-steamer; ∼ова́я га́йка screw-nut; ∼овая зубча́тая переда́ча *техн.* helical gearing; ∼овая ле́стница winding staircase; ∼овая ли́ния helical line (curve), spiral, helix; ∼овая наре́зка thread; де́лать ∼ову́ю наре́зку to thread; to rifle (*в дуле*).

ви́нто‖обра́зный spiral; ∼ре́зный стано́к screw-cutting engine, screw-cutter.

винье́тка vignette; в., заканчивающая страни́цу tail-piece.

вио́ла viol (*старин. муз. инструмент*).

виолончел‖и́ст violoncellist, 'cellist; ∼ь violoncello, 'cello, bass-viol.

вира́ж I. *фот.* toning.

вира́ж II. *ав.* veering.

Вирги́ния Virginia.

виртуо́з virtuoso; ∼ность virtuosity.

вируле́нтн‖ость *мед.* virulence; ∼ый virulent.

ви́рши rhymes, verses; paltry rhymes.

ви́селиц‖а gallows, gibbet; ему́ ме́сто на ∼е he is a gallows-bird (*висе́льник*); избежа́ть ∼ы to save one's neck.

вис‖е́ть to hang, be hanging, be suspended; в. в во́здухе *фиг.* to hang in the air; ∼и́т на волоске́ is hanging by a thread; скала́ ∼и́т над мо́рем the rock hangs over the sea.

ви́ски whisk(e)y.

виски́ *мн. ч. от* висо́к.

виско́за viscose.

Виско́нси́н Wisconsin.

Ви́сла the Vistula.

вислоу́хий lop-eared.

ви́смут *хим.* bismuth.

ви́снуть to hang, droop; в. на ше́е *см.* веша́ться.

висо́к temple.

високо́сный: в. год leap-year, bissextile year.

висо́чный temporal.

вист *карт.* whist; игра́ть в в. to play whist.

висю́лька pendant, pendent.

вися́чий pendulous, pendant, pendent; в. замо́к padlock; в. мост suspension bridge; в. сад hanging garden.

витали́‖зм vitalism; ∼ст vitalist.

витами́н vitamin.

вита́‖ние soaring, woolgathering (*в облаках*); ∼ть to be absent-minded; ∼ть мы́слями to let one's thoughts wander (go woolgathering, soar); ∼ть в облака́х to soar.

витиева́т‖ость ornateness; ∼ый ornate, flowery; florid; ∼о писа́ть (говори́ть) to have a flowery (florid, ornate) style.

вити́‖йствовать *уст.* to harangue; ∼я *уст.* poet, bard, orator.

вит‖о́й twisted; ∼а́я коло́нна wreathed column; ∼а́я ле́стница winding staircase.

витри́на shop-window, show, show-window; set out.

ви́ттова пля́ска *мед.* St. Vitus's dance, chorea.

виту́шка twisted bread, twist.

вить to twist, twine, spin, wind; в. венки́ to weave wreaths (garlands); в. верёвки to twist ropes; в. гнёзда to build (make) nests; to nidificate, nidify; ∼ся *см.* вить; to curl, wave (*о волосах*).

витю́тень *см.* го́лубь.

ви́тязь knight, knight-errant (*in ancient Russia*).

вихля́ться to dangle.

вих‖о́р forelock; взять, вы́драть за в. to pull by the hair; ∼ра́стый with bristling hair.

вихр‖ево́й vortical; ∼ь whirlwind, whirl; *физ.* vortex.

ви́це- (*в соед.*) vice-; в.-адмира́л vice-admiral; в.-губерна́тор vice-governor; в.-дире́ктор vice-director; в.-ка́нцлер vice-chancellor; в.-ко́нсул vice-consul; в.-ко́нсульство vice-consulship (*звание*); vice-consulate (*учрежд.*); в.-короле́вский vice-regal; в.-коро́ль vice-roy; в.-председа́тель vice-president; vice-chairman; в.-президе́нт vice-president.

виши́ Vichy (water) (*мин. вода*).

вишн‖ёвка cherry brandy; ∼ёвый сад cherry-orchard; ∼ёвая ко́сточка cherry-stone; ∼ёвая нали́вка cherry-brandy; ∼ёвое варе́нье cherry-jam; ∼ёвого цве́та cherry-coloured; ∼я cherry; cherry tree (*дерево*).

вишь *разг.* look!; в. како́й! just look, what a cunning fellow!; в. что вы́думал! there, see what he has invented!

вка́пыва‖ние digging in; ∼ть to dig in, drive in.

вкат‖и́ть to roll in; wheel in (*на колёсах*); в. бо́чку to roll in a cask; в. кре́сло to wheel in an

easy chair; ~и́ться to roll in; '~ы-
вать(ся) см. вкати́ть(ся).

вклад deposit, investment, endowment (на какое-л. учреждение); deposit, investment (в банк);
~ка, ~но́й лист an inserted leaf;
~на́я операция deposit operation
(в банке); ~чик investor, depos-
itor; ~ывание laying in, putting
in, enclosing; ~ывать to put in(to);
to enclose (в конверт); to invest
(капитал, ценные бумаги); to
sheathe, put up (в ножны); ~ыш
техн. bush.

вклеи́||вание gluing in, sticking
in; ~(ва)ть to glue in, stick in;
~(ва)ть словцо to put in a word.

вкле́йка inset, a piece glued in
(в книге).

вкли́ни||(ва)ть, ~(ва)ться to
wedge in (into, between); этот участок земли ~лся между двумя
полями this piece of land is wedged between two fields.

включ||а́ть to include; в. в усло-
вия to include in the terms; в. ток
to switch on, make contact; ~а́ть-
ся в сопсоревнование to enter
into socialist competition; ~ая including, inclusive; по всем дням,
~ая праздники on all days, holidays inclusive; ~е́ние inclusion,
insertion; со ~е́нием пошлин taxes
included; ~и́тельно inclusively;
от 3-й до 5-й стр. ~ительно pages
3 to 5 inclusive; ~и́ть(ся) см.
включа́ть(ся).

вкол||а́чивание driving in, ham-
mering in, knocking in; ~а́чивать,
~оти́ть to drive in(to), knock in
(-to); ~а́чивать гвоздь в стену to
drive a nail into the wall; ~а́чи-
вать молотком to hammer in.

вконе́ц entirely, totally, wholly;
он в. испортился he is quite (altogether) spoilt.

вко́па||нный dug in; стоит как в.
stands rooted to the spot; '~ть см.
вка́пывать.

вкорен||и́ть, ~я́ть to enroot, in-
culcate upon; ~и́ться, ~я́ться to
(take) root; это уж ~и́лось it has
taken root.

вкось awry, sidelong, slantwise,
crookedly, on the slant; в. и
вкривь disorderly.

ВКП(б) [Всесоюзная коммунистическая партия (большевиков)]
C. P. S. U. [The Communist (Bolshevik) Party of the Soviet Union].

вкра́дчив||ость wheedling, insin-
uating character; ~ый smooth-
-spoken, insinuating, wheedling,
oily, sóipy; ~о insinuatingly.

вкра́||дываться, ~сться to steal
in, insinuate oneself; в. в чьё-л.
доверие to work oneself into a person's confidence; тут ~лась опе-
чатка a misprint has slipped in.

вкра́тце briefly, in a few words,
in short; он в. рассказал ей, что
случилось he gave her a brief account of what had happened.

вкривь см. вкось.

вкруг см. вокруг.

вкрути́ть см. вкручивать.

вкруту́ю: яйцо в. a hard-boiled
egg.

вкру́чивать to twist in.

вкус taste, flavour, relish, savour; appetite, liking, palate, relish (к чему-л.—for); конфеты по-
теряли в. sweets have lost their
flavour; на в. и цвет товарищей
нет tastes differ; оставляет неприятный в. во рту leaves a bad
taste in the mouth; придавать
чему-либо в. to flavour; приятный в. flavour; приятный на в.
palatable; у него плохой в. he
has bad taste; дурного ~а in bad
taste, indecorous; у неё нет ~а
she has no taste; это дело ~а it
is a matter of taste; положить
сахару по ~у to put sugar to taste;
прийтись по ~у to please one,
to be to one's taste.

вкуси́ть см. вкушать.

вку́сн||ый delicious, savoury, pal-
atable, tasty; разг. nice; ~ая пища palatable food; ~ое печенье
delicious cake; ~о tastily, palat-
ably; это замечательно ~о this is
delicious.

вкусов||о́й gustatory; ~ые ощу-
щения gustatory sensations.

вкуша́ть to taste, partake of; в.
спокойствие to enjoy rest.

вла́га moisture.

влага́лищ||е анат., бот. vagina;
воспаление ~а мед. vaginitis.

влага́ть см. вкладывать.

влагоме́р hygrometer.

владе́||лец owner, proprietor, mas-
ter, holder; в. сдаваемого помещения или имения lessor; перейти
к другому ~льцу to change hands;
~ние possession, domain, estate,
dominion; вступать во ~ние юр.
to seize; ~ние сообща (коллективное) collective (joint) ownership; находящийся во ~нии in
the possession (of); лишать права
~ния to dispossess; лишение права ~ния dispossession; ~тель(ница) possessor, owner.

владе́||ть to own, possess; to be
in possession (of); в. вниманием

аудитории to hold one's audience; в. всеми своими способностями to be master of all one's faculties; to be one's own man; в. морями to rule over the seas; в. оружием (инструментом) to handle, wield a weapon (an instrument); в. собой to command (possess, govern) oneself; он не ~ет собой (своими чувствами) he has no control of (over) his feelings); он хорошо ~ет русским языком he spe ks good (fluent) Russian, he knows J ussian very well.

Владивосток Vladivostok.

Владимир Vladimir (*гор. и ´имя соб.*).

Владислав Ladislaus.

влады́||ка lord, master, sovereign; ~чество dominion, mastery, empire; под его ~чеством under his dominion; ~чествовать to exercise dominion; ~чица sovereign; ~чица морей mistress of the seas (*о стране*).

влажн||ость humidity, damp, moisture, wet(ness); в. климата the humidity of the climate; относительная в. relative humidity; ~ый, ~о moist, wet, damp; становиться ~ым to moisten; ~ые глаза swimming (moist) eyes.

вламыва́ться to break in(to); в. в амбицию to take offence; в. в дверь to force open (to burst open) a door.

власт||вование domination; ~вовать to dominate, lord over, rule, reign; ~елин master, sovereign; ~итель potentate; ~ный commanding, dictatorial, imperative, imperious, overbearing; он в этом не ~ен he has no power to do it; ~но commandingly *и пр.*

властол юб||ец person fond of power; ~ивый fond of power; ~ие love of power.

власт||ь power, authority, rule. dominion; lordship; в. на местах local authorities; в. эксплоататоров exploiters' rule (sway); верховная в. supreme power; вся в. советам! All Power to the Soviets!: иметь в. над кем-л. to have power over one; исполнит. в. executive power; полная в. full (plenipotentiary) power; быть в чьей-л. ~и to be at the mercy of; насколько это в моей ~и to the best of my power; находиться у ~и to hold power; не в нашей ~и beyond our power; партия, стоящая у ~и the party in power; законные ~и the legal authorities,

the constituted authorities; облекать ~ью to endow (invest) with power; под его ~ью under his rule (sway).

власяни́ца *уст.* hair shirt.

влачи́ть to drag; в. жалкое существование to lead a miserable existence; ~ся *см.* волочиться.

влево to the left; в. от двери to the left of the door; возьмите в. turn to your left.

влезание climbing in (on), getting in (on), mounting; *фиг.* intruding.

влеза́ть, влезть to climb in (on), get in, find one's way in; в. в доверие. в душу to insinuate oneself into someone's confidence; в. в окно to get in by the window.

влекомый drawn, attracted.

влеп||и́ть, ~ля́ть: *разг.* в. кому-л. пулю в лоб to blow somebody's brains out; в. пощёчину to slap, smack a person's face, to give a slap (smack) in the face.

вле||те́ть, ~та́ть to fly in(to); *разг.* ему ~тело he's got it hot.

влечени||е inclination, bent; craving for, appetite; appetence; следовать своему ~ю to follow one's own bent (inclination).

влечь to involve, necessitate, bring; to attract, draw (*to*) (*привлекать*); это ~ёт за собою несчастие it brings misfortune.

влива́ние pouring in, infusion; instillation (*по капле*); в. крови blood transfusion.

вли||ва́ть to pour in(to), infuse into; в. лекарство (*животным*) to drench; в. металл в форму to run metal into a mould; в. по капле to instill; ~ва́ться to be poured in, to fall in; река ~ва́ется в море the river discharges (empties) itself (falls) into the sea; в ряды партии ~ва́ются новые силы fresh forces join the party ranks; ~ть(ся) *см.* вливать(ся).

влияни||е influence (*upon*); моральное в. authority, influence (*на кого-л.—with, over*), ascendancy (*over*); находиться под ~ем to be under the influence (*of*); иметь в. на to have a strong hold over; он не имеет ~я на своих детей he has no authority with (over) his own children.

влият||ельный influential; ~ельное лицо a man of weight; ~ельные круги influential circles; ~ь to influence, have an influence (*on, upon, over*), act (*upon*), work (*on*), weigh (*with*).

ВЛКСМ (*Всесоюзный Ленинский коммунистический союз молодежи*) Y.C.L. (All-Union Lenin Young Communist League).

влок‖**ение** putting in; в. средств investing of means; письмо со ~éнием денег letter containing money; ~йть *см.* вкладывать.

вломи‖**ться** *см.* вламываться; громилы ~лись в дом burglars broke into the house.

влп**а**‖**ться** *разг.* to get oneself (*into*), put one's foot in it; ну и ~лся же я! well, I've got myself into a pretty mess!

влюбить‖**ся** *см.* влюблять(ся).

влюбл‖**ённ**‖**ость** amorousness, being in love; ~ый 1. *a.* in love, amorous; spoony (*sl.*); бросать ~ые взгляды (*на кого-л.*) to cast loving looks (*at*); быть ~ым (*в кого-л.*) to be in love (*with*); to be spoons on, be sweet (*upon*), be mashed on (*sl.*); быть по уши ~ым (*в к.-л.*) to be over head and ears in love (*with*); 2. *s.* a lover, sweetheart; spoon (*sl.*); ~о amorously.

влюб‖**лять** to enamour; ~ляться to fall in love (*with*), to lose one's heart (*to*); '~чивость amorousness; '~чивый of amorous disposition.

вля**паться:** *вульг.* в. в грязь to stick in the mud; *см.* влопаться.

вмаз‖**ать** to cement, putty in; ~ка, ~ывание cementing; ~ывать *см.* вмазать.

вмен‖**ение** imputation, imposition; ~ить to impute, lay to the charge (*of*); to impose upon; ~ить в вину to lay to the charge (*of*); ~ить кому-либо в обязанность to impose upon one as a duty; ~ить себе в обязанность to consider a duty; ~яемость imputability; ~яемый sane; imputable; imposed upon; ~йть *см.* вменить.

в ме**ру** within limits, reasonably.

вместе together; в. с together with; в. с тем at the same time; все в. one and all; держаться в. to keep together; не говорите все в. don't speak all at once (together); он купил всё это в. he bought all that in one lot; пойдём в. со мной come along with me.

вмести‖**лище** receptacle; repository; ~мость capacity; меры ~мости measures of capacity.

вмести‖**тельность** capaciousness, spaciousness; ~ельный capacious, spacious, roomy; ~ь *см.* вмещать; ~ься: столько народу не ~ся в эту комнату this room will not hold such a number of people.

вме**сто** instead (*of*), for, in place (*of*); в. него instead of him, in his stead; в. того, чтобы итти instead of going; в. того, чтобы это сделать instead of doing this; в. этого instead of this; идите туда в. меня go there in my place; это слово употребляется в. такого-то this word is used for such a word; ящик служит ему в. стола a chest serves him for a table.

вмешат‖**ельство** interference, intervention, meddling; иностранное в. foreign intervention; хирургическое в. surgical interference; ~ы(ся) *см.* вмешивать(ся).

вмеш‖**ивать** to mix in, implicate; ~ся to interfere, intervene, step in, meddle with (in), interpose between; ~ся в чужие дела to interfere in other people's affairs; не моё дело ~ся I have no business to interfere; он любит во всё ~ся he likes to meddle with (*или* to have a hand in) everything, he is very meddlesome.

вмещ‖**ать** to hold, contain, have room; to comprise; этот зал ~áет 1000 чел. this hall can seat 1000 persons; ~áться: эта книга не ~áется в чемодан there is no room for this book in the trunk.

вмиг in a flash, in a jiffy, in no time.

вмурова**ть** to wall in.

внаём, **внаймы:** отдавать в. to lease, rent, let.

внача**ле** at (in) the beginning, at first.

вне out (*of*), outside, beyond, extra; without (*в противоп.* within); в. города outside the town; в. дома out of doors; в. опасности out of danger; быть в. себя (*от гнева, радости и пр.*) to be beside oneself, to jump out of one's skin; в. себя от гнева beside oneself with anger; в. себя от радости overjoyed; в. сомнения undoubtedly, unquestionably, without doubt; все что находится в. нас things outside us; объявить в. закона to outlaw; объявление в. закона outlawry; человек в. закона outlaw.

внебра**чный:** в. ребёнок child born out of wedlock; (*в капитал. странах*) illegitimate child; bastard.

внедре**ние** inculcation, implantation, instillation; в. посторонних слоёв в породу *геол.* intrusion; в. техники в массы grounding the masses in technics.

внедр**ить**, ⌒**ить** to embed; ⌒**и**-ться, ⌒**яться** to take root.

внеза́пн**ость** suddenness; ⌒**ый** sudden, unexpected; ⌒**ая** острая боль pang; ⌒**ая** смерть sudden death; ⌒**ое** начало (*войны, болезни, пожара и пр.*) outbreak; ⌒**ое** развитие mushroom growth; ⌒**о** suddenly, unexpectedly; ⌒**о** возникшее учреждение mushroom institution; ⌒**о** напасть на врага to come plump upon the enemy; ⌒**о** остановиться, замолчать to stop short.

внекла́ссный out of school hours.

внекла́ссовый non-class.

внема́точн**ый**: ⌒**ая** беременность extrauterine pregnancy.

внеочередно́й extra, out of turn.

внепарти́йный outside party.

внес**е́ние** entering, entry, insertion (*в список, протокол, книгу*); ⌒**ти** *см.* вносить.

внеслуже́бн**ый** non service; ⌒**ые** часы non service hours.

внешко́льный *см.* обучение.

вне́шн**ий** outer, outward, exterior, external, formal; foreign; в. вид (outward) appearance, look; в. и внутренний заём external and internal loan; в. мир the external world; в. угол exterior angle; ⌒**яя** любезность surface politeness; ⌒**яя** политика foreign policy; ⌒**яя** торговля foreign trade; монополия ⌒**ей** торговли foreign trade monopoly; ⌒**ее** влияние outside influence; ⌒**ее** политическое положение the foreign political situation; ⌒**ее** сходство a formal resemblance; ⌒**ие** обстоятельства externals; ⌒**ие** части outsides; ⌒**ость** presence, exterior, externality, outside, outwardness, outward form; (outward) appearance, the outer man (*наружность*); get up of a book (*книги*).

внешта́тный not on the staff; non staff.

вниз down(wards); в. головою head foremost; в. по лестнице down, downstairs, down the stairs; в. по течению down (the) stream; положите в. put it underneath; ⌒**у** beneath, below, down(stairs), under; ⌒**у** страницы at the foot of the page.

вник**а́ть**, '⌒**нуть** to see (look) into; необходимо ⌒**нуть** в это this must be carefully considered (*или* thought over).

внима́ни**е** attention, care, heed, note, notice, regard; обратить чьё-л. в. (*на*) to draw one's atten-

tion (*to*); обращать в. (*на ч.-л.*) to pay attention, heed; to take notice (*of*); оказывать в. to favour; to show attention; она вся в. she is all (ears) attention; привлекать в. to come into notice, attract attention; приковывать чье-л. в. to compel, arrest, engage, grip one's attention; принимая во в. in view (*of*), in consideration (*of*); заслуживающий ⌒**я** worthy of note, noteworthy; не обращать ⌒**я** to disregard, take no notice (*of*), pass by; не обращайте на это ⌒**н** never mind it; оставить ч.-л. без ⌒**я** to set aside, to leave unattended to; оставленный без ⌒**я** unconsidered.

внима́тельн**ость** attentiveness; ⌒**ый** attentive; ⌒**ый** по отношению к другим considerate, regardful (*of*), thoughtful; ⌒**ый** наблюдатель nice observer; ⌒**о** attentively.

внима́ть to listen, hear; grant (*мольбе, просьбе*); в. голосу рассудка to listen to reason.

вно́ве new; ему это было в. it was new to him.

вновь again, afresh, anew, new, newly; в. прибывший new comer, new arrival; им не суждено было в. увидеться they were never to see each other again; она в. начала she started again; она в. по нескольку раз перечитывала письмо she read the letter over and over again.

вноси́ть to carry in, bring in, get in; to enter, list, book (*в список, книгу*); to pay (in) (*деньги*); в. долю to contribute a share, subscribe; в. на текущий счёт to pay in; в. пожертвование to contribute; в. предложение to move, propose, to bring in a motion; *разг.* to vote for.

внук grandson, grandchild.

вну́тренн**ий** inner, inside, interior, internal, inward, inland, home (*attr.*); в. водный транспорт inland water transport; в. враг the enemy within (the country); в. двор inner courtyard; в. рынок internal (home) market; ⌒**яя** промышленность home industry; ⌒**яя** сторона inside; ⌒**яя** торговля home (inland, internal) trade; ⌒**яя** часть (комнаты) the interior (of a room); ⌒**яя** часть страны inland; налог на ⌒**юю** торговлю inland duty, tax on inland trade; ⌒**ее** лекарство internal medicine; ⌒**ее** политическое положение interna**l** political situation; Комиссариат ⁓их дел *см.* комиссариат; министр ⁓их дел Minister of the Interior; Home Secretary (*в Англии*); ⁓о inwardly; internally.

вну́тренност‖ь interior; ⁓и bowels, intestines, guts; *мед.* viscera; вынимать ⁓и to disembowel.

внутри́ in, inside, inwardly, within; живущий в. страны inlander; находящийся в. страны inland.

внутри- within, intra-.

внутри‖брига́дный intrabrigade; ⁓заво́дский intrafactory; ⁓парти́йный within the party, inner-party; ⁓сове́тский within the Soviets, intrasovietic.

внутрь in, inside, inwards; в. страны up country; путешествие в. страны inland journey; обращённый в. inward; принимать в. to take (*лекарство*).

внуч‖а́та grandchildren; ⁓а́тный племянник grand nephew; '⁓ка grand daughter, grandchild.

внуша́‖емость suggestibility; ⁓ть to suggest, prompt, inspire, impress; ⁓ть мысль to suggest (prompt) an idea; ⁓ть чувство to inspire (imbue) with feeling; гипнотизёр ⁓ет пациенту, что он здоров the hypnotist wills his patient to think himself well; он ⁓ет уважение he commands respect.

внуш‖е́ние suggestion; сделать в. to lecture, reprimand; поддающийся ⁓е́нию suggestible; ⁓и́тельный imposing.

внуши́‖ть *см.* внушать; что ⁓ло ему эту мысль? what prompted him the thought?

вня́тн‖ость audibility, distinctness; ⁓ый audible, distinct; ⁓о audibly, distinctly.

внять *см.* внимать.

во *см.* в; во всеору́жии panoplied, completely armed; во цвете лет in the prime of life; во что бы то ни стало at any price.

во́бла vobla, Caspian roach.

вобра́ть *см.* вбирать.

в обре́з barely enough.

вове́к *см.* ввек.

вове́ки веко́в for ever and ever.

вовле‖ка́ть to draw in, implicate, involve; в. кого-л. в работу to get one to work; в. рабочих в партию to draw the workers into the Party; ⁓че́ние drawing in, involving; '⁓чь *см.* вовлекать.

во́-время in time; в. сказанное слово a word in season; делать

(говорить) не в. to act (speak) inopportunely, at the wrong time; to mistime.

во́все at all; в. нет not at all.

во всю́ at full swing.

во-вторы́х secondly.

вогна́ть *см.* вгонять.

во́гнут‖ость concavity; ⁓ый concave; ⁓ь *см.* вгибать.

вод‖а́ water; в. в трюме bilge-water; в. вышла из берегов the waters are out; высокая в. high water; жёлтая в. (*болезнь глаз*) glaucoma; жёсткая в. hard water; запруженная в. backwater; морская (солёная) в. salt water, brine; мягкая в. soft water; низкая в. low water; пресная в. fresh water; проточная в. running water; столовая минеральная в. table water; стоячая в. still (stagnant) water; на ⁓е́ afloat; ⁓ой на разольёшь thick as thieves; ехать ⁓ою to go by water; концы в ⁓у *см.* конец; посадить на хлеб и на ⁓у to put on bread and water; содержащий ⁓у hydrous; толочь ⁓у в ступе to beat the air; вывести на чистую ⁓у to bring one's misdeeds to light; алмаз чистейшей ⁓ы a diamond of the first water; в докладе много ⁓ы it is a watery report; она ⁓ы не замутит *погов.* she looks as if butter would not melt in her mouth; похоже как две капли ⁓ы as like as two peas; много ⁓ы утекло с тех пор *посл.* much water has flown under the bridge since; не пропускающий ⁓ы waterproof, watertight; он вышел сухим из ⁓ы he came off clear; сила ⁓ы water power; '⁓ы waters; watering-place (*курорт*).

водворе́ние installation; settlement.

водвор‖и́ть, ⁓я́ть to install, settle; в. тишину to hush clamour, to stop noise; ⁓и́ться, ⁓я́ться to settle.

водеви́ль vaudeville.

вод‖и́ть *см.* вести; в. глазами to let one's eyes wander (round); в. за нос to lead by the nose, to lead one a dance; в. компанию (*с кем-л.*) to associate (*with*), to keep company (*with*); в. на помочах to have in leading strings; в. на прогулку to take out (for a walk); в. смычком по струнам to pass the bow over the strings; ⁓и́ться to live, inhabit; я с тобой не буду ⁓и́ться *дет.* I shan't play with you; в этой реке '⁓ится много рыбы this river abounds in fish; за ним ⌐ится этот грех it happens to him; так не ⌐ится у нас it isn't done, it isn't the thing here; у меня денег не ⌐ится I never have money; в этих лесах '⌐ятся медведи bears inhabit these forests.

води́‖ца, ⌐чка *уменьш. от* вода; *фиг.* wishy-washy stuff.

во́д‖ка vodka; крепкая в. aqua--fortis; дать на ⌐ку to tip, to give a tip.

во́дн‖ик water-transport worker; союз ⌐иков water-transport workers' union; ⌐ый (of) water; *геол.* Neptunian; ⌐ый транспорт water transport; ⌐ая окись hydrate.

водо- water-, hydro-.

водо‖боя́знь hydrophobia, rabies; ⌐вмести́лище reservoir; ⌐во́з water-carrier; ⌐во́зная бочка water-cask; ⌐воро́т whirlpool, swirl, vortex, maelstrom; gulf (*особ. фиг.*); eddy (*небольшой*); кружиться в ⌐воро́те to swirl, eddy; ⌐де́йствующее колесо water-wheel; ⌐ём reservoir, cistern, tank; filterbed (*с песчаным дном*); *бот.* pennywort; ⌐ёмкость pondage; ⌐измеще́ние displacement, tonnage; корабль имеет ⌐изме́щение в 1000 тонн the ship displaces (has a displacement of) 1000 tons; ⌐ка́чка water-tower; ⌐ла́з diver; Newfoundland (*собака*); шлем (одежда) ⌐ла́за diving helmet (dress); ⌐ла́зный колокол diving bell; В⌐ле́й *астр.* Aquarius, Water-carrier; ⌐лече́бница, ⌐лече́бный hydropathic; ⌐лече́ние hydropathy, water-cure, hydropathic treatment.

водо‖ме́р water-gauge; ⌐ме́рное стекло gauge glass; ⌐наливно́й waterfilling; ⌐напо́рный water--pressure; ⌐непроница́емый water--tight; ⌐но́сный water supplying; ⌐освяще́ние consecration (blessing) of water; ⌐отво́дная канава draining ditch; ⌐отводная труба waste pipe; ⌐па́д waterfall, fall, cataract; cascade (*небольшой*); ⌐подъёмный water-raising; ⌐по́й watering-place; horse-pond; водить лошадь на ⌐по́й to take a horse to water; ⌐прово́д water--pipe, conduit (*труба*); water--supply (*водоснабжение*); общественный ⌐провод public water--supply; ⌐прово́дная магистраль main; ⌐проводная станция waterworks; ⌐прово́дное дело plumbery; ⌐прово́дчик plumber; pipe-layer;

работать в качестве ⌐прово́дчика to plumb; ⌐разбо́рный кран hydrant; ⌐разде́л watershed, ridge; ⌐ре́з *мор.* cutwater; ⌐ро́д hydrogen.

во́до‖росль alga; sea-weed (*морская*); ⌐росли, выброшенные на берег моря wrack; ⌐сбо́р *бот.* columbine; ⌐свя́тие *см.* водоосвящение; ⌐сли́в *гидротехн.* spillway; ⌐снабже́ние water-supply; ⌐спу́ск floodgate; ⌐сто́к drain, sump; ⌐сто́чный жолоб gutter; ⌐сто́чная канава gutter, gully; ⌐толче́ние useless labour; ⌐тру́бный котёл water-tube boiler; ⌐храни́лище reservoir, cistern; tank; ⌐черпа́лка water engine; ⌐черпа́ние drawing of water.

во́дочка *уменьш. от* водка.

во́дочный: в. завод distillery.

водру‖жа́ть to erect, set up; ⌐же́ние erection, setting up; ⌐зи́ть *см.* водружать.

водян‖и́ка *бот.* crowberry; ⌐и́стость wateriness; ⌐и́стый watery, washy; ⌐ка *мед.* dropsy; ⌐ка мозга water on the brain; hydrocephalus.

водяно́й 1. *a.* aquatic; в. газ water gas; в. орех water caltrop; ⌐а́я крыса water-rat; ⌐ая лилия water-lily; ⌐ая мельница water--mill; ⌐ая птица water-fowl; ⌐ая турбина water-turbine; ⌐о́е отопление water heating; ⌐о́е растение aquatic plant; ⌐ы́е знаки water marks; 2. *s. миф.* water--goblin.

воева́ть to make (wage) war upon.

воево́д‖а *ист.* governor of a province; ⌐ство government of a province.

воеди́но together; собрать в. to bring together; to unite.

воен- *см.* военный.

военача́льник (military) chief; *поэт.* chieftain.

воен‖иза́ция *неол.* militarization; ⌐изи́рованный militarized; ⌐изи́ровать to militarize; ⌐ко́м (*военный комиссар*) army commissar; ⌐кома́т Commissariat for War; ⌐ко́р (*военный корреспондент*) war correspondent; ⌐мо́р naval officer.

вое́нно-: В.-Грузинская дорога the Gruzian Military Road; В.-медицинская академия Military Medical Academy.

военно‖обя́занный liable to military service; ⌐пле́нный prisoner of war; ⌐полево́й суд (drum-

-head) court-martial; быть преданным ~полево́му суду to be court-martialled; ~полити́ческий military and political; ~слу́жащий official of the War office; ~уче́бное заведение military school.

вое́нн‖ый military, martial, war (*attr.*); в. заво́д munition factory; в. комиссариа́т Commissariat for War; в. коммуни́зм war communism; в. кора́бль man-of--war; war-ship; battle-ship; в. ла́герь military camp; в. о́круг military district; в. трибуна́л Military Tribunal; в. флот navy; Революцио́нный в. сове́т Revolutionary War Council; рабо́чий ~ого заво́да munition worker; ~ая оборо́на military defence; ~ая слу́жба military service; поступи́ть на ~ую слу́жбу to join the army, to enlist; ~ое иску́сство military art, generalship, soldiership; ~ое министе́рство War Office; ~ое положе́ние martial law; ~ые the military (*в противополо́жность шта́тским*); ~ые действия hostilities, hostile proceedings; ~ые запа́сы munitions.

воен‖о́буч military training; ~ру́к military instructor.

вое́нщина soldiery; militarists.

вожа́‖к, ~тый leader, fugleman; ~тый пионе́ров pioneer leader; ~тый медве́дей bear-leader.

вождел‖е́н‖ие longing, desire; lust, concupiscence (*плотско́е*); ~ный desired, longed for.

вождь leader, captain, chief; в. па́ртии leader of the party.

вожж‖а́ rein; управля́ть ~а́ми to rein; отпуска́ть ' ~и to give a horse the rein; натя́гивать ~и to tighten the reins.

воз cart-load; что с ~а упа́ло, то пропа́ло *посл.* what is lost is lost.

возблагодари́ть to give thanks (to), thank.

возбран‖и́ть, ~я́ть to interdict, forbid, prohibit; ~я́ться to be interdicted (prohibited).

возбуди́мость excitability.

возбуди́тель exciter; provoker; provocative (*сре́дство*); stimulant; в. боле́зни causal organism; ~ный exciting, stimulating.

возбу‖ди́ть, ~жда́ть to excite, stimulate, stir, arouse, provoke, call forth; в. аппети́т to whet (provoke) appetite; в. вопро́с to raise a question; в. гнев to anger, to excite (move to) anger; в. де-

ло to bring a suit; в. жа́лость to stir pity; в. любопы́тство to provoke (stir, arouse) curiosity; в. наде́жды to raise (elevate) hopes; в. негодова́ние (отвраще́ние) to fill with indignation (disgust); в. подозре́ние to arouse suspicions; в. сострада́ние to excite compassion; в. страсть to inspire with passion; ~ди́ться, ~жда́ться to be excited; ~жда́ющее сре́дство stimulant, excitant; ~жде́ние excitement; excitation, stimulation; ~ждённый excited.

возведе́ние raising; erection; в. в сте́пень *мат.* involution.

возвели́ч‖ение glorification, exaltation; ~и(ва)ть to exalt, raise.

возвести́ *см.* возводи́ть.

возве‖сти́ть, ~ща́ть to announce; ~ще́ние announcement.

возводи́ть to raise (*зда́ние*); в. в чин to raise to a (higher) rank; в. в тре́тью сте́пень *мат.* to raise to the third power; в. обвине́ние to accuse; ~ся to be raised.

возвра́т return, returning, giving back; ~и́мый retrievable.

возврати́ть(ся) *см.* возвраща́ть (-ся).

возвра́т‖ный returning, recurring; в. глаго́л *гр.* reflexive verb; на ~ном пути́ on the way back; ~ная горя́чка recurring fever.

возвра‖ща́ть to return, give back; to recall (*кого́-либо*); ~ща́ться to return, go back, come back; to recur (*мы́сленно, в разгово́ре*); to revert (*в пре́жнее состоя́ние*); ~ще́ние return, returning; home-coming (*домо́й*); restitution, restoring (*владе́льцу*); reversion; recurrence (*повто́рное*).

возвы́‖сить, ~ша́ть to raise, lift up, elevate, exalt; в. го́лос to raise (elevate) one's voice; в. в сте́пень *см.* возводи́ть; ~ситься, ~ша́ться to be raised; to rise (tower) above; ~ше́ние raising; elevation, eminence, rising ground; ~шенность elevation, eminence, height; loftiness; ~шенный elevated, lofty; exalted; sublime; ~шенно loftily.

возглавля́ть to be (stand) at the head of, to head.

во́зглас exclamation, ejaculation.

возгла‖си́ть, ~ша́ть to proclaim, sound; ~ше́ние proclaiming, sounding.

возго́‖нка *хим.* sublimation; ~ня́ть to sublimate.

возгора́емость inflammability.

возꓕгора́ться, ꚍгоре́ться to be inflamed; to break out (*о войне*); в. жела́нием to conceive a desire, to set one's heart upon.

возгорди́ться to become proud.

воздаꓲва́ть, 'ꚍть to render; to reward, requite; в. до́лжное to do justice (*to*), to give someone his due; в. добро́м за зло to render (return) good for evil; ꚍя́ние requital, reward, recompense, retribution.

воздвиꓲга́ние erection, raising; ꚍга́ть, 'ꚍгнуть to erect, raise, set up, rear.

воздева́ть *поэт.*, *уст.* to raise, lift up; в. о́чи горе́ to throw one's eyes up, to raise one's eyes.

возде́йств ие influence (*upon*); ꚍовать to influence, affect, have effect (*on*); на́до на него́ ꚍовать it is necessary to exercise (use) influence upon him.

возде́лꓲать to cultivate, till; ꚍывание cultivation, tillage; ꚍывать *см.* возделать.

воздер жꓲа́ние abstention, abstinence; в. от алкого́ля (total) abstinence, teetotalism (*полное*), temperance (*частичное*); полово́е в. continence; ꚍа́ться, 'ꚍиваться to abstain, forbear, refrain, keep oneself (*from*), hold back (*from*); ꚍаться от гне́ва to restrain (contain, suppress) one's anger; ꚍаться от голосова́ния to abstain from voting; ꚍаться от дальне́йшего описа́ния to draw a veil over; ꚍаться от реше́ния вопро́са (от сужде́ния) to suspend question (judgment); ꚍаться от уча́стия to refrain from taking part; он не мог ꚍаться от замеча́ния he could not help making a remark.

воздер жꓲость abstinence, forbearance; ꚍый abstinent, temperate.

возде́ть *см.* воздевать.

во́здух air; превраща́ть в в. to aerify; непроница́емый для ꚍа airtight; что-то но́сится в ꚍе there is something in the air; на чи́стом (во́льном) ꚍе in the open air, out of doors; подыша́ть све́жим ꚍом to take the air, to breathe fresh air.

воздухоꓲду́вка *техн.* blowing machine, blast engine; ꚍме́р aerometer; ꚍнагрева́тельный air-heating; ꚍочисти́тельный air-purifying; ꚍпла́вание aerostation; иску́сство ꚍпла́вания aeronautics; ꚍпла́ватель aeronaut; ꚍпла́вательный aeronautic; ꚍплавательꚋ

ный парк aeronautical station; ꚍпрово́дная труба́ air-tube, air-shaft.

возду́шꓲость airiness; ꚍый aerial, airy; *физ.* pneumatic; ꚍый винт air-screw; ꚍый змей kite; ꚍый насо́с air-pump, pneumatic engine; ꚍый флот air-fleet; ꚍый шар balloon; привязно́й ꚍый шар balloon on bearings; посыла́ть ꚍый поцелу́й to kiss one's hand (*to*), to wave a kiss (*to*); ꚍая ата́ка air-raid; ꚍая оборо́на air defence; ꚍая прово́дка overhead wires; ꚍая фотогра́фия air-photography; ꚍая ша́хта air-shaft; ꚍая я́ма air-pocket; ꚍое отопле́ние hot air heating; ꚍое сообще́ние air route; ꚍые за́мки castles in the air.

воздыха́ꓲние *уст.* sigh, groan, lamentation; плач и в. sobbing and sighing; ꚍть *см.* вздыхать.

возже́чь to light.

возжига́ꓲние lighting, burning; ꚍть *см.* возжечь; ꚍть фимиа́м to burn incense.

возва́ꓲние proclamation, appeal; ꚍть *см.* взывать.

воззре́ниꓲе view, opinion, outlook; ꚍя передовы́х люде́й про́шлого ве́ка the views (outlook) of the progressive minds of the last century; основны́е ꚍя маркси́зма the main tenets of Marxism.

воззри́ться to fix one's eyes (*upon*).

возꓲи́ть to convey, transport, carry; to drive (*на изво́зчике, автомоби́ле*); to cart (*на двуко́лке*); to draw (*теле́гу и пр.*); в. су́хим путём (*мо́рем*) to convey (transport) by land (by sea); крестья́не 'ꚍят я́йца в го́род peasants bring eggs to town; ꚍиться to take much trouble (*over*), to be bothered (*with*); to tinker (*at*), to make fuss (*of*); to romp (*игра́ть*); мне пришло́сь мно́го ꚍиться с соба́кой I had a lot of trouble with the dog; База́ров привёз микроско́п и по це́лым часа́м с ним ꚍи́лся Bazaroff brought a microscope and spent hours over it.

во́зка carting (*дров и пр.*).

возлага́ꓲть to lay (*upon*), charge, rest (*on*); в. вено́к to lay (place) a wreath; в. наде́жды to repose (put) trust (*in*), to rest one's hopes (on); в. отве́тственность на кого́-либо to make one responsible (*for*); ꚍа́ться to be laid (*upon*); э́то ꚍа́ется на вас it is incumbent on you.

во́зле beside, by, near; past; в.

дома by the house; в. сада проложена дорога a road goes past the garden; в. меня by my side, beside me.

возле‖жа́ть, '‿чь *уст.* to recline.

возликова́ть to rejoice, exult, triumph.

возлия́ние drink-offering, libation; *sl.* soaking.

возлож‖е́ние laying (*upon*); с ‿е́нием на кого-л. обязанности charging one with the duty (*of*); ‿и́ть *см.* возлагать.

возлюб‖и́ть *уст.* to love; '‿ленный 1. beloved; 2. a lover, love; '‿ленная sweetheart; lady-love, mistress.

возме́здие retribution, retaliation, requital; *фиг.* Nemesis.

возмести́ть *см.* возмещать.

возмечта́ть: в. о себе to put on airs, to get too big for one's boots.

возмещ‖а́ть to compensate, repay, make good, make up, make amends (*for*), supply; в. расходы to repay, refund, reimburse; to recover one's losses; в. свой убыток to recoup oneself; ‿е́ние compensation, reparation, indemnification, redress, recoupment, amends; добиться ‿е́ния убытков судом to recover damages.

возмо́ж‖н‖ость possibility, opportunity, chance; в. выбора option; в. построения социализма в одной стране the possibility of building up socialism in one country; давать в. to enable (to do); to afford possibilities; упустить в. to lose an opportunity; по ‿о́сти as far as possible; не иметь ‿ости to be unable, to have no opportunity; ‿ости *мн. ч.* resources, possibilities, opportunities, potentialities; инструкция предоставляет мне широкие ‿ости the instructions give me ample scope; ‿ый possible; сделать всё ‿ое to do one's utmost (one's level best, all in one's power); ‿о possibly; ‿о скорее as soon as possible; сколько ‿о as much as possible; если ‿о if possible; очень ‿о very likely, as likely as not; очень ‿о, что это верно it may well be true; ‿о, что он выживет there is a chance that he may live.

возмуж‖а́лость manhood, virility, maturity; ‿лый grown up, mature, in one's prime; ‿ть to grow up, to grow into a man, to come to man's estate.

возмути́тель, ‿ница disturber; ‿ный shocking, scandalous, revolting; ‿но shockingly *и пр.*

возму‖ти́ть, ‿ща́ть to trouble (*воду*); to anger, rouse indignation (*приводить в негодование*); to stir up, rouse (*побуждать к мятежу*); ‿ти́ться, ‿ща́ться to be indignant, resent (*приходить в негодование*); все ‿ща́лись его словами all expressed their indignation at his words.

возму‖ще́ние indignation (*негодование*); ‿щённый indignant; ‿щённо indignantly.

вознагра‖ди́ть, ‿жда́ть to reward, remunerate, recompense, compensate; в. за потерю to make good (make up for, compensate) a loss; в. себя to recoup oneself (for a loss *etc.*); ‿ди́ться, ‿жда́ться to be rewarded; ‿жде́ние reward, recompense; remuneration, pay, fee (*плата*); добавочное ‿жде́ние bonus; ‿жде́ние за сверхурочную работу overtime pay.

вознаме́ри(ва)ться to conceive a design.

вознегодова́ть to become indignant.

возненави́деть to conceive hatred (*for*).

вознес‖е́ние ascension; *рел.* Ascension Day (*праздник*); ‿ти́(сь) *см.* возносить(ся).

возник‖а́ть to arise, rise, crop up, spring up; ‿а́ют вопросы questions (problems) arise (crop up); ‿а́ют затруднения difficulties arise (emerge, crop up); у меня '‿ла мысль a thought occurred to me, it occurred to me; ‿нове́ние rise; '‿нуть *см.* возникать.

возни́ца *уст.* driver.

Возни́чий *астр.* Auriga.

возноси́ть to raise; в. до небес to extol, to exalt to the skies; в. мольбу to raise (send up) a prayer; ‿ся to ascend (*на небо*); *фиг.* to exalt oneself, become proud.

возн‖я́ trouble (*хлопоты*); romping, racket, noise (*беготня, шум*); дети подняли ‿ю the children began to romp.

возобнов‖и́ть to renew, resume, recommence; в. абонемент to renew a subscription; в. борьбу to resume the struggle; в. сношения с to resume relations with; ‿ле́ние renewal, resumption, recommencement; ‿ле́ние дипломатических отношений the resumption of diplomatic relations; ‿ля́ть *см.* возобновить.

возо́к *уст.* winter carriage on runners.

возомни́ть: в. о себе to become conceited.

возопи́ть to call out, cry out.

возра́доваться to rejoice.

возра‖жа́ть to object, to raise (make) an objection, take exception, call in question; to rejoin, retort (*резко отвечать*); в. про́тив не́которых стате́й to take exception to certain clauses; е́сли вы не ~жа́ете if you don't mind, if you have no objections; ~жа́ющий objector; ~же́ние objection; rejoinder, retort (*ответ*); ~же́ние истца́ отве́тчику replication; ~же́ние отве́тчика истцу́ rejoinder; э́то вы́звало бу́рю ~же́ний в парла́менте there was a counterblast of objections in Parliament; допуска́ющий ~же́ния exceptionable, open to objections; име́ть ~же́ния to object (*to*); заки́дывать ~же́ниями to riddle; ~зи́ть *см.* возража́ть.

во́зраст age; одного́ ~а of the same age, coeval; деви́ца на ~е marriageable girl; ~а́ние growth, increase; increment; ~а́ть to grow, increase; це́ны ~а́ют the prices rise (run high); ~а́ющий increasing (*тж. мат.*); ~а́ющая ско́рость accelerated velocity; ~и́ *см.* возраста́ть.

возро‖ди́ть, ~жда́ть to regenerate, renew; ~ди́ться, ~жда́ться to regenerate, revive.

возрожд‖а́ющий regenerative; ~а́ющийся renascent; ~е́ние revival, rebirth, renascence, palingenesis; regeneration; эпо́ха В~е́ния renaissance, renascence, revival of learning (letters); культу́ра эпо́хи В~е́ния new learning; худо́жники эпо́хи В~е́ния renaissance painters; ~е́нный духо́вно regenerate.

во́зчик driver, carter, carman.

возыме́ть to conceive; в. жела́ние to set one's mind (heart) (*ирон*); в. зло́бу про́тив кого́-л. to conceive animosity against one.

во́ин warrior, soldier; ~ский military; ~ский биле́т soldier's card; ~ский нача́льник *уст.* district commissary; ~ский по́езд troop-train.

во́инственн‖ость bellicosity, militancy; ~ый warlike; bellicose, martial; ~ый дух warlike spirit; ~о martially.

во́инств‖о soldiers, soldiery; '~ующий militant; ~ующий без-

божник militant atheist; ~ующий материали́зм materialism militant.

вои́стину truly, verily, indeed.

вой howl, howling; whine (*жа́лобный*); в. ве́тра the howl of the wind.

во́йло‖к felt; покрыва́ть ~ком to felt; ~чная шля́па rough felt hat.

войн‖а́ war, warfare; гражданская (империалисти́ческая, мировая) в. civil (imperialist, world) war; наступа́тельная (оборони́тельная) в. offensive (defensive) war; партиза́нская в. guerilla warfare; позицио́нная в. positional war; начала́сь в. the war broke out; в. ~е́ war against war; ра́нен на ~е wounded in the war; вести́ ~у́ (*с к.-л.*) to make (wage) war (*upon*), to be at war (*with*), to go to war (*with*); начина́ть ~у to levy war (*upon, against*); объявля́ть ~у to declare war; принципиа́льный проти́вник ~ы́ conscientious objector, pacifist.

во́йск‖о army; ~а́ troops, forces; вспомога́тельные ~а aids, auxiliary troops; де́йствующие ~а fighting forces; регуля́рные (иррегуля́рные) ~а regular (irregular) forces; сою́зные ~а allied forces; ~ово́й military, army (*attr*.).

войти́ *см.* входи́ть.

вока́була vocable, word.

вокали‖за́ция vocalization; ~и́ровать to vocalize; '~м vocalism.

вока́льный vocal.

вокза́л (railway) station.

вокру́г round, around; about; верте́ться в. да о́коло to beat about the bush (*в разгово́ре*); в. све́та round the world.

ВОКС (*Всесою́зное о́бщество культу́рной свя́зи с заграни́цей*) All-Union Society for Cultural Relations with Foreign Countries, VOKS.

вол bullock, ox; рабо́тать как в. to work like an ox, to slave.

вола́н shuttlecock (*игра́*); flounce (*обо́рка*).

волапю́к Volapuk.

Во́лга the Volga.

волга́рь native of Volga region.

волды́рь blister (*водяно́й пузы́рь*); bump, lump, swelling (*ши́шка*).

волево́й volitional.

волейбо́л volley-ball.

волжа́нин *см.* волга́рь.

волисполко́м (*волостно́й исполни́тельный комите́т*) *ист.* the volost executive committee.

волк wolf; в. са́мец dog wolf; в.

в овечьей шкуре wolf in sheep's clothing; морской в. *фиг.* old salt; с ∼а́ми жить, по-во́лчьи выть *погов.* do in Rome as the Romans do; смотреть ∼ом to look grim; ∼о-да́в wolf-dog.

волн‖**а́** wave, billow, surge, sea; breaker (*разбива́ющаяся о берег*); в. захлестну́ла су́дно the vessel shipped a sea; звукова́я в. sound wave; светова́я в. light wave; небольша́я в. wavelet; стаче́чная в. a wave of strikes; на ∼е́ 1450 ме́тров a wave length of 1450 metres; длина́ ∼ы́ *физ.* wave length; цве́та морско́й ∼ы́ sea-green; ' ∼ы высото́й с го́ру seas mountains high.

волне́ние agitation, trepidation, flurry, emotion (*душе́вное*); rough sea, rolling sea, heavy sea (*на мо́ре*); choppy sea (*небольши́е во́лны*); commotion, unrest, disturbance (*в наро́де*).

волни́ст‖**ость** waviness, undulation; ripple; ∼ый wavy, undulating, ripply; ∼ые во́лосы curly (wavy) hair.

волн‖**ова́ть** to agitate (*во́ду и фиг.*); to perturb, disturb, upset, flurry, alarm (*фиг.*); to rattle (*sl.*); ∼ова́ться to wave, billow, surge, rise in waves (*о мо́ре*); to be agitated, alarmed, excited (*о челове́ке*).

волнова́я тео́рия *физ.* wave theory.

волно‖**ло́м** breakwater; ∼ме́р *техн.* wave-meter; ∼обра́зный undulating, wavy; ∼обра́зное движе́ние undulation, wave-motion; ∼образова́тель *рад.* oscillator; ∼ре́з groyne; защища́ть берег ∼ре́зами to groyne; ∼указа́тель *рад.* wave-detector.

волну́шка coral milky cap (*гриб*).

волну́‖**ющий** agitating, exciting; ∼ющие собы́тия stirring (exciting) events.

воло́в‖**ий** of an ox; ∼ья трава́ *бот.* rest-harrow; ∼ья шку́ра ox-hide.

Во́логда Vologda.

во́лок portage; переправля́ть ∼ом to portage.

волоки́т‖**а** 1. ladies' man, dangler (*ухажёр*); 2. red tape, procrastination (*канцеля́рская*); ∼чик procrastinator.

воло́к‖**ни́стый** fibrous, fibroid, filamentous, stringy; ∼но́ fibre, filament; коко́совые ' ∼на coir; ∼о́нце fibril.

волонтёр volunteer; итти́ ∼ом to volunteer.

во́лос hair; ко́нский в. horsehair; на в. *см.* волосо́к; ∼ы hair; ∼ы стано́вятся ды́бом hair stands on end; жи́дкие ∼ы thin hair; ко́ротко остри́женные ∼ы cropped hair; рвать на себе́ ∼ы to tear one's hair; ры́жие ∼ы sandy, red hair; carrots, ginger (*sl.*); све́тлые ∼ы fair hair; до ко́рней воло́с up to the roots of one's hair; ∼а́тик *зоол.* hair-worm; ∼а́тый hairy, shaggy, hirsute; *бот., зоол.* pilose, pilous; ' ∼ки short fine hair; ∼но́й сосу́д *анат.* capillary (blood-vessel); ' ∼ность capillarity; ∼о́к hair; hair-spring (*пружи́на в часа́х*); filament (*в ла́мпочке нака́ливания*); на ∼о́к от сме́рти within a hairbreadth (an ace) of death; я был на ∼о́к от ги́бели I had a narrow (hairbreadth) escape; I had a squeak of it (*sl.*); висе́ть (держа́ться) на ∼ке́ to hang by a thread.

вол‖**остно́й**: в. съезд сове́тов the volost Congress of Soviets; ' ∼ость volost *ист.* (*small administrative division including several villages*).

волосяно́й of hair; в. матра́с hair-mattress.

воло́ч‖**е́ние** dragging; в. про́волоки *техн.* drawing of wire; ∼и́льный стано́к draw-bench.

волочи́‖**ть** to drag, trail, lug; в. но́ги to shuffle (with one's feet), shamble, to drag one's feet; в. про́волоку to draw wire; стари́к едва́ но́ги воло́чит the old man is dragging his weary limbs along (is very weak); ∼ться 1. to drag, trail; у неё ю́бка ∼ла́сь her skirt trailed; 2. to court run (*after*), dangle (*after*), philander (*ухажива́ть*).

волх‖**в** *уст., библ.* magus; три ∼ва́ the three Magi; ∼ова́ние magic, sorcery.

Во́лхов the Volkhov.

Волховстро́й The Volkhov Hydroelectric Power-Station.

волч‖**а́нка** *мед.* lupus; ∼е́ц *бот.* thistle; ' ∼ий wolf's, wolfish, lupine; ∼ий аппети́т voracious appetite; ∼ий боб *бот.* lupine; ' ∼ья я́года spurge-flax; ∼ья я́ма pitfall; ∼и́ха, ∼и́ца she-wolf, bitch wolf; ∼ни́к *бот.* daphne.

волчо́к top, humming-top; peg-top (*деревя́нный*); willow, devil (*в теќст. произво́дстве*); пуска́ть в. to spin a top.

волчо́нок wolf-cub.

волшеб‖ник magician, sorcerer, enchanter; **⌐ница** sorceress, enchantress, fairy; добрая (злая) ⌐ница good (wicked) fairy; **⌐ный** magical, fairy; **⌐ный фонарь** magic lantern; **⌐ная палочка** magic wand; **⌐ная сказка** fairy tale; **⌐ное царство** fairyland; **⌐ство** sorcery, magic, witchery, charm.

волы́нить *разг.* to lie down on one's job.

волы́нк‖а bag-pipe (*муз. инстр.*); procrastination, delay (*задержка в работе и т. д.*); завести **⌐у** to harp upon the same string; тянуть **⌐у** to hang back; to procrastinate.

вольго́тный *разг.* free.

во́льн‖ая *ист.*: давать **⌐ую** (*рабу*) to manumit; **⌐ица** казачья Cossack free troops.

во́льнича‖нье taking liberties; **⌐ть** to take liberties (*with*).

вольно́: в. ему было ходить туда! *разг.* what business had he to go there!

во́льно freely; в.! *военн.* stand at ease!

вольноду́м‖ец free-thinker, latitudinarian; **⌐ный** free-thinking; **⌐ство** latitudinarianism, free-thinking; **⌐ствовать** to be a free-thinker; **⌐ствующий** *см.* вольнодумный.

вольномы́слие *см.* вольнодумство.

вольнонаёмный *ист.* hired.

вольноопределя́ющийся *ист.* volunteer.

вольноотпу́щенни‖к *ист.* freedman; **⌐ца** freedwoman.

вольнопрактику́ющий privately practising, private practitioner.

вольнослу́шатель free attendant at university lectures, outsider.

во́льн‖ость freedom, liberty; поэтическая в. poetic licence; Великая Хартия В**⌐остей** (*12 5 г.*) Magna Charta (Libertatum); городские **⌐ости** freedom of the city; позволять себе **⌐ости** to make free (*with*), to take liberties (*with*); **⌐ый** free; **⌐ый город** free city; **⌐ый каменщик** freemason; **⌐ый перевод** free (loose) translation; **⌐ый порт** free port.

вольт 1. a trick in cardsharping; 2. *эл.* volt; **⌐а́ж** voltage; **⌐а́метр** voltameter; **⌐а́мпер** voltampere.

вольти‖кёр vaulter; **⌐ровать** to vault; **⌐ро́вка** vaulting.

вольт‖ме́тр voltmeter; '**⌐ов** столб voltaic battery; '**⌐ова** дуга voltaic arc.

вольфра́м *мин.* tungsten, wolf-ram; **⌐овая** проволока tungsten wire.

во́л‖я will; freedom, liberty (*свобода*); в. ваша, на то ваша добрая в. as you please, as you like; по доброй (по своей) **⌐е** at one's own free will, of one's own will (accord); **⌐ей-нево́лей** willy-nilly; **⌐ей-неволей** пришлось ему согласиться he had to do it against his will; против (своей) **⌐и** against one's will; свобода **⌐и** free-will; сила **⌐и** will-power; давать **⌐ю** воображению to give rein (the reins) to one's imagination; давать **⌐ю** страсти to let loose one's passions; давать **⌐ю** языку to let one's tongue loose; отпускать на **⌐ю** to set free, liberate; to manumit (*рабов*).

вон out, away (*прочь*); (over-)there, here (*вот*); *поэт.* yonder; в. его! out with him!; в. он идёт there he is coming; в. там over there; выгнать в. to show one the door, to turn out; из рук в. плохо сделано that is done wretchedly; он вышел в. he went out; пошёл в.! out with you!, get out!; совсем из ума в. that escaped me altogether.

вонз‖а́ть, **⌐и́ть** to thrust (stick, drive, prod) (*into*).

вон‖ь stench, stink; **⌐ю́чий** stinking, fetid, foul, rank, putrid; **⌐ю́чка** *зоол.* skunk; **⌐я́ть** to stink, to have a foul smell.

вообра‖жа́емый imaginary, fanciful, fictitious, unreal; в. мир ideal (unreal) world; **⌐жа́ть** to imagine, fancy, conceive; **⌐жа́ть** о себе *разг.* to be conceited, to fancy oneself; он **⌐жа́ет**, что у него замечательный вкус he piques himself on his good taste; это не так легко, как вы **⌐жа́ете** it's not so easy as you imagine; **⌐же́ние** fancy, imagination; живое **⌐же́ние** lively imagination; имеющий большое **⌐же́ние** imaginative; это просто одно **⌐же́ние** it's nothing but fancy, it is mere imagination; в **⌐же́нии** in fancy, in the mind's eye; игра **⌐же́ния** play of fancy.

вообрази́мый imaginable.

вообраз‖и́ть *см.* воображать; **⌐и́те!** fancy, imagine!

вообще́ generally, in general; в. говоря generally speaking.

воодушеви́ть *см.* воодушевлять.

воодушевле́ние enthusiasm, animation, ardour, zeal; он говорил (работал) с **⌐м** he spoke (worked) with ardour (enthusiasm).

воодушевлённый enthusiastic, animated.

воодушевля́**ть** to inspire, animate, enliven, raise the spirit of, inspirit; в. войска to raise the spirit of the soldiers.

вооруж||**а́ть** to arm; в. военный корабль to fit out a ship; в. против кого-либо to instigate against one; ~**а́ться** to arm (oneself), to take up arms; ~**е́ние** arming, armament; arms, armature (*оружие*); ~**ение для одного солдата** stand of arms; ~**ённый** armed, under arms; ~**ённый до зубов** armed to the teeth; ~**ённый нейтралитет** armed neutrality; ~**ённое восстание** revolt in arms, armed revolt; ~**ённое столкновение** armed conflict; ~**ённые силы** armed forces; ~**и́ть(ся)** см. вооружать(ся).

воо́чи|**o** before (under) one's eyes; **увидеть в.** to see with one's own eyes.

во-пе́рвых firstly, in the first place, first and foremost, first of all.

вопи́ть to cry out, bawl, shout (*орать, кричать*); to howl (*выть, напр. от боли*).

вопию́щ||**ий** crying; в. факт crying fact; ~**ая** несправедливость crying injustice; глас ~**его** в пустыне *фиг.* voice in the wilderness.

воппо||**ти́ть**, ~**ща́ть** to embody, incarnate, impersonate; ~**ща́ться** to incarnate; ~**ще́ние** embodiment, incarnation, personification; ~**щённый** incarnate; ~**щённая** жестокость (честность) cruelty (honesty) incarnate; она ~**щённое** здоровье she is the picture of health; он ~**щённое** благородство he is the soul of honour.

вопль wail.

вопреки́ in spite (*of*), despite, regardless (*of*), notwithstanding; in the teeth (*of*).

вопро́с question, query; problem; в. времени a question of time; в. чести (порядка) a point of honour (order); боевой в. burning question; восточный в. the Eastern Problem (Question); жилищный в. housing problem; косвенный в. *гр.* indirect question; открытый в. open question; продовольственный в. the problem of food supply; рабочий в. the working class problem; серьёзный в. a grave question; спорный в. a moot point; трудный в. difficult question; teaser, poser (*sl.*); это

ещё в. that is a question; это ещё открытый в. this is open to question; другая сторона ~**а** the other side of the problem; он говорит не по ~**у** he does not speak to the point; задавать ~**ы** to ask, put questions, to question; ~**ы,** стоящие в порядке дня agenda (*на повестке*); забрасывать ~**ами** to cross-question, to cross-examine; ~**и́тельный** interrogative, interrogatory; ~**ительный** взгляд questioning glance; ~**ительный** знак note of interrogation, query, question-mark; ~**и́тельно** in an interrogatory tone; ~**ить** см. вопрошать; ~**ник** questionnaire.

вопроша́||**ть** *уст.* to question; ~**ющий** interrogative.

вор thief; burglar (*взломщик*); pickpocket (*карманник*); shoplifter (*магазинный*); pilferer (*мелкий*).

во́рвань train-oil, blubber.

ворва́ться см. врываться.

воркова́||**ние** cooing; ~**ть** to bill and coo.

воркотня́ grumbling.

воро||**бе́й** sparrow; spadger (*sl.*); в.-самец cock sparrow; в.-самка hen sparrow; старого ~**бья́** на мякине не проведёшь *посл.* an old bird is not caught with chaff; ~**би́ный** passerine; ~**би́ная** ночь dark stormy night.

воро́в||**анный** stolen; ~**а́тый** thievish; ~**а́ть** to steal, thieve; to pilfer (*о мелкой краж*); ~**ка** thief; ~**ско́й** of thieves; ~**ской** жаргон thieves' Latin; ~**ской** притон thieves' den; ~**ство́** stealing, thievery, theft.

воро||**жба́** fortune-telling; ~**е́я** fortune-teller, wise woman; ~**и́ть** to tell fortunes.

во́рон raven; в. ~**у** глаз не выклюет *посл.* crows do not pick out crow's eyes.

воро́н||**а** crow (*чёрная*); hooded crow, hoody (*серая*); в. в павлиньих перьях the daw in peacock's feathers; пуганая в. куста боится *посл.* a burnt child dreads the fire; **воро́н** считать to gape; ~**ий** crow's, corvine.

Воро́неж Voronezh.

ворон||**е́ние** burnishing; ~**ёный** burnished; ~**и́ть** to burnish.

воро́нк||**а** funnel; crater (*образов. снарядом*); eddy (*на воде*); ~**ообразный** funnel-shaped.

ворон||**ой** black; прокатить на ~**ы́х** to blackball, to pill; ~**ьё** crows and ravenˌ

во́рот 1. collar (*воротник*); в. руба́шки neckband; схвати́ть за в. to seize by the collar, to collar; 2. *техн.* capstan, windlass.

воро́та gate; шлюзные в. lock--gate, sluice-gate; стоя́ть в ⁓х (под ⁓ми) to stand in the gate-way.

вороти́‖ла *разг.* an energetic and dexterous manager; ⁓ть to call back; сде́ланного не воро́тишь what's done can't be undone; ⁓ться to come back, return.

воро́тная ве́на portal vein.

воротни́‖к, ⁓чо́к collar; отложно́й (стоя́чий) в. turn-down (stand--up) collar; крахма́льный в. stiff (starched) collar.

во́рох heap, pile; в. новосте́й heaps of news; в. пла́тья a pile of clothes.

воро́чать to turn, roll; в. глаза́ми (белка́ми) to roll one's eyes; в. гора́ми *фиг.* to move mountains; в. дела́ми to pull the wires; ⁓ся to turn; to toss (*в посте́ли*).

вороши́ть to stir; в. се́но to turn (toss) hay.

ворс pile (*бархата, плюша, ковра*); nap (*сукна*); ⁓и́льная маши́на teasel, teazle; ⁓и́льщик teaseler; carder; ⁓и́стый nappy, friezed; ⁓и́ть to tease(l), teazle; ⁓ово́й pily; ⁓овы́е тка́ни fabrics with pile *or* nap; ⁓я́нка *бот.* fuller--thistle, teasel.

вор‖ча́нье grumble, grumbling, mutter(ing) (*о челове́ке*); growl(ing); snarl(ing) (*о соба́ке*); ⁓ча́ть to grumble (*about, at, over*) (*о челове́ке*); to growl, snarl (*о соба́ке*); ⁓ча́ть себе́ под нос to mutter; ⁓чли́вость querulousness; ⁓чли́вый grumpy, querulous; ⁓чли́во grumpily, querulously; ⁓чу́н, ⁓чу́нья grumbler.

во-сво́яси home.

восемна́дцат‖ый the eighteenth; ⁓ь eighteen.

во́семь eight; ⁓деся́т eighty; fourscore (*особ. о во́зрасте*); ⁓со́т eight hundred; ⁓ю в. eight times eight.

воск wax, bees-wax; натира́ть ⁓ом to wax.

воскли́кнуть *см.* восклица́ть.

воско́в‖ина cere; ⁓о́й wax(en); ⁓а́я ку́кла a wax doll.

воскли́‖ца́ние exclamation, ejaculation; ⁓ца́тельный exclamatory; ⁓ца́тельный знак note of exclamation; ⁓ца́ть to exclaim, ejaculate, cry.

воско́вник *бот.* sweet gale, bog--myrtle.

воскрес‖а́ть to rise again, rise from the dead (*из мёртвых*); *фиг.* to revive; ⁓е́ние resurrection (*мёртвых*); ⁓е́нье Sunday, first day of the week (*день неде́ли*); ⁓и́ть *см.* воскреша́ть; '⁓нуть *см.* воскреса́ть; '⁓ный Sunday (*attr.*).

воскре‖ша́ть to raise from the dead, resuscitate (*из мёртвых*); *фиг.* to revive; в. ста́рый обы́чай to revive an old custom; ⁓ше́ние raising from the dead.

воскуря́‖ть, ⁓я́ть: в. фимиа́м to burn incense.

воспал‖е́ние *мед.* inflammation; в. глаз ophthalmia; в. лёгких pneumonia (одного́—single, обо́их—double pneumonia); в. мо́зга meningitis; в. по́чек nephritis; в. то́нких кишо́к enteritis; в. языка́ glossitis; крупо́зное в. лёгких croupous pneumonia; ⁓ённый sore, inflamed; ⁓и́тельный inflammatory; ⁓и́ть to inflame; ⁓и́ться to get inflamed.

воспари́ть to soar.

воспева́ть, **воспе́ть** to sing, carol.

воспит‖а́ние education, upbringing; breeding (*хоро́шие мане́ры*); физи́ческое в. physical training; поддаю́щийся ⁓а́нию docile, teachable; '⁓анник, '⁓анница pupil; '⁓анный well-bred; ду́рно ⁓анный ill-bred; ⁓а́тель tutor; ⁓а́тельница gover⸱ess; ⁓а́тельный educational, educative; ⁓а́ть,⸱'⁓ывать to bring up, rear; to educate (*также дава́ть образова́ние*).

воспламен‖е́ние ignition; ⁓и́тель *техн.* igniter; ⁓и́ть to inflame; ⁓я́емость inflammability; combustibility; ⁓я́ть to inflame; ⁓я́ющийся combustible, inflammable (*о га́зе*); не ⁓я́ющийся non inflammable.

восполн‖и́ть, ⁓я́ть to fill in; в. пробе́л to fill in (up) a gap.

воспо́льзоваться to profit (*by*), take advantage (*of*), avail oneself (*of*), make use (*of*), use; в. слу́чаем to avail oneself of the opportunity; to take the tide.

воспомина́‖ние remembrance, recollection, reminiscence; ⁓я про́шлого memories of the past.

воспосле́довать *ирон.* to happen, to follow.

воспрепя́тствовать to hinder, prevent.

воспрети́тельный prohibitive.

воспре‖ти́ть, ∼ща́ть to forbid, prohibit, interdict; **∼ща́ется** разгова́ривать во вре́мя ле́кции no talking allowed during the lecture; кури́ть **∼ща́ется** no smoking (allowed); **∼ще́ние** prohibition.

восприе́мник *уст.* godfather.

восприи́мчивый susceptible, receptive.

восприн‖има́емость perceptibility; **∼има́емый** perceptible; **∼има́ть, ∼я́ть** to take, perceive; он '∼я́л э́то как ла́ску he took it for a caress.

восприя́ти‖е perception; объе́кт или результа́т **∼я** percept.

воспроизв‖еде́ние reproduction; **∼ести́** to reproduce; **∼оди́мый** reproducible; **∼оди́ть** to reproduce; **∼о́дство** reproduction.

воспроти́в‖иться, ∼ля́ться to oppose, resist, set one's face against.

воспря́нуть: в. ду́хом to hearten up, cheer up, buoy up; в. от сна to rouse, awaken.

воспыла́ть: в. гне́вом to flame out (*up*); в. любо́вью to take (*to*), lose one's heart (*to*).

воссе‖да́ть, ∼сть to sit.

воссоедин‖е́ние reunion, redintegration; **∼я́ть** to redintegrate; **∼я́ться** to rejoin.

воссозда‖ва́ть to reconstruct; **∼ние** reconstruction.

восста‖ва́ть to rise (in revolt), revolt, rebel (*against*), uprise; в. с ору́жием в рука́х to rise in arms; весь за́пад '∼л the whole of the West was up; '∼вший rebellious, in revolt.

восстана́вливать to reestablish, reinstate; to restore (*здоро́вье, мир и пр.*); to vindicate (*права́, до́брое и́мя и пр.*); в. в па́мяти to retrace, recollect; в. в права́х to restore one's legal rights, to rehabilitate; в. про́тив кого́-л. to instigate against one; в. репута́цию to restore one's reputation, retrieve a false step.

восста́ние rebellion, revolt, insurrection; uprising; поднима́ть в. to excite (stir up) rebellion.

восстан‖ови́тель restorer, renovator; **∼ови́тельный** пери́од restoration period; **∼ови́ть** *см.* восстанавливать; **∼овле́ние** reestablishment, restoration, reinstatement, recovery; **∼овле́ние** в права́х rehabilitation; **∼овле́ние** промы́шленности the restoration of industry.

восста́ть *см.* восставать.

восто́к east, orient; Бли́жний В. Near East; Да́льний В. Far East; на в. eastwards; жи́тель В∼а oriental; к **∼у** (*от*) eastwards (to the east) (*of*); **∼ове́д** orientalist; **∼ове́дение** oriental studies, orientology; **∼ове́дческий** for oriental studies.

восто́р‖г rapture, delight, exaltation; (быть) в **∼ге** (to be) in raptures (in transports), to be delighted; **∼га́ться** to be delighted (enraptured), to go (fall) into raptures; **∼женность** exultancy, enthusiasm; **∼женный** enthusiastic, rapturous; **∼женная** речь rhapsody; **∼женно** enthusiastically.

восторжествова́ть (*над чем-л.*) to triumph (*over*).

восто́‖чный eastern, oriental; в. ве́тер east wind; В∼чная А́фрика (И́ндия) East Africa (Indies); **∼чное** выраже́ние orientalism; **∼чные** стра́ны Orient; **∼чные** языки́ oriental languages.

востре́бовани‖е: до **∼я** to be called for, poste restante, *амер.* general delivery (*о пи́сьмах*).

во́стр‖ый *разг.* см. острый; держа́ть у́хо **∼о́** to keep a sharp look-out, to be on the look-out, on one's guard.

восхвал‖е́ние eulogy, praises; **∼я́ть** to laud, praise, extol; они́ его́ **∼ли** they were loud in his praises.

восхити́тельн‖ый charming, delightful, ravishing, entrancing; delicious (*о вку́се, за́пахе*); **∼о** charmingly *и пр.*

восхити́ть(ся) *см.* восхищать(ся).

восхи‖ща́ть to delight, enrapture, ravish; **∼ща́ться** to admire, to be enraptured; все им **∼ща́ются** he is the admiration of all; **∼ще́ние** admiration, rapture, ravishment, delight; вызыва́ть **∼ще́ние** to excite admiration; с **∼ще́нием** admiringly; **∼ще́нный** admiring, rapt(urous).

восхо́‖д rise, rising; в. со́лнца sunrise; **∼ди́ть** to rise (*о со́лнце*); to ascend (*на го́ру*); **∼дя́щее** свети́ло *фиг.* rising star; **∼жде́ние** ascent.

восше́ствие (*на престо́л*) *уст.* accession to the throne.

восьм‖ёрка eight; eight spots (*ка́рта*); '∼еро eight.

восьми- (*в сложн.*) oct-, octa-, octo-; **∼гра́нник** octahedron; **∼гра́нный** octahedral; **∼десятиле́тний** octogenarian; **∼деся́тник** a person who lived in the eighties;

⊸деся́тый the eightieth; ⊸деся́тые годы the eighties; ⊸кра́тный octuple; ⊸ле́тний octennial; ⊸летний мальчик a boy of eight; ⊸но́г *зоол.* octopus; ⊸сло́жный octosyllabic; ⊸сло́жное сло́во octosyllable; ⊸сти́шие octave; ⊸стóпный (*стих*) octonarian; ⊸уго́льник octagon; ⊸уго́льный octagonal; ⊸часово́й рабочий день the eight hour working day.

восьм|́й the eighth.

восьму́шка an eighth.

вот here, there; в.! here you are!; в., возьми́те here, take it; в. и всё that's all; в. и я here I am; в. как! really so!, is that so!; в. он there he is; в. так! (*верно*) that's right!; в. так история! here's a pretty kettle of fish!; в. так так!, в. те (-бе) раз! well I declare!; well I'm sure!; well, I never!; в. это хорошо! that's fine (capital)!

воти́ровать to vote.

воткáть to inweave.

воткну́ть *см.* втыкать.

в отноше́нии in regard to.

Во́тская автоно́мная о́бласть the Votiak Autonomous Region.

во́тум vote; был принят в. доверия (недоверия) a vote of confidence (no-confidence) was passed.

во́тчим *см.* отчим.

во́тчин||а patrimony; ⊸ник owner of a patrimony; ⊸ный patrimonial.

вотще́ *уст. см.* напрасно.

вотя́к Votiak.

воцар|́ние accession to the throne; ⊸и́ться, ⊸я́ться to ascend the throne.

вошь louse, crawler; травяная в. plant-louse; искать вшей to louse.

вощ||а́нка oil-(wax-)paper; ⊸а́ный waxen; ⊸и́на honeycomb; ⊸и́ть to wax.

вою́ющ||ий: ⊸ие держа́вы belligerent powers; belligerents.

во́йка *ирон.* fighter.

впад||а́ть to fall (flow), discharge itself (*into*) (*о реке*); в. в неми́лость (нищету́) to fall into disgrace (poverty); в. в отчаяние (грех) to lapse into despair (sin); ⊸а́ющий inflowing; ⊸е́ние mouth, issue (*реки*).

впа́дина hollow, cavity; глазная в. socket, orbit.

впа́л||ый hollow; ⊸ые глаза cavernous (deep sunk) eyes; ⊸ые щёки hollow cheeks; со ⊸ыми щеками hollow-cheeked.

впасть *см.* впадать.

впая́ть to solder (*in*).

впервы́е for the first time, first; когда он увидел это в. when he first saw it.

вперева́лку: ходить в. to waddle.

вперего́нку: бежать в. to run races.

вперёд on, forward, ahead, forth, onward; *разг.* first (*сперва*); в. этого не делай mind you don't do it any more; взад и в. to and fro; движение в. onward motion; заплатить в. to pay in advance; идите прямо в. go straight on (right ahead); продвигаться в. to go ahead.

впереди́ in front of, before, ahead of; итти в. кого-л. to walk before one; у меня много времени в. I have plenty of time before me.

вперемежку *см.* попеременно.

вперемешку pell-mell.

вперёть *вульг.* to push in, thrust.

впер||и́ть, ⊸я́ть: в. взор в кого-л. to fix one's eyes upon someone.

впечатл||е́ние impression, sensation; производить в. to make an impression; производящий глубокое в. impressive; находиться под ⊸е́нием to be (labour) under the impression; он ушёл под ⊸ением всего виденного и слышанного he went away much impressed by what he had heard and seen; ⊸е́ть *см.* запечатлеть; ⊸и́тельность impressibility, susceptibility; ⊸и́тельный impressionable, susceptible, sensitive.

впи||ва́ть to imbibe, drink in, absorb, suck in (up); ⊸ва́ться глазами to fix eyes on; to fix a person with one's eyes (*в кого-л.*); to feast one's eyes (*upon*) (*любоваться*); ⊸ваться (*в к. -л., ч. -л.*) когтями (зубами) to drive one's claws (teeth) (*into*); он ⊸лся глазами в темноту he peered into the darkness.

впи́санный: в. треугольник inscribed triangle.

впис||а́ть, ⊸ывать to enter; в. в инвентарь to inventory; to make an inventory of; в. своё имя to put one's name down; в. фигуру *геом.* to inscribe a figure.

впита́ть(ся) *см.* впитывать(ся).

впи́тыв||ать to absorb, soak up (in), take up (in), imbibe; в. идеи to imbibe (suck in) ideas; ⊸аться to soak in; краска ⊸ается dye works its way in.

впи́х||ивать, ⊸ну́ть to push in, stuff in, squeeze in, jam, cram.

вплавь swimming; переправить- ся через реку в. to swim across the river.

вплёскивать, вплеснуть to splash in, pour carelessly.

впле||сти, ~тать to plait in, entwine, interweave, intertwine.

вплот||ную close, up to, closely; подойти к вопросу в. *разг.* to dissect a problem; ~ь up to, till; ~ь до down to, up to.

вплывать, вплыть to sail in, to swim in.

вполголоса in an undertone, in a low voice.

вполза||ть, ~ти to crawl in, creep in, worm into (through).

вполне fully, entirely, wholly, totally, quite, out and out, down to the ground, to perfection, perfectly; наказание, в. заслуженное a punishment richly deserved; он в. счастлив he is perfectly happy; этого в. достаточно this is quite enough; это вам в. подходит this suits you all right (down to the ground).

вполовину half.

впопад: он сказал в. his remark was well-timed (to the point).

впопыхах in a hurry; делать ч.-л. в. to hurry-scurry.

впору: быть в. to fit; как-раз в. fits like a glove; тут в. двоим справиться there is enough work for two.

впорхнуть to flit in.

впоследствии afterwards, later on, in the sequel.

впотьмах in the dark.

вправду indeed, truly, really.

вправе *см.* право.

вправ||ить, ~лять: в. вывих ~ set a bone (joint), to reduce dislocation.

вправо to the right (of); в. от моста to the right of the bridge; возьмите (поверните) в. turn to your right.

впрах *см.* впух.

впредь henceforth, henceforward, in future, from this time forward, from now onward (см. вперёд).

вприпрыжку: бежать в. to skip along.

вприсядку *см.* присядка.

впроголодь half starving; держать в. to starve; жить в. to live from hand to mouth.

в продолжение during, in the course of.

впрок: нечестно нажитое в. не идёт ill-gotten wealth never prospers (thrives); ill got, ill spent;

это ему в. не пойдёт he will not profit by it; заготовлять в. to preserve, cure, pot; to tin, can.

впросак: попасть в. to get into a scrape (difficulty).

впросонках when half asleep.

впрочем however, but then; в., он это сделал this however he did; в., он и не хотел уезжать but then he did not want to go.

впрыг||ивать, ~нуть to jump in, leap in.

впрыс||кивание injection; ~кивать, ~нуть to inject (*жидкость*).

впрягать *см.* запрягать.

впрямь *разг.* indeed.

впус||к admission, letting in; ~кать to let in, admit; ~кать жидкость to inject (*into*); не ~кайте его keep him out, don't let him in; ~кной клапан inlet valve; ~кная труба inlet pipe; ~тить *см.* впускать.

впустую in vain, to no purpose; работать в. to plough the sand.

впутать||(ся) *см.* впутывать(ся); ~ся в неприятную историю to get into a scrape.

впутывать to implicate, involve, entangle; ~ся to meddle, interfere (*вмешиваться*); to be enmeshed (*with*), to be mixed up (*with*) (*быть впутанным*).

впух: проиграться в. и впрах to lose all at cards; разориться в. и впрах to be completely ruined.

впятером five (together).

вра||г enemy; foe (*поэт.*); классовый в. class enemy; создать вокруг себя ~гов to make oneself enemies; *фиг.* to bring a hornets' nest about one's ears; ~жда enmity; hostility; кровная ~жда feud; ~ждебность hostility, animosity; ~ждебный hostile, inimical; ~ждебные намерения hostile intentions; ~ждовать (с кем-л.) to be in antagonism (*with*); ~ждующий conflicting, hostile; ~ждующие стороны conflicting parties; ~жеский. ~жий enemy's, hostile; ~жеское нашествие inroad.

враабивку *см.* разбивка.

враброд separately; without order; итти в. to walk separately.

врабос scattered.

враавалку waddlingly.

враарез contrary; в. с линией партии contrary to the Party line; это шло в. с его желаниями that was contrary to his wishes.

в разрядку *см.* разрядка.

вразум||ительность perspicuity; ~ительный perspicuous; ~ить to make one comprehend (understand); to explain, teach; никак его не ∼ишь he can't be made to understand it; ∼иться to comprehend, to be the wiser for it, to understand; ∼ление making one comprehend, teaching, explaining; ∼лять см. вразумить.

вра́||ки idle talk, lies, fibs; в.! fudge!, bosh!; ну, уж это в.! that's a fib!; ∼ль fibber, liar, fibster; ∼ньё см. враки.

врасплóх unawares, by surprise; застигнуть в. to take by surprise, to catch napping.

врассыпнýю helter-skelter, in confusion; бросаться в. to scatter in all directions.

врастáни||е ingrowing; теория мирного ∼я the theory of the peaceful growing in.

враст||áть to grow in; ∼áющий ingrowing (о ногте); ∼й см. врастать.

врастя́жку at full length, flat; лежать (упасть) в. to lie (fall) flat, at full length, to fall prone.

вратá поэт. gate.

врать to lie, fudge, fib; врёт как сивый мерин lies like a gas-meter; врёшь! Walker!; ври, да не завирайся draw it mild (sl.).

врач physician, doctor, surgeon; разг. medical man; в. консультант consulting physician, consultant; в. по внутренним болезням therapeutist; в. по всем болезням general practitioner; в. хирург surgeon; домашний в. family doctor; морской (военный) в. naval (military) medical officer, surgeon; разг. ship's doctor, army doctor.

врачéбн||ый medical; ∼ая помощь medical aid.

врачевá||ние doctoring; ∼ть to doctor, treat, cure.

враш||áтельный rota(to)ry, gyratory; ∼áть to revolve, turn, rotate; ∼áть белками to roll one's eyes; ∼áться to revolve, rotate, gyrate; run (о колесе); ∼áться в обществе to mix in society; ∼áющийся revolving; ∼áющийся поперечник техн. jib; ∼áющийся стул revolving chair; ∼éние rotation, gyration, revolution.

вред harm, damage, hurt; причинять в. to (do) harm, to damage; ∼и́тель blight, blast (болезнь растений); damager, wrecker, spoiler (в производстве); ∼и́тели vermin, animal pest (животные); ∼и́тельский акт полит. damaging act,

wrecking act; ∼и́тельство wreckage, wrecking; ∼и́ть to harm, wreck, injure, hurt; to blight, blast (растениям); ∼и́ть здоровью to affect one's health; ∼ность perniciousness, harm; ∼ный harmful, injurious, pernicious, noxious, hurtful; ∼ная привычка injurious (bad) habit; ∼ные газы noxious gases.

врéз||ать, ∼ать to cut in, fit in, engrave; ∼аться, ∼áться to cut one's way in; фиг. см. влюблять-ся; лодка ∼алась в песок the boat stranded; это ∼алось ему в память that was engraved on his memory.

врéз||ка cutting in, fitting in, setting in; ∼нóй fit in, cut in, set in; ∼нóй (американский) замóк dead-lock.

врéзывать(ся) см. врезать(ся).

врéм||енá times; с незапамятных ∼ён from time immemorial, time out of mind; по ∼енáм, ∼енáми now and again, every now and then; at odd times; ∼енни́к уст. chronicle, annals; '∼енность temporality, provisionality; '∼енный temporary, temporal, provisional; '∼енная мера palliative; В'∼енное правительство the Provisional Government; '∼енно temporarily; ∼енщи́к ист. powerful favourite; '∼я time; гр. tense; настоящее (прошедшее, будущее) ∼я present (past, future) tense; ∼я года season; ∼я жатвы harvest; ∼я медленно тянется time hangs heavily; ∼я не позволяет time forbids; ∼я не терпит time presses; ∼я охоты shooting season; ∼я покоса hay-making season; ∼я, указанное в расписании schedule time; вернуть потерянное ∼я to make up for lost time; в любое ∼я (at) any time; в настоящее ∼я now, at present, nowadays; в наше ∼я nowadays; вó-∼я in time, betimes, just at the right time; в свободное ∼я at odd moments, at leisure; в своё ∼я in due course; в своё ∼я он был красив he was handsome in his time; всему своё ∼я there is a time for everything; в то самое ∼я, как он пришёл just as he came; за последнее ∼я lately, recently, for some time past; коротать ∼я to beguile (cheat) time; на некоторое ∼я for some time, for a while; ночное ∼я night time (season); спустя долгое ∼я after a long time; точное ∼я correct time; убить ∼я to kill time; хорошо провести ∼я to have a good time; ~я от '~ени from time to time, every now and then, now and again; at intervals; on and off; до какого ~ени вы можете остаться? till when can you stay?; с (до) того ~ени since (till, before) then; к тому ~ени by that time; сколько ~ени? what is the time?; '~енем in time; тем ~енем meanwhile, in the meantime.

времяисчисление chronology.

время(пре)провожде́ни‖е pastime; ради ~я to pass the time.

вро́вень level (with); в. с краями up to the brim.

вро́де like; это нечто в. приказания it is in the nature of a command.

врожде́нн‖ость innateness, inherency; ~ый innate, inborn, inbred, inherent, native, natural; ~ый порок inborn vice; ~ая гениальность (скромность) native genius (modesty).

вро́зницу by retail.

врозь apart, asunder; они живут в. they live apart (separately).

вруб‖а́ть, ~и́ть to hew in, chop in, cut in.

врукопа́шную см. рукопа́шный.

врун, ~ья́ fibster, liar, fibber.

вруч‖а́ть to hand, deliver, entrust; в. письмо в собственные руки to deliver a letter into a person's own hands; в. судебную повестку to serve subpœna on; ~е́ние handing; ~и́ть см. вручать; ~ную by hand.

врыва́ться to burst into.

вряд ли hardly, it's uncertain.

вса́дить см. вса́живать; в. нож в спину to stab one in the back.

вса́дни‖к rider, horseman, equestrian; без ~ка riderless (о лошади); статуя ~ка equestrian statue; ~ца horsewoman, equestrienne.

вса́живать to thrust, stick, plunge, plant; to lodge (пулю).

вса́сыва‖ние suction, absorption; ~ть to suck up; ~ющий насос sucker; ~ющий клапан suction valve.

всё, все см. весь; всё еще still.

все- (как приставка) omni-, pan-; ~благо́й most good, most gracious; ~ве́дение omniscience; ~ве́дущий omniscient, all-knowing; ~ви́дящий all-seeing.

всевобу́ч military training.

всевозмо́жны‖й various, different, all (possible) kinds of; ~е книги all kinds of books; птицы ~х цветов birds of various colours.

всегда́ always, at all times, con-

stantly, on all occasions, ever; прекрасна как в. as beautiful as ever; ~шний usual, habitual, customary; со своей ~шней любезностью with his wonted courtesy; ~шние жалобы constant complaints.

всегерма́нский Pan-German.

всего́ см. весь.

всего-на́-всего in all; but, only (только).

вседне́вный daily, everyday (attr.).

всё же nevertheless, however, still.

вселе́ние quartering.

вселе́н‖ная universe, world; ~ский universal; ~ский собор œcumenical council.

всел‖и́ть, ~и́ть to settle, quarter; в. надежду to give hope; в. страх to inspire with awe (fear); в. уверенность to give assurance; ~и́ться, ~и́ться to settle, move in.

всеме́рный of every kind, of all kind.

всемеро seven times; '~м seven (together).

всемилостивейший уст. most gracious.

всеми́рн‖ый universal; world; ~ая известность world-wide fame (celebrity, renown); ~ая революция world revolution.

всемогу́щ‖ество omnipotence, almightiness; ~ественный, ~ий omnipotent, almighty, all-powerful, possessing all might.

всенаро́дн‖ый of all the people, public; ~ая перепись All-National (general) Census; ~о publicly.

всени́жайший most humble.

всеоб́щ‖ий common, general, universal; ~ая воинская повинность compulsory (military) service; conscription; ~ая забастовка (стачка) general strike; ~ее избирательное право universal suffrage; ~ее негодование general indignation.

все‖объе́млющий universal; человек ~объе́млющего ума a man of immense mental grasp; ~ору́жие: во ~ору́жии well armed (with); ~охва́тывающий all-embracing; ~поглоща́ющий omnivorous; ~подданне́йший доклад уст. a report addressed to his Majesty; ~пожира́ющий all-devouring; ~поко́рный most humble; ~постига́ющий omnipercipient; ~пре́данный most devoted; ~проще́ние general pardon, forgiveness, amnesty.

Всерабис (*Всесоюзный профессиональный союз работников искусств*) Art Workers' Union.

Всеработземлёс (*Всесоюзный профес. союз работн. земли и леса*) Union of Land and Forest Workers.

всердцах in anger.

всероссийский All-Russian.

всерьёз in earnest; вы это в.? are you in earnest?

все||светный universal; ~сильный all-powerful, omnipotent; ~славный most glorious; ~сожжение holocaust.

всесословный of all classes.

всесоюзный Union, All-Union; в. съезд All-Union Congress.

всесторон||ний close, multifold, manifold; ~ее рассмотрение (*обсуждение*) вопроса close analysis (argument); ~е closely, thoroughly.

всё-таки for all that, though, all the same, however; and yet; nevertheless (*тем не менее*).

всеукраинский All-Ukrainian.

всеуслышание: во в. in every one's hearing; for every one to hear; publicly.

всецело wholly, completely, entirely, altogether; в. поглощён wholly absorbed (*in*); это в. принадлежит вам this is entirely yours; я в. ваш I am wholly yours.

всечасн||ый, ~о hourly.

всеядн||ый omnivorous; ~ые животные зоол. omnivora.

вскакива||ние jumping up, leaping up, springing up; ~ть to leap up, jump up, spring up; to bounce up (*особ. в гневе*); ~ть на ноги to leap (start) to one's feet; ~ть с места to spring up from one's seat; ~ть с постели to jump out of bed.

вскапыва||ние digging up; ~ть to dig up, to grub up, to trench.

вскарабк(ив)аться to clamber, to climb (up).

вскармливать to bring up, to rear; в. грудью (молоком) to nurse, suckle; искусственно в. to feed from a bottle, rear by hand.

вскачь at a gallop (tantivy).

вскидывать, вскинуть to toss up, throw up, to lift up (*глаза, руки*); в. ч.-л. на плечо to shoulder; ~ся (*на к.-л.*) to vent one's anger (*on*).

вски||пание boiling (up); ~пать, ~петь to boil (up); to fly into a rage (passion), to boil with indignation (*вспылить*).

вскипятить to boil; to bring to boiling point; ~ся to boil; to be excited by passion and anger.

вскл(ок)оч||енный matted, dishevelled; ~и(ва)ть to tousle.

вскок см. вскачь.

всколебать см. всколыхать.

всколых||ать, ~нуть to stir up; to rouse (*толпу*).

вскользь slightly; коснуться вопроса в. to touch lightly upon a subject; сделать замечание в. to slip in a remark.

вскоп||анный furrowed; ~ать см. вскапывать.

вскоре soon, presently, before long, shortly, by and by; в. после чего-л. soon after, not long after.

вскорм||ить см. вскармливать; ~ленный грудью (искусственно ~ленный) ребёнок breast-fed (bottle-fed) infant.

вскочи||ть см. вскакивать; у меня ~л прыщик I have got a pimple.

вскрик||ивание shrieking (out), screaming, crying out; ~ивать, ~нуть to cry out; to utter (to give) a cry (scream).

вскричать to exclaim, ejaculate.

вскружи||ть, ~ться см. закружить(ся); в. к.-л. голову to turn a person's head; to infatuate (*увлечь*); это ему ~ло голову it turned his head, it made him vain.

вскры||вание opening, disclosure; ~вать to open (up); to find out, to reveal (*преступление и пр.*); to dissect (*труп*); ~вать конверт to tear open the envelope; ~вать нарыв to open (to lance) an abscess; ~вать письмо to open a letter, to tear a letter open; река '~лась the ice on the river broke up (has broken up).

вскры||тие анат. post mortem examination, autopsy, dissection; в. рек breaking up of ice in rivers; ~ть см. вскрывать.

всласть to one's heart's content.

вслед after; выслать багаж в. to send luggage on; итти в. за кем-либо to follow; крикнуть к.-л. в. to shout after one; послать письмо в. to forward a letter; посмотреть к.-л. в. to follow a person with one's eyes (one's gaze); to look after someone.

вследствие in consequence; owing to.

вслепую blindfold.

вслух aloud; прочесть ч.-л. в. to read out (*письмо и пр.*); читать в. to read aloud.

вслуш||(ив)аться to listen, to lend an ear; в. во ч.-л. внимательно to lend an attentive ear; он не

~ался в их слова he missed (did not hear) their words.

всма́триваться, всмотре́ться *см.* вгля́дываться.

всмя́тку: яйцо в. a soft boiled egg.

ВСНХ (*Высший совет народного хозяйства*) *уст.* The Supreme Council of National Economy.

всо́вывать to slip in, thrust in, to insert.

всоса́ть *см.* всасывать.

вспа́ивать, вспои́ть to nurse, suckle; вспоить-вскормить to bring up (a child).

вспа́рхивать to take wing, to fly up.

вспа́рывать to rip open (up); в. живот to disembowel.

вспа́сть *см.* вспадать.

вспаха́ть *см.* вспахивать.

вспа́‖ханный ploughed, tilled; в. участок земли tillage; ~хивание ploughing, tillage; ~хивать to plough (up), to till; ~шка *см.* вспахивание.

вспе́ни(ва)ть(ся) to froth; to lather (*о лошади, мыле*).

всплакну́ть to shed a tear.

всплес‖к splash(ing); ~кивать, ~ну́ть to splash (*жидкость*); ~ну́ть руками to throw up one's arms.

вспло́шную close upon one another; without interruption; continuously.

всплы́‖(ва́)ть to come (to rise) to the surface; to come floating (*на поверхность жидкости*); come to light (*обнаруживаться*); ~ва́ет вопрос the question arises.

вспои́ть *см.* вспаивать.

вспол‖а́скивать, ~оска́ть, ~осну́ть to rinse.

всполоши́ть to give the alarm, to raise an alarm; ~ся to take alarm.

вспомина́ть to recollect, remember, recall, to think of, to call to mind; ~ся to come back (to recur) to one's mind.

вспо́мнить *см.* вспоминать; не могу в. I can't think of it, cannot recall.

вспомога́тельн‖ый auxiliary, subsidiary; в. глагол *гр.* auxiliary verb; в. трос *техн.* auxiliary messenger; ~ая шахта auxiliary shaft.

вспомоществова́ние relief, assistance, help; жалкое в. a mere pittance.

вспоро́ть *см.* вспарывать.

вспорхну́ть *см.* вспархивать.

всποте́‖ть to be all in a sweat; ~вшее лицо face covered with perspiration.

вспры́г‖ивать, ~нуть to jump up.

вспры́с‖кивание sprinkling; ~кивать, ~нуть to (be)sprinkle; ~нуть сделку to wet a bargain.

вспуг‖ивать, ~ну́ть to frighten away; to flush, put up, rise (*дичь и пр.*); в. шиканьем to shoo.

вспух‖а́ть, '~нуть *см.* распухать.

вспу́чи(ва)ть *см.* пучить.

вспыли́ть to fire up, to fly into a temper (a passion), to fly out.

вспы́льчи‖вость irascibility, irascibleness, testiness; ~вый irascible, hot-tempered, quick-tempered, hasty, hot-headed; testy, peppery; ~вый характер inflammable (hot) temper; ~вый человек hothead; ~во irascibly, testily.

вспы́‖хивание *см.* вспышка; ~хивать, ~хнуть to flash; to burst into flame (*о здании и пр.*); to flare up (*о гневе, пламени*); to break out, to burst out (*о войне, эпидемии, болезненном процессе*); to flame (*о страсти*); ~хивать румянцем to blush (a deep red), to flush crimson; ~шка flare, flash; outburst, outbreak (*возмущения, войны, эпидемии и пр.*); spark (*в моторе*); ~шка гнева flare-up, fit of anger (of temper); температура ~шки flashpoint (*масляных и др. паров*).

вспять back(wards).

встава́ние rising, getting up; почтить память ~м to show respect to the deceased by rising.

вста‖ва́ть to get up, stand up, arise; to rise (*также о солнце*); в. на ноги to have (get) a footing; в. на работу to resume work, to start work; в. с левой ноги to get out of bed on the wrong side; в. из-за стола to rise from the table; в. с постели to get up, to turn out of bed; не в. с постели to keep one's bed; пора в.! it's time to get up!; ~ва́й, проклятьем заклеймённый! arise ye prisoners of starvation!; ~ва́йте! get up!; она еще не ~ва́ла she is not yet up, she is still in bed; солнце ' ~ло the sun has risen (is up).

вста́вить *см.* вставлять.

вста́вка insertion, inset; interpolation (*обыкн. ошибочная*).

встав‖ля́ть to put in, to introduce into, to insert (*in, into, between*), to set in, to fit, to fix in;

в. алмазы в механизм часов to jewel; в. вводное слово (предложение) to parenthesize; в. в раму to frame; в. драгоценный камень в оправу to mount (to set) a gem; в. замечание в беседу to interpose, interject; в. зубы to put in false teeth; в.кому-л.перо *вульг.* to give one the sack; в. перо to put the nib into the penholder; в. пункт в договор to insert a clause in an agreement; в. словечко to put in a word; в. шпоны *тип.* to interline; ⌐ной inserted; ⌐ной зуб false (artificial) tooth.

встар‖ину́, ⌐ь in olden times, of old.

встать *см.* вставать.

встрево́ж‖енный anxious; ⌐ить to cause anxiety; to give the alarm; ⌐иться to take alarm.

встрепа́ть to ruffle (*волосы*); вскочил как встрёпанный jumped up as fresh as a lark.

встрепену́ться to (give a) start.

встрёпк‖а thrashing, shaking; заслужить ⌐у to deserve a good shaking.

встре́тит‖ь(ся) *см.* встречать (-ся); можно ⌐ь (*найти*) one can find.

встре́ч‖а meeting, encounter; *спорт.* match; оказать радушную ⌐у to give a hearty welcome.

встре‖ча́ть to meet, encounter; to greet (*приветствовать*); to welcome (*радостно приветствовать гостя, известие и пр.*); в. аплодисментами (шиканьем) to greet with applause (hisses); в. опасность to face danger; в. случайно to come upon (across), to run across, to fall in with; ⌐ча́ться to meet, come across; редко (часто) ⌐ча́ться с к.-л. to see little (much) of a person; мне ⌐ча́лись такие экземпляры I happened to come across such species; ⌐ча́лось много затруднений many difficulties were encountered; нервные клетки ⌐ча́ются в большинстве тканей организма nerve cells are found in most of the body tissues.

встре́чный contrary; в. ветер head (contrary) wind; в. план supplementary plan; в. поезд a train proceeding the other way; первый в. и поперечный the first comer, anyone, everybody.

в стру́нку at attention (*стоять*).

встря‖ска, ⌐хивание stirring up, shaking; ему нужна в. he wants stirring up (rousing).

встря́х‖ивать to shake up; ⌐и-

ваться to rouse oneself; ⌐ну́ть (-ся) *см.* встряхивать(ся); вам необходимо ⌐нуться you want rousing; ⌐ни́тесь! pull yourself together!; pick yourself up!

вступа́ть to enter, step in; в. в бой to come to action; в. в борьбу (*за ч.-л.*) to engage in a struggle (*for*), (*с к.-л.*) to come into conflict (*with*); в. в брак to contract a marriage; в. в должность to accede to office; в. в драку to come to blows; в. в дружбу to make friends (*with*); в. в исполнение служебных обязанностей to enter (up)on office; в. в караул to mount guard; в. в клуб (профессиональный союз) to become member of a club (a trade union); в. в партию to join the party; в. в разговор to enter into conversation; в. в силу to come into force (into power, into operation); в. в сношения to enter into relations; в. в соглашение to enter into an agreement; в. в союз с к.-л. to form an alliance; в. в спор to engage in an argument (in a conflict); в. в сражение to engage in a battle; в. во владение to assume possession of property, to enter (up)on property; в. на престол to mount (to come to) the throne; ⌐ся (*за к.-л.*) to intercede (*for*); *разг.* to stick up (*for*).

вступи́т‖ельный introductory; в. взнос entrance fee, ingress money; ⌐ельные замечания opening remarks (*устные*); ⌐ь(ся) *см.* вступать(ся).

вступле́ние prelude; introduction (*в книге*); entry, opening (*в речи и пр.*); в. в партию joining the party; becoming a member of the party; enrolment in the party; в. армии в город army's entry into the town; в. на престол accession to the throne; служить ⌐м to prelude.

всу́е *уст.* in vain.

всу́нуть *см.* всовывать.

всухомя́тку *см.* сухомятка.

всу́чивать, всучи́ть to foist, to palm off on a person.

всхли́п‖нуть *см.* всхлипывать; ⌐ывание sob(bing); whimper; ⌐ывать to sob.

всхло́п‖нуть, ⌐ывать: в. руками to throw up one's arms.

всход‖и́ть to mount, ascend; to rise (*о солнце; о тесте*); to sprout, germinate (*о семенах*); '⌐ы young growth.

всхо́жесть germination.

всхрап‖нуть *см.* всхрапывать; в. после обеда to have a nap after one's dinner; '⌐ывание snoring, snore; '⌐ывать to snore.

всыпа́ть, всып‖а́ть to fill with (*муку в мешок и пр.*); to add (*сахар в тесто*); мне ⌐али по первое число *разг.* I was knocked into the middle of next week; ⌐аться to get into a pretty fix; ⌐ка drubbing, thrashing.

всю́ду everywhere, anywhere.

вся́к‖ий anyone, anybody (*любой*); everybody, everyone (*каждый*); в. встречный и поперечный Tom, Dick and Harry; в. ищет место поудобнее everyone tries to find a comfortable seat (looks for better conditions); в. может это сделать anyone can do it; как в. другой as any other (man); на в. случай in any case; either way; во ⌐ое время at any time.

вся́ч‖еский of every kind, of all kinds; ⌐ески in every way; всякая ⌐ина sundries, hotchpotch, etceteras, omnium gatherum.

втайне secretly, in secret.

вта́лкива‖ние pushing in; ⌐ть to push in, to shove in; to jab into.

вта́птыва‖ние trampling, treading down; ⌐ть to trample (up)on, to tread down; ⌐ть в грязь to vilify.

вта́скива‖ние dragging in, pulling in; ⌐ть to drag in (up), to pull in (up); ⌐ться to trail (drag) oneself in.

втача́‖ть, '⌐ивать to stitch in.

втащи́ть *см.* втаскивать.

втека́‖ние inflow(ing); ⌐ть to flow in; река ⌐ет river discharges (empties) itself.

втемя́ши‖ть: в. к.-л. в голову to impress upon one's mind; ⌐ться to get into one's head; мне это ⌐лось в голову I got it into my head.

втере́ть(ся) *см.* втирать(ся).

втеса́ться to squeeze (elbow) oneself into.

в тече́ние in the course of, during.

втечь *см.* втекать.

втира́‖ние unction (*мази*); в. очков *фиг.* eyewash, humbug; ⌐ть to rub in; ⌐ть мазь to apply ointment; ⌐ть очки *фиг.* to bluff, to eyewash; ⌐ться: ⌐ться в доверие to insinuate oneself; ⌐ться в компанию to intrude; ⌐ться в милость to ingratiate oneself with.

втис‖к(ив)а́ть to press, squeeze, cram, thrust in; ⌐к(ив)а́ться to squeeze oneself into (*в толпу, вагон*); ⌐нуть(ся) *см.* втискивать (-ся).

втихомо́лку by stealth, on the quiet; secretly, stealthily, clandestinely, surreptitiously (*тайно*).

втолкну́ть *см.* вталкивать.

втолк‖ова́ть, ⌐о́вывать to ram, inculcate; ⌐у́йте ему, что он должен это сделать ram it into him that he must do it.

втопта́ть *см.* втаптывать.

вто́ра *муз.* second fiddle (voice).

втор‖га́ться, '⌐гну́ться to trespass, break in; to intrude (*незваным*); to encroach upon (*в чужие владения, права и пр.*); в. в страну to invade a country; ⌐же́ние intrusion, invasion, inroad (*в страну и пр.*).

вто́рить to echo; to sing the second part.

втори́чн‖ый secondary, reiterative; ⌐о затребовать to re-demand, to demand a second time.

вто́рник Tuesday.

второго́дник a pupil staying for a second year in the same form.

втор‖о́й the second; В. интернационал The Second International; в. час past one; ⌐а́я скрипка *см.* втора; во—⌐ых secondly, in the second place; купленный из ⌐ых рук second-hand.

второкла́сс‖ник (⌐ица) second form boy (girl); ⌐ый second-class.

второпя́х in a hurry, in haste; in a quick way.

второ‖разря́дный second-rate; ⌐степе́нный secondary, of minor importance, less important.

втра́вить *разг.* to inveigle into.

втри́дорога three times dearer (as dear); triple the price; платить в. to pay through the nose.

втро‖е three times (thrice) as much; враг был в. многочисленнее the enemy had treble our numbers; увеличить в. to treble; ⌐е́м the three together; ⌐йне́ threefold.

втуз (*высшее техн. учебное заведение*) higher technical school; ⌐овский of the higher technical school.

вту́лка bush (*вкладыш подшипника*); nave of a wheel (*маховика*); faucet (*деревянный кран*); hub (*ступица колеса*); plug.

вту́не *уст.* in vain; оставаться в. to lie waste.

втупи́к: быть поставленным в. to be at a deadlock, to be non-

plussed, to be at one's wit's end;
to be in a blind alley; ставить в. to
perplex, baffle.

втыка́ть to thrust in(to), to
drive in(to).

втю́ри(ва)ться *вульг.* to be (fall)
in love (*with*); to be spoons (*on*)
(*sl.*).

втя́‖гивание drawing in; **~ги-
вать** to draw in, pull in; to
entangle, implicate, involve (*вовлекать*); to absorb, suck in (*жидкость*); to retract (*обратно когти
и пр.*); **~гивать** воздух to draw in
air; **~гиваться** (*во ч.-л.*) to get
used (accustomed) (to); **~ну́ть(ся)**
см. втягивать(ся).

вуал‖е́тка, **~ь** veil.

вуз (*высшее учебное заведение*)
superior educational institution,
university, college; **~овский** of the
higher school.

вулка́н volcano; временно потухший в. dormant volcano; действующий (огнедышащий) в. active
volcano; потухший в. extinct volcano; жить на **~е** *фиг.* to be sitting
on a volcano; **~изация** vulcaniza-
tion; **~изировать** to vulcanize; **~и-
ческий** volcanic; **~ического** про-
исхождения *геол.* igneous.

вульгар‖изировать to vulgarize;
~изм vulgarism.

вульга́рн‖ость vulgarity; **~ый**
vulgar, common, low; делать **~ым**
to vulgarize.

Вульга́та Vulgate.

ву́ндеркинд (infant) prodigy; precocious child.

вурдала́к werewolf; vampire.

ВУЦИ́К (*Всеукраинский центр.
исполнит. комитет*) All Ukrainian Central Executive Committee.

вход entrance, entry, access, ingress; в. воспрещён no admittance,
no entrance; в. и выход entrance
and exit; в. на сцену passdoor to
the stage; главный в. portal (*особ.
большого здания*); плата за в. entrance (fee); право **~а** entrance,
ingress, entrée.

входи́ть to enter (into), to come
in, to walk in(to); to penetrate into
(*вникать, проникать*); to get in
(*влезать*); в. в моду to come into
fashion; в. во всё самому to have
one's eyes everywhere; в. в пого-
ворку to pass into a proverb; в. в
привычку to become a habit; в. в
порт *мор.* to put in; в. в расчёт
to be taken into consideration; в.
в роль to enter into the rôle; в. в
славу to become famous; в. в соглашение to enter (up)on an agree-

ment; в. в употребление to come
into use; он **~ит** во все распоря-
жения he enters into all arrangements; это не **~ит** в мои расчёты
it doesn't enter into my reckon-
ings; никак не **~ит** is a tight fit,
does not work in; **~ной** entrance;
~ной билет entrance card (ticket);
~ящий incoming, ingoing; **~ящий**
журнал book of entries; **~ящий**
угол reentrant angle.

вхож‖де́ние walking in, entering
(in); **~ий** admitted; он не **вхож**
к нам в дом he is not received at
our house.

вцеп‖и́ться, **~ля́ться** to seize
(catch) hold (*of*), to clutch (snatch)
(*at*), to hold fast; в. в волосы to
seize by the hair.

ВЦИК (*Всероссийский централь-
ный исполнительный комитет*)
The All-Russian Central Executive
Committee.

ВЦСПС (*Всесоюзный центральный совет профессиональных союзов*) The All-Union Central Council of Trade Unions.

вчера́ yesterday; в. утром (днём)
yesterday morning (afternoon); в.
вечером (ночью) last night; **~шний**
yesterday('s); last night's (*относящийся к вечеру накануне*).

вчерне́ in rough, roughly.

вче́тверо fourfold; в. больше
four times as much; сложить в. to
fold in four; **~м** the four together.

вчиня́ть *юр.*: в. иск to enter an
action.

вчита́ться, **вчи́тываться** to get
a thorough understanding of a text
(by much reading); to read attentively.

ВЧК (*Всероссийская чрезвычай-
ная комиссия по борьбе с контрре-
волюцией, саботажем и спекуля-
цией*) All Russian Extraordinary
Commission for the Suppression of
Counter-Revolution, Sabotage and
Speculation.

вчуже́: мне в. его жаль though
I am a disinterested stranger I pity
him.

вшива́ть to sew in, stitch in.

вши́веть to get (to grow) lousy.

вшивно́й sewn in.

вши́‖вость lousiness; **~вый**
lousy.

вшить *см.* вшивать.

въеда́ться to corrode, to eat
into the surface of (*о кислоте,
краске и пр.*).

въе‖зд avenue, approach (*дорога,
ведущая к зданию*); entrance (*въез-
жание*); право **~зда** right of en-

trance; ⌣здны́е де́ньги admission fee (money); ⌣вжа́ть to enter; to ride into (*верхо́м*); to drive into (*в экипа́же*); to move into (*в кварти́ру и пр.*).

въе́сться *см.* въеда́ться.

въе́хать *см.* въезжа́ть.

въя́вь *см.* я́вно.

вы you; эй, вы там! you there! вам for you, to you, you; вам письмо́ a letter for you; она́ была́ вам хоро́шей жено́й she was a good wife to you; я вам зада́м I'll give it you; ва́ми by you; с ва́ми with you; э́то напи́сано ва́ми this has been written by you; что с ва́ми? what is the matter with you?; вас you; about you, for you (*о вас, для вас*); благодарю́ вас thank you; мы говори́ли о вас we spoke about (of) you; уважа́ющий вас yours respectfully (*в пи́сьмах*); э́то для вас this is for you; ваш, ва́ша, ва́ше, ва́ши your, yours; чья э́та кни́га? ва́ша? whose book is this? is it yours?; э́то ва́ша кни́га? is it your book?; пусть бу́дет по-ва́шему do it your own way.

выба́лтывать to let out, disclose, blab out (*секре́т*).

выбега́ть, вы́бежать to run out; в. навстре́чу to run out to meet.

вы́бел||ить *см.* бели́ть; ⌣ка *см.* беле́ние.

выбива́ть to beat out, knock out; to beat (*ковёр*); to force open (*дверь*); to stamp (*меда́ль, моне́ту*); to dislodge (*неприя́теля с пози́ции*); to smash (*око́нное стекло́*); to drive out (*шар, мяч*); в. из к.-л. дурь to take the nonsense out of one; в. из коле́и to drive off the rails, to unsettle; в. из седла́ to unseat, throw from a saddle; ⌣ся из сил to be exhausted; to do one's utmost (*для достиже́ния како́й-л. це́ли*); ⌣ся на доро́гу *фиг.* to elbow one's way in the world.

выбира́ть to choose; to elect (*голосова́нием*); to select, to pick out, to make a choice, to cull (*отбира́ть, как лу́чшее*); to suit oneself (*по своему́ вку́су*); to time well (*удо́бный моме́нт*); в. председа́теля to elect a chairman; ⌣ся to get out; to remove (*из кварти́ры, помеще́ния*); *см. тэх.* выбра́ться.

вы́бить *см.* выбива́ть.

вы́боина hollow, rut.

вы́болтать *см.* выба́лтывать.

вы́бор choice, option, selection; большо́й в. (*чего́-л.*) a great choice (of), a large selection (of); останови́ть свой в. to fix (*upon*); полага́ться на чей-л. в. to leave to one's choice; у меня́ нет ⌣а I have no choice; по ⌣у at choice.

вы́бор||ка selection, excerption (*из кни́ги и пр.*); де́лать ⌣ки to excerpt; ⌣ность electiveness; ⌣ный elective; ⌣ный бюллете́нь voting paper.

вы́бор||щик voter; ⌣ы election; ⌣ы в сове́т Soviet elections; ⌣ы ко́нчились для него́ неуда́чно election went against him; всео́бщие ⌣ы general election; дополни́тельные ⌣ы by-election.

выбра́нить *см.* брани́ть.

выбра́сывать to throw out (away); to discard (*нену́жные ве́щи*); to cast ashore (up) (*о мо́ре*); в. из головы́ to put out of one's mind, to dismiss the thought (*of*); в. ло́зунг to launch a slogan; в. това́р на ры́нок to throw goods on the market; ⌣ся to throw oneself out.

вы́брать *см.* выбира́ть; ⌣ся из затрудне́ний to get out of a fix, to be in smooth waters.

выбр||ива́ть *см.* брить; '⌣итый clean shaven; '⌣ить *см.* брить.

вы́бро||сить *см.* выбра́сывать; он был ⌣шен из экипа́жа he was pitched (hurled) from the carriage; he was thrown out of the carriage; ⌣ситься *см.* выбра́сываться.

выбыва́ть, вы́быть to leave, quit; в. из стро́я to leave the ranks; to be missing.

выва́ливать, вы́валить to tumble out, throw out; ⌣ся to fall out, to tumble out.

вы́валять(ся) *см.* валя́ть(ся).

выва́ривать, вы́варить to boil down, to extract, decoct; ⌣ся to boil down.

вы́вар||ка extract(ion), decoction, residuum; ⌣очная соль salt obtained by boiling.

выве́дать, выве́дывать to investigate, find out; to worm out (*of*), to pump (*та́йну, секре́т*); в. чьи-л. наме́рения to sound a person's intentions; *фиг.* to feel someone's pulse.

вы́везти *см.* вывози́ть.

вы́веренный: в. ход часо́в regulated clock (watch).

вы́верить *см.* выверя́ть.

вы́вернуть, выве́ртывать *см.* отвёртывать; to unscrew; в. наизна́нку *см.* вывора́чивать; в. к.-л. ру́ку to wrench a person's hand; ⌣ся to get out (of a fix) (*из затрудне́ния, нело́вкого положе́ния*).

выверя́ть to verify (*правиль-ность данных и пр.*); в. часы to regulate a clock (a watch); to set a watch (a clock).

вы́весить *см.* вывешивать.

вы́веска sign(-board).

вы́вести *см.* выводить.

вы́ве́три́|вание airing (*одежды*); weathering (*горн. пород*); efflores-cence (*солей*); ~вать, **вы́ветрить** to air, to put a thing to air (*одеж-ду и пр.*); ~ваться, **вы́ветриться** to weather (*о горных породах*); *хим.* to effloresce; ~(ва)ться из памя-ти to fade out of one's memory.

вы́вешенный put up, hung up, posted up (*объявление и пр.*).

вы́ве́шивать to hang out; в. для просушки to hang out to dry; в. объявление to put up a notice.

вы́вин|тить, '~чивать to unscrew, screw out.

вы́вих dislocation; *мед.* luxation; '~ивать to dislocate, to put out of joint; ~нутый out of joint; ~нуть *см.* вывихивать.

вы́вод conclusion, deduction, in-ference; делать в. to draw a con-clusion, to infer, deduce; логиче-ский в. logical conclusion; ложный в. paralogism.

вы́вод|ить to lead out, take out, bring out; to help out of (*помочь выйти*); to destroy, exterminate (*уничтожать*); *лит.* to depict, portray; в. буквы to form each letter carefully; в. в поход to march; в. в расход to debit; to send to one's account; to execute by shooting; в. заключение *см.* вывод; в. запах to deodorize; в. из заблуждения to undeceive; в. к.-л. из себя to make one lose one's temper; to try a person's patience; в. из строя to disable; в. лошадь напоказ to trot a horse out; в. пятно to remove (to take out, to rub out) a stain; в. строе-ние to erect a building; в. сырость to get rid of damp; в. цыплят to hatch chickens (*о курице; в ин-кубаторе*); ~и́ться to become ex-tinct; цыплята вы́велись the chick-ens are hatched; эти пятна ничем не '~ятся nothing will touch (take out) these stains; *мед.* excretory; ~ная трубка deliv-ery pipe.

вы́водок hatch (*цыплят*), brood (*животных, птиц*).

вы́воз export(ation); ~и́ть to export (*за границу*); to bring\ (take) out (*в свет*); to bring from (*отку-да-либо*); to remove (*мебель, веши*);

лес мы '~им главным образом в Англию we export most of our timber to England; our chief cus-tomer for timber is England; ~ной export (*attr.*); ~ные пошлины (та-рифы) export duties (tariffs).

вы́вола́кивать, вы́волочить to drag out.

вы́вор||а́чивать to turn (inside) out; в. карманы to turn out one's pockets; в. наизнанку (на левую сторону) to turn (inside out); в. ноги носками наружу to turn one's toes out; всю душу ~а́чива-ет it breaks one's heart; ~а́чива-ющая душу тряска jolting to pieces.

вы́вор||отить *см.* выворачивать; ~оченный turned out.

вы́вязать, вывя́зывать to knit, to make a pattern in knitting.

выг||адать, ~а́дывать to econo-mize, save, spare; он ~адал на этом 20 руб. he saved (econo-mized) twenty roubles on it; что вы на этом ~адали? what are you the better for it?

вы́гарки slag.

вы́гиб outward curve (curvature); ~а́ние curving out, arching; ~а́ть to curve, bend; ~а́ть спину to hog (arch) one's back (*о животных*).

вы́||гладить, ~гла́живать *см.* гладить; to smooth down.

вы́гля||деть to look; в. моло́же своих лет to look younger than one's age; to wear one's years well; в. хорошо to look well; она плохо ~дит she does not look well.

вы||гля́дывать, '~глянуть to peer, look out, peep out.

вы́гнать *см.* выгонять.

вы́гнут||ый convex; ~ь *см.* вы-гибать.

выгова́ривать 1. to articulate, pronounce, utter; правильно в. to pronounce correctly; в. явственно to pronounce (speak) distinctly; не мог вы́говорить ни слова could hardly utter a word; 2. to lecture, reprimand (*делать выговор*); 3. to stipulate (*условия*); в. ч.-л. себе (для другого) to reserve for (to) oneself (another).

вы́говор 1. pronunciation, accent (*произношение*); 2. lecture, repri-mand, reproof, rebuke (*нравоуче-ние*); admonition (*по суду*); делать в. to reprimand, rebuke, reprove, to take to task; объявлять в. *военн.* to check; ~ить *см.* выговаривать.

вы́год||а profit, advantage, bene-fit, gain, interest; извлекать из чего-либо ~у to profit, benefit (*by*); *фиг.* to milk; приносить ~у to pay (*о предприятии*); для извлечения ~ы for profit making purposes.

вы́годн||ость utility; **~ый** profitable, advantageous, beneficial (*полезный*); gainful, remunerative (*прибыльный*); **~ая** позиция vantage ground; **~ое** дело paying game; **~ое** помещение капитала paying investment; **~ое** предприятие remunerative undertaking; представлять в **~ом** свете to show up to the best advantage; **~о** it pays; it's profitable.

вы́гон common, pasture; право на общественный в. commonage.

вы́гонка distillation (*спирта*).

выгоня́ть to turn out (*from*), to chuck out, to oust; to expel (*from*) (*из учебного заведения*); to distil (*спирт*); to send to grass (*скот в поле*); to fire out, to give the sack (*со службы*); искусственно в. растение to force a plant.

выгора́живать to stick up (*for*), to justify, excuse; в. себя to put oneself right (*with*).

выгора́ть to burn down (away); to fade (*о красках*); в. дотла to burn (to be reduced) to ashes.

вы́гор||еть *см.* выгорать; дело не **~ело** it did not come off; **~елый** burnt out; faded.

вы́городить *см.* выгораживать.

вы́гравировать *см.* гравировать.

выгреб||а́ть to rake out (away); **~на́я** яма cesspool.

вы́грести *см.* выгребать.

выгр||ужа́ть, '**~узить** to unload, unlade; to debus (*с грузовика*); to disembark, discharge, unship (*груз, товары с судна*).

вы́грузка debarkation, disembarkation (*товара, людей*).

выгр||ыза́ть, '**~ызть** to gnaw.

выд||ава́ть to distribute; to betray, give away; to split on, peach on (*sl.*) (*доносить*); в. вексель to draw a bill on; в. зарплату to pay salary (wages); в. замуж за to marry to; в. политэмигранта to extradite; в. расписку to give a receipt; в. себя (*за к.-л.*) to set up (*for*), to pass (*as, for*), to personate; в. себя to give oneself away, to betray one's secret; в. себя с головой to betray oneself completely; в. секрет to give away the show, to let out a secret; краска '**~ала** ее смущение a blush witnessed (betrayed) her confusion;

~ава́ться to protrude, project, jut out, overhang, run out, swell out; зарплата **~аётся** wages are paid, salary is paid; он **~аётся** среди всех he is distinguishable amongst all; как только '**~ался** случай as soon as an opportunity presented itself; как только '**~ается** хороший денёк as soon as we have a fine day; on the first fine day.

выд||авить, **~а́вливать** to press out, squeeze out; **~авленное** оконное стекло a forced window pane.

выда́ивать to milk dry, to strip.

выда́л||бливать to hollow (out), to gouge, excavate.

выда́нье: на в. marriageable.

выда́ть *см.* выдавать.

выда́ча distribution; завтра в. зарплаты to-morrow is pay-day; wages will be paid to-morrow; в. писем letters are given out; в. пайка serving out of rations; в. политэмигранта extradition.

выдаю́щ||ийся prominent, outstanding, protuberant, protruding, salient (*выделяющийся, бросающийся в глаза*); eminent, distinguished, preeminent, notable (*знаменитый*); он самый в. человек своего времени he is the first man of his day (time); не в. undistinguished; **~аяся** победа a signal victory; **~иеся** люди men of mark.

выдви||га́ть to put forward (*теорию, предложение*), to promote, advance (*людей*); в. вперёд to push forward; в. законопроект в парламенте to introduce a bill in Parliament; в. чью-л. кандидатуру to put forward someone's candidature; в. ящик to open the drawer; каждая эпоха **~га́ет** свои проблемы each age offers its own problems; **~га́ться** to rise in the world, to make one's way; **~же́нец** promoted worker (student); **~же́ние**, **~же́нчество** promotion.

выдвижн||о́й в. ящик drawer; **~о́е** окошко (*в стене*) sliding window.

вы́двин||уть(ся) *см.* выдвигать (-ся); **~уться** в комсостав to rise from the ranks; он наверное **~ется** he is sure to rise.

вы́делать *см.* выделывать.

выдел||е́ние *физл.* secretion, excretion, discharge; в. влаги ooze; гнойное в. pus; способствующий **~е́нию** excretive; **~и́тельный** secretory.

вы́делить *см.* выделять.

вы́делка manufacture.

выде́лывать to make, produce, manufacture; в. ко́жу to dress (curry) leather; в. трель to trill.

выделя́|ть to distinguish; *физ.* to secrete; в. вещество́ из сме́си *хим.* to educe, isolate; в. вла́гу to ooze; в. ка́плями to sweat (*кровь, смо́лу и пр.*); в. курси́вом *тип.* to italicize; в. часть to apportion, allot (*иму́щества, насле́дства*); **~я́ться** to receive one's share; to stand out (*среди́*); институ́т **выде́лился** из университе́та the institute originated (rose) from the university; **~я́ющий** *физ.* secretory.

выдёргивать to pluck out, pull out, draw out; в. зуб to extract a tooth, to have a tooth out.

вы́держ|анный seasoned (*о вине́, сы́ре и пр.*); self-restrained (*о челове́ке*); **~ать**, ' **~ивать** to stand, hold out, bear, endure (*выноси́ть*); to season (*дрова́ и пр.*); to keep (*вино́, сыр, таба́к и пр.*); **~ивать** испыта́ние to stand (to pass) the test; **~ивать** кри́тику to bear criticism, to hold water; **~ивать** не́сколько изда́ний run into several editions; **~ивать** хара́ктер to be firm; **~ивать** шторм to weather a storm (*тж. фиг.*); **~ивать** экза́мен to pass an examination (the examiners), to get through; **~ивать** экза́мен удовлетвори́тельно to satisfy the examiners; е́ле **~ивать** экза́мен to scrape through; не быть в состоя́нии бо́льше **~ать** *разг.* not to be able to stand it any longer; не **~ать** уда́ра not to sustain the shock; она́ не **~а́ла** и распла́калась she broke down and cried.

вы́держ|а 1. extract, passage (*из кни́ги*); де́лать **~и** to extract; **2.** firmness, endurance, grit (*хара́ктера*).

вы́дернуть *см.* выдёргивать.

выдира́ть to rip, tear out.

вы́долбить *см.* выда́лбливать; to get by rote (*вы́зубрить*).

вы́дох expiration; **~нуться** *см.* выдыха́ться; **~шийся** played out, flat.

вы́др|а, мех **~ы** otter; морска́я в. sea-otter.

вы́драть *см.* выдира́ть; to thrash, whip (*вы́пороть*).

выдува́льщик: в. стекла́ glass blower.

выдува́ть 1. to blow (*стекло́*); **2.** *sl.* to drink; он вы́дул 10 буты́лок пива he polished off ten bottles of beer.

вы́дум|анный invented; **~ать** *см.* выду́мывать; он по́роха не **~а-ет** he will never set the Thames on fire; **~ка** invention, fiction, figment, fable, fib; **~щик** inventor, liar; **~щица** inventress, liar.

выду́м|ывание excogitation; **~ывать** to invent, devise, contrive, think out, excogitate (*изобрета́ть*); to invent, fabricate, forge (*врать*); *см. тж.* вы́думать.

выдых|а́ние expiration; evaporation; **~а́ть** to expire, breathe out, exhale; **~а́ться** to evaporate, volatilize; to become flat (*о пи́ве, вине́*); to be played out, be exhausted (*о челове́ке*).

выеда́ть to eat (out).

вы́езд departure (в. из СССР departure from USSR); turn out (*экипа́ж и ло́шади*); **~ка** breaking in, training; **~но́й** лаке́й footman.

выезжа́ть to leave, depart (*отправля́ться*); to ride out, drive out (*на ло́шади, в экипа́же*); в. в свет to go out; в. за грани́цу to go abroad; в. на други́х to exploit others (for one's own interest).

вы́ем|ка hollow (*углубле́ние*); groove (*желобо́к*); cutting, excavation (*земляна́я*); в. докуме́нтов seizure of documents during search; в. пи́сем из почто́вых я́щиков collection of letters from letter (pillar) boxes; **~очный** штрек *гор.* (grooved) streak.

вы́есть *см.* выеда́ть.

вы́ехать *см.* выезжа́ть.

вы́жать I. *см.* выжина́ть.

вы́жат|ь II. *см.* выжима́ть; **~ый** лимо́н *фиг.* squeezed orange; an empty shell.

вы́ждать *см.* выжида́ть.

вы́жечь *см.* выжига́ть.

вы́жженный burnt, scorched (*трава́, по́ле*).

выжи|ва́ние survival (*по́сле боле́зни и пр.*); driving out (*из до́му и пр.*); в. наибо́лее приспособленных *биол.* survival of the fittest; **~ва́ть** to live out, survive (*по́сле боле́зни и пр.*); **~ва́ть** из до́му to drive (worry) one out of the house **~ва́ть** из ума́ to become a dotard; он не **вы́живет** he won't live (won't pull through).

вы́жига skinflint, niggard.

выжига́|ние burning, cauterizing; в. по де́реву poker-work; **~ть** to burn (*сжига́ть, обжига́ть*); to sear, cauterize (*прижига́ть*); **~ть** клеймо́ to brand; **~ть** по де́реву to do poker-work.

выкида́‖ние waiting; **~тельный** expectant; **~тельный** способ лечения expectant treatment (method); **~ть** to take one's time, to wait for an opportunity.

выжима́‖ние squeezing; wringing (*белья*); **~а́ть** to squeeze out, press out, express; to wring out (*бельё*); *спорт.* to lift weights; **~ать** соки из к.-л. to harass with exactions, to grind down, squeeze.

выжимки residue, husks (*виноградные*).

вы́жинать to reap (a field) clean.

вы́жить *см.* выживать.

выжл‖е́ц *охотн.* hound; **~о́вка** hound-bitch; **~я́тник** whipper-in.

вызва́нивать to ring up repeatedly; *разг.* to (try to) get on the phone, to call up.

вы́зва‖ть(ся) *см.* вызывать(ся); это **~ло** у него повышение температуры it sent his temperature up; он **~лся** сделать это he offered to do it; ничем не **~нное** оскорбление wanton (unprovoked) insult.

вы́звезди‖ть: ~ло the sky is set (studded, covered) with stars.

вы́зволить to lend a helping hand, to help one out.

вы́звонить *см.* вызванивать.

выздор‖а́вливать to recover, convalesce, grow well, improve; **~а́вливающий** convalescent.

вы́здороветь *см.* выздоравливать.

выздоровле́ние recovery, convalescence.

вы́зов call; provocation (*фиг.*); summons, citation (*в суд*); challenge (*на поединок, на соцсоревнование*); defiance (*вызывающий вид*); call, curtain-call (*актёров*); в. кареты скорой помощи ambulance--call; в. пожарной команды fire--call; в. по телефону telephone call; trunk-call (*из другого города*); бросать в. to defy; to challenge; в его словах слышался в. his words sounded defiant; *театр.* выходить на в. to take the curtain; принять в. to take up the gauntlet, accept challenge.

вы́золотить to gild.

вызрева́‖ние ripening; **~ть** to grow ripe, ripen.

вы́зубрить to get by rote.

вызыва́ть to provoke, stimulate, call forth, stir, rouse, excite (*гнев, любопытство и пр.*); to call, send for, summon (*доктора, в суд и т. п.*); to cause (*рвоту, кровотечение*); to conjure up, evoke, invoke (*духов*); в. актёра to call for an actor; в. аппетит to provoke (tempt the) appetite; в. воспоминания (о ч.-л.) to make one think (of), to remind (of); в. в суд к.-л. to cite, subpœna, to summon someone to court; в. звонком to ring (for); в. из задумчивости to recall from one's thoughts; в. караул to alarm the guard; в. карету скорой помощи to call for an ambulance; в. кровотечение to cause bleeding, to fetch blood; в. мысль to suggest an idea; в. на дуэль to call out, challenge to duel; в. на соцсоревнование to challenge to socialist competition; в. подозрения to wake (rouse) suspicions; в. по телефону to ring up, call up; в. слёзы to move to tears, to draw (fetch) tears; в. сомнение (сострадание) to excite doubt (compassion); в. ученика to call out a pupil; в. эхо to wake the echo; **~ся** to volunteer (*на ч.-л.*).

вызыва́ющ‖ий defiant, provocative; **~е** defiantly, provocatively; смотреть **~е** to look defiance.

вы́игр‖ать, '~ывать to win, gain; в. в карты (в лотерею) to win at cards (at lottery); в. время to gain time; в. деньги (*у к.-л.*) to win money (*of*); в. матч to win a match; в. процесс to gain a lawsuit; в. с лёгкостью состязание to romp in, romp home (*sl.*); в. сражение to win (gain) a battle; он от этого только **~ает** he will only be the better for it; **~ыш** winning, victory; winnings, gain (*выигранные деньги*); play--money (*карточный*); prize (*в лотерее*); быть в **~ыше** to have gained; **~ышный** билет lottery ticket; **~ышный** заём lottery loan; **~ышная** роль an advantageous role; **~ышное** место в роли fat.

вы́искать to find out, search out, spy out.

выи́скивать to ferret (*for*), search (*for*), seek (*for*); в. удобный случай to watch one's opportunity.

вы́‖йти *см.* выходить; из этого ничего не **~йдет** it will come to nothing; из него ничего не **~йдет** he is good for nothing; из этого куска юбки не **~йдет** this piece will not make a skirt; из него **~й**дет хороший актёр he will make a good actor; **~шел** приказ an order has been issued; он **~шел** из крестьян he is a peasant by origin; ростом не ~шел he is stunted in growth; срок ~шел the term has come to an end (expired); книга ~шла из печати the book is out; у меня ~шли все деньги I have spent all my money; у него ~шли неприятности he got into trouble; ~шло из продажи out of print (*о книгах*); ~шло очень хорошо it turned out very well; ~шло иначе it happened differently; это ~шло из употребления it is out of use (fashion).

выказать, выка́зывать to show, display, manifest; в. большое внимание to pay great attention (*to*); в. мужество to display courage; в. радость (печаль) to manifest joy (sorrow); в. ум to display wit.

выка́лывать to prick out; в. глаза to put (gouge) out someone's eyes; в. узор to prick out a pattern.

выка́пыва‖**ние** digging up, exhumation; ~ть to dig up, dig out, excavate, exhume, unearth; to disinter, disentomb (*труп*).

вы́карабкаться, выкара́бкиваться to scramble out; в. из затруднения to get out of (extricate oneself from) a difficulty.

выка́рмливать to bring up, rear (*ребёнка*); to fatten (*телёнка и пр.*).

вы́кат: глаза на ~е bulging (rolling. goggle) eyes.

выка́тать *см.* катать (*бельё*).

вы́катить *см.* выка́тывать II; ~ся *см.* выка́тываться.

выка́тывание rolling out.

выка́тывать I. *см.* катать (*бельё*).

выка́тывать II. to roll out; to wheel out (*кресло и т. п.*); ~ся to wheel out; to roll out.

вы́качать *см.* выка́чивать.

выка́ч‖**ивание** pumping out; ~ивать to pump out; ~ивать воду из корабля to free a ship of water; ~ивать воздух из шины to deflate a tyre.

выки́дывать *см.* выбра́сывать; to miscarry, abort (*о беременной женщине*); в. флаг to hoist a flag; в. штуку to play a trick.

вы́кидыш miscarriage, abortion; сделать в. to cause abortion.

вы́кинуть *см.* выки́дывать.

выкип‖**а́ние** boiling down, away; ~а́ть, **вы́кипеть** to boil down, away.

вы́кладка *мат.* calculation, computation.

выкла́дывать to lay out, take out; в. дёрном to turf, to lay

(cover) with turf; в. камнем to face with masonry, to revet; в. кирпичом to brick.

выкл‖**ева́ть, ~ёвывать** to peck out.

выклика́ть, вы́кликнуть to call over.

выключ‖**а́тель** switch; ~а́ть газ to turn off (shut off, stop) the gas; ~а́ть мотор to ungear; ~а́ть ток to switch the current off, to break contact; ~е́ние switching off.

вы́ключить *см.* выключа́ть.

выкл‖**я́нчивать, '~я́нчить** to obtain by begging; *см.* клянчить.

выко‖**ванный** wrought, forged; в. из железа wrought of iron; ~вать, '~вывать to forge, hammer.

выковы́ривать, вы́ковырнуть to pick out, pluck out.

выкозы́ривать *карт.* to play one's trumps; to lead trumps.

выкола́чивать to knock out, beat out; to beat (*платье, ковры*); в. дурь из к.-л. *разг.* to whip the nonsense out of one.

вы́колоситься to form ears.

вы́колотить *см.* выкола́чивать.

вы́колоть *см.* выка́лывать.

вы́копать *см.* выка́пывать.

вы́кормить *см.* выка́рмливать.

вы́корчевать *см.* выкорчёвывать.

выкорчёвыва‖**ние** uprooting; ~ть to root up, grub up, stub up; ~ть остатки капитализма uproot (root out) the last remnants of capitalism.

вы́косить to mow clean.

выкра́дывать to steal.

выкра́ивать to cut out, cut.

вы́красить *см.* красить.

вы́красть *см.* выкра́дывать.

вы́крик *сгу*, yell; '~ивание crying out; '~ивать, ~нуть to cry out, yell.

вы́кристаллизоваться to crystallize.

вы́кроить *см.* выкра́ивать.

вы́кройк‖**а** pattern; снять ~у to cut out a pattern.

выкрута́сы zigzags, turns and twists.

выкру‖**ти́ть, '~чивать** to twist; to wring (*бельё*); ~титься, '~чиваться to extricate oneself, get out of a scrape.

вы́куп ransom (*пленника*); buying back (*земли и пр.*); redeeming (*заклада*); требовать ~а to hold to ransom.

вы́купать to bath, bathe.

вык‖**упа́ть, '~упить** to buy back (*землю и пр.*); to redeem (*заклад*);

to ransom (*пленника*); '~упленный out of pledge, out of pawn; '~упнбе право *юр.* right of repurchase.

вык||у́ривать, '~урить to smoke out (*тж. фиг.*); to stink out (*дымом, запахом*); to smoke (*папиросу*); to distil (*спирт*).

вы́кус||ить, '~ывать to bite out.

вы́кушать *уст.* to drink; не угодно ли вам в. чашку чаю? won't you have a cup of tea?

выла́вливать to catch, draw out, fish out; в. всю рыбу в реке to overfish a stream.

вы́лаз||ка sally, sortie, excursion; в. классового врага class enemy sally; делать ~ку to sally; отверстие для ~ок *военн.* sally-port.

выла́мывать to break open (*дверь*); to break off (*зуб*).

вы́лежать, выле́живать to lie, keep one's bed for a certain time.

выл||еза́ть, '~езть to climb out, creep out; *разг.* to get down, alight (*выходить*); to come out, fall off (*о волосах*).

вы́леп||ить, ~ля́ть *см.* лепить.

вы́лет flying out (off), departure.

выл||ета́ть, '~ететь to fly out (off); *фиг.* to rush out; ~ететь в трубу *фиг.* to be stony-broke; ~ететь со службы *разг.* to be dismissed, fired (out); аэроплан ~етел в 5 час. утра the aeroplane started (took off, flew) at 5 a. m.

выле́чивать to cure, heal (*от ч.-л.—о/*); ~ся to be cured (healed), to recover.

вы́лечить(ся) *см.* вылечивать (-ся).

вылива́ть to pour, pour out; в. воду в окно to throw water out of the window; в. в форму to cast in mould; ~ся to run out, flow out; ~ся через край to overflow, run over.

вы́лиза||нный sleek, glossy; ~ть, '~ывать to lick up.

вы́линя||вший washed out (*тж. фиг.*); ~ть *см.* линять.

вы́литый: в. отец he is the speaking likeness (the very image) of his father.

вы́лить(ся) *см.* вылива́ть(ся).

вы́ловить *см.* вылавливать.

вы́лож||ить *см.* выкладывать, выхолостить.

вы́лом||ать, ~ить *см.* выламывать.

вы́лощ||енный glossy; ~ить to gloss.

вы́лудить to tin.

вы́луп||иться, ~ля́ться to hatch (*из яйца*); цыплёнок ~ился the chicken is out.

вылу́пи(ва)ть *мед.* to shell out.

вы́маз||анный: в. грязью smeared (streaked) with dirt, dirty; ~ать to soil, smear, besmear (*грязью*); ~ать дёгтем, смолой to tar; ~ать салом to grease, to smear (daub) with grease; ~аться to get dirty; '~ывать(ся) *см.* вымазать (-ся).

выма́лива||ние impetration; ~ть to impetrate, obtain by prayers; ~ть прощение to implore forgiveness.

вым||а́нивать, '~анить to swindle, trick, cheat, fool, wheedle (*out, of*); в. деньги у к.-л. to swindle money out of a person; у него ~анили деньги he was swindled out of his money.

вы́марать *см.* вымарывать.

выма́ривать to starve out, to destroy.

выма́рыва||ние expurgation, blotting out; ~ть to soil, besmear, smear, dirty (*грязью*); to expurgate, expunge, blot out, strike out, cross off (*вычёркивать*).

выма́тывать: в. душу to annoy, to worry one's life out of one.

выма́чивать to soak, wet, steep, macerate; to drench, soak (*промочить, о дожде*).

вым||е́нивать, '~енять to exchange, barter, truck.

вы́мер||еть *см.* вымирать; семья ~ла the family died out.

вым||ерза́ть, '~ерзнуть to freeze, to be destroyed by frost, to be winter-killed.

вым||е́ривать, '~ерить to measure.

вы́мерш||ий: в. род (~ие животные) extinct family (animals).

вы́мести *см.* выметать.

вы́местить *см.* вымещать.

вы́метать *см.* вымётывать.

вымета́ть to sweep; ~ся to be swept; *разг.* to clear, clear out (*уходить*).

вымётывать: в. петли to make (edge) button-holes.

выме́шивать to knead (*тесто*); *см.* месить.

вымеща́ть to avenge oneself, revenge oneself (*ч.-л.—for, на ком-либо—upon*); в. злобу на ком-л. to vent one's anger upon one.

вымира́||ние dying out; ~ть (*ср. тж.* вымереть) to die, die out, become extinct.

вымогат‖ель extortioner, screw, shark; *фиг.* leech; ~ельство extortion; ~ь to extort; ~ь деньги у к.-л. to screw (wring) money out of a person.

вымоина gull(e)y.

вым‖окать, ‘ ~окнуть to get wet through, to be drenched (soaked); он вымок до нитки he has not a dry thread on him, he is wet to the skin.

вымолачивать *см.* молотить.

вымолвить to utter, breathe; он не мог слова в. he could not utter (breathe) a word.

вымолить *см.* вымаливать.

вымолот quantity of corn got at one threshing; ~ить *см.* молотить.

вымораживать to freeze, to kill by frost (cold).

выморить *см.* вымаривать.

выморозить *см.* вымораживать.

выморочн‖ый: ~ое имение escheat; передавать в качестве ~ого имущества to escheat.

вымостить *см.* мостить.

вымотать *см.* выматывать.

вымочить *см.* вымачивать.

вымпел *мор.* pennant, pendant.

вым‖ученный (*о стиле*) laborious, laboured; ~учивать, ~учить to torment, to worry one into doing something; ~учивать согласие to screw (extort) a consent (*out of*).

вымуштровать *см.* муштровать.

вымыва‖ние washing away; ~ть to wash; ~ться to wash away.

вымысел fiction, figment, invention.

вымыть *см.* вымывать.

вымышл‖енный fictitious; ~ять to invent, contrive, devise.

вымя udder.

вынашивать to be pregnant, to be big with child (*быть беременной*); to train (*ловчую птицу*).

вынести *см.* выносить; она не могла в. удара she could not sustain (bear) the shock.

вынимать (*ср. тж.* вынуть) to take out, produce; to extract, draw out; в. деньги из банка to draw money from the bank; в. жребий to draw lots; в. из ножен to unsheathe; в. пулю из раны to extract a bullet.

вынос carrying out, bearing out; в. тела funeral procession; продавать вино на в. to sell wine for consumption off the premises.

вынос‖ить to take out, carry out, bear out; to endure, sustain (*терпеть*); в. мебель из комнаты to take furniture out of a room; в. покойника to bear out a body for burial; в. резолюцию to pass a resolution; в. тяжёлые испытания to undergo severe trials; не в. сора из избы *фиг.* to wash one's dirty linen at home; нет сил в. его I have no patience with him; она его не ‘ ~ит she cannot stand him; мой желудок не ~ит фруктов fruit does not agree with me.

выноска marginal note, footnote.

вынослив‖ость endurance, hardiness, stay, staying-power, grit; ~ый hardy, enduring, wiry; ~ый человек, ~ое животное stayer.

выну‖дить, ~ждать to force, compel, oblige; в. согласие to screw (extort) consent (*out of, from*); он ~жден был уехать he was obliged to leave; я ~жден это сделать I am forced (obliged) to do it, I am under the necessity of doing it; ~жденная посадка *ав.* forced landing.

выну‖ть *см.* вынимать; он ~л меч из ножон he drew his sword; он ~л часы из кармана he produced his watch from his pocket.

вынырнуть to dive out, emerge.

вын‖юхать, ~юхивать to scent, sniff, nose; *фиг.* to spy.

вынянчить *см.* нянчить.

выпад lunge, thrust; в. классового врага attack of the class enemy; ответный в. riposte; сатирический в. a shrewd thrust, a hit at; делать в. to lunge out, to make a thrust.

вып‖адать to fall out, drop out; to come (fall) out (*о волосах*); to fall (*о снеге*); в. на долю to fall to one's lot; у него ~адают зубы he is losing his teeth; книга ‘ ~ала у нее из рук the book slipped out of (from) her hands, she dropped the book; ~ало много снегу there was a heavy snowfall.

выпадение falling out; *мед.* prolapsus of the uterus (*матки*).

вып‖аливать, ‘ ~алить *см.* палить; *фиг.* to blurt out, fire off, let off (*шутку, замечание*).

выпалывать to weed.

выпарива‖ние evaporation; яма для ~ния соли salt-pan; ~ть to steam, evaporate, concentrate.

выпарить *см.* выпаривать.

выпархивать to flutter out.

выпарывать to rip out.

выпасть *см.* выпадать.

вы́ш‖ахать, ~а́хивать *см.* па́хать.

вы́пачкать to soil, dirty; ~ся to soil oneself, to become soiled.

вы́пек *уст.* (хлеба) amount of bread baked from a certain quantity of flour; ~а́ть to bake; ~а́ться to be baked.

вы́переть *см.* выпира́ть.

вы́печ‖ка *см.* выпек; ~ь *см.* выпека́ть.

вып‖ива́ть to drink; в. до дна to drink off, drain, empty; в. за́лпом to toss off, toss down, drain at a draught; в. ли́шнее to have a drop too much; в. ча́шку ча́я to take a cup of tea; он иногда́ ~ива́ет he sometimes takes a drop; '~ивка soaking, soak, drinking bout, carouse; у них была́ ~ивка they had a soaking; '~ивший drunk.

вып‖и́ливание sawing, fretwork; ~и́ливать, '~илить to saw; to work with a fretsaw.

выпира́ть to bulge out, protrude; *вульг.* to supplant, turn out.

вы́пис‖ать *см.* выпи́сывать; ~ка extract, passage copied out; ~ка из домо́вой кни́ги extract from house register.

выпи́сывать to write out, copy out, extract (из кни́ги); to write (for), order (кни́гу, това́р); в. из больни́цы to discharge from the hospital; ~ся to be ordered, be written (for); ~ся из до́му to be signed off; to be struck off the list of tenants.

вы́пись *см.* выписка; метри́ческая в. birth-certificate.

вы́пить *см.* выпива́ть.

вып‖и́хивать, '~ихнуть to push out.

вы́плав‖ить to melt, smelt; ~ка melting; ~ля́ть to melt, smelt.

вы́плакать to obtain by weeping; в. глаза́ to cry one's eyes out; ~ся to have one's cry out.

вы́плата paying, paying off; в. до́лга liquidation of a debt.

вы́пла‖тить to pay, pay off; в. долг to liquidate (pay off, work out, clear off) a debt; в. зарпла́ту to pay salary, wages; в. спо́лна to pay up; в. в рассро́чку to pay by instalments; ~тно́й пункт страхка́ссы local social insurance pay office; '~чивать *см.* выплати́ть.

вы́плёвывать to spit out.

выпл‖ёскивать, '~еснуть to splash out.

вы́плести to plait, braid.

выплыва́ть, вы́плыть to swim out, emerge; to sweep (*о ме́дленном, велича́вом движе́нии*); в. на пове́рхность to come to the surface; она́ вы́плыла из ко́мнаты she sailed out of the room, she swept from the room.

вы́плюнуть *см.* выплёвывать.

выпля́сывать to dance.

выпола́скивать to rinse out.

выполза́ть, вы́полэти to crawl out, creep out.

выполн‖е́ние execution, realization (*осуществле́ние*); accomplishment, achievement (*завершéние*); carrying out, fulfilment (*пла́на*); в. промфинпла́на fulfilment of industrial and financial plan; ~и́мость executableness; ~и́мый executable, practicable.

выполн‖и́ть, ~я́ть to execute, realize (*осуществля́ть*); to accomplish, achieve (*заверша́ть*); to fulfil, carry out (*план*); в. долг to do one's duty; в. обеща́ние to keep one's promise; в. приказа́ние to execute an order; ~я́ться to be carried out и пр.

вы́полоскать *см.* выпола́скивать.

вы́полоть *см.* выпа́лывать.

выпора́жнивать to empty.

вы́пороть *см.* выпа́рывать; to whip, flog (*вы́сечь*).

вы́порхнуть *см.* выпа́рхивать.

вы́потрошить *см.* потроши́ть.

вы́править *см.* выправля́ть; в. па́спорт to obtain (get) a passport.

выправ‖ка correction; вое́нная в. military bearing (carriage); ~ля́ть to correct, set right; to planish, smooth (*мета́лл и пр.*); ~ля́ть ру́копись to correct a manuscript.

выпра́стывать to empty; to work free (*of*); ~ся to work free (*of*).

выпра́шивать to solicit, to obtain by begging; to wheedle (*out of*).

выпр‖ова́живать, '~оводить to see one off the premises, to pack off, to send one packing, to send one about one's business.

вы́просить *см.* выпра́шивать.

вы́простать *см.* выпра́стывать.

выпр‖ы́гивать, '~ыгнуть to jump out.

выпряга́ть to unharness.

выпряда́ть to spin (a quantity of thread).

выпрями́тель *рад.* rectifier.

выпрям‖и́ть, ~ля́ть to straighten, unbend, erect; в. ли́нию (*искривле́ние*) *фиг.* to straighten the line, to rectify mistakes; ~иться, ~ляться to straighten, unbend, to stand erect.

вы́прясть см. выпрядать.

вы́прячь см. выпрягать.

вып‖у́гивать, ∗~угнуть to scare out.

вы́пукл‖ость convexity (увеличит. стекла); protuberance, prominence, bulge; ~ый convex, salient, protuberant, prominent; ~ые глаза protuberant (goggle, rolling) eyes; ~o convexly, saliently, protuberantly, prominently; ~о-во́гнутый convexo-concave.

вы́пуск issue (монет, марок); output (товаров); issue, number (журнала); edging (на одежде); students who graduated in the same year (уч. заведения); чрезмерный в. overissue; наиболее способные из всего ~а the most capable students of the year; выходящий ~ами serial, issued in instalments, in numbers; ~а́ние letting out, discharge, emission.

выпуска́ть to let out, let go, send forth; to let loose, to turn loose, to release, to set free, set at liberty (на свободу); to issue (акции, книгу); to publish (книгу, декрет); to omit (слово, слог); to let out (одежду); to manufacture, produce (товары); в. банкноты сверх дозволенного количества to overissue notes; в. в продажу to put on the market; в. займы to float (issue) loans; в. из клетки to uncage; в. из рук to lose (leave) hold of, to drop, relinquish, to let go; в. из тюрьмы to release, liberate, set free; в. когти to put out the claws.

выпуска́ющий (в типографии) one responsible for the issue of printed matter.

выпускн‖о́й: в. клапан техн. exhaust valve; в. кран техн. discharging cock; ~о́е отверстие outlet; ~ые экзамены final examinations, finals.

вы́пустить см. выпускать.

вы́путать, выпу́тывать to disentangle, extricate, disengage; to pull through (из беды); ~ся to extricate (disentangle) oneself.

вы́пуч‖енный: с ~енными глазами goggle-eyed; ∗~ивать to protrude; ~ивать глаза to goggle (roll) one's eyes.

вы́пушка edging, braid.

вы́пыт‖ать, ∗~ивать to question, pry into, extort (тайну).

выпь bittern; кричать как в. to boom, bump.

вышива́ть, вы́шалить см. пялить.

выпя‖́тить, ∗~́чивать to protrude, stick out; в. грудь to throw out one's chest; в. губы to stick out one's lips.

выпя‖́титься, ∗~́чиваться to protrude, bulge, stick out.

выр‖аба́тывать, ∗~або́тать to manufacture, produce (товары); to work out (план); to earn by working (деньги); ∗~або́тка manufacturing, producing, working out (вырабатывание); produce, yield, amount produced, output (продукция); ~або́тка проекта the working out of a project.

выра́внивание equalization.

выра́внивать to smooth, level, even; военн. to draw (form) up, to form line; ~ся to become even (level, smooth); военн. to form line, to draw up; ~ся с противником в игре to equalize.

выраж‖а́ть to express, convey; в. неудовольствие to show displeasure; в. общее мнение to give voice to (или to voice the) general sentiment; в. словами to put into words, to word, phrase; в. сочувствие to express one's sympathy; ~а́ться to be expressed; to express oneself; сильно ~аться to express oneself strongly; издержки ~а́ются в десяти рублях the costs come to ten roubles; мягко ~а́ясь to say the least, to draw it mild; резко вы́раженный pronounced.

выраж‖е́ни‖е expression; в. лица look, countenance, expression; идиоматическое в. idiomatic expression, idiom, locution, phrase; сильные ~я strong language; технические ~я technical terms; в простых ~ях in simple phrase.

вырази́тель: в. пролетарской идеологии one expressing proletarian ideology.

вырази́тельн‖ость expressiveness, significance, emphasis; ~ый expressive, significant; ~о expressively, significantly.

вы́разить(ся) см. выражать(ся).

выраст‖а́ть, вы́расти to grow, grow up; в. из одежды to outgrow one's clothes; посевная площадь вы́росла на 10% the sown area has increased 10%.

вы́ра‖стить см. выращивать; ∗~щивание bringing up (детей); raising, cultivating (растения); ∗~щивать to bring up, rear, nurture (детей); to grow, raise, cultivate (растения).

вы́рва‖ть(ся) *см.* вырывать II; его ∼ло he was sick, he vomited.

вы́рез notch, indentation, cut; платье с ни́зким ∼ом low dress.

вырез́ать(ся) *см.* вырезывать (-ся).

вы́рез‖ка cut; rumpsteak (*о мясе*); газетная в. (press-)cutting, scrap; '∼ывать to cut out; to excise, extirpate (*опухоль*); to carve (*из дерева*); to engrave (*на металле*); to slaughter, butcher (*избивать*); '∼ываться to be cut out; to be carved (engraved).

вырисов́ать, '∼ывать to draw carefully; '∼ываться to appear, be visible in outline.

вы́ровнять *см.* выравнивать.

выро‖ди́ться to degenerate; ∼док degenerate; ∼жда́ться to degenerate; ∼жде́ние degeneration.

вы́ронить to let fall, drop, lose.

вы́росший: в. в дере́вне (в го́роде) country (town) bred.

выр‖уба́ть, '∼уби́ть to cut down, fell; ∼убка felling.

вы́ругать to scold, to give it one hot; ∼ся to swear, to rap out an oath.

выр‖уча́ть to rescue, relieve, release; to gain (*де́ньги*); в. из беды́ to get one safely through danger, to rescue; '∼ученные де́ньги proceeds; '∼учить *см.* выручать; '∼учка rescue; gain, profit, proceeds; till (*в ла́вке*).

вырыва́ние digging (*выка́пывание*); pulling out; drawing, extraction (*зубо́в и пр.*).

вырыва́ть I. to dig, dig out, dig up, excavate, exhume.

выр‖ыва́ть II. to pull out, tear, wrench, snatch (*away, off, from, out, of*); в. зуб to extract (draw) a tooth; в. из рук to snatch (twist) out of one's hands; в. с ко́рнем to root out, to tear up by the roots, to eradicate, uproot, extirpate; до́ктор '∼вал меня́ из рук сме́рти the doctor snatched me from the jaws of death; ∼ва́ться to escape, to break loose, get free, break out (*на свобо́ду*); пла́мя ∼ва́ется the flames shoot up; э́то у меня́ '∼валось нево́льно it was a slip of the tongue; у него́ '∼вался вздох a sigh escaped him.

вы́рыть *см.* вырывать I.

вы́ря‖диться, ∼жа́ться to dress up.

вы́сад‖ить *см.* высаживать; ∼ка debarkation, disembarkation; putting, ashore; *военн.* landing, descent; ме́сто ∼ки landing.

выс́аживать to set down, to make alight; в. на бе́рег to set (put) ashore, land, disembark; ∼ся to alight, get down, descend; ∼ся на бе́рег to land, disembark.

выс́асывать to suck out, suck dry; в. из па́льца to invent, to draw from one's imagination.

высве́рливать, вы́сверлить to drill, bore.

вы́свобо‖дить, ∼жда́ть to disengage, disentangle; ∼ди́ться, ∼жда́ться to disengage oneself.

вы́се‖вки siftings, bran; '∼ивать to sow; to sift.

высека́ть to hew, cut, carve, sculpture; в. ого́нь to strike fire.

высел́ение evictment, eviction; transplantation.

вы́сел‖ить to eject, evict, oust; to transplant; ∼иться to change one's residence; ∼ок, ∼ки small village, settlement; ∼я́ть(ся) *см.* выселить(ся).

вы́сеч‖енный: в. из ка́мня rock-hewn; ∼ка hewing, cutting; ∼ь I. *см.* высекать.

вы́сечь II. to whip, flog.

вы́сиде‖ть *см.* высиживать; он ∼л до конца́ конце́рта he sat out (stayed to the end of) the concert; он ∼л два го́да в тюрьме́ he was in prison for two years.

выс́ижива‖ние hatching (*о пти́цах*); ∼ть to hatch (*о пти́цах*); to sit out, remain.

выс́иться to tower, rise (*above*).

высќаблива‖ние scraping off, erasing; abrasion (of the uterus) (*ма́тки*); ∼ть to scrape off; to erase (*напи́санное*); ∼ться to be scraped off; to be erased.

вы́сказ‖ать(ся) *см.* высказывать (-ся); я ∼ал ему́ своё мне́ние I gave him a piece of my mind.

высќазывать to express, say out, come out with; в. громогла́сно to speak (thunder) out; в. мне́ние to advance (offer, venture) an opinion; в. предположе́ние to surmise; в. сужде́ние (*о ч.-л.*) to pass a judgement (*upon*); ∼ся to speak out, to have (say) one's say, to speak (break) one's mind, to unburden oneself; ∼ся за (про́тив) to declare (pronounce) for (against); ∼ся по вопро́су to speak on the question of.

высќакивать to jump out, spring out, dart out, slip out; в. вперёд *фиг.* to push oneself forward.

высќальзывать to slip, slip out; в. из рук to slip through one's hands.

вы́скобл‖**енный** scraped out; ~**ить** см. выскабливать.

вы́скользнуть см. выскальзывать.

вы́скоч‖**ить** см. выскакивать; ~**ка** upstart, pushful person.

выскр‖**ебать**, '~**ести** to scrape out, scratch out.

вы́сла‖**ть** см. высылать; ~**нный** sent out, exiled, deported.

вы́сле‖**дить**, '~**живать** to trace, track down, search out, spy; *разг.* to scent out, smell out.

вы́слуг‖**а**: за ~**у** лет for having worked a certain term (number) of years.

выслу́живать to obtain by one's service; ~**ся** to be promoted, to be raised to a higher rank.

вы́служить(ся) см. выслуживать(ся).

вы́слушать см. выслушивать.

выслу́шива‖**ние** hearing; *мед.* auscultation, examination; ~**ть** to hear, listen (*to*), give ear (*to*); *мед.* to examine; ~**ть** беспристрастно to give a fair hearing.

высма́тривать to look out for, scout, spy (*upon*, *out*).

высм‖**еивать**, '~**еять** to ridicule, mock, satirize, to make fun (sport) of; to sneer at, to laugh, scorn (*презрительно*).

вы́смолить см. смолить.

вы́сморк‖**ать**, ~**нуть**: в. нос to blow one's nose (*тж.* ~**аться**).

вы́смотре‖**ть** см. высматривать; я ~**л** удобное место в лесу I have found out a convenient place in the wood.

высо́вывать to thrust out, put out, protrude, hang out; в. язык to put out one's tongue; ~**ся** to protrude, thrust oneself out, hang out; ~**ся** в окно to lean out of the window.

высо́к‖**ий** high, lofty, towering; tall (*о человеке*); exalted, lofty, sublime (*возвышенный*); high, high-pitched, acute (*о звуке*); в. рост tallness; в. стиль lofty language; очень в. mountain (very) high; ~**ая** комната high room; В~**ая** Порта *ист.* the Sublime Porte; ~**ая** цена high price; в ~**ой** степени highly; ~**ое** давление high pressure; ~**ое** напряжение high tension; я о нём ~**ого** мнения I have a high opinion of him; ~**ие** идеалы exalted (lofty) ideals.

высоко́ high, aloft; в. в воздухе high up in the air, in mid air.

высокоблагоро́дие *уст.* ваше в. your worship.

высоко‖**во́льтный** of high voltage; ~**ка́чественный** of high quality; ~**квалифици́рованный** highly skilled.

высокоме́р‖**ие** haughtiness, arrogance, superciliousness; дворянское в. patrician arrogance; ~**ничать** to behave overbearingly; to be haughty; ~**ный** haughty, arrogant, supercilious, overweening; ~**но** haughtily, arrogantly, superciliously, overweeningly.

высоко‖**мо́щный** *техн.* of high power; ~**нра́вственный** upright, righteous.

высокопа́рн‖**ость** grandiloquence; ~**ый** high-flown, lofty, big-sounding, grandiloquent, magniloquent, stilted, bombastic; ~**о** bombastically; говорить ~**о** to perorate, rant.

высоко‖**поста́вленный** of high standing; ~**про́бный** sterling; ~**ро́дие** *уст.* ваше ~**родие** your worship; ~**ро́слый** tall; ~**со́ртный** high-grade (*attr.*); ~**стволь́ный** high, full grown (*о лесе*); ~**торже́ственный** most solemn; ~**уважа́емый** highly esteemed.

вы́сосать см. высасывать.

высот‖**а́** height, altitude, elevation; pitch (*тона*); в. над уровнем моря altitude; в. треугольника altitude of a triangle; быть на ~**е́** положения to rise to the occasion; на ~**е** (не на ~**е**) up to the mark (below the mark, not up to it); командные ~**ы** commanding position; ~**оме́р** height-indicator.

высох‖**нуть** см. высыхать; ~**ший** wizen(ed), weazen, shrivelled (*о человеке*, *лице*); dry (*о колодце*); parched (*от жары*).

высоча́йший *ист.* the highest; of the sovereign, supreme.

высоче́нный very high, tall.

высо́чество Highness.

вы́спаться см. высыпаться.

выспева́ть to ripen.

выспра́шивать to question, inquire; *разг.* to pump.

вы́спренн‖**ий** high-flown, lofty, bombastic; ~**о** bombastically; ~**ость** grandiloquence, loftiness.

вы́спросить см. выспрашивать.

вы́ставить см. выставлять.

вы́ставка exhibition, show; show-window, show-case (*в магазине*); в. товаров exposition, display, set-out; в. рогатого скота cattle-show.

выставля́ть to put out; to exhibit (*на выставке*); to turn out, chuck out (*выгнать*); в. возражение to advance (raise) an objection; в. на воздух (на свет) to expose to the air (to the light); в. напоказ to display, show off, parade, to make a parade (of); в. на посмешище to hold up to derision (to ridicule), to make a laughing-stock of; в. на продажу to set out, expose, display for sale; в. оконную раму to take out the window frame; в. свою кандидатуру to stand as candidate for; в. себя напоказ to show off, to display (flaunt) oneself; в. число на документе to date a document; ~ся to be put out, be exhibited *и пр.*

вы́ставочный exhibitory, exponible.

выста́ивать to stand (*a certain time*); to stand to the end (*of*).

выст‖ега́ть, ~ёгивать to quilt, stitch.

выстила́ть to pave, cover, lay; в. дёрном to turf.

вы́стир‖ать, '~ывать to wash.

вы́стоя‖ть 1. *см.* выстаивать; 2. (*оказать сопротивление*) to resist; ~ться: лошадь ~лась the horse had a rest.

выстра́гивать to plane.

выстрада́ть to suffer.

выстра́ивать to build, set up, erect; *воен.* to draw up, form up, marshal; ~ся to be built; *воен.* to draw up, form up; to range oneself.

выстра́чивать to backstitch.

вы́стрел shot, discharge; report (*звук*); в. в неподвижный предмет pot-shot; пушечный в. *воен.* gun-fire; холостой в. blank shot; взят без единого ~а taken without firing a shot; на расстоянии ружейного ~а within gun-shot; ~ить to fire, shoot; ~ить из ружья to discharge (fire, let off) a gun; он ~ил в меня из пистолета he fired a pistol at me; он ~ил три раза he fired three shots; ружьё ~ило the gun went off (fired).

выстрига́ть, вы́стричь to clip, shear, cut (*о волосах*).

вы́строгать *см.* выстрагивать.

вы́строить(ся) *см.* выстраивать (-ся).

вы́строчить *см.* выстрачивать.

вы́стругать *см.* выстрагивать.

вы́сту‖дить, '~живать to cool, make cold.

высту́кива‖ние *мед.* percussion; ~ть *мед.* to subject to percussion.

вы́ступ projection, protuberance, salience, prominence, jut.

выст‖упа́ть, '~упить to come forward, step forward; to strut

(*важно*); *воен.* to depart, set forth; to jut out, project, protrude (*торчать*); в. в печати to write for the press, to publish something; в. в поход to take the field; в. как пава to sweep, to walk majestically; в. на сцене to appear on the stage; to perform; to walk the boards; в. с речью to speak, to make a speech; сыпь '~упила по всему его телу the eruption has broken out (is out) all over him; река ~упила из берегов the river has overflowed its banks.

выступле́ни‖е appearance, turn (*исполнителя*); *воен.* departure, setting forth; в. в печати publication, article; в. на собрании speech at a meeting; неудачное в. a poor appearance; приказ о ~и *воен.* marching orders, route.

выстыва́ть to become cool.

вы́сунуть(ся) *см.* высовывать (-ся).

высу́шивание drying, desiccation.

высу́шивать, вы́сушить to dry, desiccate; в. болото to drain a marsh; ~ся to dry, dry oneself, be dried.

высчи́тывать to reckon, compute.

вы́сш‖ий higher, superior, highest, supreme; в. орган управления the supreme organ of authority; В. совет народного хозяйства *ист.* The Supreme Council of National Economy; ~ая инстанция higher instance; ~ая математика higher mathematics; ~ая мера социальной защиты highest measure of social defence (*capital punishment in the USSR*); ~ая точка acme, highest point; ~ая цена top price; в ~ей степени highly, very, extremely; ~ее благо sovereign good; ~ее образование university education; ~его качества of extra quality; ~ие власти the highest officials; ~ие учебные заведения higher educational institutions.

высыла́ть to banish, exile, relegate; to send (*книгу и т. п.*); ~ся to be banished; to be sent.

вы́сылка banishment, exile; sending (*посылка*).

высыпа́‖ние pouring out; *мед.* eruption; ~ть to pour out, empty; come out; ~ть муку из мешка to empty a sack of flour; они вы́сыпали на улицу they thronged the street; у него сыпь вы́сыпала на теле the eruption (rash) is out all over him.

вы́сыпаться to be poured out, pour out; run out, spill, shed.

высыпа́ться I. to sleep enough (well); to sleep one's fill, to have a good night; II. см. высыпа́ться.

высыха́ть to dry, dry up; to wither, fade (о растении).

высь height.

выта́лкивать to push out, force out, jostle away; в. в шею to chuck out.

выта́пливать to melt down; to be melted down.

выта́птывать to trample.

вы́таращить: в. глаза to open one's eyes wide, to stare.

выта́скивать to draw, pull (drag) out, extract, fish out; to steal (красть); в. гвоздь to pull out a nail.

выта́чивать to turn (на станке); to sharpen.

вы́тащить см. выта́скивать.

вытвер||дить, '⁓живать to get (have) by heart.

вытека́||ть to flow out, issue; to run out, escape; to result, follow, ensue (from) (следовать); из этого ⁓ет, что... it follows from this that...

вы́тереть(ся) см. вытира́ть(ся).

вы́терпеть to endure, bear.

вы́тесать см. вытёсывать.

вытесне́ние forcing out, dislodging, displacing.

вытесн||и́ть, ⁓я́ть to force out, dislodge, thrust out, crowd out, supplant; в. иностранных конкурентов to exclude the foreigner from the market; to do away with foreign competition; в. частный капитал из торговли to force private capital out of trade; универсальные магазины ⁓я́ют обыкновенные лавки stores are swallowing up the ordinary shops.

вытёсывать to hew into shape.

вы́течь см. вытека́ть.

вытира́ть to wipe, dry, rub dry, mop up; ⁓ся to wipe (dry) oneself.

вытисн||и́ть, ⁓уть to impress, imprint, stamp.

вы́ткать to weave.

вытолк||ать, ⁓нуть см. выталкивать.

вытоп||и́ть to heat; to melt; to clarify (о масле); ⁓иться to be heated и пр.; ⁓ки residue of melted fat.

вы́топтать см. выта́птывать.

выторгов||ать, '⁓ывать to gain by trade; to gain by haggling (by bargaining).

выточ||ить см. выта́чивать; ⁓

ка turnery, turning (на токарном станке).

вы́трав||ить см. вытравливать; ⁓ка, '⁓ливание erosion, corrosion; '⁓ливать, ⁓ля́ть to erode, corrode, eat away; ⁓лять плод to cause an abortion, to procure an abortion.

вы́трамбовать to batter.

вы́требовать to send for, order, demand, summon.

вы́трезв||ить(ся) см. вытрезвля́ть(ся); ⁓ле́ние sobering down; ⁓ля́ть to sober (down), make sober; ⁓ля́ться to sober (down), become sober.

вытр||яса́ть, '⁓ясти to shake out.

вытрях||а́ть, '⁓ивать, вы́трях-нуть to let fall, shake out; to jolt out (из экипажа).

выту́ривать, вы́турить, вы́тур-нуть разг. to drive out, turn out, chuck out.

выть to howl (о животном, ветре и пр.); to roar, wail, rave (о ветре); ⁓ё см. вой.

вытя́гива||ть to stretch out, stretch, extend; to draw, extract, pull out; в. воздух to draw off (exhaust) air; в. лицо to pull a long face; в. ответ to draw (squeeze out) a reply; в. признание to elicit a confession; в. шею to stretch one's neck, to crane out; ⁓ться to stretch, lengthen; to be drawn, be pulled out; to stand erect.

вытяж||ка мед. extract; стоять на ⁓ку to stand erect (upright); to stand to attention (военн.); ⁓но́й пластырь drawing plaster; ⁓ная труба ventilating pipe.

вы́тяну||тый: ⁓тое лицо a long face; ⁓ть(ся) см. вытягивать(ся); очень ⁓лся has grown much taller; он лежал ⁓вшись на постели he lay stretched on the bed.

выу||дить, '⁓живать to fish (hook) out.

вы́тюжить to iron, to steam and press.

вы́ученик trained (by).

выу́чивать, вы́учить to teach; to learn; в. наизусть to get (learn) by heart; в. читать to teach one to read; ⁓ся to learn.

выучк||а teaching, training; отдать мальчика на ⁓у to apprentice a boy (to).

выха́живать to rear (детей); to tend, pull through (больного).

выха́ркивать, вы́харкнуть to hawk, амер. to expectorate.

выхва́лива‖ние praising; ⁓ть to praise one to the skies; ⁓ться to praise oneself.

вы́хват‖ить *см.* выхватывать; '⁓ывание snatching out (*away*, *from*); '⁓ывать to snatch (*out*, *away*, *from*).

вы́хлеб‖ать, ⁓нуть to eat up (*суп и пр.*).

вы́хлоп *техн.* exhaust.

выхлопа́тывать to obtain, procure; to sue out (*судебным порядком и пр.*).

вы́хлопн‖о́й: ⁓а́я труба exhaust pipe.

вы́ход exit, egress, outlet, passage out; way out (*тж. фиг.*); issue (*журнала и т. п.*); publication (*книги*); в. в отставку resigning of one's office; resignation, retiring from office; в. замуж marriage; в. слоя на поверхность *геол.* outcrop; дать в. чувству to give vent to one's feeling; из всякого положения есть в. where there is a will there is a way; это единственный в. it is the only course to adopt; после ⁓а книги after the book had appeared; зал имеет два ⁓а the hall has two exits; другого ⁓а нет there is no alternative, there is no other way out; при ⁓е из дома on coming out.

вы́ходец emigrant, immigrant; в. из мелкобуржуазной среды an offspring of the petty bourgeoisie.

выход‖и́ть (*см. тж.* выйти) to go out, come out, come forth, walk out, get out, issue; to come out, appear, be published, be issued (*о журнале и пр.*); to look, give, open on, to front (*об окне и пр.*); to alight, get out, get down, step down (*из экипажа и пр.*); в. в люди to rise in life; в. в море to put to sea, put out; в. в отставку to resign one's office, retire; в. замуж to marry; в. из берегов to swell, to overflow the banks; в. из-за стола to rise from the table; в. из затруднительного положения to get out of an embarrassing situation; в. из моды to go out (of fashion), to cease to be fashionable; в. из партии to leave the party; в. из повиновения to cease to obey; в. из пределов to pass the limits; в. из себя to lose one's temper; в. из терпения to lose patience; в. из употребления to grow out of use; в. на воздух to take the air; в. на работу to be at (come to) work; в. наружу *фиг.* to be revealed; come out; в. на улицу to go out (of doors); в. сухим из воды to get off unpunished, to come well out of a scrape; из него вы́йдет дельный моряк he will make a good sailor; он никогда не '⁓ит из комнаты he never leaves (stirs out of) the room; ⁓ит, вы были правы it appears (turns out) that you were right; дом ⁓ит окнами на юго-запад the house looks S.-W.; окно ⁓ит на улицу the window gives (opens) on the street; он не ⁓ит из долгов he is always in debt; у нас ⁓ит много керосина we use much kerosene; это ⁓ит очень дорого it comes very expensive; это не ⁓ит у меня из ума it runs in my head; улица ⁓я́щая на Арбат a street off Arbat.

вы́ходить *см.* выхаживать.

вы́ходк‖а trick, prank, escapade; я не ожидал от него такой ⁓и I did not expect (never expected) such a trick of him.

выходн‖о́й: в. вечер (*у домработницы*) night-out; в. день day off; ⁓ы́е дни free days, rest-days.

выхола́щивать to geld, castrate.

вы́хол‖енный well cared for; ⁓ить to care well for; to take good care of.

вы́холостить *см.* выхолащивать.

вы́хухоль *зоол.* musk-shrew; musk-rat.

вы́царап‖ать, '⁓ывать to scratch out; *фиг.* to extract, get out.

вы́вести *см.* выцветать.

выцвет‖а́ние discoloration, fading; ⁓а́ть to lose colour, fade.

вы́цветший: в. от солнца faded.

выц‖едить, ⁓е́живать to filter, rack off, decant.

вычека́нивать, **вы́чеканить** to coin.

вычёркива‖ние striking (crossing, blotting) out, obliteration, expunction; ⁓ть, **вы́черкнуть** to strike (cross) out (off), rule out; to blot out (*вымарывать*); to erase, obliterate (*стирать*); to expunge (*исключать*); ⁓ть из памяти to wipe out of (raze from) one's memory.

вы́чернить to blacken; paint black.

вы́черп‖ать, ⁓нуть, **вычёрпывать:** в. воду to bail out the water.

вы́чер‖тить to trace, pencil; ⁓ченные брови pencilled eyebrows.

вы́чесать *см.* вычёсывать.

вы́чески combings.

вы́честь *см.* вычитать.

вычёсывать to comb out, comb; **в. вшей** to comb out lice, to louse.

вычет deduction; **за ~ом расходов** less (minus) expenses.

вычисл‖**éние** calculation, computation; **~и́тель** calculator.

вы́числ‖**ить**, **~я́ть** to calculate, compute, reckon, figure up, figure out.

вы́чистить см. **вычищать**.

вычита́‖**емое** мат. subtrahend; **~ние** deduction; мат. subtraction.

вы́чита‖**ть** to read; **я это ~л в каком-то журнале** I found (read) it in some magazine.

вычита́ть to deduct; мат. to subtract; **~ся** to be deducted.

вычи́тывать см. **вычитать**.

вычища́ть 1. to clean, cleanse (см. тж. **чистить**); **начисто в.** to make a clean sweep; 2. неол., фиг. to purge, expel, turn out (со службы, из партии); to give wing (sl.).

вычур‖**ность** pretentiousness; floridity, floweriness; **~ный** ornate, pretentious; florid, flowery (о стиле); **~но** ornately и пр.; **~ы** freaks, whims, caprices; pretentious ornaments.

выш‖**вы́ривать**, **'~вырнуть** to throw out, chuck out.

вы́ше 1. higher, taller; 2. above; **в. знамя Ленина!** raise higher and higher the banner of Lenin!; **в. номинальной стоимости** above par, at a premium; **в. наших сил** beyond our strength; **в. подозрений** above suspicion; **в. по качеству** higher in quality; so much superior; **быть в. мелкой зависти** to rise above (to be superior to) petty jealousies; **как сказано в.** as above; **смотри в.** see above, vide supra; **это в. моего понимания** it is beyond (above) me, beyond my understanding; **~означенный**, **~приведённый**, **~указанный**, **~упомянутый** foregoing, above, aforesaid, aforenamed, previously mentioned.

вышиб‖**áла** вульг. chucker-out; **~áние** knocking out, driving out; **~áть**, **вы́шибить** to knock out, drive out; to chuck out.

вышивá‖**ние** см. **вышивка**; **~ть** to embroider.

вы́шив‖**ка** embroidery, embroidering, fancy-work, needlework; **~ной** embroidered.

вышинá height.

вы́шить см. **вышивать**.

вы́шка (watch-)tower.

вы́школить to school.

вы́шмыгнуть to slip out.

вы́шний уст. поэт. supreme.

вы́штукату́рить см. **штукатурить**.

вы́ш‖**утить**, **~у́чивать** to laugh at, make fun of.

вы́щел‖**áчивание** lixiviation; bucking (белья); **~áчивать**, **вы́щелочить** to lixiviate; to buck (бельё).

вы́щербинка dent, peck.

вы́щип‖**ать**, **~нуть** см. **выщипывать**; **'~ывание** picking; **'~ывать** to pick (перья); to weed (сорную траву).

вы́щуп‖**ать**, **'~ывать** to feel, search by touch; to probe, sound.

вы́я уст. neck.

вы́яв‖**ить**, **~ля́ть** to show, make apparent, expose; **в. недостатки** to find out (bring light) dificiencies (shortcomings).

выясне́ние examination, ascertaining.

вы́ясн‖**ить**, **~я́ть** to make clear, look into, examine; to find out, ascertain (установить); **~иться**, **~я́ться** to appear, to be found out.

вью́‖**га** snow-storm; **~жный** stormy.

вью́к pack, load.

вью́н зоол. groundling; **~óк** бот. bindweed, convolvulus.

вью́рок зоол. mountain finch.

вью́ч‖**ить** to load; **~ная лошадь** pack horse; **~ное животное** beast of burden; **~ное седло** pack-saddle.

вью́шка damper.

вью́щ‖**ийся** climbing, twining, creeping (о растении); curly, crisp, frizzy (о волосах); **~ееся растение** climber, creeper.

вя́жущ‖**ий** astringent, binding; **~ие вещества** astringents.

вязá‖**льный**: **~льная машина** knitting machine; **~льная спица** knitting-needle; **~льщик** binder, tier; knitter; **~ние** binding, tying; knitting.

вязáнка truss, bundle; **в. хвороста** faggot.

вя́занка woollen jacket.

вязáть to bind, tie (связывать); to knit (спицами); to be astringent (о веществе); **в. из верёвок** (сети и т. д.) to net; **в. снопы** to sheave; **~ся** to be tied; to be knit; to be in harmony with, to comport with, be compatible with (соответствовать); **это не вя́жется** (с) it is out of harmony (keeping) (with), incompatible (inconsistent) (with), it disagrees (jars) (with).

вязи́га *см.* визига.

вя́зка tying, binding (*связывание*); bundle, truss (*связка*).

вя́зк‖ий viscous, sticky (*липкий*); swampy (*топкий*); *техн.* tough, tenacious; **∼ость** viscosity, stickiness; swampiness; toughness; tenacity.

вя́знуть to stick.

вязь set of letters interwoven in one design.

вя́лен‖ие drying in the sun, jerking; **∼ый** sun-dried, dried in the air, jerked.

вя́лить to dry in the sun (in the air), to dry-cure; to jerk (*мясо*), **∼ся** to be dried in the sun.

вя́л‖ость flabbiness, limpness, inertness, sluggishness, dullness; **∼ый** flabby, flaccid, limp (*слабый, обвисший*); inert, sluggish, slow (*медлительный*); nerveless, lifeless, dull, slack, tame (*бессильный*); **∼ая** торговля dull trade; **∼о** flabbily *и пр.*; half-heartedly.

вя́нуть to wither; *фиг.* to droop, languish.

вя́щ(ш)ий *уст.* greater.

Г га *см.* гектар.

Гаа́га the Hague.

габарди́н gaberdine (*грубая шерстяная или бумажная материя*).

габари́т *ж.-д.* clearance-gauge.

габио́н *военн.* gabion.

гава́нна Havana (*сигара*).

га́вань port, harbour; *поэт., фиг.* haven.

гаво́т *муз.* gavotte.

га́га *зоол.* eider.

гага́ра *зоол.* loon; краснозобая г. loom; полярная г. ember-goose, ember-diver.

гага́т *мин.* jet.

гага́чий пух eider-down.

гад *зоол.* reptile; *фиг.* a grovelling (mean, base) person.

гада́л‖ка, **∼ьщица** fortune-teller, sibyl.

гада́ние fortune-telling, divination; г. по картам cartomancy; г. по руке chiromancy, palmistry.

гада́т‖ельный conjectural, hypothetical; **∼ельно** conjecturally, hypothetically; **∼ь** to tell fortunes; guess, conjecture, surmise; **∼ь** по картам to tell person's fortune by cards; **∼ь** по руке to read the hand.

гад‖ина *зоол.* reptile; *фиг.* vermin, repulsive person; **∼ить** to soil, defile; to bungle, spoil; to damage, injure; **∼кий** bad, wicked (*человек*) foul, nasty, disgusting, vile

(*поступок*); **∼ливость** a feeling of aversion mixed with contempt; **∼ливый** easily nauseated, disgusted; **∼ость** nastiness, ugliness, stuff; он способен на всякую **∼ость** he is able to play you the dirtiest trick; эта пьеса — порядочная **∼ость** this play is but poor stuff.

гадю́ка *зоол.* adder, viper.

га́ер jester, buffoon, clown.

га́ечный: г. ключ wrench.

газ gauze, gossamer (*материя*); *хим.* gas; болотный г. marsh gas; веселящий г. laughing gas; гремучий г. detonating gas; древесный г. wood-gas; рвотный г. vomiting gas; слезоточивый г. tear-gas; углекислый г. choke-damp (*в рудниках*); выпускать удушливый г. to gas (*см.* удушливый); превращать в г. to gasify; **∼ы** *разг.* wind (*в кишечнике*); снаряд с удушливыми **∼ами** gas-shell; **∼гольдер** *техн.* gasholder.

газе́ль *зоол.* gazelle; springbok (*в Южной Африке*).

газе́т‖а newspaper, paper; journal; *разг.* sheet; *пренебр.* rag; г.-ильичёвка kind of wall newspaper; официальная правительственная г. Gazette; опубликовывать в официальной **∼е** to gazette; получать (выписывать) **∼у** to take in a newspaper; **∼ный** ларёк news-stand; **∼ный** стиль (язык) journaleze; **∼ная** бумага newsprint; **∼ная** вырезка press-clipping, press-cutting; **∼ная** заметка paragraph, article; **∼ная** кампания press-campaign; **∼ная** читальня news-room; **∼чик** news-boy (-man); *амер.* news-dealer.

гази́ров‖ание: аппарат для **∼ания** gazogene; '**∼анные** напитки aerated waters; **∼ать** to aerate.

газифика́ция gasification.

га́зо- *см.* газовый.

газобалло́н gas cylinder.

га́зов‖ый gassy, gasiform, gaseous, aeriform; г. двигатель gas-engine; г. завод gas-works; г. резервуар gas-holder, gasometer; г. рожок gas-bracket; г. счётчик gas-meter; **∼ая** атака gas attack; **∼ая** колонка geyser (*при ванне*); **∼ая** люстра gaselier; **∼ая** магистраль gas main; **∼ая** печь gas stove; **∼ая** плита gas-oven; пострадать от газа *или* **∼ой** атаки to be gassed; **∼ое** освещение gas-light; **∼ое** отопление gas-heating.

газогенера́тор gas-producer.

газоли́н gasolene, gasoline.

газо‖мéр gas-meter; ᴖмотóр gas-motor.

газóн grass-plot, lawn, sward.

газо‖обрáзный gaseous, gasiform, aeriform; ᴖобразовáние gasification; ᴖочистѝтель gas cleaner; ᴖпровóд gas main; ᴖпровóдная труба gas-pipe; ᴖпровóдчик gas-fitter; ᴖпромывáтель техн. scrubber.

газо‖убéжище военн. gas-proof shelter; ᴖуловѝтель gas catcher (у домен).

Гайти Haiti.

гáйдроп ав. guide rope.

гайдýк ист. haiduck, footman in Hungarian, Hussar or Cossack uniform.

гáйка техн. nut, female screw.

гак: с ᴖом разг. enough and to spare.

галактомéтр galactometer.

галантерé‖йность шут. courtliness, gallantry; ᴖйный redk. gallant; ᴖйный магазин haberdashery; dry goods store (амер.); ᴖя fancy goods, haberdashery; dry goods (амер.).

галантѝн, галантѝр galantine.

галáнтн‖ость gallantry; ᴖый gallant.

гал‖дёж racket, din, hubbub, brawl; ᴖдéть to racket, to din, to make a din (noise).

галéра ист. galley.

галёрк‖а театр. gallery; посетители ᴖи шут. gods.

галéрный ист. galley (attr.).

галéта (sea) biscuit.

галиматья́ balderdash, galimatias, rigmarole.

галифé riding breeches.

гали‖цѝйский, ᴖчáнин Galician.

гáлка daw, jackdaw.

галл Gaul.

галлерéя gallery; г. с колоннами portico, peristyle; картинная г. picture-gallery; крытая г. (для прогулки) ambulatory.

гáллий хим. gallium.

галлицѝзм Gallicism.

гáлловая кислотá хим., мед. gallic acid.

галломáния gallomania.

галлóн gallon.

гáлльский Gallic.

галлюцин‖áция мед. hallucination; ᴖѝровать to have hallucinations; разг. to see things.

галóид хим. haloid.

галóп gallop; полным ᴖом at full gallop; лёгким ᴖом at easy gallop (canter); ᴖáда gallopade; ᴖѝровать to gallop, scamper.

галóш‖а galosh, overshoe; сесть в ᴖу to get into a fix; to put one's foot in it.

галс мор. tack; поворотить на другой г. to tack about.

гáлстук tie, neck-tie, scarf, cravat; заложить за г. фиг. to have a drop too much.

галýн gallon, lace, purl.

галýшка small boiled dumpling.

галчóнок young daw.

гальван‖изáция galvanization; ᴖизѝровать to galvanize; electroplate; ᴖѝзм galvanism; ᴖѝческий galvanic, voltaic; 'ᴖо electrotype; изготовлять ᴖо to electrotype; ᴖóметр galvanometer; ᴖоплáстика galvanoplasty; ᴖоскóп galvanoscope; ᴖотéхника galvanotechnics.

гáльк‖а pebble, shingle; покрытый ᴖой pebbly, shingly.

гам noise, racket, hubbub, uproar; rumpus (sl.).

гамáк hammock.

гамáша gaiter, legging (обыкн. мн. ч.).

гамбѝт шахм. gambit.

Гáмбург Hamburg.

гáмм‖а муз. scale; gamut (уст. и фиг.); г.-лучи gamma rays; целая г. ощущений the whole gamut of emotions; играть ᴖы to play the scales.

гáнглий анат. ganglion.

гангрéн‖а мед. gangrene; mortification; ᴖóзный gangrenous; ᴖóзный стоматит gangrena.

гандикáп handicap; получать преимущество в ᴖе to take odds.

Гáнз‖а Hanse; ᴖéйский Hanseatic.

ганóидные рыбы ganoid fishes.

гантéли спорт. Indian clubs.

гарáж garage.

гарáнт guarantor; ᴖѝйный guarantee; ᴖѝйный договор guarantee pact; ᴖѝровать to guarantee, warrant, secure; прививка ᴖѝрует нас от заражения оспой inoculation renders us immune against (from) the attacks of small-pox; ᴖия guaranty, guarantee, safe-guard, security.

гардемарѝн мор. midshipman.

гардерóб cloak-room; wardrobe (шкаф); a person's stock of clothes; ᴖщик cloak-room attendant.

гардѝна curtain.

гарéм harem, seraglio.

гáркнуть разг. to shout (whoop) at the top of one's voice.

гармонизѝровать to harmonize, agree, consort (with); tone (with).

гармо́ника accordion (*муз. ин-струмент*).

гармон‖и́ровать *см.* гармонизи-ровать; эти цвета не ⁓и́руют these colours do not harmonize.

гармони́ст harmonist.

гармон‖и́чный harmonic, har-monious; '⁓ия *муз.* harmony; con-cord, agreement, unity.

гарнизо́н garrison; снабжа́ть (кре́пость) ⁓ом to place troops in, to garrison; ⁓ная слу́жба garri-son duty, service.

гарни́р garnish, garniture, trim-mings; ⁓ова́ть блю́до к столу́ to garnish a dish for the table.

гарниту́р fittings (*украшение*); set (*комплект*).

гарниту́ра *тип.* style of type.

га́рное ма́сло burning oil.

га́рпия *миф.* harpy.

гарпу́н harpoon; бить ⁓о́м to harpoon.

гарт *тип.* type-metal; pie, print-er's pie.

га́рус worsted yarn; вы́шивка ⁓ом woolwork.

гарцова́ть to prance; to show off one's skill in riding.

га́ршнеп *зоол.* jack-snipe, half-jack.

гарь burn; па́хнет ⁓ю there's a smell of burning.

гаси́‖льник extinguisher; ⁓ть to extinguish, quench; ⁓ть и́звесть to slake (slack) lime; ⁓ть свечу́ to put (blow) out the candle; ⁓ть электри́чество to switch (turn) off the light.

га́сну‖ть to be extinguished; to go out, to die away; ⁓щий ого́нь dying fire.

гастри́‖т *мед.* gastritis; ⁓ческий gastric; ⁓ческая лихора́дка gas-tric fever.

гастроль‖ёр *театр.* actor (sin-ger *и пр.*) on tour; ⁓и́ровать to tour; '⁓ь tour; '⁓ьные пое́здки по прови́нции professional tours in the provinces.

гастроно́м gastronome; ⁓и́че-ский gastronomic; ⁓и́ческий ма-газин (grocery and) provision shop; *амер.* delicatessen (store); ⁓ия gastronomy.

га́т‖ить to make a road of brush-wood across marshy ground; ⁓ь a road of brushwood across marshy ground.

га́убица *военн.* howitzer.

гауптва́хта *военн.* guard-house, guard-room.

гаше́ние putting out, extin-guishing; sla(c)king (*извести*).

гаши́ш hashish, hemp, bhang.

гвалт hubbub, uproar.

гвард‖е́ец guardsman; '⁓ия guards, household troops; Кра́сная ⁓ия Red Guards; лейб-⁓ия Life Guards.

гвая́к‖овое де́рево *бот.* guaiac (-um); ⁓о́л *мед.* guaiacol.

гвельф *ист.* Guelf, Guelph.

гвозди́ка clove (*пряность*); *бот.* pink, clove-gillyflower; carnation (*красная*); sweet-william (*турец-кая*).

гвозди́льный: г. заво́д nail fac-tory.

гвозди́чн‖ый; ⁓ое де́рево clowe-tree; ⁓ое ма́сло oil of cloves.

гвоздь nail; peg (*деревянный*); stud (*орнаментальный*); hobnail (*сапожный*); г. сезо́на the hit of the season; шля́пка ⁓я́ the head of a nail; прибива́ть ⁓я́ми to nail; и никаки́х ⁓е́й! (*sl.*) and that's the end of it!

где where; where?; г. ему́ быть писа́телем! he is not fit for a writ-er; г. бы (о) ни́ бы io wherever, wheresoever; *поэт.* where'er; г.-ли-бо, г.-нибу́дь, г.-то somewhere; ви́дели вы его́ г.-нибудь? have you seen him anywhere?; г.-нибудь в друго́м ме́сте somewhere else; г.-то здесь hereabout(s).

гебра́йст Hebraist.

гегелья́н‖ец, ⁓ский *филос.* He-gelian; ⁓ство Hegelianism.

гегемо́ния hegemony.

гедони́зм *филос.* hedonism.

гее́нна *уст.* Gehenna, Hell.

гей! hollo!, holla!

ге́йзер geyser.

Гей-Люсса́к Gay-Lussac; зако́н ⁓а́ Gay-Lussac's law.

Ге́йслерова тру́бка Geisler tube.

ге́йша geisha.

гекато́мба hecatomb.

гекза́метр *прос.* hexameter.

гекса‖гона́льный *геом.* hexangu-lar; ⁓э́др *геом.* hexahedron.

гекта́р hectare.

гекто‖гра́мм hectogram(me); '⁓-граф hectograph; ⁓ли́тр hecto-litre; ⁓ме́тр hectometre.

ге́лий *хим.* helium.

геликопте́р *ав.* helicopter.

гелио‖грав‖ю́ра *тип.* heliogravure; ⁓гра́ф *физ.* heliograph; ⁓ме́тр he-liometer; ⁓ско́п helioscope.

гелиотро́п *бот.* heliotrope, cher-ry-pie; ⁓пи́зм *бот.* heliotro-pism, heliotropy.

гемати́н *физл.* haematin.

гемати́т *мин.* haematite.

гемисфе́ра hemisphere.

ге́мма gem.

гемоглоби́н *физл.* haemoglobin.

геморраги́я *мед.* haemorrhage (*кровоточивость*).

геморро‖ида́льный haemorroidal; ∼й *мед.* haemorrhoids; *разг.* piles; скры́тый ∼й blind piles.

генеало́г genealogist; ∼и́ческий genealogical; ∼ия genealogy; pedigree.

ге́незис genesis, origin, source.

генера́л general; г.-адъюта́нт adjutant-general; г.-бас *муз.* thoroughbass; г.-губерна́тор governor-general; г.-лейтена́нт lieutenant-general; г.-майо́р major-general; ∼и́ссимус generalissimo, Commander-in-Chief; ∼ите́т body of generals.

генера́ль‖ный general; г. ко́нсул consul general; г. план general plan; г. секрета́рь Secretary General; г. штаб General Staff; ∼ная ли́ния па́ртии general party line; ∼ная репети́ция dress rehearsal; ∼ная ста́чка general strike; Г∼ные Шта́ты States-General; ∼ский чин generalship.

генера́тор *техн.* generator; г. переме́нного (постоя́нного) то́ка alternating (continuous) current generator; ∼ный газ generator gas.

генера́ция generation.

гене́ти‖ка *биол.* genetics; ′∼ческий genetic.

генна́ль‖ность genius; ∼ный highly gifted.

ге́ний genius (*pl.* ∼ies), talent; до́брый г. good genius; злой г. evil genius.

ге́нри *эл.* henry.

Ге́нрих Henry.

генсекрета́рь *неол.* Secretary General.

генсове́т General Council (*английских тред-юнио́нов*).

генштаби́ст *неол.* general staff officer.

гео‖гно́зия geognosy; ′∼граф geographer; ∼графи́ческий geographic(al); ∼гра́фия geography; ∼дези́ст geodesist; ∼дези́ческий geodesic; ∼де́зия geodesy; ′∼лог geologist; ∼логи́ческий geological; соверша́ть ∼логи́ческие экску́рсии to geologize; ∼ло́гия geology.

гео́метр geometrician, geometer; ∼и́ческий geometric(al); ∼и́ческая прогре́ссия (пропо́рция) geometrical progression (proportion); ′∼ия geometry.

Гео́ргий George.

георги́на *бот.* dahlia.

гео‖фи́зика geophisics; ∼центри́ческий geocentric(al).

гепа́рд *зоол.* cheetah, hunting leopard.

гера́льди‖ка heraldry, blazonry; ′∼ческий heraldic, armorial.

гера́нь *бот.* geranium; ди́кая г. crane's-bill.

герб arms, coat of arms, blazon; госуда́рственный г. the State Emblem; име́ть г. to bear arms; щит ∼á escutcheon.

герба́р‖изи́ровать *бот.* to herborize; ∼ий herbarium.

гербо́в‖е́дение *см.* гера́льдика; ′∼ник armorial, book of heraldry.

гербо́в‖ый stamped; г. сбор stamp-duty; ∼ая бума́га stamped paper; ∼ая ма́рка stamp.

герма́н‖ец German; Teuton; ∼иза́ция Germanization; ∼изи́ровать to Germanize; ∼и́зм Germanism, Teutonism; ∼и́ст Germanist.

Герма́ния Germany.

герман‖офи́л Germanophil, Teutophil; ∼офо́б Germano-(Teuto-)phobe; ∼ский German; Teutonic.

гермафроди́т hermaphrodite.

гермене́втика hermeneutics.

гермети́ческ‖ий hermetic; ∼и hermetically.

геро‖и́зм heroism; ′∼ико-коми́ческий mock-heroic; ∼и́ня heroine; ∼и́ческий heroic; ′∼й hero; ∼й труда́ hero of labour; ∼й Сове́тского Сою́за hero of the Soviet Union; наро́дный ∼й national hero; ′∼и́ский heroic; ′∼и́ство heroism.

геро́льд *ист.* herald.

геру́нд‖ив *гр.* gerundive; ′∼ий *гр.* gerund.

ге́рцог duke; ∼и́ня duchess; ∼ский ducal; ∼ский ти́тул dukedom; ∼ство duchy.

гете́ра *ист.* hetaera.

гетероге́нный heterogeneous.

ге́тман hetman.

ге́тры gaiters.

ге́тто ghetto; *англ. ист.* Jewry.

гиаци́нт *бот.* hyacinth; *мин.* jacinth.

гибелли́н *ист.* Ghibelline.

ги́бель catastrophe, ruin, destruction; loss (*города́, экспеди́ции*); wreck (*су́дна*); г. наро́ду an immense crowd of people; ∼ный ill, fatal, disastrous, baleful, baneful, ruinous, pernicious; ∼ные после́дствия пья́нства the curse of drink.

ги́бк‖ий flexible, supple, pliant, lithe, willowy; elastic (*о со́вести*);

nimble (*о таланте*); slender, svelte (*о стане*); торговый аппарат должен быть ~им the trading apparatus should be flexible; ~ость pliability, flexibility, suppleness.

гиб‖лый *вульг.* perishable; ~лое дело bad job, lost cause; ~нуть to perish; to die (*тж. о растении*).

гибрид hybrid, mongrel; ~иза́ция hybridization; ~ный hybrid, mongrel.

гига́нт giant; завод-г. giant works; совхоз-г. giant State farm; ~ский gigantic; giant-like; ~ские шаги giant's stride (*игра*).

гигие́н‖а hygiene, hygienics; социальная г. social hygiene; ~ист hygienist; ~ический hygienic, sanitary, sanatory; ~ический бинт sanitary towel.

гигро‖метр *физ.* hygrometer; ~скоп *физ.* hygroscope; ~скопи́ческий hygroscopic.

гид guide, cicerone.

гидра *миф. зоол.* hydra; г. контрреволюции hydra of counter-revolution.

гидра́вли‖ка hydraulics; ~ческий hydraulic; ~ческий двигатель hydraulic engine; ~ческий кран hydraulic crane; ~ческий подъёмник hydraulic lift; ~ческий пресс hydraulic press; ~ческий таран hydraulic ram.

гидра́т *хим.* hydrate.

гидри́д *хим.* hydride.

гидро‖авиа́ция hydro-aviation; ~аэропла́н hydro-aeroplane, sea-plane, water-plane; ~биоло́гия hydro-biology; ~гра́фия hydrography; ~дина́мика hydrodynamics; ~лиз hydrolysis; ~ло́гия hydrology; ~ме́тр hydrometer; ~меха́ника hydromechanics; ~па́тия hydropathy; ~пла́н *см.* гидроаэроплан; ~самолёт *см.* гидроаэроплан; ~ста́нция water power station; ~ста́тика hydrostatics; ~тера́пия hydropathy, water-cure; ~те́хника hydraulic engineering; ~устано́вка water-power plant; ~электри́ческий hydro-electric.

гие́на *зоол.* hyena, hyaena; полосатая г. striped hyena; пятнистая г. spotted hyena.

ги́ка‖нье (w)hoop; ~ть to (w)hoop.

гиль fiddlestick, nonsense.

гильд‖е́йский: г. социализм guild socialism; ~ия guild.

ги́льза case (of a rocket) (*ракетная*); cartridge-case (*патронная*); cigarette-wrapper (*папиросная*).

гильоти́н‖а guillotine; ~и́ровать to guillotine.

Гимала́и the Himalaya.

гимн hymn, anthem; carol (*рождеств.*); петь ~ы to hymn; пение ~ов hymnody; сборник ~ов hymnal, hymn-book.

гимн‖ази́ст *уст.* schoolboy; ~а́зия public school, grammar-school; high school (*амер.*).

гимна́ст gymnast, acrobat; ~ика gymnastics; ~и́ческий gymnastic; ~и́ческий зал gymnasium; ~и́ческие упражнения athletic exercises; *разг.* physical jerks.

гинеко́лог *мед.* gynaecologist; ~ия gynaecology.

гипе́р‖бола hyperbole; *мат.* hyperbola; ~боли́ческий hyperbolical; ~боло́ид hyperboloid; ~еми́я *мед.* hyperaemia; ~трофи́я hypertrophy.

гипно́‖з *мед.* hypnosis; субъект, подвергнутый ~зу hypnotic; ~тизёр hypnotist, mesmerist; ~тизи́ровать to hypnotize, magnetize, mesmerize; ~ти́зм hypnotism, animal magnetism; mesmerism; ~ти́ческий hypnotic.

гипосульфи́т *хим.* hyposulphite (*сокр.* hypo).

гипо́те‖за hypothesis; рабочая г. working hypothesis; строить ~зу to hypothesize.

гипотену́за *мат.* hypotenuse.

гипотети́ческий hypothetical.

гипоце́нтр seismic centre (focus).

гиппопота́м *зоол.* hippopotamus (*сокр.* hippo), river-horse.

гипс gypsum, plaster of Paris; gesso (*для скульптуры*); сырой г. plaster-stone; ~ова́ть (*почву*) to gypsum; ~овый gypseous; ~овый слепок plaster cast; ~овая повязка plaster of Paris bandage.

гипю́р gimp, gymp, guipure.

ги́рка sort of unbearded wheat grown in the South and East of the USSR (*Triticum vulgare*).

ги́рло branch (of a river).

гирля́нда garland, festoon, wreath; chaplet (*на голове*); украшать ~ми to garland, festoon.

гироско́п gyroscope.

ги́р‖я weight; ~и для гимнастики dumb-bells; упражнения с ~ями dumb-bell exercise.

гисто́лог *физл.* histologist; ~и́ческий histological; ~ия histology.

ГИСЭ (*Государственный Институт «Советская Энциклопедия»*) State Publishing Institute «Soviet Encyclopaedia».

гита́р‖а guitar; ~и́ст guitarist.

ги́тов *мор.* clew-line.

ГИХЛ *уст.* (*Государственное издательство художественной литературы*) State House for the Publication of Literature.

ги́чка *мор.* gig.

глав- *сокр.* главный.

глав‖а́ head, chief, master, headman, foreman, principal; *арх.* cupola; chapter (*в книге*); г. дома householder; во ⌣é государственного управления at the head of state affairs; поставить во ⌣е чего-л. to set over; сидеть во ⌣е стола to take the top of the table; делить книгу на '⌣ы to chapter; *см.* голова.

глава́рь leader; ringleader (*заговора*).

главбу́х chief accountant.

главе́нство supremacy; mastership; ⌣вать to domineer.

Главли́т (*Главное управление по делам литературы и издательств*) Chief Administration of Literary and Publishing Affairs.

Главнау́ка (*Главное управление научн. учреждениями*) Chief Administration of Scientific Institutions.

главнокома́ндующий Commander-in-Chief.

гла́вн‖ый chief, principal, main; cardinal, primary (*самый важный*); г. виновник *юр.* principal; г. инженер chief engineer; ⌣ая квартира headquarters; ⌣ая поддержка mainstay; ⌣ая посылка (*в силлогизме*) major; музыка ⌣ая тема разговоров musi⌣ is the staple of conversation; ⌣ое управление Central Board of Administration; ⌣ым образом chiefly, mostly, principally, mainly, for the most part; above all (*прежде всего*).

Глав‖политпросве́т *ист.*(*Главный политико-просветительный комитет*) The Central Board of Political Education; ⌣снабáрм *ист.* Commissary general.

глаго́л verb; *уст.* word; вспомогательный г. auxiliary verb; (не-) переходный г. (in)transitive verb; сильный г. strong verb; слабый г. weak verb; средний г. neuter verb; ⌣ьный verbal.

гладиа́тор gladiator; бой ⌣ов gladiatorial combat, gladiator fight; ⌣ский gladiatorial.

глади́ло *техн.* burnisher.

глади́ль‖ник cloth pad of the press-board; ⌣ный: ⌣ная доска press-board; ironing table; ⌣щик, ⌣щица polisher, smoother, ironer.

гла́дить to smooth; polish, iron (*бельё*); to stroke, caress; г. против шерсти to stroke against the grain, to stroke someone's hair the wrong way.

гла́дк‖ий smooth, plane, even, sleek; polished; lank (*о волосах*); glabrous (*о голой коже*); unfigured (*о материи*); round, fluent (*о речи, стиле*); well-fed (*откормленный*); glassy (*о поверхности воды*); ⌣о smoothly, swimmingly; evenly, sleekly; lankly; roundly, fluently; машина работает ⌣о *разг.* the machine goes very slick; сошло ⌣о went off smoothly, went without a hitch; ⌣оствóльное ружьё smooth-bore gun; ⌣ость smoothness, evenness, sleekness, lankness; roundness, fluency; glassiness; *см.* гладкий.

гладь smooth surface (of the water); вышитый ⌣ю embroidered in satin-stitch.

гла́женье smoothing; ironing.

глаз eye; дурной г. evil eye (*примета*); невооружённый г. naked eye; опытный г. practised eye; хозяйский г. the master's eye; на-г. approximately; не в бровь, а в г. to hit the mark; не спускать с кого-л. to keep an eye on; с г. долой, из сердца вон out of sight, out of mind; с г. моих долой! out of my sight!; с ⌣у-на-г. face to face, confidentially; ⌣á у него завидущие his eyes are bigger than his belly; весёлые ⌣а lively eyes; выпуклые ⌣а goggle eyes; заплаканные, опухшие ⌣а swollen eyes; завязывать кому-л. ⌣а to blindfold, to hoodwink; закрывать ⌣а на ч.-л. to blink at..., to connive at...; итти куда ⌣а глядят to follow one's nose; опускать ⌣а to cast down one's eyes; прищуривать ⌣а to narrow one's eyes; пускать пыль в ⌣а to throw dust in one's eyes; раскрывать кому-л. ⌣а на правду to open somebody's eyes to the truth; я его в ⌣а не видел I have never seen him; я это ему в ⌣а скажу I shall tell it him to his face; с ввалившимися ⌣ами hollow-eyed; он в моих ⌣áх герой he is a hero in my eyes; in my opinion he is quite a hero.

глазáстый large-eyed, ox-eyed; quicksighted; striking (*бросающийся в глаза*).

Глáзго Glasgow.

глазéт brocade.

глазéть to stare, to stand gazing about.

глазиров‖анный iced, candied; ⌐ать to glaze, varnish; to ice (фрукты и пр.).

глазн‖о́й: г. врач oculist; г. зуб eye-tooth; г. нерв optic nerve; ⌐ая болезнь disease of the eye; ⌐ая впадина eye-hole, eye-pit, orbit; ⌐ая мазь eye-salve; ⌐ая примочка eyewater; ⌐ое яблоко eyeball.

глаз‖о́к бот. eye; г. в двери judas; я видел одним ⌐ком I saw with half an eye; делать '⌐ки to make eyes (eye-tricks) (at), to ogle; ⌐оме́р judg(e)ment of eye; ⌐унья a dish of fried eggs.

глазу́рь glaze, varnish; ice (сахарная); покрывать ⌐ю см. глазировать.

гла́нда gland; мед. tonsil.

глас церк. tune; уст. voice; г. вопиющего в пустыне библ. the voice of one crying in the wilderness.

гла́сис военн. glacis.

глас‖и́ть to say, run, go; пословица ⌐и́т the proverb says; письмо ⌐и́ло the letter ran like this; '⌐ность notoriety, publicity; '⌐ный 1. a. public, notorious; гр. vowel; 2. s. a town-councillor; гр. a vowel.

гла́уберова соль хим. Glauber's salt.

глауко́ма мед. glaucoma.

глаша́тай bellman; town-crier (городской); фиг. mouthpiece.

глет хим. litharge.

гле́тчер glacier.

глин‖а clay; argil (белая); loam (жирная); cob (с соломой для обмазки стен); мазать ⌐ой to clay; ⌐истый clayey, loamy, argillaceous; ⌐истый сланец shale; ⌐обитная постройка pisé building (work); ⌐озём alumina; ⌐омешалка clay-mixer; ⌐омялка pug-mill.

глинтве́йн mulled wine; делать г. to mull wine.

гли́нян‖ый: ⌐ая посуда earthen-ware, brown-ware, pottery.

глипт‖ика glyptics; ⌐оте́ка glyptotheca.

глиссе́р glider.

глист, ⌐а́ intestinal worm; tapeworm (ленточная); ascaris, round worm (круглая); fluke (преим. у овцы); мед. helminth; ⌐огонное средство vermifuge, anthelmintic.

глицери́н glycerine; glycerol (научный термин).

глици́ния бот. wistaria.

гло́бус globe, sphere.

глода́ть to gnaw, nibble, pick; to rankle (о зависти).

глокси́ния бот. gloxinia.

гло́сса gloss; ⌐рий glossary.

Гло́стер Gloucester.

глот‖а́тельное движе́ние gulp, swallow; ⌐а́ть to swallow, gulp; to gobble, guzzle, gorge (жадно); ⌐ать пилюли to swallow pills; ⌐ать слова to slur, to clip one's words; '⌐ка throat, gullet, gorge; мед. pharynx; во всю '⌐ку at the top of one's voice; заткни ⌐ку! hold your jaw!; не лезть в ⌐ку to stick in one's gizzard; ⌐о́к draught, gulp, swallow; mouthful; большой ⌐ок deep draught; swig; маленький ⌐ок (вина и пр.) sip; разг. thimbleful, tot; одним ⌐ко́м at one gulp, at a single draught; ⌐ну́ть to take a sip.

гло́хнуть to grow deaf; to run wild (о саде).

глубин‖а́ depth; profundity, profoundness (преим. фиг.); г. мысли profundity (depth) of thought; г. чувства depth of feeling; в ⌐е́ души at heart, in one's heart of hearts; измерять морскую ⌐у́ to sound, plumb; измерения ⌐ы soundings.

глубо́к‖ий deep; profound (преим. фиг.); thoughtful; г. сон deep (profound, sound) sleep; г. траур deep mourning; г. ум profound mind; ⌐ая ночь dark night; ⌐ая старость extreme old age; ⌐ая тарелка soup-plate; зачитаться до ⌐ой ночи to read deep into the night; критика была недостаточно ⌐ой the criticism lacked penetration; ⌐ое невежество dense ignorance; попасть на ⌐ое место to be out of one's depth; ⌐о deep, profoundly; ⌐о вкоренившийся inveterate; ⌐о сидящее судно a vessel of draught; ⌐омысленный thoughtful; он принял чрезвычайно ⌐омысленный вид he put on his thinking cap; ⌐омыслие depth of thought; thoughtfulness; ⌐оуважаемый highly esteemed (в письмах dear sir—без имени).

глубь см. глубина, вглубь.

глум‖и́ться (над) to scoff, jeer (at), to mock, taunt, to make game (a fool) (of); ⌐ле́ние jeer, gibe, scoffing mockery.

глу‖пе́ть to grow stupid (silly); ⌐не́ц fool, blockhead, simpleton, noodle; ⌐пи́ть to be foolish, to make a fool of oneself; '⌐пость foolishness, silliness; nonsense, rubbish (бессмыслица); сморозить ⌐пость to blunder out; '⌐пости! nonsense!, stuff and nonsense!, fudge!, skittles!; брось эти ⌐постиі stop that nonsense (tom-foolery, rot)!; '⌐ный foolish, stupid, silly, fatuous, inane; brainless, thick-headed (*человек*); он не так глуп, чтобы поверить вам he knows better than to believe you; глуп как пробка as dull as ditch water; ⌐ыш noodle, dunce; *зоол.* fulmar.

глухарь *зоол.* capercailzie, capercailye, wood-grouse, great grouse.

глух‖**ой** deaf; hard of hearing (*тугой на ухо*); stone-deaf (*совершенно глухой*); *фон.* voiceless, unvoiced, sharp, hard (*о звуке*); г. лес thick forest; г. переулок lonely (solitary) by-street; я не r.! you needn't shout at me!; ⌐áя дверь blind door; ⌐ая ночь dark night; ⌐ая стена blank wall; ⌐ая тетеря *разг.* deaf as a post (an adder); ⌐óe время года dull season; он остаётся глух ко всем просьбам he turns a deaf ear to all entreaties; ⌐онемóй (a) deaf-mute; азбука ⌐онемых manual alphabet, deaf-and-dumb language; ⌐отá deafness, hardness of hearing.

глуш‖**итель** *техн.* silencer, muffler; ⌐ить to deafen; ⌐ить рыбу to stun fish; ⌐ь thicket; a solitary retired place.

глыба clod; lump; heap; block (*льда*).

глюкоза *хим.* glucose, grape-sugar; левая г. laevo-glucose, laevulose.

гля‖**деть** to look, see; г. во все глаза to be all eyes; г. за кем-либо to look after; г. пристально to gaze, stare (*at, on, upon*); того и ⌐ди, он придёт I fear he may come at any moment; ⌐деться в зеркало to look at oneself in the mirror.

глян‖**ец** polish, lustre, gloss; наводить г. to gloss; ⌐цевитый, ⌐цевый glossy, lustrous.

гм! hem!

гнать to drive, chase, hunt; to urge; to blow (*о ветре*); to distil (*спирт*); to pursue (*неприятеля*); г. автомобиль (велосипед) to go at utmost speed, to scorch (*sl.*); г. из дому to turn out of doors; г. лошадь изо всех сил to bucket; ⌐ся за славой to strive for fame; ⌐ся по пятам to pursue closely.

гнев anger, rage; heat; dander (*разг. особ. амер.*); *поэт.* ire, choler, wrath; взрыв ⌐a gust, passion; в припадке ⌐a in a fume; ⌐ать-

ся to be angry, to chafe, fume, rage, to fly into a passion (rage); ⌐ить to make angry, incense, enrage; ⌐ливость irascibility; ⌐ливый irascible, prone to anger; ⌐ный angry, passionate; *поэт.* wroth, wrathful.

гнед‖**ой** bay; ⌐áя лошадь bay horse, sorrel.

гнезд‖**иться** to nest; эпидемия ⌐илась в городах the seat of the epidemic was in the towns; ⌐ó nest; aery, eyrie (*хищной птицы*); socket (*драгоценного камня, тж. глаза*); step (*мачты*); mortise (*плотн.*); dictionary paragraph (*в словаре*); *бот.* nidus (*pl.* nidi, niduses); вить ⌐ó to nest, nidificate, nidify; свивание ⌐á nidification; ⌐óвье грачей colony of rooks.

гнёздышко a little nest.

гнейс *геол.* gneiss.

гне‖**сти** to press; oppress; мысль о смерти ⌐тёт меня the thought of death depresses me.

гнёт press, weight (*пресс*); oppression; depression, worry (*мука*); царский г. tzarist oppression; под ⌐ом нищеты under the stress of poverty.

гнетущий depressing, worrying.

гнида nit.

гние́ние decay, putrescence, putrefaction, corruption, rot.

гнил‖**ой** putrid, carious; corrupt, rotten (*тж. в моральн. значении*); г. климат *разг.* a damp climate; г. либерализм flabby (corrupt) liberalism; ⌐óe местечко *англ. ист.* rotten borough; ⌐окро́вие *мед.* septicaemia, blood poisoning; '⌐ость rottenness, putridity; ⌐ушка a piece of rotten wood; ⌐ь rottenness, rotten thing; мокрая ⌐ь (*напр. крыш*) damp rot.

гнить to rot, putrefy, decay, corrupt.

гнию‖**щий** liable to decay, putrescible; ⌐щий putrescent.

гное‖**видный** *мед.* puriform; ⌐тече́ние suppuration; ⌐точивый suppurative.

гноить to suppurate, fester; to manure (*почву*); ⌐ся to suppurate, fester, to discharge matter.

гной pus, matter; gleet (*из мочевого канала*); ⌐ник abscess; *фиг.* a corrupted body of people; ⌐ный purulent, mattery.

гном gnome.

гномический gnomical.

гносеология *филос.* gnosiology.

гностицизм *филос.* gnosticism.

гной‖щийся purulent; ⁓щаяся рана festering wound.

гну *зоол.* gnu, horned horse.

гнус (*ед. ч. и собирательно*) vermin.

гнус‖а́вить to speak through the nose, to snuffle; to twang; ⁓а́вость snuffle, twang; ⁓а́вый nasal; ⁓и́ть *см.* гнусавить.

гну́сн‖ость baseness, odiousness; infamy, enormity; ⁓ый odious, base, heinous; ⁓ое предательство base treachery.

гну́т‖ый: ⁓ая мебель bent wood furniture; ⁓ь to bend, curve, inflect, flex; ⁓ь спину перед кем-л. to cringe, bow; я вижу куда вы гнёте I see what you are driving (aiming) at.

гну́ться to bend, stoop.

гнуша́ться to abhor, abominate, contemn.

гобеле́н gobelin, tapestry; ⁓овый gobelin.

гоб‖ои́ст oboist; ⁓о́й *муз.* hautboy, oboe.

го́вор talk; rumour; местный г. dialect, patois; ⁓и́льный аппарат organ of speech; ⁓и́льная машина *фон.* speaking machine; *шут.* chatterbox.

говори́льня gathering where there is only talk and no work done; парламентская г. parliamentary talking shop.

говор‖и́ть to speak, talk; to say, tell (*сказать*); г. без записки to speak without book; г. без конца to speak nineteen to the dozen; г. быстро to speak fast; *шут.* to gallop; г. в нос to speak through the nose, to twang; г. высокопарно to speak bombastically (pompously); г. запинаясь to falter, stammer, hum (and ha); г. как по-писаному to speak by the book; г. колкости to taunt; г. манерно to mince one's words; г. мягко (примирительно) to speak gently (fair); г. наобум to speak at random; г. на четырёх (пяти) языках to speak four (five) languages; г. обиняками to speak ambiguously; г. общие места to talk commonplaces; г. по-английски to speak English; г. попусту to waste breath (words); г. правду в глаза to tell the truth to one's face; г. речь to deliver a speech; г. с самим собой to soliloquize; г. тихо to speak in a low voice; г. хорошо о ком-л. to speak well of a person; мне нужно г. с ним о важном деле I want to speak to him on important business; легче г. чем **делать** it is easier to preach than to practise; precept is easier than practice; дело само за себя ⁓и́т the thing tells its own tale; the matter speaks for itself; мне ⁓и́ли I was told; мы с ним не ⁓и́м I am not on speaking terms with him; что ни ⁓и́те take it as you will; как ⁓и́тся as the saying is; вообще ⁓я́ generally speaking; откровенно ⁓я́ to tell the truth; собственно ⁓я́ properly speaking; строго ⁓я́ strictly speaking; (уже) не ⁓я́ (*о*) not to mention, to say nothing (*of*); ⁓я́т they say, it is said, the report is, it is reported; здесь ⁓я́т по-английски English spoken (here).

говорко́м in the style *or* manner of recitative.

говорли́в‖ость talkativeness, loquacity, garrulity; ⁓ый talkative, loquacious, chatty.

говору́н, ⁓ья talker, chatterer.

говоря́щ‖ий: ⁓ее кино talking film, the talkies.

говя́‖дина beef; ⁓жье сало beef suet.

го́гол‖ь *зоол.* golden eye; ходить ⁓ем to strut, flaunt.

го́голь-мо́голь egg-flip.

гогота́‖нье cackle; *фиг.* boisterous laughter; ⁓ть to cackle, gaggle; *фиг. разг.* to roar with laughter.

год year, twelvemonth; будущий г. next year; каждый г. year by year, from year to year; круглый г. all the year round, year in year out; новый г. new-year's day; прошлый г. last year; решающий г. пятилетки the decisive year of the five planned (of the piatiletka); учебный г. the school year; чёрный г. unfortunate (calamitous) year; он получает 2000 рублей в г. he gets two thousand roubles a year (per annum); ему 52 ⁓а he is fifty two years old; из ⁓а в г. from year to year; раз в два ⁓а biennially; три ⁓а назад three years ago; ⁓ы years; age; детские ⁓ы childhood, infancy; юношеские ⁓ы youth; в мои ⁓ы at my age; мы не видались ⁓ы it is years since we met; ⁓ы изобилия fat years; он развит не по ⁓а́м he is clever beyond his years; ждать ⁓а́ми to wait for years; в ⁓а́х (advanced) in years.

го́ден *см.* годный.

годи́на *уст.* time, year; тяжёлая г. hard times.

годи́ть *см.* погодить, ждать.

год‖и́ться to suit, fit, do, become; он не ⌐и́тся в доктора́ he is not fit to be a doctor; эта бума́га ⌐и́тся this paper will serve (do); так поступа́ть не ⌐и́тся one shouldn't do that; эти башмаки не ⌐и́тся these shoes don't suit me. годи́чный annual, yearly; lasting a year; г. отчёт annual report.

го́дн‖ость fitness, suitableness; availability, workability; ⌐ый fit, suitable, meet, proper, available; ⌐ый для питья́ drinkable, potable; ⌐ый к слу́жбе fit for service; никуда́ не ⌐ый good for nothing, useless; биле́т го́ден на 5 дней the ticket is valid for five days; су́дно ⌐ое к пла́ванию seaworthy vessel.

годов‖а́лый one year old, yearling; ⌐и́к a yearling; ⌐о́й annual, yearly; ⌐о́й дохо́д annual income; ⌐о́й съёмщик (жиле́ц) yearly tenant; ⌐щи́на anniversary.

годо́‖к, ⌐чек *уменьш. от* год.

Гозна́к State printing office where banknotes *etc.* are printed.

гол *спорт.* goal.

гола́вль *зоол.* chub.

Голго́фа Calvary.

голена́‖стый long-legged; ⌐а́стые пти́цы grallatorial (long-legged, wading) birds; ⌐и́ще boot-top.

го́лень shin, shank; tarsus (*у птицы*).

голе́ц loach, ground gudgeon (*рыба*).

Голиа́ф Goliath.

го́лик besom; *мор.* broom.

голки́пер *спорт.* goal-keeper.

голла́ндец Dutchman, Hollander.

Голла́ндия Holland, Netherlands.

голла́нд‖ка Dutchwoman, frow; ⌐ский, ⌐ский язы́к Dutch; ⌐ская печь stove of Dutch tiles; ⌐ская черепи́ца pantile; ⌐цы the Dutch.

голов‖а́ head; *разг.* pate, sconce; nut, noddle (*sl.*); г. проце́ссии the head of the procession; г. сахара sugar loaf; бара́нья г. jemmy (*кушанье*); городско́й г. mayor; пуста́я г. empty (shallow) pate; све́тлая г. a clear head; у меня́ г. боли́т I have a headache; с ⌐ы́ до ног from head to foot, from top to toe; cap-a-pie (*особ. вооружённые*); не теря́ть ⌐ы́ to keep one's head; вы́ше на це́лую го́лову taller by a head; г. в ⌐у́ neck and neck (*на ска́чках*); име́ть хоро́шую ⌐у to know what

is what; как снег на ⌐у unawares, all of a sudden; лома́ть себе́ ⌐у to puzzle (cudgel) one's brains; на свою́ ⌐у to one's own misfortune; очертя́ ⌐у headlong; притти́ в ⌐у to occur; to cross one's mind; размозжи́ть ⌐у to brain; сломя́ ⌐у neck and crop; ударя́ть в ⌐у to get into one's head (*о вине*); с непокры́той ⌐о́й bare-headed; уйти́ с ⌐о́й в рабо́ту to be engrossed in one's work; 20 голо́в скота́ twenty head of cattle.

голова́стик *зоол.* tadpole; *фиг.* big head.

голове́шка *см.* головня́.

голови́зна jowl.

голо́вк‖а small head; г. бу́лавки (гвоздя́) head of a pin (nail); г. (прыща́) head of a pimple; г. сы́ра a cheese; г. чеснока́ (лу́ка) bulb of garlic (shallot, onion); ⌐и vamps (*сапо́жные*); приде́лать ⌐и к сапога́м to vamp the boots.

головн‖о́й *мед.* cephalic; г. мозг brain, cerebrum; г. отря́д vanguard detachment; г. убо́р hat, head-dress (*особ. же́нский*); ⌐а́я боль headache.

головня́ fire-brand, brand; blight, smut, rust, brand (*на пшени́це*); *бот.* darnel.

головокруж‖е́ние giddiness, dizziness; *мед.* vertigo; г. от успе́хов intoxication with success; вызыва́ть г. to giddy, to dizzy; чу́вствовать г. to be dizzy, to feel queer; подве́рженный ⌐е́нию giddy; ⌐и́тельный dizzy (*тж. фиг. об успе́хе*); vertiginous; ⌐и́тельный успе́х (высота́) giddy success (height); с ⌐и́тельной быстрото́й at a breakneck pace; мои мы́сли несли́сь с ⌐и́тельной быстрото́й my thoughts were in a whirl.

голово‖ло́мка puzzle; ⌐ло́мный puzzling; ⌐мо́йка rebuke, wigging, drubbing; reprimand (*при служ. отноше́ниях*); зада́ть ⌐мо́йку to reprimand, rebuke, rate.

головоно́гие *зоол.* cephalopoda.

голово‖ре́з cut-throat, ruffian, madcap, daring fellow, rough; scapegrace; ⌐тя́п blockhead, dunce; ⌐тя́пство *неол.* stupidity, doltishness.

голо́вушка head; бу́йная г. madcap.

го́лод hunger (*чу́вство го́лода*); famine (*скудость и дороговизна́ съестны́х припа́сов*); starvation (*голода́ние*); во́лчий г. ravenous appetite; денежный г. money famine (hunger); чу́вствовать г. to be hungry; to feel peckish (*sl.*); морить ⌐ом to hunger, starve; famish; умирать с ⌐у to die of famine, starve.

голод‖а́ние starvation; ⌐а́ть to hunger, starve, famish; ⌐а́ющий *a.* starving; *s.* starveling; '⌐ный hungry; о́чень ⌐ный ravenous, famishing; ⌐ный похо́д (*безрабо́тных*) hunger march; '⌐ная смерть starvation; ⌐о́вка starvation; hunger-strike (*тюре́мная*); объявля́ть ⌐о́вку to hunger-strike; ⌐у́ха *разг.* starvation.

гололе́дица glazed frost, ice-crusted ground.

го́лос voice; tone (*тон*); vote (*избира́т.*); *муз.* part; реша́ющий г. deciding vote; сла́бый г. weak (faint) voice; во весь г. at the top of one's voice; в оди́н г. unanimously; with one voice; возвыша́ть г. to raise one's voice, to get angry; потеря́ть г. to lose one's voice; модуля́ция ⌐а inflexion, modulation of the voice; на расстоя́нии челове́ческ. ⌐а within hail; пра́во ⌐а vote, suffrage; же́нщинам бы́ло да́но пра́во ⌐а women were given the vote; ⌐а́ за и про́тив the ayes and the noes; в ⌐е *муз.* in good voice; не в ⌐е not in voice; в её ⌐е слы́шалось презре́ние there was contempt in her tone; г., даю́щий переве́с при ра́венстве ⌐о́в casting-vote, the odd man; победи́ть число́м ⌐о́в to outvote; заруча́ться ⌐а́ми to canvass.

голосеме́нный *бот.* gymnospermous.

голос‖и́стый vociferous, stentorian; ⌐и́ть to vociferate; to keen, to wail over the dead (*о поко́йнике*); ⌐и́шка weak little voice.

голосло́в‖ость unfoundedness; ⌐ый unfounded, proofless; ⌐о without any proofs.

голосов‖а́ние vote, poll; division (*в парла́менте*); ⌐а́ть to vote (*за—for, про́тив—against*), to poll; to ballot (*о та́йном голосова́нии*); ⌐а́ть подня́тием руки́ to vote by show of hands; ⌐а́ть за две стороны́ to split one's vote; ⌐а́я щель glottis; ⌐ы́е свя́зки vocal chords.

голошта́нник ragamuffin, lack-all.

голубе́нький pale blue.

голубе́ц 1. mountain-blue (*кра́ска*); 2. minced meat rolled in cabbage leaves; 3. *зоол.* sparrow-hawk.

голубизна́ blue, azure.

голуби́ка great bilberry, bog whortleberry; *амер.* blueberry.

голуби́н‖ый dovelike; ⌐ая кро́тость dovelike meekness; ⌐ая по́чта pigeon-post; ⌐ое гнездо́ pigeon-hole.

голу́бить to caress.

голу́бка female pigeon; *фиг. см.* голубу́шка.

голу́бки *бот.* columbine.

голубова́тый bluish.

голубо‖гла́зый blue-eyed; '⌐й blue, azure, sky-blue.

голубо́к young pigeon; *фиг.* ducky.

голубу́шка my dear, my darling, ducky.

голубцы́ *см.* голубе́ц 2.

голу́бчик dear chap, old fellow (*о мужчи́не*); my dear (*о же́нщ.*).

го́лубь pigeon; dove (*преиму́щ. поэ́т. и фиг.*); г.-верту́н (турма́н) tumbler; го́нный г. homing pigeon, homer; зоба́стый г. pouter, cropper; лесно́й г. (витю́тень, вя́хирь) ring-dove, wood pigeon; почто́вый г. carrier-pigeon; си́зый г. rock-dove; хохла́тый г. jacobin.

голуби́т‖ник pigeon-breeder, pigeon-fancier; *зоол.* pigeon-hawk; ⌐ня pigeon-house, dovecot(e), pigeonry.

го́л‖ый bare; naked; nude (*обнажённый*); bald (*лы́сый*); poor, indigent (*бе́дный*); ⌐ая и́стина bare (naked) truth; ⌐ая пусты́ня barren desert; спать на ⌐ой земле́ to sleep on the bare ground; с ⌐ой голово́й bare-headed; bald-headed (*лы́сый*); ⌐ые поля́ bare fields; ⌐ые фа́кты (цита́ты) naked *или* dry facts (quotations); ⌐ыми (*невооружёнными*) рука́ми with bare hands; с ⌐ыми нога́ми bare-footed; гол как со́кол *погов.* ≅ as poor as a church-mouse; as naked as a picked bone.

голытьба́ the poor (*собир.*).

го́л‖ыш pebble, shingle (*га́лька*); wind-egg (*яйцо́ без скорлупы́*); a poor fellow, a poor devil; *зоол.* minnow (*ры́ба*); ⌐ы́м stark naked.

голь nakedness, nudity; bareness; poverty; poor people; г. на вы́думки хитра́ *посл.* necessity is the mother of invention.

гольф golf; игро́к в г. golfer; игра́ть в г. to golf.

Гольфштре́м Gulf-stream.

голья́н minnow (*ры́ба*).

голя́к a poor fellow.

гомеопа́т homœopath(ist); ⌐и́ческий homœopathic; ⌐и́я homœopathy.

гомер‖и́ческий,' ~овский Homeric; г. смех Homeric laughter.

гомоге́нный homogeneous.

го́мон jangle, hubbub, racket.

гомосексуал‖и́зм sodomy, homosexuality; **~и́ст** sodomite.

гомру́ль *ист.* Home Rule.

гонг gong.

гондо́л‖а gondola; car (*воздушного шара*); **~ье́р** gondolier.

гоне́ние persecution, oppression.

гоне́ц express messenger.

гони́мый: г. ветром driven by the wind; г. судьбой persecuted by fate.

гонио́метр goniometer; ' **~ия** goniometry.

гони́тель persecutor.

го́нк‖а race; regatta (*парусная, гребная*); pursuit, chase (*преследование*); haste, hurry (*спешка*); reprimand, rebuke (*выговор*); distillation (*спирта*); г. вооружений armament race; **~и** races.

гоноб(бе)ль *см.* голубика.

гоноко́кк *мед.* gonococcus (*pl.* -cci).

го́нор ambition.

гонора́р fee, honorarium (*pl.* -iums, -ia).

гоноррея́ *мед.* gonorrhœa; *вульг.* the clap.

го́ночн‖ый: г. автомобиль, **~ая** яхта racer; **~ая** гребная лодка gig.

гонт shingles; крыть **~ом** to shingle; **~овщи́к** shingler.

гонча́р potter; **~ный** круг potter's wheel; **~ный** станок potter's lathe; **~ное** искусство ceramics; **~ные** изделия pottery, earthenware; **~ня** pottery.

го́нчая (*собака*) hound, bloodhound; foxhound (*на лисицу*); harrier, beagle (*малорослая, на зайца*).

го́нщик racer.

гоня́ть to drive (away); to chase, hunt; г. лодыря *см.* лодырничать; г. с места на место to drive from one place to another.

гопа́к *укр.* hopak (*an Ukrainian dance*).

гор- *сокр.* городской.

гор‖а́ mountain; mount (*поэт., а также перед назв. горы, сокр.* Mt: Mt Everest); г. книг a heap of books; г. родила мышь the mountains have brought forth a mouse; высокая г. alp; снежная г. slide, toboggan-slide, toboggan-shoot; *амер.* coast; у меня словно г. с плеч свалилась a load was lifted from my heart; в ' **~у** uphill; итти

в **~у** *фиг.* to rise in the world; под **~у** downhill; с **~у** (величиной) mountain-high; он за меня **~о́й** he defends me by all means; пир **~о́й** sumptuous banquet; кататься с **~ы** to slide, toboggan; *амер.* to coast; американские ' **~ы** switchback, chute; сулить золотые **~ы** to promise mountains and marvels; за **~а́ми** beyond the hills; не за **~а́ми** not far off; смерть не за **~а́ми** death is always at hand.

гора́зд clever, apt; кто во что г. who in what is more apt; **~о** much, far, by far; **~о** больше *разг.* a jolly sight more.

горб hump, hunch; *фиг.* back, spine; **~о́м** заработать to earn by one's own hard toil; **~а́тость** gibbosity; **~а́тый** humpbacked, hunchbacked, crook-backed, gibbous; **~и́нка** на носу a crook in the nose; нос с **~и́нкой** high-bridged nose; **~ить** to bend, crook; **~иться** to grow crooked, stoop; **~оно́сый** with an aquiline (hooked) nose; **~у́н** humpback, hunchback, crook-back; **~уно́к** hippocampus, sea-horse (*рыба*); **~у́нья** *см.* горбун.

горб‖у́ша humpback salmon (*рыба*); **~у́шка** хлеба hunch of bread; **~ыль** slab.

гордел́и́в‖ость pride; **~ый** proud.

горде́нь *мор.* whip.

горде́ц proud man.

го́рдиев у́зел Gordian knot.

горди́ться to be proud of, to pride oneself on, to take pride in; to glory in (*о заслуженной гордости*); to pique (value) oneself on (*оттен. хвастовства*).

гордо́вина *бот.* wayfaring-tree.

го́рдост‖ь pride; lordliness, haughtiness (*надменность*); Магнитострой—наша г. Magnetostroi is our pride; унижение паче **~и** *погов.* pride often borrows the cloak of humility; Амундсен был **~ью** своей родины Amundsen was the boast of his country.

горд‖ый proud; lordly, haughty (*высокомерный*); **~я́чка** a proud (haughty) woman.

го́р‖е 1. misfortune; grief, sorrow, distress, affliction; *поэт.* woe; г.-руководитель woebegone leader; мыкать г. to live poorly, to live from hand to mouth; причинять г. to give sorrow, to grieve; узнать г. to learn what sorrow is, to come to grief; изнемогать от **~я** to be overcome with grief; обезуметь от **~я** to be beside oneself with grief; с ~я out of grief; ~ю слезами не поможешь there is no use crying over spilt milk; убитый ~ем broken-hearted; 2. г. мне! woe is me!; г. ему! woe betide him!; г. горе-ва́нное *поэт.* very great sorrow.

гор‖ева́ть to grieve, to be afflicted, to be sad at heart; она ~ю́ет по покойном муже she laments for her deceased husband.

горе́л‖ка *техн.* burner (*тж. примусная*); ~ки (*игра*) game of catch; ~ый burnt.

горелье́ф high relief.

горемы́‖ка poor wretch; ~чный wretched, miserable.

горе́ние burning, combustion.

го́ренка *см.* горница.

го́рест‖ный sorrowful, grievous, sad, distressful; ~ь *см.* горе.

го‖ре́ть to burn; shine, blaze (*ярким пламенем*); г. желанием to burn with desire, to long eagerly; дом ~ри́т the house is on fire; лампа ~ри́т the lamp is burning; лицо ~ри́т the face burns; он ~ри́т жаждой славы he burns to win fame; работа ~ри́т в его руках he works at high speed, work melts in his hands; рана ~ри́т the wound burns; щёки ~ря́т cheeks are burning.

го́рец mountaineer; Highlander (*шотландский, кавказский*).

го́речь bitter taste, bitterness; г. жизни the bitters of life.

го́р‖жа *военн.* gorge.

гор‖же́тка necklet, boa.

горизо́нт horizon, sky-line; видимый г. apparent (visible, sensible) horizon; истинный г. true (celestial, rational) horizon; умственный г. intellectual horizon, range of knowledge (interests); ~а́ль horizontal; ~а́льность horizontality; ~а́льный horizontal, flat, level; ~а́льная проекция horizontal projection; ~а́льно horizontally.

гори́лка *укр.* brandy, gin (*водка*).

гори́лла *зоол.* gorilla.

горисполко́м (*городской исполнительный комитет*) town executive committee.

гори́ст‖ый mountainous; ~ая местность mountainous region.

горихво́стка redstart (*птица*).

горицве́т *бот.* lychnis; ragged robin; *редк.* pheasant's eye.

го́рка hill(ock); cabinet, whatnot (*для фарфора*); «красная г.» the first week after Easter.

го́рк‖лый rancid, rank; ~нуть to grow bitter; to grow rancid, rank (*о жирах*).

горко́м (*городской комитет*) town committee.

горла́‖н bawler, brawler, roarer; ~нить to bawl, brawl, roar, vociferate; ~стый vociferous, noisy.

го́рленка *см.* горлица.

горл‖е́ц *бот.* bistort, snake-weed.

го́рлица turtle, turtle-dove.

го́рл‖о throat; дыхательное г. windpipe; быть сытым по г. to have one's fill; драть г. to bawl; кричать во всё г. to cry at the top of one's voice; промочить г. to wet one's whistle; хохотать во всё г. to roar with laughter; у меня болит г. I have a sore throat; у него всего по г. he lives in clover; приставать (как) с ножом к ~у to importune; приставить нож к ~у to hold a knife at one's throat; слова застряли у меня в ~е the words stuck in my throat.

горло‖во́й: ~ва́я чахотка laryngeal phthisis; ~дёр *см.* горлан; ~пёрые (*рыбы*) Jugulares.

го́рл‖ышко neck, mouth, spout (*сосуда*); bottle-neck (*бутылки*); ~я́нка *бот.* gourd, calabash, cucurbit; calabash, gourd, bottle-gourd (*тыкв. бутылка*).

гормо́ны *физл.* hormones.

горн I. forge, furnace; кричный г. refinery; переносный г. portable furnace.

горн II. *муз.* bugle.

го́рний heavenly, empyrean.

горни́ло *см.* горн I; *фиг.* test.

горни́ст bugler.

го́рница chamber.

го́рничная *уст.* chambermaid, parlourmaid, housemaid, maid-servant; stewardess (*на пароходе*); waitress (*в ресторане*).

горнозаво́д‖ский: ~ская промышленность metallurgical and mining industry; ~чик proprietor of a foundry.

горнорабо́чий miner.

горноста́‖евый: г. мех ermine, miniver; ~й ermine (*в зимней шкурке*), stoat (*в летней*).

го́рн‖ый mountainous; г. воск ozocerite; г. инженер mining engineer; г. институт mining academy (college); г. лён asbestos, amianthus; г. проход mountain-pass; defile (*особ. для прохода войск*); г. спортсмен alpinist, cliffsman; г. хрусталь rock-crystal, mountain-crystal; ~ая болезнь mountain sickness; ~ая смола bitumen, asphalt; ∼ая цепь mountain chain; ∼ое дело mining; ∼ое солнце artificial sunlight; ∼як miner; ∼яцкий miner (attr.).

город town (общий термин, часто противоп. деревне); city (большой или старинный город, или имеющий епископскую кафедру; в Америке всякий более или менее значительный город); borough (юр. термин); г., имеющий самоуправление municipal borough; г., представленный в парламенте Parliamentary borough; г.-сад garden-city; главный г. chief city, principal town, capital, metropolis; губернский г., провинциальный г. country town; социалистический г. socialist town; фабричный г. manufacturing town; уезжать за г. to go out of town; что г., то норов, что деревня, то обычай посл. so many countries, so many customs; он живет за ∼ом he lives out of town.

город||ить to hedge, fence; г. чушь to drivel, to talk nonsense; ∼ишко a small provincial town; ∼ище a very big town; архл. the site of an old town with its ruins; ∼ки game played by striking an erection of chocks with a stick; ∼ничий ист. governor of a town; ∼овой ист. policeman; ∼овое положение ист. municipal statutes; ∼ок 1. small town; 2. an erection of chocks in the game «городки»; ∼ской urban (противоп. rural); ∼ской голова mayor, lord-mayor; ∼ской комитет партии Town Committee of the Party; ∼ская дума ист. town-council, municipal council; ∼ская ратуша town-hall; ∼ское (письмо) local; ∼ское население urban population; ∼ское самоуправление municipal self-government, municipality.

горожа́н||ин townsman, citizen; ист. burgess, burgher; ∼е townsfolk, townspeople; ∼ка townswoman.

гороско́п horoscope, nativity; составить г. to cast a horoscope.

горо́х pea; соб. peas; крупный г. marrow-fat; стручок ∼а pea-pod; ∼овый pea-coloured, pea-green; ∼овый кисель kind of jelly made of peas; ∼овый суп pea-soup.

горо́ш||ек душистый г. sweet pea; зеленый г. (сушёный) parched peas; кормовой г. (вика) vetch, chickling; ∼ина a pea.

горсове́т (городской совет) the town soviet.

горст||очка уменьш. от горсть; г. народу a small number (group) of people; ∼ь handful.

горта́н||ный фон. guttural; throaty (о голосе); мед. laryngeal; ∼ь throat, larynx; у него язык прилип к ∼и he was struck dumb.

горте́нзия бот. hydrangea.

горча́йший most bitter; worst.

горча́к бот. persicaria, peach-wort.

горчи́||ть to have a bitter taste; ∼ца mustard (раст. и пищевое вещество).

горчи́чн||ик mustard-poultice (-plaster); ставить г. на грудь to apply mustard-plaster to the chest; ∼ица mustard-pot; ∼ый газ (ипри́т) mustard gas; ∼ое масло mustard-oil; ∼ое семя mustard seed.

горше́чн||ик potter; ∼ый товар earthenware, pottery; ∼ая глина potter's clay.

горшо́к pot; pipkin (небольшой); ночной г. chamber-pot; jerry, jordan (sl.); цветочный г. flower-pot.

го́рьк||ий bitter; фиг. bitter, sad, painful; г. миндаль bitter almond; г. пьяница hard (heavy, deep) drinker, sad drunkard; эта мысль была мне очень ∼а́ the thought was gall and wormwood to me; ∼ая доля rough luck; ∼ая истина bitter (unpalatable, home) truth; ∼ая соль Epsom salt; пить ∼ую to drink hard; ∼ое сожаление poignant regret; не вкусив ∼ого, не узнаешь и сладкого who has never tasted what is bitter does not know what is sweet; ∼ие капли bitters (лекарство); ∼ие слёзы bitter (poignant) tears.

го́рько bitterly; фиг. painfully, sadly; у меня во рту г. I have a bitter taste in my mouth; ∼ва́тый bitterish, somewhat bitter; ∼а́ём хим. magnesia; ∼-сла́дкий bitter-sweet.

горю́ч||есть combustibility, combustibleness, inflammability, inflammableness; ∼ий combustible; ∼ий материал combustibles, fuel; ∼ие слёзы scalding tears.

горю́шк||о: а ему и ∼а мало he does not care a bit.

горя́ч||енный: г. бред delirium; ∼ечная рубашка strait waistcoat (jacket).

горя́ч||ий hot; фиг. ardent, fervent, fervid, hearty, warm; passionate, hasty (вспыльчивый); г.

источник hot well, hot (thermal) springs; г. след hot (burning) scent; ~ая ванна hot bath; thermal bath (*из источника*); ~ая лошадь fiery (mettlesome) horse; у него ~ая голова he is hot headed; ~ee (*блюдо*) hot dish; ~ee время hot time, high season, lot of work; ~ee желание ardent wish; ~ee сердце warm heart; ~ие угли live coals.

горяч‖**и́ть** to warm; irritate; ~и́ться to grow warm; to get into a passion, to chafe, to storm; '~ка burning fever; hotspur (*фиг. о характере*); белая ~ка *мед.* delirium tremens; *разг.* horrors; jumps (*sl.*); родильная ~ка puerperal fever; пороть '~ку to be in the greatest hurry, to fuss; '~ность warmth, fervency, zeal, passionateness; ~о́ hotly, warmly; *фиг.* fervently, passionately; ~о рекомендовать to recommend strongly; он ~о взялся за дело he went at it hammer and tongs; он говорил ~о he spoke with animation (warmth).

горя́щий burning; г. дом house on fire.

гос- *сокр.* государственный.

госаппара́т state apparatus (machinery).

Госба́нк (*Государственный банк*) The State Bank; правление ~а Administration (management) of the State Bank.

госбюдже́т state budget.

госзаём state loan.

Госизда́т (*Государственное издательство*) State Publishing House.

госкреди́т state credit.

госнорми́рование normalizing by the State.

го́спиталь military hospital; полевой г. field hospital.

Госпла́н (*Государственная плановая комиссия*) The State Planning Committee.

господа́ *см.* господин.

господ‖**и́н** lord, master (я сам себе г. I am my own master); gentleman; Mister, *сокр.* Mr. (*только в соедин. с фамилией*); быть ~и́ном положения to be in command (to be master) of the situation; ~а́ the masters; gentlemen!, ladies and gentlemen! (*в обращении*).

господ‖**ский** *ист.* manorial, seignorial; г. дом manor-house; ~ство domination, sway; predominance, prevalence (*преобла-*

дание); ~ствовать to dominate, reign, sway; predominate, prevail, be prevalent (*преобладать*); крепость ~ствует над городом the fortress commands the town; ~ствующий predominant, prevalent.

госпо́дь god, the lord.

госпожа́ lady, mistress; Mistress; *сокр.* Mrs. (*только в соедин. с фамилией*).

госпредприятие state enterprise.

госраспределе́ние state distribution.

госслу́жащий employee in government service.

госснабже́ние state supply.

Госстра́х (*Главное управление гос. страхования*) Central Board of State Insurance.

гостеприи́м‖**ный** hospitable; ~но hospitably; ~ство hospitality.

гости́н‖**ая** drawing-room, sitting-room, reception-room, parlour; ~ец present, gift; fairing (*куплен. на ярмарке*); ~ица hotel, inn; содержатель ~ицы innkeeper, hotelkeeper, landlord, host (*жен. р.* landlady, hostess); Г~ый двор stores, arcades.

гости́ть to be on a visit (*to*), to stay (*with*).

Госто́рг (*Государственная экспортно-импортная контора при Наркомвнешторге*) State Office for Exports and Imports (at the People's Commissariat of Foreign Trade).

госторго́вля state trade.

гост‖**ь**, ~ья guest, visitor; неожиданный г. unexpected visitor, chance-comer; ~и guests, company; итти в ~и to go visiting; to pay a visit; комната для ~ей spare room, guest-room; приём ~ей в саду (к обеду, к чаю) garden-(dinner-, tea-)party; принимать ~ей to have (receive) company; to do the honours of the house; обедать в ~ях to dine out; в ~ях хорошо, а дома лучше *погов.* east or west, home is best; there is no place like home.

госуда́рственн‖**ый** state; г. деятель statesman; г. долг national debt; г. канцлер Chancellor of State; Lord Chancellor (*в Англии*); г. капитализм state capitalism; г. контроль state control; г. кредит public credit; г. переворот overthrow of the government (constitution), coup d'état; г. преступник state criminal, political offender; г. социализм state socialism; Г~ая дума *ист.* Duma; ~ая измена high treason; ~ая промышленность state industry; ~ая служба public service; ~ая тайна state secret; ~ое право public (political) law; ~ое устройство constitution; polity; искусство ~ого управления statesmanship, statecraft; ~ые доходы public revenue; ~ые имущества (*земли*) State property.

государ‖**ство** state, body politic, polity; country (*страна*); *различные формы государ тв. устройства:* republic, commonwealth (*республика*); kingdom, realm (*царство, королевство*); monarchy (*монархия*); empire (*империя*); г., платящее дань tributary state; пролетарское г. proletarian state; ~ыня princess; czarina, tzarina; милостивая ~ыня! *уст.* Madam!; ~ь prince, sovereign; czar, tzar (*рус. ист.*); Sire! (*при обращении*); милостивый ~ь! *уст.* Sir!

госучреждение state institution.

госфонд state fund.

госцирк State Circus.

гот Goth; ~ика Gothicism; ~ический Gothic; ~ическая архитектура Gothic (perpendicular, pointed) architecture.

готов *см.* готовый.

готовальня case of drawing (mathematical) instruments.

готовить to prepare, make ready; to provide; to get up (*предмет к экзамену*); to cook, dress (*стряпать*); г. большую книгу to be working at a large book; г. кадры to prepare (train) technical (professional) staffs; to prepare cadres; г. обед to cook the dinner; г. урок to learn a lesson; ~ся to prepare oneself (*for*), to make preparations (*for*), to get oneself ready (*for*); ~ся к путешествию to prepare for a journey; ~ся к экзамену to read (study) for an examination.

готовность readiness; disposition; forwardness; preparedness (*особ. боевая*); выражать г. to offer (*to*), to consent; проверить г. к севу to control preparedness for sowing; в боевой ~и *воен.* in fighting trim.

готовый ready, prepared; apt, disposed, will ng (*сделать ч.-л.*); г. к услугам yours obediently (*в письмах*); ~ое платье ready-made clothes; *разг.* reach-me-downs; магазин ~ого платья ready-made shop; slop-shop (*матросского*); го-

тов к труду и обороне ready for labour and defence; всегда готов ever ready; он был готов умереть со стыда he was fit to die of shame; я готов был дать ему денег, как вдруг... I was going to give (I was on the point of giving) him some money, when suddenly...; ~о! ready!

готский: г. язык the Gothic language.

готтентот Hottentot.

гоф м‖**аршал** court-marshal; Lord Chamberlain (*в Англии*); ~мейстер steward of the prince's household.

гофрир‖**ованный:** г. воротник toby collar; ~анная юбка *разг.* frillies; ~ать to goffer, gauffer, frill, crimp, ruffle.

ГПУ *см.* ОГПУ.

граб *бот.* hornbeam.

грабёж robbery, plunder; pillage, spoliation, depredation (*опустошение*); rapine; *поэт.* ravin; garrotte (*с удушением*).

грабина *см.* граб.

граб‖**итель** robber, pillager, reiver, harrier; ~ительский predatory; ~ительский мир extortionary peace; ' ~ить to rob, plunder, strip, despoil; to ransack, rifle (*обыскивая дом*); to loot (*о беспорядочной толпе*); to sack (*преимущ. о солдатах в завоёванном городе*).

грабли rake; конные г. horse-drawn rake.

грабштих(ель) burin, graver.

гравёр engraver; г. по дереву wood-cutter, wood-engraver; г. по камню lapidary; *ср.* гравюра.

гравий gravel; посыпать ~ем to gravel; дорожка, усыпанная ~ем gravel-walk.

гравилат *бот.* geum.

гравиров‖**альный:** ~альная доска copperplate, steel plate; ~альная игла style, etching needle; ~ание engraving, etching; ~ать to engrave, etch; ~ать параллельными линиями to hatch; ~ать перекрещивающимися линиями to cross-hatch.

гравюра engraving, print; г. до подписи avant la lettre, proof before letters; г. после подписи après la lettre, signed proof; г. крепкой водкой etching, aquatint; г. на дереве woodcut; г. на драгоценном камне intaglio; г. на меди copperplate; г. на стали steel-engraving; пунктирная г. stipple engraving; цветная г. coloured print; магазин гравюр printshop; продавец гравюр print-seller.

град I. hail; sleet (*с дождём*); shower, volley (*фиг. о камнях, вопросах*); flight (*о стрелах*); г. идёт it hails; засыпать ~ом вопросов to overwhelm with a hail of questions; пот с него ~ом катится he is running (dripping) with sweat; удары сыпались ~ом blows rained (came) fast and thick.

град II. *уст. см.* город.

града́ция gradation. scale.

градие́нт *физ.* gradient.

гра́дина hail-stone.

граду́рня salt pan.

градиро́ва||ние graduation, evaporation; ~ть *хим.* to graduate, evaporate.

градоби́тие damage done by hail.

градонача́ль||ник *ист.* governor of a town; ~ство governorship of a town.

градоправи́тель *ист.* governor of a town.

градуи́ровать *хим.* to graduate, evaporate.

гра́дус degree; спирт выше установленного ~а overproof spirit; деление на ~ы graduation; сегодня 25 ~ов в тени the temperature is 25° in the shade; угол в 45 ~ов angle of 45° (forty five degrees); ~ник thermometer; clinical thermometer (*для больных*).

гражда́н||ин `'` ~ка citizen, burgess; burgher (*преимущ. ист., не об англійск. городах*).

гражда́нск||ий civil, social; г. брак civil marriage; г. долг duty of a citizen, civil duty; г. инженер civil engineer; г. иск civil suit (action); г. кодекс civil code; г. лист civil list; г. процесс civil law suit, civil law proceedings; ~ая война civil (intestine) war; ~ая печать Russian (not Slavonic) printing type; ~ая служба civil service; ~ая смерть civil death, outlawry; ~ое право civil law.

гражда́нственност||ь civil state (*противопол.* barbarous state); civility; дух ~и civil spirit.

гра́жданств||о citizenship; получить права ~а to be admitted to the citizenship.

грамм gram, gramme.

грамма́ти||к grammarian; ~ка grammar; учебник ~ки a grammar manual; `'` ~ческий grammatical; делать ~ческий разбор to analyse, parse; он делает ~ческие ошибки his grammar is bad; ~ческие правила grammatical rules; `'` ~чески grammatically.

граммофо́н gramophone; ~ная пластинка (запись) gramophone record.

гра́мот||а reading and writing; charter, record (*документ*); *уст.* letter; жалованная г. muniments; охранная г. safe-conduct, safe-guard; почётная г. diploma (charter of honour); это для меня китайская г. it is a sealed book to me; it is Greek to me; верительные ~ы credentials; ~й one who can read and write; ~ность literacy; ~ный literate.

гран grain (*мера веса*).

грана́т *бот.* pomegranate; *мин.* garnet.

грана́т||а *военн.* shell; rifle-grenade; grenade (*ручная*); ~омёт grenade-gun.

гранд grandee; ~иозность grandeur grandiosity; ~ио́зный grand, grandiose.

гран||ёный faceted (*о драгоцен. камне*); ~ёное стекло diamond-cut glass; ~и́ло cutter; ~и́льная мастерская, ~и́льня diamond-mill; ~и́льщик lapidary; diamond-cutter (*алмазов*).

грани́т granite; г. науки granite (hard rock) of science; ~ный granitic.

грани́ть to facet, to cut facets (*on*); г. мостовую *фиг.* to ramble (saunter, stroll) about the town.

грани́ц||а *полит.* frontier; boundary; limit, bound (*часто фиг.*; предел,-ы); border (*приграничная область*); confines; verge, crease (*черта в игре*); перейти ~у to pass the frontier; имеющий общую ~у с conterminous (*with, to*); быть на ~е помешательства (самоубийства) to be on the verge of insanity (suicide); ~ы человеческого познания the limits of human understanding; из-за ~ы from abroad; удалённый от ~ы inland; его гнев не знал границ his anger knew no bounds.

грани́ч||ить to border (*on, upon*), to be contiguous (*to*); *фиг.* to verge (*on, upon*); это предложение ~ит с наглостью this offer savours of impertinence; ~ащий: халатность, ~ащая с вредительством negligence bordering on damage.

гра́нка *тип.* galley-proof, slip.

гранул||и́роваться to granulate; ~я́ция granulation.

грань facet; side; *фиг., поэт.* border, verge.

грасси́ровать to slur over the rs.

граф earl (*англ.*), count (*не англ.*).

графа́ column (*of a table, register etc.*).

гра́фик graph; г. нагру́зки load diagram; ~a graphic arts.

графи́н carafe; ~чик decanter (*для во́дки, вина́*); cruet (*в судке́*).

графи́ня countess.

графи́т graphite, black lead, plumbago.

графи́ть to draw lines, to rule.

графи́ческ||ий graphic; ~ое иску́сство graphic art.

графоло́гия graphology.

графома́н, -ка person suffering from the mania of writing, graphomaniac.

графоме́тр *техн.* graphometer.

гра́фств||о earldom (*ти́тул*); county, shire (*админи́стр. едини́ца в Великобрита́нии*); shire (*преимущ. как суффикс:* Devonshire, Derbyshire *и пр.*); центра́льные ~a в А́нглии the Midlands.

грацио́зн||ый graceful; *поэт.* lightsome; ~o gracefully.

гра́ция grace, gracefulness; Г. *миф.* Grace.

грач rook; ~ёнок little rook.

гребён||ка comb; *см.* гре́бень; стричь под ~ку to crop; остри́женный под ~ку crop-haired, crop-eared.

гребен||ча́тый cristate; *зоол.* pectinate; ~щи́к comb-maker; *бот.* tamarisk.

гре́бень comb; петуши́(ны)й г. cockscomb; *бот.* yellow rattle; ре́дкий г. large tooth-comb; ча́стый г. (fine) tooth-comb; г. волны́ crest of a wave; г. горы́ ridge.

гребе́ц rower, oarsman; загребно́й г. (*ближ. к корме́*) stroke, stroke oar; крючны́й г. (*ближ. к но́су*) bowman; хоро́ший г. a good oar.

гребешо́к little comb; scallop (*моллю́ск*).

греб||ло́ *техн.* strickle; ' ~ля pull; *поэт.* oarage.

гребнечеса́льн||ый: ~ая маши́на combing machine.

гребн||о́й: г. винт screw propeller; г. спорт aquatic sport, aquatics; ~а́я ло́дка row-boat; gig (*гоно́чная*); ~о́е колесо́ paddle-wheel.

григориа́нский: г. календа́рь Gregorian calender; г. стиль Gregorian (New) style.

грёза dream, day-dream; мир грёз dreamland, the realm of fancies, reverie.

грёзить to dream, muse, to indulge in fancies.

грек Greek, Hellene.

гре́лка hot-water bottle; foot warmer.

гре||ме́ть to thunder, roll; *фиг.* to rattle; roar, to ring (*о сла́ве*); to clank (*цепя́ми*); to rumble, peal (*о гро́ме*); гром ~ми́т it thunders; пу́шки ~мя́т the guns are roaring; и́мя его́ ~ме́ло his name resounded far and wide.

грему́ч||ий rattling; г. газ fire-damp; г. студе́нь blasting gelatine; ~ая змея́ rattlesnake; ~ая ртуть fulminating mercury.

гренаде́р grenadier.

Гренла́ндия Greenland.

грено́к rusk, toast; Welsh rabbit (*поджа́ренный с сы́ром*).

грести́ to row, pull, oar, stroke; to paddle (*одни́м весло́м*).

греть to warm, heat; г. ру́ки о́коло ч.-л. *фиг.* to feather one's nest, to take care of number one; to profit (*by*); г. холо́дные ру́ки у огня́ to hold one's chilled hands out to the blaze; ~ся to warm (roast, toast) oneself; ~ся на со́лнце to bask in the sun; to sun oneself.

грех sin; transgression, trespass, iniquity, evil; fault; г. сказа́ть it would be unjust to say; есть тот г. I own it; с ~о́м попола́м with difficulty, somehow, indifferently, so so.

грехо́вн||ость sinfulness, peccability; ~ый sinful, peccable.

грехово́дник (old) sinner, transgressor.

грехопаде́ние the Fall of man.

Гре́ция Greece.

гре́цкий оре́х walnut.

гре́ча buckwheat.

гре́ческ||ий Greek; Grecian (*о сти́ле*); г. ого́нь (*взрыв́чат. вещество́*) Greek fire; г. язы́к Greek; знато́к ~ого языка́ Hellenist; ~ая причёска Grecian knot; труды́ по ~ой филоло́гии Hellenics.

гречи́ха *см.* гре́ча.

гре́чнев||ый: ~ая ка́ша buckwheat gruel (porridge).

греш||и́ть to sin, to commit a fault (sin), to do wrong, to make a mistake; г. про́тив здра́вого смы́сла to sin against common sense; ' ~ник, ~ница sinner, transgressor, offender, evil-doer; ' ~ный sinful, peccable; ~но́ вам так говори́ть you should not say that; ~о́к peccadillo, trifling offence.

гриб fungus (*pl.* -gi, -guses; *всякий гриб, преим. бот. термин*); mushroom (*съедобный*); toadstool (*поганый*); ученне о ～*ах бот.* mycology; ～**ная** соя ketchup; ～**ница** *бот.* mushroom spawn; ～**бк** *бакт.* fungus.

гри́ва mane, crest; *фиг., шут.* head of hair; подстриженная г. hog mane.

гри́венник ten copecks (silver) coin.

Григо́рий Gregory.

гриза́ль *жив.* grisaille.

грим make-up.

грима́с‖**а** grimace, face, wry face; ～**ник** grimacer; ～**ничать** to grimace, to make (pull) a wry face (mouth), to screw up one's face into a grimace.

грим‖**ёр** the make-up man; ～**ировать(ся)** to make up.

Гри́нвич Greenwich.

гри́нда pilot-whale (*чёрный дельфин*).

грипп grippe, influenza; flu (*sl.*).

гриф I. *муз.* finger-board; neck (*у скрипки*).

гриф II. *зоол.* griffon, griffon vulture.

гри́фель slate-pencil; ～**ная** доска slate.

грифо́н *миф.* griffin, griffon, gryphon.

гроб coffin; *фиг.* grave; класть в г. to (put into a) coffin; свести в г. *фиг.* to drive a nail into one's coffin; to cause (be) one's death; помнить до ～а to remember to the grave; ～**ница** tomb, sepulchre; reliquary; shrine, feretory (*рака*); sarcophagus (*древняя, каменная*); ～**овой** голос sepulchral voice; до ～овой доски unto the grave, to the tomb; ～**овое** молчание deathly silence; ～**овщик** coffin-maker; undertaker (*влад. похорон. бюро*); ～**окопатель** grave-digger; *шут.* archaeologist.

грог grog.

гроза́ (thunder-)storm; *фиг.* danger; calamity, misfortune; terror; г. с ливнем thunder-shower; этот учитель — г. всех школьников this teacher is the terror of the school.

гроздь cluster, raceme; г. винограда bunch of grapes; расти ～ями to cluster.

гроз‖**ить** to threaten, menace; to portend (*предвещать дурное*); г. кулаком (палкой) to shake one's fist (stick) at somebody (in somebody's face); дом ～**ит** падением the house threatens to fall; это

～**ит** возобновлением конфликта this portends a renewal of the conflict; '～**ный** threatening, menacing (*угрожающий*); terrible, redoubtable (*страшный*); stern(*строгий*); ～**ный** признак menacing symptom; Иоанн Г～**ный** Ivan the Terrible; надо мной нависла '～**ная** туча a dark cloud (a misfortune) hangs over my head; ～**овая** атмосфера thunder in the air; close (stifling) air; ～**овая** туча storm-cloud, thunder-cloud; *мет.* nimbus; ～**я́щий** imminent (*об опасности*); *см. тж.* грозный.

гром thunder; г. аплодисментов thunders of applause; г. пушек the thunder of the guns; г. гремит it thunders; удар ～**а** thunder-clap, thunder-crack, thunder-peal; оглушительный удар ～**а** a deafening crash (peal) of thunder; как ～**ом** поражённый thunder-struck; метать ～**ы** и молнии to fulminate.

грома́д‖**а** mass, bulk; heap, pile; huge edifice; *укр.* Social group, political party; ～**ина** huge thing; very tall person; ～**ность** hugeness, enormity, vastness; ～**ный** huge, enormous, vast.

громи́‖**ла** burglar; ～**ть** to destroy, ruin (*разрушать*); to thunder (fulminate) against (*бранить*).

гро́м‖**кий** loud, sonorous; boisterous (*о смехе, веселье*); *фиг.* famous; ～**кое** дело a much spoken of lawsuit; ～**кое** имя great name; ～**кие** слова high-flown (bombastic) words; ～**ко** loud, loudly, aloud; ～**коговоритель** *рад.* loud-speaker.

громо‖**ве́ржец** the Thunderer, Jupiter; ～**вой** thunderous (*о голосе тж.* stentorian); ～**гла́сный** loud.

громозд‖**и́ть** to heap up, pile (*часто с up, on*); lumber; ～**и́ться** to tower; '～**кий** cumbrous, cumbersome; unwieldy (*противоп.* portable); ～**кий** экипаж rumble-tumble, Noah's ark.

громоотво́д lightning-conductor, lightning-rod.

громыха́ть to rumble, lumber, rattle; вдали громыха́ет гром the thunder rumbles in the distance; подвода громыха́ла по дороге the waggon rattled along the road.

гроссбу́х *комм.* ledger.

гросс *комм.* gross.

грот grotto; *поэт.* grot.

гроте́ск grotesque; ～**ный** grotesque; whimsical; fantastic.

грот-‖**ма́чта** *мор.* mainmast; ～**рея** *мор.* mainyard.

грбхнуть to throw (let fall) with a bump; ~ся to fall with a bump; to crash, rattle down.

грбхо**т** crash; din, rumble, rattle; roll (*барабана*); roar (*машины*); *разг.* loud and continuous laughter; *техн.* screen (*для сортировки угля*); riddle (*для песка*); ~тáть to crash; rattle, rumble, roll; to roar with laughter; гром '~чет the thunder is rolling (rumbling); пушки ~чут the guns are roaring; ~тить to screen, riddle.

грош *ист.* a half copeck piece; groat; г. цена worth nothing, not worth a cent; ни в г. не ставить not to care a straw (fig, button) for, to set at nought; ни ~й в кармане not a stiver (shilling, shot) in the locker; ~а медного (ломаного) не стоит not worth a rush; *амер.* not worth a picayune; ~бвый very cheap, dirt-cheap.

гру**бéть** to harden, roughen, coarsen, to grow rude (rough, coarse); ~бить (*к.-л.*) to be pert (rude, cheeky) (*to*).

груби**я́н** rude (saucy, pert, impertinent) fellow; ~ить to answer rudely (pertly) (*to*); ~ство pertness, impertinence.

груб**оватый** somewhat coarse; loutish (*о манерах*); '~ость coarseness, coarseness; barbarity; grossness; broadness; bluntness; churlishness; boorishness (*см. грубый*); говорить ~ости to say rude things; '~ый rough, rude, coarse (*наиболее общие термины*); coarse, rude, unmannerly, ill-mannered, uncivil (*невежливый*); gross, coarse (*циничный*); clownish, boorish, rustic (*неотёсанный*); crude, rude (*неискусный*); blunt, bluff (*прямой*); callous, hardened (*загрубелый, мозолистый*); ~ый голос gruff (*поэт.* raucous) voice; ~ый подсчёт rough estimate; ~ый человек a man of coarse fibre; '~ая лесть gross (fulsome) flattery; ~ая материя coarse cloth; ~ая ошибка gross (bad) mistake; ~ая пища coarse food; ~ая резьба (работа) rude carving (workmanship); ~ое лицо coarse face (features); ~ое обращение rough usage; ~ое слово broad (harsh) word; в '~ых чертах roughly speaking; '~о rudely, roughly; harshly; ~о обходиться с к.-л. to be rude, to bully a person.

грýда heap, pile; mass; г. денег power of money.

груд**истый** broad-chested; ~ин(к)а brisket; свиная копчёная

~инка bacon; '~ка bird's breast (*тж. уменьш.*); front (*в платье*); ~ница *мед.* mastitis; ~ной sucking (*о младенце*); pectoral (*о средстве для больных*); *анат.* thoracic; ~ной голос chest voice; ~ной младенец suckling; ~ной сосок teat, nipple; ~ная жаба *мед.* angina pectoris; ~ная железа thymus gland; ~ная клетка *анат.* thorax; *разг.* chest; ~ная кость *анат.* sternum; ~обрюшная преграда *анат.* diaphragm.

груд**ь** breast, chest; bosom (*фиг.=лоно*; женская грудь); г. рубашки shirt-front; г. поднимается и опускается the chest expands and contracts; сосать г. to draw the breast; отнимать от ~й to wean; отогреть змею на своей ~и to warm (cherish) a snake in one's bosom; таить в ~и to keep secret; кормить ~ю to suckle (a child); с впалой ~ью cave-hested; стоять ~ю (*за*) to defend bravely, to stand up (*for*).

груз load, burden, weight (*вес, тяжесть, тж. фиг.*); freight, lading, cargo, ship-load, shipment, goods to be shipped (*морской*); г. на маятнике pendulum bob; скоропортящийся г. perishables; наш судовой г. состоял из кофе и сахара our lading (cargo) consisted of coffee and sugar.

груздь pepper-mushroom, peppery milky cap.

грузило plumb, plummet, sounding-lead (*лот*); sinker (*рыболовное*).

грузин Gruzian (Georgian).

Грузинская ССР The Gruzian Soviet Socialist Republic.

грузинский Gruzian (Georgian); г. язык Gruzian (Georgian).

грузить to load, lade; to freight, ship, embark (*на суда*); to entrain (*в поезда, особ. о войсках*); to emplane (*на аэроплан*); г., ~ся углем to coal.

Грузия Gruzia (Georgia).

грузный corpulent, massive; ~овик motor lorry (*открытый*); motor truck (*закрытый*); грузить (-ся) на ~овик to embus; ~овбй пароход cargo ship; freighter; ~овая ватерлиния loadline, water-line, Plimsoll's mark; ~овбе движение goods' traffic; ~овщик charterer; ~ооборбт freight (cargo) turnover; ~оотправитель consignor; ~оподъёмность carrying power; ~ополучатель consignee; ~чик loader (*ж.-д.*); stevedore, longshoreman, freighter (*мор.*).

грунт ground, bottom, soil (*земля*); priming, ground (*холста в картине*); глинистый г. clayey soil; рыхлый г. light soil; ~овать to prime (*холст, стену*); to clear-cole (*стену*); ~овая вода subsoil-water; ~овая дорога unpaved highway.

груп‖**а** group; г. деревьев group (cluster, clump) of trees; г. островов group (cluster) of islands; сажать (деревья) ~ами to clump; ~ировать(ся) to group; ~ировка grouping; classification; ~овая система group system; ~овод group leader (organizer).

гру‖**стить** to grieve, to be sorrowful (melancholy); г. по ком-либо to pine for; to mourn for (*о покойнике, о прошлом*); '~ный melancholy, sad, sorrowful; lamentable; ~ь melancholy, sadness, grief, sorrow, sorrowfulness.

гру‖**ша** pear; pear-tree (*дерево*); jargonelle (*скороспелка*); stewing pear (*годная только для варки*); земляная г. Jerusalem artichoke; перезрелая г. sleepy pear; резиновая г. *мед.* squirt; ~евидный pear-shaped; ~евое дерево pear-tree. ~овка perry (*наливка*); a kind of apple.

гры‖**жа** *мед.* hernia; *разг.* rupture; мошоночная г. scrotocele; пупочная г. umbilical hernia. omphalocele; ущемлённая г. strangulated hernia; операция ~и herniotomy; бандаж при ~е truss.

грыз‖**ня** brawl, wrangle, quarrelling; '~ть to gnaw; crack (*орехи*); ~ть ногти to bite (nibble) one's nails; '~ться to quarrel. brawl, wrangle; to fight (*о собаках*); ~ун gnawer; *зоол.* rodent (*pl.* -ia); ~ущая боль gnawing pain; ~ущая тоска mortal anguish.

грюндер *комм.* promoter, company promoter; ~ство promoterism.

гряд‖**а** bed, ridge (*садовая*) (*тж.* ~ка); ridge, chine (*горная*); копать ~ки to divide into beds.

грядущий *поэт.* future, coming

грязе‖**вик** mud-collector, mud-drum (*котла*); ~вой вулкан mud volcano; ~вая ванна mud-bath; ~лечение treatment with mud-baths.

гр‖**язи** mud of mineral springs.

грязн‖**ить** to dirty, bemire, soil; ~иться to make oneself dirty; ~оватый rather dirty; ~уля dirty (untidy) person, grub; '~уть to sink in the mire.

грязн‖**ый** dirty; smudgy (*грязноватый, запачканный*); muddy, miry (*о дороге и пр.*); untidy (*нечистоплотный*); foul, filthy, nasty, mucky (*отвратительный*; *тж. фиг.*); low, mean, filthy (*безнравственный*); ~ая история *фиг.* nasty affair; mess; ~ое бельё soiled linen; washing (*для стирки*); бельё на нем было ~ое his linen was soiled; ~ые мысли foul (obscene) thoughts; ~ы разговоры smut; ~ы улицы dirty (muddy) streets.

гряз‖**ь** dirt; filth; mud, mire; dirtiness, foulness (*см.* грязный); soil, ~ут (*грязное пятно, место*); squalor (*запущ.*); г., въевшаяся в кожу grime; густая г. sludge; жидкая г. thin mud, slush; липкая г. ooze (*ил*); втоптать в г. to tread (trample) under foot; месить г. to walk in the muddy streets; не ударить лицом в г. to do one's best; валяться в ~й to live filthily; забрасывать ~ью (*кого-либо*) to fling (throw) dirt (mud) (*at someone*); забрызгать ~ью to bespatter, to muddy.

грянуть‖**ть** гром ~л a thunderclap was heard; война ~ла the war broke (burst) out.

ГСО («*готов к санитарной обороне*») «Ready for Sanitary Defence» (*Soviet slogan and badge*).

ГТО («*готов к труду и обороне*») Ready for Labour and Defence» (*Soviet slogan and badge*).

гуашь *жив.* gouache.

губ- *сокр.* губернский.

губ‖**а** I. lip; верхняя г. upper lip; заячья г. harelip; нижняя г. lower (under) lip; у него губа не дура *посл.* he has good taste; опухшие, выпяченные ~ы swollen lips; опущенные ~ы a loose mouth; срамные ~ы *анат.* labia; толстые ~ы thick lips; надуть ~ы to pout; облизывать себе ~ы to lick (smack) one's lips; сложить ~ы бантиком to purse one's lips; карандаш для (крашения) губ lip-stick; помазать по ~ам not to fulfil one's promise.

губ‖**а** II. *геогр.* bay, gulf.

губастый thick-lipped.

губерн‖**атор** governor; резиденция ~а government-house; ~ство governorship.

губ‖**ерния** *ист.* government; ~ский government (*attr.*).

губитель, ~ница destroyer, ruiner, undoer; ~ность balefulness; ~ный destructive, ruinous, pernicious; injurious, fatal.

губи́ть to ruin, destroy, undo; г. вре́мя to waste (lose, idle away) one's time; г. себя́ to ruin oneself.

губк‖**а** little lip; sponge (для мытья); sponge (на дереве); мыть (тереть) ‿**ой** to sponge.

губко́м ист. district party committee.

губн‖**о́й** labial (тж. и сущ.: г. звук); ‿**ая** пома́да lip-salve.

губо‖**ви́дный** зоол. labiate; ‿**цве́тный** бот. labiate; ‿**шлёп** dawdler, lounger.

гу́бчатый spongy; fungous.

гуверн‖**а́нтка** governess; ‿**ёр** tutor.

гугено́т huguenot.

гу-гу́: ни г.! not a word (sound) about that!; mum's the word!

гу‖**де́ние** hum, drone, buzzing; г. самолёта the drone of the aeroplane engine; ‿**де́ть** to drone, buzz, sing (о пчеле, ветре); to hoot (о сигнале); ‿**до́к** hooter (сигнал).

Гудзо́нов зали́в Hudson Bay.

гуж tug; взя́лся за г. не говори́, что не дюж посл. in for a penny, in for a pound; ‿**ево́й** тра́нспорт land-carriage; ‿**о́м** by waggon, by land(road), by land-carriage, by wheel-traffic.

Гук Hooke; зако́н ‿**а** Hooke's law.

гу́кар мор. hooker.

гул boom, rumble; distant hollow din; roaring (ветра); buzz (машин); производи́ть г. to boom, to produce a hollow din.

гу́лкий hollow.

гульб‖**а́** revel, revelry; riot (более сильное слово); idleness; '‿**ище** public walk, promenade, parade.

гу́льден gulden; guilder (голл.).

гуля́‖**ка** idler; reveller; ' rake; ‿**нье** walking; parade; feast; ‿**ть** to walk, take a walk (a stroll); to be idle, to be free from work; to make merry, to go on the spree; to lead a loose life (sl.).

гуля́ш Hungarian goulash.

гуля́‖**щий** idle; ‿**ющий** 1. walking; 2. a walker.

гуман‖**и́зм** humanism; ист. Revival of Learning; ‿**и́ст** ист. humanist; филос. a humanitarian; ‿**ита́рный** humanitarian; humane (о науках); ‿**ита́рные** нау́ки the humanities; '‿**ность** humanity, humaneness, benevolence; '‿**ный** humane, benevolent.

гу́мма мед. gumma (pl. -ta).

гу́мми gum; г.-**ара́бик** gum arabic; ‿**гу́т** gamboge.

гумно́ threshing floor.

гу́мус humus; амер. duff.

гунн Hun.

гу́рия миф. houri.

гурма́н gourmand.

Гу́рон Lake Huron.

гурт drove; herd (рог. скота); flock (овец, гусей).

гурт‖**ик** the milling of a coin; ‿**и́ть** to mill (the edge of) a coin.

гурт‖**овщи́к** drover; ‿**о́м** by wholesale, in the lump.

гурь‖**ба́** crowd; ‿**бо́й** in a crowd; all together.

ГУС (Госуда́рственный учёный сове́т) ист. The State Scientific Council.

гуса́к gander.

гуса́р hussar.

гусёк gosling; дет. goosey; арх. ogee.

Гу́сельки title of a book of children's verses set to music.

гусени‖**ца** caterpillar; мохна́тая г. hairy caterpillar, woolly bear, palmer-worm; ‿**чный** тра́ктор caterpillar tractor; ‿**чное** колесо́ caterpillar wheel.

гус‖**ёнок** gosling; ‿**и́ная** ко́жа goose-flesh, goose-skin; ‿**и́ная** трава́ бот. goose-grass, silverweed; ‿**и́ное** перо́ goose-quill; ‿**и́ное** са́ло goose-grease.

гусл‖**и** psaltery; ‿**я́р** player on the psaltery.

густе́ть to thicken, condense, rope, become (grow) thick (dense).

густо‖**бро́вый** bushy-browed; ‿**волосый** bushy-haired.

густ‖**о́й** thick, dense; г. дым dense smoke; г. лес thick (dense) forest; г. цвет deep (rich) colour; ‿**а́я** толпа́ dense (thick) crowd; ‿**о́е** населе́ние dense population; ‿**ые** бро́ви bushy eyebrows; ‿**ые** во́лосы thick hair; '‿**о** thickly, densely; не ‿**о** фиг. not by a jugful.

густо‖**ли́ственный** bushy-leaved; ‿**населённая** страна́ densely populated (thickly peopled) country; ‿**псо́вая** борза́я rough coated wolf-hound; ‿**расту́щий** thick-growing.

густота́ thickness; density (населе́ния); г. цве́та richness (depth) of colour.

гус‖**ь**, ‿**ы́ня** goose; ди́кий г. greylag, grey (wild) goose; жа́реный г. roast goose; г. ла́пчатый (silly) goose; хоро́ш г.! a fast fellow!; a fine fellow indeed!; как с ‿**я** вода́ like water off a duck's back; it doesn't affect him in any way; ‿**ько́м** in file; single file; ‿**я́тник** goose-stall.

гуталин boot-cream, shoe-polish.

гуто́рить *разг.* to chatter.

гуттапе́рч‖а gutta-percha; **⁓евый мяч** *спорт.* gutty.

гущ‖а lees, dregs, grounds, sediment (*осадок*); кофе́йная г. coffeegrounds; в **⁓е леса** in the thick of the wood; быть в самой **⁓е** (*событий, битвы и пр.*) to be in the thick (*of*).

гуя́ва *бот.* guava.

гэ́льский: г. язык Gaelic.

гюйс *мор.* jack; **г.-шток** *мор.* jack-staff.

гяу́р *поэт.* giaour.

Д да I. yes; и да и нет yea and nay.

да II. 1. but; and; да ну? really?; да разве это так? oh, is that so?; хорошо, да не очень good but not very; **2.** *в знач. imperat 3 л.*: let, may; да будет так! so be it!, so let it be!; да здравствует...! long live!

дабы *уст.* in order to, in order that.

да‖ва́ть to give; to bestow on; to afford (*возможность и пр.*); to provide (*обеспечивать*); to let, allow (*позволять*); д. взаймы to lend, advance; д. в залог to pawn; д. взятку to bribe; д. волю (*страсти, прихоти*) to indulge; д. в придачу to throw in, to give into the bargain; д. выход (*чувству*) to give vent to, to give play to; *разг.* to uncork; д. дорогу to make way; д. задаток to handsel, to give earnest (deposit); д. залп to volley; д. знать to let one know, to send word; д. клятву to take oath, to swear; д. лекарство to administer a medicine; д. место to make room; д. направление to direct; д. напрокат (*экипаж и т. п.*) to job, hire (let) out; д. на чай to tip; д. начало to originate; д. ч.-л. неохотно to give unwillingly; to grudge; д. обет to vow; to take the vows (*монашества*); д. отбой (*по телефону*) to ring (touch) off; д. отдых глазам to give one's eyes a rest; д. плоды to yield fruit (*о дереве*); д. повод to give rise to; д. показания to depose, to give evidence, to testify; д. пример to set an example; д. силу to invigorate; д. слово to give (pass) one's word; д. согласие to consent, yield; д. телеграмму to send a telegram, to wire; д. трещину to crack, split; д. тягу to decamp, to take to one's heels; to turn tail (*sl.*); д. ход делу to set an affair going; д. част-

ные уроки to give private lessons; ему нельзя **⁓ть** больше 10 лет he does not look more than ten; он ни **⁓ть** ни взять его отец he is the very image of his father; **⁓ёшь!** let us have it!; плантация **⁓ёт** обильные урожаи the plantation yields plentifully; это **⁓ёт** возможность спастись this provides a way of escape; они не **⁓ют** мне высказаться they do not allow me to have my say; каждый из них **⁓л** по рублю they each gave one rouble; they contributed one rouble each; он не **⁓ст** себя в обиду he can stand up for himself; **⁓вай(те)** погуляем let us take a walk; мы **⁓вай** кричать we began to shout; we started shouting; **⁓й** (**-те**) ему говорить let him speak; мне было **⁓нó** понять I was given to understand; **⁓вши** слово держись, а не **⁓вши** крепись be slow to promise and quick to perform; **⁓ва́ться** в обман to be taken in, be deceived; ему это легко **⁓ётся** it comes easy (naturally) to him.

да́вен‖ца *разг.* lately, the other day; а short time ago; **⁓шний** recent.

дави́л‖о weight; **⁓ьный** пресс, **⁓ьня** winepress; **⁓ьщик** treader, presser.

дави́ть to squeeze, press, squash; to oppress, to sit heavy on (*угнетать*); to run over (*прохожего и пр.*); to hurt (*о ботинке и пр.*); **⁓ся** to be pressed; to choke (*подавиться*); **⁓ся от смеха** (**от кашля**) to choke with laughter (with coughing).

да́вка press, throng crowd, crush, jam.

давле́ни‖е pressure, stress, enforcement; *техн.* thrust; д. пара steam pressure; атмосферное д. atmospheric pressure; высокое д. high pressure; низкое д. low pressure; чрезмерное д. overpressure; оказывать д. to put pressure (*upon*); to enforce; под **⁓ем** обстоятельств under the pressure of circumstances; коэфициент **⁓я** pressure ratio.

давне́нько *см.* давно.

да́вн‖ий, ⁓ишний ancient, of long (old) standing; old, old-established; с **⁓их** пор, с **⁓их** времён for a long time, since time immemorial; **⁓о** long before, long ago; long since; давны́м **⁓о** time out of mind, in the year one, very long ago; **⁓опроше́дшее** (**время**) *гр.* pluperfect, past perfect (tense),

~ость remoteness;право ~ости *юр.*
prescriptive right, prescription,
right of user; основанный на праве ~ости prescriptive; ссылать-
ся на право ~ости to plead prescription.

дагерроти́п daguerreotype; ~ия
daguerreotypy.

Дагеста́н Daghestan.

дагеста́нец an inhabitant of
Daghestan.

Дагеста́нская АССР the Daghestan Autonomous Soviet Socialist
Republic.

да́же even; он д. и не подумал
раскрыть книгу he never even
opened the book.

да́ка\|**ние** *разг.* saying yes; ~ть to
say yes to everything.

дактили́ческий dactylic.

дактило ло́гия dactylology; ~-
скопи́ческий dactyloscopic; ~ско́-
пия dactyloscopy.

да́ктиль dactyl.

да́лее further; и так д. and so
forth (on), etc. (*сокр.*); не д. как
вчера no farther back than yesterday; *см. тж.* дальше.

далёкий remote, distant, far,
out-of-the-way; д. от истины wide
of the truth; д. от цели wide of
the purpose (mark); я далёк от того, чтобы желать I am far from
wishing.

далеко́ far, afar, far off; abroad,
wide (*на дилек. расст.*); a great
distance away; by far, much (*го-
раздо*); д. зайти to go too far; он
зашёл так д., что сказал he went
the length of saying; д. за полночь
long after midnight; д. не сразу
not all at once; д. от цели wide
of the mark; оставлять д. позади
себя to distance, outdistance (*о лошади*); д. не дурак far from being
a fool; ~нько very (*или* rather)
far.

даль distance; это такая д. it is
such a long way off.

дальневосто́чн\|**ый** Far Eastern;
~ая армия Far Eastern Army (*см.*
ОКДВА).

дальне́йш\|**ий** further, further-
most, ulterior; в ~ем for the future; ~ие подробности further par
ticulars.

да́льн\|**ий** far off; far-away, re-
mote; long; д. родственник distant cousin; самый д. furthermost;
приниматься за работу без ~них
слов to go roundly to work.

дальнобо́йн\|**ый** of long range;
~ое орудие long-range gun, high-
-power gun, super-gun.

дальнови́д\|**ение** *техн.* television;
~ность foresight, sagacity, clear-
-sightedness; ~ный clearsighted,
long-sighted, sagacious, provident.

дальневосто́чный *см.* дальнево-
сто́чный.

дал\|**ьнозо́рк**\|**ий** far-sighted; ~ость
far-sightedness, long sight; стар-
ческая ~ость presbyopia.

дальноме́р range-finder.

дальность farness, distance; д.
полёта *воен.* range.

дальтони́зм Daltonism, colour-
-blindness.

дальтони́ст Daltonist.

дальтон-план Dalton plan.

да́льше further, farther, forwards, onward, right on; beyond
(*за пределами*); д.! proceed!, go
on! (*продолжайте*); д. итти некуда! *фиг.* it beats everything!; that
tops it!; итти д. to go on; и что
же д.? what next?; не видеть д.
своего носа not to see beyond one's
nose.

да́ма lady, gentlewoman; *карт.*
queen.

дамас\|**кирова́ть** to damascene;
'~ская сталь Damask steel.

да́мба dam, sea-wall, dike.

да́мк\|**а** (*в шашках*) king; прове-
сти в ~и to crown.

дамо́клов меч sword of Damo-
cles.

да́мский ladies'.

Да́ния Denmark.

да́нник tributary.

да́нн\|**ый** given, present; в д. мо-
мент at present, now, actually;
~ая величина datum, given magnitude; ~ые data, facts; его ~ые
сомнительны; his facts are dis-
putable; у нас нет никаких ~ых
we have no data to go upon.

данти́с\|**(ка)** dentist.

Да́нциг Danzig.

дань tribute, contribution, im-
post; д. природе debt of nature;
взимать д. to lay under tribute.

дар gift, dower; *юр.* donation,
grant; д. красноречия gift of eloquence; gift of the gab; ~ы *церк.*
Holy Communion; ~ы данайцев
Greek gift.

дарви́н\|**изм** Darwinism; ~и́ст,
~исти́ческий Darwinian.

дар\|**е́ние** donation, making a
present; ~итель grantor, donor;
~и́ть to give, to make a present
(*of*), to bestow (*on*), grant; тот, ко-
му ~я́т *юр.* grantee.

дармое́д drone, parasite, sponger, idler; *разг.* ne'er-do-well; ~-

ничать to idle, sponge; not to be worth one's salt; ~ство idleness, sloth.

дарова́ние conferring, donation, granting; gift, talent, endowment, faculty (*талант*).

даро́ва‖**нный** granted; '~ть to confer, grant; ~ть проще́ние to pardon.

дарови́т‖**ость** ability, capacity, cleverness, talents; ~ый gifted, clever, endowed with talents (abilities).

даров‖**о́й** gratuitous, free of charge, costless, gratis; д. стол free board; ~о́му коню́ в зу́бы не смо́трят *посл.* look not a gift horse in the mouth; на ~щи́нку at the expense of others; without paying.

да́р‖**ом** gratis, free of charge, for nothing; in vain, to no purpose (*напра́сно*); д. что though, although; не д. not without cause, with reason; тра́тить д. вре́мя to waste one's time; я э́того и д. не возьму́ I would not have it at a gift; э́то ему́ не д. доста́лось he has barked his shins.

да́рственн‖**ый**: д. акт grant; ~ая за́пись deed, settlement.

Да́рья Doro.hea, Dorothy.

да́та date.

да́тельный паде́ж *гр.* dative; dative case.

дати́рова‖**нный** dated; ~ть to date; ~ть бо́лее ра́нним (по́здним) число́м to antedate (postdate); неве́рно ~ть to misdate.

да́т‖**ский**: д. язы́к Danish; ~ча́нин Dane.

дать *см.* дава́ть.

Да́‖**ос**: план ~а Dawes Reparation Plan.

да́ча I. giving; д. взаймы́ lending, loan; д. показа́ний deposition.

да́ч‖**а** II. villa (*бога́тая*), summer cottage, bungalow, country house; лесна́я д. forest tracts; на ~е in the country; ~евладе́лец owner of a villa *и пр.*; ~ка small country house, summer cottage; ~ник summer resident; ~ный по́езд suburban (local) train; ~ная жизнь country life, villeggiatura; ~ная ме́стность summer colony (place).

да́яние gift, donation.

два two; в д. счёта in a jiffy; in two twos; ка́ждые д. дня every other day, on alternate days; в двух слова́х in a word; в двух шага́х near by, a few steps off:

двадцат‖**иуго́льник** *геом.* icosahedron; ~иле́тие period of twenty years; twentieth anniversary; ~иле́тний of twenty years, vicennial; ~ипятиты́сячник one the 25 000 communists sent to the colfarms for party and administrative work; '~ый twentieth; '~ая до́ля twentieth (part).

два́дцать twenty, score.

два́‖**жды** twice; д. два—четы́ре twice two is four; я́сно как д. два—четы́ре as sure as eggs is eggs; as sure as a gun.

двенадцати‖**гра́нник** *геом.* dodecahedron; ~перстная кишка́ *анат.* duodenum; ~сло́жный dodecasyllabic; ~сло́жный стих dodecasyllabic; ~уго́льник *геом.* dodecagon.

двена́дцат‖**ый** twelfth; ~ая до́ля twelfth (part); кни́га в ~ую до́лю листа́ duodecimo; ~ь twelve.

двер‖**на́й** door; д. кося́к jamb; д. поро́г threshold; ~ная ра́ма door-case, door-frame; '~ца a little door; ~ца экипа́жа carriage-door; ~ь door; враща́яся ~ь revolving door; входна́я ~ь entrance; front door (*с у́лицы*); двуство́рчатая ~ь folding-door(s); за́дняя ~ь back door; немно́го приоткры́тая ~ь the door slightly ajar; опускна́я ~ь trap-door; пота́йная ~ь jib-door; поли́тика откры́тых ~е́й open-door policy; в ~я́х in the doorway.

дв‖**е́сти** two hundred.

дви́га‖**ние** moving, removing, stirring; ~тель engine, motor, mover, propeller; impellent, prime-mover, motive power (*дви́гат. си́ла*); ~тель вну́треннего сгора́ния internal combustion engine; ~тель Ди́зеля Diesel engine; га́зовый ~тель gas engine; нефтяно́й ~тель oil engine; ~тельный impellent, locomotive, motory; ~тельный нерв motor; ~тельная си́ла motive power; исто́чник ~тельной си́лы prime-mover.

дви́гать to move, stir, to set going, to set in motion; д. гора́ми to remove mountains; д. толчка́ми to joggle; ~ся to move, stir; to go, travel, run (*передвига́ться*); ~ся вверх и вниз to bob; ~ся взад и вперёд to reciprocate (*о ча́сти маши́ны*); ~ся толпо́й to troop; ~ся по земле́, воде́ to taxi (*о самолёте до и́ли по́сле полёта*); механи́зм дви́жется на стальны́х ро́ликах the mechanism travels on steel runners; су́дно едва́ дви́жется вперёд the ship has hardly any way on.

движе́ни‖е motion, movement, stir; travel (*мех. напр. о поршне*); д. планет motion (revolution) of the planets; д. по службе promotion to higher office; жел.-дор., пароходное д. service, traffic; жел.-дор. д. хорошо налажено there is a good service of trains; коммунистическое д. communist movement; круговращат. д. rotation, whirl; народное д. mass movement; национальное д. national movement; освободит. революционное д. liberating (emancipating) revolutionary movement; плавное д. gliding motion, glide; попеременно-возвратное д. *техн.* reciprocating motion; порывистое д. jerk; поступательное д. forward motion; профессиональное д. trade-union movement; рабочее д. working-class movement; ритмическое д. rhythmical movement (motion); трамвайное д. tramway service; уличное д. traffic; затруднять д. to hamper; приведение в д. propulsion; приводить в д. to set (put) in motion, to set a-going; to drive, actuate, propel, impel (*машину и пр.*); приходить в д. to come into play, to bestir oneself; в ⌐и astir, afoot, afloat, under way; быть в ⌐и to work (*о машине*); он вечно в ⌐и he is always on the move; сила ⌐я impulse, impetus; вам надо побольше ⌐я you ought to take more exercise; you should move about more.

дви́жим‖ость movables, chattels, goods, goods and chattels; *юр.* personal property (estate), personalty; ⌐ый moved, propelled, actuated (*by*); ⌐ое имущество movable property, real estate.

дви́жущ‖ий impetus; ⌐ая сила motive force.

Двина́: За́падная Д. the Düna; Се́верная Д. the Dvina.

дви́нуть *см.* дви́гать.

дво‖е two; для ⌐и́х two-handed (*об игре*); на свои́х на ⌐и́х *разг.* on Shanks's mare.

дво‖е‖бра́чие bigamy; ⌐бра́чный bigamous; ⌐вла́стие diarchy; ⌐ду́шие duplicity, double-dealing; ⌐ду́шный deceitful, double-faced; ⌐же́нец bigamist; ⌐же́нство, ⌐му́жие bigamy.

двоето́чие colon; diæresis (*над буквой, напр. в aërate*).

двои́т‖ь to double; ⌐ься to double; у него́ ⌐ся в глаза́х he sees double.

дво́йка two (*карт. тж.* deuce);

pair; *шк.* bad mark, two marks; д. пик *карт.* the two of spades.

двойн‖и́к double, double-ganger; wraith, fetch (*привидение*); twin, counterpart, the very image (*of*) (*очень похожий*); ⌐о́й double, two-fold; two-ply (*о толщине*); ⌐о́й подбородок double chin; ⌐а́я бухгалтерия book-keeping by double entry; ⌐а́я игра́ double game; вести ⌐у́ю игру́ to play double; *фиг.* to run with the hare and hunt with the hounds; '⌐я twins.

дво́йственн‖ость duality; duplicity; ⌐ый dual; double-faced; ⌐ый ответ non-committal answer; ⌐ая политика non-committal policy; ⌐ое число́ *гр.* dual (number).

двойча́т‖ка twin (double) kernel, philippine; ⌐ый geminate.

двор courtyard, yard, court, area; гости́ный д. *уст.* arcade; извозчичий д. livery stable, mews; короле́вский д. court, King's household, крестья́нский д: farm-stead; моне́тный д. mint; посто́ялый д. inn; пти́чий д. poultry-yard; ско́тный д. neat-house, cattle-shed; скотопри́гонный д. stock-yard; ни кола́ ни ⌐а́ neither house nor home, neither stick nor stone; ко ⌐у́ not suited; при ⌐е́ at court; на ⌐е *фиг.* out of doors; весна́ на ⌐е spring has come.

дворе́ц palace; Д. культу́ры (Сове́тов) Palace of Culture (of the Soviets); Д. труда́ The Palace of Labour; ⌐кий *уст.* butler, steward.

двор‖ник dvornik, yardman; ⌐ницкая lodge (of the porter); ⌐ня *ист.* domestics, menials, household servants; ⌐ня́га, ⌐ня́жка mongrel, cur; *разг.* tyke; ⌐о́вый *ист.* belonging to the house servants; ⌐о́вая соба́ка watch-dog.

дворцо́вый palatial; д. переворо́т court-revolution.

дворя́н‖ин gentleman, nobleman, noble; '⌐ка gentlewoman, lady; '⌐ский nobiliary, noble, patrician; '⌐ского происхожде́ния of gentle birth; '⌐ское сосло́вие nobility; '⌐ское высокоме́рие patrician arrogance; '⌐ство nobility, nobles; сре́днее, мелкопоме́стное ⌐ство gentry; жа́ловать '⌐ством to ennoble.

двою́родн‖ый: д. брат, ⌐ая сестра́ (own, first) cousin, cousin german; д. племя́нник (дя́дя), ⌐ая племя́нница (тётка) first cousin once removed.

двойк‖ий double; ⌐ого ро́да of two kinds; ⌐о in two ways; ⌐овогнутый concavo-concave; ~овыпуклый convexo-convex; ~одышащие *ихт.* dipnoi (*s. pl.*); dipnoan (*a.*); ~ость doubleness.

дву‖бортный double-breasted; ~брюшная мышца *анат.* digastric muscle; ~валентный bivalent, divalent; ~главый two-headed; with two cupolas; ~главый орёл *цст.* two-headed eagle; ~гласный звук diphthong; ~годовалый two year(s) old; ~горбый two-humped; ~гранный two-sided(-faced); ~гривенный silver coin of 20 copecks; ~губый *бот.* bilabial; ~дольный *бот.* dicotyledonous; ~дольное растение dicotyledon; ~домный *бот.* diclinous; ~жильный strong, sturdy, robust; ~зубка *зоол.* diodon; ~колённый, ~колёнчатый swanneck (*о трубе*); ~колёсный two-wheeled; ~колка cart; ~колка на рессорах spring-cart, trap; обозная ~колка tumbrel; одноместная ~колка sulky; санитарная ~колка ambulance cart; четырехместная ~колка rallicart; ~конный with two horses; ~копытный cloven-footed; ~кратный twofold, reiterated; ~крылый *зоол.* di terous; ~летний, ~летник *бот.* biennial; ~ликий double-faced; ~личие, ~личность double-dealing, duplicity; ~личный double-faced, hypocritical; ~личный человек double-dealer, ambidexter; ~мужие bigamy; ~ногий two-legged; ~ногое (*животное*) biped; ~окись *хим.* dioxide; ~осный (*о кристаллах*) biaxial; ~палубный *мор.* double decked; ~палый *зоол.* didactylous; ~полый bisexual; ~раздельный bifid; ~рогий two-horned; ~рукий twohanded; *зоол.* bimanous; ~ручная пила double handled saw; ~рушник double-dealer; ~рушничать to resort to double-dealings; ~рушничество double-dealing, duplicity; ~светный зал hall with two rows of windows; ~семенодольный *см.* двудольный; ~скатный with two sloping surfaces; ~сложный disyllabic, two-syllabled; ~сложное слово disyllable; ~сменный in two shifts (*attr.*).

двусмысленн‖ость ambiguity, equivoque, equivocality; double entendre (*скабрёзность*); ~ый ambiguous; equivocal; ~о ambiguously, equivocally; говорить ~о to equivocate.

дву‖спальная кровать double bed; ~стволка double-barrelled gun; ~створчатый *зоол.* bivalve; ~створчатая дверь *см.* дверь; ~стишие distich; couplet; ~сторонний bilateral; duplex; ~стороннее весло paddle; ~тавровая балка *техн.* I-beam; ~тавровое сечение I-section; ~тычинковый *бот.* diandrian; ~углекислый *хим.* bicarbonate; ~углекислая сода sodium bicarbonate, bicarbonate of soda; ~утробка *зоол.* marsupial; двух‖атомный *хим.* diatomic; ~весёльный: ~весёльная лодка pair-oar; ~годичный (of) two years, biennial; ~дневный (of) two days; ~колейный путь double-line; ~летний *бот.* biennial; ~мачтовый two-masted; ~местный two-seated; ~местный автомобиль, аэроплан two-seater; ~месячный two months (old); ~недельный fortnight(ly); ~палатный *полит.* bicameral; ~палубный two-decked; ~палубное судно two-decker; ~сотлетие, ~сотлетний bicentenary; ~сотый two-hundredth; ~тактный двигатель two-stroke cycle engine; ~фазный *эл.* two-phase; ~цветный dichromatic; ~цилиндровая машина twin engine; ~этажный two storeyed; двучлен, ~ный *мат.* binomial.

двуязычный bilingual.

де *см.* дескать.

деаркадёр (railway) platform; landing-stage, landing (*пристань*).

дебат‖ировать to debate, discuss; ~ы debate, dispute, argument.

дебелый blump, fleshy, corpulent, stout.

дебёт *комм.* debit; ~итовать to debit; ~итор debtor.

дебош riot, debauch; ~ир rowdy; ~ирить to kick up a row, to riot; ~ирство riot, rowdyism.

дебр‖и jungle, thicket; запутаться в ~ях метафизики to be lost in the labyrinth of metaphysics.

дебушировать *военн.* to debouch.

дебют début; *шахм.* opening; ~ант, ~антка débutant, -e; ~ировать to make one's début.

дева virgin, maid; *астр.* Virgo, Virgin; старая д. old maid, spinster; *шут.* maiden.

девальвация devaluation, depreciation.

де‖вать to put; он не знает куда д. свои силы he cannot find application for his energies; куда вы ~вали мою книгу? where have you put my book?; ~ваться: некуда ~ваться от комаров no means to protect oneself from (to get rid of) gnats; ей некуда ~ваться she has nowhere to go; куда он ∼ва́лся? what has become of him?

де́верь brother-in-law.

девиа́ция deviation.

деви́з motto, device; slogan, catchword.

деви́∥ца maid, maiden, girl; ∼ческий *см.* ле́вичий; ∼чество girlhood, maidenhood; ∼чий virgin, maidenish, maidenly, maidenlike, girlish; де́вичья фами́лия maiden name; ∼чник a party for girls only given by the fiancee before her marriage.

де́вичья *ист.* room where handmaidens used to sit and work.

де́вка wench, lass, girl; strumpet (*в ду́рном смы́сле*).

девома́терь *рел.* the virgin mother.

дево́нск∥ий: ∼ая форма́ция *геол.* Devonian.

Девонши́р Devonshire.

де́вочка girl, little girl; flapper (*подросток*) (*sl.*).

де́вственн∥ик man who has not known sexual intercourse; ∼ица virgin; ∼ость maidenhead, virginity, maidenhood; ∼ый virgin, maiden, vestal; primeval (*о ле́се*); ∼ая плева́ *анат.* hymen; ∼ое размноже́ние *биол.* parthenogenesis.

де́вушка girl, lass, maid; *ласк.* lassie; miss; д. в гости́нице chamber-maid.

девч∥а́та girls, lasses; ∼о́нка girl, *пренебр.* slut; ∼у́рка *уменьш.* little girl.

девяно́ст∥о ninety; ∼оле́тний (стари́к) (a) nonagenarian; ∼ый ninetieth.

девят∥ери́чный *мат.* nonary; ∼идеся́тый ninetieth; ∼икра́тный ninefold, nonuple; ∼исо́тый nine hundredth; '∼ка nine; ∼на́дцатый nineteenth; ∼на́дцать nineteen; '∼ый ninth.

де́вять nine; ∼со́т nine hundred.

дегаз∥а́ция *военн.* degassing; ∼и́ровать to degas.

дегатирова́ть *см.* декати́ровать.

дегенер∥а́т degenerate; ∼ати́вность degeneracy; ∼ати́вный degenerate; ∼а́ция degeneration; ∼и́ровать to degenerate.

дёг∥оть tar, pitch; древе́сный д. wood-tar; каменноуго́льный д. coal-tar; ма́зать ∼тем to tar; ло́жка ∼тя в бо́чке мёда *погов.* a fly in the ointment.

деград∥а́ция degradation; ∼и́ровать to degrade.

дегтя́р∥ный: ∼ая вода́ tar-water; ∼ое мы́ло coal-tar soap; ∼я tar-works.

дегуста́тор taster.

дед grandfather; «д. моро́з» Santa Claus, Jack Frost; ∼овский of grandfather, of forefathers; ∼у́шка grandfather, grandpapa; *дет.* grandad.

дедук∥ти́вный deductive; '∼ция deduction.

дееприча́стие *гр.* verbal adverb, participle.

дееспосо́бн∥ость competence; ∼ый competent.

деж∥у́рить to be on duty; ∼ный on duty; ∼ный офице́р orderly officer; не ∼ный off duty; ∼ное блю́до plat du jour; ∼ство being on duty; расписа́ние ∼ств rota; *военн.* roster.

дезавуи́ровать to repudiate, disavow.

дезерти́р deserter, runaway; ∼ова́ть to desert (one's colours); ∼ство desertion, deserting.

дезинтегра́тор *техн.* desintegrator.

дезинф∥екцио́нный: ∼екцио́нная ка́мера disinfection camera; ∼е́кция disinfection; ∼ици́ровать to disinfect; ∼ици́рующий, ∼ици́рующее сре́дство disinfectant.

дезодо́р∥атор deodorizer; ∼а́ция deodorization; ∼и́ровать to deodorize.

дезоргани́з∥атор disorganiser; ∼а́ция disorganisation; derangement, confusion; ∼о́ванный disorganised, off the rails; ∼ова́ть, ∼о́вывать to disorganize; throw into confusion.

дезориента́ция disorientation.

де∥и́зм deism; ∼и́ст deist; ∼исти́ческий deistic.

де́йдвуд *мор.* deadwood.

де́йственн∥ость efficacy, efficiency; ∼ый efficient, operative.

де́йстви∥е action, work, operation; agency; effect, efficacy (*влия́ние, си́ла, результа́т*); influence; act (*дра́мы*); д. га́зов action of gases; д. кише́чника motion, movement; д. происхо́дит в Индии the scene is laid in India; ока́зывать д. to work, operate, to take effect; приводи́ть в д. to put in action, to operate; to bring into play; совме́стное д. joint action; в ∼и in action, at work; зубча́тое колесо́ в ∼и a cog-wheel playing in a rack; коэффицие́нт поле́зного ∼я efficiency; ме́сто ∼я scene; не ока́зывающий ∼я inoperative; вое́нные ∼я hostilities, war.

действи́тельн∥ость reality, actuality, fact (*реа́льность*); validity (*документа и пр.*); efficiency, efficacy (*средства*); operation; в ∨ости in point of fact, in reality, in fact; ∨ый real, actual; effective, efficacious, efficient, effectual; *см.* действительность; *юр.* valid; ∨ый залог *гр.* active voice; ∨ый член Института a regular member of the Institute; ∨ая служба active service; аренда ∨а на 5 лет the lease runs for five years; самое ∨ое средство sovereign remedy; делать ∨ым to validate; ∨о actually, truly, in fact, indeed, sure enough, really, in reality.

действ‖**овать** to act, proceed, operate, work, function; д. на... to work on (upon)...; to affect, impress; д. на нервы to get on one's nerves; to jar upon one's nerves; д. не спеша to take one's time; д. осторожно to act warily; д. по-военному to act in a military way; д. решительно to act resolutely, to play the man; алкоголь ∨ует на мозг alcohol acts on the brain; кишечник ∨ует the bowels are open; лекарство не ∨ует the medicine has no effect; у него не ∨ует правая рука he has lost the use of his right arm; тормоз не ∨овал the brake did not act; ∨ующий active; ∨ующая армия active army; ∨ующая сила agent, efficiency; ∨ующее законодательство active law; ∨ующее лицо character, personage, part, person; ∨ующие лица *драм.* characters in the play; dramatis personae (*лат.*).

дек *мор.* deck.

дека *муз.* sounding-board.

декабр‖**ист** *ист.* Decembrist; ' ∨ь December; ' ∨ьский (of) December.

декаграмм decagram(me).

декада decad(e) (*10 лет*); ten day period (*10 дней*).

декадент decadent; ∨ский decadent; ∨ство decadence.

декадник ten day period; ударный д. ten day period of shock work.

декалитр decalitre.

декаметр decametre.

декан dean; ∨ат deanery; ∨ский decanal.

декатир‖**овать** to steam, shrink; ∨овка shrinking.

декламатор reciter, declaimer; ∨ский declamatory.

деклам‖**ация** verse-speaking, recitation, declamation; rant (*напыщенная*); ∨ировать to recite, declaim; to rant, spout (*напыщенно*).

деклара‖**тивный** declaratory; ' ∨ция declaration; ∨ция прав трудящихся Declaration of the Rights of Workers; ∨ция судового груза manifest.

деклассированный declassed.

декокт decoction.

декольт‖**é**, ∨ированный décolleté, low-necked (*о платье*).

декор‖**ативный** decorative; ∨атор decorator; *театр.* scene-painter; ∨ационный decorative; ∨ация, ∨ации decoration, scene, scenery; ∨ирование decoration, decorating; ∨ировать to decorate; ∨ировать комнату цветами to decorate a room with flowers.

декортикатор *техн.* decorticator.

декорум decorum; соблюдать д. to maintain decorum.

декрет decree, fiat, statute, edict; ∨алия decretal; ∨ирование decretal; ∨ировать to decree; ∨ный отпуск sick-leave in time of pregnancy.

декстр‖**ин** *хим.* dextrine; ∨оза *хим.* dextrose.

делан‖**ие** making; ∨ный studied, strained, affected, simulated.

дела‖**ть** to make, do; to render, turn (*превращать*); д. большой конец to go a long distance; д. вид to pretend, feign, let on; д. визит to pay a visit, to pay (make) a call, to call on; д. вывод to draw a conclusion, to infer; д. выговор to take to task, to rebuke, reprimand; д. кое-как to do anyhow (in a slipshod way); д. одолжение to oblige; д. по-своему to have one's own way, to please oneself; д. стойку to set; д. счастливым make one happy; д. успехи to make progress; ему нечего д. he has nothing to do; что д.? what is to be done?; пароход ∨ет 30 узлов в час the ship makes (steams) 30 knots; вы бы ∨ли что говорите you should practise what you preach.

дела‖**ться** to be made, to be done; to become, get, grow, wax, turn, go (*становиться*); to happen (*происходить*); что там ∨ется? what is going on there?; там ∨лось что-то невероятное something incredible was going on there.

делег‖**ат**, ∨атка delegate, deputy; ∨атское собрание Delegates' Assembly; ∨ация, ∨ирование delegation; ∨ировать to delegate.

делёж(**ка**) sharing.

делени‖**е** sharing, parting; *арифм.* division; д. клеток *биол.*

fission; термометр поднялся на 6 ~й the thermometer went up six points.

делец business man, man of business.

Дели Delhi.

деликатес dainty, titbit, delicacy; *амер.* delikatessen.

деликатнича||ть to be overnice; не слишком ~я not to put too fine a point on it.

деликатн||ость delicacy, considerateness; чрезмерная д. over-delicacy; ~ый delicate, considerate; ~о delicately, considerately.

дели||мое *мат.* dividend; ~мость divisibility; ~мый divisible; ~тель *мат.* divisor, denominator; общий наибольший ~тель greatest common measure.

дели́ть to divide; part, partition (*распределять*); to share, portion out, apportion (*отделять*); д. на части to divide into parts; д. пополам to halve; д. с кем-л. что-л. to share something with somebody; 6:3=2 six divided by three is two; ~ся to be divided; to share, to go shares, to go snacks (*с кем-л.*); ~ся впечатлениями to compare notes; ~ся поровну (*с кем-л.*) to go halves (*with*); он готов ~ся последними крохами he would share his last crust (*with*); 10 не делится на 3 ten will not divide into three, cannot be divided by three.

дел||о business, affair; transaction (*сделка*); concern, concernment (*касающееся кого-л.*); matter (*вопрос*); thing (*вещь, обстоятельство*); work (*действие, работа*); act, deed (*поступок*); occupation, avocation (*призвание, занятие*); cause (*за которое борются и пр.*); *юр.* case; *канц.* file, dossier; *военн.* fight, engagement, skirmish; д. вкуса (привычки) a matter of taste (habit); д. в том, что... the fact (the question, the truth) is that...; д. естественное a matter of course; д. идёт о... the point in question is...; д. общественного (особого) значения a matter of public (special) concernment; д. решённое settled thing; д. серьёзное it is no laughing matter; д. чести a point (an affair) of honour; артиллерийское д. gunnery; важное д. important business, matter of great concern; гиблое д. lost cause, bad job; гнусное д. wicked deed; другое д. another matter; лёгкое д. child's play; правое д. just cause; судеб-

ное д. case; ваше д. доказать это it lies with you (it is your business) to prove it; возбудить против к.-л. д. to bring (lay, enter) an action against one; в чём д.? what's the matter?; what's the game?; what's the trouble? (*при затруднениях, неприятностях*); what's the row? (*при споре, ссоре*); говорить д. to talk sense; за этим д. не станет that's the least thing; иметь д. (*с к.-л.*) to deal (with); их д. себя не окупает their business does not pay (answer); какое мне д.! I don't care!; what's that to me?; когда д. дойдёт до меня when my turn comes; не вмешивайтесь не в своё д.! mind your own business!; не моё было д. вмешиваться I had no business to interfere; не в этом д. that is not the question, it is not the case; прекрасно знать д. to have the subject at one's fingertips; то и д. every now and then; употребить в д. to utilize; что вам за д.? what does it matter to you?; это д.! good!, now you're talking!; это не ваше д. it is no business of yours; это совсем другое д. it is quite another matter; it is another story now; this is a horse of another colour; that's another pair of shoes; я своё д. сделал I have done my part; министерство внутренних дел Home Office, Ministry of Home Affairs; министр внутренних дел Home Secretary, Minister of Home Affairs; не у дел out of office, out of employ, at a loose end; положение дел junction, posture of affairs; серебряных дел мастер silversmith; все обстоятельства ~а all the ins and outs of the affair; держаться сути ~а to keep the record; мне ~а нет I don't care; it's no business of mine; остаться без ~а to find oneself at a loose end; сообщать о положении ~а to report progress; к ~у to the point, to the purpose; question! (*напоминание оратору на публ. собр.*); (не) относящееся к ~у (ir)relevant; вводить ч.-л. не относящееся к ~у to travel out of the record; по ~у on business; в самом ~е truly, in truth, indeed, really, so it is; в на словах, и на ~е in word and deed; испытать на ~е to test in practice; на самом ~е as a matter of fact; заниматься ~ом to busy oneself (*with, in, at*); между ~ом at odd moments; первым ~ом first of all; ~á things, affairs, occasions;

doings, goings-on; proceedings; ~a идут кое-как matters jog along somehow; ~a пошли скверно things have gone awry; ~a улучшаются things are improving; *фиг.* the mercury is rising; денежные ~a money matters; международные ~a international affairs; торговые ~a dealings, business; как ваши ~a? how goes the world with you?; такие-то ~a! so that's the time of day!; я сам могу заняться своими ~ами I can manage my own concerns.

дело‖витость business ability; ~витый business-like; ~вой business-like; ~вой человек business man; ~производитель secretary, clerk; ~производство business correspondence, secretary's work.

дельн‖ость cleverness; ~ый capable, clever, sensible; ~o cleverly, sensibly; говорить ~o to talk sense.

дельт‖а delta; д. лучи delta rays; д. металл delta metal; ~овидная мышца *анат.* deltoid (muscle).

дельфин dolphin; д.-касатка grampus.

делянка allotment, plot of land.

деляче‖ский narrowly practical; money-making; ~ство narrow practicality; money-making.

демагог demagogue; ~ический demagogic; ~ия demagogy.

демаркационная линия line of demarcation.

демаскировать *военн.* to unmask.

деми-монд demi-monde.

демисезонное пальто spring and autumn overcoat.

демобилиз‖ационный demobilizing; ~ационные настроения a mood for winding up business, breaking up the organization *etc.*; ~ация demobilization; ~овать to demobilize, demob (*sl.*); ~ованный красноармеец demobilized red army man.

демогра‖фический demographic; ' ~фия demography.

демократ democrat; ~изация democratization; ~изировать to democratize; ~ический democratic; ~ия democracy; внутрипартийная ~ия democracy within the party.

демон demon, fiend; ~ический demoniacal, demonic; ~ология demonology.

демонстр‖ант demonstrator; demonstrant; ~ативный demonstrative; ~ативно demonstratively; ~á-

top demonstrator, exponent; ~ация, ~ирование demonstration; ~ация безработных demonstration of the unemployed; ~ация против войны anti-war demonstration; ~ировать to demonstrate; to show.

деморализ‖ация demoralization; ~овать to demoralize.

демпинг *комм.* dumping.

демуниципализ‖ация demunicipalization; ~ировать to demunicipalize.

Демьян Damian.

денатурализ‖ация denaturalization; ~ировать to denaturalize.

денатур‖ат denatured alcohol; ~ировать to denature.

денационализация denationalization.

денд‖и dandy, buck; ~изм dandyism.

дендрит *анат., мин.* dendrite.

дендрология *научн.* dendrology.

денеж‖ный pecuniary; monetary; д. знак monetary token; д. мешок money-bag, money-grubber; д. перевод postal order, money order; д. подарок gratuity; д. рынок money-market; д. штраф a fine; д. ящик strong-box; ~ая единица monetary unit; ~ая компенсация monetary compensation; ~ая помощь financial assistance; pecuniary aid; ~ое затруднение pecuniary embarrassment; ~ые дела money matters.

денник loose box (*в конюшне*).

денн‖ица *поэт.* morning-star, Lucifer; dawn; '~o и нощно *разг.* day and night.

дентальный dental.

дентин dentine.

денщик (*в царской армии*) officer's servant; batman (*в кавалерии*).

день day; д. нового года new-year's day; д. отдыха day of rest, rest-day; д. работницы workwomen's day; д. рождения birthday; будний д. week-day, workday; выходной д. day off, free day; добрый д.! good day!, good afternoon!; партийный д. Party day; праздничный д. holiday, red-letter day; международный женский д. International women's day; рабочий д. working-day; уходящий д. dying day; в один прекрасный д. one (fine) day; за д. in one (a) day, a day before; на чёрный д. for a rainy day; по рублю в д. a rouble a day (per diem); целый д., д.-деньской all (the) day, the whole day, all day long; через д. every other day, day about, on alternate days; д. ото дня every day; all day long; в три часа дня at three o'clock in the afternoon (*пишется* 3 p. m.); изо дня в д., со дня на́ д. day after day, from day to day; каждые два (три) дня every other (third) day; среди бела дня in broad daylight, at high noontide; третьего дня the day before yesterday; днём by day, in the day-time; днём и ночью day and night; д. за днём day by day; в былые дни in the days of old; на-дня́х the other day, some days ago.

де́нь‖ги money, currency; *разг.* coin; д. «на булавки» pin-money; д. у него так и летят money burns in his pocket; большие д. large sum of money; бумажные д. paper-money, paper-currency; карманные д. pocket-money, allowance; командировочные д. travelling expenses; медные д. coppers; наличные д. ready money, cash; суточные д. allowance for sojourn; travelling expenses; ни за какие д. not for the world; ↘ьга́ на ↘ьгу́ набегает *посл.* money begets money; у меня с собой не было ↘ег I had no money about me; при ↘ьга́х in cash, in funds; не при ↘ьга́х out of cash, hard up, short of money; on one's uppers (*sl.*); вопрос только в ↘ьга́х it is only a matter of £. s. d. (pounds, shillings and pence; *произн.* el-es-di).

день‖жа́та, ↘о́нки *разг.* money; tin, shiners (*sl.*).

департа́мент department; ↘ский departmental.

депе́ша dispatch.

депо́ depot; паровозное д. shed, round-house; пожарное д. fire-station.

депози́т deposit; отдавать (на хранение) в д. to deposit.

деполяриза́ция *эл.* depolarization.

депони́ровать to deposit.

депре́ссия depression.

депута́‖т deputy, representative, delegate; палата ↘тов Chamber of Deputies, House of Representatives; ↘ция deputation.

де́рби *спорт.* Derby.

Дерби́шир Derbyshire.

де́рвиш dervish, calender.

де́рганье pulling at, twitching.

де́рга‖ть to pull, twitch, tug, pluck, lug (*at*), jerk; д. за рукав to pull one's sleeve, to pull one by the sleeve; д. зуб to pull out a tooth, to have a tooth out; его всего ↘ет all his body twitches; ↘ться to twitch.

дерга́ч landrail, corn crake; крик ↘а́ crake.

дерев‖е́нский rural, rustic; country (*attr.*); д. житель villager, countryman; '↘ня village; country (*противоположн. городу*); *уст.* estate (*поместье*); жить в '↘не to live in the country; съездить в '↘ню to go to the country; смычка города и '↘ни a tie between the town and village.

де́рев‖о tree; wood (*материал*). д. с подстриженной верхушкой pollard; красное д. mahogany; плодовое д. fruit-tree; сухое (выдержанное) д. seasoned wood; чёрное д. ebony; окрасить под д. to grain; он за '↘ьями леса не видит he cannot see the wood for the trees; ↘ообде́лочная промышленность woodworking industry; ↘ообде́лочник woodworker; ↘ообде́лывающий wood-working.

дереву́шка little village, hamlet.

деревцо́ small tree, sapling.

деревя‖не́ть to become wood, lignify; *фиг.* to stiffen; '↘нный wooden, made of wood; ↘нный дом wooden house; '↘нная нога wooden leg, stump; '↘нное масло kind of olive oil; '↘нные изделия wood-work; ↘нные части строения wood-work; '↘шка piece of wood, stump.

держа́в‖а power; orb, mound, globe (*регалия*); мировая д. world-power; великие ↘ы Great Powers; ↘ный sovereign, potent, powerful, reigning.

держа́ние keeping, holding.

держа́тель holder, user; д. займа investor in loans.

держ‖а́ть to hold, keep; д. в отдалении to keep away, to keep at a distance; д. в подчинении to keep down, keep under; д. в руках кого-либо to have under one's thumb; д. в страхе to keep (hold) in awe; д. в тайне to keep (in) secret; д. в тюрьме to keep in prison; д. голову высоко to hold one's head high; д. корректуру to correct (revise) the proofs; д. курс (на) *мор.* to head (*for*); д. лавку to keep a shop; д. лошадей to keep horses; д. направо (налево) to keep to the right (to the left); д. пари to bet; д. путь to be bound (*for*); to direct one's course (*to*); д. речь to make a speech, to speak in public; д. слово to be as good as one's word, to stand by one's word; д. ухо востро to be on the look-out; д. чью-либо сторону to side with a person; д. экзамен to go in for an examination; д. язык за зубами to hold one's tongue; высоко д. знамя ленинизма to hold aloft the banner of Leninism; он не умеет себя д. he does not know how to behave; так д.! *мор.* right so!; ~й вора! stop thief; мы не ' ~им такого товара we don't keep such goods.

держ‖**а́ться** to hold, hold on; to hold out, stand out, hold up (*выдерживать, сопротивляться*); to carry oneself, to behave (oneself) (*вести себя*); to keep (*to*), stick (*to*), adhere (*to*), cling (*to*), abide (*by*), hold (*by*), hang (*on*) (*придерживаться чего-либо*); д. берега to keep close to the shore, to hug the shore; д. вместе to keep together; д. в отдалении to keep away (off); д. в пределах to keep within limits; д. в стороне to stand aside (off), to hold aloof; д. предрассудка to hug a prejudice; д. прямо to keep oneself straight; д. сутуло to stoop; д. темы to keep to the subject; цены ' ~атся высокие prices run high; ~и́сь! hold on!; ~и́тесь крепко! hold tight (fast).

дерз‖**а́ть** to dare, presume, make bold; ~и́ть to talk impertinently, to swagger.

де́рзк‖**ий** audacious, temerarious (*смелый*); impertinent, arrogant, insolent, pert, saucy (*нахальный*); ~о audaciously *и пр*.

дерзнове́н‖**ие** audacity, daring; ~ный audacious; ~но audaciously, daringly.

дерзну́ть *см.* дерзать.

де́рзость audacity, boldness (*смелость*); impertinence, sauciness (*нахальство*); impertinent remark (*о слове, речи*).

дерива́‖**т** *хим.* derivative; ~ция derivation.

дермати́н leatherette.

дермато́лог *мед.* dermatologist; ' ~ия dermatology.

дёрн turf, sod, sward; обкладывать ~ом to sod, to grass, to turf.

дерн‖**и́на** sod; ~и́стый turfy; ~о́вая скамья grassy bank.

дёрну‖**ть** *см.* дёргать; *sl. см.* выпить; ~ла меня нелёгкая пойти туда I don't know what possessed me to go there; лошади ~ли the horses gave a start.

дерьмо́ *вульг.* muck, filth.

дерю́га sackcloth, sacking.

деря́ба *см.* дрозд.

деса́нт descent, landing; был высажен д. descent was landed.

десе́рт dessert; ~ная ложка dessert spoon.

де́скать *разг.* quoth he, he said; он отказался слушать дальше,— это д. всё глупости he refused to listen any longer,—it was all rubbish, he said.

десмоло́гия *анат.* desmology.

десна́ gum.

Десна́ the Desna.

де́спот despot; ~и́зм despotism; ~и́ческий despotic, tyrannous.

дестилля́ция *см.* дистилляция.

десть quire (of paper).

десятерно́й tenfold, decuple.

деся́т‖**еро** ten; ~игра́нник *геом.* decahedron; ~игра́нный *геом.* decahedral; ~идне́вка decade; ten day period; ~икра́тный tenfold; ~иле́тие decade, the space of ten years, decennium, decennary; tenth anniversary, decennial; ~иле́тний decennial; ~иле́тняя де́вочка a girl of ten; ~и́на *уст.* measure of land=2,70 acres; церковная ~и́на tithe; ~ирубле́вка ten rouble note; ~исло́жный decasyllabic; ~исло́жный стих decasyllable; ~иуго́льник *геом.* decagon; ~иуго́льный *геом.* decagonal; ~и́чный *мат.* decimal; denary; ~и́чная дробь decimal (fraction); ~ичная система счисления decimal numeration; ~ичная система мер decimal system; переводить на ~и́чную систему to decimalize.

деся́т‖**ка** ten (*в картах*); ten--rouble note, tenner (*деньги*); ~ник foreman, gauger; ~ок ten; он не робкого ~ка he is no coward; несколько ~ков a score or two; ~ский *ист.* policeman (in a village); ~ый tenth; ~ая доля tenth (part); через пятое в ~ое carelessly, in a slipshod way; в ~ых tenthly.

де́сять ten; в д. раз больший tenfold, decuple.

дет- *сокр.* детский.

детал‖**иза́ция** detalization, particularization; ~изи́ровать to detail; ' ~ь detail; nicety (*с оттенком излишества*); мелкая ~ь a fine point; ' ~и minutiae, ins and outs of an affair; ~и машины details of a machine; вдаваться в ∽и to go into details; перегруженный ' ∽ями stodgy (*о книге*); ' ∽ьный detailed, minute; ' ∽ьно in detail.

детворá children.

детдóм children's home.

детектúв detective; ∽ный роман detective story.

детéктор *рад.* detector, spark-indicator; ∽ный приёмник crystal receiver.

детёныш youngling, young one, young; whelp (*собаки, льва, тигра*); cub (*медведя, волка, лисицы*); pup (*собаки*); calf (*коровы, слона, кита*).

детермин‖áнт(а) determinant; ∽úзм determinism, necessitarianism; ∽úст determinist, necessitarian; ∽úс⌐ский deterministic.

дéти children, young ones, offsprings; kids (*sl.*) (*см.* дитя); ' ∽на tall, sturdy fellow; ∽ще child, nurseling.

детон‖áтор *техн.* detonator; ∽áция *техн.* detonation; ∽úровать *техн.* to detonate; *муз.* to sing (be) out of tune; ∽úрующая струна *муз.* the peccant string.

деторó‖дный genital; ∽дные органы genitals, privy parts; ∽ждéние procreation, child-bearing.

детоубúй‖ственный infanticidal; ∽ство infanticide; ∽ца infanticide.

детплощáдка children's playground.

детрúт *мед.* calf-lymph; *геол.* detritus.

дéто‖кий child's, children's; infantine; childish, babyish; д. дом children's home; д. сад kindergarten; nursery school; ∽кая (*комната*) nursery; ∽кая болезнь children disease; ∽кая болезнь левизны infantile disease of «leftism»; ∽кая игра children's game; *фиг.* playgame, child's play; ∽кие песенки nursery rhymes; (по-)∽ки childishly, like a child; ∽тво childhood, infancy; впадать в ∽тво to become a dotard, to dote; друг ∽тва play fellow; с ∽тва from a child; from childhood.

деть *см.* девать.

дефекáция (сахара) defecation.

дефéкт defect, shortcoming, blemish; ∽úвный defective; ∽úвные дети mentally defective children; ∽ный экземпляр (книги) imperfect copy.

дефил‖úрование defiling; ∽úровать to defile, file.

дефúс *тип.* hyphen.

дефицúт deficit; ∽ный товар goods below demand.

дефлáция *геол.* deflation.

деформ‖áция deformation; ∽úровать to deform, transform.

дехкáне Dehkhane, toiling peasants in Soviet Central Asia.

децентрализ‖áция decentralization; ∽овáть to decentralize.

деци‖грáмм decigram(me); ∽лúтр decilitre; ∽мéтр decimetre.

деше‖вéть to fall in price; ∽вúзна cheapness, low prices; ∽вúть to undercharge, cheapen.

дешёвк‖а cheap sale; a good pennyworth; по ∽е on the cheap.

дешéвле cheaper; д. пареной репы *разг.* dirt-cheap, cheap as dirt, dog-cheap; не д. двух рублей not under two roubles.

дёшево cheap(ly), on the cheap; д. да гнило cheap and nasty; д. и сердито cheap and good; д. отделаться to get off cheap; д. покупать и дорого продавать to buy cheap and to sell dear; это д. стóит *фиг.* it is worth little, it is of no account, it is not worth a song.

дешёв‖ый cheap, inexpensive; д. эффект claptrap; bunkum (*sl.*); ∽ая острота cheap witticism; по ∽ой цене at a low price; распродавать по ∽ой цене to sell at a cheap price; to sell off.

дешифр‖овáть to decipher; ∽óвка decipherment.

дéйни‖е *рит.* deed, work; бессмертное д. immortal deed; великие ∽я mighty works.

дéятель worker, promoter; государственный д. statesman; заслуженный д. искусства one distinguished in art (*honorary title in the USSR*); общественный д. public man; ∽ность activity, work; action; общественная ∽ность public work, social work; революционная ∽ность revolutionary activity; вызывать ность óргана to stimulate an organ to action; ∽ный active, busy, energetic; alert, agile (*проворный*); ∽но actively.

джазбáнд jazz(-band).

джéмпер jumper.

джéнтльмен gentleman (*pl.*-men); он теперь настоящий д. he is a finished gentleman now; это не по-∽ски it is not gentlemanly.

джигит Circassian horseman; ~óв-ка Circassian trick riding.

джин gin, geneva.

джинго *пол.* jingo; ~изм jingo-ism.

джинрикша jinricksha.

джиу-джитсу ju-jutsu (*японская борьба*).

Джон-Буль John Bull.

джонка junk (*китайское парус-ное судно*).

джоуль *эл.* joule.

джунгли jungle.

джут jute.

диабаз *мин.* diabase.

диабет *мед.* diabetes; ~ик, ~и-ческий diabetic.

диáболо diabolo, devil on two sticks (*игра*).

диагно́з *мед.* diagnosis; ставить д. to diagnose; '~ст diagnostician; '~стика diagnostics; ~стический diagnostic.

диагональ *геом.* diagonal; diag-onal (cloth) (*ткань*); ~ный diag-onal.

диаграмм||a diagram, figure; изображать в ~e to diagrammat-ize, to figure.

диадем||a diadem; увенчанный ~ой diademed.

диакритические знаки *фил.* dia-critical marks (signs).

диалект dialect; ~ик dialecti-cian; ~ика dialectic; ~ический *лог.* dialectical; *фил.* dialectal; ~и-ческий материализм *см.* диамат; ~ология dialectology.

диалог dialogue, duologue, col-loquy, interlocution; в форме ~a dialogue-wise.

диамагнитн||ый diamagnetic; ~ые тела diamagnetic bodies.

диамант diamond, adamant.

диамат dialectical materialism.

диаметр diameter; bore (*дула, цилиндра*); ~альный diametrical, diametral; ~ально противополож-ный diametrically opposite.

диапазон diapason, compass, range; голос большого ~a voice of great compass.

диапозитив slide (*волшебного фо-наря*).

диастола *мед.* diastole.

диатома *бот.* diatom.

диатоническ||ий *муз.* diatonic; ~ая гамма diatonic scale.

диатриба diatribe.

диафрагма *мед.* diaphragm; *фот.* stop.

диван divan, sofa, ottoman; di-van (*государственный совет в ста-рой Турции*).

диверсия *военн.* diversion.

дивертисмент (variety) enter-tainment.

дивиденд *комм.* dividend.

дивизион *военн.* division; ~ный divisional.

дивизия division.

див||иться to wonder, marvel (*at*), to be surprised (*at*); '~ный wonderful, marvellous, delight-ful; ~ный запах delicious odour; '~но wonderfully, delightfully; '~о marvel, wonder, prodigy; что за ~o? what wonder?; не ~o no wonder, small wonder; '~у да-ваться to marvel; ~у даёшься его глупости it is amazing how stupid he is; ~оваться to marvel (*at*).

дигиталис *мед.* digitalis.

дидакти||ка didactics (*согласова-ние в ед. ч.*); ~ческий didactic.

диез *муз.* sharp.

диет||a diet; голодная д. meagre (jejune) diet; посадить на молоч-ную ~y to put one to (*или on*) a milk diet; соблюдать ~y, сидеть на ~e to be on diet, to keep (take) diet; держать к.-л. на ~e to diet; ~ётика dietetics; ~ётический di-etetic, dietary; ~ическая столовая dietetic dining rooms.

дизель *техн.* Diesel engine, Diesel motor.

дизентери||я dysentery; ~йный dysenteric.

дик||арь savage, wild man; shy, unsociable person (*застенчивый че-ловек*); она страшная ~áрка she is very unsociable, she is so shy; '~ий wild, savage, feral; odd, extravagant, absurd (*нелепый*); un-sociable, shy (*необщительный*); '~ая утка wild duck, mallard; '~oe мясо proud flesh; ~oe рас-тение free grower, wilding; ~oe яблоко crab-apple, wilding; '~ие members unattached to any partic-ular party, members below the gangway (*в парлам.*); ~ие племена savage tribes; '~o wildly; oddly, absurdly.

дикобраз porcupine.

дик||овин(к)a wonder, prodigy; rarity, curiosity (*редкость*); что за ~овина! how strange! there is no wonder in it; quite natural; трам-ваи ему в ~овинку he has never seen tram-cars; ~овинный odd, outlandish, bizarre, rare, unusual, uncommon; ~ость savagery, wildness; extravagance, oddity, ab-surdity; shyness, unsociableness (*см. дикий*).

диктант dictation.

диктат‖ор dictator; ~орский dictatorial; ~орша dictatress; ~ура dictatorship; ~ура пролетариата dictatorship of the proletariat.

диктов‖ать to dictate; д. условия to dictate terms (conditions); '~ка dictation.

диктограф dictograph.

диктор *рад.* announcer.

дикция elocution, art of delivery.

дилемма *лог.* dilemma; perplexity, fix.

дилетант dilettante, dabbler, smatterer, amateur; ~изм dilettantism; ~ский dilettante, amateurish; ~ство dilettantism.

дилижанс stage-coach, coach; почтовый д. mail-coach.

дилювиальный diluvial.

дилювий *геол.* diluvium.

диморфизм *биол., мин.* dimorphism.

дюна *физ.* dyne; ~мизм dynamism; '~мика dynamics; специалист по '~мике dynamist.

динамит dynamite; взрывать ~ом to dynamite; ~чик dynamiter, dynamitard.

динам‖ический dynamic(al); '~o, ~омашина dynamo, dynamo-electric machine; ~ометр dynamometer; ~оэлектрический dynamo-electric.

динарий denarius (*римская монета*).

динас‖тический dynastic; '~тия dynasty, house; ~тия Стюартов the House of Stuarts.

динго *зоол.* dingo.

динозавр *палеонт.* dinosaur.

динотерий *палеонт.* dinotherium.

диоптри‖ка *физ.* dioptrics; '~я dioptric.

диорама diorama.

диорит *мин.* diorite.

диоцез diocese.

дипкурьер diplomatic courier.

диплом diploma; университетский д. degree; не имеющий ~а diplomaless.

дипломат *пол.* diplomat; *пол. и фиг.* diplomatist; ~ика diplomatics (*в архивном деле*); ~ический diplomatic; ~ический корпус diplomatic body (corps); ~ический курьер diplomatic courier; ~ические отношения diplomatic relations; ~ия *пол.* diplomacy.

диплом‖ированный diplomaed; '~ная работа qualification project, thesis.

дипсомания dipsomania.

директив‖а instructions, directions; д. партии party directions (instructions); ~ный directive.

дирек‖тор director, manager; head, head-master (*в школе*); красный д. red director; почт-д. Post-Master General (*министр почты в Англии*); ~торат directorate; ~тория *ист.* directory; ~торский managerial; ~торство directorship; ~триса directress; head-mistress (*в школе*); ~ция direction, directorate, board (of directors), management; directorship.

дирижабль dirigible (balloon); д. жёсткого (полужёсткого) типа rigid (semirigid) type of dirigible.

дириж‖ёр conductor, bandmaster; ~ёрская палочка conductor's baton (wand); ~ировать to conduct (*оркестром, хором*); ~ировать танцами to conduct the dance.

дисгарм‖онировать to clash, to jar with, to be out of keeping (tune) with, to be at variance with; ~онирующий discordant, disharmonious, incongruous (*with*); ~ония disharmony, discordance, clash, discord.

диск disk, disc; д. солнца the sun's disk.

дискант *муз.* treble, soprano; ~овый treble.

дисквалифи‖кация disqualification; ~цировать to disqualify.

дисков‖ый disk; ~ая борона disk-harrow; ~ая сеялка disk-sower.

дисконт *комм.* discount; ~ёр bill-discounter; ~ировать to discount.

дискредит‖ация, ~ирование discrediting; ~ировать to discredit; ~ирующий discreditable.

диску‖ссионный: в ~ссионном порядке by way of discussion; '~ссия discussion, debate; ~тировать to discuss, debate.

дислокация dislocation.

диспансер dispensary; ~изация dispenserization, panel doctoring.

диспепси‖ческий dyspeptic; ~я *мед.* dyspepsia, dyspepsy.

диспетчер dispatcher.

диспозиция *военн.* disposition.

диспропорция disproportion.

диспут debate, discussion, dispute; вести д. to argue, debate, dispute; участник ~a disputant.

диссертация thesis (*pl.* -ses), dissertation.

диссиде́нт dissenter, dissident, nonconfo.mist, dissentient.

диссимиля́ция dissimilation.

диссон‖**а́нс** dissonance, discord; ~**и́ровать** to clash, jar, discord, to be out of tune; ~**и́рующий** dissonant, discordant.

диссоци‖**а́ция** dissociation; ~**и́ровать** to dissociate.

диста́нция *уст.* distance; *воен.* range; *ж.-д.* district.

дистилл‖**иро́ванный**: ~**иро́ванная вода** distilled water; ~**иро́вать** to distil; ~**я́тор** distiller; ~**я́ция** distillation.

ди́стих *прос.* distich.

дисциплин‖**а** discipline; branch of science (*наука*); желе́зная д. iron discipline; парти́йная д. party discipline; суро́вая д. severe (strict) discipline; трудова́я д. labour discipline; workshop discipline (*на заводе и пр.*); ~**а́рный** disciplinary; ~**а́рное взыска́ние** penalty, chastisement; ~**иро́ванность** disciplined state, discipline; ~**иро́ванный** disciplined; ~**иро́вать** to discipline, chasten.

дитя́ child (*pl.* children), baby, little one, infant.

дитя́тко (*тж. ирон.*) baby, little one.

дифама́ция defamation.

диференци‖**а́л** *мат., техн.* differential; ~**а́льный пай** differential shares; ~**а́льный тари́ф** differential duties; ~**а́льная ре́нта** differential rents; ~**а́льное исчисле́ние** *мат.* differential calculus; ~**а́ция**, '~**рова́ние** differentiation; '~**рова́ть** to differentiate.

дифира́мб dithyramb; **петь** ~**ы кому-л.** to sing the praises of; to panegyrize; ~**и́ческий** dithyrambic.

дифра‖**ги́ровать** to diffract; '~**кция** *физ.* diffraction.

дифтери́т *мед.* diphtheria; ~**ный** diphtheritic.

дифто́нг *фон.* diphthong.

диффу́‖**зия** *физ.* diffusion; ~**нди́ровать** to diffuse.

дича́ть to become wild (savage).

дичи́на game, venison.

дичи́ться to be shy (*of*), to shun, to be unsociable (shy).

дичь **1.** game, game-bird(s), wild fowl; пушно́й зверь и д. fur and feather; **2.** thicket, retired place (*глушь*); **3.** nonsense, bosh, rigmarole (*вздор*); кака́я д.! stuff and nonsense!, rot!, поро́ть д. to twaddle, talk nonsense.

диэле́ктрик *эл.* dielectric.

дланеви́дный palmate, palmated.

длань *поэт.* hand, palm.

длин‖**а́** length; ме́ра ~**ы́** long measure; в ~**у́** longwise, lengthwise, lengthways; растяну́ться во всю ~**у** to measure one's length (on the ground), to go sprawling; быть ~**о́й** в 6 фу́тов to measure (touch) 6 feet, to be 6 feet long.

длинн‖**е́ть** to grow longer; ~**ова́тый** somewhat long; ~**ОВОЛО́сый** long-haired; ~**оно́гий** leggy, lanky; ~**оно́сый** long-nosed; ~**ополый сюрту́к** long skirted frock-coat; ~**о́ты** lengthy (tedious) passages; ~**охво́стый** long-tailed; ~**оше́рст(н)ый** long-wooled; '~**ый** long; lengthy, tedious (*растянутый*); '~**о** lengthily *и пр.*

дли́тельн‖**ость** continuance, length; ~**ый** protracted, long, lingering; ~**ый пери́од** protracted (prolonged) period; ~**о** a long time.

длить to protract, prolong, draw out; ~**ся** to last, continue, endure, linger.

для for, to; д. того́, что́бы to, in order to, in order that; д. чего́? why?, what for?; доста́точно умён д. того́, что́бы знать wise enough to know; мы еди́м д. того́, что́бы жить we eat to live; не д. чего́ there is no need; непроница́емый д. воды́ impervious to water, waterproof; они́ живу́т друг д. дру́га they live for each other; о́чень тепло́ д. зимы́ it is very warm for a winter day; я ничего́ не сде́лал д. осуществле́ния э́того I have not done anything towards bringing it about.

Дми́трий Demetrius.

днев‖**а́льный** *воен.* orderly; ~**а́ть:** он днюет и ночу́ет там he spends all his time there; ~**ни́к** diary, journal; вести́ ~**ни́к** to keep a diary, to journalize; ~**но́й** day (*attr.*), diurnal; ~**но́й за́работок** a day's wage(s) (earnings); ~**но́й свет** daylight; ~**но́й спекта́кль** matinée, an afternoon performance; ~**на́я сме́на** day shift.

днём *см.* **день.**

Днепр the Dnieper.

Днепропетро́вск Dniepropetrovsk.

Днепрострой Dnieprostroy.

Днестр the Dniester.

дн‖**и́ще** bottom; ~**о** bottom; ground (*только моря*); ~**о о́бщества** lees, rabble, dregs of the population, riff-raff, rag-tag and bobtail; золотое ᴗо *фиг.* goldmine, Tom Tiddler's ground; выпить до ᴗа to drain to the dregs (lees); достать до ᴗа to touch bottom, to bottom; чтоб ему ни ᴗа ни покрышки! bad luck to him!; итти ко ᴗу to go to the bottom, to sink, founder; пускать ко ᴗу to sink, founder, to send to the bottom; судно идёт ко ᴗу the ship sinks (settles); вверх ᴗом upside down, topsy-turvy, bottom up; всё перевернуть вверх ᴗом to make hay of.

до I. *муз.* do.

до II. 1. before (*перед*); до нашей эры before Christ (*сокр.* B. C.); 2. till, until, pending; до самой смерти till death; до свиданья! good-bye!; до сих пор till now, up to now, hitherto; до тех пор till then, meantime; не отправляйтесь до тех пор, пока я не скажу do not start till I give the word; отложено до его возвращения is put off pending his return; 3. to, up to, as far as; от 2 до 6 from 2 to 6; до некоторой степени in a measure, to some extent; до последней капли to the last drop; до самого дна right to the bottom; до такой степени (до того), что... to such an extent that...; точный до минуты punctual to the minute; я еду до Москвы I am going as far as Moscow; 4. about (*около*); у меня до 5000 книг I have got about five thousand books; 5. with; ему не до веселья he is not disposed to be merry; мне не до этого I have more serious matters to attend to, I have no time for that, I have other fish to fry; у меня до вас дело I have business with you; что до меня в to (for) me.

до- III. *приставка*: 1. to the end, the remainder, completely; доедать to eat the remainder, дочитывать to finish reading, to read to the end; 2. as far as, up to, far enough; добегать to reach, to run as far as; 3. till; досмеяться to laugh till; 4. to the necessary degree, sufficiently, till ready; досыпать to sleep enough; *глаголы, не помещённые под* до-, *см. на* соотв. *месте без* до-.

добав‖ить to add, subjoin, append, annex, tack, throw in; ᴗка addition, makeweight; ᴗление addition, supplement, appendix, addendum; ᴗление к документу an-

nex, rider; ᴗлять, ᴗок *см.* добавить, добавлять; ᴗочный additional, supplementary, accessory, extra; ᴗочный налог surtax; ᴗочная стоимость surplus value.

добе‖гать to reach; ' ᴗгаться до изнеможения to run oneself out; ᴗжать to reach; он ᴗжал до реки первым he was the first to reach the river.

добела: раскалённый д. white-hot, incandescent.

доби‖вать to dispatch, kill, finish; ᴗваться to aim at, to be solicitous of, to try to get (obtain); to strive for, to make efforts to attain (obtain); ᴗваться невозможного to strive after the impossible; to square the circle.

добирать to gather (what is left), to finish gathering; ᴗся to attain, reach, get (*at*), come (*at*); to find one's way (*to*); ᴗся до правды *фиг.* to find out (come at) the truth; я доберусь до него когда-н. he shall hear of me some day.

доби‖ть *см.* добивать; ᴗться to obtain, get, attain, come at, win, gain, secure; to wangle (*sl.*); ᴗться выполнения плана to secure fulfilment of the plan; ᴗ ся лаской to coax something out of; ᴗться признания to win recognition; ᴗться своего to have (get) one's way; ᴗться согласия to win consent; ᴗться толку to get an explicit answer; при желании можно всего ᴗся where there's a will, there's a way; он ничего не ᴗ ся he has nothing to show for it; я ᴗся, чтобы он пошёл туда I succeeded in making him go there; I made him go there.

доблест‖ный valiant, valorous; ᴗно valiantly, valorously; ᴗь valour, prowess, heroism.

добрать *см.* добирать.

добрести to drag oneself up to.

добреть to become kind; to become corpulent (*толстеть*).

добро I. *уст.* letter Д.

добр‖о II. good; property, goods, chattels (*имущество*); д.! *уст.* good!; д. пожаловать! welcome!; чужое д. впрок нейдёт *погов.* ill gotten wealth never thrives; ill got, ill spent; для его ᴗá for his good; я желаю ему ᴗа I wish him well; от ᴗа ᴗа не ищут *посл.* let well alone *или* the best is the enemy of the good; уйти по ᴗý по здорову to get off with a whole skin; это не к ᴗу it is of bad omen, it bodes ill, it is a bad sign; ~о́м *adv.* in a friendly way, without being rude; плати́ть ~о́м за зло to render good for evil.

доброво́л‖ец volunteer; запи́сываться ~ьцем to enlist as a volunteer, to volunteer; ~ьность voluntariness, spontaneity, free will; ~ьный voluntary, free-will, free, willing, spontaneous, unbidden; supererogatory (*сверх обяза́тельства*); ~ьный флот volunteer fleet; ~ьная по́мощь willing aid, spontaneous assistance; ~ьно of one's own accord, voluntarily; ~ьческий voluntary; ~ьческая а́рмия voluntary army.

добро‖де́тель virtue; ~де́тельный virtuous, pious; ~ду́шие good nature, kindness, geniality; ~ду́шный good-natured, genial, good-tempered, benign; ~ду́шно good-naturedly; ~жела́тель well-wisher; ~жела́тельность well-will, kindness; ~жела́тельный well-wishing, friendly, benevolent, kind; ~жела́тельно benevolently; ~жела́тельствовать to wish well, to bear one good will; ~ка́чественность genuineness, good quality; ~ка́чественный good, of good quality; *мед.* laudable; benign; ~нра́вие proper behaviour; ~нра́вный well-behaved, orderly; ~поря́дочный respectable; ~серде́чность kind-heartedness; ~серде́чный kindhearted; ~со́вестность conscientiousness, scrupulosity; ~со́вестный conscientious, scrupulous, dutiful; ~со́вестно conscientiously, scrupulously; ~сосе́дский neighbourly; ~сосе́дские отноше́ния neighbourly relations, good neighbourhood.

доброт‖а́ kindness, goodness, kindliness, gentleness, benignity; (good) quality (*материа́ла*); '~ный of good quality.

до́бр‖ый kind, good, kindly, benign, genial, gentle; д. день! good day!, good afternoon!; в д. час! good luck!, God speed you!; всего́ ~ого! good bye! good luck!; чего́ ~ого I am afraid that...; это была его́ ~ая во́ля it was his pleasure; он помолча́л с ~ую мину́ту he was silent for the best part of a minute; ~ое и́мя good fame, reputation; с ~ым у́тром! good morning!; ~ых три ми́ли отсю́да it is a good three miles (it is three miles good) from here; ~я́к good-natured man, good soul.

добуди́‖ться to wake, rouse; я буди́л его́, но не ~лся I tried to

wake him but did not succeed; I tried to, but could not wake him.

добы‖ва́ть to extract, mine (*минералы*); to quarry (*ка́мень*; *факты*); to obtain, acquire, procure, pick up, gain, secure (*достава́ть*); д. де́ньги (све́дения) to get money (information), to tap; д. пропита́ние to pick up a livelihood; ~ва́ться to be extracted (mined); ~ва́ющая промы́шленность extractive industry; '~ть *см.* добыва́ть; '~ча extraction (*минера́лов*); gain, profit (*то, что добы́то каким-л. путём*); booty, spoil, plunder, pillage, loot (*граби́телей и т. п.*); prey (*хи́щника и фиг.*); spoil, bag (*охо́тника*); catch (*рыболова*); prize (*в морско́й войне́*); *поэт.* ravin; сде́латься ~чей пла́мени to fall a prey to the flames.

дова́р‖ивать, ~и́ть to boil enough (to the necessary degree); ~иваться, ~и́ться to be boiled enough.

доведе́ние bringing to.

дове́ренн‖ость letter (power, deed, warrant) of attorney, warrant, procuration; по ~ости by proxy, by attorney; ~ый 1. trusted; ~ый прика́зчик head-clerk, managing clerk; 2. a proxy, agent.

дове́ри‖е trust, confidence, credit, reliance, affiance, faith (*in*); лиша́ть ~я to discredit; потеря́ ~я discredit; челове́к, заслужива́ющий ~я trustworthy man; э́тот расска́з не заслу́живает ~я this tale deserves no credit; я не пита́ю к нему́ ~я I have no faith in him; он по́льзуется ~ем своего́ дру́га he enjoys his friend's confidence; по́льзующийся ~ем confidential; по́льзуясь ~ем in a position of trust; '~тель constituent, principal; '~тельный confidential; ~ть(ся) *см.* доверя́ть(ся).

до́верху up to the top.

дове́рчив‖ость trustfulness, credulity; ~ый trustful, trusting, confiding; credulous, (*легкове́рный*).

доверш‖а́ть to consummate, finish, complete, crown, to put a finishing touch (*to*); ~е́ние completion, consummation, finish, finishing touch; в ~е́ние to crown all; в ~е́ние побе́ды to complete the victory; ~и́тель consummator; ~и́ть *см.* доверша́ть.

доверя́ть to trust, entrust; to put (repose, place) trust (*in*) (*пола гаться*); to believe, credit (*верить*); д. кому-л. что-л. to trust (entrust) one with something, to trust (commit, entrust) something to one; не д. to mistrust; ~ся to trust, confide (*in*), repose trust (*in*).

довесить *см.* довешивать.

довесок makeweight.

дов'‖сти́(сь) *см.* доводить(ся); такое признание ~ло́ бы его до тюрьмы such a confession would land him in a prison; мне так и не ~ло́сь побывать там I have never had a chance of going there.

дове́шивать to make up the weight.

довле́‖ть *уст.* to suffice; ~ет дневи злоба его sufficient unto the day is the evil thereof.

до́вод reason, argument; неопровержимый д. irrefragable (irrefutable) argument; приводить д. to advance a reason, to adduce an argument; все ~ы за и против all the pros end cons.

доводи́ть to lead, accompany (*up to*); to bring (*to*); reduce (*to*), drive (*into*); д. до изнеможения to walk one off one's legs, to tire out; д. до конца to bring to an end, to bring to a close, to see out, to see through; д. до минимума to minimize; д. до отчаяния to drive into (reduce to) despair; д. до сведения to bring to one's knowledge, to let one know; д. до слёз to make one cry; д. до совершенства to bring to perfection; д. до сумасшествия to drive mad; д. промфинплан до станка to popularize the industrial-financial plan at lathe and bench; д. себя до бешенства to work oneself into a rage; ~ся to happen (*to*), chance (*to*); он мне дово́дится двоюродным братом he is my cousin.

дово́енный pre-war; д. уровень продукции pre-war level of production.

довози́ть *см.* довезти.

дово́льн‖ый content, contented, pleased, satisfied (with); в душе д. content in mind; ~o enough, sufficiently; rather; она ~o хорошо поёт she sings well enough (fairly well, pretty well); ~о! enough!, enough of this!; этого ~о that will do; с меня ~о этого I have had enough of it, I am fed up with it (*sl.*); ~о об этом so much for this; этого ~о? will that do?, will that suffice (be sufficient)?

дово́льств‖ие ration, allowance; вещевое д. ammunition allow-

ance; ~о ease, prosperity (*зажиточность*), content, contentment, complacency (*удовлетворённость*); жить в ~е to live in clover; ~оваться to be content (satisfied) with.

дог Great Dane.

догад‖аться to guess; think of; никогда не ~ался бы сделать это I should never think of doing it; '~ка surmise, conjecture, guess; основанный на '~ке conjectural; высказывать '~ку to surmise, conjecture; '~ливость quick wits, ingenuity, shrewdness; '~ливый quick-witted, shrewd, ingenious.

дога́д‖ываться to suspect; я ~ывался о заговоре I suspected a plot.

до́глинг *зоол.* bottle-nose.

догляде́ть to observe; notice (*уследить*); to see to the end.

до́гма, ~т dogma, tenet; theory (*научной дисциплины*); ~тизи́ровать to dogmatize; ~ти́зм dogmatism; '~тика dogmatics; ~ти́ст dogmatist; ~ти́ческий, ~ти́чный dogmatic, positive.

догна́ть *см.* догонять; д. и перегнать to catch up (reach) and surpass; to overtake and outstrip.

догова́рива‖ть to speak (say) out, to finish speaking; он не ~ет чего-то he suppresses something; ~ться to negotiate, treat; to contract (*с к.-л.—with*, *о ч.-л.—for*); ~ться до абсурда to talk to the point of absurdity; ~ться до хрипоты to talk (rave) oneself hoarse; ~ться о мире to treat for peace; ~ющиеся стороны contracting parties.

до́гово́р agreement, contract, treaty, convention, pact; д. о нейтралитете и ненападении treaty of neutrality and non-aggression; д. о ненападении non-aggression pact; д. по соцсоревнованию socialist competition agreement; коллективный д. collective agreement; мирный д. treaty of peace; тайный д. secret treaty; counterdeed (*аннулирующий или изменяющий официальный договор*); торговый д. commercial treaty; заключать д. to contract, covenant, to conclude a treaty, to make terms, to come to an agreement; скреплять д. to ratify a compact; ~ённость agreement on point in question; ~иться см. договариваться; to covenant, to come to terms, to make terms, to come to an understanding; '~ный according to a contract, contractual, stipulated.

доголá: раздеть к.-л. д. to strip one stark naked (to the skin).

догонять to overtake, catch, catch up, come up with, run down, join; to overhaul (*особ. на море*); д. к.-л. в ученьи to match one in learning; д. свой полк to join one's regiment.

догор‖**áть,** ‿éть to burn low, burn out; свеча ‿éла the candle is out.

догул‖**ивать,** ‿ять: я ‿иваю последние дни отпуска I am enjoying the last days of my leave of absence (of my holidays).

дода‖**вáть,** '‿ть to make up, pay up, add; я не дóдал вам рубля I have given you one rouble less (too little); '‿ча addition, making up.

додекаэдр dodecahedron.

додéл‖**ать** to finish (*off, up*), touch up, complete; ‿ывание completion, finishing; ‿ывать *см.* доделать.

додý́м(ыв)аться to come to a conclusion.

доедáть to eat up, to finish eating.

доез‖**кáть** to arrive, reach; ‿чий *охотн.* whipper-in.

доéние milking.

доéсть *см.* доедать.

доéха‖**ть** *см.* доезжать; он его совсем ‿л *разг.* he has tired him out (exhausted him).

дож doge; звание ‿а dogate.

дожáр‖**енный** well-done; ‿и-(ва)ть to fry (roast) sufficiently, to finish roasting.

дожд‖**áться:** я ‿áлся наконец письма I (have) received a letter at last; он ‿éтся того, что свернёт себе шею he will break his neck one of these fine days; he will end by breaking his neck; мы ждём, не ‿ёмся we are waiting impatiently (*for*).

дожд‖**евáние** artificial rainfall; ‿евик puff-ball (*гриб*); rain-coat (*пальто*); ‿евóй pluvial, rainy; ‿евáя водá rain-water; ‿евая капля rain-drop; ‿емéр pluviometer, rain-gauge; ‿емéрный pluviometric; ‿енóсный pluvial; '‿ик *см.* дождь; ‿и́ть to rain; ‿и́т it rains; ‿ли́вый rainy, showery, wet.

дожд‖**ь** rain; д. бьёт в окно the rain patters on the window panes; д. льёт как из ведра it rains cats and dogs; идёт сильный д. it rains heavily; льёт д. it is pouring; проливной д. pouring rain,

drencher, soaker; приглашения сыпались ‿ём it rained invitations, invitations poured in; на ‿é in the rain.

дожи‖**вáть** to live till, live to see, attain, reach; д. до глубокой старости to reach a great age; я не ‿вý́ до того как она станет взрослой I shall not live to see her grown up; до чего мы дóжили! what have we come to!

дожидáться *см.* ждать.

дожи́ть *см.* доживать; д. до победы социализма to live to see the victory of socialism; д. до седых волос to become grey-headed, to grow old.

дóз‖**а** dose; draught, potion (*жидкого лекарства*); лошадиная д. a horse's dose; слишком большая (малая) д. overdose (underdose); давать слишком большую (малую) ‿у to overdose (underdose).

дозарéу most urgently, extremely; *см. тж.* зарез.

доз‖**вáться:** я не мог д. его I called him but he did not come; его не ‿овёшься it is impossible to make him come, he never comes when he is called.

дозвол‖**éние** allowance, permission, leave; '‿енный permitted; legal (*законом*); ‿и́тельность permissibility; ‿и́тельный permissible; '‿ить, ‿я́ть to permit, allow, authorize, grant, give leave; ‿я́ться to be permitted (allowed).

дозвони́ться to ring at the door till it is opened, to ring up; я не мог к вам д. I have been ringing in vain at your door (*у входа*); I could not get you on the phone (*по телефону*).

дози́ров‖**ать** to dose; '‿ка dosage.

дозна‖**вáться** to inquire about, find out, ascertain; '‿ние (coroner's) inquest, inquisition, inquiry.

дознáться *см.* дознаваться.

дозóр patrol, round; ночной д. night-watch; ходить ‿ом to patrol; ‿ный a patrol.

дозре‖**вáние** ripening; ‿вáть, '‿ть to ripen.

доигрáть, дои́грывать to finish (the game).

дои́ск‖**áться** to find out, ascertain, discover, hunt out (up), root out; '‿иваться to search, seek (*for, after*); to try to find out, to inquire (*into*).

доистори́ческий prehistoric.

дои́ть to milk; ‿ся to give milk, to be milked.

дойн‖и́к milk-pail; '∼ая коро́ва milch cow (*букв. и фиг.*).

дойти́ *см.* доходи́ть; он дошёл до того́, что сказа́л he went as far as to say, he went the length of saying; карто́шка не дошла́ the potatoes are not cooked through; ва́ше письмо́ не дошло́ до меня́ your letter never reached me; до моего́ све́дения дошло́ it has come to my knowledge; до чего́ мы дошли́! has it come to this!

док dock, basin; наливно́й д. wet dock; плову́чий д. floating dock; сухо́й д. dry (graving) dock; ста́вить су́дно в д. to dock a ship; быть в ∼е (*о су́дне*) to lie up.

до́к‖а expert, authority, connoisseur; д. на ∼у нашёл *погов.* diamond cut diamond.

доказа́тель‖ный demonstrative, convincing, conclusive; ∼ство argument (*до́вод*); demonstration (*дока́зывание*); proof, testimony (*to*), witness (*to, of*), evidence (*свиде́тельство*); в ∼ство (*ч.-л.*) in witness (*of*); служи́ть ∼ством to witness, evidence; есть ли каки́е-либо ∼ства э́того? is there any evidence of (for) this?; приводи́ть ∼ства to adduce proofs.

доказа́‖ть to demonstrate, prove, make good, attest, argue; д. теоре́му to demonstrate a proposition; д. свою́ невино́вность to purge oneself of suspicion; что и тре́бовалось д. which was the thing to be shown; я могу́ д. что э́то так I can show that it is so; принима́ть как '∼анное to take for granted; '∼ывать *см.* доказа́ть; '∼ывает, что он негодя́й it argues him (to be) a rogue.

дока́нчивать to finish, end, to put an end (*to*).

докапиталисти́ческий pre-capitalist.

дока́пываться to find out, discover; д. до су́ти де́ла to find out the rights of the case.

до́кер docker.

доки‖да́ть, '∼дывать, '∼нуть to finish throwing; throw as far as.

докла́д report, paper; без ∼а не входи́ть visitors are requested not to come in without being announced; ∼на́я запи́ска memorandum (*pl.* ∼da), report; ∼чик reporter.

докла́дывать to report, to make a report; to announce (*о посети́теле*); to add (*прибавля́ть*).

докли́каться to call until one is heard.

доко́ле? *уст.* how long?

докона́‖ть to finish, break; э́то его́ ∼ло it was too much for him; it overpowered him.

доко́нчить *см.* дока́нчивать.

докопа́ться *см.* дока́пываться.

до́красна to redness; раскалённый д. red-hot; раскалённость д. red heat.

докрича́‖ться to shout till one is heard; д. до хрипоты́ to shout oneself hoarse; to make oneself hoarse by shouting; я его́ не ∼лся I shouted to him in vain.

до́ктор doctor (*как ти́тул сокр.* Dr.), physician, medical practitioner; surgeon (*хиру́рг*); д., живу́щий при больни́це *или* учрежде́нии house-surgeon, house-physician; д. прав doctor of laws (LL. D.); ∼а́льный doctoral; ∼ская сте́пень doctorate; ∼ша lady-doctor, lady-physician; *шут.* doctress.

доктри́н‖а doctrine, teaching, tenet; ∼а́льный doctrinal; ∼ёр, ∼ёрский doctrinaire; ∼ёрство doctrinairism.

докуда́? how far?

доку́ка annoyance, bother, vexation, worry.

докуме́нт document, deed, act, record, instrument; оправда́тельный д. voucher; ∼а́льный documentary; ∼а́ция documentation; ∼и́ровать to document.

докупа́ть to buy in addition.

доку́р‖ивать, ∼и́ть to finish one's cigarette (cigar, pipe), to smoke to the end.

доку‖ча́ть to importune, bother, annoy, trouble, worry, pester, plague; д. про́сьбами to importune; '∼чливость importunity, irksomeness; '∼чливый, '∼чный importunate, irksome, tiresome.

дол *поэт.* dale; по гора́м и ∼а́м up hill and down dale.

долбёжка *разг.* learning by rote, swot.

долб‖и́ть to chisel, hollow, gouge; to peck (*о пти́це*); to learn by rote, sap, swot (*зубри́ть*); ∼ня́ beater, beetle.

долг duty (*обя́занность*); debt; д. в 10 фу́нтов a debt of £10; д. платежо́м кра́сен *посл.* one good turn deserves another; д. че́сти debt of honour; госуда́рств. д. national debt; консолиди́рованный (теку́чий) госуда́рственный д. funded (floating) debt; революцио́нный д. revolutionary duty; в д. on credit, on trust; исполня́ть свой д. to do one's duty; отда́ть д. природе to pay one's debt to nature; отдать последний д. to pay the last honours (offices); покрывать д. to pay (clear) off a debt; прощать д. to acquit of a debt; не выполнить ~a to fail in (to come short of) one's duty; быть в ~ý to be in one's debt (денежн.); to owe, to be indebted to (денежн. и фиг.); быть в ~у как в шелку to be in debt to the armpit; to be over head·and ears in debt; я у ьас в ~у (я вам обязан) I owe you a good turn; ~й liabilities, arrears; входить в ~и to get (run) into debt; делать ~и to contract (incur) debts; царские ~и tsarist debts; эта сумма покроет все его ~и this sum will clear all his debts; без ~óв out of debt; жить не делая ~ов to keep one's head above water, to pay one's way; в ~áх in debt; in Queer street (sl.).

до́лг∥ий long, prolonged; д. гласный фон. long; гласный д. по положению vowel long by position; д. период prolonged period; откладывать в д. ящик to procrastinate, defer, delay, put off; ~ое время a great while; ~о long, a great while, a long time; ~о ли до беды? a misfortune can easily happen; случай ~о не представлялся the chance was long (in) coming; он ~о не проживёт he will not be long for this world; ~овá́тый, ~овáто rather long; ~овéчность longevity; ~овéчный long-lived (о человеке); lasting, permanent.

долгов∥óй: ~áя расписка, ~óе обязательство promissory note, note of hand, I O U (=I owe you), debenture.

| долго∥волóсый см. длинноволосый; ~врéменность long duration; ~врéменный of long duration, lasting; ~вя́зый lanky, spindle-shanked, leggy; ~вязый человек spindle-shanks, long-shanks; ~дéнствие long life, longevity; ~ждáнный long awaited (expected); ~лéтие см. долголетие; ~лéтний long, of many years standing; ~нóсик зоол. weevil; попорченный ~нóсиком weevilled (о зерне); ~срóчный of long duration, for a long time; longdated (о векселе); ~срóчное кредитование long term crediting; ~тá length; геогр. longitude; фон. length; ~терпели́вый long-suffering; ~терпéние long-suffering.

до́лее longer.

долери́т мин. dolerite.

долетáть to reach, to fly up to.

долж∥жáть разг. to contract (incur) debts, to run into debt; он мне много '~ж ен he owes me a lot of (much) money.

долж∥енствовáть to be obliged; и '~ен же я был сломать себе ногу как-раз когда я начал поправляться just as I was getting better, what must I do but break my leg!; он ~ен был предвидеть это he should have foreseen it; он ~ен быть там he is to be there; он ~ен сейчас быть здесь he is due here almost at once; поезд ~ен был давным-давно притти the train is due and overdue; я ~ен быть ему благодарен I owe him gratitude; я ~ен исполнить кое-какую работу I have some work to do; я ~ен итти I must go, I have to go; ~нó быть I dare say, probably, I suppose; всё как ~но быть all is well (as it should be); вы ~но быть об этом слышали you must have heard of it; он ~но быть пьян he must be drunk; это ~но было быть сделано давно it ought to have been done long ago; это ~но быть сделано осторожно it needs to be done with care; вы ~ны бы знать, что это нехорошо you ought to know better.

должишки уменьш. debts.

должн∥и́к debtor; несостоятельный д. insolvent, bankrupt; быть чьим-либо ~икóм to be in someone's books; '~ое due; воздавать ~ое to do justice (to); отдавать ~ое даже своему врагу to give the devil his due.

долж ност∥нóй official; д. проступок breach of trust; ~нóе лицо official, officer, functionary.

до́лжност∥ь office, function, duty (обязанность); situation, place, post, appointment, employment; выгодная д. lucrative appointment (место); snug berth; почётная д. post of honour; занимать д. to hold (fill) an office; оставлять д. to resign (leave) office; быть без ~и to be unemployed, to be out of a place; преступление по ~и criminal breach of trust.

до́лжн∥ый due, proper, right, just; ~ым образом properly, duly; быть ~ым to owe (тж. см. должáть); на ~ой высоте up to the mark.

долж**о́к** *уменьш.* debt.

долива́ть to pour full.

доли́на valley; *поэт.*, *рит.* vale, dale.

доли́ть *см.* доливать.

долихоцефа́л(ы) *антроп.* dolichocephal(i).

до́ллар dollar.

долме́н *архл.* cromlech, dolmen.

доложи́ть *см.* докладывать; просить д. о себе to send in (up) one's name.

доло́й away, off, down (*with*); д. войну! down with war!; д. неграмотность! away with illiteracy!; д. папизм! по popery!; д. с моих глаз! out of my sight!; прогнал с глаз д. banished from his presence; шапки д.! hats off!

доломо́н Colman.

доломи́т *геол.*, *мин.* dolomite.

долото́ chisel; gouge (*полукруглое*); carve chisel (*косое*); mortise chisel (*шиповое*).

до́лу *уст.*, *поэт.* down.

до́лька lobule.

до́льше *см.* долее.

до́льщик *см.* пайщик.

до́л**я** share; portion, lot (*судьба*); part, allotment, quota (*часть*); segment (*отрезок*, *кусок*); clove (*чеснока и пр.*); *бот.*, *анат.* lobe; 96-ая доля золотника the 96th part of a zolotnik; горькая д. miserable fate, unhappy lot; ложь, в которой есть д. правды a lie that is part truth; чур, моя д.! shares!; он не получил ~и в добыче he got no share of the booty; входить в ~ю с к.-л. to become someone's partner; выпадать на чью-л. ~ю to fall to one's lot, to be reserved for; книга в четвёртую (восьмую) ~ю листа quarto (octavo).

дом house (*здание*); home; д. Красной армии Red Army Club; д. культуры the Palace of Culture; д. отдыха home (house) of rest, rest home; д. сумасшедших lunatic asylum, madhouse; д. Тюдоров House of Tudors; д. с прилегающими постройками premises; д., построенный на скорую руку jerry-built house; воспитательный д. foundling hospital; детский д. children's home; жилой д. dwelling-house; игорный д. gaming-house; gambling hell (*sl.*); исправительный д. house of correction, reformatory; кукольный д. doll's house; помещичий д. manor-house, hall; публичный д. brothel, bawdy-house, house of ill

fame; ~а at home, within; он ещё ~а? is he in (is he home) yet?; его нет ~а he is out; вне ~а out of doors, outdoors, abroad; быть как ~а to feel at home; у него не все ~а he isn't right up there; he isn't all there; к ~у homewards; на ~у́ at home; работа не на ~у́ outside work; тоскующий по ~у homesick; всем ~ом with one's whole family; жить своим ~ом to have a household; ~о́й home, homewards; вернуться ~о́й to get home.

домарксистский pre-Marxian.

дома́шн**ий** domestic, home-, house-, homy; home-made; д. арест domiciliary arrest; д. уют house and home; по-~ему without ceremony; ~яя птица poultry; ~яя работница (domestic) servant; ~ее хозяйка housewife; ~ее хозяйство housewifery, housework, housekeeping, domestic economy; ~ие the household, family; ~ие животные domestic animals; ~ие расходы household expenses.

до́менная печь *см.* домна.

до́мик little house, cottage; карточный д. house of cards.

домина́нта *муз.*, *психол.* dominant.

доминио́н *пол.* dominion.

домини́ровать to predominate.

домино́ domino (*наряд и игра*); одетый в д. dominoed.

дом**и́шко** paltry (small) house; ~и́ще huge house.

домко́м house committee.

домкра́т *техн.* jack; screwjack

до́мна blast-furnace.

домови́т**ость** thriftiness, economy; ~ый thrifty; economic, housewifely; ~ая хозяйка a good housewife.

домовлад**е́лец** (~е́лица) proprietor (proprietress) of a house; houseowner, landlord (landlady); ~е́ние houseowning.

домов**ничать** to stay at home and keep house; ~о́дство housewifery, house-keeping; школа ~о́дства School of Domestic Arts; ~о́й goblin, hobgoblin; brownie (*добродушный*); '~ый трест house trust; '~ая книга register of the inhabitants of a house, house-register; '~ое собрание meeting of the inhabitants of a house.

домога́т**ельство** solicitation, importunity, suit, seeking (*for*); ~ься to seek (*for*, *after*), solicit, importune, covet; ~ься любви to woo, court.

домо́й *см.* дом.

домоправи́тель steward; ∼ница housekeeper; ∼ство stewardship.

домо‖ро́щенный inlandish, home-born, home-bred, home-made; ∼се́д, ∼се́дка stay-at-home, home-keeping person; ∼се́дство home-keeping; Д∼стро́й *ист.* written rules for managing the household; ∼тка́ный home-spun; ∼управле́ние house committee; ∼хозя́ин owner of a house, householder; ∼ча́дец member of a household; ∼ча́дцы household.

до́мра a type of balalaika.

домэ́н *ист.* domain.

дон don (*испанский титул*).

дона́шивать to wear out, to finish wearing.

Донба́сс *см.* Донецкий угольный бассейн.

до-нельзя́ *разг.* to the utmost, to the last degree.

донес‖е́ние report, dispatch; ∼ти́ *см.* доносить; он не ∼ёт этой тяжести he cannot carry this weight.

Доне́цкий: Д. у́гольный бассейн the Donetz Coal-field.

дон-жуа́н lady-killer, masher, philanderer, Don Juan; ∼ство lady killing, philandering.

до́низу to the bottom.

донима́ть to worry, annoy, trouble, importune, persecute, plague; д. вконец worry to death, worry the life out; д. рабо́той to overwork, to give one much work.

Дон-Кихо́т Don Quixote; *нарицат.* Quixote.

донкихо́т‖ский quixotic; ∼ство quixotry, quixotism; ∼ствовать to tilt at (to fight) windmills.

до́нна donna.

до́нник *бот.* melilot.

до́нн‖ый: д. лёд ground-ice; ло́вля на ∼ую удочку ground-fishing.

доно́с denunciation, information; сде́лать д. на к.-л. to denounce, inform against one; to squeak, squeal (*sl.*).

доноси́ть to carry up to; to inform (*against*), denounce, report (*де́лать доно́с*); to be delivered at right time (*о беременной*); *см. тж.* дона́шивать; ∼ся to reach one's ears, to be heard.

доно́счик informer, denunciator; sneak (*школьн.*).

доны́не *уст., рит.* hitherto, up to this time.

до́нышко *уменьш. от* дно.

доня́ть *см.* донима́ть.

доотва́ла *см.* отвал.

допека́ть to bake enough, to finish baking (*хлеб*); *фиг.* to worry, harass, plague; to scold, reproach.

допеча́т‖ать *тип. см.* допеча́тывать; ∼ка impression, supplementary issue; ∼ывать to finish printing.

допе́чь *см.* допекать.

допи‖ва́ть to drink up, to finish drinking; он ∼л стакан he finished off his glass.

допи‖са́ть, '∼сывать to finish writing.

допи́ть *см.* допивать.

допла́‖та additional payment; *ж.-д.* excess fare; письмо́ с ∼той, ∼тно́е письмо́ letter insufficiently prepaid; insufficiently stamped letter; ∼ти́ть, ∼чивать to pay in addition.

допл‖ыва́ть, ∼ы́ть to reach, to swim up to, sail up to.

допо́д‖линн‖ый authentic; ∼о for certain, to a certainty.

дополн‖е́ние complement, supplement, addition, addendum; *гр.* object; прямо́е (ко́свенное) д. direct (indirect) object; ∼и́тельный complementary, supplementary, subsidiary, additional, extra; supererogatory (*сверх обязательств*); ∼и́тельный о́тпуск extra leave; ∼и́тельный расхо́д extra; ∼и́тельный цвет complementary colour; ∼и́тельная пло́щадь extra floor space.

допо́лн‖ить, ∼я́ть to complement, complete, integrate, add, to make up; ∼иться, ∼я́ться to be complemented.

дополу́денный antemeridian; forenoon (*attr.*).

до полусме́рти (almost) to death.

дополуч‖а́ть, ∼и́ть to receive in addition.

допото́пный antediluvian; *фиг.* old-fashioned, antiquated, fossil.

до́ппинг *техн.* doping.

допра́шива‖емый examinee; ∼ть to examine, interrogate, question; ∼ться to be interrogated; ∼ющий examiner, interrogator, querist.

допризывн‖и́к youth undergoing preparatory military drill; ∼ый: ∼ая подгото́вка pre-conscription (military) training.

допро́с interrogatory, examination, interrogation, inquest; перекрёстный д. cross-examination; подверга́ть перекрёстному ∼у to cross-examine.

допрос‖и́ть *см.* допрашивать; ∼и́ться to obtain by asking; у него́ не допро́сишься one cannot get (obtain) anything from him.

допры́гаться to go a step too far.

до́пуск admission, admittance; ~а́емость admissibility; ~а́емый admissible.

допу||ска́ть to admit, receive (*давать доступ*); to permit of, allow, suffer, tolerate (*терпеть*); to consider probable, to grant (*считать вероятным*); to assume, to take for granted (*предполагать*); д. ошибки to admit errors; я ~ска́ю, что это верно I think it is probable; я не ~ска́ю этой мысли I think it unlikely; положение не ~ска́ет промедления the situation permits of (brooks) no delay; факты ~ска́ют двоякое толкование the facts admit (allow) of two interpretations; ~ска́ющий permissory; не ~ска́ющий возражения not admitting of objection; '~стим let us take for granted, let us assume; ~стим, что это так, что же из этого? well, say if it were so, what then?; он не был '~щен he was not admitted, he was shut out (off); ~сти́мый admissible, permissible; ~сти́ть *см.* допускать; ~ще́ние admission, admittance; assumption (*предположение*); permission, sufferance (*дозволение*).

допы||та́ться to find out; '~тываться to question, to try to elicit, to poke about, to poke and pry.

до́пьяна: напиваться д. to get drunk.

дораб||а́тывать, ~о́тать to finish working; ~о́таться до изнеможения to overwork oneself.

дораст||а́ть, ~и́ to grow up, to be up (*to*), to be old (tall) enough (*for*); to reach (*до высоты*); он не доро́с до понимания этого he is not mature enough (too young) to understand it.

дорва́ться to fall greedily upon, to plunge into.

дореволюцио́нный pre-revolutionary.

дорефо́рменный unreformed, pre--reform.

дори́||ец, ~йский Dorian.

дорис||ова́ть, ~о́вывать to finish drawing.

дори́ческий Doric.

до́ркинг Dorking (*порода кур*).

доро́г||а road; way; д., пересекающая другую crossroad; большая д. highway, public road; городская железная д. tram-way;

дальняя д. long journey; железная д. railway; railroad (*амер.*); подвесная электрическая д. elevated line; подземная электрическая д. tubular railway, tube, the underground; subway (*амер.*); просёлочная д. cart-road, track, by-way, mud-road; торная д. *фиг.* the beaten track; шоссейная д. high--road, highway; туда ему и д.! it serves him right!; край ~и wayside, roadside; по другую сторону ~и over (across) the way; стать поперёк ~и to cross one's path, to come (get) in one's way; уйдите с моей ~и get (clear) out of my road; всю ~у all the way; дать ~у к.-л. to let someone pass, to make way (*for*), to get out of someone's way; отправляться в ~у to set out (forth); пробивать себе ~у to carve one's way; в ~е during the journey; я пробыл 3 дня в ~е the journey took me 3 days; пойти не по своей ~е *фиг.* to mistake one's vocation; стоять на чьей-л. ~е to stand in someone's light; ~о́й on the way, by the way, in passing; итти своей ~о́й to go along, to go one's way, to take one's own way.

до́рого dear; д. продать свою жизнь to sell one's life dear(ly); это ему д. обойдётся it will cost him dear; ~ви́зна dearness, expensiveness, dearth, high prices; '~й l. dear; expensive, costly (*недешевый*); 2. darling, dear (*как обращение*).

доро́дн||ость obesity, corpulence, burliness; ~ый obese, corpulent, burly, stout.

дорож||а́ть to rise in price, to run up, get up; ~е dearer; ~и́ть to value, set store by, prize, esteem; не ~и́ть to think little (*of*); ~и́ться to ask too high a price, to overcharge.

доро́ж||ка path, walk, track, garden-walk (*в саду*); strip of carpet, stair-carpet (*ковер*); runner (*скатерть*); д. для верховой езды bridle-path, bridle-road; ride (*особ. лесом*); беговая д. path, cinder--path; ~ный мешок handbag; *амер.* grip(sack); ~ная шапка (лампа) travelling-cap(-lamp); ~ное строительство the laying down of roads, road construction; ~ные расходы travelling expenses.

дортуа́р dormitory.

доса́д||а vexation, chagrin, disappointment, spite; какая д.! what a pity!, the pity of it!, what a nuisance!, botheration!, how annoying (disappointing)!; с ~ы from disappointment, for spite; к его большой ~e to his great vexation; ~йть *см.* досаждать; он сделал это, чтобы ~ить мне he did it to spite me; ~ный annoying, vexing, awkward (*вызыв. досаду*); disappointing, plaguy, disagreeable, unpleasant, provoking (*неприятный*); ~но: как ~но! how vexing!; ~но, что... it is a pity that...; мне ~но I am sorry; ~овать to be displeased (*with*), to be vexed (*by*).

досажда́ть to spite, vex, bother, plague, provoke, irritate, annoy.

досе́ле *разг.* up to now, as far as this (*о времени*); here (*о месте*).

доси||де́ть, '~живать to sit up till; to finish hatching (*о курице*); д. до конца to sit out; ~де́ться, '~живаться to sit up (stay) till.

доск||а́ board, plank; table (*особ. с надписью*); д. для гравирования plate; д. для живописи масл. красками panel; д. для объявлений notice-board; д. для резания хлеба trencher; д. для чистки ножей knife-board; грифельная д. slate; классная д. black-board; коммутационная д. switch-board; красная и чёрная д. black and red list; спускальная д. *тип.* scale-board; до гробовой ~й till death; от ~и до ~и from cover to cover, from end to end; ставить на одну '~у (c) to put on a level (*with*); настилать '~и to plank; заколачивать '~ами to board (*up*); обшивать ~ами to plank.

доска||а́ть, '~ывать to finish telling (saying).

досконáльн||ый precise, exact, thorough; ~о precisely *и пр.*

досле́дование supplementary inquest.

досло́вн||ый literal, verbatim; ~о word for word, literally, verbatim.

дослу́||живать, ~жи́ть to serve one's time, to serve till; ~живаться, ~жи́ться to be promoted after long service.

дослу́ш(ив)ать to hear out, to hear to the end.

досма́тривать to see to the end; to examine (*багаж на таможне*).

досмея́ться to laugh till; д. до хрипоты to make oneself hoarse with laughing; to laugh oneself hoarse.

досмо́тр: таможенный д. examination of the passengers' luggage.

досмотр||е́ть *см.* досматривать; ~щик custom-house officer.

доспа́ть *см.* досыпать I.

доспе||ва́ние ripening; ~ва́ть to become quite ripe, to ripen; '~лый ripe, mature; '~ть *см.* доспевать.

доспе́хи *ист.* armour.

досро́чн||ый occurring before the term is over, premature; д. выпуск pre-term output (issue); ~ое выполнение плана pre-term fulfilment of the plan.

доста||ва́ть to fetch, bring (*принести*); to take out (*вынуть*); to get, obtain, secure, procure, get hold of, come by (*получать*); to reach (*достигать*); to suffice (*хватить*); д. деньги to raise money; to raise the wind (*sl.*); нам вас не ~ёт we miss you badly; ему не ~ёт бумаги he is short of paper; ему не ~ёт энергии he wants (is wanting in, deficient in) energy; он ~ёт рукой до потолка he can touch the ceiling with his hand; ~ва́ться to fall to one's lot.

доста́вить *см.* доставлять.

доста́вка delivery (*товаров, писем и пр.*); heavy haulage (*тяжёлых грузов*).

доставля́ть to deliver, convey, transmit (*препровождать*); to furnish, supply, bring (*снабжать*); to give, afford (*причинять*); д. беспокойство to give trouble; д. на грузовике to convey in a truck; д. на дом to deliver; д. сведения to furnish with information; д. удобный случай to afford an opportunity; д. удовольствие to give pleasure, gratify; д. утешение to minister consolation.

доста́ивать to remain standing till the end.

достáт||ок easy circumstances, prosperity, welfare, affluence, sufficiency; в ~ке in plenty; ~очность sufficiency, adequacy; ~очный sufficient, adequate, satisfactory; well-to-do, prosperous (*живущий в достатке*); ~очный доход snug income; быть ~очным to suffice, satisfy; приводить ~очные основания to offer adequate reasons for; ~очно enough, sufficiently, adequately; ~очно ли суп горяч? is the soup hot enough?; ~очно сказать suffice it to say; сказанного ~очно! say no more!; этого ~очно that will do.

достáть *см.* доставать; эту книгу трудно д. this book is difficult to get hold of; ~ньте мне один экземпляр procure me a copy, please; ~ться *см.* доставаться; ему

~лась львиная доля he got (came in for) the lion's share; вам ~нется you will hear of this again, you shall smart for this.

достиг‖**а́ть**, '~**нуть** to reach, attain, come, get, arrive (*at*), come up (*to*); to compass, obtain, achieve (*добиться*); to amount, run, come (*to*) (*составлять*); д. берега to gain (win) the shore; д. высшей точки to culminate, to come to a head; д. успеха to attain (achieve, touch) success; д. цели to secure (attain) one's object, to effect one's purpose, to achieve one's end; счёт ~а́ет 17 рубле́й the bill amounts (comes, runs) to seventeen roubles.

достиж‖**е́ние** achievement, attainment, improvement, progress (*успех*); attaining, reaching, obtaining; д. высшей точки culmination; высшее д. *фиг.* high-watermark; самый лёгкий путь к ~е́нию чего-л. royal road; ~е́ния науки и техники achievements in science and technics; ~ения соцпромышленности the achievements of socialist industry; ~**и́мость** attainability; ~**и́мый** attainable, accessible, approachable; *разг.* come-at-able, get-at--able.

достове́рн‖**ость** authenticity, truth; я сомневаюсь в ~ости этого I doubt the truth of it; ~**ый** authentic, trustworthy, authoritative; из ~ых источников from authoritative sources.

достодо́лжный *уст.* due, proper.

досто́инств‖**о** merit, virtue (*хорошее качество*); quality (*качество*); worth (*ценность*); dignity (*о сознании*); высокое д. excellence; этот план имеет то д., что он прост this plan has the virtue of being simple; монета 10-рублёвого ~а coin of the value of 10 roubles; монеты малого ~а coins of small denominations; чувство собственного ~а self-respect; исполненный чувства собственного ~а dignified; это ниже его ~а this is beneath his dignity.

досто́йн‖**ый** worthy, worth, deserving; д. внимания worthy of notice, deserving attention, worth notice; д. доверия trustworthy; д. похвалы praiseworthy, worthy of praise (to be praised); быть ~ым ч.-л. to deserve, merit; ~о worthily, with dignity.

досто‖**па́мятность** memorableness; ~**па́мятный** memorable; ~-

почте́нный *ирон.* worthy, respectable, venerable.

достопримеча́тельн‖**ость** curiosity; *разг.* sight; осматривать ~ости to see the sights; турист, осматривающий ~ости sight-seer; показывать ~ости to show one round; ~**ый** notable, noteworthy; remarkable.

досто‖**сла́вный** *рит.* renowned; ~**хва́льный** *рит.* meritorious, praiseworthy.

достоя́ние property, fortune; народное д. national (public) property; сделать ~м широких масс to popularize amongst the vast masses.

достр‖**а́ивать**, ~**о́ить** to finish building; ~о́йка bringing construction to an end.

до́ступ access, approach, admission, admittance; д. свежего воздуха inlet for (of) fresh air; право свободного ~а a right of admission; '~**ность** accessibility; affability (*о человеке*); '~**ный** accessible, approachable; *разг.* get-at-able, come-at-able; easy (*лёгкий*); делать '~**ным** to throw open to, to open up; '~**ное** нашим чувствам that which is patent to our senses; '~**ные** цены reasonable prices; '~**но** easily, simply.

достуча́‖**ться** to knock at the door till it is opened; я к нему не ~лся I knocked at his door but nobody opened to me.

досу́‖**г** leisure; на ~ге at leisure; ~**жий** idle, leisured; ~**жие** толки gossip, idle talk.

до́суха: вытирать д. to rub (wipe) dry; выкачать д. to pump dry.

досыла́ть to send on, send the remainder.

досыпа́ть I. to sleep enough.

досыпа́ть II., **досы́пать** to fill up.

до́сыта to repletion, to one's heart's content, to satiety; *фиг.* sufficiently; есть д. to eat one's fill; наговориться д. to talk one's fill.

досю́да up to here, as far as this.

досяг‖**а́емость** reach, attainability; *военн.* range (*орудия*); ~**а́емый** attainable, approachable; ~**а́ть** to attain.

дота́ция subsidy, grant, subvention.

дотла́ utterly, completely; разорён д. utterly ruined; razed to the ground (*о городе*); сгореть д. to burn to the ground.

дото́ле before that time, till then.

дото́шный minute, meticulous, scrupulous, precise.

дотр∥а́гиваться, ∽о́нуться to touch.

дотуда up to there, to that place.

дотя́∥гивать, ∽ну́ть to drag (draw) up to; to live till, to last (*out*); он не ∽нет до утра he will not live out the night; он ∽нет до нового урожая he'll go on till the new harvest; ∽гиваться, ∽ну́ться to reach.

доупа́ду: танцовать д. to dance till one is exhausted; хохотать д. to laugh to bursting-point, to split one's sides.

доу́ч∥ивать, ∽и́ть to finish teaching; to finish learning; ∽иваться, ∽и́ться to finish learning.

дофи́н *ист.* dauphin; жена ∽а dauphiness.

доха́ winter coat with the fur outside.

до́хл∥ый dead; ∽я́тина carrion.

до́хнуть to die.

дохну́ть *см.* дышать; д. табаком to exhale the smell of tobacco.

дохо́д income, return(s), receipt(s), incomings, gain, profit (*прибыль*); revenue (*государственный*); д., не подлежащий обложению non-taxation revenue; валовой д. gross profit (receipt); нетрудовой д. unearned income; пожизненный д. life annuity; чистый д. net profit; приносить д. to pay; ∽ы от гос. займов в СССР освобождены от налогов incomes from State loans in the USSR are exempt from taxation.

доходи́ть to go, walk (*up, to*), to walk as far as, to come (*at, to*); *фиг.* to reach, attain; to amount, run (*to*), total (*о числе, величине*); to ripen (*зреть*); д. до крайности to run to an extreme, to be reduced to extremity; д. до полного истощения (изнеможения) to be reduced to complete exhaustion; не д. по адресу to miscarry (*о письме*); доходит до таких размеров amounts to such extent (quantities); счёт доходит до 1000 фунтов the bill totals (amounts to, comes to) £ 1000; это доходит до нелепости it verges (borders) upon absurdity, it runs into absurdity.

дохо́дн∥ость profitableness; ∽ый profitable, lucrative, gainful, paying; ∽ые статьи (*бюджета*) revenues.

дохристиа́нский pre-Christian.

доце́нт lecturer, reader; д. по зоологии reader in zoology.

дочерн∥ий filial, daughterly, daughter's; ∽ее акционерное общество Joint Stock Company Branch.

до́чиста completely; есть д. to scrape one's plate; обокрасть д. to strip, fleece, to rob one of everything.

дочит∥а́ть, ' ∽ывать to read to the end; ∽а́ться до отупения (хрипоты) to read oneself stupid (hoarse).

до-чо́рта *вульг.* very much; д. много работы I am up to my ears in work; мне д. надоело I am fed up.

до́ч∥ка, ∽урка *уменьш. от* дочь.

дочь daughter.

дошива́ть, доши́ть to finish sewing.

дошко́льн∥ый pre-school; ∽ое воспитание pre-school education.

до́шлый *разг.* experienced, well versed (*in*), skilful (*искусный*); cunning (*хитрый*).

дощ∥а́тый (made) of planks, of boards; ∽а́тая постель plank-bed; ∽е́чка small plank; slab (*преимущ. из камня*); tablet (*с надписью*); table (*дерев. или каменн., особ. с надписью*); brass (name) plate (*металл. именная*).

доя́рка milkmaid.

дра́г∥а *техн.* drag, dredge; ∽и́ровать to drag, dredge.

драгома́н dragoman, interpreter.

драгоце́нн∥ость jewel, gem; preciousness (*чего-л.*); ∽ости jewelry, valuables, precious things; фальшивые ∽ости pinchbeck; ∽ый precious; invaluable; ∽ый камень gem, jewel, precious stone; intaglio (*с резьбой*).

драгу́н *ист.* dragoon.

дража́йш∥ий *ирон.* dearest; ∽ая половина better half.

драже́ sugar plum.

дразни́ть to tease, provoke, to poke fun (*at*); mock (*насмехаться*); to rag, rot (*sl.*); д. ложными надеждами to tantalize.

драйв: бить ∽ом, дать д. to drive (*в теннисе*).

дра́к∥а scuffle, fight, rough-and-tumble, fray, brawl; scrimmage (*свалка*); scrap (*sl.*); пёс лезет в ∽у the dog is spoiling for a fight.

драко́н dragon; wivern (*геральд.*).

драко́новский Draconian, Draconic (*закон*).

дра́ма drama; ∽тиза́ция dramatization; ∽тизи́ровать to dramatize; ∽ти́зм dramatic effect; ∽ти́ческий dramatic; ∽ти́чески dramatically; ∽ту́рг dramatist, playwright; ∽турги́я dramaturgy.

драмкружо́к dramatic circle.

дра́н‖ка lath (*штукату́рная*); shingle (*крове́льная*); ~ый torn, tattered, ragged; ~ь 1. long sort of shingles; 2. torn pieces of fabric.

драп thick woollen cloth.

драпиро́в‖а́ть to drape; ~а́ться to drape oneself; '~ка draping, drapery, hangings; '~щик upholsterer.

драпри́ drapery, curtain.

дра́тва wax-end.

драть to tear; to whip, flog, thrash (*бить*); д. горло to bawl, roar; д. за уши (за волосы) to pull by the ears (by the hair); д. лыко to bark lime-trees; д. с арендаторов to rack (rack-rent) the tenants; д. с покупателей to overcharge, fleece, rook; to rush (*sl.*); д. шкуру to flay; *фиг.* to fleece, sweat; он дерёт по 10 рублей с человека he rushes you ten roubles per head; это вино дерёт горло this wine is very rough (rasps the throat); эта музыка дерёт уши this music grates upon the nerves (rasps).

дра́ться to fight, scuffle, scrimmage; to scrap (*sl.*); to tear (*рва́ться*); д. за встре́чный план fight for (realization of) counterplan; д. на дуэли to fight a duel, to duel, meet; д. на кулака́х to box, spar.

драхва́ *зоол.* bustard.

дра́хма drachm, dram ($1/8$ *унции*); drachma, drachm (*греч. моне́та*).

драч‖ли́вость pugnacity, combativeness; ~ли́вый pugnacious, combative; ~у́н (~у́нья) pugnacious man (woman), fighter, scuffler.

дребеде́нь rubbish, trash.

дребезжа́‖ние jar; ~ть to jar.

древе́с‖ина wood; '~ный arboreous, arboreal (*вводя́щийся на дере́вьях*); woody (*сост. из де́рева, хара́кт. для де́рева*); ~ный пито́мник tree-nursery; ~ный спирт wood-spirit, wood (methyl) alcohol; ~ный у́голь charcoal; '~ная зола́ wood-ashes; ~ная лягу́шка tree-frog; ~ная ма́сса wood-pulp; ~ная шерсть wood-wool; '~ное волокно́ wood-fibre; '~ные отхо́ды *техн.* wood waste.

дре́вко shaft, pikestaff (*копья́*); staff (*фла́га*).

древнееврейский Hebrew, Hebraic; д. язы́к Hebrew.

дре́вн‖ий ancient, antique; old, aged (*о лю́дях*); ~ие the ancients; ~ость antiquity; класси́ческие ~ости antiquities.

дре́во *уст.* tree; д. позна́ния добра́ и зла *библ.* the tree of knowledge; родосло́вное д. family-tree, pedigree; ~ви́дный tree-like, arborescent; ~ви́дный па́поротник tree-fern; ~насажде́ние plantation of trees; ~то́чец *зоол.* borer, wood-fretter; teredo (*корабе́льный*).

дредно́ут dreadnought.

Дре́зден Dresden.

дрези́на trolley.

дрейф *мор.* drift, leeway; лечь в д. to lie to; ~ить *фиг.* to turn tail at the last moment; ~ова́ть to drift, drive.

дрек *мор.* grapnel.

дреко́лье *уст.* staves.

дрель *техн.* drill.

дрёма *см.* дремо́та.

дрем‖а́ть to doze, nod, nap, drowse; to slumber (*тж. фиг.*); не д. to be wakeful (watchful, on the alert); мне ~лется I am sleepy; '~лющий somnolent, drowsy; ~о́та doze, somnolence, nap, drowsiness; ~о́тный drowsy, slumberous.

дрему́ч‖есть density; ~ий dense, thick, jungly.

дрен‖а́ж drainage; ~а́жная труба́ drain, culvert; ~и́рование draining, drainage; ~и́ровать to drain.

дресва́ gravel.

дрессиро́в‖а́ть to train; to tame (*укроща́ть, прируча́ть*); to enter (*соба́ку, ло́шадь*); '~анные живо́тные performing animals; '~ка training, taming; '~щик trainer, tamer.

дриа́да *миф.* dryad, wood-nymph.

дроби́лка crusher.

дроб‖и́н(к)а (grain of) small shot, pellet; ~и́ть to stamp, crush (*ру́ду*); to pulverize (*превраща́ть в порошо́к*); to divide into parts, to parcel out (*дели́ть*); ~и́ться to be divided into parts, to be parcelled out; to be pulverized (sprayed); ~ле́ние stamping, crushing; dividing into small parts; ~ле́ние крестья́нских хозя́йств parcellation of peasants' homesteads; ~ни́ца shot-pouch; '~ный fractional; broken; ~ови́к fowling-piece.

дробь (small) shot; *мат.* fraction; бараба́нная д. roll of a drum; drumming, rataplan; кру́пная д. swan-shot (*для ружья́*); периоди́ческая д. *мат.* circulating fraction, recurring decimals; пра́вильная (непра́вильная) д. proper (improper) fraction.

дров‖а́ firewood, wood; '~ни peasant's sledge; ~озагото́вка wood-

-storing works; ∼окóл cleaver; ∼о-сéк wood-cutter, woodman; ∼яник dealer in firewood; ∼янóй двор firewood yard; ∼яной сарáй shed for firewood.

дрогá (*в повозке*) perch.

дрóги hearse.

дрогúст druggist.

дро‖гнуть *см.* дрожать; у меня не ∼гнет рука убить его I shall make no scruple to kill him; войскá ∼гнули the troops wavered (quailed, faltered); ∼жáние trembling, tremor, vibration, flickering; ∼жáть to tremble (*тж. фиг.*), shake (*трястись*); shiver (*от холода*), shudder (*содрогаться*), vibrate (*вибрировать*; *тж. о голосе*), quake (*от страха, холода*), quiver (*о голосе, листьях*), twitch (*о рте, веке*), quaver (*о голосе, звуке*); ∼жать всем телом to be all of a tremble (shake), to tremble all over; ∼жать над ч.-л. *фиг.* to take excessive care of...; ∼жать от радости to thrill with joy; ∼жать от страха to shake in one's shoes, to shiver (shake) with fear; ∼жать при мысли о ч.-л. to tremble at the thought of...; ∼жáщий tremulous, shivery, quavery, shaky, quaky.

дрожжевые грибы *бот.* Ascomycetes.

дрóжж‖и yeast, leaven; ferment (*фермент*); пивные д. barm; ставить на ∼áх to leaven.

дрóжки droshky; *спорт.* racing sulky.

дрожь trembling, shiver, shudder, tremor, quiver (*см.* дрожать); д. пробежала по моим жилам fear thrilled through my veins; д. в голосе quaver, thrill, tremor; лихорадочная д. chill, shiver; *мед.* rigor; нервная д. thrill, nervous tremor; возбуждать нервную д. to thrill; меня бросает в д. I shiver.

дрозд ouzel, thrush; д. белобровик redwing; д. деряба missel-(mistle-)thrush; д. рябинник fieldfare; белогрудый д. ring-ouzel; певчий д. song-thrush; *поэт.* throstle, mavis; чёрный д. blackbird; *поэт.* merle.

дрок I. furze, gorse, whin.

дрок II. *мор.* halyard (*снасть для подъёма парусов*).

дромадéр *зоол.* dromedary.

дросселевáть *техн.* to throttle.

дрóссель throttle; ∼ный клапан throttle(-valve).

дрóтик javelin, dart.

дрочёна flummery.

друг friend; д. детства playfellow; ложный д. back friend; мой лучший д. my best friend; старый д. с crony; д. ∼га each other, one another; общество «Друг детей» Society of «The Friends of Children»; покупать товары д. у ∼га to buy one another's goods; мы очутились д. против ∼га we found ourselves vis-à-vis; писать д. ∼гу to write to one another; д. за ∼гом one after another; д. с ∼гом with each other; близкие ∼зьй fast (intimate) friends; быть неразлучными ∼зьями to be inseparable friends; to be hand and glove with.

друг‖óй other, another (*еще один*); different (*не такой*); д. the other (*из двух*); в д. раз another time (day); кто-то д. somebody else; на д. день the next day; the day after; никто д. как none other than; никто д. не знал nobody else knew; ни тот ни д. neither; тот и д. both; с д. стороны on the other hand; это ∼óe дело that is a different thing; that is quite another thing; то, ∼oe this, that and the other; из ∼óго места *fr* m elsewhere (another place); отличать одного от ∼oго to tell one from the other; чего ∼oгo, а этого хватает it is not this we are in want of; один за ∼úм one after another; он мне казался ∼им I thought he was a different man; в ∼ое место, в ∼óм месте elsewhere, somewhere else; о том и о ∼ом of various things; ∼úe (*без сущ.*) others, the rest; ∼úми словами in other words; в ∼úх отношениях otherwise, in other respects.

друж‖бá friendship; amity (*редко*); тесная д. intimate friendship; быть в ∼бе с к.-л. to be friends with someone; не в службу, а в ∼бу out of friendship; ∼елюбие friendliness, amicability, friendship; ∼елюбный friendly, amicable; benevolent (*доброжелательный*); ∼елюбно amicably; in a friendly way; ∼еский, ∼ественный friendly, amicable; ∼еская услуга good turn; по-∼ески in a friendly way, amicably; быть на ∼еской ноге (*с к.-л.*) to be on friendly terms (*with*); *см. тж.* нога; ∼úна *ист.* body-guard; пожарная ∼úна fire brigade; боевая ∼úна armed volunteer force; ∼úнник *ист.* body-guard.

друж‖úть to be friends (*with*), to be on friendly terms; я больше не ⌐у́ с ним I am out with him; ⌐и́ще old chap, old fellow; ⌐ка groomsman, best man; ⌐ный (*еди-нодушный*) harmonious, unanimous, closely bound; ⌐ный отпор unanimous (vigorous) resistance; ⌐ная весна spring with rapid and uninterrupted thawing of snow; ⌐ная семья family living in concord, closely bound (united) family; ⌐ное усилие coordinated effort, effort in common; быть ⌐ным (с *к.-л.*) to be friends (*with*); ⌐но harmoniously, unanimously, in concord, in unison; работать ⌐но to pull together; раз, два, ⌐но! heave-ho!; ⌐о́(че)к *уменьш.* dear, ducky.

друзья́ *pl. см.* друг.

дру́йд *ист.* Druid; ⌐и́зм druidism; ⌐и́ческий dru|dic(al).

друммо́ндов свет limelight.

друшля́г colander, cullender, strainer.

дры́г‖анне jerking; ⌐ать, ⌐нуть to jerk, twitch.

дря́б‖лость flabbiness; ⌐лый flabby, flaccid, limp; ⌐нуть to become flabby.

дря́гиль carrier, porter.

дря́зги squabbles, dirty gossip, disagreeables, annoyances; мелкие д. жизни small worries of life.

дрян‖но́й rubbishy, trashy, wretched, worthless, cheap; ⌐ь trash, trumpery, stuff, rubbish; villain, bad lot, bad egg (*о челове́ке*).

дряхл‖е́ть to grow decrepit (weak); ⌐е́ющий senescent; ⌐е́ющий капитализм decrepit capitalism; '⌐лость decrepitude, anility, infirmity, senility; '⌐лый decrepit, infirm, impotent, senile.

дуали́‖зм dualism; ⌐ст dualist; ⌐сти́ческий dualistic.

дуб oak, oak-tree; вечнозелёный д. holm-oak, ilex; железный д. bog-oak; карликовый д. dwarf oak; красильный д. dyer's oak; пробковый д. cork-oak; ⌐а́сить to cudgel; to tan (*sl.*); ⌐и́льная кислота *техн.* tannic acid; ⌐и́льная кора tan; ⌐и́льное вещество tannin; ⌐и́льня tannery; ⌐и́льщик tanner; ⌐и́н(к)а cudgel, club, bludgeon; *фиг.* blockhead, dolt; ⌐и́нка полице́йского truncheon; policeman's club; «⌐и́нушка «dubinush-ka» (*popular workmen's song*); ⌐и́ть to tan; ⌐ле́ние tanning; ⌐лёный tanned.

дубл‖ёр *театр.* understudy; ⌐ёт duplicate; сыгра́ть шара ⌐ётом бильяр́д. to double; ⌐и́кат duplicate, replica (*ключа, вещи и пр.*).

Ду́блин Dublin.

дубли́ровать *театр.* to understudy.

дубло́н doubloon (*испанская моне́та*).

дуб‖ня́к oak-wood; ⌐ова́тый coarse (*грубый*); foolish (*глупый*); ⌐ови́к kind of mushroom; ⌐о́вый made of oak, oaken; wooden, stiff (*о слоге*); ⌐о́вая роща oak-grove; ⌐о́к oaklet, oakling; ⌐оно́с *зоол.* hawfinch, grosbeak; ⌐ра́ва grove of leafy trees; ⌐ро́вка *бот.* germander, speedwell; ⌐ьё blockhead(s).

дуг‖а́ arc, arch; douga, shaft-bow (*в упряжи*); rib (*поддерживающая свод*); согнуть в ⌐у́ *фиг.* to bring under; брови ⌐о́ю arched brows; ⌐ова́я лампа arc-lamp; ⌐ообра́зный arched, bow-shaped.

дуд‖а́ *см.* дудка; ⌐и́ть to pipe; '⌐ка pipe, fife; пляса́ть под чью-л. '⌐ку to dance to someone's tune (to someone's piping); '⌐ки! rats!; yes, over the left; don't you wish you may get it!; '⌐очка small pipe; '⌐очник piper.

ду́жка little bow; handle (*ручка и пр.*); sword-guard (*у шпаги*).

дука́т ducat (*старин. монета*).

ду́л‖о bore, muzzle; д. без нарезки smooth bore; ⌐ьная пробка tampion; ⌐ьце embouchure, mouthpiece of a wind instrument.

ду́л‖я kind of pear; *фиг.* fig; нос ⌐ей bulbous-nosed.

ду́м‖а thought, meditation; *ист.* council; *поэт.* ballad, elegy; городская д. town duma; государственная д. Duma (*Representative State Assembly in Tsarist Russia*); думать ⌐у to meditate, brood; ⌐ать to think (*of, about*); to believe, suppose, reckon, imagine (*полагать*); to intend, mean (*намереваться*); ⌐ать о ч.-л. неотступно to have got a thing on the brain; много о себе ⌐ать to think a great deal (no small beer) of oneself; не ⌐аю I scarcely think so; я ⌐аю I believe so, methinks; я ⌐аю, что это верно I think it (to be) true, I think it is true; я ⌐аю теперь иначе I see things differently now; как вы ⌐аете, кото́рый час? what do you make the time?; не долго ⌐ая without a moment's thought, immediately, thereupon; ⌐аться: мне ⌐ается I think, methinks.

дум-ду́м (*п*)уля dumdum (bullet).

ду́мец member of duma; town-councillor.

ду́мка small pillow; *муз.* dumka.

Дуна́й the Danube.

дунове́ние whiff, breath, waft, puff.

ду́нуть см. дуть.

ду́пель *зоол.* double-snipe.

дупле́т см. дублет.

дупл‖**и́стый** hollow; ⌒б hollow (*в дереве, зубе*).

ду́р‖**а** fool, stupid woman; ⌒а́к fool, blockhead, dolt, dunce, dullard, booby, numskull, imbecile; wiseacre (*претенциозный*); я не такой ⌒ак I'm four kinds of a fool but not that kind; ⌒ак ⌒ако́м an utter (arrant) fool; ⌒ака́м сча́стье fools are lucky *или* fortune favours fools; оста́вить в ⌒ака́х to make a fool (an ass) (*of*), to dupe, fool; оста́ться в ⌒аках to be duped (hoaxed); ⌒але́й см. дурак; ⌒а́цкий stupid, idiotic; ⌒ацкий колпа́к fool's cap; по ⌒а́цки stupidly; ⌒а́чество foolery; tomfoolery; ⌒ачи́на см. дурак; ⌒а́чить to fool, hoax, to make a fool (*of*); to pull one's leg (*sl.*); ⌒а́читься to fool, fool about, to play the fool; *разг.* ⌒ачки́ a card game; ⌒ачо́к halfwit; ⌒ачьё fools; ⌒а́шливый stupid; ⌒е́нь fool, simpleton, noodle; ⌒е́ть to become stupid; ⌒и́ть to fool, footle; ⌒и́ща см. дура.

дурма́н *бот.* datura, thorn-apple, stramonium; *фиг.* narcotic, intoxicant; dizziness (*опьянение*); ⌒ить to intoxicate, stupefy.

дурне́ть to grow ugly; to lose one's good looks.

дурн‖**о́й** bad; ill (*особ. в фразеол. оборотах*); wrong (*несправедливый, неправильный*); vicious (*порочный; тж. о привычке*); wicked (*злой*); evil (*вредный*); sinister (*зловещий*); naughty (*о детях*); ugly (*некрасивый*); д. глаз evil eye; полу́ченный ⌒ым путём ill-gotten; ⌒а́я боле́знь venereal disease; ⌒ая пого́да bad (foul) weather; ⌒ая сла́ва ill fame; ⌒ое обраще́ние maltreatment; ⌒ое пита́ние malnutrition, underfeeding; ⌒ое поведе́ние misbehaviour; ⌒ое управле́ние maladministration; '⌒о badly, bad, ill; ⌒о вести́ себя́ to misbehave; ⌒о воспи́танный ill-bred; ⌒о говори́ть (*о*) to speak ill (*of*); ⌒о обраща́ться to maltreat, ill-treat; ⌒о па́хнущий evil smelling; мне ⌒о I feel queer (giddy); мне сде́лалось ⌒о I swooned, I fainted away; ⌒ота́ giddiness, qualm; чу́вствовать ⌒оту́ to feel queer (giddy); ⌒у́шка ugly girl.

дурь foolishness, folly, a bee in one's bonnet (in the brain); вы́бить из кого́-л. д. to take the nonsense out of a person; ⌒ю наби́тая голова́ a head stuffed with folly.

ду́‖**тый** *фиг.* sham, counterfeit, pinchbeck; ⌒тыя це́ны fancy prices; ⌒тые ши́ны pneumatic tyres; ⌒ть to blow; *разг., вульг.* to thrash soundly (*бить*), to drink deep (*пить*); ⌒ть стекло́ to blow glass; здесь ⌒ет there is a draught here; ⌒тьё *техн.* blowing.

ду́ться to pout (*at*), to be sulky (in the pouts).

дуумвира́т *ист.* duumvirate.

дух spirit, mind; spirit, ghost, spectre (*привидение*); genius, spirit (*характер*); mind, spirits, tone, temper (*настроение, направление*); odour, smell, scent (*запах*); breath (*дыхание*); д. вре́мени the spirit of the times (of the age); во весь д. at full speed; переводи́ть д. to take breath, to respire; не переводя́ ⌒а at a stretch, without stopping; прису́тствие ⌒а presence of mind; расположе́ние ⌒а a state of mind, mood; упа́док ⌒а despondency, low spirits; у меня́ нехвата́ет ⌒у сказа́ть ей I shrink from telling her, I haven't the heart to tell her; о нём ни слу́ху ни ⌒у nothing is heard of him; быть в ⌒е to be in good spirits; быть не в ⌒е to be out of spirits (out of temper); to have the pip (*sl.*); в э́том ⌒е after this manner, in this way, of the sort; не в моём ⌒е not to my taste; (одни́м) ⌒ом in one breath; at a draught; in a twinkling; па́дать ⌒ом to lose heart, to despond; упа́вший ⌒ом crestfallen, despondent; собра́ться с ⌒ом to take heart, to pluck up one's courage (heart, spirits); собра́ться с ⌒ом что́бы заговори́ть to find one's voice.

ду́хи spirits, goblins.

духи́ perfume, scent, essence.

духобо́р‖**ство** principles of dukhobors; ⌒цы, ⌒ы dukhobors (*религ. секта*).

Ду́хов день *церк.* Whit Monday.

духове́нство clergy, priesthood; бе́лое (чёрное) д. secular (regular) clergy.

духо́вка oven.

духовн‖ая *s.* a will, testament; ~и́к confessor; ~ость spirituality; ~ый spiritual (*умственный*); inward (*внутренний*), unworldly («*не от мира сего*»); ecclesiastical (*церковный*); ~ая му́зыка sacred (church) music; ~ое лицо́ ecclesiastic, cleric, clergyman; ~ое о́ко mind's eye; ~о spiritually.

духов‖о́й: д. инструме́нт wind-instrument; д. орке́стр brass-band; ~а́я печь oven; ~о́е ружьё air-gun; ~ы́е инструме́нты заглуша́ют стру́нные the wind is too loud for the strings; деревя́нные ~ые инструме́нты wood-wind, wooden wind-instruments.

духота́ close air, stuffiness; closeness; oppressive heat.

душ douche, shower-bath, needle-bath; принима́ть д. to douche (oneself), to take a shower.

душ‖а́ soul, mind, spirit, heart; удивля́юсь, в чём у него́ д. де́ржится I wonder how he keeps soul and body together; у него́ д. ушла́ в пя́тки his heart went into his boots; his heart failed him; в глубине́ ~и́ at heart, in one's heart of hearts; до глубины́ ~и deeply; ни живо́й ~и not a mortal man, not a soul to speak to; он ~и в ней не ча́ет he dotes upon her; от всей ~и with all one's heart; по 2 рубля́ с ~и two roubles per head; фи́бры ~и heart-strings; в ~е́ inwardly, at heart; говори́ть по ~е to talk without reserve; по ~е after one's own heart; разгово́р по ~е, по ~а́м heart-to-heart talk; ско́лько ~е уго́дно to one's heart's content, as much as one wants; пить ско́лько ~е уго́дно to drink one's fill; э́то бу́дет на ва́шей ~е you will have it on your conscience; э́то бы́ло мне не по ~е I did not like it, I could not stomach it; э́то у меня́ лежи́т на ~е I have it on my conscience; д. в ~у peacefully and placidly; жить д. в ~у to live in concord; быть ~о́й предприя́тия, о́бщества to be the (life and) soul of an enterprise, party; всей ~о́й, ~о́й и те́лом heart and soul; не име́ть ни гроша́ за ~о́й to be as poor as a church mouse; чи́стый ~о́й pure-minded; мёртвые '~и *ист.* «dead souls» (*the dead not struck off the register*); *лит.* «The Dead Souls» (*title of poem by Gogol*); *фиг.* people only nominally holding a position *etc.*

душевнобольн‖о́й lunatic, insane person; он нахо́дится в убе́жище для ~ых he is under restraint, he is in a lunatic asylum.

душе́вн‖ый sincere, heartfelt, cordial (*серде́чный*, *и́скренний*); internal, inward, mental, psychical (*психи́ческий*); ~ая боле́знь mental disease; ~ое споко́йствие peace of mind; ~о sincerely.

душегре́йка woman's warm sleeveless jacket.

душегу́б; ~ец murderer; ~ка dug-out (*ло́дка*).

душегу́бство murder.

ду́шенька darling, my dear.

душеполе́зный edifying; ~прика́зчик *уст.* executor; ~прика́зчица executrix; ~раздира́ющий heart-rending; ~спаси́тельный *ирон.* godly, pious.

ду́шечка sweetheart; *см.* ду́шенька.

души́стый fragrant, sweet-scented, sweet-smelling.

души́тель strangler, suffocator.

души́ть I. to stifle, strangle, choke, smother, throttle, suffocate.

души́ть II. to scent, perfume, (*духа́ми*); ~ся to perfume oneself, to use scents.

души́ца *бот.* origanum.

ду́шка darling, pretty creature.

душни́к air-hole, vent, ventilator.

ду́шн‖ый close, stuffy, suffocating, hot, oppressive, stifling; ~ая ко́мната a sultry room; мне ~о I feel hot, I am suffocating.

душо́к slight smell; с ~ко́м gamy, slightly tainted; дичь с ~ком high game.

душо́нка small soul.

дуэли́ст duellist; *шут.* fire-eater.

дуэл‖ь duel, meeting, affair of honour; вызыва́ть на д. to challenge; дра́ться на ~и to fight a duel, to duel, meet; ~я́нт *см.* дуэли́ст.

дуэ́т duet.

дыб‖а *ист.* rack (*ору́дие пы́тки*); во́лосы стано́вятся ~ом my hair stands on end; станови́ться на ~ы́ to rear, prance; *фиг.* to kick, bristle up, oppose, resist.

дыба́ tall and clumsy fellow.

дым smoke; д. коромы́слом row, uproar, commotion; пуска́ть д. to puff out smoke; нет ~а без огня́ *посл.* there is no smoke without fire; ~и́ть to smoke; ~и́ться to smoke, steam, reek; ~ка haze, mist; ∼ница лекарственная *бот.* fumitory; ∼ный smoky, fumy; ∼овóй снаряд smoke-ball; ∼овáя завеса smoke-screen; ∼овая труба flue, chimney; funnel, smoke-stack (*пароходная*); ∼óк puff (cloudlet) of smoke; ∼охóд flue; ∼чатый smoky, smoke-coloured.

дын∥ный melon (*attr.*); ∼я melon, musk-melon.

дыр∥á, '∼ка hole, tear; hole, den (*фиг. о помещении*); wretched place (*захолустье*); заштопанная д. mend; '∼очка little hole; ∼явый holey, full of holes.

дыхáльце *зоол.* blow-hole, spiracle.

дыхá∥ние breathing, respiration, breath; затаив д. with bated breath; затруднённое д. gasping, panting; искусственное д. artificial respiration; ∼тельный respiratory; ∼тельное горло *анат.* wind-pipe.

дыш∥áть to breathe, respire; д. местью to breathe vengeance; д. с присвистом to wheeze; тяжело д. to blow, puff, gasp, pant; ∼йте! draw breath!

дышло shaft, pole, beam.

дьюс deuce (*ровный счёт очков у обеих сторон в теннисе*).

дьявол devil; fiend, Old Nick, the old one, the old gentleman, the Evil one; *разг.* deuce, dickens; ∼ёнок *imp*; ∼ьский diabolical, devilish, fiendish; deused (*разг. чертовский, невероятный*); damnable (*проклятый*); ∼ьское отродье *imp*; ∼ьски diabolically; *разг.* deuced, devilish, damned; ∼ьщина devilry, devilment, diabolism; что за ∼ьщина! damn it!, confound it all!

дьяк *уст.* clerk; ∼он deacon.

дюбель *техн.* dowel, dowel pin; ∼ный станок dowel machine.

дюгóнь *зоол.* dugong.

дюж∥ий sturdy, strong, robust, stalwart; ∼е *разг.* very.

дюжин∥а dozen; чортова д. baker's dozen; продавать ∼ами to sell by the dozen; ∼ный common, ordinary.

дюйм inch; ∼óвка inch plank; ∼óвый one inch (thick, long).

дюны dunes, sand-hills.

дюшéсс kind of pear.

дяд∥енька (*как обращение*) uncle; ∼ька *уст.* undertutor, male nurse, servant; ∼юшка *уменьш. от* дядя; ∼я uncle.

дятел woodpecker, pie.

Е

Евáнгел∥ие Gospel; ∼йст evangelist; evangelic(al); ∼йческий evangelic(al), protestant; ∼ьский evangelic(al).

Евгéний Eugene.

евгéни∥ка eugenics; '∼ческий eugenic.

Евгéния Eugenia.

Евдокúя Eudoxia.

евкалúпт eucalyptus.

éвнух eunuch.

Евпатóрия Eupatoria.

евразú∥ец, ∼йский Eurasian.

Еврáзия Eurasia.

еврей Jew, Hebrew, Israelite; ∼ка Jewess; ∼ский Jewish, Hebrew, Israelitic; ∼ский погром Jewish pogrom; древне-∼ский Hebraic; древне-∼ский народ Israel; древне-∼ский язык Hebrew; (ново-)∼ский язык Yiddish; ∼ская религия Hebraism; ∼ство Jewry.

Еврóпа Europe.

европ∥éец European; ∼еизáция Europeanization; ∼еизúровать to Europeanize; ∼éйский European; ∼éйская цивилизация European civilization.

евстáхиева трубá *анат.* Eustachian tube.

евфемú∥зм euphemism; ∼стúческий euphemistic.

Евфросúния Euphrosyne.

евфуúзм euphuism (*напыщенный стиль; по соч. «Евфуэс» Лилли, писателя конца 16 в.*).

евхарист∥úческий eucharistic (-al), oblational, oblatory; '∼ия Eucharist, oblation, Lord's Supper.

егермéйстер *уст.* the master of the hunt.

éгеровская ткань jaeger.

éгер∥ский: е. полк regiment of chasseurs; ∼ь hunter, huntsman; *военн.* chasseur.

Егúпет Egypt.

егúп∥етский Egyptian; ∼тóлог Egyptologist; ∼тологúя Egyptology; ∼тянин Egyptian.

егó (*род. п. личн. местоим.* он, оно) his, its; (*вин. п.*) him, it; е. нет дома he is not at home; а ну е.! bother (hang) him!

егоз∥á fidget; ∼úть to fidget; ∼лúвый fidgety.

Егóр *см.* Георгий.

ед∥á meal (*завтрак, обед и т. д.*), food (*пища*); repast (*обыкновенно изысканная*); е. ему не впрок food does him no good; время ∼ы meal-time; у нас нет с собой ∼ы we have no food with us.

едва́ *см.* еле; hardly, scarcely, scarce, no sooner than, narrowly; е. он успел прие́хать, как заболе́л no sooner had he arrived than he fell ill; он е. избежа́л опа́сности he had a narrow escape from danger; он е. поспе́л he was not an instant too soon; он е.-е. дви́гается he hardly moves, he can hardly move; е. ли hardly, scarcely, ill; е. ли он мо́жет тра́тить так мно́го he can ill afford to spend so much; ему́ е. ли сле́дует говори́ть об э́том it ill becomes him to speak about that; е. не nearly, almost.

едине́ни∥е unity, accord (*согла́сие*); union (*сою́з*); в ∼и си́ла strength in unity.

едини́ца unit (*тж. мат.*), unity, one; *шк.* bad mark, one mark; администрати́вная е. administrative unit; е. длины́ unit of length; е. измере́ния unit; де́нежная е. monetary unit; уче́бная е. educational body; электри́ческая е. electric unit.

едини́чн∥ость singleness; ∼ый single, unitary; ∼ый слу́чай solitary instance.

единобо́жие monotheism.

единобо́р∥ец single combatant; ∼ство single combat; ∼ствовать to combat singly.

единобра́ч∥ие monogamy; ∼ный monogamist, monogamous; *бот.* monogamian; ∼ное расте́ние monogam.

единовла́стие monarchy.

единовла́ст∥ный monarchic(al); ∼но monarchically.

единовре́менн∥ый at once, once, but once; ∼ое посо́бие assistance granted but once; ∼о *см.* единовре́менный.

единогла́сие unanimity, unanimousness, accord; unison (*унисо́н*).

единогла́сно unanimously, with one accord (assent); е. запротестова́ли protested in one voice; голосова́ние прошло́ е. the vote was carried unanimously; на собра́нии он прошёл е. he was chosen at the meeting unanimously.

единоду́ш∥ие unanimity, accord; ∼ный unanimous; ∼но unanimously.

единоже́н∥ец monogamist; ∼ство monogamy.

единозву́чие *см.* однозву́чие.

единокро́в∥ие, ∼ность consanguinity; ∼ный consanguineous; ∼ный брат (сестра́) half brother (sister); ∼ные де́ти half-blood.

единоли́чн∥ик individual peasant; ∼ый personal, individual; ∼ое хозя́йство individual peasant homestead; ∼о alone.

единомы́слие agreement of opinion, concord, harmony (of thoughts).

единомы́шленник adherent, upholder, partisan.

единонача́лие one-man management, management on unitary responsibility (in the USSR).

единообра́з∥ие uniformity, sameness; ∼ный uniform(ed); де́лать ∼ным to unify, uniform; ∼но uniformly.

единоплеме́нн∥ик person of the same tribe; ∼ый of the same tribe.

единоро́г unicorn; *астр.* Monoceros; морско́й е. sea unicorn, narwhal.

единоро́дный only begotten; е. сын only son.

единосу́щ∥ность *богосл.* consubstantiality; ∼ный consubstantial; ∼но consubstantially.

единоутро́бный uterine, born of the same mother but not of the same father, half-blood.

еди́нственн∥ость oneness, soleness; ∼ый only, single, sole, unique, one; ∼ый в своём ро́де unique; ∼ый ребёнок only child; ∼ый спо́соб сде́лать э́то the only way to do it; ∼ая моя́ наде́жда my one and only hope; ∼ое число́ *гр.* singular; ∼о only, solely, uniquely.

еди́нство unity, one, oneness; е. ме́ста, вре́мени и де́йствия the unities of place, time and action.

еди́н∥ый single, only, only one, sole, unique; е. бюдже́т unified budget; е. фронт unified (united) front; ни е. му́скул не дро́гнул у него́ на лице́ not a muscle of his face twitched; Е∼ая трудова́я шко́ла unified Soviet school on labour principles (*the Soviet Education System*); не́ было слы́шно ни ∼ого зву́ка not a sound was (to be) heard; он не произнёс ни ∼ого зву́ка he did not utter a single word; там не́ было ни ∼ой души́ not a soul was there.

е́дк∥ий corrosive, caustic, bitter; е. дым, газ pungent (acrid) smoke, gas; е. за́пах penetrating odour; ∼ая жи́дкость acid liquid; ∼ая иро́ния cutting irony; ∼ая речь caustic speech; ∼ость corrosiveness, causticity, bitterness.

едо́к eater, consumer (*потреби́-тель*); trencherman (*сотрапезник*); плохо́й е. poor eater; хоро́ший е. great eater.

её (*род. и вин. п. личн. местоим.* она) her.

ёж hedgehog, urchin; морско́й ё. echinus, sea urchin.

ежеви́ка dewberry.

ежего́дн‖**ик** year-book, annual, annuary, almanac; ⌐ый yearly, annual, anniversary; ⌐о yearly, every year.

ежедека́дно every 10 days.

ежедне́вн‖**ый** daily, every day, quotidian, diurnal; ⌐ая газе́та daily newspaper; ⌐ая лихора́дка quotidian fever; ⌐о daily, every day; ⌐ые ссо́ры daily quarrels.

ёжели *см.* если.

ежеме́сячн‖**ый** monthly, every month; е. журна́л monthly magazine; ⌐ая подпи́ска (пла́та) monthly subscription (pay); ⌐о monthly, every month.

ежемину́тн‖**ый** occurring every minute; ⌐о (at) every minute; at every instant, at every turn, momently, minutely.

еженеде́льн‖**ик** weekly; ⌐ый weekly, hebdomadal; ⌐ая газе́та a weekly; ⌐о weekly.

ежено́щн‖**ый** nocturnal, nightly; ⌐о every night, nightly.

ежеча́сн‖**ый**, ⌐о hourly, at every hour.

ёжиться to shrivel, shrink.

ежо́вы‖**й**: держа́ть в ⌐х рукави́цах to rule with an iron rod, to treat with a heavy hand.

езда́ drive, driving (*в экипаже*), ride, riding (*верховая, на велосипеде*); е. на велосипе́де bicycling, bicycle riding; е. на соба́ках travel with dogs; е. на таксомото́ре motoring, drive in a taxi (in a motor-car); бы́страя е. fast driving (riding); ме́дленная е. slow driving (riding); спа́ренная е. double manning.

е́здить *см.* ехать; to drive (*в экипаже*), ride (*верхом*), go (*вообще*); travel (*путешествовать*), journey (*по суше*), voyage (*по морю*); е. па́рой, одино́чкой to drive a pair, to drive one horse; е. по всему́ све́ту to travel all over the world; е. по стране́ to travel about the country.

ездо́к rider, horseman.

ей (*дат. п. личн. мест.* она) her, to her.

ей-е́й indeed, verily, in faith, in very truth.

Екатери́на Catherine.

Екклезиа́ст *библ.* Ecclesiastes.

ёкнуть: се́рдце ёкнуло heart throbbed.

е́ле hardly, scarcely, narrowly; он е. ды́шит he scarcely breathes; он е. попа́л в трамва́й he could hardly get into the tram.

е́ле-е́ле hardly; он е.-е. успе́л he had hardly time (*to*); он е.-е. угада́л it took him great pains to guess.

еле́й unction, anointing, unguent, olive-oil; ⌐ность unction, oiliness; ⌐ный unctious; *фиг.* oleaginous.

Еле́на Helen.

еле́ц dace (*рыба*).

Елизаве́та Elizabeth.

ели́ко *уст.* as much as, so much as; е. возмо́жно as much as possible.

Елисе́йские поля́ Elysian fields.

ёлка fir, fir-tree, spruce fir; бе́лая америка́нская ё. white spruce (fir); рожде́ственская ё. Christmas tree.

ело́в‖**ый** firry; е. лес fir-wood; ⌐ая древеси́на fir wood; ⌐ая игла́ fir-needle; ⌐ая ши́шка fir-cone, fir-apple.

ело́зить to fidget.

ёлочка *уменьш.* small fir tree.

ель *см.* ёлка; ⌐ник fir-grove, fir-wood, fir-tree wood; twigs (branches) of fir.

ёмк‖**ий** capacious; ё. котёл capacious boiler; ⌐ость capacity, capaciousness, holding-power; receiving-power, cubic content; ⌐ость резервуа́ра tankage; ме́ра ⌐ости cubic measure.

ему́ (*дат. п. личн. мест.* он, оно) him, to him; е. нет ра́вного he has not his match (equal), he is not to be matched; е. нет де́ла he does not care.

Енисе́й Yenisei.

ено́т *зоол.* rac(c)oon; coon (*амер., сокр.*); ⌐овая шу́ба ra(c)coon fur coat.

епанча́ *ист.* a sort of cloak.

епа́рх‖**иа́льный** diocesan; ⌐ия eparchy; diocese, bishopric, bishopdom, see.

епи́скоп bishop; зва́ние (сан) ⌐а episcopate; order of a Bishop; ⌐ский episcopal(ian); ⌐ство episcopacy, bishopric.

ер Russian letter «ъ».

ерала́ш 1. medley, disorder, jumble; у него́ в голове́ е. his thoughts are all in a jumble; у него́ в ко́мнате стра́шный е. his room is all in a jumble; 2. card-game for four similar to whist.

ерешениться *разг.* to bristle.

ересь heresy, schism, heterodoxy.

еретик heretic; ~ческий heretical; высказывать ~ческие суждения to hold heretical opinions.

ёрзать to fidget.

ермолка skull-cap.

ерошить *см.* взъерошить; to dishevel, ruffle, rumple; ~ся to bristle (up).

ерунда nonsense, trifle, rubbish, rot, fiddlestick, fiddle-faddle; какая е.! what nonsense!, fiddlesticks!; он говорит ~у he talks nonsense; he talks rot (*sl.*); ~ить to behave foolishly; ~овый absurd; trifling.

ерунок (*углорез у столяров*) bevel.

ёрш 1. ruff (*a small fish of the perch family*); 2. circular brush to clean a lamp chimney.

ершиться to be stubborn, refractory, to kick (*at, against*).

ер||ы Russian letter «ы»; ~ь Russian letter «ь».

есаул *уст.* captain of the Cossacks.

если if, in case, as long as; е. бы if; е. бы он пришёл, он дал бы мне эту книгу if he came he would give me this book; е. бы да кабы во рту росли бобы *погов.* if its and ans were pots and pans; о, е. бы я был здоров! I wish I were well!; е. бы не but for; е. бы не она, я никогда этого не сделал бы if it were not for her, I should never have done it; я умер бы, е. бы не он but for him I should be dead; е. не unless, if not, but; nisi (*юр.*); е. не поздно, сделайте это пожалуйста if it is not (too) late do it, please; е. не хочешь, не ходи don't go unless you want to; е. только provided, providing; е. только это можно provided it be possible; е. уже if anything.

есмь (*1 л. ед. ч. наст. вр. гл.* быть) *уст.* I am.

Ессентуки Yessentuki.

естественн||ик naturalist; ~ость naturalness; ~ый natural, inartificial; ~ый отбор natural selection; ~ый ход вещей natural course of things; ~ая жизнь natural life; ~ая история natural history; ~ая потребность natural necessity; ~ое дело a matter of course; ~ое состояние state of nature (*людей,*

животных); ~ые богатства natural resources; ~о naturally, of course; ~о-научный институт institute of natural science.

естество nature, substance; ~ведение, ~знание natural (physical) science, natural history (philosophy); ~испытатель naturalist.

есть I. to eat, take food; е. жадно to eat greedily (gluttonously), to guttle, gallop one's food down; е. за двоих to eat like a horse, to eat enough for two; е. мало to eat little; е. с аппетитом to eat heartily; е. с разбором to pick (and choose); дым ест глаза the smoke makes one's eyes smart; ешьте досыта! eat your fill!

есть II. (*3 л. ед. ч. наст. вр. глагола* быть) is, there is; е. ли у вас деньги? have you any money?; здесь е. стол there is a table here.

эфес hilt, handle.

ефрейтор *военн.* *уст.* corporal.

ехать to drive, ride, go; е. в командировку to be (com)missioned; е. в отпуск to go on leave; е. в поезде to go in a train (by train); *разг.* to train it; е. в трамвае to go in a tram (by tram), to tram; *разг.* to tram it; е. в экипаже to drive in a carriage; е. верхом to ride; е. зайцем to travel as stowaway; е. на автобусе to go by bus; е. на автомобиле to motor, to go (drive) in a motor-car; е. на велосипеде to bicycle, ride a bicycle; е. на лодке to go boating, to boat; е. на охоту to go hunting; е. на пароходе to go by steamer; е. на почтовых to travel by mail-coach; е. на рыбную ловлю to go fishing; е. на юг to go to the South; е. по жел. дор. to travel by train.

ехид||на *зоол.* ornithorhyncus; *фиг.* viper (*о человеке*); ~ничать to be spiteful, to be malicious; ~ный spiteful, malicious, viperous; ~ная женщина spiteful woman; ~ное замечание spiteful remark; ~ство spite, malice; ~ствовать *см.* ехидничать.

еще still, yet, as yet, more, any more, again, else, but; е. больше still more; some more; е. бы (*конечно*) of course; I should think I would!; oh, rather!; е. и е. more and more; е. столько же half as much; е. что! what more!; е. что скажете! whatever else will you say!; он е. дитя he is but a child; что е.? what else?

ею (*твор. п. лич. мест.* она) by her, with her; это было написано ею it was written by her; я доволен ею I am satisfied with her.

Ж *ж. см.* же.

жа́ба *зоол.* toad; *мед.* quinsy, tonsil(l)itis; грудная ж. angina pectoris.

жабо́ jabot.

жабр‖**ови́дный** branchiate, branchiform; '‖ы gills (*обыкн. pl.*); *зоол.* branchia(e).

жаве́л‖**евая вода́**, ‖ь eau de Javel, Javel (water).

жа́воронок lark, sky-lark; лесной ж. *см.* юла; хохлатый ж. crested lark.

жа́днича‖**нье** greediness; ‖ть to be greedy.

жа́д‖**ность** greed; avarice, cupidity (*к наживе*); rapacity; greediness, covetousness; ‖ный greedy, avid (*of, for*) (*к еде, славе, признанию*); rapacious (*к хищнике*); avaricious (*особ. к накоплению*); covetous, grasping; craving (*к чужому*); ‖ный человек (*обжора*) cormorant; ‖но greedily *и пр.*; ‖но глотать (пить) to guzzle, gulp; ‖но есть to guttle; *вульг.* gut.

жа́жд‖**а** thirst (*for, of*), craving, appetite; ж. знаний thirst of knowledge; eagerness for knowledge; ж. золота lust for gold; ж. приключений thirst (relish) for adventures; томиться от ‖ы to suffer from thirst, languish (be dried up) with thirst; возбуждать ‖у to make thirsty; иметь ‖у to be thirsty; почувствовать ‖у to get thirsty; утолять ‖у quench (slake) one's thirst; томимый ‖ой thirsty; томимый ‖ой пешеход parched wayfarer; ‖ать to thirst (*for, after*); be thirsty, groan (*for*), crave (*for*), hunger (*for, after*); ‖ущий thirsty, hungry (*for, after*).

жаке́рия *ист.* (*крест. восстание 1357 г. во Франции*) Jacquerie.

жаке́т a short coat; cut-away (*муж.*); jacket (*дамск.*); ‖ка jacket (*дамск.*).

жакка́рдов стано́к *текст.* Jacquard loom.

жакт (*жилищно-арендное кооперативное товарищество*) House Tenants' Co-operative Association.

жале́ние stinging.

жале́‖**ть** 1. to regret, be sorry (*for*), (have) pity, feel sorry (*for*), sympathize (*with*); ж. о потерянном времени to regret lost time; ж. о своих ошибках to be sorry for one's faults; 2. to spare; не ж. денег not to grudge one's money; не ж. сил, расходов to spare no pains, no money; не ‖ли вина the wine was not spared.

жа́лить to sting, prick, bite.

жа́лк‖**ий** pitiful, pitiable, miserable, sad, sorrowful, sorry, woeful, lamentable, pathetic; wretched, shabby, despicable; ж. трус a sad (miserable) coward; ‖ая бедность pitiful poverty; ‖ое оправдание a lame (sorry) excuse; ‖ое состояние pitiful (pitiable) condition; в ‖ом положении in pitiable (sad) plight, in pitiful condition; он представлял собой ‖ую фигуру he cut a poor figure; ‖ие двадцать рублей в месяц a poor twenty roubles a month; ‖о pitifully *и пр.*; вам ‖о мне это дать? do you grudge me it?; как ‖о! what a pity!, it's a pity!; тем более ‖о more's the pity.

жа́ло sting.

жа́лоб‖**а** complaint, grievance, grumble (*at, about, over*), lament (-ation); бюро жа́лоб complaint bureau (office); подавать ‖у (*кому-л. на к.-л., ч.-л.*) to make (to lodge) a complaint (*to, about*); ‖ность plaintiveness; ‖ный mournful, sad, sorrowful, grievous, dolorous, plaintive (*о песне*), doleful; ‖ный крик a plaintive cry; ‖ная книга book for complaints; ‖но mournfully *и пр.*

жа́лобщик complainant; *юр.* plaintiff, petitioner (*при разводе*); prosecutor.

жа́лован‖**ие** (*действие*) grant; bestowment, gratuity, donation, bestowal; ‖ный granted, gratuitous, presented, received as gratuity; ‖ная грамота letters patent, charter.

жа́лован‖**ье** *см.* зарплата; на ‖и salaried.

жа́ловать 1. to give, grant, bestow, confer; 2. (*любить*) to favour, like; просим его любить и ж. we beg you to be kind and gracious to him; 3. (*приходить*): он редко к нам жа́лует he seldom comes to us; ‖ся 1. (*кому-л. на к.-л.*) to complain (*to—of*), make complaints (*against*), grumble (*about, at, over*); to be displeased (*with*); ‖ся на кого-либо в суд to sue (prosecute) a person by law; to lodge a complaint with the magistrate against a person; на что вы жа́луетесь? what is your grievance?; what do you complain of?; 2. (*оплакивать*) to (be)moan, (be)wail, lament, mourn, grieve, deplore; ～ся на бедность to bemoan one's poverty; ～ся на головные боли to complain of headaches.

жалост‖ливый pitiful, compassionate; ～ливо piteously; ～ность piteousness; ～ный piteous, pitiful, woeful, lamentable, rueful, sorrowful, regretful, pitiable, mournful, sad, deplorable; ～ное выражение лица a rueful expression; ～но piteously *и пр.*; ～ь pity, compassion, mercy; ～ь к самому себе self-pity; из ～и for pity's (mercy's) sake.

жаль 1. it's a pity; ж. мне его I'm sorry for him, I pity him; как ж.! what a pity!; никому его не ж. nobody pities him; очень ж. it's a very great pity; 2.: для вас мне ничего не ж. I regret nothing for you; ему ж. куска хлеба he grudges a bit of bread.

жалюзи Venetian blind, jalousie.

жандарм gendarme (*во Франции, Бельгии и доревол. России*); ～ерия gendarmery.

жанр genre; ～ист painter of genre; ～овая живопись genre painting.

жантильнича‖нье, ～ть *см.* жеманиться, жеманство.

жар heat, glow (*накалённость, пыл*); temperature (*повыш. температура*); ardour (*сильный жар, рвение, горячность*); ж. валит из печи heat is bursting from the stove; бросить в ж. to throw into a fever; воинственный ж. warlike ardour; выгребать ж. из печки to take the embers out of the stove; как ж. гореть to glitter like gold; лихорадочный ж. fever heat; у ребёнка ж. the child has a high temperature; чужими руками ж. загребать *погов.* to make a cat's paw of one; я чувствую ж. I feel a bit feverish; задали ему ～у they gave it him hot; приняться с ～ом за работу to set to work with ardour.

жар‖а heat, hot weather; знойная ж. parching heat; летняя ж. summer heat; нестерпимая ж.! unbearably (confoundedly) hot!; солнечная ж. the heat of the sun; потрескавшийся от ～ы cracked with heat.

жаргон lingo, jargon, slang, argot, cant, thieves' Latin, patter; ж. моряков sailors' slang; актерский ж. slang of the theatre;

английский ж. в торговых сношениях в Китае pidgin (*испорч.* business) English; школьный ж. school-boy slang; говорить на ～е to cant; ～ный slangy; ～ное выражение cant term; slang (expression).

жардиньерка flower-stand, jardinière.

жарение roasting, frying, toasting.

жар‖еный roast, fried, broiled; ～ить to roast, fry; broil, grill (*на рашпере*); frizzle (*на горячих угольях*); barbecue (*целую тушу*); ～ить говядину to roast meat; ～ить отбивные котлеты to fry (grill) chops; ～ить рыбу to fry fish; солнце ～ит the sun burns (parches, scorches); ～ь! (*спеши!*) fire away!; ～иться на солнце to roast oneself in the sun.

жар‖кий hot, ardent, torrid, sultry; ж. день a hot day; ～кие дни (*в июле, августе*) dog days; ～ко hotly *и пр.*; печь истоплена слишком ～ко the stove is too much heated (overheated); ～ко *безл.* it's hot; ～кое roast meat; ～овня brazier, chafing-dish.

жаропонижающ‖ий febrifugal; ～ее средство febrifuge.

жар-птица the fire bird.

жасмин *бот.* jasmin(e), jessamin(e); ～ные духи frangipane.

жатв‖а harvest, crop, reaping, harvesting; обильная ж. a plentiful (rich) harvest; время ～ы harvest time.

жатвенн‖ый reaping; ～ая машина *см.* жнейка.

жатка *см.* жнейка.

жать I. (*жну*) to reap, harvest, crop, mow, gather in.

жать II. 1. (*жму*) to squeeze, press, strain; wring out (*выжимать мокрое*); ж. руку to shake hands; башмак жмёт the shoe hurts me (pinches my toe, is pressing on my toe); 2. (*притеснять*) to oppress; ～ся (*жмусь*) to be stingy, to pinch (*скупиться*); ～ся друг к другу to press close, stand (sit) close to one another.

жбан kind of jug, can.

жвач‖ка cud, quid, chew, rumination; ж. табака quid of tobacco; ～ный ruminant; ～ные животные ruminant animals.

жгут braid, plait; shoulder strap (*вид погон*).

жгуч‖есть causticity; ж. взгляда glowing expression; ～ий burning, hot, caustic; ～ий брюнет a strikingly dark man; a striking brunet; ~ая боль smart, a smarting pain; ~ая обида a smarting insult; ~ее солнце baking sun; ~ие глаза fiery eyes; ~ие слёзы scalding tears.

ж. д. *см.* железная дорога.

жд∥ать to wait (*for, till, until*); to expect; await (*ожидать*); *уст.* to stay; *лит.* to tarry; *фиг.* to cool one's heels; ж. годами to wait for years; ж. письма to expect a letter; напрасно ж. to wait to no purpose; он заставил меня ж. he kept me waiting; время не ~ёт time presses; мы ~али её час we waited an hour for her; мы ~али там до дождя we waited there until it began to rain; не ~йте от него ничего хорошего expect no good from him.

же 1. (*союз*) but, and: он пойдет, я же останусь he will go but (and) I shall stay; then: зачем же ты это взял? then why did you take it?; **2.** (*усилит. частица*) even (*даже*); я же вам говорил but I told you so; я же никогда не раскрывал книги I never even opened a book; он(а) же (*при повтор. в документах*) the same.

жева∥ние mastication, manducation, rumination; ~гельный masticatory, manducatory; ~ть to chew, masticate, ruminate (*о жвачных*); ~ть жвачку to chew (ruminate) the cud; ~ть табак to chew a quid of tobacco; шумно ~ть to champ, munch.

жезл wand, rod, staff; короткий ж. полицейского truncheon; маршальский ж. baton (*тж.* палочка дирижёра); *ист.* warder (*эмблема власти*).

жела∥ние wish, desire; longing (*for*), hunger (*for, after*), intense desire (*сильное*); lust (*вожделение*); coveting (*завистливое*); злостное ж. ill will (*to, towards*); нетерпеливое ж. *фиг.* itch (*for—в отношении вещи, to—действия*); страстное ж. мира a deep longing for peace; полный страстного ~ния eager (*for, about*); удовлетворить чьи-л. ~ния to meet (carry out) one's wishes; по вашему ~нию at your desire; по моему собственному ~нию at my own (sweet) will (pleasure), to my own taste; гореть ~нием to be eager (inflamed), to burn with desire; я не буду ~считаться с его ~нием I shall not consult his pleasure; давно ~нный desirable, wished for; ~тельность desirability; ~тельный desirable, desired; ~тельное наклонение *гр.* optative (mood); ~тельно *безл.* it's advisable (desirable, desired); ~тельно было бы пойти it might be as well to go.

желатин gelatine; ~овый gelatinous.

жела∥ть to wish, want, desire, to be willing, anxious (*to, for, about*); ж. добра to wish well (*to*); ж. невозможного to cry for the moon; оставляло ж. лучшего it left something to be desired; сильно ж. long (*for*), crave (*for*), yearn (*for*), hanker (*for, after*), pant (*for, after*), covet (*ч.-л. незаконного, чужого*); тщетно ж. to desire in vain, *разг.* to whistle (*for*); ~ю вам счастья I wish you joy; ~ю всяких благ best of luck; он никому не ~ет зла he wishes nobody ill; ~л бы я знать кто сказал это I should like to know who said it; ~ющий wishful (*to—в отношении действия*), desirous, longing; для всех ~ющих for all comers.

желвак *мед.* tumour, scirrhus.

желе jelly.

жел∥еза *анат.* gland; миндалевидные ~езы tonsils, almonds.

железистый irony, ferruginous, ferriferous; chalybeate (*о воде*); ж. препарат iron preparation.

железистый *анат.* glandular, glandulous.

железка chemin de fer (*карт. игра*).

железка glandule.

железн∥ая дорога railway; *амер.* railroad; ж. д. местного значения railway line of local importance; воздушная ж. д. elevated railway; многоколейная ж. д. many track railway; одноколейная (двухколейная) ж. д. single (double) track railway; окружная ж. д. circuit railway; подземная ж. д. underground tube; subway (*амер.*); узкоколейная ж. д. narrow gauge line; ширококолейная ж. д. broad gauge line; по ~ой дороге by rail(way); посылать, ехать по ~ой дороге to rail.

железнодорожн∥ик railway man; ~ый railway; ~ый подвижной состав railway rolling-stock; ~ый путь railway line; ~ая ветка branch line.

железн∥ый iron(y), ferric, ferrous, ferreous; ж. век iron age; ж. лист iron plate; ~ая комната (*в банках и пр.*) strong-room; ~ая охра iron ochre; ~ая руда iron-stone, iron-ore; ~ые опилки iron dust (filings); ~ые товары hardware, ironmongery; ~як iron-clay, iron-ore, iron-stone; бурый ~як brown hematite, limonite; красный ~як blood-stone, hematite.

желе́зо iron; ж. в болванках pig-iron; ж.-лом (старое железо) scrap-iron. broken iron; болтовое ж. screw-iron; волнистое ж. corrugated sheet-iron; иодистое ж. iodine iron; кованое ж. (поковки) forged iron; котельное ж. boiler plate; листовое ж. iron-plate; оцинкованное ж. galvanized iron; полосовое ж. bar-iron; прокатное ж. rolled iron; сварочное ж. weld, faggot iron; сортовое, профильное, фасонное ж. section, profile, shaped iron; ~бето́н reinforced (ferro-)concrete; ~де́лательный завод ironworks; ~пла́вильная печь iron-smelting furnace.

же́лоб gutter (на крыше); trough, kennel; scupper (на палубе); ferrule; техн. groove, furrow, trench, coulisse.

желоби́ть техн. to groove.
жёлтенький yellowish, yellowy.
желте́ть to yellow; to turn (о листьях); листья рано пожелте́ли the leaves have turned early; ~тина́ yellowness; ~ти́ть to colour (paint) yellow.

желто́брюхий yellow-bellied; ~ва́тость yellowness; ~ва́тый yellowish, yellowy, nankeen; sallow (о болезненном цвете лица); ~гла́зый yellow-eyed; ~гру́дый yellow-breasted.

желто́к yolk.
желто-кори́чневый fawn.
желтофио́ль бот. wallflower.
желто́чный yolky, yolked.
желту́ха (yellow) jaundice, icterus; бот. ragwort; ~шный icteric.

жёлтый yellow; ж. цвет yellow(s); or (в геральдике) ~ая вода (болезнь глаз) glaucoma; Ж ~ая книга пол. Yellow-book; ~ая лихорадка yellow fever, yellow Jack (sl.); ~ая пресса yellow press (newspapers); ~ые профсоюзы yellow trade-unions.

желудо́вый: ж. кофе acorn coffee.
желу́док stomach; разг. little Mary, the inner man, the inside; несваре́ние ~ка indigestion; ~чек (сердца, мозга) ventricle; ~очный stomachic(al), stomachal (тж. желудочное средство); ~очный сок gastric juice; ~очная бо-

лезнь gastric disease; ~очная горькая bitters.

жёлудь acorn; корм из желуде́й mast.

жёлчность jaundice, biliousness; ~ый (atra)bilious; ~ый камень gall- (bile-)stone; ~ый пузырь gall-bladder; ~ый темперамент bilious constitution; ~ый человек choleric man; ~ая горечь bitterness of bile.

жёлчь gall, bile; изливать ж. give vent to one's bile; полон ~и full of bile; разлитие ~и мед. jaundice.

жема́ниться to mince.
жема́нница mincing (finical) person; ~ный mincing, finical, namby-pamby, niminy-piminy; ~но mincingly, finically, in a mincing (finical и пр.) way (manner); ~ство affectation, finicality, finicalness, namby-pamby.

же́мчуг pearl; baroque pearl; мелкий ж. seed-pearl; розовый (чёрный) ж. pink (black) pearl; ловить ж. to fish for pearls; искатель ~а pearl-diver (-fisher); ловля ~а pearl-fishery; нитка (длинная) ~а a string (rope) of pearls; отделывать ~гом to set (adorn) with pearls; '~жина см. жемчуг; '~жница вет. уст. pearl disease; '~жный pearly; '~жная болезнь см. жемчужница; ~жная раковина pearl-oyster (shell); '~жное ожерелье a necklace of pearls; '~жные белила космет. pearl powder, pearl white.

жен- сокр. женский.
жена́ wife; spouse (супруга); фиг. better half; разг. my old woman; шут. rib, missis (the missus); (my old) dutch (sl.); сварливая ж. Xanthippe (по имени жены Сократа); под башмаком у своей ~ы henpecked by his wife; ~а́тый married, wedded (man).

женделега́тка women's delegate.
Жене́ва Geneva.
жене́вец, ~ский Genevan; ~ская конференция Geneva Conference; ~ское озеро the Lake of Geneva, Lake Leman.

жени́ть to marry (to), wed (to), join in marriage; он ~л сына (на) he married his son (to).

жени́тьба marriage, matrimony, wedlock, match; wedding, nuptials (свадьба).

жени́ться to get married, take a wife, espouse; contract marriage; ж. удачно to make a good match.

жени́х betrothed, intended; fiancé, bridegroom (*молодожён*); suitor, wooer (*сватающийся*).

же́нка *ласк.* wife.

жено‖люби́вый given to (fond of) women; petticoat lover; ~лю́бие love of women; ~му́жие *бот.* gynandria; ~ненави́стник woman-hater, misogynist; ~ненави́стнический misogynous; ~ненави́стничество misogyny; ~обра́зный, ~подо́бный effeminate, womanish.

женоргаииза́тор women's organizer.

женотде́л Section of Party Organization for Social and Political Work among Women.

же́нск‖ий female (*о поле*), feminine (*о качестве*), woman, womanly, womanlike; *презр.* womanish; ж. пол female sex; woman (*без а или с the*); ~ая зре́лость womanhood; ~ая нату́ра feminine nature; ~ая ри́фма *прос.* feminine rhyme; ~ое оконча́ние *гр.* feminine ending; ~ое учи́лище school for girls; ~ое ца́рство petticoat government; по-~и like a woman, wifelike, wifely.

же́нственн‖ость feminineness, femininity, womanhood; *презр.* effeminacy, lack of manliness; ~ый womanly; *презр.* woman(ish), effeminate.

же́нушка *ласк.* wife.

же́нщина woman (*pl.* women), female; *pl. соб.* woman (*без a, the*), womanfolk, womankind, women; *презр.* the petticoat(s); ж.-врач lady (woman) doctor; заму́жняя ж. married woman; злая, сварливая ж. Jezebel, termagant, shrew, catamaran, vixen; grimalkin (*старая*); молода́я ж. girl, young woman; wench, lass (*особен. о деревенской женщине*); передова́я ж. progressive woman.

жердь perch, rod, pole.

жереб‖я́ая in (with) foal; ~ёнок, ~ёночек (*уменьш.*) foal (*о лошади, осле, верблюде и пр.*); ~е́ц stallion (*заводской*); stud-horse; colt (*до 4 лет*); ~и́ться to foal; ~ле́ние foaling.

жеребьёвка sortition, allotment.

жеребя́чий of a foal.

же́рех a carplike fish.

жерли́ца fishing-rod to catch pike.

жерло́ crater (*вулкана*); muzzle (*пушки*); orifice (*отверстие*).

жёрнов mill- (grind-)stone; верхний ж. runner.

же́ртв‖а sacrifice, victim, immolation, offering; ж. капитали́зма a victim of capitalism; искупи́тельная ж. victim of expiation; приноси́ть ~у to sacrifice, immolate; де́лать свое́й ~ой to victimize; стать ~ой to fall a prey to.

же́ртвенн‖ик *церк.* credence altar (*престол*); ~ый sacrificial.

же́ртво‖вание *см.* пожертвова́ние; ~ватель(ница) donor; ~вать to give; ~приноси́тель immolator, sacrificer; ~приноше́ние oblation, offering, immolation, sacrifice.

жест gesture, gesticulation, motion; краси́вый ж. fine gesture; ~икули́ровать gesticulate; *шут.* to saw the air; ~икуля́ция gesticulation.

жёстк‖ий hard, stiff, rigid (*негнущийся*), tough; ж. ваго́н railway carriage with wooden seats; де́лать ~им to harden, stiffen; дела́ться ~им to grow (become) hard; to harden, stiffen; ~ая вода́ hard water; ~ое мя́со tough meat; ~ие во́лосы wiry hair; ~ие пра́вила rigid rules; ~о rigidly; in a harsh manner; мя́гко сте́лет, да ~о спать sweet as honey and bitter as gall; honey tongue, heart of gall; ~ова́тый hardish, somewhat hard, stiff.

жесткокры́л‖ый *зоол.* coleopterous; ~ые насекомые coleoptera.

жесто́к‖ий cruel, brutal, savage, ferocious, heartless; ж. моро́з sharp (hard) frost; ~о cruelly *и пр.*

жестокосе́рд‖ие hard-heartedness; cruelty; ~ный hard-hearted, merciless; ~но hard-heartedly, mercilessly, cruelly, without pity.

жесто́кость cruelty, brutality, savagery, ferocity, heartlessness; име́ть ж. сказа́ть to have the heart to say.

жест‖ь tin; tin-plate (*листовая белая жесть*); ж. жёлтой ме́ди yellow metal; ж. кра́сной меди latten; кро́вельная ж. sheet-lead; оцинко́ванная ж. white metal; стальна́я ж. steel-bronze; ~я́ник tinman, tinsmith; whitesmith; ~я́нка tin; ~яно́й (сосуд) tin; ~яна́я посу́да tinware.

жето́н medal.

жечь to burn, consume; corrode (*о едких веществах*); ж. ко́фе to roast coffee; ж. све́чу с двух концо́в to burn the candle at both ends; крапи́ва жжёт the nettle stings; ~ся to burn.

жже́ние burning, consuming.

жжёнка hot punch.

жжёный burnt.

жив alive, living, animate, active, lively, brisk, quick; ж. и здоров safe and sound; ни ж. ни мёртв in mortal fright; пока ж. буду as long as I live.

живгазе́та *см.* живая газета.

живи́т‖**ельный** resuscitative, restorative, vivifying, crisp, bracing (*о воздухе*); ~**ь** to vivify, give life (*to*), animate.

жи́вица gallipot (*затвердевшая смола на дереве*).

жи́вность *соб.* fowl, poultry.

живодёр flayer, knacker; *фиг.* flay-flint; ~**ня** slaughter-house.

жив‖**о́й** (a)live, living, lively, animate; vivid (*о красках*), lifelike, full-blooded; ж. ребёнок lively child; ж. ум lively wit (mind); ж. язык spoken tongue; как ж. to the life; он дерёт с ~**о́го и с** мёртвого he is ready to rob the very dead; he would rob both living and dead; ~**а́я** вода running (spring) water; ~**ая** газета live paper; living newspaper (review); ~**ая** изгородь quiekset hedge, hedgerow; ~**ая** сила *техн.* impact dynamic pressure; ~**ая** улика eyewitness, (ocular) evidence; ни одной ~**о́й** души not a living soul; на ~**у́ю** нитку hastily, carelessly; шить на ~**ую** нитку to baste, tack; ~**о́е** the quick, the living flesh; все ~**ое** all flesh; задеть за ~**ое** sting to the quick; ~**ое** воображение lively imagination; ~**ое** воспоминание poignant memories; ~**ое** существо a living being; ~**ое** сходство striking likeness; ~**ые** глаза bright, sparkling eyes; ~**ые** цветы natural flowers; ~**о** promptly, quickly, briskly, cheerily; ~**о**!, ~**е́й**! make haste!, (be) quick!, go ahead!

живокость *бот.* delphinium, larkspur.

живопи́с‖**ец** artist; painter (*тж. маляр*); ж. вывесок sign-painter; ~**ность** picturesqueness; ~**ный** picturesque, pictorial, figurative; ~**ное** местоположение picturesque site; ~**но** picturesquely *и пр.*

жи́вопись the pictorial art; painting; imitative arts (*тж. скульптура*); ж. масляными красками painting in oil; ж. сухими красками picture in crayon(s).

живоро́д‖**ный**, ~**я́щий** *зоол.* viviparous.

живоры́бный: ж. садок stew, fish pond.

жи́вость animation, vivacity, liveliness, sprightliness, life high spirits, pep; verve (*об описании, изображении*); snap (*о поведении, стиле*); ж. ума readiness of wit.

живо́т 1. *уст. см.* жизнь; бороться не на ж., а на смерть to fight to the finish, to fight like Kilkenny cats; **2.** belly, stomach, abdomen; большой ж. *разг.* corporation, pot-belly; у него болит ж. he has a stomach-ache; бурчанье в ~**е** rumbling in the stomach; резь, спазмы в ~**е** colic pains in the stomach.

животво́р‖**ный**, ~**я́щий** life-giving, vivifying.

живо́тик *дет.* tummy.

животно‖**во́дство** livestock-raising, cattle-breeding (-rearing); ~**во́дческий** stock-raising, cattle-breeding; ~**во́дческие** совхозы cattle-breeding State farms.

живо́тн‖**ое** animal (*вообще*), beast (*четвероногое*), brute (*в противоп. человеку*); всеядное ж. omnivorous animal; двуногое ж. biped; копытное ж. ungulate; млекопитающее ж. mammal; плотоядное ж. carnivore; позвоночное ж. vertebrate; сумчатое ж. marsupial; толстокожее ж. pachyderm; травоядное ж. herbivorous animal; четвероногое ж. quadruped; ~**ые** animals.

живо́тн‖**ый** animal; bestial; brute, brutal (*грубый, чувственный, жестокий*); ж. жир animal fat; ~**ая** волокнина animal fibre; ~**ая** жизнь animal life (existence); ~**ое** царство animal kingdom.

животрепе́щущ‖**ий** palpitating, exciting, thrilling, stirring, live; ~**ая** новость thrilling news; ~**ие** события stirring events.

живу́ч‖**есть** viability, tenacity of life; ~**ий** viable, tenacious of life; живу́ч как кошка he has nine lives like a cat; ~**ка** *бот.* house-leek.

живу́щ‖**ий** living; всё ~**ее** every living creature (thing).

жи́вчик lively creature; small fish used as bait (*тж. живец*); ж. в глазу (*нервное подёргиванье*) a twitch in the eye.

живьём alive.

жигану́ть *вульг.* to lash, scourge.

жиде́нький *см.* жидкий.

жи́д‖**кий** liquid, fluid; thin (*о каше и пр.*); watery, washy (*тж. фиг.*); wet (*о грязи, смоле*); wishy-washy (*sl.*); ж. прут a flexible rod; ж. чай weak tea; ~**кая**

борода a scanty beard; ∼кие волосы thin hair; ∼кие сливки thin cream; ∼ко thin, watery; ∼коватый waterish; ∼кость fluid(ity), liquid(ity); мера ∼костей liquid measure.

жиж∥а, ∼ица wash.

жизнедеятель∥ность activity; ∼ный active.

жизненн∥ость vitality, life, vital power; ∼ый vital; ∼ый вопрос a vital question, live issue; ∼ый путь the path of life; ∼ая потребность vital needs; ∼ая энергия vital energies; ∼ая энергия иссякла nature is exhausted; ∼ые интересы vital interests; ∼ые силы sap; ∼ые функции vital functions.

жизнеописа∥ние biography; ∼тельный biographic(al).

жизнерадостн∥ость joy of living, cheerfulness, flow of spirits, buoyancy; animal spirits; ∼ый joyous, cheerful, buoyant; ∼о joyously.

жизнеспособн∥ость vital capacity; vitality; ∼ый capable of living; viable (о новорожденном).

жизн∥ь life, existence, living; ж. висела на волоске life was hanging by a thread; ж. революционера the life of a revolutionist; бороться за ж. to fight for one's life; борьба за ж. struggle for life (existence); весёлая ж. a merry life; деятельная ж. an intense life; за всю мою ж. in all my life, in all my born days; зарабатывать на ж. to earn (make) one's living; на всю ж. for life; положить (за кого-либ.) свою ж. to give (lay down) one's life (for); потерять (спасти) ж. to lose (save, spare) one's life; походная ж. warfare; продолжающийся всю ж. life-long; сидячая ж. a sedentary life; вопрос ∼и и смерти a matter of life and death; в продолжение их совместной ∼и during their joint lives; вести широкий образ ∼и to go the pace; как в ∼и to the life; нить ∼и fatal thread; образ (уклад) ∼и way of living, course (way, manner, frame) of life, the tenor of man's life and habits; при ∼и during (in) one's life-time; призвать к ∼и to call to life (into being); средства к ∼и livelihood, means of subsistence; умеренный образ ∼и plain living; я не сделал бы этого, если бы даже дело шло о ∼и I couldn't do it for my life (for the life of me); I wouldn't do it even to save my life.

жил- сокр. жилищный.

жил∥а vein; бот., энтом. nerve; мин., геол. vein, lode (рудная); reef (золотоносная, кварцевая); фиг. (о человеке) skinflint, extortioner; натянуть все ∼ы to strain every nerve.

жилейка pipes.

жилет, ∼ка, ∼ный waistcoat; ж. не сходится the waistcoat won't meet; плакать в ∼ку to weep in one's sleeve.

жил∥ец lodger; он не ж. на этом свете he is not long for this world.

жилист∥ый veiny, sinewy, fibrous, stringy, filamentous; ∼ые руки blue-veined hands.

жилиться to strain (force) oneself, make (painful) efforts.

жилица см. жилец.

жилищ∥е abode, dwelling, residence (местожительство); domicile, habitation, living quarters, lodging (снятые в квартире комнаты); lodging house (мебл. дом); flat, floor, apartment (квартира); dwelling house (дом для жилья); военн. quarters; ∼ный вопрос housing problem; ∼ная политика housing policy; ∼ное строительство housing; house building; ∼но-бытовые условия dwelling and life conditions.

жил∥ка бот. fibre, nerve, rib; охотничья ж. a hunting vein; срединная ж. листа midrib; юмористическая ж. a vein of humour; расположение ∼ок (на листьях) nervation; с ∼ками nervate.

жилкооперация см. жакт.

жил∥ой inhabited; habitable, liveable (годный для жилья); ∼ая комната (в которой живут) inhabited room; повидимому это не ∼ая комната the room does not seem to be lived in; ∼ое помещение inhabitable premises (building, dwelling).

жилплощадь living-(floor-)space.

жилстройтельство house building, housing.

жилтоварищество House Tenants' Association.

жилфонд fund of spare living area; reserve living space (area).

жильё см. жилище.

жильный veiny.

жимолость бот. honeysuckle, woodbine.

жир far, grease, suet (почечный, бараний, говяжий); tallow (сало для изготовл. мыла, свечей и для машин); китовый ж. sperm oil, blubber; рыбий ж. cod-liver oil.

жирандо́ль girandole.

жира́ф *зоол.* giraffe, camelopard.

жире́ть to fatten; to grow (become) plump (fleshy, fat, stout, corpulent).

жи́рн‖**ость** fatness, greasiness, oiliness; ∼**ый** fat, greasy, oily; rich (*о кушанье*); lardy; stout, corpulent, well-fed, porky, plump, fleshy, obese, adipose (*толстый*); pursy (*задыхающийся от тучности*); thick (*о почерке, букве*); ∼**ый** шрифт fat printing type; ∼**ая** земля fat land (soil); ∼**ая** куропа́тка plump partridge; ∼**ое** пятно a greasy spot; ∼**о** fatly, greasily; ∼**о** будет! that's too much!

жиро́ (*передат. надпись на векселе*) endorsement.

жирова́ть (*о птицах*) to lay wind-eggs; to lay no eggs (*из-за жира*).

жиров‖**и́к** 1. *мед.* fatty tumour, lipoma; 2. *мин.* (*род талька*) steatite, soapstone, French chalk; ∼**о́й** fatty; ∼**о́е** перерожде́ние *мед.* fatty degeneration; ∼**ое** яйцо́ wind-egg.

жирово́ск adipocere.

жиронди́ст Girondist.

жироприка́з (banking) order.

жироско́п *физ.* gyroscope.

жите́йск‖**ий** worldly; ∼**ое** мо́ре sea of troubles; де́ло ∼**ое**! there is nothing out of the common in it.

жи́тел‖**ь**, ∼**ьница** inhabitant, resident; dweller; ж. Восто́ка easterner; ж. За́пада westerner; ж. кра́йнего Се́вера hyperborean; городско́й ж. townsman, citizen (*сокр.* cit.), resident of a city (town), *pl.* townsfolk, townspeople, citizens; дереве́нский ж. countryman, *pl.* countrypeople; пеще́рный ж. troglodyte; приро́дный ж. (*туземец*) native; се́льский ж. villager; ∼**и** (*народонаселение*) population; первонача́льные ∼**и** aborigines; ∼**ьство** (in)habitation, continued residence, abode; вид на∼**ь**ство passport; перемени́ть ∼**ьство** to remove, to change 'one's residence; ∼**ьствовать** to reside, live, dwell, inhabit, abide; to sojourn (*временно*).

жити́‖**е́** *уст.* life, biography; ∼**я́** святы́х The Lives of the Saints.

жи́тн‖**ица** *букв. и фиг.* granary; barn; ∼**ый** barley (*attr.*).

жи́то corn, wheat (*пшеница*), barley (*ячмень*).

Жито́мир Zhitomir.

жи‖**ть** to live, be alive, have life, exist, subsist; ж. в доста́тке to live (be) in easy circumstances; ж. в ко́мнатах to lodge; ж. в любви́ (*с к.-л.*) to live in harmony (*with*); ж. в ро́скоши to live in luxury (in clover), to live on the fat of the land; ж. вы́ше свои́х сре́дств to live above one's means; ж. иллю́зиями to indulge in illusion; to live in a fool's paradise; ж. как ко́шка с соба́кой to live a cat-and-dog life; ж. ма́ссами to hive; ж. на свои́ сре́дства to support oneself; ж. на сре́дства роди́телей to live on one's parents; ж. одино́ко to live by oneself; ж. подая́нием to subsist by begging; ж. свои́м до́мом to keep a house, to have a household; ж. скро́мно to live in a small way; ж. трудо́м to subsist by working; ж. че́стно to live up to one's principles, to live honestly; ж. широко́ to live fast; ему́ не́чем ж. he has nothing to live upon; пра́здно ж. to eat the bread of idleness; приказа́ть до́лго ж. to kick the bucket (*sl.*); он ∼**вёт** со дня на день (*перебива́ется с хле́ба на квас*) he lives from hand to mouth; здо́рово ∼**вёшь** without rhyme or reason; for nothing at all; как ∼**л**, так и у́мер he died as he lived; ∼**л-был** there was; once upon a time there lived.

житьё life, existence; плохо́е ж. a wretched (precarious) existence; пра́здное ж. a life of festivity; ж.-бытьё mode of existence (living).

жму́р‖**ить** (*глаза*), ∼**иться** to close the eyes; ∼**ки** blind man's buff; веду́щий ∼**ки** hoodman; игра́ть в ∼**ки** to play at blind man's buff.

жмыхи́ oil-cake; cotton-cake (*из хлопко́вого семени*).

жн‖**е́йка** harvester, reaping machine; ∼**ец** reaper, harvester.

жни́в‖**о**, ∼**ьё** stubble; покры́тый ∼**ом**, ∼**ьём** stubbly.

жнитво́ reaping.

жни́ца *см.* жнец.

жоке́й jockey.

жо́лоб *см* жёлоб.

жо́лудь *см.* жёлудь.

жом press.

жонгл‖**ёр** juggler; ∼**ёрство** sleight of hand; ∼**и́ровать** to juggle.

жо́нка *см.* джонка.

жонки́ль *бот.* (*род нарцисса*) jonquil(le).

жох sly (cunning) rogue.

жра‖**нье** *вульг.* glutting, guzzling; ∼**тва́** chow; ∼**ть** to glut, guzzle, gorge, devour; to grub, gut.

жре́бий lot, allotment (*тж. же-ребьёвка*); *фиг.* fate, destiny, lot; ж. бро́шен the die is thrown (cast); ж. пал на меня the lot fell upon me; броса́ть ж. to cast (throw) lots; вы́тянувший ж. allotee; печа́льный (счастли́вый) ж. sad (fortunate) lot; тяну́ть ж. to draw lots.

жр||е́ц priest; ~ецы́ нау́ки the pontiffs of science; ~е́ческий sacerdotal, priestly, druidical; ~е́чество priesthood; ~и́ца priestess.

жу́желица *энтом.* carabid.

жужжа́||ние hum, buzz, drone; whiz(z); ~ть to hum, buzz, drone; to whiz(z) (*о машине*).

жуи́р bonvivant; ~овать to enjoy life.

жук beetle, scarab (*навозный*), cockchafer (*майский*), unicorn-beetle (*носорог*), (corn) weevil (*хлебный*).

жу́л||ик crook, arch knave, swindler, arch rogue, sharper (*особ. в картах*); cheat (*в игре*); ~икова́тый roguish; ~ьё crooks, swindlers; ~ьнича́нье swindling; ~ьнича́ть to swindle, cheat; ~ьничество swindling.

жупа́н warm Ukrainian overcoat.

жу́пел bugaboo, bog(e)y, bugbear.

журавл||и́ный: ~и́ные (*тонкие*) но́ги spindle shanks; '~ь crane; не сули́ ~я́ в не́бе, дай сини́цу в ру́ки a bird in the hand is worth two in the bush; a sparrow in hand is worth a pheasant that flies by.

жури́ть to reprove, censure, reproach.

журна́л journal, magazine; ж. для за́писей рожде́ния, сме́рти *и пр.* register; ж. заседа́ний minute book; ежеме́сячный ж. monthly; еженеде́льный ж. weekly; периоди́ческий ж. periodical review; вести́ ж. to journalize; но́мер ~а issue, copy; ~и́ст journalist, pressman, reporter; ~и́стика journalism; ~ьный journalistic.

журфи́кс an at-home.

журча́||нье ripple, babble, murmur, bicker; ~ть to ripple, babble, purl, bicker.

жу́т||кий horrific, terrific, frightful; мне ~ко I feel awe-struck; ~ь fright, terror, horror.

жу́чить *разг.* to scold.

жучо́к *см.* жук; tipster (*на скачках*).

жюри́ jury; ж. на вы́ставке карти́н hanging committee; член ж. juror, juryman; быть в соста́ве ж. to serve on a jury.

За behind, beyond; за борт overboard; за выполне́ние пла́на for the cause of plan fulfilment; за год for a year; за го́родом out of town, beyond the town (*дальше города*); in the country (*на даче, в деревне*); за две ми́ли от го́рода two miles from the town, at two-miles' distance from the town; за две́рью behind the door; за де́ло револю́ции for the cause of the Revolution; за и про́тив pro and con; за исключе́нием except, excepting, with the exception of; за мо́лодостью лет on the ground of youth; за неде́лю during a week (*в течение*); за неде́лю до ч.-л. a week before; за недоста́тком ч.-л. for lack of, in the absence (scarcity) (*of*); за неиме́нием in the absence of, for want of; за ним э́то во́дится he is known for that (to do that); за обе́дом during dinner, while dinner was in progress (*во время*); за отсу́тствием кого́-л. in the absence of; за по́дписью секретаря́ signed by the secretary; за реко́й across (beyond) the river, on the other side of the river; за стака́ном вина́ over a glass of wine, over their wine (*pl.*); за ста́ростью лет on account of advanced (old) age; за тако́го-то (*подпись*) per procurationem (*сокр.* p. proc., p. pro., p. p.); за угло́м round the corner; за час до отъе́зда an hour before starting; за чем? behind what?; за что? what for?; за э́то не упла́чено this is not paid for; беспоко́иться за к.-л. to be anxious (*about, for*), to worry (*about*); взять за ру́ку to take by the hand; взя́ться за како́е-л. де́ло to undertake; вступи́ться за к.-л. to stand up for; *разг.* to take up the cudgels for; вы́йти за воро́та to go beyond the gate; вы́слать за грани́цу to exile (deport) abroad, to send out (*of*); гна́ться за к.-л. to run after; день за днём day by day, day after day; дохо́д за неде́лю a week's profit; ему́ за пятьдеся́т he is over fifty, past fifty [on the wrong (shady) side of fifty]; заде́ть за что-л. to hit against something; запиши́те э́то за мной put it down to my account; итти́ за к.-л. to follow; ни за что on no account whatever, not for anything;

одно за другим one after the other; око за око, зуб за зуб eye for eye, tit for tat; она вышла за рабочего she married a workman; он делает глупость за глупостью he commits folly upon folly; они заодно they are at one; оставить к.-л. далеко за собой to leave somebody far behind; охотиться за волками to hunt wolves; очередь за вами it is your turn; пить за здоровье to drink (to) one's health; послать за кем-л. to send for; придите за мной fetch me, call for me; принять за кого-л. to take one (*for*); приняться за работу to begin working; to set to work; продано за рубль sold for a rouble; просить за кого-л. to intercede for someone, to speak on somebody's behalf; пью за вас! here's to you!; ручаться за кого-либо to answer for; сидеть за обедом (столом) to sit at dinner (table); сидеть за шитьём to be sewing; следить за кем.-л. to watch, spy (*on*), observe (*наблюдать*); стоять за ч.-л. (*настаивать*) to be (*for*), to insist (*on*); схватиться за голову *фиг.* to be horrified, to be in despair; сходить за ч.-л. to fetch (*принести*), to go and buy something (*купить*); умереть за что-либо to die (*for*), to give one's life (*for*); уплатить за ч.-л. to pay (*for*); хвататься за соломинку to clutch at a straw; ходить за больным to nurse (look after) a patient (an invalid); ходить за детьми to look after children; что за прелесть! how lovely!; что он за человек? what is he like?; шаг за шагом step by step; я дрожу за него I tremble for him (for his safety); я за это I am for this.

за- *приставка; обозначая перед глаголом начало действия (напр. запеть), часто переводится глаголами* to start, to begin *с инфинитивом, или герундием требуемого глагола:* to start singing, to begin to sing; *перед географическ. наименованиями обычно переходит в приставку* trans-: Забайкалье Transbaikal; Закавказье Transcaucasus.

заале́ть to redden.

заальпи́йский Transalpine.

зааплоди́ровать to break out into applause; to begin applauding, clapping.

заарендов‖**а́ние** *см.* аренда; ⌒**а́ть,** '⌒**ывать** to rent, lease, have a lease (*on*), have (hold) on lease.

заарта́читься to become obstinate, mulish.

заба́в‖**а** amusement, entertainment, diversion, pastime, sport, fun; детская з. *фиг.* child's play; ⌒**ля́ть** to amuse, entertain, divert; ⌒**ля́ться** to amuse, (entertain, divert) oneself; ⌒**ник,** ⌒**ница** an amusing, entertaining person; a jolly good fellow, a pleasant chap (*только о мужчине*); ⌒**ный** amusing, entertaining, diverting, droll; ⌒**ный случай** a ludicrous (funny) incident; он ужасно ⌒**ный** he is too killing, he is simply priceless; ⌒**но** funnily, amusingly; in an amusing way; ⌒**но!** how interesting!

Забайка́лье Transbaikal.

забаллотиро́в‖**анный** blackballed, non-elected; ⌒**а́ть** to vote against, to black-ball.

забараба́нить *см.* барабанить.

забаррикади́ровать *см.* баррикадировать.

забастов‖**а́ть** to strike, to go on strike, be on strike; '⌒**ка** strike; ⌒**ка сочувствия** sympathetic strike; всеобщая ⌒**ка** general strike; '⌒**очный комитет** strike committee; '⌒**очное пособие** strike-pay; '⌒**щик** striker.

забве́ни‖**е** oblivion; предать ⌒**ю** to bury in oblivion; to cast a veil over; to forget; to pass the sponge over (*sl.*).

забе́гать *см.* бегать.

забега́ть (*к к.-л.*) to drop (*in*); з. вперёд *фиг.* to forestall.

забели́ть to whiten; з. суп (чай) молоком to put milk into the soup (tea).

забере́менеть to become pregnant.

заби‖**ва́ть** to hammer in, drive in, ram in (*гвоздь*); to drive down (*колья*); to pile, drive in piles (*сваи*); to tamp (*буровую скважину глиной для усиления взрыва*); to stop up, block up, fill in (*щели*); з. в угол to corner, drive into a corner; з. гол to score a goal; з. голову учением to stuff one's head with learning; сильно '⌒**ли** нефтяные источники the oil fields struck big oil; путь '⌒**т** вагонами the way is blocked with railway carriages; ⌒**ться** в угол to hide, skulk in a corner; его пульс наконец '⌒**лся** his pulse began to beat at last; у меня '⌒**лось** сердце my heart began to beat, to thump, went pit-a-pat; '⌒**вка** driving in; driving down; blocking, stopping up; ⌒**вка свай** pile driving.

заб‖ира́ть to take; з. вперёд (в кредит) to take in advance (on credit); з. всё в свои руки to take all into one's own hands; to boss the whole show (*sl.*); з. в солдаты to call into the army; з. себе в голову to take (it) into one's head; зубцы колеса плохо ↷ира́ют the cogs of this wheel do not catch deep enough; ↷ира́ться to come (creep, steal) into (*куда-л.*); ↷ира́ться на дерево to perch upon (climb on) a tree.

заби́т‖ость state of oppression; ↷ый oppressed; ↷ый челове́к a downtrodden person, an oppressed person.

заби́ть(ся) *см.* забива́ть(ся).

забия́ка squabbler, quarrelsome person.

заблаговре́менн‖ый done in time, in good time, in advance; ↷о beforehand.

заблагорассу́ди‖ться to think fit (good); неизвестно, когда ему ↷тся это сделать it is uncertain (there is no knowing) when he will condescend to do it; ему ↷лось he took into his head (into his fancy) (*to*).

заблесте́‖ть to begin to shine (sparkle); вода ↷ла на со́лнце the water glittered (sparkled) in the sunshine; его глаза́ ве́село ↷ли his eyes began to twinkle, there was a twinkle in his eyes; её глаза радостно ↷ли her eyes began to shine (sparkle) with pleasure (joy).

заблу́‖ди́ться, ↷жда́ться to lose one's way (bearings); go the wrong way; to get (be) lost, to lose oneself; to go (run) astray; to err, be mistaken; to labour under a delusion; он ↷жда́ется (*ошибается*) he is wrong; ↷ди́вшееся дитя́ stray child; '↷дший gone astray; '↷дшая овца́ stray sheep.

заблужде́ни‖е fallacy, error, delusion, mistake; вводи́ть в з. to lead astray, to deceive; выводи́ть из ↷я to disabuse.

забода́ть to gore.

забо́й stope; передовой з. stope drift; нача́ть (пусти́ть) з. to open a stope; ↷ник *техн.* beetle; ↷щик miner (*горнорабо́чий*).

забола́чива‖ние swamping; ↷ть to swamp.

заболева́‖емость morbidity; statistics of sickness; ↷ние illness, sickness, disease.

заболе‖ва́ть, '↷ть to fall (be taken) ill; з. лихора́дкой to catch a

fever; з. снова to relapse; у меня '↷л зуб I have a toothache; у меня '↷ла грудь (спина, живот) I have a pain in my chest (back, stomach, *реже* belly); у меня ↷ла нога́ I have a pain in my foot, I have a sore foot (*натёрта стопа*); у меня '↷ло го́рло I have a sore throat.

за́болонь *бот.* alburnum, sap-wood.

заболта́ть *см.* болтать.

заболта́‖ться to chat too much, to overstay one's time (*засидеться*); я ↷лся и опозда́л I've been having such a long chat that it has made me late.

забо́р I. fence; garden-wall; enclosure; вре́менный з. boarding; поста́вить з. to put up a wall (fence, hedge).

забо́р II. a sum taken in advance (*денежный*); goods taken on credit (*товарный*).

забо́рист‖ый: з. моти́в (↷ая мело́дия) a racy tune; ↷ое вино́ heady wine.

забо́рн‖ый: ↷ая кни́жка food-card, food-booklet, ration-booklet (*продукто́вая*).

забо́т‖а care, worry, preoccupation, trouble, anxiety; *разг.* bother; оте́ческая з. paternal care; изму́ченный ↷ами careworn; ↷ить кого́-л. to give (cause) anxiety; ↷иться о к.-л. to look after, to take care of someone; нежно ↷иться о к.-л. to be full of tender care (*for*), to be full of solicitude (*for*); никто́ не ↷ится, сде́лано это или нет nobody cares (a pin) whether it is done or not; nobody bothers about it.

забо́тлив‖ость solicitude, care, thoughtfulness; ↷ый solicitous, thoughtful, careful; ↷о solicitously *и пр*.

забрако́ва́ть to reject, refuse.

забра́ло visor, beaver.

забра́сывать to throw; to abandon, neglect; з. вопро́сами to ply (pester) with questions; з. гря́зью to spatter (bespatter, splash) with mud; з. камня́ми (*к.-л.*) to stone.

забра́ть(ся) *см.* забира́ть(ся).

забре́дить to become delirious.

забре́зжить *см.* рассвета́ть.

забренча́ть *см.* бренча́ть.

забрести́ to go astray; to come in, drop in (*в гости*).

забри́ть *см.* брить; з. в солда́ты *уст.* to call into the army, to accept as recruit.

заброни́р‖о́ванный booked, reserved; ↷ова́ть to book, to reserve;

⁀овать места (билеты) to book seats (tickets).

забро‖са́ть, '⁀сить *см.* забрасывать.

забро‖шенность neglect, desertion; ⁀шенный thrown; ⁀шенный дом uninhabited (deserted, abandoned) house; ⁀шенный ребёнок a neglected (uncared for, abandoned) child; ⁀шенное место secluded (desolate, lonesome, waste) place (spot).

забры́зг‖ать, ⁀ивать to besprinkle, bespatter, splash.

забуёны‖й: ⁀ая головушка an unruly (bold, dissolute) fellow.

забулды́га good-for-nothing fellow, drunkard, debauchee.

забунтова́ть *см.* бунтовать.

забурли́ть to begin to bubble; *см.* бурлить.

забуто́вка *стр.* rubble-work.

забушева́ть *см.* бушевать.

забы‖ва́ть to forget; з. обиду to forgive (bury) an offence (injury); я часто ⁀ва́ю I often forget; я совершенно '⁀л it went clean out of my mind; I never thought of it; ⁀ва́ться to forget oneself; ⁀ва́ться тяжёлым (лёгким) сном to fall into a heavy (light) sleep.

забы́вчив‖ость forgetfulness; ⁀ый forgetful, careless, inattentive.

забы́ть *см.* забывать.

забытьё slumber, drowsiness (*о сне*); unconsciousness (*о потере сознания*); впасть в з. to fall into a (heavy) slumber (*уснуть*); to be (become) unconscious, to lose consciousness (*потерять сознание*).

забы́ться *см.* забываться.

зав *см.* заведывающий.

зава́л *мед.* obstruction, constipation.

зава́ливать to heap up, encumber, block up, cover up, clog, choke (*with*); з. работой to swamp with work.

зава́линка a little mound of earth round a Russian izba.

завали́‖ть *см.* заваливать; ⁀ться to be mislaid (*затеряться*); ⁀ться спать *разг.* to go to bed; книга ⁀лась за диван the book has fallen behind the sofa.

за́валь old merchandise (*о товаре*), old rubbish.

заваля́‖ть *см.* валять; товар ⁀лся this merchandise (these goods, wares) does not (do not) sell *или* has (have) been lying on hand too long; ⁀щий lying about, useless (*о вещи*); poor devil (*о человеке*).

завари́‖вать to brew; *техн.* to weld, fasten by forging; з. бельё to scald linen (clothes, washing); з. чай to make (brew) tea; ну и '⁀л кашу! what a mess!; hasn't he made a mess of it?; сам ⁀л кашу, сам и расхлёбывай who breaks, pays; ⁀ва́ться: вот '⁀лась каша! now the fat's in the fire!

завари́ть(ся) *см.* заваривать(ся).

заварно́й boiled; з. хлеб bread made of scalded dough.

завару́ха *разг.* stir, bustle, to-do.

заведе́ние 1. establishment, institution (*см.* учебный); высшее учебное з. school for higher education, college, institute, academy, polytechnic; питейное (трактирное) з. public-house, pub (*сокр.*), inn, tavern; прачечное з. laundry; 2. custom, habit, usage; здесь уж такое з. it is the custom here.

заве́домо known to be...; з. зная knowing beforehand (for certain).

заве́дующий *см.* заведывающий.

заве́дывание management, superintendence.

заве́дывать to manage, superintend, to be at the head (*of*).

заве́дывающий manager (*ж. р.* manageress), chief (*of*), head (*of*), director (*ж. р.* directress); з. гостиницей (магазином) manager; з. канцелярией head clerk, first secretary; з. хозяйством steward, housekeeper; matron (*больницы, интерната; ж. р.*); з. школой headmaster; principal (*особ. амер.*); headmistress (*ж. р.*).

завезти́ *см.* завозить.

завербова́ть to recruit.

завер‖е́ние assurance; ⁀и́тель, ⁀и́тельница witness, testifier; '⁀ить to assure, to witness (*подпись*).

заверну́ть *см.* завёртывать; з. в гости to drop in, call on somebody, turn in.

заверте́ть to screw up.

заверте́ться to begin whirling, to spin.

завёртывать to envelop, roll (wrap) up, muffle up, enfold; з. кран to turn off the tap.

заверш‖а́ть to complete, crown; ⁀а́ющий concluding, closing, crowning, final; ⁀а́ющий год пятилетки concluding year of the 5 Year Plan Period (piatiletka); ⁀е́ние completion; ⁀е́ние построения фундамента социалистической экономики completing the foundation (laying the last stone of the foundation) of socialist economy.

заверши́ть *см.* завершать.

заве́рить *см.* заверить.

заве́са veil, curtain; задняя з. *см.* задник 2.

заве́сить *см.* завешивать.

заве||сти́(сь) *см.* заводить(ся); у нас ∼ли́сь мыши we have got mice in the house; mice have recently appeared in our house; здесь уж так ∼дено́ испокон веков it is the custom here since time immemorial.

заве́т testament, will; ∼ы Ленина Lenin's legacy; ∼ный sacred (*о вещи*); ardent (*о желании*); ∼ные мысли cherished thoughts.

заве́ш||ивание covering, curtaining; ∼ивать to veil, curtain; ∼енные окна curtained windows.

завеща́ни||е will, testament; сделать з. to make one's will; политическое з. Ленина political legacy of Lenin; умереть без ∼я to die intestate; утверждение ∼я (*тж.* копия с него) probate.

завеща́||тель testator; ∼тельница testatrix; ∼ть to leave, to bequeath; тот, кому заве́щано heir, legatee.

завзя́тый incorrigible, thorough, out-and-out, downright; з. курильщик inveterate smoker; з. спортсмен enthusiastic sportsman.

⊬ завива́ть to wave, curl; frizzle, crimp (*мелко*), ∼ся (*самому*) to wave *etc.*; to have one's hair waved *etc.* (*у парикмахера*).

зави́вк||а waving, wave, curling; щипцы для ∼и curling irons.

зави́деть *см.* увидеть.

зави́д||ный enviable; ∼овать to envy, to be envious (*of*); глаза у него ∼ущие, руки загребущие *погов.* he is a grab-all.

завин||ти́ть, '∼чивать to screw up.

завира́ться to lie without measure, to talk nonsense, to talk at random.

завиру́шка hedge-sparrow (*птица*).

зави́||сеть to depend on, to turn on (upon); насколько от меня ∼сит as far as in me lies, as far as it depends on me; от вас ∼сит решить it lies with you (it is for you) to decide.

зави́сим||ость dependence, subordination; вассальная з. vassalage, allegiance; взаимная з. interdependency; быть в ∼ости от к.-л. to depend on someone; освобождение от иностранной ∼ости getting free of foreign dependency; shaking off foreign dependency; ∼ый dependent (*on*), subordinate.

зави́ст||ливый envious, jealous; green-eyed; ∼ливо enviously, grudgingly; смотреть на ч.-л. ∼ливо to look upon something with a grudging eye; ∼ник envious person, envier.

за́вист||ь envy, jealousy, grudge, heart-burning; green eye; возбуждать з. to excite (rouse) jealousy (envy); лопнуть от ∼и to burst with envy; сохнуть от ∼и to pine away with envy.

зави́сящ||ий depending; принять все ∼ие меры to avail oneself of all possibilities, to take all possible precautions, to do all that is in one's power (to do).

завит||о́й curled, frizzled up; ∼о́к curl, flourish; *анат.* helix (*уха*); *арх.* volute; лепной ∼ок scroll; фальшивые ∼ки на лбу frisette; ∼у́шка a little curl (flourish).

зави́ть(ся) *см.* завивать(ся).

завко́м *см.* заводский.

завлад||ева́ть, ∼е́ть to take possession of, to seize.

завлека́ть, завле́чь to entice, lure.

заво́д 1. works, factory, mill; plant (*амер.*); винокуренный з. distillery; газовый з. gas-works; железоделательный з. iron-works; кирпичный з. brick-works, brick-kiln, brick-yard, brick-field; кожевенный з. tannery; конский з. stud; лесопильный з. saw-mill; пивоваренный з. brewery; сахарный з. sugar-mill, sugar-refinery; стекольный з. glass-manufactory; фарфоровый з. china-factory; чугунолитейный з. iron-foundry; 2. custom; у нас этого в ∼е нет it is not the custom here; 3. winding (mechanism); з. без ключа keyless (winding); автоматический з. (*у мотора*) self-starter, self-winding (motor); перекрутить з. to overwind.

заводи́ть to wind (*up*) (*часы, пружину*); to acquire (*приобретать*); to establish, found, set up (*дело, магазин*); з. будильник to set the alarum; з. граммофон to turn on the gramophone; з. дружбу to contract a friendship; з. знакомство tо make the acquaintance (*of*); з. куда-л. to bring, take, lead (*to*); з. лошадей to buy (purchase, keep) horses; з. порядки to introduce a new order; з. разговор to start a conversation, to enter into conversation; з. разговор о чём-либо to let the conversation fall on; to turn the conversation to; to mention; з. ссору to raise a quarrel; ⁓ся to be wound (up), set up и пр.

заво́дка см. завод 3.

заводно́й winding; з. (игрушечный) парохо́дик a clock-work toy steamer.

заводоуправле́ние factory management.

заво́д‖ский belonging (pertaining) to a factory, works, factory (attr.); з. комите́т (сокр. завко́м) Factory (Trade Union) Committee.

заво́дчи‖к, ⁓ца owner of factory etc.

за́водь creek.

завоева́‖ние conquest; ⁓а́тель conqueror; ⁓а́тельная война́ war of conquest, aggressive war; ⁓а́ть to conquer; ⁓а́ть дове́рие to earn somebody's esteem.

завоёвывать см. завоева́ть.

заво́з мор. tow-line, head-cable, hawser with its anchor; з. това́ров glut.

завози́ть: з. к.-л. в уединённое ме́сто to drive someone to a lonely (distant) place; з. к.-л. домо́й to drive somebody home; з. что-л. кому́-л. to convey (carry) something to somebody, to leave something in passing.

завози́ться см. вози́ться.

заво́зный: з. я́корь keg-anchor.

завола́кивать to cloud (иногда over, up); фиг. to cloud, darken, (о горизо́нте, взо́ре), bedim (о взо́ре), sadden (о лице́); ⁓ся to cloud (о не́бе); ⁓ся вла́гой (о глаза́х) to be bedimmed.

Заво́лжье the land on the left bank of the Volga.

за́волока мед. seton.

завора́живать to charm, bewitch, cast a spell over.

завора́чивать см. завёртывать; to turn (лошаде́й, экипа́ж); з. рука́ва to tuck up one's sleeves.

заворожи́ть см. завора́живать.

за́ворот: з. кишо́к мед. volvulus; ⁓и́ть см. завора́чивать.

завра́ться см. завира́ться.

завсегда́тай habitué, haunter; turfite (на ска́чках).

за́втра to-morrow; на з. on the following day; не сего́дня, так з. if not to-day, to-morrow may; я отложи́л э́то на з. I have put it off till to-morrow.

за́втрак breakfast (пе́рвый з.); lunch(eon) (второ́й з.); корми́ть

кого́-либо ⁓ами фиг. to feed one with hopes; ⁓ать to lunch, to have (take) one's lunch.

за́втрашний день см. за́втра.

завхо́з house manager of an establishment.

зав‖ыва́ть, ⁓ы́ть см. выть.

завяда́ние см. увяда́ние.

завяза́ть I. to stick, sink; з. в грязи́ to stick in the mud; з. в долга́х to be over head and ears in debt.

завяза́‖ть II. см завя́зывать; ⁓лось суде́бное де́ло a lawsuit arose (ensued).

завя́зка tie, string, band; лит. initial point, knotting of the intrigue (plot); з. расска́за the nucleus of a story.

завя́знуть см. завяза́ть I.

завя́зывать to tie, bind, knot, do up; з. ве́щи в у́зел to make a bundle; з. га́лстук to tie one's (neck)tie; з. отноше́ния to enter into relations; з. ссо́ру to start (begin, raise, enter upon) a quarrel; з. у́зел to tie a knot.

за́вязь бот. ovary.

завя́лый faded, withered.

завя́нуть см. увяда́ть.

загада́ть см. зага́дывать.

зага́дить см. зага́живать.

зага́д‖ка riddle, enigma, conundrum, mystery; загада́ть ⁓ку to set (ask) a riddle; ⁓очность mysteriousness; ⁓очный mysterious, enigmatic(al); ⁓очно mysteriously, enigmatically; ⁓ывание (зага́док) setting riddles; ⁓ывать to propose (set) a riddle; ⁓ывать вперёд to make plans.

зага́жива‖ние soiling, dirtying; ⁓ть to soil, besmear, dirty, befoul.

зага́р sunburn, tan.

зага́с‖ать см. зага́снуть; ⁓и́ть to extinguish; to blow out (све́чу); to turn (switch) off the light (об электри́честве); to turn off (о га́зе); '⁓нуть to go out; свеча́ '⁓ла the candle has gone out.

загво́здка фиг. rub, difficulty; вот в чём з. that's where the shoe rubs (pinches), there's the rub.

заги́б fold; пол. excess; з. реки́ turn of a river; ле́вый з. left excess; ⁓а́ть to fold, bend; turn (in, down, back); ⁓а́ть вдво́е to double; ⁓а́ть у́гол to make a dog's ear (в кни́ге); ⁓щик deviator.

загла́в‖ие title; ⁓ный лист title-page, title-leaf; ⁓ные бу́квы initials, initial (capital) letters.

загла́‖дить, ⁓живать to smooth, even, level; фиг. to efface, expiate, blot out; з. вину to make amends (for), to make up (for); з. грехи to expiate one's sins; з. склáдку (утюгом) to iron down a fold (pleat).

заглазá behind one's back (за спиной); amply (с избытком); з. довольно more than enough; з. он говорит одно, в глаза другое he says one thing behind one's back and another to one's face.

заглáзн‖ый in the absence of one; ⌐ое решение юр. judgement by default; ⌐о without seeing.

заглóхнуть to be choked (smothered); to overgrow (with) (о саде); огонь в печке заглóх the fire has gone (died) out; слухи заглóхли rumours stopped.

заглуш‖áть, ⌐ить to drown, deaden, smother, stifle, muffle; to stifle, suppress (запах, совесть, талант); to alleviate, soothe, calm (страдания, боль).

заглядéние: это просто з.! фиг. isn't this lovely!; one can hardly take one's eyes off it.

заглядéться см. заглядываться.

заглядывать to look in, peep in, to have a look at; з. в гости to call on, drop in, pop in, to give a look in; ⌐ся to gape, stare (at), to be lost in admiration (contemplation) (of).

заглянýть см. заглядывать.

загнáть см. загонять.

загнивá‖ние мед. suppuration, rotting; фиг. decay; з. капитализма decay of capitalism; ⌐ть to rot, decay.

загнýть см. загибать; з. крепкое словцо to use strong language; з. цéну to overcharge, to ask an exorbitant price (for).

заговáрива‖ть 1. to begin to speak; 2. to exercise (cast) a spell (over); to charm away a pain (боль); з. зýбы to charm toothache away; фиг. to evade a question; 3.: з. с к.-л. to address (speak to, accost) someone; ⌐ться to rave, dote, talk nonsense; говори, да не ⌐йся talk away, but keep your head.

зáговор I. plot, conspiracy, secret design; раскрыть з. to disclose a plot; составить з. to plot, conspire, to devise secretly, to hatch secret plans.

зáговор II. charm, exorcism.

заговорённый: з. клад bewitched treasure.

заговор‖ить см. заговаривать; вновь з. (обрести дар слова) to recover one's speech, to find one's

speech again; ребёнок ⌐ил the child is beginning (наст. вр.) to speak (talk); вы ⌐или бы другое you would sing another song, you would tell another story; поздно заниматься разговорами, когда ⌐или пушки when guns speak it is too late to argue; он вас ⌐ит he will talk your head off, he will talk you blind; ⌐иться с к.-л. to forget the time in conversation with somebody, to have a long talk with somebody.

заговóрщик conspirator; стать ⌐ом to join a conspiracy.

заголóвок title, rubric, heading, headline.

загóн (cattle) enclosure; pen (небольшой, для скота); sheep-fold (овчарня); быть в ⌐е фиг. to be oppressed, to be kept in the background; ⌐щик drover (скота); beater (на охоте).

загонять to drive in, to pen; фиг. to harass; з. зверя в последнее убежище, где он защищается to bring to bay (тж. фиг.); з. к.-л. работой to work to death; з. лошадь to tire out, to ride (drive) hard, to strain (break) the wind of a horse; з. вопросами to heckle; з. скот to drive in (pen) the cattle.

загорáжива‖ние enclosure, enclosing (особ. о землях); ⌐ть to enclose, fence; ⌐ть (путь) to block up, obstruct, jam; ⌐ть свет to stand in someone's light; ⌐ться to barricade oneself.

загорá‖ние sunburning; ⌐ть ιο become tanned (sunburnt, brown); ⌐ться to catch (take) fire, to begin to burn.

загордиться to become (grow) proud; to turn up one's nose, to put on (assume, give oneself) airs; разг. to be hoity-toity.

загорé‖лый sunburnt, brown, bronzed; ⌐ть(ся) см. загорать(ся); ⌐лся восток фиг. it dawned, the horizon flamed crimson, the sun rose crimson, dawn appeared in the east; ⌐лся спор фиг. a discussion ensued, broke out; ⌐лась война фиг. war broke out; мне ⌐лось это сделать I was eager (burning) to do it.

загорлáнить см. горланить.

загóрный ultramontane, tramontane; lying beyond the mountains.

загородить(ся) см. загораживать(ся), заграждать.

загорóдка partition, fence.

зáгородн‖ый outside a town; suburban (трамвай и пр.); з. дом а house in the country; ∼ая жизнь country life; ∼ая прогулка a walk in (trip to) the country.

загости́ться to make too long a visit; to overstay one's welcome (*больше, чем желательно хозяевам*).

загото́вл‖я́тельный provisionary; '∼ить *см.* заготовлять; '∼ка purveyance, provision, store, supply of provisions, stock; ∼ка хлеба (се́мян) corn (seed) storage; '∼ки са́пог uppers; ∼ля́ть to purvey; to procure supplies; to buy in provisions, victuals; to store; to lay up in store; to make a stock (*of*); '∼щик purveyor, provisioner.

загради́тельный: з. отря́д stop-the-way detachment.

загра‖жда́ть, ∼жда́ть to barricade, obstruct; з. путь to stop (block) the way; *фиг.* to stand in one's way; ∼жде́ние (проволочное) *военн.* (wire) entanglement.

за грани́ц‖ей abroad; е́хать ∼у to go abroad.

заграни́ч‖ный foreign; з. па́спорт passport, Foreign (Office) passport; ∼ная жизнь life abroad; ∼ное произво́дство foreign manufacture.

загреба́ть to rake together; з. больши́е бары́ши to make good profits; з. де́ньги to make money; чужи́ми рука́ми жар з. *погов.* to make someone draw the burning chestnuts out of the fire for you.

загреме́ть *см.* греметь.

загрести́ *см.* загребать; з. вёслами to begin rowing.

загри́вок withers (*у лошади*).

загримирова́ть(ся) to make (oneself) up.

загро́бн‖ый beyond the grave; з. го́лос hollow (sepulchral) voice; ∼ая жизнь the other (next) world, the life (world) to come.

загромо‖жда́ть to encumber, to block up, to barricade; з. деталя́ми, сравне́ниями to overcharge (*о лит. стиле*); з. доро́гу to jam (block, foul) the road; ∼жде́ние blocking up; overcharging; ∼ждённый encumbered, blocked up; ∼зди́ть *см.* загромождать.

загрохота́ть *см.* грохотать.

загрубе́‖лый ∼лые руки callous (rough, horny) hands; ∼ние hardening; *мед.* callosity; ∼ть to become hardened (*фиг.* callous).

загру‖жа́ть, ∼зи́ть to load, burden; overload, overburden (*перегрузить*); з. рабо́той to overburden with work; '∼зка (over)loading.

загрусти́ть to become sad.

загрыза́‖ть, '∼ть to bite to death, to tear (*о собаке, волке и пр.*).

загрязн‖е́ние soiling, dirtying; ∼и́ть, ∼я́ть to soil, dirty, pollute.

загс (*запись актов гражданского состояния*) registry-office.

загуб‖и́ть to ruin; '∼ленная душа́ lost soul.

загуля́ть to go off on the spree; to be drinking (*пить*), to go on the razzle-dazzle.

загусте́‖ть *см.* густеть; со́ус ∼л the sauce has set.

зад back, seat, hind part; croup (*у животных*); ∼ом наперёд hind foremost, back to front; итти́ ∼ом to go backwards.

задо́бривать to cajole, coax, wheedle, placate.

зада‖ва́ть to set; з. вопро́с to put a question; з. зада́чу (рабо́ту, уро́к) to set a problem (task); з. корм to give fodder, to feed; з. тон to give the tone, lead the fashion; я тебе́ '∼м! *фиг.* I'll give it you!; ∼ва́ться *разг.* to give oneself airs, to put on airs, to be conceited; ∼ва́ться це́лью (мы́слью) to set oneself the purpose (aim) (*of*), to aim (*at*).

задави́ть to crush; run over, knock down (*экипажем*).

зада́ние task; уда́рное з. shock task; вы́полнить з. to carry out the instructions, programme *etc.*

задар‖ивать, ∼и́ть to load with presents, gifts; ∼ом *см.* даром.

зада́т‖ок deposit, earnest; я дал ему́ 5 руб. ∼ку I left him a deposit of 5 roubles; ∼ки disposition, inclination, instincts.

зада́ть(ся) *см.* задавать(ся).

зада́ч‖а *мат.* problem, proposition; sum (*только арифм.*); undertaking; боева́я з. urgent task; тру́дная з. *разг.* a hard nut to crack; реши́ть ∼у to solve a problem, do a sum; э́то не вхо́дит в мою ∼у this does not enter into my task; ∼ник arithmetic, sum book.

задви́гать(ся) *см.* двигать(ся).

задвига́ть to bolt, bar, push (*задви́жку—the bolt*); з. я́щик (комо́да) to shut the drawer.

задви́‖жка bolt, bar; window bolt (*око́нная*); ∼жно́й drawable; that can be drawn out; ∼нуть *см.* задвигать.

задво́рк‖и backyard; *фиг.* на ∼ах газеты in odd corners of a newspaper.

задева́ть 1. to be caught in; to knock against; to brush against;

graze (*о пуле*); 2. *фиг.* to tease, to provoke, hurt; sting (to the quick).

заде́л(ыв)ать to stop up, block up (*отверстие, щель*); to wall up (*стену*); ~**ся** to be done up, to be walled (blocked) up; ~**ся актёром** to become an actor.

задёрг‖анный: з. человек *фиг.* a worried (pestered) person; ~**ивать** to draw, pull; ~**ивать занавеси** to draw the curtains.

задержа́ние delay (*отсрочка*); detention (under guard); arrest (*под стражей*); *муз.* suspension; з. мочи *мед.* retention of urine.

задёрж‖анный detained, stopped, kept, delayed, retarded; secured; з. в порту stormbound (*штормом*), windbound(*ветром*),weatherbound (*погодой*) (*о судне*); ~**а́ть**, ~**ивать** to detain, stop, keep; to arrest, pinch (*sl.*); to delay, retard; to be behindhand with, to keep one waiting (*запаздывать*); ~**ивать воду плотиной** to dam; ~**ивать должника** to secure a debtor; ~**ивать зарплату** (*жалованье*) to be behindhand with (to hold back) the salary; ~**ивать корабль в порту** to lay an embargo on; ~**ивать снабжение** to withhold supplies; зарплату ~**ивают** the wages are in arrears; ~**ка** delay, impediment.

задёрнуть *см.* задёргивать.

заде́ть *см.* задевать.

задира a quarrelsome person; '~**ть нос** to perk.

заднепрохо́дный *анат.* anal.

за́дн‖ий back, rear; з. отряд, з. ряд rear; з. прицел *военн.* backsight; з. проход *анат.* anus; з. ход *мор.* stern-board; дать з. ход to back; отойти на з. план to sink into the background; ~**им умом крепок** wise after the event; ~**яя нога** hind leg; пометить ~**им числом** to backdate, antedate.

за́д‖ник 1. counter (*обуви*); 2. *театр.* back drop; ~**ница** *вульг.* arse, buttocks; rump.

задо́брить *см.* задабривать.

задо́к *см.* задник 1; back (*экипажа*).

задолби́ть to know by rote.

задо́лго long before, in good time.

задолж‖а́ть to owe money, to be in debt; to get (run) into debt; to incur debts; '~**енность** debt, indebtedness, liabilities.

задо́р fervour, heat; юношеский з. youthful energy, vigour, enthusiasm, eagerness; ~**ный** full of life (mirth).

задохну́ться *см.* задыхаться.

задра́‖ть 1.: волк ~**л овцу** the wolf devoured a sheep; 2. *см.* задирать; з. рубашку to lift up one's shirt; з. цену to ask an exorbitant price.

задрема́ть *см.* дремать.

задрожа́ть *см.* дрожать.

заду́‖вать to blow out, extinguish, put out (*свечу*); '~**л ветер** the wind rose (began to blow).

заду́мать(ся) *см.* задумывать(ся).

заду́мчив‖ость thoughtfulness, pensiveness, musing, reverie; brown study (*sl.*); ~**ый** thoughtful, pensive, musing.

заду́м‖ывать to intend, conceive, plan, propose, have the intention, meditate; з. дурное to meditate a bad action; хорошо ~**анный** well-planned; ~**ыватья** to be thoughtful; to be sad, to muse; он глубоко ~**ался** he seemed plunged in a deep reverie; о чём он ~**ался?** what is he thinking about?; не ~**ываясь ни на минуту** without a moment's thought (hesitation).

задуна́йский beyond the Danube.

заду́ть *см.* задувать; з. домну to blow in the furnace, to put the furnace in blast.

задуше́вн‖ость cordiality, heartiness, intimacy, sincerity; ~**ый** cordial, hearty, intimate, sincere.

задуши́ть to suffocate, strangle, throttle, stifle.

зады́: повторять з. to repeat.

задыха́тья to be choked, to choke, suffocate; to pant, to gasp for breath, to be out of breath (*от бега*); to stifle; to stew (*от жары*) (*sl.*); to choke with anger (*от злости*).

заеда́ть to eat something after; to tear to pieces, kill (*о зверях*); to become entangled (foul) (*о верёвке*); з. чужой век *фиг.* to spoil another's life.

зае́зд (*на бегах, скачках*) event.

заё‖здить: з. лошадь to ruin (wear out) a horse; ~**зжа́ть** to call on the way, drop in, turn in; ~**зженный** worn out.

заём loan (*см. тж.* взаймы); з. индустриализации industrialisation loan; вы́игрышный з. lottery-loan; долго- (кратко-)срочный з. long- (short-)term loan; делать з. to raise a loan; ~**ное письмо** acknowledgement of debt; ~**щик**, ~**щица** borrower, debtor.

заёрзать to begin fidgeting.

заё‖сть *см.* заедать; верёвку ~**ло** the rope has caught, the rope is foul; клопы ~ли меня I've been terribly bitten by bugs.

зае́хать *см.* заезжать.

зажа́ри(ва)ть *см.* жарить.

зажа́ть *см.* зажимать.

зажё́чь(ся) *см.* зажигать(ся).

зажжё́нный lighted.

зажива́||ние healing; ~ть to skin over, close (*о ране*).

зажи||ви́ть to heal; ~вле́ние healing; ~вля́ть to heal.

за́живо during one's life, while still alive; з. погребённый buried alive.

зажига́лка cigarette lighter.

зажига́т||ельный fiery, inflammatory, incendiary; ~ельная речь inflammatory speech; ~ь to set fire to, to light; to set on fire (*поджигать*); to light (*свет*); to kindle a passion (*страсть*); to strike (ignite) a match (*спичку*); ~ся to begin to burn, to flame up, to take (catch) fire.

зажи́ли(ва)ть *разг.* to pinch, sneak.

зажи́м *техн.* clutch; clamp; *фиг.* oppression, hushing-up (*самокритики и пр.*); discouragement; полюсный з. *эл.* binding-screw.

зажима́ть to press, clutch, squeeze, grip; з. кому-либо рот to stop one's mouth; з. струну to stop a string.

зажимно́й: з. винт binding screw.

зажире́ть *см.* жиреть.

зажи́точн||ость being well-to-do (well off), easy circumstances;; ~ый well-off, wealthy, well-to-do; каждый колхозник должен стать ~ым every collective farm member must be well off.

зажи́ть *см.* заживать; to begin to live; з. семьёй to lead a family--life, to live with one's family, to settle down in life; з. честной, трудовой жизнью to lead an honest, hard-working life.

зажму́ри(ва)ть: з. глаза to screw up one's eyes.

зажо́р accumulation of water under a surface of snow.

зазва́ть *см.* зазывать.

зазвене́ть *см.* звенеть.

зазвони́||ть *см.* звонить; ~л телефон the telephone rang (buzzed).

заздра́вный: з. тост toast; выпить з. тост to drink the health (*of*).

зазева́ться to gape, to forget the time in contemplation (*of*).

зазелене́ть to turn green.

заземл||е́ние grounding; ~и́ть, ~я́ть *эл.*, *рад.* to ground.

зазимова́ть *см.* зимовать.

зазна||ва́ться, ' ~ться *см.* задаваться.

зазно́б||а, ~ушка sweetheart, darling.

зазо́р shame, disgrase; *стр.* chink; *военн.* windage; ~ный dishonourable, shameful.

зазре́ни||е *уст.* blame, reproach; без ~я совести without the slightest misgiving (prick) of conscience.

зазу́бр||енный jagged, notched, serrated; ~ивать 1. *см.* зубрить; 2. to jag, notch, serrate (*делать зазубрины*); ~ина notch, jag; beard (*у стрелы*); ~ить *см.* зазубривать.

зазыва́||ние calling (inviting) in; ~ть to invite, to call (in), to press somebody to come in.

заигр||а́ть *см.* играть; оркестр ~а́л весёлый мотив the band struck up a lively tune; воображение его ~а́ло his imagination was stimulated (fired); ~а́ться в карты to play long at cards; ' ~ывать с к.-л. *фиг.* to make advances, to flirt (*with*), to make eyes (*at*).

заи́к||а a stammerer, stutterer; ~а́ние stutter(ing), stammer(ing); impediment in one's speech; ~а́ться to stammer, stutter; ~ну́ться о чём-л. *фиг.* to broach a subject, to mention; он и не ~ну́лся об этом he did not utter a word on the subject, he never mentioned it.

за́ймка *уст.* new settlement, farm.

заимо||да́вец, ~да́тель creditor, lender (*противоп.* debtor, borrower).

заимообра́зно as a loan, on credit; дайте мне, пожалуйста, з. пять рублей will you kindly lend me five roubles?

заи́мствова||ние borrowing; loan-word (*слово*); ~нный borrowed; ~ть to borrow.

заи́ндеве||лый covered with hoar--frost; rimy (*реже*); ~ть to be (*или* get) covered with hoar-frost.

заинтересо́в||анный interested; ~анная сторона *юр.* interested party; ~а́ть (*в ч.-л.*) to interest somebody (*in*); to excite the curiosity (*of*); я очень ~ан I am extremely interested; I am all ears (*слушаю внимательно*); ~а́ться (*чем-л.*) to take an interest (*in*); ~ывать *см.* заинтересовать.

заинтригова́ть to mystify.

заи́скива||ние wheedling into somebody's favour; ingratiating oneself; flattering, flattery, courting; ~ть to wheedle, ingratiate, flatter, court; to make up to; ~ющий человек toady, flatterer; ~юще ingratiatingly.

зайскриться *см.* искриться; *фиг.* to sparkle.

зайка *см.* заяц.

займы loans; *см.* заём.

за‖йти *см.* заходить, захаживать; з. за (*дом и пр.*) to go behind (round) *etc.*; разговор ~шёл о театре the conversation turned (fell) upon the theatre; войско ~шло так далеко, что не могло отступить the army engaged itself beyond retreat (*тж. фиг.*).

зай‖чик *см.* заяц; з. на стене reflection of a sunray playing on the wall; ~чиха doe-hare.

закабалить to enslave.

Закавказская СФСР the Transcaucasian Socialist Federal Soviet Republic.

закавказский Transcaucasian.

Закавказье Transcaucasus.

закадычный intimate; з. друг best(intimate)friend, bosom friend.

заказ order, command; соц.-демократия выполняет социальный з. буржуазии a social demand of the bourgeoisie is carried out by the social democrats; делать на з. make to measure (order); ~ать *см.* заказывать; ~ное письмо registered letter (*на конверте «Registered»*); ~чик client, customer; ~ывать to order, to have made (done); ~ывать костюм to order a suit, to have a suit made; ~ывать обед to order dinner; путь туда ему был ~ан he was forbidden the house (entry).

заказаться to renounce.

закал hardening; tempering; люди одного ~а people of the same stamp; хлеб с ~ом (~иной) slack-baked bread.

закал‖ённый hardened, weather-beaten; *разг.* hard as nails, salted; з. в бою war-hardened; ~ивать, ~ить to harden; *техн.* to case-harden, to temper.

закалка *см.* закал; пролетарская з. proletarian vigour.

закалывать to stab (*ранить*), slay, kill (*на смерть*), slaughter (*чаще о животных*); з. булавками to pin (*up, together*); ~ся to stab oneself.

закалять *см.* закаливать; з. здоровье to harden one's health.

закаменеть *см.* каменеть, окаменеть.

заканчивать to finish, to end, complete, conclude; *фиг.* to crown.

закапа‖ть to bespot; to begin dripping (*с потолка*); ~л дождь it has begun to rain; ~ться to bespot oneself.

закапывать to dig in, bury; to fill up with (*яму и пр.*); ~ся to bury oneself (*тж. фиг.*).

закаркать *см.* каркать.

закармлива‖ние feeding up, fattening, overfeeding; ~ть to feed up, fatten, overfeed.

закаспийский Transcaspian.

закат setting, decline; *фиг.* decline; decline of life (*дней, жизни*); з. солнца sunset.

закат‖ать, ~ить, ' ~ывать to roll; ~ить большую дозу лекарства to give a big dose of medicine; ~ить глаза to roll up one's eyes; ~ить истерику to go off into hysterics; ~ить мяч под диван to roll one's ball under the sofa; ~ить пощёчину to give a slap in the face; ~ить сцену to make a scene; ~ать ковёр to roll up a carpet; ~ать на каторгу to send one to penal servitude; ~иться, ' ~ываться to disappear, vanish; моя звезда ~илась my lucky star has set; солнце ~илось the sun has set.

закаяться *см.* закаиваться.

закваʼ‖сить *см.* заквашивать; ~ска leaven, ferment, yeast (*дрожжи*); *фиг.* disposition, inclination; видна хорошая ~ска you can see he has good inborn qualities; ~шивать to leaven, to put some leaven (ferment, yeast) (*into*).

заки‖дать, ' ~дывать to cast beyond *или* behind; з. вопросами to ply (assail) with questions; з. камнями to stone; з. подарками to load with presents; ' ~нуть голову назад to toss back one's head; ~нуть словцо to hint, suggest; ~нуть сеть to cast a net; ' ~нуться (*о лошади*) to get stubborn, to be unmanageable.

заки‖пать, ~петь to boil, bubble (*см. тж.* кипеть); дело ~пело work is in full swing.

зак‖исать, ~иснуть to turn sour; *фиг.* to grow rusty; ' ~ись *хим.* protoxide; ~ись железа iron oxyde; ~ись свинцовая grey tin oxide; водная серная ~ись hydrosulphate.

заклад 1. mortgage, pledge, pawn; **2.** bet, wager, stake (*пари*); биться об з. to wager, bet.

закладка 1.: з. фундамента laying of the foundation; **2.** bookmark (*в книге*); **3.** harnessing (*лошадей*).

заклад‖на́я *см.* заклад 1; ' **~чик** mortgager.

закла́дывать 1. to pawn (*вещь*), mortgage, hypothecate (*недвижимость*); **2.** to lay (*фундамент*); **3.** to harness (*лошадей*).

закла́ние offering in sacrifice.

заклева́ть *см.* клевать; to bite (*о рыбе*); з. до смерти to peck to death.

заклеенный glued (stuck) up.

заклеи(ва)ть to glue up, to paste up, stick up; to stop up the chinks (*щели*).

заклейм‖ённый branded; **~ить** to brand.

заклепа́ть *см.* заклёпывать.

заклёп‖ка *техн.* rivet, clinch, clincher, iron pin, cramp; **~ник** riveting hammer; **~ный** for riveting; **~ывать** to rivet, clinch.

заклина́‖ние invocation, conjuration, incantation; з. духов exorcism (*обычно злых*); **~тель** conjuror, exorciser; **~тель** змей snake-charmer; **~ть** to conjure, exorcise, charm, invoke.

заклини́ть to fasten with a wedge.

заключа́‖ть to confine, shut in; to come to the conclusion, to conclude, deduce, infer (*делать вывод*); to gather (*понять*); з. в себе to comprise; з. в скобки to put in brackets; з. в тюрьму to commit to (put into) prison, to imprison; з. договор to conclude a treaty, to enter into a contract; з. мир to conclude (make) peace; *фиг.* to bury the hatchet; з. пакт о ненападении to conclude a non-agression pact; з. под стражу to arrest, to take into custody; з. речь to close a speech; to wind up (*with*); з. сделку to strike (transact) a bargain; з. союз to form an alliance; сущность **~ется** в след. the gist of the matter consists in the following; трудность **~ется** в... the difficulty lies (consists) in...

заключе́ние enclosing, enclosure; deduction, conclusion, inference (*вывод*); resolution (*комиссии и пр.*); imprisonment, incarceration (*тюремное*); з. без права замены штрафом imprisonment without the option of a fine; з. договора conclusion of a treaty (contract); з. мира conclusion of peace; з. под стражу *юр.* commitment; з. с принудительными работами penal servitude; в з. to conclude, in conclusion; finally, upon the whole, after all; выводить з. to draw (come) to a conclusion.

заключённый prisoner; пожизненно з. prisoner for life; lifer (*sl.*).

заключи́тельн‖ый final, conclusive; з. аккорд final (last) chord; **~ое** слово (*на заседании*) concluding remarks by principal speaker after discussion.

заключи́ть *см.* заключать; могу ли я з. из ваших слов? may I infer from what you said?

закля́ть *см.* заклинать.

закля́т‖ие *см.* заклинание; **~ый** враг mortal enemy.

закова́‖ть, ' **~ывать** to put in irons, to shackle (*в кандалы*); to shoe a horse badly (*лошадь*).

закови́ка crook, hitch, impediment; вот в чём з. that's where the difficulty lies; there's the rub.

заковыля́ть to hobble.

закови́чка *см.* заковыка.

зако́л slaughter.

закола́чивать to nail up, nail the lid on (*ящик*); з. дверь to board up a door; з. гвоздь to drive in a nail.

заколдов‖а́ть to bewitch, enchant, charm; ' **~анный** за́мок bewitched (enchanted) castle; **~анный** круг vicious circle; стоял как **~анный** he stood spellbound; ' **~ывать** *см.* заколдовать.

заколо́ди‖ть to stop, encumber; **~ло** there is a hitch.

заколо́‖тить *см.* заколачивать; ' **~ченный** nailed (boarded) up.

заколо́‖ть(ся) *см.* закалывать (-ся); у меня **~ло** в боку I have a stitch in my side.

зако́н law; з. наследственности the law of heredity; з. о бедных Poor-laws, Poor-law Act; з. о несостоятельности insolvent law; з. природы natural law; парламентский з. Act of Parliament; для него слово з. he is as good as his word; he is a slave to his word; нарушать з. to break the law; нужда не знает **~а** necessity knows no law; объявить вне **~а** to outlaw; proscribe; преступление подходит под такую-то статью **~а** the crime is within that statute; **~ы** об охоте game-laws; исполняющий **~ы** law-abiding; предписывать **~ы** to lay down the law (*напр. в семье*); хлебные **~ы** corn-laws; свод **~ов** code, corpus juris; **~ник** one versed in law; one who keeps to the letter of the law; **~ность** legality, lawfulness, validity; революционная **~ность** revolutionary legality; **~ность** требования legitimacy of pretension (claim); ⁓ный legal, lawful, rightful; ⁓но lawfully, rightfully.

законовѐд lawyer; jurist, one versed in law; ⁓ение jurisprudence, law.

законодѐтель legislator, law-maker, law-giver; ⁓ный legislative; ⁓ное собрание legislative assembly; *уст.* moot; witenagemot (*англо-сакс.*); ⁓ство legislation.

закономѐрн‖ость conformity to some established law (principle); regularity; ⁓ый in conformity to some established law (principle); regular.

законопѐтить to caulk.

законоположѐние *см.* законодательство; law.

законопреступ‖лѐние transgression, infringement of the law; '⁓ник transgressor, law-breaker; '⁓ный criminal, illegal.

законопроѐкт bill.

законтрактов‖ѐть, '⁓ывать to bind by contract; to enter into a contract.

закѐнч‖енность completeness; finish (*отделки*); ⁓ить *см.* заканчивать.

закоп‖тѐлый sooty, smoky, smutty, soot-coated; ⁓тѝть *см.* коптить; ⁓тить дымом to blacken with smoke; to besmoke, besmut; ⁓чѐный *см.* закопте́лый.

закоренѐ‖лость inveteracy; ⁓лый inveterate; deep-rooted, engrained (*о наклонности*); ⁓лый курильщик inveterate (incorrigible) smoker.

закоренѐть: з. в ч.-л. to become an inveterate... (*о людях*).

закормѝть *см.* закармливать.

закорю́‖ка, ⁓чка hook; impediment, obstacle; писать с ⁓чками to write in a crooked (cramped) hand.

закосѝть *см.* косить.

закоснѐл‖ость obduracy; ⁓ый obdurate; ⁓ый в предрассудках steeped in prejudice; ⁓ый злодей hardened wretch.

закостылѝть to hobble.

закоу́л‖ок secluded corner (spot), nook; lane (*переулок*); winding (crooked) lane (*кривой переулок*); знать все ⁓ки to know the ins and outs (*of*); вести ⁓ками to lead one in a roundabout way.

закоченѐть *см* окоченѐть.

закрѐдываться to steal in, slink in, creep in (into).

закрѐивать to cut out.

закрѐсить to paint, to cover with paint.

закрѐстся *см.* закрадываться.

закрѐшивать *см.* закрасить.

закрепѝтельный: з. талон control check.

закрепѝть *см.* закреплять.

закрѐп‖ка split pin; ⁓лѐние securing, attaching; binding; fixing (*в фотографии*).

закреплять to fasten; *мор.* to reeve; to ratify, consolidate (*договор*); to secure (*имущество*); з. достижения, успехи to secure achievements, successes.

закрепо‖стѝть, ⁓щѐть to enslave; *ист.* to make a serf (*of*); ⁓щѐние serfage.

закривѝться to be bent, to bend.

закричѐть *см.* кричать; дико з. to give a frantic shriek, cry out wildly; з. караул to cry for help; з. от боли to cry out with pain.

закро‖ѝть *см.* закраивать; '⁓й cut; '⁓йщик, '⁓йщица cutter.

зѐкром bin, corn-bin.

закругл‖ѐние rounding, curve, curvature; ⁓ѝть, ⁓ѝть to round, make round; to round off (*счёт, фразу*).

закружѝ‖ть, ⁓ться *см.* кружить (-ся); ⁓ться волчком to turn like a top; у меня ⁓лась голова my head is turning, swimming; I feel dizzy; листья ⁓лись the leaves whirled round and round.

закру‖тѝть, ⁓чивать *см.* крутить; з. усы to turn up one's moustache; вьюга ⁓тѝла a snow-storm began to rage, a violent snow-storm arose.

закручѝниться to grieve, to sorrow, to pine.

закры‖вѐть to shut, close (*дверь и пр.*); з. глаза на ч.-л. to shut one's eyes (*on*); to pretend not to see; з. глаза покойнику to attend a dying person; з. кран to turn off a tap; з. крышкой to close, to put the lid on; з. лицо руками to hide (bury) one's face in one's hands; з. магазин to lock up; to put the shutters up (*на ночь*); з. митинг to break up a meeting; з. плотно одеялом to tuck up; з. сессию to close a session; '⁓тие closing down, shutting; время для '⁓тия магазина closing-time; '⁓тый closed, shut; ⁓тый просмотр private view; ⁓тый распределитель co-operative stores closed to non-members; private co-operative stores; '⁓тое партсобрание party-meeting closed to non-members; ⁓тое письмо letter; при '⁓тых дверях with closed doors; in private; '⁓ть *см.* закрывать.

закря́кать см. кря́кать.

закряхте́ть см. кряхте́ть.

закуда́хтать to cluck, cackle, chuckle.

закукова́ть to begin to cuckoo.

закули́сн‖ый behind the scenes; *фиг.* secret, concealed, underhand; ~ые переговоры talks behind the scenes.

закуп‖а́ть, ~и́ть to buy in, purchase; '~ка purchase, goods purchased, bargain; де́лать '~ки to go shopping, to do one's shopping (*то́лько о ме́лких, ли́чных*).

заку́пор‖енный corked; ~и(ва)ть to cork (up), stop up; ~и(ва)ться *фиг.* to shut oneself up, to immure oneself, lead a secluded life; ~ка corking; *мед.* thrombosis, embolism (*сосу́дов*).

заку́пщик buyer.

заку́р‖ивать, ~и́ть см. кури́ть; з. сига́ру to light a cigar.

закуси́‖ть см. заку́сывать; з. удила́ to take the bit between one's teeth; наско́ро з. to snatch a hasty meal; ло́шадь ~ла удила́ и понесла́ the horse took fright (bolted); я ко́е-чем ~л I've had a snack.

заку́с‖ка snack; side dish; hors d'œuvre; з. на ходу́ a stand up meal; вот тебе́ на ~ку take this for a titbit *или* pour la bonne bouche (*фр.*); ~очка см. заку́ска; ~очная refreshment-room.

заку́сывать to take a bit (a snack) of something (*перекуси́ть*); to take some hors d'œuvres (*перед об дом*).

заку́тать см. заку́тывать.

заку́ток small closet.

заку́тывать to muffle (wrap) up; з. дымово́й заве́сой *военн.* to camouflage, to use a smoke-screen.

зал, ~а hall; ball-room (*ба́льный*); gymnasium (*гимна́ст.*); concert-hall (*конце́ртный*); concert-room (*небольшо́й конце́ртный*); reception-room (*прие́мный*); state-room, presence-chamber (*прие́мная во дворце́*); play-room (*реакреа́ц.*); court of law (*суде́бный*); з. для вы́боров election-room; з. для ожида́ния пассажи́ров waiting-room for passengers; з. для совеща́ний committee-room.

зала́дить: з. одно́ и то же to harp on one string, to sing the same song over and over again.

зала́мывать: з. высо́кую це́ну to ask (charge, name) an exorbitant price; to overcharge, to overrate.

заля́ять см. ля́ять.

залега́‖ние occurrence (*руды́*); райо́н '~ния угля́ coal-field region; ~ть to lie down (low), to hide behind something; *геол.* to bed, to occur (*о руде́*).

залежа́лый см. лежа́лый.

зале́жа́‖ться to lie a long time; ~вшиеся това́ры long-lain goods.

зале́ж‖иваться см. залежа́ться.

за́лежь long-lain goods (*о това́рах*); *геол.* layer, stratum, bed; occurrence (*руды́*); з. торфа́ peat deposit.

зале́з‖ать, '~ть to climb on (upon); to creep in; з. в долги́ to run into debt.

залени́ться to grow (become) lazy.

залепета́ть см. лепета́ть.

залеп‖и́ть, ~ля́ть to paste up (over), to glue, close up; з. поще́чину to slap in the face; снег ~и́л мне глаза́ the snow has stuck my eyes.

залет‖а́ть, ~е́ть см. лета́ть; to fly into.

зале́чи‖вать to cure a wound (*ра́ну*); з. до сме́рти to doctor to death; ~ваться to heal up, close up, skin over (*о ра́не*); '~ть(ся) см. зале́чивать(ся).

зале́чь см. залега́ть; з. спать to go (off) to bed.

зали́в bay; gulf (*большо́й*); cove, creek (*ма́ленький*); firth (*у́стье*).

залив‖а́ть to pour over; з. гало́ши to repair galoshes; з. го́ре вино́м to drown one's sorrow in wine; з. изве́сткой to grout; з. наводне́нием to swamp, overflow, flood; to inundate, deluge; з. ого́нь to quench (extinguish) the fire with water; ~а́ться ла́ем to bark furiously; ~а́ться пе́снями to burst into song, to sing at the top of one's voice; ~а́ться слеза́ми (сме́хом) to break into tears (out laughing *или* into laughter); ~а́ться соловьём to sing like a nightingale; '~ка гало́ш the repairing of galoshes.

заливно́‖е jelly; gelatine (*ре́же*); ~й луг a meadow under water (in spring), water-meadow.

зали́з‖ать, '~ывать to lick; to brush perfectly smooth (*о волоса́х*).

зали́ть см. залива́ть; ~ся см. залива́ться.

залихва́тск‖ий bold, daring, devil-may-care; ~ая пе́сня rollicking song.

залицева́ть to face.

зало́г I. deposit, pledge, guarantee, pawn, security; caution-money;

mortgage (*недвижимости*); з. любви a pledge of love; з. успеха pledge of success; дать (оставить) з. to leave a deposit; to pledge; выкупать из ~а to pay off a mortgage (*недвижимость*); to redeem (*о вещах*).

зало́г II. *гр.* voice; действительный з. active voice; страдательный з. passive voice.

заложи́ть: з. руки в карманы to stick one's hands in one's pockets; з. руки за спину to put one's hands behind one.

зало́жник hostage.

зало́м‖а́ть, ~и́ть *см.* заламывать; у меня ~и́ло ноги I feel a pain in my legs.

залосни́ться to get glossy (shiny).

залп volley, discharge, salvo; пушечный з. the discharge of a gun; выпить ~ом to drink at one draught, to drink (*up, off, down*); стрелять ~ом to fire a volley.

залуч‖а́ть, ~и́ть to entice, decoy, lure.

залюбова́ться to lose oneself in admiration (*of*), to admire, to find pleasure in looking (*at*), to be charmed (*by*).

зама́з‖ать *см.* замазывать; ~ка lute, putty; ~ывать to lute, cement; plaster (*тж. фиг.*); to putty (*штукатуркой, замазкой*); to soil, smear, daub (*запачкать*); *фиг.* to soft pedal; ~ывать недостатки to slur over defects; ~ывать окно to putty up the window.

замал‖ева́ть, ~ёвывать to paint over, daub.

зама́ливать to atone by prayer for one's sins (*грехи*).

зама́лчивать to smother, conceal, hush up.

зама́н‖ивать, ~и́ть to lure, entice, decoy, inveigle (*into*); ~чивость temptation, allurement; ~чивый tempting, luring.

замара́‖ть to soil, dirty, smear; to blot out, efface (*зачеркнуть*); *фиг.* to disgrace; з. имя, репутацию to ruin (soil) the reputation (*of*); to disgrace; ~шка untidy, slovenly, dirty child (person).

замаскирова́ть to disguise; з. местность *воен.* to camouflage; з. свои чувства to conceal (hide) one's feelings; ~ся to put on a mask, to disguise oneself.

зама́сли(ва)ть to oil, grease; ~ся to become soiled, greasy, oily.

заматере́‖лость inveteracy, hardness; ~лый inveterate; ~ть to become hardened, inveterate.

зама́тывать to wind, twist, entwine; з. шарф вокруг шеи to wind a scarf round one's neck.

замах‖а́ть: з. руками to wave one's hands; ~иваться, ~ну́ться: ~иваться, ~нуться палкой (*на к.-л.*) to raise one's stick (*against*); ~иваться, ~нуться рукой (*на к.-л.*) to lift one's hand (*against*).

зама́чивать to wet, to dip (*in*); to soak (*бельё и пр.*); to scald (*о кипятке*); to steep, ret, rate, rait (*лён, пеньку*).

зама́шка habit, way, manner.

зама́щивать to pave.

зама́яться to get tired, to get weary.

замедл‖е́ние slowing down (*хода*); *муз.* retarding, ritenuto (*итал.*); без ~ения immediately; right away; ~и́ть, ~я́ть to slow down, retard, prolong; to slack up; to delay, defer (*задерживать*); ~я́ть темпы to slacken tempo; ~я́ть ход to slacken one's pace (speed); это '~и́ло его возвращение it delayed his return, it caused the delay, it kept him away; я не '~ю вернуться I shall not be long (in coming back); я не ~ю ответить I shall answer without delay (immediately).

заме́на replacement (*замещение*); substitution, equivalent, substitute (*что-л. замещающее*); з. тюрьмы штрафом commutation of prison confinement into fine.

замен‖и́мый replaceable; ~и́ть, ~я́ть to substitute, replace, take the place (*of*); ~я́ть маргарин маслом to use butter instead of margarine; ~я́ть мать (*кому-л.*) to be a mother (*to*); ~я́ть одно слово другим to substitute one word for another; ~я́ть смертную казнь каторгой to commute the death penalty into hard labour; он ~и́л меня вчера на работе he replaced me at work yesterday.

за‖мере́ть *см.* замирать; он остановился и '~мер he stood stock still; сердце моё '~мерло my heart sank within me.

замера́‖ние freezing; точка ~ния freezing-point; ~ть to freeze, to congeal; ~ть насмерть to freeze to death, to die of cold.

замёрз‖нуть *см.* замерзать; река ~ла the river is (has) frozen up; цветы ~ли the flowers are frostbitten (nipped, destroyed by the cold).

за́мертво dead; as good as dead (*в обмороке*).

замесйть *см.* замешать I.

замести́ *см.* заметать I.

замести́т‖ель substitute (*сокр.* sub.), acting (*attr.*), locum tenens; з. председателя vice-chairman; ∼ельство substitution; по ∼ельству by proxy; ∼ь *см.* замещать.

замета́ть I. to sweep over, cover up; з. следы to cover up one's traces (tracks).

замета́ть II. to sew up, baste.

замета́ться to toss about (*о больном*); з. во все стороны to run (rush) about; to rush this way and that.

заме́тить *см.* замечать.

заме́т‖ка paragraph (*сокр.* par.) (*газетная*); ∼ки notes; itinerary (*путевые*); ∼ки на полях margin notes; ∼ный marked, noticeable; ∼ная разница a marked difference; это ∼но it's clearly seen, it's perfectly obvious.

замеч‖а́ние remark, observation; *разг.* rap on the knuckles (*выговор*); ловкое з. a pointed remark; ∼а́тельный remarkable; striking, noble (*человек*); unusual, uncommon; ∼а́тельные новости (rattling) good news; вот ∼а́тельно! that's good!, famous!; ∼а́ть to notice, remark; observe, mark, take notice, note; не '∼енный unmarked; unnoticed.

замечта́ться to give oneself up to dreams.

замеша́тельство confusion, embarrassment, awkwardness; bewilderment, perplexity (*растерянность*); войска были приведены в з. the army was disorganized (demoralized, thrown into confusion); приводить в з. to embarrass, confuse, disconcert, nonplus; притти в з. to become embarrassed, confused, disconcerted.

замеша́ть I.: з. тесто to make (knead) dough (paste).

замеш‖а́ть II. *см.* замешивать; быть '∼анным (*во ч.-л.*) to be connected (*with*), concerned (involved, mixed up) (*in*); *разг.* to have a finger in the pie; ∼а́ться в толпу to mingle (*in, with*) the crowd.

заме́шивать to mix; з. к.-л. во ч.-л. to mix, entangle, involve.

заме́шкаться to linger, tarry; to be late (*опоздать*); з. в гостях to stay too long.

замещ‖а́ть to substitute, replace; ∼е́ние substitution.

замина́ть to tread on, press down, stamp on; *фиг.* to stifle, smother, hush up, blanket; to hush up, put a stop to (*дело*); to suppress, change the subject of the conversation (*разговор*); to suppress, settle (*ссору*).

зами́нка hesitation, confusion; з. в делах delay in affairs; есть какая-то з. в делах something has gone wrong.

замира́‖ние: з. сердца heartsinking, oppression of the heart, anxiety, fright; ∼ть to sink, to stop beating (*о сердце*).

замир‖е́ние peacemaking, pacification, cessation of hostilities; ∼и́ться, ∼я́ться to make (conclude) peace.

за́мкнут‖ость reticence (*о характере*); ∼ый *фиг.* reserved, close; sullen (*угрюмый*); '∼ся *см.* замыкать(ся).

замнарко́м Acting People's Commissar; *см.* комиссар.

замоги́льный *см.* загробный.

за́мок castle; воздушный з. castle in the air.

зам‖о́к lock; висячий з. padlock; держать под ∼ко́м to keep under lock and key.

замок‖а́ть, '∼нуть to become (get, be) wet (drenched, soaked).

замо́лвить: з. словечко to intercede for someone, put in a word, drop a kind word in favour (*of*), say a good word (*for*).

замол‖ка́ть, ∼кнуть to become silent; to cease, stop (singing, speaking *и пр.*); разговор '∼к the conversation ceased; ∼ча́ть to become silent.

замора́жива‖ние freezing; ∼ть to freeze, congeal; ∼ть капитал to freeze capital.

замор‖и́ть to starve, underfeed (*голодом*); з. лошадь to founder a horse; з. червячка to pick a mouthful, to have a snack, to still one's hunger; ∼ённая лошадь foundered horse.

заморо́‖женный ice, iced; з. капитал *экон.* frozen capital; ∼зить *см.* замораживать.

за́морозки first autumn frosts.

замо́рский transmarine, ultramarine; oversea (*о торговле*); *фиг.* outlandish, foreign; odd-looking, queer, weird.

замо́рыш starveling, puny creature.

замости́ть *см.* замащивать.

замочи́ть *см.* замачивать.

замо́чн‖ый of a lock, belonging to a lock; з. наличник plate (of a lock); ∼ая скважина key-hole.

за́муж: выдавать з. to give in marriage; to marry off; выходить з. to marry, wed; ~ем married; wedded (*реже*); '~ество marriage, wedlock; '~няя женщина married woman.

замура́вленный immured.

замурлы́кать *см.* мурлыкать.

замуров||**а́ть**, '~ывать to immure; ~а́ться, '~ываться *фиг.* to lead a secluded life.

заму́сли(ва)ть to beslobber, to slobber over, bedribble.

замути́||**ть** to bedim, make muddy, to trouble; он воды не ~т he looks as if butter wouldn't melt in his mouth.

заму́ч||**енный** tortured; tired out (*работой*); ~ивать; ~ить to torment, torture; to tire out (*работой*); *разг.* to sweat; меня . ~ил этот ребенок I'm plagued with this child; ~иться to be tired out, exhausted, *разг.* fagged.

за́м||**ша** suède, chamois, chamois-leather, shammy; ~ши́ться to become cottony (*о материи*).

замыва́ть to wash out (away).

замыка́||**ние** locking; короткое з. *эл.* short-circuit; ~ть to lock; ~ть ряды to close the ranks; ~ть ше́ствие to bring up the rear.

замыка́ться *см.* запираться; з. в круг to form a circle.

замыка́ться to get tired from much running about.

за́мыс||**(е)л** project, scheme, device; design, intention (*намерение*); conception (*художественный*); грандиозный з. grandiose project; '~лить *см.* замышлять.

замы́ть *см.* замывать.

замышля́||**ть** to devise, design, plot, project, plan, purpose; з. убийство to meditate (contemplate) murder; что вы ~ете? *разг.* what are you up to?

замя́ть *см.* заминать; ~ся to become confused; to stop short, to stammer, stumble; to become restive (*о лошади*).

за́навес curtain; железный з. fire-proof (iron) curtain; з. опустился (поднялся) the curtain came down, fell (went up, rose); поднять з. to raise the curtain; спустить з. *театр.* to drop the curtain.

занаве́сить *см.* занавешивать.

занаве́ск||**а** *см.* занавес; задёрнуть ~и to draw the curtains.

занаве́шивать to curtain.

зана́шивать to wear out, soil by wearing (*одежду*).

занемо||**га́ть**, '~чь to fall ill, to be taken ill, to feel unwell.

занес||**ти́** *см.* заносить; куда его нелегкая ~ла́? where the deuce has he gone to?; какими судьбами ~ло́ вас сюда? what fair winds bring you here?; крыши ~ло снегом the roofs are covered with snow.

занима́тельн||**ость** interest; ~ый interesting, diverting, entertaining, amusing; ~о in an interesting (*и пр.*) way.

занима́||**ть** to borrow (*деньги*); to occupy (*место*); to interest (*человека*); з. высокое положение to occupy a high post; з. город to occupy (take possession of) a town; з. квартиру to occupy (rent, live in) a flat; з. разговором to entertain; з. чьё-л. время to take up someone's time; з. чьё-л. место to supplant, supersede; ему не з. стать ума he has wit enough and to spare; его ничто не ~ет nothing interests him; работа ~ет всё моё время work occupies all my time; займи́те для меня место keep (save) a place for me; за́нято! (*о телефоне*) the line is engaged; ~ться to busy oneself (*with*), to work (*at*), to study; ~ться медициной to practise medicine; ~ться политикой to be engaged in politics; ~ться спортом to go in for sport; ~ться тригонометрией to work at trigonometry; ~ется заря it dawns; она ~ется музыкой she is studying music; она много ~ется собой she devotes much attention to her person; займи́тесь этим! see to it!

за́ново anew, like new.

зано́з||**а** splinter; *фиг.* heart-sore, heart-ache (*огорчение*); quarrelsome person (*о человеке*); ~и́ть to get a splinter (in).

зано́с snow-drift (*снежный*).

заноси́ть 1. to put (write) down, register, enter (*записывать*); з. в указатель to index; з. на красную (чёрную) доску to put on the red (black) list; 2. to carry (bear) away (*уносить далеко*); 3. to leave (drop) in passing (*ч.-л. по пути*); 4.: з. снегом to block up, cover with snow; 5. *см.* занашивать; 6.: з. болезнь to import a disease; з. ногу в стремя to put one's foot in the stirrup; з. руку to threaten to strike; ~ся воображением to be carried away by one's imagination.

зано́счив||**ость** arrogance, presumption, insolence, superciliousness, haughtiness; ~ый arrogant, presumptuous, supercilious, haughty, overbearing, insolent.

заночевать to stay the night.

занузд||ать, '~ывать to bridle, bit, curb.

заныть to begin to ache.

занят||ие occupation, employment, pursuit, business; job (*sl.*, *тж.* *амер.*); the act of taking possession of, seizure (*захват*); ~ия ботаникой (историей) botanical (historical) studies; начались ~ия work has started; studies have begun; род ~ий line of business, walk of life, kind of work; это выходит за пределы его ~ий this is quite out of his line; любовь к ~иям taste for study; ~ный entertaining, amusing; ~ой busy; быть **занятым** собою to be taken up with oneself.

занять||(ся) *см.* заниматъ(ся); мне надо ~ся этим вопросом I must look into (inquire) this matter.

заоблачный beyond the clouds.

заодно at the same time; з. с к.-л. in tow with someone; они все действуют з. they are at one; they all act unanimously (jointly, in concert); they all play into one another's hands; сделайте это з. do this while you're about it.

заозёрный beyond the lake, on the other side of the lake.

заокеанский transoceanic.

заолифить to cover with oil (wooden buildings before painting).

заорать to shout at the top of one's voice.

заостр||ённость: политическая з. political acuteness; ~ённый pointed, sharp; spiky; peaked, sharp (*о чертах лица*); ~ить, ~ять to sharpen; ~ить внимание to stimulate an interest in.

забчать *см.* охать.

забчн||ый out of sight; ~ое обучение tuition by correspondence, correspondence course; post courses; ~ое решение суда judgement by default; ~о without seeing.

запад west, occident; к ~у westwards.

запа||дать to fall; тоска '~ла мне на сердце sadness fell on (overcame) me; име '~ло в память it remained imprinted in my memory.

западн||ик, ~ица one who sympathizes with western ideas; ~ичество sympathy with western ideas; ~ый west(ern), occidental; ~ая церковь Latin (Roman)

Church, Church of Rome; ~оевропейский West European.

западн||я trap, snare, mesh; *фиг.* pitfall; готовить ~ю to dig a pit (*for*); to lay a snare (*for*).

запаздыва||ние lateness, slowness; ~ть to be late.

запа||ивать I. to give someone too much to drink.

запа||ивать II. to solder, weld, seal up; ~йка soldering.

запаков||ать, '~ывать to pack, wrap up, do up.

запакостить *см.* пакостить.

запал touch-hole, vent (*у орудия*); heaves (*у лошади*); автоматический з. ignition-device; лошадь с ~ом a broken-winded (wind broken) horse.

запалзывать creep, crawl (*into*).

запал||ивать, ~ить to fire, set fire (*to*), kindle, light; ~ить лошадь to make a horse broken-winded; ~ьный шнур fuse.

запальчив||ость irritability, passionateness, vehemence; violence; ~ый passionate, vehement; она очень ~ый человек she is a very quick-tempered person; ~о passionately; vehemently.

запальщик fuseman.

запамятова||ть to forget; я ~л it has gone clean out of my head.

запас store, stock, provision, supply; з. знаний stock (fund) of knowledge, erudition; з. людей *военн.* reserve; з. провизии victuals; з. слов vocabulary; з. снаряжения munitions, ammunition; з. товаров stock-in-trade; истощить свой з. to run out (*of*); небольшой з. margin; перевестись в з. to be transferred to the reserve; про з. in store; проверять з. to take stock; слишком большой з. overstock; ~ать to store, stock *и пр.*; to lay in, hoard, hive; ~ливый thrifty, provident; ~ной, ~ный reserve; ~ный выход emergency exit; ~ный путь siding; ~ная комната spare room; ~ная лошадь *военн.* remount horse; ~ная часть (*машины*) *техн.* spare, spare part; ~ти *см.* запасать.

запа||сть *см.* западать; слова ~ли мне в голову the words were fixed in my memory.

запах smell, odour; scent (*духов*, *следа*); вдыхать з. to inhale; издавать, чувствовать з. to smell; дурной з. offensive smell; дурной з. изо рта bad breath; приятный з. fragrance, perfume, aroma; без ~а inodorous.

запах‖áть,' ᴖивать I. см. пахать.
запáх‖ивать II. to wrap tighter (пальто и т. п.); ᴖиваться to wrap oneself tighter (in); ᴖнýть см. запахивать II.
запáхнуть см. пахнуть.
запахнýться см. запахиваться.
запáчкать to soil, dirty.
запáш‖ка land (to be) ploughed; tillage; tilth; ᴖник share.
запашóк a slight (faint) smell.
запáянный soldered.
запаять см. запаивать II.
запéв introductory verse in song; ᴖáло precentor; ᴖáние intoning, setting (giving) the tune; ᴖáть to begin to sing; to strike up, set the tune, give the tune.
запек‖áнка baked pudding; spiced brandy (наливка) (тж. ᴖáночка); ᴖáть to bake (in); ᴖáться to clot, clod, coagulate, congeal (о крови); 'ᴖшаяся кровь gore; 'ᴖшиеся губы parched lips.
заперéть(ся) см. запирать(ся).
запéть см. запевать; з. другое to sing another song, change one's tune, tell another story.
запечáтать см. запечатывать.
запечатле‖вáть to impress, imprint, engrave, inculcate; з. в сердце to engrave, to be rooted (in); з. своей кровью to seal with one's blood; 'ᴖлось в памяти stamped (imprinted) in memory; ᴖвáться to root itself (in), to imprint itself (in); 'ᴖть(ся) см. запечатлевать(ся).
запечáтыва‖ние sealing; ᴖть to seal up.
запéчь см. запекать.
запивáть to begin (to take) to drink; з. лекарство водой to take some water after one's medicine.
запили‖кать: з. на скрипке to begin to scrape the fiddle.
запин‖áться to hesitate, stumble, stutter, falter, stammer (в разговоре); to trip up (one's heels), to strike (hit) against (ногой); 'ᴖка hesitation, stumble, stammer, stutter.
запирáт‖ельство denial, disavowal; ᴖь to lock (in, up); to fasten, barricade, bolt; ᴖь на засов to bolt; ᴖь на ключ to lock; ᴖь на крючок to hook; ᴖься to lock (shut) oneself up; deny, disavow.
запировáть см. пировать.
записáть см. записывать.
запúс‖ка note; дипломатическая, памятная з. memorandum; докладная з. report; любовная з. love-letter, billet-doux; небреж-

ная з. scribble; пригласительная з. invitation; ᴖки pl. notes; diary, journal, memoirs, records, reminiscences; дорожные ᴖки itinerary (notes); ᴖная книжка note-book, memorandum book; ᴖнóй first-rate, regular (настоящий).
запúсывание putting down, taking of notes.
запúсывать to write down, note, make a note (of), take (put) down (адрес); to commit to paper, put on paper, put in black and white (противопост. устному запоминанию); з. в бухг. книгу to make an entry (in), to enter; з. мелодию, голос to take down a tune, take a record of a voice; з. лекцию to make (take) notes (of); ᴖся to enter; ᴖся в клуб (в кружок) to become member of a club (a circle); ᴖся к врачу to register at the doctor's, to make an appointment with the doctor.
зáпись inscription, entry, record; з. актов гражданского состояния (сокр. загс) register of births, deaths and marriages; registry-office; бухгалтерская з. entry.
запúть см. запивать.
запих‖áть, 'ᴖивать, ᴖнýть to push in, cram in.
запищáть to begin to squeak, scream.
заплáка‖нный in tears, wet with tears; ᴖнное лицо tear-stained face; ᴖнные глаза eyes red with weeping; ᴖть to begin to cry.
заплáта patch, piece.
заплáт‖анный patched; ᴖáть to patch, mend.
запла‖тúть см. уплатить; 'ᴖчено paid.
заплáтка см. заплата.
запл‖ёванный dirty, untidy; фиг. rejected; ᴖевáть, ᴖёвывать to spit all over (about), bespit.
заплéсневе‖лый mouldy, mildewed (тж. фиг.); ᴖть to grow mouldy.
запле‖стú, ᴖтáть to braid, plait (косу); з. венок to make a wreath; ᴖтáться to stumble (ногами); to hesitate, mumble (в разговоре).
заплéчики техн. shoulders.
заплéч‖ный: з. мастер уст. executioner; ᴖье back of the shoulders, shoulder-blade.
заплеш‖úветь to grow bald.
запломбиро‖вáть to seal, put a seal on (запечатать); to stop, fill (зуб); 'ᴖванный вагон a sealed railway carriage; ᴖванный зуб a stopped tooth.

заплута́ться *см.* заблудиться.

заплы‖ва́ть (*куда-л.*) to swim in (*о пловце*); to sail in (*о паруснике*); to come in (*о пароходе*); з. жиром to grow over-fat; '∼вшее лицо bloated face; '∼вшие глаза eyes sunk in fat; '∼ть *см.* заплывать.

заплеса́ть *см.* плясать.

запну́ться *см.* запинаться.

запове́дать *см.* заповедывать.

запове́д‖ник preserve, forest in which shooting is prohibited; рыбный з. fish preserve; ∼ный interdicted, forbidden, prohibited; ∼ный лес forest prohibited from felling; ∼ное имение entailed estate; ∼ывать to command, order.

за́повед‖ь commandment, order; десять ∼ей the Ten Commandments.

заподо́зр‖евать, ∼ить to suspect.

запозда́‖вший late, belated, behind time, behindhand; backward (*о развитии*); ∼лость lateness, backwardness; ∼лый *см.* запоздавший; ∼ть *см.* запаздывать; поезд ∼л the train is slow (late).

запо́йть *см.* запаивать I.

запо́й‖ hard drinking; пить ∼ем to have fits of hard drinking; читать ∼ем to read voraciously.

заполз‖а́ть, ∼ти́ *см.* запалзывать.

запо́лн‖ить, ∼я́ть to fill (in, up); з. анкету to fill in an enquiry, a form, a questionnaire (questionary); ∼ить прорыв to fill up a gap.

заполони́ть *уст.* to take prisoner; *фиг.* to engross.

запомина́‖ние memorizing, committing to memory; ∼ть to remember, keep in mind; ∼ть наизусть to memorize, to learn by heart (by rote).

запо́мнить *см.* запоминать.

за́понка stud, link.

запо́р I. *мед.* constipation; страдающий ∼ом constipated, costive.

запо́р II. bolt, lock, bar.

запоро́ж‖ец *ист.* Dnieper Cossack; З-ье 16th Century Dnieper Cossack Settlement.

запоро́ть to flog to death; з. чуть не до́ смерти to flog within an inch of one's life.

запороши́ть (*снегом*) to powder with snow.

запоте́лый covered with perspiration, sweated; dim (*о стекле*).

заправ‖и́ла boss; он з. в этом деле he is the boss of the show (*sl.*); '∼ить *см.* заправлять; '∼иться to fortify oneself; ∼ля́ть to set,

season (*блюдо*); to trim (*лампу*); ∼лять со́ус to thicken the sauce with a little flour.

запра́вский true, real; born.

запра́шивать to enquire, to send an enquiry, to write for information (*concerning*); з. слишком высокую цену to overcharge, to ask an exorbitant price (*for*).

запре́т prohibition, interdiction, veto; под ∼ом under a ban; ∼и́тельный prohibitory, prohibitive; ∼и́тельный закон prohibiting law; ∼и́ть *см.* запрещать; ∼ный forbidden.

запре́чь *см.* запрягать.

запре‖ща́ть to forbid, prohibit, interdict; з. газету to suppress a newspaper; з. продажу спиртных напитков to prohibit alcohol (spirits); to go dry (*чаще*); ∼ще́ние prohibition; interdiction, veto; ∼щение на имущество distraining, arrest; судебное ∼щение injunction; наложить ∼щение to arrest the property (*of*); снять ∼щение to withdraw an arrest; to suspend an interdiction (arrest); ∼щённый forbidden, interdicted, illicit.

заприме́тить to notice, perceive.

заприхо́довать to debit.

запрода́‖жа sale; conclusion of a sale; conditional (provisional) sale; forward contract (*ещё не выработанного продукта*); ∼жная запись document concerning sale; ∼ть to sell on partial payment, to conclude a preliminary bargain (on deposit); to agree to sell.

запроки́‖дывать, ∼нуть: з. голову to throw back one's head.

запропасти́‖ться to get lost; куда он ∼лся? where has he gone to?; куда ∼лась моя булавка? where on earth has my pin got to?

запро́с enquiry; overcharging (*о цене*); цена без ∼а fixed price; no bargaining; no reduction, net; ∼и́ть *см.* запрашивать.

за́просто without formality, informally; обед з. an informal dinner.

запру́‖да dam, dike, weir, embankment; mill-pond (*у мельницы*); ∼живать to dam, embank, dike.

запря‖га́ть to harness, to put to; з. волов to yoke; '∼жка harnessing.

запря́т(ыв)ать to hide, conceal.

запря́чь *см.* запрягать.

запу́г‖анный terrorized; ∼а́ть to frighten, terrorize, intimidate, scare, terrify, bully; ∼ивание intimidation; ∼ивать *см.* запугать.

запуска́ть 1. to neglect (*ведение дела и пр.*); з. ногти (*волосы*) to grow, let one's nails (hair) grow; з. поле to let a field lie fallow; **2.** *см.* бросать; з. камнем (*в к.-л.*) to shy a stone (*at*).

запусте́‖лый desolate, waste, desert, neglected; **∽ние** desolate state, neglect, desolation, loneliness; мерзость **∽ния** abomination of desolation; **∽ть** to grow desolate.

запусти́ть *см.* запускать.

запу́та‖нный tangled, muddled; *фиг.* complicated, intricate; з. вопрос (*дело*) knotty point; з. рассказ intricate story; **∽нная** ситуация imbroglio; **∽ть** to entangle (*волосы, нитки*); to embroil, make a muddle (*of*) (*дело*); to confuse, perplex (*сбивать*); **∽ться** to entangle oneself; to become foul; верёвка **∽лась** the rope is foul.

запу́тывать(ся) *см.* запутать(ся).

запущ‖е́ние neglect; **'∽енный** neglected; **∽енный** сад an unweeded (untidy, neglected) garden.

запыла́‖ть blaze up; вся деревня **∽ла** all the village was in a blaze (on fire).

запыл‖ённый covered with dust; **∽и́ть** to cover with dust; **∽и́ться** to become dusty (covered with dust).

запыха́ться to be out (short) of breath, to puff and pant; to be shortwinded.

запя́ст‖ный *анат.* carpal; **∽ье** *анат.* wrist, carpus; bracelet, wristband, bangle (*браслет*).

запята́я comma.

запя́тки footboard behind the carriage.

запятн‖а́ть to spot, stain; *фиг.* to stigmatize, throw a blemish on, dishonour; '**∽анный** кровью bloodstained, stained with blood.

зараб‖а́тывать, ∽о́тать to earn; з. свой хлеб to get (earn) one's living; to make one's bread; **∽о́таться** to work too long (late).

за́работная плата, зарпла́та wage(s), salary; месячная з. a month's pay; номинальная з. nominal wages; поштучная (сдельная) з. piece-pay; реальная з. real wages; фонд зарплаты wages-fund.

за́работок earnings; лёгкий з. easy money; мой з. равняется ста рублям в месяц I earn a (one) hundred roubles a month.

заража́‖ть to infect, to contaminate; з. воду to poison water; **∽é-**

ние infection; blood-poisoning, septicæmia, pyæmia (*крови*).

зара́з simultaneously.

зара́з‖а infection; contamination, contagion; taint; **∽ и́тель-ность** infectiousness; **∽и́тельный** infectious, catching; contagious (*через соприкоснов.*); **∽и́тельный** смех infectious laughter; **∽и́ть** *см.* заражать; **∽и́ха** *бот.* broom-rape; **∽ный** *см.* заразительный.

зара́нее beforehand, in good time.

зарапортова́ться to let one's tongue run away with one; to talk nonsense.

зараст‖а́ть, ∽и́ to grow over, to be overgrown (*with*).

зарва́ться *см.* зарываться II.

зарде́ться to grow red, to blush; to flush.

за́рево glow, redness.

зарегистри́рова‖нный on record, registered; **∽ть** *см.* регистрировать.

заре́з: это для меня з. it will be the end of me; до **∽у** extremely, urgently, at any cost; мне нужны деньги до **∽у** I am pushed (reduced) to the last extremity for money.

заре́з‖(ыв)ать to butcher, slaughter; to kill (*птицу*); to kill, stab to death, murder (*человека*); волк **∽ал** овцу the wolf strangled (devoured, killed) a sheep.

зарека́ться to renounce.

зарекомендова́ть: з. себя to recommend, represent, introduce oneself (*as*); з. себя хорошим работником to prove (oneself) to be a good worker.

заре́ч‖ный situated on the other side of a river; **∽ье** the other side of a river.

заржа́в‖еть to get rusty; '**∽лен-ный** rusty.

зарисо́вка putting down in drawing.

за́риться to envy, long (*for*), to hanker (*after*).

зарни́ца summer-lightning, heat-lightning; sheet-lightning.

заровня́ть to level, even up, flatten.

зарод‖и́ть(ся) *см.* зарождать(ся); '**∽ыш** *анат.* foetus, embryo(n); *бот., зоол.* germ; *бот.* seed, bud, seed-bud; **∽ыш** стебля plumule; **∽ыш** цыплёнка в желтке tread; вещество, убивающее **∽ыш** germicide; быть в '**∽ыше** to be at an initial stage; подавить в **∽ыше** *фиг.* to nip in the bud.

зарожд‖**а́ть** to bear, conceive, beget, generate, produce, engender; ~**а́ться** to be born, conceived, begotten, generated; ~**а́ющийся** nascent; ~**е́ние** conception; *фиг.* origin; ~**ённый** begotten, conceived, engendered, produced.

заро́к oath; я дал з. не... I have solemnly sworn not to...

зарони́ть *см.* уронить; з. сомнение to excite suspicion.

за́росл‖**ь** weed, overgrowth; thicket (*в лесу*); ~**и** тростника beds of reeds.

заро́сток *бот.* prothallus.

заро́сший overgrown (*with*); grass- (weed-)grown, weedy (*о сорной траве*); willowy (*ивняком*); ivied, ivy mantled (*плющом*).

зарпла́та *см.* заработная плата.

заруб‖**а́ть** to hew with an axe (*топором*); to hack, strike; з. зарубку to notch, make a notch (incision); to cut in, mark; ~**й** себе на носу! *фиг.* mind your eye!

зарубе́ж‖**ный** foreign, beyond the boundary (frontier); ~**ная** печать foreign press.

заруб‖**и́ть** *см.* зарубать; ' ~**ка** mark, incision, notch.

зарубцева́ться to cicatrize, heal with a scar.

заруми́ни‖**ться** *см.* румяниться; з. в печке to brown; она ~**лась** she blushed.

заруч‖**а́ться**, ~**и́ться** to secure; з. чьей-либо помощью to secure somebody's aid; з. чьим-либо согласием to obtain somebody's consent.

зарыва́ть to bury, dig, inter; з. талант в землю *библ.* to hide one's talent in the earth.

зарыва́ться I. to bury (dig, inter) oneself; з. в свои книги to pore over one's books.

зарыва́ться II. to go to extremes, to risk.

зарыда́ть *см.* рыдать.

зары́ть *см.* зарывать.

зары́ться *см.* зарываться I.

зарыча́ть *см.* рычать.

заря́ glow, redness; dawn, day-break, sunrise, peep of day (*утренняя*); sunset, twilight, evening-red, afterglow (*вечерняя*); *воен.* tattoo; reveille (*утр.*); retreat (*веч.*); что ты встал ни свет ни з.? why did you get up at this unearthly hour?, what made you rise at such an unholy time?

заряби́‖**ть** to ripple, ruffle (*о воде*); у меня ~**ло** в глазах my eyes grew dim.

заря́‖**д** charge, loading; холосто́й з. blank cartridge; сумка для ~**дов** cartridge-box; ~**ди́ть** *см.* заряжать; ~**два** charge, charging, loading; ~**утренняя** ~**дка** morning bracing up; ~**дный** ящик powder-tumbril, caisson, powder-cart, ammunition-waggon; ~**жа́ние** *см.* зарядка; ~**жа́ть** to charge; to undercharge (*недостаточно*); to overcharge (*перегружать зарядом*).

заса́д‖**а** ambuscade, ambush, lurking place; быть в ~**е** to lie in wait (ambush).

заса́ди́ть *см.* засаживать.

заса́дка planting.

заса́живать to imprison, put in prison (*в тюрьму*); to shop (*по доносу*) (*sl.*); to shut in(to) (*в комнату*); to drive in(to) (*гвоздь*); to plant (*сад*); з. за работу to set to work.

заса́л‖**енный** soiled (with grease), greasy; grease spotted; ~**ивать** I. to soil, begrease.

заса́ливать II. to salt, pickle; to gammon, corn (*мясо*).

заса́лить *см.* засаливать I.

заса́р‖**ивать** *см.* засорять.

заса́сывать to suck in.

заса́хари‖**(ва)ть** to candy; to ice; to cover (powder) with sugar; ~**(ва)ться:** варенье ~**лось** the jam is candied.

засвети́ть to light, to strike a light; ~**ся** to light up.

засветле́ть *см.* светлеть.

за́светло whilst it is light, before nightfall.

засвиде́тельствова‖**ние** witnessing, testifying, authentication; ~**ть** to witness; to attest, assure, testify; ~**ть** подпись to witness (authenticate) the signature (*of*); ~**ть** почтение to pay (present) one's respects (compliments); ~**ть** факт to certify a fact.

засвист‖**а́ть**, ~**е́ть** (to begin) to whistle.

засе́в sowing; ~**а́ть** to sow.

заседа́‖**ние** conference, meeting, session, sitting; открывать (закрывать) з. to open (close) the meeting (conference); ~**тель** assessor; присяжный ~**тель** juryman, juror; ~**ть** to take part in a conference, meeting, session, sitting; to sit; to hold meetings, sittings.

засе́к‖**а** 1. abat(t)is; 2. forest prohibited from felling; ~**а́ть** to make a cut; ~**а́ться** to overreach, cut, hitch (*о лошади*).

засекре́‖**тить** to entrust with secret work; ~**ченный** (a person) entrusted with secret work.

засел||е́ние peopling, population, colonizing, colonization; ~йть to people, populate, colonize; гу́сто (ре́дко) ~ённый densely (sparsely) populated.

засеме́ни́ть to mince.

засе́||сть to sit firm; у него́ ~ло в голове́ he took it into his head.

засе́чка cut, canker.

засе́чь см. заска́кать; з. до сме́рти to whip to death.

засея́||ть см. засева́ть; ~нное по́ле sown field.

засиде́ться см. заси́живаться.

заси́женный (му́хами) soiled with fly-specks, fly-specked.

заси́живаться to sit (stay) too long.

заси́лие predominance.

засине́ть become gradually blue.

засини́ть to blue, to over-blue.

заск||ака́ть to begin to gallop; ~а́кивать to catch; ~о́к catch; ле́вацкий ~о́к left deviation (trend).

заскору́зл||ый hardened; ~ая рука́ toil-hardened (horny) hand.

заскочи́ть см. заска́кивать.

заскрежета́ть: з. зуба́ми to gnash (grind) one's teeth.

заскрипе́ть см. скрипе́ть.

засла́ть см. засыла́ть.

заслони́ть см. заслоня́ть.

засло́нка oven-(stove-)door.

заслоня́ть to shade, shield, screen; з. свет to keep out the light, to stand against the light, to stand in one's light.

заслу́||га merit, desert(s); ~ги (пе́ред страно́й и пр.) services; он получи́л по ~гам he was rewarded according to his deserts; he has got his deserts; ~женный estimable; honorary (зва́ние); ~жива́ть to deserve, merit; to earn (получи́ть); ~жива́ть благода́рность от to deserve the gratitude of; ~жива́ющий worthy (of); ~жива́ющий дове́рия reliable, trustworthy; ~жи́ть см. заслу́живать.

заслу́ш||(ив)ать to hear, listen to; з. докла́д, чте́ние to hear a report, a reading; ~(ив)аться to listen with delight; его́ ~ае́шься one never wearies of listening to him, you will never tire of listening to him.

заслы́шать см. услы́шать.

засма́ливать to pitch, tar.

засма́тривать to look in; з. в глаза́ to look into somebody's eyes; ~ся на ч.-л. to be lost in contemplation (admiration) (of).

засмоли́ть см. засма́ливать.

засмотре́ться см. засма́триваться.

засну́ть to go to sleep; см. засыпа́ть.

засни́т||ь to photograph; ~о (о фи́льме) photographed.

засо́в bolt, bar, hasp; задви́нуть з. to shoot the bolt home.

засо́вывать to shove, push, thrust, poke (in).

засо́л salting, pickling; ~йть см. заса́ливать II.

засор||е́ние soiling; dirtiness; indigestion (желу́дка); техн. stoppage; з. аппара́та presence of undesirable elements in the apparatus; ~йть to choke, litter; ~йть желу́док to have (cause) indigestion; ~йть трубу́ to foul a pipe; ~ённый желу́док a foul stomach.

засоса́||ть см. заса́сывать, соса́ть; боло́то ~ло его́ he sank into (was drowned in) the swamp.

засо́х||нуть см. засыха́ть; цветы́ ~ли the flowers are (have) withered; ~шие цветы́ dry (withered) flowers.

засп||а́нный: ~анная физионо́мия a sleepy expression; ~а́ть: ~а́ть младе́нца to overlie (smother) a baby in one's sleep; ~а́ться to oversleep oneself.

заста́ва gate, gates (воро́та); воен. out-post.

заста||ва́ть: з. в невы́годный моме́нт to catch at a disadvantage; з. враспло́х to catch unawares, to take by surprise, to catch napping; з. до́ма to find at home; я не '~л его́ I did not find him in; I missed him; я ~л его́ на ме́сте преступле́ния I caught him in the act (of), I caught him red-handed; разг. I caught him at it.

заста́вить см. заставля́ть I и II.

заста́вка illumination (в кни́ге, ру́кописи).

застав||ля́ть I. to compel, force, oblige, make; to coerce, constrain (си́льнее); reduce (to); з. замолча́ть to silence, reduce to silence; to cut short; з. себя́ ч.-л. сде́лать to bring oneself to do a thing; э́то ~ля́ет нас опаса́ться that causes us to fear; нужда́ '~ла меня́ взять э́ту рабо́ту poverty made me take up this work; ничто́ не '~ит меня́ nothing shall induce me; не ~ля́йте меня́ ждать don't keep me waiting.

заставля́ть II. to block (up), foul; з. ко́мнату ме́белью to fill a room with furniture; з. прохо́д to block up (foul) a passage.

заста́вн||ый: ~ые бу́квы тип. title-types.

застáивваться to stand too long.

застарé‖лость neglected (chronic) state, inveteracy; ⌐лый neglected, chronic (*о болезни*); inveterate (*о пороке*); ⌐ть to grow (become) neglected (chronic, inveterate).

застáть *см.* заставать.

заст‖ёгивать to fasten, to do up; to hook up (*на крючки*); to clasp buckle (*на пряжку*); to button (*на пуговицы*); ⌐ёгиваться to button oneself up; ⌐ёгнутый buttoned, fastened *и пр.*; ⌐егнýть(ся) *см.* застёгивать(ся); ⌐ёжка fastening, clasp, snap, hasp.

застекл‖ённый glazed; ⌐ить to glaze.

застéнок torture-chamber.

застéнчив‖ость shyness, bashfulness, modesty, timidity; ⌐ый shy, timid (*робкий*); bashful (*особенно о мужчинах*); modest (*скромный*).

застиг‖áть, '⌐нуть to overtake, catch, surprise; to steal upon one (*подкрасться*); з. врасплох to take unawares; з. на месте преступления to take red-handed; нас '⌐ла гроза we were caught by a storm.

застилáть to cover; з. ковром to lay (stretch) the carpet; з. облаками to overcloud.

зáстить to stand in someone's light.

застлáть *см.* застилать.

застó‖й stagnation, depression, standstill, deadlock; в ⌐е at a deadlock; торговля в ⌐е trade is stagnant (very low), there is a depression in trade.

застóльн‖ый: ⌐ая беседа table-talk; ⌐ая песня drinking-song.

застонáть *см.* стонать.

застопори(ва)ть to stop.

застой‖ться *см.* застаиваться; ⌐вшаяся вода stagnant (stale, corrupt, foul, not fresh) water; ⌐вшаяся лошадь restive horse.

застрáивать to build, to erect buildings; чрезмерно з. to over-build.

застрахов‖áть, '⌐ывать *см.* страховать; никто не '⌐ан от ошибок no one is insured (secure) against mistakes.

застращ‖áть *см.* застращивать; '⌐ивание intimidation, terrifying, bullying; '⌐ивать to intimidate, terrify, frighten, terrorize, bully.

застревáть to stick, to get stuck.

застрéл‖ивать, ⌐ить to shoot to death, kill; *разг.* to put a bullet through one; *см.* стрелять; ⌐ить-

ся to shoot oneself, to blow one's brains out; ⌐ьщик *военн.* tirailleur, sniper; *фиг.* pioneer, leader; ⌐ьщик соцсоревнования a zealot of socialist competition.

застрéха eaves.

застрó‖ить *см.* застраивать; ⌐йка building; ⌐йщик *неол.* tenant who repairs a ruined (*or* erects a new) house at his own cost.

застрять *см.* застревать.

засту‖дить to chill; ⌐диться to take (catch) cold (a chill); ⌐жать, '⌐живать *см.* застудить.

зáступ pick-axe, spade.

заступ‖áть, ⌐ить *см.* заменять; ⌐áться, ⌐иться за к.-л. to intercede, plead for somebody; to defend, take someone's part; to take up the cudgels on behalf of someone; ⌐ник defender, intercessor, solicitor; patron (*покровитель*); '⌐ница patroness; '⌐ничество intercession, pleading.

застучáть to knock (*on, at*) (*в дверь*); to hammer (*at, on*) (*сильно*).

засты‖вáть to get cold; to jelly (*сгущаться*); to set (*о желе*); *фиг.* to be frozen to stillness; кровь ⌐ла от ужаса my blood curdled with horror; '⌐вший воздух still air.

застыдиться to blush, become shy (confused).

застынуть *см.* застывать.

засудить to condemn.

засунуть *см.* засовывать.

засу‖ха drought, dryness; ⌐хоустойчивое растение drought supporting, drought proof (hardened) plant.

засучи‖вать, '⌐ть: з. рукава to roll (tuck) up one's sleeves.

засу‖шенный dried (up), shrivelled; ⌐шивать, ⌐шить to dry; ⌐шливый drying; ⌐шливый ветер hot dry wind.

засчит‖áть, '⌐ывать to reckon (put down) to the account, to take into consideration.

засылáть to send, dispatch; з. в далёкие края to exile (send) to a distant place.

засыпáть to fall (drop) asleep, go to sleep.

засыпáть to cover, to strew, to fill up (*яму и пр.*); з. подарками to load with presents; ⌐ ся *вульг.* to give oneself away, to betray oneself.

засыхáть to dry (*up*); to shrivel, shrink, wither (*ссыхаться*).

зата‖ённый secret, concealed, repressed; smouldering (*о злобе, недо-*)

вольстве); '~кивать to secrete, keep within one's heart, conceal; to harbour (*дурное*); ~ивать дыхание to catch (to hold) one's breath; ~ивать злобу to conceal one's anger, to brood over one's anger; ~ивший злобу resentful; ~ить *см.* затаивать.

затапливать I. to light the fire, make a fire; to heat, kindle.

затапливать II. to flood, inundate, submerge, deluge.

затараторить *см.* тараторить.

зата́||сканный *фиг.* hackneyed, banal; cliché, stereotyped (*о выражении и пр.*); bedraggled (*о подоле юбки*); ~скивать to pull, draw, drag, bring (*in, into*).

затачать to sew up (*прореху*).

затащить *см.* затаскивать.

затверде||вать to harden, set, indurate, to grow hard, firm; to petrify (*окаменеть*); '~лость hardness, induration, callosity; '~лый hardened, firm, set, indurate; '~ние *см.* затверделость; '~ть *см.* затвердевать.

затвердить to learn by heart (by rote) (*наизусть*); з. одно и то же to keep on repeating the same thing; to harp on one string.

затвор bolt, bar, lock; seclusion (*монастырский*); з. у ружья lock; з. у шлюза water-gate, flood-gate; з. фотоаппарата shutter of photographic camera; ~ить to shut, close.

затворни||к recluse, hermit, anchorite; ~ческий solitary, secluded, hermit; ~чество reclusion, seclusion, solitary life.

затворять to shut, close.

затевать to devise, undertake, begin, start; suggest; з. драку to strike up a quarrel; з. игры to start games.

затей||ливый intricate, fanciful; ~ник inciter, instigator; jester (*шутник*); ~ный amusing, fanciful.

затекать to flow in; *см.* отекать.

затем after this (that); then; further, next; thereupon; whereupon; upon which; з. что because, since, as, inasmuch as, seeing (*that*); з. чтобы in order (*that*).

затемн||ение darkening; ~ить, ~ять to darken, obscure, shade, overcast (*о небе*); ~ять смысл to obscure, to render unintelligible.

затен||ённый shady; ~ить, ~ять to (over)shade.

затепли||(ва)ться: ~лся свет a light began to glimmer.

зат||ереть *см.* затирать; судно ~ёрло льдами the ship was ice-bound.

затер||ивать, ~ять to lose, mislay; ~иваться, ~яться to be lost, mislaid.

затесаться to intrude oneself (*on*); to worm oneself (*into*).

зате||чь *см.* затекать; мои ноги ~кли my legs are feeling heavy (numb); I've got pins and needles in my legs.

затея undertaking, enterprise; ~ть *см.* затевать.

затирать to rub over; *техн.* not to work smoothly; з. к.-л. *фиг.* to give someone no chance.

затис||кивать, ~нуть to squeeze.

зати||хать, '~хнуть to grow calm (still); to be appeased; '~шье calm, stillness, quiet, slack; lull (*после бури*); lull before a storm (*перед бурей*).

затка||нный inwrought; ~нная золотом материя gold-brocaded material; cloth embroidered with gold; '~ть to glow.

закти||уть *см.* затыкать; з. за пояс *фиг.* to outshine, eclipse; ~й глотку! *вульг.* hold your peace (tongue, jaw)!, shut up!

затлеть(ся) *см.* тлеть(ся).

затм||евать to eclipse, obscure, darken, dim, shade; з. к.-л. to throw into the shade, to overshadow, to eclipse; ~евающийся огонь *мор.* occulting light; ~ение солнца eclipse; ~ить *см.* затмевать; ~иться: его слава ~илась his lucky star is set, his fame is tarnished.

зато on the other hand, but then, whereas.

затоваривание overstock of goods; glut (*на рынке*).

затолкать *см.* толкать; to jostle, hustle.

затон back-water.

затону||ть to sink, to be submerged; ~вший корабль *см.* затопленный.

затопа||ть to stamp; он ~л ногами his feet went pit-(a-)pat.

затоп||ить, ~лять *см.* затапливать I, II; з. корабль to sink a ship; '~ленный корабль a flooded ship, a ship under water.

затоптать to trample (*down, in*); to tread down.

затор block(ing) (*льда и пр.*); stoppage, obstruction; з. уличного движения a block in the traffic, a traffic congestion; mash (*в пивном производстве*).

затормози́ть см. тормозить.

затоскова́ть см. тосковать.

заточ‖а́ть to imprison, incarcerate; **~е́ние** imprisonment, incarceration; он живёт точно в **~е́нии** he leads the life of a recluse (hermit); **~и́ть** см. заточать.

затрави́ть см. затравливать.

затра́вка см. затравник; touch-hole, vent.

затра́вл‖енный brought to bay; **~ивать** to bait, hunt, hunt down; фиг. to persecute.

затра́вник арт. priming-wire, priming-tube.

затра́гивать to touch; to wound (самолюбие); to provoke, irritate, tease (дразнить); з. тему to broach (touch upon, approach) a subject.

затрапе́зный уст., разг. shabby, threadbare.

затра́‖та expense, expenditure; outlay, disbursement (издержки); **~чивать** to expend, lay out, disburse, spend.

затре́бовать to order; to write (for); to send an inquiry, to inquire (about).

затрепа́ть фиг. to worry; to hack (чьё-л. имя, тему и пр.); **~ся** to be worried.

затрещ‖а́ть to crackle; '**~ина** a box on the ears, a blow, a crack on the head, a clout.

затро́нуть см. затрагивать.

затрудне́ни‖е difficulty, embarrassment, perplexity; crux (трудный вопрос); inconvenience (неудобство); временное з. a temporary embarrassment; быть в **~и** to be at a loss (не знать, что делать); to be hard-pressed (в денежном отношении); вывести из **~я** to help someone out of a difficulty (out of a hole); денежные **~я** pecuniary embarrassment; financial pressure, involvement; создавать **~я** to make difficulties.

затрудни́тельн‖ость difficulty, strait; **~ый** difficult, embarrassing; puzzling (ставящий втупик); intricate (сложный); быть в **~ом** положении to be in great difficulties; to be in extremity; to be at one's wit's end; разг. to be in a tight place (box); to be in a fix, to be in a hole (sl.).

затрудн‖и́ть, **~я́ть** to trouble, to cause trouble (беспокоить); to embarrass, perplex, to put to inconvenience (мешать, стеснять); to trammel, to hamper, to cumber (движение); з. чью-л. работу to make someone's work difficult for

him; малейшая просьба **~я́ет** его the least request embarrasses (perplexes) him; **~ённое** дыхание labouring breath.

затряс‖ти́ to shake; меня **~ло́** от злости I was trembling with rage; **~ти́сь** to shake, tremble.

затума́ни‖ться to grow dim, foggy, clouded; фиг. to grow dim, sad, saddened; **~лся** горизонт the horizon became shrouded with mist; её глаза **~лись** слезами her eyes dimmed with tears.

затуп‖и́ть, **~ля́ть** to blunt, to dull.

затуха́ние extinguishment, extinction; техн. damping; з. вулкана extinction of a volcano; вредное з. антенны (рад.) antenna loss damping.

затуха́‖ть to go out slowly, to be extinguished; техн. to damp; **~ющие** колебания damped oscillations.

затушева́ть to shade.

за́тхл‖ость fustiness, mustiness, stuffiness, staleness; **~ый** mouldy, stale (заплесневелый, слежавшийся); close, stuffy (о воздухе, помещении); musty, fusty (о запахе).

затыка́ть to stop up, choke up, obstruct; з. бутылку to cork a bottle (пробкой); з. глотку вульг. to stop one's mouth; з. уши to stop one's ears.

заты́ло‖к the nape of one's neck; back of the head; occiput (анат.); scrag (у животных); становиться в з. to stand in line one behind another; **~чный** мед. cervical, occipital.

заты́чка plug, cork, spigot; фиг. stop-gap.

затя́гивать to tighten, draw close, straiten; to draw out, complicate, spin out (дело); з. песню to start (strike up) a song; з. узел to tighten a knot; **~ся 1.** to lace tight (в корсет); **2.** to be delayed; to linger (о болезни); **3.** to heal, cicatrize, skin, close (о ране); **4.**: **~ся** папиросой to inhale the smoke of a cigarette.

затя́ж‖ка tightening; protraction, delay, prolongation (времени); inhalation (при курении); техн. tie; tie-beam (стропильная); болезнь принимает **~но́й** характер the disease is assuming a slow character; **~на́я** болезнь lingering illness.

затяну́ть(ся) см. затягивать(ся).

зау́мный senseless, meaningless, devoid of meaning.

заунь̀ив||ость mournfulness,dolefulness; **~ый** melancholy, mournful, monotonous, doleful, dismal, plaintive.

заупокойн||ый *церк.* funeral; **~ая служба** dead (funeral) office, office for the dead, requiem.

заурядный ordinary, commonplace, humdrum, dull.

заусе́ница agnail, hangnail.

зау́чи||вать, ' **~ть** to learn, to learn by heart, to commit to memory, memorize; **~ваться,** ' **~ться** to overstudy.

зау́шн||ица *мед.* mumps, parotitis; **~ый** parotid, behind the ears.

зафрахтова́ть to freight.

заха́жива||ние going in, dropping in; **~ть** to go in, drop in, call informally, come round, look in, peep in, give a look in.

захва́ли||вать, ' **~ть** to overpraise, overload with praise, flatter.

захва́т seizure, usurpation, occupation, encroachment, inroad (*прав и пр.*); enclosure of common grounds (*об обществ. землях*); **з. власти** seizure of power.

захва||ти́ть to seize, take, to make an inroad (up)on, usurp; enclose (*о земле*); to occupy, lay hands (*on*), take possession (*of*); lay hold (*of*); **з. болезнь, пожар во-время** to stop in time (cut short) an illness, a fire; **з. власть** to seize the power; **з. врасплох** to catch (overtake) unawares (by surprise); **з. всё в свои руки** to take all into one's own hands; **з. чужую собственность (власть)** to usurp property (power); **з. шайку воров** to arrest a gang of thieves; **дождь ~тил меня** I was caught in the rain (shower); **я не ~тил с собой денег** I have no money about me, I have taken no money with me; **у меня ~тило дух** my breath failed, it took my breath away; ' **~тнический** seizing, grasping; ' **~тническая политика** the policy of grasp; ' **~тчик** usurper; ' **~тывать** *см.* захватить; **с** ' **~тывающим интересом** with absorbed interest; ' **~ченное имущество, судно** (*на войне*) prize.

захвора́ть to fall ill (sick), to feel unwell.

захире́ть to fade away.

захихи́кать to start giggling.

захлебну́ться, захлёбываться to choke oneself (*with*); to swallow wrongly; **з. от счастья** to be transported with joy.

захл|ес(т)ну́ть, ~ёстывать: 1. вода ~ёстывает лодку the water overflows the boat; **2. ~ес(т)ну́ло верёвку** the rope became twisted (up), tangled.

захло́пну||ть(ся) *см.* захлопывать(ся); **дверь ~лась** the door swung to.

захлопота́ться to be in a great bustle.

захло́пывать to bang, snap, slam (*дверь*); **~ся** to slam, swing to.

захо́д 1. going in(to), calling at; **без ~а в Выборг** without calling at Viborg (*о пароходе*); **2.: з. солнца** sunset.

заходи́ть *см.* захаживать; to set (*о солнце*); **з. в гавань** to put in (touch) at a port; **з. за (дом и пр.)** to go round (the house *etc.*); **з. за к.-л., ч.-л.** to call for; **з. за тучу** to hide behind a cloud; **з. слишком далеко** to go too far, to carry something too far, to overdo something.

захолу́ст||ный provincial; **~ье** remote (lonely, retired) place; *разг.* provincial hole; wretched place.

захоте́ть *см.* хотеть.

захрипе́||ть *см.* хрипеть; **он ~л и умер** the death rattle was heard and he died.

захрома́ть *см.* хромать.

захуда́лый poor, impoverished, shabby.

зацапать to seize, to lay hold of.

зацве||сти́, ~та́ть *см.* цвести; **~ла́ вишня** the cherry-trees have broken out into blossom.

зацелова́ть to rain kisses on, to devour with kisses.

зацеп||и́ть, ~ля́ть to hook, catch; *техн.* to engage, gear.

зачаро́в||анный charmed, bewitched, enchanted, spell-bound, under a spell; fascinated (*взглядом*); **~а́ть** *см.* чаровать, очаровывать.

зачасти́ть to come often.

зачасту́ю often, frequently.

зача́ток embryo.

зача́т||очный rudimental; **в ~очном состоянии** in embryo; **~ь** to conceive, to become pregnant; **~ие** conception.

зача́хнуть *см.* чахнуть.

зачем why, wherefore, what for.

зачёрк||ивание crossing out; **~ивать** to cross out, strike out, scratch out; to blot out, black out (*вымарывать*); **~нутый** crossed (scratched) out.

зачеркну́ть *см.* зачёркивать.

зачерни́ть to blacken.

зачерпну́ть *см.* черпнуть.

зачерстве‖лость staleness; ∼ть *см.* черстветь.

зачер‖тить, '∼чивать to draft, draw, sketch, cover with lines, with strokes of pencil.

зачесать *см.* зачёсывать; ∼ся to begin to itch.

зачесть *см.* зачитывать 1.

зачёсывать to comb, brush back (*волосы*).

зачёт exam, examination (*студенческий*); сдавать з. to go in for an exam; сдать з. to pass the exam; в з. in payment of (*платы*).

зачин (*песни, былины*) beginning; ∼ать *см.* начинать.

зачинить to mend.

зачинщик inciter, instigator.

зачирикать *см.* чирикать.

зачисл‖ение: з. в счёт including in the account; з. на службу including in the office staff; entrance into service, enlisting (*в армию*); '∼ить, ∼ять to enlist, enroll, put on the list (on the staff) (*в штат*); ∼ять в счёт платы to include in the account.

зачит‖ывать 1. to take into consideration; to count in payment of (*в счёт*); 2.: з. вслух to read; з. книгу (*чужую*) to appropriate (sneak *sl.*) a book; ∼аться, '∼ываться to read with delight; я ∼ался этой книгой I forgot everything over this book.

зачихать *см.* чихать.

зачум‖ить *см.* зачумлять; ∼ление tainting, infection; ∼лять to taint, infect.

зачуять *см.* (по)чуять.

зашататься to reel, stagger.

зашвыр‖ивать, ∼нуть, ∼ять to throw (fling) away.

зашевелить *см.* шевелить.

зашелестить *см.* шелестить.

зашептать *см.* шептать.

зашершаветь to become rough.

зашиб‖ать, ∼ить to hurt, knock, bruise; *фиг. разг.* to drink hard occasionally; з. деньгу *вульг.* to make (coin) money.

зашивать to sew up, mend; ∼ся на работе *разг.* to be unable to finish one's task.

зашикать *см.* шикать.

зашипеть to hiss.

зашить *см.* зашивать.

зашифровать to cipher, to write in code.

зашнуровать *см.* шнуровать.

зашпакл‖евать, ∼ёвывать to putty wood-work before painting.

зашпилить to pin (up), to fasten with a pin.

заштатный *уст.* of small importance.

заштоп(ыв)ать to darn.

заштукатурить *см.* штукатурить.

зашуметь *см.* шуметь.

защебён‖ивать, '∼ть to fill up with rubble.

защебетать *см.* щебетать.

защекотать to tickle.

защёлк‖а click, latch, trigger, catch, pawl; ∼ивать, ∼нуть to latch, to fasten with a catch.

защеми‖ть to jam, pinch, crush; у меня ∼ло сердце my heart aches; I have heartache, I feel oppressed.

защит‖а defence (*тж. юр.*); protection; safeguard (*предохранит.*); apology (*оправдание*); *мор.* lee (*от ветра*); cover (*прикрытие*); ∼ить *см.* защищать; ∼ник defender, champion, protector; член коллегии ∼ников (*сокр. ч. к. з.*) barrister, counsel for the defence; lawyer, advocate; ∼ный protective; khaki (*цвет*); ∼ная окраска *биол.* mimesis; mimicry, protective colouring.

защищ‖аемый *см.* защищённый; ∼ать to defend, guard, protect, shield; to speak in support (*of*), to advocate (*предложение и пр.*); ∼ать кого-л. to stand up for, stick up for; *разг.* to take up the cudgels for; *юр.* to plead for; ∼ённый defended, guarded, protected, screened (*ширмой*).

заяв‖итель applicant, declarer, deponent; ∼ить *см.* заявлять; '∼ка *неол.* statement; ∼ление statement, deposition; declaration; profession; ∼ление о приёме application; ложное ∼ление mis-statement; подать ∼ление to hand in (file) an application.

зая‖длый inveterate; з. враг confirmed enemy.

за‖яц hare; railway passenger travelling without ticket (*в поезде*); молодой з. leveret; за двумя ∼йцами погонишься, ни одного не поймаешь he that hunts two hares at once, will catch neither; all covet, all lose; ∼ячий корень *бот.* asarum; ∼ячий щавель little (wood) sorrel; ∼ячья губа harelip; ∼ячья капуста hare-lettuce; ∼ячья лапка hare's foot.

збруя harness.

звание calling, dignity, social standing (position), quality, condition, rank, status; з. героя труда title (appellation) of hero of labour; з. судьи justiceship; з. члена к.-л. общества membership.

зва́ный invited, summoned, called; з. ве́чер party; з. обе́д dinner-party; banquet (*официальный*).

зва́т‖ельный паде́ж *гр.* vocative case; ∼ь to call, invite, bid, summon; ∼ь на по́мощь to call for help; его́ зову́т Петро́м his name is Peter.

звезд‖а́ star; блужда́ющая з. erratic star; вече́рняя з. evening-star, Hesperus; неподви́жная з. fixed star; па́дающая з. shooting star; Поля́рная з. Pole-star, Polar star; у́тренняя з. morning-star; его́ з. зака́тывается (восхо́дит) his star is setting (is in the ascendant); о́рден Кра́сной З ∼ы́ Order of the Red Star; роди́ться под (не)сча́стливой ∼о́й to be born under an (un)lucky star (planet); звёзды с не́ба хвата́ть to be excessively gifted *or* clever.

звёзд‖ный starry; з. пробе́г star race; ∼ная ка́рта celestial map; ∼ная ночь starlight night; З ∼ная пала́та Star-chamber; ∼очёт astrologer, astronomer, star-ga~er; ∼очка a little star; *тип.* asterisk.

звен‖е́ть to ring, jingle, tinkle, clank; у меня́ в уша́х ∼и́т there is a tinkling in my ears.

звено́ link (*мн. ч.* звенья); основно́е з. chief link; пионе́рское з. pioneer detachment.

звери́нец menagerie.

звер‖и́ный of wild beasts, ferine; з.́промысел chase, hunt, hunting; ∼но́й промысел fur-trade.

зверобо́й *бот.* St John's wort (*Hypericum perforatum*).

звероло́в trapper, hunter; ∼ство trapping, hunting.

звероподо́б‖ие bestiality; ∼ный beastlike, bestial, brutal, savage (fier e) looking.

зве́рский brutal, ferocious, cruel, atrocious.

зве́рство brutality, ferocity, atrocity, cruelty; ∼вать to behave with brutality *и пр.*

звер‖ь wild (savage) beast; кра́сный з. deer, fallow deer; пушно́й з. fur-bearing animal; хи́щный з. beast of prey; *фиг.* brute; укроти́тель ∼е́й tamer; ∼ьё wild beasts.

звон peal, ringing; з. в уша́х a ringing in the ears; похоро́нный з. funeral toll(ing), knell; ∼а́рь bell-ringer.

звони́ть to ring, chime; з. в колокола́ to ring the bells; з. во все колокола́ to ring a full peal; to set all the bells a ringing; з. по телефо́ну to telephone, 'phone,

ring up; з. у входно́й две́ри to ring at the door.

звон‖кий sonorous, resounding; clear, cheerful (*о голосе*); *фон.* voiced, sonant; ∼ая моне́та hard cash, coin, real money; ∼ость sonorousness.

звоно́к bell; вы слы́шали з.? did you hear the bell?; дать з. to ring.

звук sound, tone; з. выска́кивающей про́бки, вы́стрела popping; з. колоко́льчика tinkle; з. ору́жия, ста́ли clash, clashing; з. рога́ toot; з. труб blast; з. цепе́й clanking; гла́сный з. vowel; согла́сный з. consonant; свобо́да печа́ти на За́паде пусто́й з. freedom of the press in Western Europe is but a name (an empty phrase).

зву́ко- phono-.

зву́ков‖ой sound; ∼ая волна́ *см.* волна́, ∼ое кино́ *см.* кино́.

звукоподража́‖ние imitation of sounds, onomatopoeia; ∼тельный imitative, onomatopoeic.

звукопрово́дный sound conducting.

звуч‖а́ние sounding, phonation, vibration; ∼а́ть to sound; ∼а́ть и́скренно (фальши́во) to ring true (false); её го́лос ∼и́т у меня́ в уша́х her voice rings in my ears; '∼ность sonorousness; '∼ный sonorous, loud, resonant; ∼ный го́лос deep-toned voice.

звя́к‖ание tinkling; ∼ать to tinkle; to buzz (*о телефо́не*); ∼нуть по телефо́ну *разг.* to ring someone up.

зга: ни зги не ви́дно it is pitch dark; one cannot see a jot; one cannot see an inch before one's nose.

зда́ние building, edifice, house.

здесь here; Local (*надпись на письме́*).

зде́шний local; of this place, town *etc.*; з. жи́тель a resident of this place; one who lives in these parts; я не з. I'm a stranger; I don't belong here.

здоро́ваться to greet; bid (wish, say) good-morning (*утром*), good-afternoon (*по́сле полу́дня*), good-evening (*ве́чером*).

здорове́нный *разг.* robust, hearty, strong, hardy, muscular.

здорове́ть to become strong, stronger, healthy.

здоро́во 1. *см.* здоро́вый; 2. *разг.* good-day!, good-morning!

здо́рово *разг.* splendid! well done!; з. поби́ть к.-л. to beat one hollow (soundly); мы з. рабо́тали we worked capitally (first rate).

здоро́в||ый healthy, strong (*физически*); sane (*психически*); well (*противоп.* ill; *только предикативно*); sound (*целый, невредимый*); robust, stout, hearty, lusty (*сильный, крепкий*); blooming (*цветущий*); wholesome (*полезный для здоровья*); з. как бык as strong as a horse; з. климат healthy (salubrious) climate; з. мороз sharp frost, bitter frost; задать ~ую трёпку to give a sound thrashing; ~ое телосложение robust constitution; ~ые не нуждаются во враче they that be well do not need a physician; ~ы ли вы? are you well?, are you all right?; будьте ~ы! good luck!

здоро́в||ье health; как ваше з.? how are you?; пью за ваше з. I drink to you; here's to you!; (I drink) your health; ~як a healthy (sturdy, robust) fellow.

здра́вница sanatorium, nursing-home.

здравом||ысл||ие common sense, sensibleness; ~ящий sensible, sane, sober, judicious.

здрав||оохране́ние care of public health; ~отде́л Health Department.

здра́вств||овать to be well; to thrive, prosper; да ~ует! long live!; ~уй, ~уйте good-morning, good-afternoon, good-day, good-evening; how do you do?; how are you?

здра́в||ый sound, sane; здрав и невредим safe and sound; з. смысл common sense, good (sound) sense; в ~ом уме in sound mind, in full possession of one's faculties; in one's right mind; ~о soundly, sanely; судить о ч.-л. ~о to form a sound judgment.

зе́бра *зоол.* zebra.

зев pharynx (*мед.*); jaws (*фиг.*); воспаление, катар ~а *мед.* pharyngitis.

зева́ка lounger, idler, gaper.

зев||а́ть, ~ну́ть to yawn, to gape; не ~а́й! look sharp!; ~ота́ yawn; на меня напала ~ота I've got a fit of yawning; он подавил ~о́ту he stifled a yawn.

зейгерова́ние *техн.* eliquation.

зелене́||ть to grow (turn) green; to look green; ~ющие поля fields looking green and fresh.

зеленн||о́й: ~а́я лавка green-grocery, green-grocer's (shop).

зеленова́т||о-жёлтый sulphur (*attr.*); ~ый greenish, olive; livid (*о цвете лица*).

зеленщи́к green-grocer.

зелёны||й green (*тж. незрелый*); vert (*в геральдике*); *поэт.* verdant; з. вьюрок green-finch, green-linnet (*птица*); ~е насаждения plantations.

зе́лен||ь verdure (*растения*); green (*цвет*); herbage, vegetables, greens (*овощи*); ~я winter fields.

зе́лье *уст.* herbs, potion, draught, philtre (*средство, лекарство*); любо́вное з. love-potion.

зе́льтерская вода seltzer water.

земе́лька *уменьш. от* земля.

земе́льн||ый land (*attr.*), agrarian; ~ая собственность land property, real estate.

зе́мец member of the Zemstvo.

земле||веде́ние *см.* география; ~владе́лец landlord, landowner, landholder; ~владе́ние landowning, landownership; ~де́лец farmer, cultivator, tiller, husbandman; ~де́лие agriculture; ~де́льческий agricultural; ~ко́п navvy (*на земл. работах*); ~ме́р land-surveyor, geodesist, land-measurer; ~ме́рие land-surveying, geodesy; ~ме́рный geodetic, geodesic; ~мерный шест Jacob's staff; ~па́шец ploughman, landtiller; ~по́льзование holding, land tenure; ~ро́йка *зоол.* shrew; ~трясе́ние earthquake; очаг ~трясе́ния seismic centre, seismic focus; ~устро́йство regulation for the distribution of land; agrarian laws; ~черпа́лка dredge; ~черпа́тельная машина dredger, excavator, steam navvy.

земли́стый earth(en), earthy.

земли́ца *уменьш. от* земля.

земл||я́ earth (*почва; планета*); ground (*поверхность земли*); soil (*почва*); land, country (*страна*); glebe (*поэт., участок земли*); globe (*земной шар*); взрыхленная з. mould; мать сыра-з. mother-earth; пограничная з. borderland; кусок ~и́ a plot of land; ~я́к fellow countryman.

земляни́ка strawberry.

земля́нка mud-hut.

земля́н||ой *см.* землистый; з. орех pignut, pea-nut; ~а́я груша Jerusalem artichoke; ~ы́е работы earth work.

земля́чество society of people coming from the same district.

земново́дный amphibious, terraqueous.

земн||о́й earthly, terrestrial; mundane; з. магнетизм terrestrial magnetism; ~а́я жизнь this earthly life.

зе́мс‖**кий** of the Zemstvo; **~тво** *ист.* Zemstvo; rural self-government in pre-revolutionary Russia.

зени́т zenith; *фиг.* heyday; **~ное** орудие anti-aircraft gun; archibald (*sl.*).

зени́ц‖**a** a pupil, apple of the eye; *поэт.* orb; бере́чь как **~у** о́ка to keep as the apple of one's eye.

зе́ркал‖**о** mirror, looking-glass; *мед.* speculum; криво́е з. distorting mirror; ручно́е з. hand-glass; фаце́тное з. bevelled mirror; '**~ьный** прибор mirror apparatus; '**~ьная** пове́рхность smooth (glassy) surface; '**~ьное** окно plateglass window.

зерни́ст‖**ый** grainy, granular; **~ая** икра́ soft caviar.

зерн‖**о́** grain; corn; seed (*семя*); stone, kernel, pip (*косточка плода*); жемчу́жное з. pearl; семенно́е з. seed; хле́бное з. grain, corn; гранит кру́пного **~á** granite of coarse grain; торго́вец **~о́м** corn-factor.

зернови́к *бот.* pericarp.

зернов‖**о́й** grain, corn; **~ы́е** зла́ки cereals.

зерно‖**очисти́тельный**: **~очисти́-тельная** маши́на winnowing machine; **~совхо́з** state grain farm; **~суши́лка** grain dryer; **~храни́-лище** granary; **~я́дный** granivorous.

зерца́ло *уст., рит.* mirror; з. правосу́дия mirror of justice.

зефи́р zephyr.

зигза́г zigzag.

зижди́тель *рит.* creator; **~ный** creative; **~ная** си́ла приро́ды the plastic force of nature.

зи́ждиться to be funded (*on*), to repose (*on*).

зи́м‖**á** winter; '**~ний** winter, hibernal; '**~няя** кварти́ра winter quarters; '**~няя** спя́чка hibernation; '**~нее** вре́мя winter-time; **~нее** солнцестоя́ние winter solstice.

зим‖**ова́ние** *см.* зимо́вка; **~ова́ть** to winter, pass (spend) the winter, hibernate; он зна́ет где ра́ки **~у́-ют** ≅ he knows what's what; **~о́вище** *см.* зимо́вье; **~о́вка** wintering, hibernation; **~о́вье** winterhut (lodge, cabin).

зимо́й in winter.

зиморо́док halcyon, kingfisher.

зиму́ющий *бот.* hardy.

зипу́н peasant's coat.

зия́‖**ние** gaping; **~ть** to gape, yawn; **~ющая** бе́здна a yawning abyss.

злак cereal, grass; **~и** corn, bread-stuffs; **~овый** *см.* зла́чный.

зла́то *уст., поэт.* gold; **~влас** *бот.* goldilocks; **~гла́вый** gold-topped (-domed); with golden cupolas; **~кры́лый** golden-winged; **~ку́дрый** golden-haired; **~о́к** *бот.* asphodel; **~тка́нный** goldbrocaded; **~у́стый** *уст.* golden-mouthed; eloquent; **~цве́т** *бот.* everlasting flower, immortelle.

зла́чн‖**ость** grassiness; **~ый** grassy, herbaceous, gramineous; **~ые** места́ *фиг.* places of frivolous amusement.

зле́йший *см.* злой.

злить to irritate, vex, tease, provoke; **~ся** to be irritated, vexed; to be in a bad temper.

зло I. evil, wrong, harm, ill, mischief; по́мнить з. to bear ill-will; на з. to spite; исто́чник зла the parent of evil; the root of all evil; я не жела́ю ему́ зла I wish him no evil; я не по́мню зла I bear him no malice; я не причиню́ ему́ зла I shall not hurt (harm) him; из двух зол выбира́й ме́ньшее of two evils choose the lesser.

зло II. wickedly, mischievously, spitefully, ill-naturedly.

зло́б‖**а** wickedness, spite, malice, bitterness, fury; з. дня the latest, thrilling news (*последние новости*); talk of the town, news of the day; но **~е** out of malice (spite); **~ность** *см.* зло́ба; **~ный** malicious, wicked; evil-minded, ill-natured, bad-tempered (*о человеке*); **~но** *см.* зло II; **~но** смотре́ть *разг.* to look daggers; **~одне́вный** вопро́с burning (actual) question; **~ствовать** to bear malice.

злове́щий ominous, ill-boding, ill-omened; з. вид evil (sinister) look.

зловон‖**ие** mephitis (*обыкн. из земли, шахты*); stench, stink, fetidness; **~ный** stinking, fetid.

зловре́дн‖**ость** perniciousness; **~ый** pernicious, mischievous.

злоде́‖**й** miscreant, rascal, villain, scoundrel; **~йский** villainous, wicked; **~йство** crime, misdeed, evil (cruel) deed; **~йствовать** to act villainously; **~я́ние** *см.* злоде́йство.

зложела́тельный malignant, malevolent.

зл‖**ой** wicked, malicious, spiteful; **~ы́е** лю́ди говори́ли об ун-charitable said; **~е́йший** враг worst enemy.

злока́чественн‖**ость** malignancy; **~ый** malignant; **~ая** о́пухоль malignant tumour (growth).

злоключе́ние mishap, misfortune, misadventure.

злоко́зненн‖ость insidiousness, craftiness, treachery, wile; ~ый insidious, crafty, treacherous.

злонаме́ренн‖ость evil intention (design); ~ый ill-intentioned, ill-designing, ill-meaning, ill-disposed.

злонра́в‖ие ill-temper, ill-nature; ~ный ill-tempered, ill-natured.

злопа́мят‖ность см. злопамятство; ~ный spiteful, rancorous, resentful; ~ство spitefulness, rancour, resentment.

злополу́ч‖ие ill-luck, misfortune; ~ный unlucky, ill-starred, ill-fated.

злора́д‖ный rejoicing at another's misfortune; unkind; ~ство malicious joy at another's misfortune; ~ствовать to rejoice at the misfortune of others.

злосло́ви‖е malignant gossip, scandal; ~ть to gossip, to talk scandal, to backbite.

зло́ст‖ный malicious; ~ное банкротство fraudulent bankruptcy; ~ь maliciousness, ill-naturedness.

злосча́ст‖ие ill-luck, misfortune; ~ный ill-lucky, unfortunate, ill-starred.

злоумы́шл‖енник malefactor; ~енный см. злонамеренный; ~ять to plot (against).

злоупотребл‖е́ние abuse, misuse; з. властью abuse of power; ~ять to abuse (of); to betray one's confidence (доверием); to presume upon one's good-nature (добродушием); to abuse one's kindness (добротой); to trespass on one's time (чужим временем).

злоязы́чный unkind; bitter-tongued.

злю‖ка, ~чка cross-patch; ~щий furious.

змееви́дный serpentlike, serpentine; sinuous, writhing (о движении).

змееви́к техн. coil-pipe.

змее́ныш young snake; фиг. treacherous (sharp-tongued, wicked, backbiting) little creature.

змее‖́иный snake's, viper's, serpent's; з. ко́рень serpent's root; ~иная кровь dragon's blood; ~иная трава dragon-wort; ~иное дерево serpent's wood; ~иться to wind; ~й миф. serpent, dragon; бумажный ~й kite; ~йковый аэростат kite balloon.

змея‖́ snake (особ. о неядовитых змеях и змеевидных; тж. фиг.);

serpent (особ. о больших змеях; тж. фиг.); viper, adder, asp (гадюка); viper (фиг. злобное, вероломное существо); asp (поэт. ядовитая змея); з. подколо́дная snake in the grass; грему́чая з. rattle-snake; очко́вая з. cobra; отогре́ть ~ю на груди to cherish (warm) a snake in one's bosom; относя́щийся к отря́ду ~й ophidian.

зми‖́й уст. см. змей; допи́ться до зелёного ~я to drink oneself into delirium tremens, to drink oneself blind.

знава́ть см. знать.

знай: з. наших! don't joke with our people!; see and admire!; з. своё де́ло! mind your own business!; он з. себе́ поёт he sings away (unconcerned); так и з. (now) mark this.

знак sign, symbol, mark, token; indication (признак); omen (предзнаменование); водяно́й з. watermark; в з. дру́жбы as a token of friendship; дать з. to signal; по да́нному ~у at a given signal; ~и отли́чия insignia; де́лать ~и to make signs, to nod, signal, wink, beckon.

знако́м‖ить to acquaint; ~иться с к‖-л. to make the acquaintance of; ~иться с ч.-л. to study; to go into something thoroughly; to investigate, inquire into; ~ство acquaintance (with) (особ. с людьми); knowledge (of) (знание, особ. предметов); бли́зкое ~ство с предме́том intimate knowledge of the matter; завя́зать ~ство to make the acquaintance (of); ~ый, ~ая acquaintance, friend; ~ый мужчина an acquaintance; хорошо́ ~ый с предметом familiar, conversant (with); быть ~ым (с к.-л.) to be acquainted (with); to know; ты мне скажи с кем ты знако́м, а я тебе́ скажу, кто ты тако́в as a bird is known by his note, so is a man by the company he keeps.

знамена́тел‖ь мат. denominator; приводить дроби к одному́ ~ю to reduce fractions to a common denominator.

знамена́тельный significant, noteworthy, important.

зна́мение sign, token, phenomenon, apparition; з. времени sign(s) of the times.

знамени́т‖ость celebrity, renown, eminence, fame; она з. she is a celebrity; гоня́ться за ~остями to be a lion-hunter; ~ый celebrated, famous; distinguished, il-

lustrious, eminent, great (*выдающийся*).

знаменовать to prove, show, indicate.

знам‖еносец, '**~енщик** ensign;
standard-bearer, bannerman.

знам‖я banner; ensign (*тж. морской флаг*); standard, colours (*особ.
полковое знамя*); красное з. Red
banner; переходящее з. a banner
that is passed on according to merit; под ~енем марксизма under the
banner of Marxism.

знание knowledge; learning, science, scholarship (*ученость, знания*); skill (*мастерство*); поверхностное з. smattering (*of*), superficial knowledge.

знатно *разг.* jolly good, well.

знатн‖ость nobility, birth, rank,
notability, eminence; **~ый** noble,
of high rank; distinguished, illustrious; **~ая** особа a person of
quality; **~ые** люди СССР the distinguished men of the USSR.

знаток connoisseur, judge, expert; он з. картин *разг.* he has an
eye for pictures; з. поэзии judge of
poetry.

зна‖ть I. to know, have a knowledge (*of*), be aware (*of*); be informed (*of*) (*быть осведомленным*); be
acquainted(*with*) (*быть знакомым*);
be skilled in (*уметь*); з. в лицо to
know by sight; дать з. to inform;
to let a person know, send word;
дать з. заранее to warn; дать себя
з. to reveal oneself; дать себя з.
с выгодной стороны to appear ad-
vantageously (to one's advantage,
in an advantageous light); не з.
not to know; to be ignorant (*of*),
unconscious (*of*), unaware (*of*); прекрасно з. to have a good knowledge (*of*), to be versed (*in*); to have
at one's finger tips; откуда мне з.?
how do I know?; how am I to
know?; я его в глаза не ~ю I
have never set eyes on him; а кто
его ~ет! goodness knows! (*о чем-л.
совершенно неизвестном*); ~ться с
кем-л. to keep company, to associate (*with*); **~ющий** knowing, expert, versed (*in*); *разг.* knowledge-
able.

знать II. evidently; it seems;
seemingly; з. он много горя видал
he must have had his share of bitterness.

знать III. gentry, nobility, aristocracy, people of quality, gentle-
-folk.

знахар‖ь, '**~ка** a sorcerer; a village quack.

значение meaning, sense (*смысл*);
importance, significance, moment
(*важность*); з. промышленности
importance of industry; иметь
большое (малое) з. to count for
much (little); какое з. вы при-
даёте этому слову? how do you
interpret this word?; придавать
большое з. to attach importance,
to make much of; точное з. strict
sense; это имеет отрицательное з.
it has a negative value (significance).

значительн‖ость importance,
gravity, significance, considerable-
ness, magnitude; невозможно пе-
реоценить з. этого явления the
significance (importance) of this
phenomenon cannot be overesti-
mated; **~ый** important, significant;
быть избранным **~ым** большинством to be elected by an overwhelming (a handsome) majority;
в **~ой** степени to a great extent;
~о considerably (*очень, сильно*);
significantly (*выразительно*).

значи‖ть to mean, signify; вот
что **~т** не слушаться see what it is
to be naughty (disobedient); что
это **~т**? what does this mean?; **~ть-
ся** to be mentioned, to be on the
list (*в списке*).

значок sign, emblem; badge (*ком-
сомольский, мопровский и пр.*).

знающий см. знать I.

знобить to chill, freeze; to shiver (*о лихорадке*); меня знобит I
have a fit of the shivers.

зной heat, sultriness; ardour;
~ный hot, burning, sultry; **~ная**
жара oppressive (parching, torrid)
heat.

зоб *мед.* goitre, enlargement of
thyroid gland, wen; crop, craw (*у
птиц*); **~астый** with a large crop
и пр. (*о птицах*).

зов call (*призыв*); summons (*вызов*); invitation (*приглашение*).

зодиак zodiac; **~альный** zodiac
(*attr.*), zodiacal.

зодчество см. архитектура.

зол см. злой.

зол‖а ash(es); **~истый** ashen, ash.

золовка sister-in-law.

золоти‖льный used in (for) gilding; **~льщик** (*позолотчик*) gilder;
~стый golden; **~ть** to gild; **~ться**
to be gilded.

золотник *уст.* zolotnik (96th
part of a former Russian pound);
техн. D-valve; мал з. да дорог
it is not size, but quality that
counts; little bodies may have
great souls; болезнь входит пу-

дами, а выходит ~а́ми *посл.* sickness comes on horseback, but goes away on foot; ~о́вый *техн.* D-valve (*attr.*).

зо́лот‖**о** gold; накладное з. gold-plate; сусальное з. tinsel; не всё то з., что блестит *посл.* all is not gold that glitters; промывать з. в тазу to pan out; проба ~а assay.

золото́й I. gold coin, ducat; sovereign (*в Англии*).

золот‖**о́й** II. gold (*attr.*); golden (*золотистый, похожий на золото*); з. век golden age; з. галун gold lace; з. песок gold-dust; З. Рог (*в Константинополе*) Golden Horn; это з. человек he is worth his weight in gold; ~а́я лихорадка gold-fever; ~ая рыбка goldfish; ~ая середина golden mean; ~о́е руно golden fleece; ~ы́е руки clever fingers; ~ых дел мастер goldsmith, jeweller.

золото‖**но́сный** gold-bearing, auriferous; з. песок gravel; з. участок gold-field; ~но́сная жила vein of gold; ~обре́зный gilt-edged; ~промы́шленник gold-miner, owner of gold mines; ~ро́тец *вульг.* rough; rowdy; *амер.* plug-ugly; ~черпа́тельная машина gold extracting machine; ~швейня workrooms where gold embroidery is done.

золоту́‖**ха** scrofula, king's evil; ~шный scrofulous.

золоче́ние gilding.

зо́льник *техн.* ashpit.

зо́на zone, area; нейтральная з. neutral zone.

зонд sound, probe (*мед.*); bore (*бурив*); ~и́ровать to sound, probe, bore; search; ~и́ровать почву to sound the ground.

Зо́ндские острова́ the Sunda Islands.

зонт, ~ик umbrella (*дождевой*); sunshade, parasol (*солнечный*); shade (*для глаз*); открыть з. to put up (open) an umbrella *etc.*; ~ичная антенна umbrella antenna; ~ичное дерево *бот.* umbrella-tree; ~ичное растение umbellate (umbelliferous) plant.

зоогеогра́фия zoogeography.

зоо́лог zoologist; ~и́ческий zoological; ~и́ческий сад zoological garden (*обыкн.* zoo); '~ия zoology.

зоо‖**морфи́зм** zoomorphism; ~па́рк zoological garden; ~терапи́я zootherapeutics; ~те́хник zootechnician; ~те́хника zootechnics; ~томи́ческий zootomical; ~фи́т zoophyte; ~хими́ческий zoochemic; ~хи́мия zoochemistry.

зо́ренька см. заря.

зо́рк‖**ий** sharp-sighted, far-sighted; ~о смотреть to watch narrowly; следи за ней ~о watch over her with a vigilant eye; keep a sharp eye on her.

зо́рька см. заря.

зо́ря *военн.* tattoo.

зра́зы round stuffed Vienna steaks.

зрачо́к pupil.

зре́лищ‖**е** spectacle, show; какое приятное з.! what a pleasant sight!; what a pretty picture!; уличное театрализованное з. pageant; управление ~ными предприятиями Administration of Public Entertainments.

зре́‖**лость** ripeness; maturity; *мед.* puberty, virility; гражданская з. coming of age; женская з. womanhood; аттестат ~лости matriculation (*сокр.* matric), certificate; ~лый ripe; mature (*о возрасте*); ~ние I. ripening.

зре́ни‖**е** II. eyesight, vision; он имеет острое (слабое) з. he is sharp-(weak-)sighted; в поле ~я within eyeshot; вне поля ~я out of eyeshot; обман ~я optical illusion; орган ~я organ of sight; точка ~я standpoint, point of view; с моей точки ~я from my point of view.

зреть to ripen.

зри́тел‖**ь** spectator, on-looker, beholder, observer; *театр.* playgoer; быть ~ем to look on; ~ьный visual, optic(al), of sight; ~ьный зал auditorium; ~ьный нерв optic nerve; ~ьная память visual memory; ~ьная труба telescope; ~ьное ощущение optical sensation; ~ьное представление visual conception.

ЗРК Workers' Co-operative Shop (closed to non-members).

зря to no purpose, for nothing, at random, without thinking; uselessly; он болтает з. he is talking at random (without thinking); работать з. to plough the sand; я пришёл сюда з. I've come here for nothing; *разг.* I've come here on a fool's errand; я старался уговорить его, но з. I tried to convince him but to no purpose.

зря́чий one who sees, who is not blind.

зуа́в zouave.

зуб tooth (*pl.* teeth); fang (*волка, собаки*); з. мудрости wisdom-tooth; верхний з. upper tooth; глазной з. eye-tooth, canine; (задне)коренной з. molar; молочный з. milk-

-tooth; **нижний з.** lower tooth; **переднекоренной з.** bicuspid; **передний з.** front tooth; **шатающийся з. a** loose tooth; **видит око, да з. неймет** so near and yet so far; **вытащить з.** to have a tooth extracted (drawn); **ни в з. толкнуть** not to know anything; **он по-немецки ни в з. толкнуть** he does not know a word of German; **вставные ~ы** artificial (false) teeth; **дать в ~ы** to give one a punch in the jaw; **его ~ы стучали** his teeth were chattering; **заговаривать ~ы** to charm away tooth-ache; *фиг.* to mislead one by diverting his attention from the point; to throw dust in one's eyes; **точить ~ы** *(на к.-л.)* to have a grudge *(against)*; to bear one ill will; **скрежетать ~ами** to gnash one's teeth.

зуба́рь *техн.* a toothed plane.

зуба́стый large toothed, with large teeth; *фиг.* sharp (tongued); quick; well able to take care of oneself.

зубе́ц tooth, jag, indent; (mill-) cog, cam; **з. башни, стены** merlon; **з. вил** prong, tine; **з. горы** jag.

зуби́ло *техн.* point-tool, calking-iron, chisel.

зубн||о́й dental; **з. врач** dentist; **з. звук** dental sound; **з. порошок** tooth-powder; **~а́я боль** toothache; **~ая паста** tooth-paste; **~ая фистула** dental fistula; **~ая щётка** tooth-brush; **'~о-губно́й звук** *фон.* labiodental sound.

зубовраче́||бный dentist's; **з. кабинет** dentist's surgery, dental cabinet; *амер.* dentist's parlour; **~вание** dentistry, odontology.

зубо́к little tooth; **знать на з.** to know thoroughly.

зубоска́л one who goes about grinning (scoffing, sneering); **~ить** to grin, sneer; **~ьство** sneering.

зуботы́чина a punch *(обыкн.* on the head), cuff.

зубочи́стка tooth-pick.

зубр bison, aurochs; *презр.* a conservative landlord.

зубр||ёжка, **~е́ние** cramming, mechanical learning; **~и́лка**, **~и́ло** crammer; **~и́ть** to cram *(sl.),* to learn mechanically; to grind for an examination *(к экзамену).*

зубча́тка *см.* зубчатое колесо.

зубча́т||ый dented, indented, cogged, serrated *(о колесе и пр.);* notched, scalloped, jagged, jaggy *(зазубренный, неровный);* **~ая ж. д.** rack-railway; **~ое колесо** cogged

wheel, pinion, rack-wheel; **~ые стены** battlements.

зуб||чик *см.* зубец; **~ья** teeth.

зуд itching, scabies; **~й** fidget.

зуде́ть to itch, feel an itching.

зуди́ть *(кого-л.)* to nag *(at) (фиг.).*

зуёк *зоол.* plover *(род кулика).*

зулу́с Zulu.

зу́ммер *техн.* buzzer.

зумф *горн.* sump, dibhole.

зурна́ sort of lute.

зыб||ка *см.* колыбель; **~кий** vacillating; unstable, unsteady; **~учие пески** shifting sands.

зыбь spongy ground; *мор.* after-tossing, surge; **лёгкая з.** ripple; **мёртвая з.** swell; **з. с носа** head-sea.

зыря́не Zirani *(народность).*

зычн||ость sonorousness, loudness; **~ый** loud, sonorous, stentorian.

зюзя *разг.* drunkard, drunken sot.

зюйд *мор.* south; **~ве́стка** sou'-wester; **~овый** southern, southerly.

зябк||ий chilly, sensible to cold; **~ость** chilliness, sensibleness to cold.

зяблев||ый: **~ая вспашка** autumn ploughing.

зяблик *зоол.* chaffinch.

зя́бнуть to feel cold (chilly), freeze, shiver.

зябь ploughing *(пашня).*

зять son-in-law *(муж дочери);* brother-in-law *(муж сестры).*

И и and; also, too *(также);* as well as *(так же как);* although *(хотя);* even *(даже);* but *(но);* **и... и** both... and; **и не новый, да хороший** mex though not new, this fur is good; **и прочее, и так далее** *(сокр.* и пр.); и т. д.) and so on, and so forth, etc.; **и специалист иногда ошибается** even a specialist can make a mistake (be mistaken); **и тот и другой** both the one and the other; the one as well as the other; **и хотел я, да не мог** I wanted to, but couldn't; though I wanted to, I couldn't; **и я приду** I shall also come; **и я это знаю** I, too, know it; **он и молод и силён** he is both young and strong; **он и не молод и не силён** he is neither young nor strong; **он обещал и сделает** he has promised and (therefore) will do it; **я давал ему рубль и даже два, но он отказался** I offered him a rouble and even two, but he refused.

ибери́||ец, **~йка**, **~йский** Iberian.

йбис *зоол.* ibis.

йбо because, for, as.

йва *бот.* willow; osier (*лоза*); низкорослая и. sallow; плакучая и. weeping-willow.

Ивáн-да-Мáрья *бот.* cow-wheat.

Ивáн‖**ов** день Midsummer day; ночь на ~а Купала Midsummer night.

Ивáново-Вознесéнск Ivanovo-Voznesensk.

ивáновск‖**ая**: кричать во всю ~ую to shout at the top of one's voice; скакать во всю ~ую to gallop at full (top) speed.

ивáн-чáй *бот.* willow-herb, rose-bay.

ивнЯк osier-bed; заросшая ~óм река willowy river.

йвовый: и. прут willow rod (twig).

йволга *зоол.* oriole.

йвушка *уменьш. от* ива.

иг‖**лá** needle; darning-needle (*для штопания*); packing-needle (*для зашивания тюков*); sail-needle (*для парусов*); bodkin (*для шнурования*); knitting-needle (*вязальная*); point (*для пунктирования*); gramophone needle (*граммофонная*); *зоол.* spine; quill (*дикобраза, ежа*); *бот.* thorn; needle (*хвойная*); и. в стог упала, пиши пропала *посл.* to look for a needle in a bottle (*или* bundle) of hay; и.-рЫба *зоол.* needle-fish; ~лйстый needly, needle-shaped; ~лйстый скат *зоол.* thornback; ~ловáтый prickly, spiny; thorny (*о растениях*); ~ловйдный needle-shaped; ~локóжие *зоол.* Echinodermata; ~лообрáзный acicular, needle-shaped.

игнорйровать to ignore, to refuse to take notice of.

йго yoke.

игóл‖**ка** needle; сидеть как на ~ках to be on thorns, to be upon pins and needles; как с ~очки spick and span; brand-new; ~ьник needle-book, needle-case, etui; ~ьное ушко needle's eye; ~ьчатый aciculate.

игóрный playing, gaming; и. дом gambling-house; *разг.* (gambling) hell; и. стол play-table.

игр‖**á** play (*действие*); game (*по опред. правилам, напр. теннис*); sport (*спортивная*); a pack of cards (*колода*); и. актёра actor's performance (acting); и. не стóит свеч the game is not worth the candle; и. пианиста pianist's performance; и. природы freak of nature; и. света (*и пр.*) the play of light (*etc.*);

и. слов pun, joke, word-play; play of words; азартная и. game of chance (of hazard); биржевая и. stock exchange speculation; вести крупную ~ý to play for high stakes; подвижные ~ы active games; ~áльный playing; ~áльные карты playing cards; ~áльные кости dice.

игрá‖**ть** to play (*at, on*), to have a game (*of*); to play on something (*на чём-л.*); to twiddle with (*чем-л., вертя в руках*); to act, perform (*об актёре*); и. в руку to play into a person's hands; и. в какую-л. игру to play at a game; и. вторую скрипку *фиг.* to play second fiddle; и. для райка to play to the gallery; и. за к.-л. to play for somebody; и. на бирже to speculate on the stock-exchange; и. наверняка to play safe; и. на деньги to play for money; и. на нервах to play on one's nerves; и. на рояле to play the piano; и. по большой to play for high stakes; и. роль to play a part, to act; *фиг.* to pretend to be (something); и. роль посредника to act as a go-between; и. с к.-л. to play with somebody; и. цепочкой to trifle with a chain; и. честно (нечестно) to play fair (foul); и. чувствами to trifle with; вино ~ет the wine sparkles; румянец ~ет на её щеках a blush is playing on her cheeks; волны ~ют the waves are dancing; йграные карты used cards.

игрйв‖**ый** playful, frolicsome, skittish, waggish, jocular, wanton; ~о playfully *и пр.*; breezily; ~ость playfulness, frolicsomeness, skittishness, waggishness, jocosity, wantonness.

игрйстый sparkling (*о вине*).

игрóк player; азартный и. gambler.

игрýшеч‖**ка** *уменьш. от* игрушка; ~ный toy (*attr.*).

игрýш‖**ка** toy, plaything; это для него ~ки it is child's play for him.

игуáн‖**а** *зоол.* iguana; ~одóн iguanodon.

игýмен *церк.* abbot, superior; ~ья abbess, superior, mother.

идеáл ideal; ~изáция idealization; ~изйровать to idealize; ~йзм idealism; ~йст idealist; star-gazer (*с оттенком иронии*); ~истйческий idealistic.

идеáльн‖**ость** ideality; ~ый ideal; perfect.

идéйн‖**ый** true to the idea of; и. коммунист a communist in spirit.

a communist at heart; ∼ое содержание ideal contents; ∼ые побуждения ideal motives.

идентифици́ровать to identify.

идентти́чн‖ость identity; ∼ый identical.

идеограф‖и́ческий ideographical; '∼ия ideography.

идео́лог ideologist; **и.** марксизма Marxian ideologist; ∼и́ческий ideological; '∼ия ideology; пролетарская ∼ия proletarian ideology.

иде́я idea, notion, concept, conception.

идилл‖и́ческий idyllic; '∼ия idyll.

идио́м idiom; ∼ати́ческий idiomatic.

идиосинкра‖зи́я idiosyncrasy; ∼ти́ческий idiosyncratic.

идио́т idiot; **и.** от рожде́ния born idiot, mooncalf; ∼и́зм idiocy, imbecility; ∼и́ческий idiotic, imbecile; ∼ский idiotic; по∼ски idiotically.

и́дол idol, god, fetish; image (в смысле изображения божества); фиг. idol; кита́йский **и.** joss.

идолопокло́нн‖ик idolater; ∼и́ческий idolatrous; ∼и́чество idolatry; Baalism.

идти́ см. итти.

и́ды (15-е число марта, мая, июля и октября и 13-е число остальных месяцев у римлян) ides (pl.).

Иего́ва рел. Jehovah.

иезуи́т Jesuit; ∼и́зм Jesuitism; ∼ский Jesuitical; ∼ский о́рден order of Jesuits, Society of Jesus.

ие́на yen (японская монета).

иера́рх hierarch; ∼ия hierarchy.

иереми́ада jeremiad.

иерихо́нская труба фиг. a throat of brass (о голосе).

иеро́глиф hieroglyph, character; ∼и́ческое письмо́ hieroglyphic writing, picture-writing.

Иерусали́м Jerusalem.

иждиве́н‖ец dependant; ∼ие expense, cost; быть на ∼ии to be dependant on; to live at somebody's expense; быть на своём ∼ии to keep oneself; разг. to be on one's own; sl. to be on one's own hook; ∼ка dependant (fem).

из out of, from; through (вследствие); in (из числа); из благодарности in gratitude (for); из газет from the newspapers; из достоверных источников on good authority; из крестья́н peasant, (of)

peasant stock (origin); из Ло́ндона from London; из него может получиться хороший писатель he has in him the makings of a good author; из ненависти through hatred; из страха out of (for) fear; из упрямства out of obstinacy; из чего вы это сделали? what did you make it of?; варенье из вишен cherry jam; выйти из дому to go out, to leave the house; выйти из себя to be beside oneself; выйти из употребления to go out of date; to become obsolete (о слове); дом из брёвен a house built of beams; a log cabin; ни один из 100 not one in a hundred; один из 100 one (out) of a hundred; он заключил из этого he inferred (concluded) from that; пальто из зелёного бархата a green velvet coat; питьё из лимона a beverage prepared with lemons; разг. lemon squash.

изба́ izba, peasant's house; shack (амер., канад.); log cabin; **и.**-чита́льня village reading-room.

избави́тель deliverer, rescuer, liberator, redeemer; ∼ный delivering, liberating.

изба́в‖ить(ся) см. избавля́ть(ся); ∼ле́ние deliverance, riddance, rescue, release, liberation; ∼ля́ть to deliver, rescue, redeem, release; to rid (of) (от человека и пр.); ∼ля́ть от какого-л. предмета to take a thing off one's hands; ∼ля́ть от смерти to save from death; ∼и боже от таких друзей! save me from such friends!; вы меня ∼или от хлопот you have saved me much trouble; ∼ля́ться to get rid of.

избало́в‖ать, '∼ывать to spoil, pet, indulge, fondle; '∼анный ребёнок a spoilt child.

изба́ч village librarian.

избег‖а́ть, '∼нуть to avoid, escape, elude; to shrink (from), evade, refrain (from) (ч.-л. делать); to shun (дурного); to obviate (опасности и т. п.); to eschew (воздерживаться от); **и.** наказания to evade, to escape the penalty (of); **и.** общества to avoid (shun или shrink from или refrain from) society; **и.** того, что не относится к делу stick to one's text; **и.** удара to elude, avoid a blow; **и.** ч.-л. to have a narrow escape (с большим трудом).

избежа́‖ние: во **и.** in order to avoid; ∼ть см. избегать.

избёнка уменьш. от изба.

изби‖ва́ть 1. to beat unmercifully; **и.** до потери сознания to beat someone till he loses consciousness; *разг.* to beat to a mummy; to beat one black and blue; to knock one into a cocked hat; 2. to massacre, exterminate (*население*); ⁓ение 1. beating; 2. massacre, slaughter, extermination (*населения*); ⁓ение младенцев slaughter (massacre) of the innocents.

избира́т‖ель elector, voter; ⁓ели (*как коллектив*) constituents, electorate, constituency, body of electors; ⁓ельный electoral; ⁓ельный округ, район electoral (election) district, (Parliamentary) division; ⁓ельная кампания electioneering campaign; canvassing (*агитация в форме личного обхода избирателей*); ⁓ельное собрание body of electors; ⁓ельное право vote, suffrage; всеобщее ⁓ельное право universal suffrage; лишать ⁓ельного права to disfranchise, disqualify (*как активного, так и пассивного*); ⁓ь to elect, vote for; to return; to choose, embrace (*профессию*).

изби́т‖ый *фиг.* stale, trite, hackneyed; ⁓ая фраза tag.

избить *см.* избивать.

избороздить to furrow, cover with furrows.

избр‖а́ние election; choice; '⁓анное меньшинство *фиг.* the select few; ⁓анное общество set; select society; '⁓анные сочинения select(ed) works; он мой ⁓а́нник he is my choice.

избра́ть *см.* избирать.

избу́шка small hut.

избы́т‖ок profusion, plenty, abundance, copiousness, plentifulness (*изобилие*); superfluity, surplus; *часто переводится при помощи приставки* over, *напр.*: overbalance, overflow, overplus; и. населения overpopulation, surplus population; и. усердия overzealousness; congestion of population; у него и. здоровья (сил) he enjoys exuberant health (strength); ломиться от ⁓ка to burst with plenty; возмещать с ⁓ком to overcompensate; жить в ⁓ке to live in plenty, to be well off; ⁓очный superfluous, surplus.

извая́ние statue, sculpture; graven image, idol (*язич. божество*); что ты стоишь словно каменное и.? why do you stand like a graven image? (a stone idol?).

изве́д‖ать to learn, find out; to investigate, try; и. счастье *лит.* to taste (drink) the cup of happiness; ⁓анный путь well-known way.

изведённы‖й worried to death, run down.

изве́дывать *см.* изведать.

и́зверг monster, tyrant.

извер‖га́ть to erupt, to throw out, vomit, disgorge; to expel, exclude (*исключать*); to excrete (*из организма*); to vomit, spit (*пищу, лаву и пр.*); ⁓же́ние *геол.* eruption; *мед.* ejection, discharge, excretion.

изве́ри‖(ва)ться to lose faith, belief (*in*); и. в своих силах to lose confidence in oneself.

изве|рну́ться *см.* изворачиваться.

извертеться to turn about, to fidget.

изве́ртываться *см.* изворачиваться.

извести́ *см.* изводить.

изве́сти‖е information, news, intelligence; intimation (*намёк, указание*); *лит.* tidings; неожиданное и. *разг.* thunderclap; подготовить к тяжелому ⁓ю to break the news; И⁓я ЦИК Isvestia of the C. E. C.

извести́ть *см.* извещать.

изве́стка *см.* известь.

известко́в‖ый lime, limy, calcareous; ⁓ая вода lime-water.

изве́стно known; и. ли вам? do you know (*that*)?; are you aware (*of*)?; ему и. he knows, he is acquainted (*with*); he is aware (*of*); мне всё об этом и. I know all about it, I am well aware of it; насколько мне и. as far as I know, to my knowledge, to the best of my belief; насколько мне и.—нет not to my knowledge, not that I know of; никто, насколько мне и. nobody that I know (*of*); nobody as far as I know; это хорошо и. it is a well known fact, everybody knows (*that*).

изве́стность reputation, fame, celebrity, repute; *рип.* renown; notoriety (*в дурном смысле*); publicity (*в смысле огласки*); поставить в и. to inform of; пользующийся громкой ⁓ю well-known, far-famed, famous.

изве́ст‖ный well-known, famous, celebrated; notorious (*особ. в дурном смысле, напр.*: и. лгун a notorious liar); certain; в ⁓ных случаях in certain cases; он ⁓ен под этим именем he goes by that name, he has assumed this name.

известня́к limestone, chalk-stone.

и́звест‖ь lime, calx; гашёная и. slack (slaked) lime; негашёная и. quick lime; превращать в и. to calcify (*известковать*); превращение в и. calcination; содержащий и. calciferous; раствор ⌐и mortar, grout; whitewash (*для побелки*); залить ⌐ью to grout.

изветша́ть to become worn, shabby (*об одежде и пр.*); to become decayed (*о здании и пр.*).

извеща́||ть to inform, communicate, announce, apprise, advertise; to let (someone) know, send word; to acquaint (*with*); ⌐ем вас *комм.* we beg (beg leave) to inform you; we acknowledge.

извеще́ние notification, notice, advice(s); information.

изви́в winding (*о дороге*); sinuosity; coil (*о змее*); ⌐а́ться to twist, to wind (*о дороге*); to coil (*о змее*); to wriggle (*о черве*).

извили||на bend, crook, sinuosity, tortuosity; мозговые ⌐ны convolutions of the brain; ⌐стый sinuous, tortuous, winding meandering.

извине́ни||е apology, pardon, excuse; мое еди́нственное и. в том, что... my only excuse is, that...; это слабое и. it is a lame excuse; прошу ⌐я I beg your pardon; I apologize (*for*); I beg leave to apologize (*в офиц. языке*); kindly excuse me; я не могу принять вашего ⌐я I cannot accept your apology.

извин||и́тельный excusable, pardonable (*о поступке*); apologetic (*о письме, заявлении*); ⌐и́ть(ся) *см.* извинять(ся); ⌐и́ть to excuse, forgive, pardon; это ничем нельзя ⌐ить this is inexcusable; ⌐и́те (меня) I beg your pardon, excuse me; *разг.* (I'm) sorry; ⌐ите, что не снимаю перчатки excuse my glove; ⌐ите, что по ошибке я взял вашу книгу (kindly) excuse my (me for) taking your book by mistake; ⌐ите, что сижу к вам спиной excuse my back; ⌐и́ться to apologize; to beg (somebody's) pardon; to make excuses (*выставляя какие-л. доводы*); ⌐и́тесь за меня make my excuses.

извле||ка́ть to extract (*зуб, пулю*); to draw out, elicit (*у к.-л. сведения*); и. выгоду to derive profit; и. из беды to save, to lend a helping hand; *разг.* to get somebody out of a hole (fix); и. корень из числа *мат.* to extract (find) the root of a quantity; ⌐че́ние extraction; ⌐чение из книги abstract, summary, abridg(e)ment; extract; ⌐чение корня *мат.* evolution; ⌐чь *см.* извлекать.

извне́ from without.

изво́д waste (*of*) (*денег, времени*); vexation (*раздражение*).

изводи́ть 1. to exhaust, work to death, overwork (*работой*); to rile, *амер.* roil (*злить*); to torture (*with, by*) (*мучить*); to nag (*пилить*); и. насмешками to bait; **2.** to spend (*деньги*); to use, consume (*материалы*); ⌐ся to overwork oneself, to work oneself to death (*работой*); to eat one's heart out (*от горя и пр.*); to feel weak (run down, low, exhausted) (*о здоровье*).

изво́з *уст.* carrier's trade, use of one's horses for the transportation of goods; ⌐ничать to be a carrier, to ply the trade of carrier; ⌐ный промысел *уст.* carrier's trade; ⌐опромы́шленник job master, owner of livery stables; ⌐чик izvoztchik, droshky, cabman, cabby (*сокр.*); dray-man, waggoner (*ломовой*); взять ⌐чика to take a cab; приехать на ⌐чике to come in a cab; ⌐чичья биржа cab-stand.

изволе́ни||е *уст.* will, wish, pleasure; с ⌐я начальства *уст.* by permission of the authorities; approved by the authorities.

изво́л||ить *уст.* to desire, grant, wish; to deign (*соизволять*); чего ⌐ите? *уст.* what can I do for you?; what do you wish?; ⌐ь(те) well (*уступительно*); ⌐ьте выйти pray go out, have the goodness to leave the room (house).

извор||а́чиваться to shift (*выходить из положения и пр.*); to elude, avoid; *фиг.* to dodge (*от удара*); ⌐о́тистость *см.* изворотливость; ⌐о́тистый *см.* изворотливый; ⌐о́тливость resourcefulness; ⌐о́тливый resourceful, shifty; one who is never at a loss.

извра||ти́ть, ⌐ща́ть to pervert, corrupt, misinterpret, misconstrue; ⌐ще́ние perversion (*тж. половое*); sexual inversion (*половое*); ⌐ще́ние партийных директив perversion of party directions; ⌐ще́ние смысла distortion of meaning; ⌐щённость pervertedness; ⌐щённый perverted.

изга́||дить, ⌐живать to soil, dirty, befoul; to spoil (*портить*).

из||га́рина, '⌐гарь *см.* шлак.

изги́б winding, tortuosity; fold (*материи*); bend, crook (*дороги*); bend (*реки*); *техн.* bending; ⌐а́ть to bend, curve; ⌐а́ться to bend; bow very low (*в поклоне*).

изгла́||дить, ⌐живать to efface, erase, wipe (out); и. из памяти to blot out of one's memory, to try to forget.

изгн∥áние exile, banishment, proscription, expatriation (*из отечества*); expulsion; **∼áнник** exile; '**∼áнный** exiled, banished, proscribed, expatriated; expelled; **∼áть** *см.* изгонять.

изголóвь∥е head of the bed (*постели*); сидеть у **∼я** to sit at the bedside, by the bedside (*of*).

изголодáться to starve.

изгонять to banish, exile; *см. тж.* выгонять.

йзгородь hedge, enclosure; живая и. hedge-row, quickset hedge.

изгот∥áвливать, ∼óвить to prepare, make; to execute, carry out an order (*заказ*); и. якорь к отдаче *мор.* to get clear an anchor; **∼овлéние** preparation, making; carrying out, execution of an order (*заказа*); **∼овлять** *см.* изготовить.

изгрыз∥áть, '∼ть to gnaw, devour (*о кости*).

изд∥авáть 1. to produce, utter, emit (*о звуке*); to exhale (*о запахе*); **2.** to publish, issue (*печатать*); to proclaim, establish, bring into force (*о законе*); и. постановление to issue a regulation; **∼авáться** to be published *и пр.*; '**∼áнный** published.

йздавна long since; это и. заведено it was established a long time ago (ages ago).

издалёка from afar, from a great distance; a good distance off.

йздали from afar.

издáние edition, publication, issue; дешёвое и. cheap (popular) edition; роскошное и. edition de luxe; готовится новое и. a new edition is in preparation (in progress, in hand).

издáтель publisher; **∼ство** publisher(s), publishing firm; publishing house; Государственное **∼ство** State Publishing House.

издáть *см.* издавать.

издевáтельск∥ий: ∼ое отношение contemptuous (neglectful) treatment.

издев∥áтельство mockery; это чистое и. this is (sheer) mockery; **∼áться** to mock, ridicule, laugh (*at*), make a fool (*of*), make game of; to pull somebody's leg (*sl.*); '**∼ка** *см.* издевательство.

издéли∥е manufactured article; **∼я** wares; железные **∼я** iron-work (ware), ironmongery; железные, медные и пр. **∼я** hardware; же-

стяные **∼я** tinware; кустарные **∼я** handicraft wares (work); промышленные **∼я** industrial goods.

издёрганны∥й *фиг.* worried, exhausted, irritable; **∼е** нервы strained nerves.

издёрг(ив)ать *фиг.* to worry, irritate; to strain the nerves (*нервы*).

издерж∥áть *см.* издерживать; **∼áться** to have spent one's money, to be short of money; '**∼ивать** to spend (*о деньгах*); to use, consume (*о материале*); '**∼ка** expense, cost; судебные **∼ки** costs.

издóх∥нуть to die (*о животном*); **∼ший** dead.

издрéвле of yore, from time immemorial.

издроблять *см.* дробить.

издыхá∥ние last breath; до последнего **∼ния** to one's last breath; быть при последнем **∼нии** to be dying, to be at one's last gasp; **∼ть** *см.* издохнуть.

изжáлить *см.* жалить.

изжáривать *см.* жарить.

изжи∥вáть, '∼ть to get rid (*of*), to overcome (*недостатки*); и. психологию рабства to shake off the psychology of serfdom.

изжóга heart-burn.

из-за because of, on account of, through (*по причине*); for the sake of (*ради*); from behind, from beyond, from round (*в местных значениях*); и. деревьев не видно озера the trees prevent one from seeing the lake; one cannot see the lake because of the trees; и. чего? why? wherefore?; встать и. стола to leave the table, rise from table; выглядывать и. угла to peep from round the corner; мы остались и. тебя we remained for you, for your sake; we remained because of you, all through you (*по вине*); не слышать и. шума not to hear because of the noise; они поссорились и. пустяков they have quarrelled (fallen out) over a trifle; это случилось и. вашей неосторожности this was brought about by your carelessness; your carelessness was the cause of this.

иззяб∥нуть to freeze, to feel cold, chilled; to feel chilled to the marrow; **∼ший** chilled, shivering with cold.

излáвливать to catch, seize, lay hold of.

излагáть to state, give an account (*of*), expound, set forth; to write, give a written account (*of*) (*письменно, суть дела*); to give a circumstantial account (*of*) (*подробно*); бегло и. свои мысли to write with an easy pen (*письменно*); to speak well, fluently (*устно*).

изла́мывать to break, smash, shatter.

излени́ться to grow lazy.

излёт *см.* вылет; пуля на ～е a spent bullet.

изле||та́ть 1., ～те́ть *уст.*, *см.* вылетать; 2. to fly all over (*ср.* облетать).

излеч||е́ние cure, recovery (*выздоравливание*); healing (*о ране*); '～ивать to heal, cure; ～и́мость curability; ～и́мый curable; ～и́ть *см.* излечивать.

изли||ва́ть, '～ть to pour out; *фиг.* to express; to give vent to; и. гнев to give vent to one's anger; и. на кого-л. свои милости to load someone with favours; и. своё го́ре to pour out one's grief; и. своё се́рдце to unburden, unbosom oneself (one's heart).

изли́ш||ек surplus; excess; surfeit (*в пище*); и. жилплощади extra (surplus) floorspace; ～ество superfluity, excess, intemperance, high living, over-indulgence (*о еде и образе жизни*); ～ества excesses; ～ний superfluous, unnecessary; too great a...; ～няя поспешность too great a hurry; ～не об этом говорить needless to say (*в смысле*: *нечего и говорить, что...*); ～не об этом упоминать it is not necessary (advisable) to mention this.

излия́ни||е effusion, outpouring; бурное и. gush; серде́чные ～я outpourings of the soul; *шут.* letting off the steam.

излови́ть *см.* излавливать.

изловчи́ться to manage.

изло||к||е́ние account, statement, exposition (*фактов*); exposition (*школьное*); краткое и. summary, précis (*с франц. яз.*); '～енный stated, written, exposed; ～и́ть *см.* излагать; лучше ～ить это на бумаге it is better (*или* advisable) to commit this to paper; *разг.* it is better to put it down in black and white.

изло́м fracture, break; ～анный broken; ～а́ть, ～и́ть *см.* изламывать.

излуч||а́ть to eradiate, radiate; ～а́ться to emanate (*from*); ～е́ние (e)radiation, emanation.

излу́чина curve, bend (*реки*), winding.

излучи́ть *см.* излучать.

излюбленн||ый favourite; ～ое место прогулок favourite haunt.

измаз||(ыв)ать 1. to smear, soil, dirty; 2.: и. всю мазь (сало) to use (up) all the ointment (grease).

йзмала *см.* сызмала.

изма́лывать to grind.

измар||а́ть, '～ывать to soil, besmear, spot, dirty (all over).

изма́тывать *см.* выматывать.

изма́чивать *см.* вымачивать.

измая́||ть to fatigue, overwork; ～ться to be exhausted, overworked; я совсем ～лась I can hardly stand on my feet; my legs will hardly hold me; I feel dead tired (done up, exhausted).

измельч||а́ние growing small; *фиг.* degeneration; moral sinking, lowering of moral standards; ～а́ть *см.* мельчать; to grow small, to degenerate; река ～а́ла the river has become shallower; люди ～а́ли people have become degenerate; ～и́ть to reduce to fragments; to cut into small pieces (*резать*); to pound (*толочь*).

изме́на treachery, perfidy; treason; high treason (*государственная*); faithlessness, unfaithfulness (*в любви*); conjugal infidelity (*супружеская*); и. партии betrayal of the party; и. убеждениям change of front.

измен||е́ние change, alteration; modification (*частичное*); variation (*отклонение*); transmutation (*превращение*); *гр.* inflexion (*окончания*); вносить ～е́ния to make a change, to move an amendment (*предложить изменение*); впредь до ～ения till further orders; ～и́ть *см.* изменять; голос ～и́л ему his voice failed him; он ～и́л свое решение he changed his mind; счастье ～и́ло ему fortune has betrayed him; они ～и́ли делу революции they betrayed the cause of the revolution; планы были ～ены the plans were altered; ～и́ться *см.* изменяться.

изме́нни||к traitor, betrayer; ～ца traitress; ～ческий traitorous, perfidious, treacherous.

изме́нчив||ость variability; unsteadiness, mutability (*о погоде*); inconstancy, fickleness (*в любви и пр.*); ～ый variable, unsteady, inconstant, fickle (*в любви*); погода ～а the weather is changeable.

измени́||емость changeability; ～емый changeable, alterable; ～ть to change, alter; to modify (*ча-*

стично); ~ть взгляды to change
one's views; ~ть к лучшему to
improve, to mend (о характере);
~ть к лучшему свои привычки to
mend one's ways; to turn over a
new leaf; ~ть к.-л., ч.-л. to betray, be unfaithful (to), forsake;
~ть партии to betray one's party;
~ть проект закона to amend the
bill; глаза начинают ~ть мне my
sight is failing me; см. тж. из-
менить; ~ться to change, alter; to
modify; to be (become) changed,
altered, modified; ~ться прямо
пропорционально to vary directly
as; ~ться обратно пропорционально to vary inversely as.

измер‖**éние** 1. measuring, measurement; fathoming (глубины воды); taking (температуры, высо-
ты и пр.); survey (землемерное);
2. dimension; одного, двух, трёх
~**éний** of one, two, three dimensions (linear, plane, solid); ~**й-
мость** measurableness; ~**ймый**
measurable; fathomable (о воде);
~**йтель** measurer; gauge (особ. типовой, стандартный: диаметра,
пули, толщины листового железа);
~**йтельные** приборы measuring
instruments.

измéр‖**ить**, ~**ять** to measure;
fathom (глубину воды); to take
(температуру, высоту и пр); to
survey (землю); to gage, gauge (точно, для научно-техн. целей, напр.
выпадение осадков).

измождж‖**áть** to exhaust, macerate; ~**éние** maceration, exhaustion; ~**ённый** exhausted, weak,
feeble, haggard, emaciated, mac-
erated.

измок‖**áть**, '~**нуть** to get wet; to
get soaked, drenched (насквозь).

измол‖**áчивать** to thresh (thrash);
~**óт** amount of corn threshed at
one time; ~**отить** см. измолачи-
вать.

измолóть см. измалывать.

измóр: взять ~**ом** to take by
starvation; ~**йть** см. заморить.

йзморозь hoar-frost, sleet (с до-
ждем).

измотáться фиг. to be tired out,
harassed, to feel run down (low,
overworked); to feel fagged out
(sl.).

измочáл‖**енный** utterly exhausted, fordone, overscutched; ~**и-
(ва)ть** to separate into filaments,
shreds; to shred; фиг. to worry,
harass someone; ~**иться** to feel run
down, overworked, knocked up.

измошéнничаться to persevere

in cheating (roguery); to be an incorrigible (inveterate) thief (sharper).

измýч‖**енный** harassed, overworked; tired out, played out; weary,
worn out (with) (работой, стра-
даниями); ~**ить** to torture; to overwork, tire out, weary (работой);
~**иться** to be (feel) overworked,
tired out, weary, harassed; to wear
oneself to the bone (работой); to be
knocked up (sl.).

измывáться (над к.-л.) to make
a laughing stock (of); to jibe (at);
to make a fool (of); to torture (мучить).

измызгать (платье) to wear
(out); to wear to shreds, rags; to
soil, bedrabble, bedraggle (особ. о
подоле).

измыкать: и. горе разг. to get
over (rid of) one's grief.

измыл(**ва**)**ть** (всё мыло) to use up
all the soap.

измыслить см. выдумывать.

измытáрить(**ся**) см. измучить
(-ся).

измышлéние см. придумывание.

измышлять см. придумывать.

измять см. мять.

изнáнк‖**а** wrong side, reverse;
seamy side (тж. фиг.); вывернуть
на ~у to turn inside out.

изнасилов‖**ание** rape, violation;
~**ать** to rape, ravish, violate.

изначáльный см. исконный.

изнáшива‖**ние** wear and tear; и.
фабричного оборудования wear
and tear of factory equipment;
~**ть** см. изнашивать; ~**ться**: молодость ~**ется** youth's a stuff that
will not endure.

изнéжен‖**ость** delicacy; fragility; effeminacy (о мужчинах);
~**ый** effeminate (женственный);
delicate; sensitive to cold (не
переносящий холода); ~**ый** рос-
кошью person spoilt by luxury;
~**ый** ребёнок a delicate (spoilt,
coddled) child (избалованный).

изнéжи(**ва**)**ть** to spoil, coddle
(ребёнка и пр.).

изнемо‖**гáть** to succumb (под
тяжестью и пр.); to break down
with fatigue (от усталости); я
~**гáю** от жары I cannot bear the
(this) heat; я ~**гáю** от усталости
I am dead tired (или tired out); ~-
жéние exhaustion; ~**жённый** exhausted, fordone; '~**чь** см. изнемогать.

изнéрвнича‖**ться** to be nervous,
overstrung; я ~**лся** my nerves are
all to pieces.

изничто́жить *см.* уничтожить.

изно́||с wear; *разг.* wear-and-tear; этому пальто нет ~са this coat will stand any amount of wear, there is no wearing out this coat; ~си́ть(ся) to wear out; ~шенный threadbare, shabby.

изнур||е́ние exhaustion, extenuation; emaciation (*исхудание*); ination (*от голода*); swelter (*от жары*); ~ённый exhausted, extenuated, jaded, wan, spent; emaciated (*исхудалый*); faint with hunger (*голодный*); worn out with fever, wasted (*лихорадкой*); ~и́тельный wasting; exhausting, trying (*день*); ~и́ть, ~я́ть to exhaust; to overwork, overdrive, overtax (*работой, налогами*), wear out.

изнутри́ from within; дверь была заперта и. the door was fastened on the inside.

изны||ва́ть, '~ть *см.* изнемогать; to pine, waste, languish; *фиг.* to die.

изо I. *см.* из; и. всех сил with all one's strength; with might and main; и. дня в день day in day out; day by day.

изо II. *в слжн.* изобразительных искусств; ~кружок circle for the study of fine arts.

изоба́ра *физ.* isobar.

изоби́л||ие abundance, plenty, profusion; wealth; luxuriance (*о волосах, растениях*); в ~ии in plenty; por ~ия horn of plenty; cornucopia (*особ. в изобразительных искусствах*); ~овать to abound; to teem (*with*) (*рыбой и пр.*); ~ьный abounding, plentiful, copious, luxuriant, teeming (*with*).

изоблич||а́ть to convict, detect; to expose, disclose, unmask, unveil (*лицемера и пр.*); to accuse; и. во лжи to give one the lie; ~е́ние conviction, detection, accusation, impeachment, unmasking; ~ённый convicted, accused, detected, unmasked; ~и́тель accuser; ~и́тельный accusing, convicting, detecting; ~и́ть *см.* изобличать.

изобра||жа́ть to represent, depict, picture, render; to portray (*к.-л.*); to personate (*театр.*); и. из себя филантропа to figure as a philanthropist; и. к.-л. без прикрас to paint one with his warts; и. правдиво (лживо) paint in true (false) colours; он не такой дурак, каким вы его ~жа́ете he is not the fool you make him; он не так плох как его ~жа́или he is not so black as he is painted.

изобра||же́ние picture; image (*реже*); rendering, representation (*действие*); ~зи́тельный descriptive, imitative; ~зи́тельные искусства imitative (figurative *или* pictorial and plastic) arts; ~зи́ть *см.* изображать.

изобрести́ *см.* изобретать.

изобрета́тель inventor; ~ница inventress; ~ность inventive capacity, contrivance; resourcefulness (*житейская*); ingenuity (*ловкость*); ~ный resourceful, ingenious; рабочее ~ство workers' invention.

изобре||та́ть to invent, devise; ~те́ние invention, device contrivance; век великих ~те́ний the age of great inventions.

Изоги́з (*Государств. издательство изобразит. искусств*) State Publishing House of Works of Plastic and Pictorial Arts.

изо́гнут||ость curvature, flexion; ~ый bent, curved; '~ь *см.* изгибать; '~ься to bend oneself.

изого́н||а *физ.* isogonic line; ~и́ческий isogonic.

изодинами́ческий *физ.* isodynamic.

изо́дра||нный torn, rent, lacerated; '~ть to tear, rend; to lacerate (*ударами*).

изойти́ *см.* исходить.

изоклин||а *физ.* isoclinal line; ~и́ческий isoclinical.

изолга́||ться to become an arrant (incorrigible) liar; и. вконец to become entangled in one's own (net of) lies; ~вшийся человек an inveterate liar.

изол||и́рованный isolated; ~и́ровать to isolate; *техн.* to insulate (*провод*); to quarantine (*в карантине путешественников, больных и проч.*); ~и́рующий isolating; insulating; ~я́тор insulator (*эл.*); isolation ward (*в больнице*); solitary confinement cell (*в тюрьме*); ~яцио́нный isolation (*attr.*); ~я́ция isolation, insulation; quarantine; заключение со строгой ~цией imprisonment with strict isolation.

изо||ме́рный isomeric; ~метри́ческий isometric(al); ~морфи́зм isomorphism; ~мо́рфный isomorphous; ~но́мия isonomy; ~периметри́ческий isoperimetrical.

изо́рва||нный torn, tattered, ragged; '~ть to tear, rend; ~ть в клочья to tear to pieces.

изо||сейсми́ческий isoseismal; ~те́ра, ~тери́ческий isotheral; ~

тéрма isotherm; ∼термúческий isothermal; ∼тóпы *хим.* isotopes; ∼химéна isocheim; ∼химéнный isocheimal, isocheimenal; ∼хроматúческий, ∼хрóмный isochromatic; ∼хрóнный isochronous.

изощр∥éние exercise, invention, inventiveness; refinement of cruelty (*в пытках*); ∼ённый refined; ∼яться to outdo oneself, to excel (*in*), to practise, cultivate.

из-под from under; и. носа from under one's nose; бутылка и. винá a wine-bottle; ящик и. мыла soap box; дéлать и. пáлки to do something under the lash.

изразéц tile; ∼цóвый (made) of tiles.

Изрáиль Israel; и∼ский Israelitish, Israelitic; и∼ский нарóд Israel, tribe of Israel.

изрáни(ва)ть to cover with wounds.

израсхóдова∥ть to spend, lay out; to use (*материалы*); ∼ться to spend too much (*о трате денег*); я ∼лся I am short of money (hard up).

úзредка rarely, seldom; from time to time, now and again, now and then.

изрéз(ыв)ать to cut (to pieces).

изре∥кáть to utter, pronounce; ∼чéние aphorism, dictum (*pl.* dicta), saying, saw, adage, maxim; '∼чь *см.* изрекáть.

изрешетúть to pierce in many places; to riddle with bullets (*пулями*).

изруб∥áть, ∼úть to cut; to mince (*на мелкие части, напр. мясо*); to chop, hack (*топором*); '∼ленный cut, hashed, chopped, minced (*см.* изрубáть).

изругáть *см.* выругáть.

изрывáть to dig (all over, everywhere).

изрыг∥áть, ∼нýть to reject, regorge, regurgitate, disgorge; to vomit, throw up (*пламя и пр.*).

изрыскать to rush about, to hunt for (*в поисках*).

изры∥тый dug all over; ∼тое óспой лицó a face pitted (marked) with smallpox; ∼ть to dig (all over, everywhere).

изрядн∥ый: надо быть ∼ым дураком, чтобы это сдéлать one must be a jolly fool to do it; ∼ое колúчество a large quantity, a fair amount; ∼о *уст.* tolerably, rather, fairly well; not so badly; я ∼о устáл I am jolly well tired.

изувéр wild fanatic; ∼ство wild fnaticism.

изувéч∥ение mutilation, maiming; ∼ить to maim, mutilate.

изукрá∥сить, ∼шивать *см.* украшáть.

изум∥úтельный wonderful, amazing, stupendous; stunning (*sl.*); ∼úть(ся) *см.* изумлять(ся); ∼лéние amazement; surprise; wonder (*слабее*); consternation (*с оттенком ужаса*); ∼лённый surprised, astonished, wonder-struck; dumbfounded (*остолбенéлый*); ∼лять to surprise, amaze; ∼ляться to be surprised (amazed, astonished), to wonder (*at*).

изумрýд, ∼ный emerald.

изурóдова∥ние mutilation, maiming; ∼нный mutilated, maimed; crippled (*искалéченный*); ∼ть to mutilate, maim, cripple.

изýстно orally, by word of mouth.

изуч∥áть to study, learn; ∼éние study; ∼úть *см.* изучáть.

изъе∥дáть *хим., мед.* to corrode; to eat away, gnaw; '∼денный eaten, corroded; moth-eaten (*молью*).

изъéз∥дить to travel; и. весь свет to travel all over the world; to be a globe-trotter (*о любителе-путешественнике*); ∼женная дорóга well-beaten track.

изъéсть *см.* изъедáть.

изъявúтельное наклонéние *гр.* indicative mood.

изъяв∥úть, ∼лять to express, testify; и. соглáсие to express consent.

изъязвлéние *мед.* ulceration.

изъязвлённый ulcered, ulcerous.

изъян 1. defect, fault; 2. damage, loss.

изъясн∥éние, ∼úть, ∼ять *уст. см.* объяснéние, объяснúть, объяснять.

изъя∥тие exception, exclusion, exemption, withdrawal; immunity (*юр.*); immobilization (*монеты из обращéния*); ∼ть to exclude, except, expunge; to immobilize (*монéту*); to confiscate (*цéнности*); ∼ть кнúгу из продáжи to withdraw a book from the market, to suppress a book.

изыскáние investigation, search; exploration (*в неисслéдованной странé*); и. желéзной дорóги preliminary survey of a railway-line; дéлать и. *горн.* to prospect.

изыскан∥ость refinement; daintiness (*о людях—в плáтье, манéрах*); ∼ый refined, dainty; exquisite, artistic (*о вкусе*); ∼ые манéры perfect (courtly) manners.

изыск‖**а́ть**, '∼**изать** to try to find; и. новые пути to discover new ways (*тж. фиг.*); и. средства to try to find means.

изю́бр *зоол.* Manchurian deer.

изю́м raisin(s), plum; sultana (*без косточек*).

изю́мин‖**ка** *см.* изюм; в нём ∼ки нехватает there is something lacking in him, there is no go (zest) in him.

изя́щ‖**ество** elegance, refinement (*одежды, стиля*), smartness (*одежды*), grace (*фигуры*); ∼**ный** elegant, smart, refined, graceful; svelte, slim (*стройный*); ∼**ная** литература, fiction (*and* poetry), belles-lettres; ∼**ные** искусства fine arts.

Иису́с *рел.* Jesus.

ик‖**а́ть** to hiccup (hiccough); я ∼**а́ю** I've got the hiccups.

ИККИ (*Исполнительный комитет коммунистич. интернационала*) Executive Committee of the Communist International.

икну́ть *см.* икать.

ико́н‖**а** *рел.* icon, (sacred) image; ∼**обо́рец** iconoclast; ∼**обо́рство** *ист.* iconoclasm; ∼**огра́фия** iconography; ∼**описец** painter of images (icons); ∼**опись** painting of images (icons); ∼**оста́с** iconostasis.

икоса́эдр *геом.* icosahedron.

ико́та hiccup (hiccough).

икра́ I. calf (*ноги*).

икр‖**а́** II. (*рыбья*) roe, hard roe, spawn; caviar(e) (*для еды*); ∼**и́нка** roe-corn; ∼**омета́ние** spawning.

икс *мат.* икать; и.∼**лучи́** x-rays.

ил silt, slime; канал затянуло ∼**ом** the channel is silted up.

и́лем *бот.* elm.

и́ли or; either or; вы и. я you or I; и. вы меня не понимаете? don't you understand me?; и. вы ослепли, что этого не видите? are you blind that you do not see this?; и. вы и. я either you or I; и. входите и. выходите either come in or go out; и. ... и. either... or.

Илиа́да Iliad.

Илио́н *ист.* Ilium.

и́листый silty, slimy.

Иллино́йс Illinois.

иллюз‖**иони́зм** illusionism; ∼**иони́ст** illusionist; '∼**ия** illusion, delusion (*обман*); phantom; утрати́ть '∼**ии** to be disillusioned, disenchanted; ∼**о́рный** illusive, illusory.

иллюмин‖**а́т** illuminate (*pl.* -ti); ∼**а́тор** *мор.* bull's eye, illumina-

tor; ∼**а́ция** illumination; ∼**и́ро**вать to illuminate (*освещать; украшать цветными рисунками рукопись*).

иллюстр‖**ати́вный** illustrative, illustrating (*о материале и т. п.*); ∼**а́тор** illustrator, designer (*рисовальщик*).

иллюстр‖**ацио́нный** *см.* иллюстративный; ∼**а́ция** illustration, picture; ∼**и́рованный** illustrated, pictorial (*газета, журнал*); ∼**и́рованное** периодическое издание pictorial; ∼**и́рованные** журналы illustrated magazines.

ило́т helot.

иль *см.* или.

ильм *бот.* elm.

И́льмень Lake Ilmen.

им 1. by him; 2. (to) them.

имажини́зм imaginism.

имби́рь ginger.

име́ние estate, property, landed property, possessions.

именин‖**ник** one whose name-day it is; ∼**ный** name-day (*attr.*); ∼**ный** пирог name-day cake; ∼**ы** name-day.

имени́тельный паде́ж *гр.* nominative case.

имени́т‖**ость** *уст.* worthiness; notability (*реже*); ∼**ый**: ∼**ый** купец rich, wealthy merchant; ∼**ый** гражданин respected citizen.

и́менно just; а и. (*перед перечислением*) namely, to wit; videlicet (*обыкн. сокр.* viz.); вот и. just so; that's it; quite so; вот и. это я и говорил just what I was saying; э́тот и. случай (just) that very case.

именно́й nominal.

именова́ние denomination, name.

имено́ванное число́ *мат.* concrete number.

именова́ть to name, call, address; ∼**ся** to be called, named; to bear the name of.

име́‖**ть** to have; to possess; to have got (*разг.*: I've got a dog); и. бойкий, острый язык to have a glib (sharp) tongue; to have one's tongue well oiled; и. в виду to bear in mind; и. вкус to taste (*о пище*); и. возможность be in a position to; и. голову на плечах to have one's head screwed on the right way; to know what's what; и. горький (сладкий) вкус to have a bitter (sweet) taste, to taste bitter (sweet); и. запах to smell (of); и. значение to matter; to be of importance (consequence); и. интервью с кем-либо to interview somebody; и. место to take place; to occur, happen; и. недостаток (*в ч.-л.*) to want, lack, suffer from absence (shortness, shortage) (*of*); to need, be short of; be out of; и. притязания to claim, lay claim (*to*); to pretend (*to*), aspire (*to*); и. силу to be valid, to come into force (*с какой-л. даты*); и. ч.-л. на сохранении to hold in trust; не и. друзей to be friendless; не и. ни друзей ни родных to have neither kith nor kin; не и. значения not to matter; это не ⁓ет значения it does not matter, it is of no consequence; я не ⁓л в виду I did not mean (*this, that, it*); it was not my intention (*to*).

име́‖**ться** to be, to have; здесь ⁓ется (не ⁓ется) рестора́н(а) there is a (there is no) restaurant here; у меня ⁓ется его расписка I have (possess) a receipt of his; не ⁓ться not to be had.

и́ми by them.

имит‖**а́тор** imitator; ⁓**а́ция** imitation; ⁓**и́ровать** to imitate.

имма́н‖**ентн**‖**ость** immanency; ⁓**ый** immanent.

иммигра́‖**нт** immigrant, refugee (*беженец*); ⁓**ция** immigration.

имморте́ль *бот.* immortelle.

иммуни‖**за́ция** immunization; ⁓**зи́ровать** to immunize; ⁓**те́т** *юр., мед.* immunity (*from*).

императи́в imperative; категори́ческий и. *филос.* categorical imperative.

импер‖**а́тор** emperor; ⁓**а́торский** imperial; ⁓**атри́ца** empress.

империа́л *ист.* imperial (*монета*); roof, top, outside (*экипажа*).

империал‖**и́зм** imperialism; вои́нствующий и. militant (aggressive) imperialism; ⁓**и́ст** imperialist; ⁓**исти́ческий** imperialistic.

импе́рия empire.

имперфе́кт *гр.* imperfect, past indefinite.

импоза́нтн‖**ость** impressiveness (*зрелища*); weightiness (*человека*); ⁓**ый** impressive; awe inspiring, weighty, imposing; striking, spectacular (*о зрелище*).

импони́ровать to impress, to strike. to impose upon.

и́мпорт import, importation; ⁓**ёр** importer; ⁓**и́ровать** to import; ⁓**ный** imported.

импоте́нт impotent; ⁓**ость** impotence; impotency; ⁓**ный** impotent.

импресса́рио impresario; organizer of public entertainment.

импрессион‖**и́зм** impressionism; ⁓**и́ст** impressionist; ⁓**и́стский** impressionistic.

импрови‖**а́тор** improvisator; ⁓**а́торский** improvisatory; ⁓**а́ция** improvisation; ⁓**и́рованный** improvised; extempore; impromptu; ⁓**и́рованная** речь an extempore speech; ⁓**и́ровать** to improvise; extemporise.

и́мпульс impulse, impetus; ⁓**и́вный** impulsive.

иму́щ‖**ественный** property (*attr.*); и. ценз property qualification; ⁓**ественные** отношения proprietary relations; ⁓**ество** property; stock (*в товаре*); всё своё ⁓**ество** all his goods and chattels; госуда́рственное ⁓**ество** state property; дви́жимое ⁓**ество** personal (movable) property (estate); захва́ченное ⁓**ество** prize (*военным судном и пр.*); *см.* дви́жимый, недви́жимый; опись ⁓**ества** inventory; ⁓**ий** well off, wealthy.

ИМЭЛ (*Институт Маркса—Энгельса—Ленина*) Marx, Engels and Lenin Institute.

и́м‖**я** 1. name; вымышленное, присвоенное и. an assumed name; nom-de-plume (*писателя*), stage-name (*актёра*), professional name; во и. in the name of; во и. здра́вого смы́сла in the name of common sense; как ваше и.? what is your name?; посла́ть на чьё-л. и. to address to...; называть вещи свои́м ⁓**енем** to call a spade a spade; называть по ⁓**ени** to call, to address by name; я говорю́ от ⁓**ени** Б. I'm speaking on behalf of B.; 2. *гр.* noun; и. прилага́тельное adjective; и. существи́тельное нарица́тельное common noun; и. существи́тельное отвлечённое abstract noun; и. существи́тельное со́бственное proper noun; и. числи́тельное numeral adjective; 3. *фиг.* reputation, renown; замара́ть своё и. to stain (ruin) one's reputation (good name); человек с ⁓**енем** an eminent, well-known man; a man of repute.

инакомы́слящий *уст.* heterodox.

ина́че otherwise, differently (*не так*); otherwise, or else (*а то*); бегите, и. вы опозда́ете run, or else you will be late; думает так, а действует и. he acts differently from what he thinks; his acts belie his thoughts; этого нельзя́ было сде́лать и. there was no other way of doing it.

инвалид invalid; и. войны disabled soldier; и. труда disabled worker; ~ность invalidity; ~ный invalid (*attr*.).

инвен.áр‖ный inventory; ~ная опись inventory; ~ь inventory, stock; stock-in-trade (*торговый*); live stock (*живой*); dead stock (*мёртвый*); agricultural implements (*с.-х.*); проверить (составить) ~ь to inventory; to (take) stock.

инве́рсия *гр.* inversion.

инвеститу́ра investiture.

ингаля́й‖тор inhaler; ~ция inhalation.

ингредие́нт ingredient.

Ингуше́тия Ingushetia.

Инд the Indus.

индеве́ть *см.* заиндеветь.

индеец *амер.* Indian, Red Indian (*краснокожий м. и ж.*).

инде́йка turkey-hen; жареная и. roast turkey.

инде́йский Red Indian.

индекс index (*в книге*); и. зарплаты (цен) index (figure average) of wages (prices).

индетермини́зм *филос.* indeterminism.

индиа́нка squaw; *см.* индеец.

индиви́д individual.

индивидуали‖за́ция individualization, individuation; ~зи́ровать to individualize; '~зм individualism; '~ст individualist; ~сти́ческий individualistic.

индивиду́аль‖ность individuality, personality; ~ный individual, personal, peculiar; ~ая особенность peculiarity; ~ое хозяйство individual farm, holding.

индиви́дуум *см.* индивид.

инди́го indigo; ~вый indigotic.

индие́ц *см.* индус.

и́ндий *хим.* indium.

инди́йский *см.* индусский.

Инди́йский океа́н the Indian Ocean.

индика́тор indicator; ~ный indicated; количество ~ных лошадиных сил indicated horse-power (*сокр.* i. h. p.).

индиферент‖и́зм indifferentism; '~ность indifference; '~ный indifferent.

И́ндия India.

и́ндо-‖ари́йский Indo-Aryan; ~германский Indo-Germanic; ~европеи́зм Indo-Europeanism; ~европе́йский Indo-European.

и́ндо‖-Кита́й Indo-China; ~кита́йский Indo-Chinese.

индосс‖а́мент *комм.* (e-)indorsement, indorsation; ~а́нт endorser; ~а́т endorsee; ~и́ровать to endorse.

Индоста́н Hindustan.

индук‖ти́вный inductive; '~тор inductor; '~ция induction (*эл. и пр.*); influence (*эл.*).

индульге́нция indulgence, dispensation.

инду́с Hindoo, Hindu, Indian (*native of India*); ~ский Hindoo, Hindu (*attr.*).

индуста́ни *см.* урду (*сев.-инд. мусульманин и его язык*).

индустри‖ализа́ция industrialization; и. народного (сельского) хозяйства industrialization of National (rural) Economy; и. страны industrialization of the country; ~ализи́ровать to industrialize; ~а́льный industrial; ~а́льный рабочий industrial worker; an operative; ~а́льная база industrial base.

индустри́я industry; лёгкая (тяжёлая) и. light (heavy, machine) industry.

индю́‖к turkey, turkey-cock; ~шка turkey-hen; ~шо́нок turkey-poult.

и́ней hoar-frost; white frost; rime.

ине́рт‖ность inertness, inaction, passiveness, passivity; ~ый inert, inactive, nerveless, passive, languid.

ине́рци‖я inertia; по ~и by inertia.

инже́ктор *техн.* injector.

инжене́р engineer; гражданский и. civil engineer; корабельный и. naval engineer; ~ный engineering; ~ное искусство engineering; ~ные войска engineer corps; ~но-техни́ческая секция Engineering-Technical Section.

инжи́р fig.

инициа́л initial (letter); ~ы initials.

инициат‖и́ва initiative; творческая и. creative initiative; по своей собственной ~и́ве on his own initiative; взять на себя ~и́ву to take the initiative (*in doing*); ~и́вный initiative; ~и́вная группа initiatory group; '~ор initiator, organizer, inciter,* pioneer, inspirer.

инкасса́тор collector.

инквизи́й‖тор inquisitor; великий и. Grand Inquisitor; ~ цио́нный inquisitorial; ~ция inquisition.

инкорпора́ция incorporation.

инкриминировать to incriminate, accuse (*of*), charge (*with*).

инкруст‖**ация** incrustation; ~**ированный** inlaid; encrusted (*реже*); ~**ировать** to encrust, inlay.

инкуба‖**тор** incubator; ~**торный** incubatory; ~**ционный** incubative; ~**ция** incubation, period of incubation.

инкунабулы incunabula (*pl.*) (*книги, напечат. до 1500 г.*).

инове́р‖**ец** heterodox, of different religion; ~**ие** heterodoxy; ~**ный**, ~**ческий** *см.* иноверец.

иногда sometimes, occasionally, now and then, at times; now and again, once in a way (*изредка*).

ино‖**городный** of another town; inhabitant of cossack village not belonging to the cossacks; ~**земец** foreigner, stranger; ~**земный** foreign, outlandish.

ино́‖**й** some (*какой-л.*); other (*другой*); и. раз sometimes; никто и. как по none but he, none other than he; это ~е дело this is another affair.

ино́к *рел.* monk; ~**иня** nun.

инокул‖**ировать** to inoculate; ~**яция** inoculation.

иноплеме́нн‖**ик** person of another nationality (*in Tsarist Russia*); ~**ый** foreign, strange.

иноро́д‖**ец** *уст.* non-Russian (*in Tsarist Russia*); ~**ный** foreign.

иносказа́тельный allegorical, parabolic(al).

иностра́н‖**ец** foreigner; ~**ный** foreign.

иноходец ambler, pacer.

иноходь pace; *амер.* fox trot.

иноязы́чный of another (belonging to another) language.

инсину‖**ация** insinuation; ~**ировать** to insinuate, to imply, to convey the impression (*that*); to hint (suggest) indirectly.

инсоля́ция *техн.* insolation; *мед.* sunstroke.

инспе́к‖**тор** inspector; и. (охраны) труда labour-inspector; финансовый и. tax assessor; ~**торский** inspectorial; ~**ция** inspection; Рабоче-крестьянская ~**ция** Workers' and Peasants' (Board of) Inspection.

инспир‖**а́тор** inspirator (*аппарат*); ~**ированный** inspired (*о статье и пр.*); ~**ировать** to inspire.

инста́нци‖**я** *юр.* instance; высшая, последняя и. last resort; суд первой ~**и** court of first instance; по ~**ям** from stage to stage,

through all the (necessary) stages.

инсти́нкт instinct; ~**ивный** instinctive; ~**ивно** instinctively.

институ́т institute; educational institution; и. коллегии защитников body of Soviet lawyers; И. красной профессуры Institute of Red Professors; научно-исследовательский и. Institute for Scientific Research; педагогический и. Pedagogic(al) Institute, Teachers' Training-College; технологический и. Institute of Technology; ~**ка** *уст.* girl pupil of a closed institution (*in Tsarist Russia*) for the privileged classes.

инструкта́ж instructions.

инструк‖**ти́ровать** to instruct, advise, direct; '~**тор** instructor, adviser; '~**ция** instruction, order.

инструме́нт instrument (*мед., муз. и пр.*); tool (*ремесл.*); implement (*с.-х.*); edge-tool (*острый*); intrenching tool (*шанцевый*); ~**али́ст** *муз.* instrumentalist; ~**альный** instrumental; ~**альная сталь** tool steel; ~**о́вка** *муз.* instrumentation.

инсур‖**ге́нт** insurgent, rebel; ~**рекцио́нный** insurrectional.

инсцени́р‖**овать** to dramatize, stage; ~**о́вка** dramatization, staging.

интегр‖**а́л** *мат.* integral; ~**альный** integral; ~**альное исчисление** integral calculus; ~**а́ция**, ~**и́рование** integration; ~**и́ровать** to integrate.

интелле́кт intellect; ~**уализм** intellectualism; ~**уали́ст** intellectualist; ~**уа́льность** intellectuality; ~**уа́льный** intellectual.

интеллиге́нт educated person; intellectual; ~**ный** educated, cultured.

интеллиге́нция intelligentzia.

интенда́нт *воен.* Commissary; ~**ство** Commissariat.

интенси́в‖**ность** intensiveness; ~**ный** intensive; intense (*о чувстве*).

интенсифика́ция intensification.

интерва́л interval.

интерве́н‖**т** intervener; ~**ция** intervention; угроза ~**ции** the menace of intervention.

интервью́ interview; ~**и́ровать** to interview.

интерди́кт interdict.

интере́с interest, profit; захватывающий и. absorbing interest; какой же мне-то и.? how do I profit by it?; what do I gain by (get out of) it?; where do I come in?; слушать с ~ом to listen with interest; в ваших ~ах пойти it is to your interest to go; в моих ~ах сделать это it suits me to do it, it is profitable for me to do it, I gain by doing it; я делаю это в ваших ~ах I do it in your interest; ~ный interesting; attractive, striking (*о наружности*); в ~ном положении in the family way (*о женщине*); шкатулка ~ной работы a casket of curious workmanship; ~но, где он? I wonder where he is; не ~но uninteresting.

интерес||ова́ть to interest; это вас ~у́ет? does this interest you?; ~ова́ться to be interested (*in*), to take interest (*in*); не ~ова́ться not to be interested (*in*), to take no interest (*in*); not to care a straw (*sl.*); он не ~у́ется теа́тром the theatre has no attraction for him.

интер||лю́дия interlude; ~ме́дия, ~ме́ццо intermezzo.

интерна́т boarding school.

интернациона́л international; the Internationale (*гимн*); Коммунисти́ческий и. Communist International; Коммунисти́ческий и. молодёжи Young Communist International; Тре́тий и. Third International; ~иза́ция internationalization; ~изи́ровать to internationalize; ~и́зм internationalism; ~и́ст internationalist; ~ьность internationalism; ~ьный international; ~ьная солида́рность international solidarity.

интерни́ровать to intern.

интерпелля́ция interpellation.

интерпо||ли́ровать to interpolate (*текст*); ~ля́ция interpolation.

интерпрет||а́ция interpretation; ~и́ровать to interpret.

интерфере́нция *физ.* interference.

инти́мн||ость intimacy; ~ый intimate.

интон||а́ция intonation; ~и́ровать *см.* тони́ровать.

интри́г||а intrigue, plot, machination; любо́вная и. a (secret) love-affair, entanglement; вести ~у *см.* интриго́вать; ~а́н intriguer; designing, scheming person; plotter; ~ова́ть to intrigue; plot, scheme, lead (carry on) an intrigue (*against*) (*против кого-л.*); to mystify (*заинтриговать*).

интроду́кция introduction.

интроспек||ти́вный introspective; ~ция introspection.

интуи||ти́вный intuitive; ~ция intuition, instinct; insight.

инфа́нт infante; ~а infanta.

инфанте́рия infantry.

инфанти́ль||ность infantility; ~ный infantile.

инфек||цио́нный infectious, contagious, catching; ~ция infection, contagion.

инфильтра́ция infiltration.

инфинити́в *гр.* infinitive (mood).

инфлуэ́нца influenza; *разг.* flu(e); grippe.

инфлюэ́нтн||ый: ~ая линия *мех.* influence line.

инфля́ция inflation.

информ||а́тор informer; intelligencer (*шпион-осведомитель*); ~ацио́нный informative.

информ||а́ция information; ~и́ровать to inform.

инфракра́сный *физ.* infra-red.

инфузо́р||ии infusoria (*pl.*); ~ная земля́ infusorial earth.

инциде́нт incident.

инъе́кция injection.

ио́д iodine; ~истый ка́лий (натр) potassium iodide (sodium iodide).

ио́н ion.

иони́ец Ionian.

иониза́ция ionization.

иони́ческий Ionic.

ио́нн||ый ionic; ~ая тео́рия ionic theory.

Йо́рк York.

ио́т||а iota, jot; ни на ~у not a jot, not a bit, not a whit.

ипекакуа́на *мед.* ipecacuanha.

ипоте́||ка mortgage; ~чный hypothecary.

ипохо́ндри||к hypochondriac; ~я hypochondria, morbid depression.

ипподро́м hippodrome, race-course.

иприт *хим.* mustard gas.

Ира́н Iran.

и́рбис *зоол.* ounce.

ир благово́нный *бот.* calamus.

ири́дий *хим.* iridium.

и́рис *бот.* iris, fleur-de-lis; *амер.* flower-de-luce; *см. тж.* касати́к; kind of toffee (*конфета*).

Ирку́тск Irkutsk.

ирла́ндец Irishman.

Ирла́ндия Ireland; Irish Free State (*Ирл. своб. государство*).

ирла́нд||ка Irishwoman; ~ский Irish.

иро́н||изи́ровать to speak ironically; ~и́ческий ironic(al); ~ия irony; по ~ии судьбы́ by the irony of fate.

иррадиа́ция irradiation.

иррациона́льн‖ость irrationality; **~ый** irrational; **~ое число** irrational number, surd.

иррегуля́рный irregular.

ирригá‖тор irrigator; **~ция** irrigation.

Ирты́ш the Irtish.

иск suit, action, claim; **и. по делу об оскорблении действием** an action for assault and battery; **и. по делу о клевете** a libel action; **встречный и.** cross-demand; **начать и.** to enter an action (against); **предъявить и.** to sue, go to law, prosecute, bring in an action (against); **сторона, предъявляющая и.** prosecution; **отказать в ~е** to reject.

иска‖жáть to alter, distort (истину, лицо); to jam (радиопередачу); to butcher (текст; музыку исполнением); to misrepresent; to mutilate, pervert; **~жéние** disfiguration, alteration, jamming; butchering; misrepresentation; mutilation, perversion (см. искажать); **~жéние истины** distortion of the truth; **~жéние партийной линии** distortion of Party line; **~жённый** disfigured, altered, distorted, jammed; warped (о взглядах и пр.); twisted (о чертах); **~зи́ть** см. искажать.

искалéчить см. калечить.

искáлывать to prick all over (булавкой); to stab all over (кинжалом).

искáни‖е search, quest; **~я** searchings.

искáтель searcher, seeker; aspirer; техн. finder; **и. жемчуга** см. жемчуг; **и. приключений** adventurer, soldier of fortune (авантюрист); **и. руки** suitor; **~ница приключений** adventuress; **~ный** humble, lowly; **~ство** suit; solicitation (просьба).

искáть to look for, search for; to seek; см. предъявить иск; **и. глазами** to seek with the eyes; **и. помощи** to seek help; **и. работы** to look for a job; **и. утешения** to seek consolation.

исключá‖ть to exclude, except (из организации и пр.); to expel, turn out (из учебного заведения); to strike off (из списка); **~я** except, excepting, with the exception of; **~я присутствующих** present company excepted; **не ~я никого** without excepting anyone.

исключéни‖е exception (из грамматич. правила и пр.); expulsion, exclusion (из организации);

и. из партии (из союза) expulsion from the party (from the union); **и. из списка** (the fact of) being struck off the list; **сделать и.** to stretch a point; **в виде ~я** for once, for this once; **без ~я** without exception; **за ~ем** такого-то except (save) so-and-so; **so-and-so ~я** только подтверждают правило the exception proves the rule.

исключи́тельн‖ый exceptional; wonderful (человек); **~ое право** monopoly; patent (на изобретение); **~о** only, solely (только).

исключи́ть см. исключать.

исковéрка‖ть to spoil, distort, mutilate; **~нное слово** corrupted word.

исковó‖й: **~е прошéние** statement of claim.

исколесúть см. изъездить.

исколотúть см. избить.

исколóть см. искалывать.

исколопмáтить разг. to pound into jelly.

искóмкать to crumple, crush.

искóм‖ый sought for; **~ое число** number sought for; unknown quantity.

исконú см. испокон веков.

искóнный primordial.

ископáем‖ый, **~ое** mineral; fossil (окаменелость).

ископáть to dig all over.

искореня́‖ние eradication; **~ть**, **~я́ть** to disroot, extirpate, exterminate; eradicate (зло и пр.); to destroy, deracinate.

úскоса askance, askew, askant; **взгляд ~** sidelong glance.

úскр‖а spark(le), flash; **и. надежды** a glimmer of hope; **последняя и. жизни** the last embers of life; **промелькнуть как и.** to flash past; **~ы из глаз сыплются** to see stars.

úскренн‖ий sincere, frank, candid, honest, true, straight, straightforward; unaffected (простой); genuine (о чувстве, но не о человеке); **~ее мнение** honest opinion; **~о** sincerely и пр.; **~о ваш**, **~о преданный вам** (в письме) yours faithfully; yours truly (более официально); yours sincerely (знакомым); yours affectionately (друзьям); **~о любящий** (в письме) with much love; your loving; **~ость** sincerity, frankness, truthfulness, straightforwardness, genuineness, candour (см. искренний).

искривú‖ть см. искривлять; **~лéние** bend, twist, curve; distortion; *фиг.* misinterpretation; ~ление партийной линии distortion of party directions; ~ление спинного хребта spinal curvature; ~лённый distorted (*искажённый*); curved, bent (*изогнутый*); ~лять to bend, curve, distort, twist; ~лять партийную линию to misinterpret (misunderstand, distort) party directions (orders, instructions).

искри́стый sparkling (*вино и пр.*); flashing (*взгляд*); scintillating (*мерцающий*).

и́скриться to sparkle, flash, scintillate.

искромётный *см.* искристый.

искромса́ть to cut into pieces, to mince; spoil, to make mince of.

искроши́ть, ~ся to crumb(le).

искупа́ть I. to bath (*в ванне*); to bathe (*в реке, озере*).

искупа́ть II. (*вину*) to expiate, atone (*for*), redeem.

искупа́ться to have, take a bath (*в ванне*); to bathe (*в реке*).

искуп|и́тель redeemer; saviour; ~и́тельная же́ртва sin-offering; peace-offering (*подарок после ссоры*); ~и́ть *см.* искупать; ~ле́ние expiation, atonement, redemption.

и́скус *рел.* temptation; seduction (*искушение*); trial, ordeal, test, proof (*испытание*); probation, novitiate (*о монахах*).

искуса́ть to bite all over, to bite very badly.

искуси́т|ель tempter; seductor; ~ельница temptress, seductress; ~ь *см.* искушать.

искусн|ик, ~ый skilful (*in*); clever (*at*), past master, dexterous, expert; marksman (*в стрельбе*); light-fingered (*в воровстве*); ~ая работа clever, artistic workmanship; ~о cleverly, dexterously, artistically.

иску́ственн|ость artificiality, artificialness; ~ый artificial, false; imitation (*жемчуг и пр.*); synthetic (*каучук и пр.*); ~о artificially; ~о питаемый (*ребёнок*) reared by hand; spoon-fed (*тж. фиг. о промышленности и пр.*).

иску́сств|о 1. art; и. для ~а art for art's sake; изя́щные (изобрази́тельные) ~а fine arts; 2. skill, proficiency, craft (*умение*); military art, generalship (*военное*); seamanship (*морское*); workmanship (*ремесленное*); marksmanship (*стрелковое*); jewellery (*ювелирное*); ~ове́дение the study of art.

искуша́ть to tempt, try; и. свою́ судьбу́ to tempt providence.

искуше́ние temptation.

исла́м Islam.

исла́нд||ец Icelander; ~ский Icelandic.

испа́костить to befoul, to soil, spoil.

испа́нец Spaniard.

Испа́ния Spain.

испа́нка 1. Spanish woman; 2. *мед.* sort of influenza said to be brought from Spain.

испаре́ние evaporation, effluvium, exhalation; вре́дное и. noxious exhalation; miasma; ядови́тое и. poisonous emanation, mephitis.

испа́рин||а perspiration, sweat; броса́ть в ~у to throw into perspiration; вызыва́ть ~у to cause perspiration.

испар|и́тель *техн.* evaporator; ~и́ть(ся) *см.* испарять(ся); ~я́ть (-ся) to evaporate, exhale.

испаха́ть to plough all over.

испа́чкать *см.* запачкать.

испепе||ле́ние incineration; ~ли́ть, ~ля́ть to incinerate, to reduce to ashes.

испе́чь *см.* выпечь, спечь, печь.

испещр||ённый speckled, variegated, mottled; и. морщи́нами furrowed, wrinkled, wrinkly, lined; ~и́ть to speckle, variegate, mottle, spot.

испис||а́ть, '~ывать 1. to fill, cover with writing (*страницу и пр.*); 2. to use up (*карандаш*).

испи́сываться to outwrite one's reputation (*о писателе*); to write oneself out.

испито́й meager, lean, livid, hollow-cheeked.

испове́д||альный *церк.* confessional, confession-chair; '~а́ние faith, religion; '~ать(ся) *см.* исповедывать(ся); '~ник confessor; father confessor; '~ывать to profess (*веру*); '~ываться *рел.* to confess one's sins.

и́споведь confession.

и́сподволь without hurry; at leisure, leisurely, little by little, gradually, by degrees.

исподло́бья frowning(ly).

испо́дн||ий under (*attr.*); ~ее бельё underwear.

исподтишка́ quietly, stealthily, secretely, in an underhand way, on the sly.

испоко́н ве́ка from (since) time immemorial.

исполать *уст.* hail.

исполи́н giant; ~**ский** gigantic; huge.

исполко́м *см.* исполнительный.

испол‖**не́ние** accomplishment, fulfilment (*желания*); execution (*приказания*); performance, execution (*на муз. инстр.*); приводить в и. to carry into execution, to carry out; проверка ~**не́ния** control of the execution of given orders; ~**ни́мость** practicability, feasibility; ~**ни́мый** executable, feasible, practicable.

исполни́тель executor; ~**ный** punctual, careful, attentive (*в работе*); executive (*о власти*); ~**ный** комитет, исполком Executive Committee; ~**ные** органы executive organs.

исполн‖**ить**, ~**я́ть** to execute, fulfil, carry out; и. должность to execute the functions (*of*); и. желание to fulfil the wish (*of*); и. намерение to carry out one's intention; и. обещание to keep (redeem, make good) one's promise; и. приговор (приказание) to execute, carry out the verdict (order); и. просьбу to grant someone's request; и. роль to play the part (*of*); и. свой долг to do one's duty; ~**я́ющий** обязанности (*сокр.* и. о.) директора acting director; ~**иться**, ~**я́ться** to be filled, accompli shed, fulfilled; ему ~**илось** 21 год he is just 21, he was 21 last birthday; he is (only just) of age (*только о возрасте, дающем гражд. зрелость*); моё сердце ~**илось** жалостью my heart was filled with pity; предсказание ~**илось** the prediction is (was) fulfilled.

исполосова́ть *см.* полосовать.

испо́льзова‖**ние** utilization; ~**нный** used up, consumed (*об энергии и пр.*); ~**ть** to use, make use (*of*), consume, profit (*by*); ~**ть** вовсю to make the most (*of*).

испо́ргить *см.* портить.

испо́рченн‖**ость** depravity, viciousness; corruption (*воздуха и пр.*); laxity (*нравов*); ~**ый** corrupt, depraved; vicious; vitiated (*о воздухе*); gone bad, high (*о мясе*), rotten (*о пр. продуктах*).

исправи́тельный correctional; и. дом reformatory; и. труд correctional labour (to reform people with antisocial inclinations) (*in the USSR*).

испра́в‖**ить(ся)** *см.* исправлять (-ся); ~**ле́ние** correction, repara-

tion, amendment, improvement; ~**ле́ние** календаря reform of calender; ~**ленный** corrected, improved, repaired (*починенный*); revised (*издание*); marked, corrected (*тетрадь*); reformed (*характер, преступник*); ~**ля́ть** to correct, rectify (*ошибку*); to repair (*чинить*); to reform, amend (*улучшать*); to revise (*исправлять читая*); to remedy, repair, redress (*зло, вину*); to put (set) right (*положение вещей*); ~**ля́ть** корректуру to read proofs; ~**ля́ть** ошибки (*в тетрадях*) to correct, mark; ~**ля́ть** ошибку to rectify an error; ~**ля́ть** ошибку *тип.* to banter a blemish; ~**ля́ть** почерк (произношение) to improve the handwriting (the pronunciation); ~**ля́ть** текст to revise; горбатого одна могила ~**ит** *посл.* ≅ can the leopard change his spots?; ~**ля́ться** to improve, become reformed, turn over a new leaf.

испра́вник *ист.* district police officer.

испра́ви‖**ость** punctuality, exactness; good condition (*of*) (*машины*); в полной ~**ости** in good working order (*о машине*); ~**ый** punctual, exact; in good working order.

испражн‖**е́ние** defecation, ejection, evacuation; ~**я́ться** to defecate, ease nature, evacuate (the bowels).

испра́шивать to solicit, beg.

испро́бовать to try, test, put to the test (*испытать*); to taste (*на вкус*); и. все возможности to leave no stone unturned.

испроси́ть *см.* испрашивать.

исп г fright, fear, shock, scare; funk, blue funk (*sl.*); ~**анный** frightened, scared, startled; ~**а́ть** to frighten, scare; startle; ~**а́ть** до полусмерти to scare the life out of one; ~**а́ться** to be (become) frighten d, scared, startled.

испуска́ть to emit (*звук*); exhale (*запах*); to give, utter (*вздох, крик*); и. дух to breathe one's last; to gasp life away (out); to give up one's last breath, to expire.

испыт‖**а́ние** trial, essay, test (*машины и пр.*); ordeal (*тяжкое*); probation, approval (*пригодности для работы*); examination (*экзамен*); выдержать и. to succeed, pass, to pass muster; быть на ~**а́нии** to be on probation (approval); ' ~**анный** tried, well-tried (*боец*); tested, tried (*машина*).

испыт‖а́тель investigator; ~а́тельный probationary (период); ~а́тельная станция probationary station; ~а́ть см. испытывать; ~у́емый examinee; ~у́ющий searching (о взгляде); '~ывать to try, test, essay; to bring to the test; to feel a pain (боль); to itch (зуд); to tax, try the patience (of) (терпение); sustain (потерю); ~ывать на опыте to try the experiment; ~ывать на что человек пригоден to put a person through his paces, to put to the test.

иссле́дование investigation, research, study (научное); examination (больного); exploration (страны); analysis.

иссле́доват‖ель investigator, explorer, researcher; ~ельский институт см. институт; ~ь to investigate, examine, search, inquire into, study (научно); to examine, probe (рану); to explore (страну).

иссо́хнуть см. иссыхать.

и́стари since olden days; of yore; и. ведётся it is an old custom.

истрада́ться to wear oneself out with suffering.

иступле́ние frenzy; delirium, raving (помешанного); rage (гнев); ecstasy, transport (восторг).

иссуш‖а́ть, ~и́ть to dry, wither, shrivel; to consume; фиг. to waste.

иссыха́ть to dry up, wither, shrivel.

иссяка́ть to dry up, ooze away; фиг. exhaust.

ист- сокр. исторический.

иста́птывать 1. to tread, trample (on, upon) (ногами); 2. to wear out (обувь).

истаска́ть to wear out.

иста́ять to melt, thaw; фиг. to waste away, pine.

истека́ть to elapse, expire (о времени); to bleed, lose blood (кровью); срок истёк the time is up; 20-го числа исте́кшего ме́сяца (в письмах) the 20th ultimo (сокр. ult.).

истере́ть см. истирать; ~ся: резинка истёрлась the india-rubber is worn out by rubbing.

истерза́ть to tear to pieces; фиг. to rend, torment.

истери‖ка hysterics; '~ческий, '~чный hysterical; '~я hysteria.

истеса́ть см. тесать.

исте́ц plaintiff, exacter, prosecutor, suitor; petitioner (особ. в бракоразводном процессе).

истече́ние outflow, efflux(ion); expiration (срока); мед. flux.

исте́чь см. истекать.

и́стин‖а truth, verity; избитая и. truism, hackneyed truth; ~ный true, veritable; ~но truly, verily.

истира́ть to grind, crush.

истле‖ва́ть to rot, to decay; '~ние rotting, decay, decomposition; '~ть см. истлевать.

истма́т historical materialism.

и́стов‖ый уст. earnest, fervent, ardent; ~о earnestly и пр.

исто́к effluxion, source.

истолкова́‖ние interpretation, explanation, commentary; ~тель interpreter, commentator.

истолков‖а́ть, '~ывать to interpret, explain, expound, comment.

истоло́чь to pound, crush, grind.

исто́м‖а lassitude, faintness; ~и́ть to exhaust, weary; ~и́ться to be faint, exhausted, weary, worn out; to suffer (from).

истопи́ть см. топить.

истопни́к stove-heater(-tender).

истопта́ть см. истаптывать.

исторг‖а́ть, '~нуть to extort, force (from), wrench, wrest.

исто́рийка anecdote.

исто́рик historian.

историогра́ф historiographer; ~ия historiography.

истори́ческий historic(al); и. материализм historical materialism.

исто́рия history; story, tale, yarn (рассказ, анекдот); вот так и.! разг. here's a pretty kettle of fish!; с ним случилась забавная и. a funny thing happened to him.

источа́ть to shed, spill, spout.

источи́ть to bore (о червях); '~енный червями worm-eaten.

исто́чник source, spring, origin, fountain; и. богатства фиг. gold-mine; и. болезни мед. nidus, cause; и. новостей centre (source) of news; и. осведомления a channel of information; литературный и. literary source; нефтяной и. oil spring; из хорошего ~а фиг. on good authority; ~и и пособия sources and authorities; ~и сырья sources of raw materials; из других ~ов фиг. from other quarters.

исто́шный: и. крик разг. a heart-rending cry.

истощ‖а́ть to drain, exhaust; to deplete (запасы, капитал); to work out (копи); to drain (здоровье); to exhaust (почву); to wear out, exhaust (терпенье); to grow thin (*похудеть*); ~**áться** to be (become) exhausted, worn out, worked out; ~**éние** exhaustion, emaciation; inanition (*от голода*); война на ~**ение** war of attrition; ~**ённый** exhausted, emaciated, worn out; ~**ённый войной** war-worn.

Истпáрт (*Комиссия по изучению истории партии*) Committee for the Study of the Communist Party History.

истрá‖тить *см.* тратить; ~**чено** spent.

истреб‖и́тель destroyer (*тж. судно*); ~**и́тельный** destructive; ~**и́ть** *см.* истреблять; ~**лéние** destruction, annihilation; ~**ля́ть** to destroy, exterminate, annihilate.

истрéбов‖ание demand, order; ~**ать** to demand, order.

истрепáть to wear out, wear into rags (*вещь*); to spoil, ruin, tear (*книгу*); и. нéрвы to rack (ruin) one's nerves; ~**ся** to be worn to rags, worn out; *фиг.* to be dead beat, run down.

истрéскаться *см.* трескаться.

истукáн idol, statue; что вы стоите тóчно и.? why are you standing there like a stone idol?

и́стый true, real, thorough.

исты́ка‖нный pierced through and through, riddled; ~**ть** to pierce through and through; to make holes.

истязá‖ние torture, rack, torment; ~**тель** torturer, tormentor; ~**ть** to torture, torment.

исхáживать to go all over a place; to tramp about (*за городом*).

исхарчи́ться *уст.* to spend all one's money on food.

исхлестáть *см.* хлестать.

исхлопотáть to obtain (by soliciting).

исхóд issue, outlet, result, way out, outcome; *библ.* Exodus; на ~**е** недéли about (by) the end of the week; на ~**е** пéрвого часá towards one o'clock; на ~**е** coming to an end.

исходáтайствовать *см.* ходатайствовать.

исходи́ть I. *см.* исхаживать.

исход‖и́ть II. to issue, proceed from (*из чего-л.*); to emanate (*о запахе*); to bleed (to death) (*кровью*); to cry one's heart out (*слезами*); ~**я́щая бумáга** outgoing paper.

исхóд‖ный initial; ~**ная тóчка** point of departure; *лит.* initial point.

исхудá‖вший, ~**лый** emaciated, thin, wasted; ~**ть** to become emaciated, thin, wasted.

исцарáпать to scratch (all over), to cover with scratches.

исцел‖éние healing, curing, cure, recovery; ~**и́мый** curable; ~**и́тель** healer; врéмя — великий ~**и́тель** time is a great healer; ~**и́ть,** ~**я́ть** to heal, cure.

исчáхнуть to waste away; to long, pine for (*о к.-л., о ч.-л.*).

исчезá‖ние *см.* исчезновение; ~**ть** to disappear, to go out of sight, vanish; fade away (*в тумане и пр.*); он исчéз во мрáке нóчи he went forth into the night; он исчéз из поля зрéния he passed out of sight; ~**новéние** disappearance; '~**нуть** *см.* исчезать.

исчерп‖áть, '~**ывать** to empty, drain, exhaust; '~**ывающее объяснéние** exhaustive (comprehensive, satisfactory) explanation; '~**ывающие дáнные** exhaustive evidence.

исчéр‖тить, '~**чивать** to streak, stripe, cover with lines.

исчисл‖éние calculation; дифференциáльное и. differential calculus; '~**ить,** ~**я́ть** to calculate.

исшали́ться to grow ungovernable, naughty (*о ребёнке*).

исша́рить to look (hunt) for something all over the place.

исщепáть to split.

итáк thus; now; now then; so; и., до свидáния and so good-bye.

Итáлия Italy.

итальн‖я́нец, ~**ский** Italian.

и т. д. (*и так далее*) etc.

итóг sum, total (number); result; в ~**е** on the whole, finally, to sum up; в конéчном ~**е** он потерял he was the loser in the end; ~**ó** altogether, in all.

ИТС *см.* инженéрно-техни́ческая сéкция.

итти́ to go, to come, to walk; и. беззвýчно to glide; и. в áрмию to join the army; и. вдоль бéрега to walk along the shore; to run, sail (*о паруснике*); go along the coast; и. вперёд to go forward (on); и. враздрóб to straggle; и. вслед за к.-л. to follow; и. грациóзно и быстро to trip, skip along; и. гуля́ть to go for a walk; и. инохóдью to pace; и. как по мáслу to get on swimmingly; и. к цéли to advance towards the accomplishment of one's purpose; to go forward towards one's aim (goal); to pursue an aim; и. на воéнную службу to enter the military service; и. навстречу (*в ч.-л.*) to respond to friendly advances, meet half-way; и. на дно to sink; и. назад to go back, return, retrace one's steps, turn back; и. в ногу с к.-л. to keep pace with; и. на уступки to compromise, make compromises; meet half-way; и. ощупью to grope; и. пешком to walk; go on foot (*реже*); и. под вёслами to row; и. по следам to follow (the tracks); и. против кого-либо to oppose; и. прямой дорогой to go straight on; и. с большим трудом to plod, trudge (*along*); и. с червей *карт.* to play hearts; и. тише to go slower, to slack one's speed, to slow down; и. 12 узлов в час to run twelve knots (an hour); идёт стройка building is going on; идёт «Юлий Цезарь» they are giving Julius Caesar; J. C. is on; идёт! agreed!; done!, right!; *разг.* right-oh!; его выздоровление идёт медленно his recovery is slow, he is recovering slowly; вода идёт на прибыль (убыль) the water is rising (receding); вопрос идёт об его жизни it is a question of his life, his life is at stake, his life is concerned; вот он идёт he is coming, here he is; время идёт time flies; всё идёт по-моему all is going on as I (should) wish it to; everything falls in with my wishes; вторая неделя идёт, как она уехала it is more than a week since she left; град идёт it hails; дождь идёт it rains; дорога идёт к лесу the road leads to the wood; зарплата идёт ему с 1/II his wages run from Feb. 1st; кто идёт? who goes here?; лёд идёт the ice is drifting; ливень идёт it is pouring with rain; молва идёт it is rumoured; there is a rumour (*that*); на это идёт 10 метров you need ten metres for this; на это идёт много денег it takes a lot of money; он долго не идёт he is long in coming; от деревни до города идёт лес a forest extends from the village to the town; от колоний в метрополию идёт сырьё the colonies export raw material to the metropolis; о чём идёт речь? what are you talking about?; поташ идёт на мыло potash is used in making soap; снег идёт it snows; товар плохо идёт these goods do not sell well; шляпа идёт вам this hat suits (becomes) you;

эта причёска идёт вам this way of doing your hair is very becoming; эта пьеса идёт 50 вечеров подряд this play has a run of 50 nights; дела идут плохо our affairs are in a sad state; часы идут хорошо this watch (clock) goes well (keeps good time); эти цвета не идут друг к другу these colours clash (do not go well together).

иудей Jew, Hebrew, Israelite; ⁓ский Judaic; ⁓ство Judaism.

их their, them.

ихневмон *зоол.* ichneumon.

йхний *диал.* their, belonging to them.

ихтиозавр ichthyosaurus.

ихтиолог ichthyologist; ' ⁓ия ichthyology.

ишак donkey, ass; hinny (*мул*).

йшиас *мед.* sciatica.

ишь *разг.* see!; и. ты! how d'you like that!

ищейка police-dog, sleuth-hound; blood-hound.

июль July.

июнь June.

К к to, towards; by; for; against; к вашим услугам at your service; к завтрашнему дню by to-morrow; к тому времени by then; к тому же at that, and then, besides, moreover; к чему? what for?; к чорту его! to hell with him!; держать к свету to hold to the light; когда мы приблизились к Лондону as we approached London; лицом к лицу face to face; любовь к музыке taste for music; наше доверие к нему our trust in him; он нашёл к своему ужасу he found to his dismay; прислониться к стене to lean against the wall; я пошёл к нему I went to him; я приду к трём часам I shall come about three o'clock.

-ка *частица, ставящаяся иногда после глаголов, особ. при повел. накл.:* скажи-ка мне just tell me, do tell me.

кааба Caaba.

кабак public-house, pot-house; *разг., сокр.* pub.

кабала bondage, serfdom, servitude; кулацкая к. kulak bondage.

кабал‖а cab(b)ala; ⁓истика cab(b)alism; ⁓истический cab(b)alistic.

кабальный: к. договор one-sided (enslaving) agreement.

кабан wild boar; ⁓ий boarish; ⁓йна brawn.

кабарга́ *зоол.* musk-deer.

кабарди́н‖ец, ~ка male (female) inhabitant of Kabarda.

Кабарди́но-Балка́рская автоно́мная Сове́тская Социалисти́ческая Респу́блика the Kabardino-Balkarian Autonomous Soviet Socialist Republic.

каба́тчик publican.

кабачо́к I. *бот.* egg-plant, aubergine.

кабачо́к II. *уменьш. от* кабак.

ка́бель cable; возду́шный к. overhead cable; подво́дный к. submarine cable; подзе́мный к. underground cable; ~тов (=*183 метра*) *мор.* cable's length; warp, cablet.

кабеста́н *мор.* capstan.

каби́на cabin; к. пило́та cockpit.

кабине́т study, closet; к. иностра́нных языко́в foreign language cabinet; к. мини́стров cabinet; зубовраче́бный к. dental office (department); приёмный к. врача́ consulting-room, surgery; физи́ческий к. physical cabinet; ~ный *фиг.* bookish, unpractical; ~ная фотографи́ческая ка́рточка cabinet photograph.

каби́нка *см.* каби́на.

каблогра́мм‖а cablegram, cable; посыла́ть ~у to cable.

каблу́к heel; набива́ть ~й to heel; поверну́ться на ~а́х to turn on one's heel.

кабо́лка *мор.* rope-yarn.

кабота́ж, ~ная торго́вля coasting trade, cabotage; ~ное пла́вание inland navigation; ~ное су́дно coasting vessel, coaster.

кабриоле́т cabriolet, gig.

кабы́ *разг.* if.

кавале́р cavalier; gentleman; partner (*в танцах*); да́мский к. ladies' man, carpet knight; к. о́рдена member of an order of knighthood; person awarded a decoration; ~га́рд *ист.* horse-guardsman; ~и́йский (of) cavalry; ~и́ст cavalry-man, horse-soldier, trooper, light horseman; ~ия cavalry, mounted troops; лёгкая ~ия light horse; *фиг.* in the Soviet Union a body of Young Communists for a flying inspection of any establishment; ~ский о́рден order of knighthood.

кавалька́да cavalcade.

кавардак confusion, disorder, muddle; устраивать к. в комнате to make hay of a room, to rag one's room.

кавати́на *муз.* cavatina.

ка́вер‖а chicane, mean trick, snare, intrigue; ~ник intriguer, trickster, rogue; ~ничать to intrigue, chicane; ~ный captious tricky; ~ный вопро́с puzzling question, poser.

каве́рна *мед.* cavern.

Кавка́з the Caucasus.

кавка́з‖ец, ~ский Caucasian.

кавы́чка inverted comma, quotation-mark, quote.

кадастр cadastre.

каде́нция *муз.* cadence, cadenza.

каде́т *пол., ист.* member of Cadet party.

кади́‖ло, ~льница *церк.* thurible, censer, incensory; ~ть to cense, incense; *фиг.* to fawn (*upon*), flatter.

ка́дка tub, vat.

ка́дмий *хим.* cadmium.

кадр cadre (*воен.*); frame (*кинематогр.*); ~ы cadre, staff, personnel; ~ы реша́ют все a qualified personnel decides everything; молоды́е ~ы new cadres; парти́йные ~ы party contingent.

кадри́ль quadrille.

ка́дровый: к. команди́р commander of the regular army.

каду́шка *см.* ка́дка.

кады́к Adam's apple.

каём‖ка *см.* кайма; ~чатый with border.

кажде́ние censing, incensing; incensation.

каждодне́вный daily, everyday; *фиг.* trivial.

ка́жд‖ый every (*attr.*), each, everyone, everybody, each one; за ~ого per man (head, caput), apiece; у ~ого из этих 5 избира́телей по 2 голоса each of these five electors has two votes; у них бы́ло у ~ого по 5 фу́нтов they had £5 apiece (£5 each); ~ому хо́чется де́йствовать по-сво́ему everyone likes to have his own way; че́рез ~ые 2 дня every third day.

ка́ж‖ется, ~ись, ~ущийся *см.* каза́ться.

каза́к Cossack.

каза́н kettle, boiler.

Каза́нь Kazan.

каза́рка *зоол.* barnacle.

каза́рм‖а barrack(s); casern; *фиг.* barn (*некрасивый дом*); ~енный barrack-like.

каза́ть: он ко мне глаз не ка́жет he does not come to me; he does not show himself; I see neither hide, nor hair of him.

каза́ться to seem, appear; ка́жется, кажи́сь *диал.* it seems, it appears; кажется будет дождь it looks like rain; воздух кажется холодным the air feels cold; как это ни кажется странным strange as it may appear; казалось бы it should (would) seem; ка́жущийся seeming, apparent; ка́жущееся сопротивление *эл.* apparent resistance.

каза́х kasakh.

Каза́хская ССР the Kazakh Soviet Socialist Republic.

Казахста́н Kazakhstan.

каза́|цкий Cossack's; ⌐чество Cossacks; ⌐чий Cossack's; ⌐чка Cossack woman; ⌐чо́к 1. a Russian dance; 2. *уст.* page, boy-servant.

Казбе́к Mount Kazbek.

казеи́н *хим.* casein.

казема́т casemate.

казён|ный government, state (*attr.*); crown (*только в Англии*); fiscal (*о казённых доходах*); на к. счёт at the public cost; ⌐ная квартира a flat in a government house; a government apartment (flat); ⌐ное имущество state property.

казино́ casino.

кази́стый showy, handsome.

казна́ treasury, exchequer; public purse, coffers, chest; *арт.* breech; войсковая к. military chest; ⌐чей treasurer, pay-master, cashier; *мор.* purser; ⌐чейство treasury; exchequer; ⌐чейша treasurer's wife; ⌐чея *ист.* female treasurer of a nunnery.

казни́ть to execute, to put to death; ⌐ся to accuse oneself.

казно|кра́д embezzler of public property; ⌐кра́дство embezzlement of public property; ⌐храни́лище treasury, treasure-house.

казн|ь execution; capital punishment; приговаривать к смертной ⌐и to sentence to death; под страхом смертной ⌐и on pain of death; египетские ⌐и *библ.* plagues of Egypt.

казуа́р *зоол.* cassowary.

казуи́ст casuist, prevaricator; ⌐ика casuistry; ⌐и́ческий casuistical.

ка́зус *юр.* special case; extraordinary occurrence; rum start (*sl.*).

кайма́ border, edging; hem (*рубец*), selvage (*кромка*).

кай|ма́н *зоол.* cayman.

кайнозо́йский *геол.* cenozoic.

кайра́ *зоол.* guillemot.

как how, as, like; к. вам не стыдно! for shame!; к. вы поживаете? how do you do?, how are you?; к. его зовут? what is his name?; к. его не знать it is impossible not to know him; к. жалко! what a pity!; к. жарко! how hot it is!; к. это он об этом не догадался! to think of his not guessing it!; а что, к. он спросит? and what if he asks?; видели к. он упал he was seen to fall; мне не нравится, к. он улыбается I don't like the way he smiles; он поступает к. безумный he acts like a madman (as though к. he were mad); они подня́лись к. один человек they rose as one man; свирепый к. тигр fierce as a tiger; я живу к. другие I live as others do; к. будто (бы) as if, as though (*как если бы*); it would seem, it appears (*кажется*); к. будто вы не знаете! as if you didn't know!; он к. будто намерен согласиться it looks as if he meant to consent; к. бы as if, as though; к. бы это сделать? how is it to be done, I wonder; к. бы не lest; было опасение к. бы провианта не оказалось мало it was feared that the provisions would fail (would not last out); к. бы не так! nothing doing!; к. бы ни however, howsoever; к. бы он ни был хорош however good he may be; к. быть? what is to be done?; к. вдруг when suddenly; к. если бы as if; к. есть quite, absolutely, utterly; к. же without doubt, certainly, of course; к. мо́жно! it is impossible!; к. наприме́р as, for instance; другие страны, к. например Швеция other countries, as Sweden; к. не but; что ему оставалось делать, к. не сознаться? what could he do but confess?; к. ни however; к. она ни умна clever as she is, however clever she may be; к.-нибу́дь somehow, anyhow, some way; some time; я к вам к.-нибудь зайду I shall call on you some time; попа́ло at haphazard, helter-skelt r; к.-раз just, right, exactly; ирон. very like a whale; к.-раз в середине right in the middle; к. сказа́ть? it (all) depends; к. ско́ро см. к. только; к. так? how so?; к..., так и both... and; он знает к. немецкий, так и французский he knows both German and French; к. таково́й as such; к.-то somehow (*каким-то образом*); the other day, lately (*недавно*); к. то́лько as soon as, when; вставай к.

только зазвонит звонок get up as soon as the bell rings.

какаду *зоол.* cockatoo.

какао cocoa (*порошок, напиток*); cacao (*дерево*); ↵**вый** боб cocoa-bean.

каков what kind of?, how?, what?; к. бы он ни был however (bad, stupid etc.) he may be; ↵а она? what is she like?; ↵а погода? what kind of weather is it to-day?; ↵о было мое удивление how great was my surprise; ↵о мне слышать это! I am extremely sorry to hear it; ↵ой *см.* который.

как‖ой 1. *вопросит.* what?, which?; к. толк от этого? what use (good) is it?; ↵им образом? how?; ↵ая наглость! what impudence!; ↵ая погода сегодня? what is the weather like to-day?; в ↵ую сторону мы пойдем? which way shall we go?; **2.** *восклиц.* what; ↵ое счастье, что... what a mercy that...; **3.** *относит.* произведите ↵ие вам угодно изменения make whatever alterations you please; он негодяй ↵их мало there are few greater villains than he; к. бы ни whichever, whatever; whichsoever, whatsoever (*эмфат.*).

как‖ой-либо, ↵**ой-нибудь** some, any; ↵им-нибудь образом somehow; есть ли ↵ие-нибудь шансы? is there any chance whatever?; в ↵их-нибудь 20 милях отсюда some 20 miles off; ↵ой-то some, a certain; ↵ой-то человек somebody, someone; это ↵ое-то недоразумение it is some misunderstanding.

какофо‖нический cacophonous; '↵ния cacophony.

кактус *бот.* cactus.

кал excrement.

каламбур pun, word-play, quibble; ↵**ист** punster; ↵**ить** to pun, quibble.

каламинка calamanco (*ткань*).

каландр *техн.* calender.

каланча watch-tower; *фиг.* man (woman) tall as a maypole.

калач kind of loaf; тёртый к. sly dog, sly (cunning) rogue; он меня ↵ом к себе не заманит nothing shall induce (tempt) me to go to him.

калейдоскоп kaleidoscope.

калека cripple.

календ‖арь calendar, almanac; '↵ы (*1-е число месяца у древних римлян*) calends.

калени‖е making red-hot; incandescence; белое к. white heat; до-

вести до белого ↵я to bring to white heat; *фиг.* to bring to boiling point.

калёный red-hot.

калечить to cripple, lame, maim, mangle, mutilate, disable.

калибр calibre, gauge, bore (*диаметр канала огнестр. орудия*); size (*размер*); ↵**овать** to find calibre of, to calibrate; ↵**овка** calibration.

калий *хим.* potassium.

калильн‖ый: ↵ая сетка mantle.

калина guelder-rose, snowball-tree; чёрная к. wayfaring tree.

калитка wicket(-gate), wicket-door.

калить to incandesce, to make red-hot; к. орехи to dry nuts in a stove.

калиф caliph; ↵**ат** caliphate.

Калифорния California.

каллиграф calligrapher; ↵**ический** calligraphic; ↵**ия** calligraphy.

калмык Kalmyk.

Калмыцкая автономная Советская Социалистическая Республика the Kalmyk Autonomous Soviet Socialist Republic.

калмычка Kalmyk woman.

калор‖иметр calorimeter; ↵**иметрия** calorimetry; ↵**ифер** heating apparatus.

калория calorie; большая к. large (great) calorie; малая к. small calorie.

калоша *см.* галоша; старая к. *мор.* coffin (*негодное к плаванию судно*).

Калуга Kaluga.

калужница болотная *бот.* kingcup, marsh-marigold.

кальвини‖зм calvinism; ↵**ст** calvinist; ↵**стский** calvinistic(al).

кальк‖а tracing paper; ↵**ировать** to trace, calk.

калькул‖ировать to calculate; ↵**ятор** calculator; ↵**яция** calculation.

кальсоны drawers, pants; к. до колен trunk drawers.

кальци‖й *хим.* calcium; ↵**нация** calcination; '↵**т** calcite.

кальян hookah, narghile.

каляка‖нье chat; ↵**ть** *разг.* to chat, talk.

Кама the Kama.

камарилья camarilla, cabal.

камаринская a Russian folk-dance.

камбала *зоол.* plaice (*морская*), flounder (*речная*); flat-fish (*общ. для всех камбаловых*).

ка́мбий *бот.*, *лес.* cambium.

камбу́з *мор.* cambose.

камво́льн∥ый! ∼ые изделия worsted stuffs.

камед∥есмола́ gum-resin; '∼и́стый gummy; '∼ное дерево gum-tree, gum; '∼ь gum; аравийская ∼ь gum arabic.

камелёк fire-place, hearth, fire.

каме́лия *бот.* camellia.

камен∥е́ть to petrify, harden; ∼и́стый stony, rocky; petrous.

ка́менка *зоол.* wheatear, stone-chat.

каменноу́гольн∥ый coal; к. пласт coal-bed; к. район coal-field; ∼ая копь coal-mine.

ка́мен∥ный stone-, stony; к. век stone-age; к. уголь coal; ∼ная кладка masonry, stone-work; ∼ная посуда stone-ware; ∼ная соль rock-salt; ∼ная сосна stone-pine; у него ∼ное сердце he has a heart of stone, he is flinty-hearted; ∼оло́м quarryman; ∼оло́мня quarry, stone-pit; ∼отёс (stone-)mason, stone-cutter; ∼щик (stone-)mason, brick-layer.

ка́м∥ень stone, rock; *мед.* calculus, stone (*в мочевом пузыре и пр.*); к. для перехода через ручей stepping-stone; к. преткновения stumbling-block; драгоценный к. precious stone; краеугольный к. foundation-stone; обтёсанный к. ashlar; подводный к. rock; пробный к. touchstone; точильный к. whetstone, oilstone; hone, Turkey stone (*особ. для бритвы*); превращать в к. to petrify; подать к. вместо хлеба to give one a stone for bread; у него сердце твердое как к. his heart is as hard as the nether mill-stone; не оставить ∼ня на ∼не to raze to the ground; лежать ∼нем на сердце to sit heavy on; бросать ∼ни в чужой огород to make indirect accusations against someone; побивать ∼нями to stone.

ка́мера room, office; cell, ward (*тюремная*); *техн.* chamber; к. хранения cloak room, luggage room (*at railway stations*); дезинфекционная к. disinfection camera (room); к.-обскура camera obscura.

камер∥гер chamberlain; ∼дине́р valet.

ка́мерн∥ый: к. концерт chamber-concert; ∼ая музыка chamber-music.

камерто́н *муз.* tuning-fork, pitch-pipe.

камзо́л under-vest.

ками́н fire-place, chimney-piece; верхняя часть ∼а overmantel; место у ∼а fireside, chimney-corner, ingle-nook; полочка над ∼ом mantelshelf; ∼ная решотка fire-guard.

камло́т camlet (*материя*).

камне∥дроби́лка stone-breaker, stone-crusher; ∼ло́мка *бот.* saxifrage; ∼сече́ние *мед.* lithotomy.

камо́рка closet, cabin, very small room.

кампа́ни∥я *военн.*, *пол.* campaign; избирательная к. election, electioneering, canvassing; начать ∼ю *военн.* to take the field; проводить ∼ю to carry on a campaign.

кампе́шевое де́рево logwood.

ка́мушек small stone.

камфора́ camphor.

камфо́рка the crown of the samovar; end-iron (*на плите*).

камфо́рное ма́сло camphor-oil.

Камча́тка Kamchatka.

камча́т∥ка, ∼ный damask.

камы́ш cane; *распр.* reed; плести мебель из ∼а́ to cane; заросший ∼о́м rushy; ∼о́вка gallinule.

кана́в∥а ditch; channel (*только для воды*); gutter (*для стока дождс. воды*); drain (*для осушения*); окапывать ∼ой to ditch.

Кана́да Canada.

кана́л canal (*искусств.*); channel (*природный*); *анат.* duct, canal; к. Ламанш the Channel; к. ружейного ствола bore; мочеиспускательный к. urethra; Суэцкий к. Suez Canal; прорытие ∼а canalisation, digging a canal.

канализ∥аци́онный: ∼аци́онная труба sewer, sewage-pipe; ∼а́ция sewerage, drainage; ∼и́ровать to provide with a system of sewers.

кана́ль∥ский rascally; ∼ство villainy, knavery; ∼я rascal, rogue.

канаре́∥ечный (*о цвете*) canary-coloured; ∼ечное семя canary-seed; ∼йка canary.

кана́т rope; cable, hawser (*толстый*); тройной к. 3-ply rope; слабо натянутый к. slack rope; туго натянутый к. (*для канатоходца*) tight rope; оцеплять ∼ом to rope in (off); ∼ный funicular; ∼ный плясун *см.* канатоходец; ∼ный завод rope-walk, ropery; ∼ная передача rope drive; ∼оходец rope-dancer, rope-walker, funambulist; ∼чик rope-maker.

кана́ус taffeta.

канва́ canvas, art canvas; *фиг.* design, outline, groundwork, plot.

кандалы́ shackles; fetters, irons (*ножны́е*); manacles, handcuffs (*ручны́е*); зако́вывать в к. to shackle, fetter.

канделя́бр candelabrum, girandole.

кандида́т, ~ка candidate; к. па́ртии Party candidate; вы́ступа́ть ~ом to stand (try, *разг.* run) for; ~у́ра candidature; вы́ставить свою́ ~у́ру to stand for; to take up the candidature for; to offer oneself as (a) candidate for; вы́ставить чью́-л. ~у́ру to propose a candidature for; снима́ть чью́-л. ~у́ру to withdraw someone's candidature.

канелю́ра *арх.* flute, chamfer.

кани́кул||ы vacation, holidays, recess; ле́тние к. long (summer) vacation (*унив.*); summer holidays (*школ.*); ~я́рная рабо́та holiday task.

каните́ль gold (silver) thread, bullion; *фиг.* long-drawn-out 'proceedings; тяну́ть к. to procrastinate, spin out, dawdle; ~щик one who causes delay, puts off.

канифа́с dimity.

канифо́||лить to rosin; ~ль colophony, rosin.

канка́н cancan (*танец*).

канниба́л cannibal.

кано́н canon.

канона́да cannonade.

канонер||ка, ~ская ло́дка gunboat.

канониз||а́ция canonization; ~и́ровать to canonize.

кано́ник *церк.* canon, prebendary.

канони́р gunner, cannoneer.

канони́ческий *церк.* canonical.

кано́тье boater (*шля́па*).

кант edging, border, piping; отде́лыва́ть ~ом to pipe.

канталу́па cantaloupe (*ды́ня*).

канта́та *муз.* cantata.

канти́анец *филос.* Kantian.

кантон canton.

кантони́ст *ист.* soldier's son liable to serve in the army.

ка́нтор precentor.

кану́н eve, vigil; к. но́вого го́да new-year's eve; империали́зм есть к. социалисти́ческой револю́ции imperialism is the eve of the socialist revolution.

ка́ну||ть to disappear; к. в ве́чность to pass, to pass out of mind; он как в во́ду ~л he disappeared without leaving any traces.

канцеля́р||ист clerk; '~ия office, chancery; '~ская рабо́та clerical work; '~ские принадле́жности stationery, writing materials; торго́вец '~скими принадле́жностями stationer; '~щина red tape.

ка́нцлер chancellor; приня́ть (сдать) до́лжность ~а to take (return) the seals.

ка́олин kaolin, porcelain-clay.

ка́пл||ание dripping, trickle, drip-drop; ~ать to drip, drop, trickle, dribble; у него́ ~лет из но́су he runs at the nose; над на́ми не ~лет we need not be in a hurry.

капе́лла choir; '~н chaplain.

капе́ль dripping, trickling; thaw (*о́ттепель*).

капельди́нер box-keeper, usher.

ка́пельк||а droplet; ~и *арх.* guttae; ни ~и тщесла́вия (любви́) not a grain of vanity (love).

капельме́йстер conductor, bandmaster.

ка́пельный *разг.* tiny, very small.

ка́пер *мор.* privateer.

ка́перс *бот.* caper; ~ы capers.

ка́перс||кий: ~кое свиде́тельство letters of marque; ~кое су́дно *см.* ка́пер; ~тво privateering.

капилля́р *физ.* capillary; ~ность capillarity; ~ный capillary.

капита́л capital, stock, fund; к. с проце́нтами principal and interest; акционе́рный к. joint-stock; амортизацио́нный к. sinking-fund; действи́тельный к. actual capital; купе́ческий к. merchants' capital; мёртвый к. unrealizable capital; оборо́тный к. circulating capital; основно́й к. fixed capital; переме́нны́й к. variable capital; постоя́нный к. constant capital; промы́шленный к. industrial capital; произво́дит. к. productive capital; произво́дствен. к. production capital; ростовщи́ч. к. usurer's capital; това́рный к. commodity capital; торго́вый к. trade capital; фина́нс. к. financial capital; ча́стный к. private capital; нажи́ть к. to make capital out of; труд и к. labour and capital; концентра́ция ~а concentration of capital; накопле́ние ~а accumulation of capital; наступле́ние ~а capitalist offensive; ~ец small capital; ~иза́ция capitalization; ~изи́ровать to capitalize; ~и́зм capitalism; ~и́ст capitalist; financier (*финанси́ст*); ~исти́ческий capitalist (-ic); ~исти́ческий строй capitalist system; ~исти́ческое госуда́рство capitalist State; ~исти́ческое хозяйство capitalist economy; ~о-вложение investment.

капита́льн‖ый thorough, substantial, fundamental; к. вопрос fundamental problem; к. ремонт capital repairs; к. труд monumental work; ~ая стена *стр.* main wall; ~ое строительство the building of new works and factories and the restoration of old ones.

капита́н captain; к. торгового судна master; звание ~а captainship; ~ство captaincy.

капите́ль *арх.* capital.

капи́тул *церк.* chapter (of an order).

капитули́ровать (*перед*) to capitulate (*to*).

капитуля́ция capitulation.

ка́пище heathen temple (fane).

капка́н trap; к. для лисы fox--trap.

каплу́н capon.

ка́пл‖я drop, blob (*большая или густая*); gout (*особ. крови*); к. в море drop in the ocean (in the bucket); последняя к. *фиг.* the last straw; выпить до ~и to drink to the lees; ни ~и not a bit (jot, grain); вливать по ~е to instil(l); вливание по ~е instillation; ~и *мед.* drops; похожи как две ~и воды as like as two peas; выступать ~ями to pearl (*о сырости*).

ка́пнуть *см.* капать.

ка́пор hood.

капо́т (woman's) dressing-gown.

капра́л *военн.* corporal.

капри́з caprice, whim, freak, vagary, fancy; ~ник, ~ница capricious person (child); ~ничать to be capricious; to be naughty (*о детях*); ~ность capriciousness; whimsicality; ~ный capricious; whimsical, wayward, fanciful, freakish, wanton (*игривый*); cranky (*с которым трудно иметь дело*); capricious, freakish (*причудливый*); naughty (*непослушный, о детях*); ~но capriciously.

ка́псула capsule.

ка́псюль (*ружья*) percussion cap.

каптена́рмус *военн.* quartermaster sergeant.

капу́ст‖а cabbage; брюссельская к. Brussels sprouts; заячья к. orpine; кудрявая к. savoy, kale; цветная к. cauliflower; ~ница cabbage butterfly.

капу́т: ему пришёл к. *разг.* it is all up with him.

капуци́н *рел.* Capuchin (*монах*); *бот.* nasturtium; Capuchin monkey (*обезьяна*).

капюшо́н hood, cowl; покрывать ~ом to hood.

ка́ра punishment, penalty, chastisement; вас постигла к. it is a judgement on you.

караби́н carabine; ~ёр carabineer.

кара́бкаться to clamber, climb, scramble, shin up, swarm up.

карава́й *см.* коровай.

карава́н caravan; ~-сара́й caravanserai, caravansary.

караве́лла caravel, carvel.

кара́емый punishable.

кара́им, ~ка Karaite.

Ка́ра-Калпа́кская АССР the Kara-Kalpak Autonomous Soviet Socialist Republic.

караката́ца *зоол.* cuttle-fish, cuttle.

кара́ковый dark bay.

кара́кул‖и scrawl, scribble; писать ~ями to scrawl, scribble.

кара́куль astrakhan.

карамбо́ль *бильярд.* cannon.

караме́ль caramel.

каранда́ш pencil, lead-pencil; crayon (*цветной без дерев. оправы*); (copying) ink pencil (*химический*); отмечать ~óм to pencil.

каранти́н quarantine; снятие ~а *мор.* pratique; ~ное свидетельство bill of health.

карапу́з toddle, tot, little fellow.

кара́сь crucian; серебряный к. Prussian carp.

кара́т carat.

кара́т‖ельный punitive, vindictive; ~ельная экспедиция punitive expedition, dragonnade; ~ельные органы punitive organs; ~ь to punish, chastise, scourge.

карау́л guard, sentry, watch; к.! hue and cry; help!, murder!; почётный к. guard of honour; взять на к. to present arms; вступать в к. to mount guard; вызвать к. to alarm the guard; сменять к. to relieve guard (sentry); быть в ~е to keep guard, to be on guard; ~ить to watch, to keep watch, to be on the watch; ~ка *разг.* sentry--box; ~ьный a sentinel, sentry; ~ьный начальник commander of the guard; ~ьная будка sentry-box; ~ья guard-room, guard--house; ~ьщик watchman, watch.

кара́чк‖и: на ~ах on all fours.

карачу́н *разг.* death-blow; death.

карби́д *хим.* carbide.

карбо́ванец silver rouble coin.

карбо́л‖ка, ~овая кислота carbolic acid.

карбона́рии Carbonari (*pl.*)*.

карбона́т *хим.* carbonate.

карбониза́ция carbonization.

карбору́нд carborundum.

карбу́нкул *мин.*, *мед.* carbuncle.

карбюра́тор *техн.* carburettor.

карга́ *вульг.* hag, harridan, crone; *зоол.* hoody, hooded crow.

ка́рда card (*щётка для чесания шерсти*); *бот.* teasel, teazle.

кардамо́н *бот.* cardamon.

карда́н *техн.* cardan joint; ~ов подвес *мор.* gimbals.

кардина́л cardinal; звание ~a cardinalate, cardinalship.

кардина́льный cardinal, pivotal.

ка́рдн‖ый: ~ая машина card.

каре́ *военн.* square.

Каре́льская АССР the Karelian Autonomous Soviet Socialist Republic.

каре́льская берёза Karelian birch (*kind of birch*).

каре́т‖а carriage, coach; hackney coach (*наёмная*); к. запряжённая парой carriage and pair; к. запряжённая четвёркой (шестёркой) coach and four (six); почтовая к. *ист.* mail-coach, stage-coach, post-chaise; четырёхместная дорожная к. berlin(e); ~ник coach-maker; ~ный сарай coach-house.

кариати́да *арх.* caryatid.

ка́рий hazel, brown.

карикату́р‖а caricature, cartoon; ~и́ст caricaturist, cartoonist; изображать в ~ном виде to caricature.

карио́з *мед.* caries; ~ный carious.

ка́рканье croak(ing), caw(ing).

карка́с carcass, framework.

ка́рк‖ать, ~нуть to croak, caw; *фиг.* to croak, to foretell evil.

ка́рлик dwarf, pygmy; *шут.* manikin, hop-o'-my-thumb; ~овый dwarfish, diminutive, pygmean; ~овая пальма palmetto.

карма́н pocket; к. для часов watch-pocket, fob; боковой к. side-pocket; полный к. меди pocket full of coppers; держи к. шире! *ирон.* you will not receive it!; nothing doing!; класть в к. to pocket, pouch; он за словом в к. не полезет he has a ready tongue; это мне не по ~у I cannot afford it; пустые ~ы *фиг.* empty pockets; очистить ~ы to pick pockets.

карма́нн‖ик pickpocket, cut-purse; ~ый словарь pocket dictionary; ~ые деньги pocket-money; ~ые часы watch.

карманьо́ла Carmagnole.

кармели́т carmelite.

карми́н carmine; ~ный carmine.

карнава́л carnival.

карни́з *арх.* cornice.

карп carp.

Карпа́ты the Carpathians.

Ка́рское мо́ре the Kara Sea.

ка́рт‖а card (*игральная*); map (*геогр.*); chart (*морская*); bill of fare, menu (*кушаний*); к. адмиралтейства Admiralty chart; к. с обозначением высот contour map; схематическая к. sketch-map; фигурная к. courtcard; ставить на ~у to set at stake, to stake, hazard; наша жизнь поставлена на ~у our life is at stake; поставить всё на ~у *фиг.* to have all one's eggs in one basket; чертить ~у to map, plot; иметь хорошие ~ы to have a good hand; открыть свои ~ы (*букв. и фиг.*) to show one's cards (hand); я открою перед вами свои ~ы *фиг.* I'm going to lay my cards upon the table.

карта́в‖ить to burr, fail to pronounce *r* correctly; ~ость burr, a rough, guttural pronunciation of *r*; lallation (*произн. r как l*); ~ый burring; ~о with a burr.

карте́ж card-playing; gambling; ~ник card-player; gambler (*азартный*); ~ничать to play at cards; to gamble.

картезиа́нский Carthusian (*об ордене*); Cartesian (*декартовский*).

карте́ль cartel.

карте́чь grape-shot, case-shot, canister-shot.

карти́н‖а picture; painting, canvas, piece; к. болезни clinical picture; к. изображающая вечер (небо, море, облака) night-piece (sky-scape, sea-piece, cloud-scape); к. масляными красками oil-painting; к. природы a picture of Nature; живая к. living picture, tableau vivant; кинематографические ~ы the pictures; movies (*sl.*); туманные ~ы dissolving views; ~ка picture, illustration; ~ный picturesque (*живописный*); pictorial (*отн. к живописи*); ~ная галлерея picture-gallery.

картогр‖афи́ческий cartographical; ~а́фия cartography.

карто́н cardboard, pasteboard; millboard (*толстый*); cartoon (*рисунок*); наклеивать картинку на к. to mount a picture; ~аж cardboard-boxes; ~ажная фабрика cardboard-box factory; ~ка pasteboard-box; hat-box, band-box (*для шляп и пр.*).

картоте́ка card-index.

картофел||екопа́лка potato-digger; ∽есажа́лка potato planter.

карто́фелина a potato.

картофел||ь potatoes; к. в «мундире» potatoes baked in their jackets; жа́реный к. fried potatoes; молодо́й к. new potatoes; ∽ьная мука́ potato-flour, farina; ∽ьная шелуха́ potato peeling, skin of potato; ∽ное пюре mashed potatoes; mash (sl.).

ка́рточ||ка card; index-card (библиоте́чная); food-card (продово́льственная); bread-card (хле́бная); visiting-card, carte-de-visite (визи́тная); post-card (почто́вая); photo (фотогра́ф.); ∽ный долг play-debt; ∽ный дом card castle, house of cards; ∽ный катало́г card-catalogue; ∽ная игра́ card-game; распределе́ние продово́льствия по ∽ной систе́ме food-control, food-card system, rationing.

карту́з cap (шля́па); peak cap (фура́жка); paper-bag (паке́т); cartridge (арти́лл.).

карусе́ль merry-go-round, whirligig, roundabout.

ка́рцер cell, detention-house.

карье́р I. quarry (каменоло́мня); sand-pit (песо́чный).

карье́р II. rapid gallop, tantivy; с ме́ста в к. without more ado; ∽ом at full speed.

карье́р||а career; нача́ть свою́ ∽у to start one's career, to begin the world; де́лать ∽у to push one's fortunes; ∽и́ст time-server, place-hunter; selfish opportunist.

каса́||ние мат. contact; точка ∽ния 'point of contact; ∽тельная (ли́ния) геом. tangent.

каса́тельно about, touching, concerning.

каса́т||ик, ∽ка см. коса́тик, коса́тка.

каса́ться 1. to touch (дотра́гиваться); 2. to touch (upon, on) (упомина́ть); 3. to concern, have respect (to), regard, relate (to) (иметь отноше́ние к чему́-л.); что каса́ется as concerns, as regards, regarding, touching, in relation (to), in respect (of), as to, as for; что каса́ется меня́ for my part; это каса́ется всех нас it concerns us all; э́то меня́ не каса́ется it is no concern of mine; it doesn't concern me; it is no affair of mine.

ка́ска helmet.

каска́д cascade, waterfall; ∽ная певи́ца female music-hall singer.

Каспи́йское мо́ре the Caspian Sea.

ка́сса cash-box, cash, till, money drawer; тип. case; booking-office (биле́тная); сберега́тельная к. savings-bank.

кассацио́нный: к. суд court of cassation (of appeal).

касса́ция cassation.

касси́р cashier; booking-clerk.

касси́ровать to annul, reverse.

касси́рша (female) cashier.

ка́ста caste; corporation.

кастанье́ты castanets.

кастеля́н castellan; ∽ша woman in charge of linen (in an establishment).

касте́т knuckle-duster.

ка́стовый (of) caste.

касто́р||ка, ∽овое ма́сло мед. castor-oil.

кастр||а́т castrated person, eunuch; castrato (о пе́вце); ∽а́ция castration, emasculation; ∽и́ровать to castrate, geld, emasculate; ∽и́рованное живо́тное neuter.

кастрю́ля sauce-pan, stew-pan, pan, stew-pot.

катава́сия confusion, muddle.

катако́мбы catacombs.

катала́жка ист. lock up at a police-court.

катале́п||сия мед. catalepsy; ∽ти́ческий cataleptic.

ката́лиз хим. catalysis; ∽а́тор catalyst, catalyzer, catalytic agent.

катало́г catalogue; предме́тный к. catalogue raisonné; ∽иза́тор cataloguer; ∽изи́ровать to catalogue.

ката́льщи||к, ∽ца roller, wheeler; mangler (белья́); fuller (во́йлока).

ката́нье rolling, wheeling; driving (в экипа́же и пр.); riding (верхо́м); boating (на ло́дке); skating (на конька́х); tobogganing (с горы́).

катапла́зма мед. cataplasm.

катапу́льта catapult.

ката́р мед. catarrh.

катара́кт||а мед. cataract; снима́ть с гла́за ∽у to couch an eye.

катара́льный catarrhal.

катастро́ф||а catastrophe; air-crash (возду́шная); железнодоро́жная к. railroad accident; ∽и́ческий catastrophic.

ката́ть to roll, wheel; to mangle (бельё); to roll (желе́зо, те́сто); to take for a drive, to convey in a vehicle (в экипа́же и пр.); к. ребёнка на спине́ to take a child pick-a-back; to ride a child on one's back; ∽ся to roll; ∽ся верхом to ride; ∼ся в экипаже to drive; ∼ся на велосипеде to bicycle; to ride a bicycle; ∼ся на коньках to skate; ∼ся на лодке to boat; ∼ся с гор to toboggan, to slide down snow slopes; ∼ся со смеху to split one's sides.

катафа́лк hearse (*повозка*); catafalque (*помост в церкви*).

категори́ческ∥ий categorical; ∼и categorically, flatly.

катего́рия category; распределять по ∼м to categorize.

ка́тер *мор.* cutter, pinnace.

ка́тет *геом.* cathetus, side adjacent to right angle in a rectangular triangle.

кате́тер *мед.* catheter.

катехи́зис catechism.

кат∥и́ть to roll, wheel, trundle; *разг.* to go (come) with speed (*о быстрой езде и пр.*); ∼и́ться to roll, trundle; ∼и́ться с горы to slide down hill; слёзы '∼ятся из глаз tears run (roll) from the eyes.

катну́ть см. катать.

като́д *физ.* cathode.

като́к skating-rink, rink (*на льду*); mangle (*для белья*); roller, rolling press.

католи∥к (Roman) Catholic; papist (*пренебр.*); ∼цизм catholicity, (Roman-)Catholicism; '∼ческий (Roman-)Catholic; '∼чество см. католицизм; обращать в ∼чество to catholicize, romanize.

катоптри∥ка *физ.* catoptrics; '∼ческий catoptric(al).

ка́тор∥га penal servitude, hard labour; hard (*sl.*); ∼жник convict; *ист.* galley-slave; ∼жная работа (жизнь) *фиг.* drudgery, very hard work (life); ∼жные работы hard labour.

кату́шка reel, spool, bobbin; roll (*бумаги*); индукционная к. *эл.* induction-coil; inductorium; peактивная к. choke coil.

ка́тышек pellet (*хлеба, бумаги*).

кауза́∥льный causal; к. (глагол), ∼тив *гр.* causative, factitive.

кау́рый light chestnut (*attr.*).

каусти́ческий *хим.* caustic.

каучу́к caoutchouc, india-rubber, rubber; ∼оно́с, ∼оно́сное растение *бот.* a rubber-plant.

кафе́ café; coffee-house (*особ. 18 в.*); cafeteria (*амер.*).

ка́федра chair (*профессора*); pulpit (*проповедника*); '∼льный собор cathedral (church).

ка́фель Dutch (glazed) tile.

кафе́-шанта́н café chantant.

кафоли́ческий (*эпитет православн. церкви*) catholic, universal.

кафта́н caftan (*kind of coat*).

Кахе́тия Kakhetia.

кацаве́йка woman's short warm jacket.

кача́∥лка rocking-chair; cradle (*люлька*; *тж. гравера*); конь-к. rocking-horse; ∼ние swinging, oscillation, swaying, shaking; ∼ние насосом pumping.

кач∥а́ть to rock, swing, sway, shake; to pump (*насосом*); к. головой to shake one's head; к. ребёнка на руках to dandle a child; волны ∼а́ют судно sea tosses the ship; ∼а́ться to oscillate, rock, swing, sway, reel; to wobble (*шататься*); to wave (*колыхаться*); to swing (*на качелях*); to seesaw (*на доске*); to toss, roll, pitch (*о судне*); ∼е́ли swing; seesaw (*доска через бревно*).

ка́честв∥енный qualitative; ∼о quality; ∼о продукции quality of production (work); борьба за ∼о struggle for quality; высокое (низкое) ∼о high (low, poor) quality; высшего ∼а superfine, of extra quality; very choice grade (*о бумаге и пр.*); низшего ∼а of inferior (poor) quality; в ∼е поэта in his character as poet; в ∼е преподавателя in his capacity as a teacher; в ∼е извинения to serve for (by way of) apology.

ка́чка tossing, dusting (*sl.*); rolling (*боковая*); pitching (*килевая*); боковая и килевая к. rolling and pitching.

качну́ть(ся) см. качать(ся).

ка́ш∥а porridge, gruel; *фиг.* jumble, muddle, welter; ну и заварилась к.! here's a pretty kettle of fish!; заварить ∼у to stir up trouble, to make a mess; не может расхлебать ∼у, которую сам заварил he can't clear up the mess he made.

кашало́т cachalot, sperm whale.

кашева́р cook.

ка́шель cough; hoop (*при коклюше*).

кашеми́р cashmere.

каш∥ица gruel; skilly (*особ. в тюрьмах*); pulp, semi-liquid mass; пищевая к. *физл.* chyme; '∼ка pap (*для детей*); *бот.* clover.

ка́пля(ну)ть to cough.

кашне́ comforter, scarf, muffler.

кашта́н chestnut; конский к. horse-chestnut; ∼овый chestnut (*attr.*), nut-brown, maroon; auburn (*обычно о волосах*).

каю́та cabin; fore-cabin (*на носу судна*).

каю́т‖компа́ния wardroom; ~-ю́нга cabin-boy.

ка́‖ющийся contrite, penitent, repentant; ~яться to repent, rue, confess.

квадра́нт quadrant.

квадра́т square; возводи́ть в к. to square; $8^2=64$ the square of eight is sixty four; ~ный square; ~ный ко́рень square root; ~ная ме́ра square measure; ~ная мы́шца quadrate muscle; ~ное уравне́ние quadratic equation; 16 ~-ных фу́тов four feet square; sixteen square feet; ~ у́ра quadrature; находи́ть ~у́ру кру́га to square the circle.

ква́к‖анье croaking; ~ать to croak.

ква́кер Quaker, Friend; ~ский quakerish; ~ство quakerism; ~ша quakeress.

ква́кнуть *см.* ква́кать.

квалифи‖ка́ция qualification; ку́рсы по повыше́нию ~ка́ции Extension courses; courses for heightening qualification; экза́мен на ~ка́цию qualifying examination; ~ци́рованный qualified, regular; ~ци́рованный труд skilled labour; ~ци́ровать(ся) to qualify; ~ци́рующий qualificatory.

квант: тео́рия ~ов *физ.* quantum theory.

ква́рта quart ($=1/2$ галло́на, *1,14 литра*); *муз.* fourth.

кварта́л block; quarter, ward (*часть города*); quarter (*четверть года*); уда́рный план ~а shock plan for the quarter; ~ьный надзира́тель *ист.* police-officer.

кварте́т *муз.* quartet(te).

кварти́р‖а apartments, suite of rooms, tenement, flat (*в одном этаже*); lodging; *военн.* quarters; гла́вная к. а́рмии *уст.* headquarters; к. и стол board and lodging; ~а́нт lodger; ~ме́йстер quartermaster; ~ный вопро́с housing problem; ~ова́ть to lodge, reside; ~охозя́ин tenant, master of the house.

квартпла́та *см.* пла́та.

кварц *мин.* quartz; ~евая ла́мпа *физ.* the quartz-mercury-vapour lamp; ~и́т *мин.* quartzite.

квас kvass (*kind of sour drink*); ~и́ть to make sour; to leaven; ~и́ться to ferment; ~ни́к kvass-brewer; kvass-seller; ~но́й патрио́тизм blustering patriotism, jingoism.

квасц‖о́вый aluminous; к. заво́д alum works; ~ы́ alum.

ква́ш‖а leaven, leavened dough; ~ение leavening; ~еный leavened, sour; ~ня́ kneading-trough, dough-trough.

Квебе́к Quebec.

кве́рху up, upwards.

КВЖД (*Кита́йская восто́чная желе́зная доро́га*) Chinese Eastern Railway.

квиети́‖зм *рел.* quietism; ~ст quietist.

Кви́нсленд Queensland.

кви́нта *муз.* fifth.

квинте́т *муз.* quintet(te).

квинт-эссе́нция quintessence.

квит, ~ы quits; тепе́рь мы ~ы *разг.* now we are quits.

квита́нция receipt, acknowledgement; бага́жная к. luggage-receipt.

кво́рум quorum.

кво́та *комм.* quota.

кеб cab.

кег‖ельба́н skittle-alley; '~ли skittles, skittle-pins.

ке́гль *тип.* point; к. в 8 пу́нктов 8 point.

кедр cedar; гимала́йский к. deodar; ~о́вка nutcracker (*птица*).

кекс cake.

келе́й‖ник cell-attendant, convent-servant; ~ный cellular, private, secret; ~но privately.

Кёльн Cologne.

ке́льнер waiter; ~ша waitress.

кельт Celt, Kelt; Gael (*шотландский*); ~ский Celtic, Keltic.

Ке́льцы Kielce.

ке́лья cell.

кем (*творит. пад. от* кто) by whom.

Ке́мбридж Cambridge.

ке́мбрик cambric (*ткань*).

кенгуру́ kangaroo.

кенды́рь *бот.* kendyr.

кента́вр *миф.* centaur.

Кенту́кки Kentucky.

кеп‖и, ~ка cap.

кера́ми‖ка ceramics; '~ческий ceramic.

ке́рбель *бот.* chervil; ди́кий к. cow-parsley.

ке́ренка *ист.* paper currency of Kerensky.

Ке́рзон Curzon.

кероси́н kerosene (oil), petroleum; ~ка petroleum stove, oil stove.

Керчь Kerch.

ке́сарь *ист.* Cæsar.

кессо́н *техн., арх.* caisson, coffer-dam.

кéта Siberian salmon; *амер.* dog--salmon (*рыба*).

кетгу́т *мед.* catgut.

кéтовая икра́ roe of the Siberian salmon.

кефа́ль grey mullet (*рыба*).

кефи́р kefir, a fermented liquor made from milk.

киби́тка *ист.* covered cart (sledge); nomad's tent.

кива́ть to nod, beckon.

ки́вер shako.

кивну́ть *см.* кивать; к. в знак согласия to nod assent.

киво́к nod, beck, shake of the head.

кида́‖ние throwing; ～ть to throw, fling, cast; to abandon, drop, leave (*см. тж.* бросать); ～ться to throw oneself; rush, bounce.

Ки́ев Kiev.

кизи́ль *бот.* cornel, cornelian cherry.

кизя́к fuel of dung and straw in shape of bricks.

кий cue, billiard-cue.

кики́мора fright, brownie, family spirit.

кикс (*в биллиарде*) miss.

кила́ hernia, rupture (*грыжа*).

килева́‖ние careening; ～ть *мор.* to keel, careen; ～я качка pitching; ～я колонна line ahead.

килова́тт *эл.* kilowatt; к.-час kilowatt-hour.

кило(гра́мм) kilogram(me).

киломе́тр kilometer.

киль *мор.* keel.

кильва́тер *мор.* wake; ～ная колонна line ahead.

ки́лька sprat.

КИМ (*Коммунистический интернационал молодёжи*) The Young Communist International.

кимва́л *уст., поэт.* cymbal.

кинема́тика kinematics.

кинемато́граф kinema(tograph), cinema(tograph); cinema-show, picture-house, picture-palace; pictures; ～и́ческий cinematographic; ～и́ческие картины (motion) pictures; movies (*sl.*); ～и́я cinematography.

кине́ти‖ка kinetics; '～ческий kinetic.

кинжа́л dagger, poniard; зака́лывать ～ом to stab, to poniard.

кино́ *см.* кинематограф; к.-актёр cinema actor; к.-лекция cinema-lecture; travelogue (*об экспедиции*); к.-монтаж dramatic editing; к.-передвижка mobile cinema; к.-режиссёр cinema produ-

cer; к.-сеанс cinema-performance; к.-съёмка filming; к.-фабрика cinema factory; к.-фильм cinema--film (-picture), movie (*sl.*); говорящее (звуковое) к. talking pictures; talkies (*sl.*).

кинова́рь cinnabar, vermilion.

ки́нуть *см.* кидать.

кио́ск kiosk; газетный к. news--stand (-stall).

кио́т *церк.* icon-case.

ки́па stack (*бумаг и пр.*); bale; pack (*мера*).

кипари́с *бот.* cypress.

кипе́ни‖е boiling, bubbling, effervescence; точка ～я boiling point, boiling-heat.

ки́перный *см.* ткань.

кип‖е́ть to boil; *фиг.* to bubble, to seethe, effervesce; к. гневом to boil with rage; к. ключом to boil over, to seethe; его кровь ～ит his blood is up (is boiling); недовольство ～ит в Индии India is seething with discontent; работа ～ит the work is in full swing; ～я́щие воды the seething waters.

кипре́й *бот.* willow-herb, rose--bay.

кипр‖ио́т Cypriot, Cyprian; '～ский Cyprian.

кипсе́к keepsake.

кипу́ч‖есть intensity, fervour; ～ий intense, fervent, effervescent.

кипя‖ти́льник boiling-tank, boiler; ～ти́ть to boil; ～ти́ться to be boiled; *шут.* to be excited (angry); ～то́к boiling water; ～че́ние boiling; ～чё́ный boiled; ～чё́ная вода boiled water.

кира́с‖а cuirass; ～и́р cuirassier.

кирги́з Kirghiz, ～ка Kirghiz woman; ～ский Kirghiz.

Кирги́зская ССР the Kirghiz Soviet Socialist Republic.

кири́ллица Cyrillic alphabet.

кирка́ pick, pickaxe.

кирпи́ч brick; обожженный к. baked (burnt) bricks; пережжённый к. clinker; саманный к. adobe; печь для обжигания ～а brick-kiln; класть ～й to brick; ～ный завод brick-field, brick--yard; ～ный обломок brickbat; ～ный чай brick-tea; ～ного цвета brick-red; ～ная кладка brick-work.

кисе́л‖ь jelly-like dish (made of farina, fruit juice and sugar); молочный к. semi-liquid milk blancmange; морской к. *зоол.* jellyfish, medusa, sea-nettle; он мне деся́тая вода на ～é he is my very remote kinsman; he is a very distant connection of mine; страна с молочными реками и ⌐ьными берегами ≅ land flowing with milk and honey.

кисе́т tobacco-pouch.

кисея́ muslin.

ки́ска *дет.* puss, pussy-cat.

ки́с‖ленький acidulous, pleasantly acid; ⌐ли́ца *бот.* woodsorrel.

кисло‖ва́тость acidulousness; ⌐ва́тый acidulous; subacid, somewhat acid; ⌐ро́д *хим.* oxygen; смешивать с ⌐ро́дом to oxygenate; соединение с ⌐родом oxygenation; ⌐ро́дный oxygenous; ⌐сла́дкий sweet with sour aftertaste.

ки́слость acidity, sourness.

кисло‖та́ *см.* кислость; *хим.* acid; азотная к. nitric acid, aquafortis; серная к. sulphuric acid; vitriol; синильная к. hydrocyanic (prussic) acid; соляная к. hydrochloric (muriatic) acid; уксусная к. acetic acid; щавелевая к. oxalic acid; '⌐тность acidity; '⌐тный *хим.* acid; ⌐тоупо́рный acid-proof.

ки́с‖лый sour, acid; tart (*острый, горьковатый*); *хим.* acetous (*уксусно-кислый*); к. вид a long face; a face that would turn milk sour; ⌐лая капуста sauerkraut, pickled cabbage; ⌐лая улыбка forced smile expressing discontent; ⌐ло sourly; ⌐ля́й a languid, mopish fellow; ⌐ля́тина something very sour; ⌐нуть to turn sour; *фиг.*, *разг.* to languish, to be inactive.

киста́ *мед.* cyst.

кистено́сный *бот.* racemose.

кисте́нь iron ball on a strap; knobstick, bludgeon, club.

кист‖о́чка: к. для бритья shaving-brush; lather-brush; украшенный ⌐очками tasselled; ⌐ь brush, paint-brush (*маляра*, *живоп.*); hand (*руки*); bunch, cluster (*винограда*); tassel, tuft (*на подушке и пр.*).

кит whale; к. самец bull whale; к. самка cow whale.

кита‖еве́д sinologue; '⌐ец Chinese, Chinaman.

Кита́й China.

кита́йка (*материя*) nankeen.

кита́‖йский Chinese; China-; к. идол joss; к. храм joss-house; знаток ⌐йского языка sinologue; ⌐йская тушь India(n) ink; ⌐йская филология sinology; ⌐йские тени galanty-show; ⌐йнка Chinese woman.

ки́тель kind of single-breasted military jacket.

кито‖бо́йный: к. промысел whale-fishing; ⌐бо́йное судно whale-boat, whaler; '⌐вый ус whale bone, whale-fin, baleen; ⌐ло́в whaler, whaleman; ⌐обра́зный cetacean, cetaceous.

кифа́ра *др.-гр.* *муз.* cithara.

кичи́ться to plume oneself on (*чем-л.*); to swagger.

ки́чка kind of woman's headdress.

кичли́в‖ость arrogance, vanity, peacockery; ⌐ый arrogant, conceited, overproud; ⌐о arrogantly *и пр.*

ки‖ша́щий: к. паразитами verminous; ⌐ше́ть to swarm; to be alive (overrun, infested) (*with*), to teem (*with*); ⌐шеть насекомыми to crawl; озеро ⌐шит рыбой fish teems in this lake.

кише́ч‖ник bowels, intestines; к. действует bowels are open; очищать к. to open the bowels; ⌐опо́лостные *зоол.* Coelenterata; ⌐ый intestinal, enteric.

киш‖ка́ *анат.* intestine, gut; hose (*для поливки*); 12-перстная к. duodenum; прямая к. rectum; слепая к. cæcum, blind gut; поливать из ⌐ки to water with hose; to hose; толстые (тонкие) ⌐ки large (small) intestines; воспаление ⌐ок enteritis.

кишла́к a village in Central Asia.

кишми́ш currant.

кишмя́ кише́ть to swarm.

кишне́ц *бот.* coriander.

КК *см.* контрольная комиссия.

клави‖ату́ра *муз.* key-board, fingerboard, clavier; manual (*органа*); ⌐ко́рды clavichord, harpsichord, spinet.

кла́виш *муз.* key; ivory (*sl.*).

клад treasure.

кла́дби‖ще cemetery, burial ground, graveyard; churchyard (*только при церкви*); '⌐щенский сторож sexton.

кла́дезь: к. премудрости *фиг.* quarry (well) of knowledge.

кладене́ц: меч-к. *поэт.* steel-sword.

кла́деный: к. боров hog.

кла́д‖ка laying; каменная к. masonry, stonework; кирпичная к. brick-work; ⌐ова́я pantry, larder, store-room (*для провизии*); lumber-room (*чулан*); still-room (*буфетная*); ⌐овщи́к store-keeper, warehouse man; '⌐чик layer; ⌐ь

1. load (*груз*); 2. ~ь, ~и planks placed across a stream.

кла́ка *театр.* claque.

клакёр clapper, claqueur.

клан clan.

кла́ня||ться 1. to bow, greet; to send one's respects, send one's compliments (*в письме*); ~**йтесь им от меня** remember me kindly to them, give them my respects; 2. to sue for a favour, to humiliate oneself (*просить, унижаться*).

кла́пан valve; vent (*муз. инструм.*); **воздушный** к. air valve; **впускной** (**выпускной, выхлопной**) к. inlet (exhaust) valve; **предохранит.** к. safety valve; **регулирующий** к. throttle, throttle-valve; **сердечные** ~ы valves of the heart; **болезнь сердечных** ~ов valvular disease of the heart.

кларнет *муз.* clarinet.

класс class; *шк.* class, form; *ест. ист.* class; **общественный** к. social class; **рабочий** к. working class; **высшие** ~ы (**в буржуазных странах**) the upper classes (in bourgeois countries); **деление на** ~ы class division.

кла́ссик classic (*о писателе*); classic, Greek (Latin) scholar (*об учёном*); *ист.* schoolboy of a classical school.

классифи||ка́тор classifier; nomenclator (*особ. в ест.-ист. науках*); ~**ка́ция** classification; ~**ци́ровать** to class, classify.

класси||ци́зм classicism; '~**ческий** classic, classical; '~**ческое образование** classical education.

кла́сс||ный: ~**ная комната** school-room; ~**ное время** school-time; ~**ные занятия** lessons.

кла́ссов||о: к.-**чуждые элементы** class-alien elements; ~**ый** class (*attr.*); ~**ая борьба** class struggle; ~**ая солидарность** class solidarity; ~**ое правосудие** class justice; ~**ое сознание** class consciousness; ~**ое чутьё** class sentiment; ~**ые различия** class differences.

кла́сть to lay, deposit, put, place, set; *уст.* to geld, castrate (*холостить*); к. **в банк** to deposit, to pay in; к. **в карман** to put in the pocket, to pocket; к. **в мешок** to (put into a) sack; к. **ногу на ногу** to cross one's legs; к. **на обе лопатки** to throw; к. **под сукно** to shelve, to pigeon-hole; к. **фундамент** to lay the foundation; к. **яйца** to lay eggs; **я** ~**ду́ ему за работу** 10 **рублей** I value (estimate) his work at 10 roubles.

клёв biting, nibbling; **хороший** к. the fish bites well.

клева́ть to peck, pick; to bite, nibble (*о рыбе и фиг.*); к. **носом** to nod.

кле́вер clover.

клевет||а́ calumny, slander, aspersion, defamation, libel; **эта книга — к. на человечество** this book is a libel on human nature; ~**а́ть** to calumniate, slander, asperse, defame, libel, malign; to cast aspersion (*upon*); ~**ник,** ~**ница** calumniator, backbiter, slanderer; ~**ни́ческий** slanderous, calumnious, defamatory, injurious, libellous; ~**ни́ческая кампания** campaign of calumny.

клево́к peck; bite.

клеврет creature, agent, tool.

кле||ева́р glue-boiler; ~**ева́рный завод** glue manufactory; ~**ево́й** of glue, adhesive; **стены были окрашены** ~**евой краской** the walls were colour-washed; ~**е́ние** gluing; pasting; ~**ёнка** oilskin, oilcloth; ~**ёнчатый костюм** oilskins; ~**и́льщик** gluer; '~**ить** to glue, gum; to paste (*мучным клеем*); '~**иться** to be glued; to stick, adhere; *фиг.* to go on well, to be successful; **работа не** '~**ится** the work drags; **разговор не** '~**ился** the conversation flagged; ~**й** glue, gum, size; paste (*мучной*); **птичий** ~**й** bird-lime, lime; **рыбий** ~**й** isinglass; '~**йка см.** клеение; '~~**йкий** gluey, sticky, adhesive, gummy, glutinous; clammy (*липкий, влажный*); viscous (*вязкий*); ~**йкови́на** gluten; '~**йкость** glueyness, glutinosity, adhesiveness; viscosity.

клейм||е́ние branding, stamping, marking; ~**и́льщик** brander, stamper; ~**и́ть** to brand, stamp, mark; *фиг.* to stigmatize, brand (*with*); ~**о́ brand**, burn, stamp, mark; ~**о на ухе у скота** ear-mark; ~**о позора brand**, stigma, note of infamy; **контрольное** ~**о** counter-mark, пробирное ~**о** hall-mark, mark of assay.

кле́йстер paste.

клён maple.

клепа́льн||ый: ~**ая машина** riveting machine.

клепа́ть *техн.* to rivet; *фиг.* to calumniate, slander, malign (*на к.-л.*).

клёпер clipper.

клёпка *техн.* riveting; staff-wood.

клептома́н kleptomaniac; ~**ия** kleptomania.

клерика́л clerical; ~и́зм clericalism; ~ьный clerical.

клерк clerk.

клёст *зоол.* crossbill.

клёт‖ка cage (*для животных*); bird-cage (*для птиц*); coop (*для домашней птицы*); hutch, rabbit-hutch (*для кроликов*); mew (*для сокола*); crate (*упаковочная*); square, check, chequer(s) (*на материи и т. п.*); *биол.* cell, cellule; грудная к. chest, thorax; учение о ~ке cytology; графить в ~ку to chequer; материя в ~ку chequered (checked) fabric, check; сажать в ~ку to cage, encage, coop; ~ушка closet; very small room; ~чатка *анат.* cellular tissue; *бот., техн.* cellulose; ~чатый checked, chequered; tessellated; ~чатый *биол.* cellular; ~ь store-room; упаковочная ~ь crate.

клёцка small lump of boiled dough, flour-dumpling.

клешня́ claw, nipper; chela (*научн.*).

клещ *зоол.* tick, mite.

клещеви́на *бот.* castor-oil plant, Palma Christi.

клещи́ pincers, tongs, nippers; этого ~а́ми из меня не вытянешь *фиг.* wild horses shall not drag it from me.

кли́вер *мор.* jib.

клие́нт client; ~у́ра clientele.

кли́зма *мед.* enema, syringe, clyster.

кли́ка clique, cabal, faction; антисове́тская к. anti-Soviet clique.

кли́к‖ать, ~нуть to call; ~уша woman suffering from hysterics or epilepsy; ~у́шество hysterics; epilepsy.

климактери́ческий *мед.* climacteric.

кли́мат climate; ~и́ческий climatic; ~оло́гия climatology.

клин wedge, quoin; gusset, gore (*в платье, белье*); натяжной к. *техн.* cotter; вгонять к. to wedge; к. ~ом вышибают *посл.* like cures like; свет не ~ом сошёлся *посл.* the world is large enough.

кли́ни‖ка clinic; ~цист clinical physician (surgeon); '~ческий clinical.

кли́нкер *техн.* clinker.

клино́к blade.

клинообра́зный wedge-shaped, cuneiform; ~ообра́зные письмена, '~нопись cuneiform (arrow-headed) characters.

кли́нтух *зоол.* stock-dove.

кли́ппер *мор.* clipper.

клир clergy; ~ик cleric; ~ос choir.

клисти́р enema, syringe, clyster.

клич call, cry, shout; боевой к. war-cry; ~ка name, nickname, sobriquet.

клише́ *тип.* stereotype block; cliché (*тж. фиг.*).

клоа́ка cesspool, sink (*тж. фиг.*); filthy place.

клобу́к cowl, hood.

клозе́т water-closet, *сокр.* w. c.; privy; *амер.* toilet.

кло‖к tuft, flock, lock; к. сена wisp of hay; в ~чья in tatters, in ribbons; рвать в ~чья to tear to tatters (pieces, shreds, ribbons); ~кастый tufty, flocky.

кло́кот, ~а́ние gurgitation, gurgle, bubbling; ~а́ть to gurgle; to bubble; to boil (*о гневе, чувстве*).

клони́ть to lean, incline; меня '~ит ко сну I am sleepy; куда он ~ит? *фиг.* what is he driving at?; ~и́ться to incline, verge, lean, slope; к чему это '~ится? what will it lead to?; солнце ~ится к западу the sun is setting.

клоп bug; *амер.* chinch; *шут.* B flat, Norfolk Howard; кишащий ~а́ми buggy; ~о́вник house (place) infested with bugs.

кло́ун clown; ~а́да clownery.

клохта́‖нье chuckling, clucking; ~ть to chuckle, cluck.

клоч‖кова́тый tufty, flocky; ~о́к shred, rag, scrap; ~о́к бумаги a scrap of paper; ~о́к земли small piece of land, plot, patch; ~о́к земли, засаженный картофелем a patch of potatoes; ~о́к шерсти flock of wool; '~ья *см.* клок.

клуб I. club; к. металлистов Metalworkers' club; яхт-к. yacht-club.

клуб II. puff, curling cloud(s) (*volumes*) of smoke (*дыма*); ~ы пыли clouds of dust.

клу́бень *бот.* tuber.

клуби́ть‖ся to roll, curl, wreathe (*о дыме*); to whirl (*о пыли*); дым ~ся из трубы chimney rolls up smoke.

клубнево́й tuberose (*о раст.*).

клубни́ка garden strawberry.

клу́бни‖ый club; ~ое дело club organization.

клуб‖о́к ball, clew (*шерсти и пр.*); knot, tangle (*фиг., противоречий и т. п.*); ёж свертывается ~ко́м hedgehog rolls itself into a ball (rolls itself up).

клу́мба flower-bed.

клу́ша clucking hen.

клу́ши́ца *зоол.* chough.

клык tusk (*слона, моржа*); canine tooth, buck-tooth (*зуб*); ~**а́стый** having long tusks (fangs).

клюв beak, bill; *зоол.* rostrum; ~**ообра́зный** rostriform.

клюз *мор.* hawse, hawse-hole.

клюка́ crutch-stick, crutch-cane.

клю́ква *бот.* cranberry; bog-berry.

клю́нуть *см.* клевать.

ключ 1. key; 2. spring, fountain (*источник*); *муз.* key, clef; к. к разгадке clue, key; английский к. monkey-wrench; гаечный к. wrench, spanner, key-screw; бить ~**о́м** *фиг.* to spout, jet, well up; кипеть ~**о́м** to (be about to) boil over; to popple; ~**а́рь** *церк.* sacristan; ~**ева́я** вода spring-water; ~**ик** a little key; ~**ик** от часов watchkey, key of a clock.

ключи́||ца *анат.* clavicle, collar-bone; ~**чный** clavicular.

ключни́||к *уст.* steward; ~**ца** house-keeper.

клю́шка (*для игры в гольф*) club.

кля́кс||а blot, blotch; ставить ~**у** to blot.

кля́нчить *разг.* to beg, importune, mump.

кляп gag.

клясть to curse; ~**ся** to swear, vow, to take an oath; ~**ся** отомстить to vow vengeance; ложно ~**ся** to perjure (forswear) oneself.

кля́тв||а oath, vow; к. воздержания от пьянства the (temperance) pledge; ложная к. perjury; брать ~**у** с к.-л. to swear someone; давать ~**у** to take (swear) an oath; давать ~**у** воздержания от пьянства to take (sign) the pledge; под ~**ой** on oath; ~**енное** обещание oath.

клятвопресту́пн||ик, ~**ица** perjurer, oath-breaker; ~**ичество** perjury; ~**ый** perjured, forsworn.

кля́уз||а cavil, quibble; ~**ы** intrigues, gossip, underhand dealings; ~**ник,** ~**ница** intriguer, pettifogger, barrator; ~**ничать** to pettifog, chicane; ~**ничество** chicanery, intrigues, pettifogging, barratry; ~**ный** pettifogging, quibbling.

кля́ча jade, screw, weed, rip, Rosinante; crock (*sl.*).

кна́стер (*сорт табака*) canaster.

кнель quenelle.

кни́г||а book, volume; к. для записи приезжающих arrival-book; к. с рассказами для детей story-book; главная к. (*в бухгалтерии*) ledger; метрическая к. parish register; приходо-расходная к. account book; справочная к. book of reference; телефонная к. telephone directory; вам и ~**и** в руки *погов.* you know more about it, it rests with you to decide; ~**оизда́тельство** publishing-house; ~**оно́ша** book-hawker; ~**опеча́тание** typography, printing, press; ~**опеча́тный** станок printing-press; ~**опрода́вец,** ~**оторго́вец** bookseller; ~**охрани́лище** library.

кни́ж||ечка booklet; ~**ка** book; *зоол.* third stomach, psalterium, omasum (*у жвачных*); ~**ка** с картинками picture-book; банковская счётная ~**ка** pass-book; заборная ~**ка** food-book; записная ~**ка** note-book, pocket-book; хлебная ~**ка** bread-book; чековая ~**ка** cheque-book; ~**ник** bookman; *библ.* scribe; ~**ный** ларь book-stall; ~**ный** магазин book-shop; *амер.* book-store; ~**ный** человек book-learned (bookish) man, bookworm; ~**ный** шкаф book-case, book-press; ~**ная** торговля book-seller's shop; book-trade; ~**ная** учёность book-lore; ~**ное** слово literary word.

книзу down, downwards.

кни́ца *мор.* knee.

кно́пк||а (push-)button, knob (*звонка и т. д.*); press-button (*застёжка*); drawing pin (*гвоздик*); нажать ~**у** to press the button; прикрепить ~**ой** to fix with a drawing pin.

кнут whip, knout; бить ~**о́м** to whip, to knout; ~**ови́ще** whip handle.

княги́ня princess; великая к. grand duchess.

княж||е́ние *уст.* reign; '~**еский** princely; prince's; по-'~**ески** like a prince; '~**ество** principality; '~**ий** *см.* княжеский; '~**ить** to reign; ~**на́** princess; великая ~**на** grand duchess.

княз||ёк *пренебр.* princeling; *зоол.* blue titmouse; ~**ь** prince; великий ~**ь** grand duke.

ко *см.* к.

коагул||и́ровать to coagulate; ~**я́ция** coagulation.

коалиц||ио́нный coalition (*attr.*), coalitional; '~**ия** coalition; участник '~**ии** coalitionist; вступать в '~**ию** to enter into a coalition.

ко́бальт cobalt; ~**овое** стекло smalt.

кобе́ль dog, he-dog, male dog.

кобе́ниться *вульг.* to refuse obstinately, to behave stubbornly.

кобе́ц *см.* чоглок *и* ястреб-перепелятник.

ко́бза *укр.* a kind of lute with eight strings; **'~рь** an itinerant player on this instrument.

ко́бра *зоол.* cobra.

кобура́ holster, leather pistol-case.

ко́бчик *зоол.* a kind of kestrel.

кобы́л‖а, ~и́ца mare.

кобы́лка 1. *зоол.* filly; 2. bridge (*скрипки*).

кобыля́тина mare's flesh.

ко́ван‖ый forged, beaten; shod; **~ое** железо wrought iron.

кова́р‖ный artful, insidious, crafty, wily, cunning, designing, jesuitical (*о человеке*); insidious (*тж. о предмете или явлении, например о болезни*); к. человек a deep one, deep file (*sl.*); **~но** artfully *и пр.*; **~ство** craft, insidiousness.

кова́ть to forge, work, beat, hammer; to shoe (*лошадь*); к. железо to forge, work, hammer iron; куй железо, пока горячо *посл.* strike while the iron is hot; *прибл.* make hay while the sun shines.

ковбо́й cowboy.

ков‖ёр carpet; rug (*мохнатый*); hearthrug (*перед камином*); покрывать **~ра́ми** to carpet.

коверка‖ние distortion; mangling, torturing; **~ть** to distort, twist, contort; to mangle, torture (*язык, слова*).

коверко́т covert-coat.

ко́вка forging; shoeing (*лошадей*).

ко́вк‖ий *техн.* malleable, ductile, flexible; **~ость** malleability, ductility.

коври́‖га loaf of bread; **~жка** gingerbread; ни за какие **~жки** *разг.* not for the world.

ковче́г *библ.* ark; shrine; ноев к. (*тж. фиг.*) Noah's ark.

ковш dipper, scoop, ladle; bailer; *техн.* bucket (*напр. водоотливной машины*).

ко́вы *уст.* toils, machinations, plotting, snare.

ковы́ль *бот.* feather-grass.

ковыля́ть to hobble, limp, waddle; to toddle (*о ребёнке*); to stump (*на деревянной ноге*).

ковыр‖ну́ть, ~я́ть to pick (*в зубах и т. д.*); **~я́ть** to tinker at (*чинить неумело*); **~я́ться** to be slow (*at work etc.*).

когда́ when; он рассказал мне к. и отчего это произошло he told me the when and the why of it; к. бы ни whenever; к.-либо, к.-нибудь some time, some day, some time or other; ever; лучшее, что я к.-либо видел the best thing I have ever seen; к.-то formerly once, sometime.

коге́рер *рад., эл* coherer.

кого́ whom; к. бы ни whomsoever.

кого́рта *ист., фиг.* cohort.

ко́г‖оть claw, nail; talon (*хищной птицы*); **~ти** *фиг.* clutches; показать свои **~ти** to show one's teeth; лапа с **~тя́ми** claw, paw; **~ти́стый** long-clawed.

код signal-book, code.

ко́да *муз., поэт.* coda.

ко́дак kodak (*фотогр. аппарат*); снимать **~ом** to kodak.

коде́йн *хим.* codeine.

код‖екс code; к. законов о труде Labour Code; к. Юстиниана Institutes of Justinian; Justinian Code; гражданский к. civil code; уголовный к. criminal code; **~ифика́ция** codification; **~ифици́ровать** to codify.

ко́е: к.-где́ somewhere; к.-ка́к carelessly, negligently, anyhow, perfunctorily, at haphazard (*небрежно*); pell-mell (*без разбора*); with difficulty (*с трудом*); к.-како́й some, any; к.-кто́ somebody, someone, some; к.-куда́ somewhere; к.-что́ something, a little.

ко́ж‖а skin (*человека и небольших животных*); hide (*крупных животных*); leather (*выделанная*); *анат.* cutis; бараба́нная к. drumhead; бара́нья к. sheepskin; воло́вья к. ox-hide, neat's leather; гуси́ная к. *фиг.* goose-flesh, goose-skin; иску́сств. к. leatherette; оле́нья к. buckskin; сапо́жная к. shoe-leather; сбро́шенная змеи́ная к. slough; теля́чья к. calf (-leather), cow-hide; у него только к. да кости he is nothing but skin and bone; из **~и** лезть to lay oneself out, to be all out, to do one's utmost; выделывать **~y** to dress (curry) leather; сдирать **~y** to strip off the skin, to flay, excoriate; крыть **~ей** to leather; **~а́н** leather coat; *зоол.* reddish-brown bat, pipistrelle; **~аный** leathern, leather-; **~аные** штаны leathers; **~евенный** завод tan-yard, tannery; **~евенный** мастер, **~евник** currier; leather-dresser, tanner; **~евня** tan-yard, currier's shop; **~завод** *см.*

кожевенный завод; ⌐ица pellicle, film; thin skin, peel, rind (*у фруктов и пр.*); husk (*шелуха*); снимать ⌐ицу с фруктов to peel, pare; покрываться ⌐ицей to skin; ⌐ный *мед.* cutaneous; ⌐ная болезнь skin-disease; ⌐синдикат leather syndicate; ⌐урá rind, skin, peel, husk; pod (*гороха и пр.*); *см. тж.* кожица; ⌐ух *см.* кожан; *техн.* casing, jacket; ⌐ух гребного колеса paddle-box.

коз‖á goat, she-goat, nanny (-goat); ⌐ёл goat, he-goat, billy-goat; ⌐ёл отпущения scapegoat; каменный ⌐ёл *зоол.* ibex.

козелéц *бот.* viper's grass.

Козерóг *астр.* Capricorn, Goat.

козéтка settee.

кóз‖ий caprine, of goat; ⌐ье молоко goat's milk; ⌐лёнок ⌐лик kid, goatling, yeanling; ⌐líный goatish, goaty; ⌐líный голос reedy voice; ⌐líная бородка goatee; ⌐лíться to kid, yean.

кóзлы *множ. ч. от* козёл.

кóзлы coach-box, box (*экипажа*); trestle (*постели, стола и т. п.*); vaulting-horse, horse (*гимнаст.*); saw-horse, *амер.* saw-buck (*для пилки*); ставить винтовки в к. to pile arms.

козля́т‖ина goat's flesh; ⌐ник *бот.* goat's rue.

кóзни machinations, intrigues, plotting, toils, snares; строить к. to machinate, plot.

козодóй *зоол.* goat-sucker, night-jar (*птица*).

козу́ля *см.* косуля.

козырёк peak; брать под к. to salute.

козырн‖у́ть *см.* козырять; ⌐óй туз (валет) ace (knave, jack) of trumps.

кóзыр‖ь trump; trump-card; покрыть ⌐ем to trump; перекрыть старшим ⌐ем to overtrump; объявлять ⌐я *карт.* to call one's hand; оставлять ⌐я про запас *карт. и фиг.* to have a card up one's sleeve; to reserve one's trump-card; ⌐я́ть to play a trump, to lead trumps, to trump; to ruff (*в висте*); *фиг.* to play one's trump card.

козя́вка small insect.

кой *см.* кое; к. чорт! what the deuce! deuce take it!

кóйка hammock, cot, berth, bunk (*корабельная*); bed (*больничная*).

койóт *зоол.* coyote (*луговой волк*).

кок (*повар на судне*) cook.

кóка *бот.* coca.

кокаи́н cocaine; ⌐и́ст, ⌐и́стка cocaine addict; ⌐омáния cocainism, cocainomania.

кокáрда badge, cockade.

кокáть to crack, break, flaw (*посуду, яйцо*); ⌐ся to crack, break.

кокéт‖ка coquette, flirt; jilt; ⌐ливый coquettish; ⌐ничать to coquet, flirt; to set one's cap (*at*); ⌐ство coquetry, flirtation.

кокк *мед.* coccus (*pl.* cocci).

коклю́ш hooping-cough.

коклю́шка bobbin.

кóкнуть *см.* кокать.

кокóн cocoon, follicle.

кокóс, ⌐овый орех coco-nut, coker-nut; ⌐овая цыновка coco-nut matting; ⌐овая пальма coco-nut palm; ⌐овое молоко coco-nut milk; ⌐овые волокна coir.

кокóтка demimondaine.

кокóшник *ист.* kind of Russian woman's headdress.

кокс coke; ⌐овáть to coke; ⌐овая печь coke oven.

кол stake, picket, pale; сажать на к. to impale; ему хоть к. на голове теши he is very obstinate (very pig-headed); у него нет ни ⌐á ни двора he has neither house nor home; обносить ⌐ьями to stake in (off).

кол- *сокр.* коллективный.

кóлба *хим.* retort.

колбас‖á sausage; варёная (копчёная) к. boiled (smoked) sausage; кровяная к. black-pudding, blood-pudding; ливерная к. liver (white, pluck) sausage; '⌐ник sausage dealer.

кóлоень *зоол.* goby.

колдóбина small pit (hole).

колд"овáть to conjure, to practise witchcraft; ⌐овскóй magical, glamorous; ⌐овствó witchery, witchcraft, sorcery, wizardry, glamour; magic, spell, bewitchment, conjuration (*заклинание*).

колдоговóр (*коллективный договор*) collective agreement.

колду́н sorcerer, wizard, magician; ⌐ы́ small boiled meat pasties; ⌐ья witch, sorceress.

колебá‖ние vacillation, wavering, hesitation, shilly-shally (*нерешительность*); oscillation (*о маятнике*); fluctuation (*о температуре, ценах и пр.*); к. почвы convulsion of the earth's surface; электромагнитные ⌐ния electromagnetic vibrations; ⌐тельный oscillatory.

колеб‖áть to shake, agitate; ⌐áться to oscillate, undulate, vibrate, sway; to hesitate, vacillate, scruple, waver, halt, shilly-shally, falter, not to know one's own mind (*не решаться*); ~аться в пределах to vary, fluctuate, range (*from—to*); ' ~лющийся unsteady, shaky; wavering (*нерешительный*); ~лю-щийся человек shilly-shallyer, waverer.

колéйный *см.* узкоколейный, ширококолейный, двухколейный.

коленкóр calico; это совсем другой к. *погов.* that's quite another thing.

колéнн||ый knee (*attr.*); к. реф-лекс *мед.* patellar reflex, *разг.* knee-jerk; к. сустав knee-joint; ~ая чашка knee-pan, knee-cap, *мед.* patella.

колéн||о knee; *техн.* elbow; *бот.* joint, node; *библ.* tribe; remove, generation (*поколение*); bend, sinuosity (*о реке*); по к. up to the knees, knee-deep; родственники до пятого ~а cousins five times removed; преклонять ~а genuflect, to bend the knees; стать на ~и to kneel; мать с ребёнком на ~ях a mother with a child on (in) her lap.

коленопреклон||éние genuflection, kneeling; ~ённый on one's knees, kneeling.

колéн||це: выкинуть к. to play a trick; ~чатый articulate; ~ча-тый вал *техн.* crankshaft; ~чатая труба *техн.* elbow.

кóлер colour; staggers (*болезнь лошадей*).

колéсико small wheel; castor (*на ножках мебели*); rowel (*шпоры*).

колесить to go a roundabout way; к. по всему свету to travel all over the world.

колéсник wheelwright.

колесни́ца chariot, car.

колéсн||ый wheel (*attr.*); wheeled; ~ая мазь cart-grease.

колесó wheel; Catherine-wheel, girandole (*фейерверк*); к. на рези-новом ходу rubber-tired wheel; к. фортуны Fortune's wheel; ведущее к. *техн.* driving wheel; гидравли-ческое к. water-wheel; гребное к. paddle-wheel; зубчатое к. cog-wheel, rack-wheel; коническое к. bevel-wheel; маховое к. fly-wheel; мельничное к. mill-wheel; пере-даточное к. carrier; червячное к. worm-wheel; ~вáние ист. break-ing on the wheel; ~вáть to break on the wheel.

колéчко small ring, ringlet, an-nulet; link.

коле||я́ rut, track; line (*жел.-дор.*); выбитый из ~й *фиг.* off the rails; изрезанный ~ями rutty.;

кóли *разг.* if.

колибри humming-bird, colibri.

Колизéй Coliseum, Colosseum.

кóлика *мед.* colic, colic pains; *разг.* gripes.

количественн||ый quantitative; ~ое числительное cardinal num-ber.

количество quantity, amount; number (*число*).

кóлка splitting, cleaving.

кóлк||ий cleavable (*о дровах*); prickly (*колючий*); *фиг.* stinging, biting, sharp, mordant, caustic, poignant; ~ость mordancy, caus-ticity, stinging remark.

коллéг||а colleague; мой почтен-ный к. (*в парламенте*) my honour-able friend; ~иáльный collegiate; ~ия board, college; ~ия защит-ников College of Barristers.

кóлледж college; член ~а colle-gian fellow.

коллектив collective body, asso-ciation; заводской (партийный) к. works (party) collective; ~изáция collectivization; ~изм collecti-vism; ~ист collectivist; ~истиче-ский collectivist (*attr.*); ~ный collective; ~ный договор collec-tive agreement; ~ная подписка collective subscription; ~ное твор-чество collective creative work; ~-ное хозяйство (колхоз) collective farm (kolkhoz).

коллéктор collector; библиотеч-ный к. book collector for a lib-rary.

коллекц||ионéр collector; ~иони́-ровать to collect; ' ~ия collection.

кóлли collie (*порода собак*).

колли́зия collision.

коллимáтор *астр.* collimator.

коллóдий collodion.

коллóид *хим.* colloid; ~áльная химия colloidal chemistry.

коллóквиум oral examination, viva voce.

колобóк small round loaf.

коло||бродить to lounge about, to play pranks; ~ворот *техн.* brace and bit; ~врáтки *зоол.* Rotifera, wheel-animalcules; ~врáтность vi-cissitude, mutability; ~врáтный circular, rotary; ~вращéние circu-lar motion, rotation.

колóда block, log; pack (*карт.*).

колóде||зник well-sinker; ~з-ная вода well-water; ~зь, ~ц well; draw-well (*с ведром на верёвке*); артезианский ~зь artesian well-

колод‖ка last (*для обуви*); ~ки boot-trees (*для обуви*); *ист.* stocks (*наказание*); ботинки на ~ках boots upon their (boot-)trees; ~ник *ист.* convict, prisoner.

колок *муз.* pin.

колокол bell; подбор ~ов peal, chime, ring (set) of bells; '~ьный звон chiming, ringing of bells; ~ьн‖ый мастер bell-founder; '~ьня steeple, belfry, church-tower, bell--tower; '~ьчик small bell, bell; handbell (*преим. музыкальный*); *бот.* campanula, bluebell.

коломазь grease (for lubricating wheels).

коломенка kind of barge.

колони‖альный colonial; ~альное рабство colonial slavery; ~альные войны colonial wars; ~альные товары groceries; торговец ~альными товарами grocer; ~затор colonizer; ~зация colonization; ~зировать to colonize, settle; '~ст, '~стка colonist.

колони‖я colony, settlement; трудовая к. labour settlement (colony); захват (раздел) ~й seizure, occupation (division) of colonies; министерство ~й Colonial Office.

колонка small column; geyser (*при ванне*).

колонн‖а column, pillar; *военн.* column; сомкнутая к. close column; размещение колонн intercolumniation; ~ада colonnade; ~адный pillared, columned; ~ообразный columnar; ~ый columned.

колоратур‖а *муз.* coloratura; ~ная певица florid singer.

колориметр *физ.* colorimeter.

колорист *жив.* colourist.

колорит colouring, tonality; местный к. local colour; ~ный picturesque, vivid.

колос ear, spike; пшеничный к. wheat-ear; собирать '~ья после жатвы to glean; ~истый full of ears; ~иться to ear, to form ears.

колосники fire-bars; *театр.* flies, fly gallery.

колосовидный spike-shaped.

колосс colossus; ~альность hugeness; ~альный colossal, huge, gigantic.

колот‖ить to beat; to knock, pummel, drub, thrash, to give a good drubbing (*кого-л.*); to lick (*sl.*); ~иться: сердце '~ится the heart beats (thumps); ~овка churn-staff (*для сбивания масла, теста*); ~ушка clapper, rattle (*трещотка*); beetle, paving ram (*трамбовка*); 1 low on the head.

колот‖ый: к. сахар lump sugar; ~ая рана gash.

кол‖оть to thrust, stab, stick, pierce; to prick, sting (*о колючке и т. п.*); to split, cleave, chop, rive (*раскалывать, напр. дрова*); to slaughter (*животных*); *фиг.* to pique, sting, nettle, taunt; к. сахар to break sugar; у меня '~ет в боку I have a stitch in my side; у меня ~ет палец my finger pricks; это ему ~ет глаза that is a thorn in his side; ~отье colic, stitch; gripes; ~оться to split; to prick, sting; и хочется и '~ется would like to but is afraid; would but daren't; '~ющая боль shooting pain.

колпа‖к nightcap; *техн.* cap, cowl; *фиг.* simpleton; к. дымовой трубы cowl, chimney-top; стеклянный к. bell-glass; шутовской к. foolscap; ~чить to fool, dupe, gull (*дурачить*).

колпи‖к, ~ца *зоол.* spoon-bill.

колтун *мед.* Plica Polonica.

Колумб Columbus.

колун axe.

колупать to pick.

колхоз kolkhoz, collective (farm); укрепление ~ов consolidation of Colfarms; ~ник, ~ница member of Colfarm; ~ное строительство organization of collective farms; К ~центр Central Administration of Collective Farms.

колчан quiver.

колчедан *мин.* pyrites.

колченогий lame, limping, hobbling.

колыбел‖ь cradle; от ~и до могилы from the cradle to the grave; ~ьная песня lullaby.

колымага *ист.* coach; *шут.* huge and unwieldy carriage.

колых‖ание rocking, swinging, tossing, shaking; *см.* колыхать; ~ать, ~нуть to sway, swing, toss, shake, rock; ~аться, ~нуться to sway, swing, shake, rock; to flicker, waver, bicker (*о пламени*); to quiver, flicker (*о листьях*).

колышек peg; picket; к. для прикрепления палатки tent-peg.

коль *см.* коли.

кольд-крем cold cream.

колье necklace.

кольнуть *см.* колоть.

кольраби *бот.* cole-rape.

Кольридж Coleridge.

коль скоро as soon as (*как только*); as (*так как*).

кольц‖евать to put a ring upon bird's leg, to ring; to ring-bark, to girdle (*дерево*); ∽**ево́й** annular; ∽**ообра́зный** annular, ring-shaped; ∽**о́** ring; *техн.* collar; split ring (*для ключей и пр.*); nose-ring (*для носа животных, дикарей*); ∽**о** дыма wreath of smoke; обручальное ∽**о** wedding-ring; '∽**а** свернутого каната coils, twines.

кольчаты∥**й** annulate(d); ∽**е** черви *зоол.* Annelida.

кольчу́г∥**а** mail, coat of mail, chain-armour, chain-mail, hauberk; одетый в ∽**у** mailed.

ко́льщик wood-splitter.

ко́лючепёры∥**й**: ∽**е** рыбы acanthopterygian fishes.

колю́ч∥**есть** prickliness; ∽**ий** prickly, spiny, thorny; ∽**ка** prickle; thorn, spine (*шип*); bur(r), hedgehog (*растение*); ∽**ник** *бот.* carline.

колю́шка *зоол.* stickleback, tittlebat.

ко́лющий *см.* колоть.

коля́ска carriage, calash, barouche (*четырехместная*); детская к. perambulator (*разг.* pram); mail-cart.

ком I. (*предл. пад. от* кто); о к. of (about) whom; в к. in whom; на к. он женился? whom did he marry?

ком II. lump, clot; ball (*снега*); clod (*земли*); первый блин ∽**ом** *посл.* you must spoil before you spin.

ком- *сокр.* коммунистический.

комакаде́мия (*Коммунистическая академия*) Communist Academy.

кома́нд∥**а** *военн.* word of command, order, command; body of soldiers, detachment (*отряд*); *мор.* crew, ship's company; *спорт.* team; боевая к. military order, command; пожарная к. fire brigade; предварительная к. caution; учебная к. training detachment; принять ∽**у** над полком to take command of a regiment; слушать ∽**у** to obey word of command; ∽**ир** commander; полковой ∽**ир** commander of a regiment; ∽**ирова́ть** to dispatch, order, send; ∽**иро́вка** mission; ∽**иро́вочное** удостоверение a certificate issu d to people sent on an official mission; ∽**иро́вочные** travelling expenses for people sent on a mission; ∽**ный** состав commanders; ∽**ование** command, commanding; ∽**овать** to command; *фиг.* to domineer; ∽**ор** *ист.* knight commander; ∽**ующий** commander.

кома́р gnat, mosquito, midge.

комба́йн combine; ∽**остро́ение** combine constructi°n.

комба́т 1. (*командир батальона*) battalion commander; 2. (*командир батареи*) battery commander.

Комбе́д *ист.* (*Комитет крестьянской бедноты*) Committee of Poor Peasants.

комбин∥**а́т** combine; ∽**а́ция** combination; combinations (*бельё*); *амер.* union-suit (*бельё*); ∽**и́ровать** to combine, arrange.

комбри́г (*командир бригады*) Brigade Commander.

комвуз (*коммунистический вуз*) Communist higher educational institution.

комди́в (*командир дивизии*) division commander.

комеди∥**а́нт** *пренебр.* play-actor, buffoon; ∽**а́нтка** *пренебр.* play-actress; '∽**и́йный** comic.

коме́дия comedy; *фиг.* theatrical behaviour, histrionics, pretence; кукольная к. puppet-play, puppetry.

коме́ль butt, butt-end.

коменда́∥**нт** *военн.* commandant, superintendent (*здания*); ∽**ту́ра** commandant's (steward's) office.

комендо́р *мор.* gunner.

коме́та comet.

Ко́ми the Komi Region (*область*).

коми́зм comicality, humour.

ко́мик comic actor, comedian.

Ком‴**нте́рн** Comintern.

комисса́р commissar (*в СССР*); commissary (*за границей*); Народный к. (*финансов и пр.*) the People's Commissar (for Finance etc.); ∽**иа́т** commissariat; Народный ∽**иа́т** the People's Commissariat; внешней (внутренней) торговли for Foreign (Home) Trade; внутренних дел for Home Affairs; водного транспорта for Water Transport; земледелия for Agriculture; здравоохранения for Health; зерновых и животноводческих совхозов for Grain and Cattle Soviet farms; иностранных дел for Foreign Affairs; коммунального хозяйства for Communal Economy; легкой промышленности for Light Industry; лесной промышленности for Timber Industry; пищевой промышленности for Food Industry; связи for Post, Telegraph and Radio Communication; просвещения for Education; путей сообщения for Transport; обороны for Defence; социального обеспечения for Social Insurance; тяжёлой промышленности for Heavy Industry; финансов for Finance; юстиции for Justice; местной промышленности for Local Industries; *см. тж.* наркомат; ∼ский commissarial.

комиссио‖нéр agent, middleman, broker, factor, jobber; house-agent; commissionaire (*посыльный*); ∼нéрство broking; ∼нéрша female agent; '∼нная контора agency-business; ∼нная продажа sale on commission; '∼нное вознаграждение brokerage, commission.

комúсси‖я commission, committee; к. исполнения Committee controlling the execution of orders; к. партийного контроля Party Control Committee (*Committee controlling the execution of Communist Party Central Committee Decisions*); к. советск. контроля Soviet Control Committee (*Committee controlling the execution of decrees issued by the council of People's Commissars in USSR*); к. содействия учёным при СНК СССР Assistance Committee for Scientists, under the Council of People's Commissars of the USSR; лавочная к. shop committee; междуведомственная к. joint (inter-departmental) committee; Центральная избирательная к. Central Elective Committee; продавать (держать) товар, отданный на ∼ю to sell (have) goods on commission.

комитéт committee; к. по изобретательству при СТО Invention Control Bureau under the Labour and Defence Council; исполнительный к. executive committee; областной к. regional committee; районный к. district committee; Центральный К. ВКП(б) Central Committee of the Soviet Union Communist Party.

комúч‖еский comic, comical; ∼ный ridiculous.

кóмкать to crumple, rumple.

коммеморатúвный commemorative, memorial.

коммент‖áрий commentary; подстрочный к. running commentary; ∼áтор commentator; ∼úровать to comment, gloss.

коммер‖сáнт (wholesale) merchant; '∼ция commerce, trade; '∼ческий commercial, mercantile; ∼ческий человек business-man; '∼ческая география commercial geography; ∼ческая корреспонденция commercial correspondence; ставить на '∼ческую ногу to commercialize.

коммивояжёр commercial traveller, travelling salesman, bagman; *амер.* drummer; быть ∼ом to travel (*у кого-л.—for, по продаже чего-л.—in*).

коммýн‖а commune; Парижская к. the Paris Commune; ∼áльный communal, municipal; ∼áр communitarian.

коммун‖изáция communization; ∼изúровать to communize; ∼úзм communism; военный ∼úзм war time communism; первобытный родовой ∼úзм primitive tribal communism; профсоюзы — школа ∼úзма Red Trade Unions are the School of Communism.

коммуник‖ациóнный: ∼ациóнная линия line of communication; ∼áция communication.

коммунúст communist; ∼úческий communist(ic), bolshevist; К∼úческий Интернационал the Communist International; ∼úческая партия Communist Party; ∼úческая революция Communist Revolution; с ∼úческим приветом with communist greetings.

коммутá‖тор commutator; ∼циóнная доска switch-board.

коммюникé *пол.* communiqué.

кóмнат‖а room, apartment; к. с одной постелью single(-bedded) room; к. с двумя постелями double(-bedded) room; ∼ные игры indoor games.

комóд chest of drawers, commode; tall-boy (*высокий*).

комóк lump, clot; ball ·(*снега*); clod (*земли*); к. в горле lump in the throat.

комóлый *диал.* hornless.

компáкт‖ность compactness; ∼ный compact, tight.

компанéйский *разг.* sociable, companionable; к. союз (*предпринимат. организации для противопоставления их профсоюзам*) company-union (*associations organized by the employers to counteract the Trade Unions*).

компáни‖я *и комм.* company, partnership; party, set, crew (*общество людей*); водить ∼ю (*с к.-л.*) to consort (*with*); за ∼ю for company.

компаньóн partner; companion; к., не участвующий активно в ведении дела sleeping partner; ∼ка companion.

компáртия Communist Party.

кóмпас compass; определять местонахождение по ∼у to orient, orientate; ∼ная стрелка compass needle.

компатриот compatriot, fellow-countryman.

компендиум compendium, digest.

компенс‖ация compensation, solatium; ~и́рованный ма́ятник compensation-balance(-pendulum); ~и́ровать to compensate (for), to make up (for), to make amends (for), recompense, indemnify.

компетен‖тный competent; ~т-ность, ~ция competence; это вне моей ~ции this is out of my sphere (line), this is beyond my scope (юр. cognizance).

компил‖и́ровать to compile, put together; ~яти́вный compiled; ~я́тор compiler; ~я́ция compilation; ирон. scissors and paste.

ко́мплекс complex; ~ные числа complex numbers.

компле́кт set, suit; ~ова́ние воен. recruitment, manning; библиот. book acquisition; ~ова́ть воен. to man, reman, recruit; библиот. to complete, supply.

компле́кция constitution.

комплиме́нт compliment; делать к. to pay a compliment; пустые ~ы flummery, soft nothings.

композ́и‖тор composer; ~ция composition.

компоне́нт component.

компонов‖а́ть to compose, group; ~ка composition, grouping.

компо́ст compost.

компо́ст‖ер punch; ~и́ровать билет to punch a ticket.

компо́т compote, stewed fruit.

компре́сс compress, pledget; ~ор техн. compressor.

компромети́ровать to compromise, commit.

компроми́сс compromise; итти на к. to meet half-way; не иду́щий на к. uncompromising; приходить к ~у to compromise; ~ное реше́ние settlement by compromise.

комсо́д (коми́ссия соде́йствия) Assistance Committee.

комсомо́л The Young Communist League; ~ец member of the Young Communist League; ~ка a girl member of the Young Communist League; ~ьская яче́йка Young Communist nucleus.

комсоста́в commanding staff (in the Red Army).

кому́ (дат. пад. от кто) (to) whom; к к. вы идёте? whom are you going to?

комфо́рт comfort; ~а́бельный comfortable.

комфра́кция communist group.

комчва́нство vain bluster on the part of an erring communist.

комяче́йка communist nucleus.

кон stake (ста́вка); turn, lead (о́чередь); ~а́ться to cast (draw) lots.

конве́йер техн. conveyer; ~ная систе́ма conveyer system.

конве́кция физ. convection.

конве́нт ист. Convention.

конве́нция пол. convention.

конве́рсия фин. conversion.

конве́рт envelope, cover.

конве́ртор эл. converter.

конво‖и́р convoy; ~и́ровать to convoy, escort; ~й convoy, escort, guard; '~и́ный см. конвоир.

конву́льс‖ивный convulsive; '~ия convulsion.

конгениа́льный congenial.

конгломера́т conglomerate.

конгрега́ция congregation.

конгре́сс congress; к. Коминтерна Congress of the Comintern; член америка́нского ~а congress-man.

конденс‖а́тор condenser; ~ио́нный аппара́т condenser; ~а́ция condensation; ~и́ровать to condense.

конди́тер confectioner, pastry-cook; ~ская confectionery, sweet-shop, pastry-cook's shop, coffee-house.

конди́ция уст. condition.

ко́ндор зоол. condor.

кондотье́р ист. condottiere, captain of a band of mercenary soldiers, soldier of fortune.

кондуи́т, ~ный журна́л conduct-book.

конду́ктор conductor (трамвая и амер. ж. д.); guard (ж.-д.); ~ша female conductor, conductress.

конево́дство horse-breeding.

конёк small horse; hobby (-horse), fad, craze (страсть); ridge (крыши); морско́й к. hippocampus, sea-horse.

конь‖ки́ skates; к. на ро́ликах roller-skates; ката́ться на ~а́х to skate.

кон‖е́ц end; termination, close; distance, journey, way (расстоя́ние); aim, purpose (цель); болта́ющийся к. tag; зажи́мный к. про́вода эл. terminal; о́стрый к. point; то́лстый к. butt; то́нкий к. tip; положи́ть к. to put an end (to), to make an end (of); разори́ться в к. to be utterly ruined; в оди́н к. one way only; only there; на худо́й к. at (the) worst; под к. latterly, in the end, towards the end; к. делу венец *посл.* all's well that ends well; в оба ~ца the way there and back; до ~ца to the end, to the last; до ~ца недели before the week is out; доводить до ~ца to carry through, to see out, to bring to an end; этому нет ~ца there is no end to it; время подходит к ~цу time is nearly up; the sands are running out; к ~цу недели by the end of the week; и дело с ~цом and there is an end to it; в ~це̍-~цов after all, in the long run, finally; со всех ~цов света from every corner of the earth; сводить ~цы̍ с ~цами to make both ends meet; хоронить ~цы to remove the traces of a crime; и ~цы в воду and nobody will know about it; and none will be the wiser.

коне́чно certainly, of course, naturally, surely, to be sure, sure enough, no doubt, assuredly; к. да! of course; *разг.* rather!; к. нет! certainly not!, no fear!; хотя, к. not but, not but that, not but what.

коне́чн‖**ость** finiteness (*против.* бесконечность); ~ости (*руки, ноги*) extremities; ~ый final, terminal, ultimate ; finite (*противопол.* бесконечный); ~ая станция terminus, termina station; ~ая цель final cause.

кони́на horse-flesh.

кони́ческ‖**ий** conic; ~ое сечение conic section.

ко́нк‖**а** *ист.* horse-drawn tram; вагон ~и horse-car.

конкла́в conclave.

конкорда́нция (*указатель слов, встреч. у автора или в библии*) concordance.

конкорда́т concordat.

конкретиза‖**ция** concretization; ~и́ровать to concretize.

конкре́тн‖**ость** concreteness; ~ый concrete; ~ое руководство concrete leadership; ~о concretely.

конкубина́т concubinage.

конкур‖**е́нт** rival, competitor; ~е́нция competition; вне ~е́нции beyond competition; ~и́ровать to compete; ~и́рующее учреждение rival institution (establishment); the other shop (*sl.*).

ко́нкурс competition; ~ный экзамен competitive examination; ~ное управление Court of Bankruptcy.

ко́нни‖**ца** cavalry, mounted troops, horse; ~огварде́ец *ист.* horse-guardsman.

коннозаво́д‖**ство** horse-breeding;

stud-farm; ~чик owner of a stud-farm.

ко́нн‖**ый** mounted; horse (*attr.*); ~ая армия *см.* конница; ~ая артиллерия horse artillery; ~ая гвардия *ист.* Horse-Guards; ~ая (площадь) horse market; ~ая статуя equestrian statue.

коно́‖**вал** horse-doctor, farrier, veterinary (*разг.* vet); ремесло ~вала farriery; ~вод ringleader; ~вязь tether.

коно́ид. ~а́льный *геом.* conoid.

конокра́д horse-stealer; ~ство horse-stealing.

конопа́‖**тить** to caulk; ~титься to be caulked; ~тка caulking (*действие*); caulking-iron (*инструмент*); ~тчик caulker.

ко́нопа‖**ть** oakum; надирать к. to pick oakum; '~чение caulking.

конопля́ hemp, cannabis; ~ник hemp-close, hemp-garth, hemp-yard; ~нка *зоол.* linnet; redpoll (*только о самце*); ~ный hempen, of hemp; ~ное масло hemp-oil; ~ное семя hempseed.

коносаме́нт *комм.* bill of lading.

консерват‖**и́вный** conservative; ~и́зм conservatism; '~ор conservative; Tory (*в Англии*).

консервато́рия conservatoire, musical school, Academy of Music; *амер.* conservatory.

консерв‖**и́рование** preserving of food; ~и́ровать to preserve, conserve, tin, pot; to can (*амер.*); ~и́ровать древесину to preserve, (creosote, kyanize) wood; ~и́рованное мясо potted (tinned) meat, bully beef; '~ная фабрика tinned food factory; '~ы tinned food, preserved food; *мед.* (eye-)preserves, goggles.

консили́ум consultation.

консисте́нция consistence.

ко́нск‖**ий** horse-, equine; к. волос horse-hair; к. завод stud-farm, stud; к. каштан horse-chestnut; ~ая пиявка horse-leech; ~ое мясо horse-flesh.

конскри́пция conscription.

консо́ли *фин.* consols, consolidated annuities; ~да́ция consolidation; ~ди́ровать to consolidate; to fund; ~ди́рованные долги consolidated fund.

консо́ль *арх.* console; столик на ~ях console-table.

консоме́ consommé.

консона́нс *муз.* consonance.

консо́рциум consortium.

конспе́кт synopsis (*pl.* -pses), summary, précis (*с франц. яз.*); conspectus, abstract, epitome,compendium (*pl.* -ia), syllabus; ⁓ивный synoptical, recapitulative, concise; ⁓ировать to make an abstract (epitome), to recapitulate.

конспира‖тивный of conspiracy, secret; ' ⁓тор conspirator; ' ⁓торша conspiratress; ' ⁓ция conspiracy, plot.

константа *мат.*, *физ.* constant.

КонстантинопольConstantinople.

констатирова‖ние stating; ⁓ть to state.

констебль constable.

констелляция constellation.

конституци‖оналист constitutionalist; ⁓ональный *мед.*, ⁓онный *пол.* constitutional.

конституци‖я *пол.*, *мед.* constitution; к. СССР constitution of USSR; (не)писаная к. (un)written constitution; противоречащий ⁓и unconstitutional.

констру‖ировать to design; to construct; ⁓ктивизм constructivism; ⁓ктивный constructive; ⁓ктор designer, constructor; ⁓кция design, make; *гр.* construction.

консул consul; ⁓ьский consular; ⁓ьское звание, ⁓ьство consulate; генеральное ⁓ьство consulate-general.

консульта‖нт consultant; *мед.* consulting physician; ⁓тивный consultative, advisory; ⁓ция consultation.

консультировать to consult, to ask advice (*of*).

контакт contact; подвижный к. *техн.*, *эл.* slider; войти в к. to come into contact, get into touch (*with*); быть в ⁓е (*с*) to be in contact (*with*), to keep in touch (*with*); ⁓ный ролик *эл.* trolley.

контаминация contamination.

контекст context.

контингент contingent.

континент continent; ⁓альный continental.

контокоррент account current; *сокр.* a/c.

контор‖а office, bureau; counting-house (*для торговых и т. п. операций*); почтовая к. post-office; ⁓ка (writing-)desk, bureau, escritoire; ⁓ский office; ⁓ская книга account-book, ledger.

конторщи‖к, ⁓ца (counting-house) clerk.

контр- counter.

контрабанд‖а contraband, smuggling; ввозить (вывозить) ⁓ой to smuggle in (out); заниматься ⁓ой to smuggle; ⁓ист smuggler, con-

trabandist; ⁓ный товар contraband, smuggled goods.

контрабас *муз.* contrabass, double-bass.

контрагент contractor.

контрадмирал rear-admiral.

контракт contract, agreement; заключать к. to contract; брачный к. marriage contract (settlement); быть связанным ⁓ом to be under articles.

контрактация the conclusion of a binding agreement for supply of goods to (or performance of work for) the State.

контракция *физ.* contraction.

контральто *муз.* contralto.

контрамар‖ка *театр.* order, pass; pass-check; ⁓очник dead-head.

контрап‖нкт *муз.* counterpoint; ⁓ист contrapuntist; ⁓ический contrapuntal.

контрассигн‖ировать to countersign; ⁓овка countersign.

контраст contrast; ⁓ировать to contrast.

контратак‖а *военн.* counter-attack; ⁓овать to counter-attack.

контрафакция infringement, piracy.

контргайка *техн.* jam-nut.

контрданс country-dance.

контрзаговор counterplot.

контрибу‖ция indemnity; contribution; налагать ⁓ю to impose indemnities; to lay under contribution.

контр‖манёвр counter-manœuvre; counterplot; ⁓марш counter-march; ⁓мера counter-action.

контрмин‖а *мор.* counter-mine; ⁓оносец torpedo-boat destroyer.

контрнаступ‖ление counter attack, counter offensive.

контрол‖ёр controller, inspector; ticket inspector (*в трамвае, ж.-д., в театре и пр.*); к. мер и весов surveyor of weights and measures; ⁓ировать to control, check, oversee, superintend; ' ⁓ь control, check; рабочий ⁓ь workers' control; ' ⁓ьный штемпель check; ' ⁓ьная комиссия control committee; ' ⁓ьные цифры control figures.

контрпретензия counter-claim.

контрприказ countermand.

контрразведка secret service, intelligence department.

контрреволюц‖ионёр counter-revolutionist; ⁓ионный counter-revolutionary; ' ⁓ия counter-revolution.

контрфорс *техн.* buttress, counterfort.

ко́нтр‖ы:быть в ~ах(с к.-л.) *разг.* to be out (*with*).

контрэска́рп *воен.* counterscarp.

конту́‖женный contused; ~зия contusion, shell-shock.

ко́нтур contour, outline; набра́сывать к. to outline; ли́ния ~а contour line; ~ный in outline.

конура́ kennel; *фиг.* dog-hole, hovel, wretched hole.

ко́нус *геом.* cone; усечённый к. frustum; ~ный conic; ~ообра́зный conical, conoid.

конфедера́т *ист.*, *пол.* confederate.

конфедерати́вный confederative.

конфедера́ция confederation.

конфекцио́н confection.

конферансье́ conferencier.

конфере́нция conference; парти́йная к. Party conference.

конфессиона́льный *рел.* confessional.

конфе́т‖а a sweet(meat), sugarplum, goody; sweety (*дет.*); ~ный *фиг.* pretty-pretty.

конфе́тти confetti.

конфе́тчик confectioner.

конфигура́ция configuration.

конфиденциа́льн‖ый confidential, private; ~о confidentially, in private.

конфирм‖а́нт *рел.* confirmee; ~а́ция confirmation; ~и́ровать to confirm, to administer confirmation; ~и́роваться to be confirmed.

конфиск‖а́ция confiscation, seizure; к. поме́щичьих земе́ль confiscation of landed property; ~ова́ть to confiscate, seize.

конфли́кт conflict; ~ная коми́ссия conflict committee; ~но-расце́ночная коми́ссия price-settlement-and-conflict committee.

конформи́ст *рел.* conformist.

конфу́з discomfiture, shame; ~ить to put out of countenance, to confuse, abash; ~иться to be confused (abashed); ~ливый bashful, sheepish, shy.

конфуциа́нство Confucianism.

конхи(ли)оло́гия conchology (*изуче́ние ра́ковин*).

концентр‖ацио́нный: к. ла́герь concentration camp; ~а́ция concentration; ~а́ция произво́дства concentration of industry; ~и́ровать to concentrate; *воен.* to mass; ~и́ческий concentric; ~и́чность concentricity.

конце́пция conception, idea.

конце́рн *комм.* concern.

конце́рт concert (*муз. ве́чер*); concerto (*муз. произведе́ние*); к.

европе́йских держа́в the Concert of Europe; ка́мерный к. chamber concert; коша́чий к. см. коша́чий; общедосту́пный к. popular concert; симфони́ческий к. symphony concert; ~а́нт performer (in a concert); ~и́но concertina; ~и́ровать to give concerts; ~ный зал concert-room (-hall); ~ный роя́ль concert grand.

концессионе́р concessionaire.

конце́сси‖я concession; иностра́нные ~и в Кита́е foreign concessions in China.

концо́вка tail-piece; colophon (*в стари́нных кни́гах*).

конч‖а́ть to finish, end, terminate, to bring to an end; к. вуз to be graduated at university or such like institution; к. заседа́ние to rise; к. рабо́ту to cease work; пло́хо к. to end badly, to come to a bad end; на э́том он '~ил there he stopped; с ним всё '~ено it is all up with him; ~ено! enough!, have done!; '~енный челове́к a gone man; *амер.* goner; ~а́ться to end, to be over, to come to an end, to finish; to run out (*о запа́се? сро́ке*); to expire (*о сро́ке*); ~а́ться чем-ли́бо to end in, terminate in, issue in, eventuate in, result in; ~а́ться ниче́м to end in smoke, to come to nothing; он ~а́ется he is dying; запа́сы ~а́ются the supplies are running low; он '~ился he's finished; '~ик tip, point, end; на '~ике языка́ on the tip of one's tongue; ~и́на death; decease (*преим. юр.*); безвре́менная ~и́на untimely grave; '~ить (-ся) см. конча́ть(ся).

конъекту́ра *филос.* conjecture.

конъюнктиви́т *мед.* conjunctivitis.

конъюнкту́ра conjuncture, juncture; благоприя́тная к. favourable conjuncture; полити́ческая к. the political situation.

кон‖ь horse; *поэт.* steed, courser; *шахм.* knight; берберри́йский к. barb; боево́й к. charger; крыла́тый к. *миф.* hippogryph; к.-кача́лка rocking-horse; на ~е́й! to horse!; дарово́му ~ю в зу́бы не смо́трят you should not look a gift horse in the mouth.

коньк‖и́ *см.*коньёк; ~обе́жец skater; ~обе́жный skating.

конья́к cognac, brandy.

ко́нюх groom, stable-man; ostler (*на постоя́лом дворе́*).

коню́‖ший equerry; ~шня stable, mews; stud; ста́вить в ~шню to stable; Авгиевы ∽шни Augean stables.

кооп- *сокр.* кооперативный.

коопер‖атѝв co-operative shop (store); закрытый рабочий к. workers' co-operative stores closed to non-members; ∽атѝвный co-operative; ∽атѝвное движение co-operative movement; ∽а́тор co-operator; ∽а́ция co-operation; кустарно-промысловая ∽а́ция handicraft co-operation; ∽ѝрование co-operation; ∽ѝровать to co-operate.

коопремо́нт co-operative repairing shop.

коопт‖а́ция co-optation; ∽ѝрованный co-optative; ∽ѝровать to co-opt.

координа́ты *мат.* co-ordinates.

координа́ция co-ordination; расстройство ∽а́ции движений *мед.* locomotor ataxy; ∽ѝрованный co-ordinate; ∽ѝровать to co-ordinate.

копа́ pile, heap; 60 sheaves.

копа́йский бальза́м copaiba.

копа́л coral (камедь).

копа́‖ние digging; ∽ть to dig; to excavate (вырывать, выка́пывать); ∽ть канавы, траншеи to trench; ∽ть картофель to dig up (или out) potatoes; ∽ться to be dug; to rummage (рыться); to work sluggishly, linger, dawdle, to be long at (медлить).

копе́еч‖ка *уменьш. от* копейка; это́ встанет ему́ в ∽ку it will cost him a pretty penny; ∽ный of the price of a copeck.

копе́‖йка copeck; к. рубль бережёт *посл.* a penny saved is a penny got; take care of the pence, the pounds will take care of themselves; без ∽йки денег without a penny; у него нет ни ∽йки he is penniless; зашибить ∽йку to turn an honest penny, to gain a pretty penny.

копе́йщик *ист.* spearman.

Копенга́ген Copenhagen.

копёр *техн.* pile-driver.

копѝлка money-box.

копиров‖а́льный: к. аппарат duplicator; к. пресс copying-press; ∽а́льная бумага carbon-paper; ∽а́ние copying; imitation; ∽а́ть to copy, to duplicate; to imitate (подражать); '∽щик copyist.

копѝть to lay up, save up, put by, store up.

ко́пи‖я copy, transcript, repetition, duplicate, replica; засвидетельствованная к. office copy; authentical (certified) copy; сни-

мать ∽ю to copy, duplicate; снимать заверенную ∽ю *юр.* to exemplify.

копна́ rick (сена); shock (хлеба); к. волос shock, head of hair.

копну́ть *см.* копать.

копотлѝ‖вость sluggishness, slowness; ∽вый sluggish, slow.

ко́поть soot; lamp-black.

копошѝться to stir, crawl.

копроли́т *геол.* coprolite.

копт Copt.

копт‖е́ть to smoke; *фиг., разг.* to work hard; to swot (шк. sl.); лампа ∽ѝт the lamp smokes; ∽ѝлка smoky lamp; small lamp; ∽ѝльня smoke-house; ∽ѝть to smoke (рыбу и пр.); to smut (па́чкать); ∽ѝть небо *фиг.* to idle;

ко́птский: к. язык Coptic.

копуля́ция copulation.

копу́н, ∽ья *разг.* sluggish person, sluggard, slow-coach.

копч‖е́ние smoking, curing in smoke; ∽ёный smoke-dried, smoked; ∽ёная селёдка cured red herring.

ко́пчик *анат.* coccyx.

копы́т‖ный *зоол.* hoofed, ungulate; ∽ное животное ungulate (animal); ∽о cloven hoof; бить ∽ом to hoof; гниение копы́т *вет.* (у овец) foot-rot.

копь mine; меловая к. chalk-pit; угольная к. coal-pit, coal-mine, colliery; разрабатывать каменноугольную к. to work a coal-mine.

копь‖ё spear, pike, lance; биться на '∽ях to joust, tilt; ∽евѝдный lanceolate; ∽ено́сец spearman.

кор‖а́ bark, rind, cortex; древесная к. the bark of a tree; земная к. *геол.* crust; покрытый ∽о́й corticated, crusted.

кора́б‖ельный naval; к. плотник shipwright; ∽лекруше́ние shipwreck, wreck; человек, потерпевший ∽лекрушение cast-away, ship-wrecked person; ∽лестрое́ние ship-building; ∽лестроѝтель ship-builder, shipwright, naval architect; ∽лестроѝтельный ship-building; '∽лик *уменьш. от* корабль; a little ship; *зоол.* nautilus.

кора́б‖ль ship, vessel; *арх.* nave; военный к. warship, man of war; купеческий к. merchant-ship; merchant man; садиться на к. to embark, to go aboard, to come on board, to ship; середина ∽ля́ midship; большому ∽лю́ большое и плавание *посл.* great ships require deep waters; на ⌣лё aboard, on board ship; сжигать свои ⌣ли to burn one's boats.

коралл coral; ⌣овый coral, coralline; ⌣овый остров coral-island, atoll.

коран Koran.

корвет *мор.* corvette.

корд‖а lunge, longe; гонять лошадь на ⌣e to lunge a horse.

кордебалет corps de ballet.

Кордильеры the Cordilleras.

кордит cordite (*порох*).

кордон *военн.* cordon; *арх.* cordon, string-course; полицейский к. police cordon; санитарный к. sanitary cordon.

кореец Korean.

коренастый thick-set, well-set, stumpy, stocky.

корениться to root, to have (one's) root in.

корен‖ник shaft-horse, wheeler; ⌣ной radical, fundamental, thorough; ⌣ной житель native, indigene; ⌣ной зуб molar tooth; производить ⌣ное преобразование to reform root and branch; ⌣ное слово *гр.* radical.

кор‖ень root; *мат., гр.* root, radical; к. зла the root of all evil; к. зуба root of the tooth, fang; stump, stub (*остаток*); к. квадратный square (second) root; к. кубический cube (third) root; извлекать к. to extract the root; главный к. растения tap-root; на ⌣ню not yet reaped (*хлеб*) not felled (*лес*); вырывать с ⌣нем to root up (out), uproot, eradicate; пускать ⌣ни to strike (take) root.

корешок rootlet, radicle; back (*книги*); counterfoil (*чека и пр.*).

Корея Chosen; Korea.

корзин‖а a basket; creel (*для рыбы*); waste-paper basket (*для ненужных бумаг*); ⌣ка (small) basket; punnet (*для фруктов*); plate-basket (*для ложек, вилок и пр.*); рабочая ⌣ка work-basket.

коридор corridor, passage; Данцигский к. Polish corridor; ⌣ный *уст.* floor-waiter, boots.

коринка currant.

коринфский Corinthian.

корить to reproach, upbraid.

корифей coryphæus.

корица cinnamon.

коричневый brown; рыжевато-к. tan, tawny.

коричное дерево cinnamon (-tree).

кор‖ка crust (*хлеба*); peel (*плода*); rind (*сыра*); scab (*на ране*);

incrustation; счищать ⌣y to peel; покрываться ⌣ой to crust, overcrust, encrust; разругать на все ⌣и to give it one hot, to rate severely.

корм food; forage, fodder, provender (*скота, лошадей*); задавать к. to fodder, feed; на подножном ⌣y out at feed, at grass.

корм‖а I. *им. пад. мн. ч. от* корм.

корм‖а II. *мор.* stern, poop; разбиваться о ⌣y to poop (*о волне*); за ⌣ой ast'rn.

корм‖ёжка feeding, feed; ⌣илец bread-winn r; benefactor; ⌣илица wet-nurse, nurse; benef ctress.

кормил‖о *уст.* rudder, helm; быть у ⌣a власти to be at the helm of the State.

кормить to f₂ed, nourish; to grub (*sl.*); to board (*жильцов*); to provide (*for*), keep (*семью*); к. грудью to give suck, to suckle; к. лошадь в дороге to bait the horse; к. обещаниями to feed with promises; ⌣ся to feed (subsist, live) (*on*); ⌣ся каким-л. занятием to subsist by some occupation; ⌣ся хлебом to live on bread.

кормление feeding, nourishing; к. грудью suckling; *мед.* lactation.

кормов‖ой I. *см.* корм; ⌣ая трава fodder-grass; ⌣ые культуры fodder crops.

кормов‖ой II. *см.* корма II; к. флаг ensign; ⌣ое весло scull.

корм‖ушка trough, rack.

кормчий *уст., фиг.* steersman, helmsman, pilot.

корнать to cut short, to crop.

корнваллийский Cornish; к. котёл Cornwall pot-hole.

Корнваллис Cornwall.

корне‖вище *бот.* rhizome; ⌣вой of roots, radical; ⌣ножка *зоол.* rhizopod; ⌣плод root, plant with edible roots.

корнет *военн., муз.* cornet; к.-а-пистон cornet-à-piston; ⌣ист cornetist.

корнишон gherkin.

корноухий crop-eared.

короб box, basket; наговорить с три ⌣a to talk much; ⌣ейник pedlar, packman; ремесло, товары ⌣ейника pedlary; ⌣ейничать to peddle.

коробит‖ь to warp; *фиг.* to shock, jar upon; это коробит it goes against the grain; ⌣ся to warp, contract; shrivel; сухое дерево не ⌣ся seasoned timber does not warp.

коро́бка box, case; к. скоростей *техн.* gear-box; к. спичек match--box; дверная к. door-frame.

коробле́ние warping.

коро́бочка *уменьш. от* коробка; *бот.* boll, pod.

коро́ва cow; дойная к. (*тж. фиг.*) milch cow; морская к. manatee, sea-cow, cowfish; недойная к. dry cow.

корова́й loaf.

коро́в‖ий cow (*attr.*); ⸗ье масло butter; божья ⸗ка ladybird; ⸗ник cowhouse, cowshed; ⸗ница dairy--maid; cow-keeper.

короле́в‖а queen; ⸗ич king's son, prince; ⸗на a king's daughter, princess; ⸗ский royal, kingly, queenly, regal; ⸗ство kingdom, realm.

коро́л‖ь king; нефтяной к. oil king; мат ⸗ю check of king at chess.

коромы́сло yoke (*для вёдер*); beam (*весов*); *техн.* rocking-shaft.

коро́н‖а crown; coronet (*герцогская и пр.*); tiara (*папская*); лишать ⸗ы to uncrown; ⸗ация coronation; ⸗ка зуба crown; искусственная ⸗ка зуба artificial crown of tooth; ⸗ный crown (*attr.*); ⸗овать to crown; ⸗оваться to be crowned.

коро́ста scab; mange (*у животных*).

коросте́л‖ь landrail, corn-crake; крик ⸗я crake.

корот‖а́ть: к. время to beguile the time; to wile away time; ' ⸗кий short; brief (*о времени*); intimate (*фиг. об отношениях*); ⸗кий срок short term; ⸗кая память short memory; быть с к.-л. на ' ⸗кой ноге to be on intimate terms with one; ' ⸗кое замыкание *эл.* short circuit; ⸗кое знакомство short acquaintance; руки ко́ротки out of reach.

корот‖ко briefly, short, shortly; intimately (*см.* коро́ткий); к. говоря in short, in brief, to make a long story short, the long and short of it is...; к. и ясно in sum, briefly and comprehensively; ⸗коно́гий short-legged; ' ⸗кость shortness; intimacy (*см.* коро́ткий); ⸗кохво́стый short-tailed; ⸗кошёрстный short-wooled; ⸗ыш, ⸗ышка squab, dumpy (tubby) person.

коро́че shorter; к. говоря in short, in a word; to cut a long story short; к.!, говорите к. be brief.

корпе́ть to plod (*at*), plug away

(*at*); к. над книгою to pore over a book.

ко́рпия lint.

корпора‖ти́вный corporate; ' ⸗ция corporation; член ' ⸗ции corporator.

ко́рпус body; building (*здание*); *военн.* army-corps, corps (*мн. ч.* corps); *тип.* long primer; к. карманных часов watch-case; к. корабля hull; дипломатический к. diplomatic corps; морской (кадетский) к. *ист.* naval (military) college; лошадь опередила других на три ⸗а the horse won by three lengths; наклониться всем ⸗ом to bend from the waist; ⸗ная артиллерия corps artillery; ⸗ный командир commander of army-corps; ⸗ные войска corps troops.

корректи́в corrective; вносить к. to correct, amend.

корректи́ровать to correct.

корре́ктн‖ость correctitude, correctness; ⸗ый correct, proper; ⸗ое поведение correct behaviour; ⸗о correctly, properly, in good form.

корре́кт‖ор proof-reader, corrector; ревизионный к. reviser; ⸗ура proof, proof-sheet; вторая ⸗ура revise; держать ⸗у́ру to correct (the) proof-sheets; ⸗урный оттиск proof-sheet; proof-copy.

корреспонде́нт correspondent; член-к. corresponding member; ⸗ция correspondence.

корро́зия *геол., хим.* corrosion.

корса́ж corsage.

корса́к *зоол.* Tartar fox.

корса́р corsair, pirate.

корсе́т corset, stays, pair of stays; в ⸗е corseted.

корте́ж cortège, train, procession.

ко́ртик cutlass, dirk.

ко́рточк‖и: сидеть на ⸗ах to squat.

ко́рч‖а (*преим. мн. ч.* ⸗и) spasm, convulsions, writhing; wriggling; злая к. (*отравл. спорыньей*) ergotism.

корча́га large pot.

корч‖ева́ть to stub, grub (up), root out; ⸗ёвка stubbing, grubbing up, rooting out.

корчи‖ть to contort; к. гримасы to pull faces; к. из себя to pose as; к. кислую мину to make a wry mouth; он ⸗т из себя кого-то he gives himself airs; ⸗ться to writhe, squirm, wriggle.

корчма́ *уст.* inn, public-house, pot-house; ⸗рь innkeeper.

ко́ршун kite (*точнее* black kite); кра́сный к. kite.

коры́ст‖ный mercenary, not disinterested, covetous; ~ная любо́вь cupboard love; ~но not disinterestedly; ~олю́бец mercenary person; ~олюби́вый self-interested, covetous, greedy of gain; ~олюби́во covetously; ~олюбие cupidity, greed of gain, self-interest; ~ь cupidity; gain; profit.

коры́то trough.

корь *мед.* measles.

корьё tan.

ко́рюшка *зоол.* smelt.

коря́в‖ый uneven, rugged, wrinkled (*неровный*); *фиг.* awkward, clumsy; crooked (*о деревьях*); pock-marked; ~о unevenly, awkwardly; crookedly.

коря́га tree fallen in the river, snag.

коса́ I. scythe (*для косьбы*); spit, tongue of land (*морская отмель*); нашла к. на камень *погов.* diamond cut diamond.

кос‖а́ II. plait, tress, braid (*волос*); фальши́вая к. switch; заплета́ть ~у to plait, braid.

коса́рь chopper (*нож*); *см. тж.* косец.

коса́т‖ик darling; *бот.* iris; жёлтый, боло́тный к. yellow flag sword-flag; ~ка darling; *зоол.* grampus, orc (*дельфинообразное млекопитающее*); swallow-tail (*ласточка*).

коса́ч *см.* тетерев.

ко́свенн‖ость indirectness; ~ый indirect, oblique; allusive; ~ый намёк indirect hint; ~ый падеж *гр.* oblique case; ~ая речь oblique (indirect) oration (speech), reported speech; ~ое влияние side wind, indirect influence; ~ые нало́ги indirect taxes; ~о indirectly, obliquely.

косе́канс *геом.* cosecant.

косе́ц mower, hay-maker.

коси́лка *с.-х.* mowing machine, mower.

ко́синус *геом.* cosine.

кос‖и́ть I. to mow, scythe, cut (*траву*); холера ~ла страну cholera was decimating the country; коси́ коса́ пока́ роса́ *погов.* make hay while the sun shines.

коси́ть II. to squint (*глазом*).

коси́ться I. to be mown.

коси́ться II. to look askance (askew, awry, sidelong), to squint at someone.

кос‖и́ца, ~и́чка *см.* коса II; pig-tail, queue, tail.

космат‖ить to tousle; ~ость shagginess; ~ый shaggy, hairy, hirsute (*о животных*); shaggy, dishevelled, tousy (*о волосах*).

космети́‖ка, '~ческий, '~ческое средство cosmetic.

косм‖и́ческий cosmic; ~и́ческие лучи *физ.* cosmic (penetrating, *амер.* Millikan) rays; ~ого́ния cosmogony; ~о́граф cosmographer; ~ографи́ческий cosmographic; ~огра́фия cosmography; ~о́лог cosmologist; ~ологи́ческий cosmological; ~оло́гия cosmology; ~ополи́т cosmopolite, citizen of the world; ~ополити́зм cosmopolit(an)ism; ~ополити́ческий cosmopolitan; '~ос cosmos.

ко́смы locks, dishevelled hair; mane.

кос‖не́ть to stagnate; к. в неве́жестве to remain ignorant; '~ность inertness, stagnancy, unprogressiveness, sloth; ~ноязы́чие tongue-tie; ~ноязы́чный tongue-tied.

косну́‖ться *см.* касаться; разгово́р ~лся му́зыки the conversation turned on music.

ко́сный inert, stagnant, sluggish.

ко́со obliquely, slantwise, sidelong, sideways, aslant, askance, awry, askew, asquint, athwart, aslope; ~ва́тый somewhat oblique; ~ва́то somewhat obliquely; ~воро́тка Russian shirt; ~гла́зие squint, cast in the eye; ~гла́зый squinting, skew-eyed; ~го́р slope of a hill, declivity, slant; '~й oblique, slanting, sloping, sidelong, skew; skew-eyed, squinting (*о глазах*); ~й взгляд sidelong glance; ~й по́черк sloping handwriting; ~ла́пый intoed; *фиг.* awkward, clumsy; ~уго́льный oblique-angled.

костёл Roman-Catholic church.

костене́ть to ossify; to stiffen, to grow numb (stiff, torpid).

костёр (open-air) fire, campfire; bonfire (*при торжествах*; *тж.* для сжигания мусора, сухих листьев*); stake (*казнь*); погреба́льный к. funeral pile; pyre; сторожево́й к. watch-fire.

кости́ст‖ость boniness; ~ый bony; osseous.

кости́ть *разг.* to scold, rate.

кост‖ля́вый bony, raw-boned; '~ный osseous; ~ный мозг marrow; ~оеда *мед.* caries; ~опра́в *уст.* bone-setter; '~очка small bone, ossicle; stone, seed (*плода*); вынима́ть '~очки to stone; перемывать ~очки *фиг.* to gossip, tattle.

костре́ц upper part of hind leg of cow (bull, ox).

костри́ка scutch, tow, refuse from dressed flax *or* hemp.

Кострома́ Kostroma.

костыл‖ь crutch; *техн.* spike; ~я́ть to cudgel, thrash.

кост‖ь bone; игральная к. die (*pl.* dice); слоновая к. ivory; вправлять к. to put a bone into joint again; язык без ~е́й a loose tongue; играть в ~и to dice; игрок в ~и dicer; проиграть в ~и to dice away.

костю́м costume; suit; вечерний к. evening dress, dress suit; маскарадный к. fancy-dress; парадный к. full-dress; в ~е Адама in one's birthday suit; ~ёр costumer; ~ирова́ть(ся) to dress (oneself) in costume; ~иро́ванный бал fancy-ball; ~ированный вечер costume party.

костя́‖к skeleton; к. здания framework of a building; основной к.(*производства*) fundamental (basic) structure; ~но́й bone (*attr.*); (made) of bone; ~ная мука́ bone dust; ~шка die, bone.

косу́ля roe, roe-deer (*тж. самка косу́ли*); roe-buck (*самец*).

косы́нка three-cornered neckerchief.

косьба́ mowing.

коси́к jamb (*окна, двери*); shoal (*рыбы*).

кот tom-cat, tom, male cat; к. наплакал very little, nothing to speak of; морской к. sea-bear, fur-seal; не всё ~у́ масленица, придёт и великий пост *посл.* ≅ after the dinner comes the reckoning.

кота́нгенс *геом.* cotangent.

кот‖ёл boiler, kettle, cauldron, copper; вспомогательный к. donkey boiler; исполиновый к. *геол.* pot-hole; общий к. *фиг.* general cauldron; паровой к. boiler; ~лы́ hop-scotch (*дет. игра*); ~ело́к pot, kettle; pot-hat, bowler, *амер.* Derby hat (*шляпа*); ~ельный завод boiler works; ~ельная мастерская boiler shop; ~ельное железо boiler-iron, boiler-plate; ~ельщик boiler-maker.

кот‖ёнок kitten, kit, kitty; '~ик 1. seal‿skin, seal (*мех*); fur-seal, sea-bear (*животное*); 2. *уменьш. от* кот; *см.* котёнок.

коти́ров‖а́ть to quote (*at*); ~а́ться to be quoted; '~ка quotation; '~очный бюллетень share-list.

коти́ться to kitten.

котле́та cutlet; баранья к. mutton-chop; отбивная к. chop.

котлови́на circular (oval) valley, hollow, basin; crater.

котлы́ *см.* котёл.

кото́мка wallet, knapsack made of birch bark.

кото́р‖ый 1. *относит.* which (*о животных и неодушевлённых предметах*); who (*о людях*); that (*имеет ограничивающее значение*); дом, в ~ом я родился the house in which I was born, the house (that) I was born in, the house where I was born; человек, о ~ом идёт речь the person in question; 2. *вопросит.* which; what; к. из них? which of them?; к. час? what time is it?; к.-нибудь some, any.

коттониза́ция *текст.* cottonizing.

коту́рн buskin.

коты́ *мн. ч. от* кот.

ко́ты *разг.* brogues.

ко́фе coffee; ~ин *хим.* caffeine; '~йник coffee-pot, percolator; '~йница coff‿e-box, coff‿e-canister; '~йный боб coffee-bean; '~йная гуща coffee-grounds; ~йная мельница coffee-mill; '~йня coffee-house, café.

ко́фта woman's jacket, blouse.

кохинхи́нка cochin-china (*куры*).

коча́н head of cabbage.

кочева́‖нье nomadism, nomadic life; ~ть to live a nomadic life, to nomadize, to wander.

кочёвка *см.* кочеванье.

кочёв‖ник nomad; ~о́й nomadic, nomad; migratory (*о птицах, животных*).

кочевря́житься *вульг.* to be capricious, to be obstinate.

кочёвье 1. camp of nomads; 2. *см.* кочеванье.

кочега́р stoker, fireman; ~ка stoke-hole, stoke-hold.

кочене́ть to grow numb, stiffen.

ко́чень *см.* кочан.

кочерга́ poker, fire-iron.

кочеры́жка cabbage-stalk, cabbage-stump.

ко́чет cock.

ко́чк‖а hillock; ~ова́тый abounding in hillocks.

коша́ч‖ий cat's; *зоол.* feline; к. глаз *мин.* cat's eye; к. концерт caterwauling; *фиг.* hooting; семейство ~ьих *зоол.* felidae.

коше‖лёк purse; к. или жизнь! stand and deliver!, money or your life!; '~ль bag, wallet; purse.

ко́шк‖а cat, she-cat, tabby; pussy (дет.); grapnel, drag (багор); мор. cat-o'-nine-tails (плеть); пёстрая к. tabby-cat; старая к. grimalkin; жить как к. с собакой погов. to live a cat-and-dog life; знает к. чьё мясо съела he knows what he has been up to; играть в ~и-мы́шки to play cat and mouse; ночью все ~и серы посл. when candles are out all cats are grey.

кошма́ kind of felt.

кошма́р nightmare, incubus; это просто к.! разг. it's a veritable nightmare!; мучимый ~ом hag-ridden; ~ный nightmarish; фиг. horrible, awful.

кошо́лка kind of bag or basket.

кощу́нств‖енный blasphemous, sacrilegious; ~о blasphemy, sacrilege; ~овать to blaspheme, to scoff at religion.

коэфиц́иент мат. coefficient; к полезного действия efficiency; к. расширения coefficient of expansion.

КП см. коммунистическая партия.

КПК см. комиссия партийного контроля.

краб crab.

кра́ги leggings, leather gaiters.

кра́дено‖е stolen goods; укрывать к. to receive stolen goods, to fence; к. добро впрок не идёт посл. ill got, ill spent; склад ~го fencing-ken (sl.); укрыватель ~го receiver; fencing-cully (sl.).

кра́дучись stealthily, by stealth.

крае‖ве́дение study of a region; ~ведческий музей Museum of Regional Studies; ~во́й of a region (district); regional; ~уго́льный камень corner-stone, foundation-stone.

кра́жа theft, larceny; к. со взломом burglary, crack; мелкая к. petty larceny, pilferage.

кра́‖й border, side, rim, verge, extremity; brink, edge (обрыва); brim, lip (сосуда, раны); country, region (страна); к. дороги wayside, roadside; она пошла бы за ним хоть на к. света she would go with (follow) him to the world's end; переливать(ся) через к. to overflow, overbrim, run over; хлебнуть через к. to have a drop too much; полный до ~ёв full to the brim, brim-full; на ~ю (край) света at (to) the world's end; на ~ю гибели (пропасти) on the brink of ruin (precipice); на ~ю города at the (far-

thest) end of the town; на ~ю могилы at death's door, on the brink of death; я чужой в этих ~я́х I am a stranger in these parts.

край‖исполко́м regional executive committee; ~ко́м regional party committee.

кра́йн‖ий extreme, utmost, uttermost, last; по ~ей мере at least; в ~ем случае in the last resort, failing this; if necessary; at a push; ~яя цена the lowest price; ~ее окно the last window; ~ие взгляды extreme views (opinions); ~ие меры extreme measures; ~ие члены пропорции мат. extremes; человек ~их убеждений ultraist, ultra, extremist; ~е extremely, awfully, very, highly, excessively, to a fault; ~е необходимый urgent, imperative, pressing; ~е щедрый generous to a fault; я ~е устал I am tired to death; ~ость extreme; extremity, exigence, need, straits, pinch (нужда); ~ость взглядов extremeness of opinions; ~ости сходятся extremes meet; впадать в ~ости to run to extremes; до ~ости in the extreme, to excess; дойти до ~ости to run to an extreme, to be reduced to extremity.

краковя́к Cracovienne (танец).

кра́ля разг. a beauty.

крамо́л‖а уст. sedition, treason; rebellion; ~ьник, ~ьница seditionary; ~ьничать to be seditious; ~ьный seditious, treasonous, rebellious.

кран cock, stop-cock, tap, faucet; (hoisting) crane (подъёмный); водомерный к. gauge-cock; водоразборный к. hydrant; подвижный к. locomotive (portable) crane, jenny; поднимать ~ом to crane, hoist.

кранио‖логи́ческий craniological; ~логия craniology; ~метри́ческий craniometrical; ~ме́трия craniometry.

кра́нцы мор. fenders.

крап specks, speckles; madder (краска и растение).

кра́пать to trickle, drip, drop; to spot, speck, powder, dot.

крапи́в‖а nettle; глухая к. dead nettle; морская к. sea nettle, blubber; ~ник зоол. wren; ~ница, ~ная лихорадка nettle-rash; ~ное семя фиг. уст. pettifoggers.

кра́п ин(к)а spot, speck, speckle; ~леные карты marked cards used by sharpers; ~чатый spotted, speckled; ~чатый обрез книги marbled edges; ~чатая материя spot, pepper-and-salt.

крас||а́ beauty; ornament, honour; ~а́вец handsome man; ~а́вица beautiful woman, belle, beauty; ~и́во beautifully, finely; ~и́вость mer⁾ pr ttin⁾ss; ~и́вый b autiful, fine, handsome, good-looking, pretty.

краси́ль||ный tinctorial; к. завод dye-works; ~ня dyer's shop; ~щик dyer.

кра́с||ить to colour; to paint (дерево и т. п.); to dye (волосы, шерсть и т. п.); to stain; фиг. to adorn, to be an ornament (to); to make better; к. губы to paint one's lips, to rouge; ~иться to colour, to be coloured (painted); to paint one's face; ~ка paint, dye, colour, pigment (материал); painting, dyeing (процесс); blush, flush (румянец); акварельная ~ка water colour; типографская ~ка printer's ink; масляные ~ки oil colours; осенние ~ки autumn tints; растительные ~ки vegetable dyes; писать ~ками to paint; торговец ~ками colourman; ящик с ~ками colour-box.

красне́ть to redden, blush, flush, colour; к. от стыда to blush with shame; не заставляйте ее к. spare her blushes.

красноарме́||ец Red Army man; ~йский of the Red Army.

красно||ба́й rhetorician; он к. he has the gift of the gab; ~ба́йство oratory, rhetoric, the gift of the gab; ~бу́рый reddish-brown; ~ва́тый reddish; ~ва́то- (в сосд.) reddy-, reddish-.

красно||гварде́ец red guards man; ~дере́вец cabinet-maker; ~знамённый having been awarded the order of the Red Banner.

красно||зо́бик dunlin (птица); ~ко́жий red-skin, red man; ~ле́сье pine forest; ~ли́цый red-faced; ~но́сый red-nosed; ~речи́вый eloquent, voluble, silver-tongued; ~речивый румянец telltale blush; ~речи́во eloquently; ~ре́чие eloquence; ~та́ redness.

краснофло́тец Red Navy man.

красн||още́кий red-cheeked; ~у́ха мед. rose-rash, German measles.

кра́сн||ый red; фиг. bright, fine; revolutionary; к. командир Red Commander; К. крест Red Cross; к. лес firs and pines; к. обоз a kolkhoz train of waggons loaded with grain, cotton etc.; к. партизан Red Partisan; К. профин-

терн (К. интернационал профсоюзов) Red International of Labour-Unions; К. спортинтерн (К. спортивный интернационал) Red Sport International; к. уголок red corner (a room in an office, factory etc. where political and educational work is carried on); к. флаг red flag; К. флот Red Fleet; ярко-к. vermilion, scarlet; К~ая армия Red Army; ~ая девица bonny lass; ~ая медь copper; ~ая рыба cartilaginous fish; ~ая строка new paragraph, indented line; тип. centred line; ~ая цена the highest (outside) price; ~ая шапочка (Little) Red Riding Hood (в сказке); ~ое дерево mahogany; ~ое знамя red banner; К~ое море the Red Sea; ~ое словцо: он сказал это для ~ого словца it was only a joke, he exaggerated; ~ое солнышко bright sun; ~ые дни fine days, days of prosperity; ~о говорить to be eloquent.

красо||ва́ться to show off; to appear, to be seen; ~та́ beauty, beauteousness, good looks; ' ~тка pretty woman, a beauty.

кра́сочный picturesque, vivid, graphic.

красть to steal, purloin, pilfer, filch, to walk (make) off with; to hook. pinch (sl.); ~ся to creep, sneak, slink, steal, prowl, skulk, to go furtively.

кра́сящее вещество́ dye-stuff.

кра́тер crater.

кра́тк||ий short, brief, concise, succinct, compendious, summary, curt; к. гласный short vowel; к. слог short syllable; ~ое изложение summary; ~о briefly, concisely, succinctly.

кратко||вре́менность transitoriness; ~вре́менный transitory, short, of short duration; ~вре́менно transitorily; ~дне́вный of short duration; ~сро́чный вексель short-dated bill.

кра́ткост||ь shortness, brevity, conciseness; для ~и for short; знак ~и short.

кра́тн||ый: пяти- (шести-)к. five (six) times repeated; ~ое (число) multiple; общее наименьшее ~ое least common multiple.

крах crash, failure; к. банка ожидается со дня на день the bank may go any day.

крахма́л starch; ~ить to starch; ~ьный starched.

кра́ше сравн. ст. от краси́вый; ~ни́на kind of dyed and glossed linen; ⮂ный coloured, dyed; ⮂нье colouring, dyeing.

кра́юха crust of a loaf.

креату́ра creature, minion.

креве́т‖**ка** shrimp; prawn; лови́ть ⮂ок to shrimp.

креди́т credit (*тж.* кре́дит *в смысле противоп.* дебету́); долгосро́чный (краткосро́чный) к. long (short) term credit; рабо́чий к. workers' credit; отпуска́ть в к. to supply on credit (on trust); to trust for; покупа́ть в к. to buy on credit; предоставля́ть к. to give credit, allow credit; to tick, to give tick (*sl.*); ⮂ив *комм.* letter of credit; *пол.* credentials; ⮂и́вная гра́мота credentials; ⮂ка, ⮂ный биле́т banknote, note; ⮂ова́ть to credit (*with*); ⮂о́р, ⮂о́рша creditor; ⮂ор по закладно́й mortgagee; ⮂оспосо́бность credit, solvency; ⮂оспосо́бный solvent, reliable.

кре́до credo, creed.

Крез Croesus (*тж. фиг.*).

кре́йс‖**ер** *мор.* cruiser; броненосный к. armoured (belted) cruiser; ⮂ерство, ⮂и́рование cruising; cruise; ⮂и́ровать to cruise; ⮂иро́вка *см.* кре́йсерство.

кре́йцкопф *техн.* cross-head.

кре́ки‖**нг** *хим.* cracking; к.-заво́д cracking distillery; ⮂рование cracking.

крем cream.

крема‖**то́рий** crematorium, crematory; ⮂цио́нная печь incinerator; ⮂ция cremation.

креме́нь flint.

кремль Kremlin (*моско́вский*); *ист.* citadel, burg.

кремни́‖**ёвый** flinty; ⮂ёвая кислота́ silicic acid; ⮂ёвое ружьё firelock; замо́к ⮂ёвого ружья́ flint lock; ⮂езём silica; ⮂езёмный siliceous; ⮂ий silicon; ⮂и́стый flinty, siliceous.

кре́мовый cream(-coloured).

кремортартар *мед.* cream of tartar.

крен *мор.* heel(ing), list(ing); скло́нный к ⮂у crank(y).

кре́ндель pretzel.

крени́т‖**ь** to heel over; to careen; ⮂ься to heel, list, lurch, careen; судно́ си́льно ⮂ся the ship is on her beam-ends.

креозо́т *хим.* creosote; консерви́ровать древеси́ну ⮂ом *лес.* to creosote wood.

крео́л, ⮂ка creole.

креп crape (*тра́урный*); crêpe (*ткань*).

крепи́льщик *горн.* timberer, timberman.

крепи́тельный invigorating, corroboratory.

крепи́ть to strengthen, fortify; to constipate, to render costive (*желу́док*); *мор.* to fasten, attach, tie, reeve; к. паруса́ to furl sail; ⮂ся to restrain oneself; to take courage.

кре́п‖**кий** strong, solid, firm, hard, tough; robust, vigorous, sturdy, hearty, lusty, brawny (*о лю́дях*); hale (*особ. о старых лю́дях*); strong, heady (*о напитках*); к. сон sound sleep; ⮂кая мате́рия tough cloth; ⮂кое здоро́вье rude (robust) health, strong constitution; ⮂кое словцо́ oath, strong language; он ⮂ок на нога́х he has got sturdy legs; he has a firm footing; ⮂ко strongly, solidly, firmly; ⮂ко вы́ругать to swear at; ⮂ко заду́маться to fall into deep thought; ⮂ко поцелова́ть to kiss affectionately; ⮂ко сиде́ть в седле́ to stick on, to be saddle-fast; ⮂ко спать to sleep fast (soundly), to be fast asleep; держи́тесь ⮂ко! hold tight!; ⮂ле́ние ·strengthening, fastening; *горн.* timbering; ⮂нуть to get stronger (firmer).

крепостни́‖**к** a landlord owning serfs; ⮂ческий pertaining to the serf owning classes; ⮂чество form of feudalism, serfdom; ⮂о́й 1. *s.* a serf; 2. *a.*: ⮂а́я зави́симость bondage; ⮂о́е пра́во serfdom, serfhood; ⮂о́е хозя́йство economy based on serfage; 3. *a.*: ⮂о́й вал rampart.

крепостца́ *воен.* fort.

кре́пость 1. strength, solidity, firmness, fastness, toughness; 2. *воен.* fortress, stronghold, citadel; 3.: купча́я к. deed of purchase.

креп‖**ча́ть** to grow stronger; ⮂ыш *разг.* robust person (animal).

кре́сло easy-chair, arm-chair, lounge; *театр.* stall; к. для ката́ния больны́х Bath chair; плетёное к. cane-chair.

крест cross; к.-на-к. crosswise; Ю́жный к. *астр.* Southern Cross.

кресте́ц *анат.* sacrum.

крести́льный baptismal.

Крестинте́рн (*Крестья́нский интернациона́л*) International Peasants' Council, Krestintern.

крести́ны *рел.* baptizm, christening.

крести́ть 1. to baptize, christen; 2. to (make the sign of the) cross;

⁓ся 1. to be baptized (christened); 2. to cross oneself.

кресто‖ви́дный cross-shaped; *бот.*, *зоол.* cruciform; ⁓ви́к *зоол.* garden-spider; ⁓ви́на *ж.-д.* frog; '⁓вни́к *бот.* ragwort, groundsel; '⁓вый ка́мень *мин.* harmotome, cross-stone; ⁓вый похо́д crusade; ⁓но́сец crusader; ⁓обра́зный *см.* крестови́дный; ⁓цве́тный *бот.* cruciferous.

крестцо́вый sacral.

крестья́н‖ин peasant, countryman; ⁓ка countrywoman, peasant woman; ⁓ский rustic, peasant's; К⁓ский интернациона́л *см.* Крестинте́рн; ⁓ское хозя́йство peasant homestead; по-⁓ски like a peasant; ⁓ство peasantry; peasants' work; занима́ться ⁓ством to follow the plough.

крети́н cretin; ⁓и́зм cretinism.

кре́чет *зоол.* gerfalcon.

креще́ние baptism, christening; боево́е к. baptism of fire.

крив‖а́я *мат.* curve; вы́чертить ⁓у́ю to trace a curve; '⁓да *уст.* falsehood, injustice.

криве́ть to lose one eye.

криви‖зна́ crookedness, curvature, flexure, incurvation; '⁓ть to bend, distort; ⁓ть душо́й to act against one's conscience; ⁓ть лицо́ to make a wry face; '⁓ться to bend; to be distorted.

кривля́‖ка poser, affected person; ⁓ние grimaces, affectation.

кривля́ться to grimace, to give oneself airs, to pose, to be affected.

крив‖обо́кий lop-sided, one-sided; ⁓оду́шие duplicity, insincerity; ⁓оду́шничать to act against one's conscience; ⁓оду́шный insincere; ⁓оду́шно insincerely; ⁓о́й crooked, wry, curved; one-eyed; ⁓а́я ли́ния curve; ⁓ы́е пути́ *фиг.* unfair means; '⁓о awry, crookedly, askew; ⁓оли́нейный *геом.* curvilinear; ⁓оно́гий bow-legged, bandy-legged, baker-legged; ⁓оно́сый wry-nosed; ⁓оро́тый wry-mouthed; ⁓ото́лки idle talk, rumours; ⁓оши́п *техн.* crank; ⁓оши́пная переда́ча crank-gear (mechanism).

кри́зис crisis (*pl.*-ses); мирово́й к. world crisis; о́бщий к. капитали́зма general crisis of capitalism; промы́шленный к. industrial crisis, slump; фина́нсовый к. financial crisis.

крик shout, cry; call (*призы́в*); hollo (*о́клик*); outcry, clamour, vociferation (*гро́мкие кри́ки*); brawl (*шу́мная ссо́ра*); scream, shriek, yell, screech (*прони́тельный*); bray, hee-haw (*осла́*); hoot, screech (*со́вы*); squawk (*ча́йки*).

крике́т cricket; игра́ть в к. to play cricket; игро́к в к. cricketer.

крик‖ли́вость vociferousness; ⁓ли́вый vociferous, clamorous; loud-tongued, bawling, noisy; ⁓ли́во noisily; '⁓нуть *см.* крича́ть; ⁓у́н, ⁓у́нья noisy person, roarer, vociferator, bawler.

кримин‖али́ст criminalist; ⁓а́льность criminality; ⁓а́льный criminal; ⁓оло́гия criminology.

кри́нка *см.* кры́нка.

криноли́н crinoline.

криптога́мы *бот.* cryptogams.

криста́лл crystal; ⁓иза́ция crystallization; ⁓изи́ровать(ся) to crystallize; ⁓изо́ванный crystallized, glacial; ⁓изова́ться to crystallize; ⁓и́ческий crystalline; crystalloid; ⁓огра́фи́ческий crystallographic; ⁓огра́фия crystallography; ⁓о́ид crystalloid.

криста́ль‖ный crystalline, crystal; ⁓о чи́стый crystal-clear.

Крит Crete.

крите́рий criterion; то́чный к. hard and fast rule.

кри́ти‖к critic; литерату́рный к. literary critic; ме́ткий к. discerning critic; плохо́й к. criticaster; ⁓ка criticism, critique; ни́же вся́кой ⁓ки beneath criticism (contempt); ⁓кова́ть to criticize; to be severe upon, to find fault with; беспоща́дно ⁓кова́ть to maul, flay, scarify, tomahawk; ме́лочно ⁓кова́ть to carp at; '⁓чески́й critical; decisive; в э́тот ⁓ческий моме́нт at this (critical) pass; '⁓ческая статья́ critique; созда́лось '⁓ческое положе́ние things have come to a pretty pass; '⁓чески critically.

кри́па *техн.* bloom, pig.

крича́‖ть to shout, cry, call out, hollo; to bawl, roar, vociferate, clamour; *см.* крик; прони́тельно к. to scream; shriek, squeal, screech; к. на к-л. to scold; к. о по́мощи to call for help; к. по-коша́чьи to caterwaul; к. по-осли́ному to bray; к. по-сови́ному to hoot; ⁓щий *фиг.* loud, gaudy, flashy, staring, noisy, slangy (о цве́те и т. п.).

кри́чн‖ый: к. горн *техн.* finery-furnace; к. заво́д finery; к. шлак finery cinders; ⁓ое произво́дство finery process.

кроа́т Croat; ~ский Croatian.
Кроа́ция Croatia.
кров shelter, roof; home; лишённый ~а houseless, homeless.
кровав‖**ик** *мин.* haematite; red-iron ore; '~ить to stain with blood; '~ый bloody, blood-stained, sanguinary; ~ый железняк *мин.* haematite; ~ый понос dysentery, bloody flux; '~ая баня *фиг.* carnage, massacre, butchery, blood-bath; ~ая моча *мед.* haematuria; ~ая рвота vomiting of blood; *мед.* haematemesis; '~ого цвета blood-red, blood-coloured; *ест. ист.* sanguine, sanguineous.
кровáт‖**ка** *уменьш. от* кровать; детская к. crib; cot (*качающаяся*); ~ь bed, bedstead; походная ~ь camp-bed.
кровель‖**ный**: к. жолоб gutter; к. материал roofing; ~ное железо sheet (roofing) iron; ~щик roofer.
кровенóсный: к. сосуд blood-vessel.
кровинк‖**а** particle of blood; у него ни ~и в лице he is deadly pale.
крóвля roof, roofing, covering.
крóвн‖**ый**: к. интерес (of) deep (vital) concern; ~ая лошадь blood horse; ~ая месть blood-feud, vendetta; ~ое родство blood-relation; мои ~ые деньги the money earned in (by) the sweat of my brow.
крóво- blood-.
крово‖**жáдность** blood-thirstiness; ~жáдный blood-thirsty, bloody; ~излия́ние haemorrhage, extravasation; ~обраще́ние circulation (of the blood); ~останáвливающий, ~останáвливающее вещество styptic; ~перелива́ние transfusion; ~пи́йца blood-sucker, extortioner; ~подтёк bruise; ~пролити́е bloodshed, slaughter; ~проли́тный bloody, sanguinary; ~пуска́ние bleeding, blood-letting; *мед.* phlebotomy; ~смеси́тель, ~смеси́тельница incestuous person; ~смеше́ние incest; ~сóсная банка cupping-glass; ~творе́ние sanguification; ~тече́ние bleeding; *мед.* haemorrhage; ~точи́вость *мед.* haemophilia; ~точи́вый bleeding; ~точи́ть to bleed; ~хáрканье bloodspitting; *мед.* haemoptysis.
кров‖**ь** blood; gore (*запекшаяся*); к. бросилась ему в лицо blood rushed to his face; у него к. кипи́т his blood is up, his blood boils; пускáть к. to let blood, to bleed; *мед.* to phlebotomize; раз-

би́ть нос в к. to draw blood from someone's nose; to tap one's claret (*sl.*); жáждать ~и to lust for blood; по ~и он францу́з he is French by birth; he is French born; прили́в ~и congestion, a rush of blood; э́то у него в ~й it runs in his blood; истекáть (обливáться) ~ью to bleed; глазá налитые ~ью blood-shot eyes; ~яно́й bloody; ~яная колбасá blood- (black-)pudding; ~яно́е давле́ние blood-pressure; бе́лые и крáсные ~яны́е шáрики white and red corpuscles (globules) of the blood.
кро‖**и́ть** to cut, cut out; '~йка cutting, cutting out.
крокéт croquet.
кроки́ rough sketch.
крокоди́л crocodile; ~овы слёзы crocodile tears; ~овый crocodilian.
крóл‖**ик** rabbit; bunny (*прозвище*); ~иковóдство rabbit-breeding; ~ичий мех rabbit-skin; ~ьчáтник (rabbit) warren, rabbitry.
крóме except, with the exception of, apart from, but, save; besides, in addition (*to*), over and above; к. того besides that, moreover, further, furthermore, as well; к. того, зачем он писáл? then again, why did he write?; они все ушли́ к. меня they are all gone except (but) me.
кромéшн‖**ый**: ад к. hell; тьма ~ая pitch darkness.
крóмка selvage, list.
кромсáть to shred, to tear (cut) to shreds.
крон chrome yellow, Paris yellow.
крóна 1. top of a tree; 2. crown (*англ. монета*); krone (*австр. и пр. монета*).
кронвéрк *военн.* crown-work.
кронци́ркуль cal(l)ipers.
крóншнеп *зоол.* curlew.
Кроншта́дт Kronstadt.
кроншти́йн *техн.* bracket, corbel.
кропá‖**ние** scribbling; ~тель scribbler; ~ть to scribble.
кропи́ть to sprinkle, besprinkle, asperse.
кропотли́в‖**ый** tediously minute; painstaking; ~ая рабóта minute work, work requiring accuracy and precision; spade work.
крот *зоол.* mole; сев.-американский к. shrew-mole.
крóтк‖**ий** mild, gentle, meek, benign; ~о mildly, gently, meekly.

кротов‖ина mole-hill; ⌐ый мех moleskin.

кротость mildness, gentleness, meekness.

крох‖а́ crumb; '⌐и remains.

кроха́ль зоол. merganser.

крохобо́р niggard; ⌐ничать to pinch, to be niggardly; ⌐ство niggardliness; ⌐ствовать см. крохоборничать.

кро́хот‖ка a little bit; ⌐ный tiny.

кро́ш‖ево minced eatables; ⌐ечка crumb; a little, a bit, a grain; ⌐ечный tiny little; дет. teeny, wee; ⌐и́ть to crumble, crumb (хлеб и т. п.); to mince, chop up, hash (мясо и т. п.); ⌐и́ться to crumble (break) into small pieces, to be friable; ⌐ка crumb; фиг. a bit; chit, a mite of a child, dear little one, little one (о ребёнке).

круг circle, round, ring; к. вокруг со́лнца (луны́) halo; к. ежедне́вных заня́тий the daily round; к. знако́мых circle; к. зна́ний (спосо́бностей) scope, reach, range, compass; бегово́й к. ring; и́збранный к. coterie, select circle; поворо́тный к. ж.-д. turn-table; поро́чный к. vicious circle; на к. on the average, taking it all round; дви́гаться по ⌐у to circle, to move in a circle; ⌐и́ на воде́ rings (in water); литерату́рные (полити́ческие) ⌐и literary (political) set (circles).

кру́г‖ленький уменьш. от кру́глый; ⌐ленькая су́мма a pretty penny; ⌐ле́ть to become round; ⌐ли́ть to make round; ⌐ли́ться to assume a round shape.

кругло‖ва́тый roundish; ⌐голо́вый ист. roundhead; ⌐ли́цый round-faced, chubby; ⌐ро́тые зоол. cyclostomata.

кругл‖ость roundness; rotundity; ⌐ый round, circular, globular; ⌐ый год all the year round; ⌐ый дура́к perfect fool; ⌐ый по́черк round hand; ⌐ый сирота́ orphan having neither father nor mother; для ⌐ого счёта to make a round number; ⌐ые че́рви round worms, nematodes; ⌐о roundly; ⌐ыш, ⌐я́к rounded stone.

круго‖во́й circular, round; ⌐ва́я игра́ round game; ⌐ва́я пору́ка mutual responsibility; ⌐ва́я ча́ша loving cup; ⌐воро́т circular motion, rotation; ⌐враща́тельный circular, rotary; ⌐враще́ние см. круговорот; ⌐зо́р scope, horizon, mental outlook, range, reach, sweep.

круго́м in a ring, in a round; у меня́ голова́ идёт к. I don't know what to do, my thoughts are in a whirl.

круго́м round, around, about, round about; фиг. entirely; напра́во к. воен. right-about turn; вы к. винова́ты it is entirely your own fault.

круго‖оборо́т circuit; ⌐обра́зный round, circular; ⌐обра́зно round, circularly; ⌐све́тный round-the-world; ⌐све́тный морепла́ватель circumnavigator; соверша́ть ⌐све́тное пла́вание to circumnavigate the globe, to sail round the world.

кружа́ло арх. centre, wooden mould for arch while building; ист. public house, pot-house.

кружев‖ни́ца lace-maker; ⌐но́й lacy, lace-like.

кру́жев‖о lace; плетёное к. bone-lace; отде́лывать ⌐ом to lace; торго́вец ⌐ом lace-man.

круже́ние whirling, turning, spinning, wheeling.

кру́жечный: к. сбор collection.

кружи́ть to turn, whirl, twirl, spin round; to go by circuitous ways; к. кому́-л. го́лову to turn someone's head; ⌐ся to turn, whirl, wheel, spin (round), gyrate; у меня́ кру́жится голова́ my head swims, I feel giddy.

кру́жка mug, jug, noggin; к. для сбо́ра пожертвова́ний collection box; оловя́нная к. tankard.

круж‖ко́вщина clannishness; the spirit of coteries; '⌐ный circuitous, round-about; ⌐ным путём in (by) a round-about way; ⌐о́к уменьш. от круг; circle, association, society, coterie; драмати́ческий ⌐о́к dramatic circle (in a club); полити́ческий ⌐о́к group for the study of politics.

круп I. мед. croup.

круп II. croup, crupper (лошади).

круп‖а́ groats; meal; ма́нная к. semolina; овся́ная к. grits, oatmeal; перло́вая к. pearl-barley; ячне́вая к. peeled barley; ⌐и́нка grain, pellet (в гомеопа́тии и пр.); ни ⌐и́нки пра́вды not an atom (not a scintilla) of truth; ⌐и́ца фиг. grain, atom; ⌐и́чатый grainy, granular.

крупне́ть to grow larger.

крупнозерни́стый coarse-grained, large-grained, coarse-fibred.

круп‖ный large, large-scale; big; coarse, large-grained (крупнозернистый); к. песо́к coarse sand;

к. по́черк large handwriting, text hand; к. скот big cattle; ∼ая промы́шленность large-scale industry; ∼ая рысь round trot; ∼ые черты лица́ massive features; ∼о into large particles, coarsely; ∼о поговори́ть (с кем-л.) to have (high) words (with); писа́ть ∼о to write large.

кру́пба́зный мед. croupous.

крупору́шка peeling (hulling) mill.

крупча́тка the finest wheaten flour; ∼ый grainy.

крупье́ croupier.

крутизна́ steepness, steep hill.

крути́льный: к. ва́тер текст. doubler; к. весы́ физ. torsion-balance; ∼щик текст. doubler.

крути́ть to twist, wring; to turn, twirl, whirl; к. папиро́су to roll a cigarette; к. ус to twirl one's moustache; к. шёлк to twist (throw) silk; ∼ся to turn, revolve, whirl, spin round.

крут|о́й steep, craggy (обрыви́стый); abrupt, sharp, sudden (внеза́пный); severe, stern (стро́гий); к. нрав stern temper; к. поворо́т sharp turn; к. склон rapid slope; к. хлеб heavy bread; де́лать к. поворо́т (в поли́тике и пр.) to right-about face, to reverse one's policy, to make a volt-face; ∼а́я ка́ша thick gruel; ∼ая ме́ра drastic measure; ∼о́е яйцо́ hard-boiled egg; '∼о tight, tightly; steeply, abruptly, short, sharply; sternly, severely (см. круто́й); ∼о замеси́ть те́сто to make a thick dough; ∼о отжа́ть бельё to wring out clothes thoroughly; ∼о поверну́ться to turn sharp round; ∼о посоли́ть to put much salt (into); ∼о поступи́ть (с к.-л.) to be stern (with); ∼обере́жный with steep banks; '∼ость steepness; sternness.

кру́ча steep slope.

кру́че steeper, abrupter; sterner, severer (стро́же); де́латься к. to steepen.

круч|е́ние twisting, torsion, twirling, whirling; ∼ёные ни́тки twisted thread, lisle thread.

кручи́н|а sorrow; ∼иться to grieve, sorrow.

круше́ние wreck, ruin; к. капиталисти́ческого стро́я downfall of the capitalist order; к. наде́жд the ruin (collapse) of one's hopes; к. по́езда railway-accident; потерпе́ть к. to shipwreck, to run upon the rocks (о корабле́).

круши́на бот. buck-thorn.

круши́ть to shatter, destroy; ∼ся to grieve, to be afflicted.

крыжо́вник gooseberry.

крыла́||стый large-winged; ∼тый winged; ∼тое сло́во winged word.

крыл|о́ wing (пти́цы и фиг. аэропла́на); поэт. pinion; splash-board (экипа́жа); wing (зда́ния, а́рмии, поли́т. па́ртии); sail, vane (ветряно́й ме́льницы); ∼оно́гие (моллю́ски) pteropoda; ∼ышко a little wing; взять под своё ∼ышко фиг. to take under one's wing; подре́зать '∼ышки кому́-л. фиг. to clip somebody's wings.

крыльцо́ flight of steps (before the entrance-door), porch; perron (большо́го зда́ния).

Крым the Crimea.

кры́м||ский Crimean; К∼ская АССР the Crimean Autonomous Soviet Socialist Republic; К∼ская кампа́ния Crimean war; ∼ча́к inhabitant of the Crimea.

кры́нка milk-pot.

крыс||а rat; водяна́я к. water-rat, water-vole; су́мчатая к. opossum; ∼ы бегу́т с то́нущего корабля́ rats leave a sinking ship; кишащий, пахну́щий ∼ами ratty; ∼ёнок young rat; ∼иный хвостик фиг. rat's-tail; ∼оло́в rat-catcher; pincher (соба́ка); ∼оло́вка rat-trap; ∼ята young rats.

крыт||ь to cover, roof; карт. to take with a higher card, to trump (козырем); to cover (о жеребце); вульг. to rail, swear (ат)(руга́ться); к. кра́ской to coat (with a layer of paint); к. соло́мой, тростнико́м to thatch; к. черепи́цей to tile; ∼ый ры́нок covered market place; ∼ься to be covered; to be concеалed; в его́ слова́х кро́ется угро́за there is a covert threat in his words; здесь что́-то кро́ется there is something behind this, something is at the bottom of it.

крыш||а roof; двуска́тная к. saddleback; манса́рдная к. curb-roof, mansard; односка́тная к. pent-roof; рестора́н-к. roof garden; шатро́вая к. hip; настила́ть ∼у to roof; ∼ка cover, lid, top.

крэки́рование см. креки́рование.

крюйтка́мера мор. powder-room.

крю|к hook, crook; detour, round-about way (ли́шнее расстоя́ние); сде́лать к. to make a detour; к. над оча́гом pot-hook; або́рдажный к. grapnel; ∼чи́ть to bend (into a hook); ∼чкова́тый hooked; ∼чкотво́р pettifogger, chicaner; ∼чкотво́рство pettifogging, chicanery; ∼чкотво́рствовать to pettifog, chicane; ∼чник carrier, stevedore; ∼чо́к hook; button-hook (*сапожный*); fish-hook (*удочки*); *фиг.* pettifogger, chicaner; спусково́й ∼чо́к винто́вки trigger; застегну́ть на ∼чо́к to hook.

крюшо́н champagne-cup, claret-cup (*напиток*).

кря́ду together, running.

кряж block, log; ridge, mountain range; ∼истый thickset.

кряк||а́нье quacking; ∼ать to quack; ∼ва wild duck, mallard.

кряхте́ть to groan.

ксёндз Roman-Catholic priest.

ксило||гра́фия xylography, block-printing; '∼л *хим.* xylol, xylene; ∼фо́н *муз.* xylophone.

КСК *см.* Комиссия советского контроля.

кста́ти to the purpose, to the point, relevantly, apropos (*уместно*); opportunely, seasonably (*своевременно*); by-the-by, by the way (*между прочим*); к. и некстати in and out of season; к. о вашем брате: он здоров? talking of your brother, is he well?; замечание было сделано к. the remark was well timed; рассказ подоспел как-раз к. story came pat to the purpose.

КСУ *см.* Комиссия содействия ученым.

кто 1. *вопросит.* who? (*obj.* whom, *poss.* whose), which?; к. из вас сделал это? which of you has done it?; к. он такой? what is he?; who is he?; 2. *относит.* he who, who, that; к. ломает, тот и платит who breaks pays; те, к. любят нас those that love us; счастлив тот, к. ... happy is he who...; к. бы не but; нет никого, к. бы не знал этого there is no one but knows it; к. бы ни whoever, whosoever (*obj.* whomsoever, *poss.* whosesoever); к. бы ни пришёл, милости просим whoever comes is welcome; к.-либо, к.-нибудь somebody, someone, anybody, anyone, any; знает ли к.-нибудь из вас? does any of you know?; к.-нибудь другой somebody else; к.-то some one or other, somebody, someone.

куафю́ра coiffure.

куб cube (*мат.*); перегонный к. still; возводить в к. *мат.* to cube, to raise to the third power.

Куба́нь Kuban.

куба́рем head over heels.

куба́рь peg-top, humming-top; пускать к. to spin a peg-top.

куб||ату́ра cubic content, cubic estimate; ∼и́зм cubism; '∼ик small cube-shaped block; ∼и́ст cubist; ∼и́ческий cubic(al); ∼и́ческий ко́рень cube root, third root; ∼и́ческий фут cubic foot; ∼и́ческая ме́ра cubic measure; ∼и́ческое уравне́ние cubic equation; '∼овая краска indigo (blue); ∼ови́дный cuboid(al), cubical, cubiform; ∼ови́дная кость cuboid bone.

ку́бок goblet, cup, beaker, bowl; полный к. brimmer, full cup; проща́льный к. stirrup cup.

кубо́метр cubic metre.

ку́брик *мор.* orlop, orlop-deck.

кубы́шка bellied vessel (jug); money box; *фиг.* dumpy man (woman).

кува́лда hammer; *фиг.* a clumsy woman.

кувши́н pitcher, ewer, jug, jar; повадился к. по воду ходить, там ему и голову сломить *посл.* so long goes the pot to the water, till at last it comes home broken; ∼ка *бот.* yellow water-lily.

кувыр||ка́нье tumbling, somersaults; ∼ка́ть to overturn, upset; ∼ка́ться to tumble, to go head over heels, to turn somersaults; ∼ко́м topsy-turvy; ∼ну́ть *см.* кувыркать.

куда́ where (*вопросит. и относит.*); whither (*редко*); by far (*при сравн. степ.*); к. вам это? what will you do with it?, what use is it to you?; к. вы идёте? where are you going (to)?; к. идёт Германия? whither Germany?; откуда и к. они идут? whence and whither do they go?; сегодня мне к. лучше to day I am much better (heaps better); к. бы ни wherever, wheresoever, whithersoever; к. как how very; к.-либо, к.-нибудь somewhere, anywhere; к.-то somewhere.

кудахта||нье clucking, cackling, chuckling; ∼ть to cluck, cackle, chuckle.

куде́ль *текст.* flax (hemp) ready for spinning.

куде́сни||к sorcerer, magician, soothsayer; ∼ца sorceress.

кудр||ева́тость floridity; ∼ева́тый florid, flowery, ornate; curly; ∼ева́то floridly.

ку́дри curled hair, curls.

кудря́||виться to curl; ∼вость curliness; leafiness; floridity; ∼вый curly, crisp, frizzly (*о волосах*); curly-headed (*о человеке*); leafy, bushy (*о дереве*); florid, flowery (о стиле); ~вая капуста savoy, kale; ~во in curls; floridly; ~шка small curl.

Кузбас (Кузнецкий угольный бассейн)Kusbas (Kuznetsk coal fields).

куз||е́н, ~и́на cousin.

кузне́ц (black)smith, hammersmith, farrier.

Кузнецкстро́й Kusnetskstroy.

кузн||е́чик зоол. grass-hopper; ~е́чное ремесло smithery, farriery; ' ~и́ца, ~я smithy, forge.

ку́зов basket; body (of a vehicle); bonnet (автомобиля).

кукаре́к||ать to crow; ~у́ cock-a-doodle-doo, crow.

ку́киш вульг. fig, fico; показать кому-л. к. вульг. to give a person the fico.

ку́кла doll; дет. dolly; восковая к. wax doll.

ку-клукс-кла́н пол. Ku-Klux-Klan.

кукова́ть to cry cuckoo.

ку́колка уменьш. от кукла; зоол. chrysalis, pupa, nymph.

ку́коль бот. cockle.

ку́кольн||ый doll's, dollish; ~ая комедия puppet-play, puppetry, mummery.

ку́кситься разг. to feel unwell.

кукуру́за maize, Indian corn.

куку́шк||а cuckoo; часы с ~ой cuckoo-clock; променять ~у на ястреба фиг. to change for the worse; ~ин цвет ragged robin.

кула́||к fist; mauley (sl.); техн. cam, cog, mill-cog; пол. kulak, peasant capitalist exploiting hired labour; бронированный к. the mailed fist; драться ~ка́ми to box, to fight with the fists; дойти до ~ко́в to come to blows; ~цкий kulak (attr.), of a kulak; ~цкое хозяйство kulak economy (farm); ~чество соб. kulak class; kulakdom; the kulaks; ликвидация ~чества как класса liquidation (abolition) of kulaks as a class; ~чка a woman kulak; ~чный бой fisticuffs; ~чное право fist-law, club-law; ~чок уменьш. от кулак (во всех значениях).

кулды́кать to gobble (об индюке).

кулебя́ка kind of pie.

кулёк small mat-bag.

куле́ш thin gruel.

ку́ли coolie.

кули́к зоол. snipe; болотный серый к. sand-piper; красноносый к. redshank; морской к. stilt-bird.

кулина́рн||ый culinary; ~ое искусство cookery.

кули́с||а театр. wings, coulisse, slip, side-scene; техн. coulisse; пойти за ~ы to come back stage; за ~ами behind the scenes.

кули́ч cake.

кули́чк||и: у чорта на ~ах разг. at the world's end.

куло́н физ. coulomb; pendent (украшение).

кулуа́р||ы парл. lobby; разговор в ~ах lobbying.

куль mat-bag.

кульмин||ацио́нный пункт climax, culmination, pinnacle; ~а́ция астр. culmination; ~и́ровать астр. to culminate.

культ cult, worship; к. красоты cult of beauty; служитель ~а priest, clergyman.

культакти́в active cultural workers.

культба́за culture base.

культив||а́тор техн. cultivator; ~а́ция, ~и́рование cultivation; ~и́ровать to cultivate, rear, grow.

культ||коми́ссия cultural commission; ~отде́л cultural department; ~политпросве́т Board of Cultural and Political Education; ~похо́д culture campaign; ~про́п culture propaganda; Culture and Propaganda Section of the Communist Party Central and District Committees; ~рабо́та cultural educational work; ~рабо́тник one engaged in cultural work; ~се́ктор culture section.

культу́р||а culture (тж. бактер.); cultivation (разведение); пролетарская к. proletarian culture; технические ~ы агр. technical crops; ~ник cultural worker; ~но-бытовы́е условия cultural and life conditions; ~но-просвети́тельный cultural-educational; ~но-просвети́тельная работа cultural and educational work; ~ный cultural, cultured, cultivated; ~ный уровень cultural level; ~ная революция cultural revolution; в ~ном обществе in cultural society.

культше́фство cultural patronage.

культэстафе́та culture relay campaign.

культи́шка mangled foot or hand (without toes or fingers).

кум godfather of one's child; friend (уст., как обращение); ~а́ godmother of one's child.

кума́ч red bunting.

куми́р idol; ~ня heathenish temple.

кум‖овство *фиг.* nepotism; '~ушка gossip.

кумы́с fermented mare's milk; koumiss; ~олечёние koumiss treatment (cure); ~олечёбное заведение koumiss-cure institution.

кунáк friend (*in the Caucasus*).

кунжýт *бот.* sesame; ~ное масло sesame oil.

куни́ца *зоол.* marten.

кунсткáмера cabinet of curiosities.

кýпа: к. деревьев group (cluster) of trees.

Купáла: ночь под Ивана К. Midsummer eve, St. Johne's eve.

купá‖льница *бот.* globe-flower; ~льный костюм bathing suit (dress, gown); ~льный сезон bathing season; ~льня dressing box (for bathers); ~льщик, ~льщица bather; bath attendant; ~нье bathing, bathe; ~ть(ся) to bathe.

купé *эк.-д.* compartment.

купéль font.

купé‖ц shopkeeper, tradesman; merchant (*оптовый*; *в Америке всякий к.*); ~ческий mercantile, merchantlike; ~ческое судно merchant-man; ~чество *соб.* merchants, mercantile class.

купи́‖ть to buy; to purchase (*обычно фиг. ценой чего-либо*); к. заглазно to buy on trust; to buy a pig in a poke; я не в состоянии к. это I cannot afford it; за что ~л, за то и продаю *погов.* you must take (I give you) this story for what it is worth.

куплéт couplet; ~ы satiric (comic) song; ~йст singer of satiric songs.

кýпля buying, purchase.

кýпол cupola, dome; ~ообрáзный cupola-shaped, dome-shaped.

купóн coupon.

купорóс vitriol; железный к. copperas, green vitriol; медный к. blue (copper) vitriol; ~ный vitriolic.

кýпчая (крепость) title-deed.

купчи́ха merchant's wife.

купю́ра excision.

кур *уст.* cock; попасться как к. во щи *погов.* to be caught; ~а *уст.* hen; у него денег ~ы не клюют *погов.* he is rolling in money; это ~ам на смех 't would make even a fly laugh.

курáж courage, dash, swagger; ~иться to swagger, bully.

курáнты chime of bells (in a clock).

курáтор *ист.* curator; person appointed to administer the affairs of a bankrupt; receiver, trustee.

курбéт curvet.

кургáн barrow, tumulus, burial mound.

кургýз‖ить to curtail; ~ый dock-tailed; too short, curtailed.

курд Kurd.

курдю́к fat tail (*of a certain kind of sheep*).

курé‖во smoke; *разг.* tobacco, cigarettes; '~ние smoking; fumigation.

курёнок chicken.

курéнь hut, shanty; *ист.* a Cossack country dwelling.

курзáл kursaal.

кури́лка smoking-room; жив, жив к.! *погов.* Richard's himself again.

курúль‖ница censer; ~щик, ~щица smoker.

кури́н‖ый hen's; *зоол.* gallinaceous; ~ая грудь pigeon-breast; ~ая слепота *мед.* night-blindness, nyctalopia; hemeralopia; ~ое яйцо hen's egg.

кури́тельн‖ый: к. табак smoking-tobacco; ~ая комната smoking-room; ~ая свечка pastil(le); ~ая трубка tobacco-pipe.

кури́ть to smoke; to fumigate (*чем-л.*); к. фимиам to incense; слишком много к. to smoke to excess; to oversmoke; ~ся to smoke, to emit smoke.

кýрица hen; мокрая к. *фиг.* chicken-hearted person.

курнóсый snub-nosed, pug-nosed.

кýрн‖ый: ~ая изба hut having no chimney to its stove, chimneyless hut.

куровóдство poultry-breeding.

курóк cock; взводить к. ружья to cock a gun.

куролéс‖ить to play pranks (tricks); ~ник scapegrace.

куропáтка partridge (*серая*); белая к. white grouse, ptarmigan; шотландская к. (red) grouse.

курóрт health-resort; к. с минеральными водами spa, watering-place; горный к. mountain-resort; морской к. seaside-resort, watering-place; ~ное лечение spa treatment; ~ное управление health resort (spa) administration.

кýрочка pullet; водяная к. *зоол.* gallinule, moor-hen.

курс course; *комм.* rate of exchange; к. лечения course of medical treatment, cure; к. учения (лекций) course of study (lectures); новый к. политики a new policy; держать к. (*на*) to head (*for*), to hold a course; менять к. to change the course; менять к. корабля to change the ship's cour·e; перейти на последний к. pass to the last course; судно держало к. на север the ship was standing due N; я взял неправильный к. *фиг.* I am on the wrong track; студент второго ~а a student in the second year; быть в ~е дела to be in the swim; по ~у дня at the day's course of exchange.

курсант (military) student.

курсив italic type, italics; печатать ~ом to print in italics, to italicize; ~ный italic.

курсировать (*между*) to ply (between).

курс‖**истка** girl-student, woman--student; '~ы courses, school; ~ы по повышению квалификации courses for raising efficiency; extension courses; ~ы по подготовке (*в вуз и пр.*) preparatory courses; краткосрочные ~ы short term courses.

куртаж brokerage.

куртизанка courtesan.

куртина parterre (*в саду*); *военн.* curtain.

курт(оч)ка jacket.

курульн‖**ый** *рим. ист.*: ~ое кресло curule chair.

КУРУПР *см.* курортное управление.

курфюр‖**ст** *ист.* elector; ~шество electorate.

курча‖**веть** to curl; ~виться to curl; ~вость curliness; ~вый curly, crisp (*о волосах*); ~вый человек curly-headed person; curly--pate.

курчёнок chicken.

куры *мн. ч. от* кура, курица; *см.* кур.

курьёз curious thing, a curiosity; ~ный curious, strange, funny; ~но curiously, in a funny way.

курьер courier, messenger; ~-ский поезд express (train); на ~ских very fast, at great speed.

курят‖**ина** fowl; ~ник hen-roost.

куряши‖**й** smoker; вагон для ~х smoking-car(riage); *разг.* smoker.

кус morsel; ~ака biter, child (animal) given to biting; ~ание biting; ~ать to bite; to sting (*жалить*); to nibble (*маленькими кусочками*); ~аться to bite; to sting (*о змее*); to snap, to be snappish (*о собаке*); *фиг.* to be too dear (*о дорогом товаре*); попался,

который ~ался *погов.* the biter bit; ~ище a huge morsel (piece); ~ковой сахар lump sugar; ~ок morsel, bit; piece (*хлеба, сукна, земли*); lump (*сахара, сыра*); slice (*тонкий ломтик мяса, хлеба*); scrap (*чего-л. оторванного или отломанного*); ~ок угля lump of coal, nub, nubble; зарабатывать ~ок хлеба to make one's bread, to earn a living; по ~кам piecemeal, piece by piece; разбить на ~ки to break to pieces; лакомый ~очек titbit, dainty morsel.

куст I. section, group; районный к. district section, group.

куст II. bush, shrub; ~арник bush; shrubbery, brushwood, scrub; brake (*густая заросль*); поросший ~арником bushy, shrubby, braky, ~арниковый growing in bushes.

кустар‖**ничать** to work at home; to use primitive methods; ~ничество home industry, handicraft; *фиг.* inefficiently organized work, sloppy work; ~ный home made, handicraft; ~ная промышленность home (household) industry, domestic craft industry, domestic system; ~ное объединение handicrafts association; ~щина unsystematic, planless methods of work; ~ь craft worker, home craftsman, home (household) worker; ~ь-одиночка home craftsman not employing help.

кустистый bushy.

кустовой *см.* кустарниковый.

Кутаиси Kutaisi.

кут‖**ньё** muffling, wrapping up; ~ть to muffle up, wrap up; ~ться to wrap (oneself) up.

КУТВ (*Коммунист. университет трудящихся Востока*) Communist University for the Toilers of the East.

кутёж spree, revelry, carouse.

кутейник *ирон.* son of an ecclesiastic, a priestling.

кутерьма bustle, stir, disorder, commotion, row.

кути‖**ла** reveller, rake, debauchee, spendthrift; ~ть to be on the spree; to lead a dissipated life; to make merry, to carouse.

кутуз lace-pillow (*подушка, на к-рой плетут кружево*).

кутузка *разг.* prison.

куфическ‖**ий**: ~ая азбука Cufic.

кухарка cook.

кухмистер *уст.* keeper of an eating-house; ~ская eating-house, cook-shop.

ку́х‖ня kitchen; cook-house (*в отдельном здании*); galley, cook-room (*на судне*); *фиг.* cuisine, cookery (*стол*); походная к. travelling-kitchen; фабрика-к. wholesale cookery; ∼онный шкап dresser; ∼онная посуда kitchen utensils; ∼онная плита (cooking-)range, kitchener; ∼онные остатки *архл.* kitchen-midden.

ку́цый dock-tailed.

ку́ч‖а heap, pile, mass; lot, heap (*множество*); к. детей swarms of children; «к. мала!» *(детская игра)* scramble; *уст.* muss; к. неприятностей a heap (peck) of trouble; муравьиная к. ant hill; навозная к. dunghill, midden; складывать в ∼у to heap up, pile up.

кучево́й *см.* облако.

ку́чер coachman, driver; ∼ская coachman's room.

ку́чка small heap; к. людей knot of people.

куш I. large sum, king's ransom, nice little sum; stake.

куш II. lie down! (*приказание собаке*).

куша́к waist-band, waist-belt, belt, girdle, sash.

ку́ша‖нье fare, food, dish; ∼ть to eat, drink; пожалуйте ∼ть dinner is served (is ready).

куше́тка couch.

кюрасо́ curaçao (*ликёр*).

Кя́хта Kiakhta.

Л

ла *муз.* la.

лаба́з *уст.* corn-chandler's shop; ∼ник corn-chandler, flour-dealer.

лабиал‖иза́ция *фон.* labialization; '∼ьный labial.

лаби́ринт labyrinth, maze.

лабора́нт laboratorian.

лаборато́рия laboratory; *разг.* lab.

ла́в‖а lava; scoriae, clinker (*застывшая*); поток ∼ы lava-flow, lava-stream.

лави́на avalanche.

лави́рова‖ние *мор.*, *фиг.* tacking; ∼ть *мор.* to tack, to beat up, to windward; *фиг.* to manœuvre.

ла́в‖ка bench (*скамейка*); shop; *амер.* store (*торговля*); л. маркитанта canteen; ∼очка small shop; *фиг.* clique; ∼очник, ∼очница shop-keeper, retailer; ∼очный shop; ∼очная комиссия shop commission (committee).

лавр laurel, bay; американский л. sassafras; ∼ы laurel(s); пожинать ∼ы to reap (win) laurels (the

laurel); почить на ∼ах to rest on one's laurels; увенчанный ∼ами laurelled, wreathed with laurel, laureate.

ла́вра abbey, monastery of the highest rank.

Лавре́нтий Laurence, Lawrence.

лавро́вишня cherry-laurel.

лавро́вый: л. венок bays, bay wreath, laurels; л. лист laurel leaf.

ла́вры *см.* лавр.

лаг *мор.* log.

ла́га *техн.* bolster.

лагбу́х log book.

ла́герн‖ый: ∼ая жизнь camping out; camp life.

ла́гер‖ь camp, encampment; laager (*окружённый телегами*); концентрационный л. concentration camp; пионерский л. pioneer camp; располагаться ∼ем to camp; encamp; жить в ∼ях to camp out.

лагу́на lagoon.

лад harmony, concord; fret (*гитары и пр.*); дело не идёт на л. things are in a bad way; дело пошло на л. things went better (swimmingly); запеть на другой л. *фиг.* to sing another tune; петь в л. (не в л.) to sing in tune (out of tune); жить в ∼у to live in concord (*with*); на все ∼ы in every possible way; быть не в ∼ах to be on bad terms (at odds) (*with*).

ла́дан frankincense, incense; росный л. benzoin; дышать на л. to have one foot in the grave; ∼ка *уст.* small bag containing sacred object and worn as an amulet.

ла́д‖ить to be on good terms, to agree, to get on together, to live in concord (*with*); л. с обеими враждующими сторонами to straddle; они не ∼ят между собой they are at odds; ∼иться to go well, succeed; у него ничего не ∼ится he does not succeed in anything.

ла́д‖но 1. well, in tune, in concord; 2. л.! very well!, agreed!, all right!; ∼ный harmonious.

Ла́дожское о́зеро Lake Ladoga.

ладо‖нчатый palmate(d); ∼нь palm, flat of the hand; виден как на ∼ни spread before the eyes; seen distinctly (*from above*); ∼ша *см.* ладонь; хлопать в ∼ши to clap one's hands.

ладья́ *ист.* boat; ∼ *шахм.* rock, castle.

лаж *фин.* agio.

лаз *техн.* manhole.

лазаре́т infirmary (*в тюрьме*); hospital; ambulance (*полевой*).

Ла́зарь Lazarus.

лаз‖**ать** *см.* лазить; ∼**ей**, ∼**е́йка** gap, hole in hedge to pass through; manhole (*лаз*); *фиг.* loophole; ∼**ить** to climb, clamber.

лазо́ревый *см.* лазурный.

лазу́р‖**ный** azure, sky-blue; ∼**ь** azure, sky-blue; берли́нская ∼**ь** Prussian blue.

лазу́тчик spy, scout.

лай bark, barking, yelp, bay (-ing).

ла́йба Finnish boat.

ла́йка I. Eskimo dog (*собака*).

ла́йк‖**а** II. kid, kid-skin (*кожа*); ∼**овая** перчатка kid-glove.

лак varnish, lacquer, japan.

лака́‖**ние** lapping; ∼**ть** to lap.

лаке́й *уст.* footman; flunkey, lackey, menial (*тж. фиг.*); л. буржуазии bourgeois flunkey (lackey); ∼**ский** lackey's; servile; ∼**ство** servility, cringing; ∼**ствовать** to lackey, cringe.

лакиро́в‖**ать** to varnish, lacquer, japan; '∼**анная** кожа patent leather; '∼**ка** varnishing, lacquering; '∼**щик** varnisher.

ла́кмус *хим.* litmus; ∼**овый** лишай cudbear; ∼**овая** бумага litmus paper.

ла́ков‖**ый** varnished, lacquered; ∼**ое** дерево varnish-tree.

ла́ком‖**иться** to eat dainties; to regale (on); ∼**ка** gourmand; быть ∼**кой** to have a sweet tooth; ∼**ство** dainties, delicacies, sweets; ∼**ый** dainty, lickerish; ∼**ый** доч.-л. fond of something.

лакони́‖**зм**, ∼**чность** laconicism; ∼**ческий**, ∼**чный** laconic, short-spoken; ∼**чески**, ∼**чно** laconically.

лакри́ца liquorice.

ла́ма I. *зоол.* (l)lama.

ла́ма II. lama; ∼**изм** lamaism (*тибетский буддизм*).

Лама́нш the English Channel.

ла́мпа lamp; л. с круглой горелкой argand lamp; детекторная л. audion; предохранительная л. *горн.* safety-lamp, Davy lamp; '∼**да** lamp; lamp burnt before icons; '∼**дное** масло lamp-oil (burnt before icons).

ла́мпо‖**вый**: л. приемник valve, vacuum (receiver); л. свет lamp-light; л. усилитель amplification valve; ∼**вое** стекло lamp (glass) chimney; ∼**вые** генераторы valve generators; ∼**чка** small lamp; электрическая ∼**чка** electric lamp (bulb).

лангу́ста *зоол.* spiny (thorny) lobster.

ланд‖**бу́нд** Reichslandbund; ∼**вер** landwehr; ∼**граф** landgrave.

ландскне́хт *ист.* lance-knight; free-lance; *карт.* lansquenet.

ландша́фт landscape.

ла́ндыш *бот.* lily of the valley.

лани́та *уст., поэт.* cheek.

Ланка́стер Lancaster.

ланкаши́рский коте́л *техн.* Lancashire boiler.

ланце́т *мед.* lancet; вскрывать ∼**ом** to lance.

лань fallow deer; doe (*самка* Dama vulgaris); *распр.* hind (*самка* Cervus elaphus); бегать как л. to run like a deer.

ла́па paw; pad (*собаки, зайца*); *техн.* dovetail, tenon (*шип*); л. якоря fluke; в ∼**х** у к.-л. in one's clutches.

ла́пища large paw.

лапла́нд‖**ец** Lapp, Laplander; Л∼**ия** Lapland; ∼**ский** Lappish, Lapponian.

ла́пот‖**ник**, ∼**ница** bast-shoe maker; peasant that wears bast shoes; ∼**ь** bast-shoe.

лапсерда́к gaberdine.

лапта́ ball-game; bat (*бита*).

ла́пушка darling.

ла́пчатый web-footed.

лапша́ kind of vermicelli, noodles.

лар‖**ёк** stall; ∼**ец** small chest, coffer.

ларинги́т *мед.* laryngitis.

ла́рчик *см.* ларец; а л. просто открывался the explanation was quite simple.

ларь bin, chest.

ла́ска I. *зоол.* weasel.

ла́ска II. caress, endearment, kindness; '∼**тельный** caressing; cajoling; '∼**тельное** имя pet name; '∼**ть** to caress, fondle, pet; ∼**ть** себя надеждой to flatter oneself with hope; '∼**ться** to fawn upon (*о собаке*); to exchange caresses, to bill and coo; ∼**ющий** слух sweet, melodious, dulcet.

ла́сков‖**ость** tenderness, sweetness, affectionateness; ∼**ый** caressing, tender, affectionate, sweet; ∼**о** caressingly *и пр.*

ла́ссо lariat, lasso.

ласт last (*две тонны*).

ла́стик lasting (*материя*).

ла́ститься to fawn upon.

ла́стов‖**ица**, ∼**ка** gusset (of a shirt).

ластоно́гое *зоол.* pinniped.

ла́сточк‖**а** swallow; городская л. martin; одна л. не делает весны *посл.* one swallow does not make a summer; прыжок в воду ~ой swallow dive.

лата́ть to patch.

латви́йский Latvian.

Ла́твия Latvia.

лате́нтный latent.

латин‖иза́ция latinization; ~изи́рованный latinized; ~изи́рованный алфави́т latinized alphabet; ~изи́ровать to latinize; ~и́зм latinism; ~и́ст latinist; '~ский Latin; ~ский алфави́т Roman alphabet; ~ский стиль Latin style, latinity; ~ский язы́к Latin; учи́тель '~ского языка́ teacher of Latin; *шут.* gerund-grinder.

ла́тка I. patch (*запла́та*).

ла́тка II. earthen saucer, stew-pan (*для туше́ния*).

ла́тник *ист.* cuirassier, man in armour.

лату́к *бот.* lettuce.

лату́нь brass.

ла́ты *ист.* armour, cuirass, corselet.

латы́нь Latin; наро́дная л. vulgar Latin; класси́ч. л. classical Latin; лома́ная л. dog Latin.

латы́ш Lett; ~ский, ~ский язы́к Lettish.

лаун-те́ннис lawn-tennis.

лауреа́т laureate.

лафа́ *разг.* luck; profit.

лафе́т gun-carriage.

ла́цкан lapel.

лачу́га hovel, hut, shanty.

ла́я‖ние barking; ~ть to bark (*at*); to bay (*о больших собаках*); ~ться то. scold, rail (*at*).

лби́ще large forehead; *см.* лоб.

лг‖аньё lying, lies; ~ать to lie, to tell lies, to fib; ~ать в глаза́ to lie in one's throat; ~у́н, ~у́нья liar, fibber, fibster.

лебеда́ *бот.* goose-foot (*pl.* -foots), pigweed (*Chenopodium*); fat-hen, wild orach (*Atriplex patula*); садо́вая л. (garden) orach.

лебеди́н‖ый: ~ая песнь swan song.

лебёдка female swan, pen swan; *техн.* windlass, winch.

ле́бед‖ь swan; л.самец cob(-swan); л. са́мка pen(-swan); молодо́й л. cygnet; садо́к для ~е́й swannery.

лебези́ть to cringe, fawn.

лебя́жий: л. пух swan's-down.

лев lion; *астр.* Leo, Lion; морско́й л. sea-lion.

Лев Leo(n) (*имя*).

Лева́нт the Levant.

лева́нт‖иец Levanter, Levantine; ~и́йский, '~ский Levantine.

лева́цкий *пол.* leftist, ultra-left;

л. заги́б leftist excess; л. укло́н leftist deviation.

лева́чество leftism.

левё *карт.* the odd trick.

леве́ть *пол.* to become more radical.

левизн‖а́ leftism; де́тская боле́знь ~ы́ infantile disease of leftism.

левко́й *бот.* gillyflower, stock.

левобуржуа́зный left-bourgeoisie (*attr.*).

левре́тка Italian greyhound.

левша́ left-handed person, left-hander.

ле́в‖ый left; *пол.* left; near (*о лошади в упряжке,* ` колесе, о ноге лошади; в противоположность off*); л. укло́н *пол.* left deviation; са́мый л. leftmost; ~ая сторона́ (материи) the wrong side; ~ая сторона́ корабля́ *мор.* port; ~ое фразёрство leftist phraseology; встать с ~ой ноги to get out of bed on the wrong side; ~о руля́! *мор.* helm to port!

лега́вая *см.* ляга́вая.

легали‖за́ция legalization; ~зи́ровать, ~зова́ть to legalize.

лега́льн‖ость legality; ~ый legal, lawful; ~ый маркси́зм legal Marxism; ~ый сою́з a legal union (association); ~о legally, lawfully.

лега́т legate.

лега́то *муз.* slur, tie, legato.

леге́нда legend; '~рный legendary, storied.

легио́н legion; Почётный л. Legion of Honour; и́мя им л. their name is legion; ~е́р legionary.

леги́ровать to alloy (*металл*).

легитими́зм legitimism.

лёг‖кий light (*на вес*); slight (*незначительный*); easy, simple, facile (*нетрудный*); л. ве́терок gentle (light) breeze; л. как паути́на gossamery; л. слу́чай (*боле́зни*) mild case; л. сон light sleep; л. стиль easy (unlaboured) style; ~кая атле́тика light athletics; ~кая дие́та light diet; ~кая кавале́рия light horse; *фиг. см.* кавале́рия; ~кая по́ступь light step; ~кая промы́шленность light industry; ~кая просту́да slight cold; ~кая рабо́та easy (light, simple) task; soft job (*sl.*); ~кая смерть easy death; ~кое вино́ light wine; ~кое наказа́ние light penalty; ~кое чте́ние light literature; с ~ким се́рдцем with a light heart; име́ть ~кую ру́ку to have a light hand, to be lucky; ~ок на поми́не! talk of the devil!

легко́ lightly; slighty; easily, readily, at an easy rate, with a wet finger (*без труда*) (*см.* лёгкий); л. косну́ться to touch slightly; л. ступа́ть to tread light; это ему́ даётся л. he does it with ease; it comes naturally to him; ~ва́тый somewhat light (easy); ~ве́рие credulity, gullibility; ~ве́рный credulous, gullible; ~ве́рно credulously; ~ве́сность lightness; ~ве́сный light; ~во́й автомоби́ль passenger car; ~во́й изво́зчик cabman; hackney carriage.

лёгк||ое lung; ~ие lights (*как пища*); воспале́ние (одного́, обо́их) ~их (single, double) pneumonia; хрони́ческая боле́знь ~их chest-trouble.

легкомы́сл||енность thoughtlessness, levity, lightness, giddiness, flippancy; ~енный thoughtless, light-minded, light, giddy, flippant; ~енно thoughtlessly, giddily; ~ие *см.* легкомы́сленность.

легкопла́вкий easily melted, easily fused, fusible.

лёгкость lightness; easiness; *см.* лёгкий.

лёгонький very light.

легонько gently, softly, slightly.

лёгочный *мед.* pulmonary; л. больно́й pulmonic.

легча́ть to lighten, grow lighter; '~е 1. lighter; easier; ~е лёгкого easy as easy; мне от э́того не ~е I am none the better for it; 2. ~е! gently!, easy! take care!

лёд ice; сплошно́й л. ice-field; идёт л. ice is drifting; река́ свобо́дна ото льда river is open; пузы́рь со льдом ice-bag; затёртый льда́ми ice-bound.

ледене́ть to freeze, congeal, turn to ice; to become numb with cold (*кочене́ть*).

ледене́ц sugar-candy, candy, lollipop, sugarplum.

ледени́ть to freeze, ice, chill.

леденя́щий icy, chilling, chilly.

ле́ди lady.

ле́дник ice-house; ice-box, ice-safe (*комнатный*), ice-box car (*вагон*).

лед||ни́к glacier; ~нико́вый glacial; ~нико́вый пери́од ice-age, ice- (*или* glacial) period; Л-~ови́тый океа́н the Arctic Ocean; ~око́л ice-breaker; ~охо́д drifting (floating) of ice; ~яно́й icy, gelid, glacial; ice-cold, freezing, chilling (*леденя́щий*); ~яна́я сосу́лька icicle; ~яно́е по́ле ice-field; ~яны́м то́ном icily, in an icy tone.

лежа́||лый not fresh; ~ние lying; ~нка low stove for lying on, stove-bench.

леж||а́ть to lie; to recline, repose (*покоиться*); to keep one's bed (*в постели*); л. больны́м to be laid up; л. в дре́йфе *мор.* to lie to; л. в основа́нии чего́-л. to underlie; л. на чём-либо to overlie, rest on something; у него́ ~а́т де́ньги в ба́нке he has money lying at the bank; го́род ~и́т на холме́ the town is situated on a hill; кры́ша ~ит на сво́дах the roof rests on arches; мой путь ~ит на се́вер my route lies to the north; он всё ещё ~ит he is not stirring yet; э́та обя́занность ~ит на вас it is your duty, it is incumbent on you; э́то ~ит у меня́ на со́вести it lies heavy on my conscience.

леж||а́чий, ~а́щий lying; recumbent (*научн. и лит.*); ~а́чее положе́ние recumbency; ~а́щий ничко́м (навзничь) prone (supine); ~а́щий ме́жду interjacent; '~би́ще seal-rookery; ~ебо́к lie-abed, sluggard, idler, lazy-bones; '~ень *техн.* foundation-beam.

лёж||ка: в ~ку lying; напи́ться в ~ку to be dead drunk.

лежмя́ *см.* в лёжку.

ле́звее, ле́звие edge, blade.

лезги́н Lezgian; ~ка Lezgian woman; Lezgian dance.

лез||ть to climb, clamber; to scale (*на сте́ну, обрыв*); to swarm (*по кана́ту, на шест*); to intrude, thrust oneself upon (*надоеда́ть*); to come out, fall off (*о волоса́х*); л. в пе́тлю *фиг.* to expose oneself to danger aimlessly; л. из ко́жи to lay oneself out; to leap out of one's skin; л. на сте́ну *фиг.* to rage, to be in a fury; он ~ет вниз he descends; пёс ~ет в дра́ку the dog is spoiling for a fight; колесо́ не ~ет на ось the wheel does not fit the axle; сапоги́ мне не ~ут I cannot put (get) these boots on.

лейб-||гва́рдия *уст.* Life-Guards; ~ме́дик physician to the King *etc.*, physician in ordinary.

лейбори́ст (*чл. англ. рабочей па́ртии*) labourite.

ле́йденская ба́нка Leyden jar.

ле́йка watering-pot (-can).

лейкоци́т *физл.* leucocyte.

Ле́йпциг Leipsig.

Ле́йстер Leicester.

лейтена́нт lieutenant; мла́дший л. sublieutenant.

лейтмоти́в leit-motiv.

лека́ло mould, curve, templet.

лека́рственный medicinal, officinal.

лека́рство medicine, drug, medicament; *пренебр.* doctor's stuff; дава́ть л. to administer (give) medicine; приготовля́ть л. to make up a medicine.

ле́карь physician, doctor.

лекпо́м (*лекарский помощник*) surgeon's assistant.

лекси́‖**ка** lexicology; ∼ко́граф lexicographer; ∼кографи́ческий lexicographical; ∼кографи́я lexicography; ∼коло́гия lexicology; ∼ко́н dictionary; lexicon (*особ. греч. и восточн. яз.*); '∼ческий lexical.

ле́ктор lecturer, reader; ∼ство lectureship, readership.

лекцио́нный: л. ме́тод преподава́ния the lecture method in teaching.

ле́кци‖**я** lecture, reading; чита́ть ∼и to deliver lectures, to lecture; чита́ть ∼и по запи́скам to lecture from notes; посеща́ть ∼и to attend lectures.

леле́я‖**ние** cherishing, fostering; ∼ть to cherish, foster, nurse.

леме́х ploughshare.

ле́мма *мат.* lemma.

лен *ист.* fief, feoff, feud, fee; дава́ть в л. to enfeoff.

лён *бот.* flax; го́рный л. *мин.* asbestos; ди́кий л. toad-flax, mother of thousands; трёпаный л. scutched flax; чёсаный л. hackled flax; во́лосы как л. flaxen (towy) hair; л.-мо́ченец water-retted flax; л.-стла́нец dew-retted flax.

Ле́на the Lena.

Лензо́лото (*Ленские золотые прииски*) Lenzoloto.

лени́в‖**ец** *см.* лентя́й; *зоол.* sloth; ∼ица *см.* лентя́йка; ∼ый lazy, indolent, idle; slothful, sluggish (*медлительный*); ∼о lazily, idly.

Ле́нин Lenin.

Ленингра́д Leningrad.

ле́нин‖**ец** Leninist; ∼и́зм Leninism; ∼ский Leninist; ∼ский призы́в the Leninist mass enrolment in the Communist party in 1924 in commemoration of Lenin's death; ∼ские дни Lenin's days (*the anniversary of Lenin's death*); ∼ские сбо́рники Lenin's literary archives.

лени́ться to be lazy, idle; *разг.* to laze.

ле́нни‖**к** *ист.* vassal, liegeman, feudatory; ∼ый feudatory, feudal.

ле́ность laziness, indolence, sloth, idleness.

ле́нт‖**a** ribbon, band; л. вокру́г шля́пы hat-band; л. для воло́с fillet; дли́нная развева́ющаяся л. streamer; пулемётная л. cartridge belt; телегра́фная л. tape; тормозна́я л. brake-band; ∼очный тормо́з band-brake; ∼очный червь tape-worm, cestoid; ∼очная пила́ band-saw.

лентя́й, ∼ка lazy person, sluggard, idler; *разг.* lazy-bones. do-nothing; ∼ничать to be lazy (idle).

лень laziness, indolence, sloth; на меня́ напа́ла л. I am (was) in a lazy mood; преодоле́ть свою́ л. to rouse oneself.

Леони́д Leonid(as).

леопа́рд leopard; leopardess (*самка*).

лепесто́к petal; л. ро́зы rose--leaf.

ле́пет, ∼а́ние babble, prattle; murmur (*ручья*); ∼а́ть to babble, prattle; to murmur.

лепёшка flat cake; pastil(le) (*особ. аромати.*); lozenge, tablet (*лекарство*).

леп‖**и́ть** to model, sculpture; ∼и́ться to be modelled; to be plastic; to cling (*быть прилепленным*); '∼ка modelling; ∼но́й plastic; ∼но́е украше́ние stucco moulding.

лепрозо́рий lazar-house, hospital for lepers.

лепт‖**a** a mite; внести́ свою́ ∼у to do one's bit.

лес wood(s), forest; wood, timber (*материал*); строево́й л. (standing) timber; *амер.* lumber; пусти́ть под л. to afforest; вы́рубать л. to disforest.

леса́ I. woodlands, forests (*мн. ч. от лес*); scaffolding, scaffold, falsework (*на стройке*).

леса́ II. *рыбол.* (fishing-)line.

леси́ст‖**ость** woodiness; ∼ый wooded, woody; timbered (*на деловом языке*); silvan, sylvan (*поэт.*); ∼ая ме́стность woodlands.

лесни́‖**к** woodman, forester; ∼чество forestry; ∼чий forester.

лес‖**но́й** of the woods, silvan; л. материа́л timber, *амер.* lumber; л. пейза́ж woodland scenery; л. склад timber-yard; ∼на́я такса́ция forest mensuration; forest valuation; ∼на́я шко́ла open air school; ∼ны́е бога́тства timber resources.

лесово́д sylviculturist; ∼ство forestry, sylviculture.

лесовозвраще́ние reforestation.

лесозагото́вка logging; timber storage; timber (lumber) collecting.

лесо́к small wood, grove.

лесонасажде́ние foresting.

лесоохране́ние forest conservancy.

лесопи́л‖**ка**, ‿**ьный заво́д**, ‿**ьня** saw-mill.

лесопромы́шленн‖**ик** timber merchant; ‿**ость** timber industry.

лесоразрабо́тки forest (timber) exploitation.

лесо‖**ру́б** wood cutter, logger; ‿**се́ка** cutting area; ‿**спла́в** timber rafting.

лесоустро́йство forest management.

лёсс *геол.* loess, löss.

лессиро́в‖**ать** *живоп.* to glaze; ' ‿**ка** glazing.

ле́стниц‖**а** staircase, stairs (*в до́ме*); ladder (*приставна́я*); верёвочная л. rope-ladder; винтова́я л. winding staircase; складна́я л. a pair of steps; чёрная (за́дняя) л. backstairs; итти вниз (вверх) по ‿**е** через три ступе́ньки to go down (up) the stairs (steps) three at a time.

лест‖**ный** flattering, complimentary; ‿**ь** flattery; adulation, cajolery, blandishment; soft soap (*разг.*).

лёт flight, flying; на лету́ in the air, flying; отбива́ть мяч на лету to volley a ball.

лета́ние flying.

летарги‖**ческий** lethargic; ‿**я** lethargy.

лета́тельный: л. аппара́т flying machine.

лета́ть to fly; to aviate, navigate.

лет‖**е́ть** *см.* летать; to wing one's flight (way) (*о птице*); to hasten, tear along, to run (drive) at full speed (*спешить*, *мчаться*); птица ‿**и́т** a bird is flying; *поэт.* a bird wings the air (sky); ли́стья ‿**я́т** на зе́млю the leaves are falling (fluttering) to the ground.

ле́тни‖**й** summer, summerly; ‿**ее** вре́мя summer-time.

-ле́тний *в слжн.*: пятиле́тний 5 years old, lasting 5 years, of 5 years.

ле́тный: л. сезо́н flying-season.

ле́т‖**о** 1. summer, summer-time; ба́бье л. St. Martin's summer; *амер.* Indian summer; 2. year (*год*); во цве́те лет in the prime of life; ему́ де́сять лет he is ten years old, he is (aged) ten; ему́ ме́ньше (бо́льше) сорока́ лет he is under (over) forty; *разг.* he is on the right (wrong) side of forty; he is on the sunny (shady) side of forty; мы одни́х лет we are of the same age; на ста́рости лет in one's old age; ско́лько ему́ лет? how old is he?; сре́дних лет middle-aged; с молоды́х лет from a child, from childhood on; ‿**а́** years, age; в мои́ ‿**а** at my age; развито́й не по ‿**а́м** precocious; быть в ‿**а́х** to be in years.

лето́к bee-entrance (*в улье*).

ле́том in summer(-time).

летопи́с‖**ец** *уст.* chronicler, annalist; ‿**ный** annalistic.

ле́топись chronicle, annals.

летосчисле́ние chronology; era.

летун flier; *фиг.* flitter, floater, drifter.

летуч‖**есть** *хим.* volatility; ‿**ий** flying; *хим.* volatile; ‿**ий ми́тинг** a flying meeting; ‿**ий отря́д** flying column; ‿**ий ревматизм** *мед.* shifting rheumatism; ‿**ая мышь** bat; ‿**ая соба́ка** flying dog; ‿**ая рыба** flying-fish.

лету́чка leaflet, pamphlet.

лётчик airman, aviator, flier, pilot.

лече́бн‖**ик** handbook of medical advice; ‿**ица** hospital; ‿**ый** medical; medicinal (*целе́бный*).

лече́ние (medical) treatment; л. больни́чное (дома́шнее) hospital-(home)treatment; л. ра́дием (све́том) radio (light) treatment, radium therapy; л. хирурги́ческое surgical treatment; л. электри́чеством electrotherapy.

лечи́ть to treat (medically); *разг.* to doctor; л. от пья́нства внуше́нием to treat for alcoholism by suggestion; ‿**ся** to be treated; *разг.* to doctor oneself.

лечь *см.* ложиться.

ле́ший wood-goblin.

лещ *зоол.* bream.

лещи́на *бот.* hazel.

лже- pseudo-, false-, mock-.

лже‖**маркси́зм** pseudo-Marxism; ‿**мудре́ц** pseudo-philosopher, sciolist; ‿**прися́га** perjury; ‿**проро́к** false prophet; ‿**свиде́тель(ница)** perjurer, false witness; ‿**специали́ст** pseudo-specialist; ‿**уда́рник** pseudo-(*или* would-be) shock-worker; ‿**уда́рничество** pseudo-shock-work.

лжец liar.

лжив‖**ость** falsity, mendacity; ‿**ый** lying, given to lying, false, deceitful, mendacious.

ли 1. whether, if; спросите, заперта ли дверь ask if the door is locked; я не знаю здесь ли он I don't know whether he is here; **2.** *вопросит. частица:* дома ли он? is he in?; он ли это был? was it really he?; не пойти ли нам тоже? suppose we go too?; had not we better go too?

лиа́на *бот.* liana.

либера́л liberal; ~и́зм liberalism; гнилой ~изм rotten liberalism; ~ьнича́ть to play the liberal; ~ьность liberality, liberal views; ~ьный liberal.

ли́бо or; л. ... л. ... either... or...; *см. тж.* кто-л., какой-л. *и пр.*

либретт‖и́ст librettist; '~о libretto.

Лива́нские го́ры the Libanus.

ли́вень heavy shower, pouring rain; downpour; cloud-burst; torrent of rain.

ли́вер I. pluck, liver.

ли́вер II. *техн.* siphon.

ли́верная колбаса́ liver-pudding.

Ливерпу́ль Liverpool.

ли́вмя: дождь л. льёт it is raining heavily (in torrents, cats and dogs).

Ливо́нский о́рден *ист.* Teutonic Order of Knights.

Ливо́рно Leghorn.

ливре́‖йный liveried; л. слуга livery servant; ~я livery.

ли́га I. league (*3 мили*).

ли́га II. league, confederacy; л. борьбы́ с империализмом Anti-Imperialist League; Л. на́ций the League of Nations.

лигату́ра *хим.* alloy; *мед., тип.* ligature.

лигни́н *бот.* lignin.

лигни́т *мин.* lignite, brown coal.

лидди́т *хим.* lyddite.

ли́дер leader.

Ли́дия Lydia.

Лидс Leeds.

лиза́‖ние licking; ~ть to lick; ~ть пятки кому-л. *фиг.* to lick someone's boots.

лизну́ть *см.* лизать.

лизоблю́д lickspittle.

лизо́л *хим.* lysol.

лик I. face, image.

лик II. *мор.:* боковой л. leech.

ликбе́з (*ликвидация безграмотности*) campaign against illiteracy; abolition of illiteracy.

ликвид‖а́тор liquidator; ~аци́онный of liquidation.

ликвида́ция liquidation; settlement; л. неграмотности liquidation of illiteracy.

ликвиди́ровать to liquidate, wind up (*дела и т. п.*); to put an end (to), suppress, stamp out (*уничтожать*), to settle; л. уравниловку и обезличку to do away with levelling and depersonalisation.

ликвидко́м (*ликвидационная комиссия*) winding up committee.

ликёр liqueur.

лик‖ова́ние exultation, triumph; ~ова́ть to triumph, exult.

ликпу́нкт (*пункт ликвидации безграмотности*) courses for the liquidation of illiteracy.

ли́ктор *рим. ист.* lictor.

лик-тро́с *мор.* bolt-rope.

лику́ющий triumphant, exultant, jubilant.

лиле́йный lily-white; *бот.* liliaceous.

лилипу́т Lilliputian.

ли́лия lily; водяная л. water-lily.

лило́вый lilac.

лима́н estuary, firth.

лимб *астр.* limb.

лими́т limit; ~и́ровать to limit, set (fix) a limit.

лимитро́ф‖ные госуда́рства, ~ы *пол.* the limitrophes.

лимо́н lemon; ~а́д lemonade, lemon-squash; ~ный сок lemon-juice; ~ная кислота́ citric acid; ~ное де́рево lemon tree.

лимузи́н limousine (*автомобиль*).

лимф‖а *физл.* lymph; ~адени́т lymphadenitis; ~ати́ческий lymphatic; ~оци́т lymphocyte.

лингви́ст linguist; ~ика linguistics, science of languages; ~и́ческий linguistic.

линева́‖ние ruling; ~ть to rule, to mark lines.

лине́й‖ка ruler, rule; kind of wide droshky with several seats; наборная л. *тип.* setting-rule; подвижная счётная л. sliding-rule; нотные ~ки *муз.* staff; ~ный linear; ~ный кора́бль line-of-battle ship, ship of the line; ~ные войска́ troops of the line.

линёк *мор.* colt, rope's-end, gasket.

ли́нза lens.

ли́ни‖я line (*тж. мера длины = 0,1 дюйма*); л. поведения line of conduct (policy); боковая л. collateral line, branch; железнодорожная л. railway line; женская л. female line, distaff side; касательная л. tangent; классовая л. class policy (line); кривая л. curve; мужская л. male line, spear side;

параллельная л. parallel (line); партийная л. party line; политическая л. line of policy, tack; прямая л. straight (right) line, bee-line; снеговая л. snow-line; трамвайная л. tram-line; по прямой ∽и in a straight line; проводить ∽ю to draw a line; *фиг.* to carry out the policy of...

линкóр (*линейный корабль*) *мор.* battleship.

линобатúст lawn, cambric.

линов‖**áть** см. линевáть; '∽**анная** бумага lined (ruled) paper.

линóлеум linoleum.

линотúп linotype.

Линч: суд ∽а Lynch law; л∽евáть to lynch.

линь *зоол.* tench.

лин‖**ючий** fading, fadable; ∽я-лый moulted; discoloured, faded; ∽**яние** moult, moulting; fading (*см.* линять); ∽**ять** to moult, to shed (feathers) (*о птицах*); to shed (*или* cast) the (*или* one's) hair (*о животных*); to fade, to lose colour (*о материи*).

Лиóн Lyon.

лип‖**а** lime-tree, linden; ∽**ка** a little linden; обобрать как ∽ку to fleece.

лип‖**кий** sticky, clinging, adhesive, clammy; л. пластырь sticking plaster; ∽**кость** stickiness, adhesiveness, clamminess; ∽**нуть** to stick, adhere (*to*).

лип‖**ня́к** lime-grove; '∽**овый** lime-; *фиг.* counterfeit, sham, would-be (*поддельный*); ∽**овый** цвет lime-blossom.

липóма *мед.* lipoma.

лúр‖**а** lyre; *астр.* the Lyra; lira (*монета, pl.* lire); птица-л. lyre-bird; певец на ∽е lyrist.

лир‖**úзм** lyricism; '∽**ик** lyric poet; '∽**ика** lyric poetry; ∽**úческий** lyric; ∽**úческое** стихотворение lyric; ∽**úчный** lyrical; ∽**úчно** lyrically.

лирохвóст *зоол.* lyre-bird.

лисá fox.

лúсель *мор.* studding-sail.

лисёнок young fox.

лúсий vulpine, foxy, fox-like; л. хвост fox-brush, tail of fox.

лисú‖**ца** fox; л. самец dog-fox; л. самка vixen, bitch fox; ∽**чка** young fox; chanterelle (*гриб*).

Лиссабóн Lisbon.

лист leaf (*растения; pl.* leaves); blade (*злака и пр.*); leaf, sheet (*бумаги*); в л. in folio (*формат*); дрожать как осиновый л. to tremble like an aspen leaf; александрийский л. *мед.* senna; заглавный л. title-page; охранный л. safe-conduct; цивильный л. civil list; ∽**áж** the number of sheets of paper (in books); ∽**вá** leaves, leaf-age, foliage; ∽**венница** *бот.* larch; ∽**венное** дерево foliage (deciduous) tree; ∽**ик** leaflet; ∽**овúдный** foliaceous, foliate, leaflike; ∽**óвка** leaflet; ∽**овóе** железо sheet iron; ∽**óк** leaflet; newspaper (*газета*); ∽**опáд** fall of the leaves; ∽**остéбельные** растения Cormophyta; ∽**óчек** leaflet.

лит- *см.* литературный.

литáвра kettledrum.

Литвá Lithuania.

литéй‖**ная** foundry; ∽**ный** casting, founding; ∽**ный** завод foundry; ∽**ный** чугун foundry cast iron; ∽**щик** founder.

лúтера *тип.* letter, type; проездная л. certificate entitling the bearer a free (reduced) fare.

литерá‖**тор** man of letters, literary man, author, writer; ∽**тура** literature; изящная ∽**тура** literature; letters, belles-lettres; ∽**турный** literary; ∽**турный** мир the literary world; the republic (commonwealth) of letters; ∽**турная** собственность copyright; ∽**туровéд** a scholar in literature.

лúтер‖**ный** lettered; ∽**ная** ложа lettered box.

литкружóк circle for the study of literature.

литóв‖**ец** Lithuanian; ∽**ский** Lithuanian.

литóграф lithographer; ∽**úрование** lithography; ∽**úровать** to lithograph; ∽**úческий** lithographic; '∽**ия** lithograph (*оттиск*); lithography (*искусство*); '∽**ские** камни lithographic stone.

литóй cast.

литотóмия *мед.* lithotomy.

литр litre.

литургú‖**ческий**: ∽**ческая** драма miracle play; ∽**я** *церк.* mass, liturgy.

литфáк faculty of Letters.

лить to pour; to shed (*слёзы, кровь*); to spill (*проливать мимо*); to found, cast, mould (*металл*); дождь льёт как из ведра it is raining cats and dogs; пот льёт с него градом he is dripping with sweat; ∽**ё** founding, casting, moulding; чугунное ∽**ё** iron castings; ∽**ся** to flow, pour, stream; to be founded (cast); кровь лилáсь рекой blood flowed in streams; вино лилóсь рекой wine flowed without stint;

слёзы льются по её щекам tears are raining down her cheeks.

лиф bodice.

лифт lift; *амер.* elevator; человек (мальчик) у ⌐a lift-man (-boy), *амер.* elevator man (boy).

лифчик slip, under-bodice.

лихач smart cabman.

лихв‖а usury, interest, profit; отплатить с ⌐ой to pay back lavishly; '⌐енный usurious, exorbitant.

лихо 1. *s.* evil; поминать ⌐м to bear (owe) one a grudge; не поминайте меня ⌐м remember me kindly; don't bear me ill will; 2. *adv.* at full speed, dashingly, adroitly, cleverly; ⌐дей, ⌐дейка villain, mischievous person; ⌐действо maleficence.

лихойм‖ец usurer, extortioner; ⌐ный usurious, ⌐ство usury, extortion.

лих‖ой spirited, dashing, mettlesome, bold; evil (злой); л. наездник skilful horseman; ⌐á беда начало it is the first step that costs *или* the first stroke is half the battle; ⌐áя езда fast and skilful driving.

лихорад‖ить to (be in a) fever; ⌐ка fever, ague; ⌐ка на губах fever-blister, cold sore; болотная ⌐ка malarial fever; жёлтая ⌐ка yellow fever, yellow Jack; изнурительная ⌐ка hectic fever; перемежающаяся ⌐ка intermittent fever, ague, malaria; сенная л. hay-fever; трёхдневная ⌐ка tertian ague; тропическая ⌐ка tropical (jungle) fever; четырёхдневная ⌐ка quartan ague; приступ ⌐ки ague-fit; ⌐очность feverishness; ⌐очный feverish (*тж. фиг.*); aguish, febrile; ⌐очное состояние feverishness; ⌐очно feverishly.

лихость dazzling bravery; cleverness; wickedness (злоба).

лихтер *мор.* lighter.

липа *текст.* heddle.

лице‖вой facial; л. угол facial angle; ⌐вая рукопись illuminated manuscript; ⌐вая сторона face, front, facade (здания); right side (материи); obverse (монеты, медали); ⌐дей *уст.* actor; ⌐дейка *уст.* actress; ⌐зрение *рит., шут.* contemplation; ⌐зреть *рит., шут.* to contemplate, see.

лице‖ист pupil of a Lyceum; '⌐й Lyceum; lycée (во Франции).

лицемер hypocrite, dissembler; ⌐ие hypocrisy, dissimulation, cant; ⌐ить to play the hypocrite, to dissemble, dissimulate, cant; ⌐ный hypocritical; smooth-faced (-tongued); ⌐ные уверения lip professions; ⌐но hypocritically.

лиц(н)зия licence.

лиценциат licentiate.

лицеприят‖ие partiality, respect of persons; ⌐ный partial; ⌐ствовать to be partial.

лиц‖ó face, countenance, visage; person (человек, тж. гр.); л. свободной профессии a member of a learned profession (actor, artist, musician *etc.*); влиятельное л. a man of weight; действующее л. character, person, personage (в литературном произв.); должностное л. functionary, officer; office-bearer (-holder), official; подставное л. dummy; у него очень приятное л. he has a nice face; узкое и острое л. hatchet face; частное л. private person; на-л. present, ready; вытянуть л. to pull a long face; to be disappointed; выявить классовое л. to show (ascertain) one's class physiognomy; знать в л. to know by sight; прямо в л. straight to the eye (face); сказать в л. кому-л. to say to one's face; смотреть в л. to look in the face, to face, envisage, confront; удар в л. facer; на нём ⌐á нет he is very pale; невралгия ⌐а face-ache; исчезнуть с ⌐а земли to disappear; черты ⌐а features; в ⌐é кого-л. in the person of; перемениться в ⌐е to change countenance; ⌐óм к деревне all attention to the village; turn to the village; повернуться ⌐ом к производству to give more attention to industry; показывать товар ⌐ом to show off, to display to advantage; стоять ⌐ом к ч.-л. to face, front; быть к ⌐у to suit, become, befit; одетый к ⌐у dressed becomingly; ⌐ом к ⌐у face to face, confronted (with); ставить ⌐ом к ⌐у to confront; действующие '⌐а the cast (characters) of the play.

личин‖а mask, guise; под ⌐ой дружбы under the cover of friendship; сорвать ⌐у to unmask.

личин‖ка *энтом.* larva, grub; maggot (особ. мясной мухи); ⌐очный larval.

личн‖ой facial.

личн‖ость personality, individuality, person; перейти на ⌐ости to become personal; ⌐ый personal, individual, private, particular; ⌐ый состав (учреждения) personnel; каков бы ни был его ⌐ый взгляд whatever his personal opinion may be; ~яя ответственность personal (individual) responsibility; ~ая охрана bodyguard; ~ое местоимение personal pronoun; ~ое одолжение (свидание) personal favour (interview); ~о personally, bodily, in person; in one's own (proper) person; ~о от себя in one's own name.

лиша́й *бот.* lichen (*тж.* ~ник); *мед.* herpes, tetter; опоясывающий л. shingles, herpes zoster; стригущий л. ringworm; чешуйчатый л. psoriasis.

лиша́‖ть to deprive, bereave, strip, rob, defraud (*of*); л. голоса deprive of vote, disfranchise; л. крова to unhouse; л. наследства to disinherit; л. прав to deprive of rights; л. привилегии to withdraw privilege, to deprive of a privilege; л. (*судно*) руля to unhelm; л. удобного случая to deprive of a chance; поправки ~ют законопроект смысла the amendments deprive the bill of all meaning; ~ться to lose, to be deprived of, to forfeit; ~ться отца to lose one's father; ~ться чувств to swoon, faint away.

лиш‖ек surplus, overplus; 20 фунтов с ~ком 20 lb. (pounds) and over, 20 lb. odd.

лише́н‖ец disfranchised person; ~ие deprivation (*должности*); loss, forfeiture (*потеря*); privation, hardship (*нужда*); ~ие прав *юр.* disfranchisement; терпеть ~ия to suffer privations (hardship); *разг.* to have a rough time; ~ка *см.* лишенец.

лиш‖ённый deprived (*of*), devoid (*of*), destitute (*of*); ~и́ть *см.* лишать.

ли́шн‖ий superfluous, redundant (*излишний*); unnecessary (*ненужный*); spare (*запасной*); supernumerary (*сверх нормы*); л. раз once more; он здесь л. he is one too many here; he is in the way here; ~ее об этом говорить it is needless to speak of it; пять тысяч с ~им five thousands odd; ~ие люди people who are unwanted, out of place.

лишь only (*только*); as soon as, no sooner than (*как только*); л. бы provided; л. то́лько as soon as.

лоб forehead, brow; frontlet (*у животного*); покатый л. retreating forehead; у него медный л. he is brazen-faced; забривать л. to recruit.

лоба́н (*рыба*) *см.* кефаль.

лоба́стый having a large forehead.

лобе́лия *бот.* lobelia.

лобза́‖ние kiss; ~ть *см.* лобызать.

ло́бзик (frame for a) fret-saw.

лоб‖ко́вый, ~ко́вая кость pubis; '~ный frontal; ~ный шов frontal suture; '~ная кость frontal (coronal) bone; '~ное место *ист.* place of execution; ~ово́й frontal; ~ова́я атака frontal attack; ~овая поверхность *техн.* frontal surface; ~о́к *см.* лобковая кость; ~отря́с good for nothing, lazy dog.

лобыза́ть *уст.* to kiss.

лов *см.* ловля.

ловела́с Lovelace.

лове́ц hunter, catcher.

лови́ть to catch, hunt; л. в западню to trap, snare, gin; л. каждое слово to devour every word; л. момент to seize the right moment; л. на слове to take one at one's word; л. неводом to trawl; л. рыбу to fish; л. рыбу в мутной воде to fish in troubled waters; л. рыбу волоча наживку to troll; л. сетями to net, mesh; л. удобный случай to seize an opportunity.

ловк‖а́ч dodger; '~ий adroit, clever, dext(e)rous, deft, neat, skilful, shrewd, cunning; ~ий ход masterstroke; '~о adroitly; cleverly *и т. п.*; ~о ли вам здесь? are you comfortable here?; '~ость adroitness, dexterity, cleverness; skill, art, craft, cunning, shrewdness; ~ость рук sleight of hand, legerdemain.

ло́вля catching, hunting; л. птиц bird-catching; рыбная л. fishing, fishery; рыбная л. на червяка worm-fishing.

лову́шк‖а snare, trap, pitfall; поймать в ~у to ensnare, entrap.

ло́вчий huntsman.

логари́фм *мат.* logarithm; таблица ~ов logarithmical scales; ~и́ческий logarithmic; ~и́ческая линейка slide-rule.

ло́гик logician; ~а logic; нарушение ~и paralogism.

логи‖ческий *см.* логичный; ~чность logicality; ~чный logical, consequent; ~чно logically.

ло́гов‖ище, ~о lair, den.

ло́д‖ка boat; двухвесельная л. pair-oar; четырёхвесельная л. four-oar; восьмивесельная л. eight-oar; гоночная л. gig; моторная л. motor boat (launch); подводная л.

submarine; спасательная л. life-boat; ~очник boatman, water-man.

лоды́жка ankle, ankle-bone.

лоды́р‖ничать to idle; ~ь idler; gadabout.

ло́жа I. box (*театр.*); lodge (*масонская*).

ло́жа II. gun-stock.

ложби́на hollow, coomb, dell.

ло́же couch, bed.

ложеме́нт *воен.* lodg(e)ment.

ло́жечк‖а small spoon; боль под ~ой pain in the pit of the stomach, epigastralgia.

ложи́т‖ься to lie down; to fall, cover (*о снеге и пр.*); л. спать to go to bed, to go to rest, to retire; л. в дрейф *мор.* to heave to; это ~ся бременем на его детей it falls upon the shoulders of his children.

ло́жка spoon; л. супа spoonful of soup; десертная л. dessert--spoon; разливательная л. ladle; столовая л. table-spoon; сухая л. рот дерёт *посл.* nothing is done without recompense; чайная л. tea-spoon; л. дёгтя в бочке мёда *посл.* a fly in the ointment.

ло́жно- pseudo-.

ложнокласси́ци́зм pseudoclassi-cism.

ло́жн‖ость falseness, falsity; ~ый false, untrue, fallacious; ~ый стыд false shame; ~ый шаг false step; ~ая атака feint (sham) attack; ~ая тревога false alarm; ~ое солнце parhelion, mock-sun; ~о falsely.

ложь lie, falsehood, untruth; fib; л. во спасение a pious lie; наглая л. outrageous lie; невинная л. white lie; изобличать во лжи to give one the lie.

лоза́ rod; виноградная л. vine.

Лоза́нна Lausanne.

лозни́к willow-bush.

ло́зунг slogan, catchword, watch-word; motto; *военн.* password; ~и дня catchwords of the period.

лойя́льн‖ость loyalty, fidelity; ~ый loyal; ~о loyally.

локал‖иза́ция localization; ~изи́ровать to localize; ' ~ьный local.

локáут lock-out; ~и́ровать to lock-out.

локомо‖би́ль traction steam-engine, tractor; ~ти́в locomotive (engine), steam-engine; ~то́р loco-motor.

ло́кон lock, curl, ringlet; fore-lock, lovelock (*на лбу*).

локотни́к arm of a chair.

ло́к‖оть elbow; cubit, ell (*мера*); близок л. да не укусишь *посл.* so near and yet so far; толчок ~тем nudge; подталкивать ~тем to nudge; расталкивать ~тя́ми to elbow; пальто проносилось на ~тя́х the overcoat is out at el-bows; ~тевáя кость *анат.* ulna (*pl.* -ae).

лом scrap, fragments; crow-bar (*инструмент*); *см.* ломота; желез-ный л. scrap-iron; ~аный bro-ken; ~аный английский язык broken English; pidgin English (*на Востоке*); ~áнье affected man-ners.

ломáть to break, fracture, smash; to demolish, break (pull) down (*дом и т. п.*); л. камень to quarry; л. себе голову to rack (cudgel) one's brains; л. себе руки to wring one's hands; ~ся to break, frac-ture, smash, to be broken; to gri-mace, pose, to give oneself airs (*кривляться*); to crack, break (*о голосе*).

ломбáрд pawnshop, pawn-brok-ing establishment; municipal loan bank.

ломбáрдец Lombard.

Ломбáрдия Lombardy.

ломбáрдский Lombard.

ло́мбер *карт.* ombre; ~ный стол card-table.

лом‖и́ть: л. напролом to break through, to force a way through; у меня ' ~ят кости my bones ache; ~и́ться в открытую дверь *фиг.* to force an open door; у него сунду-ки ' ~ятся от золота his chests are bursting with gold.

ло́мк‖а breaking, demolishing, pulling down; л. старого быта breaking up of the old life; ~ий brittle, fragile, frangible; ~ость brittleness, fragility.

ломов‖и́к, ~о́й извозчик carter, drayman; ~ая лошадь draught--horse, cart-horse, dray-horse; ~ая подвода lorry, waggon; dray (*особ. для пивных бочек*).

ломоно́с *бот.* clematis, travel-ler's joy.

ломо́та rheumatic pain.

лом‖о́ть hunk, chunk, junk, thick lump (of bread); ' ~тик slice; ре-зать ' ~тиками to slice.

лонгиме́трия longimetry.

Ло́ндон London.

ло́н‖о bosom, lap; л. семьи bos-om of one's family; на ~е прир ро-ды in the open air.

лопáр‖ский: л. язык Lapp, Lap-pish; ~ь Lapp, Laplander.

ло́пасть blade (*весла*); fan, vane (*гребн. винта*); paddle (*гребн. колеса*); *бот.* lobe (*плода*).

лопа́т‖**а** shovel, spade; л. земли́ shovelful (spadeful) of earth; ‿ка shovel, scoop, trowel; *анат.* shoulder-blade, scapula; *арх.* pilaster; ‿ка мясно́й туши́ shoulder; во все ‿ки at full speed; положи́ть на обе ‿ки to throw (*в борьбе*); ‿очка scoop, spatula; rake (*крупье*); trowel (*для шпаклёвки*).

ло́пать *вульг.* to devour, stodge, to eat greedily.

лоп‖**а́ться,** ‿нуть to burst, break, split; ‿нуть to break down, to go bankrupt; банк мо́жет со дня на день ‿нуть the bank may go any day; чуть не ‿нуть от сме́ха to split (burst) one's sides, to burst with laughter; верёвка ‿нула the rope broke; моё терпе́нье ‿нуло my patience is (was) exhausted.

лопоу́хий lop-eared.

лопу́х *бот.* burdock.

лорд lord; пала́та ‿ов House of Lords, the Lords; л.‿ка́нцлер Lord Chancellor; л.-мэр Lord Mayor.

лорн‖**е́т** lorgnon, eye-glasses, folder; ‿и́ровать to observe through eye-glasses.

лоси́на elk-skin, chamois (shammy) leather.

лоск gloss, lustre, glossiness, polish; *фиг.* varnish, gloss, superficial polish; наводи́ть л. to gloss (*часто с over*).

лоску́т shred (*материи*); scrap (*бумаги*); rag, tatter (*тряпка*); patch (*о земле*); ‿ник, ‿ница ragman, dealer in scraps; ‿ный scrappy; ‿ный ряд rag-fair; ‿о́к *см.* лоскут.

лосн‖**и́ться** to be glossy (shiny); ‿я́щийся glossy, shiny.

лосо́с‖**ина** (the flesh of) salmon; '‿ь salmon; молодо́й ‿ь parr, salmon-peal.

лось elk; америка́нский л. moose deer.

лот half an ounce (¹⁄₂ oz); *мор.* lead, sounding-lead, plumb, plummet; броса́ть л. to cast the lead.

Лотари́нгия Lorraine.

лотере́‖**йный:** л. биле́т lottery ticket; ‿йное колесо́ lottery wheel; ‿я lottery, raffle; разы́грывать в ‿ю to raffle; уча́ствовать в ‿е to raffle (*for*).

лото́ lotto.

лотово́й *мор.* leadsman.

лото́к hawker's tray; gutter (*жолоб*); мельни́чный л. mill-race; л.

для ру́чек и карандаше́й pen-tray.

ло́тос *бот.* lotus.

лох *бот.* oleaster, wild olive.

лоха́н‖**ка,** ‿ь tub, wash-tub.

лохма́т‖**ить** to tousle; ‿ый shaggy-haired; dishevelled.

лохмо́тья tatters, rags; в ‿х in tatters, in rags, ragged, out at elbows.

ло́ц‖**ия** *мор.* sailing direction; ‿ман pilot; ‿ман-ры́ба pilot-fish; ‿манские обя́занности pilotage.

лошад‖**ёнка** jade; ‿и́ный of horse; horse-, equine; ‿и́ная си́ла *техн.* horse-power (*сокр.* Ш, h. p.); '‿ка small horse; *дет.* gee-gee; hobby-horse, rocking-horse (*кача́лка*); '‿ник ('‿ница) horsy man (woman).

ло́шад‖**ь** horse; *разг.* nag; л. под седло́м mount; арта́чливая л. jibber; брыкли́вая л. kicker; верхова́я л. saddle-horse; вью́чная л. pack-horse; горя́чая л. mettlesome horse, bolter; кавалери́йская л. troop-horse, cavalry horse, trooper; коренна́я л. shaft horse (wheeler); наёмная л. hack; полукро́вная л. half-bred horse; рабо́чая л. *см.* ломова́я л.; чистокро́вная л. blood-horse, thoroughbred; сади́ться на л. to mount; ходи́ть за ‿ью to groom a horse.

лоша‖**к** hinny, mule; ‿чи́ха she-mule.

лощ‖**е́ние** glossing, polishing, burnishing; ‿ёный glossy; ‿и́ло burnisher; ‿и́льный пресс rolling-press, calender.

лощи́на hollow, dell.

лощи́ть to gloss, polish, burnish.

лоя́льный *см.* лойя́льный.

луб bast, bass; inner bark, cork; ‿о́к **1.** *мед.* splint; накла́дывать ‿о́к to splint; **2.** cheap popular print (*карти́нка*); ‿яно́й bast.

луг meadow; *поэт.* mead; за-ли́вно́й л. water-meadow; ‿ови́на *см.* лужа́йка; ‿ово́дство cultivation of meadows; ‿ово́й: ‿ова́я соба́чка *зоол.* prairie-dog.

луди‖**льщик** tinman, tinsmith; tinner; ‿ть to tin.

лу́ж‖**а** puddle, pool; покры́тый ‿ами puddly, sloppy; сесть в ‿у *фиг.* to get into a mess.

лужа́йка lawn, grass-plot.

луже́ние tinning; ‿ёный tinned.

лужо́к small meadow, grass-plot.

лу́з‖**а** (billiard-)pocket; загоня́ть шар в ‿у to pocket a ball.

лузга́ husk.

луидо́р *ист.* louis-d'or.

лук I. bow, long-bow (*оружие*); натянуть л.to bend (draw) the bow.

лук II. *бот.* onion; морской л. squill; л. сеянец chives.

лука́ bend (*реки*); pommel (*седла*). Лука́ Luke, Lucas.

лука́в‖**ец** sly (crafty) person; *шут.* sly boots; a deep one (*sl.*); ⌒**ить** to act in a sly (crafty) manner, palter, dodge; ⌒**ство** slyness; archness; craftiness; ⌒**ый** 1. sly, arch, roguish; crafty, cunning, subtle; 2. the Evil One, devil; а всё прочее от ⌒**ого** and all the rest is from evil; ⌒**о** slyly.

лу́ков‖**ица** bulb; onion; ⌒**ице-обра́зный** bulbiform, bulb-shaped; ⌒**ичные растения** bulbous plants; ⌒**ый** oniony.

лукомо́рье *уст.* curved sea-shore.

луко́шко bast-basket.

Луку́ллов пир Lucullian banquet.

лун‖**а́** moon; ложная л. *астр.* paraselene; освещённый ⌒**ой** moonlit; л.-**ры́ба** sunfish; ⌒**атизм** sleep-walking, somnambulism; ⌒**атик** sleep-walker, somnambulist; ⌒**ати́ческий** somnambulistic, noctambulant.

луна́ция *астр.* lunation.

лу́нка hole; *анат.* alveolus, socket.

лу́нник *бот.* honesty.

лу́нн‖**ый** lunar; л. год lunar year; л. камень moon-stone; л. месяц lunar month; л. свет moonshine; ⌒**ая ночь** moonlit night; ⌒**ое затмение** eclipse of the moon.

лунь *зоол.* hen-harrier; ring-tail (*самка*); сёдой как л. grey with age.

лу́па magnifier, magnifying glass.

лупи́н *бот.* lupine.

лупи́ть to peel, bark; to thrash, flog (*бить*); to dash (*бежа́ть*); л. с покупателей *вульг.* to rook (rush, overcharge) one's customers; ⌒**ся** to peel, come off, peel off, scale.

лупогла́зый lobster-eyed.

луто́к *зоол.* smew.

луч ray, beam, shaft; *зоол.* ray (*в плавника́х рыбы*); л. надежды a flash (gleam) of hope; инфракрасные ⌒**и** infra-red rays; рентгеновские ⌒**и** Röntgen rays, X-rays; ультрафиолетовые ⌒**и** ultra-violet rays; испускать ⌒**и** to radiate; сноп ⌒**ей** сквозь тучи sun's eyelashes, sun drawing water; ⌒**евой** radial; ⌒**евáя кость** *анат.* radius; ⌒**еза́рность** radiance, effulgence; ⌒**еза́рный** radiant, beaming, efful-gent; ⌒**еза́рно** radiantly; ⌒**еиспуска́ние** radiation; ⌒**éние рыбы** torch-fishing, torching; ⌒**епреломле́ние** *физ.* refraction.

лучи́н‖**а** splinter, spill, match-wood; щепать ⌒**у** to splinter.

лучи́ст‖**ый** radiant, radial; beaming (*with*); л. грибок *мед.* actinomyces, ray-fungus; ⌒**ая теплота** radiant heat; ⌒**ая энергия** ray energy; ⌒**ые животные** radiata.

лучи́ть to burn the water, to catch fish by torchlight.

лу́чш‖**е** better; л. ли вам? are you better now?; л. меньше, да л. less, but better; л. поздно, чем никогда *посл.* better late than never; л. всего best of all; вам л. уйти you had better go away; как можно л. to the best of one's ability, as well as can be; тем л. all the better, so much the better; ⌒**ий** (the) best (*превосх. степ.*); better (*сравн. степ.*); choice (*отбо́рный*); ⌒**его** человека на свете не бывало ≅ a better man never trod shoe-leather; ⌒**ее**, что есть в человеке one's better self; ⌒**ее**, что можно сделать the best thing to do; всё к ⌒**ему** all for the best.

лущ‖**е́ние** shelling, husking, scaling; ⌒**и́ть** to shell, husk, scale; pod (*горох*); crack (*орехи*).

Лха́сса Lhasa.

лы́ж‖**а** ski, snow-shoe; навострить ⌒**и** to take to one's heels, to show a clean pair of heels; ходить на ⌒**ах** to ski; ⌒**ник**, ⌒**ница** skier; ⌒**ный спорт** skiing.

лы́к‖**о** bast, bass; не всякое л. в строку don't be too severe (exacting); он ⌒**а** не вяжет *фиг.* he is quite drunk.

лысе́ть to grow bald.

лыс‖**и́на** bald spot (*у человека*); star (*на лбу живо́тных*); ⌒**у́ха** *зоол.* coot, bald-coot, baldicoot; ⌒**ый** bald, bald-headed; ⌒**ый человек** baldhead, baldpate.

ль см. **ли**.

льв‖**ёнок** young lion, lion's whelp; ⌒**и́ный** lion's, leonine, lion-like; ⌒**иный зев** *бот.* snapdragon, antirrhinum; ⌒**и́ная доля** lion's share; ⌒**и́ца** lioness.

льго́т‖**а** privilege, immunity, exemption, advantage; ⌒**ный билет** reduced price ticket; ⌒**ные дни** *комм.* days of grace; ⌒**ные пошлины** preferential duties; на ⌒**ных условиях** on favourable terms (conditions); at a reduced price.

льди||на block of ice; floe; ~~ стый icy.

льно||во́дство cultivation (growing) of flax; ~прядéние flax spinning; ~прядúльная маши́на flax spinning loom; ~прядúльня flax--mill.

льнуть to cling (stick) (to).

льняно||й flaxen, of flax, linen; ~е ма́сло linseed-oil; ~е се́мя linseed, flax-seed.

льст||éц flatterer, adulator, coaxer; ~úвость adulation, soapiness, oiliness; ~úвый flattering, adulatory, coaxing; soapy (sl.), oily, smooth-tongued, smooth-spoken (о человеке); ~úво flatteringly, coaxingly; ~úть to flatter, adulate, cajole, coax, blarney, to oil one's tongue, to plaster with praise; это ~úт его самолю́бию it gratifies his ambition; не ~úте себя наде́ждой do not flatter yourself with that hope.

любвеоби́льный loving, full of love.

любéзни||к lady's man, gallant, carpet knight; ~чать to pay compliments, to pay court.

любéзн||ость politeness, civility; courtesy, kindness; compliment; он—сама́ л. he is the very pink of politeness; ~ый polite, obliging, courteous, civil; amiable, dear (ми́лый); ~ый! my man!; ~ый чита́тель gentle reader; ~о politely, obligingly.

Лю́бек Lubeck.

любúм||ец, ~ица pet, favourite, darling.

любúм||ый beloved, loved, darling; favourite; ~ая соба́ка pet dog; ~ое развлечéние hobby, favourite diversion.

любúтель, ~ница amateur, fancier (знато́к), dog-fancier (соба́к), bird-fancier (птиц), rose-fancier (роз); dilettante, dabbler, layman (не профессиона́л); он большо́й л. цвето́в he is very fond of flowers; ~ский amateurish, unworkmanlike; choice (о това́ре); ~ский спекта́кль amateur (private) theatricals; ~ство dilettantism, dabbling.

любú||ть to love, to be fond of; to like (нра́виться); мы не ~им друг дру́га there is no love lost between us, we dislike each other; она ~ит его как со́бственное дитя́ she loves him next (like) her own child; он не ~ит молока́ he does not like milk; это растéние ~ит ухо́д this plant requires care;

его не ~úли he was unpopular; ~ишь ката́ться, ~й и са́ночки вози́ть посл. he who wishes the end must wish the means.

любо agreeable, pleasant (for); ~ва́ться to look with pleasure (at), to admire, to feast one's eyes (upon).

любо́вни||к lover, paramour, sweetheart, gallant; fancy-man (проститу́тки, sl.); ~ца mistress, paramour, love.

любо́вн||ый amatory, amorous, erotic; л. напи́ток love-potion, philtre; ~ая исто́рия love-affair, romance, amour; ~ая связь amour, intrigue, love-affair; ~ое письмо́ love-letter; ~о lovingly.

люб||о́вь love; affection, fondness; amour, love-affair; ребя́ческая л. calf-love; брак по ~ви́ love-match; жени́ться по ~ви́ to marry for love; предмéт моéй прéжней ~ви an old flame of mine; дéлать ч.-л. с ~о́вью to do a thing with enthusiasm.

Любо́вь Amy, Liubove.

любозна́тельн||ость curiosity; ~ый curious, inquiring, eager to learn; быть ~ым to have an inquiring nature.

любо́й any, whichever (whatever) one likes; л. цено́й at any price.

любопы́т||ный curious, inquisitive, prying, nosy (sl.); interesting (занятный); ~но curiously, inquisitively; ~но! how interesting!; ~но, придёт ли он I wonder if he will come; ~ство curiosity, inquisitiveness; ~ствовать to be curious, to be eager to know (to learn).

любостра́ст||ие lust, lewdness, lechery; ~ный lustful, lascivious, lecherous.

любостяжа́||ние cupidity, greed of gain; ~тель(ница) covetous person.

лю́бящий loving, affectionate, fond; л. вас yours affectionately (по́дпись в пи́сьмах).

лю́верс мор. eyelet hole.

лю́гер мор. lugger.

люд people, folks; рабо́чий л. work-people; ~и men, people, folks; human beings; ва́жные ~и persons of rank, people of consequence; ирон. bigwigs; молоды́е ~и young people, young men; вы́йти в ~и to make one's fortune; ~ность populousness, being crowded; ~ный crowded, populous, thickly populated; ~ная у́лица a crowded street; ⌒ное место a place of great resort; ⌒ное собрание a numerous (large) gathering (meeting); ⌒о-éд(ка) cannibal, man-eater; ⌒оéд-ство cannibalism, anthropophagy; ⌒скóй human.

люизи́т lewisite (*газ*).

люк hatchway, hatch, scuttle, trapdoor, grave-trap.

Лю́ксембург Luxemburg.

лю́лька cradle, cot; pipe (*труб-ка*).

люминесцéнция *физ.* luminescence.

лю́мпен-пролетариáт lumpen proletariat.

люнéт *военн.* lunette.

лю́стра lustre, chandelier.

люстри́н lustrine, lutestring (*ма-терия*).

лютерáн‖ин, ⌒ский Lutheran; ⌒ство Lutheranism.

лю́тик *бот.* buttercup.

лю́тня lute.

лю́тость fierceness, ferocity; severity.

Лю́ттих Liege.

лю́т‖ый fierce, ferocious; л. мороз severe frost, sharp frost; ⌒о fiercely.

Люцéрн Lucerne.

люцéрна *бот.* lucerne.

лягáвая (*собака*) hound; pointer, setter, spaniel.

лягá‖ние kicking; ⌒ть(ся) to kick; to toe (*sl.*).

ля́гва *зоол.* frog-fish, angler-fish.

лягну́ть *см.* лягать.

лягу́ш‖ечий frog's, froggy, batrachian; ⌒ечья икра frog-spawn; ⌒ка frog.

лядýнка cartridge-pouch.

ля́жка thigh; haunch.

лязг clank, clang, clanking; ⌒ать to clank, clang; он ⌒ает зубами his teeth are chattering.

ля́м‖ка strap; тянуть ⌒ку to tow, to have in tow; *фиг.* to toil, drudge, to toil and moil.

ля́пать *вульз.* **1.** to slap; to botch, to bungle (*делать кое-как*); **2.** to blunder (blurt) out (*сболтнуть*); тяп да ляп off hand.

ля́пис lunar caustic; л.-лазýли lapis lazuli.

ля́пнуть *см.* ляпать 2.

ля́псус lapsus, blunder; slip of the tongue (*обмолвка*); slip of the pen (*описка*).

ля́ска‖ть: он ⌒ет зубами his teeth are chattering.

ля́сы: точить л. to talk idly, to chatter.

лях *уст.* Pole.

М **мавзолéй** mausoleum.
мавр Moor.
мавритáнский Moorish; Moresque (*о стиле*).

маг magician, wizard, Magian (*pl.* Magi, Magians).

магази́н shop; *амер.* store; warehouse, store, depot (*склад*); magazine (*винтовки*); м. готового платья shop selling ready-made clothes; провиантский м. depot; универсальный м. general supply stores; *амер.* department store; ⌒-ка, ⌒ная винтовка magazine rifle.

магарáджа Maharaja(h).

магары́ч gift (entertainment) on making a good bargain, wetting a bargain.

Магеллáнов проли́в Magellan's Strait.

маги́стр master; holder of a university degree; Великий М. Grand Master (*глава рыцарского ордена*); м. искусств Master of Arts (*сокр.* М. А.).

магистрáль main line,. trunk-line (*ж.-д.*); gas main (*газовая*); (water-)main (*водопроводная*).

магистрá‖нт undergraduate; ⌒нтский magisterial; ⌒т magistrate; magistracy; ⌒тýра magistracy.

маг‖и́ческий magical, magic; ⌒и́чески magically; '⌒ия magic, black art.

мáгма *геол.* magma.

магнáт magnate.

магнéзия magnesia.

магнети‖зёр magnetizer; ⌒зи́рование magnetization; ⌒зи́ровать to magnetize, mesmerize; '⌒зм magnetism; животный ⌒зм animal magnetism, mesmerism; земной ⌒зм terrestrial magnetism; '⌒ческий magnetic.

магнéто *техн.* magneto.

мáгни‖евый magnesium (flash-)light; ⌒й *хим.* magnesium.

магни́т magnet (*тэх. физ.*); естественный м. natural magnet, loadstone; искусственный м. (artificial) magnet; ⌒ный magnetic(al); ⌒ный железняк magnetite, loadstone; ⌒ная аномалия magnetic anomaly; ⌒ная сила magnetic force; ⌒ная стрелка magnetic needle, dipping needle; ⌒ное поле magnetic field.

Магнитогóрск Magnetogorsk.

магнóлия *бот.* magnolia.

Магомéт Mohammed, Mahomet; если гора не идёт к ⌒у, то М. идёт к горе if the mountain will not come to M., M. must go to the mountain; м~а́нин, м~а́нка, м~а́нский Mohammedan; м~а́нство Mohammedanism.

мадаполя́м madapollam.

маде́ра Madeira (wine).

мадо́нна madonna.

мадрига́л madrigal.

мадья́р, ~ский Magyar.

мае́вка maying (illegal summer outing of revolutionaries in capitalist states).

мажо́р муз. major key.

мажордо́м majordomo, house--steward.

мажо́рный major.

ма́занка mud-walled (clay-walled) hut.

ма́за||ть to daub, smear, bedaub (салом, глиной); to rub, anoint (мазью); to soil (пачкать); to miss one's aim (промахнуться); м. дёгтем to tar; м. кого-л. по губам фиг. to raise vain hopes, to tantalize; ~ться to (be)smear oneself; to paint, to rouge (мазать лицо, губы).

ма́зик mace (в бильярдной игре).

мази́лка (tar-)brush (кисть); dauber, daubster (плохой художник).

мазну́ть см. мазать.

маз||ня́ daub, ~о́к touch, dab, stroke of brush.

мазу́рик swindler, rogue, rascal.

мазу́рка mazurka.

мазу́т black mineral oil, mazout.

маз||ь ointment, unguent, liniment, grease; дело на ~й the wheels are greased.

ма́ис бот. maize; Indian corn (амер.); ~овая каша hominy.

ма||й May; 1-е ~я May-day, May 1st.

ма́йка summer sporting vest, light sports pullover (jersey).

Майко́п Maikop.

Майн the Mayn, the Main.

ма́йна мор. heave ho!

Майнц Mainz, Mayence.

майо́лика majolica.

майоне́з mayonnaise.

майо́р major.

майора́н бот. marjoram, origanum.

майора́т (right of) primogeniture (система наследования); entailed estate (имение).

ма́йский (of) May; м. праздник May-day.

ма́йский жук maybeetle, cockchafer, may-bug.

мак poppy; poppy-seed.

макада́м macadam (о мостовой, мощёной по способу McAdam).

· мака́к, ~а зоол. macaco.

мака́о I. зоол. macaw (попугай).

мака́о II. macao (азартная игра).

макаро́ни||зм фил. macaronism; ~ческая поэзия macaronic verse.

макаро́ны macaroni.

макасса́ровое ма́сло macassar oil.

мака́ть to dip, sop, soak.

Макдо́нальд Macdonald.

македо́н||ец, ~ский Macedonian.

маке́т model; театр. model of stage scenes; тип. dummy.

макиавелли́||зм Machiavellianism; ~сти́ческий Machiavellian.

макинто́ш mackintosh.

макла́||к уст. broker; jobber, middleman; ~чить уст. to job.

ма́клер broker, stockbroker; присяжный м. sworn broker; ~ова́ть to job, to be a broker; ~ство broking, brokerage.

макну́ть см. макать.

ма́ковка crown, top (головы); top, cupola (церкви); summit (вершина дерева).

ма́ков||ник poppy-seed cake; ~ый бот. papaveraceous, papaverous; ~ое масло poppy-oil.

макре́ль зоол. mackerel.

макро||био́тика macrobiotics; ~ко́см macrocosm.

макропо́ды зоол. macropods.

макроцефа||ли́ческий macrocephalic; ' ~лия macrocephalism.

«макси́м» I. Maxim (пулемёт).

«макси́м» II. slow passengers' train, parliamentary train (поезд).

Макси́м Maximilian; уменьш. Max.

максим||али́зм maximalism; ~али́ст maximalist; ~а́льный highest possible; ~альный термометр maximum thermometer; ~альная производительность maximum productivity.

ма́ксимум maximum (pl. -ima); superior limit, highest quantity.

макулату́ра waste paper, spoilage; books that find no sale, worthless reading.

маку́шка crown (головы); top (дерева).

мала́га Malaga (wine).

мала́ец Malay.

мала́йский: м. язык Malay; М. полуостров the Malay Peninsula.

малахи́т мин. malachite.

Ма́лая Азия Asia Minor.

малева́ть to daub, to paint roughly; to whitewash.

мале́йш||ий least, slightest; я не имею ни ~его понятия I have not the slightest (faintest, remotest) idea; ни ~их улик not a shred of evidence.

ма́леньꟲꟲий little, small; undersized, diminutive (*меньше нормальной величины*); играть (в карты) по ~ой to play low, to play for a small stake; ' ~о *разг.* a little, a bit.

мале́ц boy, lad, stripling.

мали́нꟲꟲа raspberry (*ягода*); raspberries (*собир.*); raspberry-canes (-bush) (*куст*); это для него м.! it is the very cheese for him (*sl.*); ~ник raspberry-bushes; ~ овка *зоол.* robin, robin redbreast; ~овый crimson; ~овый сироп raspberry-juice.

ма́лка *техн.* bevel; bevel-square.

ма́ло little, not enough, few; м. ли дураков fools aren't too scarce; there is no dearth of fools; м. ли что! no matter!, what does it matter!; м. ли что может случиться who knows what may happen; м. кто знает few people know; ему досталось м. he got but little; им и горя м. they don't care a bit; посетителей м. visitors are few; там м. дичи game is scarce there; этого м. it is not enough; я её м. вижу I don't see much of her; she gives me little of her company.

малова́жный of small importance, insignificant, unimportant, petty.

малова́то not quite sufficient, somewhat little.

малове́р man of little faith; ~ие disbelief, incredulity; ~оятный scarcely probable; это ~оятно there is a strong presumption against it.

малове́с *спорт.* short-weight.

малово́дный shallow (*о реке*); dry, draughty (*об области*).

малогра́мотный almost illiterate, unlearned.

малодохо́дный of small profit.

малоду́шꟲꟲие mean-spiritedness, pusillanimity, faint-heartedness; ~ничать to play the coward; ~ный pusillanimous, craven, cowardly, white-livered, faint-hearted, chicken-hearted, recreant; ~но pusillanimously.

ма́лоꟲꟲе the little; без ~го almost, next door to.

малоземе́лье shortage of arable land.

малозна́чащий insignificant.

малоиму́щий poor, needy, indigent.

малокали́берный small-calibred.

малокро́вꟲꟲие anæmia; ~ный anæmic; ~но anæmically.

малоле́тꟲꟲний young, under age; школа для ~них infant-school; ~ок child under 14; ~ство infancy (*детство*); nonage, minority (*несовершеннолетие*); pupillage (*нахождение под опекой*).

малолю́дный thinly populated (*малонаселенный*); poorly attended (*о собрании и пр.*).

ма́ло-ма́льски just a wee bit.

маломо́щꟲꟲный of little power; ~ое хозяйство poor farm, farmer's small holding.

малонаселённый sparsely peopled.

малоо́пытный inexperienced.

ма́ло-по-ма́лу little-by-little, gradually, by inches, bit by bit.

малопоня́тный abstruse, hard to understand; recondite (*о стиле автора*).

малоро́слꟲꟲость dwarfishness, small height; ~ый undersized, dwarfish, stunted.

малоси́льный weak, feeble.

малосодержа́тельный of little importance, not interesting.

малосо́льный freshly salted.

ма́лость littleness, smallness; trifle (*пустяк*).

малоупотреби́тельный rarely used, rare.

малоце́нный of small value.

малочи́сленꟲꟲость fewness, paucity; ~ый not numerous, scanty; ~ая аудитория a thin (poor) house, scanty audience.

ма́лꟲꟲый 1. *a.* little, small; бесконечно-м. infinitesimal; мал ~á меньше one smaller than the other; с ~ых лет from a child; 2. *s.* a fellow, lad, chap; *амер.* cuss; cove (*sl.*); славный м. a good fellow, a nice chap; a jolly lad.

малы́ш small child, mite, tot, kiddy; sonny (*как обращение*).

ма́льва *бот.* mallow, hollyhock, rose-mallow.

мальва́зия malmsey.

мальгꟲꟲа́, ~и́ fry, young fishes fresh from the spawn.

мальпи́гиевы клубо́чки *анат.* Malpighian tubercles.

Ма́льта Malta.

мальти́ꟲꟲец, ~и́йский Maltese.

мальтузиа́нꟲꟲский Malthusian; ~ство Malthusianism.

Ма́льтус Malthus.

мальчꟲꟲи́к boy, male child, youngster; м.-с-па́льчик Tom Thumb, hop-o'-my-thumb; беспризорный м. homeless boy; уличный м. street arab, mudlark, corner-boy, nipper; ~ишеский boyish, puerile; ~и́-

шество boyishness, puerility; ~й- ка boy, urchin, nipper; ~о́нок, ~уга́н little boy, lad, laddle, urchin.

малю́сенький *разг.* tiny, very small.

малю́тка baby, little one, mite.

маля́р (house-)painter, sign-painter, decorator, paper-hanger.

маляри́||йный malarial; ~я malaria (fever).

маля́рн||ый: ~ые работы painting(-work).

ма́ма mamma, mother, ma.

мамалы́га hominy (*маисовая каша*).

мам||а́ша, ' ~енька mother, mamma, mummy, mammy; ' ~енькин сынок spoilt child, mother's darling; ' ~ка *уст.* nurse, wet-nurse.

маммоло́гия *зоол.* mammalogy.

маммо́на *библ.* mammon.

ма́монт mammoth; ~овое дерево Wellingtonia.

ми́нати *зоол.* manatee, sea-cow.

мангани́т *мин.* manganite.

ма́нгли *см.* мангрова.

ма́нго mango (*плод*); ~вое дерево mango.

мангро́ва *бот.* mangrove.

мангу́ста *зоол.* mongoose.

мандари́н I. mandarin(e), Tangerine (*фрукт*).

мандари́н II. mandarin (*китайский чиновник*).

манда́т mandate, warrant; ~ная комиссия Mandate Commission; ~ные территории mandatory territories.

мандоли́на mandolin(e).

мандраго́ра *бот.* mandragora.

мандри́л *зоол.* mandrill, baboon.

манёвр manœuvre, stratagem; ловкий политический м. a fine stroke of policy; ~ы *военн.* manœuvres, training exercises.

манёвренный manœuvring.

маневри́рова||ние manœuvring; ~ть to manœuvre; *жел.-дор.* to shunt.

маневроспосо́бность manœuvring power.

мане́ж riding-school, manège; ~ить *фиг.* to tire one out; ~ный broken in, trained (*о лошади*); ~ное движение *вет.* circus movement.

манеке́н dummy, lay-figure, mannequin.

мане́р: на м. like, in the manner of; таким ~ом in this fashion, in this way, in such a way.

мане́р||а manner, way, style, touch; м. держать себя carriage,

bearing; у каждого своя м. веселиться every one has his own way of enjoying himself; в ~е препрафаэлитов in the style of the Pre-Raphaelites; ~ы manners, behaviour; хорошие ~ы (good) breeding; good style; у него плохие ~ы he has no manners.

мане́рка *военн.* soldier's canteen, mess tin.

мане́рн||ичать to give oneself airs, to be affected; *разг.* to put on frills; ~ость affectation, pretentiousness; mannerism, preciosity (*об авторе и пр.*); ~ый affected; pretentious; mannered; manneristic, precious (*в худож. стиле*); ~о affectedly, pretentiously.

мане́ры *см.* манера.

манже́та cuff, wristband.

маниа́к maniac; ~а́льный maniacal.

маникю́р manicure; ~ша, ~щик manicure, manicurist.

манио́к *бот.* manioc.

манипул||и́ровать to manipulate; ~я́ция manipulation.

мани́ть to beckon; to attract, allure, lure (*влечь*).

манифе́ст manifesto, pronunciamento; ~а́нт demonstrant; ~а́ция demonstration, manifestation; ~и́ровать to demonstrate.

мани́шка (false) shirt-front, dicky.

ма́ния mania, craze; м. величия megalomania; м. преследования persecution mania.

манки́ровать to neglect (one's duties), to be remiss (*небрежно относиться к обязанностям*); to miss, to play truant (*пропускать*).

ма́нна manna; ~я крупа semolina.

манове́ни||е *уст.* beck, nod; по ~ю его руки at his nod, at a wave of his hand.

мано́к bird-call (*дудка*); decoy-duck (*утка-приманка*).

мано́метр *техн.* pressure-gauge, air-gauge, manometer.

мане́арда mansard(-roof).

манти́лья mantilla, mantle, cloak; cape, mantlet.

манти́сса *мат.* mantissa.

ма́нтия mantle, robe, gown; судейская м. the long robe, gown.

манто́ opera-cloak, mantle.

манускри́пт manuscript.

мануфакту́р||а manufactory, factory (*фабрика*); drapery, dress materials (*материал*); торговец ~ой draper; ~ист manufacturer; ~ный магазин draper's shop.

манче́стер velveteen (*ткань*).

Манче́стер Manchester.

манче́стерск‖ий: ∼ая шко́ла Manchester School (*в полит. эконо́мии*).

Манчжуго́ Manchukuo.

Манчжу́рия Manchuria.

манья́к, ∼а́льный см. маниа́к, маниака́льный.

мара́зм *мед.* marasmus.

мара́л *зоол.* Siberian and Caucasian stag.

мара́нье soiling, daubing; scrawling, scribbling.

мараски́н maraschino.

мара́тель dauber (*плохой худо́жник*); scrawler, paper-waster, scribbler (*бумагомара́тель*).

мара́ть to soil, smear, blot; to daub (*кра́сками*); to scrawl, scribble (*стихи́ и пр.*); to stain, sully, tarnish, soil, to be a stain on (*репута́цию*); м. бума́гу *фиг.* to scribble; м. ру́ки *фиг.* to soil one's hands (*with*); ∼ся to soil (oneself), to get soiled.

мара́шка *тип.* turn.

ма́рган‖ец *мин.* manganese; ∼цевая руда́ manganese ore.

маргари́н margarine.

Маргари́та Margaret.

маргари́тка *бот.* daisy.

маргина́лии marginalia, marginal notes (*заме́тки на поля́х*).

ма́рево mirage, looming.

маре́на *бот.* madder.

мари́‖ец, ∼йка (female) inhabitant of Mari; М∼йская автоно́мная сове́тская социалисти́ческая респу́блика Mari Autonomous Soviet Socialist Republic.

мари́на *жив.* sea-piece, sea-scape, marine.

марина́д marinade, pickles.

марини́ст *жив.* painter of sea-scapes.

маринов‖а́ние pickling; '∼анный pickled; ∼а́ть to pickle, marinade, to preserve in vinegar, to souse; ∼а́ть бума́ги *фиг.* to shelve papers (documents).

марионе́т‖ка marionette, puppet; *фиг.* dummy, mere tool, cat's paw, toy; теа́тр ∼ок puppet play (-show).

Мари́я Mary, Maria.

ма́р‖ка stamp; mark (*моне́та*); почто́вая м. (postage-)stamp; счётная м. counter, fish; торго́вая, фабри́чная м. trade-mark, brand; накле́ивать ∼ку to affix a stamp (*to*), to stamp; собира́тель почто́вых ∼ок stamp-collector.

маркгра́ф *ист.* margrave; ∼и́ня margravine; ∼ство margravate.

марке́р (billiard-)marker, billiard-scorer.

марки́з marquis, marquess; ∼а 1. marchioness; marquise (*францу́зская*); 2. sun-blind, awning (*наве́ска*).

маркизе́т marquisette, voile.

ма́ркий apt to get soiled, easily dirtied.

марки́роваться to be marked (stamped).

маркита́нт, ∼ка sutler; ла́вка ∼а canteen.

ма́ркость aptness to get soiled.

Маркс Marx.

маркси́‖зм Marxism; м.-лени́низм Marxism-Leninism; ∼ст Marxian; вы́держанный ∼ст a consistent Marxist; ∼стский Marxian; ∼стски вы́держанный consistently Marxian.

маркше́йдер mine-surveyor.

ма́рлевый: м. бинт gauze bandage.

марли́нь *мор.* marline.

ма́рля *мед.* gauze.

мармела́д marmalade.

мароде́р marauder, pillager; ∼ство marauding, pillage, freebooting; ∼ствовать to pillage, maraud.

мароке́н morocco(-leather) (*тиснёный сафья́н*).

Маро́кко Morocco.

ма́рочный stamp (*attr.*).

марс *мор.* top.

Марс *астр.* Mars.

марсала́ Marsala (wine).

марсе́ль *мор.* top-sail.

Марсе́ль Marseilles.

марсе́льеза Marseillaise.

марсиа́нин Martian.

март March.

марте́новск‖ий: м. проце́сс *техн.* Martin process; ∼ая печь open-hearth furnace; ∼ая сталь open-hearth steel.

мартинга́л martingale (*часть верхово́й сбру́и*).

мартироло́г martyrology.

марты́шка marmoset; *распр.* monkey.

Ма́рфа Martha.

марципа́н marchpane, marzipan.

марш march; похоро́нный м. funeral (dead) march; форси́рованный м. forced march; церемониа́льный м. march past; проходи́ть церемониа́льным ∼ем to march past.

ма́ршал marshal; ∼ьство marshalship.

ма́рши marsh (*боло́т. места́*).

маршеров‖а́ть to march; м. на ме́сте mark time; '∼ка marching.

марш-марш *воен.* full gallop.

маршру́т route, itinerary.

марь *бот.* goose-foot.

маск‖**а** mask; *фиг.* guise, disguise; *театр.* masque; посмертная м. death-mask; противогазная м. gas-mask, box-respirator; сорвать с себя ~у to unmask oneself, to throw off one's disguise.

маскара́д masquerade, fancy-ball, mask-ball; ~ный костюм fancy-dress.

маскиров‖**а́ть** to mask, disguise; *воен.* to camouflage; ~а́ться to put on a mask; to be masked; ' ~ка masking; *воен.*, *фиг.* camouflage; '~очный camouflaging, masking, disguising; ~очный газ deception gas.

ма́сленица shrove-tide, carnival; не житьё, а м. bed of roses, happy life.

маслёнка *техн.* lubricator, oil-cup, oil-can.

ма́сленый *см.* масляный.

масли́на *бот.* olive.

масли́ть to butter, oil.

масли́чн‖**ый**: ~ая ветвь olive-branch; ~ое дерево olive(-tree).

масл‖**о** butter (*коровье*); oil (*растительное, минеральное*); кокосовое м. palm-oil; конопляное м. hemp-seed oil; льняное м. linseed oil; миндальное м. oil of almonds; парафиновое м. paraffin oil; подсолнечное м. sunflower-seed oil; прованское м. olive oil, sweet oil; розовое м. attar; смазочное м. grease oil, lubricant; подливать ~а в огонь to pour oil on the flame; жирные ~а́ fatty (fixed) oils; высыхающие ~а drying oils; минеральные ~а mineral oils; невысыхающие ~а non-drying oils; эфирные (*летучие*) ~а essential (volatile) oils; как сыр в ~е кататься to live in clover; намазывать ~ом to spread with butter, to butter; всё пойдёт как по ~у it will be all plain sailing, it will go on greased wheels; дела шли как по ~у things went swimmingly.

маслобо́й‖**ка** churn; ~ный завод, ~ня oil-mill, oil-factory; ~щик owner of an oil-mill.

масло‖**дел** butter-maker; ~ие butter-making; ~ьный завод butter-dairy.

Маслоце́нтр Central Administration of the Butter Trade.

масляни́ст‖**ость** oiliness; ~ый oily, oleaginous, buttery; unctuous (*о минералах*).

масля́н‖**ый** oily; buttery; ~ая краска oil-colour, oil-paint; ~ая неделя *см.* масленица.

масо́н freemason, mason; ~ский masonic; ~ство freemasonry.

ма́сс‖**а** mass; lot, lots; heap, swarms, peck (*of*) (*много*); м. грязи (неприятностей) a peck of dirt (troubles); м. народу a crowd of people; м. работы a lot of work; основная м. the chief mass; ~ы the masses, the multitude; ~ы населения the masses of the population; трудящиеся ~ы toiling (working) masses.

масса́ж massage; ~и́ст masseur; ~и́стка masseuse.

Массачузе́тс Massachusetts.

масси́в massif, compact group of mountain heights; ~ность massiveness, solidity; ~ный massive; solid (не полый).

масси́ровать to massage, knead.

массов‖**и́к** a worker among the masses; ' ~ка mass meeting; mass excursion.

ма́ссов‖**ый**: м. митинг mass meeting; ~ая безработица mass unemployment; ~ая работа work among the masses.

маста́к *разг.* expert, skilful person.

ма́стер artisan, (handi)craftsman (*ремесленник*); master, skilled workman; foreman (*на заводе*); expert; золотых (серебряных) дел м. goldsmith (silversmith); колёсный м. wheelwright; оружейный м. gunsmith; «сих дел м.» a master in these things, a master in the art of...; старый м. (*в искусстве*) old master; тележный м. cartwright; он м. занимать гостей he is a good hand at entertaining visitors; он м. своего дела he is an expert; он на все руки м. he can turn his hand to anything, he is a Jack-of-all-trades; я не м. писать I am no great scribe; дело ~а боится he works best who knows his trade; ~и́ть to make, contrive, frame, construct; ~и́ца skilled workwoman, expert; woman exercising a handicraft; она ~и́ца петь she is a good singer; ~ово́й workman, artisan.

мастер‖**ская́** workshop, manufactory; studio (*художника*); ~ские works; ~ско́й masterly, consummate, skilful, workmanlike; ~ски́ in a masterly way, consummately, skilfully, excellently; ~ство́ skill, mastery, workmanship, craftsmanship.

мастика *бот.* mastic, chewing gum (*смола*); putty, lute (*замазка*); yellow polish for floors.

маститый venerable, old.

мастиф mastiff (*англ. дог*).

мастодонт mastodon.

мастурбация masturbation, self-abuse.

маст‖ь colour of the hair (*у животных*); *карт.* suit; **ходить в м.** to follow suit; **ряд карт одной ∽и** flush.

масштаб scale; **увеличивать** (**уменьшать**) **м.** to scale up (scale down); **в ∽е 1 на 100** the scale to be 1 to 100; **в государственном ∽е** on a scale embracing the whole state; **в крупном ∽е** *фиг.* on a vast scale; **в маленьком ∽е** on a small scale, in a small way; **в мировом ∽е** on a world scale; **по ∽у** to scale; **сводить к определенному ∽у** to scale.

мат I. *шахм.* checkmate, mate; **делать м.** to mate.

мат II. (door-)mat (*коврик*).

мат III. obscene oaths (*ругань*).

матадор matador.

Матвей Matthew, Matthias.

математи‖к mathematician; **∽ка** mathematics; **высшая ∽ка** higher mathematics; **чистая (прикладная) ∽ка** pure (applied) mathematics; '**∽ческий** mathematical; '**∽чески** mathematically.

матереть to harden; to grow callous (obdurate); to grow stout (big).

матереубий‖ство, ∽ца matricide.

материал material, stuff; **м. для мешков** sacking; **м. для набивки** wadding, padding; **письменный м.** writing-materials; **строительный м.** building-materials; **сырой м.** raw material; **запасы ∽ов и оборудования** matériel.

материал‖изация materialization; **∽изировать(ся)** to materialize; **∽изм** materialism; **исторический ∽изм** historical materialism; **∽изовать(ся)** to materialize; **∽ист** materialist; **∽истический** materialistic; **∽истическое понимание истории** materialistic conception of history; **∽истически материалистически** materialistically; '**∽ьность** materiality; '**∽ьный** material, physical; pecuniary, financial (*о деньгах*); **∽ьный мир** physical world; '**∽ьная помощь** financial help, pecuniary aid; '**∽ьное положение** financial (living, economic) conditions; '**∽ьные затруднения** financial difficulties, straits, straitened circum-

stances; '**∽ьно** materially, physically; pecuniarily; *см.* материальный.

материк mainland, continent; **∽овый** continental.

матери‖нский maternal, motherly; **∽нство** motherhood, maternity; **охрана ∽нства и младенчества** infant-and-maternity welfare.

материя *филос.* matter, substance; fabric, cloth, material, stuff (*ткань*); *мед.* matter; **м. на брюки** trousering; **м. на костюм** suiting; **м. на полотенца** towelling; **м. на рубашки** shirting; **высокая м.** high-brow stuff; **скучная м.** tedious subject.

матерный *вульг.* obscene.

мат‖ерой, ∽ёрый big, grown-up.

матёрчатый made of textile fabric.

материял, ∽ьный *см.* материал.

матица *арх.* girder, main-beam, tie-beam; templet.

матка mother (*мать*) *анат.* uterus; womb; dam, mother (*у животных*); queen (*у пчёл*); *мин.* matrix; **племенная м.** broodmare.

матов‖ый mat, dull, lusterless; **∽ая поверхность** dead surface; **∽ая электрическая лампочка** frosted bulb; **∽ое золото** dead gold; **∽ое стекло** frosted glass.

маточн‖ик *бот.* style, ovary; cell of queen-bee (*у пчёл*); **∽ый** uterine; **∽ый рассол** *хим.* mother-liquor, mother-water; **∽ая порода** *мин.* matrix; **∽ая трава** *бот.* feverfew.

матрац mattress.

матриархат matriarchy.

матрикул matriculation certificate; **∽яция** matriculation.

матримониальный *уст.* matrimonial (*брачный*).

матрица *тип.* matrix.

матрона matron.

матрос sailor, seaman; *разг.* tarpaulin; matelot (*sl.*); **∽ская куртка** sailor's jacket, jumper.

матушка mother.

матч match; **выездной м.** out match.

мат‖ь mother; mater (*шк. sl.*); dam (*у животных*); **крёстная м.** godmother; **лишённый ∽ери** motherless; **быть ∽ерью для кого-л.** to mother; **м.-и-мачеха** *бот.* coltsfoot.

маузер Mauser (*огнестрельное оружие*).

мах: одним ∽ом in an instant, of a bound, at one stroke; **дать ∽у** to miss an opportunity, to let the chance slip, to make a mistake; **он**

не даст ∼у he knows on which side his bread is buttered; с ∼у rashly.

мах‖а́льный signaller, signal--man; ∼а́льщик, ∼а́льщица signaler, signalman (woman); ∼а́нье waving; ∼а́ть to wave (руко́й, платко́м); to flourish, brandish (шпа́гой); to wag (хвосто́м); to beat, flap (кры́льями); ∼а́ть руко́й кому-л. to wave to a person.

махи́зм Machism.

махи́на разг. bulky and cumbersome object.

махина́ция machination, intrigue, plot.

махну́‖ть см. маха́ть; м. руко́й на ч.-л. фиг. to give up, desist; ∼в хвосто́м with a wag of his tail; он ∼л домо́й he darted home.

махов‖и́к, ∼о́е колесо́ fly-wheel.

ма́хонький диал. tiny.

махо́рка makhorka (inferior kind of tobacco).

махро́вый double, double-petal(l)ed; фиг. rank, rampant, arrant; м. дура́к a chartered (prize) idiot, an arrant dunce; м. контрреволюционе́р an arrant counter-revolutionary.

маца́ unleavened bread, matzoth.

мацер‖а́ция техн. maceration; ∼и́ровать to macerate.

ма́чеха step-mother.

ма́чт‖а mast; грот-м. mainmast; фальши́вая м. jury-mast; фок-м. foremast; перегру́женный ∼ами overmasted; ∼о́вый лес mast timber; ∼о́вое де́рево spar, mast-tree.

маши́н‖а machine, engine; разг. motor-car (автомоби́ль); разг. locomotive, train (парово́з, по́езд); а́дская м. infernal machine; бор-м. dentist's drill; госуда́рственная м. state machinery, state apparatus; жа́твенная м. harvester, reaper; землечерпа́тельная м. dredger, dredging-engine; клеи́льная м. pasting machine; парова́я м. locomotive, steam engine; пи́шущая м. typewriter; пожа́рная м. fire-engine; поршнева́я м. reciprocating engine; реза́льная м. cutting machine; сверли́льная м. boring (drilling) machine; составна́я (сло́жная) м. compound engine; швейная м. sewing-machine; сде́ланный ∼ой machine-made, machined; поста́вить ∼у на временну́ю стоя́нку to park the car; ∼ы соб. machinery; ∼а́льность mechanicalness; ∼а́льный mechanical, automatic; ∼а́льно mechanically; ∼иза́ция mechanization; ∼и́ст workman (engineer) in charge of machinery, machin-

ist; ж.-д. engine-driver, амер. engineer; ∼и́стка typist; ∼ка type-writer (пи́шущая); ∼ка для стри́жки воло́с clipper; ∼ное обору́дование machinery, mechanical equipment; ∼ное отделе́ние engine-room, machine-room; ∼ове́дение mechanical engineering; ∼остро́ение mechanical engineering, machine-building, engine-building; ∼остро́итель mechanician; ∼остро́ительный заво́д machine works; ∼о-тра́кторная ста́нция machine and tractor service station; М ∼отре́ст Machine Trust.

ма́эстро maestro.

мая́к lighthouse, beacon, sea--mark; рит. pharos; плову́чий м. lightboat, lightship.

ма́ятник pendulum, balance; колеба́ния ∼а the swing (oscillation) of the pendulum; груз на ∼е bob.

ма́яться to pine, waste away, suffer, toil.

ма́ячить to loom, appear dimly.

МВО (Моско́вский вое́нный о́круг) Moscow Military District.

мгл‖а mist, haze; ∼и́стый nebulous, misty.

мгнове́н‖ие instant, moment; в одно́ м., во м. о́ка in the twinkling of an eye, in a twinkling, in two shakes of a duck's tail, in less than no time, before you could say Jack Robinson; уви́деть на м. to have (catch) a glimpse (of); ∼ность instantaneousness; ∼ный instantaneous, momentary; ∼но instantly, instantaneously, in a trice, in a jiffy, in a crack, as quick as thought.

МГУ (Моск. госуд. университе́т) Moscow State University.

ме́бел‖ь соб. furniture; piece of furniture; склад ∼и storage, warehouse, pantechnicon; ваго́н для перево́зки ∼и pantechnicon van; ∼ьщик dealer in furniture.

меблиро́в‖ать to furnish, upholster; ' ∼анные ко́мнаты furnished apartments (rooms), lodging-house; boarding-house (со столо́м); ' ∼ка furnishing, upholstering; furniture; ' ∼щик upholsterer.

мегаво́льт эл. megavolt.

мегалоза́вр зоол. megalosaurus.

мегалома́ния мед. megalomania.

мегаско́п техн. megascope.

мегафо́н техн. megaphone.

меге́ра hell-cat, vixen, shrew, termagant, virago.

мед- сокр. медици́нский.

мёд honey; mead (напи́ток); ва́шими бы уста́ми да м. пить погов.

would it were true; too good to be true; сладкий как м. honey-sweet.

медал‖**и́ст** (*получ. медаль как отличие*) medallist; '~**ь** medal; обратная сторона '~**и** *фиг.* the reverse of the medal; ~**ьёр** medallist; ~**ьён** medallion, locket; *арх.* roundel.

медве́дица she-bear; Большая М. *астр.* the Great Bear, Ursa Major, Charles's Wain, the Wain; Малая М. *астр.* the Little (Lesser) Bear, Ursa Minor.

медве́дка mole-cricket (*насекомое*); truck (*повозка*).

медве́‖**дь** bear; Bruin (*Мишка*); белый м. polar bear; бурый м. Russian bear; серый сев.-амер. м. grizzly (bear); делить шкуру неубитого ~**дя** to cook a hare before catching it; to sell what one hasn't got; ~**жа́тина** bear's flesh; ~**жа́тник** bear-leader; ~**жий** bear's, ursine; ~**жья** травля bear-baiting; ~**жья** шкура bearskin; ~**жья** ягода *см.* сыга; он оказал мне ~**жью** услугу he did me a disservice; it was more a hindrance than a help; ~**жо́нок** young bear, bear's cub.

медвя́н‖**ый** *поэт.* honey-, honeyed; ~**ая** роса honeydew.

меделя́н‖**ка**, ~**ская** собака mastiff.

медеплави́льный copper melting.

медиа́‖**льный** medial; ~**на** *геом.* median; ~**нта** *муз.* mediant; ~**тизация** mediatization.

ме́дик medical man; medical student; ~**аме́нт** medicament, medicine, drug.

ме́диум medium; ~**и́ческий** сеанс mediumistic séance.

медице́йский Medicean.

медици́н‖**а** medicine; судебная м. medical jurisprudence, forensic medicine; доктор ~**ы** doctor (*пишется* M. D.); ~**ский** medical; ~**ская** сестра trained (hospital) nurse; ~**ское** свидетельство о пригодности (*к работе, службе и пр.*) medical certificate of fitness.

меди́чка woman medical-student.

ме́дленн‖**ость** slowness; ~**ый** slow; dilatory, backward, sluggish; slack; ~**о** slowly.

медл‖**и́тель** lingerer, procrastinator; ~**и́тельность** sluggishness, slowness, slackness; ~**и́тельный** sluggish, slow, dilatory, tardy, slack; ~**и́тельный** человек slowcoach; ~**и́тельно** sluggishly, dilatorily; '~**ить** to be slow, to linger, delay, tarry, dawdle; *фиг.* to hang fire.

ме́дник brazier, copper-founder, brass-founder; tinker (*странствующий*).

медно‖**лите́йный** copper melting (*attr.*); ~**прока́тный** завод copperworks, copper-mill.

ме́дн‖**ый** of copper, cupreous; copper (*attr.*); *хим.* cupric, cuprous (*содержащий медь*); м. купорос blue vitriol, blue copperas; м. лоб *фиг.* brazen face; ~**ая** гравировальная доска copper plate; ~**ая** руда copper ore; ~**ые** деньги coppers.

медобслу́живание medical service.

медова́р mead-brewer; ~**ня** mead-brewery.

медо́вник *бот.* nectary.

медо́вы‖**й** honey (*attr.*); honeyed; м. месяц honeymoon; проводить м. месяц honeymoon (*in, at*); ~**е** соты honeycomb.

медо́к I. *уменьш.* от мёд; *бот.* nectar.

медо́к II. Médoc (wine) (*франц. вино*).

медоно́сный melliferous, nectariferous.

медосмо́тр medical inspection.

медоточи́в‖**ость** mellifluence; ~**ый** mellifluent, mellifluous; honey-sweet, honeyed.

мед‖**персона́л** medical staff (personnel); ~**помощь** medical help; ~**пу́нкт** medical station; ~**рабо́тник** medical worker; ~**сантруд** trade union of medical workers.

меду́за *зоол.* jellyfish, sea-nettle, medusa; М. *миф.* Medusa, Gorgon.

меду́н‖**ица** *бот.* lungwort; '~**ка** *бот.* medick.

медфа́к the Faculty of Medicine.

мед‖**ь** copper; *фиг.* small change, coppers (*денежн. мелочь*); жёлтая м. brass; красная м. cuprite, red copper; листовая м. copper sheet; цвета ~**и** coppery, copper-coloured; ~**як** copper coin; ~**яница** *зоол.* slow-worm; ~**янка** *зоол.* grass-snake; *техн.* verdigris.

меж *см.* между.

межа́ boundary; bound.

междоме́тие *гр.* interjection.

междоусо́б‖**ие**, ~**ица** intestine (internecine) war; ~**ный** intestine, internecine.

ме́жду between (*между двумя и больше*); among(st) (*среди*); м. двух огней between two fires; м. молотом и наковальней *см.* молот; м. нами between ourselves, between you and me (and the gate-post); м. прочим by the by, by the way, in passing, passingly; м. тем in the meantime, meanwhile; м. тем как while, whilst, whereas; помещать м. to interpose between.

междуве́домственн‖ый interdepartmental; ∼ая комиссия joint committee.

междугоро́дный: м. телефон trunk line telephone.

междунаро́дн‖ый international; М. кооперати́вный альянс International Co-operative Alliance; ∼ая солида́рность трудя́щихся International Solidarity of the Toiling Masses; М ∼ое бюро́ труда́ International Labour Bureau; ∼ое пра́во international law; law of nations.

междуплеменно́й intertribal.

междура́совый inter-racial.

междустро́чный interlinear.

междуца́рствие interregnum.

межева́‖ние survey, land-surveying; ∼ть to survey; ∼о́й знак land-mark, boundary-mark; ∼а́я цепь measuring-chain.

межеу́мок 1. a person or a thing which has no pronounced qualities; neither fish, flesh nor fowl, nor even good red herring; 2. a Volga or Kama barge.

межзу́бный фон. interdental.

межкле́точн‖ый: ∼ое вещество́ intercellular substance.

Межрабпо́м (Междунаро́дная рабо́чая по́мощь) International Workers Relief Association, IWR.

межрёберный анат. intercostal.

межчелюстно́й анат. intermaxillary.

мезалья́нс mésalliance, misalliance.

меэдра́ см. мяздра.

Ме́зень the Mezen.

мезо‖де́рма биол. mesoderm; ∼зо́йский геол. mesozoic; ∼лити́ческий mesolithic.

мезони́н attic.

мейстерзи́нгер meistersinger.

Ме́ксика Mexico.

мексика́н‖ец, ∼ский Mexican.

мел chalk; whiting, whitening (для побелки); писа́ть, рисова́ть, ма́зать ∼ом to chalk.

мела́зма мед. melasma.

мелани́зм мед. melanism.

мелани́т мин. melanite.

мелано́з melanism.

меланхо́ли‖к melancholic person; ∼ческий melancholy, melancholic; ∼я melancholy, spleen; мед. melancholia; в ∼и in the dumps, in the blues.

мела́сса molasses (патока).

меле́ть to shoal, shallow, get shallower.

мелини́т хим. melinite.

мелиора‖ти́вный meliorative; ∼ция melioration, reclamation.

ме́лк‖ий shallow, shoal, fleet (неглубокий); small, fine, minute (не крупный); фиг. petty, insignificant, niggling, trifling, paltry; м. буржуа́ petty bourgeois; м. вкла́дчик small investor; м. дождь fine (small) rain, drizzle; м. песо́к fine sand; м. фабрика́нт small manufacturer; м. фе́рмер small (petty) farmer; м. челове́к small-minded (petty-minded) person; ∼ая душо́нка a mean soul; ∼ая кра́жа petty larceny, pilferage; ∼ая рыбёшка (small) fry; ∼ие де́ньги small change, small coins; ∼о fine, in(to) small particles; fleet, to little depth (см. ме́лкий); ∼о пла́ваешь you're of the small fry.

мелкобуржуа́зный petty bourgeois.

мелково́д‖ный shallow; ∼ье shoal water.

мелкозерни́стый small-grained.

мелкопоме́стный owning a small estate.

мелкособственни́ческий of small ownership.

мелкота́ shallowness; smallness; fineness; small fry.

мелкотра́вчатый petty, insignificant.

мелово́й chalky; геол. cretaceous.

мелодекла́ма́ция recitation of poetry with musical accompaniment; melodeclamation.

мело́ди‖ка melodics; ∼чность melodiousness, tunefulness, melody; ∼чный tuneful, melodious, sweet, canorous, musical; ∼чно tunefully, melodiously; ∼я melody, tune, air.

мелодра́ма melodrama; ∼ти́ческий melodramatic.

мело́к см. мел; игра́ть на м. to play for love.

мелома́н lover of music.

мел‖очно́й: м. торго́вец pedlar, grocer, chandler; ∼о́чная ла́вка grocer's shop, chandlery; ∼о́чная торго́вля pedlery, peddle; ∼о́чность meanness, pettiness; ∼о́чный small-minded, petty, small, mean, pettifogging, paltry; ∼о́чно small-mindedly, pettily, meanly; ∼очь trifle, trivial point, detail, minutia (pl. -tiæ); (small) change (ме́лкие де́ньги); дал ему́ ∼очь на чай gave him a trifle (a tip); tip-

ped him a copper (*sl.*); по ⌁о-
чáм by trifles, by retail; in small
quantities; '⌁очи жизни the little
nothings of life; разменивáться
на ⌁очи to waste one's energy
(talent) on trifles, to niggle.

мел‖ь shallow, shoal, bank, sands,
sand-bank, shelf; сесть, посадить
на м. to run aground, to ground;
на ⌁й aground; *фиг.* in low water,
on the rocks; снимáть сỳдно с ⌁и
to set a ship afloat.

Мельбýрн Melbourne.

мельк‖áние flashing, fleeting,
glimpses, gleams; ⌁áть, ⌁нýть to
flash, gleam, to appear for a moment; '⌁ом for a moment, in
passing, cursorily; видеть ⌁ом to
have (catch) a glimpse (*of*); взгля-
дывать ⌁ом to glance (*at*).

мéльни‖к miller; ⌁ца mill; ветряная ⌁ца windmill; водянáя
⌁ца watermill; кофейная ⌁ца
coffee-mill; ручная ⌁ца handmill,
quern; это водá на нáшу ⌁цу it
brings grist to our mill; ⌁чиха
miller's wife; ⌁чный лоток mill-
-race; ⌁чная плотина mill-dam;
⌁чное колесо mill-wheel.

мельхиóр German silver.

мельч‖áйший smallest, finest;
⌁áть to grow small, to diminish
in size; to become petty; '⌁е shallower; finer, smaller; ⌁úть to
make small (fine), to grind, pound.

мелюзгá fry, small (lesser) fry.

мембрáна membrane, film.

меморáндум memorandum.

мемориáл memorial.

мемуáры memoirs.

Мéмфис Memphis.

мéна exchange, barter, truck.

менделúзм *биол.* Mendelism.

мéнее less; м. всего least of all;
м. 5 руб. below (under) R5; более
или м. more or less; ему м. 40 лет
he is under forty; he is on the
right side of forty; не более не м.
как премьер-министр no less a
person than the prime minister;
не м. мили a mile or more; тем не
м. none the less, nevertheless for
all that, all the same.

менестрéль minstrel.

мéнзула *геод.* plane table.

мензýрка measuring-glass, graduate.

менингúт *мед.* meningitis; цере-
бро-спинáльный м. cerebro-spinal
meningitis; *разг.* spotted fever.

менúск *физ.* meniscus.

меннонúт Mennonite.

менов‖óй; ⌁áя торговля trade
by exchange, barter; ⌁áя ценность

(стóимость) exchange (exchangeable) value; ⌁щúк barterer.

менстру‖áция menses, menstruation; ⌁úровать to menstruate.

мéнтик hussar's jacket (pelisse).

ментóл *хим.* menthol.

мéнтор *уст.* mentor.

менуэ́т minuet.

мéньше less, smaller (*см. тж.*
менее).

меньшевú‖к Menshevik; ⌁ству-
ющий идеализм Menshevist idealism.

мéньш‖ий lesser, minor, smaller; ⌁ая посылка *лог.* minor premise; из двух зол выбирáй ⌁ее of
two evils choose the lesser; по ⌁ей
мере at least, to say the least;
⌁инствó minority; ничтóжное
⌁инство insignificant (trifling)
minority; ⌁ой the youngest; когдá
родился мой ⌁ой *разг.* when my
last was born.

меню menu, bill of fare.

меня me, myself; для м. for me;
у м. нет денег I have no money;
это м. не касается it does not concern me (myself).

меня́ла money-changer.

меня́‖ть to change, shift, vary
(*изменять, переменять*); to exchange, barter, swop, truck, trade
(*обменивать на—for*); м. бельё to
change one's under-clothes; м.
деньги to change money; м. голос
to disguise one's voice; м. своё
мнение to change one's mind; м.
направление to veer (*о ветре*);
м. свою политику to change one's
policy, to change front, to tack;
м. рога (кожу) to cast horns (skin);
⌁ться to change, shift, vary,
fluctuate (*изменяться*); to swop,
exchange (*обмениваться*); ⌁ться
комнатами to exchange rooms; ⌁ь-
ся в лице to change colour
(countenance); его лицо ⌁лось от
волнения his face worked with
emotion.

мер *см.* мэр.

мéр‖а measure, standard, gauge;
м. длины measure of length, long
(linear) measure; м. жидкостей
(сыпучих тел) liquid (dry) measure; квадратная м. square measure; прекращáть болезнь реши-
тельными ⌁ами to jugulate a disease; в значительной ⌁е largely,
to a considerable extent; он облá-
дает в большóй ⌁е чувством собственного достóинства he has a
large share of self-esteem; по
большей ⌁е at most, at the utmost; по крайней ⌁е, по меньшей

ᴗе at least, at any rate; по ᴗе возможности as far as possible (*насколько можно*); as much as possible (*сколько можно*); по ᴗе того как as, in proportion with (to); в ᴗу reasonably, sufficiently; мясо зажарено в ᴗу the meat is done to a turn; соблюдать ᴗу to keep within limits; не в ᴗу, через ᴗу, сверх ᴗы beyond measure, excessively, immoderately; ᴗы взыскания punitive measures; ᴗы поощрения means of encouragement; не знать ᴗы to be immoderate; принимать ᴗы to take measures; to provide (*against*); принимать ᴗы предосторожности to take precautions (*against*); принять все ᴗы to make assurance double sure; предохранительные ᴗы precautionary measures; решительные ᴗы drastic measures.

мéргель *мин.* marl; ᴗный marly.

мерéжа trammel, trammel-net, triple drag-net (*рыболовная сеть*).

мерéжка open work.

меренга meringue.

мерéть to die (in large numbers).

мерéщит‖ься to seem, to appear dimly or as an illusory image; это вам ᴗся you are dreaming.

мерзá‖вец rascal, knave, rogue, villain, scoundrel; ᴗáвка mean woman; 'ᴗкий loathsome, villainous, nasty, vile, abominable, disgusting; 'ᴗко loathsomely *и пр.*

мерзá‖лость state of congelation; вечная ᴗлотá eternal frost; ᴗлый frozen, congealed.

мерзлá‖к *разг.* person sensitive to cold; ᴗтина something frozen.

мёрзнуть to freeze; to shiver.

мёрзост‖ный, ᴗно *см.* мерзкий, мерзко; ᴗь loathsome (nasty) thing, abomination, meanness, loathsomeness; ᴗь запустения *библ.* abomination of desolation.

мериди‖áн meridian; ᴗонáльный meridional.

мерило standard, criterion, measure, gauge.

мерин gelding; он врёт как сивый м.≃ he lies like a gas-meter.

меринóс, ᴗовая шерсть merino.

мéр‖ить to measure; to try on (*платье*); м. взглядами *фиг.* to look up and down, to survey contemptuously; м. на свой аршин to measure another's corn by one's own bushel; ᴗиться to measure oneself; ᴗка measure; снимать ᴗку to take the measure (*of*), to measure.

меркантил‖и́зм *экон.* mercantilism, mercantile system; 'ᴗьный mercenary; ᴗьный дух mercenary spirit.

меркáторская кáрта *геогр.* Mercator's chart.

мéркнуть to grow dark (dim), to fade.

меркуриали́зм mercurialism.

Меркýрий *астр.* Mercury.

мерлáн whiting (*рыба*).

мерлýшка lambskin.

мéрны‖й measured, slow and regular; ᴗе шаги measured (rythmical) steps, measured tread.

мероприя́тие measure, action, legislative enactment.

мерсериз‖áция *техн.* mercerizing; ᴗи́ровать to mercerize.

мертв‖енноблéдный lurid, deathlike, ghastly, deathly pale; 'ᴗенность deathly paleness, ghastliness; 'ᴗенный deathly pale, deathlike, ghastly; 'ᴗенная блéдность deadly paleness; 'ᴗенно deadly, deathly.

мертвé‖ть to grow numb; ᴗц corpse, dead body, the dead; ghost (*привидение*); ᴗцкая mortuary, dead-house; ᴗцки пьян dead drunk; он спит ᴗцким сном he is dead asleep; ᴗчи́на carrion, dead flesh.

мертв‖и́ть to deaden; ᴗó lifelessly, dully; ᴗоéд *зоол.* necrophorus, burying-beetle; ᴗорождённый still-born.

мéртв‖ый 1. *s.* the dead, dead body; 2. *a.* dead; м. капитал unrealizable capital; м. сезон dead season; м. язык dead language; совершенно м. stone-dead, dead as mutton (as a door-nail); спать ᴗым сном to be dead asleep; ᴗая буква закона dead letter; ᴗая зыбь *мор.* swell; ᴗая петля *ав.* loop; ᴗая природа *жив.* still life; ᴗая тишина dead silence; ᴗая точка *техн.* dead centre (point); *фиг.* deadlock.

мéртель *арх.* mortar.

мерцá‖ние shimmer, glimmer, flicker, gleam, fitful gleams, twinkling; blinking; м. звёзд *астр.* scintillation, twinkling of the fixed stars; ᴗть to shimmer, glimmer, gleam, flicker, twinkle, blink.

мéрять *см.* мерить; ᴗся: ᴗся силами to measure oneself (one's strength) (*against*).

мéс‖иво mash; ᴗи́льщик kneader; ᴗи́ть to knead, work up; to puddle (*глину*).

месмери́‖**зм** mesmerism; **~ческий** mesmeric.

Месопота́мия Mesopotamia.

ме́сса *рел.* mass.

месси́я Messiah, Messias.

месте́чко 1. *уменьш. от* место; **2.** borough, small town.

ме‖**сти́** to sweep; на дворе **~тёт** there is a snow-storm outside; **~сти́сь** to be swept.

месткóм (*местный комитет профсоюза*) local trade-union committee.

ме́стничество *неол.* preference of local to state interests, localism.

ме́стност‖**ь** locality, district, place, country; болотистая м. marshland; гористая пустынная м. moorland, fell; название **~и** place-name.

ме́стн‖**ый** local; indigenous; м. житель denizen, native; м. колори́т local colour; м. комитет *см.* местком; м. падеж *гр.* locative (case); **~ая** власть local authority; **~ое** время local time; **~ое** выражение localism; **~ое** отделение local branch; **~ое** самоуправление local government; **~ое** явление local phenomenon; предприятия **~ого** значения enterprises of local importance; **~ые** нужды (потребности) local grievances (needs).

ме́ст‖**о** place, spot, locality, site; space, room (*пространство*); situation, place, office, post, appointment, job (*должность*); seat (*в театре и пр.*); passage (*в книге и пр.*); package (*багажа*); berth (*якорная стоянка*); м. действия scene; м. для письма, заметок *и пр.* writing space; м. происшествия scene, locale; м. рождения birth-place; м. сбора, встречи, свидания meeting-place, rendez-vous; *разг.* venue; м. у камина chimney-corner, ingle-nook; больное м. tender spot, sensitive point; задеть больное м. to touch on the raw; у него больное м. на руке he has a sore place on his arm; занимать очень скромное м. to occupy a modest position; детское м. *мед.* after-birth, placenta; доходное м. lucrative appointment; общее м. commonplace, platitude; отхожее м. lavatory; latrine (*особ. в лагере*); chalet (*уличное*); присутственное м. office; пустое м. empty place, blank; узкое м. *фиг.* tight place, bottleneck; иметь м. to take place; он получил м. на государствен. службе he was given an of-fice under government; he received a government appointment; усту́пать м. to make room (*for*), to give place (*to*); класть не на м. to mislay, misplace; нужно обозначить м. и время the wheres and whens are important; ставить (класть) на м. to replace; ставить кого-л. на м. *фиг.* to keep one in his place; знать своё м. *фиг.* to know one's place; есть два варианта этого **~а** there are two readings of that passage; искать **~а** to look for a job; без **~а** unemployed, out of work; занимает слишком много **~а** takes up too much room; не находить себе **~а** to worry, fret (oneself), suffer, to be on the rack; тут довольно **~а** there is plenty of room here; до того **~а** up to there; за недостатком **~а** for want of space; наречие **~а** adverb of place; гористые **~á** mountainous country; по **~áм!** to your places!; **~áми** here and there, in certain places, locally; этот обычай распространён лишь **~а**ми this custom is mostly local; я никогда не бывал в этих **~áх** I am a stranger in these parts; на **~ах** готовятся к севу the country is getting ready for the sowing; на **~е** on the spot; на вашем **~е** in your place (stead); быть пойманным на **~е** преступления to be taken in the act of crime, to be taken red-handed; в другом **~е** elsewhere; дом стоит на прекрасном **~е** the house stands on an excellent site; маршировать на **~е** (топтаться на **~е** *фиг.*) to mark time; этот человек на своём **~е** he is the right man in the right place; человек не на своём **~е** a round peg in a square hole; это было его слабым **~ом** *фиг.* it was his weak point.

местожи́тельств‖**о** (place of) residence, permanent dwelling-place, (place of) abode, domicile; whereabouts (*приблизительное*); без определенного **~а** of no fixed abode.

местоим‖**éние** *гр.* pronoun; **~ённ**ый pronominal.

местонахожде́ние location.

местоположе́ние position, location, situation, seat, site.

местопребыва́ние abode, residence.

месторасположе́ние location.

месторожде́ние *геол.* layer, bed.

месть vengeance, revenge; дышать **~ю** to breathe revenge (vengeance).

ме́ся‖ц 1. month, (*часть года*); 2. moon (*луна*); лунный м. lunar month; медовый м. honey-moon; молодой м. new moon; 10-го числа текущего (истекшего, следующего) ~ца on the 10th instant (ultimo, proximo); ~цесло́в calendar, almanac; ~чник ликвидации неграмотности a month's campaign for the abolition of illiteracy; ~чный monthly; *астр.* lunar; ~чный заработок monthly earnings, month's wages; ~чное очищение *см.* менструация.

ме́та *др.-рим.* goal.

мета‖боли́зм *биол.* metabolism; ~генэ́зис *биол.* metagenesis.

мета́лл metal; благородный (неблагородный) м. noble, non-rusting (base) metal; содержащий в себе м. metalline; ~иза́ция metallization; ~изи́ровать to metallize; ~и́н metalline; ~и́ст metal-worker, metallist; ~и́ческий metallic; резкий ~и́ческий голос a harsh metallic voice; ~и́ческие изделия hardware; ~огра́фия metallography; ~оза́вод metal works; ~о́ид metalloid; ~оно́сный metalliferous; ~ообраба́тывающий metalworking (*attr.*); ~оплави́льная печь smelting furnace; ~опрока́тный metal rolling; ~опромы́шленность metal industry; ~у́рг metallurgist; ~урги́ческий metallurgical; ~урги́ческий завод metallurgical works; ~урги́я metallurgy; ~урги́я железа metallurgy of iron; черная ~урги́я ferrous metallurgy.

мета‖морфо́за *биол.*, ~морфо́за metamorphosis; ~морфи́зм *геол.* metamorphism; ~мпсихо́в metempsychosis, transmigration of souls.

мета́н *хим.* methane, marsh gas; fire damp.

мета́ние throwing, flinging, tossing; *см.* метать.

мета‖пла́зм *биол.* metaplasm; ~ста́з *мед.* metastasis; ~стати́ческий metastatic; ~тэ́за *гр.* metathesis.

мета́тельн‖ый: м. снаряд missile, projectile; ~ое оружие missile weapon; острое ~ое оружие sharp weapon dart.

ме‖та́ть to throw, cast, fling, hurl, launch, project, dart; to bring forth (*о животных*); м. банк *карт.* to keep the bank; м. бисер перед свиньями *погов.* to cast (to throw) pearls before swine; м. взгляды to cast (dart) glances; м.

в цель to throw at a mark; *разг.* to shy; м. громы to thunder; м. жребий to draw (cast) lots; м. из пра́щи to sling; м. икру to spawn; м. кольцо (*в цель*) to pitch a quoit; м. петли to edge the buttonholes; её глаза '~чут искры her eyes flash (shoot) fire; ~та́ться to toss, fling about, rush about; ребенок '~чется в постели the child tosses in its bed.

метафи́зи‖к metaphysician; ~ка metaphysics; '~ческий metaphysical; '~чески metaphysically.

мета́фор‖а metaphor; ~и́ческий metaphorical, figurative; ~и́чески metaphorically, figuratively.

метаце́нтр metacentre.

мете́лица 1. *см.* метель; 2. a lively popular dance (like the polka).

мете́лка *уменьш. от* метла; whisk (*для смахивания пыли*); *бот.* panicle.

мете́ль snow-storm; м. метёт there is a snow-storm; ~чатый *бот.* panicular, paniculate; ~щик, ~щица sweeper.

мете́ние sweeping.

метео́р meteor, falling-(shooting-)star; ~и́зм *мед.* flatulence; ~и́т meteorite; ~и́ческий meteoric.

метеоро́лог meteorologist; ~и́ческий meteorological; ~и́ческий бюллетень weather-chart; '~ия meteorology.

метиза́ция *см.* метисация.

мети́л *хим.* methyl; ~е́н methylene; ~овый спирт methylated spirit.

мети́с mongrel, half-breed; metis (*особ. от белых и краснокожих*); ~а́ция cross-breeding.

ме́т‖ить to mark (*белье и пр.*); to aim (*at*) (*целиться*); он ~ит на должность министра he aims at a minister's office; ~ка mark, sign, score; marking; чернила для ~ки белья marking-ink; ~кий hitting the mark neatly; ~кий стрелок good shot, good marksman; ~кое замечание neat (pointed) remark; ~ко стрелять to be a good shot; ~кость neatness in hitting the mark.

метл‖а́ broom, besom; новая м. чисто метёт *посл.* new brooms sweep clean; ~и́к *бот.* meadow-grass, poa; ~ови́ще broom-stick.

мето́д method; диалектический м. dialectic method; научный м. scientific method; вносить м. to methodize.

мето́д‖**ика** method(s); **~и́ст** methodist; **~и́чность** methodicalness.

мето́д‖**и́чный** methodical, orderly, formal; **~и́чно** methodically; **~оло́гия** methodology; маркси́стская **~оло́гия** Marxian methodology.

метони́мия metonymy.

мето́п *арх.* metope.

метр metre (*мера длины, стихотворный размер*).

метранпа́ж *тип.* maker up, make-up man.

метрдоте́ль head waiter.

ме́три‖**ка 1.** birth-certificate (*акт о рождении*); **2.** *прос.* metrics; '**~ческий** metric; metrical; '**~ческая** кни́га parish register; **~ческая** систе́ма metric system; '**~ческое** свиде́тельство birth-certificate; **~ческое** ударе́ние ictus, metrical stress.

метро‖**логи́ческий** metrological; **~ло́гия** metrology; **~но́м** metronome.

метрополите́н underground railway; tube (*в Лондоне*); *амер.* subway.

метропо́лия metropolis, parent State, mother country.

ме́тчик *техн.* tap, screw-tap.

Мефисто́фель Mephistopheles.

мех fur (*животного*); (pair of) bellows (*кузнечный, органный*); wine-skin, skin (*для вина*); water-skin (*для воды*).

механиза́ция mechanization.

механи‖**зи́рованный** mechanized, labour saving; **~зи́ровать** to mechanize; **~зи́ровать** труд to mechanize labour; '**~зм** mechanism, machinery, works; переда́точный **~зм** driving gear; **~зм** не в поря́дке there is something wrong with the works, the machinery is out of gear (order).

механи‖**к** mechanic, operator; инжене́р-**м.** engineer, mechanician; **~ка** mechanics; mechanism, machinery (*механизм*); прикладна́я **~ка** applied mechanics; хи́трая **~ка** complicated device; '**~ст** adherent of the mechanist theory; '**~ческий** mechanical; '**~ческое** обору́дование machinery, engineery; '**~чески** mechanically.

мехов‖**о́й**: **м.** воротни́к fur collar; **~щи́к** furrier.

мецена́т Maecenas, patron of literature *or* art; **~ство** patronage of literature *or* arts.

ме́ццо-сопра́но mezzo-soprano.

ме́ццо-ти́нто *тип.* mezzotint;

воспроизводи́ть спо́собом **м.** to mezzotint.

меч sword; *поэт.* brand; **м.** правосу́дия sword of justice; бро́сить **м.** на весы́ *фиг.* to throw one's sword into the scale; обнажи́ть **м.** to draw the sword; пля́ска **~е́й** sword-dance; предава́ть **~у́** to put to the sword.

ме́ченый marked (*тж. фиг.*).

мече́ть mosque.

меч-ры́ба sword-fish.

мечт‖**а́** day-dream, waking-dream, dream, castle in the air, illusion, fancy; **~а́ние** dream, dreaming; **~а́тель(ница)** dreamer, visionary, fantast; **~а́тельность** dreaminess, reverie; **~а́тельный** dreamy, moony; **~а́тельный** вид а dreamy look; an air of reverie; **~а́тельно** dreamily; **~а́ть** to dream, muse, to fall into reverie; **~а́ть** о сла́ве to dream of glory (fame); **~ы́** reverie.

меша́‖**лка** stirrer, mixer; **~ние** stirring.

мешани́на medley, jumble, omnium gatherum.

меша́‖**ть** to stir, mix (*размешивать*); to disturb; to hinder, impede, encumber, clog, hamper, to be an encumbrance, to prevent, stop (*from*) (*препятствовать*); **м.** жар в пе́чке to stir (poke) the fire; **м.** песо́к с гли́ной to mix sand with clay; мне здесь никто́ не **~ет** nobody disturbs me here; не **~ет** проде́лать э́то it is advisable to do it; плоха́я пого́да **~ет** на́шему продвиже́нию вперёд bad weather impedes our progress; что **~ет** вам сде́лать э́ту попы́тку? what prevents (withholds, stops) you from making the attempt?; **~ться** to be mixed, to mix; **~ться** во что-л. to meddle, interfere (*with, in*); to poke one's nose into; не **~йтесь** не в своё дело! mind your own business!

ме́шка‖**нье** lingering; **~ть** to linger, loiter, dally, tarry, delay.

мешкова́т‖**ость** bagginess, clumsiness, awkwardness (*см.* мешкова́тый); **~ый** baggy (*о платье*); clumsy, awkward (*неуклюжий*); **~о** baggily; sluggishly; брю́ки сидя́т **~о** trousers are baggy.

мешко́тн‖**ость** sluggishness; **~ый** sluggish, slow, tardy, slack; **~ый** челове́к laggard; **~о** sluggishly.

меш‖**о́к** sack, bag; **м.** угля́ sackful of coal; денежны́й **м.** money-bag; похо́дный **м.** kit-bag, rucksack, knapsack; ссыпа́ть в **~ки́** to sack; костюм сидит на нём ~к(́м his suit hangs loosely; ~о́чек *уменьш. от* мешок; *бот., мед.* follicle, sac, bag, utricle.

меща́н‖и́н, '~ка *ист.* lower middle class citizen; *фиг.* bourgeo!s, Philistine, narrow-minded (humdrum) person; gigman; '~ский bourgeois; Philistine, uncultured, commonplace, prosaic, narrow-minded, vulgar; '~ская мора́ль Philistine morals; '~ство 1. lower middle class, townsfolk, petty bourgeoisie; 2. narrow-mindedness, philistinism, vulgarity; gigmanity.

мзд‖а́ recompense; bribe (*взя́тка*); ~о́имец *уст.* venal person; ~о́имство *уст.* venality, corruption.

ми *муз.* mi.

миа́зма miasma (*pl.* -ta); ~ти́ческий miasmatic.

миа́льгия *мед.* myalgia.

миг *см.* мгнове́ние; ~ом in the twinkling of an eye.

миг‖а́ние winking, blinking, twinkling, nictation; ~а́тельная перепо́нка *зоол.* nict(it)ating membrane; ~а́ть, ~ну́ть to wink, blink, twinkle; ~а́ть кому-либо to wink at a person.

мигра́ция migration.

мигре́нь migraine, megrim.

мизантро́п, ~ка misanthrope, man-hater; ~и́ческий misanthropic; ~ия misanthropy.

мизги́рь *зоол.* tarantula.

мизере́ре *рел.* miserere.

мизе́рн‖ость scantiness, miserableness; ~ый scanty, miserable, paltry, pitiful, meagre; ~о scantily, miserably.

мизи́н‖ец the little finger; the little toe (*на ноге*); обвести́ кого-л. вокру́г своего́ ~ца to twist (turn) a person round one's little finger.

Мике́ны Mycenæ.

миколо́гия micology (*учение о грибах*).

микро́‖б microbe; ~биоло́гия microbiology.

микрогра́фия micrography.

микрозо́мы microsomata.

микроко́кк *бакт.* micrococcus (*pl.* -cocci).

микроко́см microcosm.

микроме́тр, ~и́ческий винт micrometer.

микро́н micron.

микроорганиа́зм micro-organism.

микроско́п microscope; ~и́ческий, ~и́чный microscopic; ~ия microscopy.

микроспо́ра *бот.* microspore.

микрострукту́ра microstructure.

микрото́м microtome.

микрофара́да *эл.* microfarad.

микрофо́н microphone.

микрохи́мия microchemistry.

микроцефа́лия microcephaly.

ми́ксер *техн.* mixer.

миксина́ hag-fish (*рыба*).

миксту́ра medicine, mixture, potion.

Мила́н Milan.

мила́шка *разг.* darling, pretty person *or* animal.

миле́ди (my) lady.

ми́ленький pretty, dear, darling.

милитари‖за́ция militarization; ~зи́ровать to militarize; '~зм militarism; '~ст, ~сти́ческий militarist; '~стская клика military (militarist) clique (gang).

мили‖ционе́р militiaman; '~ция militia (civil force in the USSR responsible for maintaining public order).

миллиа́рд milliard (*1000 millions*); billion (*амер.*); ~е́р milliardaire.

миллигра́мм milligramme.

миллиме́тр millimetre.

миллио́н million; ~е́р(ша) millionaire; ~ный millionth; ~щик *см.* миллионе́р.

ми́ло prettily, nicely, amiably; э́то о́чень м. с ва́шей стороны́ it is very nice (kind) of you.

ми́ловать to show mercy, to pardon, forgive, ..are.

милова́ть to caress, fondle; ~ся to exchange caresses.

милови́дн‖ость comeliness, prettiness; ~ый comely, pretty, nice-looking.

милло́рд (my) lord.

милосе́рд‖ие charity, mercy, clemency; ~ный charitable, merciful, clement; ~но charitably, mercifully.

ми́лостив‖ец benefactor; ~ица benefactress; ~ый gracious; favourable, benign, kind; ~ый госуда́рь! sir!, dear sir! (*в письме*); е́сли судьба́ бу́дет ~а if fate is kind; ~о graciously.

ми́лостын‖я alms, charity; проси́ть ~ю to ask for alms.

ми́лост‖ь favour, grace, boon, mercy, kindness; ва́ша м. your Worship; *шут.* your nibs; втере́ться в м. to ingratiate oneself (*with*), to worm oneself into favour (*with*); сда́ваться на м. победи́теля to surrender at discretion; сде́лайте м. be so kind, do me a favour; ~и про́сим! welcome!; быть у к.-л. в ~и to be in a person's good graces, to be in favour with a person, to stand high in a person's favour; из ~и out of charity, as an act of charity; по вашей ~и thanks to you, through you.

ми́лочка dear, darling.

мил‖**ый** 1. *a.* nice, kind, pleasant, amiable, sweet, dear, beloved, darling; м. друг dear friend; не по хорошу мил, а по ~у хорош beauty lies in lover's eyes; какая она ~ая! what a dear she is!; ~ое дитя nice (lovable) child 2. *s. разг.* darling, sweetheart; dear, ducky, honey, dearest, sweet one, my precious (*как обращение*); ~ые бранятся—только тешатся *посл.* they that tease each other love each other.

мильдью *бот.*, *с.-х.* mildew.

мильто́н melton (*материя*).

ми́ля mile; географическая(морская) м. geographical (nautical) mile; расстояние в ~х milage.

мим *ист.*, *театр.* mime, pantomimist, buffoon.

ми́мика the art of expressing feelings by gestures, gesticulation; м. лица facial expression.

мимикри́я *биол.* mimesis, mimicry.

мими́‖**ст** figurant (*pl.* -i); ~ческий mimic(al).

ми́мо past, by; м. цели beside (wide of) the mark; он пробежал м. дома he ran past the house; она прошла м. него she passed him by; ~ездом in passing by.

мимо́за *бот.* mimosa, sensitive plant.

мимолётн‖**ость** fugacity, transience; ~ый transient, fugitive, transitory, shortlived, passing, ephemeral; ~ый взгляд glance.

мимохо́дом in passing (by), by the way.

ми́на I. countenance, face, look (*выражение лица*); кислая м. acid looks, wry face.

ми́н‖**а** II. *военн.* mine; torpedo (*самодвижущаяся*); м., сбрасываемая с аэроплана aerial torpedo; заложить ~у to mine; взорвать ~у to spring a mine.

минаре́т minaret.

мингре́л‖**ец** Mingrelian; М~ия Mingrelia; ~ьский Mingrelian.

миндал‖**еви́дный** almond-shaped; '~ина almond; *анат.* tonsil; '~ь almond-tree (*дерево*); almond (*плод*); горький (сладкий) ~ь bitter (sweet) almond; '~ьничать to

sentimentalize; '~ьный леденец hard-bake; '~ьное дерево almond-tree; ~ьное молоко milk of almonds; ~ьное печенье macaroon.

минёр *военн.* miner.

минера́л mineral; ~иза́ция mineralization; ~ог mineralogist; ~оги́ческий mineralogical; ~оги́я mineralogy; ~ьная вода mineral water; ~ьное масло mineral oil; ~ьные запасы mineral deposits; ~ьные источники mineral springs.

миниатю́р‖**а** miniature; в ~е *фиг.* in miniature, on a small scale; ~ист miniaturist; ~ный miniature, diminutive, tiny.

минимал‖**и́ст** minimalist; '~ьное количество minimum quantity.

ми́нимум minimum (*pl.* -ima), inferior limit; м. заработной платы minimum wage; прожиточный м. living (minimum) wage; доводить до ~a to minimize.

мини́ровать *военн.* to mine.

министе́рс‖**кий** ministerial; ~тво ministry; Department (*в Соединенных Штатах*); ~тво внутренних дел *англ.* Home Office; ~тво иностранных дел Foreign Office; State Department (*в США*); военное ~тво War Office; War Department (*в США*); морское ~тво the Admiralty.

мини́стр minister; Secretary of State (*в Англии*); м. без портфеля minister without portfolio; м. внутренних дел Home Secretary; м. иностранных дел Foreign Secretary; Secretary of State (*в США*); м. финансов Chancellor of the Exchequer; Secretary of Treasury (*в США*); военный м. Secretary of State for War; морской м. First Lord of Admiralty; Secretary of the Navy (*в США*); товарищ ~a undersecretary; был назначен ~ом просвещения received the portfolio of education.

миннези́нгер minnesinger.

Миннесо́та Minnesota.

ми́нный: м. аппарат torpedo-tube; м. заградитель mine-layer; м. офицер torpedo officer.

минова́‖**ть** to pass, to be over, to come to an end, to elapse, to run out (*окончиться*); to pass, leave behind (*оставить позади*); to escape, elude (*избежать*); смерти не м. one cannot escape death; чему быть, того не м. one cannot escape one's destiny; его молодость ~ла his prime is past; зима ~ла winter is over; ~ться to pass, to be over.

минога lamprey.

мино‖мёт mine-thrower; **~носец** torpedo-boat; контр-**~носец** (torpedo-boat) destroyer; torpedo-boat catcher.

минор *муз.* minor key; **~ный** minor; в **~ном** настроении in the dumps.

Минск Minsk.

минувш‖ее the past; **~ий** past; **~ее** время time gone by; **~ие** годы past years; **~ие** дни bygone days; **~им** летом last summer.

минус *мат.* minus; shortcoming (*недостатки*); знаки плюс и м. unlike signs; в этой книге много **~ов** this book leaves much to be desired.

минут‖а minute; moment, instant; *астр.*, *мат.* minute; без 20 **минут** четыре twenty minutes to four; десять **минут** пятого ten minutes past four; подождите **~у** one moment, wait a moment; (wait) half a jiff (*разг.*); в данную **~у** for the moment, just now, at the given moment; в одну **~у** in no time, in an instant, in a moment (trice); сию **~у** immediately; под влиянием **~ы** on the spur of the moment, prompted by a momentary mood; я не спал ни **~ы** I have not slept a wink, I did not get a wink of sleep; **~ный** momentary; **~ный** успех momentary success; **~ная** стрелка minute-hand.

мину‖ть *см.* миновать; ему **~ло** 50 лет he has turned 50, he is turned (of) 50.

миньон *тип.* minion.

мио‖зис *мед.* myosis; **~зит** *мед.* myositis; **~кардит** *мед.* myocarditis; **~логия** *анат.* myology; **~цёновый** *геол.* miocene.

мир I. peace (*покой*); м. праху его! peace to his ashes!; м. хижинам, война дворцам for the hut-peace, for the palace—war; душевный м. peace of mind; почётный м. peace with honour; заключать м. to make peace; сохранять м. то keep the peace; худой м. лучше доброй ссоры *посл. прибл.* better a lean peace than a fat victory; нарушитель **~а** peacebreaker; политика **~а** peace policy; трубка **~а** peace-pipe, calumet; закурить трубку **~а** to smoke the calumet together; угроза делу **~а** danger to peace; в **~е** at peace; идите с **~ом** go in peace.

мир II. world, universe (*вселенная*); village community (*община*),

литературный (спортивный) м. the literary (sporting) world, the world of letters (of sport); окружающий м. the world around, the surroundings, outward things; сильные **~а** сего the great, the powerful; он не от **~а** сего he is other-worldly (unworldly), his wings are sprouting; на **~у́** и смерть красна *посл.* two in distress make sorrow less; ходить по **~у** to live by begging, to beg; с **~у** по нитке, голому рубашка *посл.* many a little (pickle) makes a mickle.

мирабель Myrobalan (plum).

мираж mirage, optical illusion.

миракль *ист.* miracle-play.

мирволить to connive, wink (*at*).

мирза mirza.

мириада myriad.

мирить to reconcile, mediate, to restore peace; **~ся** to make one's peace (*with*) (прекращать вражду); to put up (*with*), to bear (*with*), to make·the best (*of*), to reconcile oneself (*to*), to tolerate (*сносить*); нельзя **~ся** с таким положением one cannot reconcile oneself to such a situation.

мир‖ный peaceful; pacific, peaceable, placid (*миролюбивый*); м. договор treaty (of peace); м. гражданин peaceable citizen; **~ная** политика policy of peace; **~ное** время peaceful·times, time of peace; армия в **~ное** время состоит из... the army on a peace footing consists of...; **~ные** переговоры peace negotiations; вести **~ные** переговоры to treat for peace (*with*); **~но** peacefully, quietly, undisturbedly; peaceably.

миро *рел.* chrism, consecrated oil; одним **~м** мазаны *погов.* tarred with the same brush.

миров‖ая *s.* peace-making; заключать **~ую** to make peace; пойти на **~ую** to settle peacefully.

мировоззрение conception of the world, world-view; world-outlook, one's views, one's creed; пролетарский м. proletarian world-outlook (world-view).

миров‖ой I.: м. посредник conciliator, arbitrator; м. судья *уст.* justice of peace (*сокр.* J. P.); **~ая** сделка arrangement, peaceful settlement, composition.

миров‖ой II.: м. кризис капитализма the world crisis of capitalism; **~ая** война world war; **~ая** держава world power; **~ая** революция world revolution; **~ое** хозяйство world economy.

мироéд village usurer.

мироздáние the universe, the creation.

миролюб‖и́вый peaceable; ∼и́во peaceably; '∼ие peaceable disposition.

миропомáзан‖ие *церк.* anointing, chrism; ∼ник *рел.* the Lord's Anointed.

миро‖понимáние, ∼созерцáние *см.* мировоззрение.

ми́рра myrrh.

Ми́рра Муга.

мирск‖óй worldly, secular, mundane, lay, laic, temporal; ∼áя суета worldly vanity; ∼ая сходка meeting of peasants; ∼и́е дела temporal (secular) affairs; the affairs of a village community (*в деревне*).

мирт *бот.* myrtle.

миря́н‖ин, ∼ка layman, secular; ∼е the laity, laymen.

ми́ска tureen.

мисс Miss (*обычно с именем или фамилией*).

миссионéр, ∼ский missionary; ∼ство mission, missionary work.

ми́ссис Mistress (*пиш.* Mrs, *употр. перед фамилией*).

Миссисипи the Mississippi.

ми́ссия mission; иностранная м. foreign mission, legation.

Миссу́ри the Missouri.

ми́стер Mister (*пиш.* Mr, *употр. перед фамилией; как обращение без фам.—вульг.*).

мистéри‖я mystery, miracle-play, passion-play (*средневек. драмы*); элевсинские ∼и Eleusinian mysteries.

ми́стик mystic; ∼а mysticism.

мистифи‖кáтор mystifier, hoaxer; ∼кáция mystification, hoax, practical joke; ∼ци́ровать to mystify.

мисти‖ци́зм mysticism; '∼ческий mystic.

мистрáль mistral.

ми́стрис *см.* миссис.

митéнка mitt(en).

ми́тинг meeting; м. под председательством... meeting presided over by...; ∼овáть *ирон.* to discuss without end.

миткáль calico.

ми́тра mitre.

митральéза *военн.* mitrailleuse.

митрополи́т *церк.* metropolitan.

ми́ттель *тип.* English (14 point).

миф myth; сведения оказались ∼ом the information proved a myth (proved to be wrong); ∼и́ческий mythic(al); ∼óлог mythologist; ∼ологи́ческий mythological; ∼оло́гия mythology.

Михаи́л Michael.

мицéлий *бот.* mycelium, mushroom-spawn.

Мичигáн Michigan.

ми́чман midshipman, middy.

мишéн‖ь target, (shooting-)mark; м. для насмешек butt of scorn (ridicule); глазок ∼и bull's-eye.

ми́шка Bruin (*медведь*); Teddy bear (*игрушка*).

мишур‖á tinsel, trumpery, flashiness, glare, tawdry brilliance; '∼ный tawdry, flashy, gaudy; *attr.* trumpery, gimcrack, tinsel; ∼ный блеск tawdry brilliance, flashiness.

миели́т *мед.* myelitis.

МК (*Московский комитет партии*) Moscow Committee of the Communist Party.

младéн‖ец baby, infant, child (in arms); ∼ческий infantine, infantile; ∼чество babyhood, infancy.

млад‖óй, '∼ость *поэт.*, *см.* молодой, молодость.

младотýрок Young Turk.

млáдши‖й younger, junior(*сравн. ст.*); the youngest (*превосх. ст.*); inferior (*о служащем*); м. компаньон junior partner; м. комсостав *военн.* junior commanding staff; ∼е the juniors.

млекопитáющ‖ий mammiferous, mammalian; ∼ее mammal; ∼ие mammalia, mammals.

млеть to be deeply moved (affected by tender emotions), to be sweet on (*перед кем-л.*).

млéчный lactic, lacteal; М. путь *астр.* galaxy, the Milky Way.

мне me, to me; на м. была шляпа I was wearing a hat, I had on a hat; обо м. много говорят I am much spoken of.

мнемóни‖ка mnemonics; '∼ческий mnemonic.

мнéни‖е opinion, mind, judgement; общее м. common repute; общественное м. public opinion, vox populi; особое мнение reserved opinion; он стоит высоко в её ∼и he stands high in her favour, she has a high opinion of him; по моему ∼ю to my mind, in my opinion, in my judgement; по общему ∼ю in common repute; держаться хорошего (плохого, высокого) ∼я to think well (badly, highly) (*of*); быть о себе высокого ∼я to be conceited, to think no small beer of oneself.

мни́м‖ый pretended, imaginary, supposed, would-be, sham; м.

больной imaginary (pseudo-)invalid; ⌐ая величина *мат.* imaginary quantity; ⌐о умерший apparently dead.

мни́тель‖**ость** mistrustfulness, over-anxiousness about one's health, mollycoddling; ⌐ый mistrustful, over-anxious about one's health.

мни́т‖**ь** to think, imagine, suppose; мне ⌐ся it seems to me.

мно́гие many, a great (good) many, several, not a few; м. ду́мают ина́че there are many who think differently; м. из них мне знако́мы I know several (a good many) of them.

мно́го 1. (*в смысле им. сущ.*) much, many, a great (good) deal, a lot, lots (*of*); м. рабо́ты a great press of work; м. раз many times, many a time; в э́том м. пра́вды there is much (a lot of) truth in it; у нас м. вре́мени we have plenty of time; э́то вы́звало м. вопро́сов it brought about (raised) a crop of questions; на м. (*со сравн. степенью*) by far; 2. (*в смысле наречия*) much, a great deal; м. обя́зан вам I am much obliged to you; ему́ м. бо́льше 40 he is well past (over) forty; ему́ м. лу́чше he is a great deal better; он сли́шком м. хва́стается he boasts too much.

мно́го- many-, poly-, multi-.

многоато́мный *хим.* polyatomic.

многобо́жие polytheism.

многобра́ч‖**ие** polygamy; ⌐ный polygamous.

многова́то a bit too much.

многово́дный abounding in water, watery.

многоглаго́лание *уст.* verbosity, prolixity, loquacity.

многоголо́вый many-headed.

многогра́нн‖**ик** *геом.* polyhedron; ⌐ый *геом.* polyhedral; *фиг.* many-sided, varied; ⌐ая ли́чность many-sided personality.

мно́го‖**е** much; мне на́до м. сде́лать I have a number of things to do; во ⌐м in many respects.

много‖**же́нец** polygamist; ⌐же́нство polygamy.

многозву́ч‖**ие** *муз.* polyphony; ⌐ный polyphonic.

многоземе́льный possessing much land.

многозна‖**чи́тельность** significance; ⌐чи́тельный significant, of great significance; ⌐чи́тельно significantly, with great significance.

многозна́чное число́ a number of many figures (ciphers).

многокра́сочный polychromatic, many-coloured.

многокра́тн‖**ость** multiplicity, frequency; ⌐ый reiterated, frequent, multiple, numerous; *гр.* frequentative; ⌐о many times, over and over, repeatedly, time and again.

многоле́т‖**ие** long life, longevity; *уст.* prayer for the prolongation of life; ⌐ний of several years, standing; ⌐ний труд many years' labour; ⌐нее расте́ние perennial (plant).

многоли́кий many-sided.

многолю́д‖**ность** populousness; ⌐ный populous, crowded; ⌐ство populousness.

многомиллио́нн‖**ый**: ⌐ая ма́сса multimillioned mass.

многому́ж‖**ие** polyandry; ⌐ний polyandrous.

многоно́жка *зоол.* myriapod.

многообеща́ющий hopeful, promising; *амер.* likely.

многообра́з‖**ие** multiformity, diversity; variety; ⌐ный multiform, diverse, manifold, varied; ⌐ные измене́ния protean changes.

многопо́льная систе́ма crop-rotation system of more than three fields.

многополю́сный *эл.* multipolar.

многоречи́‖**вость** loquacity, verbosity, prolixity, wordiness; ⌐вый loquacious, verbose, prolix, wordy.

многосеме́йный having a large family.

многосло́в‖**ие**, ⌐ный *см.* многоречи́вость, многоречи́вый; ⌐ный ора́тор windbag.

многосло́жн‖**ый** complicated, complex; *гр.* polysyllabic; ⌐ое сло́во polysyllable.

многосторо́нн‖**ий** many-sided, versatile (*напр. ге́ний, ум*); *геом.* polygonal, multilateral; ⌐ость versatility, variety.

многострада́льный who has suffered much.

многотира́жный of wide circulation (*о печати*).

многото́мный voluminous.

многото́чие row of dots.

многотру́дный toilsome, operose.

многоуважа́емый respectable; dear (*в письмах, в обращении*).

многоуго́льн‖**ик** *геом.* polygon; ⌐ый *геом.* polygonal.

многофа́зный *эл.* multiphase.

многоцве́тный polychromatic, polichrome, many-coloured; *бот.* multiflorous.

многоча́дный having many children.

многочи́сленн‖ость numerousness, multiplicity, plurality; **~ый** numerous, multiple.

многочле́н, ~ный *мат.* multinomial.

многоэта́жный many-storeyed.

многоязы́чный polyglot.

мно́жествен‖ность plurality; **~ный** plural; **~ный** *мед.* neuritis; **~ное число** *гр.* plural (number).

мно́жество great number (quantity), multitude, numbers, lots, host, scores; м. хлопот a peck of trouble; их бы́ло м. they were many, there were lots of them.

мно́жи‖мое *мат.* multiplicand; **~тель** multiplier, factor; **~ть** to multiply; **~ться** to be multiplied.

мной, мно́ю by me.

мобилиз‖а́ция mobilization; м. масс (сил, средств) mobilization of the masses (of forces, means); **~ова́ть** to mobilize.

могары́ч wetting a bargain.

мо́гер *текст.* mohair.

могика́не the Mohicans; после́дний из **могика́н** the last of the Mohicans.

моги́л‖а grave; *рит.* tomb, sepulchre; чахотка свела его в **~у** consumption carried him off; быть на краю **~ы** to be on the brink of the grave; **~ьный** sepulchral; **~ьный** холмик mound; **~ьная** плита grave-stone, tomb-stone; **~ьщик** grave-digger, sexton; *зоол.* necrophore (*жук*); **~ьщик** капитализма grave-digger of capitalism.

могот‖а́: не в **~у** beyond endurance.

могу́ч‖есть strength, might (-iness), power(fulness); **~ий** strong, powerful, mighty.

могу́ществ‖енный potent, powerful, mighty; **~енно** potently, powerfully; **~о** potency, power, might.

могу́щий he who can.

МОГЭС (*Московское объединение государственных электрических станций*) Moscow Electric Power Station Trust.

мо́д‖а fashion, vogue; *уст.* mode; журнал **мод** fashion journal; быть в **~е** to be in vogue (fashion); to be the craze; to be the thing; не по **~е** out of fashion;

синие носки тепе́рь в **~е** blue socks are now the thing; по после́дней **~е** in the latest fashion; ввести́ **~у** to set the fashion; входи́ть в **~у** to become fashionable, to come into fashion; выходи́ть из **~ы** to go out, to cease to be fashionable.

мода́льн‖ость modality; **~ый** modal.

моде́л‖ировать to model, fashion, shape; **~иро́вка** moulding; **'~ь** model, pattern; **'~ьщик** modeller.

модерни‖за́ция modernization; **~зи́ровать** to modernize; **'~зм** modernism; **'~ст** modernist; **'~стский** modernist, new-fangled.

модильо́н *арх.* modillion.

моди́стка milliner, modiste.

модифи‖ка́ция modification; **~ци́ровать** to modify.

мо́дн‖ик dandy, man of fashion; **~ица** fashionable woman; **~ичать** to follow the fashion, to dress in the latest fashion; **~ый** fashionable, stylish; **~ый** журна́л fashion-plates; **~ая** карти́нка fashion-plate; это тепе́рь са́мое **~ое** it is the only wear now, it is now the thing; **~ые** това́ры fancy goods, millinery.

модули́ровать *муз.* to modulate.

мо́дуль *мат.* modulus.

модуля́ция *муз.* modulation.

мо́дус виве́нди modus vivendi.

моё *см.* мой.

мо́жет быть perhaps, maybe, possibly; м. б. э́то ве́рно it may be true; *см. тж.* мочь I.

можжеве́л‖овый: ~овая насто́йка geneva, gin, Hollands; **~ьник** juniper.

мо́жно it is possible, one may, one can; м. мне взять э́то? may I take it?; е́сли м. if possible, if you can; как м. скоре́е as soon as possible.

моза́и‖ка mosaic, tessellation; деревя́нная м. marquetry, inlaid work; **'~чный** tessellated, mosaic.

Мозамби́кский проли́в the Mosambique Channel.

мозг brain; *анат.* cerebrum; marrow (*костный*); спинно́й м. spinal cord; воспале́ние **~а** brain fever, cephalitis; до **~а** косте́й to the core; он продро́г до **~а** косте́й he was chilled to the marrow; шевели́ть **~а́ми** to rack one's brains; to put on one's thinking cap; теля́чьи **~и** calf's brain.

мозгл‖ый unwholesome; lean, thin (*о человеке*); **~як** *вульг.* weakling, weed.

мозгов∥и́тый *вульг.* clever, intelligent; *амер.* brainy; ∼о́й cerebral; ∼а́я кость marrow-bone; ∼а́я ты́ква *бот.* vegetable marrow; мя́гкая (твёрдая) ∼а́я оболо́чка pia (dura) mater; воспале́ние ∼ы́х оболо́чек *см.* менинги́т.

мозж∥ечо́к cerebellum, little (hinder) brain; ∼и́ть to split, cleave; мне ∼и́т го́лову my head is ready to split.

мозо́л∥истый horny, callous, toil-hardened; ∼ить глаза́ to be an eyesore, to annoy; ∼ь corn; callosity; мокну́щая ∼ь soft corn; наступи́ть к.-л. на ∼ь to tread on someone's corns; люби́мая ∼ь *шут.* pet corn; ∼ьный опера́тор corn-cutter, chiropodist; ∼ьный пла́стырь corn-plaster.

Моисе́й Moses.

мой my (*attr.*), mine (*predic.*); м. прия́тель a friend of mine; my friend; э́тот дом м. this house is mine; э́то моё this is mine.

мо́йка washing.

мокаси́ны moccasins.

мо́кка mocha, Mocha coffee.

мо́кнуть to become wet (soaked, drenched), to soak.

мокре́ц *вет.* malanders.

мокри́ца wood-louse.

мокрова́тый wettish, moist.

мокрота́ wet, wetness, moisture, humidity.

мокро́т∥а phlegm; *мед.* sputum; отха́ркивать ∼у to expectorate the phlegm; ∼ный *мед.* pituitary, pituitous.

мо́кр∥ый wet, moist; soggy (*о почве*); м. до ни́тки wet to the skin; м., хоть вы́жми wringing (dripping) wet, wet through; ∼ая пого́да sloppy weather; ∼ое от дождя́ окно́ rain blurred window.

МОКХ (*Моско́вское областно́е коммуна́льное хозя́йство*) Moscow District Board of Works.

мол I. pier, jetty, breakwater.

мол II. (*от* молвить) he says, then; он, м., иска́л he says he looked for it.

мол∥ва́ report, rumour, common talk, fame; идёт м. it is rumoured (there is a rumour) that; '∼вить to say.

молда́в∥анин, ∼а́нский Moldavian; М'∼ия Moldavia; М'∼ская АССР the Moldavian Autonomous Soviet Socialist Republic.

моле́бен public prayer.

моле́кул∥а molecule; ∼я́рный molecular; ∼я́рный вес molecular weight (*пиш.* ᵐᵒl. wt.).

моле́∥льня *церк.* oratory, a room for private worship (*ко́мната в до́ме*); chapel; meeting-house (*у раско́льников; после́днее ча́сто пренебрежи́тельно*); ∼ние (act of) prayer, praying, supplication.

моле́скин moleskin.

моле́точина moth-eaten part.

молибде́н *хим.* molybdenum; ∼о́вая сталь molybdenum steel.

моли́тв∥а prayer; м. до (по́сле) еды́ grace; ∼енник prayer-book; ∼енный prayerful; devout.

моли́ть to pray, supplicate, entreat, implore, beseech (*о ч.-л.— for*); ∼ся to pray, to offer prayers (*о ч.-л.—for*).

моллю́ск mollusc; shell-fish (*в рако́вине*); ∼овый molluscous; molluscan; ∼ообра́зные *зоол.* molluscoida.

молнеотво́д lightning-conductor, lightning-rod.

молниено́сн∥ый quick as lightning; с ∼ой быстрото́й like (greased) lightning, with lightning speed, like wild-fire.

мо́лни∥я lightning, flash (streak) of lightning; *поэт.* levin; зигзагообра́зная (лине́йная) м. forked lightning, fork; распли́вчатая м. sheet-lightning; шарови́дная м. globe-lightning, fire-ball; сверка́ет м. it lightens; телегра́мма-м. express message; с быстрото́й ∼и like (as quick as) lightning.

молода́я *см.* молодо́й.

молодёжь youth, young people; золота́я м. gilded youth; уча́щаяся м. students; Коммунисти́ческий сою́з ∼и Young Communist League.

моло∥де́ние rejuvenescence; '∼де́нький (very) young; ∼де́ть to grow young again.

молоде́∥ц lad, young fellow (*тж.* мо́лодец); brave *or* clever person; brick (*sl.*); м.! bravo!, well done!; *амер.* bully for you! (*sl.*); ∼цкий valiant, mettlesome; уда́ль ∼цкая dashing bravery; ∼цки valiantly, bravely; ∼ческий *см.* молоде́цкий; ∼чество display of courage, foolhardiness.

молоди́ло *бот.* sempervivum.

молод∥и́ть to make young again, to rejuvenate; to make one look younger; ∼и́ться to make oneself look younger than one's age; ∼и́ца young married woman; '∼ка 1. *см.* молоди́ца; 2. pullet (*о ку́рице*); ∼ня́к undergrowth, saplings; the young generation; комсомо́льский ∼ня́к Young Communist; ~ожёны bride and bride-groom, newly-married couple.

молод‖о́й 1. *a.* young, youthful; м. картофель new potatoes; м. месяц new moon; м. человек young man; ~о́е вино new wine; 2. *s.* bridegroom; ~а́я bride; ~ы́е newly married couple.

мо́лод‖ость youth, juvenility, prime; с ~у since youth, from childhood; ~у́ха *см.* молодица.

молодцева́т‖ость dashing appearance, dash, swagger; ~ый spirited; dashing, sprightly.

моло́дчи‖к (young) fellow; '~на brick (*sl.*); ~на! well done!, bravo! **молоды́е** *см.* молодой.

молож‖а́вость youthful looks; ~а́вый youthful, young-looking; young for one's years; '~е younger; он ~е меня на три года he is my junior by three years.

моло́зиво *мед.* colostrum.

моло́ки soft roe, milt (*у рыбы*).

моло́к‖о́ milk; кислое м. sour milk; миндальное м. milk of almonds; сгущённое м. condensed (evaporated) milk; у него ещё м. на губах не обсохло he is too young; he is still in his salad days; выделение ~а́ lactation; обожжёшься на ~е́ станешь дуть и на воду *посл.* a burnt child dreads the fire; ~ове́д milk expert; ~осо́с green-horn, puppy, unfledged youth; М—осою́з Milk Trust.

'мо́лот large hammer, maul, beetle; кузнечный м. sledge; паровой м. steam-hammer; рыба-м. *зоол.* hammer-fish, hammer-head; между ~ом и наковальней *фиг.* between the hammer and the anvil; between the devil and the deep sea; between wind and water; ~и́лка threshing-machine, thresher; ~и́ло swingle; ~и́льщик thresher; ~и́ть to thresh, thrash; ~и́ться to be threshed; ~обо́ец hammerer.

молот‖о́вище hammer-handle; ~о́к hammer; ~о́к аукционера hammer; *амер.* gavel; деревянный ~о́к mallet; продавать с ~ка́ to put up (for sale), to sell by auction; картина была продана с ~ка́ the picture came under the hammer.

моло́ть to grind, mill; м. вздор to talk nonsense; ~ба́ threshing; ~ся to be ground.

Моло́х Moloch (*тж. фиг.*).

моло́чай *бот.* euphorbia, spurge.

моло́чн‖ая *s.* creamery, dairy, milkshop; ~ик milk-jug (*посуда*);

milkman, dairyman (*торговец*); ~ица woman who sells milk, milkmaid; dairymaid (*особ. работница на молочной ферме*); *мед.* thrush; ~ый of milk, milky, lactic; ~ый брат foster-brother; ~ый зуб milk-tooth; ~ый поросёнок sucking pig; ~ый сахар milk sugar, lactose; ~ый скот dairy cattle; ~ая кислота lactic acid; ~ая корова milch cow; ~ая лихорадка milk-fever; ~ая торговля, ферма dairy, creamery; ~ое дело dairying, dairy farming; ~ое лечение milk-cure; ~ого цвета milky, cream coloured.

мо́лча silently, mutely, tacitly, in silence, without a word; ~ли́вость taciturnity, reticence; ~ли́вый taciturn, uncommunicative, silent, reticent; ~ли́вое согласие tacit consent; ~ли́во *см.* молча; '~ние silence; нарушать (хранить) ~ние to break (keep) silence; ~ние—знак согласия *посл.* silence gives consent; ~ние—золото silence is golden; взятка за ~ние hush-money.

молч‖а́ть to keep silence, to be silent (mute), to hold one's tongue (peace); м.! silence!; hush!; hold your tongue!; shut up! (*sl.*); м. от застенчивости to have lost one's voice; заставить м. to silence, hush, muzzle, to reduce to silence; ~ко́м *см.* молча; ~о́к! not a word!, mum's the word!

моль (clothes-)moth; изъеденный ~ю moth-eaten.

мольба́ entreaty, prayer, supplication.

мольбе́рт easel.

моме́нт moment; м. вращения *техн.* moment of rotation; м. инерции moment of inertia; текущий м. the current (present) moment; удобный м. opportune moment; ~а́льный momentary (делать) ~а́льный фотографический снимок (to) snapshot; ~а́льно in a moment, instantly; *разг.* in a jiff(y), in two jiffs.

мона́да *филос.* monad.

мона́рх monarch, sovereign; ~и́зм monarchism; ~и́ст monarchist; ~и́ческий monarchic(al); ~ия monarchy; абсолютная (конституционная) ~ия absolute (limited) monarchy.

монасты́р‖ский monastic, conventual, claustral, cloistral; ~ь cloister; monastery, friary (*мужской*); nunnery, convent (*женский*); *разг.* monkery; заключать в ~ь to cloister; в чужой ~ь со своим уставом не ходят *посл.* do in Rome as the Romans do.

мона‖х monk, friar; coenobite (*живущий в монастыре, в противоп. затворнику* anchoret); ~хиня, ~шенка nun; ~шеский monastic, monac(h)al, cloistral, claustral, conventual; *пренебр.* monkish; ~шеский орден monastic order; ~шеская жизнь monasticism; *разг.* monkery; ~шество monasticism, monachism; regular clergy, monks; *разг.* monkery; ~шествовать to lead a monastic life; ~шка nun.

Монблан Mont Blanc.

монгол Mongol(ian); М~ия Mongolia; ~1 ский (язык) Mongolian.

монет‖а coin, a piece of money; м. в 3 пенса threepenny piece; звонкая м. specie, hard cash; разменная м. current coin; фальшивая м. false (spurious, base) coin; уплата звонкой ~ой specie payment; платить той же ~ой to pay one in his own coin, to give as good as one gets, to repay in kind; гони ~у! *разг.* pay up!; принять за чистую ~у to accept as sincere; ~ный monetary; ~ный двор mint; ~ный мастер coiner; ~ная система coinage.

мони‖зм *филос.* monism; ~ст monist; ~стический monistic; ~стическое понимание истории monistic comprehension of history.

монисто necklace.

монитор *мор.* monitor.

МОНО (*Московский отдел народного образования*) Moscow Board of Education.

моногамия monogamy.

монограмма monogram, cipher.

моногр‖афический monographic; ~афия monograph; автор ~афии monographist.

монодия *муз.* monody.

монодрама monodrama.

монокль single eyeglass, monocle.

монолит monolith; ~ность партии monolithic unity of the party; ~ный monolithic.

монолог monologue, soliloquy; произносить м. to soliloquize.

монём *мат.* monomial.

мономания *мед.* monomania.

монометалл‖изм *экон.* monometallism; сторонник ~зма monometallist; ~стический monometallic.

моноплан monoplane.

моноплегия *мед.* monoplegia.

монопол‖изация monopolization; ~изировать to monopolize; ~ист

monopolist; ~истический monopolist; ~истический капитализм monopolist capitalism; '~ия monopoly; ~ия внешней торговли monopoly of the foreign trade; нефтяная ~ия oil monopoly; хлебная ~ия grain monopoly; частно-капиталистическая ~ия private capitalist monopoly; '~ьный exclusive, monopolistic.

монотеи‖зм monotheism; ~ст monotheist; ~стический monotheistic.

монотип, ~ия *тип.* monotype.

монотон‖ность monotony; ~ый monotonous; ~ый труд monotonous work (toil); *фиг.* treadmill; ~ые звуки monotonous sounds, monotone; ~о monotonously, in monotone; ~о говорить to drone, monotone.

монофтонг *фон.* monophthong.

монохорд *муз.* monochord.

монпансье fruit drops, lozenges.

Монреаль Montreal.

Монрое: доктрина М. Monroeism, Monroe doctrine.

монстр monster.

монтаж assembling, mounting; dramatic editing (*кино*); ~ная мастерская assembly-room.

монтаньяр *фр. ист.* montagnard.

монт‖ёр jointer, assembler, mounter (*сборщик машины*); fitter (*электромонтёр*); ~ировать *техн.* to assemble, mount, fit.

монумент monument; ~альный monumental.

МОПР (*Международная организация помощи борцам революции*) International Labour Defence; International Aid Organization for Revolutionary Fighters.

мопс pug(-dog).

мор pestilence, plague.

Моравия Moravia.

морал‖изировать to moralize; ~ист moralist; ~ите *театр.* morality; '~ь moral philosophy (science), ethics; moral (*басни и т. д.*); классовая ~ь class moral; прописная ~ь copy-book morality (maxims); '~ьный moral, ethical; spiritual, mental (*противоп. физический*); '~ьно morally, ethically; spiritually.

мораторий *юр., комм.* moratorium.

морг morgue.

морганатический morganatic.

морг‖анье blinking, winking; ~ать, ~нуть to blink, wink, twinkle; to nict(it)ate.

мо́рда muzzle, snout; ugly face (*о человеке*); ' ⊲стый with a large muzzle.

морд‖ви́н, ⊲о́вка Mordvin; М⊲о́вская АССР Mordvinian Autonomous Republic.

мор‖е sea; *поэт.* the deep; м. крови seas of blood; открытое м. the open sea, the high seas, the main; м. разливанное abundance of everything, groaning board; в открытом м. at sea, off shore; выйти в м. to put to sea; на м. on the sea; за м., за ⊲ем over (beyond) the sea; overseas; ⊲ем by sea, by water; перевозимый ⊲ем (*о товаре*) sea-borne; к ⊲ю seawards; свобода ⊲е́й *пол.* freedom of seas.

море́ль *бот.* morello.

море́на *геол.* moraine.

морёный: м. дуб fumed oak.

морепла́ва‖ние navigation, seafaring; ⊲тель navigator, seaman; ⊲тельный nautical.

мореход *см.* мореплаватель; ⊲ный nautical; sea-going, sea faring; ⊲ство navigation.

морж walrus, morse, sea-horse.

Мо́рз‖е: азбука М. Morse alphabet (code); м⊲и́ст telegraphist using Morse apparatus, Morse operator.

мори́ть to starve, famish (*голодом*); to exterminate, kill (*крыс и пр.*); to exhaust, worry to death (*утомлять, уморить*); stain (*дерево*); to fume (*дуб*).

морко́вь carrot.

мормо́н Mormon; Latter-Day Saint (*название, употребл. самими мормонами*); ⊲ство Mormonism.

моров‖о́й: ⊲а́я язва, ⊲о́е поветрие pestilence, plague.

моро́жен‖ица ice-cream mould, freezer; ⊲ое ice; ⊲ое с вафлями ice-cream bricklet; сливочное ⊲ое ice-cream; ⊲щик iceman.

моро́з frost; м. без инея black frost; м. с инеем white (hoar) frost; м. щиплет the frost bites; сильный м. hard (sharp) frost; трескучий м. a ringing frost; меня м. по коже пробирает *фиг.* it makes my flesh creep; it makes me crawl; побивать ⊲ом to frost, nip (*растения*); ⊲ить to freeze, congeal; ⊲ит it freezes; ⊲иться to be exposed to frost; ⊲ник *бот.* black hellebore, Christmas Rose; ⊲ный frosty, rimy; ⊲ный узор на стёклах frost-work; ⊲но it freezes; ⊲о́бина *лес.* frost hole; ⊲оусто́йчивый *бот.* frost-hardy.

мо́рок darkness.

мороси́‖ть to drizzle; ⊲т it is drizzling.

моро́ч‖ение deceiving, mystification; ⊲ить to deceive, hoax, mystify; to pull someone's leg (*sl.*).

моро́шка cloudberry.

морс cranberry juice (beverage).

морск‖о́й sea-, marine, maritime; nautical (*мореплавательный*); naval (*военно-морской, корабельный*); *ест. ист.* pelagic (*океанский*); м. берег sea-shore, seaside, sea-coast; м. бой sea-fight, naval engagement; м. волк sea-wolf (*рыба*); *фиг.* old salt, sea-dog; м. ёж *зоол.* sea-urchin, echinus; м. житель (*игрушка*) bottle-imp, Cartesian devil; м. залив gulf; м. конёк *зоол.* hippocampus, sea-horse; м. лев *зоол.* sea-lion; м. орёл (белохвост) *зоол.* erne; м. офицер naval officer; м. порт sea-port; м. разбойник pirate, sea-rover; м. сухарь hard-tack; ship's biscuit; м. термин nautical term; м. флот navy (*военный*); commercial fleet, merchant marine (*торговый*); ⊲а́я болезнь sea-sickness; я (не) подвержен ⊲о́й болезни I am a bad (good) sailor; ⊲ая вода sea-water, salt water; ⊲ая звезда star fish; ⊲ая змея *зоол.* sea-serpent; ⊲ая капуста *бот.* sea-kale; ⊲ая корова *зоол.* sea cow; ⊲ая пенка meerschaum; ⊲ая свинка *зоол.* guinea-pig; ⊲ая свинья *зоол.* porpoise; ⊲ая школа naval school; ⊲ое купанье sea-bathing; ⊲ое страхование maritime (marine) insurance; ⊲ое судно sea-boat; ⊲ое училище naval school.

морти́ра *военн.* mortar; окопная м. trench mortar.

мо́рфи‖й morphia, morphine; впрыскивать м. to inject morphia; ⊲ни́зм morphinism, morphinomania; ⊲ни́ст(ка) morphinomaniac.

морфо́лог morphologist; ⊲и́ческий morphological; ' ⊲ия morphology.

морфоно́мия morphonomy.

морщи́н‖а wrinkle; furrow (*глубокая*); crease, cockle, fold (*сгиб, складка и пр.*); ⊲ы в углу глаз crow's foot (*шут.*); ⊲истость rugosity; ⊲истый wrinkled, wrinkly, lined, creasy, cockled, furrowy; *ест. ист.* rugose.

мо́рщить to wrinkle, contract, purse, pucker; м. лоб to knit (contract, gather) one's brow, to wrinkle up one's forehead; ⌐ся to wrinkle, purse, pucker; to contract one's brow, to make a wry face; to cockle, shrivel, ruck up (*о складках и пр.*).

моря́к seaman, sailor; *шут.* Jack-tar; ста́рый м. old salt, sea-dog.

моря́на rough wind (chiefly blowing from the Caspian Sea into the mainland).

москате́ль‖ный: м. това́р chandlery; paints, oils *etc.*; ⌐ная торго́вля chandlery; ⌐щик dry salter, chandler, dealer in paints, oils *etc.*

Москва́ Moscow.

москви́ч(ка) inhabitant of Moscow.

моски́т mosquito.

моско́вский of Moscow; Moscow (*attr.*); м. банк Moscow Bank.

Мособлисполко́м (*Московский областной исполнительный комитет*) Moscow District Executive Committee.

Моссове́т (*Московский Совет*) Moscow Soviet.

мост bridge; аро́чный м. arch-bridge; вися́чий м. suspension-bridge; наплавно́й м. raft-bridge; пешехо́дный м. foot-bridge; подъёмный м. draw-bridge, pont-levis; понто́нный м. pontoon-bridge, bridge of boats, floating-bridge; разводно́й м. swing-bridge; цепно́й м. chain-bridge; переброси́ть м. че́рез реку́ to throw a bridge across a river, to span a river with a bridge.

мост‖и́льщик paver, paviour; ⌐и́ть to pave; ⌐и́ть по спо́собу Мак-Ада́ма (*инж., ум. 1836*) to macadamize; ⌐ки́ planked footway; gangway plank; ⌐ова́я roadway, carriage-way, pavement (*тэс.* тротуа́р); макада́мовая ⌐овая *см.* макада́м; торцо́вая ⌐овая block wood pavement; ⌐овая фе́рма bridge-girder.

Мосто́рг (*Московское Акционерное общество торговли*) Moscow Trading Company.

мо́ська pug-dog.

мот prodigal, spendthrift, squanderer; ⌐а́ть 1. to reel, wind (*наматывать*); 2. to squander, waste, to be flush with one's money (*тратить деньги*); 3. to shake, wag (*головой и пр.*); ⌐а́ться to wag, dangle, to hang loose; to knock about, hurry about; ⌐а́ться по све́ту to knock about the world.

моти́в motive, reason, cause, ground (*побудит. причина*); *муз.*

tune; motif (*в художественном произведении*); ⌐и́ровать to motivate, motive; ⌐иро́вка motivation, reason, justification.

мотну́ть *см.* мота́ть 3.

мотови́ло *текст.* reel, swift.

мото́в‖ка extravagant woman; ⌐ско́й wasteful, extravagant; ⌐ство́ prodigality, extravagance, wastefulness, squandering.

мото́к skein, hank.

мотоло́дка motor-boat.

мото́р motor; motor-car, auto-car, automobile; ⌐и́ст motorist; ⌐ная ло́дка motor-boat; ⌐острое́ние motor building.

мотоци́кл‖(ет) motor cycle; *шут.* chug-chug; коля́ска ⌐а side-car; е́здить на ⌐е *шут.* to chug-chug; ⌐и́ст motor-cyclist.

мото́чн‖ый: ⌐ая пря́жа thread in skeins.

моты́‖жить to hoe, grub, spuddle; ⌐га mattock, hoe, hack, spud.

мотылёк moth, butterfly.

моты́ль *техн.* crank.

мотылько́вый *бот.* papilionaceous.

мох moss; исла́ндский м. Iceland lichen (moss); печёночный м. liverwort, hepatica; обро́сший ⌐ом mossy, moss-grown; покрыва́ть ⌐ом to (cover with) moss.

мохна́‖тость hairiness shagginess; roughness, pilosity; ⌐тый hairy, shaggy; rough, long-napped (*о материи*); *бот., зоол.* pilose; ⌐тое полоте́нце Turkish towel.

мохови́‖к *зоол.* capercailye, wood-grouse (*глухарь*); ⌐о́й mossy; ⌐о́е боло́то moss-bog.

моцио́н exercise, constitutional; гуля́ть для ⌐а to take exercise.

моч‖а́ urine, water; stale (*лошадиная*); недержа́ние ⌐и́ irretention (spontaneous flow) of urine; заде́ржание ⌐и́ retention of urine; иссле́дование ⌐и urinoscopy.

моча́л‖ить to separate into fibres; ⌐ка bast-wisp; ⌐о bast.

моче‖ви́на *хим.* urea; ⌐во́й urinary; ⌐во́й ка́мень stone (in the bladder); ⌐во́й песо́к *мед.* gravel; ⌐во́й пузы́рь bladder; ⌐ва́я кислота́ uric acid; ⌐го́нное сре́дство diuretic; ⌐испуска́ние urination; ⌐испуска́тельный кана́л *анат.* urethra.

моче́‖ние wetting, soaking, maceration; ⌐ёный soaked.

моче‖полово́й urino-genital, genito-urinary; ⌐полов́ые боле́зни venereal diseases; ⌐то́чник *анат.* ureter.

мочи́ть to wet, moisten; to soak, steep, macerate; м. лён to ret flax; ~ся to get wet (*намокать*); to urinate, to make (pass) water; to stale (*о скоте*).

мо́чка 1. *см.* мочение; retting (*льна, конопли*); **2.** lobe of the ear (*уха*); *бот.* fibre.

мо||чь I. to be able; вы ~гли́ бы знать это you might have known that; ~гло́ бы быть лучше it might be better; как я ~гу́ сде́лать это? how can I possibly do it?; я сделаю всё что ~гу I will do my best (utmost), I will do all I can (all in my power); ~жет быть perhaps, maybe; не ~жет быть it is impossible, it can't be; you don't mean that?; ваша статья ~жет быть превратно истолко́вана your article is liable to misconstruction; он легко ~жет впасть в ошибку he is liable to err, he can be mistaken; она не ~жет не пошутить she cannot resist a joke (cannot help joking); как живёте-мо́жете? how goes the world with you?; мне не ~жется *разг.* I am unwell.

мочь II.: не в м., ~и нет it is beyond endurance; ~и нет как хочется пить I can't endure thirst any longer; I want to drink like hell (*sl.*); что есть (изо всей) ~и with all one's power, with utmost effort; крикнуть что есть ~и to shout at the top of one's voice; работать изо всей ~и to work at high pressure, to work as hard as possible; to work one's hardest.

моше́нни||к swindler, sharper, shark, impostor, rogue, rascal, scoundrel; ~чать to sharp, shark; to use tricks, play foul, swindle; ~ческий knavish, roguish; ~чество swindle, fraud, roguery, knavery; foul play (*в игре*).

мо́шка midge; ~ра́ swarm of midges.

мош||на́ pouch, purse; ~о́нка *анат.* scrotum.

мощ||е́ние paving; ~ёный paved.

мо́щи relic.

мо́щн||ость power, force, vigour; кривая ~ости *техн.* power curve; ~ый powerful, vigorous; ~о powerfully.

мощь power, vigour, might.

мразь filth, dirt; mean wretch (*о человеке*).

мрак darkness, gloom, obscurity; абсолютный м. pitch-darkness; ~обе́с obscurant(ist); ~обе́сие obscurantism.

мра́мор marble; отделанный под м. marbled; фальшивый м. scagliola; ~ная белизна marmoreal whiteness; ~ная доска marble table (slab).

Мра́морное мо́ре the Sea of Marmora.

мрачне́ть to darken, grow gloomy; to lour (*о небе*).

мрачн||ость gloom, gloominess; darkness; dreariness (*см.* мрачный); ~ый gloomy, sombre; dark, murky (*тёмный*); dismal, dreary, bleak, lugubrious (*печальный*); ~ый смех grim laughter; ~ое настроение dismal mood; *разг.* the blues, the dumps; ~ое небо black sky; быть очень ~ым to feel horribly dismal (depressed); ~о gloomily *и пр.*

мре́жа *см.* мережа.

МСПО (*Московский союз потребительских обществ*) Moscow Union of Consumers' Co-operative Societies.

мсти́тель revenger, avenger; ~ница avengeress; ~ность vindictiveness, revengefulness; ~ный vindictive, revengeful; vengeful (*рит.*); ~но vindictively, revengefully.

мстить to revenge oneself, to take one's revenge (*кому-л.—оп, upon a person*; *за ч.-л.—for*); м. врагу to take vengeance on one's enemy; м. за друга to avenge (revenge) a friend.

МТС (*машино-тракторная станция*) Machine and Tractor Service Station.

муа́р moire, watered silk; ~овый watered, moiré.

мудр||ёный difficult; abstruse; subtle, complicated; odd, queer, whimsical, tricky (*о характере и пр.*); в этом нет ничего ~ёного any fool can do it; утро вечера ~ене́е *посл.* the night will give you counsel; ~ено́ ingeniously, subtly; ~ено его найти it is difficult to find him; не ~ено, ничего нет ~ёного, что... no wonder, it is no wonder that...; что тут ~ёного? what wonder?

мудр||е́ц sage; на всякого ~еца́ довольно простоты *посл.* every man has a fool in his sleeve; ~и́ть to subtilize; ' ~ость wisdom; зуб ' ~ости wisdom tooth; в этом нет никакой ~ости there is no difficulty in it; ' ~ствовать to philosophize; ' ~ствующий sapient; ' ~ый wise, sage; ' ~о wisely, sagely.

муж husband; man; государственный м. statesman; обманутый м. cuckold; учёный м. man of learning.

мужа́ть to grow up, reach manhood; ⁓ся to take heart (courage); to man oneself.

мужело́ж‖ец sodomite, bugger; ⁓ство sodomy, buggery.

муженёк hubby (уменьш. от husband).

мужеподо́б‖ие mannishness; ⁓ный mannish, manlike.

му́жеский см. мужской; м. род гр. masculine gender.

му́жественн‖ость manliness, manhood, masculinity; ⁓ый manful, manly, masculine; ⁓о manfully.

му́жество courage, fortitude, manfulness, heart; разг. pluck; иметь м. отстаивать свои убеждения to have the courage of one's convictions; проявлять м. to play the man, to show courage.

мужи́‖к peasant, rustic, moujik; през. clod-hopper, lout, boor; ⁓кова́тость rusticity, boorishness; ⁓кова́тый rustic, boorish, clownish, loutish, clod-hopping; ⁓цкий peasant's; rustic, boorish; ⁓чка уст. peasant woman.

му́жни‖й, ⁓н husband's.

мужск‖о́й masculine, male; м. пол male sex; м. портной tailor; ⁓а́я рифма male (masculine) rhyme; ⁓о́го покроя (о женском платье) tailor-made; ⁓о́е окончание (стиха) masculine ending; ⁓о́е платье man's clothes, man's garment, gentlemen's clothing.

мужчи́на man, male.

му́за muse.

музе‖еве́дение the art of museum-management, museology; ' ⁓й museum; ' ⁓йная вещь museum specimen.

музици́ровать to have (make) music.

му́зык‖а music; военная м. military band; учитель(ница) ⁓и music-master (-mistress); положить на ⁓у to set to music; ⁓а́льность musicalness; ⁓а́льный musical; ⁓а́льный инструмент musical instrument; ⁓а́льно musically; ⁓а́нт musician.

му́к‖а torment, suffering, torture; ⁓и любви pangs of love; ⁓и Тантала tantalization; подвергать ⁓ам Тантала tantalize; вечные ⁓и everlasting death, eternal punishment, damnation; родовые ⁓и pangs of child birth, throes.

мука́ meal; flour (особенно крупчатая или пшеничная); farina (особенно картофельная); кукурузная м. corn-flour; непросеянная м. whole meal; овсяная м. oat-flour; перемелется—м. будет посл. things will come right.

Мукде́н Mukden.

мукомо́л miller; ⁓ьная мельница flour-mill, grist-mill, corn-mill.

муксу́н амер. broad whitefish.

мул mule; погонщик ⁓ов muleteer.

мула́т(ка) mulatto.

мулла́ mullah, moollah.

мультиплика́ция multiplication.

мумифи‖ка́ция mummification; ⁓ци́ровать to mummify.

му́мия 1. mummy; 2. colcothar (краска, полиров. порошок).

мунди́р uniform, full dress; полковой м. regimentals; картофель в ⁓е potatoes baked in their jackets.

мундшту́‖к bit (у лошади); mouthpiece, cigar(ette)-holder (для курения); ⁓чить to bit.

муниципал‖иза́ция municipalization; ⁓изи́ровать to municipalize; ⁓ите́т municipality; ' ⁓ьный municipal.

МУР (Московский уголовный розыск) Moscow Criminal Detection Department.

мура́ rubbish.

мурава́ grass, sward.

мура́ва гончарн. glaze.

мураве́й ant; ⁓ник ant-hill.

мура́в‖ить to glaze; ⁓ление glazing; ⁓леный glazed.

мурав‖ье́д зоол. ant-eater, ant-bear; ⁓ьиная кислота хим. formic acid; ⁓ьиные яйца ant-eggs.

мура́ш‖‖а ant; ⁓и фиг. the creeps; у меня от этого ⁓и по спине бегают фиг. it makes me feel creepy all over; it makes me crawl.

муре́на muraena (рыба).

мурлы́к‖анье purring, purr; ⁓ать, ⁓нуть to purr.

Му́рман(ск) Murman(sk).

муска́т nutmeg (орех); muscadine (виноград); muscatel, muscat, muscadel (вино, виноград); ⁓ный орех nutmeg; ⁓ный цвет mace; ⁓ная дыня musk-melon.

му́скул muscle; у него м. не дрогнул his muscle didn't twitch; ⁓ату́ра muscles, sinews; musculature; ⁓и́стость muscularity; ⁓и́стый muscular, sinewy, brawny; ⁓ьный muscular.

мускус musk; ~ный musky; ~ный бык musk-ox; ~ная утка musk-duck, muscovy duck.

муслин muslin, mousseline.

мюс‖лить, ~ólить to beslaver, slobber; ~ólиться to beslaver oneself, to be beslavered.

мусор dust, rubbish, trash, scrap.

мусор‖ить to litter; ~ный ящик dustbin, orderly bin; ~ная яма dusthole; ~осожигательная печь incinerator.

мусорщик dustman, scavenger; street-cleaner.

муссировать to puff up; м. слухи to exaggerate rumours.

муссон monsoon.

муст must (виногр. сусло).

мустанг зоол. mustang.

мусульман‖ин, ~ский Mussulman, Moslem; ~ство Mohammedanism, Islam.

мутация биол. mutation.

мут‖ить to disturb, puddle, make turbid; м. народ фиг. to stir up the people; меня ~ит I feel sick; ~иться to grow turbid, to be disturbed; ~нéть to grow turbid (thick, muddy); '~ный turbid, muddy, thick; ловить рыбу в '~ной воде to fish in troubled waters; '~ные глаза dull (lacklustre) eyes.

мутовка churn-staff (для сбивания масла).

мутуализм биол. mutualism.

муть turbidity, muddiness.

муфель гончарн. muffle.

муфлон зоол. moufflon.

муфта muff; техн. clutch; coupling; соединительная м. coupling-box; стяжная винтовая м. turnbuckle.

муфтий mufti.

мух‖а fly; мясная м. meat-fly, blow-fly; шпанская м. Spanish fly, blister-fly (beetle); делать из ~и слона to make a mountain out of a mole-hill; бумага для мух tanglefoot (клейкая бумага); ~оловка fly-trap, бот. Venus's flytrap, sundew; зоол. fly-catcher; ~омор fly-agaric.

мучени‖е torment, excruciation, torture, pain, agony (страдание); worry, vexation (беспокойство, неудобство).

мучени‖к, ~ца martyr; подвергать ~ческой смерти to martyr, martyrize; ~чество martyrdom.

мучитель tormentor; ~ница tormentress; ~ность torture, agony; ~ный excruciating, acutely pain-

ful, poignant; ~ная боль acute pain, keen pangs; ~ная головная боль racking (splitting) headache; ~ство tormenting, torturing, cruelty.

мучи‖ть to torment, rack, torture, excruciate, wring, distress, harass, vex, worry; to rankle (занистью) (см. мучение); его ~т подагра he is a martyr to gout; кошмар ~т спящего nightmare rides the sleeper; это ~т мою совесть it lies heavy (it weighs) on my conscience; ~мый неизвестностью in an agony of suspence, on thorns, on tenterhooks; ~ться to suffer, agonize, writhe, to be on the rack; worry, fret oneself (беспокоиться).

мучни‖к meal-man, meal-dealer; ~истый mealy, farinose, farinaceous; ~óй mealy, of meal; ~óй червь meal-worm.

мушка midge (уменьш. от муха); beauty-spot, patch (на лице); sight, aim (прицельная); loo (карт. игра); мед. cantharides, blister.

мушкет musket; ~ёр musketeer; ~óн blunderbuss.

мушмула бот. medlar.

муштабель жив. maulstick.

муштр‖a drill; ~овать to drill, discipline; ~óвка drill.

муэдзин muezzin.

МХАТ (Московский художественный академический театр имени Горького) Moscow Art Theatre.

мчать to whirl along; ~ся to hurry (whirl, tear) along; to go the pace; to cut (sl.).

мшанки зоол. polizoa, bryozoa.

мшист‖ость mossiness; ~ый mossy, moss-grown.

мщéние vengeance, revenge.

мы we.

мыза farm, country-house, farmstead, grange.

мызгать to soil.

мызник farmer.

мыка‖льница (для чесания льна) hackle, ripple; ~нне hackling, rippling (льна); фиг. wretchedness; ~ть to hackle, ripple (лён); rope ~ть фг. to live in misery, to lead a wretched life; ~ться по свету to knock about the world.

мыл‖ить to soap; to lather (сбивать мыло в пену); м. голову фиг. to give it one hot, to rate; ~иться to soap oneself; to lather (о мыле); to foam (о лошади); ~кий soapy, that lathers well; ~кость soapiness.

мыл‖о soap; foam, lather (на лошади); жидкое м. soft soap; туа-

летное м. toilet soap; ∼ова́р soap-
-boiler; ∼оваре́ние soap-boiling;
∼ова́ренный завод, ∼ова́рня soap-
-works; ∼ьница soap-box; ∼ьный
soapy; saponaceous (*в научном
язык'*); ∼ьный камень soapstone,
steatite; ∼ьный пузырь soap-bubble; ∼ьная пена lather, (soap-)
suds; пускать ∼ьные пузыри to
blow bubbles; ∼ьная *s.* wash-room
in Turkish bath; ∼ьня́нка *бот.*
soapwort.

мыс cape, promontory, headland,
foreland, head, ness, naze; point;
огибать м. to round (double) a
cape.

Мыс Горн Cape Horn.

Мыс До́брой Наде́жды the Cape
(of Good Hope).

мы́сленн∥ый mental; ∼о mentally, in spirit.

мысл∥и́мый thinkable, conceiv-
able; ∼и́тель thinker; ∼и́тельный
reflective, cogitative; ∼ить to
think; to cogitate; to represent to
oneself; to conceive.

мысл∥ь thought, idea, reflection,
notion, conception; задняя м. ar-
rière-pensée; ulterior motive; os-
новная м. dominant idea, keynote,
gist; м., пришедшая в голову задним числом afterthought; меня осе-
нила м. it occurred to me; подавать м. to give an idea, to suggest;
эта м. не выходит у меня из головы I can't get the idea out of my
head; the idea runs in my head; у
меня не было дурной ∼и I meant
well (no harm); моей единственной
∼ью было спастись my one thought
was to escape; я не знаю его образа
за ∼ей I don't know his opinions;
я одних ∼ей с вами I am of the
same opinion as you; собираться
с ∼ями to collect one's thoughts,
to take thought; ∼ящий thinking,
intellectual.

мыт strangles (*у лошадей*); moult
(*у птиц*).

мыта́рить to worry, to work
someone hard; ∼ся to have many
troubles; to work hard.

мыта́рств∥о trial, trying experience; терпеть ∼а to undergo trying experiences.

мы́тарь *библ.* publican.

мы́то *ист.* toll, customs, duty.

мыть to wash; *поэт.* to lave; м.
голову to shampoo; *фиг.* to rate,
scold; м. полы to scrub floors; м. посуду to wash up (dishes); м. шваб-
рой to mop, swab down; м. щёткой
to scrub; ∼ё washing, wash; ∼ся
to wash, to be washed.

мыча́∥ние low(ing), moo(ing);
bellow(ing); ∼ть to low, moo (*о ко-
ровах*); to bellow (*о быках*).

мышело́вка mousetrap.

м∥ы́шечный muscular.

мыш∥и́ный mouse's, of mice;
mousy (*о запахе*); ∼и́ная норка
mouse-hole; '∼ка *уменьшит. от*
мышь.

мышле́ние thinking, mentality;
абстрактное (диалектическое) м.
abstract (dialectical) mode of
thinking.

мышо́нок young mouse.

мы́шца muscle.

мыш∥ь mouse (*pl.* mice); лету-
чая м. bat; полевая м. field-mouse,
harvest-mouse; ловить ∼е́й to
mouse, to hunt mice.

мышья́к arsenic; сернистый м.
arsenic disulphide; ∼о́вистый ан-
гидрид *хим.* arsenious oxide; ∼о́-
вый ангидри-∻ *хим.* arsenic pen-
toxide.

мэр mayor; должность ∼а may-
oralty; ∼ия town hall.

МЮД (*Международный юношеский день*) International Youth
Day.

мю́зик-холл music-hall.

мю́ль∥ная маши́на *техн.* mule;
∼щица mule-spinner.

Мю́нхен Munich.

мя́гк∥ий soft, gentle, mild, sweet,
sweet-tempered, soft-hearted, easy,
compliant (*о характере, человеке*);
lenient (*не строгий*); smooth, soft,
sleek (*о коже, волосах*); tender (*о
мясе и пр.*); genial, m ld (*о климате*); м. как воск waxen, plastic
as wax; м. хлеб *мор.* soft tack
(*противоп.* hard tack); ∼ая вода
soft water; ∼ая зима mild (open)
winter; ∼ая погода mild (balmy,
mellow) weather; ∼ая материя
supple cloth; ∼ая прослойка pad,
wad; ∼ое нёбо *анат.* soft palate;
∼ое сердце soft (compassionate)
heart; спать на ∼ой постели to
lie soft; ∼о softly, gently; le-
niently, with a loose rein (*без
строгостей*); ∼опёрые *зоол.* mala-
copterygians; ∼осерде́чный soft-
-hearted; ∼осерде́чно compassion-
ately; ∼осе́рдие soft-heartedness,
soft heart; ∼ость softness, tenderness, gentleness, mildness; lenience, lenity (*снисходительность*);
geniality (*о климате*); suavity (*в
манерах*); ∼оте́лый soft-bodied;
фиг. feeble, flabby; ∼оте́лый человек weakling; ∼оте́лые *зоол.*
molluscs, mollusca; ∼още́рстный
soft-haired.

мягч‖éние softening; ~ительный *мед.* emollient, lenitive, demulcent; ~ить, ~иться to soften.

мяздрá flesh side (of hide).

мякин‖a chaff; старого воробья на ~е не проведёшь an old bird is not caught with chaff; ~ный chaffy.

мяк‖ш crumb (*в хлебе*); ~нуть to soften, to grow pulpy; ~оть flesh, soft flesh; pulp, flesh (*в плодах*).

мял‖ка, ~о brake (*для льна*).

мямл‖ить to mumble, drawl, to hum and ha, to speak slowly and inarticulately; ~я mumbler; irresolute person, milksop.

мясист‖ость fleshiness; pulpiness (*только о плодах*); ~ый fleshy; pulpy.

мясн‖ик butcher; ремесло ~икá butcher's trade; ~óe meat (*блюдо*); ~óй бульон broth; ~ой пирог meat-pie; ~áя муха meat-fly; ~ая пища animal food; ~ые консервы tinned (canned) beef.

мясо flesh; meat (*только как пища*); белое (чёрное) м. white (red) meat; дикое м. proud flesh; пушечное м. cannon fodder; food for powder; рубленое м. minced meat, mince; ни рыба ни м. neither fish, flesh, nor good red herring; ~éд *уст.* time when it was allowed to eat meat; ~пýст Shrove-tide, carnival, Sexagesima Sunday (*католич.*); ~рýбка mincing-machine; *амер.* meat-grinder; ~совхóз Soviet cattle (meat) farm; ~торгóвец carcass-butcher, meat-dealer; ~хладобóйня house for the slaughtering and cold storage of cattle.

мята mint; лесная м. wild (horse-)mint; перечная м. peppermint; полевая м. cornmint.

мятéж rebellion, revolt, insurrection, rising, mutiny; ~ник, ~ница rebel, mutineer, insurgent, insurrectionist; ~нический insurrectionary; ~ность rebelliousness; *фиг.* restlessness; ~ный rebellious, mutinous, seditious; insurgent; *фиг.* restless, passionate.

мятéль *см.* метель.

мятн‖ый mint (*attr.*), of mint; ~ая лепёшка peppermint (lozenge).

мятýщийся restless.

мят‖ь to rumple (*бельё, бумагу и пр.*); to tumble, disarrange (*постель*); to crumple (*комкать*); to ruffle, tousle (*ерошить*); to brake (*лён*); to trample on (*траву*); to

work up, knead, pug (*глину*); ~ый пар *техн.* exhaust steam; ~ься to be rumpled (tumbled *и пр.*); *фиг.* to hesitate, vacillate, to hum and ha.

мяук‖анье mew, mewing, wauling; ~ать, ~нуть to mew, miaow, waul.

мяч ball; м. для тенниса tennis-ball; футбольный м. football; играть в м. to play at ball.

Н на I. 1. at, by, on, upon (*на вопрос «где, на ком, на чём?»*); на вате wadded; на моей совести on (upon) my conscience; на Татарской in the Tatarskaya; на поле in the field; на полном ходу at full speed; на пяти страницах on five pages; на работе at work; на скачках at the races; на солнце in the sun; на столе on the table; на улице in the street; быть на море to be at sea; собака на цепи the dog is on the chain (is chained); 2. on, over, to, towards (*на вопрос «куда?»*); взбираться на дерево to climb up (upon) a tree; все на улицу! all into the street!; двигаться на запад move westwards (towards the west); итти на войну to go to war; сесть на корабль to go on board; сесть на стул to sit down on a chair; ехать в Германию на Штеттин to go to Germany via Stettin; 3. at, by, for, in, into, on, to, upon (*на вопрос «на кого, на что, с какой целью, на сколько?»*); на зиму for winter; на неделю for a week; на фут короче a foot shorter; на чёрный день for a rainy day; на что вам это? what do you want it for?; выписать чек на к.л. to draw cheque on one; дайте на 2 рубля марок give me 2 roubles worth of stamps; жить на ренту to live on an annuity; надеть кольцо на палец to put a ring on one's finger; опираться на палку to lean upon a stick; переводить на немецкий to translate into German; покупать на вес to buy by weight; положить на музыку to set to music; помножить на два to multiply by two; разделить на три части to divide into three parts; резать на куски to cut in (into) pieces; роптать на to murmur at; сделанный на заказ made to order; слепой на один глаз blind in one eye; смотреть на to look at; 4. *в отдельных идиом. выражениях:* на беду unfortunately; на-днях the other day; на дру гой день next day; на прошлой неделе last week; на скорую руку in haste.

на! II. there!; have (take) it!

на- *часто придает глаголам значение совершенного вида, например:* насмотреться, наболтать; *в случае отсутствия таких слов см. соответствующие простые глаголы.*

набáв‖ить, ~лять to add, increase; н. цену to raise the price, bid up.

набалдáшник knob; knobbed head.

набáт alarm, tocsin; бить в н. to ring the alarm bell.

набéг raid, foray, incursion, inroad; invasion, irruption; произвести н. to raid, foray; ~áть to run against; flow in (*о воде*); to fold (*о складках платья*).

набежá‖ть *см.* набегать; в минуту ~ло полбочки воды in a moment the tub was half full.

набекрéнь aslant; заломить шляпу н. to cock one's hat.

нáбело clean, fair; переписать н. to write out fair; переписанное н. clean (fair) copy.

нáбережная embankment, quay.

набивáть to fill, pack, stow, stuff; to print (*ситец и пр.*); to cram, fill, line, stuff (*желудок, карман и пр.*); н. ватой to wad; н. каблуки to heel; н. оскомину to set the teeth on edge; *фиг.* to bore by constant repetition; н. подушку пухом to stuff a cushion with down; н. трубку to fill a pipe; н. цену to raise the price, to outbid, overbid; ~ся битком to crowd, jam; ~ся на знакомство to force oneself into a person's acquaintance.

набúв‖ка padding, stuffing; н. чучел taxidermy; ~нóй *текст.* printed; ~нýе доски print-stamps.

набирáть to collect, gather, glean; *тип.* to compose, set up; н. рабочих to contract workers; н. солдат, войска to enlist (enroll) soldiers, to raise (levy) troops; н. мозаику to inlay; ~ся новых сил to recruit; ~ся смелости to grow bold; ~ся ума to grow wise.

набúт‖ый packed; н. золотом кошелёк purse thick with gold; н. дурак *разг.* an utter fool; ~ь(ся) *см.* набивать(ся).

наблюд‖áтель observer, spectator, overseer; ~áтельность keenness of observation; ~áтельный observant, observational; *фиг.* sharp as a needle; ~áтельный пункт post of observation; observation post (*при стрельбе, пишется* O pip); ~áть to inspect, observe, oversee, supervise, survey, watch, eye; ~ать за выполнением чего-либо to see things done; ~ать за кем-либо to look after, to keep an eye on one; ~ать за работами to inspect (control, superintend) works; ~áться: ~áется увеличение смертности an increase in mortality is noted; ~éние observation; superintendence; surveillance (*за подозреваемым*).

набóб nabob, nabáb.

нáбожн‖ость devotion, piety; ~ый devout, pious.

набóйка printed cloth (linen) (*о тканях*); heel-tap (*на каблуке*).

набóйщи‖к, ~ца linen-printer.

нáбок on one side, sideways.

наболé‖вший painful, aching, sore; н. вопрос a sore subject; ~ть to be painful, to ache.

набóльший *s.* principal, superior, head; boss (*sl.*).

набóр collection, set, assemblage; *военн.* conscription, levy, recruitment; *тип.* composition; type-setting (*процесс*); composed matter (*набранный материал*); н. рабочих hiring (recruiting) of workers; н. слушателей selection of students; н. слов mere verbiage; ~ная *тип.* type-setting office; ~ная машина type-setting machine; ~ная работа inlaid work, marquetry; ~щик compositor, type-setter.

набрáсыва‖ние sketching, adumbration; throwing on (over); ~ть to sketch, adumbrate, block in (out), rough in (out), jot, outline (*план, рисунок*); to throw on *или* over (*одежду и т. п.*); ~ться to fall on; to attack, assault, come down (upon); ~ться на книгу to throw oneself on a book; ~ться на еду to eat greedily.

набрáть(ся) *см.* набираться.

набрестú to come across; to strike against.

наброс‖áть, '~ить(ся) *см.* набрасывать(ся); '~ок sketch, draft, rough copy.

набрызгать to spill, spray, sprinkle with water.

набрюшник belly-band.

набух‖áние swelling; ~áть to swell; '~ший swollen.

навáга *зоол.* navaga (*kind [of fish*).

наваждéние temptation, witchcraft, evil suggestion, obsession.

навáксить to black (and polish).

наваля||вать, '∽ть to heap, pile up, accumulate; to fill, load, charge, put on; н. на воз товары to load (heap) a cart with goods; н. на кого-л. работу to load (overload) one with work; снегу '∽ло по колено the snow drifted up to the knees; народу в аудиторию ∽ло тьма the hall (the auditory) was overcrowded; ∽ваться, '∽ться to lean; bend; *мор.* to pull a good oar.

наваля́ть *вульг.* to do in haste.

нава́р broth; ∽ивать to cook in quantities; to brew (*пиво*); to weld (*металл*); ∽истый бульон strong broth.

навари́ть *см.* наваривать.

нава́щивать to beeswax, wax.

навева́ть to blow together, to drift, heap up; н. печаль to sadden; to make one melancholy.

наве́даться *см.* наведываться.

наведе́ние *лог.* induction; н. лоска polishing; varnishing; н. справок making inquiries.

наве́дываться to visit, to call on (upon); to inquire about *или* after (*справляться*).

наве́к(и) for ever, for good, to all eternity.

наве́рно(е) surely, certainly; most likely (*вероятно*); знать н. to know for a certainty; трудно сказать н. it is hard to say for sure.

наверну́||ть(ся) *см.* навёртывать (-ся); на её глаза ∽лись слёзы tears started in her eyes.

наверняка́ surely; safely; играть н. to play for safety; держать пари н. to bet on a certainty.

на||верста́ть *см.* навёртывать; ∽вёрстывание recovery, compensation; ∽вёрстывать to make up, to catch up; to retrieve, compensate; ∽вёрстывать потерянное время to make up for lost time.

наверте́ть *см.* навёртывать.

навёртывать to turn on, to wind, twist round; to screw (*гайку*); ∽ся to start, burst out (*о слезах*).

наве́рх up, upstairs, upward; проведите его н. show him up; все н.! *мор.* all hands on deck!; ∽у́ above, aloft, upstairs.

наве́с shed, hovel; awning (*из парусины*); tilt (*на телеге*); penthouse (*у здания*); покрывать ∽ом to roof.

навеселе́ tipsy, in one's cups, half seas over, having had a drop too much.

наве́с||ить *см.* навешивать; ∽ка,

∽на́я петля hinge; ∽ная дверь door on hinges.

навести́ *см.* наводить.

навести́ть *см.* навещать.

наве́т slander, calumny.

наве́трень||ый windward, exposed to the wind; ∽ая сторона *мор.* windward (weather) side.

наве́тчик slanderer, calumniator.

наве́ш(ив)ать to hang (up), to suspend.

навеща́ть to visit, call on (upon), to see; *разг.* to run round, drop in.

наве́ять *см.* навевать.

на́взничь backwards, on one's back; упасть н. to fall on one's back; лежащий н. supine.

навзры́д: плакать н. to sob.

навива́ть to reel in (up); to wind on, to roll on; to spool (*пряжу на шпульку*); to stack (*стог сена*).

навига́||тор navigator; ∽цио́нный период navigation season; ∽ция navigation.

навин||ти́ть, '∽чивать to screw on.

навис||а́ть to impend, hang over, overhang, beetle; to hover (*об облаках*); '∽нуть *см.* нависать; '∽ший hanging over, impending; '∽шие брови beetle brows.

нави́ть *см.* навивать.

навлека́ть to draw on, bring on, cause; н. на себя гнев (опасность, подозрение) to incur anger (danger, suspicion).

навле́чь *см.* навлекать.

навод||и́ть to direct, point at, lead, guide; н. глянец to glaze, gloss; *фиг.* to veneer; н. мост to make a bridge; н. на мысль to suggest; н. орудие (телескоп) to sight a gun (telescope); н. порядок to make order, tidy up; н. справку to inquire, refer; look up (*по книге*); н. страх to put in fear; н. тоску to bore to death; '∽ка foil (*зеркальная*); sighting (*орудия*); ∽я́щий вопрос leading question; ∽я́щий на размышления full of suggestions.

наводн||е́ние flood, inundation, submersion, overflow; ∽и́ть, ∽я́ть to inundate, flood, deluge; *фиг.* to overrun.

наво́дчик *военн.* marksman, gunner.

наво́з dung, manure, muck.

навози́ть to bring, carry, convey.

наво́з||ить to manure, dung; ∽ный жук dung-beetle; ∽ный червь muckworm; ∽ная куча dunghill, dung-heap.

навой *текст.* weaver's beam.

на́воло(ч)ка pillow-case, pillow--slip.

навора́чивать to pile up, heap up.

наворова́ть to amass by theft.

навороти́ть *см.* наворачивать.

навостри́ть to sharpen, whet; н. лыжи to run away; н. уши to prick up (cock) one's ears; ∽ся to become skilful, to acquire proficiency; to be a good hand at.

навра́ть to lie, fib, to tell tales; to make mistakes (*наделать ошибок*).

навря́д (ли) scarcely, hardly.

навсегда́ for ever, for good; *разг.* from now till doomsday; ∙раз н. outright; once for ever; он дал мне это н. he gave it me for good; он покинул ее н. he left her for ever; она обеспечена н. she has her bread buttered for life (*фиг.*).

навстре́чу towards; итти н. *фиг.* to meet halfway; to make advances to (*кому-л.*).

навы́ворот wrong side out, inside out; делать шиворот-н. to do things upside down; *фиг.* to put the cart before the horse.

на́вык habit, practice, experience; ∽́ть to get accustomed (used).

навы́лет through.

навью́чи(ва)ть to load, burden.

навяза́ть *см.* навязывать.

навя́знуть to stick, cling.

навя́зчив∥ость intrusion, obtrusion, obtrusiveness, importunity; ∽ый obtrusive; ∽ая идея fixed idea.

навя́зывать to attach, fasten, tie on; *фиг.* to obtrude, press; н. совет (подарок) to press advice (a gift) on one; ∽ся to intrude, obtrude oneself; to thrust oneself (*upon*); ∽ся на знакомство to force oneself into a person's acquaintance.

нага́йка whip, scourge.

нага́н revolver of Belgian Nagant system.

нага́р snuff, candle-snuff; scale (*накипь*); снимать н. to snuff (*со свечи*).

на́гель *техн.* pin.

нагиба́ть to bend, incline; ∽ся to stoop, bow.

нагишо́м stark-naked.

нагла́зник blinker.

нагл∥е́ц boldface, sauce-box, brazen face; ∙∽ость impudence, insolence, effrontery, boldfacedness; она имела ∽ость притти she had the face to come.

на́глухо hermetically, tightly; заколотить н. to shut close, to nail up.

на́глый insolent, pert, perky, impudent.

нагляде́ться to gaze till one is tired; to see enough; я не могу н. на этот вид I am never tired of looking at the scenery, I am charmed with the scenery.

нагля́дн∥ый graphic, descriptive; н. урок object-lesson; ∽ые пособия visual aids; ∽о by ocular demonstration; graphically.

нагна́иваться *см.* гноиться.

нагнета́т∥ельный: н. клапан delivery valve; н. насос force-pump; ∽ь to force, press.

нагное́ние fester, suppuration; вызвать н. to fester.

нагну́ть(ся) *см.* нагибать(ся).

наговаривать to slander, denounce; *уст.* to charm, bewitch.

наговор slander, calumny; *уст.* incantation, charm, enchantment.

наговори́ть to talk someone's head off; н. граммофонную пластинку to record.

наго́й naked, nude, bare; раздетый до-нага́ stripped naked; stripped to the skin.

наголо́ bare; стричь н. to cut (one's hair) short, to crop; шашка н. naked sword.

на́голову: разбить н. to defeat, to rout, to put to rout.

наго́льный: н. тулуп uncovered sheepskin coat.

нагоня́й rebuke, reprimand, reproof, row; toco (*sl.*); давать н. to row, rate, reprimand; получить н. to be scolded, to be reprimanded, to get into hot water.

нагони́ть to overtake, to come up (*with*) (*догонять*); to drive together (*сгонять*); to cause (*причинять*); н. обручи на бочку to hoop a cask; н. смертельную тоску to bore to death; н. страх to put in fear, to terrorize.

нагора́живать to pile (heap) up.

нагор∥а́ть, ∽́реть to burn; свеча ∽ре́ла the candle wants snuffing; ему ∽ре́ло he got into hot water.

наго́рный upland, mountainous, highland.

нагороди́ть *см.* нагораживать; н. вздору to talk nonsense.

наго́рье upland, highlands.

нагота́ nudity, nakedness, bareness; nude (*в искусстве*).

нагота́вливать to prepare, to make ready (in quantity).

наготове at call, ready; быть н.

to be ready (in readiness); to be on the look-out; держать н. to keep in readiness.

наготóви‖**ть** *см.* наготавливать; to have a store (*of*); ~ться: на него денег не ~шься no matter how much money you give him, he will never have enough.

награб‖**ить** to amass by robbery (plunder); ~ленное добро spoil, stolen goods.

награ‖**да** reward, recompense, remuneration; prize (*в школе*); денежная н. pecuniary reward; плохая н. ill return; ~дить *см.* награждать; ~дные bonus; ~ждать to reward, recompense, remunerate; *ирон.* to gift, endow; ~ждéние reward, remuneration.

награéв heating; поверхность ~а heating surface.

награé‖**вáтельный:** н. аппарат heating apparatus; ~вáть to warm, heat; ' ~ть руки *фиг.* to feather one's nest; он ' ~л меня на 50 рублей he swindled me out of 50 roubles; he did me out of 50 roubles; ~вáться to become (get) warm (hot); ' ~ть(ся) *см.* нагревать(ся).

нагромождáть to pile (heap) up.
нагромождéние pile, piling, heap (-ing).
нагромоздúть *см.* нагромождать.
нагрýдник breastplate (*рыцарский*); bib (*детский*).
нагру‖**жáть**, ~зúть *см.* грузить; ~зúться to carry a lot of things; *фиг.* to undertake much work; ' ~зка lading; *мор.* stowage; неполная ~зка (*в работе*) short time job; общественная (партийная) ~зка social (party) obligations (work); полная ~зка full time job (*в работе*).
нагрянуть to come unawares (*upon*), to take by surprise.
нагýл‖**ивать**, ~ять to feed up, fatten (*о скоте*); н. прогулкой аппетит to get a better appetite after a walk; ~яться to walk to one's heart's content.
над above, over, on, upon; н. головой overhead; работать н. ч.-л. to work at something; сжалиться н. к.-л. to take pity on one; смеяться н. к.-л. to laugh at someone; крепость господствует н. гаванью the fortress commands the harbour; эта мысль тяготеет ~о мною this thought is weighing on my mind.
над- *в сложных словах* super-, over-; надстройка superstructure; надземный overground.

надав‖**úть**, ' ~ливать to press (on), squeeze; надо н. на администрацию one must exert pressure on the administration.
надаровщи‖**н(к)у** *разг.* at someone else's expense; погулять н. to feast free of cost.
надбáв‖**ить** *см.* надбавлять; ~ка increase, rise (*цен*); outbidding (*на аукционе*); ~лять to add, superadd, increase, enhance; ~очный additional.
надви‖**гáть** to move (push) up to (upon, against); н. шапку на лоб to pull one's hat over one's eyes; ~гáться to approach, draw near, come on; ~гáющийся approaching; impending, imminent (*об опасности*);' ~нуть(ся) *см.* надвигать(ся).
надвóд‖**ный** above the water (*attr.*); ~ная часть судна part of ship above water-line, floatage.
нáдвое in two (*пополам*); ambiguously (*двусмысленно*).
надвóрн‖**ый:** ~ое строение outbuilding, outhouse.
надвяз‖**áть**, ' ~ывать to foot (*чулки*); to toe (*носки у чулок*).
надгибáть to fold, bend.
надгортáнник *анат.* epiglottis.
надгрóб‖**ие** inscription on a tomb, epitaph; ~ный памятник monument, tomb; ~ная надпись *см.* надгробие; ~ная плита gravestone, tombstone; ~ная речь funeral oration.
надгрыз‖**áть**, ' ~ть to bite (gnaw, nibble) the surface.
надда‖**вáть** to add, superadd; н. скорость to increase speed; цену (*на аукционе*) to outbid; ' ~тчик outbidder; ' ~ть *см.* наддавать; ' ~ча addition, outbidding.
наддвéрный over the door.
надевáть to put (get) on, to don (*одежду*); to gear, harness (*сбрую*); to halter (*узду*); to manacle (*наручники*); to tire (*шину*).
надéжд‖**а** hope, trust, reliance (*питаемая*); promise, expectation (*внушаемая*); последняя н. last hope; *фиг.* sheet-anchor; призрачная н. delusive hope, mirage; в ~е на in the hope of, with a view to; подавать ~ы to promise, to shape well; ни малейшей ~ы not a glimmer (ghost) of hope, not the ghost of a hope.
надёжн‖**ость** reliability, trustiness; ~ый sure, safe, reliable, trusty, trustworthy; ~о safe, safely.
надéл share, portion; земельный н. plot of land, allotment.

наде́лать to make in great quantity; to cause; н. ошибок to make (many) mistakes; to commit blunders; н. хлопот to cause trouble.

наде́л‖е́ние dispensation, allotment, consignment; ⌒и́ть, ⌒я́ть to impart, dispense, allot, consign.

надёрг(ив)ать to pull (pluck) out a quantity (of); to pull (draw) (on, over) (натягивать).

наде́ть см. надева́ть; он помог ей н. пальто he helped her into her coat; he helped her on with her coat.

наде́яться to hope (for), trust, have confidence (in); to rely (upon) (полагаться).

надзвёздный above the stars.

надзе́мн‖ый overground; ⌒ая железная дорога elevated railway.

надзира́тель, ⌒ница overseer, inspector, supervisor, superintendent; тюремный н. gaoler, jailer, warder; sl. screw; тюремная ⌒ница matron; ⌒ство the duty of inspector, overseer etc.

надзира́ть to oversee, control, supervise.

надзо́р inspection, control, superintendence, surveillance, supervision; прокуро́рский н. direction of public prosecution; технический н. technical inspection; о́рганы ⌒а organs of inspection (supervision); быть под ⌒ом to be under surveillance.

надиви́ться to admire sufficiently; to wonder.

нади́р astr. nadir.

надка́лывать to prick slightly (булавкой); to split slightly (топором).

надкла́ссовый superclass.

надколе́нн‖ый: ⌒ая чашка анат. knee cap.

надколо́ть см. надка́лывать.

надко́стниц‖а анат. periosteum, dense membrane enveloping the bones; воспаление ⌒ы periostitis.

надкры́лье зоол. wing-case, wing-sheath, superior wing.

надкус‖и́ть, ⌒ывать to give a bite.

надла́мывать to break partly.

надлеж‖а́ть: ⌒и́т это сделать it is to be done; это ⌒а́ло бы исполнить this ought to be done; ⌒а́щий proper, fit, due; в ⌒а́щий срок when falling due; ⌒а́щим образом thoroughly, duly, in a becoming (fit, suitable) manner.

надло́м fracture; ⌒и́ть см. надламывать; ⌒ленный организм shattered constitution.

надме́нн‖ость haughtiness, superciliousness; morgue (франц.); ⌒ый haughty, supercilious; ⌒о haughtily, with a high hand.

на-дня́х one of these days, before long (о предстоящем); lately, recently, the other day (о прошлом).

на́до I. см. над.

на́до II. it is necessary, one must (should, ought); так н. it must be so; мне это н. I want it; так ему и н.! serve(s) him right!; что н. the right thing.

надо́бн‖ость necessity; need; крайняя н. exigence, exigency; иметь н. to require; в случае ⌒ости in case of need; в этом нет ⌒ости there is no necessity; ⌒ый necessary, needful, requisite; ⌒о см. надо II.

надое‖да́ние boring, troubling, importunity; ⌒да́ть to bore, annoy, bother, tire, worry, weary; to pester, plague (мучить); мне ' ⌒ло это слушать I had more than enough of it; мне ⌒ло читать I am tired (sick) of reading; ' ⌒дли́вость annoyance, irksomeness; ⌒' дли́вый boring, irksome, tiresome; troublesome (беспокойный); ' ⌒сть см. надоедать.

на́долба cleat.

надо́лго for long time.

надорва́ть(ся) см. надрывать (-ся).

надоу́м‖ить, ⌒ливать to suggest (an idea), to advise.

надпа́рывать to unstitch (unseam) a little.

надпи́ли‖вать, ' ⌒ть to make an incision with a saw.

надпи́с‖анный inscribed, superscribed; ⌒а́ть, ⌒ывать to inscribe, superscribe.

на́дпись inscription, superscription; legend (на монете, медали); передаточная н. комм. endorsement, indorsation; сде́лать н. на чеке (векселе) to endorse a cheque (a bill of exchange).

надпоро́ть см. надпарывать.

надпо́ч‖чная железа́ анат. suprarenal gland (capsule).

надре́з cut, incision; notch (на дереве); ⌒а́ть, ⌒ывать to incise, cut in, to make an incision; to notch.

надруб‖а́ть, ⌒и́ть to mark, to hew (cut) in, notch.

надруга́т‖ельство outrage, violation, dishonour; ∼ься to outrage, violate, ravish, dishonour.

надры́в slight tear; *фиг.* strain, overstraining; душе́вный н. broken heart.

надрыва́ть to begin to tear; ∼ся to overstrain oneself, to hurt oneself by lifting heavy things; ∼ся со сме́ху to burst one's sides with laughter.

надсе∥ка́ть, '∼чь to make cuts (incisions).

надсма́тривать to control, inspect, oversee.

надсмо́тр control, inspection, surveillance; ∼щик, ∼щица overseer.

надста́в∥ить *см.* надставля́ть; ∼ка piece put on (*на рукаве и т. п.*); ∼ля́ть to piece, to put a piece on.

надстр∥а́ивать, ∼о́ить to build up a superstructure; ∼о́йка superstructure (*здания*); superstruction (*процесс*); идеологи́ческая ∼о́йка ideological superstructure.

надстро́чный over the lines; interlinear.

надтре́снутый cracked.

надува́∥ла *разг.* swindler, deceiver; ∼ние *техн.* inflation; ∼тельство cheat, dupery, trickery; ∼ть to bag, puff up, blow up, inflate (*воздухом, газом*); to cheat, befool, dupe, bamboozle (*sl.*) (*обма́нывать*); ∼ть гу́бы to pout; ∼ться to bag, inflate; to sulk, pout (*обижа́ться*); надувшиеся от ве́тра паруса sails filled with wind.

надувна́я поду́шка air cushion.

наду́манный far-fetched, excogitated.

наду́м(ыв)ать to devise, excogitate; to make up one's mind (*реши́ться*).

наду́∥тый inflated, bloated, puffed up; *фиг.* sulky; ∼тые гу́бы pouted lips; ∼ть(ся) *см.* надува́ть (-ся).

надуш∥и́ть to scent, perfume; '∼енный плато́к scented handkerchief.

надчереп∥но́й: ∼на́я оболо́чка *анат.* pericranium.

надыш∥а́ть to warm (the air in the room) with one's breath; н. на зе́ркало (на стекло́) to breathe on a mirror (glass); ∼а́ться to breathe in for a long time; она́ на него́ не '∼ится she is very fond of him.

наеда́ться to eat one's fill, to eat to satiety (to repletion).

наедине́ in private, privately, alone.

нае́зд inroad, inrush (*набег*); flying visit (*о посещении*); быва́ть ∼ом (*где-либо*) to pay flying visits (*to*); ∼ник rider, horseman; jockey, equestrian (*по профессии*); *зоол.* ichneumon-fly (*насекомое*); ∼ница horsewoman; equestrienne (*по профессии*).

наезжа́ть to come (together) in numbers (*съезжаться*); to come now and then (*изредка*); н. на что-либо to collide with, to strike against.

наём hire, rent; н. рабо́чей си́лы the hiring of workers (man power); брать в н. to rent; сдава́ть в н. to let; ∼ник hireling; ∼ный hired; ∼ный аге́нт paid agent; ∼ный писа́ка penny-a-liner, hack writer; ∼ный труд hired labour; ∼ный уби́йца bravo, hired assassin; ∼ная каре́та hackney-coach; ∼ная ло́шадь hack; ∼ная пла́та rent, hire; ∼щик, ∼щица *см.* нанима́тель(ница).

нае́сться *см.* наеда́ться.

нае́хать *см.* наезжа́ть.

нажа́ри(ва)ть to roast in a quantity (*изжа́рить много чего-либо*); to heat to excess (*накаля́ть*); to scorch.

нажа́т∥ие pressure; ∼ь I. *см.* нажима́ть.

нажа́ть II. *см.* нажина́ть.

наждá∥к emery; ∼чная бума́га emery paper (cloth).

нажи́ва gain, profit; '∼ть to gain, profit; ∼ть боле́знь to contract (catch) a disease; ∼ть враго́в to make enemies; ∼ть состоя́ние to make a fortune (money, coin); '∼ться to get rich, to make a fortune.

нажи́вка bait (*в рыбно́й ло́вле*).

наживно́й acquirable.

нажи́м pressure; ∼а́ть to press (*on*); ∼но́й винт *техн.* adjusting screw.

нажина́ть to reap, harvest.

нажира́ться *вульг.* to gorge oneself.

нажи́т∥о́й earned, gained; '∼ь (-ся) *см.* нажива́ть(ся).

нажра́ться *см.* нажира́ться.

наза́д back, backward(s), rearward(s); брать н. to retract, revoke, withdraw, recall (*обещание и пр.*); взгляд н. retrospect; 3 го́да тому́ н. three years ago (back); дви́гаться н. to move backwards, to retrograde; поста́вить часы́ н. to set (put) the clock (watch) back; смотре́ть н. to revert the eyes; н.! stand back!; ∼й behind.

назализ‖а́ция *фон.* nasalization; ~и́ровать to nasalize.

наз‖ва́ние name, denomination, appellation, designation; title (*книги*); разница только в ~ва́нии the distinction is merely a nominal one; it is six of one and half a dozen of the other; ~ва́ть *см.* называть; '~ванные братья sworn brothers; ~ванные лица the said persons.

назёⁿ dung, manure.

на́земь on (to) the ground, down.

назид‖а́ние edification; ~тельный edifying.

назло́ for spite, from pure spite, in contempt (*of*).

назнача́‖ть to appoint, name, fix, assign; н. время to appoint (fix) the time; н. день собрания to fix the day of the meeting; н. лечение to indicate treatment; н. на должность to nominate, appoint, name, designate; н. цену to name (state, fix, specify, set) the price; to price, quote; его '~ или председателем he was constituted (appointed) president; ~е́ние appointment, assignment; designation, nomination (*на должность*); fixing, stating (*цены*); отвечать своему ~е́нию to answer the purpose, to be effectual; должность по ~е́нию nominative office; место ~е́ния destination; '~ить *см.* назначать.

назо́йлив‖ость importunity, intrusiveness; ~ый importunate, tiresome, intrusive, meddlesome; ~ая мысль an importune thought; ~о importunately *и пр.*

назре‖ва́ть, '~ть to be preparing, to be brewing, to be about to happen (*о событии*); to gather, gather head (*о нарыве*); ~ва́ющее восстание a gathering revolt, a brewing rebellion.

назу́бок *техн.* file (*напильник*).

назубо́к *разг.* by heart; знать что-либо н. to know a thing well (by heart).

называ́ть to call, name, term, style, denominate, designate, qualify as, describe as; н. вещи своими именами to call a spade a spade; н. гостей to invite many people to one's house; неверно н. to misname, miscall; я никого не назову́ I won't mention any names; ~ся to be called, to pass (go) by the name (*of*), to call oneself; to invite oneself (*в гости*).

наи‖- the most; ~бо́лее the most; ~бо́льший the greatest.

наивн‖ичать to affect naivety; ~ость naïveté, naïvety; ~ый naïve, naive; unaffected; artless (*простодушный*); ~о naively.

наивы́сший highest, topmost.

наигр‖а́ть *см.* наигрывать; ~а́ться to play to one's heart's content; '~ывать to play, strum.

наизна́нку inside out, wrong side out, outside in.

наизу́сть by heart, without book; знать н. to know by heart, remember.

наилу́чший the best.

наиме́нее the least.

наименова́‖ние denomination, name; привести к одному ~нию *мат.* to reduce to one denomination; ~ть to name, denominate.

наи‖ме́ньший the least; линия ~ме́ньшего сопротивления the line of least resistance; ~па́че *уст.* above all, particularly; ~скоре́йший the quickest.

на‖искосо́к, '~искось aslant, slantwise, obliquely; кроить н. to cut (on the) bias (on the cross).

найтие inspiration.

наиху́дший the worst.

найдёныш foundling.

наймит hirling.

наймы́: брать в н., сдавать в н. *см.* наём.

найти́(сь) *см.* находить(ся).

найто́в *мор.* seizing.

нака́з decree, order; instruction, direction; mandate (*избирателей*); ~а́ние punishment; *юр.* penalty; *рит., поэт.* chastisment; ~ание свыше *уст.* judgement, visitation; телесное ~ание corporal punishment; в ~ание as a punishment; ~а́ть *см.* наказывать; ~ать самого себя to make a rod for one's own back; примерно ~ать to make an example (*of*); ~у́емость punishability; ~у́емый punishable; penal; ~ывать to punish; *рит., поэт.* to chastise, scourge; charge, command (*приказывать*).

нака́л incandescence; white-heat (*белый*); red-heat (*красный*); ~ённый glowing; incandescent, white-hot (*добела*); red-hot (*докрасна*); ~ённая атмосфера *фиг.* heated atmosphere; ~ивание incandescing, heating; лампочка ~ивания incandescent electric lamp; ~ивать, ~и́ть to incandesce; heat; ~иваться, ~и́ться to incandesce, glow.

нака́лывать to prick (*палец и пр.*); to prick out, prick (*узор*); to split (*дрова*); to break (*сахар*); to din (*бабочку и пр. на булавку*); ⁓**ся** to prick oneself.

накаля́ть *см.* накаливать.

накану́не the day before, on the eve (*of*); н. вечером overnight; н. выборов on the eve of the election.

нака́пать to pour by drops, to let fall drops.

нака́пливать(ся) *см.* накоплять (-ся).

нака́т subflooring; ⁓**ать**, ⁓**ывать** to roll up; to smooth with rollers (*дорогу*); ⁓**ать** *разг.* to write off, to write hurriedly (*письмо и пр.*).

накача́||**ать**, '⁓**ивать** to pump (up).

наки||**да́ть** *см.* накидывать; '⁓**д-ка** mantlet, mantle, cloak; pillow cover (*на подушку*); надеть пальто в '⁓**дку** to throw one's overcoat over one's shoulders; to throw (fling) on one's overcoat; '⁓**дывать**, '⁓**нуть** to throw (heap) on; ⁓**нуть** цену to raise the price; '⁓**дываться**, '⁓**нуться** to throw oneself (*upon*), to fall (*on*), to attack; он с интересом '⁓**нулся** на книгу he fell to reading the book with a keen interest.

наки||**пе́ть**: во мне ⁓**пе́-ла** злоба I feel resentment.

на́кипь scum (*на жидкости*); (boiler-)incrustation, (boiler-)scale.

накла́д: оставаться в ⁓**е** to be the loser, to lose; ⁓**ка** thing laid on; scratch-wig, false hair (*из волос*); чай в ⁓**ку** *разг.* tea with sugar in it; ⁓**ная** *комм.* invoice, way-bill; bill of lading (*кораб. груза*); ⁓**но́е** серебро plated silver; ⁓**ны́е** расходы overhead expenses (charges); ⁓**ный** unprofitable, disadvantageous; ⁓**ывание** laying on, superposition; ⁓**ывать** to lay, put, lay on; *см. тж.* налагать; ⁓**ывать** воз to load a cart; ⁓**ывать** масло в кадку to pack butter in a tub, to tub butter; ⁓**ывать** поверх ч.-л. to superpose upon...; ⁓**ывать** серебро to plate with silver, to plate; ⁓**ывать** слой краски to lay (on) a coat of paint; ⁓**ывать** шов на рану to suture a wound.

наклёвыва||**ться** to bite (*о рыбе*); ничего не ⁓**ается** *фиг.* nothing turns up.

накле́||**ивать**, ⁓**ить** to glue(paste) on; н. картинку на картон to mount a picture; ⁓**йка** gluing on; piece glued on.

наклепа́ть to slander.

накл||**ика́ть**, ⁓**икать** (*на себя*) to

bring upon oneself; н. на себя беду to court disaster, to make a rod for one's own back.

накло́н slope, declivity, inclination, incline; rake (*мачты*); ⁓**е́ние** inclination; *гр.* mood; сослагательное (повелительное) ⁓**ение** conjunctive (imperative); ⁓**и́ть** (-**ся**) *см.* наклонять(ся); ⁓**ность** inclination, leaning, tendency, propensity, bent; proclivity (*особенно к чему-либо дурному*); ⁓**ный** inclined, sloping; ⁓**ная** плоскость inclined plane; ⁓**но** obliquely, slopingly, slantingly, aslant, slantwise; ⁓**ять** to incline, lean; ⁓**ять** голову to bend one's head; ⁓**яться** to incline, lean (forward), stoop.

накова́льня anvil.

нако́жн||**ый** *мед.* cutaneous; ⁓**ая** болезнь skin disease; врач по ⁓**ым** болезням dermatologist.

нако́лачивать to knock on, put on (*обручи*); to nail (*гвоздями*); н. бока to thrash.

нако́лка head-dress.

наколоти́ть *см.* наколачивать.

наколо́ть *см.* накалывать.

наконе́ц at last, at length, in the end, finally; что н. он хочет этим сказать? what in the world does he mean?

наконе́чник tip, point; arrow-head (*стрелы*); tag (*шнурка для ботинка*); nozzle (*паяльной трубки*); ferrule (*трости*).

накопа́ть to dig (up).

накопи́ть(ся) *см.* накоплять(ся).

накопле́ние accumulation; н. капитала accumulation of capital; н. основного капитала accumulation of basic capital; социалистическое н. socialist(ic) accumulation.

накопля́ть to accumulate, amass, get together; to heap up, to hoard (*особ. о деньгах*); н. состояние to realize (amass) a fortune; ⁓**ся** to accumulate.

накорми́ть to feed; н. (досыта) to sate, satiate.

накоси́ть to mow.

накостница splint (*у лошади*).

накра́дывать to amass by theft.

накра́пыва||**ть** to fall in drops; ⁓**ет** it begins to rain.

накра́сть *см.* накрадывать.

накрахма́л||**енный** starched, starchy; ⁓**и(ва)ть** to starch.

накре́н||**ённый** lop-sided; ⁓**и́ть** *см.* кренить.

на́крепко firmly, fast, tightly; крепко-н. strictly.

накрест crosswise; сложить руки крест-н. to cross one's arms.

накричать to rate, scold violently; ~ся to be tired out with shouting.

накрошить to crumb(le) (*хлеб*); to mince, chop (*мясо*).

накры‖вание covering; ~вать, '~ть to cover; ~ть на месте преступления to catch in the act; ~ть на стол to lay (spread) the table, to lay the cloth; ~ть на 5 рублей *разг.* to do someone out of 5 roubles; ~ваться, '~ться to cover oneself.

нактоуз *мор.* binnacle.

накупать to buy, buy up, to amass by buying.

накупаться to have enough of bathing.

накур‖ивать, ~ить to smoke much; в комнате сильно ~ено this room is full of tobacco smoke.

налавливать *см.* ловить.

налагать to impose, lay on, put on; н. взыскание to impose (set) a punishment, to inflict a penalty (*штраф*); н. на себя руки to commit suicide; н. штраф to fine.

нала‖дить, ~живать to put right, mend, repair; н. дело to set an affair going; н. одно и то же to keep repeating the same thing; дело ~живается things are mending (*дела поправляются*); things are getting into working order (*организуется*).

наламывать *см.* ломать.

налгать to lie, tell lies; to calumniate, slander (*на кого-л.*).

налево to the left, left, on the left (hand).

налегать to lean on; to strain, to make an effort (*стараться*); н. на ч.-л. to pitch in(to) (*работу*, *еду*).

налегке without any luggage; путешествовать н. *тж.* to travel light.

належать: н. пролежень to get a bed-sore; ~ся to have enough of lying.

налезá‖ть *см.* лезть; башмак не ~ет мне на ногу the boot does not fit me.

налеп‖ить, ~лять to stick (on).

налёт raid, inroad, incursion (*набег*); burglary (*грабёж*); deposit, thin coating, bloom, tarnish (*на чём-л.*); *хим.* efflorescence; н. в горле a furred throat; н. на языке fur; н. пошлости a taint of vulgarity; н. злоумышленников raid by malefactors; совершать н. to commit burglary; с ~у with a swoop.

нале‖тáть, ~тéть to swoop down, fly (*at*), rush (*at*) (набрасываться); to collide (*with*), smash (*into*) (*столкнуться*); летом в комнату ~тáет много пыли a lot of dust drifts into the room in summer.

налету flying, in a hurry.

налётчик burglar, robber.

налéчь *см.* налегать.

налив pouring in; ripening (*созревание*); sap, juice (*сок*); белый н. kind of apple; ~áть to pour in (-to); to fill (*бутылку и пр. чем-л.*); to spill (*проливать*); ~áться to be poured; to fill with juice, to ripen (*о плодах*); ~ка fruit liqueur; ~нóе колесо *техн.* overshot wheel; ~ное яблоко juicy apple; ~шиеся кровью глаза bloodshot eyes.

налим *зоол.* burbot, eel-pout; морской н. ling.

налип‖áть, '~нуть to stick, adhere.

налить *см.* наливать; н. воды to pour in some water; н. чашку чаю to pour out a cup of tea.

нали‖цó present, ready; н. гигантский рост вооружений we are in face of a gigantic growth of armament; быть н. to be present (*о людях*); to be on hand (*о вещах*); '~чие presence; при '~чии желания if there is a wish (desire); при ~чии кворума a quorum being present.

наличник door-case (*дверной*); outside window-frame (*оконный*).

наличн‖ость *комм.* cash, ready (real) money; н. преступления *юр.* the evidence of crime, the presence of elements constituting a crime; быть в ~ости to be present, to be on hand; ~ый present; on hand; ~ый расчёт payment on the spot, ready money, cash down, cash-payment; ~ый состав personel (*служащих*); effective forces (*солдат*); ~ые деньги *см.* наличность; за ~ые деньги for money down; израсходованные ~ые деньги out-of-pocket expenses; платить ~ыми to pay down.

налобник frontlet (*головной убор*, *часть упряжи*).

наловчиться to become dexterous (skilful).

налог tax, imposition, assessment; н. на наследство succession duties, death duties; н. на сверх-прибыль excess profits tax; н., равный для всех flat rate; добавочный н. surtax; местный н. rate; подоходный н. income tax; прямой (косвенный) н. direct (indirect) tax; облагать ~ом to tax, to impose (assess) a tax (upon), to assess; to rate (*местным*); to surtax (*добавочным*); ~и и обложения taxes and dues; обложение ~ами taxation, rating, imposition of taxes; ~овый аппарат the taxation machinery; ~овый инспектор assessor; ~оплательщик tax-payer; rate-payer.

налож‖ёние laying on, imposition; н. ареста seizure; н. рук imposition of hands; н. штрафа imposition of a fine, fining; '~енным платежом cash on delivery (C.O.D.); ~ить *см.* налагать, накладывать; ~ить на себя руки to commit suicide; '~ница concubine; '~ничество concubinage.

налóй lectern, pulpit, reading-desk.

налóпаться *вульг.* to gorge oneself.

налюбовáться to admire enough; *см.* наглядеться.

налúпать *разг.* to daub (*намазать*); to botch (*сделать кое-как*).

нам us, to us, for us; н. нужно итти we must go.

намагни‖тить *см.* намагничивать; ~чивание magnetization; ~чивать to magnetize.

намáз(ыв)ать to smear, daub, bedaub; н. мазью to rub with ointment; н. помадой to plaster with pomade; н. хлеб маслом to spread butter on bread.

намал‖евáть, ~ёвывать *см.* малевать.

намар‖áть, '~ывать *см.* марать.

намáслить(ва)ть to oil.

намáтыва‖ние winding, reeling; ~ть to wind, reel; ~ть на катушку to reel, quill, to wind on a bobbin; ~ть себе на ус to take as a warning.

намáчивать to wet, moisten; to soak, steep (*in*).

намáяться to be exhausted (tired out).

намéдни *диал.* the other day, lately.

намёк hint, allusion, innuendo, intimation, insinuation; понять н. to take the hint (cue).

намек‖áть, ~нýть to hint, allude (*to*), intimate; insinuate; на что вы ~áете? what are you driving at?

намеревáться to intend, purpose, mean, design; я намéрен пойти I intend (purpose) going (to go).

намéрен‖ие intention, intent, purpose, design; без ~ия without intention, unintentionally; добрые ~ия good intentions (resolutions); ~ный intentional, deliberate; ~но *см.* нарочно.

намести́ *см.* наметать I.

намéстни‖к vicegerent, deputy; *поэт.* vicar; ~ческий vicarial, vicarious.

намёт I. shed (*навес*).

намёт II. *см.* намётка I.

намёт III. gallop.

наметáть I. to sweep (blow) on (together).

наметáть II. *см.* намётывать.

намéтить *см.* намечать.

намётка I. casting-net (*в рыбной ловле*).

намётка II.: н. пятилетнего плана projecting (marking out) the five year plan.

намётывать to baste, tack; ~ся to be basted, tacked; to acquire skill, to become skilful.

намеча‖ть to mark; to plan, project, to have in view; н. кандидатов to nominate candidates; ~ться to be likely; ~ется большой сдвиг в работе there is every prospect of great improvement in work.

нáми by us; с н. with us; перед н. before us; идите за н. follow us; он н. недоволен he is displeased with us.

наминáть to knead.

намок‖áть, '~нуть to become (get) wet.

намол‖áчивать, ~отить to get by threshing.

намóрдник muzzle; надевать н. на собаку to muzzle a dog.

намóрщи(ва)ть to wrinkle; н. лоб to knit (contract, furrow) one's brow, to frown; ~ся to be wrinkled.

намотáть *см.* наматывать.

намочи́ть *см.* намачивать.

намýчиться *см.* маяться.

намы́в *геол.* alluvium, alluvion; ~áть to deposit (*о реке*); to pan out (*золото*); ~óй alluvial; ~ной слой alluvial soil.

намы́ли(ва)ть *см.* мылить.

намы́ть *см.* намывать.

намяк‖áть, '~нуть *см.* мякнуть.

намять *см.* наминать; н. бока to thrash; н. ногу to hurt one's foot.

нáнду *зоол.* rhea, nandoo.

нанес‖ёние infliction (*удара, раны*); drawing, plotting (*на план*); ~ти́ *см.* наносить.

на-нёт: свести (сойти) н. to bring (come) to nothing.

наниз‖а́ть, '‿ывать to string, thread.

нанима́тель(ница) employer (*рабочих*); tenant, lessee (*помещения*).

нанима́ть to hire, engage (*людей*); to rent (*помещение*); н. зара-нее to bespeak, to engage before-hand; ‿ся to be hired; to apply for work (*просить работы*).

на́нка nankeen.

На́нкин Nanking.

на́нковы‖й nankeen; ‿е штаны nankeens.

нано́с *геол.* alluvium, alluvion; ‿йть to bring; to heap, drift (*снег*); to deposit (*песок, ил*); to inflict, deal, deliver (*удар*); to plot (*на план*); ‿ить оскорбление to af-front, insult; ‿ить побои to strike, beat; ‿ить пораже́ние to defeat, rout; ‿ить ра́ны to inflict wounds; ‿ить ущерб to damage; ‿ный *геол.* alluvial; *фиг.* alien, foreign; super-ficial (*поверхностный*); ‿ная земля alluvion, alluvium.

на́нсук nainsook.

наня́ть *см.* нанимать; ‿ся to go into service, to enter into an en-gagement.

наобеща́ть to promise much.

наоборо́т contrary to, inversely, the reverse, the other way round; the wrong way (*не так, как нужно*); on the contrary (*как отриц. ответ*); и н. and vice versa; по-нима́ть н. to interpret by contra-ries; чита́ть н. to read backwards.

наобу́м at random.

на́откось slantwise, aslant, ob-liquely.

нао́тмашь with the back of the hand; уда́рить н. to deal a back stroke.

наотре́з flatly, unconditionally, categorically, point-blank.

нао́щупь to the touch, to the feel.

напада́‖ть to attack, assail, as-sault, fall upon, set upon, beset; to find fault (*with*) (*придираться*); to come over (*о страхе и пр.*); н. врасплох to come upon; to surprise; to attack by surprise; н. на след to discover the scent; н. сообща *фиг.* to make a dead set at; ‿ющая сто-рона aggressor.

напа́дать to fall (in quantities).

напад‖е́ние attack, offensive, as-sault; swoop, pounce (*внезапное, напр. хищной птицы*); '‿ки fault--finding, unprovoked attacks.

напа́ивать to give to drink; to

water (*лошадь*); to intoxicate, in-ebriate,‿ fuddle, to make drunk (*пьяным*).

напа́рываться to run upon; *фиг.* to fall upon.

напа́‖сть I. *см.* нападать; я ‿л на мысль it occurred to me; на него ‿л сон he fell asleep; на меня ‿ла тоска I feel (felt) melancholy, I am (was) sick at heart.

напа́сть II. misfortune, disaster, calamity.

напе́в tune, melody, air; ‿а́ть to sing, troll, lilt; to croon (*моно-тонно, тихо*); to hum (*с закрытым ртом*); ‿ать кому-л. в уши *фиг.* to flatter (*льстить*); to slander (*кле-ветать*).

напека́ть to bake (a quantity); to scorch (*о солнце*).

на́перво first (of all).

наперебо́й *см.* наперерыв.

наперевё́с atilt.

наперегонки́ trying to outrun each other.

наперё́д in advance, beforehand; first (*сперва*).

напереко́р in despite (*of*), in defiance (*of*), in opposition (*to*); итти н. инстру́кциям to run coun-ter to instructions.

напереpé́з so as to cross one's path.

напереры́в in emulation (of each other), vying with each other, one after another.

наперé́ть *см.* напирать.

наперочё́т: знать н. to be able to mention (to tell) from memory every item (name, date); я зна́ю их н. I can count them; I have them all by heart.

наперсн‖ик confidant; ‿ница con-fidante; ‿ый *уст.* pectoral.

напё́рсток thimble.

наперстя́нка *бот.* foxglove; dig-italis (*тж. мед.*).

напе́ть *см.* напевать.

напеча́тать to print, publish.

напе́чь *см.* напекать.

напива́ться to slake one's thirst; to get drunk (*пьяным*).

напи́л‖ок, ‿ьник file.

напира́ть to press; н. на слово to lay emphasis (stress) on a word.

написа́ть to write (down); to paint (*картину*).

напита́ть(ся) *см.* напитывать(ся).

напи́т‖ок drink, beverage; liquor (*особенно алкогольный*); ‿ки drink-ables, drinks.

напи́тыва‖ние satiation, feeding; saturation, impregnation (*см.* на-питывать); ‿ть to sate, satiate (*на-*

сыщать); to saturate, impregnate, soak (*влагой*); ~ться to take one's fill; to become impregnated (*with*).

напи́ться *см.* напива́ться.

напи‖**хать**, '~**хивать**, '~**чк(и**в)**ать** to cram (*in, into, down*); to stuff (*with*).

напла́каться to cry one's fill, to have one's cry out.

наплева́т‖**ельский**: ~**ельское** отношение devil-may-care attitude; ~**ь** to spit; *фиг., вульг.* to disregard, defy; мне ~**ь** I don't care (a darn, a fig, a pin, two hoots); I spit on it; ~**ь** на него! damn him!

наплести́ to plait; *фиг.* to slander (*на к.-л.*); н. вздора to talk nonsense, twaddle.

наплёч‖**ие**, ~**ник** shoulder-strap; ~**ная** подушка (для переноски грузов) porter's knot.

наплоди́ть to bring forth, produce.

наплы́в influx; abundance; excrescence, *амер.* burl (*на деревьях*); н. посетителей an influx of visitors; н. требований в банк о возвращении денег run on the bank; ~**но́й** alluvial.

напляса́ться to dance one's fill, to dance one's feet off.

напова́л outright, on the spot.

наподо́бие like, similarly (*to*).

напои́ть *см.* напаивать.

напока́з ostentatiously, for show; выставлять н. to show off, parade, display, exhibit, to make a parade (*of*); он любит делать всё н. he is fond of show, he is ostentatious.

Наполео́н Napoleon; **н**~**овский** Napoleonic.

наполн‖**е́ние** filling; '~**ить**, ~**я́ть** to fill, fill up; снова ~**ить** to replenish; комната '~**ена** людьми the room is crowded with people; '~**иться**, ~**я́ться** to fill, to be filled.

наполови́ну half; делать дело н. to do a thing by halves.

напом‖**ина́ние** reminding, reminder; ~**ина́ть** to remind (*о ч.-л.—of*), recall, to put in remembrance, to put in mind; ~**ина́ющий** reminding, suggestive, reminiscent (*of*); '~**нить** *см.* напоминать.

напо́р pressure, stress; *техн.* head (*воды*); ~**истый** energetic, impetuous; pushing (*предприимчивый*).

напоро́ться *см.* напарываться.

напосле́док at last, at the end, in conclusion.

направ‖**ить** *см.* направлять; он

был ~**лен** в Ленинград he was ordered (sent) to Leningrad; ~**лен**ный вверх (вниз) upward (downward); ~**ленный** к западу westward.

напра́вка setting (*бритвы и пр.*).

направ‖**е́ние** direction; tendency, drift, trend (*стремление, тенденция*); set (*течения, ветра*); н. мыслей the trend of thought; литературное н. literary school; события принимают новое н. the tide is turning; по ~**ю** (*к*) toward(s), in the direction (*of*); по ~**ю** к морю seaward(s).

направл‖**я́ть** to direct; to refer, relegate (*к к.-л.*); to aim, level (*против к.-л.—at*); н. бритву to set a razor; н. своё внимание (*на ч.-л.*) to direct (turn) one's attention (*to*); н. на рассмотрение to refer, commit, submit (*to*); н. на вторичное рассмотрение to recommit; н. свои шаги to bend one's steps; ~**я́ющая** *техн.* guide; ~**я́ющий** directive, guiding; ~**я́ть**ся to be directed; to go, to make one's way, to bend one's steps (*to*); to be bound (*for*); судно ~**ля́ется** в Ливерпуль the ship is bound for Liverpool.

напра́во to the right (*на вопрос куда?*); on (at) the right (hand) (*на вопрос где?*); н. и налево far and wide, right and left, everywhere.

напрактикова́ться to acquire skill (dexterity, ability).

напра́слина wrongful (unjust) accusation.

напра́сн‖**ый** vain, useless; ~**ая** надежда vain hope; ~**ое** усилие useless effort; dead pull (*поднять ч.-л. непосильное*); ~**о** in vain, vainly, to no purpose, uselessly (*тщетно, зря*); unjustly (*несправедливо*); не ~**о** to some purpose; почти ~**о** to little purpose.

напра́шив‖**аться** to thrust oneself upon, to intrude; н. на комплименты to fish for compliments; ~**ается** сравнение the comparison suggests itself; он ~**ается** на оскорбление he is asking for an insult.

наприме́р for instance.

напро‖**ка́т** on hire; брать н. to hire; отдавать н. to hire out, let, job; ~**лёт** through; всю ночь ~**лёт** all night long; ~**лом**: идти ~**лом** to break through, to be arrested by no obstacles; to stop at nothing; ~**па́лю** recklessly, desperately, headlong.

напроситься см. напрашиваться.

напротив opposite, facing, over (against); vis-à-vis (*за столом и пр.*); over (across) the way (*на другой стороне улицы*); on the contrary (*наоборот*); отнесите это письмо н. на почту take this letter over to the post-office.

напружи‖ваться, '**~ться** to strain.

напря‖гать to strain, string up, tax; чрезмерно н. to overstrain, overtax; н. все свои силы to strain every nerve, to make an intense effort; **~гаться** to strain (oneself), exert oneself; **~жение** strain (*усилие*); tensity, tension, intension (*напряженность*); *мех.* stress; *эл.* tension; чрезмерное **~жение** overstrain.

напряжённо tensely.

напряжённ‖ость tensity, intensity, strenuousness, tension, strain (*см.* **напряжённый**); **~ый** strained, tense (*о нервах, мускулах*); intense (*о работе*); strenuous (*утомительный*); overstrung, wound up, overstrained (*о взвинченных нервах*); **~ая** работа strained (intensive) work.

напрямик straight; *фиг.* plainly, roundly, bluntly, flatly, point-blank, straight out; говорить н. (*с к.-л.*) to be plain (*with*).

напрячься см. напрягаться.

напуга‖нный frightened (*at, of*); '**~ть** to frighten, scare, startle; '**~ться** to be frightened (scared), to take fright.

напудрить to powder; **~ся** to powder one's face.

напульсник wristlet.

напус‖к letting in, filling (*воды*); *охотн.* letting loose (slipping) gray-hounds from leash; *арх.* projection, jutty, sally; **~кать** to let in (*воду*); to let loose, slip (*собак*); **~кать** воду в резервуар to fill a reservoir with water; **~кать** на себя to give oneself airs; **~кать** на себя равнодушие to affect indifference; **~кать** складку to make a fold; **~каться** на к.-л. to fly at, fall upon; **~кной** let in; *фиг.* affected, put on, assumed; **~тить(ся)** см. напускать(ся).

напутать to confuse, embroil, to make a mess of it.

напутств‖енный for a journey; journey (*attr.*); **~ие** parting words, good wishes, farewell, exhortation; *рел.* viaticum; **~овать** to wish someone a good journey, to exhort someone before his setting out.

напух‖áние swelling; **~áть,** '**~нуть** to swell.

напыжиться to puff up; to strain intensely.

напылить to fill the air with dust.

напыщенн‖ость bombast; turgidity, tumidity, pomposity; **~ый** inflated, bombastic, turgid, pompous, high-flown, big-sounding, stilted (*ходульный*); **~о** bombastically, pompously; говорить **~о** to rant.

напяли(ва)ть to put on with effort too tight a garment; to struggle on a tight garment.

нар- см. народный.

нараб‖атывать, ~отать to earn by working; to work; make; **~отаться** to have worked enough, to have worked the limit.

наравне on a level (*with*), on a par (*with*), on an equal footing (*with*) (*на равных правах*); just as, like (*подобно*); н. с другими as others.

нараспашку unbuttoned; *фиг.* open-heartedly; у него душа н. he wears his heart upon his sleeve, he is an open-hearted man.

нараспев in a singing voice, drawlingly.

нараст‖áние growing, accumulation, increase; н. революционного движения growth of the revolutionary movement; **~áть, ~й** to grow (*on*), to be formed (*on*); to increase; accumulate.

нарастить см. наращивать.

нарасхват: покупаться н. to be immediately taken (bought up); эту книгу берут н. there is a great demand for this book, it is selling like hot cakes, it is a best seller.

наращ‖ение growing, increment, accumulation (*накопление*); **~ённый** капитал accumulated interest; '**~ивать** to cultivate, grow; to accumulate (*накоплять*).

нарвал *зоол.* narwhal, sea-unicorn, unicorn-fish.

нарвать см. нарывать **II.**

нард *бот.* spikenard; nard (*масло*).

нарез см. нарезка; **~áние** cutting; **~áть(ся)** см. нарезывать(ся); **~ка** incision, score, indentation; rifling (*винтовки*); *техн.* thread, worm (*винта*); винт с правой **~кой** right-handed screw; **~ной** rifled; **~ывать** to cut; to carve (*мясо*); to thread (*винт*); to rifle (*дуло винтовки*); **~ываться** to be cut;

разг. to get drunk (*напиться пьяным*).

наре‖ка́ние reproach, blame, dispraise; **⁓ка́ть** to name, to give a name; **⁓че́ние** naming.

нареч‖ённая (*невеста*) *уст.* fiancée, one's betrothed, affianced bride; **⁓ённый** (*жених*) *уст.* fiancé, one's betrothed.

наре́чи‖е dialect (*язык*); *гр.* adverb; употреблять в качестве **⁓я** to use adverbially.

наре́чь *см.* нарекать.

нарисова́ть to draw.

нарица́тельн‖ый nominal; **⁓ая** цена nominal price; имя **⁓ое** *гр.* common (appellative) noun, appellative.

наркóз *мед.* narcosis; подвергать **⁓y** to narcotize.

нарком (*народный комиссар*) the People's Commissar.

наркома́н narcotist; drug (opium, cocaine *etc.*) addict; **⁓ия** narcotism; the drug habit.

наркома́т (*народный комиссариат*) the People's Commissariat (*названия отдельных наркоматов см. под словом* комиссариат).

нарко‖тиза́ция narcotization; **⁓тизи́ровать** to narcotize; '**⁓тик** narcotist.

наркоти́‖н *хим.* narcotine; **⁓ческий** narcotic; **⁓ческое средство** narcotic; употреблять **⁓ческие** средства to drug; to dope (*sl.*); привычка к **⁓ческим** средствам the drug habit.

народ people, nation; русский (английский) н. the Russians, Russian people (the English, English people); человек из **⁓а** a man of the people; площадь полна **⁓y** the square is crowded (with people); **⁓ы** Европы the peoples of Europe; **⁓и́ть(ся)** *см.* нарождать(-ся); **⁓ник** *ист.*, *пол.* narodnik, «populist»; **⁓ность** nationality; **⁓ный** national, popular; **⁓ный дом** People's Palace; **⁓ный доход** National income; **⁓ный комиссар** the People's Commissar; **⁓ный суд** the People's Court; **⁓ный трибун** tribune of the people; **⁓ный язык** vernacular; **⁓ная песня** folk-song, song of the people; **⁓ное благо** common welfare; **⁓ное достояние** (хозяйство) national property (economy); **⁓ное творчество**, **⁓ные поверья** *лит.* folk-lore; **⁓ные предания** legends; **⁓ове́д** ethnologist; **⁓ове́дение** ethnology; **⁓овла́стие** sovereignty of the people; **⁓ово́лец** member of the party of The People's

Will; **⁓онаселе́ние** population; **⁓осчисле́ние** census (*перепись*).

нарожд‖а́ть to give birth (*to*), bring forth; **⁓а́ться** to be born; to arise, spring into life (*возникать*); **⁓е́ние** birth, springing up; **⁓ение** месяца new moon.

нарóст excrescence, growth, outgrowth; knar, knag, knot, node (*на дереве*); wart (*на растении*).

наро́читый intentional, deliberate, studied.

наро́чн‖ый *s.* express messenger; courier; **⁓o** on purpose, purposely, intentionally, of set purpose.

нарпит (*народное питание*) Department of Public Nutrition.

нарсуд the People's Court.

на́рт‖а, **⁓ы** sledge.

наруб‖а́ть, **⁓и́ть** to cut (*дров*); to chop (*капусты*).

наружн‖ость exterior, outward aspect, personal appearance (*человека*); н. обманчива appearances are deceitful; **⁓ый** external, exterior, outward, outer, outside; **⁓ая** сторона outside, exterior, exteriority; **⁓ые** лекарства external remedies; **⁓o** externally, outwardly; странной **⁓ости** odd-looking.

нару́жу out, outside, outwards; правда вышла н. the truth came to light.

нарука́вник oversleeve.

нарумя́н‖енный painted (with rouge); **⁓и(ва)ть(ся)** to rouge, paint (one's face, lips).

нару́чник handcuff, manacle.

наруш‖а́ть to break (*закон, тишину, очарование и т. п.*); to infringe, transgress, violate (*закон*); н. душевное спокойствие to disturb, discompose, unsettle, upset, to disturb the composure (*of*); н. общественный порядок to break (disturb) the peace; н. правила игры to break the rules of a game; to play foul; н. присягу to forswear (perjure) oneself; н. своё слово to break one's word; **⁓а́ться** to be broken; **⁓е́ние** breach, breaking; infringement, transgression, violation (*см.* нарушать); **⁓ение** законов логики violation of logic, paralogism; **⁓ение** общественного порядка breach of the peace, riot, affray; **⁓ение** покоя disturbance; **⁓ение** прав (парламента) breach of privilege; **⁓ение** правил общежития breach of communal rules; **⁓ение** правил уличного движения breach of traffic regulations; **⁓ение** труддисциплины the breaking of labour discipline; ~йтель(ница) transgressor, violator, trespasser; disturber (*мира и пр.*); ~йтели (постановления) будут преследоваться законом trespassers will be prosecuted; '~ить(ся) *см.* нарушать(ся).

нарце́ин *хим.* narceine.

нарци́сс *бот.* narcissus; жёлтый н. daffodil.

на́ры plank-bed.

нары́в abscess, festering sore; ~а́ние suppuration, gathering; vesication (*от пластыря*).

нарыва́ть I. to gather, to gather head, to come to a head (*о нарыве*).

нарыва́ть II. to dig, dig up.

нарыва́ть III. to gather, pick (*цветы и пр.*); ~ся *фиг.* to meet (*with*), get (*into*); to get into trouble.

нарывно́й пла́стырь blister, vesicatory.

нары́ть *см.* нарывать II.

наря́д dress, costume, apparel, *поэт.* attire (*костюм*); finery (*украшения*); order (*приказ*); расписание ~ов *военн.* roster; ~и́ть(ся) *см.* наряжать(ся).

наря́дн‖ость smartness, spruceness, trimness; ~ый smart, spruce, trim; ~о smartly *и пр.*

наряду́ side by side (*рядом*); equally (*to*), on a level (*with*) (*наравне*).

наряжа́ть to dress, array, to dress up, to attire, smarten; to order, appoint (*отряжать*); н. в караул to put on guard; н. следствие to set up an inquiry; ~ся to dress oneself up; to overdress (*слишком нарядно одеваться*).

нас us; у н. нет денег we have no money; думает ли он о н.? does he think of us?

насади́ть I. *см.* насаждать.

насади́ть II. *см.* насаживать.

наса́дка setting, putting on; planting; *техн.* nozzle.

насажд‖а́ть to plant; to propagate, spread, disseminate (*идеи и пр.*); н. грамотность to implant literacy; ~е́ние planting, plantation; *фиг.* propagation.

наса́живать to set, to put on; to plant; н. бабочку на булавку to set (pin) a butterfly; н. на вертел to spit.

насвист‖а́ть, '~ывать to whistle (a tune).

населда́‖ние pressing; ~ть to settle (alight) in great numbers; *разг.* to press (*на к.-л.*); ~ть на врага to press the enemy.

насе́дка brood-hen, sitting hen.

насека́ть to notch, incise.

насеко́м‖ое insect; порошок против ~ых insecticide; ~оя́дный insectivorous.

насел‖е́ние population; peopling (*заселение*); городское н. urban population; мужское н. страны manhood; торговое н. tradespeople; ~и́ть, ~я́ть to populate, people.

насе́ст roost, perch; усаживаться на н. to roost, perch; на ~е at roost, perched.

насе́‖сть *см.* наседать; в вагон ~ло много народу the carriage was crowded (packed).

насе́ч‖ка incision, cut, notch, score; *мед.* scarification; делать ~ки *мед.* to scarify; ~ь *см.* насекать.

наси‖де́ть *см.* насиживать; ~де́ться to have enough of sitting; '~живать to hatch, brood (*яйца*); '~женное место place where one has remained for a long time.

наси́л‖ие violence, force, coercion; ~ование coercion, forcing; violation; ~овать to force; to violate, ravish, to commit rape (*ироп*) (*женщину*); ~овать свою совесть to violate one's conscience; ~у hardly, with difficulty; он ~у ноги унёс he had a narrow escape; ~ьник violator, ravisher; ~ьничать to outrage; ~ьно by force, forcibly; constrainedly, under compulsion; ~ьно мил не будешь love cannot be ordered; ~ьственный violent, forced; ~ьственный переворот forcible upheaval.

насказ‖а́ть, '~ывать to tell (relate) much; н. новостей to tell a lot of news.

наска́кивать to run (*against*), collide (*with*), smash (*into*); *фиг.* to fly (*на к.-л.—at, ироп*); н. на мель to run aground; н. на подводный камень to strike a rock.

наскандалить to kick up a row.

наскво́зь through, right through; throughout, to the core; н. прогнивший rotten to the core; видеть н. to see through, to pierce beneath the show of things, to see far into a millstone (*обыкн. ирон.*).

наско́к swoop, attack; действовать ~ом to take by surprise.

наско́лько *вопр.* how much?; for how much?; to what extent?; *отн.* as (so) far as; н. мне известно to the best of my knowledge, as (so) far as I know, for aught (all) I know; н. мне известно, нет not to my knowledge; н. я припоминаю as far as I can remember (recollect), to the best of my recollection.

на́скоро hastily, hurriedly.

наскочи́ть *см.* наскакивать.

наскре‖ба́ть, ‿сти́ to scrape up (together), scratch up (together).

наску́чи‖ть to tire, annoy, bore; мне это ‿ло I am bored with it (sick of it).

насла‖ди́ться, ‿жда́ться to take delight (pleasure) (*in*), to enjoy, luxuriate (*in*) (*чем-либо*); to enjoy oneself (*получать удовольствие*); revel (*in*) (*упиваться*); ‿жде́ние pleasure, delight, enjoyment.

насла́иваться *геол.* to stratify.

насла́ть *см.* насылать.

насле́дие legacy, heirloom; н. про́шлого heritage of the past.

наследи́ть to leave footprints.

насле́д‖ник heir, inheritor; successor, legatee; вероя́тный н. (*до рождения прямого наследника*) heir presumptive; прямо́й н. heir apparent; Коминтерн, не бу́дучи хронологи́ческим ‿ником I Интернациона́ла, явля́ется его́ настоя́щим иде́йным прее́мником not being the chronological successor of the 1st International the Comintern is its real ideological inheritor; ‿ница heiress, inheritress, inheritrix; ‿ный принц Crown Prince; ‿ование inheritance, succession; пра́во ‿ования right of succession; ‿овать to inherit, succeed (*to*); ‿ственность heredity; уче́ние о ‿ственности doctrine of heredity; сторо́нник уче́ния о ‿ственности hereditarian; ‿ственный hereditary, ancestral; ‿ственная боле́знь hereditary disease; ‿ство inheritance, heritage, hereditament; legacy (*тж. фиг. наследие*); ‿ство Ма́ркса и Э́нгельса the heritage of Marx and Engels; получи́ть в ‿ство to inherit; лиша́ть ‿ства to disinherit; to cut a person out of one's will; to cut off one's heir with a shilling; лише́ние ‿ства disinheritance; по ‿ству by right of inheritance.

насло́ение *геол.* stratification; stratum, layer (*слой*).

наслу́шаться to hear; to have heard enough, to get tired of hearing, listening.

наслы́шк‖а: по ‿е by hearsay.

насме‖ха́ться to laugh (*at*), ridicule, mock (*at*), scoff (*at*), jeer (*at*), deride, flout (*at*), gibe (*at*); to quiz (*добродушно*); to sneer

(*at*) (*с иро́нией*); ‿ши́ть to set one laughing, to make one laugh (*merry*); '‿шка mockery, derision, sneer, scoff, jeer, gibe, jibe; raillery, banter (*добродушная*); э́та кни́га про́сто ‿шка this book is a mere mockery; '‿шли́вость derisiveness; '‿шли́вый mocking, scoffing, jeering, given to mocking, ironical, sarcastic; '‿шли́во mockingly, scoffingly, banteringly (*добродушно*); '‿шник mocker, scoffer, sneerer, jeerer; '‿шни́чать to scoff, sneer, jeer; ‿я́ться to affront, insult; *см.* насмехаться.

на́сморк cold (in the head).

насносях near delivery.

насоли́ть to salt; *фиг.* to spite, annoy; to do a person an ill turn.

насо́с pump; *вет.* lampas (*опухоль на нёбе у лошади*); возду́шный н. air-pump; всасывающий н. suction-pump; нагнета́тельный н. forcing-pump; циркуляцио́нный н. circulation-pump.

на́спех hurriedly.

наст frozen snow crust.

наста‖ва́ть to come; '‿л час (*для*) the hour has struck (*for*).

настав‖и́тельный edifying, instructive, admonitory; '‿ить *см.* наставлять; ‿ле́ние admonition, precept, exhortation; ‿ля́ть to set up (in quantity); to piece, to put a piece on (*надставлять рукав и пр.*); to admonish, exhort, edify (*поучать*).

наста́вни‖к preceptor, tutor, instructor, mentor, teacher; ‿ца tutoress, instructress; ‿ческий preceptorial, tutorial.

наста́ива‖ть to insist (*upon*); to stand to it that..., to urge, press (*for*); н. на приня́тии мер to make representations, urge that measures be taken; н. чай to let the tea draw; он ‿ет на том, что ви́дел меня́ he stands to it that he saw me; он ‿ет на том, что он невино́вен he insists that he is innocent (on his innocence); я ‿ю на том, что́бы он пошёл I insist on his going (that he shall go); ‿ться to draw (*о чае*).

наста́ть *см.* наставать.

на́стежь open, wide open; отворя́ть н. to open wide, throw open.

насти‖га́ть, '‿гнуть to overtake, catch (up), reach, to come up (*with*).

наст‖ила́ть to lay; н. доска́ми to plank, board; н. ка́мнем to pave with stone; н. пол to lay a floor; ‿и́лка laying; boarding, planking (*из досок*); ⌐и́льный огонь *военн.* grazing fire.

насти́чь *см.* настига́ть.

настла́ть *см.* настила́ть.

насто́й infusion; ⌐ка liqueur (*вино*); tincture (*лечебная*); хи́нная ⌐ка tincture of quinine.

насто́йчив‖ость insistence, urgency; persistence, pertinacity (*упорство*); ⌐ый persistent, pertinacious; urgent, pressing, insistent (*настоятельный*); ⌐о persistently *и пр.*; ⌐о тре́бовать to insist (*on*).

насто́лько so; thus far, thus much; н., наско́лько as much as; я н. убеждён в его́ че́стности, что ничего́ от него́ не скрыва́ю I am so convinced of his honesty, that I have no secrets from him; I am convinced... insomuch (to such an extent) that...

насто́льн‖ый: ⌐ая кни́га book of reference, book constantly referred to.

настора́живаться to prick up one's ears.

насторожé: быть н. to be on the look-out (on the alert, on the qui vive, on the watch).

насторожи́ться *см.* настора́живаться.

настоя́ни‖е insistence (*on*), entreaty; по его́ ⌐ю at his urgent request.

настоя́тель *уст.* prior, superior; ⌐ница *уст.* prioress, mother superior.

настоя́тельн‖ость insistence, urgency; ⌐ый urgent, pressing, insistent, imperative; ⌐о urgently *и пр.*

настоя́ть *см.* наста́ивать; to obtain by persistent demands.

настоя́щ‖ий present, actual (*о времени*); real, genuine, true (*подлинный*); veritable, regular, pure (*сущий*); н. геро́й veritable (regular) hero; н. год the current year; 10-го числа́ ⌐его ме́сяца the 10th instant (*сокр.* inst.); ⌐ее вре́мя the present time; *гр.* present (tense); в ⌐ее вре́мя at present, now, nowadays; ⌐ие ро́зы real (natural) roses.

настра́ивать to build, construct (*дома́*); to tune, attune (*муз. инструмент*); to tune in (*радиоприёмник*); to incite (*кого́-л. против*); '⌐ся to be tuned; to be incited.

настреля́ть to shoot, kill (*дичь*).

на́строго strictly, severely; строго-н. приказа́ть to give strict orders.

настрое́ни‖е mood, temper, frame of mind, vein; humour, disposition; н. во́йск spirit of the army (troops); в хоро́шем ⌐и in (high) spirits, in a good temper, in good humour, in high feather; в плохо́м ⌐и in poor (low) spirits, in a bad temper, out of spirits, out of humour; поддаю́щийся переме́нам ⌐я moody.

настро́ить *см.* настра́ивать.

настро́й‖ка tuning; *рад.* syntony; ⌐щик tuner.

настрочи́ть to scribble (*письмо*).

насту‖ди́ть, ⌐жа́ть to make cold, to cool; ⌐ди́ться to become cold, to cool.

наступа́тельн‖ый offensive, aggressive; н. бой offensive battle; ⌐ая кампа́ния (война́) offensive campaign (war); ⌐ое движе́ние offensive movement.

наступ‖а́ть, ⌐и́ть to tread on, set one's foot on, step on (*ногой*); to come (*о времени*); *военн.* to advance, to move forward, to gain ground (*ирон*); ⌐а́ет вре́мя, когда́... there comes a time when...; когда́ ⌐а́ет срок векселю́? when does the bill fall due?; ⌐и́ла реа́кция reaction set in; ⌐и́ло ле́то summer is in, summer has come; ⌐а́ющая сторона́ assailant; ⌐ле́ние coming, approach (*приближе́ние, прихо́д*); *военн.* offensive, attack; ⌐ле́ние на теорети́ческом фро́нте attack on the theoretic front; встре́чное ⌐ле́ние counter offensive; перейти́ в ⌐ле́ние to take the offensive; разверну́ть социалисти́ческое ⌐ле́ние to develop (increase) the socialist offensive.

насту́рция *бот.* nasturtium.

насули́ть to promise much.

нас‖у́п‖ить, ⌐лива́ть: н. бро́ви, ⌐иться, ⌐лива́ться to knit (contract) one's brows, to frown.

насу́против *разг.* opposite to, over against.

на́сухо: вы́тереть н. to wipe dry, to dry.

насу́щный daily (*о хле́бе*); urgent (*о необходи́мости*).

насчёт of, about, concerning, touching, as regards, with regard to.

насчи́т‖ать, '⌐ывать to count, reckon, number; н. кому́-л. (*лишнее*) to overcharge a person; населе́ния '⌐ывается 50 000 the population numbers 50 000.

нас(ы)ла́ть to send; inflict.

насы́п (*в ме́льнице*) hopper; ⌐а́ть, ⌐а́ть to put, fill; to spill (*просы*-

пать); ᴖать муки в мешок to put flour into a sack, to fill a sack with flour.

насыпь bank; embankment (*эж.-д.*); dam, dike (*плотины*); могильная н. grave-mound, tumulus.

насы‖тить, ᴖщать to sate, satiate, satisfy; *хим.* to saturate, impregnate, imbue; ᴖщение satiation; saturation, impregnation; ᴖщенность satiety, repletion; *хим.* saturation; ᴖщенный sated; *хим.* saturated.

наталкивать to push (jostle) against; н. на мысль to suggest an idea; ᴖся to run against, to stumble upon; *фиг.* to come across, to light on.

Наталья Natalie.

натапливать to heat intensely; to melt (*масло и пр.*).

натаптывать to trample (the floor) with dirty feet.

натаск‖ать, 'ᴖивать to bring (in a large quantity); to train (*собак*); to coach (*ученика к экзаменам*).

натачивать *см.* точить.

натвори‖ть to do; что вы ᴖли! what ever have you done!

нате! there!; take it!; here now!; here you are!

натекать to flow into.

нательный worn next the skin.

натереть(ся) *см.* натирать(ся).

натерпеться to have suffered much.

натечь *см.* натекать.

натирание rubbing, ointment, unguent (*лечебное*).

натирать to rub; to rub sore (*до крови*); to rasp, grate (*на тёрке*); н. воском to wax; ᴖся to rub oneself, to be rubbed.

натиск rush, attack, charge, onset, dash, onslaught; 'ᴖ(ив)ать *см.* напихивать.

наткнуться *см.* натыкаться.

натолкнуть(ся) *см.* наталкивать(ся).

натолковаться to have talked enough.

натопить *см.* натапливать.

натоптать *см.* натаптывать.

наторго‖вать, 'ᴖвывать to sell, to gain by trade.

натощак on an empty stomach, fasting.

натр *хим.* natron; едкий н. sodium hydroxide, caustic soda.

натрав‖ить, 'ᴖливать to set at, to set on.

натрий *хим.* sodium.

натряс‖ать, ᴖти to scatter, to let fall.

нату‖га effort, strain; ᴖжиться to make an effort, to strain.

натур‖а nature; вторая н. second nature; живая н. *жив.* sitter, model; сангвиническая н. sanguine nature; у него здоровая н. he has a good constitution; по ᴖе by nature; платить ᴖой to pay in kind; снято с ᴖы taken from life.

натурали‖зация naturalization; 'ᴖзм naturalism; ᴖзовать(ся) to naturalize; 'ᴖст naturalist; natural philosopher; ᴖстический naturalist (*attr.*), naturalistic.

натуральн‖ость naturalness; ᴖый natural; ᴖая оспа small-pox; ᴖое хозяйство natural economy; ᴖо naturally.

натурщи‖к, ᴖца sitter, model.

натык‖ать, ᴖать to drive in, stick in; н. на булавки to pin.

натыкаться to strike, to run against, to stumble over; to run one's head against (*на ч.-л. неприятное*); *фиг.* to meet, come across, light upon.

натюрморт *жив.* still life; fruit-piece (*плоды*).

натя‖гивать to stretch, strain, tighten; to tauten; to draw on, pull on (*перчатки и пр.*); н. нагретую шину to shrink on a tyre; н. удила to pull, to strain at the bit; ᴖгиваться to be stretched, to stretch; ᴖжение pull, tension; ᴖжение проводов *техн.* pull-up; ᴖжка strained interpretation; допустить ᴖжку в толковании закона to strain (stretch) the law; ᴖнутость tension, tensity; *фиг.* stiffness; ᴖнутый tense, tight; *мор.* taut; *фиг.* strained, forced, stiff; ᴖнутая любезность stiff politeness; ᴖнутое сравнение forced (far-fetched, overstrained) simile; ᴖнутые отношения strained relations; ᴖнуть(ся) *см.* натягивать(ся).

наугад at random, at a guess, by guess-work.

наугольник *техн.* square, bevel.

наудачу at all hazards, at a venture, at (by) haphazard.

наук‖а science, knowledge; прикладная (точная) н. applied (exact) science; это вам н. let it be a lesson to you; все области ᴖи every branch of knowledge; естественные ᴖи natural (physical) sciences; общественные ᴖи social sciences.

науськ(ив)ать to incite.

наутёк: пуститься н. to take to one's heels.

науч‖а́ть, **~и́ть** to teach; **~а́ть-ся**, **~и́ться** to learn.

нау́чность scientific quality, scientism.

нау́чн‖ый scientific; **н.** метод scientific method; **н.** работник scientific worker; **н.** социализм scientific socialism; **~ая** организация труда scientific organization of labour; **~о** scientifically; **~о-иссле́довательский** институт Scientific Research Institute; **~о-иссле́довательская** работа scientific research work; **~о-техни́ческий** комитет Scientific Technical Committee.

нау́шни‖к 1. ear-tab, ear-cap (*шапки*); head-phone (*радио*); **2.** telltale, informer, whisperer (*сплетник, клеветник и пр.*); **~чанье** informing; peaching (*sl.*); **~чать** to tell tales; peach (*sl.*); **~чество** *см.* наушничание.

нау́щ‖ать to instigate, to set on; **~е́ние** instigation.

нафтали́н *хим.* naphtaline.

нафто́л *хим.* naphthol.

наха́л impudent (brazen) fellow; **~ка** impudent woman, brazen baggage.

наха́ль‖ничать *разг.* to be impudent; **~ный** impudent, impertinent, insolent, brazen, saucy, pert; cheeky (*sl.*); **~но** impudently; cheekily; **~ство** impudence, brazenness, effrontery; cheek (*sl.*).

нахвали́ться: не могу **н.** I cannot overpraise, I am very (extremely, highly) pleased (*with*).

нахват‖а́ть, **'~ывать** to lay hold (*of*), to seize, to get by unfair means.

нахле́бни‖к, **~ца** boarder; parasite, hanger-on.

нахл‖еста́ть, **~ёстывать** to whip, lash.

нахлобу́ч‖и(ва)ть to pull over one's eyes; **~ка** *разг.* rating.

нахлы́ну‖ть to rush, flood, overrun, invade; на меня **~ла** волна I was submerged by a wave; на меня **~ли** воспоминания my past life rushed through my mind.

нахму́р‖енный beetle-browed, scowling; **~и(ва)ть: н.** лоб to knit (contract, wrinkle) one's brow; **~и(ва)ться** to knit one's brow; to frown, scowl (*at, on*); to lour, lower (*тж. о небе*).

нахо‖ди́ть I. to find; to retrieve (*потерянное*); **н.** залежи руды to strike a vein of ore; **н.** решение to find a solution, to solve; *разг.* to hit it; **н.** своё призвание to find

oneself; **н.** способ to hit on a device; **н.** удовольствие (*в ч.-л.*) to take pleasure (*in*); я **~жу́** условия приемлемыми I find the terms reasonable.

наход‖и́ть II. to come upon; на него **'~ят** припадки бешенства he is liable to fits of frenzy.

находи́ться I. to be found; to be; **н.** в затруднительных обстоятельствах to be in a difficult (embarrassing) situation; **н.** под подозрением to be (to lie) under suspicion; **н.** под судом to stand one's trial, to be tried at law, to be subjected to trial.

находи́ться II. to tire oneself by walking (*вдоволь*).

нахо́дка finding, find; thing found; windfall, godsend, trouvaille (*удачная*).

нахо́дчив‖ость readiness, resourcefulness, ready tongue (*находчивый ответ*); **~ый** witty, sharp, quick-(ready-)witted, having presence of mind; resourceful (*изобретательный*); **~ый** ответ witty repartee (retort, reply); **~о** wittily.

нахожде́ние (act of) finding; being (in a place, in a state).

нахол‖а́живать, **~оди́ть** to make cold.

нахо́хли‖ться to ruffle up; курица **~лась** the hen has ruffled up her feathers.

нахохота́ться to have laughed much.

нахра́пом *разг.* by main force, with a high hand; impudently.

нац- *сокр.* национальный.

нацара́п(ыв)ать to scrawl, scribble, scratch.

наце‖ди́ть, **'~живать** to decant, to rack off.

наце́ли(ва)ться to aim (*at*), to take aim (*at*), to level (*at*).

нацеп‖и́ть, **~ля́ть** to attach; to fasten.

национал‖иза́ция nationalization (земли—of land); **н.** ведущей промышленности nationalization of the key industries; **~изи́ровать** to nationalize; **~и́зм** nationalism; **~и́ст** nationalist; **'~ьность** nationality; какой он **'~ьности?** what is his nationality? совет **'~ьностей** Council of nationalities; **'~ьный** national; **~ьный** гимн national anthem; **~ьный** гнёт national repression; **'~ьная** гвардия *ист.* National Guard; **'~ьное** меньшинство national minority; **~ьное** самоопределение self-determination of nations; Н ⌐ьное собрание National Assembly.

на́ция nation, people; наиболее благоприятствуемая н. most favoured nation (*в отношении пошлин*).

нацме́н (*национальное меньшинство*) national minority.

начади́ть to fill with smoke (vapour).

нача́л‖**о** beginning, commencement; principle, basis (*основа*); origin, source (*источник*); start, outset, throw-off (*действий*); заразное н. virus; брать н. to spring (*from*), have origin (*in*), originate (*from, in*), take rise (*from, in*); дава́ть н. to originate; доброе н. полдела откача́ло *посл.* well begun is half done; от ⌐а до конца́ from end to end, through; в ⌐е третьего a few minutes past two; быть под ⌐ом (*у к.-л.*) to be under command (*of*), to be in subordination (*to*); ⌐а матема́тики the elements (rudiments, first principles) of mathematics; на креди́тных ⌐ах on credit basis.

нача́льни‖**к**, ⌐**ца** head, chief, superior; *воен.* commander; н. станции station-master; ⌐**ца** учи́лища headmistress, schoolmistress; ⌐**ческий** imperious, domineering, overbearing, dictatorial, magisterial.

нача́льн‖**ый** initial, first; elementary, rudimentary (*элементарный*); ⌐**ая** бу́ква initial letter; ⌐**ая** шко́ла elementary school; ⌐**ое** образова́ние elementary education.

нача́льственный *см.* нача́льнический.

нача́льство authorities, heads, chiefs, superiors; под ⌐**м** under command of; ⌐**вание** commanding, command; ⌐**вать** to command.

нача́тки rudiments, elements (*знаний*).

нача́ть(ся) *см.* начина́ть(ся); нача́ть с того, что это неве́рно it is wrong, to begin with.

начеку́: быть н. to be on the alert (on the look-out).

на́черно roughly; составля́ть документ н. to draft a document.

наче́рп‖**ать**, ⌐**ывать** to scoop up.

начерта́‖**ние** tracing, inscription; spelling (*орфография*); ⌐**тельный** graphic; ⌐**тельная** геоме́трия descriptive geometry; ⌐**ть** to trace, inscribe, write.

начер‖**ти́ть**, ¹ ⌐**чивать** to draw,

trace; *фиг.* to sketch, outline (*перспективы и пр.*).

нач‖**еса́ть**, ⌐**ёсывать** to scratch; to comb, hackle, card (*см.* чеса́ть).

начёт deficit, fine for deficit; ⌐**истый** expensive, disadvantageous.

начётчик well read but uncritically minded person.

начина́‖**ние** beginning; undertaking (*предприятие*); ⌐**тель** originator, author; ⌐**тельный** глаго́л *гр.* inceptive verb.

начина́‖**ть** to begin, commence; to start (*путешествие, действия*); to set up, to set on foot, initiate (*предприятие и пр.*); to fall (*to*), to put one's hand (*to*) (*работу*); н. де́йствия to start operations; *фиг.* to open ground, to open the ball; н. кампа́нию to open a campaign; н. пе́сню to start a song, to strike up; н. разгово́р to lead off the conversation; н. сраже́ние to join battle; успе́шно н. to make a good start; ⌐**й**! *разг.* fire away!; ⌐**ться** to begin, commence; ⌐**ющий** *s.* a beginner; tiro, tyro; ⌐**ющийся** beginning, incipient.

начи́н‖**ка** stuffing; ⌐**ять** to stuff, fill.

начи́стить *см.* начища́ть.

на́чисто cleanly; *разг.* flatly, thoroughly (*совершенно*); fair (*переписать*); отказа́ть н. to refuse flatly; переписа́ть н. to write out fair, to make a fair copy; ⌐**ту́** above-board.

начи́танн‖**ость** reading, erudition, scholarship; ⌐**ый** well read, lettered; ⌐**ый** челове́к man of vast reading.

начита́ться to read one's fill.

начища́ть to clean; to black, polish (*сапоги*); to brush (*щёткой*); to rub up (*натира́ть*).

начсоста́в (*нача́льствующий соста́в*) Commanding Staff.

на что what for?, why?; на ч. уж он хладнокро́вен cool as he is.

наш our (*attr.*); ours (*predic.*); взгляни́те на н. сад look at our garden (*или* this garden of ours); наш (сад) мне нра́вится бо́льше I like ours (our garden) better; ⌐**а** взяла́! the victory is ours!; по ⌐**ему** in our opinion; служи́ть и ⌐**им** и ва́шим *погов.* to run with the hare and hunt with the hounds.

нашали́ть to play pranks.

нашаты́р‖**ный**: н. спирт liquid ammonia, spirits of hartshorn; ⌐**ь** sal ammoniac, ammonium chloride.

наш‖ептáть to whisper in one's ear; ⁓ёптывание whispering; ⁓ёптывать см. нашептать.

нашéствие invasion, incursion, inroad.

нáшивать см. носить.

наши‖вáть to sew on; to sew (in quantity); '⁓вка sewing on; военн. chevron, stripe (на рукаве); tab (на воротнике); ⁓внóй sewed (sewn) on.

нашлéмник crest (геральд.).

нашлёпать to slap, spank.

нашумéть to create (make) a noise (тж. фиг.); to make a sensation.

нашип‖áть, '⁓ывать to pick; н. перья to pluck out feathers.

нащуп‖ать to find by feeling; ⁓ывать to feel about for; to fumble (for, after); to grope (for, after; тж. фиг.); н. правильный путь to feel the right way:

наэлектризовáть to electrify; фиг. см. взвинчивать.

наявý in reality, not in a dream; сон н. waking dream.

найда миф. naiad.

найривать разг., вульг. to strum, play noisily.

не не (обыкн. со вспомог. глаголом); no, none; я не знаю I do not (don't) know; он не придёт he will not (won't) come; разве вы этого не сказали? didn't you (did you not) say so?; скажите ему, чтобы он не двигался tell him not to move; это не моя собака it is not my dog; это не шутка it is no joke; дела обстоят не лучше things are no better; не меньше, чем no less than; ища покоя и не находя его seeking rest and finding none; плата не слишком высока the pay is none too high; мне не на что купить I have no money to buy it; это не золото и не серебро it is neither gold nor silver; не впускать to keep out; не отставать (от) to keep up (with); ему было не по себе he was ill at ease.

не- в сложных словах передается приставками un-: неверие unbelief; in- (особ. в словах лат. происх.): неорганический inorganic; non-, mis-, dis-: невмешательство non-intervention; несчастие misfortune; немилость disgrace.

неаккурáт‖ность inaccuracy, unpunctuality; см. аккуратный; ⁓ный inaccurate, unpunctual; untidy.

неаполи‖тáнец, ⁓тáнский Neapolitan.

Неáполь Naples.

небезвы́годный not unprofitable.

небезопáсный insecure, not safe.

небезызвéстно: мне это н. I know (have heard).

небелён‖ый unbleached; ⁓ое полотно brown Holland.

небережли́вый improvident.

небéсн‖ый heavenly, celestial, skyey (см. небо); н. свод arch (vault) of heaven; Н⁓ая империя ист. Celestial Empire (Китай); ⁓ая механика астр. celestial mechanics; ⁓ые светила heavenly bodies; ⁓о-голубóй sky-blue, skyey.

небеспристрáстный not impartial, interested.

неблаговúдный improper.

неблаговрéменный inopportune, untimely.

неблагодáрн‖ость ingratitude, ungratefulness; ⁓ый thankless, ungrateful; ⁓ая задача a thankless task.

неблагозвýчный inharmonious, disharmonious.

неблагонадёжный unreliable, of doubtful loyalty; политически н. a political suspect.

неблагополýчный bad, unlucky; операция имела н. исход the operation proved fatal to the patient.

неблагопристóйн‖ость indecency, impropriety; ⁓ый indecent, unbecoming; obscene.

неблагоприя́тный unfavourable, disadvantageous, inauspicious.

неблагоразýм‖ие imprudence; ⁓ный imprudent, ill-advised.

неблагорóдный ignoble, base; н. металл base metal.

неблагоскло́нный ill-disposed (towards).

нёб‖ный (звук) palatal; ⁓ные кости palatine (palate) bones.

нéб‖о sky (видимое); рел. heaven; firmament (неб. свод); поэт. welkin; н. барашками mackerel sky; голубое н. blue sky; попасть пальцем в н. to have (take) the wrong sow by the ear, to find a mare's nest; быть на седьмом ⁓е to be overjoyed, to be in the seventh heaven; превозносить до ⁓éс to laud (exalt) to the skies; под более тёплым ⁓ом under warmer skies; под открытым ⁓ом under the open sky, in the open air; к ⁓y skywards.

нёбо palate; мягкое н. soft palate; твердое н. hard (bony) palate.

небольш‖о́й small, little; 500 с ~и́м a little more than five hundred, five hundred odd.

не́бо‖сво́д firmament, vault (dome) of heaven; ~скло́н horizon; ~скрёб skyscraper.

небо́сь *разг.* probably; surely.

Небра́ска Nebraska.

небре́жн‖ость carelessness; negligence (*часто в юр. смысле*); ~ый negligent, neglectful, careless (*о человеке*); careless, slipshod (*о работе и пр.*); perfunctory (*поверхностный*); ~ый стиль loose (slipshod) style; ~ая рабо́та sloppy (slipshod) work, slipslop; ~о negligently *и пр.*

небуля́рный *астр.* nebular.

небыва́лый unprecedented, unparalleled.

небыли́ц‖а fiction, fable, cock-and-bull story; расска́зывать ~ы to fable, to draw (pull) the long bow.

небытие́ non-existence, nonentity, nothingness.

Нева́ the Neva.

нева́жн‖ый unimportant, insignificant; bad, indifferent, poor (*плохой*); э́то ~о it does not matter, it's of no importance, never mind; я чу́вствую себя́ ~о I don't feel quite well.

невдалеке́ not far (off).

невдо‖га́д, ~мёк *разг.*: мне бы́ло н. it never occurred to me, I never thought of it.

неве́д‖ение ignorance; ~омый unknown.

неве́ж‖а ill-mannered person, boor, churl; ~да ignoramus, know-nothing; ~ественный ignorant, illiterate; ~ество ignorance, illiteracy; по ~еству out of mere ignorance; ~ливость incivility, bad manners, rudeness; ~ливый uncivil, impolite, rude; ~ливо uncivilly, rudely.

неве́рие unbelief, infidelity.

неве́рн‖ость falseness, incorrectness (*неправильность*); uncertainty (*походки*); infidelity, unfaithfulness (*вероломство*); ~ый 1. *а.* untrue, false; incorrect, erroneous, wrong (*неправильный*); unfaithful, faithless, disloyal (*вероломный*); ~ый друг false (disloyal) friend; ~ая но́та false note; 2. *s.* infidel, disbeliever; ~о incorrectly, wrongly; wrong (*ставится в конце*); ~о дати́ровать to misdate; ~о называ́ть to miscall, misname; ~о прочита́ть to misread; ~о рассчита́ть to miscalculate.

невероя́т‖ность incredibility; ~ный incredible, unbelievable, fabulous, inconceivable; ~ное предположе́ние a violent assumption; ~но incredibly; э́то (соверше́нно) ~но it is past (all) belief.

неве́рующий 1. *а.* irreligious; 2. *s.* disbeliever.

невесёлый sad, sorrowful.

невесо́мый imponderable.

невест‖а a bride, fiancée, betrothed girl; *уст.* marriageable girl (*взрослая девушка*); ~ка daughter-in-law (*жена сына*); sister-in-law (*жена брата*).

неве́сть *разг.*: н. ско́лько God knows how many.

невеще́ственн‖ость immateriality, incorporeity; ~ый immaterial, unsubstantial, incorporeal.

невзго́да misfortune, adversity.

невзира́я *см.* несмотря́; н. на ли́ца without any respect of persons, regardless of personality.

невзра́чн‖ость plainness, homeliness; ~ый plain, insignificant.

невзыска́тельный not exacting, unassuming.

не́видаль wonder, prodigy; поду́маешь кака́я н.! *ирон.* here is a wonder indeed!

неви́данн‖ый unheard of; ~ые те́мпы строи́тельства unprecedented rate (tempo) of construction.

неви́димка invisible being; ша́пка-н. Fortunatus's cap.

неви́дим‖ость invisibility; ~ый invisible; ~о invisibly; види́мо-~о in countless quantities.

неви́н‖ность innocence; потеря́ть н. to lose chastity; ~ный innocent, guiltless, harmless; ~ный как младе́нец innocent as a babe unborn; ~ная ложь white lie; ~но innocently; ~о́вность guiltlessness; ~о́вный (*в преступлении*) innocent, guiltless (of crime); not guilty (*формула вердикта прися́жных*).

невку́сный unsavoury, unpalatable.

невменя́е‖мость irresponsibility; ~мый irresponsible.

невмеша́тельств‖о non-interference; non-intervention; поли́тика ~а the policy of non-interference.

невмоготу́, невмо́чь beyond endurance.

невнима́ние inattention, inadvertence.

невнима́тельн‖ость *см.* невнимание; ~ый inattentive, heedless, inadvertent; ~o inattentively, inadvertently.

невня́тн‖ость indistinctness, inaudibility, inarticulateness; ~ый indistinct, inaudible, inarticulate; ~o indistinctly *и пр.*

не́вод seine, sweep-seine.

невозбра́нно *уст.* freely.

невозвра́тн‖ый irrevocable, irrecoverable; ~o irrevocably, irrecoverably.

невозвраще́ни‖е failing to return; в слу́чае ~я де́нег в срок should the money not be returned in time; failing to return the money in time.

невозде́ланный uncultivated, untilled, waste.

невоздёрж‖ность intemperance (*в еде́*); incontinence (*в половом отношении*); ~ный intemperate, incontinent; ~o intemperately, incontinently.

невозмо́жн‖ость impossibility; ~ый impossible; ~o impossibly; ~o узна́ть there is no knowing.

невозмути́м‖ость imperturbability, coolness; ~ый imperturbable, cool; ~o imperturbably, coolly.

невознагради́мый irreparable.

нево́л‖ить to force, constrain, compel; ~ьник slave, bondman, bond-slave; торго́вля ~ьниками slave-trade; ~ьница bondwoman, slave; ~ьничество slavery, bondage; ~ьный involuntary, unwitting, unintentional; ~ьно involuntarily; ~я bondage, captivity; necessity (*нужда*).

невообрази́м‖ый unimaginable, inconceivable; ~o inconceivably.

невооружённы‖й unarmed; види́мый ~м гла́зом visible to the naked eye.

невоспи́танн‖ость bad manners; ~ый ill-bred, unmannerly, uneducated.

невпопа́д inopportunely, off the point, out of place.

неврази́мительн‖ость unintelligibility; ~ый unintelligible, obscure.

невралги́‖ческий neuralgic; ~я neuralgia; ~я лица́ face-ache; ~я седа́лищного не́рва sciatica.

неврасте́ни‖к, ~ческий neurasthenic; ~я neurasthenia.

невреди́м‖ость safeness; ~ый safe, unharmed, unhurt; ~o safely, scathelessly.

неври́т *мед.* neuritis; мно́жественный н. multiple neuritis.

невро́з *мед.* neurosis (*pl.* neuro-

ses); ~зный neurotic; ~лог neurologist; ~логия neurology; ~ма neuroma (*pl.* -ta); ~пат, ~пато́лог specialist for nervous diseases, neuropathist; ~патоло́гия neuropathology; ~тик, ~ти́ческий neurotic.

невтерпёж unbearable; мне ста́ло н. I could not endure (bear) it any longer.

невы́год‖а disadvantage, disadvantageousness; ~ный disadvantageous, unprofitable; ста́вить в ~ное положе́ние to place at a disadvantage; ~но disadvantageously, unprofitably.

невыноси́м‖ость insupportableness; ~ый unendurable, unbearable, intolerable, insufferable; ~o unendurably *и пр.*

невыполн‖е́ние omission (the failing) to perform; non-feasance (*чего-либо обязательного*); н. пла́на unfulfilment of the plan; ~и́мость impracticability, inexecutability; ~и́мый impracticable.

невы́работка non-fulfilment.

невырази́м‖ый inexpressible, unspeakable, beyond expression; ~ые *шут.* inexpressibles (*штаны*); ~o inexpressibly.

невырази́тельный inexpressive, expressionless.

невысо́к‖ий not high, low; ~ого ро́ста short, not tall.

невы́ход (на рабо́ту) non-appearance; truancy; absence.

невы́ясненность: н. положе́ния the uncertainty of the situation.

невя́зка discrepancy, disparity.

не́га voluptuousness, luxuriousness, languor; *уст., поэт.* pleasure, joy, enjoyment, delight.

негармони́рующий inconsonant (*to, with*).

негати́в *фот.* negative.

негашёная и́звесть quicklime, unslaked lime.

не́где there is no room; н. взять is nowhere to be got; н. сесть there is no room (chair) to sit down (on); nowhere to sit.

неги́бкий inflexible, stiff, rigid.

негла́дкий uneven, rough.

негла́сн‖ый private, secret; ~o, ~ым о́бразом privately, secretly.

неглиж‖е́ negligé, undress; ~и́ровать to neglect, slight.

неглубо́кий not deep, shallow; skin-deep (*о ране, чувстве*).

негно́й-де́рево yew, yew-tree.

него́дн‖ик, ~ица *см.* негодя́й (-ка); ~ость unfitness; worthlessness (*см.* него́дный); ~ый unfit, improper, unsuited (*неподходящий*); worthless, good for nothing (*плохого качества*); ~ый для военной службы ineligible, non-effective, unfit for military service; ~ый чек worthless cheque.

негодова́‖**ние** indignation; взрыв ~ния an outburst of indignation; ~ть to be indignant.

негодя́й(ка) wretch, villain, scoundrel.

негорю́чий incombustible.

негостеприи́мн‖**ость** inhospitality; ~ый inhospitable; ~о inhospitably.

негото́вый unready, not ready, unprepared.

негоциа́нт merchant, wholesale dealer.

негр negro.

негра́мотн‖**ость** illiteracy; ~ый illiterate, unlettered; *см.* безграмотный.

негрит‖**ёнок** negro child, piccaninny; ~я́нка negress; ~я́нский негро (*attr.*); ~я́нский оркестр (*ёжазбанд*) jazz-band; ~я́нская мелодия negro melody.

негро́мкий low(-sounding).

негро‖**ненави́стник** negrophobe; ~ненави́стничество negrophobia; ~обра́зный negroid(al); ~фи́л negrophil.

не́гус Negus (*абиссинский император*).

неда́вн‖**ий** recent, late; ~о recently, lately, of late, newly, the other day; ~о око́нчивший вуз fresh from college; recently graduated; ~о прибы́вший new-come; ~о ско́шенный new-mown.

недал‖**ёкий** not far, near; short-witted (*о человеке*); в ~ёком бу́дущем before long, in the near future; ~еко́ not far, near, at hand.

недальнови́дн‖**ость** improvidence; ~ый improvident.

неда́ром not without reason; not in vain.

недви́жим‖**ость** immovability, immobility; *см.* недви́жимое иму́щество; ~ый immobile, motionless; immovable (*тж.* об имуществе); ~ое иму́щество *юр.* immovable property, real estate, realty, immovables.

недвусмы́слен‖**ый** unequivocal, plain, unmistakable; ~о plainly, in a blunt way.

недействи́тел‖**ьность** ineffectiveness, inefficacity, inefficiency; inoperativeness; invalidity, nullity; ~ьный ineffective, inefficacious,

inefficient, ineffectual, inoperative; invalid, null, null and void; ~ен (*банк. отметка*) no effects, not sufficient; де́лать ~ьным to invalidate, nullify.

неделика́т‖**ность** indelicacy; ~ный indelicate; ~но indelicately.

недели́‖**мость** indivisibility; ~мый indivisible.

неделово́й unbusinesslike.

неде́л‖**ьный** weekly; ~я week; непреры́вная ~я nonstop week, unbroken week; страстна́я ~я Passion Week, Holy Week; к концу́ ~и about (by) the end of the week; две ~и fortnight; после́дние две ~и this last fortnight; через две ~и this day fortnight.

недержа́ние: н. мочи́ *мед.* irretention of urine.

недея́тельный inactive, inert.

недисциплини́рованн‖**ость** indiscipline; ~ый undisciplined; tumultuary, disorderly (*о толпе*).

недобо́р arrears; н. де́нежных сумм *юр.* money arrears, outstanding debts.

недоброжела́тель one who wishes ill, who bears somebody a grudge; ~ный malevolent, ill-disposed; ~ство malevolence, ill-will, grudge.

недоброка́чествен‖**ность** bad quality; ~ный bad.

недоброsocoвестн‖**ость** bad faith, unfairness, unconscientiousness; ~ый unfair, unscrupulous, dishonest; ~ая конкуре́нция *комм.*, *юр.* unfair competition; ~о unfairly, unscrupulously, dishonestly.

недо́бр‖**ый** unkind, bad; evil; замышля́ть ~ое to be up to mischief.

недова́ренный not boiled enough, underboiled.

недове́р‖**ие** mistrust, incredulity; во́тум ~ия a vote of non-confidence; ~чивость mistrustfulness; ~чивый mistrustful, incredulous; ~чиво mistrustfully, incredulously; ~я́ть to mistrust.

недове́‖**с** short weight; ~шивать to give short weight.

недово́л‖**ьный** discontented, displeased, dissatisfied; н. властя́ми *а.* disaffected; *s.* malcontent; ~ная грима́са pout; ~но discontentedly; ~ство discontent, dissatisfaction, displeasure.

недовыполне́ние underfulfilment.

недовы́работка not full output, underproduction.

недовы́ручка deficiency in receipts.

недога́дли‖вость slow wits; ~вый slow-witted.

недогляде́‖ть to overlook, to fail to observe, not to see after; я ~л этого it escaped my notice, I overlooked it.

недоговорённость lack of agreement.

недогру́зка not a full load; *фиг.* work not in full capacity, half-time work.

недода́ча deficiency in delivery.

недоде́ланный unfinished, unaccomplished.

недоде́ржка under-exposure (*в фотографии*).

недое‖да́ние insufficient nutrition, malnutrition; ~да́ть not to eat enough (*или* all); он '~л свою котлету he has left his cutlet unfinished; ~да́ющий underfed.

недожа́ривать to underdo, underroast.

недозво́ленный illicit, unlawful, unauthorized.

недозре́лый unripe.

недоим‖ка arrears; ~щик person in arrears (with taxes).

недока́з‖анность: н. обвинения the fact of the charge not being proved; ~анный not proved; not demonstrated; ~уемый indemonstrable.

недока́рмливать to underfeed.

недоко́нченный unfinished.

недо́лго not long; ~ве́чный short-lived.

недолёт *военн.* burst short of aim (*ядра*).

недолю́бливать to dislike.

недоме́р short measure; ~ивать to give short measure.

недомога́‖ние indisposition, malaise, ailment; ~ть to be unwell.

недомо́лвка reservation, omission.

недомы́слие an injudicious action, word; thoughtlessness.

недонесе́ние: н. о преступлении *юр.* misprision (of felony).

недоно́сок prematurely born child, abortion.

недооце́н‖ивать to underestimate, undervalue, underrate; ~ка inappreciation, underestimation, undervaluation; underestimate; ~ка сил противника underestimation of the enemy's strength.

недопечённый half-baked.

недополуч‖а́ть, ~и́ть not to receive (a part of what is due).

недопроизво́дство underproduction.

недопу‖сти́мость inadmissibili-

ty; ~сти́мый inadmissible, not to be put up with; ~ще́ние non-admission, prohibition.

недоразви́тие under-development, imperfect (inadequate) development; backwardness (*умственное*).

недоразуме́ние misunderstanding.

недорого́й inexpensive.

недоро́д poor harvest (crop).

недоро́сль *уст.* minor (*person under age*); *см.* недоучка.

недосл‖у́шать not to hear out; ~ы́шать to mishear.

недосмо́тр oversight; по ~у by an oversight; through carelessness.

недосмотре́ть *см.* недоглядеть.

недосо́л insufficient salting.

недоспа́ть *см.* недосыпать.

недоста‖ва́ть to be wanting, to fall short, to be insufficient; нам страшно вас ~ва́ло we missed you badly; ему ~ёт выразительности he is deficient in (is wanting in, fails in, falls short of) impressiveness; мне ~ёт слов, чтобы выразить words fail me to express; нам ~ёт денег we are short of money; '~ток deficiency, lack, want, shortage, scarcity (*нехватка*); defect, fault, demerit, shortcoming (*дефект*); физический ~ток corporal (bodily) defect; иметь ~ток (*в ч.-л.*) to be short (*of*), to want, lack, need; to be in want (*of*); иметь ~ток в рабочей силе to be short of hands, to be shorthanded; из-за '~тка through want (*of*), for lack (*of*); достоинства и '~тки merits and demerits; '~точность insufficiency, inadequacy; '~точный insufficient, deficient, inadequate, scanty; poor (*бедный*); defective (*о глаголе*); '~точное питание malnutrition, underfeeding; '~точно insufficiently *и пр.*; ~точно энергичный wanting (deficient) in energy; '~ть *см.* недоставать; '~ча deficiency, shortage.

недостижи́м‖ость inaccessibility; ~ый unattainable, inaccessible.

недостове́рный unauthentic, doubtful, apocryphal.

недосто́йн‖ый unworthy; ~о unworthily.

недосту́пн‖ость inaccessibility; ~ый inaccessible, inapproachable; *разг.* uncome-at-able.

недосу́г: мне н. I have no time.

недосчит‖а́ться, '~ываться to find that something is missing;

⌣а́лись трех экземпляров three copies were missing.

недос‖ы́пать, ⌣ыпа́ть I. not to give full measure (of grain *etc*.).

недосыпа́ть II. not to sleep enough.

недосяга́ем‖ость unattainability; ⌣ый unattainable; unrivalled, unequalled (*о таланте*).

недотёпа muff.

недотро́га touchy person; *бот*. touch-me-not.

недоу́здок halter; одевать н. to halter.

недоуме‖ва́ть to be perplexed, to be at a loss, not to be able to understand, to wonder; '⌣ние perplexity, quandary; '⌣нный perplexed, puzzled; ⌣нный вопрос puzzling question.

недоу́чка half-educated person.

недочёт deficiency, deficit (*в деньгах, товаре*); shortcoming, defect, fault (*в работе*).

не́дра womb, bosom; н. земли entrails of the earth.

недре́млющий unslumbering.

не́дру‖г enemy; ⌣желю́бный unfriendly.

неду́‖г illness, ailment, malady; ⌣жный ailing, infirm.

недурн‖о́й, '⌣о not bad; она ⌣а́ собо́й she is rather good-looking.

недю́жинный remarkable, unusual, exceptional; out-of-the-way, above the average.

неесте́ственн‖ость unnaturalness; ⌣ый unnatural.

нежда́нный unexpected.

нежела́‖ние reluctance, disinclination, unwillingness; ⌣тельность undesirability; ⌣тельный undesirable, objectionable.

не́жели than.

нежена́тый unmarried.

не́женка mollycoddle, coddle.

нежи́зненный not vital.

нежило́й uninhabited; untenantable.

не́ж‖ить to coddle, cocker, cherish; ⌣иться to luxuriate, to indulge in laziness; ⌣иться на со́лнце to bask in the sun; ⌣ничать to indulge in caresses.

не́жн‖ость tenderness, fondness; delicacy, softness (*см*. нежный); ⌣ый tender; delicate (*хрупкий*); soft (*мягкий*); fond, affectionate, loving (*любящий*); ⌣ая ко́жа tender (delicate, soft, smooth) skin; ⌣ого во́зраста of tender years; ⌣ое растение delicate (tender) plant; ⌣ое се́рдце tender heart; ⌣ые взгля́ды soft glances, sheep's eyes;

⌣ые зву́ки soft (sweet) sounds; ⌣ые кра́ски delicate (soft) colours; ⌣ые слова́ soft words; ⌣о tenderly *и пр*.

незабве́нный unforgettable.

незабу́дка *бот*. forget-me-not.

незаве́ренный uncertified.

незави́дный unenviable.

незави́сим‖ость independence, self-support; борьба́ за н. struggle for independence; ⌣ый independent; ⌣ое госуда́рство independency; быть ⌣ым to be one's own master (mistress); *разг*. to paddle one's own canoe; ⌣о independently.

незагру́женный not fully loaded; *фиг*. not working full time.

незада́ч‖а ill luck; ⌣ливый luckless, unlucky, ill-starred.

незадо́лго shortly; н. перед его́ прие́здом shortly before his arrival.

незаква́шенный unleavened.

незаконнорождённ‖ость illegitimacy, bastardy; ⌣ый (*в капиталистических странах*) illegitimate, bastard; ⌣ый ребёнок child born out of wedlock; natural child, love-child; bastard; *разг*. war baby (*во время войны*).

незако́нн‖ость illegality, unlawfulness; illegitimacy; ⌣ый illegal, illicit, unlawful; illegitimate, natural (*о ребёнке*); ⌣ый аре́ст false (illegal) imprisonment; ⌣ое увольне́ние wrongful dismissal; ⌣о illegally *и пр*.

незакономе́рный irregular, departing from ordinary course.

незако́нченный unfinished, incomplete.

незамени́м‖ость irreplaceability; ⌣ый irreplaceable.

незаме́тн‖ый imperceptible, inconspicuous, unnoticeable; ⌣ое пятнышко an invisible speck; ⌣о imperceptibly, unnoticeably.

незамо́жник poor peasant (*на Украине*).

незаму́жняя unmarried, lone; maiden (*attr*.), spinster.

незаня́тый unoccupied; not engaged; vacant (*о месте и пр*.).

незапа́мятн‖ый immemorial; с ⌣х времён time out of mind, from time immemorial.

неза́пертый unlocked, open.

незапя́тнанный spotless, stainless, immaculate, unstained.

незарабо́танн‖ый unearned; ⌣ое прираще́ние *экон*. unearned incre‐ ment.

незара́зный non-contagious.

незаслуженн‖ый unmerited, undeserved; 〜о undeservedly.

незастрахо́ванный uninsured; not insured; *фиг.* not assured (*о жизни*).

незате́йливый plain, simple.

незатуха́ющие колеба́ния *рад.* continuous (sustained) oscillations.

незауря́дн‖ый superior to the average, out of the common; о́чень 〜ая же́нщина a very superior woman.

не́зачем there is no need.

незащищённый defenceless, undefended; exposed, wind-swept (*от ветра*).

незва́ный self-invited, uninvited, unasked.

нездоро́в‖иться: мне сего́дня 〜ится I am unwell (poorly, out of sorts) to-day; 〜ость insalubrity, unwholesomeness; 〜ый sick, indisposed; poorly, unwell, ill (*predic.*); unwholesome, unhealthy, insalubrious (*о кли́мате*); 〜ый вид sickly look; 〜ые лёгкие unsound lungs; 〜ые настрое́ния unhealthy tendencies; 〜ье indisposition, ill health.

незе́мно́й unearthly, heavenly.

незлоби́вый mild, gentle, forgiving.

незлопа́мят‖ность placability; 〜ный placable.

незнако́м‖ец, 〜ка stranger, unknown person; 〜ство unacquaintance.

незнако́мый unknown, unfamiliar; unacquainted (*with*).

незна́ние ignorance, lack of knowledge.

незначи́тельн‖ость insignificance; 〜ый insignificant, inconsiderable, trifling, small, little; 〜ое большинство́ a narrow majority; 〜о insignificantly.

незре́л‖ость immaturity, greenness; 〜ый immature, unripe.

незри́м‖ость invisibility; 〜ый invisible.

незы́блем‖ость firmness; 〜ый firm, secure, stable, immovable; 〜о firmly *и пр.*

неизбе́ж‖ность inevitability; 〜ый inevitable, unavoidable, unescapable; 〜ая ги́бель капитали́зма the inevitable fall of capitalism; 〜о inevitably, of necessity, by the nature of things (of the case).

неизве́данный unknown, unexperienced.

неизве́стнос‖ть incertitude, uncertainty; obscurity; быть в 〜ти

to be ignorant (*of*), to be in suspense.

неизве́стн‖ый 1. *a.* unknown, uncertain, obscure; 〜ое the unknown; 〜ые величи́ны unknown quantities; **2.** *s.* unknown.

неизгла́ди‖м‖ость indelibility; 〜ый indelible, ineffaceable.

неи́зданный unpublished.

неизлечи́м‖ость incurability; 〜ый incurable, irremediable; он неизлечи́м he is past cure; больни́ца для 〜о-больны́х hospital for incurables.

неизме́н‖ность immutability, invariability, inalterability, changelessness; 〜ный immutable, unchangeable, invariable, inalterable; 〜но immutably *и пр.*; 〜яемость inalterability; *гр.* absence of inflections; 〜я́емый unchanged; *гр.* indeclinable.

неизмери́м‖ость immeasurability; 〜ый immeasurable, unfathomable, fathomless (*о глуби́не*).

неизъясни́мый ineffable, unutterable, unspeakable.

неиме́ние: за 〜м for lack (want) (*of*).

неимове́рн‖ый incredible; 〜о incredibly.

неиму́щий poor, indigent, needy.

неискорени́мый ineradicable.

неи́скренн‖е insincerely; 〜ий insincere; 〜ость insincerity.

неиску́сн‖ый unskilful, inexpert; 〜о unskilfully, inexpertly.

неискушённый inexperienced.

неисповеди́мый *уст.* inscrutable, unsearchable.

неисполн‖е́ние non-performance, inexecution; 〜и́мость impracticability; 〜и́мый impracticable.

неиспо́рченн‖ость soundness, untaintedness; 〜ый incorrupt, sound, not spoiled.

неисправи́м‖ость incorrigibility; 〜ый incorrigible, irremediable.

неиспра́вн‖ость inaccuracy, disrepair; 〜ый inaccurate, improper, incorrect; 〜о inaccurately *и пр.*

неиссле́дованный unexplored, uninvestigated.

неиссяка́емый inexhaustible.

неи́сто‖вство fury, rage; 〜ствовать to rage, rave; storm; 〜вый furious, rabid, frantic, outrageous, violent; 〜вый гнев violent (towering) rage; 〜во furiously, rabidly, franticly, outrageously, violently.

неистощи́м‖ость inexhaustibility; ∽ый inexhaustible.

неистреби́мый ineradicable.

неисцели́мый *см.* неизлечимый.

неисчерпа́емый *см.* неистощимый.

неисчисли́мый innumerable, incalculable, countless.

нейзи́льбер German silver (*сплав*).

нейтрал‖иза́ция neutralization; ∽изова́ть to neutralize, counteract, counterbalance; ∽ите́т neutrality; сохранять ∽ите́т to stand neuter; '∽ьный neutral, neuter; ∽ьный челове́к neutral; '∽ьное госуда́рство, граждани́н '∽ьного госуда́рства neutral.

неказ́истый *см.* невзрачный.

неквалифици́рованный unqualified; н. труд unski̲lled labour.

не́кий one, some, a certain.

Не́ккар the Neckar.

не́когда I. (*когда-то*) formerly, once, in former times; н. знамени́тое уче́ние a once famous doctrine.

не́когда II.: мне н. I have no time.

некоммунисти́ческий non-Communist.

некомпете́нтн‖ость incompetence; ∽ый incompetent.

некорре́ктн‖ость incorrectness; ∽ый incorrect.

не́которы‖й some, certain; ∽м образом in a certain way; to a certain extent; as it were.

некраси́в‖ость plainness, ugliness; ∽ый not pretty, not handsome, ugly, ill-favoured, plain, uncomely; unhandsome (*особ. фиг.*); ∽о unhandsomely, in an ugly way.

некредитоспосо́бн‖ость insolvency; ∽ый insolvent.

некробио́з *биол.* necrobiosis.

некро́з *мед.* necrosis (*pl.* -ses).

некроло́г obituary; а́втор ∽а obituarist; ∽и́ческий obituary.

некрома́нт necromancer; ∽и́ческий necromantic; ∽ия necromancy.

некро́поль necropolis.

некроти́ческий necrotic.

некрофо́бия necrophobia.

некста́ти inopportunely, untimely (*не во-время*); off the point, irrelevantly (*не по существу*); де́лать ч.-л. н. to mistime; кста́ти и н. in season and out of season.

не́ктар nectar; '∽ий *бот.* nectary; '∽ный nectarous.

не́кто somebody, someone; н. по фами́лии Петро́в one Petrov, a certain Petrov.

не́куда there is nowhere (no room where); мне н. пойти́ I have nowhere to go.

некульту́рн‖ость want of culture; ∽ый uncultured.

некуря́щий *s.* non-smoker.

нела́дн‖ый bad; тут что́-то ∽о something has gone wrong; *фиг.* there is something in the wind.

нела́ды discord, disagreement; у них н. they are on bad terms with each other.

нела́сковый unkind.

нелега́льн‖ость illegality; ∽ый illegal, unlawful; ∽о illegally, unlawfully.

нелёгкая: куда́ его́ н. понесла́? where the deuce has he gone?; wherever has he gone?

неле́нинский non-Leninist, not according to Lenin's principles.

неле́п‖ица, ∽ость absurdity, nonsense; ∽ый absurd, nonsensical, ridiculous; ∽о absurdly *и пр.*

неле́стный not very flattering, uncomplimentary.

неликви́дный nonliquidable.

нелицеприя́тный impartial.

нело́вк‖ий awkward, clumsy, maladroit; ∽ость awkwardness; blunder (*бестактный поступок*); он чу́вствовал себя́ ∽о he was ill at ease.

нелоги́чный illogical.

нельзя́ it is impossible, it is prohibited (forbidden); н. входи́ть! no entrance!; don't enter!

нелюбе́зн‖ость incivility, discourtesy, unfriendliness; ∽ый unfriendly, uncivil, ungracious; ∽о uncivilly, with a bad grace, with scant courtesy.

нелюби́м‖ый unloved, loveless; ∽овь dislike.

нелюди́м unsociable person; recluse; ∽ость unsociableness, shyness; ∽ый unsociable, shy.

нема́ло much; many (*см.* много).

немаловажный important.

нема́лый great (large) enough.

Не́ман the Niemen.

немаркси́стский un-Marxian.

немато́ды *зоол.* nematodes, round worms.

немедленн‖ый immediate; instant, prompt; ∽о immediately *и пр.*; without delay, forthwith, on the spot, instantly, at once.

Немези́да Nemesis; н. *фиг.* retribution.

неме́ть to grow dumb; to grow numb (torpid).

не́м‖ец German; АССР ∽цев Поволжья the German-Volga Autonomous Soviet Socialist Republic; ~**ецкий язык** German; **верхне-(нижне-)** ~**ецкий язык** High (Low) German; **Н** ~**ецкое море** the North Sea, the German Ocean.

немилосе́рдн‖**ый** unmerciful, merciless, pitiless; horrible; ~**о** unmercifully *и пр*.

немило́ст‖**ь** disgrace, disfavour; **в** ~**и** in disgrace, out of favour, under a cloud.

немину́ем‖**ость** inevitability; unavoidableness; ~**ый** inevitable, unavoidable, unescapable; ~**о** inevitably *и пр*.

не́мка German woman.

немно́г‖**ое** little; ~**ие** few (*противоп.* many); a few (*противоп.* none); not many; **в** ~**их словах** in a few words; ~**о 1.** (a) little, somewhat, a trifle; ~**о пьян** somewhat drunk; **2.** some, few, some few; **посети́телей** ~**о** visitors are few; ~**о масла** some butter; ~**осло́вный** laconic; ~**очи́сленность** fewness; ~**очи́сленные** *pl.* few.

немно́жко *см.* немного.

немо́жется *разг.*: **мне н.** I am not well.

нем‖**о́й 1.** *a.* dumb; mute; speechless (**от восто́рга** *и пр*.); **н. согла́сный** *фон.* mute consonant; ~**а́я клавиату́ра** dumb piano; **2.** *s.* a dumb m:n, mute.

немота́ dumbness, muteness.

не́мо‖**чь,** illness, sickness; infirmity; **бле́дная н.** chlorosis, green-sickness; ~**щный** infirm, sick; ~**щь** *см.* немочь.

нему́дрый *разг.* simple.

немы́слимый unthinkable, impossible.

ненави́деть to hate, detest, abhor, execrate, loathe; **н. сме́ртельно** to hate like poison.

не‖**нави́стник** hater; ~**нави́стный** hateful, odious, execrable; '~**навист**‖**ь** hatred, detestation, abhorrence; **предме́т мое́й** '~**нави́сти** my detestation; **смотре́ть с** '~**навистью** to look daggers.

ненагля́дный dear, beloved.

ненадёж‖**ность** unreliability, insecurity, untrustworthiness; ~**ный** unreliable, insecure, untrustworthy.

нена́добность uselessness, inutility; **за** ~**ю** because of not being wanted.

ненадо́лго for a short time.

ненападе́ние non-aggression.

ненаро́ком unintentionally, by accident, inadvertently.

ненаруши́м‖**ость** inviolability;

~**ый** inviolable, irrefrangible, sacred.

ненаст‖**ный** rainy; foul, bad (*только о погоде*); **н. день** rainy day; ~**ная пого́да,** ~**ье** bad (foul) weather.

ненасы́тн‖**ость** insatiability; insatiableness; ~**ый** insatiable, insatiate; ~**ое честолю́бие** insatiable ambition.

ненатура́льный non-natural, unnatural.

ненау́чный unscientific.

ненахо́дчивый shiftless; having no presence of mind.

ненорма́льн‖**ый** abnormal; insane (*сумасше́дший*); ~**ое положе́ние** abnormal (unnatural) state.

ненужный unnecessary, useless, needless, waste.

необде́ланный not finished.

необду́манн‖**ость** rashness; ~**ый** rash, thoughtless, unadvised, inconsiderate, hasty; ~**о** rashly *и пр*.

необеспе́ченн‖**ость** precariousness, neediness; ~**ый** precarious, needy, unprovided.

необита́емый uninhabited; **н. о́стров** desert island; **выса́живать на н. о́стров** to maroon.

необозна́ченный not indicated.

необозри́м‖**ость** vastness, immensity, boundlessness; ~**ый** vast, immense, boundless.

необрабо́танн‖**ость** rawness, crudity; ~**ый** uncultivated, untilled (*о земле́*); raw, crude, unwrought (*о материа́ле*); crude, incondite (*о лит. произведе́нии*).

необразо́ванн‖**ость** ignorance; ~**ый** uneducated, unlearned, ignorant.

необу́зданн‖**ость** unrestraint, licentiousness; ~**ый** unbridled, ungovernable, unrestrained; ~**о** unrestrainedly.

необу́тый bare-footed, shoeless.

необу́ченный untrained, raw.

необходи́м‖**ость** necessity, indispensability; **кра́йняя н.** urgency; **логи́ческая н.** logical necessity; **я сде́лал это по** ~**ости** I did it out of sheer (by absolute) necessity; ~**ый** necessary, indispensable, requisite, needed, imperative; **мне необходи́м хоро́ший слова́рь** I am in want of a good dictionary; ~**ое** requisite, necessaries; **де́лать** ~**ым** to necessitate; ~**о** necessarily.

необщи́тельны‖**й** reserved, self-contained, unsociable, incommunicative; **быть** ~**м** to keep oneself to oneself.

необъясни́м‖ость inexplicability; ∽ый inexplicable, unaccountable.

необъя́тный immense, unbounded, vast.

необыкнове́нн‖ость, необыча́йн‖ость unusualness, singularity; ∽ый unusual, uncommon, singular, rare, extraordinary; ∽о unusually и пр.

необяза́тельный not obligatory, facultative, optional.

неограни́ченн‖ость unlimitedness; ∽ый unlimited, absolute, unrestricted.

неоднокра́тн‖ый repeated, reiterated; ∽о repeatedly, more than once; ∽о говорённый oft told.

неодобр‖е́ние disapprobation, disapproval; ∽и́тельный disapproving; ∽и́тельно disapprovingly.

неодоли́мый см. непреодоли́мый.

неодушевлённ‖ость inanimation; ∽ый inanimate, insentient.

неожи́данн‖ость suddenness, surprise; ∽ый unexpected, surprising, unlooked-for; ∽ое нападе́ние unexpected attack, surprise; ∽ое сча́стье windfall; ∽о unexpectedly, suddenly.

неозо́йский геол. neozoic.

неокантиа́нство филос. Neo-Kantianism.

неокатолици́зм neo-catholicism.

неоклассици́зм neo-classicism.

неоконча́тельный not the last, not final, inconclusive.

неолити́ческий архл. neolithic; н. век neolithic age.

неологи́зм neologism, newly-coined word, a word of modern coinage.

неомальтузиа́нство Neo-Malthusianism.

нео́н хим. neon.

неопи́санный (не вошедший в классификацию, не поддающийся описанию) nondescript.

неопису́е‖мость indescribability; ∽мый indescribable.

неоплá‖тный insolvent, insolvable; н. долг bad debt; ∽ченный not paid.

неопоро́ченный blameless.

неопределённ‖ость vagueness, uncertainty; ∽ый indefinite, uncertain, vague, indeterminate; ∽ый гла́сный фон. neutral vowel; ∽ый член гр. indefinite article; ∽ое наклоне́ние гр. infinitive; ∽ое уравне́ние мат. indeterminate equation.

неопредели́мый indefinable.

неопровержи́м‖ость irrefutability; ∽ый irrefutable, indisputable, incontestable; ∽о irrefutably и пр.

неопря́тн‖ость slovenliness, untidiness; ∽ый slovenly, untidy, disorderly; sluttish (о женщине); ∽о untidily; sluttishly.

нео́пытн‖ость inexperience; ∽ый inexperienced, unpractised.

неорганизо́ванный unorganized.

неоргани́ческий inorganic.

неороманти́зм neo-romanticism.

неосве́домленн‖ость lack of information; scanty information (about); ∽ый not being aware (sufficiently informed) of..., not being posted up in...

неосла́бный unremitting.

неосмотри́тельн‖ость, ∽ый см. неосторо́жность, неосторо́жный.

неоснова́тельн‖ый groundless, unfounded; superficial (поверхностный); ∽о groundlessly и пр.

неоспори́мый см. неопровержи́мый.

неосторо́жн‖ость imprudence, indiscretion, rashness; по ∽ости inadvertently; ∽ый unwary, incautious, imprudent, inconsiderate, unguarded, indiscreet, rash; ∽о unwarily и пр.

неосуществи́м‖ость impracticability; ∽ый unrealizable, impracticable.

неосяза́ем‖ость impalpability, intangibility; ∽ый impalpable, intangible.

неотверждённый non-consolidated; floating (о госуд. долге).

неотврати́мый inevitable, unshunnable.

неотвя́з‖ный importunate; ∽чивость importunity; ∽чивый importunate.

неотдели́мый inseparable.

неотёсанн‖ость clumsiness, uncouthness; ∽ый unhewn; фиг. unpolished, unlicked, clumsy, uncouth.

нео́ткуда from nowhere.

неотло́жн‖ость urgency; ∽ый pressing, urgent.

неотлу́чн‖ый always present; ∽о continually.

неотрази́м‖ость irresistibility; ∽ый irresistible.

неотреша́емость см. несменя́емость.

неотсту́пн‖ый importunate, urgent; persistent; ∽о importunately и пр.

неотчётливый indistinct.

неотчужда́ем‖ость inalienability; ∽ый inalienable.

неотъёмлем‖ость imprescriptibility, indefeasibility; **~ый** imprescriptible, indefeasible, inalienable; **~ое** право imprescriptible right.

неофи́т neophyte.

неофициа́льный unofficial.

неохо́т‖а disinclination, reluctance; **~ный** unwilling, reluctant **~но** unwillingly, backwardly, reluctantly.

нео́ценймый inestimable, invaluable, inappreciable.

неощути́тельный insensible, imperceptible.

непарн‖окопы́тные odd-toed animals; **'~ый** odd, unpaired; **~ый** шелкопряд зоол. gypsy moth.

непарти́йный: н. поступок an unparty-like action.

непереводи́мый untranslatable.

непередава́емый ineffable, inexpressible.

непереходный гр. intransitive, neuter.

непита́тельный innutritious.

непла́вкий infusible.

неплат‖ёж non-payment; **~ежеспосо́бный** insolvent.

неплате́льщик (налогов) person in arrears with payment of tax.

неплодоро́дный infertile, sterile, barren.

непло́тный incompact.

непобеди́м‖ость invincibility; **~ый** invincible; unconquerable.

неповинный см. невиновный.

неповинове́ние insubordination, disobedience.

неповоро́тлив‖ость clumsiness, sluggishness; **~ый** clumsy, slow, sluggish.

непого́да foul weather.

непогреши́м‖ость infallibility, inerrability; догмат папской **~ости** infallibilism, doctrine of the Pope's infallibility; **~ый** infallible, inerrable, unerring, impeccable.

неподалёку near, near (by), not far (off).

неподатливый intractable, unmanageable, stubborn.

неподатно́й free from tax (duty).

неподви́жн‖ость immovability, immobility, fixedness; **~ый** motionless, immobile, immovable, stationary, fixed; **~ый** взгляд fixed (set) look; **~ая** звезда fixed star; де́лать **~ым** to immobilize.

неподде́льный unfeigned, genuine, real; sincere.

неподку́пн‖ость incorruptibility; **~ый** incorruptible, unbribable.

неподлежа́щий not subject (liable) to, free (exempt) from; **н.** оглашению confidential, secret, not to be published.

неподоба́ющий unseemly.

неподража́емый inimitable.

неподсту́пный unapproachable.

неподсу́дный not under the jurisdiction (*of*), not triable (*by*).

неподходя́щий unsuitable, unsuited, inappropriate, unfitted.

неподчине́ние non-compliance, insubordination, recusancy; **н.** судебному постановлению contempt of court; **н.** суду defiance of courts of law, disobedience to courts of law.

непозволи́тельный not to be permitted, inadmissible.

непознава́емый unknowable, incognizable.

непоко́йный uncomfortable.

непоколеби́м‖ость firmness, immovability; **~ый** firm, unyielding, immovable, unshaken.

непоко́рн‖ость indocility, recalcitrance, insubordination; **~ый** indocile, unruly, refractory, recalcitrant, insubordinate.

непокры́т‖ый uncovered; **н.** заем undersubscribed loan; с **~ой** головой bare-headed.

непола́дки disorder, want of order; defects, faults.

неполнозу́бые зоол. edentata.

неполн‖ота́ incompleteness, imperfection; **~оце́нный** not of full value.

непо́лн‖ый incomplete, imperfect, defective; short (о мере); **~о** incompletely и пр.

непоме́рн‖ость exorbitance, excessiveness; **~ый** exorbitant, excessive.

непонима́ние incomprehension, failure to understand.

непоня́т‖ливость slowness; **~ливый** slow-witted, stupid; **~ность** incomprehensibility; **~ный** unintelligible, incomprehensible, obscure; **~но** unintelligibly.

непо́нятый misunderstood, not properly understood.

непоправи́м‖ость irreparability; **~ый** irreparable, irremediable, irretrievable; **~о** irreparably и пр.; beyond (past) retrieve.

непоро́чн‖ость purity, immaculacy; **~ый** pure, immaculate, spotless.

непоря́до‖к disorder; **~чный** dishonourable.

непосвящённый profane, uninitiated.

непосе́да fidget, fidgety person.

непоси́льный too heavy (difficult) (*for*), beyond one's strength.

непосле́довательн‖ость inconsistency, inconsequence; ∾ый inconsistent, inconsequent; ∾о inconsistently, inconsequently.

непослуш‖а́ние disobedience, indocility, insubordination; ¹∾ный disobedient.

непосре́дственн‖ость immediateness, spontaneity; ∾ый immediate, direct (*неме́дленный*); spontaneous, inartificial (*и́скренний*); ∾ая угро́за direct menace; ∾о immediately *и пр.*

непостижи́м‖ость incomprehensibility, inscrutability, ⸞impenetrability; ∾ый incomprehensible, impenetrable, inscrutable; ∾о incomprehensibly *и пр.*

непостоя́н‖ный inconstant, unsteady; ∾ная пого́да broken weather; ∾ство inconstancy, flightiness.

непоти́зм nepotism.

непотре́бный *уст.* obscene.

непохо́жий *см.* несхо́дный.

непоча́тый entire, unbroken, not begun; н. край *фиг.* very much, lots (of); в лесу́ оре́хов н. край there are heaps (tons) of nuts in the wood.

непочте́ние disrespect, irreverence, want of respect.

непочти́тельн‖ость *см.* непочте́ние; ∾ый disrespectful, irreverent; ∾о disrespectfully.

непра́вд‖а untruth, falsehood, lie; ∾и́вый untruthful; given to lying (*о челове́ке*); ∾оподо́бие improbability; ∾оподо́бный improbable, unlikely.

непра́ведный *уст.* iniquitous, unjust, unrighteous.

непра́вильн‖ость incorrectness; irregularity; ∾ый incorrect, wrong, defective, irregular, anomalous; ∾ый глаго́л irregular verb; ∾ый подхо́д (к) incorrect attitude (*towards*); ∾ая дробь improper fraction; ∾о incorrectly, wrongly; ∾о поня́ть to misapprehend, misunderstand.

неправоспосо́бн‖ость incompetence, legal disqualification; ∾ый incompetent, disqualified.

непра́в‖ота́ being wrong; ¹∾ый wrong; unjust; кто из них был непра́в? which of them was (in the) wrong?

непревзойдённый unsurpassed, unbeaten, second to none.

непредви́денный unforeseen, unlooked-for.

непреднаме́ренный *см.* непредумы́шленный.

непредубеждённый unprejudiced, unbiased.

непредумы́шленн‖ый unpremeditated; ∾ое уби́йство manslaughter; ∾о undesignedly, without malice aforethought.

непредусмотри́тельн‖ость improvidence; ∾ый improvident; ∾о improvidently.

непрекло́нн‖ость inflexibility, rigidity; ∾ый inflexible, unbending, rigid, austere.

непрело́жн‖ость immutability, irrevocability; ∾ый unalterable, irrevocable, immutable.

непреме́нн‖ый indispensable; н. секрета́рь permanent secretary; ∾о without fail, for certain; он ∾о придёт he is sure to come.

непреобори́м‖ость, непреодоли́м‖ость irresistibility, invincibility; ∾ый irresistible, invincible, unconquerable; insuperable, insurmountable (*о препя́тствии, тру́дности*); ∾ая си́ла *юр.* force majeure; ∾о irresistibly *и пр.*

непререка́емый unquestionable.

непреры́вка *см.* непреры́вная рабо́чая неде́ля.

непреры́вн‖ость continuity; ∾ый uninterrupted, unbroken; incessant, continuous; ∾ая дробь continued fraction; ∾ая рабо́чая неде́ля unbroken working week, non-stop (continuous) week; ∾о uninterruptedly *и пр.*

непреста́нный unceasing.

непреходя́щий permanent.

неприве́тлив‖ый ungracious, unfriendly; frigid (*холо́дный*); ∾ая улы́бка wintry smile.

непривлека́тельный unattractive, uninviting; repellent, forbidding (*отта́лкивающий*).

непривы́ч‖ка want of habit; ∾ный unaccustomed (*не име́ющий привы́чки*); unusual (*необы́чный*).

непригля́дн‖ый ugly, unsightly; ∾ая жизнь miserable, wretched life.

неприго́дный unfit, useless; ineligible, non-effective (*для военн. слу́жбы*).

неприе́млем‖ость inadmissibility; ∾ый inadmissible, unsuitable.

неприкоснове́нн‖ость inviolability; н. депута́тов immunity of deputies; н. ли́чности inviolability of personal freedom; ∾ый inviolable; ∾ый запа́с reserved funds.

неприкра́шенн||ый unvarnished, plain; ~ая правда unvarnished truth.

неприли́ч||ие indecency, indecorum, impropriety; ~ный indecent, indecorous; ~но indecently *и пр.*

неприменй||мость inapplicability; ~мый inapplicable.

неприме́тный imperceptible, indiscernible.

непримири́м||ость irreconcilability; being irreconcilable; ~ый irreconcilable; incompatible; ~о irreconcilably; это ~о с учением Маркса it is irreconcilable with Marx's theory.

непринужде́нн||ость ease, unconstraint; ~ый unconstrained, easy, natural; ~о with ease, unconstrainedly.

непринятие non-acceptance, rejection.

неприспосо́бленный unadapted, unfit.

непристо́йный *см.* неприли́чный.

непристу́пн||ость impregnability, inaccessibility (*см.* непристу́пный); ~ый impregnable, unassailable, inexpugnable (*о крепости*); inaccessible, unapproachable (*о людях*).

непрису́тственный день holiday.

непритво́рн||ый unfeigned, genuine; ~о unfeignedly, genuinely.

непритяза́тельн||ый, неприхотли́в||ый easily pleased; plain, simple (*простой*); ~ое растение a plant which does not require much care.

непричастн||ость being uninvolved (unconcerned, unimplicated); ~ый not implicated (*in*), not privy (*to*).

неприя́з||ненный inimical, hostile, unfriendly; ~нь enmity, hostility.

неприя́тель enemy; adversary; ~ский hostile; ~ское судно enemy ship.

неприя́тн||ость unpleasantness, nuisance, annoyance; disagreement, trouble (*столкновение с кем-либо*); ~ый unpleasant, disagreeable, annoying, troublesome; ~ое положение unpleasant situation; ~о disagreeably.

непробу́дный: н. сон sound sleep (*крепкий*); eternal sleep (*смерть*).

непроводни́к *физ.* non-conductor; ~я́щий non-conducting.

непрогля́дный pitch-dark, impenetrable.

непродолжи́тельн||ый short, of short duration; в ~ом времени before long.

непродукти́вн||ость unproductivity; ~ый unproductive.

непрое́зжий impassable, impracticable.

непрозра́чн||ость opacity; ~ый opaque.

непроизводи́тельн||ость unproductiveness; ~ый unproductive; ~ый труд unproductive labour.

непроизво́льн||ый involuntary, unintentional; ~ое движение involuntary movement, reflex; ~о involuntarily, unintentionally.

непролета́рский non-proletarian.

непромока́ем||ость impermeability; ~ый water-proof, water-tight, rain-proof; impermeable; ~ый плащ water-proof; делать ~ым to water-proof.

непроница́ем||ость impenetrability, impermeability; ~ый impenetrable, impervious, impermeable; ~ый для дождя proof against rain, rain-proof (-tight); impervious to rain; ~ый для звука sound-proof.

непропорциона́льн||ость disproportion; ~ый disproportionate.

непросе́янн||ый unbolted; хлеб из ~ой муки whole-meal bread.

непрости́тельный inexcusable, unpardonable, unforgivable, irremissible, unjustifiable.

непротивле́ние non-resistance; н. злу non-resistance to evil.

непроходи́м||ость impassability; ~ый impassable, impracticable, impervious; ~о глупый hopelessly stupid.

непро́чн||ый not durable, flimsy (*о материи и пр.*); not solid, rickety (*о мебели и пр.*); *фиг.* not solid, unstable, unreliable; эта материя ~а this stuff won't wear well.

непро́чь *разг.:* я н. погулять I am willing to go for a walk; I shouldn't mind a walk; I've no objection to going for a walk.

непро́шенный unasked, unbidden, uncalled-for.

Непту́н *астр.* Neptune; н~и́зм *геол.* neptunism; н~ни́ческий neptunian.

непутёвый *разг.* good-for-nothing; н. человек bad egg, bad lot, ne'er-do-well.

неработоспосо́бный 1. *а.* unable to work; 2. *s.* disabled person.

нерабо́чий: н. день non-working day, day of rest.

нера́в||енство inequality, disparity; сопиальное н. social inequality; ~номе́рность disproportionality; irregularity (движения и пр.); ~номерность разви́тия disproportional, unequal (uneven) development; ~номе́рный unequal, disproportionate; ~нопра́вие inequality, social disparity.

нерад‖е́ние, ~и́вость negligence, remissness; carelessness; ~и́вый remiss, negligent, careless of duty; ~и́во remissly, carelessly, negligently.

неразба́вленный undiluted; н. спирт raw spirit.

неразбери́ха muddle, confusion, pretty kettle of fish.

неразбо́рчив‖ость illegibility; unsqueamishness; unscrupulousness (см. неразбо́рчивый); ~ый illegible; indecipherable, cramped; niggling (о мелком почерке); not fastidious, indiscriminating (о человеке); ~ый в сре́дствах unscrupulous, of no scruples; ~о illegibly.

неразви́то́й undeveloped, intellectually backward.

неразгово́рчивый not talkative; редк. unconversable; н. челове́к man of few words.

неразде́л‖и́мый indivisible; '~ь-ность inseparability; '~ьный inseparable.

неразличи́мый indiscernible, indistinguishable.

неразлу́чн‖ость inseparability; ~ый inseparable; ~ые друзья́ inseparable friends, inseparables.

неразреши́м‖ость insolubility; ~ый insoluble; ~ая та́йна an insoluble mystery.

неразруши́мый indestructible.

неразры́вн‖ость indissolubility; ~ый indissoluble; ~о indissolubly.

неразу́м‖ие unreason, foolishness; ~ный unreasonable, unwise, ill-judged; ~но unwisely.

нераска́янн‖ость impenitence; ~ый impenitent.

нерасположе́‖ние dislike, indisposition, disinclination, repugnance; '~енный indisposed, unwilling, disinclined.

нераспоряди́тельн‖ость inaction; bad administration; ~ый inactive, lacking administrative qualities.

нераствори́м‖ость insolubility, indissolubility; ~ый insoluble, indissoluble.

нерасторжи́м‖ость indissolubility; ~ый indissoluble.

нерастороп‖ость sluggishness; awkwardness; ~ый sluggish, slow, dawdling, awkward.

нерасчётлив‖ость extravagance, wastefulness; ~ый not economical, wasteful, extravagant; ~о wastefully и пр.

нерациона́льный irrational, unreasonable.

нерв nerve; желе́зные ~ы iron nerves, nerves of steel; де́йствовать на ~ы to get on one's nerves, to jar (grate) upon one's nerves; ~а́ция бот. nervation; ~и́ровать to enervate, irritate, to act on someone's nerves; ~ни́чать to be nervous; ~ность nervousness; ~ный nervous; разг. jumpy, nervy; мед. neural (отн. к нервной систе́ме); neurotic (о челове́ке); ~ный припа́док a fit (attack) of the nerves; ~ный у́зел ganglion; ~ный центр nerve-centre; ~ная систе́ма nervous system; ~ное воло́кно nerve-fibre; ~но nervously; ~о́зный nervous.

нереа́льн‖ость unreality; ~ый unreal.

нерегуля́рный irregular.

неред́ко not seldom, often.

нерента́бельцый unprofitable.

не́рест зоол. spawning; '~иться to spawn.

нереши́тельн‖ость irresolution, indecision, indetermination; быть в ~ости to hesitate, vacillate, shilly-shally, to be in two minds; фиг. to sit on the fence; ~ый irresolute, undecided; ~о irresolutely, undecidedly.

не́рка амер. red salmon, blue-back salmon (ры́ба).

неро́бкий brave, fearless.

неро́вн‖ость inequality; ~ый uneven, unequal (неодина́ковый); irregular (неравноме́рный); rough, rugged, ragged (негла́дкий); uneven (в обраще́нии); ~ый темп ragged time.

неро́вня not one's equal.

не́рп‖а см. тюле́нь; ~ухи Otariidae.

нерукотво́рный поэт. not made by human hands; miraculous.

неруши́мый уст. см. ненаруши́мый.

Не́рчинск Nerchinsk.

неря́‖ха sloven; slattern, slut (то́лько о же́нщине); ~шество, ~шливость slovenry, untidiness; ~шливый slovenly, frowzy, untidy, sluttish, slatternly, slipshod; ~шливый стиль slipshod style; ~шливо untidily, sluttishly.

несбы́точн‖ость impossibility (of realization); ~ый unrealizable, unachievable; impossible.

несваре́ние indigestion.

несве́дущий uninformed, ignorant.

несве́жий not fresh, stale; tainted (*испорченный*).

несвоевре́менн||ость inopportuneness, unseasonableness; ~ый untimely, inopportune, ill-timed, unseasonable (*некстати*); not done (given *etc.*) in due time (*с опозданием*); ~о untimely, inopportunely.

несво́йственный not properly pertaining (*to*), not characteristic (*of*).

несвя́зн||ость incoherence; ~ый incoherent, disconnected, disjointed; ~о incoherently *и пр.*

несгово́рчив||ость intractability; ~ый intractable, stubborn, cross-grained.

несгора́емый incombustible, fire-proof; н. ящик safe, strong-box.

несде́ржанн||ость unrestraint, unconstraint; ~ый unrestrained; ~о unrestrainedly.

несе́ние bearing; н. обя́занностей performance of duties.

несессе́р dressing-case (-bag).

несжима́ем||ость incompressibility; ~ый incompressible.

несказа́нный *поэт.* unspeakable, ineffable.

несклад||ица incoherence, nonsense; ~ный not fluent (*о речи*); awkward, ungainly (*о фигуре*).

несклонный *см.* нерасположенный.

несклоня́емый *гр.* indeclinable.

не́сколько 1. somewhat, rather; н. обескура́женный somewhat discouraged; 2. some, a few, several; через н. дней in a few days; н. раз several times; в ~их словах in a few words; в ~их шагах a few steps off.

несконча́емый interminable, endless.

нескро́мн||ость immodesty, indelicacy, indiscretion; ~ый immodest, indelicate; indiscreet.

несло́жн||ость simplicity; ~ый simple.

не́слух disobedient child (person).

неслы́х||анный unheard-of; ~шный inaudible.

несмени́м||ость irremovability; ~ый irremovable.

несме́тны||й *см.* несчётный; ~е бога́тства incalculable riches (wealth).

несмотря́ in spite of, notwithstanding; н. на это this notwithstanding, in spite of this, for all that, nevertheless; стра́нно, но н. на это ве́рно strange and yet true.

несмыва́емый indelible.

несно́сн||ый insupportable, intolerable; ~о insupportably *и пр.*

несоблюде́ние non-observance, inobservance.

несовершенноле́т||ие nonage, minority; ~ний 1. *a.* under age; 2. *s.* minor.

несоверше́нн||ый imperfect, incomplete; ~ство imperfection.

несовмести́м||ость incompatibility; ~ый incompatible.

несогла́с||ие discord, discordance, variance; dissent (*только во взглядах*); discrepancy (*между двумя версиями и пр.*); ~ный discordant; inconsistent; я ~ен на это I don't consent (agree) to it; я ~ен с этим I disagree (don't agree) with it; ~но discordantly; in discord; ~о́ванность incoordination, nonconformity.

несозву́чный dissonant, inconsonant; н. эпохе out of tune with the epoch.

несозна́тельный not conscious, ignorant; кла́ссово н. not class conscious.

несоизмери́м||ость incommensurability; ~ый incommensurable, incommensurate.

несокруши́м||ость indestructibility; ~ый indestructible; adamantine (*о воле*); ~о indestructibly.

несомне́нн||ый indubitable; ~о undoubtedly, doubtless, no (without) doubt, beyond all (out of, past, without) question, decidedly, assuredly.

несообра́зн||ость incongruity; absurdity, absurdness (*см.* несообразный); ~ый incompatible, incongruous (*with*); absurd (*нелепый*); ~о incongruously, absurdly.

несообщи́тельный uncommunicative.

несоотве́тств||енный incongruous, not correspondent; ~ие want of correspondence, nonconformity, discrepancy, disparity.

несоразме́рн||ость disproportion; ~ый disproportionate, incommensurate.

несостоя́тельн||ость insolvency, bankruptcy, failure, worthlessness; *см.* несостоятельный; н. обвине́ния groundlessness of accusation; groundless accusation; ~ый insolvent, bankrupt (*о должнике*; *тж. как сущ.*); worthless, of no force (weight).

неспе́лый not ripe.

несподру́чный inconvenient.

неспоко́йный unquiet, restless, uneasy.

неспо́рый inefficacious, bad.

неспосо́бн‖ость incapacity, inability, inaptitude; dullness (см. неспосо́бный); ‿ый incapable, unfit, unable, inapt; dull, obtuse (об ученике и т. п.); ‿ый на ложь incapable of a lie (of lying); де́лать ‿ым to incapacitate.

несправедли́в‖ость injustice, wrong, iniquity; ‿ый unjust, inequitable, unfair; ‿о unjustly и пр.; суди́ть ‿о о к.-л. to judge unfairly; to do one wrong, to do one an injustice, to wrong one.

несравн‖ённый incomparable, matchless, perfect; ‿и́мый incomparable.

нестерпи́м‖ый unendurable, insufferable, unbearable, intolerable; ‿о unendurably и пр.

нес‖ти́ to carry, bear; to lay (яйца); to run away, bolt (о лошади); to reek, stink, smell (пахнуть); н. большу́ю нагру́зку to work much; н. обще́ственную нагру́зку to carry on social obligations; н. обя́занности to perform the duties (functions) of; н. отве́тственность to bear responsibility; куда́ вас ‿ёт? wherever (where the deuce) are you going?; он ‿ёт вздор he is talking nonsense; от него́ ‿ёт таба́ком he reeks of tobacco; от окна́ ‿ёт there is a draught from the window; ‿ти́сь to tear along, rush along, fly; to scud, drift (об облака́х); to lay eggs (о ку́рице); ‿ти́сь во весь опо́р to ride at top speed, to ride hell for leather; э́та ку́рица хорошо́ ‿ётся this hen is a good layer; ‿у́щиеся облака́ driving clouds, cloud-drift, scud, rack.

нестроево́й non-combatant (тж. как сущ.); not at the front.

нестро́йн‖ость discordance; ‿ый discordant, inharmonious; tuneless, dissonant (о звуке); ‿о dissonantly и пр.

несуди́мость the absence of previous charge.

несудохо́дный unnavigable.

несура́зный absurd.

несуще́ственный unessential, immaterial, unimportant.

несхо́дный dissimilar, unlike; unseasonable, unacceptable (цена́); ‿ство dissimilarity, difference.

несчаст‖ли́вый см. незадачли́вый; ‿ный 1. a. unlucky, unfortunate, unhappy; ill-fated; ill-starred; ‿ный слу́чай accident, mishap, misadventure; 2. s. wretch; ‿ье misfortune, ill (bad) luck, ill (bad) fortune, adversity (неуда́ча); unhappiness, infelicity (состоя́ние); misfortune (слу́чай); disaster, calamity (бе́дствие); к ‿ью unfortunately, unluckily.

несчётный innumerable, numberless, countless, incalculable; поэт. unnumbered.

несъедо́бн‖ость inedibility; ‿ый inedible, uneatable.

нет no, not, not any; он сказа́л: «нет!» he said no; н. ещё not yet; вы его́ ви́дите?—Нет do you see him?—No, I don't; во́все н. not at all; его́ н. до́ма he is not at home; наде́жды н. no hope; прия́тно или н., но э́то пра́вда pleasant or no (not), but it is so; свести́ на н. to bring to naught; там никого́ н. there is nobody; у вас есть де́ньги, а у меня́ их н. you have money and I have none; у него́ н. рабо́ты he has no (not any) work.

нетакти́чн‖ый tactless, indelicate; ‿о tactlessly, indelicately.

нетвёрдый unsteady, shaky; он нетвёрд в орфогра́фии his spelling is rather weak.

нетерп‖ели́вость impatience; ‿ели́вый impatient; ‿ели́во impatiently; ‿е́ние impatience; ‿и́мость intolerance; ‿и́мый intolerant.

нетле́нн‖ость imperishability; ‿ый imperishable, incorruptible.

нетопы́рь bat.

нето́чн‖ость inexactitude, inaccuracy, incorrectness; ‿ый inexact, inaccurate, incorrect; ‿о inexactly и пр.

нетре́бовательный not exacting, unpretentious.

нетре́зв‖ость insobriety; ‿ый intoxicated, drunk.

не-тронь-меня́ бот. noli me tangere (лат.).

нетрудо‖во́й: н. дохо́д unearned income; н. элеме́нт people living on unearned income; ‿спосо́бность invalidism; ‿спосо́бный disabled, invalid.

не́тто комм. net.

неубеди́тельный unconvincing.

неу́бранный ungathered (о хле́бе); untidy (о ко́мнате).

неуваж‖е́ние см. непочте́ние; ‿и́тельный unsatisfactory, not acceptable as justification.

неуве́ренн‖ость diffidence; incertitude; ‿ый diffident (в себе́); шcertain (*не знающий наверно*); ~о diffidently; uncertainly.

неувяда́емый unfading, fadeless.

неувя́зка discrepancy, disaccord.

неугаси́мый inextinguishable, unquenchable.

неугомо́нн‖ость restlessness; ~ый restless, indefatigable.

неударя́емый *гр.* unaccented.

неуда́ч‖а unsuccess, failure, miscarriage, fiasco; потерпе́ть ~у to fail, miscarry, to miss one's aim, to fall through; ~ник unsuccessful (ill-starred) person, failure; ~ный unsuccessful, unfortunate, unlucky, abortive; ~ное выраже́ние infelicitous remark; ~ное предприя́тие (де́ло) a poor affair; ~но unsuccessfully *etc.*

неудержи́м‖ость irrepressibility; irresistibility; ~ый uncontrollable, irrepressible; irresistible; ~ый смех irrepressible laughter.

неудо́б‖ный unhandy (*о предмете*); uncomfortable (*о местоположении*); inconvenient (*об обстоятельствах и пр.*); unpleasant; ~но inconveniently.

неудобо‖вари́мый indigestible; ~исполни́мый impracticable; ~поня́тный unintelligible; ~произноси́мый unpronounceable; ~произноси́мое сло́во *шут.* jaw-breaker; ~чита́емый illegible.

неудо́бство inconvenience, discomfort; *см.* неудобный; defect, drawback (*недостаток*).

неудовлетвор‖ённость dissatisfaction; ~ённый dissatisfied; ~и́тельный unsatisfactory.

неудово́льствие displeasure, discontent, dissatisfaction.

неуже́ли? is it possible?, really?, indeed?

неужи́вчив‖ость quarrelsome disposition; ~ый quarrelsome, unaccommodating.

неузнава́ем‖ый unrecognizable, irrecognizable; ~о unrecognizably.

неукло́нный steady, steadfast.

неуклю́ж‖есть clumsiness, awkwardness; ~ий clumsy, awkward, lubberly; ~е clumsily, lubberly.

неукосни́тельн‖ый strict, prompt; ~о strictly, promptly, without fail.

неукроти́мый untamable, indomitable.

неулови́мый that cannot be caught, elusive; *фиг.* subtle.

неуме́‖лость want of skill, clumsiness; ~лый unskilful, clumsy, bungling, tinkerly, lubberly; ~ние

ignorance, unskilfulness; ~ние различа́ть indiscrimination.

неуме́ренн‖ость immoderation, intemperance; ~ый immoderate; intemperate (*особ. в употр. вина*); ~о immoderately, intemperately, in (to) excess.

неуме́стный misplaced, out of place, irrelevant, unbecoming.

неумоли́м‖ость inexorability, implacability; ~ый inexorable, implacable.

неумол‖ка́емый, ~чный incessant.

неумы́шленн‖ый unintentional, inadvertent; ~о unintentionally, inadvertently.

неупла́та non-payment.

неупотреб‖и́тельный not in use, not used; ~ле́ние disuse, desuetude.

неупру́гий inelastic.

неуравнове́шенный unbalanced.

неурожа́й failure of crops, poor crop.

неуро́чн‖ый unseasonable; ~ое (*неудо́бное*) вре́мя improper time.

неуряди́ца disorder.

неуси́дчивый one who does not like to sit long in one place; fidgety.

неуспе́‖х failure, ill success; ~шный unsuccessful.

неуста́нный incessant, unceasing, continual, repeated.

неусто́йка forfeit for a breach of contract.

неусто́йчив‖ость instability; ~ый unstable, unsteady; ~ое равнове́сие unsteady equilibrium.

неустраши́‖мость intrepidity; ~мый fearless, intrepid; ~мо fearlessly, intrepidly.

неустро́йство disorder, disorganization.

неусту́пчив‖ость non-compliance; obstinacy; ~ый unyielding, uncomplying.

неусы́пный wakeful, vigilant, indefatigable.

неуте́шный inconsolable, disconsolate.

неутоли́м‖ый unquenchable; н. го́лод insatiable hunger; ~ая жа́жда unquenchable thirst; ~о unquenchably, unsatiably.

неутоми́м‖ость indefatigability; ~ый indefatigable, untiring; ~о indefatigably, untiringly.

не́уч illiterate, ignoramus, know-nothing; ~ёный unlearned, unlettered, illiterate.

неучти́вый discourteous, impolite, uncivil, inurbane.

неую́тный uncomfortable.

неуязви́м‖ость invulnerability; ⁓ый invulnerable.

неф *арх.* nave.

нефели́н *мин.* nepheline, nephelite.

нефоло́гия nephology (*учение об облаках*).

нефранки́рованный unstamped.

нефри́т *мин.* jade, nephrite; *мед.* nephritis; ⁓ный *мед.* nephritic.

нефт‖ела́вка oil shop; ⁓ена́ливно́е судно tanker; ⁓ено́сный oil-bearing; ⁓епрово́д oil-conduit, pipe-line; ⁓епромы́шленник owner of oil-wells; ⁓есиндика́т oil syndicate; ⁓ехрани́лище oil tank (reservoir); ⁓ь petroleum, rock-oil, mineral oil; ⁓яни́к *разг.* worker of oil industry; ⁓яно́й дви́гатель oil-engine; ⁓яно́й исто́чник oil well, oil-spring; находи́ть ⁓яно́й исто́чник to strike oil; ⁓яна́я вы́шка derrick; ⁓на́я промы́шленность oil industry.

нехват‖а́ть *см.* недостава́ть; ' ⁓ка shortage, scarcity.

нехоро́ш‖ий bad; ⁓о́ badly, not well; как ⁓о! what a shame!; чувствовать себя ⁓о to feel ill (unwell); это ⁓о с вашей стороны it is not nice of you, it is too bad of you.

нехоте́ние disinclination, reluctance.

не́хотя unwillingly, reluctantly.

не́христь *уст.* infidel, pagan.

нехудо́жественный inartistic.

нецелесообра́зн‖ый unsuitable; ⁓о not to the purpose.

нецелому́дренный unchaste, impure.

нецензу́рный unquotable; obscene.

нечая́нн‖ый incidental; unexpected; ⁓о incidentally, by chance, by accident; not on purpose; unexpectedly.

не́чего: н. и говори́ть, что... it is certain that...; it goes without saying that...; н. сказа́ты indeed!; вам н. беспоко́иться об э́том you need not be anxious about it; no call to be anxious; мне бо́льше н. сказа́ть I have no more to say; мне н. де́лать I have nothing to do; от н. де́лать having nothing to do, for want of occupation.

нечелове́ческий superhuman.

не́чему: н. удивля́ться no wonder, there is nothing wonderful.

нечестн‖ость dishonesty; ⁓ый dishonest; unfair (*о средствах, игре и пр.*); ⁓о dishonestly, unfairly;

поступи́ть ⁓о с к.-л. to play one a trick, to play one foul.

не́чет odd number; чёт и н. odd and even.

нечётк‖ий illegible, indecipherable; ⁓ая рабо́та (формулиро́вка) work (formulation) lacking in precision.

нечётко illegibly, indecipherably; ⁓сть lack of precision.

нечётный odd.

нечист‖окро́вный half-bred; ⁓опло́тность untidiness; ⁓опло́тный untidy, slovenly; ⁓ота́ dirtiness, impurity; ⁓о́ты impurities, sewage; night-soil; бо́чка для вы́воза ⁓о́т night-car.

нечи́ст‖ый unclean, impure; н. на́ руку dishonest, fraudulent; ⁓ая си́ла the evil spirit, the evil one; ⁓ое де́ло suspicious affair; ⁓о uncleanly, not cleanly; тут что-то ⁓о there is something shady in it.

нечленоразде́льный inarticulate.

не́что something.

нечувстви́тельн‖ость insensibility; ⁓ый insensible, insensitive.

нешу́точный serious, grave.

неща́дн‖ый merciless, unsparing, unmerciful; ⁓о mercilessly *и пр.*

нея́вка non-appearance, failure to appear; *юр.* contumacy; н. на рабо́ту non-appearance at work, the missing of work.

нея́сн‖ость vagueness, obscurity; ⁓ый vague, obscure, indistinct; ⁓о vaguely *и пр.*

нея́сыть *зоол.* grey (wood-)owl.

ни: ни он ни я neither he nor I, nor he nor I; ни то ни сё, ни рыба ни мясо neither fish, flesh, nor good red herring; я не нашёл ни того ни другого I have found neither (neither the one nor the other); ни оди́н none, no one, nobody; ни гроша́ not a farthing; не могу́ найти́ ни одного́ приме́ра I cannot find a single instance of it; ни еди́ной ка́пли not a single drop; ни на чём не осно́ванный groundless; что бы ни случи́лось, я не винова́т whatever happens I am innocent; как бы он ни был умён however clever he may be; ни за что not for the world; ни за что ни про что without any reason whatever, undeservedly; ни с ме́ста! don't leave your place!

Ниага́ра the Niagara Falls.

ни́ва field, corn-field.

нивели́р level; ⁓ова́ние levelling; ⁓ова́ть to level; ⁓о́вка levelling; ⁓о́вщик leveller.

нивесть *разг.*: н. сколько nobody knows how much (many); н. откуда nobody knows from where (where from).

нивянник *бот. см.* поповник.

нигде nowhere.

нигилизм nihilism.

нигилист, ~ка nihilist; ~ический nihilistic.

ни-гугу *разг.* not a word.

нидерландｊｅц Netherlander; ~ский netherlandish.

Нидерланды Netherlands.

нижайший most humble.

ниже 1. *предлог* below, beneath, under; н. нуля below zero; н. среднего роста below middle height; суммы н. 50 руб. sums below (under) 50 roubles; н. его достоинства beneath his dignity; н. всякой критики beneath criticism; н. Саратова (*по течению Волги*) below Saratov; 2. *наречие* below, hereinafter (*в документе*); спуститься н. to go lower down; как будет сказано н. as it will be said below; 3. *прилагат.* lower; ~изложенный set forth below; ~означенный *см.* нижеупомянутый; ~подписавшийся the undersigned (*m. pl.*); ~приведённый stated (reproduced) below; ~следующий following; сказал ~следующее said as follows; ~упомянутый mentioned below, undermentioned.

Нижне-Тагильский завод Nizhne-Tagilski works.

нижнｊｉй lower, under, inferior; н. этаж ground floor; в н. этаж, в ~ем этаже downstairs; ~яя палата lower chamber, the Lower House; House of Commons (*в Англии*); House of Representatives *в США*); ~яя челюсть the under jaw; mandible (*млекопит. и рыб*); ~ее бельё underclothes; underclothing; underwear; ~ие слои *геол.* under layers.

Нижний Новгород *уст.* Nizhni-Novgorod (*now* Gorky).

низ bottom, lowest part; ходить на н. *разг., мед.* to go to stool.

низать to string, thread.

низведение bringing down.

низверｊｇать, ~гнуть to precipitate, throw down; to subvert (*власть*); ~гаться, ~гнуться to precipitate oneself, to be precipitated, fall down.

низвержение precipitation, throwing down; subversion (*правительства и пр.*); н. царизма overthrow of tsarism.

низвｊｅсти, ~одить to bring down.

низина low place, lowland.

низкｊｉй low; base, mean, low-minded, ignoble (*подлый*); deep, low-pitched, low (*о звуке*); н. голос deep voice; н. поступок a scurvy (shabby) trick; ~ая производительность low productivity; ~ая температура low (cold) temperature; ~ое давление low pressure; ~ое качество inferior quality; ~ие облака low-hanging clouds; ~о low, deeply, meanly, basely, ignobly; *см.* низкий.

низколобый low-browed.

низкопоклонｊｎик groveller, cringer, toady; ~ничать to cringe (*to*), fawn (*upon*), toady; to grovel in the dust (*более сильное выражение*); ~ный fawning, obsequious, servile, toad-eating; ~ство fawning, cringing, obsequiousness, servility, toadyism.

низкопробный of base alloy, base.

низкорослый undersized, dwarfish; stunted (*особ. о дереве*).

низлｊａгать to depose, dethrone; ~ожение deposition, dethronement.

низложить *см.* низлагать.

низменнｊｏсть plain, lowland, low-country; lowness (*тж. фиг.*); ~ый low (*о местности; тж. о побуждениях и пр.*); *фиг.* base, mean.

низовой situated down stream; н. аппарат the local subordinate organization; lower organizations; н. ветер south-easterly wind; н. пожар ground fire.

низовｊｅ the lower part of a river; в ~ьях down stream.

низость lowness; meanness, baseness.

низринуть *поэт. уст.* to precipitate, to throw down headlong.

низший lower, inferior (*сравн. степень*); lowest, lowermost (*превосх. степень*).

низы the lower stratum (*of*); rank and file (*профсоюзные, партийные, аппарата*).

никак by no means, in no way; его н. нельзя убедить it is impossible to persuade him; н. они уже пришли it seems they have come already; ~ой no, not any; none; ~им образом *см.* никоим; нет ~ой надежды there is no hope whatever; у него нет ~ого права he has no manner of right; не иметь ~ого представления (*о*) to have no idea (*of*); ~ие обстоятельства не могли оправдать его поведения no circumstances could justify his behaviour; ~йх компромиссов! no compromises!

никел‖**евый** nickel; ~**провать** to nickel; ~**ировка** nickel-plating.

никель nickel.

никнуть to drood.

никогда never; н. не поздно исправиться it is never too late to mend; лучше поздно, чем н. better late than never; я почти н. его не вижу I hardly ever see him, I very seldom see him.

никоим образом by no means, in no way, in no wise.

Николай Nicholas, Nikolai.

никотин nicotine.

никто nobody, no one, none; н. другой no other person; н. кроме дураков none but fools; н. на свете no man alive; н. не знает nobody knows.

никуд‖**а** nowhere, to no place; *уст.* nowhither; н. не годится it is very bad; it is no good at all; н. не годный, ~**ышный** *разг.* goodfor-nothing (-naught), worthless, wretched; ~**ышный человек** ne'er--do-well, good-for-nothing.

никчемн‖**ость** worthlessness, uselessness; ~**ый** good-for-nothing, worthless; ~**ый человек** *см.* никудышный; *амер.* galoot.

Нил the Nile; ~**ьский** Nilotic.

нимало *см.* нисколько.

нимб nimbus, halo, gloriole.

нимф‖**а** nymph; ~**олепсия** nympholepsy; ~**омания** nymphomania.

ниоткуда nowhence, from nowhere.

нипочём *разг.*: это ему н. it is child's play for him; ему все н. he is never at a loss; he never finds anything difficult.

ниппель *техн.* nipple.

нирвана nirvana.

нисколько not at all, not in the least, not a bit; н. не меньше none the less; н. не отличается (*от*) differs nothing (*from*); меня это н. не касается I don't care a rap (a bit, a groat); это нам н. не помогает it helps us nothing.

ниспадать *поэт.* to fall.

ниспос‖**лание** sending down; ~**(ы)лать** to send down.

ниспровер‖**гать,** ' ~**гнуть** to overthrow, subvert; ~**жение** overthrow, subversion; *см. тж.* низвержение; ~**жение самодержавия** overthrow of autocracy.

нисходящ‖**ий**: по ~**ей** линии in a descending line.

нитевидный thread-like, filiform.

нит‖**ка** thread; н. жемчуга ropе (string) of pearls; он промок до ~**ки** he has not a dry thread (stitch) on him; на живую ~**ку** hastily, slightly.

ниточ‖**ка** a small thread; висеть на ~**ке** to hang by a thread; ~**ное производство** thread making.

нитрат *хим.* nitrate.

нитро‖**бензол** *хим.* nitro-benzene, nitro-benzol; ~**глицерин** nitroglycerine; ~**клетчатка** nitrocellulose; ~**метр** nitrometer; ~**соединение** nitro-compound.

нит‖**ь** thread; filament (*в лампочке накаливания*); suture (*для зашив. раны*); н. рассказа thread of a story; путеводная н. clew, clue; проходит красной ~**ью** is being emphasized; ~**яное** кружево thread-lace.

ниц *уст.*: падать н. to prostrate oneself, to kiss the ground.

Ницца Nice.

ничего nothing, not anything; nil (*особ.* счёт в играх); н.! no matter!, it does not matter! (*не неважно*), never mind! (*не беспокойтесь*); он н. не знает he does not know anything, he knows nothing; н. не стоит it is worthless; из этого н. не вышло it came to nothing; не иметь н. общего (*c*) to have nothing to do (*with*); н. подобного nothing of the kind, no such thing; н. себе so-so, passably.

ничей belonging to nobody, no man's.

ничком: лежать н. to lie prone (face downwards); лежащий н. prone, procumbent.

ничто nothing, nothingness, nihility; н. великое не легко nothing great is easy; н. иное как nothing less (else) than, nothing but; это н. в сравнении с... it is nothing to...; ~**жество** nothingness, nihility; nothing; он ~**жество** he is a nonentity (nobody), he has nothing in him; ~**жность** nothingness, nullity, insignificance; ~**жный** insignificant (*о разнице, количество*); meaningless, paltry, contemptible, despicable (*о человеке и пр.*).

ничуть *см.* нисколько.

нич‖**ья** *шахм.* draw; *спорт.* draw, tie; сыграть в ~**ю** to draw; *см. тж.* ничей.

ниша niche, recess.

нищ‖**ать** to grow poor; ' ~**ая,** ~**енка** beggar woman; ' ~**енский** beggarly; ' ~**енская оплата труда** starvation wages; ' ~**енство** бегgarliness, pauperism, mendicity, mendicancy; '⌣енствовать to beg; ⌣етá beggary, misery, poverty; доводить до ⌣еты to reduce to extreme poverty, to pauperize; '⌣ий 1. *s.* a beggar, mendicant, pauper; 2. *a.* poor, beggarly, poverty-stricken.

но but.

новáтор innovator; ⌣ский innovatory; ⌣ство innovations.

Нóвая Гвинéя New Guinea.

Нóвая Зелáндия New Zealand.

Нóвая Земля Nova Zembla.

Нóвгород Novgorod.

новéйший newest, modern, latter-day.

новéлла novelette, short story, short novel.

нóвенький brand-new, spick-and-span.

нови‖знá novelty, freshness, newness; ⌣нá *см.* новь; '⌣нка novelty; ⌣чóк beginner, novice, tyro, Johnny Raw; green-horn (*простак*).

новобрáнец recruit; rookie (*sl.*).

новобрáчн‖ый bridegroom; ⌣ая bride; ⌣ые newly married couple.

нововведéни‖е innovation, novelty; делать ⌣я to introduce innovations, to innovate.

нововыстроенный newly-built.

новогóдний new year's; н. подарок new year's gift, handsel.

новогрéческий (язык) Romaic.

новоизобретённый newly invented.

новолýние new moon.

новомóдный new-fashioned, modern, up to date; newfangled (*пренебр.*).

новообразовáние *мед.* neoplasm.

новообращённый novice, neophyte, new convert.

новоприбывший 1. *a.* new-come; 2. *s.* a newcomer.

новорождённый new-born(child); *шут.* the little stranger.

Новороссийск Novorossiysk.

ново‖сёл newly settled person; ⌣сéлье house-warming.

новострóйка new buildings, erection of new factories and works.

нóвост‖ь news, *лит.* tidings (*известие*); novelty (*новинка*); это не н. that is no news; полный ⌣éй full of news, *разг.* newsy.

нóвшество innovation, novelty.

нóв‖ый new, novel, fresh, modern; н. год new year; Н. завет *рел.* New Testament; Н. Свет the New World; н. социальный строй new social order; н. стиль new style;

совершенно н. brand-new; ⌣ая мода new fashion; день ⌣ого года new year's day; что ⌣ого? what is the news?; вводить ⌣ые слова to neologize, to introduce new words.

Нóвый Орлеáн New Orleans.

Нóвый Южный Уэльс New South Wales.

новь virgin soil.

ног‖á leg (*выше ступни*); foot (*ступня*); деревянная н. wooden leg, stump; задняя н. hind leg; передняя н. foreleg; вооружённый с головы до ног armed cap-a-pie, armed from head to foot; я ног под собой не чувствую от усталости I do not feel (find) my legs; бежать со всех ног to run as fast as one can; грелка для ног foot-warmer; скамеечка для ног footstool; у чьих-л. ног at one's feet; сбить с ног to strike (knock) down; вверх ⌣áми head over heels, topsy-turvy; под ⌣ами under one's feet, underfoot; с больными ⌣ами footsore; с кривыми ⌣ами bow-legged; держаться на ⌣áх to keep one's legs; на ⌣ах on one's feet (legs); быть на короткой ⌣é (с) to be on a good footing (*with*), to be intimate (*with*); '⌣и feet, legs; поставить к.-л. нá ⌣и to set one on one's feet; еле ⌣и унести to escape with (by) the skin of one's teeth; он давай бог ⌣и he took to his legs (heels); протянуть ⌣и (*умереть*) to turn up one's toes (*sl.*); встать с левой ⌣й to get out of bed on the wrong side; быть одной ⌣óй в могиле to have one foot in the grave; подставить к.-л. '⌣у to trip one up; жить на широкую ⌣у to live in (grand) style, to live like a lord; итти в ⌣у to keep step, to walk in step; не в ⌣у out of step; положить ⌣у нá ⌣у to cross one's legs.

ноготки *бот.* marigold.

ногот‖ь nail; toe-nail (*на ноге*); щётка (ножницы) для ⌣тéй nail-brush (nail-scissors); грязные ⌣ти dirty nails; *шут.* nails in mourning; ⌣тоéда *мед.* whitlow, felon.

Нóев ковчéг *библ.* Noah's ark.

нож knife; table-knife (*столовый*); carving-knife (*для мяса*); pen-knife (*перочин.*); clasp-knife, jack-knife (*большой складной*); paper-knife (*для бумаги*); pruning-knife (*садовый*); всадить н. в спину to stab in the back; это ему как н. в сердце it is very painful to him; лезвес ⌣á knife-blade; подставка для ～а и вилки knife-rest; быть на ～áх (c) to be at daggers drawn (with).

нóжка small foot; leg (стула); stem (рюмки); бот. stalk, pedicle.

нóжницы scissors, a pair of scissors; (a pair of) shears (стригальные); pruning-shears (садовые); nail-scissors (для ногтей); физ. discrepancy (расхождение, несоответствие).

ножнóй анат., зоол. pedal; ～áя ванна foot-bath; ～ая швейная машина treadle sewing-machine.

нóж∥ны scabbard, sheath; класть в н. to sheathe, put up; вынимать из ～ен to unsheathe.

ножóв∥ка hand-saw (пила); ascidian (моллюск); ～ый товар cutlery.

ножóвщик cutler.

ноздр∥евáтость porosity, sponginess; ～евáтый porous, spongy; ～я́ nostril.

Ной Noah.

нок мор. yard-arm.

нокáут спорт. knock-out.

ноктюрн муз. nocturne.

нóлики н. и крестики noughts and crosses (игра).

ноль nought, cipher; zero (особ. на термометре и пр.).

номáды nomads, nomad tribe.

номенклатýра nomenclature.

нóмер number (пишется No.); issue, number (газеты); apartment, room (в гостинице); item of the programme, turn (в концерте и пр.); н. и серия кредитного билета indicator number; сóльный н. solo; старый н. журнала back number of a magazine; какóй н. перчаток вы носите? what size do you take in gloves?; он назвал No (по телефону) he gave the number; он спел свой н. he sang the number allotted to him (his number); этот н. не пройдет that won't do; ～á hotel, chambers; ～овáть см. нумеровáть.

номинали∥зм филос. nominalism; ～ст nominalist.

номинáльн∥ый nominal; ～ая стóимость face value; по (ниже, выше) ～ой стóимости at (below, above) par; ～о nominally.

нóниус техн. vernier.

нонпарéль тип. nonpareil.

нóны рим. ист. nones.

норá burrow, hole, lair; form (особ. зайца).

Норвéгия Norway.

норвéж∥ец, ～ка Norwegian; ～ский (язык) Norwegian.

норд мор. north; н.-вéст north-west; Н～кáп North Cape; н.-óст north-east.

норúчник бот. figwort.

нóрка см. нора; зоол. mink.

нóрма norm, standard, rate; н. выработки norm of output (of work done); н. прибавочной стóимости the rate of surplus value; н. роста the standard of height, rate of growth; ～лизáция normalization; '～ль normal; '～льный normal, true to type; sane, well-balanced (психически); ～льный рабочий день normal working day; '～льная температура (тела), '～льное состояние normal (temperature, state).

нормáн∥дец Norman; Н～дия Normandy; ～дский Norman; ～н Northman, Norseman (в средневек. Скандинавии); Norman (в средневек. Англии и Франции); завоевание Англии ～нами Norman Conquest.

нормúров∥ание normalization; '～анный день ('～анные продукты) normed day (provisions).

нормúров∥ать to standardize, normalize; '～ка standardization, normalization.

нóров habit, custom (привычка); caprice; restiveness (о лошади); лошадь с ～ом jibber, rearer; ～истый restive, jibbing, tetchy; ～úть to aim (at), to strive (to).

нос nose; smeller (sl.); мор. prow, bow(s); head; геогр. headland, point, ness, naze; н. крючком hooked nose, hook-nose; н. лодки the nose of the boat; вздёрнутый н. turned up nose; орлиный н. aquiline nose; толстый н. bottle-nose; водить зá н. to lead by the nose, to fool by false promises; воротить н. (от) to turn up one's nose (at); говорить в н. to speak through one's nose, to twang; задирать н. to turn up (cock) one's nose, to put on airs; повесить н. to be crestfallen (discouraged); показывать длинный н. to make a long nose; to cock a snook (sl.); совать свой н. (в) to poke (thrust) one's nose (into), to pry (into); не видеть дальше своего ～а not to see beyond one's nose; клевать ～ом to nod; остаться с ～ом to be duped, to be made a fool of; перед (под) самым ～ом under one's nose; с толстым ～ом bottle-nosed; у него идет кровь ～ом his nose is bleeding; кровотечение из ～у nose-bleed; конец месяца на ～у the end of the month is near (at h ind); у него течёт из ~y he runs at the nose, he snivels.

носа́‖**(с)тый** big-nosed; nosy (*sl.*); ~**тая обезья́на**, ~**ч** proboscis-monkey.

но́сик little nose; н. ча́йника spout of a tea-pot.

носи́л‖**ки** (hand-)barrow (*для гру́за*); stretcher, litter (*для ра́неных*); litter, sedan chair (*портшез*); ~**ьное бельё** underclothing, underwear; ~**ьное пла́тье** every day clothes; ~**ьщик** porter; пла́та ~**ьщику** porterage.

носи́тель bearer; н. баци́лл carrier.

носи́ть to carry, bear; to wear (*оде́жду*); ~**ся** to wear (*об оде́жде*); to float, ride (*по ч.-л.*); to make much (of a person), to fuss over a person, to lionize (*с кем-л.*); ~**ся** по во́здуху to float on the wind; но́сится слух it is rumoured, the report goes; э́та мате́рия хорошо́ но́сится this stuff wears well.

но́ск‖**а** carrying, bearing; wear, wearing (*оде́жды*); ~**ий** durable, lasting, strong; ~**ая кури́ца** good layer; ~**ость** durability, strength.

носово́‖**й** nasal; н. звук *фон.* nasal sound; н. гре́бен bowman; н. плато́к (pocket-)handkerchief; nose-rag, wipe (*sl.*); ~**е произноше́ние** nasality, twang.

носо‖**гло́тка** *анат.* nosopharynx; ~**гре́йка** nose-warmer (*tobacco-pipe*).

носо́к toe (*сапога́, чулка́*); sock (*род чулка́*).

носоро́г *зоол.* rhinoceros.

носта́льгия nostalgia, home-sickness.

носу́ха *зоол.* coati.

НОТ (*нау́чная организ. труда́*) Scientific Organization of Labour.

но́т‖**а** *муз.*, *дипл.* note; взять ~**у** to pitch (sound) a note; ~**ы** music; класть на ~**ы** to set to music; игра́ть без **нот** to play without music.

нота́бль *ист.* notable.

нотариа́льный notarial.

нота́риус notary (public).

нота́ци‖**я** *уст.* reprimand, rebuke; прочита́ть к.-л. ~**ю** to read one a lecture.

но́тн‖**ый**: ~**ая бума́га** music-paper.

но́умен *см.* нумен.

ноч‖**ева́ть** to pass (spend) the night, sleep; ~**ёвка** passing the night; ~**лёг** lodging for the night; passing the night; ~**лёжка** *см.* **ночле́жный дом**; хозя́ин ~**лёжки**

doss-man; ~**лёжник** dosser (*sl.*); ~**лёжный дом** common lodging-house, over-night lodgings; doss-house (*sl.*); ночева́ть в ~**лёжном** до́ме to doss (*sl.*); ~**ни́к** night-light; night-lamp; ~**но́й** nightly, night-, nocturnal; ~**но́й горшо́к** chamber-pot; ~**но́й дозо́р** night-watch; ~**но́й колпа́к** night-cap; ~**но́й пейза́ж** night-piece; ~**но́й сто́лик** night-table; ~**на́я пти́ца** night-bird; ~**на́я рабо́та** night-work; ~**на́я руба́шка** night-shirt (*мужск.*); night-dress, night-gown, nighty (*же́нская, де́тская*); ~**на́я сме́на** night-shift; ~**но́е вре́мя** night-time.

ноч‖**ь** night; за н. during the night; за н. до... a night before...; мы дое́дем за н. it will take us a night to get there; нас засти́гла н. we were benighted (belated, overtaken by night); продолжа́ющийся всю н. night-long; прокути́ть всю н. to make a night of it; 1001 н. The Thousand and One Nights; хорошо́ (пло́хо) провести́ н. to have a good (bad) night; рабо́тать по ~**а́м** to work night-long, to work late; to burn the midnight oil; в 1 ч. ~**и** at one o'clock in the morning; под покро́вом ~**и** under cover (cloud) of night, by night; споко́йной ~**и**! good night!; ~**ью** in the (at, by) night; глубо́кой ~**ью** in the dead of night; цвету́щий ~**ью** *бот.* noctiflorous.

но́ш‖**а** burden; своя́ н. не тя́нет *посл.* a burthen of one's own choice is not felt; ~**е́ние** carrying; wearing (*оде́жды*).

ноя́брь November.

нрав disposition, temper; пы́лкий н. passionate nature; у неё кро́ткий н. she is of a gentle disposition, she has a gentle temper; быть по ~**у** to please; быть не по ~**у** to displease; '~**ы** customs, manners, morals.

нра́вит‖**ься** to please; вы мне ~**есь** I like you; её лицо́ мне не ~**ся** her face is not to my taste (does not please me); мне не ~**ся** э́та перспекти́ва I don't relish the prospect.

нравоуч‖**е́ние** moralization, moral admonition; чита́ть н. to read one a lecture; ~**и́тельный** moral, moralizing.

нра́вственн‖**ость** morality, ethics, morals; ~**ый** moral; mental (*противоп. физич.*); ~**о** morally; mentally.

ну well, why, now; ну? yes?, really?; indeed?; ну, а вы? and what about you?; ну же! oh, come now!; now then!; be quick!; ну и погода! what weather!; ну, конечно why, of course; ну, ну, не плачь! there, there! don't cry; ну, так что же? what of it?; ну что ж, приходите well, come if you like; ну что за беда? why, what is the harm?; а ну его! to the deuce with him!

нуга́ nougat.

ну́дный tedious; какой он н.! what a bore he is!

нужд||а́ want, need; necessity, straits, exigence (сильнее); н. всему научит посл. necessity is the mother of invention; друзья познаются в ~е́ a friend in need is a friend indeed; жить в ~е to live in want; помощь в ~е help in need, yeoman service; '~ы нет it doesn't matter; без ~ы unnecessarily, needlessly; в случае ~ы in case of necessity; отправлять свои '~ы to do one's needs; ~а́ться to need, want, require, to be in want (of), to stand in need (of) (в ч.-л.); to live in want, to be hard up (быть в нужде); он ~а́ется в деньгах he is short of money; ~а́ется в починке needs repair, is out of repair; пусть он ни в чём не ~а́ется let him want for nothing; ~а́ющийся necessitous, needy, destitute, indigent.

ну́жник вульг. retiring-room, privy.

ну́жн||ый necessary, requisite, needful; н. материал requisite material; мне это ни на что не ~о I have no use for it; мне ~о итти I must (have to) go; что вам ~о? what do you want?; что ему ~о? (чего он добивается) what is he driving at?; как-раз то, что ~о just what is wanted, just the thing; это ~о делать осторожно it needs to be done with care; ~о же было мне встретить его как-раз когда я собирался уезжать I was just on the point of leaving when I must needs meet him; все ~ое all the necessaries, all that is needed.

нуль см. ноль.

ну́мен филос. noumenon (pl. -ena).

нумер||а́ция numeration; н. страниц pagination; ~ова́ть to number; ~ова́ть страницы книги to page (paginate) a book.

нумизма́т numismatist; ~ика numismatics, numismatology; ~и́ческий numismatic.

нуммули́т геол. nummulite.

ну́нций nuncio.

нута́ция астр., бот. nutation.

ну́трия зоол. nutria; амер. coypu (тж. мех).

нутр||о́ inside, interior; не по ~у́ against the grain; not to one's liking; ~яно́й internal, inner, inward.

ны́не now, at present; ~шний present, of the present time, modern; ~шний год this (current) year; в ~шние времена nowadays.

ныр||ну́ть см. нырять; ~о́к зоол. pochard; ~я́ние diving, plunging; ~я́ть to dive, plunge, duck; to nose-dive (об аэроплане).

ны́т||ик mope, person given to repining, grievance-monger; ~ики и маловеры pessimists and unbelievers; ~ь to whine, whimper, slobber; to ache (болеть).

Нью-Ио́рк New York.

Нью-Ке́стль New Castle.

Ньюфаундле́нд Newfoundland.

нэп new economic policy (NEP); ~ман (profiteer-)tradesman.

нюа́нс nuance, shade.

нюни разг.: распустить н., ~ть to snivel, slobber, whine, whimper; turn on the waterworks (sl.).

Нюренбе́рг Nurnberg.

нюх scent (на ч.-л.—for); flair (только фиг.); у него хороший н. he has a good nose; у этой собаки хороший н. this dog has a keen scent; руководствоваться ~ом to follow one's nose; ~альщик табака snuffer; ~ание smelling, sniffing; ~ательный табак snuff; ~ательная соль smelling salts; ~ать to smell, smell at, sniff; ~ать табак to take snuff, to snuff.

ня́н||чить to nurse; ~читься to nurse, dandle; фиг. to fuss over; ~я nurse, dry-nurse, nurse-maid; у семи ~ек дитя без глазу посл. too many cooks spoil the broth.

О

О о! oh!

о of, about, concerning; о нём дурно говорят he is badly spoken of; о чём вы говорите? what are you talking of (about)?; горевать о ком-л. (чем-либо) to grieve for, mourn over somebody (something); жалеть о к.-л. to regret somebody; заботиться о к.-л. to take care of one; он говорил о математике he spoke on mathematics; опираться (удариться) о стол to lean (knock) against a table; рука об-руку arm in arm стол о трёх ножках a three-legged table.

оа́зис oasis.

об *см.* о; об эту пору about (by) this time.

о́ба both; глядеть в о. to keep one's eyes wide open; обоего пола (рода) of both sexes (genders).

оба́биться *разг.* to become effeminate.

обагр‖**ённый** blood-stained (*кровью*); steeped in blood (*о руках*); ⌐и́ть, ⌐я́ть to redden, empurple; to imbrue (*in, with*); to stain with blood (*кровью*).

обалде‖**ва́ть** *разг.* to lose one's wits; to be stunned, struck with surprise; '⌐лый as if stupefied (stunned); crazy, off one's head; '⌐ть *см.* обалдевать.

обанкро́титься to fail, to become bankrupt; to be broke.

обая́‖**ние**, ⌐тельность fascination, charm; ⌐тельный fascinating, charming, bewitching.

обва́л crumbling, fall(ing); landslip (*земли, берега*); снежный о. avalanche.

обва́л‖**ивать**, ⌐и́ть to crumble; to heap round (*землёй, камнями*); ⌐иваться, ⌐и́ться to crumble, fall, slide; ⌐я́ть в муке to roll in flour.

обва́р‖**ивать**, ⌐и́ть to scald, to pour boiling water over; ⌐иваться, ⌐и́ться to scald oneself; ⌐ка scalding.

обвева́ть to winnow, fan (*тж. о ветре*).

обведе́ние enclosing, encircling, surrounding; outlining, contour (*о рисунке*); о. забором fencing (*о рисунке*); о. оградой walling (*каменной*).

обвезти́ *см.* обвозить.

обвенча́ть *уст.* to marry, to join in marriage; ⌐ся to get married, to marry.

об‖**верну́ть**, ⌐верте́ть, ⌐вёртывать *см.* завёртывать, обёртывать; to (en)twine, twist round (*вокруг*).

обве́с false (wrong) weight.

обве́сить *см.* обвешивать.

обвести́ *см.* обводить; о. вокруг пальца *фиг.* to wind round one's little finger.

обве́тренный weather-beaten, weathered.

обветша́‖**лость** decay, rottenness, shabbiness; ⌐лый decayed by time, worn out, long used; ⌐ть to become old, (decayed, worn out).

обве́шива‖**ние** cheating in weighing; ⌐ть 1. to hang; ⌐ть побря-

кушками to cover (load) with gewgaws; 2. to cheat in weighing (*в весе*).

обве́ять *см.* обвевать.

обви‖**ва́ть(ся)** to wind round;'⌐вка winding, twining, round; '⌐ть (-ся) *см.* обвивать(ся).

обвине́ни‖**е** accusation, charge; recrimination (*взаимное*); представитель ⌐я public prosecutor.

обвини́тель, ⌐ница accuser; *юр.* prosecutor; государственный (общественный) о. state (public) prosecutor; ⌐ный accusatory, incriminatory; ⌐ный акт indictment; вынести ⌐ный приговор to find guilty.

обвин‖**и́ть** *см.* обвинять; ⌐я́емый (the) accused; defendant; ⌐я́ть to accuse (*of*), charge (*with*); to impeach, inculpate, tax (*with*); ⌐я́ть во лжи to accuse of lying; to give one the lie (*публично*); ⌐я́ть судебным порядком to prosecute; ⌐я́ться to be tried; to be charged (*with*), to be accused (*of*).

обвис‖**а́ть** to hang, droop, to be flabby; '⌐лый flabby, drooping; '⌐нуть *см.* обвисать.

обви́ть(ся) *см.* обвивать(ся).

обво́д enclosing, surrounding, outlining (*рисунка*).

обводи́ть to lead round (*вокруг ч.-л.*); *мор.* to jib; to encircle, encompass (*кругом*); to outline, contour (*о рисунке*); о. глазами to look round; о. траншеями to dig trenches round.

обво́дка *см.* обвод.

обвод‖**не́ние** supplying dry land with water irrigation; ⌐ни́ть to supply with water, to irrigate.

обво́дный encircling, surrounding.

обвози́ть to drive round.

обвол‖**а́кива**‖**ние** enveloping; clouding; ⌐ть to envelop; to cloud; ⌐ть туманом to wrap in mist.

обвора́живать to fascinate, bewitch, charm.

обворов‖**а́ть**, '⌐ывать to rob.

обворож‖**и́тель**‖**ель** enchanter; ⌐ельность fascination, charm; ⌐ельный fascinating, bewitching, charming.

обворожи́ть *см.* обвораживать.

обвыка́ть *см.* привыкать.

обвяз‖**а́ть** *см.* обвязывать; '⌐ка *см.* повязка (*колонны*); '⌐ывание tying, binding; '⌐ывать to bind, tie, bandage.

обвя́ливать *см.* вялить.

обга́**тить**, **чивать** см. гатить.

обгл**а́дывать**, **одать** to pick, gnaw; **оданная** кость a bare bone.

обгоня́ть to outstrip, leave behind, outdistance; см. опережать.

обго**рать** to burn on the surface, to be scorched, to be partly burned; **релый** burnt, scorched, charred; **реть** см. обгорать.

обгрыз**ать** to gnaw (round); ' **ок** см. огрызок; ' **ть** см. обгрызать.

обд(ав)а́ть to scald (кипятком, паром); to pour water on, upon (водой).

обдел**ать** см. обделывать; **ка** shaping, fashioning; **ывать** драгоценный камень to cut a gem; **ывать** дело разг. to do a dishonest bit of business.

обдел**ить**, **ять** to allot shares unfairly.

обдёр**ганный** shabby; **г(ив)ать**, **нуть**: **гивать** платье to put one's dress in order; **гивать** юбку to pull one's skirt down; **гивать** к.-л. фиг. to stop, snub, rebuke, cut short, check; **г(ив)аться**, **нуться** см. обдергивать платье.

обдир**ала** fleecer; **ать** to balk, peel, strip (дерево); to skin flay (тушу); to flench (тюленя, кита); фиг. to fleece; **ать** ячмень на крупу to pearl barley; ' **ка** fine quality of flour.

обдува́**ла** cheat, rook; **ть** to blow (on); фиг. см. надувать.

обду́м**анность** judgement of ends; **анный** well thought out; убийство с заранее **анным** намерением wilful murder; **анно** after long consideration; **(ыв)ать** to consider, think (over); to weigh, revolve (in the mind); ruminate.

обду́ть см. обдувать.

о́бе см. оба.

обега́ть to run round.

обе́д dinner; в о. разг. at noon, midday; званый о. dinner-party, banquet (парадный); **ать** to dine, have (take) dinner; **ать** не дома to dine out; **енный** dinner (attr.); **енный** перерыв dinner interval; **енное** время dinner-time.

обедне́**вший**, **лый** poor, impoverished; **ние** impoverishment, pauperization; **ть** to grow poor, to become hard up, to lose one's fortune.

обе́дня церк. mass.

обез-, обес- как приставка, часто переводится приставкой be-, de- (behead, deprive и пр.).

обезбо́лива**ние** anæsthetization; **ть** to anæsthetize; **ющее** средство anæsthetic.

обезвре́живать to render harmless.

обезгла́в**ить** см. обезглавливать; **ливание** beheading, decapitation; **ливать** to behead, decapitate.

обезде́нежеть to be short of money (hard up).

обездо́л**енный** one who is deprived of his share; unfortunate, miserable; **ить** to deprive one of one's share, to wrong.

обезжи́ривать to deprive of fat.

обеззара́**живание** disinfection; degassing (от отравляющих веществ); **живать**, **зить** to disinfect, to degas.

обезземе́л**енный** possessing no land, landless, deprived of land; **ивать** to deprive of land.

обеззу́беть to become toothless, to lose one's teeth.

обезле́с**енный** cleared of forests (woods); **ить** to clear of woods, cut (down) forests (woods), to deforest.

обезли́ств**енеть** to be deprived of leaves; **ить** to deprive of leaves.

обезли́ч**и(ва)ть** to deprive of individuality; **енное** руководство multiple management (of factory, office etc.).

обезли́чка depersonalisation, lack of personal responsibility, scattered responsibility.

обезлю́**деть** to become depopulated; **дить** to depopulate.

обезнаде́жи**(ва)ть** to bereave of all hope, to discourage.

обезно́жить разг. to lose the use (control) of one's legs.

обезобра́**живание** disfiguration, disfigurement, mutilation; **живать**, **зить** to disfigure, mutilate.

обезопа́сить to secure; to relieve from danger.

обезору́**жение**, **живание** disarmament; **жи(ва)ть** to disarm.

обезу́меть to lose one's senses; to go mad; о. от страха to lose one's head with fear; to become panic-stricken.

обезья́н**а** monkey, ape; **ий** monkeyish, apish; зоол. simian; **ничанье** aping; **ничать** to ape.

о б е л е́ н и е фиг. rehabilitation, proving one to be innocent.

обели́ск obelisk.

обел‖**и́ть, **∼я́ть** 1. *см.* белить; 2. to rehabilitate, prove the innocence (*of*).

обер- chief-.

обере‖**га́ть,** '∼**чь** to guard, defend, protect, preserve; ∼**га́ться,** '∼**чься** to look after, defend, protect oneself.

обер-конду́ктор chief guard.

оберну́‖**ть** to wrap; ∼**ться** to turn (round); *фиг.* to find a way out of a difficulty; я ∼**сь** в полчаса I shall be back (*или* ready) in half an hour; I shall get through in half an hour.

обер-прокуро́р *уст.* attorney general.

обёртка envelope, cover, wrapper; case, casing; jacket.

оберто́н *муз.* overtone.

обёрточн‖**ый**: о. материал packing material; ∼**ая** бумага wrapping (packing) paper.

обёрт‖**ывать** to wrap up, envelop; ∼**ываться** to turn.

обес- *см.* обез-.

обескро́в‖**ить** to drain the blood (*of*); to bleed white; ∼**ленный** bloodless, blood-drained.

обескура́жи(ва)ть to discourage, dishearten, dispirit.

обеспа́мятовать to lose one's memory.

обеспе́чение security, guarantee, warrant; provision; социальное о. social insurance; под хорошее о. on good security.

обеспе́ч‖**енный** secure; well provided for, well-off (*состоятельный*); ∼**ивать** to secure, guarantee, warrant; to provide; ∼**ивать** всем необходимым to provide with the necessaries of life; ∼**ивать** выполнение плана to secure fulfilment of plan; ∼**ивать** семью to provide for one's family; ∼**ивать** явку to secure attendance; ∼**иваться** to be secured; ∼**ить(ся)** *см.* обеспечивать(ся).

обеспло́дить to render barren, sterile.

обеспоко́‖**енность** disquietude, disquietness, uneasiness; ∼**ить** *см.* беспоко́ить.

обесси́‖**леть** to become (grow) weak, feeble; to lose one's strength; ∼**ли(ва)ть** to weaken, enfeeble.

обессме́ртить to immortalize.

обессмы́слить to render meaningless, void of meaning.

обессу́д‖**ить**: не ∼**ьте** forgive me (us).

обесцве́‖**тить** *см.* обесцвечивать;

∼**чивание** discolouration, decolouration; ∼**чивать** to discolour, decolourize.

обесце́н‖**енный** depreciated; ∼**енные** бумажные деньги depreciated paper currency; ∼**енье** loss of value, depreciation; ∼**енье** валюты depreciation of currency; ∼**и(ва)ть** to cheapen, depreciate, underrate; to lessen the value of; ∼**и(ва)ться** to lose value.

обесче́‖**стить**, ∼**щивать** to dishonour, disgrace, discredit; to ruin (*девушку*).

обе́т *уст.* vow, promise; по ∼**у** under a vow; земля ∼**о́ванная** promised land.

обеща́‖**ние** promise, word; дать (нарушить) о. to give (break) one's word (faith, promise); клятвенное о. oath; сдержать о. to keep one's promise (word); торжественное о. a solemn vow (oath); ∼**ть** to promise; to swear (*поклясться*).

обжа́лова‖**ние** appealing a case; ∼**ть** to appeal a case.

обжа́ть *см.* обжима́ть.

обже́чь(ся) *см.* обжига́ть(ся); обжёгшись на молоке, дуешь на воду *погов.* once bit twice shy.

обжи‖**ва́ть**, '∼**ть** to render habitable by living (*in*); ∼**ва́ться,** '∼**ться** to get accustomed to one's new surroundings.

о́бжиг kilning.

обжига́‖**ние** burning, scorching, baking (*см.* обжигать); ∼**тельный** burning, glazing, roasting; ∼**тельная** печь furnace, glazing-oven, kiln; ∼**ть** to burn, scorch; to bake (*кирпич*); to calcine (*известь*); ∼**ться** to burn oneself; *фиг.* to burn one's fingers.

обжима́ть to squeeze, wring out, press.

обжира́ться *вульг.* to overeat, overfeed, guzzle.

обжо́р‖**а** glutton, gormandizer, a great eater; ∼**ливость** gluttony; greediness, voraciousness, voracity; ∼**ливый** gluttonous, greedy, voracious; ∼**ный** ряд *уст.* row of stalls in the market with cooked food; ∼**ство** *см.* обжорливость.

обзаведе́ние (*чем-л.*) providing (*with*), acquisition (*of*); о. домом installation; о. семьёй и домом settling down to married life.

обзав‖**ести́(сь)**, ∼**оди́ть(ся)** to provide (oneself) with; to acquire; о. семьёй to settle down in life as a married man (woman); to settle down to married life.

обзо́р survey, review; о. важне́йших собы́тий survey of leading events; о. печа́ти press review.

обзыва́ть to call one names (*руга́ть*).

оби‖**ва́ть** to upholster, cover; '~**вка** upholstery; ~**вно́й** материа́л upholstery; '~**вщик** upholsterer.

оби́д‖**а** offense, injury; insult, affront, outrage (*оскорбле́ние*); wrong (*несправедли́вость*); resentment (*чу́вство оби́ды*); umbrage (*ре́дко*); кро́вная о. deadly insult, outrage; нанести́ ~у to offend, insult; не в ~у будь ска́зано no offence meant; он себя́ в ~у не даст he is not slow to defend himself; he won't take an offence lying down (mildly); проглоти́ть (снести́) ~у to put one's pride in one's pocket.

оби́деть(ся) *см.* обижа́ть(ся).

оби́д‖**ный** offensive, insulting; ~**но,** что он не пришёл what a pity he didn't come; это о́чень ~**но** I feel very hurt; it is offensive(*оскорби́тельно*); ~**чивость** sensitiveness, susceptibility, touchiness; ~**чивый** sensitive, thin-skinned, susceptible, pettish, touchy, quick to take offence, huffish; ~**чик,** ~**чица** offender, wrong-doer.

оби‖**жа́ть** to offend, insult, hurt, give umbrage; ~**жа́ться** to take offence (to take something ill, amiss); to feel hurt, injured, insulted; to resent; '~**женный** offended, hurt, injured, aggrieved; ~**женный** приро́дой ill-favoured, unlucky; чу́вствовать себя́ '~**женным** to feel injured (hurt).

оби́‖**лие** abundance, copiousness, bountifulness, plenty; ~**ловать** to be rich in; ~**льный** abundant, plentiful, ample, copious, profuse, rich, heavy (*об урожа́е*); hearty (*о еде́*); generous, opulent, liberal; ~**льный** дождь an abundant rain; ~**льно** abundantly, plentifully, amply, copiously, profusely, richly, heavily, heartily (*см. оби́льный*).

обиня́к‖**и́** circumlocution, roundabout expression, ambages, shifts, shuffles, equivoques, ambiguous terms; говори́ть ~**а́ми** to speak ambiguously, in ambiguous terms, to beat about the bush; говори́ть без ~**о́в** to speak plainly.

обира́‖**ла** fleecer, cheat, swindler, sharper.

обира́‖**ние** 1. gathering, picking (*я́год*); 2. despoilment; ~**ть** 1. to gather, pick (*собира́ть я́годы с куста́*); 2. to rob, plunder, rifle, strip (*гра́бить*).

обита́е‖**мость** habitableness; ~**мый** inhabited.

обита́‖**лище** habitation, dwelling(-place), residence, abode; ~**ние** inhabiting, dwelling, residing.

обита́т‖**ель,** ~**ельница** inhabitant, dweller, resident, inmate; ~**ели** people, population; ~**ь** to inhabit, dwell, reside, live (*in*).

оби́тель *уст.* cloister, convent, monastery; ти́хая о. a quiet (peaceful, secluded) abode; a haven of rest.

оби́тый upholstered (*мате́рией*); studded with nails (*гвоздя́ми*); padded (*во́йлоком, напр. дверь, ко́мната*).

оби́ть *см.* обива́ть.

обихо́д custom, habit; дома́шний о. household; вы́йти из ~**а** to grow out of use, to get obsolete; to go (drop) out of custom; ~**ный** daily, necessary, for every-day use; ~**ное** выраже́ние a colloquial expression.

обка́лывать to pin, prick round; to break, cleave round (*о льде*).

обка́п‖**ать,** ~**ывать** I. to besprinkle, to let drops fall on.

обка́пывать II. to dig round (*тж. дере́вья*); to earth (*карто́фель*).

обката́ть *см.* обка́тывать.

обкати́ть *см.* ока́чивать.

обка́тывать to roll.

обкла́‖**дка** facing (with stone, brick *etc.*); ~**дывать** to lay something (round), to cover with; to stone, face with stone (brick) (*ка́мнем, кирпичо́м*).

обкл‖**ева́ть,** ~**ёвывать** *см.* клева́ть.

обкле́ивать to glue round; *см. тж.* окле́ивать.

обколо́ть *см.* обка́лывать.

обкопа́ть *см.* обка́пывать II.

обкорна́ть to cut, clip; to lop (*де́рево*).

обкра́дывать to rob.

обку́р‖**ивать,** ~**ить** to season (*тру́бку*); ~**енная** тру́бка a seasoned (old) pipe; a pipe blackened with use; *см. тж.* оку́ривать.

обкус‖**а́ть,** '~**ывать** to bite (gnaw, nibble) round.

обл- *см.* областно́й.

обла́ва raid (*полит.*); battue, beating up (*охо́тн.*).

облага́‖**емость** taxability; ~**ть** to tax (*нало́гами*); *военн.* to besiege, lay siege to, blockade; *охотн.* to surround; ᴗемый налогом taxable.

облагоде́тельствовать to load with benefits.

облагор‖**а́живать,** ᴗо́дить to ennoble.

облада́‖**ние** possession; ᴗтель, ᴗтельница possessor, owner, master; ᴗть to possess; ᴗть пра́вом to have the right (*to*); ᴗть прекра́сным здоро́вьем to enjoy splendid (perfect) health; ᴗть тала́нтом, умо́м to be talented, clever; to have (possess) a talent.

обла́зить to climb (round).

обла́ивать to bark (*at*); *фиг.* to scold, rate, fly (*at*).

обла‖**ко** cloud; грозово́е о. cumulo-nimbus; дождево́е о. nimbus; кучево́е о. cumulus, heap-cloud; перистое о. cirrus; перисто-кучево́е о. (*см.* бара́шки) cirro-cumulus; слоистое о. stratus; покрыва́ться ᴗка́ми to overcast, to cloud (up); не́бо затя́нутое серы́ми ᴗка́ми overcast sky, sky clouded all over.

обла́мывать to break, chip (*off*); to persuade (*убежда́ть*); о. лошаде́й to break in (train) horses; о. рёбра, бока́ *см.* поколоти́ть; ᴗся *фиг.* to become manageable.

обла́пить *вульг.* to paw, hug, embrace.

облапо́ши(ва)ть *разг.* to cheat, take one in.

обласка́ть (*гостя*) to give a kind (hearty) welcome; to encourage, to be kind (*to*).

областно́й (*сокр.* обл.) district (*attr.*), provincial.

о́бласть province, region, territory, district; field, domain (*фиг., напр.* о. нау́ки); *анат.* tract.

обла́тка wafer.

облач‖**а́ть** *уст.* to vest, invest with; to clothe, array, (en)robe; ᴗе́ние *церк.* priestly vestments, canonicals; ᴗи́ть *см.* облача́ть.

обла‖**чность** cloudiness; ᴗчный cloudy, clouded.

обла́ять to bark (*at*); *фиг.* to scold, rate, fly (*at*).

облега́‖**ть** to encircle, encompass; to cling, outline the figure (*о пла́тье*); ᴗющий encircling, encompassing, clinging, outlining, close (*см.* облега́ть).

облегч‖**а́ть** to relieve, to facilitate, to lighten (*груз, рабо́ту*); to ease one's mind, to unburden oneself (*се́рдце, ду́шу*); to commute (*наказа́ние*); ᴗа́ться *вульг.* to ease

(*или* relieve) nature; ᴗе́ние relief (*бо́ли и пр.*), facilitation; не подаю́щийся ᴗе́нию not to be mitigated; в це́лях ᴗе́ния in order to facilitate (make easier); с ᴗённым се́рдцем with a relieved heart; ᴗи́ть(ся) *см.* облегча́ть(ся).

облез‖**а́ть** to peel, come off; grow bare (worn out) (*о меху и пр.*); 'ᴗлый old, shabby, bare; 'ᴗть *см.* облеза́ть.

облека́ть *см.* облача́ть; ᴗся to clothe (array) oneself, put on.

облени́ться to grow lazy.

облеп‖**и́ть,** ᴗля́ть to stick round; де́ти ᴗи́ли её the children surrounded her *или* clung to her like burrs (*как репе́й*); му́хи ᴗи́ли хлеб the bread was covered with flies.

облесе́ние afforestation.

обле‖**та́ть,** ᴗте́ть to fly round; to pass in flight (*перегна́ть*); о. всех знако́мых to make the round of one's friends; ли́стья ᴗте́ли the leaves have (all) fallen off.

облече́ние investment with power (*вла́стью*).

облеч‖**ённый:** о. вла́стью endowed with power; о. дове́рием entrusted (*with*); ᴗённое ударе́ние circumflex; 'ᴗь *см.* облека́ть.

обли́в glazing; ᴗно́й glazed; ᴗны́е гонча́рные изде́лия glazed pottery.

обли‖**ва́ние** pouring over; о. холо́дной водо́й a cold water douche (shower), a shower bath; ᴗва́ть to pour; ᴗва́ть холо́дной водо́й *фиг.* to throw cold water on (over); ᴗва́ть се́рной кислото́й to throw vitriol; ᴗва́ться холо́дной водо́й to have a cold douche; ᴗва́ться слеза́ми to be in a flood of tears; се́рдце кро́вью ᴗва́ется *фиг.* my heart is bleeding.

облига‖**цио́нный,** 'ᴗ ция bond; держа́тель 'ᴗ ций bondholder.

облиз‖**а́ть,** 'ᴗ ывать to lick round (all over); ᴗа́ться, 'ᴗ ыва́ться to lick one's lips.

о́блик face, countenance, figure, appearance.

облип‖**а́ть,** 'ᴗ нуть to stick all round; *см.* облепля́ть.

облисполко́м (*областно́й исполни́тельный комите́т*) District Executive Committee.

облиствле́ние foliation.

обли́ть *см.* облива́ть.

облиц‖**ева́ть** *см.* облицо́вывать; ᴗо́вка facing, revetment; ᴗо́вывать to revet, face (*with*).

облич‖а́ть to accuse, convict; unmask, detect, discover, expose (*изобличать*); to show, demonstrate, prove (*доказывать*); о. во лжи to give one the lie; эта книга ⌐а́ет эрудицию автора this book proves its author's erudition (learning); ⌐ние accusation, unmasking; '⌐не *см.* облик; ⌐и́тель (-ница) accuser, unmasker; ⌐и́тельный accusatory; ⌐и́ть *см.* обличать.

облко́м *сокр.* областной комитет.

обложе́ни‖е taxation, imposition (*налогами*); *военн.* siege, blockade; подлежащий ⌐ю taxable.

облож‖и́ть *см.* обкладывать, облагать; to call one names (*руга-тельством*); to surround (*зверя*); небо '⌐ено тучами the sky is clouded; '⌐енный язык *мед.* furred (loaded) tongue.

обло́жка cover (*книги*).

облок‖а́чиваться, ⌐оти́ться to lean one's elbow(s) on (against); не ⌐а́чивайся на стол take your elbows off the table.

обло́м *арх.* profile.

облом‖а́ть, ⌐и́ть *см.* обламывать.

обло́мовщина laziness, inactivity, indolence (derived from the name of one of the heroes of Goncharov).

обло́м‖ок broken piece, fragment; stump (*зуба*); ⌐ки крушения wreckage, debris.

облоно́ (*обл. отд. нар. образования*) District Board of Education.

облотде́л district section.

облпрофсове́т (*обл. совет профессиональных союзов*) District Trade Union Council.

облуп‖и́ть, '⌐ливать to peel; to shell (*яйцо*); to strip.

облучо́к coachman's seat in a simple sledge (*у саней*).

облфо́ (*обл. финансовый отдел*) District Department of Finances.

облы‖се́вший (grown) bald; ⌐се́лость baldness; ⌐се́ть to grow bald.

облюбова́ть to choose; to favour a spot, to have a favourite haunt (*место*); to find pleasure (*in*) (*занятие*).

обма́з‖ать to lay on a coat(ing); to grease (*жиром*); to putty (*замазкой*); to besmear, soil (*запачкать*); ⌐ка, ⌐ывание coat(ing), putty; ⌐ывать *см.* обмазать.

обма́к‖ивание dipping; ⌐ивать, ⌐ну́ть to dip.

обма́н fraud; deceit; illusion, delusion (*заблуждение*); bluff (*блеф*); о. зрения optic illusion; ⌐ом, ⌐ным путём by deceit, fraudulently; ⌐ывать в о. *см.* обмануть.

обма́нка *мин.* blende; zink sulphide (*цинковая*); hornblende (*роговая*); aphanite (*матовая роговая*); glance-coal, anthracite (*угольная*).

обма́н‖ный fraudulent, deceitful; ⌐ным путём *см.* обман; ⌐у́тый deceived; ⌐у́ть *см.* обманывать; ⌐у́ть в любви to jilt; ⌐у́ть ожидания to disappoint; ⌐чивость deceitfulness, delusiveness; illusiveness; '⌐чивый deceptive, delusive, illusory; ⌐щик deceiver, cheat, impostor, charlatan, humbug; ⌐ывать to deceive, take in; to cheat, dupe (*с целью наживы и пр.*); to swindle (*о мошенничестве*); to play a hoax (*on, at the expense of*) (*в шутку*).

обмар‖а́ть, '⌐ывать to soil, dirty.

обма́тывать to wind (round); ⌐ся to wrap oneself in; to wind a scarf around one's neck (*шарфом*).

обма́х‖ивать to dust, brush away (*пыль*); ⌐иваться веером to fan oneself (one's face); ⌐ну́ть *см.* обмахивать.

обмеле́ть to grow shallow, to shallow.

обме́н exchange, barter, interchange; о. веществ *физл.* metabolism; о. иностранной валюты foreign currency exchange; о. комнатами exchange of rooms; о. мнений interchange of ideas (opinions); о. опытом exchange of experience; в о. in exchange; болезни ⌐а веществ metabolic diseases; ⌐иваться, ⌐яться словами, любезностями, комплиментами, мнениями to exchange words, civilities, compliments, opinions; ⌐яться местами to change seats.

обме́р 1. measure, measurement; 2. false measure (*см.* обвес).

обмере́ть *см.* падать в обморок; о. от страха to be struck dumb with fear.

обм‖ерза́ть, ⌐ёрзнуть to freeze round, to be frostbitten.

обме́ри(ва)ть 1. to measure; 2. to cheat in measuring; ⌐ся to be measured; to mistake in measuring.

обмеря́ть to measure.

обме‖сти́, ⌐та́ть I. to sweep, dust (*пыль*).

обм‖етáть II., **~ётывать** to over-sew, to buttonhole (*петли*); *безл.* у него ~етáло губы his lips are sore; у него ~етáло язык his tongue is coated.

обминáть to press down, trample down (*землю*).

обмирáть to faint, swoon; to fall into a swoon.

обмозговáть to think something over, to ruminate, chew something thoroughly, to meditate (*упоп*).

обмок‖áть, **'~нуть** to get (become) wet through (drenched, soaked).

обмолáчива‖ние threshing; **~ть** *см.* молотить.

обмóлв‖иться to make a mistake in speaking; **~ка** slip of the tongue.

обмолóт threshing.

обмолотить *см.* молотить.

обмор‖áживать to freeze; **~ó-женный** *см.* отмороженный; **~ó-зить** *см.* обмораживать.

бóморок faint; *мед.* syncope; *поэт.* swoon; падать в о. to faint, swoon; в глубоком **~е** in a dead faint.

обмот‖áть *см.* обматывать; **'~ка** winding; **~ка** якоря *эл.* armature winding; **'~ки** puttee(s) (*на ногах*).

обмундиров‖áние equipment, uniform, outfit; **~áть** *см.* обмундировывать.

обмундирóв‖ка *см.* обмундирование; **~ывать** to equip, fit out, provide with equipment.

обмы‖вáние ablution; **~вáть** to wash; **~вáть** рану to bathe (irrigate) a wound; **~вáться** to wash oneself.

обмызгать *см.* измызгать.

обмыл‖ок remnant of soap; **~ки** soap suds.

обмыть(ся) *см.* обмывать(ся).

обмяк‖áть, **'~нуть** to soften, to grow pulpy.

обмять *см.* обминать.

обнаглéть to grow (become) rude (bold, cheeky).

обнадёжи(ва)ть to give hope (*to*), to encourage.

обнаж‖áть to bare, lay bare (open), denude; to uncover (*фланг*); strip; to usheathe (*шпагу*); to disclose, reveal, unmask (*истину*); **~éние** baring, uncovering, denudation; **~ённый** bare, naked; nude (*поэт., жив.*); **~ённая** шпага naked sword; **~ить** *см.* обнажать.

обнарóдова‖ние publication, promulgation; **~ть** to publish, promulgate, proclaim.

обнаруж‖éние, **~ивание** uncovering, discovery, disclosure, detection; **~и(ва)ть** to uncover, lay open; to discover, disclose, detect.

обнáшивать *см.* обносить.

обнесéние carrying round (from one to another) (*блюдом и пр.*); о. стенóй walling in.

обнести *см.* обносить.

обним‖áть to embrace (*тж. фиг.*); to clasp in one's arms; *разг.* to hug; **~áться** to embrace each other; сидéть в '~ку to sit hugging (cuddling) each other.

обнищá‖лый impoverished, beggared, ruined; **~ние** impoverishment, ruin; **~ние** широких масс в капиталистических странах pauperization of the broad masses in capitalist countries; **~ть** to become impoverished (ruined, a pauper, a beggar), to be reduced to beggary.

обнóва *см.* обновка.

обнов‖ить to restore, renovate, renew; '~ка new article of clothing; **~лéние** renovation, restoration; **~лённый** *фиг.* renewed; с **~лёнными** силами with fresh vigour; **~лять** *см.* обновить.

обносить to carry, to serve (round) (*блюдо*); to enclose, encompass, to (erect a) wall (*стеной*); to fence, palissade (*оградой*); to rail (*in, off*) (*перилами*); о. новую одéжду to wear off the newness of clothes; **~ся** to be short of clothes, to be shabby.

обнóски old (cast off) clothes.

обнюх(ив)ать to smell (sniff) all over; to nose (*тж. фиг.*).

обнять *см.* обнимать.

обо *см.* о.

обобрáть *см.* обирать.

обобщ‖áть to generalize; **~éние** generalization.

обобществ‖ить to socialize; **~-лéние** socialization, collectivization; **~ление** средств производства socialization of the means of production; **~лённый** socialized, collectivized; **~лённый** сектор socialized sector; **~лённый** труд socialized labour; **~лённое** хозяйство socialized economy; **~лять** to socialize.

обовшиветь to become lousy.

обога‖тительный enriching; **~-тить,** **~щáть** to enrich; **~титься,** **~щáться** за чей-л. счёт to enrich oneself at someone else's expense; ⌐щéние enriching, enrichment; ⌐щение за счёт войны war-profiteering; ⌐щение руд *техн.* concentration of ores.

обогнáть *см.* обгонять.

обогнýть *см.* огибать.

обоготворéние deification, idolatry.

обоготвор‖**и́ть**, ⌐**я́ть** to worship as a god; to rank among the gods; to idolize, worship idols; ⌐**я́ться** to be idolized, worshipped.

обогре‖**вáние** warming; ⌐**вáть**, '⌐**ть** to warm; ⌐**вáться** у печки to warm oneself before the fire (by the stove).

обóд rim; felloe, felly (*колеса*); hoop (*игрушка*); ⌐**óк** circle, ring; ⌐**óчная** кишка *анат.* colon.

обóдра‖**нный** ragged, in tattered clothes; '⌐**ть** to strip; ⌐**ть** как липку to strip one to the skin.

ободр‖**éние** encouragement; ⌐**и́ть**, ⌐**я́ть** to encourage, hearten, inspire; ⌐**и́ться**, ⌐**я́ться** to take courage; ⌐**я́ющий** encouraging.

обоепóлый bisexual.

обожá‖**ние** adoration, worship; ⌐**ть** to adore, worship.

обождáть *см.* ждать, подождать.

обожеств‖**лéние**, ⌐**я́ть** *см.* обоготворение, обоготворять.

обожжённый burnt.

обожрáться *см.* обжираться.

обóз *военн.* baggage train; transport; a train (file) of waggons, carts (*телег*) *or* sledges (*саней*).

обозвáть *см.* обзывать.

обозли́ть to irritate, vex, tease, provoke.

обозна‖**вáться**, '⌐**ться** to (mis-)take one person for another.

обознач‖**áть** to mark, denote; что это ⌐**áет?** what does this mean (signify)?; ⌐**éние** designation, denotation, sign, symbol; '⌐**ить** *см.* обозначать; ⌐**ить** задним числом to backdate, antedate.

обóзный pertaining to transport.

обозре‖**вáтель** reviewer; ⌐**вáть** to survey, review, inspect; '⌐**ние** survey, review; *театр.* revue; '⌐**ть** *см.* обозревать.

обóи‖ wall-paper; оклеивать ⌐**ями** to (hang) paper.

обóйма cramp-iron, iron band, iron ring.

обойти́(сь) *см.* обходить(ся).

обóйщик upholsterer, decorator.

обокрáсть *см.* обкрадывать.

оболвáни(ва)ть to rough-hew (cast).

обóлгáть to calumniate, slander, belie.

оболóчк‖**а** envelope, cover, wrapper; *анат.* membrane, film, coat, tunic; *бот.* capsule (*семенная*); *техн.* casing; водонепроницаемая о. *техн.* waterproof casing; о. снаряда shell; околосердечная о. pericardium; радужная о. iris; роговая о. cornea; сетчатая о. retina; слизистая о. mucous membrane; покрываться ⌐**ой** to film.

оболь‖**сти́тель(ница)** seducer; ⌐**сти́тельный** fascinating, captivating, seductive; ⌐**сти́ть**, ⌐**щáть** to seduce, fascinate, beguile; ⌐**сти́ться**, ⌐**щáться** to flatter oneself, to be (to labour) under a delusion; ⌐**щéние** seduction, enticement.

обомлé‖**лый** stupefied, confounded, confused; ⌐**ть** to be stupefied, to stand stock-still.

обоня́‖**ние** smell, sence of smell; органы ⌐**ния** olfactory organs; ⌐**ть** to smell.

оборáчивать(ся) *см.* обёртывать(-ся).

оборвáнец ragamuffin, beggar, tramp.

обóрванный torn, ragged.

оборвáть *см.* обрывать II; ⌐**ся** to tear.

оборóн‖**а** defence; Совет Труда и О⌐**ы** Council for Labour and Defence; ⌐**и́тельный** союз defensive alliance, treaty for mutual defence; ⌐**и́тельный** участок section of defence; ⌐**и́тельная** война defensive war; ⌐**и́тельная** политика defensive policy; быть в ⌐**и́тельном** положении to be on the defensive; занять ⌐**и́тельную** позицию to take up a defensive position; ⌐**и́ть(ся)** *см.* оборонять(ся); укрепление ⌐**оспосóбности** strengthening of the defensive capacity; ⌐**цы** (*соглашатели*) supporters of defence of a capitalist fatherland (compromisers); ⌐**чество** movement in favour of defence of a capitalist fatherland; ⌐**я́ть(ся)** to defend.

оборóт turn, direction; revolution, revolving, rotation (*колеса*); *комм.* trade turnover; о. винта *мор.* pitch of a screw-propeller; о. речи locution; денежный о. circulation of money, (money) turnover; дело приняло дурной о. the affair has taken a bad turn; пускать в о. to circulate, to put capital into circulation; на ⌐**е** on the reverse (back); сделать надпись на ⌐**е** (*векселя, чека*) to endorse; см. на ⁓e please turn over (сокр. р. т. о.).

оборотень werewolf.

оборо́т||истый resourceful, clever; ⁓ить to turn round; на себя ⁓иться to look at home; ⁓ливость resourcefulness, dexterity, ability, cleverness; ⁓ливый см. оборотистый.

оборо́т||ный: о. капитал circulating (turnover, working) capital; ⁓ная сторона reverse (wrong) side.

обору́дова||ние outfit, outfitting, equipment, plant; arrangement; ⁓нный по последнему слову техники fitted up according to the last word of technics; equipped with the latest machinery; ⁓ть to fit out, equip, arrange.

обоснов||а́ние basis, ground(ing); ⁓а́ть, ⁓ывать to ground, prove.

обосо́б||ить(ся) см. обособлять (-ся); ⁓ленность insulation; aloofness, apartness; isolation; ⁓ленный isolated; ⁓ля́ть to isolate, insulate; ⁓ля́ться to hold (keep) aloof, apart.

обостр||е́ние aggravation; exacerbation (тж. мед.); о. классовых противоречий sharpening of class contradictions; о. мирового кризиса sharpening (acuteness) of the world crisis; ⁓ённый exacerbated, aggravated, strained.

обостр||и́ть, ⁓я́ть to exacerbate, aggravate; ⁓ить и без того скверные отношения и пр. to make matters worse; ⁓и́ться, ⁓я́ться to become (grow, be) exacerbated (aggravated, strained, acute); их отношения ⁓и́лись their relations became strained.

обою́д||ность mutuality, reciprocity; ⁓ный mutual, reciprocal; ⁓о́острый double-edged, two-edged.

обраб||а́тывание cultivation, tillage, farming; adaptation (книги); ⁓а́тывать to work, manufacture (сырьё); to cultivate, till, farm (землю); to fashion, adapt (книгу для какой-л. цели); ⁓а́тывать материалы to work up one's material; ⁓а́тывающая промышленность manufacturing; ⁓о́тать см. обрабатывать; ⁓о́тать дело вульг. to arrange an affair; я его ⁓о́тал I have succeeded in coaxing him, I have induced him (to), I have managed him; I've got him (to); ⁓о́тка см. обрабатывание; коллективная ⁓отка земли collective land cultivation; литературный ⁓о́тчик literary adapter.

обра́вн||ивать, ⁓я́ть to level, even (up), trim the edges (края).

обра́довать(ся) см. радовать(ся).

о́браз shape, form, figure; manner; лит. image; icon (икона); о. действия procedure; behaviour, conduct; о. жизни см. жизнь; о. мыслей trend of thoughts, frame of mind, (one's) way of looking at things; о. правления см. правление; художественный о. artistic image, type; его преследовал о. he was haunted by the image (of); главным ⁓ом mainly, chiefly; это случилось главным ⁓ом из-за следующей причины this was mainly due to the following cause; it was largely owing (to); каким ⁓ом? how?, in what manner (way)?; надлежащим ⁓ом properly, suitably, duly; наилучшим ⁓ом in the best possible way, to the best advantage; некоторым ⁓ом in a way; to a certain extent; after a fashion; никоим ⁓ом by no means, not at all, not in the least; равным ⁓ом equally, similarly; to the same extent; таким ⁓ом thus, in this way.

образ||е́ц model; specimen, type; pattern, example, sample (образчик); ставить кого-л. в о. другим to set somebody up as an example for others; по новому ⁓цу́ new-model(l)ed.

обра́||йна mug.

образн||ость picturesqueness, imagery; ⁓ый figurative; лит. picturesque; ⁓ый язык picturesque (vivid) style (language).

образова́ни||е 1. education, instruction, culture; всеобщее о. universal education; высшее о. higher (University) education; домашнее о. home education; низшее о. elementary education; профессиональное о. vocational training; среднее о. secondary education; школьное о. school education; отдел народного ⁓я Board of Instruction; **2.** formation, organization; о. костей formation of bones; о. пара production of steam; о. слов word-building.

образо́ва||нность см. образование 1.; ⁓нный educated, cultured, well-read (informed); ⁓тельный educational.

образ||ова́ть, ⁓о́вывать **1.** to instruct, teach, educate; он сам себя ⁓ова́л he is a self-made (-schooled, -taught) man; **2.** to form, organize; ⁓ова́ться, ⁓о́вываться to form; ⁓у́ется! it will blow over.

образу́м‖**ить**, **~ливать** to bring one to reason, make one listen to reason, make one realize one's mistakes; **~иться**, **~ливаться** to come to one's senses.

образцо́в‖**ый** model, exemplary, standard; **~ая** шко́ла model school.

обра́зчик sample, pattern.

обрамл‖**е́ние** framing, framework; **'~ивать**, **~я́ть** to frame, put in a frame.

обраст‖**а́ние** overgrowing; мелкобуржуа́зное о. gradual acquirement of petty bourgeois habits or ideas; **~а́ть**, **~и́** to overgrow (with).

обра‖**ти́ть(ся)** см. обраща́ть(ся); дом **~щённый** на юг a house exposed to (facing) the south.

обра́тн‖**ый** inverted, inverse, converse, return; о. биле́т return ticket; о. путь return journey; о. смысл opposite meaning, sense; о. ход reversal; дать о. ход to reverse engine; **~ая** по́чта return of post; **~ая** пропорциона́льность inverse ratio (proportion); **~ая** сторона́ wrong side, reverse; фиг. the seamy side; име́ющий **~ое** де́йствие retroactive; **~ой** по́чтой by return of post; на **~ом** пути on the way back; while returning; име́ющий **~ую** си́лу retrospective (о зако́не и пр.); **~о** back, conversely, inversely, revertibly; **~о** де́йствующий retroactive; **~о** пропорциона́льно inversely proportional; **~о** пропорциона́льный in inverse ratio (proportion); итти́ **~о** to go back, return, retrace one's steps; получи́ть **~о** to get back; я получи́л **~о** свою́ ру́копись my MS (manuscript) has been returned to me.

обраща́ть to turn, change, transform, convert; circulate, put into circulation (моне́ты); о. в бе́гство to put to flight; о. взгляд на to look (on, upon); о. в ра́бство to enslave; о. в свою́ ве́ру to convert to one's faith; о. внима́ние to pay (turn) one's attention (to); to take notice (of); о. внима́ние на себя́ to look after oneself, to take care of oneself; о. (чье-л.) внима́ние на себя́ to attract attention; о. го́род в пе́пел to reduce a town to ashes, to burn a town; о. иму́щество в капита́л to realize one's property (convert property) into money; о. пусты́ню в цветни́к to turn a desert into a flower garden.

обраща́ться to turn, revert, circulate; apply, appeal (to); о. в бе́гство to take flight; о. в ве́ру to become converted; о. в ко́нсульство to apply to the Consulate; о. вспять to return, retrace one's steps; о. к к.-л. с про́сьбой to ask; to request; о. к к.-л. с ре́чью to address, speak, plead to one; о. к чьему́-л. великоду́шию to appeal to one's generosity; о. с к.-л. ду́рно (хорошо́) to treat (to deal by) one badly (well); о. с к.-л. презри́тельно to humiliate, despise; to treat contemptuously (with contempt); мне не́ к кому́ **обрати́ться** I have no one to turn to, I have no one to ask.

обраще́ни‖**е** мех. revolution, rotation (плане́т); circulation (де́нег, кро́ви); treatment, usage (с кем-л., с чем-л.); address, harangue (речь); о. к ма́ссам appeal to the masses; о. к чита́телю address to the reader; теа́тр. заключи́тельное о. к пу́блике tag; ду́рное о. ill-treatment, cruelty; хоро́шее о. good treatment, kindness; вы́пуск в о. бума́жных де́нег issue of paper currency; пусти́ть в о. to issue, circulate, give currency to; изъя́ть из **~я** to withdraw from circulation; call in.

обревизова́ть to inspect, audit.

обре́з 1. edge (кни́ги); тип. size; 2. a short-barrelled rifle (винто́вка с уко́роченным ство́лом); в о. only just enough; not a scrap to spare; кни́га с золоты́м **~ом** a gilt-edged book.

обре́зание cutting, clipping, pruning; circumcision (обря́д).

обре́за‖**ть(ся)**, **~а́ть(ся)** см. обре́зывать(ся); **~а́ть** во́лосы см. стричь.

обре́з‖**ок** clipping, shred, scrap; **~ки** clippings, waste, shreds, pieces, scraps; желе́зные **~ки** scrap iron.

обре́зывать to cut, clip; to prune (фрукто́вые дере́вья); to circumcize (об обря́де); фиг. to cut one short, snub (в разгово́ре); **~ся** to cut oneself; to be circumcized (об обря́де).

обрека́ть to doom; to consecrate; о. на нищету́, несча́стье to doom (consign) to misery.

обремен‖**е́ние** overloading, burden(ing), clogging; **~ённый** долга́ми involved in debt; **~и́тельность** burdensomeness, onerousness; **~и́тельный** heavy, burdening, burdensome, overwhelming; **~и́ть**,

~**я́ть** to burden, overburden, overtax, overload, encumber; to cumber (*напр. семьёй*).

обремизить *см.* ремиз.

обре‖**сти́**, ~**та́ть** to find; о. тихую пристань to reach a haven of rest, to find rest (at last); ~**те́ние** finding.

обреч‖**е́ние** doom; consecration; ~**ённость** being doomed; ~**ённый** doomed; ~**ённый** на неудачу doomed to failure; ~**ённый** на смерть doomed to death; '~**ь** *см.* обрекать.

обрива́‖**ние** shaving; ~**ть** to shave.

обрисов‖**а́ть** *см.* обрисовывать; '~**ка** sketch, delineation, outline; '~**ывать** to sketch, delineate, outline; ~**ывать** положение to depict the situation.

обри́ть to shave.

обро́к *ист.* tax, quit-rent.

оброни́ть to drop, let fall, lose.

обро́сший overgrown.

обро́чник *ист.* tenant, peasant who pays quit-rent.

обруб‖**а́ть**, ~**и́ть** to cut round (lop, trim) trees (*деревья*); *см.* подрубать; to dock (*хвост*); '~**ок** block, trunk, stump.

обруга́ть to scold, abuse, call one names, swear at one.

обрус‖**е́лый** Russified, Russianized; ~**е́ние** Russification; ~**е́ть** to be (become) Russified.

о́бруч hoop (*бочки*), ring; катать о. to trundle a hoop; наколачивать ~**и** на бочку to hoop a cask.

обруч‖**а́льный**: ~**а́льное** кольцо engagement ring; ~**а́ть** to affiance, to betroth; ~**а́ться** to be engaged (*реже* betrothed, affianced); ~**е́ние** betrothal, affiancing, engagement; ~**и́ть(ся)** *см.* обручать(ся).

обру́чник hooper, coop r.

обру́ши‖**вание** crumbling, falling; ~**(ва)ть** to demolish, destroy; ~**(ва)ться** to crumble, break down, fall; *фиг.* to come down upon.

обры́в steep, precipice.

обрыва́ть I. to dig round.

обрыва́ть II. to tear; to pluck листья); *фиг.* to cut one short, to snub (*в разговоре*); ~**ся** to be plucked; to fall (*упасть*).

обры́вист‖**ость** steepness; ~**ый** steep.

обры́в‖**ок**, ~**ки** scrap(s) (*тж.* о сведениях); snatch(es) (*мелодии*).

обры́зг(и)вать to (be)sprinkle, spray; bedabble; bedew (*росой*).

обры́скать to hunt (look, search)

for something all over the place.

обры́ть *см.* обрывать I.

обрю́згл‖**ость** flabbiness; ~**ый** flabby.

обря́д ceremony, rite; соблюдение ~**ов** observance of customs (ceremonies); ~**ность** ritualism; ~**овый** pertaining to the ceremony (*of*), ritual, ceremonial.

обряжа́ть to attire, fit out.

обса‖**ди́ть** to plant something round; '~**дка** planting; '~**живать** *см.* обсадить.

обса́ли(ва)ть to (be)grease, (be-)smear with grease.

обса́сывать to suck (round).

обса́хари(ва)ть to sugar, cover (powder) with sugar, to ice, candy; ~**ся** to be candied, become candied.

обсе‖**ва́ть** to sow; '~**вка** chaff, siftings; '~**ивать** to sow.

обсека́ть *см.* отсекать, обрубать.

обсемен‖**е́ние** sowing; ~**и́ть** to sow.

обсервато́рия observatory.

обсервацио́нный observation (*attr.*), observatory.

обсея‖**нный**: ~**нное** поле a sown field; ~**ть** *см.* обсеивать.

обскура́нт obscurant; ~**и́зм** obscurantism; ~**и́ст** obscurantist.

обсле́дова‖**ние** inspection, investigation; ~**тель** inspector, examiner, visitor; ~**ть** to inspect, examine, visit, investigate.

обслу́жива‖**ние** accommodation; культурно-бытовое о. cultural and daily needs service; ~**ть** to accommodate with; ~**ть** потребителя to serve the consumer; ~**ющий** персонал serving personnel, staff.

обслюн‖**и́ть**, ~**я́вить** to slaver, slobber; to dribble.

обсоса́ть *см.* обсасывать.

обсо́хнуть *см.* обсыхать.

обста́‖**вить**, ~**вля́ть** to set, put, place round (*кругом ч.-л.*); to furnish (*квартиру*); to cheat (*обмануть*); ~**новка** furniture; *фиг.* situation, atmosphere, circumstances, conditions; setting, background; *лит.* milieu; домашняя ~**новка** furniture (*мебель*); one's home conditions; ~**новочная** пьеса spectacular play.

обстоя́тель‖**ность** circumstantiality, thoroughness; ~**ный** cirsumstantial, detailed (*доклад*); thorough, reliable (*человек*).‖

обстоя́тельств‖**о** case, circumstance; о., смягчающее (увеличивающее) вину an extenuating (aggravating) circumstance; ~a circumstances; ~а места, времени, образа действия *гр.* adverbial phrases of place, time, manner, adjunct(s) to the predicate; extension(s) of the predicate; ~а изменились conditions have changed; ~а неблагоприятны the moment is not propitious (favourable); все ~а дела the ins and outs of an affair; денежные ~а finances, financial affairs; семейные ~а family affairs; тут особое стечение обстоятельств there is an extraordinary concurrence of circumstances in this case; по независящим от меня ~ам for reasons not depending on me; смотря по ~ам it depends (on the circumstances); находиться в затруднительных ~ах to be in difficulties.

обсто||ять to be, to get on; всё ~ит благополучно all is well; как ~ят ваши дела (занятия)? how are you getting on?

обстрагивать to plane.

обстраива||ние building; ~ть, ~ться to build.

обстрачивать to (back)stitch, cover with stitching, stitch all over.

обстрел cannonade; взять под о. уравниловку to attack the principles of wage levelling; город под ~ом the town is under fire; ~ивать to bombard, cannonade, (open) fire at; to bombard with gas-shells (*химичес. снарядами*).

обстри||гать, ' ~чь *см.* остригать.

обстрогать *см.* обстрагивать.

обстрои||ть *см.* обстраивать; город быстро ~лся the town has rapidly grown.

обстрочить *см.* обстрачивать.

обстругивать *см.* обстрагивать.

обструк||тивный obstructive; ~ционист obstructionist; ' ~ция obstruction.

обстряпать *вульг.* to settle, arrange matters ~ (*дело*).

обступ||ать, ~ить to surround.

обсу||дить, ~ждать to consider, discuss, debate, exchange opinions; *разг.* to thrash out, talk the matter over; ~ждение discussion, debate; предлагать на ~ждение to (propound) suggest for discussion; предмет ~ждения the point at issue.

обсуши||вать, ' ~ть to dry; ' ~ться to get dry, dry oneself.

обсчит||ать *см.* обсчитывать; ~аться to miscount, to miscalculate; ' ~ывать to cheat in counting.

обсы||пать, ~пать to strew, powder.

обсыхать to dry, get dry.

обтаивать to melt around, to thaw.

обтачивать to turn (*на станке*).

обтаять *см.* обтаивать.

обтекать to flow round.

обтереть(ся) *см.* обтирать(ся).

обт||есать *см.* обтёсывать; он быстро ~есался he soon acquired a certain polish; ~éска squaring, rough-hewing, polishing; ~ёсывать to rough-hew, square (*бревно*); *фиг.* to polish.

обтирать(ся) to wipe, dry (oneself).

обточ||ить *см.* обтачивать; ' ~ка turning.

обтрёпанны||й worn out, frayed (*о платье*); shabby looking (*о человеке*); ~е рукава (*манжеты*) frayed (shirt-)cuffs.

обтр||епать, ~ёпывать to fray (*платье, рукава и пр.*); to swingle (*лён, коноплю*); ~ёпываться to fray, to get worn (*о вещах*); to become shabby (*о человеке*).

обтык||ать, ~ать to stick round.

обтягивать to stretch, cover.

обтяж||ка stretching, covering; платье в ~у a dress which outlines the figure, a tight (close-fitting) dress.

обтянуть *см.* обтягивать.

обувать to put on someone's shoes for him; ~ся to put on one's shoes.

обув||ь foot-wear (-gear); shoes; магазин ~и boot-shop; *амер.* shoe-store.

обугл||енный carbonized, charred; ~ивание carbonization; ~ивать, ~ить to carbonize, char.

обуж||ение making narrow, tight; ~енный narrow, tight; ~ивать to make something too narrow (tight).

обуза burden, encumbrance, onus; *разг.* nuisance.

обузд||ание обуздывание; ~ать *см.* обуздывать; ~ать свой характер to govern one's temper; ~ать свой язык to put a restraint upon one's tongue; ~ать себя to have command, control over oneself; to have one's passions under control; ' ~ывание restraint, self-restraint (*себя*), holding in hand; ' ~ывать to bridle, curb, repress, restrain, keep in check (*сдерживать*); to conquer, get the better of (*побеждать*).

обузить *см.* обуживать.

обурева́‖**ть** to agitate; его ⁓ют страсти he is agitated (moved, influenced) by violent passions.

обусл‖**о́вить**, ⁓**о́вливать** to make conditions, to stipulate; ⁓**о́виться**, ⁓**о́вливаться** to be stipulated, to depend on, to be explained (by) (объясняться).

обу́т‖**ый** shod; ⁓**ь** см. обувать.

о́бух butt-end of an axe; эти известия меня точно ⁓ом по голове ударили the piece of news came as a thunderbolt; I was thunderstruck by the news.

обуч‖**а́ть** to teach, instruct; о. музыке, языкам to teach music, languages; военн., спорт. to train, drill; ⁓**а́ться** to be taught, to learn; ⁓**е́ние** teaching, instruction, tuition, training; военн. drill; внешкольное ⁓ение non-school education; политехническое ⁓ение politechnical training; совместное ⁓ение co-education; ⁓**и́ть** см. обучать.

обу́ить см. обуревать.

обха́живать см. обходить; фиг. to humour (please, gratify) one.

обхва́т girth, circumference, compass; 6 дюймов в о. 6 inches round; ⁓**и́ть**, ⁓**ывать** to embrace, clasp; to girth (дерево).

обхо́д beat, round (караула, милиционера, письмоносца, врача); circuit; о. закона evasion (elusion) of the law; делать о. to be on the beat, to patrol one's beat; ⁓**и́тельность** courteousness, amiability, pleasant manner (way); ⁓**и́тельный** courteous, amiable, obliging; ⁓**и́ть 1.** to make the round (of), visit; военн. to flank (зайти в тыл); **2.** to cheat, deceive (обмануть); **3.** фиг. to pass by (over); to deprive of (лишать); ⁓**и́ть молчанием** to pass by (или over) in silence; ⁓**и́ться 1.** to cost, to come to (о стоимости); **2.:** ⁓**иться без** ч.-л. to dispense with, to do (go) without something; **3.** to treat (обращаться); **4.** to get used to it; лошадь обойдётся the horse will get used to it; он обойдётся (о вспыльчивом человеке) he will calm down; he will get used to it (он привыкнет); всё обойдётся all will turn well; ⁓**ный** roundabout, circuitous; ⁓**ное движение** полит. circuitous movement.

о б х о ж д е́ н и е treatment, manner(s), way.

обч‖**е́сть** см. обсчитывать; таких людей раз, два и ⁓**ёлся** such people can be counted on one hand.

обчи́‖**стить**, ⁓**ща́ть** to clean; фиг. to strip; ⁓**стить догола** to strip one to the skin.

обшанцова́ть техн. to intrench.

обша́ри‖**(ва)ть** to ransack, rummage, search (for), ferret out.

обша́ркать см. обшарпать.

обша́рпа‖**нный** (о человеке) seedy, in worn clothes; ⁓**ть стены** to scratch and dirty the walls, to tear and dirty the paper on the walls.

обшива́‖**ть** to sew round, hem, border, edge; она ⁓**ет** всю семью she does all the family sewing (о посторон. человеке, напр. о швее): all the sewing for the family); to face, plank (досками); to sheathe (корабль).

обши́вка trimming, facing (отделка); casing, sheathing, panelling, wainscot(ing) (стен); veneering (фанерой), boarding (досками); neckband (сорочки).

обши́рн‖**ость** spaciousness, bigness, vastness; expanse; ⁓**ый** ample, spacious, vast, voluminous, broad, extensive, wide, big, spreading; ⁓**ый труд** a voluminous work; ⁓**ое знакомство** a numerous acquaintance.

обши́ть см. обшивать.

обшла́г cuff.

обшмы́ганный shabby, dirty, worn.

обща́ться to associate, mix with; to live among; to have intercourse with.

обще- приставка, часто переводится наречиями generally, widely, universally.

общедосту́п‖**ость** accessibility; ⁓**ый** accessible to everyone (all); popular; ⁓**ая цена** moderate price.

общежи́тие dormitory, hostel (студенческие и пр.); home; о. для престарелых asylum.

общеизве́стный well (widely) known, popular.

общенаро́дный general, public.

обще́ние intercourse; communion.

общеобразова́тельный of general instruction (attr.).

общеобяза́тельный compulsory (obligatory) to (for) all.

общеполе́зный of general utility.

общепоня́т‖**ость** obviousness, clarity; ⁓**ый** clear, obvious.

общепри́нятый current, universally adopted.

общераспространённый in general use, in common usage, popular, wide spread.

общесоюзн‖**ый** All-Union (attr.); О. Народный Комиссариат All--Union People's Commissariat; ～ого значения of importance for the entire USSR; Всесоюзный Институт Эксперимент. Медицины имеет общесоюзное значение the Institute of Experimental Medicine is of All-Union importance.

общé**ственн** ‖**ик** (～**ица**) public spirited man (woman), public (social) worker; ～**о-полéзная** работа socially useful work; ～**ость** public, public opinion; ～**ый** social, public; ～**ый** контроль public control; ～**ый** строй social order; ～**ая** жизнь social life;⸜ ～**ая** работа social work, public work; ～**ое** мнение public opinion; ～**ое** положение status, social position (standing); ～**ое** сознание social consciousness; social sense; ～**ые** классы social classes.

óбществ ‖**о** society, world; public; association, company (сокр. Co.); community, о. взаимного кредита Mutual Credit Company; о. взаимопомощи Friendly Society; Mutual Aid Society; О. друзей Советского союза The Friends of the Soviet Union; о. потребителей Association of Consumers; О. пролетарского туризма the Proletarian Tourist Society; о. страхования Insurance Company; акционерное о. Joint Stock Co.; избранное о. select society, coterie; коммунистическое о. Communist society; душа ～**а** the soul of society; бывать в ～**е** to go a great deal into society, to frequent society, to go out (much), to lead a society life; целым ～**ом** in a body; добровольные (научные) ～**а** voluntary (scientific) societies.

обществовéд one versed in social science, social scientist; ～**ение** social science.

обществовéдческий pertaining to social science.

общеупотребительный of general (common) use, generally used.

общечеловéческий common to mankind.

óбщ‖**ий** common, general; public (общественный); о. делитель common divisor; о. род гр. common gender; ～**ая** выработка aggregate output; ～**ая** собственность joint property; ～**ая** стена partition wall; ～**ая** сумма sum total; ～**ее** благо common (general) weal; ～**ее** (наименьшее) кратное (least) common multiple (сокр. L. C. M.);

～**ее** место generality; platitude, common place; ～**ее** пастбище common (pasture); ～**ее** свойство рода generic feature (property, peculiarity); ～**ее** собрание general meeting; ～**ее** согласие general (common) consent; ～**ее** число total number (of); в ～**ем** in sum, on (upon) the whole.

общин‖**а** community, commune; ～**ный** communal; ～**ная** земля common lands, grounds.

общип‖**áть**, '～**ывать** to plume, pluck; фиг. to plume, pluck, strip.

общительн‖**ость** sociability; ～**ый** sociable; ～**ый** характер sociable, friendly disposition.

óбщность community; о. владения (интересов) community of goods (interests).

объегóри‖**вание** cheating, swindling, doing; ～**(ва)ть** разг. to cheat, do (in the eye), swindle.

объедáть to crop (траву); to nibble; см. обкусывать; to be a burden to, to eat more than one's share (кого-л.); ～**ся** to overeat oneself, to eat too much.

объедин‖**éние** joining, union, unification (действие); union, society (общество); всесоюзное о. All-Union Combine; отраслевое о. Trade association; ～**ённость** unity; ～**ённый** united; ～**ённый** комиссариат Unified People's Commissariat; ～**йть**, ～**ять** to join, unite; ～**йться**, ～**яться** to unite; to rally (снова сплачиваться); ～**яться** под лозунгом to rally under the slogan; ～**яющий** uniting; combining.

объéдки leavings, remnants of food.

объéзд riding round, tour, circuit, round; ехать в о. to go by a roundabout (circuitous) way; ～**ка** лошади training (breaking in) of a horse.

объéздить см. объезжать; о. весь свет to travel all over the world.

объéздчик horse patrol.

объезжáть to ride, drive, travel (round); о. лошадь to break in (train) a horse.

объéкт object [колонии являются ～**ом** эксплоатации со стороны империалистов colonies are objects of exploitation by (for) the imperialists]; гр. object; phenomenon (pl. -ena) (о восприятии); ～**ив** опт. objective, object-glass, object-lens; ～**ивность** objectivity; impartiality; ～**ивный** objective (ре-

альный); phenomenal (*воспринимаемый органами чувств*); unbiased, unprejudiced (*беспристрастный*); делать ～**ивным** to objectify; ～**ивная истина** objective truth.

объём size, bulk, volume (*особ. жидкости, звука*); compass; о. знаний extent of knowledge; о. капиталовложений volume of capital investments;кубический о. capacity; увеличиваться в ～**е** to expand; ～**истый** bulky, capacious, voluminous; ～**ный вес** bulk-weight.

объёсть(ся) *см.* объедать(ся).

объёха‖**ть** *см.* объезжать; доктор ～**л** своих больных the doctor has finished his rounds.

объяв‖**итель,** ～**ительница** announcer, declarer; ～**ить** *см.* объявлять; ～**лёние** announcement, advertisement, declaration, statement; bill, poster (*плакат*); ～ление войны declaration of war; вывешено ～ление a notice (bill) has been posted up; дать ～ление to insert an advertisement, to advertise, announce; доска для ～**лёний** notice-board; по городу раскл·ены громадные ～**лёния** the town is placarded with huge posters; ～**лять** to announce, advertise; to state, notify, proclaim, intimate; to declare (*войну, нейтралитет, дивиденд*); ～лять военное положение to proclaim martial law; ～лять забастовку to declare a strike; ～лять социалистическое соревнование to start socialist competition; ～лять судебное предписание to serve a writ on.

объядёние: это просто о. this is simply delicious.

объяснёние explanation; дать о. to give an explanation; to explain.

объясн‖**имый** explicable; ～**и·тельный** explanatory; ～**ить,** ～**ять** to explain, expound, elucidate; ～**иться,** ～**яться** to be explained, expounded, elucidated; ～яться с к.-л. to have a talk with someone; to clear up a misunderstanding, to have it out with (*для выяснения недоразумения*); ～яться на иностранном языке to speak a foreign language, to be able to express oneself in a foreign language; этим ～**яется** странность его поведения that accounts for the strangeness of his behaviour.

объят‖**ие** embrace; броситься в ～**ия** to fling oneself into a person's arms; заключать в ～**ия** to embrace, hug, clasp in one's arms;

～**ый страхом** seized with fear, terror-stricken; ～**ь** to embrace.

обыватель inhabitant, resident (*of*); the man in the street; a Philistine, narrow-minded person; ～**ский** Philistine, uncultured, narrow-minded; ～**ский разговор** idle talk, gossip; ～**щина** philistinism, gigmanity, babbitry.

обыгр‖**анный:** о. инструмент an instrument mellowed by use and years; ～**ать,** ～**ывать** to beat (*at*), to win.

обыденн‖**ость** usualness, commonness, prosiness; ～**ый** usual, every-day; common, prosaic.

обызвествл‖**ёние** *мед.* calcification; ～**яться** to calcify.

обыкновён‖**ие** habit, custom, wont, way; он имел о. he was wont to, he used to; he would; по ～**ию** as usual, according to one's habit; ～**ный** usual, habitual, customary; ordinary, simple, plain; он ～ный человек he is an (ordinary) average man; это ～**ная** история it's an ordinary (usual) affair; there is nothing unusual (out of the way, extraordinary) about it; ～**ные люди** the common run of men; ～**но** usually, habitually, as a rule; как ～**но** as usual.

обыск search (*личный, помещения*); perquisition (*квартиры*); делать (производить) о. to conduct a search; ордер на право ～**а** search (perquisition) warrant; ～**ать** *см.* обыскивать; '～**ивание** *см.* обыск; '～**ивать** to search, visit, rummage, ransack.

обыча‖**й** custom, usage; mode, use, use and wont; habit (*привычка*); *см.* обыкновение; национальный о. national custom; по ～**ю** according to custom (habit—*по привычке*).

обычн‖**ый** habitual, usual, ordinary; о. порядок (вещей) the general order (of things); ～**ое право** *юр.* customary law; ～**ое явление** usual occurrence; ～**о** usually, generally.

обяз‖**анность** duty, obligation; исполняющий ～**анности** (и. о.) директора acting director; ～**анный** (*к.-л. за ч.-л.*) under obligation (*to*), beholden, indebted (*to—for*); очень ～**ан** much obliged; я ～**ан** это сделать it is my duty to do it; I must (I have to, I am bound to) do it; я ～**ан** ему жизнью I owe my life to him; ～**ательный** obligatory, compulsory; ～**ательный человек** amiable (friendly) person; ~а́тельная военная служба conscription; ~а́тельное постановление compulsory decree (regulation); ~а́тельно without fail, certainly; ему об этом ~а́тельно скажут he is sure to hear (he shall, will be told) about it; ~а́тельство obligation, bond, engagement, pledge; liabilities; ~а́тельство уда́рника a shock-worker's pledge; долгово́е ~а́тельство debenture; краткосро́чное ~а́тельство госуда́рственного казначе́йства *фин.* exchequer bill; вы́полнить свои ~а́тельства to meet one's engagements; ~а́ть, ~ывать to bind, oblige, engage; это нас ни к чему не ~ывает there is nothing binding in that; ~а́ться, ~ываться to bind, engage, pledge oneself; я не люблю ~ываться I dislike being beholden (under obligation).

ова́л, ~ьный oval.

ова́ция ovation, triumph, applause, cheering.

овдове́||вший, ~вшая, ~лый, ~лая widowed; ~ть to become a widow (*м. р.* widower).

Ове́н *астр.* the Ram.

ове́с oats.

ове́ч||ий ovine, sheep('s); о. сыр *см.* бры́нза; ~ья шку́ра sheepskin; волк в ~ьей шку́ре wolf in lamb's skin (sheep's clothing); ~ка ewe-lamb.

ови́н barn for drying crops.

овладе́||ва́ть to seize, take possession (*of*); о. внима́нием to grip; hold; о. иску́сством (*чего-л.*) to master, to gain proficiency in; о. собо́й to regain one's composure; о. те́хникой to master technics; to master technique (*техникой работы, искусства*); привы́чка ~ла им the habit grew on him; ~ние seizing; mastering; ~ть *см.* овладева́ть.

о́вод gad-fly, breeze, cleg, oestrus.

овощехрани́лище vegetable store.

о́вощ||и vegetables, greens, garden-stuff; ~на́я ла́вка green-grocery, green-grocer's (shop).

овра́г gully, ravine.

овся́н||ица *бот.* fescue; ~ка 1. oatmeal (*мука, крупа*); porridge, gruel (*каша*); 2. yellow bunting, yellow hammer (*птица*); ~ый oaten.

овца́ sheep, ewe; парши́вая о. *буск.* mangy sheep; *фиг.* black sheep.

овцебы́к му́скусный musk-ox.

овцево́д sheep-breeder; ~ство sheep-breeding, wool-growing; ~ческая фе́рма sheep-breeding farm.

овча́р sheep-breeder, sheep-farmer; ~ка sheep-dog, collie; неме́цкая ~ка Alsatian dog, wolf-hound; ~ня sheep-fold, pen.

овчи́н||а sheep-skin; ~ка вы́делки не сто́ит *погов.* the game is not worth the candle; not worth powder and shot; не́бо показа́лось с ~ку (I) was overcome with (by) fear.

ога́||дить, ~живать to soil, dirty, pollute.

ога́рок candle-end, bit of candle.

огиба́ть to bend round; to round; go round a corner (*угол*); *мор.* to double, weather (*мыс*).

ОГИЗ (Объедине́ние гос. изда́тельств) Unified State Publishing House.

оглавл||е́ние table of contents; index; ~я́ть to index, prepare the table of contents.

огла́дить *см.* огла́живать.

огла́дывать *см.* обгла́дывать.

огла́живать to smooth.

оглазу́ри(ва)ть to glaze; to cover with icing (*печенье*).

огла||си́ть *см.* оглаша́ть; ~ска publicity; избега́ть ~ски to save appearances, avoid publicity; ~ша́ть to publish; to put up the ban(n)s (*перед венчанием*); ~ша́ть резолю́цию to announce a resolution; ~ша́ться to ring with; ~ше́ние publication of ban(n)s; не подлежа́щий ~ше́нию secret, not for publication, not to be published.

огло́бл||я shaft, thill; поверну́ть ~и to turn back, retrace one's steps.

оглода́ть *см.* обглода́ть.

огло́х||нуть *см.* гло́хнуть; ~ший grown deaf.

оглуш||а́ть to deafen (*криком*), to stun, stupefy (*ударом*); to knock on the head (*ударом по голове*); ~е́ние deafening; stunning; ~и́тельный deafening, stunning; ~и́ть *см.* оглуша́ть.

огля||де́ть(ся) to look round; ~дка looking back; он бежа́л без ~дки he ran without turning his head (looking back); ~дывать, ~ну́ть to look round, examine, gaze on; она ~де́ла её с головы до ног she examined her from top to toe; ~дываться, ~ну́ться круго́м to look round (about); to look behind (*назад*).

огне- fire-.

огне"видный firelike, igneous; **~вик** firestone, flint; *мед.* anthrax; carbuncle; **~вица** *бот.* Spanish camomile; **~вой** *см.* огненный; **~вая** завеса belt of fire, barrage; creeping barrage (*подвижная*); **~дышащий** fire-spitting; **~мёт** flame-thrower, flaming gun, flame projector; **~мётный** fire-throwing, igneous.

огне||нный fiery, igneous; *фиг.* fiery, ard nt; flame-coloured (*цвет*); **~носный** fire bearing; **~опасный** inflammable; **~поклонник** fire-worshipper; **~поклонничество, ~служение** fire-worship; **~стрельное** оружие fire-arm; **~тушитель** fire extinguisher; **~упорный** fire-proof; **~упорный кирпич** fire-brick; **~упорная глина** fire-clay.

огниво flint; *военн.* hammer, lock.

ого! oho!

огова́ривать to slander, blame, def me (*клеветать*); to stipulate for (*ставить условие*); **~ся** to make a reservation; to use a wrong word by inadvertence (*ошибаться*).

огово́р slander, denunciation; **~ить** *см.* оговаривать; **~ка** reservation, clause, proviso, limitation; slip of the tongue (*ошибка*); мысленная **~ка** mental reservation; с **~кой** with reserve, with a certain limitation; без **~ок** without reserve; **~щик** slanderer, informer, denunciator.

огол||ённый nude, naked; bare, uncov red; bleak, windswept, bare, exposed (*о местности*); о. фронт exposed front; **~ить(ся)** *см.* оголять(ся).

оголте́лый wild, frantic.

оголя́ть(ся) to denude, to bare, uncover, strip (oneself).

ог||онёк light; блуждающий о. will-o'-the-wisp; весёлый о. в глазах a merry twinkle in one's eye; **~онь** fire; light; glow (*угольба, папиросы и пр.*); антонов **~онь** gangrene; беглый **~онь** running fire; бенгальский **~онь** Bengal light; греческий **~онь** Greek fire; залповый **~онь** volley; настильный **~онь** grazing fire; перекрёстный **~онь** cross-fire; продольный артиллерийский **~онь** enfilade, raking-fire; пулемётный **~онь** machine-gun fire; пушечный (*орудийный*) **~онь** (gun-)fire; ружейный **~онь** musketry; сторожевой **~онь** watchfire; зажигать

~онь to light a lamp, a candle; to strike a light; открывать **~онь** to fire; поддерживать **~онь** to stoke (*в печи*); прекращать **~онь** to stop shooting; пройти сквозь **~онь** и воду to go through fire and water (through thick and thin, through many trials); в **~не** in the fire, on fire, aglow, ablaze, aflame; между двух **~ней** between two fires; под **~нём** under fire; **~нём** и мечом with fire and sword; стрелять продольным **~нём** to enfilade; из **~ня** да в полымя out of the frying-pan into the fire; from bad to worse; линия **~ня** rang of fire; **~ни** потушены the lights are out.

огора́живать to enclose, fence (hedge, pale, rail) in (off).

огоро́д kitchen-garden, market-garden; **~ить** *см.* огораживать; **~ник** market-gardener; **~ничество** gardening, growing vegetables; truck-farming (*для розничной продажи с тележек*); **~ный** kitchen-(market-)garden (*attr.*); *см.* овощи, зелень.

огоро́шить to stun, surprise, stupefy, take aback.

огорч||а́ть to grieve, distress, chagrin, vex, afflict; **~а́ться** to be grieved *и пр.*; to feel sorry, to take to heart; **~е́ние** distress, chagrin, grief; vexation, affliction, concern; с глубоким **~е́нием** with deep concern, regret; **~ённый** distressed, sorry *и пр.*; **~и́тельный** distressing, vexatious, afflicting, unpleasant; **~и́ть(ся)** *см.* огорчать(ся).

ОГПУ (*Объединённое госуд. полит. управление*) Unified State Political Department.

огра́б||ить *см.* грабить; он был **~лен** до последней рубашки he was stripped to the skin; **~ле́ние** burglary, theft, robbery; pillage, plunder (*во время войны и пр.*).

огра́||да fence, enclosure, wall; **~ди́тельный** guarding; **~ди́ть, ~жда́ть** 1. to enclose, fence; 2. to defend, guard.

огражде́ние enclosure (*ограда*); defence (*защита*).

огранич||е́ние limitation, restriction; о. вооружений limitation of armaments; '**~енность** limitedness; *фиг.* narrow-mindedness; '**~енный** limited, restricted, confined, restrained; *гр.* narrow-minded, dull (*о человеке*); '**~ивать** to limit, confine, set limits, boundaries; *фиг.* to restrain, restrict; ~и́тельный restricting, limiting; ~ить *см.* ограничивать.

огреба́ть to rake round; о. де́ньги *разг.* to rake in money.

огрести́ *см.* огреба́ть.

огре́ть *фиг.* to strike with a sharp blow.

огро́мность hugeness, enormousness, vastness, bigness, immensity.

огро́мн||ый huge, enormous, vast, big, immense; ~ое жела́ние great wish; ~ое зда́ние large building; ~ые возмо́жности vast (huge, enormous) possibilities; ~ый интере́с great interest.

огрубе||ва́ть to roughen, grow (become) rough, rude, callous, coarse; ' ~лый rough, rude, callous, coarse; ' ~ние нра́вов moral sinking, lowering; ' ~ть *см.* огрубева́ть.

огрыз||а́ться, ~ну́ться to snap, snarl, answer back, be snappish.

огры́зок gnawed (bitten, munched) bit (end, stump); о. каранда́ша stump of a pencil.

огу́зок buttock, rump.

огу́л||ом wholesale, in the lump; ~ьное обвине́ние unfounded accusation; ~ьно without foundation, without discrimination.

огуре́||ц cucumber; ~чная трава́ borage.

о́да ode.

одали́ска odalisque.

одар||ённость cleverness, talent, giftedness; ~ённый clever, talented, gifted, accomplished; ~ённый музыка́нт a gifted musician; ~и́ть, ~я́ть to give (load with) gifts, presents.

оде||ва́ние dressing; ~ва́ть to dress, clothe; to put on; *техн.* to cover; ~ва́ться to dress oneself; to overdress (*слишком наря́дно*); ' ~жда clothes, clothing, dress; *разг.* things; garment(s), attire; *лит.* garb; форменная ~жда uniform.

одёжк||а: по ~е протя́гивать но́жки to cut one's coat according to one's cloth.

одеколо́н eau de Cologne.

одели́ть 1. to give, bestow; 2. to deprive of one's share.

одёр jade (*ло́шадь*).

одёргивать *см.* одёрнуть.

одеревяне́||лость stiffening, hardening; ~ть to grow stiff; у меня́ нога́ ~ла I have pins and needles in my leg; my leg feels stiff.

одерж||а́ть, ' ~ивать: о. верх to overcome, prevail on one, get the advantage of one, get the upper hand; о. побе́ду to conquer, gain (win) a victory (*over*), to win the day (field); ~и́мый possessed, frantic; ~и́мый навя́зчивой иде́ей obsessed by a fixed idea (an idée fixe); ~и́мый паду́чей afflicted by epilepsy; epileptic.

одёрнуть *фиг.* to check, rebuke; *см. тж.* обдёргивать.

оде́ть(ся) *см.* одева́ть(ся).

одея́ло counterpane, blanket; стёганое о. quilt.

одея́ние garment, attire, garb, clothing.

од||и́н, ~на́, ~но́ 1. one; a certain; a; 2. only, alone; он о. only he (*то́лько*); he is alone, by himself (*в одино́честве*); 3. о. друго́го one another, each other; о. друго́го сто́ит one is as good as the other; о. за други́м one after another, one by one; о. на о. face to face; hand to hand (*борьба́*); confidentially, in private (*разгово́р*); за о. раз at one time; ни о. из 100 not one in a hundred; в о. миг, ~ни́м ду́хом immediately, in a second, in the twinkling of an eye, in a trice, in a jiffy; ~ни́м ро́счерком пера́ with one stroke of the pen; ~ни́м сло́вом in a word; ~но́ и то́ же it is all one (the same); it comes to the same thing; it is six of one and half a dozen of the other; always the same; все до ~но́го all to a man; to the last man; с ~но́й стороны́ on the one hand; по ~но́му one by one.

одина́ков||о equally; она́ говори́т о. свобо́дно по-францу́зски и по-англи́йски she talks French and English with equal ease; ~ость uniformity, sameness, identity; ~ый the same, identic(al); equal (*о зако́не*).

одинёхонек *разг.*: оди́н о. quite alone.

одиннадцат||ый the eleventh; ~ь eleven.

одино́||кий solitary; single, unmarried (*холосто́й*); lonely, lonesome (*страда́ющий от одино́чества*); friendless; ~чество single life, solitude, loneliness; ~чка singleton; one horse carriage; single (*attr.*); *разг.* solitary confinement cell; куста́рь ~чка handicraftsman working by himself; в ~чку singly; е́здить в ~чку drive with one horse; ~чный one-man (*attr.*); ~чное заключе́ние solitary confinement.

одио́зный offensive; odious, repulsive, hackneyed (*о литературном выражении*).

Одиссе́|й Odysseus, Ulysses; ~я Odyssey.

одича́||вший gone wild; ~лость wildness, shyness; ~ть to grow wild, unsociable, become savage.

одна́ *см.* один.

одна́жды once, one day; once upon a time (*в сказках*).

одна́ко but, however, nevertheless, yet, still.

одно́ *см.* один.

одно- one-.

одноа́ктный one-act (*attr.*).

однобо́ртный single-breasted.

одновесе́льный one-oared.

одновреме́н||ность simultaneousness; synchronism; ~ный simultaneous; synchronous; ~но at the same time, simultaneously.

одногла́вый one-headed, one-domed. monocephalous.

одногла́в||ка *зоол.* cyclops; ~ый one-eyed; monocular.

одногне́здный unilocular, single-chambered.

одного́док *см.* однолеток.

одноголо́сый one-(single-)voiced.

одного́рбый: о. верблюд dromedary.

однодво́рец *ист.* freeholder.

однодне́вный of one day, ephemeral.

однодо́льный *бот.* monocotyledonous.

однодо́мный *бот.* monœcious.

однозву́чный monotonous.

однозна́ч||ащий synonymous; ~ное число simple quantity, digit.

однозу́б monodon.

одноимённый of the same name.

однокали́берный of the same calibre.

однока́шник messmate, school-fellow.

однокисло́тный one-acid.

однокла́ссник class-mate (fellow).

однокле́точный one-celled.

однокол́е́йный single-track.

одноколе́нчатый one-jointed, of one-joint.

одноко́лка gig, cabriolet, carriole.

одноконе́чный one-ended, one-tailed.

одноко́нный one-horse, single-horse.

однокопы́тный solidungulate, soliped, wholehoofed.

однокра́сочный *см.* одноцветный.

однокра́тно once.

однолепестко́вый *бот.* monopetalous.

однолёт||ний yearly, annual, one-yeared; ~ок born in the same year.

однолистный monophyllous.

однолопастный unilobate, unilobed.

одноместный of one colour.

одномачтовый *мор.* one-(single-)-masted.

одноместный one-seated.

одноногий one-legged (-footed).

однообра́з||ие monotony; ~ный monotonous.

одноо́сный having one axis (axle); uniaxial (*о кристаллах*).

однопа́лубный one-decked.

одноплеме́нный of the same tribe.

одноплодный monocarpic, monocarpous.

однополча́нин fellow (brother) soldier, brother in arms.

однопо́лый unisexual.

однопо́люсный unipolar.

одноро́гий unicornous, one-horned.

однородн||ость homogeneousness, similarity, uniformity; ~ый homogeneous, similar, uniform.

однору́кий one-(single-) handed (-armed).

односельча́нин inhabitant of the same village.

односеменодо́льный monocotyledonous.

односемя́нный one-seeded, monospermous.

однослóжный monosyllabic.

однοспа́льн||ый: ~ая кровать single bed(stead).

одностволный one-barrelled.

одностворчатый univalve (*о раковине*).

односторо́нн||ий unilateral, one-sided; *фиг.* one-sided, narrow, prejudiced; biassed; ~ее нарушение договора breach of contract by one party; ~ость one-sidedness.

односуста́вный one-jointed.

однотипный of the same (of unvaried) type; uniform.

одноуго́льный one-cornered (-angled).

одноу́хий one-eared.

однофами́лец bearing the same surname.

одноцве́тный one-coloured, monochromatic, of one colour; *бот.* uniflorous.

одноцили́ндровый *техн.* one cylinder (*attr.*).

одночлён, ~ный *мат.* monomial.
одношёрстный of the same colour.

одноэтажный one-storeyed, of one storey.

одобр||ение approval, approbation, applause, favour; '~енный approved, sanctioned; ~ительный approving; '~ить, ~ять to approve, applaud; ~ять предложение to approve a proposal.

одоле||вать, '~ть to overcome, surmount, vanquish, conquer; его ~вают предрассудки he is ridden by prejudice; меня '~л сон I was overcome by sleepiness; мыши '~ли нас the house is overrun with mice.

одолж||ать to lend, loan; *фиг.* to oblige, indebt (*делать одолжение*); ~аться to be obliged (under obligations); ~ение favour, service, kindness; сделайте мне ~ение do me a favour; я сочту это за ~ение I shall esteem it a favour; ~ить *см.* одолжать.

одонтология odontology.

одр sick-bed (*болезни*), death-bed (*смерти*).

одряхлеть to become senile.

одуванчик dandelion, blow-ball.

оду́м(ыв)аться to bethink oneself, to think better of it, to alter (change) one's mind.

одурачи(ва)ть *см.* дурачить.

одуре́|лый stupid, meaningless, vacant (*о взгляде*); ~ние: работать до ~ния to work one's fingers to the bone; ~ть to grow stupid, stupefied, dizzy, hazy.

одурманить to stupefy.

о́дур|ь stupidity, mental torpor; сонная о. *бот.* belladonna, deadly nightshade; ~ять to stupefy; ~-ющий stupefying; ~яющий запах a heavy scent.

одутловат||ость puffiness, bloatedness; ~ый puffy, bloated, pasty(-faced).

одухотворённ||ость spirituality; ~ый spiritual, inspired; ~ое лицо the face of a thinker.

одухотворять to spiritualize, to inspire.

одушев||ить *см.* одушевлять; ~-лённый animate (*противоп.* inanimate *неодушевл.*); animated; ~-лять to inspire, animate; *см.* воодушевлять.

оды́шк||а shortness of breath, panting, asthma, wheeziness; broken wind (*у лошади*); имеющий ~у short-breathed (-winded), puffy, asthmatic.

ожеребиться to foal.

ожерелье necklace.

ожесточ||ать to harden; *фиг.* embitter, sour, steel; ~аться *тж.* с *прибавл.* oneself; ~ение hardness, bitterness, violence; ~енный hardened, obdurate, violent; ~енная классовая борьба obdurate (intense, fierce) class struggle; ~ить (-ся) *см.* ожесточать.(ся).

ожечься *см.* обжечься.

ожив||ать to revive, resuscitate, come to life again; *фиг.* cheer up; ~ить *см.* оживлять; ~ление revival, resuscitation, vitalization, revivification; *фиг.* liveliness, animation, vivacity, stir, bustle; ~лён-ный revived, resuscitated, vitalized; *фиг.* lively, animated, bright, warm, vivacious, bustling; ~лять animate, put life, spirit (*into*), enliven; to brighten (*краски*); ~-ляться to warm up (*об ораторе*), brighten (*о лице*), become lively, animated, vivacious; to bustle, stir.

ожигать *см.* обжигать.

ожида||ние expectation, waiting; looking forward to (*приятное*); anticipation; лихорадочное о. a fever of expectation; обмануть о. to disappoint, come short of someone's expectations; в ~нии (*решения суда*) *юр.* pending; зал ~ния waiting-room; сверх ~ния beyond expectation; ~ть *см.* ждать; to expect; я этого не ~л I didn't expect that; I was not prepared for that.

ожире́||лость obesity; ~лый well-fed, porky; ~ние growing fat (stout), obesity; *мед.* adiposity; ~ть *см.* жиреть.

ожить *см.* оживать.

ожог burn; scald (*кипятком*).

озабо́||тить *см.* заботить; ~титься *см.* озаботиться; ~титься во-время снабжением *см.* заготовлять, запасать, снабжать; ~чен-ность anxiousness, preoccupation, anxiety, concern, solicitude, trouble, apprehension; ~ченный preoccupied, concerned, anxious, solicitous, troubled, apprehensive; ~чивать *см.* заботить; ~чиваться to attend to.

озаглав||ить, ~ливать to entitle, intitulate.

озадач||енный embarrassed, perplexed, puzzled; ~и(ва)ть to embarrass, perplex, puzzle.

озар||ить, ~ять to illuminate, irradiate, lighten; *фиг.* to flash, dawn upon; её лицо ~илось улыб-

кой her face brightened into a smile.

озвере́ть to become brutal(ized), animal-like; to be like a brute; to be cruel.

оздор‖**а́вливать, ~ови́ть** to sanitate, improve sanitary conditions; **~овле́ние** sanitation, improvement of sanitary conditions.

озелени́ть to plant with trees.

о́земь to the ground, down.

оз‖**ёрный,** '**~еро** lake; соленое **~еро** salt lake.

ОЗЁТ (*О-во землеустройства евреев трудящихся*) society for the settlement on land of the toiling Jews.

ози́м‖**ый** winter-corn (-crop); **~ая** культура winter-corn culture; **~ое** поле winter-field.

озира́ть(ся) to look round (about).

озлоб‖**и́ть(ся)** *см.* озлоблять(ся); **~ле́ние** anger; wrath; ire (*поэт.*); irritation, vexation, animosity; **~ленный** angry, wrathful, irritated, vexed, furious, irascible, malevolent; **~ля́ть** to anger, offend, exasperate, irritate, put into a passion; **~ля́ться** to be bitter, angry, wrathful *и пр.*

ознак‖**а́мливать, ~о́мить** to acquaint (make acquainted) (*with*); to show one round (about) (*с местностью, учреждением*); **~а́мливаться, ~о́миться** to become acquainted, familiar (*with*); **~омле́ние** acquaintance, knowledge (*of*).

ознаменов‖**а́ние** sign, token; в о. ч.-л. in honour (*of*); to mark the occasion (*of*); *разг.* as a special treat; **~а́ть,** '**~ывать** to signalize, mark.

означ‖**а́ть** *см.* значить; '**~енный** *см.* вышеозначенный.

озно́б shiver, shivering, chill; cold fit (*лихорадочн.*); *мед.* rigor.

озокери́т *мин.* ozocerite.

озолоти́т‖**ь** *см.* позолотить; *фиг.* to enrich, to load with money (gifts, presents); ни за что, хоть вы меня **~е!** nothing (no money) in the world shall induce me.

озо́н ozone; **~и́рование** ozonization; **~и́ровать** to ozonize.

озор‖**ни́к** disobedient (mischievous, naughty) child (*о ребёнке*); insolent person, street rough; **~ни́чать** to be insolent, impudent; to play rough tricks; **~но́й** naughty, mischievous; **~ство́** mischief, wanton trick, roughness.

ой! oh!; **ой-ли!** is that so?; is it possible?

Ойро́т‖**ия** Oirotia; **~ская** Автономная область Oirot Autonomous Region.

оказа́ние showing, rendering.

оказа́‖**ть(ся)** *см.* оказывать(ся); это **~лось** решающим it has turned the scale; я **~лся** в трудном положении I found myself in a difficult situation.

ока́зи‖**я** opportunity; event, adventure; безусловно будет удобная о. there is sure to be a favourable opportunity; прислать с **~ей** to send profiting by an opportunity.

ока́з‖**ывать** to render, show, pay; о. влияние на к.-л. to influence; о. внимание to show attention; о. помощь to help; use (exert) one's influence on behalf of (*своим влиянием, знаком{ твом*); о. сопротивление to resist; о. услугу to render a service; он **~а́л** честь обеду he did justice to the good dinner; **~ываться** to show oneself, find oneself, appear, prove; **~ывается,** я был прав it turns out that I was right; это **~ывается** труднее, чем я думал this has proved more difficult than I expected.

окайм‖**и́ть, ~ля́ть** to border.

ока́лина *техн.* slag, dross.

ока́лывать to break (hack, split) round (*лёд*).

окамене́‖**лость** petrifaction, fossil; **~лый** fossil, petrous; **~ние** petrification; **~ть** to petrify, be petrified; to harden, turn to stone, fossilate, fossilize.

окант‖**о́вать** to frame; '**~ка** framing; '**~ывать** to frame.

ока́нчивать *см.* кончать.

о́канье *лингв.* pronouncing an unstressed o-sound as an open «о» instead of an «а» (in the Russian language).

ока́пывать *см.* обкапывать; **~ся** to entrench oneself.

ока́рмливать to damage by overfeeding.

окати́ть *см.* окачивать.

о́кать *лингв.* to pronounce an unstressed o-sound as an open «о» instead of an «а» (in Russian).

ока́чивать(ся): о. водой to give (take) a douche, to take a shower.

окачу́риться *разг.* to kick the bucket (*sl.*), to turn up one's toes.

ока́шивать *см.* скашивать; to mow round (*вокруг ч.-л.*).

ОКДВА (*Особая краснознамённая дальне-восточная армия*) Special Red Banner Far Eastern Army.

океа́н ocean.

океан‖**огра́фия** oceanography;' ~ский ocean, oceanic; ~ский пароход ocean-steamer; ocean-palace (*роскошный*);ocean-greyhound(*особ. быстроходный*).

окй́‖**дывать,** ~нуть to cast round; о. взгля́дом to throw a glance, take in (in a single glance); о. презри́тельным взгля́дом measure with a scornful eye.

окис‖**а́ние** souring; oxidation, oxidization; ~а́ть to sour, turn sour; oxidate, oxidize (*окисля́ться*); ~ле́ние *см.* окисание; ' ~ленный sour(ed); oxidated, oxidized; ~ли́ть *см.* окислять; ' ~лость sourness, acidity; ' ~лый sour(ed), acid; ~ли́ть to oxidate, oxidize, oxygenate, oxygenize, sour, acidify, acetify; ' ~нуть *см.* окисать.

о́кись oxide, oxyd; о. ка́льция calcium oxide; о. ме́ди black copper oxide; о. углеро́да carbon oxide.

окку́льт‖**и́зм** occultism; ' ~ный occult.

оккуп‖**аци́онный:** ~аци́онная а́рмия army of occupation; ~а́ция occupation; ~и́рованная зо́на occupied zone; ~и́ровать to occupy.

окла́д tax (*налог*); salary (*жалованье*).

окла́дист‖**ый:** ~ая борода́ a large beard.

окладно́й tax, rate (*attr.*).

оклевета́ть to slander, calumniate, defame.

оклёвывать *см.* клевать.

окле́‖**ивать** to glue round, to paste; о. обо́ями to paper; ~енный бума́гой papered; ~йка glueing, pasting, papering; ~йщик paperhanger.

о́клик call, hail; ~а́ть, ' ~нуть to call (by name), hail.

ок‖**но́** window; *поэт.* casement; lattice-window (*с решоткой, мелкими стёклами*); oriel (*выступающее в нише*); bay (bow) window (*большое, выступающее фонарём*); French window (*окно-дверь на террасу, балкон или в сад*); sash-window (*подъёмное*); skylight (*в потолке*); о. выхо́дит на у́лицу the window gives (looks out) on the street; выгля́дывать из ~на́ to look out of the window.

ок‖**о́** eye; о. за о. eye for eye; во мгнове́ние ~а in no time, in the twinkling of an eye, in a twinkling.

оков‖**а́ть** *см.* оковывать; ' ~анный желе́зом сунду́к iron-bound chest; ' ~ка binding.

око́вы fetters, irons, shackles, chains, manacles (*ручные*).

око́вывать to iron, to bind (mount, tip) with iron.

окола́чивать to beat down, knock, hammer round; *см.* обивать; ~ся без де́ла *разг.* to lounge about.

околдов‖**а́ние** bewitchment, bewitchery, enchantment, charm; ' ~анный *см.* заколдо́ванный; ~а́ть, ' ~ывать to bewitch, charm; enchant.

околева́ть to die (*о животных*).

околёе‖**ица,** ~ная nonsense, rubbish, stuff; нести ~ицу to talk rubbish (nonsense).

околе́ть *см.* околевать.

око́л‖**ица** roundabout way, circuitous road; boundary of village; ~ичность circumlocution; ~ичный circumlocutory, roundabout.

о́коло 1. near, towards; о. 30 лет about thirty; **2.** (a)round, about, by, hereabouts, thereabouts (*вокруг*); вокру́г да о. (to speak) in a circumlocutory (roundabout) way, to beat about the bush.

около‖**пло́дник** pericarp, seed-vessel; ~се́рдие pericardium.

околот‖**ок** *ист.* environs; township (*в городе*); *военн.* surgery; ~очный (надзиратель) *ист.* police-officer, petty constable.

околоу́шн‖**ый:** ~ая железа́ parotid gland.

околпа́чи‖**вать,** ~ть *разг. см.* дурачить.

око́лыш band of a cap.

око́льны‖**й** roundabout; ~м путём in a roundabout (way) fashion.

око́нн‖**ый:** ~ая ра́ма window frame; ~ое стекло́ window pane.

оконопа́чивать *см.* конопатить.

око́нце little window.

оконча́‖**ние** ending, completion; finishing, expiration, termination, conclusion; expiry (*периода, перемирия*); *гр.* inflexion; *см.* конец; ~тельный final, definitive; ~тельная отделка finishing touch; ~тельное реше́ние final decision; ~тельно finally, definitively.

око́нчить *см.* кончать.

око́п trench; окружа́ть ~ами to entrench; ~ная мортира trench mortar.

окопа́ть *см.* обкапывать.

окора́чивать to shorten.

окорми́ть to damage by overfeeding.

окорна́ть to cut, clip; spoil by cutting too short.

о́корок ham, gammon of bacon, leg of mutton.

окоси́ть *см.* окашивать.

окостене́‖ва́ть to ossify; harden; о. от холода to grow stiff (benumbed); '⁓лость ossification; numbness, stiffness; '⁓лый ossified; hardened, stiff; '⁓ние*см.* окостенелость; '⁓ть *см.* окостеневать.

окоти́ться to kitten, to have kittens.

окочене́‖вший stiff, numb, stark; ⁓лость numbness, stiffness; ⁓ть to grow numb, to stiffen.

око́ш(еч)ко little window.

окр- *см.* окружной.

окра́ин‖а borderland, outskirts; о. ч.-л. distant part of something; на ⁓е on the (out)skirts (*of*).

окра́‖сить *см.* окрашивать; ⁓ска hue, colour, tint; ⁓ска, ⁓шивание dye(ing), painting, staining; ⁓шивать to dye, stain, paint; ingrain (*по волокну*).

окре́пнуть *см.* крепнуть.

окре́ст *разг.* (a)round.

окрести́ть to give a name; *см.* крестить.

окре́сти‖ость neighbourhood, vicinity, precincts, environs, suburb; ⁓ый neighbouring.

окриве́‖лый one-eyed, blind of (in) one eye; ⁓ть to lose an eye.

о́крик shout, cry; грубый о. harsh shout (cry); '⁓ивать, '⁓нуть to call. shout, cry.

окриспо́лко́м *уст.* Regional Executive Committee.

окристаллизова́ть(ся) to crystallize.

окрова́в‖ить *см.* окровавливать; ⁓ление staining with blood; ⁓ленный blood-stained, bloody, gory; ⁓ливать, ⁓лять to stain with blood.

окровени́ть *см.* окровавливать.

окрольчи́ться to bring rabbits.

окроп‖и́ть *уст. см.* окроплять; ⁓ление aspersion; ⁓лять to asperse, (be)sprinkle.

окро́шка okroshka (cold kvas soup); *фиг.* mixture, medley.

о́круг district, circuit; canton; карта города и ⁓а a map of the town and district; упразднение ⁓ов abolition of the district system.

округл‖е́ние rounding, making round; ⁓ённость rotundity; ⁓ённый rounded; ⁓и́ть *см.* округлять; '⁓ость circle, round, rotundity; curve (*щеки*); '⁓ый rounded, curved; plump (*пухлый*); ⁓я́ть to round (*off, up*).

окружа́ть to surround, encir-

cle, enclose, encompass, envelop, gird, environ, ensphere; ⁓а́ющий surrounding *и пр.*, circumambient; ⁓е́ние encircling, enclosing; капиталистическое ⁓ение environment; в ⁓е́нии in the surroundings (*of*); ⁓ённый surrounded *и пр.*; ⁓ённый льдом ice-bound; ⁓и́ть *см.* окружать; ⁓но́й *см.* окружный; '⁓ность circle, circumference; '⁓ный district, canton (*attr.*); ⁓на́я железная дорога *см.* железная дорога.

окрути́ть *фиг.* to enmesh.

окрыл‖и́ть, ⁓я́ть to wing, give wings (*to*); *фиг.* to encourage, inspire; to give hope (*to*) (*надеждой*).

окры́ситься *разг.* to snarl, snap, fly at one.

оксиди́рова‖нный oxidized; ⁓ть to oxidize, oxidate.

окси́ды *хим.* oxides.

Оксфо́рд Oxford.

окта́ва octave.

октябр‖ёнок Octobrist, child trained to be a pioneer; child at first stage of a Communist training; ⁓и́ны festivity on the occasion of the birth of a child in the Soviet Union; '⁓ь October; да здравствует мировой О⁓ы! hail (long live) the World October!; годовщина О⁓я́ October anniversary; завоевания О⁓я the achievements of the October Revolution; О⁓ьская революция October Revolution; О⁓ьские торжества October celebrations.

окукли́ться to take the form of a chrysalis.

окули́ровать *см.* прививать.

окули́ст oculist, eye-specialist; ⁓я́р eye-glass.

окун‖у́ть, ⁓у́ть to dip, plunge.

о́кунь perch; морской о. bass.

окуп‖а́ть(ся), ⁓и́ть(ся) to be worth, to pay; не ⁓а́ется it doesn't pay.

оку́р‖ивать, ⁓и́ть to smoke, fumigate, disinfect; to sulphur (*серой*).

оку́рок cigar(ette) end, butt-end of a cigarette.

оку́т‖(ыв)ать *см.* закутывать; ядовитыми газами to gas; ⁓ан тайной wrapped in mystery.

окучива‖ние *с.-х.* earthing (up); ⁓ть to earth up.

ола́дья fritter.

олеа́ндр oleander, rosebay.

оледене́‖лый iced, frozen, congealed; ⁓ние freezing; ⁓ть freeze, congeal, be covered with ice.

олеи́н *хим.* olein.

оленево́д‖**ство** stag breeding; **~ческий** совхоз State reindeer-farm.

оле́н‖**ий** cervine; о. мох reindeer-lichen; reindeer-moss; о. por hart's horn; *бот.* hart's tongue; **~ьи** рога antlers; **~ина** flesh of deer, venison (*мясо*); buckskin, deerskin (*шкура*); **~ь** deer; hart, stag; благоро́дный **~ь** red deer; hind (*самка*); кана́дский **~ь** wapiti; се́верный **~ь** reindeer; caribou (*американский*).

олеогра́фия oleograph(y).

оли́в‖**а** olive; **~ковый** olive; olive coloured (*цвет*); **~ковое ма́сло** olive oil.

олига́рх oligarch; **~и́ческий** oligarchic(al), **~ия** oligarchy.

олигоце́н *геол.* oligocene.

олимпиа́да olympiad.

оли́фа drying oil.

олицетвор‖**е́ние** personification, embodiment (*зла и пр.*), incarnation; **~и́ть**, **~я́ть** to personify, embody.

о́лов‖**о** tin; pewter (*сплав со свинцо́м*); **~я́нная бума́га** silver paper; **~я́нная посу́да** pewter; **~я́нные рудники́** stannary, tin mine(s).

о́лух *разг.* dolt, blockhead, thickhead, mooncalf, oaf, numskull.

олу́ша-глупы́ш *зоол.* gannet; solan (*морска́я пти́ца*).

ольх‖**а́** alder(-tree); **~о́вник** alder grove.

ом *эл.* ohm; зако́н О́ма Ohm's law.

ома́р lobster.

омеблирова́ть *см.* меблирова́ть.

оме́га omega.

оме́жник *бот.* water-hemlock, horsebane.

оме́ла mistletoe.

омерз‖**е́ние** abomination; loathsomeness; **~е́ть** to disgust; мне э́то **~е́ло** I am disgusted with it; **~и́тельность** *см.* омерзе́ние; **~и́тельный** abominable, loathsome, foul, repugnant, disgusting.

омертве́‖**лость** stiffness, numbness; **~лый** stiff, numb; pale, livid (*о цве́те ко́жи*); necrotic; **~ние** necrosis, gangrene; **~ть** to become (be grow) stiff, numb; to become gangrenous, to mortify (*о ча́сти те́ла*).

омёт stack of straw.

оми́ческий *эл.* ohmic.

омле́т omelet(te).

о́мнибус (omni)bus.

омове́ние ablution.

омол‖**а́живание** rejuvenation, rejuvenescence; **~а́живать**, **~оди́ть** to rejuvenate; **~оже́ние** *см.* омола́живание.

омони́м homonym.

омрач‖**а́ть** to obscure, darken; cloud; **~а́ться** to be obscured, darkened, clouded; **~ённый** darkened, obscured, clouded; **~и́ть(ся)** *см.* омрача́ть(ся).

о́мут pool. deep still water in a river; попа́сть в о. *фиг.* to be in a slough; в ти́хом **~е** че́рти во́дятся *посл.* still waters run deep.

омша́нник a hut caulked (*или* cellar covered) with moss for keeping vegetables in winter.

омыва́ть to wash.

он he; **~а́** she.

она́гр *зоол.* onager.

онани́зм onanism, masturbation, self-abuse.

онда́тра musk-rat, musquash.

ондуля́тор undulator.

Оне́‖**га** the Onega; **~жское о́зеро** Lake Onega.

онеме́‖**лость** dumbness, numbness; **~ть** to grow dumb, to grow numb; я **~л** от удивле́ния surprise struck me dumb.

онеме́чи(ва)ть to Teutonize.

оне́р *карт.* honour.

они́ they.

о́никс onyx.

онко́льный счёт *комм.* on call.

оно́ it.

о́но *уст.*: во вре́мя о. once upon a time, in days of yore, ages ago.

онтоло́гия ontology.

ону́ча kind of puttee; *см.* портя́нка.

о́ный *уст.* this, that, the above mentioned.

ооли́т *мин.* oolite, roe-stone.

опада́‖**ние** falling off, subsidence; **~ть** to fall (off), away; to subside (*об о́пухоли*).

опа́здыв‖**ание** being (coming) too late; *см.* опозда́ние; **~а́ть** to be (too) late, to come late; to be slow (*о часа́х*).

опа́ивать to give a potion (a poisoned drink, a love philtre) (*зе́льем*); о. ло́шадь to do harm to a horse by watering it unseasonably.

опа́к opaque.

опа́л *мин.* opal.

опа́л‖**а** disgrace; в **~е** in disgrace.

опа́лзывать *см.* ополза́ть.

опа́ли‖**вать**, '**~ть** to singe, burn, scorch; to sear (*раскалённым желе́зом*); о. кры́лышки to singe one's wings; '**~ться** to singe oneself.

опа́ловый opal.

опа́лывать to weed round.

опа́льный in disgrace.

опали́ть(ся) *см.* опаливать(ся).

опа́мятоваться to collect oneself, to come to one's senses.

опа́ра dough.

опарши́веть to become mangy.

опас||а́ться to fear, apprehend; сильно ⁓а́ются great fears are entertained; ⁓е́ние fear, appr. hension, misgiving, qualm; есть нкоторые ⁓е́ния, что это случится there is some fear of it; '⁓ка: с '⁓кой warily, cautiously.

опа́слив||ость wariness, caution, circumspection; ⁓ый wary, cautious, circumspect, guarded, watchful; ⁓о warily, cautiously, guardedly.

опа́сност||ь danger, peril, jeopardy; о. войны war danger; вне ⁓и out of danger; safe; подвергать ⁓и to endanger, (im)peril; подвергаться ⁓и to run the risk (*of*); смотреть ⁓и в глаза to envisage danger; с ⁓ю для жизни at the risk of one's life.

опа́сный dangerous, perilous.

опа́сть *см.* опадать.

опаха́ло fan.

опах||а́ть, '⁓ивать 1. to plough round; 2. to fan (*веером*).

опе́к||а guardianship, wardship, tutelage; быть под ⁓ой to be in ward (*to*).

опек||а́ть to be guardian (ward) (*to*); ⁓у́н guardian; tutor (*несовершеннолетнего*); trustee (*над имуществом*); иметь своим ⁓уно́м to be in ward (*to*); ⁓у́нский tutorial; ⁓у́нство guardianship, tutorship; ⁓у́нша tutoress.

опе́нок honey agaric; a kind of brown edible mushroom growing on the stumps of trees in autumn.

о́пер||а (grand) opera; opéra comique (*лёгкая*); не из той ⁓ы out of (not in) the picture; from quite another opera; irrelevant; о. буфф, комическая о. opera bouffe, comic opera.

операти́вн||ость operativeness; ⁓ый operative; ⁓ая сводка operative summary; ⁓ое вмешательство surgical interference; ⁓ое руководство operative management.

опера́тор operator; *мед.* surgeon; кино-о. cinema-operator.

операцио́нн||ый: о. стол operating table; ⁓ая (комната) operating room.

опера́ци||я operation; о. её глаз operation to her eyes; неотложная

о. emergency operation; хирургические, военные, финансовые ⁓и surgical, military, financial operations; перенести ⁓ю to undergo an operation; сделать ⁓ю to perform an operation; to operate.

опере||ди́ть, ⁓жа́ть to leave behind; to outstrip, outgo; outmarch, outwalk (*пешком*); to outrun (*бегом*); to outride (*верхо́м*); он дал мне ⁓ди́ть себя на 10 шагов he gave me a start of ten paces.

опер||е́ние feathering, plumage; ⁓ённый feathered, plumed.

опере́т||ка operetta, musical comedy; ⁓очный театр a musical comedy (theatre); ⁓та *см.* оперетка.

опере́ться *см.* опираться.

опери́р||овать to operate; о. фактами to manipulate (operate with) facts; он ловко ⁓ует своими инструментами he handles his tools very skilfully.

опери́||ться *см.* оперяться; едва ⁓вшийся птенец fledg(e)ling.

оперме́нт *мин.* orpiment.

о́перный operatic; о. певец opera(tic) singer; о. театр opera-house.

опери́ться to feather.

опеча́ли(ва)ть to sadden, pain, grieve; ⁓ся to be pained, grieved, distressed.

опеча́тать *см.* опечатывать.

опеча́тк||а erratum, misprint; грубая о. howler (*sl.*); досадная о. annoying misprint; ⁓и в книге errata.

опеча́тывать to seal.

опе́ши(ва)ть to be puzzled, stunned, stupefied, dumbfounded, overpowered.

опива́ться to kill oneself with drink, to drink oneself into the grave.

опи́вки dregs.

о́пий *см.* опиум.

опи́лки sawdust.

опира́||ться to lean against, (up)on; to rest on; *фиг.* to lean upon; о. в работе на массы to base work on the masses; to rely on the masses in work; о. локтем о стол to rest one's elbow on the table; наука ⁓ется на факты science rests on (is supported by) facts.

описа́||ние description, delineation, account; (не) поддающийся ⁓нию (in)describable, hard to describe; это не поддается ⁓нию this is beyond description; ⁓тельный descriptive; periphrastic; ⁓тельно in periphrase.

описа́ть *см.* описывать; ~ся to make a slip in writing.

опи́ска a slip of the pen; clerical error (*при переписывании*).

опи́с‖ывать to describe, to give a description, to portray, depict, paint; to picture, kodak (*живо*); to delineate, outline, set forth; *геом.* to circumscribe, describe; о. имущество за долги to distrain; о. круг to describe a circle (*о движущемся предмете*); это невозможно ~а́ть no pen can depict.

о́пись list, schedule; inventory (*инвентарь товаров, имущества*); о. имущества за долги distraint.

опи́ться *см.* опиваться.

о́пиум opium; laudanum (*тинктура*); религия—о. для народа religion is opium for the people; курильщик ~а opium-eater; отравленный ~ом poppied; смешивать с ~ом to opiate.

опла́к(ив)ать to mourn (*человека*); to deplore (*поступок*); to lament (*for, over*); to (be)wail, (be-)moan; to weep.

опла́‖та pay(ment), remuneration; о. по количеству и качеству труда payment according to quantity and quality of work; о. труда товарами truck-system; какая о.? what is the pay?; подённая о. pay by the day; премиально-прогрессивная о. pay(ment) on the basis of progressive premiums; сдельная о. pay by the piece; без ~ты почтовым сбором post free; ~ти́ть *см.* оплачивать; ~ченный paid; с ~ченным ответом prepaid, reply paid; письмо с ~ченным ответом reply paid letter.

опла́чива‖емый stipendiary; хорошо ~емая работа well paid job; ~ть to pay, remunerate; to settle (*счета*); ~ться to be paid.

опл‖ёванный *фиг.* humiliated; ~ева́ть, ~ёвывать to spit upon.

оплесневе́‖лый mouldy, musty; ~ть to become mouldy (musty).

опле‖сти́, ~та́ть to entwine, intwine, wreathe round; *фиг.* to overreach, swindle.

оплеу́ха a slap in the face.

оплеши́веть to grow bald.

оплодотвор‖е́ние impregnation, fecundation, fertilization; искусственное о. artificial fecundation (fertilization); ~и́тель *бот.* fertilizer; ~и́ть, ~я́ть to impregnate, fecundate (*женщину, самку*); to fertilize (*почву*).

опло́т stronghold, bulwark (*тж.* о *человеке*); rampart, tower of strength; о. социализма the stronghold of socialism.

оплош‖а́ть to take a false step; ' ~ность shortcoming, neglect, inadvertence; он ‖ допустили эту ~ность they made this blunder; ' ~ный negligent, inadvertent.

оплы‖ва́ть, ' ~ть to swim round; to sail round, to circumnavigate (*на корабле*); to gutter (*о свече*); to get swollen (*о лице*); о. жиром to grow fat.

опове‖сти́ть, ~ща́ть to inform, to let know, to announce; ~стить о собрании to announce a meeting.

оповеще́ние announcement, declaration.

опога́ни‖вание defilement, pollution; ~(ва)ть to make foul, to defile, pollute; ~(ва)ться to become unclean, to be defiled.

оподельдо́к *мед.* opodeldoc.

опо́ек calf-leather, calf (*тж. attr.*).

опозда́‖ние being (coming) too late; delay; ни одного ~ния not once late; поезд прибыл с ~нием на 10 мин. the train arrived 10 minutes behind time; ~ть *см.* опаздывать; он ~л к обеду he was late for dinner; он ~л на поезд he missed the train.

опо‖знава́ть to identify, recognize; ~знание identification; ' ~знанный recognized, identified; ~знать *см.* опознавать.

опозо́ри(ва)ть to dishonour, defame, shame; ~ся to disgrace (dishonour) oneself.

опо‖и́ть *см.* опаивать; ~ённая лошадь a horse afflicted with heaves.

опо́йковый *см.* опоек.

опо́ка *техн.* moulding box.

ополаскивать to wash, rinse.

оползать to slip (*о земле*).

о́ползень landslip.

ополос‖ка́ть, ~ну́ть *см.* ополаскивать.

ополо́ть *см.* опалывать.

ополча́ться to take up arms, to arm oneself, to rise in hostility; о. на к.-л. *фиг.* to be up in arms (*against*).

ополче́ние general levy.

ополя́чить make Polish, polonize.

опо́мниться to collect (remember) oneself, to control oneself.

опопона́кс opoponax.

опо́р: во весь о. at full (top) speed (gallop), at full pelt; нестись во весь о. to tear along, to dash; скакать во весь о. to gallop at top speed.

опо́р‖**а** support (*тж. фиг.*), rest; footing (*для ног*); prop; точка ~ы *мех.* fulcrum.

опора́жнива‖**ние** emptying; evacuation; ~ть to empty; to void, evacuate (*мочевой пузырь, кишечник*).

опо́рки ragged foot-wear.

опо́рный: о. пункт base; support point.

опорожни́ть *см.* опоражнивать.

опороси́ться to farrow.

опоро́ч‖**ение** defamation, disrepute; slander (*устн.*); libel (*письм.*).

опоро́чи(ва)ть to defame, revile, dishonour, to bring disrepute (*upon*); ~ся to bring dishonour (disrepute) upon oneself.

опоссу́м *зоол.* opossum.

опосты́леть to grow disgusting (disagreeable).

опохмел‖**и́ться**, ~я́ться to drink more to cure effects of drink; *фиг.* to take a hair of the dog that bit you; to have a nip in the morning after having been drunk overnight; to have a freshener (*амер.*).

опочи‖**ва́льня** *уст.* bed-chamber; ~ва́ть, ' ~ть to retire to rest, to repose, to sleep.

опошл‖**е́ние** vulgarization;' ~и́ть, ~я́ть to vulgarize; ' ~и́ться, ~я́ться to become vulgar.

опоя́с‖**анный** girdled; ~(ыв)ать to belt, girdle; *фиг.* to begird, engirdle, encircle; to zone; ~(ыв)а́ться to girdle oneself.

оппо‖**зицио́нер** oppositionist; ~о́нный in opposition; ~о́нная гру́ппа the opposition; cave (*внутри партии*); ~о́нная платфо́рма opposition platform.

оппози́ция opposition(-party); outs (*в парлам.*); noes (*при голосовании*); пра́вая и ле́вая о. right and left opposition.

оппон‖**е́нт** opponent; ~и́ровать to oppose.

оппортуни́‖**зм** opportunism; пра́вый (ле́вый) о. right (left) opportunism; о. на пра́ктике opportunism in practice; ~ст opportunist; ~сти́ческий opportunist, time-serving; ~сти́ческие взгля́ды opportunist views.

опра́в‖**а** setting (*камня*); rim (*очков*); в золото́й ~е gold-mounted; очки́ в золото́й ~е gold-rimmed spectacles; вставля́ть ка́мень в ~у to set (mount) a gem.

оправда́‖**ние** excuse, apology, justification; exculpation, exoneration (*от обвинений*); acquittal,

discharge (*подсудимого*); это не о. that is not an excuse; ~тельный excusatory; exculpatory, exonerative, justificatory; ~тельный докуме́нт voucher; ~тельный пригово́р verdict of not guilty.

оправд‖**а́ть**, ' ~ывать to excuse, justify, exculpate; to put one right (*with*) (*в глазах другого*); to acquit (*подсудимого*); ника́к нельзя́ о. таку́ю бесцеремо́нность nothing can warrant such insolence; мои́ слова́ ~а́лись my words have come true; цель ' ~ывает сре́дства the end justifies the means; я нахожу́, что э́то себя́ ~ывает I find it pays; ~а́ться, ' ~ываться to justify oneself; ~ываться незна́нием to plead ignorance.

опра́вить *см.* оправлять.

опра́вка *техн.* mandrel.

оправля́ть to set (put) right, arrange; to set, mount (*вставлять в оправу*); ~ся to put oneself in order (to rights); to put one's dress in order; to recover, recuperate (*от болезни*); to rally (*от страха*).

опра́стывать to empty, vacate; ~ся to evacuate, discharge (*кишечник*).

опра́шивать to question, interrogate.

определе́ние definition; appointment (*на должность*); determination; decision (*суда*); *гр.* attribute, enlargement.

определё́нн‖**ость** definitiveness; ~ый definite, certain, determinate, determined, express, explicit, specific; ~ый член *гр.* definite article; на ~ый срок for a definite period; ~ая цель specific purpose; ~ые до́воды definite reasons; ~ые приказа́ния express orders; ~о definitely.

определи́мый determinable, definable.

определи́тель *мат.* determinant.

определ‖**и́ть**, ~я́ть to define, determine, qualify; to allot; settle, assign (*часть, пай*); to appoint (*на должность*); to locate (*местонахождение*); to fix, specify (*цену, дату и пр.*); о. в шко́лу to send to school; спрос ~я́ет предложе́ние demand determines supply; ~и́ться, ~я́ться to be defined, determined; to enlist (*на военную службу*).

опресн‖**и́тель** distiller; ~и́ть, ~я́ть во́ду to distil water.

опри́чни‖**к** *ист.* life-guardsman (*of the Tsar Ivan the Terrible*); ~на life-guards (*of Ivan the Terrible*).

опри́чь *уст.* except(ing), save, but, saving.

опровер‖га́нье refuting, disproving, confuting, rebutting; **‿га́ть,** ' ‿гнуть to disprove, refute; confute, rebut (*обвинение и пр.*); **‿же́ние** disproof, refutation, rebuttal, rebutment.

опроки‖дывание upsetting, turning over; capsize (*о лодке*); **‿дывать,** **‿нуть** to upset; to overthrow, overturn, tip over; to keel (*лодку*); **‿дываться,** **‿нуться** to upset, to turn over, to tilt, topple; to capsize, to keel over, to turn turtle (*о лодке*).

опроме́тчив‖ость rashness; imprudence; precipitance (-cy) *лит.* temerity; **‿ый** rash, hare-brained, unconsidered, imprudent, precipitate; *лит.* temerarious; **‿о** rashly.

о́прометью headlong; он бросился бежать о. he tore along.

опро́с interrogatory, examination, test; **‿йть** *см.* опрашивать; **‿ный** interrogatory; **‿ный лист** enquiry form, questionary, questionnaire.

опроста́ть *см.* опрастывать.

опрости́ть *см.* опрощать.

опростоволо́ситься *фиг.* to make a fool of oneself.

опротесто́в‖а́ние protest; **‿а́ть** to protest (*вексель*); to appeal (*решение суда*); ' **‿ывание** protest.

опроти́ве‖ть to become repugnant, odious, repulsive; мне это **‿ло** I am heartily sick of it.

опроща́ть to simplify, to make simple (unpretentious); **‿ся** to ignore the outward conventionalities of life.

опры́с‖кивание (be)sprinkling; **‿кивать,** **‿нуть** to (be)sprinkle.

опря́тн‖ость tidiness, cleanness, cleanliness; **‿ый** tidy, clean, orderly, neat; **‿о** neatly, tidily.

опта́ция option.

о́птик optician; **‿а** optics.

оптима́льный optimum (*attr.*).

оптими‖зм optimism; **‿ст** optimist; **‿стический** optimistic, sanguine.

опти́ческ‖ий optic, optical; о. обман optical illusion; **‿ая ось** optic axis; **‿ое стекло** lens.

опто́в‖ик wholesale dealer; ' **‿ый** wholesale; ' **‿ая торговля** wholesale business; ' **‿ые цены** wholesale prices.

о́птом wholesale; торговать о. и в розницу to sell by wholesale and retail; торгующий о. wholesale dealer.

опублико́в‖а́ние *см.* опубликовывание; **‿а́ть** *см.* опубликовывать; ' **‿ывание** publication, promulgation; ' **‿ывать** to publish, promulgate.

опу́нция *бот.* opuntia.

о́пус *opus.*

опуск‖а́ние letting down, drawing (*шторы*); **‿а́ть** to let down, droop (*глаза, голову*), bend (*голову*); to draw (*шторы*); to omit (*выпускать, пропускать*); **‿а́ть** перпендикуляр to let fall a perpendicular; **‿а́ть** руки *фиг.* to become discouraged, to be crestfallen, to lose courage; **‿а́ться** to sink, droop, to come down, to alight (*после полёта*); to subside (*оседаться*); *фиг.* to sink low; **‿а́ться** в кресло to sink into a chair; занавес **‿а́ется** the curtain drops.

опусте́‖вший, **‿лый** desolate, deserted; **‿вший дом** a deserted house; **‿ние** depopulation; **‿ть** to become empty, depopulated, unpeopled, waste.

опусти́ть(ся) *см.* опускать(ся).

опусто‖ша́ть to devastate, (lay) waste, ravage; to overrun, desolate, forage, foray, harry (*страну*); **‿ше́ние** devastation, desolation, ravage; **‿шённый** waste, desolate; **‿ши́тель** devastator, desolator, destroyer; **‿ши́тельный** devastating; **‿ши́ть** *см.* опустошать.

опу́т‖(ыв)ать to (en)tangle; *фиг.* to enmesh; to get someone entangled.

опух‖а́ние swelling, tumour; **‿а́ть,** ' **‿нуть** to swell, puff; ' **‿лое** лицо bloated face.

о́пухоль swelling, tumour.

опу́хший swollen, puffed (*о глазах, губах*); gummy (*о ногах*).

опуш‖ённый trimmed (edged) with fur (*мехом*); **‿и́ть** to trim with fur (*мехом*); ' **‿ка** fur trimming (*меховая*); **‿ка** леса outskirts of a forest.

опуще́ние lowering (*понижение*); omission (*пропуск*); о. матки prolapsus of the uterus.

опу́щенный: как в воду о. looking half drowned; wearing a hang-dog look.

опыл‖е́ние *бот.* pollination; перекрёстное о. cross-pollination, allogamy; **‿и́ть(ся),** **‿я́ть(ся)** to pollinate; перекрёстно **‿я́ть** растения to cross-fertilize plants.

о́пыт experience (*жизненный*); experiment (*эксперимент*); основанный на жизненном **‿е** experiential; результаты **‿ов** experimental results; человек, умудрённый жизненным ~ом a man full of experience (wisdom); по ~у by experience; как я знаю по горькому ~у as I know to my cost; производить ~ы (над чем-л.) to experimentalize, experiment (on, with); ~ность experience, proficiency (in, at); ~ный experienced; expert, proficient (в чём.-л.); ~ный работник experienced worker; разг. old hand; ~ная станция experimental station; ~ное поле experimental field; ~но-показа́тельный experimental demonstrating.

опьян||е́ние intoxication; drunkenness; ~ённый intoxicated; ~е́ть to get (grow, become) drunk (intoxicated).

опя́ть again, once more; о.-таки again.

орабо́чить to enrol more workers.

ора́ва horde, gang, crowd, great number; вся о. the whole caboodle (амер. sl.).

ора́кул oracle.

ора́нг-ута́н orang-outan(g).

ора́нжевый: о. цвет orange (colour).

оранжере́я conservatory, hothouse; glass house; vinery, grapery (для винограда).

ора́тор orator, speaker; spokesman (от группы); он хороший о. he is a fine speaker.

орато́рия oratorio.

ора́торс||кий oratorical; ~кое искусство oratory; ~твовать to speechify, harangue.

ора́ть I. to shout, bawl, roar; storm (на кого-л.).

ора́ть II. диал. см. пахать.

орби́та orbit.

орг- см. организационный.

о́рган organ; о. печати organ of the press; ~ы власти government organs; ~ы речи organs of speech; дыхательные ~ы respiratory organs; жизненные ~ы vital organs, vitals (тела); пищеварительные ~ы organs of digestion; половые ~ы sexual organs.

орга́н organ.

организа́||тор organizer; ~ци́о́нный organizing, of organization; ~цио́нные вопросы questions of organization; ~ция organization; management; ~ция производства production organization; партийные (профессиональные) ~ции party (trade union) organizations.

органи́зм organism; человеческий о. human organism.

организо́в||анность system of organization; being organized; хорошая о. good organization; плохая о. bad organization; ~анный organized; ~анный рабочий класс organized workers; ~а́ть, ~ывать to organize; разг. to fix up; ~а́ться, ~ываться to be organized.

органи́ст organist.

органи́ческ||ий organic; мед. constitutional; о. недостаток organic defect; ~ая химия organic chemistry; ~ое це́лое an organic whole.

органотерапи́я organotherapy, organotherapeutics.

оргбюро́ organizing bureau.

орда́ horde, crowd; их была це́лая о. they were a large crowd; Золотая О. ист. the Golden Horde.

о́рден order; о. Красной Звезды Order of «Red Star»; о. Красного знамени the Order of the Red Banner; о. Ленина the Order of Lenin; ионический, коринфский о. арх. Ionic, Corinthian order; ~ская лента cordon.

о́рдер комм. order; о. на арест warrant for arrest; о. на обыск search warrant.

ордина́р: выше ~а above the water-level.

ордина́рец orderly.

ордина́рный common, ordinary; о. профессор professor in ordinary.

ордина́та геом. ordinate.

ордина́тор house-surgeon, medical practitioner in a hospital.

орёл eagle; spread eagle (геральдический); о. или решка? heads or tails?; cross or pile?; о. и решка (игра) chuck-farthing.

орео́л halo, aureole, nimbus; окружать ~ом фиг. to glorify.

оре́х nut, hazel-nut; filbert (культивированный); о. не по зубам фиг. a hard nut to crack; американский о. Brazil nut; грецкий о. walnut (тж. дерево); кокосовый о. coco-nut; мускатный о. nutmeg; чернильный о. nut-gall; собирать (итти по) ~и to nut, go nutting; досталось ему на ~и! he has got it hot!; тёрка для мускатных ~ов nutmeg-grater; щипцы для ~ов nutcrackers; ~овка nut-cracker (птица); ~ового цвета nut-brown; ~овая скорлупа nutshell; ~овая мебель walnut furniture; ~овое дерево walnut.

оре́шник nut-tree, hazel-bush; hazel-grove, hazel-wood (заросли орешника).

оригина́л 1. original (*книги, сочинения и пр.*); как сказано в ~е? what does the original say?; 2. eccentric person, queer fellow, original (*о человеке*); он большой о. he is a character; ~ьнича́нье studied eccentricity; ~ьнича́ть to try to be eccentric; ~ьность originality; eccentricity, singularity; ~ьный, ~ьно original, singular, eccentric.

ориентали́ ||зм orientalism; ~ст orientalist.

ориента́ция (*на ч.-л.*) orientation (*on, to*).

ориенти́ров ||а́ться to orient(ate); *фиг.* to orient oneself, to find out one's bearings (в политике in politics; в торговом деле in business); о. на массы to have the masses in view; я не умею о. в местности *разг.* I have no bump of locality; ' ~ка orientation; ' ~очный approximate, rough; ~очный план tentative plan; ' ~очно tentatively; approximately.

Орио́н *астр.* Orion.

орке́стр orchestra (*в театре, концерте*); band (*для танцев и пр.*); brass-band (*духовой*); jazz (-band) (*джаз-банд*); место для ~а (*в театре* orchestral pit (*тж.* orchestra); ~и́на orchestrina, orchestrion; ~ова́ть to score, orchestrate; ~о́вка orchestration.

орла́н-белохво́ст *зоол.* white-tailed eagle, sea-eagle.

орлёнок eaglet, young eagle.

орли́ны ||й aquiline; с ~м взглядом eagle-eyed; с ~м носом with an aquiline nose.

орля́нка *уст.* toss-penny, chuck-farthing, pitch and toss (*игра*).

орна́мент ornament; лиственный о. crocket; ~а́ция ornamentation.

орнито́лог ornithologist; ~и́ческий ornithological; ' ~ия ornithology.

оробе́ть to be intimidated (overawed), to feel shy.

орогра́ф ||и́ческий orographical; ' ~ия orography.

ороси́тель irrigator; ~ный irrigating, irrigatory; ~ная система irrigation system.

оро ||си́ть, ~ша́ть to irrigate (*о реках, каналах*); ~ше́ние irrigation; поля ~ше́ния fields manured (fertilized) with sewage.

ОРС (*отдел рабочего снабжения*) Workers Supply Section.

ортодокса́ль ||ность orthodoxy; ~ный orthodox; ~ный марксизм orthodox Marxism.

ортопе ||ди́ст orthopedist; ~ди́ческий orthopedic; ' ~дия orthopedics (orthopœdics).

ортохромати́ческ ||ий orthochromatic; ~ая пластинка orthochromatic plate.

ору́д ||ие 1. *военн.* gun, cannon; long Tom (*крупного калибра*); bow-chaser (*погонное*); armament (*морское*); field-gun, field-piece (*полевое*); 2. instrument, tool (*производства*); о. классовой борьбы class struggle weapon; о. мести *фиг.* minister of vengeance; ~ия войны implements of war; сельскохозяйственные ~ия agricultural implements; ~ийный gun-; ~ийный огонь gun-fire; ~ийный станок gun-carriage.

ору́д ||овать *разг.* to manage, administer; он там ~ует во-всю he is being very active; он там всем ~ует he bosses it.

оруж ||е́йный: о. завод armoury, arsenal (*тж.* арсенал); о. мастер gunsmith, armourer; ~ено́сец *ист.* armour-bearer, squire, henchman; ' ~ие weapon, arms; natural weapons (*естественное:* зубы, кулаки); fire-arms (*огнестрельное*); cold steel (*холодное*); браться за ~ие to take up arms; класть ~ие to ground arms; к осмотру ~ие! examine arms!; носить ~ие to bear arms; к ' ~ию! to arms!; собрат по ~ию companion in arms.

орфограф ||и́ческий orthographic(al); ~и́ческая ошибка spelling-mistake; ' ~ия spelling, orthography.

орфоэ́пия *фон.* orthoepy.

орхиде́ ||йный orchidaceous; ~я orchid.

ори́сина long rod, pole, perch.

оса́ wasp.

оса́д ||а siege; выдержать ~у to stand a siege; снять ~у to raise the siege; ~и́ть I. *см.* осажда́ть.

осади́ть II. *см.* оса́живать.

оса́дк ||а draught (*судна*); это судно имеет ~у в 22 фута this ship draws 22 feet (of water).

оса́дн ||ый: ~ая артиллерия siege-train; ~ое орудие siege-gun; ~ое положение state of siege.

оса́д ||ок sediment, dregs, grounds, deposition (*на дне сосуда*); *хим.* precipitation; fur (*на стенках винной бочки или сосуда для кипячения*); crust of wine (*на стенках винной бутылки*); неприятный о. *фиг.* an unpleasant after-taste; атмосферные ~ки atmospheric precipitations.

осажда́ть to lay siege (to), besiege; to beleaguer (тж. фиг.); to beset (человека); ~ся хим. to precipitate.

осла́живать to press back; to back a horse (лошадь); фиг. to check, to put someone down, to take one down a peg or two.

оса́н||истый portly, stately; ~ка deportment.

осатане́ть to get furious (enraged), to run amuck.

осва́ива||ние familiarization; ~ть (-ся) to familiarize; ~ться с к.-л. to feel at home (at one's ease) with somebody; ~ться с предметом (делом) to get familiar with a subject; ~ться с климатом to acclimatize.

осведом||и́тель informer, informant; ~и́тельный informative; ~и́ть(ся) см. осведомля́ть(ся); ~ле́ние information; ~лённость information, knowledge; being well informed; ~лённый informed; хорошо (плохо) ~лённый well (ill) informed; ~ля́ть to inform; ~ля́ться to inquire (of, about, after); to ask (about, after), to make enquiries (inquiries).

освеж||а́ть to freshen, cool; to refresh, to rub up one's memory (в памяти); to air (комнату); ~а́ться to refresh oneself, to take an airing; ~е́ние refreshing; airing (комнаты); ~ённый refreshed; ~и́тельный refreshing; ~и́ть(ся) см. освежа́ть(ся).

освети́тель illuminator; ~ный материал (газ и пр.) illuminant.

осве||ти́ть, ~ща́ть to light(en), illumine, illuminate; to irradiate (тж. фиг.), to throw light up(on), to elucidate (дело и пр.); о. вопрос со всех сторон to elucidate all sides of the question; ~ти́ться, ~ща́ться to be lighted (illuminated), to irradiate; её лицо ~ти́лось радостью her face irradiated with joy; ~ще́ние light, lighting, illumination; газовое (керосиновое, электрическое, искусственное) ~щение gas (oil, electric, artificial) light; в этой комнате плохое ~щение the light is bad in this room; при солнечном (электрическом) ~ще́нии by sunlight (by electric light); ~щённый солнцем (луной) sunlit (moonlit).

освиде́тельствов||ание examination, inspection; медицинское о. medical examination; ~ать to examine, inspect.

освист||а́ть, ' ~ывать to hiss (off).

освободи́тель liberator, rescuer, saviour; ~ный emancipatory, liberatory; ~ное движение liberating movement.

освобо||ди́ть, ~жда́ть to free, liberate, to set at liberty, to set free, to deliver (тж. от чего-либо, кого-либо); to enfranchise (от стеснений); to unchain, unfetter (от оков); to redeem, rescue (от опасности); to release (отпустить); to take a thing off somebody's hands, to rid of, disencumber (от хлопот); о. арестованного to dismiss, discharge a prisoner; о. от военной службы to exempt from military service; о. от военной службы по болезни to invalid; ~ди́ться, ~жда́ться to get free, to free oneself, to get off; to work off (отделаться от чего-л.); to get one's ticket (от военной службы); ~жде́ние deliverance, release, liberation; riddance (от чего-л. неприятного); exemption (от обязанности и пр.); discharge (заключённого); emancipation (женщины); ~ждение на поруки release on bail, bailment; ~ждение рабочих—дело самих рабочих the emancipation of the workers is the task of the workers themselves; ~ждённый (set) free; ~ждённый секретарь paid secretary.

осво||е́ние mastering (of); см. овладение; '~ить to master, to get familiar with; '~иться см. осваиваться.

освя||ти́ть, ~ща́ть to sanctify; ~ти́ться, ~ща́ться to be consecrated, sanctified; ~щённый consecrated; обычай ~щённый веками a custom hallowed by time.

осево́й axial.

оседа́||ние settling (на землю); subsidence (о земле, здании); хим. precipitation; ~ть to settle down (на земле); to settle, subside (о здании); хим. to precipitate.

осе||ёдланный saddled (о лошади); ~дла́ть см. осёдлывать.

осе́длост||ь settledness; в черте (за чертой) ~и ист. within (beyond) the pale.

осёдлывать to saddle (лошадь).

осе́длый settled.

осека́ться to miss fire (о ружье); фиг. to stop short.

осёл ass, donkey; cuddy; jackass, he-ass; фиг. ass (о человеке).

осело́к touch-stone (тж. фиг.), whetstone; hone (особ. для бритвы).

осемен||е́ние sowing; ~и́ть, ~я́ть to sow.

осени́ть *см.* осенять.

осе́нний autumnal.

о́сень autumn; *амер.* fall.

осен‖я́ть to shade, shadow; *фиг.* to shelter, shield; меня ⁓и́ла мысль it occurred to me, an idea flashed on me; его ⁓и́ло it dawned upon him.

осеребр‖и́ть, ⁓я́ть to silver over.

осерча́ть *диал.* to get angry.

осе́сть *см.* оседать.

осети́н Osset(e); ⁓ский (язык) Ossetic.

Осе́тия Ossetia.

осе‖тр sturgeon; ⁓три́на (flesh of) sturgeon.

осе́чк‖а miss; без ⁓и sure fire; дать ⁓у to miss fire (*о ружье*); *фиг.* to flash in the pan.

осе́чься *см.* осекаться.

оси́ли(ва)ть to overcome, to prevail upon, to get the better (*в борьбе*); to plough through (*книгу*).

оси́н‖а asp, aspen, trembling poplar; ⁓ник aspen grove (wood); ⁓овик aspen-mushroom; ⁓овый aspen; дрожит как ⁓овый лист is trembling like an aspen leaf.

оси́н‖ый: ⁓ое гнездо a hornets' nest.

оси́п‖лость huskiness, hoarseness; ⁓лый husky, hoarse; ⁓нуть to grow (get) hoarse (husky); ⁓ший *см.* осиплый.

осироте́‖вший, ⁓лый orphan (*attr.*); *фиг.* bereaved, bereft; ⁓ть to become orphan, to lose one's parents; он ⁓л, когда ему было 5 лет his parents died when he was 5 years old.

оска́бливать to scrape (round).

оска́л grin.

оска́ли(ва)ть: о. зубы, ⁓ся to bare (show) one's teeth.

оскандá‖ли(ва)ться to make an ass of oneself, to become the laughing-stock (*of*), to disgrace oneself.

осквери‖е́ние desecration, profanation, violation, defilement; ⁓ённый. desecrated; ⁓и́тельный profane; ⁓и́ть, ⁓я́ть to desecrate, profane, violate, defile; ⁓и́ться, ⁓я́ться to defile oneself.

оскла́б‖иться, ⁓ля́ться to simper, smirk, grin.

оскобли́ть *см.* оскабливать.

оско́лок splinter, shiver, chip; о. снаряда a fragment of shell.

оско́мин‖а: набить ⁓у *прибл.* to set the teeth on edge.

оскоп‖и́ть *см.* оскоплять; ⁓ле́ние castration, emasculation; ⁓ля́ть to castrate, emasculate.

оскорби́тель offender, wrongdoer; ⁓ный offensive, insulting, abusive; obnoxious, outrageous (*сильнее*); ⁓ные выражения offensive language.

оскорби́ть(ся) *см.* оскорблять (-ся).

оскорбл‖е́ние offence, insult, affront, outrage; о. действием assault and battery; нанести о. to give offence; переносить ⁓е́ния to bear insults; ⁓ённый offended, insulted, affronted, outraged.

оскорб‖ля́ть to offend, to give offence, to insult, affront, outrage, hurt; это его ⁓и́ло it hurt his feelings; ⁓ля́ться to take offence, to be hurt, to be offended.

оскоро́мить *уст.* to make one eat forbidden food in lent; ⁓ся to eat forbidden food during lent.

оскреба́ть to scrape (*off*).

оскрё́бки scrapings.

оскрести́ to scrape (*off*).

оскуде‖ва́ние impoverishment; ⁓ва́ть to grow scarce, scanty, poor, impoverished; '⁓вший, '⁓лый impoverished, poor, scanty; '⁓ние impoverishment; '⁓ть *см.* оскудевать.

ослабе‖ва́ние weakening; collapse (*резкий упадок сил*); ⁓ва́ть to weaken, to become weak (feeble); to collapse (*резко*); '⁓вший, '⁓лый weak, feeble, weakened, enfeebled; '⁓ть *см.* ослабевать.

осла́б‖ить *см.* ослаблять; ⁓ле́ние weakening, laxity; ⁓ленный loose, lax, relaxed; ⁓ленное внимание flagging attention; ⁓ля́ть to loose(n), relax, slacken; ⁓ля́ть внимание (дисциплину) to relax attention (discipline); ⁓ля́ть напряжение мышц to relax the muscles; ⁓ля́ть темпы to slacken tempo; ⁓нуть *см.* ослаблять.

осла́вить to defame, decry, discredit, to cry down.

ослёнок foal.

ослеп‖и́тельность dazzle; ⁓и́тельный dazzling; ⁓и́ть *см.* ослеплять; ⁓ле́ние blindness; infatuation (*человеком, чувством*); ⁓лённый blinded, dazzled; snow-blinded (*сверканием снега*); ⁓ля́ть to blind; to dazzle (*блеском*); его ⁓и́ло такое великолепие he was dazzled by such splendour; '⁓нуть to go blind; ⁓нуть на один глаз to get blind of (in) one eye.

ослизлый slimy, clammy.

осли́‖ный of an ass; asinine; ⁓ца she-ass.

осложне́ние complication.

осложн‖и́ть, ⁓я́ть to complicate, to make more complicated.

ослуш‖а́ние disobedience; '⁓аться, '⁓иваться to disobey; '⁓ник disobedient (undutiful) person.

ослы́шаться to mishear.

осма́ливать см. смолить.

осма́тривать to examine, inspect, survey, view; to search (*обыскивать*); о. достопримеча́тельности го́рода to go sight-seeing, to do the sights of the city; бы́стро о. ч.-л. to make a brief examination (*of*); ⁓ся to look round; *фиг.* to take one's bearings.

осме́ивать to mock, ridicule; to turn into ridicule, to scoff, deride.

осме́ли‖(ва)ться to dare; я ⁓ва́юсь I take the liberty of.

осме́й‖ние mockery, derision; ⁓ть *см.* осме́ивать.

о́смий osmium (Os) (*металл*).

осмоли́ть см. смолить.

о́смос *физ.* osmosis.

осмо́тр examination, inspection, survey; ⁓е́ть *см.* осма́тривать; его́ пригласи́ли ⁓е́ть труп he was taken to view the body.

осмотри́тельн‖ость circumspection, caution, discretion; обнару́жить большу́ю о. to show great discretion; ⁓ый circumspect, cautious, careful.

осмо́трщик surveyor.

осмы́с‖ленность intelligence; ⁓ленный intelligent; ⁓ленный взгляд intelligent look; ⁓лить to comprehend.

осна‖сти́ть см. оснаща́ть; '⁓стка rig(ging); ⁓щённый rigged; '⁓щивать to rig.

осно́в‖а base, basis, foundation, foothold; principles, element(s); origin, starting point; warp (*ткани; противопол.* уто́к); набира́ть ⁓у to part and tie the threads of the warp; класть в ⁓у to set as principle; to base (on); ⁓ы бога́тства страны́ the bases of national wealth; ⁓ы полити́ческой эконо́мии (ленини́зма) the principles of political economy (of Leninism); ⁓а́ние foundation, base, basis; motive, reason (*мотив*); foundation (*учреждения*); pedestal (*колонны*); *геом.* base (*треугольника и пр.*); по́лное ⁓ание good ground; на како́м ⁓а́нии? on what grounds?; нет ⁓а́ний серди́ться there is no reason to be angry; не без ⁓а́ния not without reason; with reason; ⁓а́тель(ница) founder (foundress); ⁓а́тельность sound-

ness, judiciousness; ⁓а́тельный solid, steady, stout; *фиг.* well grounded, judicious; ⁓а́тельное изуче́ние thorough study; ⁓а́тельные до́воды sound reasoning; ⁓а́тельные опасе́ния just fear; ⁓а́тельно fully, thoroughly, soundly; ⁓а́ть *см.* осно́вывать; ⁓но́й principal, fundamental, basic, essential, chief, cardinal; ⁓но́й капита́л fixed capital; ⁓но́й капита́л акционе́рного о́бщества stock capital; ⁓на́я до́лжность a whole time job, one's permanent job; ⁓на́я и́стина fundamental truth; ⁓на́я причи́на the principal (ultimate) cause; ⁓но́е значе́ние primary meaning; ⁓но́е пра́вило fundamental rule; ⁓ны́е вещества́ the principal ingredients; ⁓ны́е зако́ны fundamental laws; ⁓ны́е о́трасли basic branches; ⁓ны́е производи́тели basic producers; ⁓ны́е цвета́ cardinal (primitive, primary) colours; ⁓оположник founder, initiator; ⁓оположники маркси́зма the founders of Marxism.

осно́вывать to found, establish; to set up, constitute (*общество*); to set up, erect (*теорию*); ⁓ся to base upon.

Осоавиахи́м (*О-во содействия обороне и ав.-хим. строительству*) Society for the Defence of the Soviet Union and for the Development of its Aviation and Chemical Industries; о⁓овец member of this Society.

осо́б‖а person, individual; молода́я о. young person, young woman; ⁓енность peculiarity, singularity; в ⁓енности in particular, particularly; они́ о́чень ядови́ты, в ⁓енности когда́ незре́лые they are very poisonous, and particularly when green; ⁓енный special, singular, peculiar, particular, especial; ⁓енный за́пах peculiar smell; ⁓енная улы́бка a peculiar smile; ⁓енное обая́ние peculiar charm; ничего́ ⁓енного nothing particular; ⁓енно especially, particularly; я люблю́ фру́кты, ⁓енно я́блоки I like fruit, especially apples; ⁓енно до́лго extra long; он ⁓енно ука́зывал на оди́н слу́чай he mentioned one case in particular; ⁓ня́к private residence, detached house; держа́ться ⁓няко́м to keep aloof; ⁓ый peculiar, particular, special, extra, specific; ⁓ый вкус a peculiar flavour; без ⁓ого основа́ния for no particular reason; предме́т ⁓ого интере́са a point of peculiar interest; ⌇ые заботы extra care.

осо́бь individual.

осове́‖**ть** to fall into a dazed *or* torpid state; у него глаза ⌇ли he has a dull (dazed) look.

осе́д honey-buzzard (*птица*).

осозна́‖**вать,** '⌇**ть** to realize, to perceive.

осо́ка *бот.* sedge, carex.

осоко́рь *бот.* black poplar.

осо́т *бот.* sow-thistle.

осп‖**а** small-pox, variola; ветреная о. chicken-pox; теля́чья о. cow-pox (*для вакцины*); лицо, изрытое ⌇ой face marked (pitted) with small-pox; pock-marked (-pitted) face; прививать ⌇у to vaccinate.

оспа́ривать to dispute, to contend, controvert; to impugn (*истину*).

осп‖**енный** variolous; ⌇**ина** pock-mark; pock-hole, pock-work (*редк.*); (вторичное) ⌇**опривива́ние** (re-) vaccination.

осрам‖**и́ть** to shame, disgrace; ⌇**и́ться** to shame (disgrace) oneself; ⌇**ле́ние** shame, disgrace.

ост east wind (*ветер*).

Ост (*общесоюзный стандарт*) All-Union standard.

оста‖**ва́ться** to remain, to be left over; to stay, remain, stop; о. безнаказанным to go unpunished; о. в долгу to be indebted (*to*); о. верным (*кому-л.*) to remain faithful (*to*), to stick (*to*); о. в живых to survive; о. в силе to hold good; о. дома to stay (stop) at home; о. на руках у к.-л. to be left on one's hands; о. нерешённым to stand over; о. при своём мнении to persist in one's opinion; о. сидеть to keep one's seat; о. с носом to be sent away with a flea in one's ear; to be thwarted off; ⌇ётся мало времени little time is left; немного ⌇ётся сделать little is left to be done; нам не ⌇ётся ничего иного как согласиться we cannot but consent; он '⌇лся на 2-й год в том же классе he remained a second year in the same class (form); он ⌇лся с барышом he has gained; '⌇**вить** *см.* оставлять; ⌇**вить** без внимания to pass by; ⌇**вить** в покое to let (leave) alone, to let be; ⌇**вить** должность to retire; ⌇**вить** за собой to reserve for oneself; ⌇**вить** надежду (привычку) to relinquish (give up) hope (a habit); ⌇**вить** у себя to keep, to retain; '⌇**вим** этот разговор let

us drop the subject; ⌇**вле́ние** leaving, forsaking (*покидание*); detention (*удержание*); '⌇**вленный** на произвол судьбы forsaken; быть '⌇**вленным** (*наказанным*) после уроков *уст.* to be detained; ⌇**вля́ть** to leave, forsake, abandon, desert, quit; to lay down (*должность, надежду*).

остальн‖**о́й** remaining; в ⌇**о́м** он прав he is right in other respects; ⌇**ы́е** the rest, the others.

остана́вливать to stop (*кого-л.*); to pull up, to rein up, to bring to a stand (*лошадь*); to stunt (*рост*); to check (*чьё-л. действие*); о. кровотечение to arrest hæmorrhage; о. чьё-л. внимание to arrest (draw) one's attention; ⌇**ся** to stop, to come to a stand(still); to halt, to draw rein (*о ездоке*); to dwell (*на вопросе, теме*); to stop short (*внезапно*); ни перед чем не ⌇**ся** to go all lengths; to stick at nothing, to have no scruples (*ничем не брезговать*); строго воспрещается ⌇**ся!** commit no nuisance!; я не буду ⌇**ся** на этом вопросе I shall not dwell upon the subject.

оста́нки remains, relics; смертные о. mortal remains.

останов‖**и́ть(ся)** *см.* останавливать(ся); он ⌇**и́лся** в гостинице he put up at a hotel; '⌇**ка** halt (*в действии, пути и пр.*); standstill (*в пути, в работе—несвоевременная*); check (*в работе и пр. вследствие препятствия*); intermission (*перерыв*); stop, cessation (*прекращение*); stop, stopping-place (*трамвайная*); вы выходите на следующей '⌇**ке?** do you get down (off) at the next stop?; без '⌇**ки** right off (*прямо*); without intermission (*не прерывая*); ему нужно было проехать три ⌇**ки** he had to go three stops; он сделает '⌇**ку** на неделю в Москве he will stay in Moscow for a week (make a week's stay in Moscow).

остат‖**ок** remainder (*при вычитании*); remains (*пищи, здания, сил*); rest, balance (*после заключения баланса*); surplus (*прибыль*); о. материи (*на распродаже*) remnant; о. в 100 руб. сверх сметы an excess of 100 rbls over the estimate; ⌇**ки** scraps, fragments, remnants; leavings, odds and ends (*ненужные*); ⌇**ки** пира the debris of a feast; ⌇**ки** сладки *погов.* the nearer the bone, the sweeter the meat.

оста́ться *см.* оставаться.

остекляне‖лый glassy; ∾ть to become glassy.

остео́лог osteologist; ∾и́ческий osteological; '∾ия osteology.

остепени́ть to make staid (steady, sedate); ∾ся to grow staid (steady, sedate), to cut one's wisdom tooth.

остервен‖е́лый frenzied, furious, enraged; ∾е́ние frenzy, fury, exasperation; ∾е́ть, ∾и́ться to rage, to become enraged (furious).

остере‖га́ть to warn, caution (against); ∾га́ться to take (pay) heed, to keep guard, to be on guard; ∾га́йтесь воров (собаки) beware of pickpockets (the dog); '∾чь см. остерегать.

осте́рия inn, hostelry (в Италии).

ости́стый awned, bearded.

о́стов skeleton, frame(work), carcass; shell (здания); о. разбитого судна wreck.

остолбене́‖вший, ∾лый stockstill; ∾ние stupor, stupefaction, torpor; ∾ть to become (be) stupefied (stunned).

остоло́п dolt, blockhead, dunderhead.

осторо́жность heed, care, caution, prudence, discretion, wariness; действовать с ∾ю to act with discretion.

осторо́жн‖ый careful; prudent (по характеру); discreet (в разговоре); wary (настороже); будьте ∾ы! look sharp (out)!, take care!; ∾о carefully, prudently, discreetly, warily, gently, gingerly; with care (надпись на упаковке).

осточерте́‖ть: это мне ∾ло I am fed up with it.

остраки́зм ostracism; подвергать ∾у to ostracise.

остра́стка caution (warning with reprimand).

острига́ть to cut; to crop (коротко); to shear (овец, ворс); о. женские волосы to bob (в скобку); to shingle (совсем коротко сзади).

острие́ point, edge.

остри́женный cropped, bobbed, shingled (см. остригать).

остри́ть 1. to joke, jest; to make jests (jokes); to crack a joke; to banter; он уж очень любит о. на чужой счёт he's too fond of shining at another's expense (of making scores); 2. to sharpen (заострять).

остри́чь см. остригать, стричь; ∾ся to cut one's hair; to have one's hair cut (bobbed, shingled) (в парикмахерской).

о́стров island; поэт. isle; ∾итя́нин, ∾итя́нка islander; ∾но́й insular; ∾о́к islet; ait (преим. на реке); ∾ок безопасности см. площадка.

остро́г gaol, jail, prison; посади́ть в о. to put in gaol, imprison.

остро́г‖а́ fishgig; охо́титься с ∾о́й to gig.

острога́ть to plane, pare (down, away).

острогла́зый sharp-sighted.

остро́жник уст. gaol-bird.

остро‖коне́чный pointed, spiky, peaked, peaky; ∾ли́ст бот. holly; ∾но́сый sharp-nosed.

острот‖а́ sharpness, acuteness, pungency; о. зрения keenness of eye, a keen eye; о. кризиса acuteness of the crisis; о. слуха a sharp ear; о. ума sharp wit; ∾а witticism, sally, joke, jest (шутка).

остроуго́льный acute angled.

остроу́м‖ие sharp (quick) wit, wittiness, attic salt; он претендует на о. he sets up for a wit; страницы, блещущие ∾ием pages sparkling with wit; ∾ный witty, ingenious, smart, spry; амер. brainy (sl.); ∾ное замечание a sharp-witted (witty) remark; ∾но wittily.

о́стр‖ый sharp, edged, fine; poignant (о вкусе); quick (о зрении, слухе); pointed (особ. о замечании); о. карандаш sharp pencil; о. соус piquant sauce; о. сыр strong cheese; о. язык sharp tongue; о. интерес keen interest; о. угол acute angle; ∾ая боль stinging pain, smart; ∾ое положение critical situation; ∾о́ sharply.

остря́к wit.

осту‖ди́ть(ся), ∾жа́ть(ся) to cool, to get cool.

оступ‖а́ться, ∾и́ться to stumble, slip.

осты‖ва́ть to get cold, to cool; фиг. to cool down; у вас чай совсем ∾л your tea is quite cold; '∾вший cold, grown cool; '∾нуть, '∾ть см. остывать.

ость бот. awn, beard.

осу‖ди́ть, ∾жда́ть to blame, censure, reprobate, dispraise; to condemn, sentence (приговорить); ∾жде́ние blame, censure; юр. conviction; ∾ждённый на сме́ртную казнь one condemned to death, condemned man; ка́мера ∾ждённого на сме́ртную казнь condemned cell.

осу́ну‖вшийся hollow-cheeked; ∾ться to grow thin.

осуш‖а́ть to dry; to drain (*о почве*); *поэт.* to quaff; о. бокал to empty the glass; о. слёзы to dry one's tears (eyes); ⌐е́ние drainage; ⌐е́ние болот draining of marshes; ⌐и́ть *см.* осушать; ' ⌐ка *см.* осушение.

осуществ‖и́мость practicability, feasibility, о. плана practicability (realizability) of the plan; ⌐и́мый feasible, practicable, realizable, accomplishable; ⌐и́ть(ся) *см.* осуществлять(ся); ⌐ле́ние realization, actuality, accomplishment, actualization; ⌐ля́ть to realize, to put (carry) into practice, to accomplish, to bring about; to embody (*идею*); *лит.* to compass (*намерение*); ⌐ля́ться to be accomplished (realized, carried into practice).

осчастли́вить to make happy.

осып‖а́ние crumbling, falling down; ⌐а́ть, ' ⌐ать to strew (*with*); ⌐ать благодеяниями to heap a person with benefits; ⌐ать бранью to blackguard, revile; ⌐ать насмешками to heap ridicule (*on*); to make a laughing-stock (*of*); ⌐ать оскорблениями to heap insults (*upon*); ⌐ать пудрой to powder; ⌐ать ударами to rain blows (*upon*); ⌐ать упреками to heap reproaches (*on*); ' ⌐анный драгоценными камнями studded with gems; ⌐анный цветами strewn with flowers; ⌐а́ться, ' ⌐аться to crumble; to fall (*о листьях*).

ос‖ь axis (*воображаемая линия*); axle (*колеса́*); *техн.* arbor, spindle; экипажная о. axle-tree; имеющий общую о. coaxial; шейка ⌐й journal.

осьми́н‖а, ⌐ик *уст.* the 8th part of an acre.

осьмино́г octopus.

осьмиуго́льн‖ик octahedron; ' ⌐ый octahedral.

осьм‖о́й the eighth; ⌐у́шка one eighth; в ⌐у́шку in octavo (*о книге*).

осяза‖́емость tangibility; ⌐емый tangible; ⌐ние sense of touch; ⌐тельный palpable, tactile, tactual; ⌐тельно palpably; ⌐ть to touch, feel.

от, ото of, from, off, for; от 5 до 10 часов from 5 to 10; без ума от (*к.-л., ч.-л.*) mad on; в защиту от холода to keep off the cold; время от времени from time to time, every now and then; день ото дня from day to day; дрожать от страха to tremble with fear; избавиться (отделаться) от (*к.-л., ч.-л.*) to get rid of; независимый от independent of; отвернуться от to turn one's back on; прибыль от сделки a profit on the transaction; страдать от подагры (застенчивости) to suffer from gout (shyness); умереть от голода to die (of) from hunger; умереть от какой-л. болезни to die of an illness; умереть от яда to die by poison; о *лошади:* Баян от Крепыша и Родной В. by K. out of R.

ота́ва aftermath, after-grass, fog.

ота́плива‖ние heating; ⌐ть to heat, warm.

ота́птывать to tread down.

ота́ра flock (of sheep).

отба́в‖ить *см.* отбавлять; ⌐ка, ⌐ле́ние taking away, decrease, diminution; ⌐ля́ть to take away, to decrease, to diminish.

отбараба́ни‖(ва)ть to rattle (*off, away*); он ⌐л свой урок he rattled off his lesson.

отбе‖га́ть, ⌐жа́ть to run off a few steps.

отбели‖вать, ' ⌐ть: о. металл to refine.

отби‖ва́ние *см.* отбитие; beating time (*такта*); ⌐ва́ть to strike off, beat off (back); to parry (*удар*); to repel (*атаку*); to drive away (*неприятеля*); to whet (*косу*); ⌐вать запах to deodorize; ⌐вать охоту to discourage; ⌐вать мяч (*на лету*) to volley; ⌐вать такт to beat time; to beat the devil's tattoo (*ногой, пальцами*); ⌐ва́ться to get out of hand, to become unmanageable; ребёнок совсем от рук ' ⌐лся the child has become a nuisance (quite unmanageable) *или* has got quite out of hand; ⌐вня́

отбира́‖ние taking away; ⌐ть to take away; to confiscate (*в пользу государства*); to sort out, to select, to pick out (*выбирать*); ⌐ть голоса to collect votes.

отби́т‖ие repelling (*атаки*); striking off, parrying (*удара*); ⌐ь (⌐ся) *см.* отбивать(ся).

отблагодари́ть to thank, to render a service in return.

о́тблеск reflection, reflex(ion), gleam; iceblink (*ото льда*).

отбо́‖й: о.l *арт.* cease firing!; *военн.* бить о. to sound the (a) retreat; *фиг.* to beat a retreat; дать о. to ring off (*по телефону*); мне от них ⌐я нет I can't get rid of them; от покупателей ⌐я нет there's no end to the customers; customers are storming the shop.

отбо́р selection, choice; естественный о. natural selection; сделать о. to make a selection; to select; ~ный choice, select, the best, first rate.

отбо́йри(ва)ться *разг.* to get rid of, to escape from.

отбра́сывать to throw (cast) away, to toss (*away, off, down*); to leave out, to throw back (*назад*); to send one spinning (*ударом*); о. тень to throw (project) a shadow.

отбри́||вать, '~ть *фиг.* to rate (check) a person.

отбро́||сить *см.* отбрасывать; ~сьте вся́кие церемо́нии waive all ceremony (don't stand on ceremony).

отбро́||сы waste, garbage, refuse, scraps, draff, offal, sweepings; о.о́бщества the dregs (the scum) of society; о. произво́дства industrial refuse, waste; о. челове́чества the offscourings of humanity; ~шенный thrown (cast) away; rejected; эта тео́рия ~шена this theory is discredited (rejected).

отбы́||вание: о. сро́ка слу́жбы (наказа́ния) serving an office (one's sentence), one's time; ~вать to depart, set off (out); ~вать во́инскую пови́нность to go soldiering, to soldier, to serve in the army (as a private); ~вать срок слу́жбы (наказа́ния) to serve an office (one's sentence), to serve one's time; '~тие departure (*поезда*); '~ть *см.* отбыва́ть.

отва́га daring, courage, hardihood, audacity.

отва́||дить, ~живать to scare away, drive off.

отва́ж||и(ва)ться to dare, venture, risk, to take one's courage in both hands; ~ность daringness, boldness, fearlessness; ~ный daring, bold; ~но daringly, boldly, courageously.

отва́л *мор.* unmooring, pushing off; mould-board (*плуга*); наесться до ~а to eat one's fill; ~ивать, ~и́ть *мор.* to put off, push off, unmoor, to leave the shore, to heave off, to pull off; ~я́ть *см.* валя́ть.

отва́р decoction; де́лать о. to decoct; ри́совый о. rice water; ~ивать to boil, cook; ~но́й boiled.

отве́(дыв)ать to taste (*of*).

отвезти́ *см.* отвозить.

отвер||га́ть to reject, cast away, repudiate; to reprobate; она́ его́

'~гла she rejected him; '~гнутый rejected, spurned; '~гнуть *см.* отверга́ть.

отверде́||вать to harden, to grow hard; ~лость hardness, callosity, stiffness; ~лый hardened, callous; '~ние *см.* отверде́лость; '~ть *см.* отвердева́ть.

отверждённый долг funded debt.

отвер||же́ние rejection; '~женный castaway, outcast, reprobate.

отверз||а́ть, '~нуть *уст.* to open; ~а́ться, '~нуться to be opened.

отверну́ть *см.* отвёртывать; to turn on; turn away; о. одея́ло to turn back the blanket; ~ся *см.* отвёртываться, отворачиваться.

отве́рстие opening, aperture, orifice; slot, mouth (*пещеры, мешка*); анат., зоол. foramen; inlet (*входное*), outlet (*выходное*); peep-hole (*для подглядывания*); о. для опуска́ния моне́ты coin-slot; вентиляцио́нное о. ventilating aperture; входно́е (выходно́е) о. (*пулевой раны*) the hole of entry (of exit).

отверте́ться to get off (*from*).

отвёрт||ка screwdriver; ~ывать to unscrew, screw off (*отвинчивать*); ~ываться to be unscrewed.

отве́с plumb, plummet, perpendicular; свинцовый о. plumb-line; ~ить *см.* отвешивать; ~ность steepness (*скалы*), verticality; ~ный plumb, perpendicular, vertical; ~но sheer, plumb; падает ~но с высоты́ 1000 ф. falls 1000 ft. sheer.

отвести́ *см.* отводить; он отвёл ду́шу he unburdened his heart.

отве́т answer, reply, response; repartee (*остроумный*); answer (*к арифм. задаче*); держать о. to answer; to render account; быть в ~е to be responsible (*for*).

ответв||ле́ние offset, offshoot; ~ле́ния рого́в points (*оленя*); ~ля́ться to branch out; to branch off.

отве́тить *см.* отвечать.

отве́т||ный responsive, by way of an answer; ~ное чу́вство response, return (*любви*); ~ственность responsibility; amenability (*перед законом*); нести ~ственность за ч.-л. to be responsible for; он берёт это на свою́ ~ственность he will take the responsibility of doing it; он снима́ет с себя́ вся́кую ~ственность he declines all responsibility; он не боится ~ственности he is not afraid of the responsibility; ~ственный responsible, amenable (*перед судом*); liable (*for*), answerable (*for*); ~ственный работник worker holding (filling) a responsible office; ⌣ствовать уст. to make reply; ⌣чик, ⌣чица defendant; respondent (*в бракоразводных процессах*).

отве‖чáть to answer, reply, respond, rejoin; to return (*возразить*); о. на письмо to answer a letter, to reply, to write back; о. на чувство to return a person's love; о. перед кем-л‖ бо to be responsible to *(for)*, liable to *(for)*; о. урок to say one's lesson; вы за это '⌣тите you'll pay (answer) for it.

отвéшива‖ние weighing out; ⌣ть to weigh out; ⌣ть поклоны to make low bows; ⌣ть удары to strike a blow.

отвил‖ивать, ⌣ьнýть to wriggle (*out of*); to dodge the issue; to prevaricate (*говорить уклончиво*).

отвин‖тить, '⌣чивать to screw off, unscrew; ⌣титься, '⌣чиваться to come unscrewed; гайка ⌣тилась a nut is loose.

отвис‖áть to hang down, to bag, to hang loose; '⌣лый baggy, loose-hanging; с '⌣лыми ушами lop-eared; '⌣нуть *см.* отвисать.

отвле‖кáть to distract (*from*), to divert, abstract; to turn away the attention (*of*) (*о внимании*); to turn off (*тж. от ч.-л. неприятного*); ⌣кáтся to digress (*от темы*); ⌣кáющее средство *мед.* counter-attraction; ⌣чéние abstraction; ⌣чённость abstractness; ⌣чённый abstract; ⌣чённая величина abstract quantity; ⌣чённая идея abstract idea; ⌣чённо abstractly.

отвóд challenge (*присяжных, свидетелей*); offset (*трубы*); делать о. to object, take exception (*to*); он сделал это для ⌣а глаз he did it to deceive the eye; he did it as a blind; ⌣ить to lead (*away, off*); to take aside, apart (*в сторону*); to challenge (*присяжных, свидетелей*); ⌣ок *бот.* layer; разводить ⌣ками to layer.

отво‖евáть, ⌣ёвывать to acquire (gain) by warfare; я ⌣евáл право I gained the right.

отвозить to transport, take; о. домой to drive a person home.

отворáчивать *см.* отвёртывать; to turn back (off) (*лицо, глаза*); ⌣ся *см.* отвёртываться; to turn away (*from*), to avert one's face (*from*) (*от кого-л.*).

отворить *см.* отворять.

отворóты lapels, flaps (*лацканы сюртука, пиджака*); tops (*сапог*).

отворять to open, to set open.

отврати‖тельн‖ый abominable, shocking (bad) (*скверный*); disgusting, hideous, foul, loathsome, sickening, forbidding, abhorrent, execrable (*омерзительный*); о. запах foul smell; ⌣ая жестокость abominable (sickening) cruelty; ⌣ая погода abominable (shocking, foul) weather; ⌣ое зрелище forbidding sight; ⌣о abominably, disgustingly, execrably.

отвра‖тить, ⌣щáть to avert (*глаза, мысли, опасность*); to turn away (aside), to indispose from; to ward (stave) off (*опасность и пр.*); ⌣щéние aversion, abhorrence, disgust, repugnance (*to, against*), repulsion, horror (*of*); внушать ⌣щение to fill with disgust (aversion); чувствовать к ч.-л. ⌣щение to loath a thing. to have an aversion for (*to, from*).

отвы‖кáть, '⌣кнуть to be out of practice, to lose the habit; я '⌣к п‖сать письма I have got out of the way of letter-writing; '⌣чка *разг.* loss of habit; на привычку есть ⌣чка *посл.* habit is overcome by habit.

отвя‖зáть, '⌣зывать to untie, unfasten, uncord, unbind; to (let) loose; to untether (*животное, привяз. в поле*); ⌣зáться, '⌣зываться to get loose; ⌣житесь *фиг.* let (leave) me alone, let me be.

отгад‖áть *см.* отгадывать; '⌣ка answer to a riddle; '⌣чик, '⌣чица guesser, diviner;'⌣ывание guessing, divining; '⌣ывать to guess, divine.

отгиб *см.* сгиб; ⌣áние unbending, straightening; ⌣áть to turn (*down, back, up*), unbend; to straighten.

отглагóльн‖ый *гр.* verbal; ⌣ое существительное verbal noun.

отглá‖дить ⌣живать to iron.

отгни‖вáть, '⌣ть to rot off.

отгов‖áривать, ⌣орить to dissuade; я её ⌣орил I talked her out of her resolution; ⌣ориваться, ⌣ориться нездоровьем (незнанием) to pretend indisposition (ignorance); он ⌣орился, что не может (*притти, сделать*) he pleaded inability; ⌣óрка pretext, pretence, subterfuge; lame excuse (*недостаточная*); пустая ⌣орка flimsy pretence; он всегда найдет ⌣óрку, чтобы не работать he will always find an excuse (pretext) for not working.

отголóс‖ок echo; ⌣ки войны the aftermath of war; ⌣ки в печати press comments.

отгоня́ть to drive away.

оттор||а́живать to fence off (*забором*); to partition off (*перегородкой*); ∼а́живаться от правых оппортунистов to fence oneself off from right opportunists; ∼оди́ть (∼ся) *см.* отгора́живать(ся); ∼о́женный fenced off (*изгородью*); partitioned (*перегородкой*); ∼о́женное место enclosure; paddock (*особ. для лошадей на конском заводе, ипподроме*).

отгре||ба́ть, ∼сти́ to rake away, off (*граблями*); to row away (off) (*веслами*).

отгру||жа́ть, ∼зи́ть *см.* грузить; '∼зка unloading.

отгрыз||а́ть, '∼ть to bite (gnaw) off.

отгу́л||ивать, ∼я́ть: о. скот на пастбище to fatten cattle by grazing; он уже ∼я́л свой отпуск his holiday (vacation, leave) is over.

отдава́ть to give away (back); to return, restore (*обратно*); to repay (*деньги*); to smell of, reek of (*пахнуть*); to recoil, rebound, kick (*о ружье*); о. визит to return a call; о. в наём to let; о. в ученье to apprentice; о. в школу to put (send) to school; о. должное to render one's due; о. замуж (*за*) to marry (*to*); о. канат, парус to unbend (loose) a rope, a sail; о. под суд to prosecute; о. распоряжение (*приказ*) to give orders; о. снасть to cast off a rope; о. честь *уст.* to salute; о. якорь to cast anchor; ∼ся (*к.-л.*) to give oneself (*to*); ∼ся (*ч.-л.*) to devote oneself (*to*); to give oneself up wholly (*to*); ∼ся (*о звуке*) to reecho, resound; to ring (*в ушах*).

отда́вить: о. кому-л. ногу to tread (heavily) upon somebody's toes.

отдал||е́ние, ∼ённость remoteness, aloofness; в ∼е́нии far off, in the (at a) distance; ∼ённый remote, distant, far(-away), far (-off); ∼ённая деревня remote village; ∼ённое сходство a remote likeness; ∼и́ть, ∼я́ть to estrange, alienate (*делать чуждым*); to move off (*ч.-л.*); to postpone, put off (*время*); ∼и́ться, ∼я́ться to recede, move from; *фиг.* to avoid one, to keep more and more away from.

отда́ние giving back, returning; о. ч сти saluting.

отда́ри||вать, '∼ть to make one a present in return.

отда́ть(ся) *см.* отдава́ть(ся).

отда́ча payment (*денег*); recoil, kick (*ружья*).

отдежу́ри(ва)ть to finish being on duty.

отде́л section, department, division, branch, class; part (*книги*); о. кадров staff department; о. охраны труда the Committee for the Protection of Labour; финансовый о. Financial Section.

отде́л||ать(ся) *см.* отде́лывать(ся); ∼аться только страхом to be quit for a fright (ducking); дёшево ∼аться to get off cheap; счастливо ∼аться to have a narrow escape, to come off safe(ly), to be well out of; не могу ∼аться от мысли, что... I can't get rid (divest myself) of the idea that...

отделе́ние division, section, department, branch; о. церкви от государства disestablishment.

отдели́||мый separable; ∼ть(ся) *см.* отделя́ть(ся).

отде́л||ка *техн.* finish; trimming; с кружевной ∼ой trimmed with lace.

отде́лывать to work up, finish off (up); to trim (*платье*); о. ч.-л. окончательно to put the finishing touch (stroke) to something; ∼ся to get rid (*of*) (*от к.-л. или ч.-л.*), to dispatch, shake off.

отде́льн||ость: в ∼ости separately; каждый член (общества) в ∼ости each indiv dual member; ∼ый separate, individual; в каждом ∼ом случае in each individual case; ∼о separately, apart; держаться ∼о to keep aloof, to keep away.

отделя́ть to separate, divide, detach, disjoin, isolate, sever; to disestablish (*церковь от государства*); о. мясо от кости to strip a bone of flesh; ∼ся to separate; to get detached, to come off (*о предмете*); ∼ся от компании to desert (leave) the party, to sheer off; ∼ся от церкви, союза to secede.

отдёр||гивание drawing (*back, aside*); ∼гивать, ∼нуть to draw back (aside), to withdraw; ∼нуть занавеску to draw back the curtain.

отдира́||ние tearing off; ∼ть to tear off, rip off.

отодра́ть to give a sound flogging (whipping); *см.* отдира́ть.

отдои́ть to milk dry; to strip a cow.

отдохн||ове́ние *поэт.* repose, rest, relaxation; ∼у́ть *см.* отдыха́ть.

отдуба́сить *разг.* to give one a thrashing.

отдува́ть to give one a licking; ∼ся to puff, to take breath; ∼ся за кого-л. to do another person's work; to be answerable for another.

отду́шина vent(ilator), air-hole, blow-hole; *фиг.* safety-valve.

о́тдых rest, repose, relaxation (*физический*); recreation (*перерыв в занятиях*); дава́ть о. to give rest; день ∼а day off, rest day; day out (*для домработницы*); дом ∼а rest home (house); рабо́тать без ∼а to work without end (without end); ∼а́ть to (take a) rest; земля́ ∼а́ет the land is allowed to rest, left fallow.

отдыша́ться to regain one's breath.

отёк inflation, œdema; о. лёгких emphysema.

отека́ть to swell.

отёл calving.

отели́ться to calve.

оте́ль hotel.

отере́ть *см.* обтирать.

отёсывать to chip.

от∥е́ц father; *шут.* governor; *поэт.* sire; *шк. sl.* pater; о. семе́йства father of the family; *шут.* paterfamilias; на́званный о. adoptive father; не име́ющий ∼ца́ fatherless; *поэт.* unfathered; он весь в ∼ца́ he is the very image of his father; он был мне ∼цо́м he was a father to me; ∼е́ческий fatherly, paternal; ∼е́ческая забо́та paternal care.

оте́честв∥енный native; home (*attr.*); ∼енная промы́шленность home industry; ∼о home, native country (land); fatherland (*нем.*); СССР—социалисти́ческое ∼о всех трудя́щихся the USSR is the socialist fatherland of all the toiling masses; изгна́ние из ∼а expatriation; изгна́ть из ∼а to expatriate.

оте́чь *см.* отекать.

отжа́ть *см.* отжимать.

отже́чь *см.* отжигать.

отжива́∥ть to die away (*out, of, down*); о. свой век to live one's time; ∼ющий обы́чай a dying custom.

о́тжиг *техн.* tempering; ∼а́тельная печь tempering furnace; ∼а́ть to temper.

отжима́ть to wring (out), to twist and strain.

отжи́ть *см.* отживать.

о́тзву∥к echo; ∼ча́ть to sound no more.

о́тзыв testimonial (*письм.*), reference (*устн. и письм. рекомендация*); review (*рецензия*); recall (*посла*); ∼а́ть to call off (away), to take aside (apart); to recall (*посла*); to summon back; ∼а́ться to respond, sympathize (*быть отзывчивым*); (дурно) ∼а́ться о ком-л. to speak (ill) of a person; ∼а́ться чем-л. to taste (savour, smack) of... (*о пище*); ∼ны́е гра́моты letters of recall; '∼чивость responsiveness, sympathy; '∼чивый responsive, sympathetic; '∼чивая пу́блика an appreciative audience.

отка́з refusal, denial, rejection; о. от упла́ты вое́нных долго́в repudiation of war debts; получи́ть о. to be refused (*в чём-л.*); to be rejected (*на предложение*); реши́тельный о. a plump (flat) refusal; по́лный ∼а cram full; не принима́ть ∼а to take no denial; он не при́мет ∼а he will not take no for an answer; неуже́ли он отве́тит ∼ом на э́ту про́сьбу? can he deny this request?

отка́з∥ать, '∼ывать to refuse, deny; to renounce; о. жениху́ to refuse; о. кому́-л. to turn one down (*sl.*); о. от до́ма to forbid the house; о. от слу́жбы to dismiss; to give notice (*to*) (*с предупреждением*); о. по завеща́нию to bequeath; о. посети́телю to deny a visitor; о. себе́ (*в чём-л.*) to deny oneself, to stint oneself in; да́же в э́том мне бы́ло '∼ано even this was denied (to) me.

отка́з∥аться, '∼ываться to give up, to renounce; о. от а́вторства to disclaim, disown; о. от до́лжности to resign, retire; о. от мне́ния to withdraw one's opinion; о. от предложе́ния to decline an offer; to turn down a proposal (*sl.*); о. от престо́ла to abdicate; о. от привы́чки, права́ *и пр.* to relinquish habit, right *etc.*; о. от свое́й по́дписи to deny one's signature; о. от сде́лки, соглаше́ния to declare off; о. от упла́ты до́лга to repudiate a public debt (*о государстве*).

отка́лывать to chop off, break off (*кусок чего-л.*); to unpin (*була́вку*); to undo, unfasten (*открепи́ть*); о. шу́тку to play a trick; ∼ся to come off, to break (*от глы́бы*); to secede (*от па́ртии*).

отка́пыва∥ние exhumation, untombing; ∼ть to dig up, to disinter, exhume, unearth; to disentomb (*мёртвое тело*).

откармлива‖ние fattening, feeding up; **∼ть** to feed up, fatten.

откат recoil (*орудия*); **∼ать** см. катать; **∼йть** см. откатывать; **∼ывание** rolling off; wheeling off (*на колёсах*); **∼ывать** to roll off (away); to wheel off (*на колёсах*); **∼ываться** to roll off.

откач‖ать, **∼ивать** to pump out (*воду*); to bring a drowned man to life; **∼иваться**, **∼нуться** to swing off (away, aside).

откашливать to expectorate, to hawk up (*мокроту*); **∼ся** to clear one's throat.

отки‖дной reversible; **∼дывать**, **∼нуть** to throw (fling) off (away); **∼дываться**, **∼нуться** to recline (*в кресле*).

откладыва‖ние putting off, postponement; laying aside (*в сторону*); **∼ть** to lay aside, to put away (*в сторону*); to delay, put off, postpone, defer, hold off (*срок, дело*); to remand the prisoner (*дело в уголовном суде*); to shelve (*вопрос, проект*); to put by (aside), to save, lay up, set by (*сбережения*); to suspend judgement (*исполнение приговора*); to reprieve (*казнь приговорённого*); **∼ть** до последней минуты to put off (drive) to (till) the last minute.

отклан‖иваться, **∼яться** to take one's leave.

отклеи‖вать, **∼ть** to take off; to remove, unstick; **∼ваться**, **∼ться** to come off.

откл‖ёпывать, **∼епать** to unrivet.

отклик response; echo; **∼и** в печати press comments; **∼аться**, **∼нуться** to respond, to give response.

отклон‖ёние swerve, deflection, divergence, diversion; deviation (*магнитной стрелки*); **∼ить**, **∼ять** to decline, avert; он **∼ил** предложение he declined the offer (proposition); **∼иться**, **∼яться** to decline; swerve, divert; deflect, diverge; to deviate (*о магнитной стрелке*); to digress, depart (*from*) (*от предмета в разговоре и пр.*).

отковыр‖ивать, **∼нуть**, **∼ять** to pick off, pluck off.

отковзыр‖ивать, **∼ять** см. козырять.

отколачивать to beat one black and blue; to knock (beat) off (*отбить*).

отколе *уст.*, *поэт.* whence.

отколотить см. отколачивать.

отколоть см. откалывать.

отколупать см. отковыривать.

отколь см. отколе.

откомандиров‖ать, **∼ывать** to send; to mission; to detach (*отряд*).

откопа‖ть см. откапывать; где вы это **∼ли?** *фиг.* where did you dig that from?, where did you get it from?

откорм fattening.

откорм‖ить см. откармливать; **∼ленный** fatty, fat; молодое **∼ленное** животное fatling.

откос slant, slope, declivity; *военн.* (e)scarp; о. холма hillside; поезд свалился под о. the train rolled down the slope.

откреп‖ить, **∼лять** to unfasten, unfix; **∼иться**, **∼ляться** to get unfixed; to be taken off the list.

открё‖шиваться *фиг.* to disavow, disown, disclaim.

откровён‖ие revelation; **∼ничать** to open one's heart, to tell one's secrets, to confide; **∼ность** frankness.

откровён‖ный frank, candid, outspoken; быть **∼ным** (с кем-либо) to be plain (open) (*with*); **∼но** frankly, candidly; **∼но** высказанный plain-spoken; **∼но** высказать кому-либо неприятную истину to give someone a piece of one's mind, to tell one ∼ home truth.

откру‖тить, **∼чивать** to untwine, untwist, to twist off; **∼титься**, **∼чиваться** to get untwined (loose, untwisted).

открывание opening; о. двери opening of the door.

откры‖вать, **∼ть** to open; to reveal, disclose, discover (*обнаружить*); to lead the dance (*бал*); to disillusion (*глаза на что-л.*); to turn on the tap (*кран*); to unshutter the window (*ставни*); to unveil (*памятник*); о. дело, лавку, митинг, счёт to open a business, a shop, a meeting, an account; о. карты *фиг.* to throw up (show) one's cards; о. перспективы, будущность to open a prospect; о. прения to open the debate; о. свои намерения to open (reveal) one's designs; о. сердце to open one's heart; о. стрельбу to open fire; **∼ть** Америку! *ирон.* that is stale news; **∼ваться** to open; магазины **∼ваются** в 9 ч. утра shops open at 9 a. m.; тайна **∼лась** the secret is disclosed (is out).

открыт‖ие discovery; opening (*открывание*); unveiling (*памят-*

ника); сделать о. to make a discovery.

открытка postcard; picture postcard (*с картинкой*); postcard with views of the town (*с видами города*).

открыт‖ый open; straightforward, outspoken (*о человеке*); о. воздух open air; о. гласный звук open vowel; о. для осмотра open to inspection, on view; о. скандал open scandal; о. слог open syllable; ~ое поле open field; с ~ой душой open-hearted; в ~ом море in the open sea; на ~ом воздухе out of doors, under the open sky; ломиться в ~ую дверь to force an open door; ~ые ворота open gate; ~ые враждебные действия open hostilities; под ~ым небом under the open sky, in the open air; с ~ым ртом open-mouthed; с ~ыми глазами with open eyes; ~о openly; publicly, manifestly; above board, fair and square (*честно*); ~ь(ся) *см.* открывать(ся).

откуда where from; о. вы идёте? where are you coming from?; о. вы? (*происходите, приехали*) where do you come from?; о.-нибудь from somewhere or other.

откуп lease; ~ать, ~ить to take on lease; ~аться, ~иться to pay off.

откупори(ва)ть to uncork (*бутылку*); to unstop; to set a cask abroach (*бочку*).

откупорка uncorking.

откупщик *ист.* tax-farmer.

откусить *см.* откусывать; '~ывание biting (snapping) off; '~ывать to bite off, snap off.

откушать *уст.* to finish a meal.

отлагательств‖о delay, procrastination; не терпящий ~а urgent.

отлагать *см.* откладывать; ~ся 1. *см.* отложиться; 2. *хим.* to precipitate.

отламывать(ся) to break off.

отлегл‖ать: у неё ~ло от сердца she felt relieved.

отлежать, отлёживать: я отлежал себе ногу I have pins and needles in my leg; my leg is numb; ~ся to recover by lying in bed.

отлеп‖ить, ~лять to unstick, take off; ~иться, ~ляться to come off.

отлёт flying away; он уже на ~е *разг.* he is on the move (run); шляпа на ~е hat awry.

отлет‖ать, ~еть to fly away (off); подмётка ~ела the sole has come off.

отлив ebb(-tide), low tide, low water; reflux; прилив и о. ebb and flow; пунцовый с золотым ~ом crimson shot with gold; ~ить to found, cast in mould (*в формы*); to ebb (*о воде*); ~ать всеми цветами радуги to be iridescent; ~ать дробь to cast shot; ~ка cast, moulding, founding; ~ной cast, founded, moulded.

отлип‖ать, ~нуть to come off.

отлить *см.* отливать.

отлич‖ать to distinguish, discriminate, discern, tell; о. одно от другого to tell one thing from another; о. друг от друга to tell one from the other; ~аться (*от*) to differ (*from*); ~аться (*чем-либо*) to distinguish oneself, surpass, outdo, excel (*in, at*); вежливостью они не ~аются politeness is not to be found among them; '~ие difference, distinction, discrimination; знаки ~ия signs of distinction; ~ительный distinctive, characteristic; ~ительные признаки distinguishing features; ~ительные черты characteristics; ~ить *см.* отличать; '~ный excellent, perfect; ~ный (*от*) different, distinct (*from*); '~но excellently; perfectly; differently, distinctly; вы ~но знаете, что я имею в виду you know well enough what I mean.

отлог‖ий sloping, decliv(it)ous; ~о спускаться to slope, slant (*down, off, away*), to shelve; to slope gently; ~ость slope, declivity.

отложени‖е defection; ~я sediment, precipitation; *геол.* deposit.

отлож‖ить *см.* откладывать; ~иться to fall away (*from*), to secede (*в разных значениях*); ~ной turn-down (*о воротнике*).

отлом‖ать, ~ить *см.* отламывать.

отлуп‖ить 1. *разг.* to beat, thrash, flog; 2.: о. кусочек to pick (break) off a bit.

отлуч‖ать to excommunicate; to curse one with bell, book and candle (*от церкви*); ~аться to absent oneself; ~ение excommunication; ~ить(ся) *см.* отлучать (-ся).

отлучк‖а absence; быть в ~е to be away (*from*).

отлынива‖ние shirking; ~(ва)ть to shirk, shun.

отмалчиваться to keep silence.

отматывать to wind off.

отмах‖ать, '~ивать: 5 километров ~ал he covered 5 kilometers; '~иваться, ~нуться to wave (fan) off (away); to brush aside (*отстранить от себя ч.-л.*).

отма́чивать: о. в воде to wet, to loosen by wetting, to unstick by wetting (*ч.-л. клейкое*).

отмеж‖**ева́ть**, **~ёвывать** to survey, to set land-marking, to measure off the land; **~ева́ться**, **~ё- вываться** *фиг.* to keep aloof; to disavow (*от кого-л.*), to keep clear (*от ошибок* of mistakes).

о́тмель bank, shallow, shoal.

отме́н‖**а** abolition, abolishment (*уничтожение*); abrogation, annulment, revocation (*закона*); reprieve (*смертного приговора*); countermand, a revoking (contrary) order, command (*приказания*); о. ча́стной со́бственности abolition of private property; **~и́ть** *см.* отменять; **~ный** superior, excellent, exquisite; **~но** superiorly, excellently, exquisitely; **~я́ть** to revoke, abolish, countermand, abrogate, reverse the orders (*of*), cancel, annul; *юр.* to overrule; *см.* отмена.

отмере́ть *см.* отмирать.

отм‖**ерза́ть**, **~ёрзнуть** to freeze off.

отме́р‖**ивание** measuring off; **~и(ва)ть**, **~я́ть** to measure off; семь раз **~ь** — один раз отрежь *посл.* look before you leap; consider well before you act.

отмести́ *см.* отметать.

отме́стка vengeance.

отмета́ть to sweep away (aside, off); *фиг.* to brush off.

отме́‖**тина** mark, marking; star (*на лбу животного*); **~тить** *см.* отмечать.

отме́‖**тка** mark (*балл*); **~тки** во время score; **~тки** на полях книги marginal notes; делать **~тки** во время игры to score; **~ча́ть** to mark, record, register (*сделать отметку*); to note (*устно*); to pencil (*карандашом*); to tick off (*«птичкой»*); **~ча́ющий** автоматически self-recording.

отмина́ть *см.* мять.

отмира́‖**ние** dying out; о. классов the dying out of classes; **~ть** to die off.

отмок‖**а́ть**, **~нуть** to come off by soaking.

отмола́чивать to thresh.

отмолоти́ть *см.* отмолачивать.

отмолча́ться *см.* отмалчиваться.

отмор‖**а́живать** to get something frozen; **~о́женный** frozen, frost-bitten; **~о́женное** место frost-bite; **~о́зить** *см.* отмораживать.

отмота́ть *см.* отматывать.

отмочи́ть *см.* отмачивать; о. шту́ку *разг.* to play a trick; to utter something out of place.

отм‖**ща́ть** *уст.* *см.* отомстить; **~ще́ние** vengeance.

отмы‖**ва́ние** washing off; **~ва́ть** to wash off (away); **~ва́ться** to wash (oneself) clean, to wash one's dirt off; это пятно никак не **~ва́ется** this stain will not come off (out); '**~вка** *см.* отмывание.

отмыка́‖**ние** unlocking; **~ть** to unlock.

отмы́ть *см.* отмывать.

отмы́чка master key, picklock, skeleton key.

отмяк‖**нуть** to grow soft, to soften; **~ший** grown soft.

отне́кива‖**ние** denial, refusal; **~ться** to deny.

отнес‖**ти́**, **~ти́сь** *см.* относить (-ся); о. убытки за счёт вино́вного to put down the losses to the account of the culprit; **~и́те** это сестре take it to your sister; **~ло́** ветром (водой) carried away by wind (water).

отнима́ть to take away (off); to bereave (*жизнь, надежду*); to amputate (*ампутировать*); to wean (*ребёнка от груди*); **~ся** to be taken away; to be paralysed (*о ногах, руках*).

относи́тельн‖**ость** relativity, relativeness; тео́рия **~ости** (*особ.* Эйнште́йна) (the theory of) relativity; **~ый** relative, comparative; **~ая** и́стина relative truth; **~ое** местоиме́ние relative pronoun; **~о** concerning, regarding, respecting, as regards, with regard (*to*), with reference (*to*).

относи́‖**ть** to take (*к к.-л.* — *to*); to deliver, to carry (*куда-л.*); *фиг.* to refer (impute) (*к ч.-л.—to*); **~ться** to be drifted (*by*) (*ветром, водой*); to refer, concern, belong to; **~ться** дру́жески (*к к.-л.*) to be friendly (*towards*); **~ся** пренебрежи́тельно to sneer (*at*); **~ся** снисходи́тельно, свысока́ to patronize, to treat condescendingly; **~ся** с подозре́нием to treat with suspicion; 3 **отно́сится** к 4 как 6 к 8 3 is to 4 as 6 is to 8; это зда́ние отно́сится к 14-му ве́ку this building dates from the 14th century.

отноше́ни‖**е** attitude; relation; *мат.* ratio; име́ть о. (*к*) to pertain (*to*), to concern; моё о. к нему́ my attitude towards him; в э́том **~и** in this respect; по **~ю** (*к*) concerning, as regards; не иметь никакого ⌐я (к) to have nothing to do (*with*), to bear no relation (*to*); не имеющий ⌐я off the point; ⌐я довольно натянутые relations are rather strained; производственные ⌐я relations of production; в других ⌐ях otherwise; в дружеских ⌐ях on friendly terms; во всех ⌐ях in all respects; они в хороших ⌐ях they are on good terms (on a good footing together); это подходит ко мне во всех ⌐ях this suits me down to the ground.

отны́не henceforth, henceforward.

отню́дь by no means, not at all, not in the least.

отня́∥тие taking off (away); weaning (*ребёнка от груди*); ⌐ть *см.* отнимать; несчастный случай ⌐л у него ребёнка an accident bereaved him of his child; это ⌐ло у меня 3 часа it took me 3 hours.

ото *см.* от.

отобе́дать to finish dinner.

отображ∥а́ть to reflect; ⌐е́ние reflection.

отобра́ть *см.* отбирать.

отовсю́ду from everywhere, from all quarters.

отогна́ть *см.* отгонять.

ото́гнут∥ый retorted, bent back, recurved; ⌐ь *см.* отгибать.

отогре∥ва́ние warming; ⌐ва́ть, ⌐ть to warm; ⌐ть змею на груди to warm a snake in one's bosom; ⌐ва́ться, ⌐ться to warm oneself.

отодви∥га́ние moving away, removing; ⌐га́ть, ⌐нуть to move away (aside), to remove; ⌐га́ться, ⌐нуться to draw aside.

отодра́ть *см.* отдирать.

отождеств∥и́ть to identify; ⌐ле́ние identification; ⌐ля́ть *см.* отождествить.

отозва́∥ние recall (*представителя*); о. войск withdrawal of troops; ⌐ть(ся) *см.* отзывать(ся).

ото∥йти́ *см.* отходить; о. от политики give up politics; он совсем ⌐шёл от нас he does not keep in touch with us; он тотчас ⌐шёл от них he at once left them; земляника ⌐шла́ strawberries are out of season.

отома́нка ottoman.

отомкну́ть *см.* отмыкать.

отом∥сти́ть to take one's revenge (*on*); to avenge (*за обиду*); to requite (*отплатить*); о. врагу to revenge oneself upon one's

enemy; to wreak vengeance upon one's enemy (*рит.*); о. за обиду to revenge for an offence; о. обидчику to revenge (up)on an offender; я ⌐щён I am avenged.

отопи́ть *см.* отапливать.

отопле́ние heating; водяное о. hot-water heating; центральное о. central heating.

отопре∥ва́ть, ⌐ть to become damp *or* soft after having been frozen; to come off from heat *or* damp (*отделяться*).

отопта́ть *см.* отаптывать.

отора́чивать to trim.

оторва́∥ть(ся) *см.* отрывать(ся); о. от масс to break away from the masses; to lose contact with the masses; пуговица ⌐ла́сь the button has come off.

оторо∥пе́лый scared, dumbfounded; ⌐петь to be struck dumb, to be scared.

о́торопь fright, scare.

оторо́ч∥ить *см.* оторачивать; ⌐ка trimming.

отоско́п *мед.* otoscope.

отосла́ть *см.* отсылать.

отоспа́ться *см.* отсыпаться.

отохо́тить *разг.* to discourage, deter (*from*).

отоща́вший meagre, lean, emaciated.

отоща́ть to grow lean (meagre).

отпа́д∥ать to fall off, to drop off; вопрос ⌐ает the question drops; ⌐е́ние falling off (away).

отпа́ивать I.: о. молоком to fatten on milk; to free from the effects of poison by making one drink milk, to give milk as an antidote for poison.

отпа́ивать II. to unsolder; ⌐ся to come off, to come unsoldered.

отпа́рива∥ние steaming; ⌐ть to steam (cloth).

отпари́ровать to parry.

отпа́рить *см.* отпаривать.

отпа́рывать to rip (*тж. с ир, off, open*); to unrip, unsew; ⌐ся to come off (*о пуговице и пр.*).

отпа́∥сть *см.* отпадать; охота у него ⌐ла he had no more wish to do it; he lost all desire to do it.

отпая́ть(ся) *см.* отпаивать(ся) II.

отпева́∥ние *церк.* burial service; ⌐ть to read funeral service.

отпере́ть *см.* отпирать.

отпе́т∥ый: о. дурак egregious fool, arrant dunce; о. человек lost man; ⌐ь *см.* отпевать.

отпеча́т∥ание *см.* отпечатывание; ⌐ать(ся) *см.* отпечатывать

(-ся); ⁓ок impress(ion), (im)print, stamp; ⁓ок пальца finger-print; ⁓ок большого пальца thumb-print; он увидел ⁓ок босой ноги he saw the print of a naked foot; ⁓ывание imprint, impression; ⁓ывать to (im)print, impress, stamp; to type (*на пишущей машинке*); ⁓ываться to leave an impression (*ирон*).

отпивать to take a sip.

отпи́ли‖**вать, '⁓ть** to saw off.

отпира́‖**ние** unlocking, unfastening; ⁓тельство disavowal, denial; ⁓ть to unlock (*замо́к, ч.-л. запертое на замо́к*); to unbolt, unbar, unlatch, unfasten (*засов, задвижку*); ⁓ться to be unlocked (unfastened); *фиг.* to disavow, deny; ⁓ться от свои́х слов to deny one's words.

отпи‖**са́ть(ся)** *см.* отписывать (-ся); '⁓ска a formal answer in correspondence; это не письмо, а канцелярская ⁓ска it is but a formal letter; it is an apology for a letter; '⁓сывать to write back; to bequeath (*в завещании*); '⁓сываться to write a formal answer in correspondence.

отпи́ть *см.* отпивать.

отпи́х‖**ивать, ⁓нуть** to push (one) away (off); to spurn, kick (*ногой*); ⁓иваться, ⁓нуться push off (*особ. лодку от берега*).

отпла́‖**та** repayment; *фиг.* requital; в ⁓ту in return; ⁓ти́ть, ⁓чивать to repay; to recompense, reward (*за услугу, службу*); to retaliate, requite (*with, for*); to reciprocate (*чем-л.—with*); to make reprisal(s); ⁓ти́ть то́й же моне́той to pay someone in his own coin, to requite like for like, to give tit for tat (blow for blow); я не могу ⁓ти́ть вам за вашу любезность I can make no return for your kindness.

отплёвывать to expectorate (*мокроти*); ⁓ся to spit with disgust.

отплы́‖**вать** to swim away; to swim out (*в море от берега*); to sail off, to set sail (*о корабле*); '⁓тие setting sail; '⁓ть *см.* отплывать.

отплю́нуть *см.* отплёвывать.

отпля́сывать to dance with zest (pep, gusto).

о́тповедь retort; дать о. to reprove (reprimand).

отпо́ить *см.* отпаивать I.

отполз‖**а́ть, ⁓ти́** to crawl (creep) away; to drag oneself away (*напр. о раненом*).

отполирова́ть to polish off.

отпо́р rebuff, repulse; дать о. to rebuff, repulse, check.

отпо‖**ро́ть** *см.* отпарывать.

отпоте́‖**ть** to be covered with moisture (after exposure to cold air); окна ⁓ли the windows are covered with moisture.

отправи́тель(ни‖**ца)** sender (*письма*); remitter (*денежного перевода*).

отпра́в‖**ка** sending, dispatching, forwarding; shipment (*водою*); evacuation (*войск, больных*); ⁓ле́ние departure; administration (*правосудия*); performance (*обязанностей*); function (*организма*); платформа ⁓ле́ния поездов the departure platform.

отправля́‖**ть** to send, forward, dispatch; о. есте́ственную потре́бность to relieve (the wants of) nature; о. мо́рем to send by sea; о. на то́т свет to dispatch (to launch) into eternity; о. обя́занности to perform functions; о. по по́чте to post; о. това́ры to consign goods; ⁓ться to set off (out, forth), to start (depart) (*в путь*); to betake oneself (*к к.-л., куда-л.*); to proceed; ⁓ться к праотцам to be gathered to one's fathers; ⁓ся на боковую *разг.* to turn in, to go to bed; мы ⁓емся we are off (*уходим*).

отправн‖**о́й** starting; ⁓а́я то́чка starting point.

отпра́здновать to celebrate.

отпр а́шиваться to ask leave to go; ⁓ оси́ться to obtain leave to go.

отпры́г‖**ивать, ⁓нуть** to jump aside, jump (spring) back; to rebound, recoil.

о́тпрыск offspring.

отпряга́ть to unharness.

отпря́нуть to rebound, recoil.

отпря́чь *см.* отпрягать.

отпу́г‖**ивать, ⁓ну́ть** to frighten off, to scare away, to deter from.

о́тпу‖**ск** leave (of absence); furlough (*у военных*); holiday (*служащего*); sick-leave (*по болезни*); увольнять в о. to give leave of absence (*to*); to furlough; в ⁓ску́ on leave; матрос в ⁓ску liberty man; ⁓ска́ть to let go, to give leave, to dismiss; to slacken (*верёвку*); to absolve (*грехи*); to make free, to enfranchise, manumit (*на волю из крепостного состояния*); to rap out an oath (*ругательство*); to temper steel (*сталь после закалки*); ⁓ска́ть това́ры в кредит to supply goods on trust (on credit); ~скать без наказания to let off; ~скать бороду *см.* отрастить; ~скать шутку to crack a joke; ~скник army man on leave; ~стить *см.* отпускать; ~щение грехов *церк.* absolution; козёл ~щения scapegoat.

отраб‖**атывать** to finish one's work; он ~отал там неделю he worked there a week; ~отанный worked out; ~отанный пар *техн.* waste steam; плата за каждый ~о-танный день pay for each day's work; ~отанная машина machine worked out; ~отать *см.* отрабатывать.

отрав‖**а** poison, toxin(e); ~итель (-ница) poisoner; ~ить(ся) *см.* отравлять(ся).

отрав‖**ление** poisoning; о. газом gas-poisoning (*тж.* угаром); nicotinism, tobacco-poisoning (*никотином*); ~лять to poison; to envenom, embitter (*чувства, жизнь*); to spoil (*удовольствие*); ~ляться to poison oneself, to be (get) poisoned.

отрад‖**а** comfort, consolation; ~ный comforting; ~ное явление a pleasing fact.

отражательная печь reverberatory furnace.

отра‖**жать** to reflect, mirror, reverberate (*свет*); *фиг.* to reflect; to repulse, beat off (*противника*); to ward off, to parry, foil (*удар*); ~жаться to reflect, reverberate; это вредно ~жается на здоровье that tells on one's health; ~жение reflex(ion), reflection, reverberation; repercussion (*событий*); image (*в зеркале*); repulsing, beating off (*противника*); warding off, parry, foiling (*удара*); ~жение кризиса repercussion of the crisis; ~жённый reflected, reverberated (*о свете, теплоте, звуке*); ~зить *см.* отражать.

отраиваться *см.* роиться.

отрапортовать to report.

отрасль branch (*науки и пр.*).

отра‖**стать**, ~сти to grow; ~стить, '~щивать to (let) grow; он ~стил себе бороду he has grown a beard.

отребье: о. общества the scum (dregs) of society, outcast.

отрез cut; edge of a cut; (plough-)share (*плуга*); length (piece) of cloth (*материи на платье*); ~ание cutting (*off*); carving; ~ать *см.* отрезывать.

отрезв‖**ить** *см.* отрезвлять; ~ление sobering.

отрезвля‖**ть** to (make) sober, to sober down; *фиг.* to throw cold water on; ~ся to sober (down), to become sober.

отрезок cut, piece, snip; *геом.* segment; данный о. времени given space of time.

отрезывание *см.* отрезание.

отре‖**зывать** to cut off; to carve (*мясо, сыр и пр.*); *фиг.* to snap (*up*); о. ломоть to cut a slice off; о. отступление to intercept (cut off) retreat.

отрекаться to abdicate, demise the crown (*от престола*); to disavow, recant, repudiate, renounce; to swallow one's words (*от своих слов*) (*разг*); to abjure, forswear (*клятвенно*); to deny one's faith (*от веры*).

отрекомендовать to introduce; ~ся to introduce oneself.

отрепья rags, tatters.

отретироваться to withdraw.

отреч‖**ение** renunciation, recantation; abdication; abjuration (*клятвенное*); '~ься *см.* отрекаться.

отреш‖**ать** *уст.* to dismiss, remove; to deprive (of) (*от сана*); to displace (*от должности*); ~аться to renounce, give up; to renounce the world (*от мира, людей*); ~ение dismissal, removal, displacement(*от должности*); deprival (*от сана*); renunciation (*от удовольствий и пр.*); ~ить(ся) *см.* отрешать(ся).

отрица‖**ние** negation, denial; negative (*тж. гр.*); служить ~нием to negate; ~тельность negativity; ~тельный negative; ~тельный ответ negative reply (answer); ~тельная величина negative quantity; ~тельное свойство negative quality; ~тельное электричество negative electricity; ~ть to negate, deny, to say no.

отрог: горный о. spur.

отроду never in one's life; о. не встречал ничего подобного I have never seen (come across) the like (anything like it).

отродье *презр.* spawn; бесовское о. spawn of the devil.

отродиться *см.* отроду.

отрок *уст.* boy, lad; page; ~овица *уст.* virgin; lass.

отрост‖**ок** sprout, shoot, sprig, offshoot; *мед.* appendix (*слепой кишки*); отсаживать ~ки to take cuttings.

отрочество boyhood (*мальчика*), girlhood (*девочки*).

отруб holding.

отруба́ть to cut (strike) off; to behead (*голову*).

о́труб‖**и** bran, offal; pollard (*тж. мука, смешанная с отрубями*); пойло из ~**ей** mash.

отруби́ть *см.* отрубать.

отрубн‖**о́й**: ~**а́я** систе́ма *ист.* small holdings system.

отры́в o. от масс loss of contact (with), estrangement (from) the masses; без ~**а** от произво́дства without ceasing to work at a factory (mill *etc.*).

отрыва́ть I. to dig up (out), unearth, disinter; *архл.* to excavate.

отрыв‖**а́ть** II. to tear away (off, down, from); o. от рабо́ты to interrupt; ~**а́ться** to come off; *фиг.* to tear oneself away; '~**истость** abruptness, jerkiness; '~**истый** abrupt, jerky; '~**исто** abruptly, jerkily; ~**но́й** календа́рь tear off calendar; '~**ок** fragment; passage (*из книги*); piece; extract, excerpt (*цитата*); ~**очный** scrappy, snatchy, desultory.

отры‖**га́ть**, '~**гивать**, ~**гну́ть** to belch; '~**жка** belching, eructation.

отры́‖**тие** the digging up; exhumation (*мёртвого тела*); ~**ть** *см.* отрывать.

отря́‖**д** detachment; detail (*спец. назначения*); draft (*вспомогательный*); *ест. ист.* order; санита́рный o. medical company; разве́дывательный o. reconnoitering detachment; ~**ди́ть**, ~**жа́ть** to detach, detail; *военн.* tell off; шестеры́х из нас ~**ди́ли** за то́пливом six of us were told off to get fuel.

отря‖**са́ть**, ~**сти́** to shake off; o. прах от ног свои́х *фиг.* to shake the dust off one's feet; '~**хивать**, ~**хну́ть** to shake off; '~**хиваться**, ~**хну́ться** to shake oneself.

отса‖**ди́ть** to layer; '~**дка** transplanting; '~**док** layer; '~**живать** to layer.

отса́сывать to suck off.

о́тове‖**т** reflexion, reflection; '~**чивать** to reflect.

отсебя́тина *разг.* gag, wheeze (*sl.*); fictitious story.

отсе́‖**в** sifting; *фиг.* selection; ~**ва́ние** sifting; ~**ва́ть**, ~**ивать** to sift; *фиг.* to pick out, choose, select, cull.

отсе́к *мор.* compartment.

отсека́ть to strike (hew, chop, cut) off.

отсе́ль *уст.* hence, from hither.

отсеч‖**е́ние** striking (cutting, hewing, chopping) off; '~**ь** *см.* отсекать.

отсе́ять *см.* отсевать; ~**ся** to finish sowing.

отси‖**де́ть**, '~**живать** to serve one's time (*в тюрьме*); to have pins and needles in one's foot (leg) (*ногу*); я ~**де́л** 5 дней до́ма I stayed 5 days at home.

отска́блива‖**ние** scraping off; ~**ть** to scrape off; ~**ться** to come off (by scraping).

отска́кивать to leap (jump) off (back, aside); to recoil, rebound.

отскре‖**ба́ть**, ~**сти́** to scrape (scratch) off.

отсл‖**а́иваться**, ~**ои́ться** to exfoliate; to come off in scales (layers); ~**о́йка** exfoliation.

отслу́ж‖**ивать**, ~**и́ть** to serve one's time (*срок*); o. панихиду *церк.* to read the funeral service.

отсове́товать to dissuade one (from doing something).

отсортиров‖**а́ть**, '~**ывать** to sort; to set aside.

отсоса́ть *см.* отсасывать.

отсо́хнуть *см.* отсыхать.

отсро́ч‖**и(ва)ть** to postpone, put off, delay, defer; to respite (*отбытие наказания*); ~**ка** postponement, adjournment, deferment; respite (*отбытия наказания*); дни ~**ки** days of grace.

отста‖**ва́ть** to fall (lag) behind; to drop behind, to be backward (behindhand) (*в чём-л.*); to be (go) slow (*о часах*); не o. to keep pace; литерату́ра не должна́ o. от жи́зни literature must not lag behind life; у меня́ часы́ ~**ю́т** на 5 мин. my watch is five minutes slow.

отста́в‖**ить** *см.* отставлять; o.! as you were! (*военн. команда*); ~**ка** dismissal, resignation, removal, retirement; в ~**ке** retired; проше́ние об ~**ке** written resignation; вы́йти в ~**ку** to resign (one's office); *фиг.* to throw up; пода́ть в ~**ку** to turn in (send in) one's written resignation; получи́ть ~**ку** to be dismissed, discharged, displaced; to get the sack (the mitten) (*об ухаживателе, служащем*); ~**ля́ть** to set (put) aside; to dismiss, discharge, displace, remove (*от службы*); ~**но́й** retired.

отста́ивать to fight, defend (*кре́пость*); o. ка́ждую пядь земли́ to dispute every inch of ground; o. свои́ права́ to assert one's rights, to stand on one's rights; я бу́ду o. э́тот вопро́с I shall fight the question; ~**ся** to settle, precipitate.

отста́л‖**ость** backwardness; ~**ый** backward, behindhand; ~**ый** ученик backward pupil; ~**ые** элементы backward elements.

отста́ть *см.* отставать.

отстега́ть to lash, whip.

отст‖**ёгивание** unfastening; unbuttoning (*пуговицы*); unbuckling (*пряжки*); ~**ёгивать**, ~**егну́ть** to unfasten, undo; to unbutton (*пуговицы*); unhook (*крючки*); ~**ёгиваться**, ~**егну́ться** to come undone, unbuttoned.

отстир‖**а́ть**(**ся**), '~**ывать**(**ся**) to wash off; никак не '~**ывается** it does not wash (come) off.

отсто́й sediment, dregs, lees.

отстоя́‖**ть**(**ся**) *см.* отстаивать (-ся); пожарным удалось ~**ть** четыре дома four houses were saved by the fire-brigade; эту крепость нельзя ~**ть** this fortress is not tenable; ~**щий** distant, remote, far away.

отстра́ивать(**ся**) to build up, rebuild.

отстран‖**е́ние** setting (putting) aside; dismissal, removal (*от должности*); ~**и́ть**, ~**я́ть** to push aside; to dismiss, discharge, recall (*от должности*).

отстре́л‖**иваться**, ~**я́ться** to defend oneself by shooting.

отстри‖**га́ть**, '~**чь** to cut off, to clip.

отстро́‖**ить**(**ся**) *см.* отстраивать (-ся); ~**йка** building up.

отсту́к‖(**ив**)**ать** to give a certain number of taps; to tick; телеграфный аппарат ~**ал** депешу the telegraph ticked out a message.

отступ‖**а́ть**, ~**и́ть** to fall back, to recede, recoil, shrink; *воен.* to retreat; *фиг.* to beat a retreat; *разг.* to back down (out); ~**а́ться**, ~**и́ться** to desist, to give up, to renounce; ~**ле́ние** retreat; digression (*отклонение*); variation, deviation (*от принятой формы*); отрезать ~**ле́ние** to cut off the retreat; '~**ник** apostate, recreant, secessionist; '~**ничество** apostasy, secession; ~**но́е** smart-money; дать ~**но́го** to pay one off.

отсу́тств‖**ие** absence; о. возможности lack of opportunity; о. личной ответственности lack of individual responsibility; о. порядка want of order; о. средств lack of means; ~**овать** to be absent; ~**ующий** absent.

отсчи‖**та́ть** *см.* отсчитывать; '~**тывание** counting off, reckoning; '~**тывать** to count (off), reckon.

отсыла́ть to send off; to post (*письмо по почте*); to dispatch; to remit (*деньги*); to refer (*направлять, отсылать*).

отсып‖**а́ть**, '~**ать** to pour off.

отсыпа́ться to have one's sleep out.

отсыре́‖**лый** *см.* сырой; ~**ть** to grow damp (moist).

отсыха́ть to dry up, wither off, fall off from dryness.

отсю́да from here, hence.

отта́‖**ивание** thawing; ~**ивать** to thaw; ~**лина** a place where the snow has melted.

отта́лкива‖**ние** pushing off; *фиг.* repulsion; ~**ть** to push off (away); to kick (*ногой*); *фиг.* to repel, repulse; ~**ться** to push off (*от берега*); ~**ющий** repulsive, forbidding.

отта́птывать *см.* топтать, оттоптать, отплясывать.

оттаск‖**а́ть**: о. за волосы to pull a person by the hair; '~**ивать** to drag (pull) away (aside, back).

отта́чивать to sharpen, whet.

оттащи́ть *см.* оттаскивать.

оття́ять *см.* оттаивать.

оттен‖**и́ть** to set off; '~**ок** shade, hue, tinge, tint; тонкий ~**ок** в значении a nice shade of meaning; серый цвет с розовым '~**ком** grey touched with pink; ~**я́ть** to set off.

о́ттепель thaw; стоит о. it is thawing.

оттере́ть *см.* оттирать.

оттеса́ть *см.* тесать.

оттесн‖**и́ть**, ~**я́ть** to drive back (out, away).

оттира́ть to rub out (*пятно*); to warm by rubbing; *фиг. см.* оттеснять.

о́ттиск impression, print; copy; отдельный о. (*статьи*) separate, separatum; сделать о. to make an impression.

оттого́ therefore.

отто́ле thence.

оттолкну́ть *см.* отталкивать.

оттопта́ть *см.* оттаптывать; о. каблук to wear away the heel.

оттопы́ри(**ва**)**ться** to bulge out, to stick out.

отторг‖**а́ть**(**ся**) to tear (oneself) (*from*); '~**нутый** torn away; '~**нуть**(**ся**) *см.* отторгать(ся).

отто́ч‖**енный** sharpened; ~**и́ть** *см.* оттачивать.

оттрепа́ть to give a good shaking.

отту́да from there.

оттуш‖**ева́ть**, ~**ёвывать** *см.* тушевать.

оття́гать to gain by a lawsuit.

отти́‖**гивать** to draw off (*войска*)

to delay (*время*); to procrastinate (*дело*); to draw off heat (*жар*); to draw out iron (*железо*); ~жка delay, procrastination; ~нуть *см.* оттягивать.

отти́пать *разг.* to chop off.

отýжинать to have finished one's supper.

отума́ни(ва)ть *см.* затуманивать.

отупé||вший torpid, dull; ~ниe torpor; ~ть to become torpid (dull), to sink into torpor.

отучáть to cure of (make one lose) the habit (*of*); о. от груди to wean.

отучне́ть to become fat.

отхáживать to try to bring one round (*потерявшего сознание*).

отхáрк||ать *см.* отхаркивать; ~ивание expectoration; ~ивать to expectorate; ~ивающее средство *мед.* expectorant.

отхват||áть, ~и́ть, '~ывать *см.* отнимать, отнять; он ~и́л себе топором палец he chopped his finger off with an axe.

от||хлебну́ть, ~хлёбывать to take a sip.

отхлестáть to lash.

отхлы́нуть to rush back.

отхó||д setting off (out), departure; ~ди́ть to go off (away), to leave; to die, depart, breathe one's last (*умирать*); to compose oneself; to calm down; ~дить ко сну to slumber; спаржа **отошлá** asparagus is off; ~дник a peasant working seasonally far from home; nightman (*ассенизатор*); ~дничество *см.* отхожий промысел; ~дчивый: у него ~дчивое сердце he regains his composure easily, he does not bear malice; ~ды *см.* отход; *техн.* waste; древесные ~ды wood waste; ~жий промысел seasonal work; ~жее место *вульг.* w. c. (water-closet), lavatory; *амер.* toilet.

отцве||сти́, ~тáть to finish flowering, blossoming; красота ~тáет beauty withers (fades), beauty is but skin deep.

отцéживать *см.* цедить.

отцепи́ть *см.* отцеплять; о. ж.-д. вагон to slip, uncouple a railway car(riage); ~ся *см.* отцепляться.

отцéп||ка *ж.-д.* uncoupling of railway car(riages); ~ля́ть to unhook, unhitch; ~ля́ться to get loose; to uncouple.

отцеуби́й||ство, ~ца patricide.

отцóвский of one's father, paternal.

отчáиваться to despair, to be in despair, to be disheartened, to lose courage, to despond.

отчáли(ва)ть to unmoor, to push (put) off, put out.

отчáсти partly; о. из-за болезни, о. из-за спешного дела я не мог повидать его what with an illness, and (what with) pressing business I couldn't see him.

отчáян||ие despair, despondency; приводить в о. to drive to despair; спасти от ~ия to save from despair; ~ность recklessness; ~ный desperate; reckless; ~ный человек desperado; ~ная погода desperate weather; ~ное предприятие desperate undertaking; ~ное средство desperate remedy.

отчáяться *см.* отчаиваться.

отчегó why, wherefore.

отчекáнивать *см.* чеканить; to roll out (*слова и пр.*).

от||чёркивать, ~черкнýть to mark off; to pencil off (*карандашом*).

óтчество patronymic.

отчёт account, report; отдавать о. to account (*for*), to render an account; отдавать себе о. to realize; требовать ~а to demand an account; ~ливость precision, distinctness; ~ливый clear, distinct; ~ливые очертания a sharp outline; ~ливо clearly, distinctly; он ~ливо говорил he spoke with precision; ~ность accounts, account books; ~ность запутана the account books are in disorder; ~ный of account.

отчи́зна native country, mother country.

óтчим step-father.

отчисл||éние reckoning off; добровольные ~éния subscription; '~и́ть, ~я́ть to reckon off; to cashier; to strike off the list (*из штата*).

отчи́стить *см.* отчищать.

отчит||áть(ся) *см.* отчитывать (-ся); '~ывать to read one a lecture; to rebuke, scold; '~ываться to render an account.

отчищáть to clean off; to scour; to brush away (*щёткой*); ~ся to come off.

отчужд||áемый alienable; ~áть to alienate, estrange (*from*); ~éние alienation; requisition, confiscation (*отобрание*); полоса ~éния zone; ~ённость estrangement, aloofness.

отшабáшить *разг.* to finish the day's work.

отшагáть to stride.

отшат‖ну́ться, '⌣ываться to start back (*from*), to recoil (*from*); все друзья от него ⌣ну́лись *фиг.* he was forsaken by all his friends.

отшвы́р‖ивать, ⌣ну́ть to fling (throw, hurl) away; to kick (*ногой*).

отше́льни‖к hermit, anchorite, anchoret, recluse; ⌣ческий anchoretic; ⌣чество the life of a hermit, reclusion.

отшиб‖а́ть, ⌣и́ть to strike off, knock off; у меня память '⌣ло I have lost my memory.

отши́ть (*sl.*) *фиг.* to turn one down.

отшлёп(ыв)ать to spank.

отшлифов‖а́ть, '⌣ывать to polish up.

отшпаклева́ть см. шпаклевать.

отшпи́ли‖вать, ⌣ть to unpin, undo; ⌣ваться, '⌣ться to come undone.

отштукату́рить to plaster, parget, to cover with plaster.

отшучиваться to get off with a jest (joke).

отщепе́нец renegade, apostate.

отщепля́ть to chip off.

отщип‖а́ть, ⌣ну́ть, '⌣ывать to pinch off, to nip (pick) off.

отъеда́ть to eat off; ⌣ся to get fat with good food.

отъе́з‖д departure; leaving, starting, setting off; через неделю после его ⌣да в Москву a week after his leaving for Moscow; ⌣жа́ть to drive off (away) (*в экипаже, автомобиле*); ⌣жа́ющий departing.

отъе́сть(ся) см. отъедать(ся).

отъе́хать см. отъезжать.

отъя́вленный arch, arrant, thorough; о. дура́к arrant fool; о. негодя́й (мошенник, плут) an arch (thoroughpaced) knave (a thorough scoundrel, an arch rogue); о. преступник desperado.

отыгр‖а́ть(ся), '⌣ывать(ся) to win back.

о́тыгрыш winning(s) back.

отыск‖а́ть to find out; он всегда старается о. недостатки в других he always tries to find fault with others; ⌣а́ться см. отыскиваться; '⌣ивание looking (searching) (*for*), seeking; '⌣ивать to seek, search, (look) (*for*); to find out; '⌣иваться to be found.

отяго‖ти́ть, ⌣ща́ть to burden, load, aggravate; ⌣ще́ние burdening, aggravation; ⌣щённый loaded, burdened, laden.

отяжеле́‖вший heavy, leaden; о. от сна heavy with sleep; ⌣вшие

члены leaden limbs; ⌣ть to become heavy.

офи́т *мин.* ophite.

офиц‖е́р officer; ⌣ское собрание *уст.* mess.

официа́льн‖ость officialdom; ⌣ый formal, official; ⌣ый визит official visit; ⌣о officially, formally.

официа́нт waiter; ⌣ка waitress.

официо́з semi-official newspaper; ⌣ность officiousness; ⌣ный officious.

офо́рм‖ить: художественно о. пьесу to mount a play; это необходимо о. it must be done officially (lawfully); ⌣ле́ние putting into official form; system (*словаря и пр.*); художественное ⌣ление пьесы mounting (getting up) of play; ⌣ля́ть см. оформить.

офранцу́зить to Frenchify.

офталм‖и́ческий ophthalmic; ⌣и́я ophthalmia; ⌣оло́гия ophthalmology; ⌣оско́п ophthalmoscope.

ох! oh!, ah!; ⌣анье sighing, moaning, groaning.

оха́пка armful, armload.

охарактеризова́ть to characterize.

о́хать to moan, sigh, groan.

оха́ять *вульг.* to censure, find fault with.

охва́‖т reach, scope, girth; о. ударничеством extent of the shock-worker movement; организационный о. organizational scope; ⌣ти́ть, ⌣тывать to embrace (*умом, глазом*); to encompass; ⌣тывать неприятеля с фланга to flank the enemy; его ⌣ти́ло пламенем the flames enveloped him; он был ⌣чен ужасом he was seized with panic; ⌣ченный завистью consumed with envy; ⌣ченный ужасом terror-stricken.

охла‖дева́ть, ⌣де́ть to become cool (cold); *фиг.* to lose interest (*in*), to become indifferent (*to*); ⌣ди́тельный cooling; ⌣ди́ть, ⌣жда́ть to cool, chill, refrigerate; ⌣жда́ть пар *техн.* to condense steam; ⌣жда́ть чей-либо пыл to throw cold water upon some body's plans; ⌣ди́ться, ⌣жда́ться to grow (get, become) cool (cold); ⌣жде́ние coolness; между ними наступило ⌣жде́ние a coolness sprang up between them; поверхность ⌣жде́ния cooling surface; ⌣ждённый cooled; ⌣жде́нный пар condensed steam.

охлокра‖ти́ческий *ист.* ochlocratic; '⌣тия ochlocracy, mob-rule.

охлóпок tuft of tow.

охмелé‖вший tipsy, intoxicated; ~ние drunkenness, a state of intoxication; ~ть to become intoxicated.

óхнуть *см.* охать.

охолостúть to castrate.

охорáшивать(ся) *см.* прихорашивать(ся).

охóт‖а hunt(ing) (*преим. парфорсная*); shooting (*на птиц, зайцев*); fowling (*на птиц*); gunning (*с ружьём*); pigsticking (*на дикого кабана*); cubbing (*на молодых зверей*); fox-hunt(ing) (*на лисицу*); desire, inclination (*склонность к ч.-л.*); время, когда о. воспрещена close season; заниматься запрещённой ~ой to poach; законы ~ы game-laws; право ~ы shooting; ~иться to hunt; to shoot (*с ружьём*); to chase (*гнаться*); to course (*с борзыми, гончими*); to fowl (*на дичь*); to hawk (*с соколом*); ~ник sportsman, hunter, gunner, fowler; volunteer (*вызывающийся ч.-л. сделать*); ~ник до ч.-л. lover of something; есть ли ~ники пойти? who will volunteer to go?; ~ничий por bugle; ~ничий домик hunting (shooting-)box; ~ничье ружьё fowling-piece; ~ничьи принадлежности hunting-tackle; ~ничьи собаки sporting dogs; ~ный ряд *уст.* poultry and game market; ~но willingly, readily, fain.

óхра ochre; ruddle, reddle.

охрáн‖а guard; escort, bodyguard (*личная*); о. труда safeguarding of labour; быть под ~ой to be in the keeping (in the custody) (*of*); ~éние guarding, keeping; ~úтельный preservative; ~úть *см.* охранять; ~ка *ист.* Secret Police Department in Tsarist Russia, Ochranka; ~ник *ист.* member of the Ochranka; ~ный *см.* охранительный; ~ная грамота protective charter.

охранять to guard, to keep (a good) watch, to watch and ward; to defend; to preserve (*леса, реки от браконьеров*); ~ся to be guarded, watched.

охрúп‖лость hoarseness; huskiness; ~лый hoarse, husky (*о голосе*); ~нуть to grow hoarse; ~нуть от крика to shout (cry) oneself hoarse; ~ший *см.* охриплый.

óхри‖стый ochrous; ~ть to paint (cover) with ochre.

охромéть to grow (fall) lame; to founder (*о лошади*).

óхряный ochrous.

охýлк‖а: он ~и на руку не положит *разг.* he is no fool.

оцарáпать to scratch; ~ся to scratch oneself.

оцéживать *см.* цедить.

оцелóт *зоол.* ocelot.

оцéн‖ивать, ~úть to appraise (*at*), value, estimate; to gauge (*человека*); to appreciate (*поступок и пр.*); я ~úл его доброту I appreciated his kindness; он не ~úт вашей доброты your kindness is lost upon him; ~ка appraisement, appraisal, estimation, rate; valuation (*имущества*); низкая ~ка, которую вы делаете the low rate at which you value it; ~очный appraisable; ~щик valuer.

оцепене‖вáть *см.* оцепенеть; '~вший, ~лый benumbed, torpid; '~ние numbness, stupor, torpor; приводить в ~ние to benumb; '~ть to grow numb, to sink into a torpor; ~ть от ужаса to grow numb with terror, to be horror-stricken.

оцеп‖úть, ~лять to surround, encompass.

оцéт vinegar.

оцинкóв‖анное желéзо galvanized iron; ~áть, ~ывать to zinc.

очáг hearth; о. заразы nidus; домашний о. hearth; home.

очáнка *бот.* euphrasy.

очаров‖áние charm, fascination, enchantment; ~áтельница enchantress; ~áтельность attractiveness, charm; ~áтельный charming, bewitching, fascinating; ~áтельно charmingly, fascinatingly; ~áть, '~ывать to charm; fascinate, enchant, captivate, bewitch; он был '~ан ею he was smitten with her charms; ~áться, '~ываться to be charmed, enchanted, fascinated.

очевúд‖ец (eye)witness; ~ность palpability, manifestness; ~ный evident, obvious, apparent, manifest, palpable; ~но evidently *и пр.*; было ~но it was clear (obvious, evident).

óчень very, most, greatly, exceedingly, much, highly, extremely; *разг.* precious, jolly, mighty; о. вам благодарен thank you ever so much; о. хорошо very well.

очеред‖нóй: о. вопрос the question next in turn; о. отпуск regular leave; ~ная глупость customary stupidity (foolishness); ~ная задача the problem next in turn.

óчеред‖ь line, queue; ваша о. it is your turn; становиться в о. to line up, queue on (up); я, в свою о. for my part; по ~и in turn.

о́черк essay, outline, sketch; ~и́ст sketcher; ~о́вый sketch-literature (attr.).

очерни́ть to slander.

очерстве́ть to harden.

очерта́ния contour(s), outline.

очерти́ть см. очерчивать.

очертя́: о. голову headlong.

оче́рч||ивать to trace, to draw a line round; тонко ~енные брови pencilled eyebrows.

очеса́ть to comb.

очёс||ки flocks (шерстяные); combings (волос); ~ывать to comb.

о́чи поэт. eyes.

очи́ни||вать, ' ~ть to sharpen (карандаш).

очи́ст||итель purifier; техн. cleanser; ~и́тельный purificatory; ' ~и́ть(ся) см. очищать(ся); ' ~ка clearance, cleansing, clearing, purifying.

очи́ток бот. orpin, stone-crop.

очищ||а́ть to clean, cleanse, purify, refine, clarify; хим. to rectify; to clear (почтовый ящик); to defecate (от нечистот); о. кишечник to open bowels; о. ряды партии от примазавшихся to rid the party of hangers on; о. яблоко (грушу) to peel an apple (a pear); ~а́ться to clean, to be cleaned, purified, purged; ~аться от подозрения to purge oneself of suspicion; ~аться от льда to be (become) free of ice; ~е́ние cleansing, purification; хим. rectification; lustration (обрядовое); месячное ~ение menses, menstruation; ' ~енный purified, clarified; хим. rectified.

очки́ spectacles, eye glasses; разг. specs; goggles (автомобильные); втирать ~ to throw dust in people's eyes, to eyewash, to try to deceive one; он надел о. he fixed his glasses.

очк||о́ point; он насчитал 23 ~а́ he scored 23 points; дать несколько ~о́в вперёд to give points (to).

очкова́ть см. прививать.

очко́вая змея́ cobra.

очковтира́тель one who throws dust in a person's eyes, a deceiver; eyewasher; ~ство throwing dust in one's eyes, eyewash, window dressing.

очн||а́я ста́вка confrontation; дать ~у́ю ста́вку to bring face to face.

очну́ться to recover, to come to, to regain consciousness.

очуме́ть to go clean off one's head.

очути́ться to find oneself (in, on).

очу́хаться вульг. см. очнуться.

ошале́ть to go crazy.

ошара́шить to dumbfound.

ошварто||ва́ть, ' ~вывать мор. to wharf, moor.

оше́йник dog's collar.

ошелом||и́ть см. ошеломлять; ~ле́ние stupefaction; ~лённый stunned, stupefied; ~ля́ть to stupefy, stun; ~ля́ющий stunning, amazing; dizzy (о высоте, успехе).

ошелуди́веть to grow scabby (mangy).

ошельмова́ть to decry, disparage, to cry down.

ошиб||а́ться, ~и́ться to make a mistake; to miscount (при счёте); to err, blunder (заблуждаться); вы ~аетесь you are wrong; если вы так думаете, то вы очень ~аетесь you are greatly (much) mistaken if you think so; ' ~ка mistake, blunder, lapse, error, oversight; fault (при игре в теннис, футбол); miscount (при подсчёте, особ. голосов); clerical error (переписчика); glaring blunder (грубая); он говорит по-английски с ' ~ками he speaks poor English; по ' ~ке by mistake; он часто делает грамматические ' ~ки he often slips in his grammar; сделать ' ~ку to commit an error; ' ~очность fallibility; ' ~очный erroneous, mistaken, faulty, wrong; ' ~очное мнение mistaken opinion; ~очное утверждение erroneous statement; ' ~очно by mistake, erroneously; ~очно понять to misunderstand (misapprehend).

ошикать to hiss off the stage (актёра).

ошку́ривать (дерево) to bark.

ошмётки разг. scraps and bones.

ошпа́ри||вание scalding; ~(ва)ть to scald; ~(ва)ться to scald oneself.

оштрафов||а́ть, ' ~ывать to fine.

оштукату́рить см. штукатурить.

ощени́ться to pup, whelp.

ощети́ни||(ва)ться to bristle up.

ощип||а́ть, ' ~ывать to pluck (птицу).

ощу́п||(ыв)ать to feel, touch, grope.

о́щупью groping; искать о. to grabble, fumble; итти о. to grope one's way; на о́щупь to the touch.

ощу||пи́тельность palpability, perceptibility; ~пи́тельный palpable, tangible, perceptible; ~пи́-

тельно palpably, tangibly, perceptibly; ⌐тить, ⌐щать to feel, perceive; ⌐щаться to be felt (perceived); ⌐щéние sensation; feeling.

оягниться to lamb, yean.

П па pas, step (*в танцах*).
пáва pea-hen; *см.* павлин; *фиг.* Juno (*о женщине*).

Пáвел Paul.

павиáн baboon; *фиг.* excessively sensual person.

павúдло fruit boiled to pulp with or without sugar; jam, marmalade.

павильóн pavilion.

павлúн peacock; peafowl (*тж.* пава); молодой п. pea-chick (*тж.* молодая пава); цвет ⌐ьего оперения peacock blue.

пáводок inundation.

пагинáция *тип.* pagination.

пáгода pagoda.

пáголенок (*чулка*) calf.

пáгуб‖а ruin, destruction, bane; ⌐ный baleful, baneful, pernicious, noxious, prejudicial; ⌐но balefully, banefully *и пр.*

пáдал‖ица windfall; ⌐ь carrion, offal; животное, питающееся ⌐ью scavenger.

пáда‖ть *см.* пасть II; to fall, drop, tumble (down); to sink (*о барометре, ветре, ценах и пр.*); to slump (*внезапно: о спросе, ценах*); to fall out (*о волосах*); to fall to (*о жребии*); to drop (*о температуре*); to give way, lower, recede (*о ценах*); п. духом to lose courage; п. на колени to drop on one's knees; п. на к.-л. (на ч.-л.) to fall on (*о расходе, об ударении*); п. от усталости to be ready (fit) to drop; на кого ⌐ет налог? what is the incidence of the tax?; скот ⌐ет cattle are dying; ⌐ющий falling; incident (*о лучах и пр.*); ⌐ющая звезда shooting star.

пáдуга *театр.* border; teaser, first border (*первая*).

падёж cattle-plague, murrain.

падéж *гр.* case; ⌐ное окончание case inflexion.

падéние (down)fall; *разг.* tumble; run (*быстрое*); throw (*в борьбе*); lapse (*воды*); subsidence (*воды до прежнего уровня*); incidence (*линии, луча и пр. на плоскость*); crash (*стремительное, об аэроплане, лётчике и пр.*); slump (*спроса, цен*); *разг.* spill (*с лошади, из экипажа*); mucker (*тяжёлое*) (*sl.*); п. акций fall of securities (shares); п. правительства fall of a government; п. температуры fall of temperature; п. царского режима

downfall of the tsarist regime; п. цен a dip in (fall of) prices.

падишáх padishah.

пáд‖кий inclined; having a mental tendency (bent); having a weakness (*for, to*); ⌐ок на деньги avid of (for) money; ⌐ок на женщин amorous; ⌐ок на лесть susceptible to flattery.

пáдуб *бот.* holly, ilex.

падýч‖ая falling-sickness; *мед.* epilepsy; страдающий ⌐ей (болезнью) epileptic.

пáдчерица step-daughter.

пáдший fallen.

паевóй: п. взнос share.

паёк allowance, ration; хлебный п. bread ration; назначать (выдавать) п. to ration; посадить на п. to put on ration.

паенакоплéние share-accumulation.

паж page.

пáжить pasture.

паз *техн.* groove, mortise; ⌐úть to mortise, to join by tenon and mortise.

пáзух‖а bosom; *бот.* axil, axilla; лобная п. *анат.* frontal air-sinus; держать камень за ⌐ой *фиг.* to foster revenge in one's bosom; жить как у Христа за ⌐ой *посл.* *уст.* to live in clover.

па‖й I. share, interest; скупать ⌐й to buy in; т-во на ⌐ях limited partnership.

пай II. *дет.* good child.

пáйка (*паяние*) solder(ing).

пáйщи‖к, ⌐ца shareholder.

пакгáуз *тамож.* bonded warehouse; stores; складывать товары в п. to bond.

пакéт parcel, packet.

пакетбóт *мор.* packet-boat, mailboat.

пáкля tow, oakum.

паковáть to pack.

пáкост‖ить 1. to mar, spoil; soil, dirt(y); 2. to make mischief; to do harm; ⌐ник mischief-maker, filthy (nasty) person; ⌐ничать *см.* пакостить 2; ⌐ный filthy, nasty, obscene; ⌐но filthily *и пр.*; ⌐ь filth(iness); harm, mischief; *разг.* nasty (filthy) trick.

пакт pact; п. Келлога the Kellogg Pact; п. о ненападении Non-aggression Pact.

пал *мор.* pawl.

паладúн *ист.* paladin.

паланкúн palanquin.

палáта chamber; ward (*больничная*); п. мер и весов Board of Weights and Measures; п. лордов (общин) House of Lords (Commons); верхняя (нижняя) п. Upper (Lower) Chamber; торговая п. Chamber of Commerce; у него ума п. he is very clever.

палатал‖иза́ция *фон.* palatalization; '∽ьный palatal (*звук*).

палати́н 1. *ист.* palatine; 2. stole, (fur) tippet, palatine.

пала́тка tent; pavilion, marquee (*большая*); stall (*ларёк*); fruit-stand (*фруктовый ларёк*).

пала́ч executioner, hangman, headsman; butcher, Jack Ketch (*фиг.*).

пала́ш *военн.* broadsword; claymore (*у шотландских горцев*).

па́левый pale-yellow, straw-coloured.

палёный singed.

палео́‖граф pal(a)eographer; ∽графи́ческий pal(a)eographic; ∽гра́фия pal(a)eography; ∽зо́йский pal(a)eozoic; ∽зо́йская эра *геол.* pal(a)eozoic era; ∽лити́ческий pal(a)eolitic; ∽нто́лог pal(a)eontologist; ∽нтоло́гия pal(a)eontology.

пале́стра pal(a)estra.

па́л‖ец finger (*руки, перчатки*); toe (*ноги*); finger-stall (*предохранительный, резиновый и пр.*); *зоол.* digit; *п.* кривошипа *техн.* crank-pin; безымянный п. fourth finger, ring-finger (*на левой руке*); большой п. thumb (*руки*); big (great) toe (*ноги*); указательный п. forefinger, index; п. о п. не ударить not to stir a finger; ему п. в рот не клади be careful with him; don't make him angry; don't let yourself be trapped by him; he is not to be trusted; обвести (обкрутить) к.-л. вокруг ∽ьца to turn (twist) a person round one's finger; отпечаток ∽ьца finger print; можно по ∽ьцам пересчитать can be counted on one hand; он не пошевельнул ∽ьцем, чтобы ч.-л. для этого сделать he didn't raise a finger on behalf of that; попасть ∽ьцем в небо *погов.* ≅ to find a mare's nest.

палимпсе́ст palimpsest.

палин‖ге́незис *биол.* palingenesis; ∽дро́м palindrome (*слово, читающееся одинаково в двух направлениях*).

палиса́д palisade; paling; обносить ∽ом to palisade; ∽ник small front garden.

палиса́ндров‖ый: ∽ое дерево rose-wood.

пали́тра palette.

пал‖и́ть 1. to burn, scorch; to

singe (*свинину, птицу*); 2. to fire (*об огнестр. оружии*); ∽й! fire!

па́лица club, mace, cudgel.

па́лк‖а stick, cane, staff; bandy (*для хоккея*); вставлять ∽и в колёса to put a spoke in one's wheel; бить ∽ой to cane; он это любит как собака ∽у he is used to it like an eel to skinning.

палла́дий *хим.* palladium.

палла́диум *миф.* palladium (*pl.* -ia) (*тж. фиг.*).

паллиати́в, ∽ный palliative; ∽ное облегчение palliation; тот, кто пользуется ∽ными средствами palliator.

пало́мни‖к pilgrim; ∽чество pilgrimage.

пало́ч‖ка stick (*шоколада, сургуча*); wand (*волшебная*); baton, wand (*дирижёрская*); tubercle-bacillus (*туберкулёзная*); п.-выручалочка hy-spy (*игра*); ∽ные удары bastinado.

па́лтус halibut (*рыба из сем. камбаловых*).

па́луб‖а deck; upper deck (*верхняя*); main deck (*главная*); forecastle deck (*на носу корабля*); aft deck (*кормовая*); orlop (*нижняя*); poop (*самая верхняя*); flush deck (*сплошная, не прерываемая надстройками*); middle deck (*средняя*); awning deck (*тентовая*); настилать ∽у to deck; ∽ное кресло deck-chair; ∽ное судно decker.

па́лый 1. dead (*о скоте*); 2. fingered (*в составных словах, напр.:* шестипалый six fingered).

пальба́ firing; gunnery, cannonade (*пушечная*).

па́льм‖а palm (tree); palmetto (*pl.* -os) (*карликовая*); coco (*pl.* -os) (*кокосовая*); ivory palm (*южноамер. слоновая*); засаженный ∽ами palmy; заслуживший ∽у первенства palmary; получать (уступать) ∽у первенства to bear (yield) the palm; ∽овый palmaceous; ∽овое дерево (*в торговле*) box-wood; ∽овое масло palm-oil.

па́льник *арт.* linstock.

пальто́ (over)coat.

пальце‖обра́зный digitate; ∽ходя́щие животные *зоол.* digitigrade animals.

пали́щий burning, scorching (*зной*).

па́мпасы pampas (*pl.*).

пампу́шки *укр.* puff (pastry).

памфле́т pamphlet; lampoon (*злостный*); писать ∽ы to pamphleteer; ∽и́ст pamphleteer, lampoonist.

па́мят‖ка: п. отпускнику a hand-book for one on leave; ∽ливый having a retentive memory; ∽ник monument, memorial; tombstone (надгробный); cenotaph (в виде гробницы); ∽ный memorable, not to be forgotten; ∽ная записка memorandum (pl. -da); ∽ная книжка note-book; ∽ное событие a memorable (notable) event; это мне ∽но I shall never forget it; ∽овать to remember.

па́мят‖ь memory; recollection (воспоминание); п. мне изменяет my memory is at fault; зрительная п. sight memory; плохая п. poor (short) memory; слуховая п. ear memory; хорошая п. good (tenacious, retentive) memory; в п. in commemoration of, in memoriam; заучивать на п. to learn by heart; медаль в п. чего-либо commemoration medal; подарок на п. keepsake; ∽и Коммуны in memory of the Commune; любить без ∽и to love to distraction; на чьей-л. ∽и within one's recollection.

пан польск. gentleman, sir; либо п. либо пропал погл. it is either sink or swim (neck or nothing); ∽ы Polish nobles.

пана́ма Panama (hat); Panama Canal Scandal; фиг. fraud.

панамериканизм пол. Pan-Americanism.

Пана́мский Panama; П. канал Panama Canal; П. перешеек Isthmus of Panama.

панац(ея panacea, heal-all; a universal remedy; a remedy for all ills.

панге́незис pangenesis.

пангерман‖изм Pan-Germanism; '∽ский Pan-German.

панде́кты ист. Pandects (the Digest) (сборник римских законов, изд. императором Юстинианом).

пандеми́ческий pandemic.

Пандо́р‖а миф. Pandora; ящик ∽ы Pandora's box.

Пан-Евро́п‖а Pan-Europe; ∽е́йский план The Pan-Europe Scheme.

панеги́ри‖к panegyric, eulogy, laudation, encomium; '∽ст panegyrist, eulogist, encomiast; '∽ческий panegyrical, eulogistic, encomiastic(al); '∽чески panegyrically и пр.

пане́ль pavement, footway (тротуар); panel, wainscot (обшивка), арх. dado (pl. -s); ∽ная обшивка panelling, wainscot(t)ing; обши-вать ∽ю to panel.

панибра́т: быть за ∽а to be hail-fellow-well-met (with).

панибра́тство familiarity, unceremoniousness.

па́ник‖а panic, scare; fear, terror, fright, funk (испуг); быть в полной ∽е to be panic-stricken.

паникади́ло церк. chandelier, lustre.

паникёр panic-monger, alarmist, scaremonger; ∽ство alarmism.

панихи́да office for the dead, requiem, dirge; гражданская п. commemoration service.

пани́ческий panic(ky), funky.

панкреати́ческ‖ий анат. pancreatic; ∽ая железа pancreas (поджелудочная).

пано́птикум show, travelling exhibition; владелец ∽а showman.

панора́м‖а panorama; ∽ный panoramic.

пансио́н boarding-school (школа); boarding-house (гостиница); board and lodging (стол и помещение); ∽ер boarder (в школе, гостинице); (paying) guest.

панслави́‖зм Panslavism; ∽стский Panslavic.

Пантало́не Pantaloon (тип из народн. итальянской комедии).

пантало́ны trousers (штаны); pants (амер.: штаны; англ.: мужские кальсоны); drawers (кальсоны); pantalet(te)s (детские, дамские).

пантали́к: разг. сбиться с ∽у to be at a loss what to do; to be at one's wit's end.

пантей‖изм pantheism; ∽ст pantheist; ∽стический pantheistic(al).

Панте́он Pantheon.

панте́ра зоол. panther; pantheress (самка).

панто́граф pantograph; ∽и́ческий pantographic; '∽ия pantography.

пантоми́м‖а pantomime, dumb show; ∽ист pantomimist; ∽ный pantomimic(al).

па́нцыр‖ный armour-clad, iron-clad; ∽ь coat of mail, armour.

панье́ pannier (часть юбки).

па́па 1. разг. papa; амер. poppa; дет. dad(dy), da(da); 2. pope (римский).

папа́ха Caucasian fur cap.

па́перть porch, perron, parvis.

папи́зм papistry; презр. popery.

папи́лл‖а анат. papilla; ∽о́ма мед. papilloma.

папильо́тка curling-paper.

Папи́нов котёл физ. Papin's digester.

папирос‖а cigarette; ∼ная бумага tissue-paper, rice-paper; ∼ник, ∼ница cigarette (tobacco) seller.

папи́рус papyrus (pl. -ri) (тж. манускрипт на папирусе).

папи́ст papist.

па́пк‖а portfolio, case for documents (для бумаг); file (газет, документов); cardboard, pasteboard (картон); переплетённый в ∼у in boards.

па́поротник бот. bracken, fern; tree fern (древовидный); oak fern (каменный); место для выращивания ∼а fernery.

па́поротниковый ferny (тж. поросший папоротником).

пап‖ский papistic(al), papal, pontifical, Romish; презр. popish; п. престол St. Peter's chair; ∼ская власть power of the keys, papal authority; ∼ская область Papal State; ∼ство papacy.

папуа́с(ский) Papuan.

па́пула мед. papule, papula.

папье-маше́ papier-maché.

пар I. steam; vapour, reek (видимые испарения); fume (гл. обр. ядовитые, наркотические и пр.); п. идёт из котла the boiler is steaming; мятый п. exhaust steam; насыщенный п. saturated steam; отработанный п. waste (exhaust) steam; перегретый п. superheated steam; свежий п. live steam; очищать ∼ами to fumigate; на всех ∼ах at full steam; выпустить (развести) ∼ы to let off (get up) steam.

пар II. агр. fallow; оставлять (находиться) под ∼ом to (lie) fallow.

па́р‖а I. pair; couple (супружеская, в танцах и пр.); brace (животных); п. брюк (весел, глаз, ножниц, лошадей) pair of trousers (sculls, eyes, scissors, horses); п. платья suit (костюм); п. сил мех. couple; соединять(ся), подбирать по ∼ам to pair; уходить, разделяться по ∼ам to pair off; под ∼у a match; без ∼ы unpaired.

па́ра II. para (турецкая монета).

пара́бол‖а геом. parabola; ∼и́ческий parabolic(al).

пара́граф paragraph, section; состоящий из ∼ов paragraphic; разбивать на ∼ы to paragraph; ссылки сделаны на ∼ы, а не на страницы references are to sections, not pages.

пара́д (dress) parade (тж. военн.); gala, show; плац для ∼а parade-ground; устраивать п., уча-

ствовать в ∼е to parade; в полном ∼е in full dress.

паради́гма гр. paradigm.

пара́дн‖ый: п. спектакль gala night; п. ход main entrance; ∼ая (дверь) front door; ∼ая форма full dress; ∼ое платье gala dress; best (Sunday) dress.

парадо́кс paradox; ∼а́льность paradoxicalness; ∼а́льный paradoxical.

парази́т parasite; sponger (о человеке); guest (животный, растительный); epiphyte (растительный); ∼ы соб. vermin; средство для уничтожения ∼ов parasiticide; ∼изм parasitism; ∼и́ческий, ∼ный parasitic.

парализо́в‖анный paralytic, palsied; lame (о ноге); game (sl., о руке, ноге); ∼а́ть to paralyse, palsy; фиг. to impale, transfix; to petrify (ужасом).

парали́‖тик paralytic; ∼ч paralysis, palsy; apoplexy, stroke (удар); дрожательный ∼ч shaking palsy; прогрессивный ∼ч creeping paralysis; paralytic dementia; поражать ∼чом to paralyse; ∼чный paralytic.

паралла́к‖с астр. parallax; ∼ти́ческий parallactic.

параллел‖епи́пед геом. parallelepiped; ∼и́зм parallelism; parity; ∼огра́м геом. parallelogram; '∼ь parallel; проводить ∼ь (между чем-л.) to (draw a) parallel (between, with); '∼ьность см. параллелизм; '∼ьный parallel, collateral; '∼ьная линия parallel; '∼ные брусья parallel bars; '∼ьно in parallels, parallel with; collaterally.

парамагн‖ети́зм paramagnetism; ∼и́тное тело paramagnetic.

пара́метр мат. parameter.

парано‖ик мед. paranoiac; ∼ия paranoia.

парапе́т parapet.

парати́ф мед. paratyphoid fever.

парафи́н, ∼овое масло paraffin; ∼овая свеча paraffin candle.

парафи́ровать: п. договор to initial a treaty (agreement).

парафра́з лит. paraphrase; ∼и́рованный paraphrastic; ∼и́ровать to paraphrase.

пара́ша close-stool in prisons.

парашю́т parachute.

парвеню́ parvenu, upstart.

пархе́лий астр. parhelion (pl. -ia).

пардо́н (I) beg (your) pardon; просить ∼у разг. to ask for mercy.

паре́з *мед.* paresis.

паре́ние flight, soaring; gliding (*планирование*).

па́рен‖ие steaming, stewing; ~ый stewed; деше́вле ~ой ре́пы dirt cheap.

па́рень fellow, lad (*молодой*); swain (*деревенский*); весёлый п. jolly old blade (*sl.*); руба́ха-п. hail-fellow-well-met; blade.

пари́ bet; держа́ть (итти́ на) п. to bet, to lay a bet; держа́ть п. за к.-л. to back.

Пари́ж Paris; п~а́нин, п~ский Parisian.

пари́к (peri)wig, peruke; нося́щий п. (peri)wigged; ~ма́хер hairdresser, barber; ~ма́херская hair-dressing saloon; barber's shop (*амер.*); в ~ма́херской at the hair-dresser's.

пари́ль‖ня sweating-room (*в бане*); ~щик sweating-room attendant.

пари́рова‖ние parry; *фиг.* repartee; ~ть to parry, foil, riposte; ~ть вы́пад вопро́сом to fence with question.

парите́т parity; ~ные коми́ссии parity committees; на ~ных нача́лах с кем-либо on a par with one.

пари́ть to soar, hover, tower; to glide (*планировать*).

па́рить to steam, stew; ~ться to stew; ~т (*о погоде*) the weather is sultry.

па́рия pariah, outcast.

парк park (*тж. военн. артиллерийский, для автомобилей, аэропланов и пр.*); pleasure-ground (*сад отдыха*); разбива́ть п. to park, to lay out a park; П. культу́ры и отдыха Park of Culture and Rest.

па́рка *миф. см.* парки.

парке́т parquet(ing), parquetry; parquet flooring; настила́ть ~ом to parquet; ~ный parqueted; ~чик inlayer.

па́рки *миф.* the weird (fatal) sisters, the Fates.

парла́мент parliament; Dail Eireann (*в Ирландии*); a new parliament (*только-что избранный*); скамья́ беспарти́йных в ~е cross bench; ~ари́зм parliamentarism; ~а́рий parliamentarian; ~а́рный parliamentary; ~ёр bearer of a flag of truce; ~ская кры́са *фиг. разг.* old parliamentary hand; избира́тельная ~ская процеду́ра hustings; проти́вный ~ским обы́чаям unparliamentary.

пармеза́н Parmesan (cheese).

Парна́с Parnassus; п~ец Parnassian (*представитель франц. поэт. школы 19 в.*); п~ский Parnassian.

парна́я sweating-room (*в бане*).

парни́к hotbed, seed-bed; glass; в ~е́ under glass; ~о́вые расте́ния hotbed (hothouse) plants.

парни́шка *разг.* lad, boy.

парно́‖й: ~е молоко́ new milk; ~е мя́со fresh meat.

па́рн‖ый I. twin, pair (*attr.*); *бот.* twin; conjugate (*о листьях*); где п. носо́к? where is the pair to this sock?; ~ая коля́ска carriage and pair; ~ая ло́шадь pair-horse.

па́рный II. fumy (*насыщенный испарениями*).

па́ро- *в сложн.* steam-.

парови́к *техн.* boiler (*котёл*); *разг.* steam-engine.

парово́з locomotive, (steam-)engine; ~ная брига́да locomotive brigade; ~остро́ение locomotive building.

парово́‖й steam (*attr.*); п. като́к steam-roller; п. котёл steam-boiler; п. кран steam-crane; п. мо́лот steam-hammer; п. плуг steam-plough; п. пресс steam-press; ~а́я ба́ня steam-bath; ~ая зе́лень steamed vegetables; ~ая ка́мера steam-chamber; ~ая маши́на steam-engine; ~ая руба́шка steam-jacket; ~ая турби́на steam-turbine; ~ое по́ле fallow.

паро‖выпускно́й кана́л exhaust passage (*pipe*); ~генера́тор steam-generator; ~гидравли́ческий steam-hydraulic.

пароди́‖рование parodying; ~ровать to parody, travesty, burlesque; ~ст parodist.

паро́дия parody, travesty, burlesque.

парокси́зм paroxysm, fit; име́ющий хара́ктер ~а paroxysmal.

паро́ль *военн.* parole, password.

паро́м ferry (-boat); *ж.-д.* ferry bridge; переправля́ть(ся) на ~е to ferry; ~щик ferry-man.

парообра́з‖ный vaporous; ~ова́ние vaporization (*обращение в пар*); evaporation (*выделение паров*).

паро‖отво́дный *техн.*: ~отво́дная труба́ exhaust pipe; ~перегрева́тель superheater; ~приводна́я тру́бка steam-supply pipe; ~распредели́тельная коро́бка steam-distribution chest; ~силова́я устано́вка steam-power plant.

паро́сский Parian; п. мра́мор Parian marble.

парохо́д steamer, steamboat, steamship; tug (*буксирный*); passenger-ship (*пассажирский*); packet(-boat), mail-boat (*почтовый*); liner (*океанский быстроходный, определенной линии*); Atlantic liner (*трансатлантический*); ⌐ный: ⌐ное общество, ⌐ство steam-navigation; steamship (*или* shipping) company (*общество*).

па́рочка couple.

парс Parsee (*последователь учения Зороастра*).

парт- *сокр.* партийный.

па́рта *шк.* desk.

парт‖акти́в most active members of the Party; ⌐биле́т party-card, party-ticket.

парте́р *театр.* parterre; *амер.* parquet; stalls (*первые ряды партера в Англии*); pit (*последние ряды партера в Англии; тж. публика этих рядов*); кресло в ⌐е stall.

партие́ц party-man, party-member.

партиза́н partisan; ⌐ская война guerrilla war; ⌐ство, ⌐щина partisanship.

партий‖ка party-woman; ⌐ность party membership; partyism.

парти́йн‖ый 1. *s.* Party-man, Party-member; 2. *a.:* п. работник Party worker; п. съезд Party Congress; ⌐ая дисциплина Party discipline; ⌐ая конфере́нция Party conference; ⌐ая яче́йка Party nucleus; ⌐ое строительство Party organization and administration.

партикуля́рн‖ый private; civil (*штатский*); ⌐ое платье civilian clothes; civies (*военн. sl.*).

партиту́ра *муз.* score.

па́рти‖я *пол.* party; faction (*оппозиционная*); *комм.* parcel; *муз.* part; crowd (*народа, людей*); game, set (*в к.-л. игре*); п., находящаяся у власти party in power; изыскательная п. surveying party; приверженец ⌐и partisan; член ⌐и party-member; товар был выброшен на рынок большими ⌐ями the goods have been thrown on the market in large batches.

парт‖колле́гия College of Party members; ⌐ко́м Party committee; ⌐конфере́нция Party conference; ⌐нагру́зка Party work.

партнёр partner (*в танцах, спорте и пр.*); playmate (*в играх*).

парт‖просло́йка Party stratum; ⌐собра́ние Party-meeting; ⌐ста́ж Party record; ⌐съезд Party congress; ⌐учёба Party training (instruction); ⌐шко́ла Party-school; ⌐яче́йка Party nucleus.

па́рус sail; fan (*у крыла ветряной мельницы*); обводить п. *мор.* to jib; поднять ⌐á to make sail; итти под ⌐а́ми to sail; под ⌐ами under canvas (sail); с поднятыми ⌐ами with sails spread; на всех ⌐а́х under full sail; без ⌐ов under bare poles; управлять ⌐ом to fist.

паруси́н‖а canvas; tarpaulin (*просмолённая*); ⌐овые туфли canvas shoes.

па́русн‖ик sailer, sailing-ship; wind-jammer (*торговый*) (*sl.*); sail-maker (*мастер*); ⌐ые суда sail.

парфо́рсн‖ый: ⌐ая охота hunting.

парфюме́р‖ия, ⌐ный магазин perfumery.

парцелл‖и́ровать to parcel; ⌐я́ция parcelling.

парч‖а́ brocade; ⌐ёвый brocaded.

парш‖а́ mange, scab, tetter; ⌐и́веть to grow (become) scabby; ⌐и́вец *разг.* rogue; ⌐и́вый mangy; scabby; *фиг., разг.* nasty.

пас *карт.* pass.

па́сека apiary, bee-garden.

пасе́ние tending; *см.* пасти.

па́сечник bee keeper.

па́сквил‖ь libel, lampoon (*злобный, личного характера*); pasquinade (*личный, политический, вывешенный в публичном месте*); squib (*короткий устный или письменный*); выпускать п., ⌐ьничать to libel; ⌐ьный libellous; ⌐я́нт libeller, lampoonist.

паску́д‖а *вульг.* hussy (huzzy); ⌐ный odious, filthy, foul, vile.

паслён *бот.* nightshade, morel; сладко-горький п. woody nightshade.

па́смо *текст.* lea.

па́смурн‖ость gloominess; cloudiness (*неба, погоды и пр.*); sullenness (*характера*); ⌐ый gloomy, sullen; dismal; dull, cloudy (*о погоде*); ⌐о gloomily *и пр.*

пасова́ть *карт.* to pass.

па́сочница a mould for Easter curd cake.

паспарту́ passe-partout, mount for photograph.

па́спорт passport (*тж. фиг.*); ⌐иза́ция passport system.

пасс pass (*при гипнотизации*).

пасса́ж passage (*тж. муз. и фиг.*).

пассажи́р passenger; безбилетный п. stowaway, passenger without ticket; палубный п. deck-passenger; зал для ⌐ов waiting-room; ⌐ский passenger (*поезд, билет и пр.*); ⌐ский вагон passenger car (-riage); *амер.* coach; ⌐ское движение passenger service.

пассát trade-wind; встречный п. anti-trade-wind; ↷ные ветры Etesian winds.

пассúв *комм.* liabilities (*противоп.* assets).

пассúвн‖ость passiveness, passivity; ↷ый passive, inactive; ↷ое избирательное право eligibility.

пáссия *разг.*, *уст.* passion.

пáста paste; зубная п. tooth-paste.

пáстбищ‖е pasture; овечье п. sheep-run; право на ↷а *юр.* herbage.

пáстбищный pasturable.

пáства herd; flock; congregation (*прихожане*).

пастéль pastel, crayon; живопись ↷ю pastel; художник, рисующий ↷ю pastel(l)ist; ↷ный in crayons.

Пастéр Pasteure; метод ↷а Pasteur treatment; Pasteurism; п↷изáция Pasteurization(*молока и пр.*); п↷изóванное молоко Pasteurized milk; п↷изовáть to Pasteurize.

пастернáк *бот.* parsnip.

пастú to tend, to herd, to shepherd (*овец*); to summer (*скот летом*).

пастилá kind of sweetmeat made of fruit *or* berries.

пастúсь to graze, to be at grass.

пáстор pastor, minister, parson.

пасторáль pastoral; *муз.* pastorale; ↷ный pastoral, bucolic.

пáсторство pastorate.

пасту‖х herdsman; shepherd; *амер.* cowboy (*ковбой*); stock-rider (*в Австралии*); shepherd (*овец*); cowherd, neatherd, oxherd (*коров, быков*); swineherd (*свиней*); goatherd (*коз*); ↷шеский pastoral; ↷шка shepherdess; ↷шóк swain (*в буколич. поэзии*); water-rail (*водяная птица*).

пáстыр‖ский pastoral; ↷ство pastorate; ↷ь pastor, shepherd.

пасть I. mouth (of an animal).

па‖сть II. to fall (dead), die (*умереть*); to fall, sink (*потерять значение, силу*); п. в чьих-л. глазах to sink in someone's estimation; п. духом to be (grow) down-hearted; п. жертвой to fall a victim; крепость ↷ла the fortress fell; лошадь ↷ла the horse died (fell dead); правительство радикалов ↷ло the Radical Government has fallen.

пастьбá pasturage.

пáсха 1. Easter; Passover (*еврейская*); 2. Easter cake of curds, eggs etc.; '↷льный paschal, Easter; '↷льная неделя Easter week.

пáсынок step-son.

пасьóнс *карт.* patience; раскладывать п. to play patience.

пат I. *шахм.* stalemate; сделать п. to stalemate.

пат II. *кондит.*: апельсиновый п. orange paste.

патéнт patent (*на изобретение, торговлю*); licence (*на торговлю спиртными напитками*); royalty (*на разработку недр*); получать п. на изобретение to patent; владелец ↷а patentee; учреждение по выдаче ↷ов patent office; плата изобретателю за пользование ↷ом royalty; ↷ный, ↷óванный patent; ↷óванный приём nostrum (*особ. о полит. партии*); ↷óванное лекарство patent (proprietary) medicine, nostrum; у него ↷óванное средство против морской болезни he has a patent remedy for sea-sickness; he has a patent way to prevent sea-sickness.

патентовáть to patent.

пáтер father (*в сочетании с фамилией*).

патетúческий pathetic.

патúна *техн.* patina.

патогéн‖езис pathogeny, pathogenesis; ↷ный pathogenic.

пáтока treacle; syrop (*очищенная*); molasses (*чёрная*).

патóлог pathologist; ↷úческий pathologic(al); ↷úческое явление pathological (morbid) phenomenon (*или* fact); '↷ия pathology.

пáточный treacly.

патриáр‖х patriarch; ↷хáльный patriarchal; ↷хáт patriarchy (*форма древнего родового быта*); ↷шество patriarchate, patriarchship; ↷ший patriarchal.

патримон‖иáльный patrimonial (*родовой, наследственный*); '↷ий patrimony.

патриóт patriot; ↷úзм patriotism; localism (*местный*); ↷úческий, ↷úчный patriotic; ↷úчески, ↷úчно patriotically; ↷ка patriot.

пáтрица *техн.* punch.

патриц‖иáнка, ↷иáнский patrician; '↷иáт patriciate; '↷ий patrician.

патрóн I. pattern.

патрóн II. 1. *военн.* cartridge; заряженный п. live cartridge; ball cartridge; пустой п. used cartridge; холостой п. blank cartridge; 2. *эл.* lamp-holder, lamp-socket.

патрóн III. patron (*покровитель, глава*); ↷éсса patroness; ↷úровать to patronize, to protect.

патрóн‖ный: п. ящик cartridge

chest; ~тáш cartridge-belt; bandoleer (нагрудный).

пáтрубок *техн.* nipple; водоотводный п. discharge socket.

патрул‖и́ровать to patrol, to go the rounds (of a camp, town, garrison *etc.*); ' ~ь patrol.

патуá patois (*диалект*).

пáуз‖а pause, break, interval; *муз.* rest; делать ~у to pause.

паýк spider; money-spinner (*маленький*); ~ови́дный, ~образный spiderlike, arachnoid; ~образное насекомое arachnid.

паупериз‖áция pauperization; ' ~м pauperism.

паути́на (cob)web; spider's web (net); gossamer (*осенью, в воздухе*).

пáфос pathos.

пах *анат.* groin.

пáха‖рь ploughman, husbandman, farmer; ' ~ть to plough, till, furrow.

пáхва, пáхви *см.* подхвостник.

пахидéрма *зоол.* pachyderm.

пахнý‖ть to blow a whiff (in whiffs, a little blast); to puff; ~ло ветром there was a gust of wind.

пáхну‖ть to smell; to reek (*неприятно*); to have a nice smell (*приятно*); *фиг.* to savour (*of*); ~щий ч.-л. redolent (*of*) (*приятно*).

пáховый *анат.* inguinal.

пахотá tillage.

пáхот‖ь arable land, plough-land; ~ный arable.

пáхта‖нье buttermilk; ~ть to churn.

пахýч‖есть redolence, odorousness, fragrance; ~ий redolent, odoriferous.

пациéнт, ~ка patient.

пацифи‖зм pacifism; pacificism; ~кáция pacification; ~ст pacifi(ci)st; ~стский pacific(al); peacemaking; ~стски pacifically.

пацю́к *зоол.* grey (brown, Norway, wharf-)rat.

пáче *уст.*: п. чáяния contrary to expectations; тем п. the more so.

пачи́ниевы тельцá *анат.* pacinian corpuscles.

пáчка batch (*писем*); packet (*папирос*); parcel (*книг*); п. кредитных билетов wad of (bank-)notes.

пáчк‖ание soiling; daubing; ~ать to soil; to besmear (*ч.-л. жидким, липким*); to smirch, stain, spot (*запятнать*); to blot (*чернилами*); to contaminate (*воду, колодезь и пр.*); to (be)daub (*краской*); to (be)draggle (*волоча по земле*); to smut, grime (*сажей*); to thumb (*книгу, документ и пр. пальцами*); ~аться to soil oneself; ~отня́ mess; daub (*о плохо написанной картине*); scribbling (*о плохо написанном упражнении и пр.*); ~ýн sloven; dauber (*о плохом художнике*); ~ýнья slattern.

пачýли patchouli, patchouly.

пашá pasha; п. первого (второго, третьего) рáнга pasha of one (two, three) tail(s) (*по числу бунчуков*); ~лы́к pashalic.

пáшня plough-land; *редк.* tillage.

пáюсная икрá pressed caviar(e).

пáя‖льник soldering iron; ~льная трубка blowtorch; ~льщик tinman, tinsmith; whitesmith; ~ние soldering.

пая́снича‖нье buffooning; ~ть to play the buffoon.

пая́ть to solder.

пая́ц buffoon, Jack-Pudding.

пеáн 1. pean, pæan (*греч. торж. песня*); 2. *мед.* Pean's forceps, clamp forceps.

пев‖éц, ~и́ца singer; *поэт.* minstrel, bard (*баллад и пр.*); artiste, vocalist (*профессиональные*); ~и́чка music-hall singer; ~ýн songster; ~ýнья songstress; ~ýчесть melodiousness; ~ýчий melodious; ' ~ческое общество choral society; ' ~чий 1. chorister, choir-boy; lay clerk (*в соборе*); ' ~чая chantress; 2.: ~чая птица singing bird, songster.

пегáс *миф.* Pegasus, winged horse.

пéгий skew-bald; pie-bald (*вороно-пегий*); flea-bitten (*чубарый, крапчатый*); roan (*чалый*).

пед- *сокр.* педагоги́ческий.

педагóг teacher; *ирон.* pedagogue; ~и́ка pedagogy, pedagogics; ~и́ческий pedagogic(al); ~и́ческий институт Teachers' Training College, Training School.

педáль pedal; treadle (*велосипеда, станка*); swell-box (*органа*); брать (нажимáть) п., рабóтать ~ю to pedal.

педáнт pedant; martinet (*строгий, особ. военн.*); ~и́зм pedantry; hair-splitting (*в рассуждениях, доводах и пр.*); ~и́чность pedantry, punctiliousness; primness (*стародевическая*); ~и́чный pedantic, scholastic, punctilious; finicking (*в мелочах*); ~и́чно pedantically, punctiliously.

педвýз *см.* педагоги́ческий институт.

пéдель bedel; beadle (*университетский*).

педера́ст p(a)ederast; ⹃ия p(a)ederasty.

педиа́тр p(a)ediatrist; ⹃и́ческий p(a)ediatric; ⹃ия p(a)ediatrics.

педикю́р chiropody; ⹃ша chiropodist.

педку́рсы pedagogic classes.

педо́лог pedologist; ⹃и́ческий pedologic(al); ' ⹃ия pedology.

педоме́тр pedometer.

педте́хникум pedagogic secondary school.

педфа́к faculty of pedagogics; ⹃овец student of the faculty of pedagogics.

пейза́ж landscape, scenery; ⹃и́ст landscape painter; ⹃ная жи́вопись landscape painting.

пе́йсы love-locks.

пека́рня bake-house.

пе́карь baker.

Пе́кин Peking.

пеклева́н‖ка, ⹃ная мука́ rye flour of the best quality; ⹃ник brown bread.

пе́кло scorching heat; *фиг.* hell.

пелаги́ческий pelagic (*морско́й*).

пелазги́ческий *ист.* Pelasgian.

пеларго́ния *бот.* pelargonium.

пелена́ shroud; п. спала́ с глаз scales fell from the eyes; ⹃ть to swaddle.

пе́ленг *мор., ав.* bearing; ⹃ова́ть to set.

пелён‖ка napkin, diaper; ⹃ки swaddling clothes; с ⹃ок from the cradle.

пелери́н(к)а pelerine, cape.

пелика́н *зоол.* pelican.

пелла́гра *мед.* pellagra.

Пелопонне́с the Peloponnesus; ⹃ский, уроже́нец ⹃а Peloponnesian.

пельме́ни meat dumpling.

пе́мза‖ pumice(-stone); шлифова́ть ⹃ой to polish with pumice, to pounce.

пе́н‖а foam, froth; spume (*накипь*); scum (*гря́зная*); (soap-)suds (*мы́льная*); lather (*для бритья́; на лоша́ди*); froth (*пивна́я и пр.*); head (*ша́пкой, на пове́рхности жи́дкости*); покры́тый ⹃ой foamy; lathered (*о лоша́ди*); говори́ть ч.-л. с ⹃ой у рта to foam at the mouth; снима́ть ⹃у to scum.

пена́л pencil-case.

пена́т‖ы *рим. миф.* Penates; лары и п. household gods; возврати́ться к свои́м ⹃ам to return home; to return to hearth and home.

Пенджа́б the Punjab.

Пе́нза Pensa.

пе́ни‖е singing; anthem (*анти́фонное*); threnody (*надгро́бное*);

crow (*петуха́*); note, pipe, roundelay (*птиц*); croon (*ти́хое, моното́нное*); chant (*церко́вное, моното́нное*); учи́тель ⹃я singing master.

пе́нистый foamy, frothy, spumy, scummy.

пенит‖а́рный penal; ⹃енциа́рный *юр.* penitentiary.

пе́нить to make foam; ⹃ся to foam, froth, spume; to mantle (*о вине́*).

пе́н‖ка 1. scum (*на варе́нье и пр.*); снима́ть ⹃ки to scum; to skim; 2. *см.* пено́чка; ⹃ко́вая тру́бка meerschaum (*из морско́й пе́нки*); ⹃коснима́тельство taking the profit of someone else's labour; taking chestnuts out of the fire with a catspaw.

пе́нни penny (*pl.* pence *в смы́сле де́нежн. су́ммы*, pennies *об отде́льных моне́тах*); купи́ть чего́-л. на п. to buy a pennyworth (*of*).

пе́нный *см.* пе́нистый.

пе́ночка *зоол.* chiff-chaff.

пенс *см.* пе́нни; два (три) ⹃a twopence (threepence); 2d. (3d.) (*усло́вное обозначе́ние от сло́ва* denarius.)

Пенсильва́ния Pennsylvania (*штат в США*).

пенси‖оне́р pensionary, pensioner; ⹃о́нный pensionary.

пе́нси‖я (old-age) pension; увольня́ть с ⹃ей to pension off; дава́ть (назнача́ть) ⹃ю to pension.

пенсне́ pince-nez, eye-glasses; nippers (*sl.*).

пе́нта ... *в сло́жн.* penta...

пента‖го́н, ⹃гона́льный pentagon(al); ⹃гра́мма pentagram; ' ⹃метр *прос.* pentameter; ⹃эдр pentahedron.

пе́нтюх *разг.* lubber, lout.

пень stump, stub; *фиг.* loggerhead; вали́ть че́рез п. коло́ду to do a thing anyhow (haphazardly).

пеньк‖а́ hemp; мани́льская п. Manilla (hemp); ста́рый кана́т, разо́дранный на ⹃у́ junk; ⹃о́вый hempen; ⹃опряде́ние hemp-spinning; ⹃опряди́льщик hemp-spinner.

пеньюа́р peignoir, dressing jacket (wrapper).

пе́н‖я fine; брать (насчи́тывать) ⹃ю to fine.

пеня́ть to reproach; to expostulate (*осо́б. дру́жески*); мо́жешь п. на себя́ you alone are to blame; you have only yourself to thank for it.

пе́пел ash(es); cinders; обраща́ть в п. to incinerate; ⹃и́стый ashen;

~ище hearth and home; ~ьница ash-tray, ash-dish; ~ьный ashy, cinereous; ~ьно-бледный ashy--pale; ~ьного цвета ash blonde (*о волосах*).

пепермéнт peppermint.

пепеэсовец *пол.* member of the Polish Socialist Party.

пепиньéрка *уст.* pupil-teacher.

пеп‖**сúн** *физл.* pepsin; ~**сúновый** peptic; ~**тóн** peptone; ~**тóновый** peptonic.

первáч first-class wheat **flour.**

первéйший first-rate.

пéрвенец first-born.

пéрвенство preeminence, priority, primacy, precedence; primogeniture (*рождения*); иметь право на п., ~**вáть** take precedence (*of*).

первúчн‖**ый** primary, initial; заживление (*раны*) ~**ым** натяжением healing by first intention; ~о primarily, initially.

перво‖**бы́тность** primitiveness, savagery; ~**бы́тный** primitive, savage (*примитивный*); primeval, original (*первоначальный*); ~**бы́т**ный родовой коммунизм primitive tribal communism; ~**бы́тная** родовая группа primitive family group.

первогóдник first year student.

первоздáнн‖**ый**: ~**ая** порода *геол.* primitive rock.

первоистóчник primary source, origin, fountain-head; из ~**а** from original sources.

первоклáссный first-class, first--rate; champion; *разг.* tophole; hot (*об исполнителе*).

первокýрсник first year student (man), freshman (*студент*).

первомáйск‖**ий** pertaining to the 1st of May; ~**ая** демонстрация the 1st of May demonstration.

перво-нáперво first of all.

первоначáльный elementary, primary (*элементарный*); original, initial (*о времени*).

первообраз prototype; ~**ный** prototypic.

первооснóва fundamental principle.

первоочерёдный first, most important, of primary importance.

первопечáтн‖**ик** the first printer; ~**ая** книга *библиогр.* incunabula.

первопричúна original (initial) cause.

первопýток first snow which makes sleighing possible.

перворóдный first-born; п. грех original sin.

перворóдство primogeniture.

первосвящéнник *ист.* pontiff, high-priest.

первосóртный of the best quality; first-rate.

первостатéйный first-class, first--rate.

первостепéнный paramount.

первоцвéт *бот.* primrose.

пéрв‖**ый** first; chief, main (*главный*); former (*из упомянутых выше*); п. снег first snow; п. час past twelve; в п. раз first; не я п., не я последний I am neither the first, nor the last; I sin in good company; на п. взгляд, с ~**ого** взгляда at first sight; спрошу ~**о**го встречного I will ask the next man I see; быть ~**ым** to be (the) first; to lead; to be top (*в классе*); ~**ым** делом first thing, first of all; воспользоваться ~**ым** случаем to take the first opportunity; ~**ая** помощь first aid; ~**ая** речь maiden speech (*нового члена в парламенте, академии и пр.*); ~**ое** замечание opening remark; ~**ое** число the first of the month; занять ~**ое** место to occupy (take) the first place; to take the premier place (*в состязании*); занимающий ~**ое** место (first and) foremost; в ~**ую** очередь (прежде всего) in the first place; ~**ые** плоды firstlings; во--~**ых** in the first place, first, to begin with; из ~**ых** рук first--hand.

пергá *пчеловод.* bee-bread.

пергáмент parchment (*тж. манускрипт на пергаменте*); ~**ный** свиток pell; ~**ная** бумага oil-paper.

пере... *в сложн. обыкн.* afresh, again, anew, once more; inter... (перевить to intertwine); out... (перещеголять to outdo); over... (переборщить в ч.-л. to overdo); re... (перекрасить to recolour); trans... (передача transmission).

перебаллотúров‖**ать** *см.* баллотировать; '~**ка** second ballot.

перебáрщивать *см.* пересаливать.

перебе‖**гáть**, ~**жáть** to cross, run across (*улицу, поле*); п. кому-л. дорогу *фиг.* to forestall one; to anticipate; ~**жка** run; going over to the enemy; '~**жчик** turncoat.

перебелúть to spoil in bleaching.

перебесúться *фиг.* to sow one's wild oats.

перебив‖**áть** *см.*: бить (*посуду, неприятеля, скот*), взбивать (*перину, подушку*), обивать (*мебель*); п. кого-л. to interrupt; to jump down someone's throat; to outbid (*цену*); ᴗа́ться to eke out (a livelihood); to struggle; to rough it (*в дороге*); ᴗаться с хлеба на квас to live from hand to mouth; 'ᴗка *см.* обивка.

перебира́ть to sort, sift, examine carefully; *тип.* to reset; to finger (*струны*); to overdraw (*деньги из банка*); п. прошлое to rip (open up) the past; п. чётки to tell one's beads; ᴗся to move (*на квартиру*); to cross (*через улицу, через реку*).

перебо́|ǀй intermission; jam (*в машине*); п. в снабжении a hitch in supply; п. гласных *лингв.* mutation, umlaut; без ᴗев without a hitch; пульс с ᴗями intermittent pulse.

переболе́ть to be taken ill one after another (*все по очереди*); to have gone through an illness (*перенести болезнь*); *фиг.* to suffer.

перебо́р surplus receipts.

перебо́рка 1. *тип.* resetting; 2. partition (*перегородка*); *мор.* bulkhead; 3. sorting, looking over.

переборо́ть to overcome (*чувство*); п. себя to force oneself (*to*).

переборщи́ть *см.* пересаливать.

перебра́н|ǀиваться, ᴗиться to quarrel.

перебра́нка quarrel, wrangle, altercation.

перебра́сыва|ǀние throwing over, swift transference (*товаров, войск*); bandying (*мячом, словами*); spreading (*болезни*); ᴗть 1. см. бросать; 2. to throw over; to transfer swiftly (*товары, войска*); to jib (*парус*); ᴗть на другую работу to transfer to other work; ᴗться to bandy (*мячом, словами*); to spread (*о болезни*); ᴗться несколькими словами to exchange a few words.

перебра́ть(ся) *см.* перебирать (-ся).

переброди́ть *см.* бродить.

перебро́|ǀсать *см.* перебрасывать 1; 'ᴗсить(ся) *см.* перебрасывать(ся) 2; 'ᴗска *см.* перебрасывание.

перебыва́|ǀть: он везде ᴗл he has travelled (been) all over the world; ᴗл у всех специалистов has seen every specialist; у меня ᴗли все родные all my relatives have been to see me.

перева́л pass (*в горах*); ᴗивать: ᴗивать через гору to top the hill; ᴗивать за полночь (полдень) to be past midnight (noon); ему ᴗило за сорок he is over (past) forty; ᴗиваться to waddle

(*ковылять*); to jib (*о парусе*); ᴗйть *см.* переваливать; ᴗка waddle.

перевали́ть(ся) *см.* валять(ся); п. в грязи to get covered with mud.

перева́р|ǀенный overdone (*разваренный*); digested (*усвоенный*); ᴗивание digestion; ᴗивать to boil to excess (*чрезмерно*); to digest (*усвоить*); он ᴗился в рабочем котле he has become an out and out worker; легко ᴗимый digestible; ᴗйть *см.* переваривать.

перевезти́ *см.* перевозить.

перевёрнутый upset, reverse; *разг.* upside-down; topsy-turvy (*часто фиг.*).

переверну́ть|ǀ(ся) *см.* перевёртывать(ся); заставить к.-л. ᴗся в гробу *фиг.* to make one turn in his grave.

пере|ǀверста́ть *тип.* to reimpose; ᴗвёрстка reimposition; ᴗвёрстывать to reimpose.

перевёртывать to reverse; to turn over (*страницы*); to turn upside-down (*вверх дном*); to distort, garble (*смысл*); ᴗся to upset; ᴗся в воздухе to turn a somersault.

переве́с overweight, overbalance; *фиг.* preponderance; п. в нашу пользу the odds are in our favour; п. голосов the majority of votes; п. социалистического элемента над капиталистическим preponderance of the socialistic over the capitalistic element; брать на п. to trail arms (*ружья*); иметь п. to overbalance; ᴗйть *см.* перевешивать.

перевести́ *см.* переводить; дать п. дух лошадям to wind the horses; ᴗсь *см.* переводиться.

переве́шать *см.* вешать.

переве́шива|ǀть 1. to weigh (over) again; to reweigh; 2. to outbalance, overbalance, outweigh; *фиг.* to preponderate (*over*), to weigh down; ᴗться to bend over, to stoop forward; ᴗющий preponderant; top-heavy (*головой, верхней частью*).

перевива́ть to entwine (*with, about*); to interweave, intertwine, intertwist.

перевира́ть to surpass in lying; to misinterpret, garble (*смысл*); to misquote (*цитату*).

перевис|ǀа́ть, 'ᴗнуть to overhang.

перевит|ǀо́й, 'ᴗый entwined, interwoven, intertwined, intertwisted; 'ᴗь *см.* перевивать.

перево́д transfer (*официального лица*); remove (*ученика в следую-*

щий *класс*); translation (*письменный и печатный с к.-л. языка*); version, interpretation (*устный с к.-л. языка*); *комм.* transfer(ence); п. времени (денег) waste of time (money); п. часов вперед (*для экономии света*) daylight saving; денежный п. money-order; почтовый п. postal order, remittance; получатель ~а remittee.

переводи́мый transferable.

перевод‖**и́ть** to transfer (*официальное лицо, товары, акции, ценности*); to move (*из одной комнаты в другую*); to translate (*письменно*); interpret (*речь, доклад, устно*); to remit (*деньги*); to exterminate, make away with (*уничтожать*); п. дух to take (fetch) one's breath; п. из строя в штаб *военн.* to second; п. на другой путь to shunt, switch (*поезд и пр.*); п. на хозрасчет to change to cost accounting; п. с английского на русский to translate (put, turn, render) from English into Russian; п. часовую стрелку вперед (назад) to put the clock on (back); **~и́ть**‖**ся** to exchange (*from... to; с одной службы на другую и пр.*); to die out, to become extinct (*вымирать*); у него деньги не **'~ятся** he is never without money; **~ный** роман с английского novel translated from English; **~ный** вексель *комм.* draft; **~на́я** бумага carbon paper; **~ная** картинка decalcomania; **~ная** надпись *комм.* indorsement; **'~чик** translator; interpreter (*устной речи, толмач*).

перево́з *см.* перевозка; ferriage (*через реку, канал и пр.*); ferryboat (*плот, паром и пр.*); **~и́ть** to convey, carry; to transport (*особ. в широком масштабе*); to remove (*мебель*); to boat (*в лодке*); to put across (*через реку в лодке и пр.*); **~и́мый** по воде waterborne (*о грузах*); **~ка** transport, conveyance; portage (*грузов*); cartage (*в телеге*); осенние **~ки** autumn transport; при **~ке** in transit; стоимость **~ки** freightage, portage; cartage; всякое сухопутное **~очное** средство vehicle; **~очные** средства conveyance (*собир.*); **~чик** ferryman, waterman (*через реку*).

перевооруж‖**а́ть(ся)** to re-arm; **~е́ние** re-armament.

перевопло‖**ти́ть, ~ща́ть** *см.* воплощать; **~ще́ние** reincarnation.

перевор‖**а́чивать** *см.* перевёртывать; **~о́т** overturn, coup d'état; cataclysm (*геол., полит., социаль-*

ный); **~от** в науке revolution (radical change) in science; политический (социальный) **~от** political (social) upheaval.

перевоспит‖**а́ние** *см.* воспитание; **~а́ть, '~ывать** to unteach (*отучать от прежних понятий*).

перевра́ть *см.* перевирать.

перевы́бор‖**ный** re-elective; **~ная** кампания electioneering (reelective) campaign.

перевы́боры re-election; repeated election.

перевыполне́ние overfulfilment (*плана и пр.*).

перевы́полнить to overfulfil, exceed, surpass.

перевяз‖**а́ть** *см.* перевязывать; **'~ка** binding; dressing (*раны*); bandage (*ушиба*); ligature (*кровеносного сосуда*); **'~очный** материал dressing-material; **~очный** пункт *военн.* ambulance.

перевя́зывать to bind, tie up; bandage, dress (*рану*); to ligature (*кровеносный сосуд*).

пе́ревязь belt, bandoleer; shoulder-belt (*через плечо*); sling (*для больной руки*).

перега́р product of combustion; от него пахнет **~ом** *разг.* he smells of spirits.

переги́б bend, twist, curl, kink; п. кривой *геом.* inflexion; партийные **~ы** party excess; **~а́ть** to twist, bend, curl, kink; **~а́ть** палку to go too far, to overshoot the mark; **~а́ться** *см.* перегибать.

перегла́живать *см.* гладить.

перегля‖**де́ть, '~дывать** to look through; **'~дываться, ~ну́ться** to exchange glances; to catch one another's eye.

перегна́ть *см.* перегонять.

перегн‖**ива́ть, ~и́ть** to moulder, decay; **~о́й, ~о́йная** почва humus.

перегну́ть(ся) *см.* перегибать (-ся).

перегов‖**а́ривать** to outspeak, out-talk (*наговорить больше другого*); **~а́риваться** to talk together, to exchange a few remarks (words) with one another; **~ори́ть** *см.* переговаривать; to talk (a thing) over, to discuss.

переговор‖**ный** negotiatory; **~ная** будка telephone-box (-booth); **~ная** станция telephone exchange; **~ы** negotiations, parley; вести **~ы** to negotiate; давать сигнал к началу **~ов** *военн.* to beat (sound) a parley.

перего́н stage; делать небольшие **~ы** to travel by easy stages (*в путешествии*); ⌒ка 1. driving (*скота*); 2. *техн.* distillation; illiquation; sublimation (*сухая*); бегать на ⌒кй *см.* бегать взапуски; ⌒ный distillate; ⌒ный завод distillery; ⌒ный куб pot-still; ⌒щик distiller; ⌒я́ть 1. to drive (*скот*); to outspeed; to outrun; to have the heels (*of*) (*обогнать бегом*); to outride (*верхом*); to outsail (*о судне*); *фиг.* to outdo; 2. *техн.* to distil; to sublimate (*сухим способом*).

перегора́живать to partition (*off*).

перегор‖**а́ние** burning through; ⌒а́ть, ⌒е́ть to burn through (*о дымогарных трубках*); to burn out, fuse (*об электр. лампочке*).

перегород‖**и́ть** *см.* перегораживать; ' ⌒ка partition, screen.

перегре‖**ва́ние** superheating; ⌒ва́ть, ' ⌒ть to overheat; to superheat (*пар*); ' ⌒тый пар *см.* пар.

перегру‖**жа́ть** to overload, surcharge (*чрезмерно*); to trans-ship (*с одного судна на другое*); п. работой to overwork, overburden, to work one's men too hard; ⌒жённость overload; overwork (*работой*); ⌒жённый overladen, overweighed (*with*); overworked (*работой*); ⌒зи́ть *см.* перегружать; ' ⌒ка *см.* перегруженность; trans-shipment (*с одного судна на другое*).

перегруппиров‖**а́ть** *см.* группировать; to re-group; ' ⌒ка re-grouping; ' ⌒ывать *см.* группировать.

перегрыз‖**а́ть**, ' ⌒ть *см.* грызть; to gnaw through (*стену*); to bite through (*горло и пр.*); ' ⌒ться *фиг.* to quarrel (*over*).

пе́ред before (*я пришёл п. вами* I came before you); in front of (*п. домом был сад* there was a garden in front of the house); against; to (*я извинился п. ним* I apologized to him).

пе́ред front, fore-part.

передава́ть to pass (on), to transmit; to transfer (*to*) (*владения*); to hand (*из рук в руки*); to convey (*звук, имущество*); to communicate (*новость, движение, теплоту*); to tell (*сообщать*); to refer, remit (*на рассмотрение, решение*); to hand down (*по наследству*); to transmit, broadcast, radiocast (*по радио*); to render (*содержание, музыку*); to overpay (*о цене*); п. в руки to give in charge (*властям*); п. обязанности to turn (hand) over duty (charge); п. поручение to deliver a message; п. приказание to pass on an order; to pass the word (*от одного к другому*); п. точное сходство to portray to the life; ⌒ся to be passed; to descend (*по наследству*); to be catching (*о болезни*); ⌒ся противнику *фиг.* to go over to the opposite party; электрическая энергия может ⌒ся на бо́льшие расстояния electrical energy can be transmitted long distances.

переда́т‖**очный** transmissive; intermediary; п. механизм *техн.* driving gear; ⌒очная надпись endorsement; ⌒очное число *техн.* transmission ratio; ⌒чик transferor, transmitter.

переда́‖**ть(ся)** *см.* передавать (-ся); можно вам ⌒ть сахар? may I help you to some sugar? (may I pass you the sugar?); он просит ⌒ть привет he begs to be remembered; ⌒йте привет please remember me to...

переда́ч‖**а** transmission (*тж. техн.*); transference, transferring; rendering (*содержания*); assignation (*имущества*); reference (*к.-л. вопроса в высшую инстанцию*); descent (*по наследству*); *техн.* gear(ing); drive(s); п. в велосипеде high (low) gear of a bicycle; п. дел turning (handing) over the business; п. мыслей на расстояние thought-transference; винтовая спиральная п. helical gearing; зубчатая п. tooth gearing; ременная п. belt gearing; фрикционная п. friction gearing; цепная п. chain drive; Смирнову с ⌒ей Петрову (*на адресе*) Mr. (Comrade) Petrov c./o. Smirnov (c./o. = care of); акт ⌒и *юр.* conveyancing; искажать ⌒у to jam (*о радио*).

передви‖**га́ть** to (re)move; to shift (*стрелку, регулятор и пр.*); to stir; я едва ⌒га́л ноги I could scarcely drag one foot after the other; ⌒га́ться to move; *техн.* to travel; ⌒же́ние travel, progression, locomotion; средства ⌒же́ния means of communication; ' ⌒жка *см.* передвижная; ⌒жно́й travelling; movable (*о праздниках*); ⌒жна́я (*библиотека и т. п.*) movable, transportable, perambulating (*library etc.*); ' ⌒нуть(ся) to have shifted, moved, (*техн.*) travelled.

переде́л repartition; п. земли re-allotment of land; ⌒ать *см.* переделывать; ⌒ить to divide anew; ~ка repairs (*ремонт*); alteration; rehash (*литературная*); *фиг.* mess; попасть в ~ку *разг.* to be in a jolly mess; отдать в ~ку to have altered (*платье, шляпу и пр.*).

переде́лывать to remake, recast; to rehash (*рассказ*); to alter (*платье*).

передёргива‖ние swindling, cheating; juggle (*фактов*); ~ть to swindle, cheat; ~ть факты to juggle with facts; ~ться to shudder (*от боли, ужаса*).

передерж‖а́ть, '~ивать to overexpose (особ. *о фотографической пластинке*); п. экзамен to go in for re-examination; '~ка overexposure.

передёржка juggle (*искажение факта*).

передёрну‖ть(ся) *см.* передёргивать(ся); меня ~ло от этой новости I was shocked at (by) the news.

пере́дн‖ий front, anterior, fore; п. план foreground; ~яя нога foreleg; forefoot; ~ик apron; overall (*халат*); pinafore (*детский, женский*); ~яя (entrance) hall; lobby, antechamber; vestibule (*большая*).

передо *см.* перед.

передовер‖и́ть to subcontract; ~енный договор (контракт) subcontract; ~я́ть *см.* передоверить.

передов‖и́к progressist, advanced worker; ~и́ца leading article, editorial; ~о́й forward; advanced, headmost, foremost; go-ahead; *театр.* express-messenger; ~о́й участок социалистической индустрии leading section of socialist(ic) industry; ~а́я женщина progressive woman; ~а́я статья leader, leading article; ~ы́е взгляды advanced ideas; ~ы́е позиции front.

передо́к upper, vamp (*башмака и пр.*); detachable front (*телеги и пр.*); limber (*лафетный*); ставить (орудие) на п. *военн.* to limber.

передопр‖а́шивать, ~оси́ть *см.* допрашивать.

передо́хнуть *см.* до́хнуть.

передохну́ть *см.* передыхать.

передра́зни‖вание (piece of) mimicry, take-off; ~вать, '~ть to mimic, monkey, take off, imitate.

передро́г‖лый chilled to the marrow; ~нуть to be (get) chilled to the marrow.

передря́г‖а commotion, trouble; *разг.* row; попасть в ~у *разг.* to be in a pretty mess.

переду́м‖(ыв)ать *см.* думать; to change one's mind; я многое ~ал I have done a great deal of thinking; I have thought a lot.

передыха́ть to stop and take breath.

переды́шк‖а respite, breathing-time; давать ~у to respite.

перееда́ть to overeat, overfeed; to surfeit on.

перее́з‖д passage, transit; removal (*на другую квартиру*); crossing (*по воде*); level crossing (*по дороге, шоссе, через жел.-дор. линию*); ~жа́ть to (re)move; to cross, to come over (*через горы, лес, воду и пр.*); to run over (*задавить*).

перее́сть *см.* переедать.

перее́хать *см.* переезжать.

пережа́р‖енный overdone; ~и(ва)ть to overdo.

пережда́ть *см.* пережидать.

пережёвыва‖ние rumination; ~ть *см.* жевать; to ruminate; to chew.

пережени́ться *см.* жениться; to intermarry.

пережива́‖ние experience; ~ть to outlive, outlast (*свой век, другого и пр.*); to survive (*остаться в живых*); to experience (*испытать что-л.*); to relive (*вторично*); тяжело ч.-л. ~ть to feel a thing badly.

пережига́ть to burn; *см.* жечь.

переж(и)да́ть *см.* ждать; to allow to pass.

пережи́т‖ок survival; ~ки феодализма survivals of feudalism; ~ь *см.* переживать.

пережо́г (*лишний расход топлива*) overheating; extravagant expenditure of fuel.

перезабы‖ва́ть, '~ть *см.* забы(ва)ть.

перезаключ‖а́ть, '~и́ть: п. договор to renew a contract.

г р"езаряжа́ть to overcharge (*об электр. приборе*).

перезв‖а́нивать *см.* звонить; ~а́ниваться to chime, peal (*о колоколах и пр.*); ~о́н chime, peal; ~они́ть *см.* звонить.

перезимова́ть to winter; to spend the winter; to hibernate.

перезнако́мить(ся) to get acquainted.

перезре‖ва́ть to overripen; '~лый overripe (*о плодах*); past maturity (*о человеке*); '~ть to overripen.

перезя́бнуть to get chilled.

переигр‖а́ть, '~ывать *см.* играть; to overact (*роль*).

переизб‖ира́ние re-election; second ballot (*повторная баллотировка*); ～ира́ть, ～ра́ть to re-elect.

переизда‖ва́ть to republish; '～ние republication; '～ть to republish.

переименов‖а́ние change of name; ～а́ть, '～ывать to rename, to give a new name.

переи́мчив‖ость imitation, capacity for imitation; apery, monkeyism (*обезьянничество*); ～ый imitative, monkeyish.

переина́чи(ва)ть to alter, modify; to misinterpret (*смысл*).

пере‖йти́ см. переходить; их ссора ～шла́ в драку from words they came to blows.

перека́ли‖вать, '～ть make red hot, to overtemper.

перека́лывать to pin; см. колоть.

перека́пывать см. копать.

перека́рмливать to overfeed; п. чем-л. to surfeit on.

перека́т sandbank (*отмель*); thunderclap (*грома*); ～й-по́ле *фиг.* rolling stone (*о человеке*); ～йть см. катить; ～ный *геол.* erratic; ～ывать см. катить.

перека́чива‖ние transferring; ～ть to pump over.

перека́шивать см. косить; to distort; to twitch, contract (*от боли*).

переквалифи‖ка́ция requalification; ～ци́ровать to requalify.

переки‖да́ть, '～дывать, '～нуть см. кидать; '～дываться, '～нуться to exchange (*взглядами, словами*); to bandy (*мячом, словами*).

переки‖па́ть, ～пе́ть to overboil, boil over.

перекис‖а́ть to turn sour; '～лить, ～лить to acidify to excess; '～нуть см. перекисать.

пе́рекись peroxide; п. водорода (hydrogen) peroxide.

перекла́д‖ина (cross)beam; spar (*круглая*); joist (*для настилки пола, потолка*); slat (*тонкая*); transom (*поперечная*); rung (*приставной лестницы*); lintel (*над дверью, окном*); ～ка см. кладка; ехать на ～ных to travel by post-chaise; ～ывать см. класть; to interlay (*with*) (*бумагой, стружками*); to reset (*печку*).

перекле́‖и(ва)ть см. клеить; ～й-ка plywood (*фанера*).

перекли‖ка́ть, '～кнуть to call over; to read out names at roll-call; ～ка́ться, '～кнуться to shout to one another; '～чка roll-call; *военн.* check roll-call; делать '～чку to call over.

переключ‖а́тель switch; ～а́ть эл. to shift to another circuit; to switch off; ～е́ние switching; ～и́ть см. переключать; ～и́ться на другую работу to switch on to other work.

перекова́ть см. перековывать.

перекове́рк(ив)ать см. коверкать.

переко́вывать to shoe over again.

перекола́чивать см. колотить, выкола́чивать (*мебель и пр.*).

переколо́ть см. колоть.

переко́п cross-ditch, canal.

Переко́п Perekop.

перекопа́ть см. копать.

перекорм‖и́ть см. перекармливать; '～ленный overfed, gross.

переко‖с curving, bending; ～си́ть(ся) см. косить(ся), перекашивать(ся).

переко‖чёвывать см. кочевать; *фиг.* to move to a new place.

переко́шенный wry (*о лице*).

перекра́ивать см. кроить; to rehash (*особ. в литер. смысле*).

перекра́‖сить, ～шивать to recolour; to repaint (*масляной краской*); to dip, dye (*материю, платье*); ～ситься, ～шиваться *фиг.* to become a turn-coat.

перекрести́ть to give one's blessing; ～ся to make the sign of the cross, to cross oneself.

перекрёст‖ный: п. допрос cross-examination; п. огонь cross-fire; ～ок cross-road, crossing, turning.

перекре́щивать to cross; to intersect (*пересекать*); to rename (*переименовать*).

перекри́‖кивать, ～ча́ть to outvoice; to talk down (*в споре*).

перекрои́ть см. перекраивать.

перекру‖ти́ть, '～чивать см. крутить; to overwind (*завод у часов и пр.*).

перекры‖ва́ть см. крыть; to overlap imbricate; *карт.* to overtrump (*старшим козырем*); '～тие overlap (-ping); *техн.* floor; бетонное ～тие concrete floor; '～ть см. крыть; '～шка imbrication.

перекувы́р‖кивать, ～нуть to upset; ～киваться, ～нуться to upset; to fall head over heels; to turn a somersault (*в воздухе*).

перекуп‖а́ть, ～и́ть to buy at second hand; ～но́й second-hand; '～щик second-hand dealer.

перекус‖а́ть to bite everyone round; ～и́ть, '～ывать to bite through; to cut (*проволоку*), to take a bite (snack) (*закусить*).

перела́вливать to catch, seize, lay hold (*of*).

перелага́ть *муз.* to transpose (*в другой тон*); to set to music (*на музыку*).

перела́мывать I. to break to pieces; to crush.

перела́мывать II. to break in two; to fracture (*ногу, руку*); to overcome (*отвращение, упрямство*); п. себя́ to force oneself to do something against one's wishes.

перелез‖**а́ть,** '**∽ть** to climb over.

переле́с‖**ок** copse; **∽ье** glade.

пере‖**лёт** flight, passage; transmigration (*птиц*); безостано́вочный п. non-stop flight (*аэроплана*); соверша́ть п. to migrate (*о птицах*); **∽лета́ть, ∽лете́ть** to fly across; to flit (*порхать с места на место*); **∽лётная пти́ца** a migrant, migrator; bird of passage (*тж. фиг.*).

перели́в modulation, warble (*голоса*); play (*красок*); **∽а́ние** transfusion; decantation (*из одного сосуда в другой*); де́лать **∽а́ние** кро́ви *мед.* to transfuse; **∽а́ть** to let flow over (*через край*), to transfuse (*into*), to decant; **∽а́ть** из пусто́го в поро́жнее to mill the wind; **∽а́ться** to overflow, to run over, to slop (*out, over*); to play (*о красках*); *муз.* to modulate; **∽а́ющий** цвета́ми ра́дуги opalescent, opaline; **∽а́ющийся** ра́зными цвета́ми shot (*о материи*); **∽ка** remelting; **∽ча́тый** iridescent (*о цвете*).

перелист‖**а́ть,** '**∽ывать** to turn over (*страницы*); to look through (*просматривать*).

перели́ть *см.* перелива́ть.

перелицов‖**а́ть,** '**∽ывать:** п. пальто́ to turn, to have one's coat turned.

перелови́‖**ть** *см.* перела́вливать; они́ **∽ли** всю ша́йку they have caught (laid hold of) all the gang.

перело́‖**г** *агр.* fallow; **∽же́ние** transposition (*тж. муз.*); versification (*на стихи*); **∽жи́ть** *см.* перекла́дывать, перелага́ть; to set to music (*на музыку*); to versify (*прозу на стихи*).

перело́й *мед.* gonorrhea.

перело́м break; *мед.* fracture; *физ.* breaking point, crisis, sudden change, culmination; crisis (*в болезни*); п. наступи́л things have come to a head; год вели́кого **∽а** the year of the great turning point; **∽а́ть** *см.* перела́мывать I; **∽а́ть** к.-л. но́ги to break one's shins; я ему́ рёбра **∽а́ю** I shall thrash him to within an inch of his life; **∽и́ть** *см.* перела́мывать II.

перело́паться *см.* лопаться.

перема́‖**(ыв)а́ть** to besmear, besmirch; to cover with mud.

перема́лывать *см.* молоть.

перема́ни‖**вание** enticement; п. рабо́тников the winning over of workers; **∽вать,** '**∽ть** to entice, allure; to win (gain) over (*на свою сторону*).

перемара́ть *см.* перемазать.

перема́тывать *см.* мотать 1.

перема́х‖**ивать, ∽ну́ть** to jump over, to overshoot the mark (*хватить через край*); **∽ну́ть** че́рез кана́ву to jump over a ditch.

перемежа́‖**ться** to intermit; **∽ю́щийся** кри́зис intermittent crisis; **∽ю́щаяся** лихора́дка intermittent fever.

перемён‖**а** change, alteration, mutation; move (*местожительства, положения*); veer (*направления ветра и пр.; тж. фиг.*); interval (*перерыв*); transformation (*резкая до неузнаваемости*); п. обстановки, декораций change of scene; больша́я п. long interval (*в школе*); крута́я п. volte-face (*во взглядах, политике и пр.*); поддаю́щийся **∽е** alterable; **∽ы** жите́йские vicissitudes.

перемен‖**и́ть** *см.* переменя́ть; п. пози́цию to shift one's ground (*в споре*); п. тон, поведе́ние to change one's note, to sing another tune (*сбавить тон*); '**∽ность** changeability, unsteadiness; mutability (*погоды*); '**∽ный** variable; alternating (*ток*); '**∽ная** величина́ variable; **∽чивость** *см.* переме́нность; '**∽чивый** changeable, variable, alterable; fickle (*о людях*); inconstant (*неверный*); unsteady (*ненадёжный*); '**∽чивая** поли́тика seesaw policy; **∽я́ть** to change, alter; to exchange, inter-change (*обменять*); **∽я́ться** to change; to exchange; to take a turn (*сменять друг друга*).

перемере́ть *см.* перемирать.

пере‖**мера́ть, ∽мёрзнуть** to get chilled (*перезябнуть*); to be nipped by the frost (*о растен. и пр.*).

перемёр‖**ивать, ∽ить** to remeasure; *см.* мерить.

перемести́ть *см.* перемещать.

перемёт seine (*рыболов. снасть*).

переметну́ть to throw over; **∽ся** на другу́ю сто́рону to turn one's coat, to go over (to the enemy *etc.*).

переметн‖**ый: ∽ая** сума́ saddle-bag; *фиг.* waverer, vacillator, untrustworthy person.

перемётывать см. сметывать.

перемеш‖áть, '‑ивать 1. to mix (up); to intermingle (with), intermix; to jumble up (беспорядочно); to confuse, jumble (перепутать); 2. to interlard, intersperse (пересыпать речь ругательствами и пр.); ‑áться, '‑иваться см. перемешивать 1.

перемещ‖áть to transpose, transfer (from, to); to shuffle (вещи, людей); to shift (передвигать); ‑áться to shift; ‑éние transference, shuffle, shift.

перемиг‖иваться, ‑нýться to wink at one another.

переминáть to knead (тесто); ‑ся: ‑ся с ноги на ногу to shuffle from foot to foot.

перемирáть to die out.

перемúрие armistice, truce; заключать п. to conclude a truce, to sign an armistice.

перемогáть to overcome (какое-либо чувство); ‑ся to attempt to overcome an illness.

перемок‖áть, '‑нуть to be (get) drenched.

перемóл grind(ing), grist.

перемóлвиться: п. несколькими словами to exchange a few words.

перемолóть to grind.

переморóзить to overexpose to cold.

перемудрúть to act over-wisely.

перемýчиться to have suffered very much.

перемы‖вáть, '‑ть см. мыть; to wash up (посуду); п. косточки фиг. to gossip (tattle).

перемычка техн. crosspiece; straight arch.

перемять to crumple, crease.

перенапр‖éчься, ‑ягáться to overstrain oneself; ‑яжéние overstrain, overexertion; эл. excess voltage.

перенасел‖éние, ‑ённость overpopulation; абсолютное (относительное) п. absolute (relative) overpopulation; ‑ённый overpopulated, overpeopled; ‑úть to overpopulate.

перенес‖éние transference, transportation, removal; waftage (по воздуху, воде); endurance (боли и пр.); postponement (с одного срока на другой); ‑тú см. переносить.

перенимáть to imitate, intercept (схватывать); п. чей-либо приём, привычку фиг. to take a leaf out of someone's book; to imitate.

перенóс transfer; п. правки insertion of (author's) corrections; п.

слогов division of syllables; ‑úмый transferable; bearable, endurable (выносимый); ‑úть to transfer, convey, carry; to waft (по воде, воздуху); to shift (перемещать); мат. to transpose (с обратным знаком); to endure, bear, stand (боль и пр.); to undergo (подвергаться); to take (последствия, оскорбление, наказание); ‑úться мыслями to be carried, transported; ‑úца bridge of the nose; ‑ка см. перенесéние; ‑ник noseband (часть узды); ‑ный transferable, portable; figurative (фигуральный); в ‑ном значении figuratively; шут. in a Pickwickian sense; ‑чик tell-tale, tale-bearer, gossip (слухов, новостей); ‑чик заразы germ carrier.

перенóсье см. переносица.

переночевáть to spend the night.

перенумеров‖áть, '‑ывать см. нумеровать.

перенять см. перенимать.

переоборýдова‖ние re-equipment; ‑ть to re-equip, reconstruct.

переобразов‖áть, '‑ывать to reform; см. преобразовывать.

переобремен‖úть, ‑ять to overburden.

переобу‖вáть(ся), '‑ть(ся) to change one's shoes.

переоде‖вáть(ся) to change(one's dress); '‑тый disguised (замаскированный); '‑ть(ся) to change (one's dress).

переосвидéтельствова‖ние re-examination; second examination; ‑ть to re-examine; to subject to a second (repeated) examination.

переоцéн‖ивать, ‑úть to overestimate, overrate (слишком высоко); to revalue (заново); п. свои силы to overestimate one's own ability (force); ‑ка overestimation (чрезмерная оценка); revaluation (заново); ‑ка ценностей revaluation of values.

перепадá‖ть: п. на чью-л. долю to fall to one's lot; ему кое-ч. перепадёт he will profit by it; снег лишь ‑ет в этой местности it snows but seldom in these parts; ‑ли дожди it rained now and then.

перепáивать I. to resolder (паять).

перепáивать II. to intoxicate, make drunk (поить).

перепáлка firing; skirmish (тж. фиг.); фиг. altercation.

перепáлывать to weed all round.

перепáри(ва)ть to stew to excess.

перепа́рхивать to flit.

перепа́рывать *см.* пороть; to flog (whip) every one (all) round (*всех до одного*).

перепа́сть *см.* перепадать.

перепа́чкать to besmear, besmirch; ~ся to get grimy; to get (be) covered with mud (*грязью*).

перепая́ть *см.* перепаивать I.

перепека́ть to bake to excess.

пе́реп‖ел, ~ёлка quail; ~еля́тник sparrow hawk.

перепеча́т‖ать *см.* перепечатывать; ~ка reprint(ing); ~ывать to reprint; to type (*на машинке*).

перепе́чь *см.* перепекать.

перепи‖ва́ть, '~ть to drink to excess; он всех может ~ть he can outdrink anyone; все ~ли́сь they were all drunk.

перепи́ли‖вать, '~ть to saw up, to saw to pieces.

перепис‖а́ть *см.* переписывать; '~ка copying; typing (*на машинке*); correspondence (*обмен письмами*); состоять с к.-л. в '~ке to be in correspondence with one; '~чик copyist; typist (*на машинке*); '~ывать to copy; to type (*на машинке*); to rewrite (*заново*); to write out fair (*набело*); to make a list (*of*) (*составить опись*); ~ываться to correspond with.

пе́репись census (*населения*); inventory (*товаров и пр.*).

перепи́ть(ся) *см.* перепивать(ся).

перепла́в‖ить, ~ля́ть to smelt (*металл*); to float (*ч.-л. по воде*); to raft (*на плоту*).

перепла́‖та surplus payment; ~ти́ть, ~чивать to overpay, to pay excessively; to pay through the nose.

переплести́ *см.* переплетать.

переплёт binding, book-cover (*книги*); half-binding (*полукожаный*); caning (*плетение стула*); transom (*двери, окна*); попасть в ~п. *фиг.* to get into trouble (into a mess, a scrape); крышка ~а board; в матерчатом ~е bound in cloth.

переплета́ть to bind (*книгу*); to cane (*стул*); to interlace, interknit (*между собой*); to plash (*ветви для плетня*); ~ся to interweave, intertwine, interlace.

переплёт‖ная bindery; ~чик bookbinder.

перепл‖ыва́ть, '~ть to swim across; to row across (*в лодке*).

переподгото́в‖ить to re-qualify; ~ка re-qualification.

перепо́‖ить *см.* перепаивать II; '~й excessive drinking.

перепола́скивать *см.* полоскать to rinse over again.

перепол‖за́ть, ~ти́ to crawl over, creep, climb.

переполн‖е́ние repletion; '~енный overfull; overflowing (*жидкостью*); crowded, crammed (*о вагоне и пр.*); '~ить(ся), ~я́ть(ся) to overfill, overflow; to overbrim (*через край*); трамвай '~ен the tram is overcrowded; сердце '~ено my heart is full to overflowing.

переполо́ть *см.* перепалывать.

переполо́‖х alarm, tumult, jumble, rumpus; ~ши́ть to (set up an) alarm.

перепо́н‖ка membrane, web (*у летучей мыши, утки и пр.*); сеге (*птичьего клюва*); барабанная п. *анат.* ear drum; tympanum, tympanic membrane; ~чатокрылые *энтом.* hymenoptera; '~чатый membraneous, membranaceous; webbed; web-footed (*имеющий перепонки на лапах*).

перепоро́ть *см.* перепарывать.

перепо́ртить to spoil.

перепорхну́ть *см.* перепархивать.

перепра́в‖а passage, crossing, ferry (*через реку на плоту и пр.*); ford (*брод*); portage (*из одной судоходной реки в другую*); ~ить, ~ля́ть 1. to convey (*пассажиров, товары*); to ferry (*на пароме и пр.*); to portage (*грузы волоком*); 2. to revise, correct; ~иться, ~ля́ться to cross, to get across.

перепре‖ва́ть, '~ть to stew to excess (*в печи*); to rot (*о листьях и пр.*).

перепрода‖ва́ть to resell; ~ве́ц reseller; '~жа resale, second sale; '~ть to resell.

перепроизво́дство overproduction.

перепры́г‖ивать, ~нуть to overleap, jump over; to take (*через какое-л. препятствие*); *фиг.* to span (*через пространство, время*).

перепряга́ть to change horses.

перепу́г fright; ~а́ть to give one a turn (a fright); ~а́ться to have a fright.

перепу́т(ыв)ать to entangle (*запутывать*); to confuse, muddle up (*спутать*); ~ся to be entangled и пр.

перепу́тье cross-road; the parting of the ways (*особ. фиг. о выборе направления*).

перераб‖а́тывать, ~о́тать to work over again; to make over, remake (*предметы производства, вещь*); to do over again (*заново выполнить работу*); to digest (*усвоить*); to revise (*рукопись и пр.*); to exceed the fixed hours of work (*сверх нормы*).

перерабо́тка working (making) over, remaking; revisal (*рукописи*); overtime work (*сверх нормы*).

перера́нить *см.* ранить.

перераспределе́ние re-distribution.

перераст|а́ние overgrowing; п. демократической революции в социалистическую the growing over of the democratic revolution into the socialist revolution; ~а́ть, ~й to outgrow, overgrow.

п е р е р а с х о́ д overexpenditure; *комм.* overdraft; overexertion (*энергии*); ~ова́ть to spend (consume) to excess; *комм.* to overdraw (*по счёту*).

перерасчёт re-computation.

перерва́ть(ся) *см.* перерывать (-ся) II.

перерегистр|а́ция re-registration; ~и́ровать to subject to a repeated registration; ~и́роваться to be repeatedly registered.

переpе́з crosscut; *см.* наперерез; ~ывать to crosscut; to intersect (*пересекать*); волк ~ал много овец the wolf has killed many sheep.

переpеш|а́ть, ~и́ть to alter one's decision; to change one's mind.

переро|ди́ть, ~жда́ть to regenerate; to revive (*возрождать*); ~ди́ться, ~жда́ться to be regenerated; to degenerate (*болезненно*); ~жде́ние regeneration; revival (*возрождение*); palingenesis (*метаморфоза*); degeneration (*болезненное*); жировое ~ждение fatty degeneration (*какого-л. органа*).

перерёсток an overgrown youth.

переруб|а́ть, ~и́ть *см.* рубить; to kill (cut) with an axe, sword.

переруга́ться (*с к.-л.*) to break (*with*) (*порвать*), to quarrel.

переры́в interruption, break; intermission (*короткий, временный*); intermittence (*короткая передышка*); interval (*перемена*); recess (*особ. каникулы*); без ~a without interruption; с ~ами off and on.

перерыва́ть I. *см.* рыть; п. дорогу (*поле*) to dig a ditch across a road (field); to burrow (*о кроте и пр.*); to rummage, search (*стол, ящик и пр.*).

перерыва́ть(ся) II. to break (*о нити, струне и пр.*).

переры́ть *см.* рыть, перерывать.

переря|ди́ть(ся), ~жа́ть(ся) to disguise, dress up.

переса|ди́ть *см.* пересаживать; ~дка transplantation; replantation (*цветов, растений*); change (*на жел. дор.*); trans-shipment (*с одного судна на другое*); ~дка кожи *мед.* skin-grafting; у меня ~дка в Москве I have to change at Moscow; в Москву без ~дки no change for Moscow; ~жива́ть to transplant, replant, to plant out (*цветы и пр.*); to graft (*ткань организма*); to transship (*на другое судно*); ~жива́ться to change (*в другой поезд, вагон*); to take another seat (*на другое место*).

переса́лива|ние *фиг.* exaggeration; ~ть to oversalt; *фиг.* to exaggerate, overdo, to overshoot the mark, to go too far.

переcда|ва́ть, ~ть to sublet (*в аренду*); п. карты *см.* сдавать.

пересева́ть to re-sow.

пере|седла́ть, ~сёдлывать to saddle again, resaddle.

пересека́|ть to intersect, cross; to cut (*о линии, луче и пр.*); to traverse (*в путешествии*); ~ющая линия *геом.* secant; ~ться to intersect, cross.

переселён|ец settler, colonist; immigrant (*для страны, где поселился*); emigrant (*для страны, которую покинул*); ~ие transmigration; immigration, emigration; ~ческий immigrant, emigrant.

пересел|и́ть, ~и́ть to transplant; ~и́ться, ~я́ться to (trans)migrate; to immigrate, emigrate; to remove (*переехать на другую квартиру*); to settle (*обосноваться*).

пересе́сть *см.* пересаживаться.

пересе|че́ние intersection; crossing (*дорог, ж.-д. путей*); точка ~чения point of intersection; ~чённая местность country intersected by (with) ravines, broken country; ~чь 1. *см.* пересекать; 2. *см.* сечь.

переси|де́ть, ~жива́ть to outsit, outstay (*других гостей*); to sit up too late (*не лечь спать во-время*).

переси́ли|(ва)ть to overpower; to master, control, restrain, govern (*себя, какое-л. чувство*).

переска́з rendering (of a story); ~а́ть, ~ывать to tell over again; to retell; to relate, rehearse; to give the contents (*содержание книги и пр.*); to retail (gossip) (*сплетничать*).

переск|а́кивание skipping (*from — to*) (*с предмета на предмет*); ~а́кивать to overleap, jump over; to clear (*препятствие*); to skip (*from — to*), to fly (go) off at a tangent (*с предмета на предмет в разговоре*); to ramble (*о мыслях*); ~о́к leap; ~очи́ть *см.* переска́кивать.

переласти́ть *см.* переслащивать.

пересла́ть *см.* пересыла́ть.

пересла́||щивать to sweeten to excess, to over-sweeten; to put too much sugar.

пересло́||ить *геол.* to stratify; '~йка *геол.* stratification.

переслу́ш||(ив)ать to rehear; его́ расска́зов не ~аешь there is no end to his stories.

пересма́тривать to review, re-examine, revise; to reconsider (*решение, вопрос*); to go over again (*о книге, статье и пр.*).

пересме́||ивание scoffing; ~ивать to scoff; ~иваться to smile at each other; ~ши́ть всех to make everyone laugh; ~шка mockery; ~шник scoffer; дрозд~шник mocking bird, *амер.* thrasher.

пересмо́тр revisal; revision (*текста*); review (*приговора*); retrial (*судебного дела*); reconsideration (*решения, вопроса*); п. отноше́ний revising of relations.

пересмотр||е́ть *см.* пересма́тривать; '~енное изда́ние revised edition.

пересн||има́ть, ~я́ть to rent again (anew) (*помещение*); to make a copy (*копию*); to cut once more (*карты*); to make another photo (*фотографию*); ~има́ться, ~я́ться to have another photo taken.

пересо́л food salted to excess; ~и́ть *см.* переса́ливать.

пересо́х||нуть *см.* пересыха́ть; гу́бы ~ли the lips are parched.

пересла́ть *см.* пересла́ть II.

переспе||ва́ть, '~ть *см.* перезре(ва́)ть.

переспо́ри||(ва)ть to out-argue; его́ не ~шь he must have the last word; you'll never have (get) the better of him.

переспр||а́шивание re-interrogation; repeated questioning; ~а́шивать, ~оси́ть to re-interrogate, re-examine.

пересо́ри(ва)ть to cause to quarrel, set at variance; to make mischief (*between*); ~ся to quarrel (break) with one another, to disagree.

переста||ва́ть to cease, give up, throw up, leave off; '~нь! stop it!

переста́в||ить, ~ля́ть to transpose; to change the order (position); to transpose (*слова в предло-*

жении); to set (*часы*); to rearrange (*мебель*).

переста́ивать(ся) (to be left) to stand too long.

перестано́вка transposition, change (of order); inversion; rearrangement; *мат.* permutation.

перестара́ться to overdo.

переста́ть *см.* перестава́ть.

перест(и)ла́ть *см.* настила́ть, стлать; п. крова́ть to make the bed over again; п. ковры́ to recarpet (*заново*); п. пол to floor over again.

перестир||а́ть, '~ывать to wash over again; *см.* стира́ть.

перестой||лый stood (kept) too long in the oven; ~ть(ся) *см.* перестаивать(ся).

перестрада́ть to suffer, to go through.

перестра́ивать to rebuild; *фиг.* to reorganize, reform; п. рабо́ту to reorganize work; *муз. см.* настра́ивать; ~ся *фиг.* to reorganize.

перестрахо́||вать *см.* перестрахо́вывать; '~вка reinsurance; '~вывать to reinsure.

перестра́чивать *см.* строчи́ть.

перестре́л||ивать to kill one after another (with firearms); to shoot dead; to pick off (*одного за другим*); ~иваться to fire at each other; ~ка firing, skirmish; ~я́ть *см.* перестре́ливать.

перестро́||ить *см.* перестра́ивать; ~йка rebuilding; *фиг.* reorganization.

переступ||а́ть, ~и́ть to cross (*порог, грань*); to overstep, to step over (*лужу и пр.*); to transgress, break (*закон и пр.*); to move step by step; у меня́ едва́ ~а́ют но́ги I can hardly walk.

пересу́||ды gossip; ~живать to gossip, to tittle-tattle.

пересуши||вать, '~ть to dry to excess, to parch; to dry all.

пересчит||а́ть *см.* пересчи́тывать; '~ывание repeated counting; '~ывать to count over, recount.

пересыл||а́ть to send from one place (person) to another; to forward (*вдогонку за адресатом*); to remit (*деньги*); to transport, convey (*грузы, товары*); п. по по́чте to send by post; '~ка forwarding, carriage (*тж.* пла́та за пересы́лку*); remittance (*денег*); ~ка беспла́тно carriage free, post free (*по по́чте*); '~ьный пункт депорта́ции point (for convicts); '~ьная тюрьма́ deportation prison.

пересы́п||ать I., '~а́ть to pour from one place to another (*муку* и пр.); to fill to excess; to intersperse (*остротами, замечаниями и пр.*); to sauce (*сдабривать остротами*).

пересыпа́ть II. to oversleep (*часто с oneself, myself и пр.*).

перес‖ыха́ть to dry to excess, to parch, to become (get) dry (parched); река́ ⌐о́хла the river has dried up.

перета́пливать 1. to heat to excess (*комнату, печь*); 2. to re-melt (*масло и пр.*).

перета́птывать *см.* топтать.

перета́скивать *см.* таскать; to drag (*from — to*; *over*, *through*); to move, to stake from place to place; ⌐ся to move.

перетасов‖а́ть *см.* перетасовывать; '⌐ка change, shuffle, shift (*также о людях*); '⌐ывать to shuffle, shift.

перетащи́ть *см.* перетаскивать.

перетека́ть to overflow, brim over (*через край*).

перетере́ть(ся) *см.* перетирать (-ся).

перетерпе‖ва́ть, '⌐ть to bear, suffer, endure (*горе, страдания*); to have had to wait too long.

перете́чь *см.* перетекать.

перетира́‖ние wearing, grinding; drying (*посуды*); dusting (*книг*); ⌐ть *см.* тереть; ⌐ться 1. to wear by rubbing (friction); 2. to grind thoroughly.

перетолкова́ние interpretation; misinterpretation (*неправильное*).

перетолков‖а́ть, '⌐ывать to misinterpret, to distort the meaning (*исказить смысл*); to talk a thing over, to discuss a matter (*обсудить что-л.*).

перетопи́ть *см.* перетапливать.

перето́пка illiquation.

перето́ржка second sale (bidding).

перетро́гать to finger, touch; у него привычка всё п. he has a way of fingering (touching) everything.

перетру́сить to take fright; to be alarmed (scared).

перетруси́ть: п. сено to ted the hay.

перетря‖са́ть, ⌐сти́, '⌐сывать, '⌐хивать, ⌐хну́ть *см.* трясти; to give a thorough shaking.

пере́ть *вульг.* to push, press (*напирать на ч.-л.—against*); to trudge, to plod along (*итти*).

перетя‖гивать to outweigh, overbalance (*на весах*); to prevail, overpower (*оказаться значительнее*); to win (gain) over (*на свою*

сторону); to gird, to fasten tightly by binding (*кушаком, ремнём и пр.*); ⌐жка band (*то, что стягивает*); intake (*стянутое место*); ⌐ну́ть *см.* перетягивать.

переубе‖ди́ть, ⌐жда́ть to overpersuade; *фиг.* to beat a man out of his reason.

переу́лок by-street; lane, alley (*узкий*); blind alley, impasse (*тупик*).

переусе́рдствовать to overdo, to carry to excess.

переустро́йство reorganisation, reconstruction.

переутом‖и́ть(ся) *см.* переутомлять(ся); to be run down; ⌐ле́ние overexertion, overstrain, overwork, overfatigue; ⌐лённый overstrained, overworked; fagged out; ⌐лённые нервы overwrought nerves; ⌐ля́ть(ся) to overstrain; to overwork oneself (*работой*).

переучёт *см.* учёт; п. векселя́ discount; п. товара stock-taking; производить п. товара to take stock.

переу́чивать re-teach; ⌐ся re-learn.

перехва́ли‖вать, '⌐ть to excel in praising, to overpraise.

перехва́т intake; waist of coat (*талия платья*); ⌐а́ть, ⌐и́ть *см.* перехватывать; ⌐ывание interception (*сведений и пр.*); ⌐ывать to intercept (*на пути и пр.*); to overshoot the mark (*через край*); to borrow (*немного денег*); to lash (*верёвкой*); to take a snack (*закусить*); ⌐ывать телеграфные сведения to tap the wires; всех грабителей ⌐а́ли all the burglars have been caught.

перехвора́ть *см.* переболеть.

перехитр‖и́ть, ⌐я́ть to outwit.

перехо́д transition (*тж. муз. из одного тона в другой*); passage (*тж. по морю*); passage way (gallery), corridor (*в здании и пр.*); wade (*в брод*); *военн.* march; п. из количества в качество change of quantity into quality; делать коро́ткие ⌐ы to travel by easy (lazy) stages (*в путешествии*); ⌐и́ть to pass; to wade (*в брод*); to lapse (*to*) (*в другие руки*); to develop (*into*) (*в нечто более сложное; о болезненном состоянии, привычке и пр.*); to be converted (*в другую веру*); to proceed (*to*) (*к делу и пр.*); to shunt (*на другой ж.-д. путь, о поезде и пр.*); to cross (*на другую сторону, через*); to shade (into) off (*постепенно в дру-*

гой цвет, оттенок); to come down (*по наследству, традиции*); to travel (*с предмета на предмет*); ‿ить в наступление to take the offensive; ‿ить границу to cross the frontier; *фиг.* to exceed the limit; ‿ить из жидкого состояния в твёрдое to change from a liquid to a solid state; ‿ить из рук в руки to pass through many hands; ‿ить на сторону противника *фиг.* to turn one's coat; ‿ный transitional; transitive (*о глаголе*); ‿ный период transition(al) period, transition; ‿ная стадия intermediary stage; ‿ящий transitory, transient.

пе́р‖ец pepper, capsicum (*стручковый*); red pepper, cayenne (*красный, кайенский*); зерно ‿ца peppercorn; задать к.-л. ‿цу to give it one hot.

переце‖ди́ть, '‿жива́ть to strain anew (over again).

перецелова́‖ть to kiss all round; мать ‿ла детей the mother kissed her children.

перечека́н‖и(ва)ть to recoin (*монету*); ‿ка recoinage (*монеты*).

пе́речень list, schedule, inventory‿ (*имущества*); catalogue (*каталог*).

переч‖ерка́ть, ‿ёркивать, ‿еркну́ть to draw lines across; п. чек to cross a cheque; ‿еркáл всю страницу has covered all the page with marks.

перечер‖ти́ть, '‿чивать to draw over again; to retrace.

перече́сть *см.* пересчитывать.

перечёсывать(ся) to do (dress) one's hair over again; *см.* чесать.

перечёт surplus (*при подсчёте*).

перечисл‖е́ние enumeration, recapitulation (*по пунктам и пр.*); '‿ить, ‿ять to enumerate; to recite, rehearse, recapitulate.

перечи́т‖анный repeatedly read; ‿áть *см.* перечитывать; ‿ывание the act of reading over again; ‿ывать to re-read; to revise (*с целью исправлений и пр.*).

пере́чить to contradict, thwart.

перечища́ть *см.* чистить.

пе́речн‖ик *бот.* pepper-wort, dittany (*Lepidium*); candytuft (*Iberis*); ‿ица pepperbox.

перешагну́ть to overstep, step over, stride; п. через порог to cross the threshold.

перешáри(ва)ть to rummage, search through.

переше́ек *геогр.* isthmus, neck of land.

перешёптыва‖ние whispering; ‿ться *см.* шептаться.

переши́б fracture; ‿ить to fracture, break; *фиг.* to outdo.

переши‖ва́ние *см.* перешивка; ‿ва́ть *см.* шить; to alter (*переделывать платье и пр.*); '‿вка altering; '‿ть *см.* перешивать.

перещеголя́ть to outdo, surpass, excel.

переэкзаменов‖а́ть(ся) *см.* переэкзаменовывать(ся); '‿ка a second examination (after a non--pass); '‿ывать to re-examine, to submit to a second examination; '‿ываться to be re-examined, to go in for a second examination.

пе́ри *миф.* peri.

периге́‖й *астр.* perigee (*противоп.* apogee); '‿лий *астр.* perihelion.

перикáрди‖й *анат.* pericardium (*pl.*-ia); '‿т pericarditis; '‿ческий pericardiac, pericardial.

пери́ла banisters, balustrade, handrail, railing; parapet (*моста*).

пери́метр *геом.* perimeter.

пери́на feather bed.

перине́й *анат.* perineum (*промежность*).

пери́од period (*тж. речи*); phase, stage; *фиг.* page (*жизни, истории и пр.*); п. его жизни the time of his life; ледниковый п. glacial period, ice-age; отчётный п. period under review; переходный п. transition (period) (*в науке, искусстве, политике и пр.*); изобилующий ‿ами periodic (*о стиле*); '‿ика periodicals (*журналы и пр.*).

периоди́ческ‖ий periodic(al); recurrent (*повторяющийся с промежутками*); п. доход income (*особ. годовой*); п. журнал periodical; journal, magazine; ‿ая безработица periodical unemployment; ‿ая дробь repeating (circulating) decimal, repeater, repetend; ‿ая печать periodicals; ‿ая система элементов *хим.* periodic (*или* Mendeléeff's) law; ‿ое издание periodical.

периоди́чность periodicity.

перипате́ти‖к, '‿ческий *филос.* peripatetic.

перипети́я peripeteia, peripetia; *фиг.* trouble, scrape.

периско́п periscope; ‿и́ческие стёкла periscopic lenses.

перистáльти‖ка *физл.* peristalsis; '‿ческий peristaltic; '‿ческое сокращение peristalsis.

перисти́ль *арх.* peristyle.

пе́рист‖**ый** *зоол.* plumose, plumy; *бот.* pinnate(d) (*о листе*); *см.* облако; ~о-сло́жный *бот.* pinnately-decompound.

перитони́т *мед.* peritonitis.

перифери́‖**ческий** peripheral; ~я periphery, remote districts, outer districts; из центра на ~ю разосланы директивы instructions have been sent to the outer districts; посыла́ть на ~ю to send to the outer districts; to send down.

перифра́з, ~а periphrasis, periphrase; ~и́ровать to express one's ideas evasively.

перка́ль percale.

перл pearl; *тип.* Pearl (5 point).

перламу́тр mother-of-pearl; nacre (*тж.* перламутровая раковина); ~овый nacreous; ~овая пуговица pearl button.

перло́вая крупа́ pearl-barley.

перлюстр‖**а́ция** the censoring of letters; ~и́ровать to censor letters.

пермане́нтн‖**ость** permanence, permanency; ~ый permanent.

пе́рмский *геол.* Permian.

Пермь Perm.

перна́тый feathery, feathered.

пер‖**о́** feather; plume (*особ. служащее украшением*); pen (*стальное*); (goose-)quill (*гусиное и пр.*); crow-quill (*воронье, тонкое стальное*); fountain pen (*самопишущее*); страусовое п. ostrich feather; взяться за п. to put pen to paper; росчерком ~а́ by a stroke of the pen; искусно владеть ~о́м to wield a skilful pen; украсить ~ом to plume; мелкие '~ья coverts (*закрывающие основание крупных перьев хвоста, крыльев*); оправлять ~ья to plume (*о птице*); покрытый '~ьями *зоол.* plumose, plumy; ворона в павлиньих '~ьях a jackdaw in borrowed plumes.

перочи́‖**нный нож(ик)** penknife; ~стка penwiper.

перпендикуля́р perpendicular; normal; ~ность perpendicularity; *геом.* normalcy; ~ный perpendicular; sheer (*о подъёме, падении*); ~но athwart (*of*) (*волнам, ветру*).

перпе́туум мо́биле perpetual motion.

перро́н platform; ~ный билет platform ticket.

перс Persian.

Персе́й *астр.* Perseus.

пе́рси *уст., поэт.* breast, bosom.

перси́дск‖**ий** Persian (*тж.* персидский язык); Iranian; п. порошок Persian insect powder; ~ая кошка Persian cat.

пе́рсик peach; nectarine (*гладкий*); подобный ~у peachy (*о вкусе, цвете лица и пр.*); ~овый peachy; ~овое дерево peach-tree.

Пе́рсия Persia.

персо́на person, personage, personality; большая, важная п. *шут.* great gun, big bug, bigwig, big pot; *ирон.* panjandrum; моя собственная п. my own (very) self; '~ж personage (*в пьесе и пр.*); '~л personnel; staff; набирать ~л to staff (*в учреждении*).

персона́льн‖**ый** personal; ~ая пенсия personal (individual) pension.

перспекти́в‖**а** perspective (*тж. фиг.*); prospect, outlook (*виды на будущее*); vista (*открывающийся вид*); в ~е in perspective; ~ный perspective.

перст *уст.* finger; ~ень ring; seal- (signet-)ring (*с печатью*).

персть *уст.* dust, earth.

пертурба́ция *астр., фиг.* perturbation.

перуа́н‖**ец**, ~ский Peruvian.

перфор‖**а́тор** perforator; ~а́ция, ~и́рование perforation; ~и́ровать to perforate.

перхо́та dryness of the throat.

пе́рхоть dandruff, dandriff; scurf.

перце́пция *филос.* perception.

перцо́вка pepper-brandy.

перча́т‖**ка** glove; kid-glove (*лайковая*); chamois-leather glove (*замшевая*); бросить (поднять) ~ку *фиг.* to throw down (to take up) the glove; to challenge (to accept a challenge); революций в ~ках не делают revolutions are not made with rose-water; щипцы для растягивания ~ок glove-stretcher; ~очник, ~очница glover.

перчи́‖**нка** peppercorn; ~ть to pepper.

першеро́н percheron (*лошадь*).

перши́‖**ть**: у меня ~т в горле I have a rasping feeling in my throat.

пе́рышко plumelet; лёгкий как п. feathery.

пёс dog; созвездие Большого Пса *астр.* Great Dog (Canis Major); созвездие Малого Пса Canis Minor.

пе́се‖**льник** (chorus) singer; a book of songs (сборник); ~нка song, ditty; ~нник см. песельник.

песе́ц *зоол.* polar fox.

пёс‖**ий** doggy; П~ья звезда *астр.* Dog Star; Sirius.

пёсик doggie.

пескарь *зоол.* gudgeon.

пескорой *зоол.* sand-eel.

песн||ь *поэт.* chant, song; canto (*часть поэмы*); П. песней Canticles, the Song of Songs, the Song of Solomon; ~я song; air (*напев*); carol, lilt, roundelay (*весёлая*); glee (*с припевом*); shanty (*рабочая песня моряков*); лебединая ~я swan-song; тянуть всё ту же ~ю to harp on one string.

песо||к sand; gravel (*крупный*); silver sand (*тонкий белый*); *мед.* gravel; золотой п. gold dust; сахарный п. granulated sugar; сыпучий п. quicksand; ~чник sandpiper (*птица*); ~чница sand-box; ~чный sandy; ~чная отмель (*у устья реки*) sandbar; ~чного цвета sandy coloured; ~чные часы sand-glass.

пессарий *мед.* pessary.

пессими||зм pessimism; ~ст pessimist; ~стический pessimistic.

пест, ~ик pestle; *бот.* pistil; ~иковый pistillate.

пестовать to nurse, rear.

пест||реть to appear variegated (particoloured); ~рить to variegate; ~рота motley, diversity of colours, variegation; ~рушка *зоол.* lemming; brook-trout, speckled trout (*форель*).

пёстр||ый motley, variegated, particoloured; brindled (*о кошке, собаке, корове*); gay (*о красках*); ~ое общество motley society, *шут.* omnium gatherum.

пестун rearer.

песцовый см. песец.

песч||аник sandstone; grit (*для точила*); holystone (*пористый*); ~анка *см.* пескорой; ~аный sandy; gritty; ~инка grit.

петарда petard; fire-cracker.

петельн||ый: обмётывать ~ым швом to buttonhole.

Петербург *ист.* St. Petersburg.

Петергоф Peterhof.

петит *тип.* Brevier (8 points).

петици||я petition; обращаться с ~ей to petition.

петл||ица buttonhole; frog (*для шпаги*); '~я loop; *техн.* collar; buttonhole (*для застёгивания на пуговицу*); eye (*для застёгивания на крючок*); hanger (*за которую вешают платье и пр.*); hinge (*двери, окна*); mesh (*сети*); stitch (*в вязании*); kink, loop (*кишки, проволоки, каната и пр.*); slip-knot, noose (*передвижная на верёвке, канате и пр.*); внутренняя (наружная) мёртвая ~я inside (outside) loop; делать мёртвую ~ю to loop the loop; накидывать ~ю на шею to noose; спустить ~ю to drop a stitch; вымётывать ~и to buttonhole; навешивать на ~и to hinge (*дверь и пр.*).

Пётр Peter.

Петроград *ист.* Petrograd.

петрографический petrographic(al).

петрография petrography.

Петрозаводск Petrozavodsk.

Петропавловск Petropavlovsk.

петрушка I. *бот.* parsley.

петрушка II. Punch (*действ. лицо в кукольн. комедии*); Punch and Judy show (*представление*).

петуния *бот.* petunia.

пету||х cock; rooster (*преим. амер.*); *фиг.* a hot-tempered person; п. поёт the cock crows; бойцовый п. game-cock; индейский п. turney-cock; bubbly-cock; всяк п. на своем пепелище хозяин *посл.* every cock is proud on his own dunghill; пустить красного ~ха *фиг.* to commit arson; первые (вторые) ~хи first (second) cock; вставать с ~хами to rise with the lark (at cock-crow); ~шиный бой cockfight, main; ~шиный гребень the crest (comb) of a cock; ~шиный гребешок *бот.* cockscomb; ~шиная борода wattle; ~шиться to ride the high horse; to be on the rampage; ~шок cockerel; weather-cock (*флюгарка, тж. фиг.*).

петь to sing; to pipe (*о птице*); to crow (*о петухе*); to intone (*речитативом*); to hum, to sing in an undertone (*вполголоса*); to warble (*заливаться*); п. верно (фальшиво) to sing in tune (out of tune); п. другую песню *фиг.* to sing another tune (song).

пехот||а infantry, foot; отряд ~ы foot company; тактика ~ы infantry tactics; ~инец foot soldier, infantryman; ~ный бой foot fight; ~ный полк infantry regiment.

пехтурой (*sl.*) on Shank's mare.

печал||ить to grieve; ~ся to grieve, sorrow; ~ся раньше времени to meet troubles half way, anticipate sorrows.

печаль sadness, sorrow, grief; ~ник one who feels for others; ~ный sad, mournful, grievous, lugubrious, rueful; ~но mournfully и пр.

печат||ание printing; ~ать to print: to type (*на пишущей ма-*

шинке); ∼аться to be at the printer's (находиться в печати); to be printed (published); ∼ка signet.

печа́т‖ник printer; союз ∼ников Printers' union; ∼ный printed; ∼ный лист quire; ∼ный станок printing press; рабочий ∼ного станка pressman; писать ∼ными буквами to (write in) print; письмо ∼ными буквами print hand.

печа́т‖ь I. seal, stamp; государственная п. Great (State) Seal; на лице его п. смерти (пошлости) he has the seal of death on his face (he has got a patent of vulgarity on his face); на моих устах п. молчания my lips are sealed; накладывать п. to stamp; за моей подписью и с приложением ∼и given under my hand and seal; снабдить документ ∼ью to set (affix, attach) a seal to a document.

печа́т‖ь II. press (пресса); print; printing (печатание); мелкая п. small type; периодическая п. periodicals; послать в п. to send to press; выйти из ∼и to come out, to be published; дом ∼и Press House (Club); иметь благоприятные отзывы в ∼и to have a good press; книга еще в ∼и the book is still in print; книга находится в ∼и the book is in the press; свобода ∼и freedom of the press.

печёнка см. печень.

печёночн‖ик бот. liverwort; ∼ый hepatic.

печёный baked.

пе́чен‖ь liver; болезнь ∼и liver complaint.

пече́нье 1. baking; 2. pastry; macaroon (миндальное); biscuit, cracker, cracknel (сухое).

пе́ч‖ка см. печь I; танцовать от ∼ки always to have the same point of departure; ∼ник stove--setter, stove-man; ∼ная труба chimney (наружная); flue, firetube (внутренняя).

Печо́ра the Pechora.

печу́рка a small stove.

печь I. stove; oven (духовая в плите и пр.); kiln, furnace, oven (для обжигания кирпича, глин. посуды и пр.); lime-kiln (для обжигания извести); oast (для сушки хмеля); доменная п. blast-furnace, high furnace; кремационная п. incinerator; обжигательная п. glazing oven; сушильная п. drying stove; электрическая п. electric stove.

печь II. to bake, roast; to scorch;

parch (о солнце); ∼ся 1. to bake; to broil, parch (на солнце); 2.: ∼ся о ком-л. to take care (have charge) of one.

пешехо́д pedestrian, foot-passenger; ∼ный pedestrian; ∼ная дорожка footpath.

пе́ш‖ий pedestrian, unmounted; п. конному не товарищ a walker is no companion for a rider; a full belly does not understand an empty one; ∼ка шахм. pawn (тж. фиг.); ∼ко́м on foot, afoot; ходить ∼ком to walk; бродить ∼ком to tramp; to pad it, to pad the hoof (sl.); пройдём ∼ком или сядем на трамвай? shall we walk (it) or take the tram?

пеще́р‖а cave; cavern (подземная); grotto (живописная, искусственная); изобилующий ∼ами, имеющий вид ∼ы cavernous; ∼ный человек cave-man; cave-dweller.

пиан‖и́но upright piano; cottage piano (маленькое); ∼и́ссимо муз. pianissimo; ∼и́ст pianist; '∼о муз. piano; ∼о́ла pianola.

пиа́стр piastre (турецкая монета).

пивн‖а́я alehouse, porterhouse; beer-shop, pot-house; разг. pub; saloon (амер.); ∼ы́е дрожжи beer (brewer's) yeast.

пи́во beer, ale; small beer (слабое); swipes (плохое); варить п. to brew; ∼ва́р brewer; ∼варе́ние brewing; ∼ва́ренный завод, ∼ва́рня brewery; brewhouse (самое здание).

пи́галица зоол. lapwing; pewit; фиг. a little woman; an insignificant person.

пигме́й pygmy; миф. Pygmy.

пигме́нт pigment; ∼а́ция pigmentation; ∼и́рованный pigmented; ∼и́ровать to pigment; ∼ный pigmental, pigmentary.

пиджа́к coat; pea-jacket (двубортный морского покроя).

пиезо́метр физ. piezometer.

пиеми́я мед. py(a)emia.

пиете́т piety, reverence.

пиети́‖зм pietism; ∼ст pietist.

пижа́ма pyjama(s).

пи́жма бот. tansy.

пижо́н fop.

пик peak.

пи́к‖а pike, lance, spear; сделать ч.-л. в ∼у to do out of (sheer) pique; ∼адо́р picador.

пика́нти‖ость piquancy, savour, zest; ∼ый piquant, savoury; crisp (о стиле); ∼о piquantly.

пике́ piqué (материя).

пике́т picket (*военн.*, *стачечный*); *карт.* piquet; ставить п., ⌐йрова́ть to picket.

пи́ки *карт.* spades.

пики́ров‖а́ться to exchange caustic remarks; ' ⌐ка an exchange of caustic remarks; *фиг.* sword play.

пи́кколо *муз.* piccolo (*pl.* -s).

пикни́к picnic, treat (*для школьников и пр.*); устраивать п., участвовать в ⌐е́ to picnic, junket.

пи́кнуть: не сметь п. *фиг.* not to dare utter a word (*against*).

пико́вка *карт.* spade.

пико́в‖ый of spades; остаться при ⌐ом интересе to be a loser.

пикри́новая кислота́ picric acid.

пи́кули pickles.

пи́кша haddock (*рыба*).

пила́ saw; file (*напильник*); frame-saw (*в станке*); п. одноручка hand-saw; двуручная п. cross-cut saw; круглая п. circular saw, disk-saw; ленточная п. band-saw; прорезная п. fret-saw; столярная п. buck-saw.

пила́в pilau, pilaw, pilaff.

пила́-рыба sawfish.

пилигри́м pilgrim; ⌐ство pilgrimage.

пили́кать: п. на скрипке to scrape a fiddle, to thrum.

пил‖и́льщик *зоол.* crane-fly; ⌐и́ть to saw; *фиг.* to pester; ' ⌐ка sawing (*пиление*); fret-saw (*инструмент для выпиливания*).

пило́н *арх.* pylon.

пилообра́зный sawlike, serrate.

пило́т pilot; шар-п. pilot balloon; ⌐а́ж pilotage.

пиль! take it!

пи́ль‖ный: п. мастер file-cutter; ⌐щик sawyer.

пилю́л‖ька pillule; ⌐я pill, pellet; bolus (*большая*); globule (*маленькая*); горькая ⌐я, которую приходится проглотить *фиг.* a bitter pill for one to swallow; позолотить ⌐ю to sweeten the draught; давать (прописывать) ⌐и to pill; коробочка для ⌐ь pill-box.

пиля́стр *арх.* pilaster.

пинаго́р *зоол.* lump-fish, lump.

пинакоте́ка pinacotheca (*pl.* -cae), picture gallery.

пина́ть to kick, spurn.

пингви́н *зоол.* penguin.

пинг-по́нг ping-pong.

пиндари́ческ‖ий Pindaric; ⌐е оды, стихи Pindarics.

пи́ния *бот.* stone-pine.

пино́к kick.

пи́нт‖а pint (= $^1/_2$ *галлона*); четверть ⌐ы gill.

пинце́т pincers (*pl.*); *хир.* tweezers.

пи́нчер pincher.

пио́н *бот.* peony.

пионе́р pioneer; быть ⌐ом to be a pioneer; to pioneer; ⌐ба́за pioneer-hostel; ⌐вожа́тый pioneer leader; ⌐ский лагерь pioneer camp; ⌐ский отряд pioneer detachment; ⌐ское звено pioneer link.

пипе́тка pipette, medicine (fluid) dropper.

пир feast, banquet; п. горой real jam (*sl.*); в чужом ⌐у́ похмелье *погов.* to have to suffer through no fault of one's own.

пирами́да pyramid; cairn (*из камней*); ' ⌐льный pyramidal.

пира́т pirate, buccaneer, freebooter, filibuster; (sea-)rover, picaroon; corsair (*особ. из турок, сарацин*); ⌐ский piratic(al); ⌐ское судно pirate, rover; ⌐ство piracy.

Пирене́и the Pyrenees.

пирене́йский Pyrenean.

пири́т *мин.* pyrite.

пирова́‖ние feasting, revelling; ⌐ть to feast; to banquet (*в гостях*); *разг.* to junket (*устроить пирушку*); to revel (*шумно*); to regale (*пышно*); to luxuriate (*безудержно*).

пиро́г pie, pasty; tart (*открытый с фруктами и пр.*); мясной п. meat-pie, pasty.

пиро́га pirogue, canoe formed of a dug-out log.

пирога́лловая кислота́ *хим.* pyrogallic acid.

пиро́ж‖ник *см.* кондитер; ⌐ное fancy cake, tart(let) (*кондитерское*); *соб.* pastry; sweet dish (*сладкое блюдо за обедом*); ⌐о́к patty, pâté; puff (*слоёный*).

пиро‖ксе́н pyroxene; ⌐ксили́н pyroxylin; ⌐ме́тр *физ.* pyrometer; ⌐метри́ческий pyrometric; ⌐ме́трия pyrometry; ⌐те́хник pyrotechnist; ⌐те́хника pyrotechnics, pyrotechny; ⌐техни́ческий pyrotechnic; ⌐фо́р pyrophoric alloy; ⌐электри́чество pyroelectricity.

пи́ррова побе́да Pyrrhic victory.

пиррони́‖зм Pyrrhonism; ⌐че́ский Pyrrhonian, Pyrrhonic.

пиру́шка revel, carouse, junket; booze (*попойка*).

пируэ́т pirouette; делать п. to pirouette.

пи́ршеств‖енный convivial, festive; ⌐о revelry, festivity, regale; ⌐овать *см.* пировать.

писа́ка scribbler, quill-driver; (literary) hack (*наёмный*).

писа́ние writing; священное п. the Holy Scripture (Writ).

писа́н‖ый: ~ая красавица a picture of beauty.

писа́р‖ский: п. почерк very good hand (writing); ~ь clerk; военный ~ь *ист.* clerk of the War-Office (Staff); волостной ~ь *ист.* clerk of the volost (rural community).

писа́тел‖ь, ~ьница writer, author (*ж. р.* -ess), man (woman) of letters, penman (penwoman); *шут.* scribe; story-teller (*рассказов*); novelist (*романист*); humorist (*юморист*); лучшие современные ~и the best pens of the day; ~ьство literary profession, authorship.

писа́ть to write; to journalize, to keep a diary (*дневник*); to paint, picture (*картину красками и пр.*); to invoice (*накладную, фактуру*); to type (*на машинке*); to parody (*пародию, карикатуру*); to pen (*письмо и пр.*); to take down (*под диктовку*); to scribble (*небрежно, наскоро*); п. карандашом to (write in) pencil; п. крупно (мелко, разборчиво) to write large (small, plain); п. прозой (стихами) to write prose (verse); п. слишком много to overwrite; п. to write too much; п. чернилами to write in ink; не про вас **писа́но** this is not meant for you (*не для вас предназначено*); it's too clever for you (*вам не понять*); ну, теперь **пиши** пропало well, that is as good as lost; ~ся: как **пи́шется** это слово? how do you spell this word?

писе́ц clerk, quill-driver; calligrapher; *ист.* scribe.

писк squeak, scream, peep, chirp, cheep (*птенцов*); whine (*жалобный*).

писка́рь *см.* пескарь.

писк‖ли́вость squeakiness; ~ли́вый, ~ля́вый squeaky; '~нуть *см.* пищать; ~отня́ squeaking, peeping; whining; ~у́н, ~у́нья squeaker.

писсуа́р urinal.

пистоле́т pistol; выстрел из ~а pistol shot; стрелять из ~а to pistol.

писто́ль *ист.* pistole (*монета*).

писто́н ́ (percussion) cap; eyelet (*на шнуров. башмаке*).

писцо́вые кни́ги *ист.* cadastres (-ters).

писчебума́жн‖ый: п. товар stationery; в ~ом магазине at the stationery shop; ~ая фабрика papermill.

писч‖ий: ~ая бумага writing-paper, foolscap; ~ик writer's cramp (*судорога*).

письмена́ characters, letters; п. в виде рисунков picture writing (*иероглифы и пр.*).

письмен‖ность the written language; literature; ~ный прибор writing-desk set; ~ный стол writing desk (table); ~ный экзамен written examination; ~ная работа paper; ~ное обещание written promise; излагать в ~ной форме to put down on (commit to) paper; ~ные принадлежности stationery, writing material (tackle); ~но in writing, by letter.

письмо́ letter; note, word (*короткое, уведомительное*); writing; п. с нечётким (неполным) адресом blind letter; деловое п. business letter; заёмное п. bill of exchange; заказное п. registered letter; открытое п. post-card; официальное п. missive; поздравительное п. letter of congratulation; просительное п. begging letter; рекомендательное п. letter of introduction; сопроводительное п. covering letter; ваше п. от 5/III your favour of 5 / III (*в деловой корреспонденции*); когда вы получили п. от сына? when did you hear from your son? ~вник a handbook containing samples of letters; ~води́тель clerk, writer; ~во́дство the functions of an office clerk; ~но́сец postman, letter-carrier.

пита́ние nourishment; *биол.* nutrition; board (*стол*); искусственное п. artificial feeding (*грудных детей*); artificial alimentation (*больных*); насильственное п. forced feeding; недостаточное п. malnutrition; общественное п. the system of public dining-rooms; усиленное п. high caloric diet.

пита́тельн‖ость nutritiousnes; ~ый nourishing, nutritious, nutrient, nutritive; ~ый насос *техн.* feeding pump, injector; ~ый пункт (feeding) kitchen; ~ая среда *бакт.* culture medium; ~ая пища nourishing food; ~ая трубка *техн.* feed(ing)-pipe; ~ое вещество nutriment; ~ые соки sap.

пита́ть to nourish (*тж. фиг.*); to nurse (*вскармливать*); to feed, foster (*кормить*); to maintain (*содержать, поддерживать питание*); п. дружбу to have a friendly feeling (*for*); п. надежду to cherish hope; п. отвращение to have an aversion (*for*); ~ся (*чем-л.*) to feed (*on*), to live (*on*).

питейн‖ый: ~ое заведение *уст.* public house.

питом‖ец, ~**ица,** ~**ка** foster-child, nursling, fosterling; charge (*находящийся на попечении*); ~**ник** nursery (*для растений, животных*); nursery garden (*для растений*); seedplot (*для рассады*); arboretum (*древесный*).

питон *зоол.* python.

пить to drink; to take (*вино, лекарство, чай и пр.*); to tipple (*выпивать*); to lap (*ир, down*) (*лакать*); to guzzle, to swill (*жадно*); to sip, nip (*маленькими глотками*); to drink like a fish (*много*); to overdrink, to take too much (*чрезмерно*); п. за ч.-л. здоровье to drink someone's health, to drink to a person, to raise one's glass to someone; п. залпом to pour down one's throat; п. лечебные воды to drink the waters; п. мёртвую to be on the drink; как п. дать as two and two make four; as sure as eggs is eggs; он никогда не пьёт пива he never touches (takes) beer; ~ё potation, drinking (*действие*); drink, beverage, potation (*напиток*); годный для ~я drinkable, potable; ~евая вода drinking water.

Пифагор Pythagoras; п~еец, п~ейский Pythagorean; ~ова теорема Pythagorean proposition.

пифический Pythian.

пифия Pythoness.

пих‖ание pushing; ~ать(ся), ~нуть to push, elbow, jostle.

пихта *бот.* fir(-tree); silver-fir.

пичка‖нье cramming, stuffing; ~ть to cram, stuff (*тж. фиг.*).

пиччикато *муз.* pizzicato.

пишущ‖ий: п. эти строки the present writer; ~ая машина typewriter.

пищ‖а food; nourishment; nutriment, aliment; п. для ума food for thought, mental stimulus (pabulum); духовная п. spiritual nourishment, manna, pabulum; негодная к употреблению п. food not fit for human consumption (not fit for a dog); годный в ~у fit to eat; давать ~у тщеславию (взорам) to feed vanity (the eyes).

пищаль *ист.* (h)arquebus(e); ~ник (h)arquebusier.

пищать to squeak, scream; to whine (*скулить*); to cheep, peep, pule (*о цыплятах и пр.*).

пищевар‖ение digestion; плохое п. indigestion; расстройство ~é-

ния dyspepsia; человек, страдающий расстройством ~ения dyspeptic; обладающий хорошим ~ением having a good digestion; *мед.* eupeptic; ~ительный digestive, peptic; ~ительный канал alimentary canal.

пищев‖ик worker of food supply industry; союз ~иков Union of Food Suppliers; ~**ód** *анат.* œsophagus, gullet; ~**ой** alimentary, nutritive; ~**ой** трест Food Trust; ~ые продукты food stuffs.

пищик small pipe for luring birds.

пиэтет piety, reverence.

пиявк‖а leech; пристал как п. sticks like a leech; ставить ~и to leech, to apply leeches (*to*).

плавань‖е swimming, natation; navigation (*на судне*); voyage, trip (*судна*); каботажное п. inland navigation; пробное п. trial trip; пуститься в п. to put to sea; совершать кругосветное п. to voyage round the world; to circumnavigate the globe; совершать торговое п. to trade (*to*); бассейн для ~я natatorium, swimming-bath, (swimming-)pool; годный для ~я seaworthy, seagoing; жалованье во время ~я sea pay; на расстоянии 10 дней ~я (*от*) 10 days sail (*from*); школа ~я swimming school.

плавательн‖ый natatorial, natatory; п. пузырь swimming bladder (*у рыб*); ~ая перепонка web (*у птиц*); flipper (*у черепахи и пр.*); ~ые перья fins (*у рыб*).

плава‖ть to swim; to float (*на поверхности, как пробка и пр.*); to navigate (*на судне*); to coast (*вдоль побережья*); to sail (*под парусами*); to yacht (*на яхте*); to row, pull (*на вёслах*); to waft, drift (*нестись по поверхности воды*); п. в луже крови to welter in one's blood; п. сажонками to swim with breast strokes; ~ющий natatorial, floating; ~ющие обломки корабля floatage.

плав‖ень *хим.* flux; ~ик, ~иковый шпат *мин.* fluor spar; ~иковая кислота hydrofluoric acid.

плав‖ильник, ~ильный тигель *техн.* melting pot, crucible; ~ильная печь smelting furnace; ~ильня foundry, smelter; ~ильщик founder, smelter; '~ить 1. to (s)melt (*металлы*); 2. *см.* сплавлять; '~иться to fuse; '~ка fusion; '~кий fusible; '~кость fusibility; ~ление *см.* плавка.

плавни́к fin (*у рыбы*); flipper (*у черепахи, пингвина и пр.*); снабжённый ~а́ми finny.

пла́вн‖**ость** smoothness; facility (*о речи*); ~**ый** smooth; liquid (*звук*); ~**ая** похо́дка swim; ~**о** fluently, smoothly, flowingly.

плаги‖**а́т** plagiarism, plagiary; *разг.* crib (*from*); ~**а́тор** plagiarist; ~**и́ровать** to plagiarize; *разг.* to crib (*from*).

пла́зм‖**а** *биол.* plasm(a); ~**ати́ческий** plasmatic; ~**о́дий** plasmodia (*pl.*).

пла́кальщи‖**к**, ~**ца** a male (female) weeper, a hired mourner.

плака́т placard, poster, bill; *тип.* broadsheet, broadside; выве́шивать п. to placard.

пла́ка‖**ть** to weep, cry, shed tears; wail (*причитать*); to play the woman (*плакать как баба*); п. вме́сте с к.-л. to mingle tears; п. о к.-л. (о ч.-л.) to weep for a person (a thing); го́рько п. to weep bitterly; ~**ли** денежки! the money is as good as gone!; ~**ться** to complain (*of*), lament; *фиг.* to wail, to slobber (*распускать нюни*); ~**ться** на свою́ судьбу́ to bewail (bemoan) one's lot.

плаки́ровать to plate (*металлы*).

пла́к‖**са** cry-baby, sniveller, weeper; ~**си́вость** tearfulness; ~**си́вый** tearful, lachrymose; ~**си́во** tearfully, lachrimosely; ~**у́н-трава́** willow herb; ~**у́чая** и́ва (*береза*) weeping willow (birch).

плам‖**ене́ть** to flame, blaze; ~**е-не́ющий** flaming, flamboyant; '~**енник** *бот.* phlox; '~**енный** flaming, fiery; ardent (*о любви, воображении и пр.*); '~**ень**, '~**я** flame, fire; blaze (*ослепительное*); вспы́хнуть '~**енем** to burst into flame; проры́в '~**ени** наза́д *военн.* backflash.

план plan (*тж. арх.*); scheme (*система; схема; план достижения чего-л.*); design (*худож. произведения*); proposal (*предложение*); draught; п. жилстрои́тельства housing scheme; п. строи́тельства building scheme; п. электрифика́ции plan (scheme) for electrification, electrification scheme; встре́чный п. supplementary plan; генера́льный п. general plan; за́дний п. background; календа́рный п. calendar plan; кру́пный п. *кинем.* close-up; пере́дний п. foreground; пятиле́тний п. five year plan; вы́полнить и перевы́полнить п. to fulfil and overfulfil

a plan; составля́ть п. to plan, design; to map out; у меня́ есть п. как их примири́ть I have a design for reconciling them; нару́шить чьи-л. ~**ы** to upset one's plans; *фиг.* to upset one's apple-cart; стро́ить ~**ы** to plan; to plot (*секреты, заговоры*).

планёр *ав.* glider (*самолёт без мотора*).

плане́т‖**а** planet; больши́е (ма́лые) ~**ы** major (minor) planets; ~**ы**, враща́ющиеся вокру́г со́лнца primary planets; ~**а́рий** planetarium, orrery; ~**а́рная** переда́ча *техн.* sun and planet; ~**ный** planetary; ~**о́ид** *астр.* planetoid, asteroid.

планиме́тр planimeter; ~**и́ческий** planimetric; ~**ия** planimetry, plane geometry.

плани́рование I. systematization; planning; п. произво́дства the planning of industry.

плани́рование II. *ав.* planing; glide.

плани́ровать I. to systematize; to plan.

плани́ровать II. to plane; *ав.* to plane down, to glide, to volplane.

планиро́вка *см.* планирование I; п. го́рода town planning.

плани́рующий: п. спуск *ав.* a glide.

планисфе́ра planisphere.

пла́нка lath (*рейка, дранка*); slat (*перекладина*); a strip of wood (metal); cleat.

планкто́н *биол.* plankton.

планови́к planner.

пла́ново-операти́вный planning-operative.

пла́но‖**вость** *см.* планомерность; ~**вый** systematic, pertaining, to a definitely worked out plan (scheme, system); ~**вый** отде́л planning department; ~**вая** про-мы́шленность planned industry; ~**вая** социалисти́ческая организа́ция хозя́йства planned socialist organization of economy; ~**вое** хозя́йство planned economy; ~**ме́рность** development (arrangement) according to plan; ~**ме́рный** systematic.

планта́‖**тор** planter, grower; ~**ция** plantation.

планше́т plane-table (*топографи́ческий прибор*).

планши́р *мор.* gunwale, gunnel.

пласт layer; *геол.* stratum, bed, seam, pan; *арх.* course (*камней, кирпича*).

пла́стика plastic art.

пласти́н‖(ка) plate; scale-board (*тонкая*); lamina (*особ. металла*); п. стереоти́па cliché; граммофо́нная п. gramophone record; листова́я п. *бот.* blade, lamina; ∼ча́тый lamellar, lamellate; ∼ча́то-жа́берные *зоол. см.* двуство́рчатые.

пласти́ч‖еский plastic; ∼еская хирурги́я plastic surgery; ∼ность plasticity.

пласти́чный plastic.

пла́стыр‖ь plaster; вытяжно́й п. blistering-plaster; заживля́ющий п. court-plaster; ли́пкий п. adhesive (sticking) plaster, diachylon; strapping (*в виде ленты*); прикла́дывать п. to plaster; укрепля́ть повя́зку ∼ем to strap up; кусо́чек накле́енного ∼я patch.

пла́та pay; charge (*взимаемая за ч.-л.*); fee (*гонорар, плата за учение, членский взнос*); salary, wages (*заработная плата*); hire (*за наёмный труд, наём помещения и пр.*); postage (*за пересылку почтой*); freightage (*за провоз грузов*); water-rate (*за воду*); fare (*за проезд*); haulage (*за разгрузку*); moorage (*за стоянку судна*); anchorage (*за якорную стоянку*); п. за ви́зы fees for visas; п. нату́рой pay in kind; входна́я п. entrance, admission (fee); кварти́рная п. rent.

плати́н *бот.* platan, plane tree.

плата́ть to patch, clout, mend.

плат‖ёж payment; день ∼ежа́ pay-day; ме́сто ∼ежа́ place of payment; domicile (*векселя*); распи́ска в ∼еже́ receipt; долг ∼ежо́м кра́сен one good turn deserves another; ∼ежи́ по вое́нным контрибу́циям и убы́ткам (payments of) indemnities; ∼ёжная ве́домость pay list, pay-roll; ∼ежеспосо́бность solvency, paying capacity; *комм.* ability; ∼ежеспосо́бный solvent; ∼е́льщик payer; taxpayer (*налогов*).

пла́тин‖а *мин.* platinum; ∼овый platinum (*attr.*); *хим.* platinous.

плат‖и́ть to pay; to prepay, advance (*вперёд*); to honour (*по векселю в срок*); п. дань to render tribute (*тж. отдавать должное*); п. за угоще́ние to stand a treat; п. зо́лотом to pay in gold; п. нали́чными to pay in cash (ready money); to pay money down; п. той же моне́той *фиг.* to give as good as one gets; to return like for like; недоста́точно п. to underpay (*за труд*); ∼и́ться за ч.-л. to pay for something; ∼ный requiring payment; ∼ная рабо́та paid work.

плато́ *геогр.* plateau (*pl.* -s, -x), table-land.

плато́к shawl; kerchief (*головной*); носово́й п. (pocket-)handkerchief; оренбу́ргский п. Orenburg shawl; ше́йный п. neckerchief, neckcloth.

Плато́н Plato; п∼и́зм Platonism; п∼ик Platonist; п∼и́ческий Platonic(al); п∼и́ческая любо́вь Platonic love.

платфо́рма platform (*тж. пол.*); truck, lorry (*вагон-платформа, грузовик*); да́чная п. small summer colony railway station.

пла́т‖ье clothes, garments, dress (*соб. одежда*); dress, gown (*женское*); frock (*детское, женское*); tea-gown (*дневное нарядное*); п. на зака́з clothes made to order; ве́рхнее п. coat; гото́вое п. ready made clothes; пло́хо сидя́щее п. misfit; снабжа́ть ∼ьем to clothe; ∼яно́й шкаф wardrobe.

плафо́н *арх.* plafond.

пла́ха block.

плац drill (practice) ground (*учебный*); parade-ground (*плац-парад*); ∼да́рм base, place of arms, jumping of ground.

плаце́нта *физл.* placenta (*pl.* -ae).

плацка́рт‖а reserved seat; взять ∼у to reserve a seat; ∼ный ваго́н a railway carriage with numbered berths.

плач lamentation; weeping, crying (*больного, ребёнка*); ∼ем го́рю не помо́жешь no use crying over spilt milk; ∼евность deplorableness, deplorability; ∼евный lamentable, deplorable, mournful, sad; име́ть ∼евный исхо́д to come to a sad end; в ∼евном состоя́нии in a sad state (plight); ∼евные результа́ты lamentable (deplorable) results; ∼евно lamentably, deplorably, mournfully, sadly; ∼ущий crying, tearful.

плашко́(у)т pontoon; *мор.* lighter, flat-boat; ∼ный мост pontoon bridge, bridge of boats.

плашмя́ flatways; уда́р са́блей п. a stroke with the flat of the sword; упа́л п. fell flat.

плащ cloak, mantle; mantlet (*короткий*); непромока́емый п. raincoat; ∼ани́ца shroud.

плеб‖е́й, ∼е́йский plebeian; ∼е́йство plebeianism.

плебисци́т plebiscite.

плебс plebs, mob.

плева́ membrane, film, coat; pellicle (*тонкая*); де́вственная п. hymen.

плева́т‖ельница spittoon; ∼ь, ∼ься to spit; to sputter (*брызгать слюно́й*); ∼ь на к.-л. (ч.-л.) *фиг.* to spit upon a person (a thing); мне ∼ь I don't care a hang (a tinker's damn), I spit on it; не **плюй** в коло́дец—пригоди́тся воды́ напи́ться *посл.* cast no dirt into the well that gives you water.

пле́вел *бот.* weed, darnel; cockle (*в хле́бных зла́ках*).

плево́к spit(tle); *мед.* sputum (*мокро́та*).

пле́вра *анат.* pleura.

плевр‖и́т pleurisy, pleuritis; ∼и́тный pleuritic; ∼опневмони́я pleuropneumonia.

плёв‖ый: ∼ое де́ло *вульг.* a trifling matter.

плед plaid.

плезиоза́вр *палеонт.* plesiosaurus.

плейстоце́н *геол.* pleistocene.

плем‖енно́й tribal; racial, ethnic (-al); п. скот pedigree cattle; '∼я tribe, race; generation, family; breed (*в животново́дстве*); кочу́ющее ∼я nomad tribe.

племя́нни‖к nephew; ∼ца niece.

плен captivity; брать кого́-л. в п. to take one (to make one) prisoner, to capture; попа́сть в п. to be made (taken) prisoner; уводи́ть в п. to lead captive, to march one off.

плена́рн‖ый: ∼ое заседа́ние plenary meeting.

плене́ние capture (*захва́т*); captivation (*обольще́ние*).

плени́тельн‖ый captivating, fascinating, enchanting, charming; ∼о charmingly.

плени́ть(ся) *см.* пленя́ть(ся).

плёнк‖а film (*тж. фот.*); pellicle (*то́нкая ко́жица, оболо́чка*); покрыва́ться ∼ой to film.

пле́нни‖к, ∼ца prisoner, captive; ∼ый captive.

пле́нум plenum; п. ЦК Plenum of the Central Committee; заседа́ние ∼а plenary meeting; реше́ния ∼а plenum resolutions.

плёнчатый filmy.

пленя́ть to captivate, fascinate, bewitch, charm; ∼ся to be captivated (charmed).

плеона́зм *стилист.* pleonasm.

плёс reach, stretch of water.

пле́сень mould must(iness).

плеск splash, swash, plash, splatter; lap (*небольши́х волн*); ∼а́ние splashing, swashing, splattering; ∼а́ть(ся) to splash, swash, splatter; to lap (*о волна́х*).

пле́сневеть to mould, must; to grow mouldy (musty).

плесну́ть *см.* плеска́ть.

пле‖сти́ to braid, plait, plat; to twine, wreathe (*вено́к*); to braid, plait (*ко́су*); to weave, wattle (*корзи́ну*); to weave, tat (*кру́жево*); to spin (*паути́ну*); to plash (*плете́нь*); to net (*се́ти*); п. чепуху́ to talk nonsense (rot); ∼сти́сь to trudge, to jog along; ∼сти́сь в хвосте́ to hang (lag) behind; ∼те́льщик, ∼те́льщица plaiter; ∼тёнка network; sort of basket vehicle; ∼тёный wattled; ∼тёный стул wicker chair; ∼тёная корзи́на wicker basket (case); ∼те́нь wattle (fence); ∼те́нье braiding, plaiting, weaving; netting (*се́ти*); wicker-work, basket-work (*плетёные изде́лия*).

плётка, плеть lash; нака́зывать пле́тью to lash, give a lashing.

плеч‖ево́й humeral; ∼ева́я кость humerus; ∼и́стый broad shouldered; ∼о́ shoulder; *анат.* arm, humerus; *техн.* arm; ру́жья на ∼о! *воен.* slope arms!; руби́ть с ∼а́ *фиг.* to act (speak) rashly; держа́ть ру́жья на ∼о́ *воен.* to slope arms; ∼о́м к ∼у́ shoulder to shoulder; э́то ему́ (не) по ∼у́ he is (not) up to that, he is (un)fit for it; брать на '∼и to shoulder; с плеч доло́й *фиг.* off one's mind; пожа́ть ∼а́ми to shrug one's shoulders.

плеш‖и́веть to grow (get) bald; ∼и́вость baldness; ∼и́вый bald; ∼и́вый челове́к baldhead, baldpate; ∼и́на, ∼ь bald patch; glade (*в лесу́*).

плея́д‖а Pleiad; ∼ы *астр.* Pleiades.

пли! *см.* пали́ть.

Пли́мут Plymouth.

пли́нтус skirting-board; *арх.* plinth.

плиоце́н *геол.* pl(e)iocene.

плис velveteen.

плиссе́(-гармо́ния) (accordion) pleats (plaits).

плит‖а́ flagstone (*тротуа́ра*); (cooking-)range, kitchener (*ку́хонная*); gravestone (*моги́льная*); выстила́ть (вы́стланный) ∼а́ми to flag (flagged); '∼ка slab, tile; ∼ка шокола́да slab (tablet, cake, bar) of chocolate; ∼ня́к flagstone, freestone; ∼оло́мня quarry; '∼очный чай brick-tea.

плов *см.* пила́в.

плов‖е́ц swimmer; ∼у́честь floatage, buoyancy; ∼у́чий floatable, floating, buoyant; ∼у́чий мая́к floating light; ∼у́чий мост float-

-bridge; ⁓учая льдина floe; ⁓учая масса float (льда, дров и пр.).

плод *бот.* fruit; offspring (*отпрыск*); *мед.* foelus; *фиг.* result, fruit (*результат*); запретный п. forbidden fruit; приносить ⁓ы to bear fruit, to fructify; питаться ⁓ами to live on fruit; ⁓йть to procreate, engender, produce; to beget (*об отце*); ⁓йться to multiply; to propagate; ⁓овйтость fruitfulness, fecundity, fertility; ⁓овйтый fruitful, fecund, prolific; ⁓овитый писатель voluminous writer; ⁓оводческий район fruit growing region; ⁓овый fruity; ⁓овое дерево fruit-tree, fruiter; ⁓олистик *бот.* carpel; ⁓оножка *бот.* fruit-stalk; ⁓оносный fruit-bearing. fruitful, fertile; ⁓ородие, ⁓ородность fertility, fecundity; ⁓ородный fecund, fertile (*об. in*); generous (*о почве*); ⁓осменный rotatorv; ⁓осушилка fruit-kiln; ⁓отворный fruitful, fertile; ⁓ойдный frugivorous.

пломба leaden seal (*на двери и пр.*); filling, stopping (*зубная*).

пломбир ice cream pudding with fruit.

пломбирование sealing; filling, stopping (*зубов*).

пломбировать to lead, to seal with lead; to fill, stop (*зубы*); to seal (*ж.-д. вагоны*); ⁓ка *см.* пломбирование.

плоский flat; plane (*о поверхности и пр.*); tabular (*о горе*); *фиг.* platitudinous; trivial; ⁓ая возвышенность *см.* плоскогорье; ⁓ая грудь flat chest; ⁓ая поверхность plane surface; flat (*меча*); ⁓ая шутка trivial joke; ⁓о flatly; ⁓огорье plateau (*pl.* -s, -x), table-land; ⁓огубцы pliers; ⁓одонка flat (-bottomed) boat; ⁓одонный flat--bottomed; ⁓одонное судно scow; keel (*для перевозки угля*); ⁓остопье flat-foot; страдающий ⁓остопьем flat-footed; ⁓ость flat, plane; flatness; *физ.* platitude, triviality, commonplaceness; ⁓ость горизонта the plane of the horizon; наклонная ⁓ость *физ.* inclined plane; в той же ⁓ости in the same plane; *фиг.* from the same point of view.

плот raft.

плотва roach (*рыба*).

плотина dam, weir, wear; mill--dam (*мельничная*); barrage (*запруда*); dike (*дамба против затопления*).

плотник carpenter; театральный п. scene shifter; stage carpenter.

плотничать to carpenter; ⁓ество carpentry; ⁓ий carpenter's, belonging to a carpenter.

плотность compactness, solidity (*прочность*); density (*отношение массы к объёму*); thickness (*густота*); closeness (*близость*); п. материи close texture; п. населения density of population; ⁓ый compact, solid, dense, thick (*см.* плотность); thick-set (*о сложении*); ⁓о close(ly), tightly; ⁓о облегать to fit like a glove (*о платье*); ⁓о поесть to have a square meal; ⁓о прижаться to cling close.

плотовщик raftsman.

плотоядный carnivorous; ⁓ский fleshly, carnal (*мирской, чувственный*); corporal, physical (*телесный*); ⁓ски carnally; ⁓ь flesh, body (*тело*); (*своя*) ⁓ь и кровь (one's own) flesh and blood; единая ⁓ь one flesh; крайняя ⁓ь *анат.* foreskin, prepuce.

плохо bad(ly), ill; п. обращаться to ill-use, ill-treat; п. себя вести to behave ill; п. себя чувствовать to feel unwell (out of sorts, poorly); *разг.* to feel rotten; ⁓ховатый rather bad; ⁓хой bad; sorry (*жалкий*); poor (*о здоровье*); nasty (*о погоде*); wretched (*о здоровье, погоде*); *шут.* woeful; ⁓хая пьеса a poor play; ⁓хое пищеварение indigestion; ⁓хое приспособление maladjustment; ⁓хое управление ill management; ⁓хое утешение sad consolation; ⁓шать to fail.

площица *см.* площица.

плошка an earthen saucer; lampion (*иллюминационная*); глаза как ⁓и saucer eyes.

площадка platform; landing (-place); playground, pleasure--ground (*для спорта, игр*); landing (*лестницы*); island (*среди улицы*); «островок безопасности»; детская п. summer kindergarten; сценическая п. stage platform; трамвайная п. tram platform.

площадной : ⁓ая брань bad language, swearing.

площадь area; square (*квадратная*); circus (*круглая*); esplanade (*особ. для прогулок или отделяющая крепость от города*); п. засева sown area; п. обработки area under cultivation; п. треугольника the area of a triangle; базарная п. market place; жилая п.

floor space, living area; Красная‛ п. Red Square; охватывающий большую п. spreading over a vast area.

пло́щица *энтом.* crab-louse (*pl.* -lice).

плувио́метр pluviometer.

плуг plough; ручка ~a plough-tail.

плу́нжер *техн.* plunger; насос с ~ом plunger-pump.

плут cheat, swindler, shuffler; *шут.* rogue; leg (*в играх*).

плута́ть to stray; to go astray; to wander.

плут‖и́шка *шут.* little rogue; '~ня swindle, trick, imposture, rig; ~ова́тый *см.* плутовско́й; ~ова́ть to cheat, swindle, palter; to sharp (*в картах*); ~о́вка *см.* плути́шка; ~овско́й roguish, knavish; ~овско́й приём a knavish trick; ~овска́я новелла picaresque novel (tale); ~овская улыбка a mischievous smile; ~овство́ trickery, juggle(ry), imposture, fake.

плутокра́т plutocrat; ~ия plutocracy.

плутони́‖зм *геол.* Plutonic theory; ~ческий Plutonic, Plutonian.

плыть *см.* плавать; to run (*таять, растекаться: о свече и пр.*); п. по те́чению (против тече́ния) to go (swim, drift) with (against) th‛ stream (tide); п. стоя to tread water (*о человеке*).

плювио́метр *см.* плувиометр.

плюга́вый mean, shabby.

плюма́ж plume (attached to hat).

плю́нуть *см.* плевать.

плюрали́зм *филос.* pluralism.

плюс *мат.* plus (+); *фиг.* surplus, gain, profit; advantage.

плюсна́ *анат.* metatarsus.

плюх‖а *вульг.* a smack in the face; заклатить к.-л. ~у to smack (slap) a person's face.

плюх‖аться, ~нуться to flop (plop, plump) down.

плюш plush, velours.

плющ *бот.* ivy; поросший ~о́м ivied.

плющ‖е́ние flatting; laminating (*о металлах*); ~и́льный станок flatter, flatting mill; ~и́ть to flatten; to laminate.

пляж beach.

пляс dance; ~а́ть to dance, to foot it; ~ать от радости to waltz with joy (*in, out, round*); ~ать под чью-либо дудку to dance to someone's tune (piping); ~ка dance; ~ка св. Вита Sf. Vitus's dance, chorea; ~ово́й dancing; ~у́н dancer.

пневма́ти‖ка pneumatics; '~ческая шина pneumatic tire (tyre).

пневмо́‖ния pneumonia; ~ни́ческий pneumonic; ~то́ракс pneumothorax.

пнуть *см.* пинать.

по 1. *с дат. пад.* on, by, over, through, in, to, according to, at; по возможности if possible; по временам sometimes; по всему свету all over the world; по девяти миль в час at the rate of nine miles per hour; по дороге along the road (*вдоль*); on the way, in passing (*по пути*); по его свидетельству according to his testimony; по желанию at will, according to one's desire; по железной дороге by rail; по имени Смит Smith by name; по меньшей мере at least; по моде in the fashion; по натуре by nature; по ненависти out of (from) hatred; по обеим сторонам on both sides; по обыкновению as usual; *шут.* as per usual; по обычаю according to custom; по понедельникам on Mondays; по приказанию by order; по причине owing to, because of, by reason of; по рублю за кило at a rouble a kilogram; по суше by land; по существу in fact; по три в ряд in rows of three, three by three in rows, three in a row; по этому образцу after this model; арестованный по подозрению imprisoned on suspicion; высказываться по существу чего-л. to speak on a subject; to speak to the point; гулять по городу to take a walk through the town; жениться по любви to marry for love; жить по средствам to live within one's income (means), to pay one's way; обратитесь к нему по этому делу address yourself to him for that business; он был назван по отцу he was called after his father; плывёт по воде floats on the water; приём только по делу no admittance except on business; пьеса по роману Дюма a lay after Dumas's novel; связать по рукам и ногам to bind hand and foot; судить по внешнему виду to judge by appearances; судя по этому to judge from that; ударить по голове to strike on the head; упакованы по десяткам packed in tens; ходить по комнате to pace up and down the room; 2. *с винит. пад.* up to; to, till; по колено up to the knees, knee-deep; по сие время up to this time; по уши влюблён over head and ears in love; верный по гроб true till death; итти по воду to go for water, to go to fetch water; с 1920 по 1928 г. from 1920 till (to) 1928; **3.** *с предл. пад.* on, after, for; по прибытии on arriving; по прошествии недели after a week; по рассмотрении on examination; он вздыхает по ней he pines for (after) her.

по- 1. *в соед. с глаголами обычно придаёт значение действия, ослабленного или продолжавшегося неопред. или недолгое время, и передаётся обыкн.* a little; поработать to work a little; поспать to sleep a little; *также придаёт значение совершенного вида; напр.:* он смотрел в окно he was looking out of the window; он посмотрел в окно he looked out of the window; **2.** *в соед. со сравн. степ. прилаг. или наречий* somewhat more; as possible; поинтереснее somewhat more interesting; as interesting as possible; **3.** *в соед. с прилаг. с усечёнными окончаниями:* по-английски это иначе in English it is different; говорить по-английски to speak English; *слова, не помещ. под* по-, *см. на соотв. месте без* по.

По the Po.

по-английски см. по- 3.

побагроветь to become purple.

побаиваться to be rather afraid (*of*).

побаливать to ache a little.

побалтывать to shake (stir) from time to time.

по-барски like a lord.

побасёнка tale, story.

по-батальонно in battalions.

побег I. escape, flight (*арестанта*); desertion (*солдата и пр.*); elopement (*от мужа и пр.*).

побег II. *бот.* shoot, sprout, sprig; sucker (*от корня*); set (*для посадки*); scion, graft (*для прививки*).

побегать to run.

побегушк||и: быть на ~ах *разг.* to run errands.

побед||а victory, triumph; conquest (*покорение, завоевание*); лёгкая п. walk-over (*в состязании и пр.*); одержать ~у to gain a victory, to win (carry) the day, to win the field; ~итель(ница) conqueror, winner; *рит.* victor, vanquisher; ~ителей не судят *посл.* success is never blamed; ~ить *см.*

побеждать; ~ный triumphant, victorious; ~оносец victor; ~оносный victorious, triumphant; ~оносно victoriously, triumphantly.

побежать to run; start running.

побежд||ать to conquer, defeat, vanquish, overcome, to get the better (*of*), to win a victory (*over*); п. затруднение to conquer (master) a difficulty; п. превосходством тактики to out-general, out-manœuvre; п. числом голосов to out-vote; быть ~ённым to be defeated, to lose the day, to succumb; признать себя ~ённым to admit defeat, give up contest, cease from resistance; to throw (chuck) up the sponge (*разг.*).

побел||еть to grow white, turn pale; с ~левшими от страха губами white-lipped; ~ить to white-wash, whiten; ~ка white-washing.

побереж||ный littoral; ~ье shore, coast, littoral; плавать вдоль ~ья to coast.

побеседовать to chat (a little); to have a chat.

побивать to beat; to massacre, kill (*убивать*); *фиг.* to defeat; to nip (*о морозе*); to lay, beat down, ravage (*о ливне, граде*); п. к.-л. его же оружием to beat one with his own weapons, to pay one back in one's own coin; п. козырем to trump, to take (defeat) with a trump; п. рекорд to beat (cut, break, exceed) the record; ~ся to be beaten *и пр.*

побир||ать to take; ~аться to beg; ~ушка beggar.

побить||(ся) *см.* побивать(ся); ~ся об заклад to bet, to lay a wager.

поблагодарить to thank.

поблажк||а connivance; indulgence, lenience (*снисходительность*); делать ~и to indulge, to be indulgent, to connive (*at*).

побледнеть to turn pale.

поблёк||лый withered; faded; ~нуть to get withered; ~ший withered, faded.

поблизости in the neighbourhood, near (at hand), hereabout.

по-боевому in battle order.

побои beating, blows, thrashing; ~ще slaughter, carnage, bloody fight, bloodshed.

побол||ее, ~ьше more (*сравнительная степень от* много); larger (*сравн. степень от* большой).

по-большевистски in a Bolshevik manner.

побо́р extortion, exaction.

побо́рни∥к, ~ца advocate, supporter, champion, upholder; **~че́ство** advocacy, championship.

побо́ро́ть to overcome, conquer.

побо́ч∥ный collateral, accessory; п. дохо́д accessory income, perquisite; п. насле́дник collateral heir; п. проду́кт by-product; п. сын natural (illegitimate) son; **~ная рабо́та** side-line; **~ная семья́** separate establishment.

побрата́н chum, sworn brother.

по-бра́тски fraternally, like a brother.

побра́ть см. побира́ть; чорт тебя́ побери́! (the) devil take you!

побре́зговать to be squeamish, fastidious (over).

поброди́ть to wander (roam) for some time.

поброса́ть to throw; to forsake, desert.

побря́к∥ивать to rattle; **~у́шка** rattle.

побуди́тель, ~ница inciter, impeller, stimulator; **~ная причи́на** motive.

побуди́ть см. побужда́ть.

по-бу́дничному trivially, humdrum.

побу∥жда́ть to incite, impel, instigate, stir, rouse, spur, to put one up to it; to exhort, urge (*уговаривать*); что **~ди́ло** его́ сде́лать э́то? what made him do it?; **~жда́емый ну́ждой** prompted by necessity; **~жда́ться** to be incited и пр.; **~жде́ние** motive; incitement, incentive, spur, prompting; impulse (*импульс*); есте́ственное **~жде́ние** natural motive; сле́довать **~жде́нию со́вести** to follow the conscience (promptings) of one's conscience; по со́бственному **~жде́нию** of one's own accord, spontaneously.

побыв∥а́ть to visit; они́ **~а́ли всю́ду** they have been everywhere; **'~ка** furlough, leave of absence; **на '~ку** on leave, for a stay.

побыстре́е quicker.

побы́ть to stay (remain) for a time.

повад∥иться to fall into the habit (*of*), to get accustomed (*to*); **~ка** habit, custom; что́бы ему́ не́ было in order to teach him (not to do it).

повал∥и́ть to throw down, overthrow; to go (come) in crowds; дым **~и́л** из трубы́ the chimney rolled up (belched up, poured forth) smoke; из теа́тра **~и́л наро́д**

crowds of people poured out of the theatre; он **~и́л** его́ на зе́млю he felled him to the ground; ве́тром **~и́ло** мно́го дере́вьев the wind blew down many trees; хлеб **~и́ло дождём** rain laid (beat down) the corn; **~и́ться** to fall; to be thrown down; в '**~ку** huddled together; спать в **~ку** to sleep on the floor side by side; '**~ьный** general, epidemic; **~ьный обы́чай** general custom; **~ьная боле́знь** epidemic disease; '**~ьно** without exception, all.

по́вар (man)cook, chef; '**~енный** culinary; '**~енная кни́га** cookery-book; **~енная соль** salt; *хим.* sodium chloride; '**~енное иску́сство** culinary art, cookery; **~ёнок** kitchen-boy; **~и́ха** cook; '**~ничать** to cook; '**~ня** *уст.* kitchen; **~ско́й** cook's; **~ско́й нож** kitchen knife; **~ска́я шко́ла** culinary school.

по-ва́шему according to your opinion (to your wish); as you like; де́лайте п. do as you wish; (as you please); пусть бу́дет п. let it be as you wish; let it be so, have it so.

пове́дать to tell, relate, communicate, disclose; п. кому́-л. свою́ та́йну to disclose one's secret to a person.

поведе́ни∥е conduct, behaviour; дурно́е п. bad conduct, misbehaviour; ли́ния **~я** course, line of conduct, policy.

повезти́ см. вози́ть.

повел∥ева́ть to command, order, enjoin; п. миллио́нами to rule over millions; мой долг **~ева́ет** мне сде́лать э́то my duty enjoins me to do it; **~е́ние** command, order, injunction, decree; **~е́ть** см. повелева́ть, **~и́тель(ница)** commander, ruler, lord (lady, queen), sovereign; **~и́тельный** imperative, imperious, peremptory, authoritative, dictatorial; **~и́тельное наклоне́ние** *гр.* imperative (mood); **~и́тельно** imperatively и пр.; with a high hand.

поверг∥а́ть to throw down, plunge, precipitate; п. в уны́ние to depress; **~а́ться** to prostrate oneself, to throw oneself down; '**~нуть** см. поверга́ть; '**~нутый в** нищету́ plunged in misery; '**~нуться в про́пасть** to precipitate oneself into a chasm.

пове́р∥енный attorney, procurator, agent; п. в дела́х chargé d'affaires (*франц.*); **~ить** to believe, credit, give credit (*to*); *см. тж.* поверять; кто мог бы ~ить? who would have believed it?; ~ьте мне что... take it from me that...; ~ка checking, check, control, verification; *мат.* proof.

поверну́‖**ть(ся)** *см.* повёртывать (-ся); здесь негде п. there is no room (place) to turn in here; there is no room to swing a cat here; п. к к.-л. спиной to turn one's back upon a person; счастье ~лось к нему спиной fortune frowned upon him.

пове́рочн‖**ый** verifying, checking; ~ое испытание examination.

повёрстн‖**ый**: ~ая плата *ист.* pay according to the quantity of versts covered; ~о by versts.

повёртыва‖**ние** turning; ~ть to turn (round, about); *мор.* to wear, haul, turn; ~ть лицом вверх to turn up; ~ть на другой галс *мор.* to tack; ~ть обратно to turn back; ~ться to turn (round); ~ться кругом to face (turn) about.

пове́рх over, above; смотреть п. очков to look over one's spectacles; ~ностность superficiality; ~ностный superficial; shallow (*только фиг.*); быть ~ностным to have everything in the shop-window; ~ностная рана flesh-wound, skin-deep wound; ~ностные знания smattering; superficial knowledge; ~ностно superficially, skin-deep; ~ностно касаться предмета *фиг.* to treat a subject superficially, to flutter upon the surface of the subject.

пове́рхност‖**ь** surface, superficies; п. земли (воды) surface of the earth (water); п. нагрева *техн.* heating surface; плоская п. plane surface; поддерживать на ~и to buoy up; рабочие на ~и (*в рудниках*) surface workers (*противоположн.* underground workers).

пове́рье traditional belief, superstition; народное п. popular superstition (belief).

поверя́ть 1. to confide, impart (*тайну*); 2. (*проверять*) to verify, check, control (*счета и пр.*); п. часы to set a watch (clock); ~ся to be verified (checked, controlled).

пове́са rake, scape-grace.

повесе‖**ле́ть** to become merry (cheerful); ~ли́ться *см.* веселиться.

пове́сить to hang; ~ся to hang oneself.

пове́сничать to sow one's wild oats, to behave wildly; to lead a dissolute life.

повествова́‖**ние** narration, narrative, relation; ~тель(ница) relater, narrator; ~тельный narrative; ~ть to relate, narrate, recount, tell.

повести́ to lead.

пове́стк‖**а** notice, notification; writ, summons, subpœna (*судебная*); п. дня agenda, business (order) of the day (of the meeting); послать судебную ~у to serve a writ (summons, subpœna) on, to subpœna.

по́весть tale, story, narrative.

пове́трие epidemic, infection.

пове́шен‖**ие**: казнь через п. hanging; ~ный hanged (on a gibbet); в доме ~ного не говорят о верёвке *посл.* name not a rope in his house that hanged himself; don't make painful allusions.

повея́ть to begin to blow, to breathe.

поваво́дно *военн.* in platoons.

повздо́рить to quarrel.

повива́‖**льный**: п. институт obstetric institute; ~льная бабка midwife; ~ть to swathe, swaddle; to twine.

повида́ть to see; ~ся to see, to have an interview (*with*).

повиди́мому it seems, it appears, seemingly, apparently, to all appearance.

пови́дл‖**а**, ~о *см.* павидло.

повили́ка *бот.* dodder.

повин‖**и́ться** to plead guilty; '~ная confession, avowal; принести '~ную to confess one's guilt; '~ность duty, obligation, service; воинская ~ность compulsory military service; conscription; денежная ~ность tax, duty; феодальная ~ность feudal service; ~ный guilty (*в ч.-л. — of*); obliged; ~ную голову и меч не сечёт *посл.* a fault confessed is half redressed; a generous confession disarms slander.

повинов‖**а́ться** to obey; to comply (*with*); ~е́ние obedience; слепое ~е́ние implicit obedience.

повис‖**а́ть** to hang, to be suspended; to hang down, droop, flag (*поникать*); '~нуть *см.* повисать; '~ший hanging (down); drooping.

повиту́ха midwife.

пови́ть *см.* повивать.

повла́ствовать to rule for some time.

повлéч‖**ь** to involve, entail, necessitate, occasion; это ~**ёт** за собою осложнения that will entail complications.

повлия́ть to (exert an) influence, to affect.

по́вод 1. halter (*конский*); у к.-л. на ~**у** *фиг.* under one's thumb; натяну́ть '~**ья** to draw rein; **2.** occasion, reason, ground, cause; п. к войне casus belli; дава́ть п. to occasion, cause, give rise (occasion) (*to*); по ~**у** in connexion with, apropos of; по какому ~**у** вы об этом вспомнили? what brought this to your mind?; what made you remember that?; по этому ~**у** я скажу вам I shall tell you concerning (touching) that; избега́ть ~**ов** для ссоры to avoid occasions of quarrel.

по́вод‖**и́ть** п. глазами to roll one's eyes; п. ушами to prick the ears (*о лошади*); ~**ы́рь** leader (of a blind man).

повоева́ть to wage war for some time.

по́во́зка vehicle, conveyance, carriage, cart.

пово́йник headdress of a Russian peasant woman.

Пово́лжье the Land along the Volga; the Volga provinces.

поволо́к‖**а:** глаза с ~**ой** languid (languishing) eyes.

повора́чива‖**ть(ся)** *см.* повёртывать(ся); п. лицом к деревне to face the country; ~**йся!** (=живе́й!) look sharp!

поворо́т turn, turning; tack, tacking (*при лавировании*); bend, sinuosity, winding (*реки и пр.*); п. колеса́ (счастья) a turn of the wheel (of luck); п. к лучшему a change for the best; п. налево кругом *воен.* left-about turn; п. общественного мнения a change of public opinion; п. солнца solstice; второ́й п. налево second turn(ing) to the left; круто́й п. sharp turning; *фиг.* volte-face, reversal of one's policy, change of front; ~**и́ть**‖**ся** *см.* повёртывать(ся); ~**ли́вость** nimbleness, agility; ~**ли́вый** nimble, agile; ~**ный** turning; ~**ный** круг turn-table (*для паровозов*); ~**ный пункт** turning point, crisis; ~**ная** площадка turn-plate.

поворча́ть to grumble a little.

повре‖**ди́ть,** ~**жда́ть** to injure, damage, do harm (*to*), hurt; п. здоровью to be injurious to the health; п. рассудок to derange

(unhinge) the mind; п. себе палец to hurt (damage) one's finger; п. чьим-либо интересам to injure somebody's interests; ~**ди́ться,** ~**жда́ться** to be injured (damaged); ~**жде́ние** injury, damage, harm, hurt; breakage (*поломка*); ~**жде́ние** членов physical injury; ~**ждённый** в уме touched in the wits, deranged, crazy, off one's head; ~**ждённый** бурями weather-beaten.

повремен‖**и́ть** to wait a little; '~**ный,** '~**ное** издание periodical; '~**но** periodically.

повсе‖**дне́вный** daily, everyday; ~**дне́вно** daily, every day; ~**ме́стный** universal, general; ~**ме́стно** universally, generally, everywhere, in all places (parts); ~**ча́сно** every hour.

повста́н‖**ец** rebel, insurgent, insurrectionist; ~**ческий** insurrectional, insurrectionary.

повстреча́ть(ся) to meet, to come across.

повсю́ду everywhere, far and near, far and wide, throughout.

повтор‖**е́ние** repetition; iteration, reiteration (*слов и пр.*); recurrence (*периодическое возвращение*); кра́ткое п. recapitulation; знак ~**е́ния** *муз.* repeat; ~**и́тель** repeater; ~**и́тельный** iterative, reiterative, recapitulatory; ~**и́тельный** курс recapitulation course; ~**и́ть** *см.* повторя́ть; '~**ный** repeated; '~**ная** приви́вка *мед.* re-vaccination; '~**но** repeatedly, (over) again, once more; ~**я́ть** to repeat; to iterate, reiterate, say over (*слова и пр.*); to repeat, rehearse (*уроки*); to echo, re-echo (*как эхо*); ~**я́ть** вслух to recite; ~**я́ть** урок to repeat a lesson; бессмысленно ~**я́ть** to parrot; кратко ~**я́ть** to recapitulate, run over; ~**я́ться** to be repeated; to repeat; to recur (*встречаться снова*); он ~**я́ется** he repeats himself, he tautologizes; ~**я́ющийся** recurrent, iterative.

повы́дергать *см.* выде́ргивать.

повы‖**сить,** ~**ша́ть** to raise; to increase (*увеличивать*); to heighten; to promote; prefer (*to*), advance (*по службе*); п. голос to raise one's voice; п. производительность труда to increase productivity of labour; п. спрос to raise (increase) the demand; ~**ситься,** ~**ша́ться** to rise; баро́метр ~**ша́ется** the barometer is rising; акции ~**ша́ются** the shares are rising; ~**ше** somewhat higher;

somewhat taller (*ростом*); above; ⌐ше локтя above the elbow; ⌐-шение rise; promotion, preferment, advancement (*по службе*); ⌐шение цен rise in prices; он получил ⌐шение he has been promoted, he has got his step; играть на ⌐шение *комм.* to speculate for a rise, to bull.

повязать(ся) *см.* повязывать(ся).

повязк‖а headband; fillet, frontlet (*на лбу*); bandage (*бинт*); накладывать ⌐у на рану to bandage (dress) a wound.

повязывать to tie, bind; п. голову платком to cover one's head with a kerchief; п. галстук to tie one's necktie; ⌐ся to cover one's head (with a kerchief).

погадать to tell someone's fortune.

поган‖ец rascal; ⌐ить to pollute, defile, (be)foul; ⌐ка toadstool, non-edible mushroom (*гриб*); grebe (*водяная птица*); малая ⌐ка dabchick (*птица*); ⌐ый unclean, impure, foul, unhallowed, unholy (*нечистый*); disgusting, vile (*отвратительный*).

погань dirt, filth.

пога‖сать to go out, to be extinguished; огонь '⌐с the fire is out (is extinct, has died out); ⌐сить *см.* погашать; '⌐снуть *см.* погасать; '⌐сший extinguished, extinct; ⌐шать to extinguish, put out; to quench (*рит.*); to pay off, clear off, liquidate (*долг*); ⌐шать вексель (марку) to cancel a promissory note (a stamp); ⌐шение extinction, acquittance; payment (*долга*); extinguishing.

погиб‖ать to perish, to be lost, to go to ruin; п. на море to perish in a shipwreck; судно '⌐ло со всей командой the ship perished (was lost) with all hands; он погиб безвозвратно he is lost beyond recall (retrieve); '⌐ель ruin, perdition, destruction, doom; он шёл на ⌐ель he was walking to his doom; согнуться в три '⌐ели to become crooked, to become bent; это было его '⌐елю it was the ruin of him; '⌐ельный ruinous, fatal, pernicious; '⌐нуть *см.* погибать; '⌐ший lost, perished; ⌐ший человек a gone (lost) man.

погладить to stroke; *см.* гладить.

погло‖тить, ⌐щать to engulf, swallow up, gulf, ingurgitate (*о пучине*); to absorb, suck up (*всасывать*); to absorb, engross, preoccu-

ру (*внимание*); to devour (*пожирать*); волны ⌐тили его he was submerged by the waves; он ⌐щает книгу за книгой he devours book aft r book; накладные р сходы ⌐щают доходы overh ad expenses absorb (swallow up) the profits; он ⌐щён собой (своими занятиями) he is wrapped up in himself (in his studies); все фирмы были ⌐щены трестом all firms were merged in a trust; ⌐титься, ⌐щаться to be engulfed (swallowed up, absorbed, devoured); ⌐-щение absorption; engulfment, swallowing up.

поглубже somewhat deeper.

поглядеть to look; ⌐ся в зеркало to look at oneself in the glass.

поглядыва‖ть (*за*) to look from time to time (*after*); нежно п. to ogle; ⌐й! be on the look-out!; ⌐йте за детьми keep an eye on the children.

погнать to drive; п. к.-л. вон to drive away a person; п. лошадей to urge the horses on; п. стадо в поле to send the cattle out to pasture; ⌐ся to run (after), to give chase, to start in pursuit (*of*); ⌐ся за зайцем to chase a hare.

погнуть to bend; ⌐ся to be bent.

погов‖аривать to talk (*of*); ⌐аривают о войне there is a rumour of war; они ⌐аривают о поездке в Москву they talk of going to Moscow; ⌐орить to speak, to have a word (*with*); to chat, talk (*about, over*); ⌐орка saying, by-word, saw; их невежество вошло в ⌐орку their ignorance is proverbial; they are a proverb (by-word) for ignorance; вошедший в ⌐орку proverbial.

погод‖а weather; дождливая п. rainy weather; мягкая п. mild (soft) weather; неустойчивая п. broken weather; какая бы ни была п. rain or shine; сегодня хорошая п. it is fine weather to-day, the weather is fine to-day; предсказание ⌐ы weather forecast.

погодит‖ь to wait a little; ⌐е! wait (a bit)!; just a moment!; *разг.* hold on!

погод‖ки children born at intervals of one year; ⌐ный annual, yearly; ⌐но annually, yearly.

погожий serene, fine.

головн‖ый general; п. налог poll-tax, capitation(-tax); ⌐о by the head; (one and) all, without exception, all to a man.

поголо́вье livestock.

поголода́ть to suffer from hunger (starve) for some time.

погон *уст.* epaulet(te), shoulder-piece, shoulder-strap.

погонн‖ый linear; ~ая ме́ра long (linear) measure, measure of length.

пого́нщик driver.

пого́ня pursuit, chase.

погоня́ть to urge (on), spur (on), whip on.

погора́ть to be burned out.

погорева́ть to grieve for some time.

погоре́‖лец one who has lost his all by fire; ~лый burned out; ~ть *см.* погора́ть.

по-городск‖и́й, ~о́му in a town-like fashion.

погоряч‖и́ться to lose one's temper, to be in a temper, to fly into a passion, to be a little short-tempered.

пого́ст country church-yard.

погости́ть to be on a visit for some time.

пограни́чн‖ик frontier guard; ~ая полоса́ borderland, border; ~ая стра́жа frontier corps.

по́греб cellar; ви́нный п. wine-cellar; порохово́й п. powder-magazine.

погреб‖а́льный funeral, funereal; funerary, obsequial, sepulchral; ~а́льное пе́ние dirge; ~а́ние burying; ~а́ть to bury, inhume, inter; ~е́ние burial, funeral, obsequies, interment; entombment; inhumation, sepulture (*редк.*).

погреб‖е́ц *уст.* hamper of food; ~о́к cellaret; wineshop.

погрем‖о́к rattle (*бот. и зоол.* у гремучей змеи); ~у́шка rattle.

погреш‖а́ть to err, to make mistakes; ~и́мость fallibility, peccability; ~и́мый fallible, peccable; ~и́ть *см.* погреша́ть; '~ность error, mistake.

погрози́ть to threaten.

погро́м pogrom, massacre; ~щик one taking part in a pogrom.

погромы́хивать *см.* громыха́ть.

погрубе́‖лый roughened, grown hard, coarse; ~ть *см.* грубе́ть.

по-гру́дь breast-deep.

погру‖жа́ть to plunge, immerse, dip, submerge (*в во́ду и пр.*); to load, ship (*на кора́бль*); ~жа́ться to be immersed, to plunge (*в отча́яние и пр.*); to sink (*о корабле́*); to submerge (*о подво́дной ло́дке*); ~же́ние immersion, submersion, submergence, sinking, dipping; ~-

~жённость absorption (*в мы́сли*); ~жённый в изуче́ние ка́рты deep in a map; ~жённый во мрак plunged in darkness; ~жённый в свою́ рабо́ту intent on his work; ~жённый в размышле́ния absorbed (plunged, deep, lost) in thought; ~жённый в себя́ wrapped up in oneself; ~зи́ть(ся) *см.* погружа́ть(-ся); '~зка loading, shipment.

погрусти́ть to be sad.

погряз‖а́ть, '~нуть to stick in the mud; *фиг.* to be steeped in, to wallow in.

погуби́т‖ель(ница) ruiner, destroyer; ~ь to ruin, destroy.

погу́дка *уст.* tune, air, melody; ста́рая п. на но́вый лад stale matter in a new form.

погу́л‖ивать *фиг.* to be fond of a carouse; ~я́ть to take a walk.

под I. hearthstone (*в печи*).

под II. under; sub; in imitation of; to; towards, on the eve of; near; п. ве́чер towards evening; п. водо́й under water; п. вопро́сом not certain, open to question; п. го́родом in the suburbs, near the town; п. го́ру down hill; п. зало́г on security, in pawn; п. землёй underground, beneath the ground; п. кома́ндой under command (*of*); п. кра́сное де́рево in imitation of mahogany; п. но́вый год on New Year's eve; п. но́сом under one's nose; п. пья́ную ру́ку in a state of intoxication, when drunk; п. руко́й (near) at hand, close by (*о ме́сте и пр.*); (ready) at hand, within reach (*о предме́те*); п. се́нью дере́вьев in the shadow of the trees; п. 40° се́верной широты́ in latitude forty degrees north; п. стра́хом сме́ртной ка́зни on (under) pain of death; п. усло́вием on condition (*that*); ему́ п. со́рок лет he is about forty; кра́сить под мра́мор to grain; отда́ть п. суд to prosecute; to put on trial; пляса́ть п. му́зыку to dance to music.

подава́ть to give, present; to serve (*к столу́; в те́ннисе*); п. в отста́вку to retire, resign, to send in one's resignation; п. го́лос to vote, to give one's vote; п. дичь to retrieve (*о соба́ке*); п. жа́лобу кому́-л. to lodge a complaint with a person; п. заявле́ние to hand in an application; п. ми́лостыню to give alms; п. наде́жду to give hope; п. на стол to serve the dishes; п. пети́цию to present (submit) a petition; п. по́мощь to lend a hand, to help, assist; п. приме́р to set an example; п. телеграмму to send a telegram; ~ся to draw, move (*вперёд, назад*); to give way, to yield (*уступать*).

подав||и́ть *см.* подавлять; ~и́ться to choke (*костью и пр.*); ~ле́ние suppression, crushing, repression; '~ленность depression, dejection, blue devils, blues; '~ленный depressed, dejected, despondent, dispirited; '~ленно depressedly *и пр.*

подавля́||ть to suppress, put down, repress, stamp out, crush; *рит.* to quell (*восстание и пр.*); to repress, restrain, conquer (*чувство*); to suppress, smother, choke down (*стон и пр.*); to depress, deject (*угнетать*); ~ться to be suppressed *и пр.*; ~ющее большинство a large (surpassing, overwhelming) majority.

пода́вно so much the more, all the more.

пода́гра gout, podagra; arthritis (*ревматическая*).

пода́гр||ик gouty person; ~и́ческий podagric, gouty.

пода́льше somewhat farther on (away).

подар||и́ть to give, to make a present (*of*); ~и́ть взглядом to condescend to look; '~ок present, gift; gratuity (*деньгами за услугу*); acknowledgement (*в знак признательности*).

пода́тель(ница) bearer (*письма*); petitioner, suppliant (*прошения*).

пода́тлив||ость pliability, pliancy, complaisance; ~ый yielding, pliable, pliant; complaisant, compliant; weak-kneed (*несамостоятельный*); ~ый на лесть susceptible to flattery.

подат||но́й: п. инспектор assessor; ~на́я система taxation; ~но́е сословие *ист.* classes not belonging to the nobility; ~но́е состояние taxability.

по́дать *уст.* tax, duty, assessment; подушная п. capitation.

пода||́ть *см.* подавать; обед по́дан the dinner is on the table (is served); ~ться: он сильно ~лся (*о здоровье*) his health gave way.

пода́ча giving, presenting; service, serve (*мяча в теннисе*); п. голоса voting; п. помощи lending a hand, help(ing).

пода́||чка sop; ~яние dole, alms, charity.

подба́в||ить *см.* подбавлять; ~ка addition; ~ля́ть to add; ~ля́ть спирт в напиток to fortify a liq-

uor, to lace a liquor with spirits; ~ля́ться to be added.

подба́дривать to encourage; hearten, buck up; ~ся to take heart; to man oneself; to screw up one's courage.

подба́лтывать to add and beat up (flour into water, sauce *or* some other liquid), to thicken sauce *etc.*

подбе||га́ть, ~жа́ть to run up to.

подбе́л||ивать, ~и́ть to whiten, bleach; ~ка whitening, bleaching.

подбив||а́ть to line (*одежду*); to instigate, incite (*на что-л.— to*); п. ватой to wad, to line with wadding; п. мехом to fur; п. орудие to disable a gun; ~а́ться to be lined; '~ка lining; ~ка ватой wadding.

подбира́ние gathering, picking up.

подбира́||ть 1. to pick up, gather; 2. to select, assort, sort out, match; п. вожжи to pull up (take up) the reins (*тж. фиг.*); п. людей в аппарат to select officials; п. мотив на рояле to pick out a tune; п. ноги to tuck one's legs in; п. подол to tuck up (kilt) the skirt; п. под цвет to match a colour; ~ться to be selected *и пр.*; to steal up, to approach stealthily (*подкрадываться*); запасы ~ются the provisions are coming to an end.

подби́тый: п. глаз a bunged up eye (*sl.*).

подби́||ть *см.* подбивать; лодку ~ло под мост the boat was driven under the bridge.

подболт||а́ть *см.* подбалтывать; п. муки в соус to thicken a sauce with flour; '~ка thickening, anything beaten up.

подбо́р 1. selection, assortment; п. кадров selection of personnel (cadres); естественный п. natural selection; половой п. sexual selection; в п. *тип.* run on (*указание наборщику*); на п. chosen, selected, matched, assorted; товар как на п. well-assorted goods, goods of equally good quality; 2. the under floor in a Russian wooden winter house.

подбо́рка a set, selection.

подборо́док chin; двойной п. double chin.

подбоче́н||и(ва)ться to put one's arms akimbo; ~ясь with the arms akimbo.

подбра́сывать to throw (up); п. монету to toss up; п. мяч to throw a ball up; п. ребёнка кому-либо to leave a child at someone's door (in someone's charge, care); п. ребёнка на руках to dance (dandle) a child; ~ся to be thrown (up).

подбри‖вáть, '~ть to shave off a little.

подбрóсить см. подбрасывать.

подбрю́ш‖ина lower part of the belly; ~ник belly-band (лошади).

подвáл basement; cellar (для вина и пр.); feuilleton (газеты).

подвáли‖вать, '~ть to throw (heap) up (землю, дрова).

подвáльны‖й: п. этаж basement; ~е помещения cellarage.

подвáри‖вать, '~ть to boil adding new ingredients.

подведённы‖й: ~е брови painted eyebrows.

подвéдомственны‖й dependent (on), within the jurisdiction (of); преступления ~е военному суду offences triable by court martial.

подвенéчн‖ый nuptial; ~ое платье wedding-dress.

подвер‖гáть, '~гнуть to subject; to expose (to) (опасности, риску); п. вивисекции to vivisect; п. действию света to expose to light; п. испытанию to put to the test, to test; п. мукам Тантала to tantalize; п. наказанию to inflict a penalty upon; п. опасности to expose to danger, to endanger, imperil, jeopardize, hazard; п. пытке to put to the torture; п. сомнению to call in question; п. штрафу to fine; это ~гáет вас большой опасности it exposes you to great danger; ~гáться, '~гнуться to be subjected, to undergo; to be exposed, to expose oneself, incur (опасности); ~гаться критике to undergo criticism, to run the gauntlet; ~гаться наказанию to be subjected to (undergo) punishment; ~гаться операции (экзамену) to undergo an operation (examination); ~гаться порицанию to incur blame; '~женность liability (to); '~женный subject (to); liable (to), exposed (to); он '~жен припадкам падучей he is subject (liable) to fits of epilepsy.

под‖вернýть(ся) см. подвёртывать(ся); ~вернýлся удобный случай an opportunity turned up; он кстати ~вернулся he came at the right moment; у меня ~вернýлась нога my foot slipped; ~вёртывание screwing; ~вёртывать to screw (винт); to tuck in, tuck up, turn under (подоткнуть); ~вёртывать-

ся to turn up; to turn (crop) up (оказаться, встретиться).

подвес: Карданов п. мор. gimbals; ~ить см. подвешивать; ~ка pendant; ~ный pendulous, suspended; ~ная железная дорога suspension railway.

подвести см. подводить.

подвéтрен‖ый leeward; ~ая сторона lee side; берег с ~ой стороны lee-shore; в ~ую сторону (to) leeward.

подвéшива‖ние suspension, hanging; ~ть to suspend, hang.

подвздóшн‖ый iliac; ~ая колика iliac passion; ~ая кость ilium; ~ая область hypochondriac region (area).

подви‖вáть to curl, frizzle, crisp, crimp; ~вáться to curl one's hair; '~вка curling, frizzling.

пóдвиг exploit, feat, great (heroic) deed; ~и героя the deeds of a hero.

подви‖гáть to move (on), push, advance; ~гáться to move on, draw on, draw up, advance, make progress, get on, gain ground; работа ~гáется the work advances.

подвúд subspecies.

подвúжник ascetic, ardent fighter, zealot.

подвижн‖óй см. подвижный; п. контакт эл. sliding contact; п. кран техн. travelling crane, traveller; п. состав ж.-д. rolling stock; '~ость mobility, volatility, liveliness; '~ый mobile; mercurial, volatile; lively, active, agile (о человеке); '~ые черты лица mobile features.

подвизáться to pursue an occupation; п. на юридическом (драматическом, литературном) поприще to follow the law (to tread the boards, to be an author).

подвинтúть см. подвúнчивать.

подвúнуть см. подвигать, пододвигать; п. стол к стене to push a table up against the wall.

подвúнчивать to screw up; фиг. to liven up.

подвúть(ся) см. подвивать(ся).

подвлáстн‖ость subjection, dependence; ~ый subject (to), dependent (on).

подвóда horse and cart.

подводúть to lead up (to); to place under (фундамент и пр.); фиг. to put one in a difficult (awkward) situation, to do one an ill turn; п. дом под крышу to finish building the walls of a house; п. итог to strike a balance, to reckon up (the total); to sum up (*тж. фиг.*); п. под стену каменный фундамент to underpin a wall; п. по коп to undermine, sap; п. случай под правило to apply a rule to a case; ~ся to be led up to и пр.

подводн||ый submarine (*в море*); subaqueous; *бот.* submersed; п. кабель submarine cable; п. каменъ rock; ~ая лодка submarine.

по́-двое in twos, in pairs.

подво́з supply; transport; ~и́ть to bring, convey, carry (by rail, in wagons *etc.*); to drive (in a carriage); to give one a lift (*по пути*); ~и́ться to be brought и пр.

подво́й *бот.* wilding.

подвора́чивать(ся) *см.* подвёртывать(ся).

подво́рный: п. список list of homesteads (farmsteads).

подворотить(ся) *см.* подвёртывать(ся).

подворо́тня space under a gate.

подво́рье *ист.* branch of a convent (monastery).

подво́х plot, trap, snare, trick.

подвыва́ть to howl; *охоти.* to decoy wolves by howling.

подвы́пи||вший drunk, in liquor, the worse for liquor, elevated; ~ть to get slightly drunk.

подвяз||а́ть *см.* подвязывать; '~ка garter (*женская*); suspender (*мужская*).

подвя́зыва||ние binding, tying; ~ть to bind, tie up.

подга́дить to spoil something for a person, to injure someone's interest.

подгиба́||ть to tuck in, tuck (bend) under, turn in; ~ться to bend; у меня ~ются ноги my legs fail me.

подгляд||е́ть to spy out, see; '~ывание peeping through keyholes; espionage, furtive observation; '~ывать to peep (*at*), spy (*on*), observe, watch furtively; ~ывать сквозь замочную скважину to peep through a keyhole.

подгни||ва́ть, '~ть to get slightly rotten.

подгнои́ть to rot.

подгов||а́ривать to instigate, incite, persuade; п. к убийству to instigate one to murder; ~о́р instigation, incitement, persuasion; ~ори́ть *см.* подговаривать; ~о́рщик instigator.

подголо́сок person who repeats servilely another's utterances.

подгоня́ть to urge on, spur on, hurry (*погонять*); to drive on

(*гнать*); to adapt, suit, adjust, fit (*приспособлять*); п. под один размер to gauge, to bring to conformity in size; ~ся to be urged on *и пр.*

подгор||а́ть to burn, catch fire, to be burned(burnt); ~е́лый burnt; ~е́ть *см.* подгорать.

по́д-гору down-hill.

подго́рье country at the foot of a mountain, lowland.

подготов||и́тель preparer; ~и́тельный preparatory; '~и́ть(ся) *см.* подготовлять(ся); '~ка preparation; ~ка кадров preparing of cadres; vocational training, training of personnel, professional training; ~ка к войне war preparation; военная ~ка drill; допризывная ~ка pre-enlistment preparation; краткосрочная ~ка short course of training; без ~ки extmpore, impromptu, off-hand; '~ленный prepared; хорошо ~ленный well grounded (*об ученике*); ~ля́ть to prepare, get ready; *фиг.* to pave the way (*for*); ~ля́ться to prepare (oneself), to be prepared; to be in preparation.

подгре||ба́ть, ~сти́ to rake (scrape) up; ~ба́ться, ~сти́сь to be raked (scraped) up.

подгру́док dewlap (*у рогатого скота*).

подгру́ппа sub-group.

подгу́зник diaper.

подгул||я́ть to get drunk; *фиг.* to be unsuccessful; обед ~я́л the dinner is (was) rather bad.

поддава́ть to add, increase; п. мяч ногой to kick (punt) the ball; ~ся to give in, yield; to give way, break down (*о здоровье*); to be accessible (open) (*to*) (*убеждению, внушению*); ~ся внушению to be open (susceptible) to hypnotic suggestion; ~ся горю to give way to grief; ~ся обработке to be tractable (*о металле*); не ~ся to resist, stick up, stand up, hold up; не ~ся описанию to defy description; to be indescribable.

поддавки́ a play at draughts; играть в п. to play at «he who loses wins».

поддак||ивание saying yes (to everything); ~ивать to say yes (to everything); ~нуть to say yes.

по́ддан||ный subject; британский п. British subject; ~ство citizenship.

поддать(ся) *см.* поддавать(ся).

поддева́ть *фиг.* to ridicule, to laugh at someone's expense; г. бисерину иглой to pick up a bead with a needle; п. рыбу удочкой to hook a fish.

поддёвка kind of Russian coat.

поддёл|**ать** *см.* подделывать; **⁓ка** imitation, counterfeit (*поддельная вещь*); forgery (*о документе*); adulteration, falsification (*подделывание*); **⁓ывание** imitation, counterfeiting, falsification; **⁓ыватель(ница)** imitator, falsifier, forger, adulterator; **⁓ывать** to counterfeit; to forge, fabricate (*документ, подпись*); to adulterate, falsify (*фальсифицировать*); **⁓ываться** to be counterfeited; (*к кому-л.*) to ingratiate oneself, to get into favour (*with a person*) by suppleness, to make up to; **⁓ьный** counterfeit, sham, spurious, factitious, artificial, false, forged; adulterated, falsified; **⁓ьная кожа** imitation leather; **⁓ьная кредитка** counterfeit note; slush (*sl.*); **⁓ьная монета** false (counterfeit, spurious) coin; **⁓ьные драгоценные камни** artificial (imitation) gems (jewelry); paste.

поддёргивать to pull (under, up); to hook (*в рыбной ловле*).

поддерж|**ание** *см.* поддержка, **⁓áть(ся)** *см.* поддерживать(ся); **'⁓ивать** to support, hold up; sustain; to maintain, keep up (*порядок, переписку и пр.*); to prop up, buttress (*подпирать*); to back (up); advocate, uphold, second, support, countenance, give countenance (*to*) (*морально и пр.*); to bolster, abet (*преступника*); **⁓ивать жизнь** to support (sustain) life, subsist; **⁓ивать надежду** to keep up (sustain) hope; **⁓вать настроение** to keep up one's spirits; **⁓ивать огонь** to feed (keep up) the fire, to keep the fire in (alive); **⁓ивать орудийный огонь** to keep the guns firing; **⁓ивать переписку** to keep up (maintain, entertain) a correspondence; **⁓ивать предложение** to second (back up, give one's support to) a proposal; **⁓ивать разговор** to keep the conversation from flagging, to keep up the ball; to keep the ball rolling; **⁓ивать семью** to maintain (support) a family; **⁓ивать силы больного** to keep up the patient's strength; **⁓ивать чьё-либо начинание** to back up someone's initiative, to return someone's lead; **четыре устоя '⁓ивают свод** four piers carry the dome; **'⁓иваться** to be supported *и. пр.*;

'⁓ка support, prop, stay; supporting, sustaining; maintenance; backing, seconding, countenance; abetment (*см.* поддерживать).

поддёрнуть *см.* поддёргивать.

поддёть *см.* поддевать.

поддóнник saucer.

поддрáзни|**вать**, **'⁓ть** to tease, chaff, banter, quiz.

поддý|**вало** *техн.* air-opening; **⁓вáть**, **'⁓ть** to blow.

подéйствова|**ть** to produce (have) an effect (*on*), operate, work; лекарство не **⁓ло** the medicine did not operate (have the desired effect); это не **⁓ло** it was of no effect.

подéла|**ть**: ничего не **⁓ешь** *разг.* there is nothing to be done.

подели́ться to share; п. с кем-л. опытом to give advice.

подéлка odd work.

поделóм: п. ему (ей, вам *и пр.*) serve(s) him (her, you *etc.*) right.

подéлыва|**ть** to do; что они **⁓ют?** what are they doing?; how are they getting on?

подёнка *зоол.* ephemeron, mayfly.

подён|**ный** daily; **⁓ная зарплата** pay by the day; **⁓ная работа** day-labour, time-work; **⁓но** by the day; **⁓щик** day-labourer, workman hired by the day; **⁓щина** day-labour, work paid for by the day; **⁓щица** woman hired by the day; charwoman (*исполняющая домашнюю работу*).

подёргива|**ние** twitching, twitch, jerk (*мускула*); **⁓ть** to pull at, twitch at; **⁓ть плечами** to shrug the shoulders; **⁓ться** to twitch.

подержáние: дать (взять) на п. to lend (borrow).

подéржа|**нный** second-hand; **'⁓ть** to hold for some time; **'⁓ться** to get hold (of) for some time.

подёрну|**ться** to be covered (*with*); река **⁓лась** льдом the river is covered with ice; небо **⁓лось** облаками the sky is overcast.

подешéвле somewhat cheaper.

поджáр|**енный** roasted (*о мясе*); fried (*о рыбе, картофеле*), toasted (*о хлебе*); п. как-раз в меру done to a turn; **⁓ивание** roasting, frying, toasting; **⁓ивать** to roast, fry, toast (a little); **⁓иваться** to be roasted, fried, toasted; **⁓истый** brown, browned (by fire); **⁓ить** (-ся) *см.* поджаривать(ся).

поджáрый lean, meagre, thin.

поджа́‖**ть** *см.* поджимать; с ✓**тым** хвостом (✓**в хвост**) with his tail between his legs.

поджелу́дочн‖**ый** below the stomach; ✓**ая железа** *анат.* pancreas; ✓**ая область** epigastrium.

поджива́ть to heal, to be healing, to skin over, to cicatrize.

поджига́‖**тель(ница)** incendiary, fire-brand, firer (*тж. фиг.* возбудитель); ✓**тели войны** war-mongers (makers); ✓**тельство** incendiarism; ✓**ть** to set on fire, set fire (*to*); to kindle, light, burn; *фиг.* to kindle, excite, stir up; ✓**ющий** incendiary; ✓**ющий снаряд** *военн.* incendiary shell.

поджида́‖**ние** waiting (*for*), expectation; ✓**ть** to wait (*for*), watch (*for*), expect; to lie in wait (in ambush) (*for*) (*в засаде*).

поджи́лки *анат.* hamstring, hough, hock; подрезать п. to hamstring, to hough; у него п. затряслись **от** страха he shook in his shoes, he quaked and quivered, he trembled with fear.

подж(им)а́ть to draw in; п. губы to purse up one's lips; п. ноги потурецки to sit cross-legged in the Turkish fashion; to sit like a tailor.

поджи́ть *см.* поджива́ть.

поджёг *юр.* arson (*особ. застрахов. имущества*); setting fire (*to*).

подзабы́‖**ть** *разг.* to forget; to be out of practice (*о языке и пр.*); я ✓**л** французский язык my French is a little rusty.

подзаголо́вок subtitle, subhead (-ing).

подзадо́ри(ва)ть to incite, provoke, set one on, tease.

подзаты́льник blow (cuff) on the head.

подзащи́тный client (*адвоката*); under the care (*of*), entrusted (*to*).

подзем‖**ёлье** cave, vault, dungeon, catacomb; '✓**ка** *разг.* underground, tube; subway (*амер.*); '✓**ный** underground, subterranean; ✓**ный голчок** (удар) shock of an earthquake; '✓**ная железная дорога** *см.* подземка; '✓**ное царство** the underground kingdom; '✓**ные рабочие** (*на рудниках*) underground workers (*противоп.* surface workers).

подзерка́льник kind of console; table set against a wall under a mirror.

подзо́л *агр.* podzol.

подзо́р *арх.* cornice; valance (*у кровати*).

подзо́рн‖**ый**: ✓**ая труба** spyglass, telescope.

подзыва́ть to call (up to one), to beckon.

подй *разг.* probably; а он, п., уже там he is sure to be there already; I shouldn't wonder if he were there already; а ты, п., жалеешь I dare say you're sorry (you regret it); он, п., болен he may be ill, I expect he is ill; *см. тж.* пойти.

подиви́ться to admire; to wonder (*at*).

подира́‖**ть** to tear, rend; меня мороз по коже ✓**ет** it gives me the creeps (shivers).

подка́лывать to split, cleave, break (*лёд*) (*around, under, a little more, in addition to*); п. булавками to pin (*up*), tuck up with pins.

подка́менщик miller's thumb (*рыба*).

подка́пывать to dig (*under*), undermine, sap (*тж. фиг.*); ✓**ся фиг.** to seek to injure, intrigue (*against*).

подкара́ули(ва)ть *см.* подстерега́ть.

подка́рмливать to feed up; to give extra (supplementary) **food to** (*ребёнка*); to fodder (*скот*).

подкат‖**и́ть**, '✓**ывать** to roll (drive) up (*об экипаже*); п. подо что-л. to roll, drive under; ✓**йло** под горло I felt a lump rise in my throat; '✓**ываться** to roll under.

подкача́‖**ть** to pump some more (water *etc.*); не ✓**й**! *фиг. разг.* don't spoil the game!

подка́шивать to mow, cut (*траву*); *фиг. см.* подкоси́ть; ✓**ся** to be mowed, cut; *фиг. см.* подкоси́ться.

подква́‖**сить**, ✓**шивать** to put some ferment (*into*).

подки́‖**дывать** *см.* подбросить; к ним ✓**нули** ребёнка a child was (has been) left at their door; ✓**нуть** *см.* подбросить; ✓**дыш** foundling, exposed child.

подкла́д‖**ка** lining; какая тут п.? *фиг.* what is there underneath (behind) this?; what is the underplot?; делать ч.-л. на ✓**ке** to line, have something lined; у меня пальто на шелковой ✓**ке** my coat is lined with silk (has a silk lining); ✓**вый** put (laid) under; ✓**ное судно** bed-pan; ✓**очный материал** lining (material).

подкла́ды‖**вание** laying, putting under; ✓**вать** to lay under; ✓**вать вату в пальто** to wad (pad) a coat;

~вать кому-л. свинью *вульг.* to do one a bad turn; to play one a mean trick; ~вать топлива to add fuel.

подкле́||ивание pasting, gluing; ~ивать, ~ить to paste, glue underneath; ~йка *см.* подклеивание.

подко́в||а (horse-)shoe; ~анный shod; rough-shod (*на шипах*); быть ~анным *фиг.* to be well u₀ in a subject; ~а́ть *см.* подковывать; ~а́ться на все четыре ноги *фиг.* to get well prepared (*for*); ~ка (*сдобный хлеб*) crescent-shaped roll; ~ообра́зный of a horse-shoe shape; shaped like a horse-shoe; ~ывать to shoe; ~ывать на шипы to calk, frost.

подковы́р||ивать to pick (*under*); *фиг.* to utter biting remarks; ~ка quip; человек с ~кой one liking to scoff; ~ну́ть, ~я́ть *см.* подковыривать.

подко́жн||ый under the skin; *мед.* hypodermic, subcutaneous; ~ая клетчатка hypodermic tissue; ~ое впрыскивание hypodermic injection.

подколе́н||ный under (below) the knee; ~ок hamstring.

подколо́дная: змея п. *фиг.* viper.

подколо́ть *см.* подкалывать.

подкоми́ссия subcommittee.

подконтро́льный under control.

подко́п mine, sap, undermining; *фиг.* plot, underhand practices, machinations, undermining; вести п. *см.* подкапываться; взорвать п. to spring a mine.

подкоп||а́ть(ся) *см.* подкапывать (-ся); под него не ~а́ешься there is no undermining him; there's no finding fault with him; ~ный sap, undermining (*attr.*).

подкорми́ть to feed up.

подкоси́||ть(ся) *см.* подкашивать (-ся); у нее ~лись ноги her legs gave way under her; her knees shook; her heart sank within her; her strength failed; это несчастье окончательно ~ло его *фиг.* that misfortune was the last straw (which broke the camel's back); he sank (gave way) under that last blow.

подкра́дываться to steal, creep, sneak up (*to*).

подкра́||сить, ~шивать to tint, tincture, colour, touch up, retouch; п. вино to colour wine; п. губы to paint one's lips, use lipstick; п. лицо to paint; п. меха to dye furs; п. чёрным брови to use kohl

for one's eyebrows; ~ситься, ~шиваться to paint, make up.

подкреп||и́ть(ся) *см.* подкреплять (-ся); ~ле́ние *военн.* reinforcement, relief; corroboration, confirmation (*теории, утверждения*); ~ля́ть to strengthen, fortify; to support; *военн.* to reinforce; to uphold, corroborate, confirm (*теории, утверждения*); ~ля́ться to fortify oneself (*пищей*); ~ля́ющий strengthening, fortifying; supporting; reinforcing; invigorating (*о воздухе*); sustaining, nourishing, wholesome (*о пище*).

подкузьми́ть *разг.* to do one; to do one a bad turn.

подкула́чник kulak's supporter.

по́дкуп bribery, bribe; ~а́ть to bribe, buy over, grease one's palm, oil the wheels; ~но́й bribable, corrupt, venal, mercenary.

подку́ривать to smoke.

подля́||дить, ~живать to fit, suit, adapt; ~диться, ~живаться *фиг.* to adapt oneself (*to*), to conform oneself to someone's habits (*к привычкам*); to humour, suit.

подла́мывать(ся) to break, crack, split (*under*).

по́дле *см.* около; near, by, beside, by the side (*of*), side by side; он поставил свой стул п. её стула he placed his chair next to hers.

подлеж||а́ть to be subject (*to*); to be under the jurisdiction (cognizance) (*of*); это не ~ит ни малейшему сомнению this is beyond the least doubt (past doubt); ~а́щий судебному преследованию indictable.

подлежа́щее *гр.* subject, nominative.

подлез||а́ть, ~ть to creep under, thrust oneself under.

подле́сок a young growth near a wood.

подле||та́ть, ~те́ть to fly up (*to*); *фиг.* to run, rush up (*to*).

подле́ц villain, rascal, infamous wretch.

подле́щик *ихт.* young bream.

подлив||а́ние pouring to (*или* in); ~а́ть to pour, add a little; ~а́ть масла в огонь *фиг.* to pour oil on the flame; to add fuel to the fire; ~ка sauce, gravy; ~но́е колесо *мех.* undershot wheel.

подли́за||а lick-spittle, toady, flatterer; *шк. sl.* suck-up; ~а́ть (-ся) *см.* подлизывать(ся); ~ывание fawning, toadyism; ~ывать to lick up; ~ываться to play the toady, to ingratiate oneself, to flatter, fawn, to lick someone's shoes; to get into someone's good graces; to make up to.

по́длинн‖ик original; читать в ~ике to read in the original; ~ость authenticity; ~ый original, authentic(al), true, real, firsthand; genuine; ~ое письмо́ original letter; его́ ~ые слова́ his own (very) words; ~о in truth, really.

подлипа́ло *вульг.* fawner, flatterer, wheedler.

подли́ть *см.* подлива́ть.

по́длича‖ние acting meanly, sneaking up (*to*); ~ть to act meanly (in a mean way); to cringe, sneak up (*to*) (*перед кем-л.*).

подло́г forgery.

подло́жечн‖ый *анат.* substernal; ~ая боль *см.* ло́жечка; ~ая я́мка pit.

подложи́ть *см.* подкла́дывать; на́до п. ч.-л. под стол: он шата́ется the table is unsteady and must be wedged up.

подло́жн‖ость falseness, spuriousness; ~ый false, not genuine, counterfeit, spurious.

подлом‖а́ть(ся), ~и́ть(ся) *см.* подла́мывать(ся); лёд ~и́лся под ним the ice broke under him.

подлопа́точный *анат.* subscapular.

по́длость meanness, villainy, baseness, foulness.

подлу́нный sublunar(y).

по́дл‖ый base, foul, ignoble, mean, abject, despicable, vile; ~о basely, foully *и пр.*

подма́з‖ать(ся) *см.* подма́зывать(ся); ~ка greasing, oiling; ~ывать to grease, oil (*жиром*), paint (*краской*); to oil the wheels, to bribe, grease one's palm (*взяткой*); ~ываться to paint, to make up (*о косметике*); ~ываться к кому-л. *фиг.* to creep into the good graces of a person, to ingratiate oneself, to flatter.

подмал‖ева́ть, ~ёвывать to retouch with paint, furbish (up); to freshen (up), renovate (*подновить*); ~ёвываться to paint.

подманда́т‖ный: ~ная террито́рия mandatory territory.

подма́ни‖вать, ~ть to beckon.

подма́ренник *бот.* cheese-rennet, Lady's bedstraw.

подма́сли(ва)ть to butter; ~ся *см.* подма́зываться.

подмасте́рье apprentice.

подма́х‖ивать, ~ну́ть*разг., ирон.* to sign (*подписа́ть*).

подма́чивать to wet, moisten, damp; *см.* подмочи́ть.

подмён, ~а substitution, substitute; ~ённый substituted; ~ивать, ~и́ть to substitute (*for*), exchange, put (leave) in exchange (*for*), replace (*by*); кто-то ~и́л мне кало́ши someone has taken my galoshes and left me his instead; ~иваться, ~и́ться to be substituted.

подмерза́ть to freeze; ~мёрзлый frost-bitten, slightly frozen; ~мёрзнуть *см.* подмерза́ть.

подме‖сти́ *см.* подмета́ть; ~та́льщик, ~та́льщица sweeper; ~та́ние sweeping.

подмета́ть I. to sweep.

подмета́ть II. *см.* подмётывать.

подме́тить *см.* подмеча́ть.

подмётк‖а sole; подбива́ть ~и to resole (*о сапо́жнике*); to have one's shoes resoled (*о зака́зчике*); он ей в ~и не годи́тся *фиг.* he is not fit to hold a candle to her.

подмётн‖ый: ~ое письмо́ anonymous letter.

подмётывать to baste, tack.

подмеча́ть to notice, observe.

подме́ш‖анный mixed, not pure; ~а́ть, ~ивать to mix (*into, with*).

подми́г‖ивание wink(ing); ~ивать, ~ну́ть to give a wink (*at*); to wink (*at*).

подмина́ть to tread, trample (*on, down*).

подмо́г‖а help, aid, assistance; итти́ на ~у to lend a hand, to give a helping hand.

подмок‖а́ть, '~ну́ть to get wet.

подмол‖а́живать, ~оди́ть to make young, rejuvenate; ~а́живаться, ~оди́ться to make oneself look young.

подмора́жива‖ть to freeze; ~ет it is freezing, it is rather cold.

подморгну́ть to wink.

подморо́‖женный frozen, frost--bitten, affected with frost; ~зить *см.* подмора́живать.

подмоско́вная *ист.* landed property in the environs of Moscow.

подмоско́вный (situated) near (outside) Moscow.

подмо́стки scaffold(ing), trestle; *театр.* stage, boards.

подмоч‖и́ть *см.* подма́чивать; '~енный това́р damaged goods; '~енная репута́ция *фиг.* a shady (damaged, doubtful) reputation (name, fame, repute).

подмы‖ва́ние washing; ~ва́ть to wash; река́ '~ла берега́ the river has undermined its banks; меня́ так и ~вает *фиг.* I feel an irresistible longing to, I am itching to (*с инфинитивом*); I can hardly keep myself from (*с герундием*); ~вáть (-ся), '~ть(ся) to wash.

под‖мы́шечный, ~мы́шечная ямка armpit; ~мы́шками und r the arms, in the armpits; ~мы́шкой, ~мы́шку under one's arm; ~мы́шники dress protectors.

подмя́ть *см.* подминать.

поднадзóрный under surveillance.

поднажáть, поднал(чь, поднапер(ть *разг.* to press on, to press a person to do.

подначáль нь й subordinate.

поднебéс ный subcelestial, terrestrial; ~ная world, universe; ~ье air, atmosphere, the skies; в ~ье sky-high.

поднево́льный not free, not one's own master (*о человеке*); п. труд forced labour.

поднести́ *см.* подносить.

поднимáние the act of lifting.

п о д н и м ‖ á т ь to raise, lift; heave, hoist (*воротом, лебёдкой*); to start (*зайца, медведя*); п. вопрос to raise a question; п. воротник to raise (turn up) one's collar; п. дичь to spring (rouse) game; п. занавес to raise the curtain; п. крик to set up, raise a cry, to raise a hue and cry (*закричать караул*); п. на к.-л. руку to lift (up) one's hand against someone; п. нá смех to make fun (*of*); to ridicule, laugh (*at*), make a fool (*of*); п. новину to plough new land; п. нос to assume airs (*см.* задирать); п. оружие to take up arms; п. парус to set the sails, make sail; п. пары to augment the pressure; п. перчатку *фиг.* to pick up the glove; п. петли to take (pick) up stitches; п. платок to pick up a handkerchief; п. производительность труда to raise the productivity of labour; п. стёкла (окно) (*в вагоне*) to raise the window(s); п. тревогу to give the alarm; п. флаг to hoist (run up) a flag, to display the colours; п. цену to raise the price (*of*); п. шум to make a noise; to kick up a shindy (*sl.*); п. якорь to weigh anchor; это судно ~ает 100 тонн it is a hundred-tonner; ~áй выше raise higher; *фиг.* better than that; try again; ~áю-щая мышца elevator; ~áться to rise, go up; to climb (*на гору*); ascend; go upstairs (*на лестницу*); ~аться на дыбы to rear; ~áется

ветер the wind is rising; рука не ~ается сделать это my heart fails me; I cannot do this; тесто ~ается the dough is rising.

поднов‖ля́ть *см.* подновлять; ~лéние renovation, reparation, repairing, freshening up; ~лённый renovated, renewed, repaired, furbished up; ~ля́ть to renovate, renew, repair, furbish (up); to alter, freshen up (*о платье*).

подногóтн‖ая secrets; он знает всю их ~ую he knows all (the details) about them; he knows all the ins and outs of their affairs; there's not a skeleton in the cupboard he doesn't know of.

поднóжи‖е 1. foot (*of*); у ~я горы at the foot of the mountain; 2. pedestal.

поднóжк‖а a step, footboard (*экипажа*); дать ~у to trip one up; *фиг.* to injure, to do a bad turn.

поднóжный: п. корм green fodder; пустить скот на п. корм to send (turn out) the cattle to graze (pasture).

поднóс tray; salver (*особ. металлический*); чáйный п. tea-tray.

поднос‖и́ть to offer, present, bring (*up, to*); '~ка bringing up.

подношéние tribute, gift.

поднятие rise, lift, upheaval; п. производительности труда the raising of labour productivity; голосовать ~м рук to vote by show of hands.

пóдня‖тый raised; picked up (*подобранный*); hoisted, heaved (*о тяжестях*); hoisted (*о флаге*); '~ть(ся) *см.* поднимать(ся); ~л-ся хохот a roar of laughter rose (broke out); народ ~лся the people rose; он упал, но тотчас же ~лся he fell, but was instantly on his feet again; лошадь ~лáсь на дыбы the horse reared; ~лóсь облако пыли a cloud of dust rose; все как один ~ли́сь на врага everybody (the whole nation to a man) rose up in arms against the foe.

подобá‖ть to become (one), to suit, to be worthy (*of*), be becoming (seemly); *обыкн. безлично:* не ~ет вам так говорить it does not become you to speak in that way; с ~ющим вниманием with due attention.

подóби‖е similarity (*тж. геом.*); по ~ю in the image (*of*).

подóблачный under the clouds.

подóбн‖ый similar (*тж. геом.*); like; equal (*в алгебре*); ~ым образом likewise; в ～ом случае in such a case, in similar circumstances; ничего ～ого! nothing of the kind (sort)!; no such thing!; я ничего ～ого не видел I've never seen the like; и тому ～ое (*сокр.* и т. п.) and so on, and so forth, and the like, etc.; ～о similarly; ～о тому как as, the same as, in the same way as.

подобострáст‖**ие** servility, submission, cowering, fawning, humility; ～**ный** humble, fawning, flattering, servile.

подобрáть(**ся**) *см.* подбирать(ся).

подо́вый baked on the hearth.

подогнáть *см.* подгонять.

подогнýть *см.* подгибать.

подогре‖**вáние** warming up; ～**вáтель** heater; ～**вáть** to warm up; to take the chill off; '～**тый** warmed up; '～**ть** *см.* подогревать.

пододви‖**гáть**, '～**нуть** to push up (*to, against*).

пододея́льник sheet.

подожд‖**áть** *см.* ждать; to wait (*for*); мы ～**áли**, пока прошёл дождь we waited until it left off raining; ～**ёмте** его let us wait for him; ～**и́те** немного wait a little.

подозвáть *см.* подзывать.

подозре‖**вáть** to suspect, doubt, distrust, mistrust; to feel suspicious; to have doubts, misgivings; to smell a rat (*sl.*); '～**ние** suspicion, distrust; освобождáть от '～**ния** to clear of suspicion.

подозри́тельн‖**ость** suspiciousness; ～**ый** suspicious; *разг.* fishy; ～**ый** субъект a suspicious (ill) looking fellow; у него ～**ый** вид he looks suspicious; there is something suspicious about him; ～**о** suspiciously; with suspicion (*с подозрением*).

подо́йник milk pail.

подойти́ *см.* подходить.

подоко́нник window-sill.

подо́л hem of skirt; она подоткнула п. she tucked up her skirt.

подо́лгу for a considerable time; он п. гостил у них he stayed with them for days at a time; he spent much of his time with them; они п. болтали they spent hours chatting.

подоль‖**сти́ться**, ～**щáться** to cajole, wheedle, to worm oneself into one's favour (good graces).

по-домáшнему simply; without ceremony; in one's everyday clothes (*об одежде*).

подо́нки dregs (*тж. фиг.*); sediment, offal (*отбросы*); residuum

(*о населении*); riff-raff, scum (of society, humanity, mankind) (*о людях*); п. буржуазии bourgeoisie dregs.

подопéчный under guardianship; minor, ward (*о несовершеннолетнем*).

подоплёк‖**а** фиг. the ins and outs of an affair, the background; вскрыть ～**у** to discover the ins and outs of an affair; он знает всю ～**у** he knows all about it; he knows the real state of things.

подорвáть *см.* подрывать II.

подорожá‖**ть** to become dearer, more expensive; всё ～**ло** the cost of living has increased, everything has grown dearer, prices have risen.

подорóжная *уст.* order for (fresh) post-horses, for relays.

подоро́жник *бот.* plantain.

подоси́новик *бот.* aspen-mushroom.

подослáть *см.* подсылать.

подоспе‖**вáть**, '～**ть** to arrive in time.

подостлáть *см.* подстилать.

подо́стрый *мед.* subacute.

подотдéл subsection, subdivision.

подоткнýть *см.* подтыкать.

подотря́д *ест.-ист.* suborder, tribe.

подотчётн‖**ость** accountability; ～**ый** accountable (*to, for*).

подо́хнуть (*о животных*) to die.

подохо́дный in proportion to one's income; п. налог income tax.

подо́шв‖**а** sole (*ноги, сапога*); foot of a mountain (*горы*); бифштекс, твердый как п. leathery steak; двойная п. clump sole (*тж. с гвоздями*); тонкая п. light sole; ～**енный** sole (*attr.*).

подпадáть to fall (*under*) (*под чьё-л. влияние и пр.*).

подпáивать I. to make drunk, (tipsy); to intoxicate.

подпáивать II. to solder up (*паять*).

подпáлзывать *см.* подползать.

подпáли‖**вать** to singe; ～**на** burnt (scorched) place; dapple; лошадь с ～**ной** dappled horse; '～**ть** *см.* подпаливать.

подпáсок herdsman's assistant.

подпáсть *см.* подпадать.

подпая́ть *см.* подпаивать II.

подпевáла one who sings in tune with.

подпевáть to sing, join someone in singing, hum; п. второй to sing second.

подпекать to bake brown.
подпереть см. подпирать.
подпечь см. подпекать.
подпил‖ивать, ⌃ить to saw, file, rasp; ⌃ок см. напильник.
подпирать to prop up, support.
подпис‖авшийся signatory; ⌃а̇ние signing; ⌃ание договора signing of a contract; ⌃ание мирного договора signing of a peace treaty; ⌃ать(ся) см. подписывать (-ся); '⌃ка subscription; ⌃ка на заём subscription to the loan; ⌃ка о невыезде signed promise not to leave the country (town); обязать '⌃кой to engage one by a written document; to take one's signature (for); to make one sign that...; ⌃ной лист signature list, collecting sheet, collecting-card; ⌃ная цена subscription rates; '⌃чик, '⌃чица subscriber.
подписывать, ⌃ся to sign, subscribe, underwrite; ⌃ся на заём to subscribe to a loan; ⌃ся на журнал (газету) to subscribe to (take in) a magazine (newspaper); ⌃ся на книгу (словарь, журнал) to subscribe for a book (dictionary, magazine).
подпись signature; за ⌃ю signed (by), bearing the signature (of); за ⌃ю и печатью signed and sealed.
подплы‖вать, '⌃ть to swim up to; to sail up to.
подпля́сывать to join in dancing, to dance to someone's music.
подпоить to make drunk; см. подпаивать I.
подполз‖ать, ⌃ти to creep up (к к.-л.—to, подо ч.-л.—under).
подполковник lieutenant-colonel.
подпол‖ье cellar under the floor; фиг. underground work; загнать в п. to drive underground; работать в п. фиг. to do underground work; ⌃ный under the floor (букв.); фиг. secret; underground; hole-and-corner (с оттенком неодобрения); ⌃ная деятельность secret (underground) activity; ⌃ная организация secret organization; ⌃щик revolutionary belonging to a secret organization; one having worked as a member of a secret organization (в прошлом).
подпор(ка) prop, support (тж. фиг.); scaffolding, pole (у построечных лесов).
подпоручик военн. ист. sub-lieutenant.
подпочв‖а subsoil, substratum; ⌃енный subterranean.

подпояс(ыв)ать to gird; ⌃ся to put on a belt (girdle).
подправ‖ить см. подправлять; ⌃лять to correct, rectify; to touch up, give a touch (to), retouch (рисунок).
подпруга saddle-girth, belly-band, surcingle.
подпрыг‖ивать, ⌃нуть to jump, skip, bounce, trip, hop (about, along, up).
подпус‖кать, ⌃тить to allow to approach; to admit, let; п. неприятеля to let the enemy approach; п. масла ,to put in a little butter (oil); п. цыплят под другую наседку to put under a hen the chickens of another sitter; куропатки не ⌃кают близко the partridges won't stand (lie).
подравнивать to level (сделать ровным: о земле и пр.); to make neat, even (в количестве, объёме); to trim (подрезать ножницами—края и пр.).
подража‖ние imitation; ⌃тель (-ница) imitator, ape; ⌃тельность imitativeness; ⌃тельный imitative; ⌃тельные искусства imitative arts; ⌃ть to imitate, copy; to ape (рабски).
подраздел‖е́ние subdivision; ⌃и́ть, ⌃я́ть to subdivide; ⌃и́ться, ⌃я́ться to be subdivided.
подразумев‖а́ть to imply, understand, suppose; ⌃а́ться to be implied, understood; в этих словах что-то ⌃ается something is implied in these words; это само собой ⌃ается it goes without saying; it is of course understood.
подрамник blind frame.
подраст‖а́ть, ⌃и́ to grow up, to be growing up; ⌃а́ющее поколение the rising generation.
подра́ться to come to blows.
подрёберный under the ribs; subcostal.
подрез‖а́ть, '⌃ывать to cut (a little underneath), to clip; to trim (волосы, деревья, фитиль в лампе); to prune, lop (ветви); п. в корне фиг. to nip in the bud; п. крылышки (когти) фиг. to cut (clip, pare) one's wings (claws).
подрисов‖а́ть, '⌃ывать to touch up (retouch) a drawing (рисунок); п. брови to make up one's eyebrows.
подробн‖ость detail; вдаваться в ⌃ости to go into details, to particularize; ⌃ый detailed, circumstantial, full and particular; ⌃ый счёт detailed account; ⌃ый чер-

тёж detailed drawing; ⌐ое определение specification; ⌐о in detail, at length; исследовать ⌐о to examine narrowly.

подровня́ть см. подравнивать.

подро́ст‖ок juvenile; boy in his teens, youth, lad, stripling (*мальчик*); girl in her teens, young girl (*девушка*); young maiden (*тжс. поэт., шут.*); flapper (*sl.*); п., работающий полдня half-timer; труд ⌐ков juvenile labour; охрана труда ⌐ков safeguarding of juvenile labour.

подруб‖а́ть, ⌐и́ть 1. to hew, hack (*under*) (*дерево и пр.*); 2. to hem (*материю*).

подру́га (girl-)friend; chum, pal (*разг.*); playmate (*подруга игр*).

по-дру́жески in a friendly way.

подружи́ться to contract a friendship (*with*); to make friends; to become friendly, intimate (*with*).

подрумя́ни‖(ва)ть(ся) to paint, colour, redden, to make up, to (use) rouge; пирог ⌐лся the pie is nice and brown.

подру́чный apprentice, assistant.

подры́в undermining injury, detriment.

подрыв‖а́ть I. to undermine, sap; to explode, blow up, blast (*взрывать*); ⌐ны́е работы demolition work, sapping; blasting (operations).

подрыва́ть II. to injure, wrong harm (*доверие*); п. здоровье (силы) to overtax (undermine) one's health (strength).

подры́ть см. подрывать I.

подря́д I. contract, undertaking; поставлять дрова по ⌐у to supply with wood by contract; ⌐и́ть(ся) *см.* подряжать(ся); ⌐ная работа supply of goods (*по снабжению*); performance of work by contract.

подря́д II. one after the other; without interruption (exception, distinction); несколько дней п. several days running, for several days together.

подря́дчик contractor, undertaker of contract, builder (*по постройке*).

подряжа́ть to hire, contract; ⌐ся to contract, undertake; ⌐ся на поставку дров to contract for a supply of wood; ⌐ся на постройку здания to undertake the construction of a building.

подса‖́живать, ⌐жива́ть to help to a seat (*на стул*); to help one to mount (*на лошадь*); to give one a lift; ⌐живаться to take a seat.

подсве́чник candlestick.

подсе́в additional sowing; ⌐а́ть to sow (*in addition*).

подсе́д *ветерин.* malanders, mallenders(*у лошадей*);*амер.* scratches.

подседе́льн‖ик girth, belly-band; ⌐ый under the saddle.

подсека́ть 1. см. подрубать; 2. to hook, strike (*рыбу*).

подсе́кция subsection.

подсеме́йство subfamily, tribe.

подсе́сть см. подсаживаться.

подсе́чь см. подсекать.

подсе́ять см. подсевать.

подси‖де́ть *см.* подсиживать; ⌐жива́ние plotting (intriguing) against a person; ⌐жива́ть *разг.* to plot, intrigue steadily against someone; to injure one in his work (position).

подси́ни‖вать, ⌐ть to blue, use blue (*амер.* blueing).

подска́бливать to scrape, scratch (*ногтем*); to rub off, erase.

подска́з‖ка prompting; ⌐чик prompter; ⌐ывание см. подсказка; ⌐ывать to prompt; не ⌐ывать! no prompting!

подска́к‖ивать to run up, hurry up (*к кому-л. или чему-либо*); to jump with joy (*от удовольствия*); всадник ⌐а́л the horseman galloped up.

подскобли́ть см. подскабливать.

подскочи́ть см. подскакивать.

подскре‖ба́ть, ⌐сти́ to scrape.

подсла‖сти́ть, ⌐ща́ть to sweeten, sugar; ⌐щённый sweetened, sugared.

подсле́дственный person under investigation.

подслепова́ты‖й weak-sighted; ⌐е глазки dull little eyes.

подслу́живать(ся) to cringe fawn, worm oneself into the favour (*of*); to be servile.

подслу́ш‖ать *см.* подслушивать; ⌐ивание eavesdropping, overhearing, spying; ⌐ивать to eavesdrop, overhear, spy, listen at the door (*у дверей*); ⌐ивать телефонный разговор to listen in; он ⌐ивает he's an eavesdropper; он ⌐ал наш разговор he has overheard our conversation.

подсма́тривать to spy, watch (on the sly, secretly).

подсме‖́иваться to laugh (*над к.-л.—at*), tease; to make fun of.

подсмотре́ть см. подсматривать.

подсне́ж‖ник *бот.* snowdrop; ⌐ный under the snow.

подсоб‖и́ть, ⌐и́ть *разг. см.* помогать; ⌐ный secondary, by-; ⌐

ный продукт by-product; ~ный промысел by-work; ~ное предприятие subsidiary establishment; ~ным промыслом для него служило рыболовство fishing was a by-work for him.

подсо́вывать to push, shove under; to palm (pass) off (*плохой товар и пр.*); *см. тж.* подсу́нуть.

подсозна́тельн‖ый subconscious; ~ая работа мозга subconscious (unconscious) cerebration.

по́(д)соли́ть to add some salt.

подсо́лнечн‖ик *бот.* sunflower; ~ое масло sunflower oil.

подсо́хнуть *см.* подсыха́ть.

подсо́чивать *лес.* to turpentine.

подспо́рье help, assistance.

под спу́дом *см.* спуд.

подста́ва relay (of horses).

подста́вить *см.* подставля́ть.

подста́вка stand, support, prop, stay; knife-rest (*для прибора*); bottle-stand (*для бутылок*); umbrella-stand (*для зонтов*).

|подстав‖ля́ть to lift up, hold up (*щеку и пр.*); to place under (*подо ч.-л.*); п. но́жку to trip (up); ~но́й false; ~но́е лицо dummy, man of straw, figurehead; ~ны́е ло́шади relay-horses.

подстака́нник glass-holder.

подстано́вка substitution; п. алгебраических величин substitution of quantities.

подста́нция substation; телефонная п. local telephone exchange.

подста́ть: ему не п. это делать he ought not to do it; it does not become him to do it.

подст‖ега́ть, ~ёгивать I. to pad (*ватой*).

подст‖ёгивать II., ~егну́ть to whip, to whip a little; to urge forward (*тж. фиг.*).

подстели́‖ть *см.* подстила́ть; он ~л пальто́ и лёг he spread his coat and lay down.

подстере‖га́ние ambush, watch, look out; ~га́ть, ' ~чь to lie in wait for (in ambush), to waylay (*на дороге*), to be on the watch, on the look-out (*for*).

подстил‖а́ть to lay, spread, stretch, strew (*под—under*); ~ка litter, bedding; лесна́я ~ка forest-litter.

подсторожи́ть *см.* подстерега́ть.

подстра́ивать *фиг.* to arrange, to bring about by secret plotting.

подстрек‖а́ние instigation, stimulation, incitement, setting on; ~а́тель(ница) instigator, setter-on; firebrand; ~а́тельство *см.* подстре-

кание; ~а́ть, ~ну́ть to incite, instigate, stir, work up, spur, set, egg (*on*); encourage; ~ать к возмущению to incite to revolt; ~ать любопытство to excite the curiosity (*of*).

подстре́л‖енный wounded by a shot; ~ивать, ~и́ть to wound by a shot.

подстри‖га́ние cutting, shearing, clipping, cropping, trimming, pruning, lopping (*см.* подстрига́ть); ~га́ть to cut, shear, clip, crop; ~га́ть во́лосы to cut one's hair; ~га́ть дере́вья to trim, prune, lop the trees; ' ~женный with short hair, bobbed (*о женщинах*); shingled (*очень коротко сзади*); Eton-cropped (*совсем коротко, под мальчика*).

подстри́чь *см.* подстрига́ть.

подстро́ить *см.* подстра́ивать.

подстро́чн‖ик, ~ый перевод interlinear translation; crib (*шпаргалка*); ~ое примечание footnote.

по́дступ approach, advance; к этому нет ~а you can't come up to it; *фиг.* it's quite beyond my means (*дорого*); ~а́ть, ~и́ть approach, advance; мо́ре ~а́ет к бе́регу the sea gains (up)on the land; ~и́ться: к этому не ~и́ться *см.* к этому нет подступа.

подсуди́мы‖й defendant; the accused; prisoner (*в суде*); скамья́ ~х the dock.

подсу́дн‖ость cognizance; the right to exercise the legal (judicial) power of a court; ~ый jurisdictional, under the competence (*of*).

подсу́ну‖ть *см.* подсо́вывать; он ~л ему ста́рое изда́ние вме́сто но́вого he passed off (palmed off) an old edition instead (in the place) of a new one.

подсу́ш‖ивать, ~и́ть to dry a little; ~иваться, ~и́ться to dry oneself, to be dried.

подсч‖ёт calculation, cast; ~ита́ть, ~и́тывать to count up, reckon, calculate, cast up.

подсыла́ть to send secretly, to send on a secret message.

подсыпа́ть, подсы́пать to add; п. муки́ to add some flour.

подсыха́ние drying up.

подсыха́ть to get dry, to get a little bit drier.

подта́ива‖ние thawing, melting; ~ть to thaw, melt (*underneath*).

подта́лкива‖ние nudging, showing; ~ть to push, shove, nudge; ~ть вперёд to push forward.

подта́пливать to heat a little.

подта́скивать to drag up to.

подтасо́в а́ть, '~ывать to prepare (shuffle) the cards for foul play; *фиг.* to garble, manipulate, juggle (*with*) (*факты и пр.*).

подта́чивать 1. to sharpen, give an edge (*to*); 2. to gnaw, to undermine, sap (*здоровье, силы, корни*).

подтащи́ть см. подтаскивать.

подта́ять см. подтаивать.

подтвер ||ди́ть, ~жда́ть to confirm, corroborate, bear witness (*to*); п. прися́гой to affirm under open oath; это ~жда́ет that confirms, that comes in support (*of*); собы́тия ~жда́ют пра́вильность поли́тики па́ртии events have proved the correctness of the party policy; ~жда́ться to be confirmed; э́тот слух не ~жда́ется this rumour is not confirmed; ~жде́ние confirmation, corroboration.

подтёк см. кровоподтёк.

подтека́ть to leak.

подтере́ть to wipe.

подт еса́ть, ~ёсывать см. тесать.

подте́чь см. подтекать.

подтир ||а́ть to wipe; '~ка wiping.

подтолкну́ть см. подталкивать.

подтопи́ть см. подтапливать.

подточ ||и́ть см. подтачивать; '~енное червями де́рево worm-eaten wood (tree).

подтру́ни ||вание teasing, bantering, quizzing; ~вать, '~ть to laugh (*at*); tease, banter, quiz; to pull one's leg, to have one on (*sl.*).

подтыка́ть to stick under; to tuck up (*одеяло*); п. подо́л to pin (tuck) up one's skirt. '

подта́гивать 1. to sing, join in a song (*петь*); 2. to pull, draw (up, in); to tighten; п. подпру́гу to tighten the girth of a saddle; 3. *фиг.* to draw in the reins, take in hand, keep a tight hand on; п. дисципли́ну to wind up the discipline (*of*); ~ся to pull oneself together, to take oneself in hand.

подта́жки braces, suspenders.

подтяну́ть см. подтягивать.

поду́ма ||ть см. думать; to think (*of*, *about*); to reflect, consider; заста́вить к.-л. п. to make a person think; на́до бы́ло ра́ньше об э́том п. you should have thought of it (before); об э́том придётся п. this will have to be considered; тут есть о чём п. there is much worth considering here; there is much matter for consideration here; ~й то́лько! just fancy!; кто бы ~л! who would have thought it!; ~вши

on second thoughts; ~ться: мне ~лось it seemed to me.

поду́мывать to think of, to contemplate.

по-дура́цки foolishly, like a fool, stupidly, thoughtlessly.

подура́читься to play the fool (goat, donkey); to fool around, to have some fun.

подурне́ть to grow ugly, to lose one's looks.

поду́ськивать *вульг.* to set on.

поду́ть 1. to blow a little; 2. (to begin) to blow.

поду́чи ||вать, '~ть to instruct, teach one; to set one on (*направливать*); ~ваться, '~ться to learn, to improve one's knowledge, to polish oneself up a little.

поду́ш ||ечка small cushion; п. для була́вок pin-cushion; ~ка cushion (*диванная*); pillow (*постельная*); air-cushion (*наполненная воздухом*); ink-pad (*для печати*).

поду́шный *ист.*: п. нало́г poll-tax.

подхали́м servile flatterer, toady, reptile, time-server, lickspittle; ~ничать to cringe; ~ство servile flattery, toadyism.

подхват ||и́ть, '~ывать to take, catch up, snatch up; п. мело́дию to catch up the tune, to join in the singing; п. мяч to catch the ball; ло́шади ~и́ли the horses bolted.

подхлёстывать to whip up, urge; *фиг.* to spur, egg on.

подхо́д mode, manner, way; approach (*тж. мор.*); с маркси́стским ~ом with Marxist method of approach.

под ||ходи́ть 1. come near (up to), to approach; to draw near (*о каникулах и пр.*); п. к вопро́су to approach (treat, consider) a question; п. к са́мой две́ри to go straight up to the door; сад ~хо́дит к са́мому ле́су the garden stretches as far as the wood; 2.: э́то зави́сит от того́, с како́й стороны́ к э́тому де́лу ~ойти́ it depends from what point of view one treats (considers) this affair; 3.: ба́ржа ~хо́дит под мост the barge is passing under the bridge; 4. to suit, match (*о цвете*), to fit (*об обуви*); ключ не ~хо́дит к замку́ the key doesn't fit; они́ хорошо́ ~хо́дят друг к дру́гу they suit each other perfectly; э́то не ~ойдёт this won't do; ~ходя́щий suitable, fitting, right, appropriate, likely; advantageous (*выгодный*); proper to the occasion (*к случаю*); eligible (*желательный*);

вы самый ⁓ходящий человек для этой работы you are the man of all others for this work, you are cut out for it, you are indeed the right man in the right place.

подхому́тник collar-pad.

подцве‖**ти́ть**, '⁓**чивать** to colour, paint; to dye (*материю*).

подцеп‖**и́ть**, ⁓**ля́ть** *разг.* to catch, seize, hook, pick up; я ⁓и́л грипп I have caught the grippe; где вы это ⁓и́ли? where did you pick this up?

подча́с sometimes, at times, occasionally.

подча́сник watch-stand.

подчелюстно́й submaxillary.

под‖**чёркивание** underlining, stress, emphasis; ⁓**чёркивать**, ⁓**черкну́ть** to underline, underscore, score under; *фиг.* to emphasize, lay stress (emphasis) on, accentuate.

подчин‖**е́ние**, ⁓**ённость** subordination, subjugation, dependence; быть в ⁓**е́нии** у духовенства to be priest-ridden; ⁓**ённый** *a.*, *s.* subordinate, inferior; *пренебр.* underling (*маленький человек*); ⁓**и́ть**, ⁓**я́ть** to subordinate, subdue, conquer, subject, subjugate; ⁓**и́ться**, ⁓**я́ться** to submit, obey; to knock (knuckle) under (*кому-либо*); to be subordinated, subjected, subjugated (*кем-либо*); ему пришлось ⁓**и́ться** обстоятельствам he had to submit to the force of circumstances.

подчи́стить *см.* подчищать.

подчи́тчик *тип.* copy-holder.

подчища́ть to clean, erase, rub out, trim, give a neat look (*to*); п. сад to trim a garden; п. деревья to lop trees.

подшефн‖**ый** under the patronage (protection) (*of*); п. колхоз Colfarm under patronage; ⁓**ое** учреждение a patronised institution.

подшиб‖**а́ть**, ⁓**и́ть** to give a blow from underneath; *см.* подбить; он подши́б ему глаз he gave him a black eye.

подши‖**ва́ть** to sew underneath; to line; п. бумаги to file; '⁓**вка** lining; filing.

подши́пник *техн.* bearing(s).

подши́ть *см.* подшивать.

подшки́пер skipper's mate.

подшта́нники drawers, pants.

подштоп‖**(ыв)ать** to darn.

подшту́рман second mate.

подшу‖**ти́ть**, '⁓**чивать** to joke, banter, jest, laugh (*at*), jeer, mock, rag, poke fun (*at*).

подъеда́ть to eat up, **to clear the platter.**

подъе́зд porch, entrance, steps.

подъезжа́ть to drive up (*to*); *фиг.* to coax, flatter, wheedle.

подъём 1. lift, ascent; rise (*тж. воды*); **2.** *фиг.* enthusiasm; п. производства the raising of industry; экономический п. economic improvement (prosperity); boom (*временный*); лёгок на п. wide-awake, brisk, ever ready; тяжёл на п. sluggish, unwieldy, hard to rouse; **3.** instep (*ноги*); **4.** *техн.* lever, hand-screw; **5.** *фон.:* гласный среднего ⁓а mid vowel; ⁓**ник** hoist, elevator; ⁓**ный** for lifting; ⁓**ный** кран crane, jenny; ⁓**ный** мост draw-bridge; bascule-bridge; ⁓**ная** машина lift; elevator (*амер.*); ⁓**ные** деньги travelling expenses given to an official.

подъе́сть *см.* подъедать.

подъе́хать *см.* подъезжать.

подъязы́чный *анат.* sublingual.

подъяре́мн‖**ый** yoked; ⁓**ое** животное beast of burden (*тж. фиг.*).

подыгр‖**а́ть**, '⁓**ывать** to accompany, play (while someone is singing); '⁓**ываться** *фиг.* to play up to someone, to try to please; *см. тж.* подделываться, подлизываться, подмазываться.

подыма́ть *см.* поднимать.

подыск‖**а́ть**, '⁓**ивать** to (try to) find something suitable.

подыто́жи‖**вание** summation; ⁓**(ва)ть** to sum (up); ⁓**ть** работу съезда to sum up the work of the congress.

подыша́ть to breathe; дайте мне п. свежим воздухом let me have a breath of fresh air.

подья́чий *ист.* scrivener, scribe.

поеда́ть to eat up all, to devour.

поеди́нок duel, single combat (fight).

поедо́м *разг.:* она ела его п. nagged at him day and night (without a moment's respite); she made life a burden to him.

по́езд train; suburban train (*дачный, местный*); omnibus train, *амер.* accommodation-train (*с остановками на всех станциях*); express (train) (*курьерский, тж. экстренный*); goods-train, baggage-train, *амер.* freight-train (*товарный*); mixed train (*тов.-пассажир.*); passenger-train (*пассажир.*); mail-train, post-train (*почтовый*); fast-train (*скорый*); special, express train (*экспресс*); pleasure-train, excursion-train (*экскур-*

сионный); local (suburban) train (*местного сообщения*); slow-train (*малой скорости*, «*Максим*»); п. опоздал the train is late (overdue); п. отходит в 7 ч. у. [в 7 ч. в.] the train starts at 7 (o'clock) a. m. (in the morning) [p. m. (in the evening)]; п. приходит в 7 the train is due at 7; я опоздал на семичасовой п. I missed the seven o'clock train.

поездить to travel about.

поезд‖**ка** trip, journey; voyage (*морская*); outing (*короткая увеселительная*); двухдневная п. a two days journey; дипломатическая п. a diplomatic journey; круговая п. tour (*тж. театр.*); автобус делает 8 ⌐ок в день the (motor)bus goes 8 journeys a day.

поёмны‖**й** under water; ⌐е луга meadows rendered fertile by spring floods, water-meadows.

поесть to eat something (a little).

поехать *см.* уехать, выехать; to go (*отправиться куда-л.*); to go on horse-back (*верхом*); to go for a ride (*на прогулку верхом*); to go for a drive (*на прогулку в экипаже*); to slide, glide, come down (*скользить, съезжать*). \

пожалеть *см.* жалеть.

пожал‖**ование** granting, reward, conferring; ⌐овать I. *уст.* to grant, confer; to present, bestow.

пожал‖**овать** II. to come; добро п.! welcome!; ⌐уйте кушать dinner is served; ⌐уйте сюда pray (kindly) come here; would you mind coming here (stepping over here)?; this way, please.

пожаловаться *см.* жаловаться.

пожалуй 1. I dare say; may be; I suppose so; perhaps (*вероятно*); я, п., пойду I think I will go; 2. well, be it so; if you like; I don't mind; all right (*что ж, пожалуй*).

пожалуйста please; if you please, pray, kindly; be so kind (good) as to...; would you please...?; would you mind...? (*с герундием*); may I trouble (ask) you to...?; I shall be much obliged if you...; may I beg you to...?

пожар fire, conflagration; п. мировой революции conflagration of the world revolution; лесной п. fire in a forest; степной п. fire in the steppes (prairies); потушить п. to extinguish the fire; ⌐ище site after a fire.

пожарн‖**ый** 1. *s.* fireman; 2. *a.* fire (*attr.*); п. кран fire-plug (*сокр.* F. P.); п. насос fire-engine; п.

сигнал fire-alarm; ⌐ая команда fire-brigade.

пожатие pressing, squeezing, clasp; п. руки shake of the hand (*при встрече, прощании*); п. руки отменяется no shaking of hands; handshaking taboo.

пожать I. *см.* пожимать.

по‖**жать** II. *см.* пожинать; что посеешь, то и ⌐жнёшь you must reap what you have sown; as you make your bed so you must lie in it.

по‖**жевать**, ⌐**жёвывать** *см.* жевать.

пожела‖**ние** wish; высказ(ыв)ать п. to wish, express a wish; лучшие ⌐ния best wishes; ⌐ть to wish; ⌐ть успеха to wish good luck (good speed).

пожелте‖**вший** yellow; ⌐**ть** to yellow.

по-женски like a woman.

пожертвова‖**ние** offering, donation; gift; ⌐**ть** *см.* жертвовать.

пожива gain, profit.

пожива‖**ть** to live; стали они жить-п. да добра наживать they lived happy ever after; п. хорошо (дурно) to be (feel) well (unwell); как ⌐ете? how do you do?; how are you (getting on)?; how is the world treating you?

поживиться to profit by.

пожи‖**деть** to become thinner; '⌐**же** thinner (*суп*); weaker (*чай*).

пожизненн‖**ый** (for) life; ⌐**ая** пенсия life pension; ⌐**ая** рента annuity; ⌐**ое** владение life-estate; ⌐**ое** заключение в тюрьме imprisonment for life; ⌐**ое** изгнание perpetual banishment.

пожилой elderly.

пожимать to press, squeeze; п. плечами to shrug (heave up) one's shoulders; п. руку to shake hands (*with*).

пожинать to reap; п. лавры to reap (gather) laurels; п. плоды своих трудов to reap the fruits of one's labours; to reap as one has sown; *фиг.* to lie in the bed one has made; п. плоды чужого труда to reap where one has not sown.

пожирать to devour, eat up; п. глазами to devour with one's eyes, to gloat (*on, upon, over*).

пожитк‖**и** goods and chattels, things, belongings, traps, paraphernalia; где мои п.? where are my things?; со всеми ⌐**ами** with bag and baggage.

пожи‖**ть** to live; *фиг.* to see life, to have a good time; п. на юге to stay in the South; ～вший человек a man who has seen life.

пожрáть *см.* пожирать.

пóз а pose, posture, attitude; ставить в ～у, принимать ～ы to posture.

позабóтиться: п. о к.-л. to look after someone, to take care of someone; п. о ч.-л. to see to.

позáвтракать *см.* завтракать; to have one's lunch (breakfast).

позавчерá the day before yesterday.

позадú behind.

позадýматься *см.* призадуматься.

позапрóшлый: п. год the year before last, last year but one.

позвáнивать to ring from time to time.

позвáть to call, to summon (*потребовать*); п. доктора to call a doctor; его ～ли в контору he was summoned to the office; ～ли водопроводчика a plumber was sent for.

по-звéрски brutally, cruelly; он поступил п. he behaved like a beast.

позвол **éние** permission, leave; с ～ения сказать saving your presence; '～ено allowed; ～ительный permissible; '～ить, ～я́ть to allow, permit, let; to give leave (*to*); to suffer (*допустить*); п. себе вольности to take liberties (*with*); п. себе слишком много to presume, to take liberties, to make bold; если погода '～ит weather permitting (*сокр.* w. p.); я охотно ～яю ему пользоваться моими книгами he is welcome to my books.

позвонúть to ring; to ring for; п. по телефону to ring (one) up, to phone (one).

позвонó **к** *анат.* vertebra (*pl.* -rae); ～чник spine, spinal column, back-bone; ～чный *анат.* vertebral; ～чное *зоол.* vertebrate.

поздн **éе** later; не п. двух (часов) not later than two; он пришёл п. всех he was the latest to come; я приду п. I'll come later on; ～éнько latish; однако вы ～енько a bit late, eh? ～ёхонько very late; ～ёхонько ночью very late (far) in the night.

пóздн **ий** late, tardy; backward (*о развитии*); спать до ～его утра to sleep late into the morning; ～ее время года advanced season of the year; до ～ей ночи late into the night; ～о late; ～о ложиться to keep late hours; ～о утром late in

the morning; лучше ～о, чем никогда better late than never; ～овáто *см.* позднéнько.

поздорóваться *см.* здороваться.

поздорóвит **ься**: не ～ся от этаких похвал you won't be the better off for hearing this sort of praise (*срв.* to be damned with faint praise).

поздорóву: убраться подобру п. to come off with a whole skin.

поздрав **úтель(ница)** congratulator; ～úтельный congratulatory, complimentary; '～úть *см.* поздравлять; ～лéние congratulation; ～ля́ть to congratulate (*on, upon*); to compliment; ～лять с днём рождения to wish many happy returns of the day; ～лять с новым годом to wish a happy New Year.

позёвывать to yawn from time to time.

позеленé **ть** to turn (become) green (*о лице тж.* livid); она ～ла от зависти she turned green with envy.

позём *агр.* manure.

поземé **льный** territorial; land (*attr.*); agrarian; п. банк land-bank; п. налог, ～ая подать land-tax; ～ая рента land-rent; ～ая собственность landed estate, property.

позёр poseur; one who likes to show off; ～ство posing.

пóзже *см.* позднее.

пози́ровать to pose.

позитúв *фот.* positive; ～úзм *филос.* positivism, positive philosophy; ～úст positivist; ～ность positivity, positiveness; ～ный positive.

позициóнн **ый**: ～ая война trench war (fare).

позúци **я** attitude, position, выгодная п. advantage-ground; занять ～ю to take one's stand.

позлúть to aggravate (tease) a little.

позна **вáемый** cognizable; ～вáемость perceptivity; ～вáние knowledge, perception, cognition, notion; ～вание самого себя self-knowledge; ～вáтельный perceptional, notional; ～вáть to know; perceive; ～й самого себя know thyself; друзья ～ются в несчастьи a friend in need is a friend indeed.

познакóми **ть** *см.* знакомить; он ～л меня с ним he introduced me to him; ～ться с к.-л. to make someone's acquaintance.

познáние *см.* познавание.

Познáнь Posen.

познáть *см.* познавать.

позоло‖та gilding, gilt, gold-leaf; ~тить to gild, overgild; ~тить пилюлю to gild the pill; ~тчик gilder; ~ченный gilt, gilded, aureate; silver-gilt (*о серебре*); ormolu (*о бронзе*).

позо́р shame, infamy, ignominy, disgrace, dishonour, scandal; opprobrium (*о поведении*); неизгладимый п. indelible disgrace; заклеймить ~ом to brand with shame; ~ить to defame, shame, dishonour, disgrace, discredit; ~ище disgraceful spectacle; ~ность shamefulness; disgracefulness, scandalousness; ~ный shameful, infamous, ignominious, disgraceful, dishonourable, scandalous, opprobrious (*о поведении*); ~ный столб pillory; ведущий ~ную жизнь living in dishonour.

позуме́нт galoon; золотой (серебряный) п. gold (silver) lace, trimming; ~щик galoon-maker.

позы́в desire, inclination; п. к рвоте nausea; болезненный п. к мочеиспусканию micturition; меня ~ает на рвоту I feel sick; ~но́й сигнал *рад.* call sign.

поигр‖а́ть, '~ывать to play now and then; to touch the strings (*of*) (*о струнном инструменте*).

поиздержа́‖ть(ся) *разг.* см. издерживать(ся); я ~лся I've outstepped (exceeded, gone beyond) my budget; I seem to have spent more than I ought.

поимён‖ный; п. список list of names; ~но by name; вызывать ~но to roll-call.

поимен‖ова́ние, ~ова́ть см. именование, именовать.

по́йм‖ка catching, capture, seizure; п. на месте преступления catching in the act (*of*); ~щик seizer, catcher; captor (*в плен*).

по-ино́му otherwise.

поиска́ть см. искать.

по́иски search, hunt, quest; pursuit (*преследование*); п. работы search for employment (work).

по́истине indeed, in truth.

пои́ть to give to drink; to water (*лошадь*).

по-и́хнему *разг.* in their way (fashion); according to their ideas (views, taste).

по́йло drink, swill, mash (*с отрубями*); hog-wash (*для свиней*).

пойма́ть to catch, capture; to seize, catch hold (*of*) (*схватить*); п. взгляд to catch someone's glance; п. в сети to ensnare; п. на месте преступления to catch in the (very)

act (*of*); п. на слове to take one at his word; п. с поличным to catch red-handed.

по́йнтер pointer (*охотничья собака*).

по‖йти́ см. итти; to go (*отсюда*); to come (*сюда*); п. в солдаты *ист.* to become a soldier, to enlist; п. замуж to marry; п. по миру to be reduced to beggary, to become a beggar, to (have to) beg for one's living; п. с бубён to play diamonds; на это платье ~йдёт 4 метра this dress will take 4 metres; на эту постройку ~йдёт много денег this building will swallow up a lot of (much) money; это не так ~йдёт как вы думаете it will not happen (turn out) as you think; ~йдёмте в эту сторону come this way, let us go this way; ~йди́те сюда come here; ~шёл! off (with you)!; begone! (*вон!*); you can start (*кучеру*); ему ~шёл 9-й год he is in his ninth year; он ~шёл в отца he takes after his father; он ~шёл плясать he began to dance, he joined the dance; он ~шёл против меня he opposed me; я ~шёл вслед за ним I followed him; ну, я ~шёл! well, I'll be getting along; вторая неделя ~шла it's over a week (since, ago); и ~шла писать губерния *фиг.* and the fat was in the fire, and the ball started rolling, and the commotion began; она ~шла в гости к X. she went to see X.; богатство не ~шло ему впрок riches were no benefit to him; дело ~шло на лад (хорошо) all went (was) well (after that); коли на то ~шло well, if it's like this, then...; well, if it has come to this, then...

пока́ show; на-п. см. напоказ.

пока́ for the time being; so long as, while, till, until, as yet, for the present; п. до свидания good-bye for the present; п. что meanwhile, for the time being; п. не кончу not till (before) I've finished; ну, п.! *разг.* ta-ta, so long, bye-bye; я п. остаюсь здесь I'll stay here for the present.

показа́ние *юр.* deposition, testimony, evidence (*свидетельское*); affidavit (*под присягой*); reading (*термометра и пр.*); давать п. to depose, bear witness, testify.

показа́тел‖ь *мат.* exponent, index; качественный п. qualitative index; ~и соцсоревнования socialist competition indexes; ~ьный significative, model, exponential;

⌐ьный колхоз (цех) model colfarm (shop); ⌐ьный процесс demonstrative (show) trial; ⌐ьный урок model lesson; ⌐ьное хозяйство a model farm; это ⌐ьно it is significant, it tells a tale.

показа́||ть(ся) *см.* показывать (-ся); мне ⌐лось it seemed to me, I thought; солнце ⌐лось the sun appeared, peeped, peeped; они ⌐лись вдали they came in(to) sight.

показн||о́й for show (display, parade); garish, ostentatious; ⌐а́я ро́скошь ostentatious brilliance.

пока́зывание showing, exhibiting.

пока́зывать to show, indicate; to display, exhibit (*демонстрировать, выказывать*); to set forth (*излагать*); to denote (*служить признаком, указывать на*); to indicate, register, read (*о приборе*); *юр.* to depose, bear witness, testify, swear (*под присягой*); to reveal, disclose (*скрытое*); п. вид to pretend, feign; п. город (музей) to show one round the town (museum); п. дверь to show one the door; п. дружбу to express friendship, attachment; п. пятки *фиг.* to show one's heels, to take to one's heels; п. своё значение to impress (show) one's importance; п. товар лицом to show the best side of a thing, to be good at window-dressing (*тж. фиг.*); п. товары (*тж. фиг.*) to (m ke a) display (*of*); п. язык to show one's tongue; дайте ему п. себя give him a fair show; give him a chance; ⌐ся to show oneself, to appear, to figure.

по-како́вски: п. он разговаривает? *разг.* (in) what language is he speaking?

пока́лыва||ть *см.* колоть; у меня ⌐ет в боку I feel an occasional pain (a stitch) in my side.

покаля́кать *разг.* to have a chat.

пока́мест meanwhile, in the meantime (*пока, в то время как*); until now, up to now, so far (*до сих пор*); as long as (*до тех пор пока*).

пока́па||ть *см.* капать; дождь ⌐л и перестал it drizzled a little and then ceased.

покара́||ть *см.* карать; судьба ⌐ла его *фиг.* Nemesis fell on him.

пока́рмливать *см.* кормить.

поката́ть *см.* катать; to take for a drive (*в экипаже*); to take for a stroll (*о ребёнке в коляске*); ⌐ся to take a drive.

покати́ть 1. to drive off; to set

out (*куда-л.—for*); 2. to roll, set rolling (*ч.-л.—something*); ⌐ся to roll, start rolling; to go down, roll down (*с горы*); ⌐ся по наклонной плоскости to roll downhill; ⌐ся со смеху to rock (roll) with laughter.

пока́т||ость slope, declivity; ⌐ый declivous, sloping; ⌐ый лоб retreating forehead; ⌐о aslope, declivously.

покача́ть to swing (*на качелях, в люльке*); to do some pumping (*воду*); п. головой to shake one's head; '⌐ивание swing; '⌐ивать to keep swinging lightly; '⌐иваться to totter, to walk unsteadily (*о пьяном и пр.*); ⌐ну́ть to shake, unsettle; ⌐ну́ться to be shattered (*о финансах и пр.*); to totter suddenly (*о человеке*).

пока́шлива||ние hacking cough; ⌐ть to cough slightly; to hack.

покая́||ние penitence; repentence (*раскаяние*); confession (*признание*); ⌐нный penitential, repentant.

покая́ться to repent (of); to confess (*признаться*).

поквита́ться to be quits.

по́кер *карт.* poker.

покида́ть to forsake, abandon, desert, quit; to vacate (*должность*); to leave (*уехать*); п. к.-л в трудную минуту to throw over, to forsake; *разг.* to leave in the lurch, to turn one's back; п. родину to leave one's country for good; to expatriate oneself.

поки́ну||тый forsaken (*кем-л.*); forlorn (*обычно о человеке*); desolate (*о безлюдном или заброшенном месте*); lonesome (*одинокий*); derelict (*брошенный*); ⌐ть *см.* покидать; мужество ⌐ло его his courage deserted him.

поки||пе́ть to boil for a while; ⌐пяти́ть to boil for a while.

поклад||а́ть: работать не ⌐а́я рук to work like a fiend; '⌐истый compliant, yielding, easy-going.

покла́жа load; luggage (*багаж*); freight (*груз*).

покл||ева́ть, ⌐ёвывать *см.* клевать.

поклёп slander, calumny; взводить п. на к.-л. to utter slander (*about*), to accuse unjustly.

покло́н bow, greeting, salute (*приветствие*); obeisance (*почтительный*); низкий п. a profound (low) bow, curtsy (*почтительное приседание*); передайте п. my compliment (*to*); посылать п. to send one's compliments, to ask to be remembered (*to*).

поклоне́ние worship, adoration, idolization; завоева́ть п. to win worship.

поклони́т‖**ься** к.-л. to greet, bow, salute; ~**есь** ва́шей сестре́ please remember me to your sister.

покло́нник admirer, worshipper, adorer.

поклони́ться to worship; to idolize, adore.

покля́сться to swear (an oath); to take oath (*приня́ть прися́гу*); п. в ве́рности to swear allegiance, to take an oath of allegiance (loyalty, fidelity), to swear to be loyal (faithful).

поко́‖**ить** to procure rest; to take care (*of*); ~**иться** to rest, to repose (*on*); to lie (*об уме́ршем*); здесь ~**ится** его́ те́ло here lies his body.

поко́‖**й** 1. rest, repose, quiet, peace; quiescence (*тж. неподви́жность*); quietism (*рели́г.*); ease (*отсу́тствие стесне́ния*); dormancу (*спя́чка*); не смуща́йте мой п. don't disturb my peace of mind; удаля́ться на п. to retire (*от дел, слу́жбы, на ночь*); жить в ~**е** to live in peace; на ~**е** in seclusion; in retreat; оста́вить в ~**е** to let alone; to leave in peace; 2. *уст.* room, chamber; он удали́лся во вну́тренние ~**и** he has retired to his private appartments (rooms).

поко́йн‖**ик**, ~**ица** dead man (woman); body, corpse (*труп*); ~**ики** the dead; ~**ицкая** mortuary, dead-house.

поко́йн‖**ый** 1. quiet, calm; restful (*даю́щий поко́й*); comfortable (*о кре́сле, экипа́же*); easy-going (*о лоша́ди*); 2. the late, deceased, defunct (*уме́рший*); ~**ой** но́чи! good night!; ~**о** quietly, calmly, restfully; чу́вствовать себя́ ~**о** to be at peace (at one's ease).

покола́чивать *см.* колоти́ть.

поколеба́ть to shake, stagger; п. чью-л. ве́ру to shake a person's faith.

поколеба́ться to hesitate, waver.

поколе́ни‖**е** generation; бу́дущее (ны́нешнее) п. the future (present) generation; здоро́вое п. healthy generation; после́дующие ~**я** posterity.

поколоти́ть *см.* колоти́ть; п.к.-л. to give one a thrashing (licking); to beat one.

поколо́ть *см.* коло́ть.

поко́нчи‖**ть:** п. с к.-л., с ч.-л. to put an end to..., to do away with...;

п. с собо́й to commit suicide; п. с уравни́ловкой и обезли́чкой to end with (put an end to) levelling and irresponsibility; ~**м** с э́тим let us have done with it.

покопа́ть *см.* копа́ть; ~**ся** в бума́гах to rummage among papers.

покопте́ть *см.* копте́ть; п. над ч.-л. *фиг.* to take great pains over a thing.

покор‖**е́ние** subjugation, subdual, conquest; ~**и́тель** subjugator, subduer, conqueror; ~**и́тельница** conqueress; ~**и́ть(ся)** *см.* покоря́ть (-ся); он еще не ~**и́лся** he has fight in him yet.

покори‖**ость** submission, submissiveness; obedience (*послуша́ние*); humbleness (*смире́нность*); acquiescence (*нестропти́вость*); resignation (*непротивле́ние*); ~**ый** submissive, obedient, humble (*см.* поко́рность); ~**ый** судьбе́ resigned to one's fate; быть ~**ым** to be humble; ~**ейшая** про́сьба most humble request; обраща́ться с ~**ейшей** про́сьбой, проси́ть ~**ейше** to beg most humbly; ~**о** submissively и пр.; ~**о** благодарю́ *уст.* thank you ever so much; thank you for nothing (*как отка́з; тж. иро́н.*); проси́ть ~**о** to beg (*to*).

покоро́би‖**ть** *см.* коро́бить; меня́ ~**ло** от её слов *фиг.* her words jarred upon me.

покоро́че somewhat shorter; познако́миться п. to come to know better.

покро́твовать to be humble.

покори́ть to subdue, subjugate, conquer, vanquish; ~**ся** to submit; to bend (*to*); to yield, give in (*уступи́ть*); ~**ся** судьбе́ (свое́й уча́сти) to resign (submit) to one's fate; *фиг.* to eat humble pie.

поко́с meadow (land); mowing, haymaking (*сеноко́с*); второ́й п. aftergrass, aftermath; ~**и́ть** *см.* коси́ть.

покоси́ться *см.* коси́ться; to lean, to be (grow) crazy, to grow rickety (*о зда́нии*); to look askance (*бро́сить взгляд*).

поко́сны‖**й:** ~**е** луга́ meadows.

по-коша́чьи cat-like.

поко́ящийся quiescent.

покра́‖**жа** theft; the stealing (*of*); ~**сть** *см.* красть.

по кра́йней ме́ре at least, at any rate (*во вся́ком слу́чае*); at the least (*са́мое ме́ньшее*).

покра́п‖(**ыв**)**ать** *см.* кра́пать; дождь ~**ывает** it is beginning to rain.

покра́с‖ить to paint; to dye (*особ. жидкой краской*); ~ка painting.

покрасне́‖вший red(dened); ~ть to redden, to become red; to blush, flush (*вспыхнуть румянцем*); ~ть как пион to blush like a rose; он ~л his blood (colour) mounted.

по-крестья́нски peasant-like.

покриви́‖ть *см.* кривить; он тут ~л душой he has not been straight-forward about it; ~ться to lean (*о здании*).

покривля́ться *см.* кривляться; она любит п. she is full of affectation.

покри́кивать to utter cries; п. на к.-л. to shout at one.

покро́в cover; shelter (*защита*): pall, hearse-cloth (*на гроб*); shroud (*саван*); *фиг.* pall, shroud (*ночи, тайны и пр.*); кожный п. *анат.* integument; твёрдый п. *биол.* crust, incrustation; под ~ом ночи under (the) favour of night; под ~ом тайны under a shroud of mystery.

покрови́тель patron, protector; ~ница patroness, protectress; ~ст-венный condescending, patron-izing; ~ственные пошлины protective duties (tariff); ~ственная система protectionism; ~ственно condescendingly; ~ство patronage, protection, protectorship; обще-ство ~ства животным Society for the Prevention of Cruelty to Ani-mals; под ~ством under the aus-pices (*of*); ~ствовать to patronize, protect; to further (*продвигать*).

покро́вн‖ый *анат.* integumenta-ry (*о тканях*); ~ое стекло cover-glass.

покро́й style; cut (*платья*); shape (*фасон*); все на один п. all in the same style.

покро́мка selvage, selvedge.

покругле́ть *см.* круглеть; to grow plump (*пополнеть*).

покры‖ва́ло veil; counterpane, b. dspread, coverlet (*на кровать*); ~ва́льце *бст.* involucre (*у зонтич-ных растений*); ~ва́ние covering; incrustation (*коркой*).

покры‖ва́ть to cover; to veil (*за-вешивать*); to mantle (*обволаки-вать*); to overspread (*распрост-раняться*); to cover (*кобылу же-ребцом; карту*); to pay (off) (*долг, расходы, счёт и пр.*); to overlay, to coat (*краской, пылью и пр.*); to overcrust (*коркой, пластом*); to cap (*крышечкой, наконечни-ком*); to roof (in, over) (*крышей, навесом*); to span (*пространство*); п. верх (вершину) ч.-л. to top; п.

голоса́ to drown voices (*заглу-шать*); п. дефицит to wipe out de-ficit; п. железом to iron; п. ла-ком to (coat with) varnish; п. са-харной глазу́рью to ice; ~ва́ть-ся to cover oneself; to be covered; ~ва́ться коркой to crust; ~ва́ть-ся румянцем to blush; ~ва́ться пеной to scum (*о жидкости*); to mantle (*о пиве*); '~тие covering; payment, discharge (*долгов, расхо-дов*); '~тый covered; ~тый жил-ками veined, veiny; ~тый коркой crusted; ~тый листвой verdant; ~тый пятнами maculated, mot-tled; '~ть(ся) *см.* покрывать(ся); '~шка cover(ing), lid; tire-tread (*автомобильной шины*).

покряхте́‖ть, '~тывать to utter slight groans.

поку́да *см.* пока.

покупа́тель buyer, purchaser; *комм.* customer, client; bidder (*на аукционе*); требовательный п. a tough customer; ~ный purchas-ing; ~ная способность purchas-ing power (capacity).

покупа́ть I. to buy; to purchase (*for, with*) (*ценой чего-л.*); п. в кредит to buy on credit; to (buy on) tick (*sl.*); п. за наличный рас-чёт to buy for ready money.

покупа́ть II., ~ся *см.* купать (-ся).

поку́п‖ка buying, purchasing (*действие*); purchase (*приобретен-ный товар*); п. чего-л. до поступ-ления в продажу pre-emption; выгодная п. bargain; делать ~ки to do some shopping, to go shop-ping; ~но́й purchasable, bought; ~ная способность purchasing pow-er; ~ная цена purchase price; ~-щи́к *см.* покупатель.

покури‖ва́ть, '~ть *см.* курить; to have a smoke.

покуса́ть *см.* кусать.

покуса́ться *см.* покушаться.

покусывать *см.* кусать; to nib-ble.

поку‖ти́ть, '~чивать *см.* кутить.

поку́ша‖ть *см.* кушать; ~йте, потом пойдём have something to eat first and then let us go.

покуш‖а́ться to attempt, try; п. на (само)убийство to attempt (suicide) murder; он ~а́лся меня ударить he made an attempt (offer-ed) to strike me; ~е́ние attempt (*to, at, upon*); ~ение на чью-л. жизнь an attempt upon a person's life (on someone's life).

пол I. floor, ground; настилать п. to floor.

пол II. sex; *шут.* gender; женский п. the female sex, woman (*без а,* the); мужской п. male (sex); mankind; без различия ᵕа и возраста without distinction (regardless) of sex or age; ребёнок женского (мужского) ᵕа a female (male) child.

пол- *см.* полгода, полфунта *и пр.*; *см. тж.* полу-.

пол"á skirt, flap; из-под ᵕы́ on the sly.

пол"агáть to think, deem, reckon (*считáть*); to suppose, assume (*предполагáть*); to imagine, fancy (*воображáть*); to count, expect (*рассчитывать*); п. достоверным to hold for certain; п. своим долгом to deem (think) it one's duty; нáдо п. it must be supposed; ᵕагáю, что... I take it that...; ᵕобжим, вы не правы nevertheless you are wrong; ᵕожим, что мы там бýдем к 4 ч. let us assume we shall be there by 4 o'clock; ᵕагáться на кого-л., что-л. to rely (up)on...; to depend (up)on; to confide in, trust in, to have (put) trust in one [*доверять(ся)*]; ᵕагáться только на себя to rely solely on oneself; stand on one's own bottom; (так) ᵕагáется it is the custom, it is usual; здесь не ᵕагáется курить you are not supposed to smoke here; ему это ᵕа́гается it is his due; так поступáть не ᵕагáется one does not do such things; suчh things are not done; ᵕагáющийся due; не ᵕагáющийся undue.

полáдить *см.* ладить; to come to an understanding (*договориться*); to come to terms (*заключить сделку*).

полáти a raised platform in a Russian izba used as a sleeping place.

по-латыни (in) Latin.

полбá *бот.* spelt, German wheat.

полвéка half a century.

полгóда half a year, six months.

пóл"день noon, noonday, midday, noontide, meridian; время до ᵕу́дня forenoon; время около ᵕудня noonday, noontide; время после ᵕудня afternoon; ᵕдню́вный half-day; ᵕдничать to have a light meal between early dinner and supper.

полдня́ half a day.

полдю́жины half a dozen.

пóл"е field (*тж. фиг. поле битвы, действия*); fallow land (*под паром*); margin (*книги и пр.*); open country (*открытое*); ground (*фон*);

п. битвы battle-field; п. действия sphere of action; п. зрения field of vision; п. щита *геральд.* field; ледяное п. ice-field (*особ. в полярных странах*); отдаленное п. outfield; в п. in the field, afield; один в п. не воин *погов.* the voice of one man is the voice of no one; удержáть п. за собой to hold the field; итти ᵕем to walk across the fields, to walk cross-country; ᵕя́ шляпы brim; заметки на ᵕя́х marginal notes.

полевé"ние left trend; ᵕть to trend (incline) to the left.

полевóдство husbandry.

полевó́й field; п. бинокль field glass(es); п. шпат *мин.* feldspar; ᵕáя артиллерия field artillery; ᵕая батарея field battery; ᵕая мышь field-(harvest-)mouse; ᵕóе орудие field-gun; ᵕы́е маневры field-day.

полегóньку by easy stages, in an easy manner.

полегчáть: больному ᵕáло *разг.* the patient is better; нам всем ᵕало we all feel relieved; у меня на душе ᵕало a load has been taken off my mind; 'ᵕе *см.* легко́; somewhat easier (better); нам стáло ᵕе we feel somewhat relieved.

полежá"лое: плата за п. storage; ᵕть *см.* лежáть; to lie down for a while; ему следует несколько дней ᵕть he ought to keep his bed for a few days.

полéзн"ость use(fulness), utility; ᵕый useful, serviceable; profitable (*выгодный*); beneficial, helpful (*оказывающий помощь*); wholesome, healthy (*для здоровья*); ᵕая лошадиная сила *техн.* effective horse power; коэфициент ᵕого действия *техн.* efficiency; быть ᵕым to serve; to be of use (service); не могу ли я быть вам ᵕым? can I be of any service to you?; ᵕо usefully и *пр.*

полéзть *см.* лезть; to start climbing; п. в карман to thrust one's hand into one's pocket.

полем"изировать to controvert; *фиг.* to sling ink (*журналист. sl.*); 'ᵕика polemic(s), controversy, dispute; газетная ᵕика paper war; ᵕическая polemic(al).

по-лéнински in Lenin's (in the Lenin) way (spirit).

полени́"ться *см.* лениться; он ᵕлся это сделать he did not take the trouble to do it.

полéн"ница pile of wood; ᵕо a log, chump, billet.

полéсье wooded district.

полёт flight, fly (*тж. дальность полёта*); п. фантазии flight of fancy; беспосадочный п. non-stop flight; дальность ∼а снаряда gun-shot.

полетáть *см.* летать; ∼тéть to take wing; to take off (*об аэроплане*); *фиг.* to fall headlong (*упасть*).

по-лéтнему: одет п. in summer clothes (attire).

полéчь: овес полёг the oats have lodged *или* fallen.

ползáние creeping, crawling (*см.* ползать); ∼áть to creep; to crawl (*на животе, четвереньках*); ∼áть в грязи (пыли) to grovel in the dirt (dust); ∼кóм on all fours; приблизился ∼ком came crawling (creeping on all fours); ∼тú *см.* ползать; to scramble (*взбираться*); to trudge, walk slowly (*едва передвигаться*); материя ∼ёт the stuff is going to bits (is yawning, gaping); ∼ýн *техн.* slide-block; ∼ýчий *мед.* serpiginous (*о кожн. бол.*); ∼ýчие растения creepers.

поли- *в сложн. словах* poly-.

полиáндрия polyandry.

полиáрхия polyarchy.

полúва glaze.

поливáть to water (*цветы и пр.*); п. водой to pour some water (*on*); п. из спринцовки to syringe; п. соусом to sauce; '∼ка watering; ∼ка улиц street-flushing.

полившáя посýда glazed pottery.

полигáмия polygamy.

полиглóт polyglot.

полигóн *геом.* polygon; *военн.* firing ground.

полигрáф polygraph; ∼úческий polygraphic; ∼úческая промышленность printing (and allied) trade(s); союз (рабочих) ∼úческой промышленности Printing Trade Union; ∼úя polygraphy.

поликарпúческий polycarpous.

поликлúника polyclinic.

поликрáтия polycracy.

полиморфúзм polymorphism; '∼ный polymorphous.

Полúна Paulina.

полинезúец, ∼зúйский Polynesian.

Полинéзия Polynesia.

полинялый faded; discoloured; ∼ть *см.* линять.

полиомиэлúт *мед.* poliomyelitis.

полúп *зоол.; мед.* polypus.

полипóдий *бот.* polypody.

полипообрáзный polypoid, polypous.

полировáльный: ∼áльная бумага sandpaper; ∼áние polishing, burnishing; ∼áть to polish; to burnish; to furbish (up); to brighten, shine, to put a good shine (*on*); '∼ка 1. polish, gloss; 2. *см.* полирование; '∼щик polisher.

пóлис policy; страховой п. insurance policy; fire policy (*от огня*).

полисинтетúческий polysynthetic; ∼е языки polysynthetic languages.

полисмéн policeman, constable; *разг.* bobby.

полиспáст *техн.* polyspast.

полит- *сокр.* political.

политбюрó Political Bureau; ∼грáмота political education.

политеúзм polytheism; ∼ст polytheist; ∼стúческий polytheistic.

политехнизáция polytechnization; '∼м polytechnism.

политéхник polytechnologist; ∼ка polytechnology; ∼кум polytechnic school, Polytechnic; '∼ческий polytechnic.

политзаключённый political prisoner.

полúтик politician; ∼а politics; policy (*линия поведения*); ∼а задних дверей backstair-policy; ∼а открытых дверей open-door policy; ∼а страуса *фиг.* ostrich policy; агрессивная ∼а aggressive policy; выжидательная ∼а policy of watchful waiting, the «wait and see» policy; двойственная ∼а dual policy; захватническая ∼а policy of annexation; миролюбивая ∼а peaceful policy; новая экономическая ∼а a new economic policy; осторожная ∼а a policy of caution; ∼áн *презр.* politician; ∼áнство intriguing; ∼о- *в сложн. словах* politico; ∼оэкономúст political economist.

политипáж *тип.* polytypage (*процесс*); polytype (*отпечаток*).

политúческий political; п. деятель politician; по соображениям ∼еского характера for reasons of policy, out of political considerations; ∼еская география political geography; ∼еская экономия political economy; ∼еские науки political science; ∼еские убеждения political convictions, politics; каковы ваши ∼еские убеждения? what are your politics?; ∼ный political; по politicly.

политкаторжáнин political convict; ∼кружóк circle for study of political questions; ∼отчёт Ро-

'itical Report; ~просвѐт Board of Political Education; ~рабо́тник one working in the political line; ~ру́к political instructor; ~управле́ние Political Administration.

политу́ра polish, varnish.

полит‖учёба political training; ~ча́с political hour.

поли́ть см. лить, поливать.

политэмигра́нт political emigrant.

полифони́ческий polyphonic.

полифо́ния муз. polyphony.

полихромати́ческий polichromatic.

полиц‖ейме́йстер ист. chief of the police; ~е́йский **1.** s. constable; policeman; разг. bobby; copper, trap (sl.); **2.** a. police (attr.); ~ейский участок police station; организовать ~ейский надзор to police; ~е́йское управление police (headquarters); '~ия police, constabulary, the force; презр. myrmidons (minions) of the law; ~ия напала на его след the police are on his track.

поли́чн‖ое corpus delicti; быть по́йманным с ~ым to be caught in the very act of committing a crime; to be taken red-handed.

полишине́л‖ь Punch(inello); секрет ~я open (every man's) secret.

полиэ́др геом. polyhedron.

полк regiment; догнать свой п. to join one's regiment.

по́лк‖а I. shelf, rack; выдвижная п. в книжном шкафу adjustable book-shelf; книжная п. book-shelf; ставить на ~у, приделывать ~у to shelve.

по́лка II. weeding.

полко́в‖ник colonel; чин ~ника colonelcy; ~о́дец captain, general, strategist; великие ~о́дцы древних времён the great captains of ancient times; ~о́й regimental; ~о́й команди́р commander of the regiment; ~а́я канцелярия orderly room; ~а́я форма regimentals.

пол‖копе́йки half a copeck; ~кро́ны half crown (серебр. моне́та); half a crown (сумма в 2¹/₂ шиллинга); ~листа́ folio (формат бумаги).

поллю́ция мед. pollution, spermatorrh(o)ea.

полме́сяца half a month.

полмину́ты half a minute.

полне́йший sheer, uttermost.

полне́ть to grow stout, plump; to put on weight.

полнехонький brimful; crammed (о помещении).

по́лно 1. completely, to the full; налить п. to fill to the brim; **2.** enough!; that will do!; п. ворчать! stop that grumbling; ~ва́тый rather (too) full; stoutish (толстый).

полнове́сный having full (ample) weight.

полновла́ст‖ие sovereignty; ~ный sovereign.

полново́дн‖ый: ~ая река deep river.

полнозву́чный full-mouthed, sonorous.

полнокро́в‖ие мед. plethora; ~ный full-blooded, sanguineous; мед. plethoric.

полноли́цый full-faced.

полнолу́ние full moon.

полномо́ч‖ие authority, plenary powers, commission, warrant; давать ~ия to commission; иметь ~ия to be in authority; не могу превысить свои ~ия I cannot go beyond my commission; ~ный plenipotentiary (тж. полномочный представитель); ~ный посол Ambassador Plenipotentiary.

полноправ‖ость competency; ~ый competent.

полнотой completely, utterly; at full length (со всеми подробностями).

полнота́ ful(l)ness; plenitude, amplitude (изобилие); absoluteness, completeness (цельность); corpulence, stoutness, rotundity (тучность); volume (звука); в. власти plenary authority; чрезмерная п. obesity.

полноце́нный full value (attr.).

полн‖о́чный см. полуночный; '~очь midnight; в ~очь at midnight.

по́лн‖ый 1. full; complete, absolute (совершенный); п. чего-л. full of...; fraught, replenished (with); **2.** deep (о звуке); **3.** stout, rotund (тучный); plump, chubby (о ребёнке); п. до краёв brimful; п. значения (опасности, горя) fraught with meaning (danger, woe); в ~ом довольстве in plenty; к ~ому нашему удовольствию to our utter delight; ~ая женщина plump woman; ~ая реформа thorough reform; ~ая слепота total blindness; ~ая тарелка a plateful; в ~ой безопасности in perfect security; в ~ой мере to the full, fully; ~ое затмение total eclipse; ~ое разорение utter ruin; в состоянии ~ого безумия stark mad; комната была ~а́ людей the room was crowded with people; ~ым-полно́ chock-full.

по́ло polo; палка для игры в п. polo-stick.

полоборо́та half-turn.

полови́к mat.

полови́н‖а 1. half; *юр.* moiety; п. третьего half past two; дража́йшая п. *ирон.* better half; в ~е ма́я in the middle of May; на ~е доро́ги halfway; два ки́ло с ~о́й two kilos and a half; two and a half kilos; на ~у half; на ~у пуст half empty; де́лать ~л.-л. на ~у to do things by halves; ~ы бу́дет доста́точно one half of it will do; разделя́ть на две ~ы to halve; **2.** *уст.* apartment, rooms.

полови́нка half; leaf (*створка две́ри*).

полови́нный: п. окла́д halfpay.

полови́нчат‖ость halfway policy; ~ый halved; ~ая поли́тика *см.* половинчатость.

полови́ца board, plank (of a floor); floor-board.

полово́дье high water during spring.

поло́в‖о́й I.: ~а́я щётка sweeping brush, broom; ~ая тря́пка floor cloth, swab.

полово́й II. *уст. s.* waiter.

поло́в‖о́й III. sexual; п. вопро́с sexual question; п. инсти́нкт sex instinct; п. подбо́р sexual selection; ~ы́е о́рганы the reproductive organs; нару́жные ~ые о́рганы the genitals, privy parts; ~а́я зре́лость puberty; ~ая связь (sexual) intercourse; ~ое бесси́лие impotence; ~ое влече́ние *мед.* libido.

по́лог canopy; п. от моски́тов mosquito curtain (net).

поло́г‖ий slanting, sloping; ~ость slope, declivity.

положе́ни‖е position, situation, place; condition, state (*состояние*); circumstances (*материальное*); attitude (*о теле*); *юр.* regulation, statute; *лог., филос.* statement, thesis (*pl.* -ses); п. без переме́н situation unchanged; п. дел condition of affairs; п. мла́дшего juniority; п. ста́ршего seniority; п. улучша́ется things are mending; вое́нное п. *пол.* martial law; высо́кое обще́ственное п. high public position; rank, eminence; затрудни́тельное фина́нсовое п. financial embarrassment; involvement; крити́ческое п. critical state; неблагоприя́тное п. unfavourable condition; нело́вкое п.

awkward predicament; обще́ственное п. position in public life, station; оса́дное п. state of siege; приско́рбное п. plight; совреме́нное п. веще́й the present state of affairs; твёрдое п. secure position; (solid, firm) footing; щеко́тливое п. an awkward (embarassing) situation; войти́ в п. to show consideration; вы́двинуть п. to make a statement; to propound a problem; его́ п. угрожа́ющее his case is alarming; каково́ п. веще́й? what is the state of affairs? how do matters stand?; ста́вить в невы́годное п. to handicap; будь я в ва́шем ~и if I were in your place; быть в стеснённом ~и to be hard up (in strained circumstances); быть в неприя́тном ~и to be in a sad (sorry) plight (pickle); в како́м ~и больно́й? what is the patient's condition?; в моём ~и in my position; в печа́льном (плохо́м) ~и in a sorry (an evil) plight; на нелега́льном ~и in hiding; гла́сный до́лгий по ~ю *гр.·* vowel long by position.

положи́тельность positivity; sedateness (*характера*).

положи́тельн‖ый positive; sedate, staid (*о характере*); п. знак *мат.* the positive sign; п. отве́т an affirmative reply; п. ум a positive mind; п. электри́ческий заря́д a plus electric charge; ~ая величина́ a positive quantity; ~ая сте́пень *гр.* positive degree; ~ое электри́чество positive electricity; ~о positively; decidedly (*несомненно*); sedately, steady (*о поведении*).

положи́ть *см.* полага́ть, класть; to lay, put, place; п. на о́бе лопа́тки to floor; п. нача́ло to initiate; *фиг.* to break the ice (*общению, переговорам*); п. основа́ние to lay the foundation of; п. (слова́) на му́зыку to set (words) to music; п. черняка́ на вы́борах to pill (*sl.*).

положи́ться *см.* полага́ться.

по́лоз, ~ья runner(s).

поло́к 1. sweating bench in Russian steam bath (*в бане*); **2.** lorry (*ломово́й*).

поло́ль‖ник hoe; ~щик weeder.

полом‖а́тьсм.ломать;'~ка breakage.

поло́н *уст. см.* плен.

полоне́з polonaise.

полониза́ция polonization.

поло́ний *хим.* polonium.

полони́ть *уст. см.* брать в плен.

полос‖á stripe, strip; strap (*длин-ная, узкая*); streak (*особенно отли-чающаяся по цвету от фона*); bar (*железа, меди и пр.*); width (*по-лотнище*); welt, wale, weal (*от удара кнутом*); plot (*надел зем-ли*); zone (*район*); *тип.* page; п. удач (неудач) a run of luck (ill-luck); п. хорошей (дурной) пого-ды a spell of fine (bad) weather; продольная п. на платье (материи) panel; южная полоса СССР the Southern part of the USSR; на комнату идет 3 ∼ы линолеума the room takes three widths of lino-leum; проводить пóлосы to streak; ∼áтик *зоол.* rorqual; ∼áтый strip-ed, streaky; ' ∼ка strip, band, slip (*бумаги, материи*).

полоскá‖ние rinse, rinsing (*белья, рта*); gargle (*для горла*); wash (*для рта, горла*); ∼тельница slop-basin; ∼ть to rinse (*бельё, посуду, рот*); to gargle (*горло*); ∼ться to flap, flop (*о парусах*); to paddle (*о детях и пр.*).

полос‖нýть to slash; он ∼нýл его бритвой he slashed him with a razor; ∼овáть to make into bars (*металлы*); to welt, wale, weal, flay (*кнутом*); ∼овóе железо bar iron.

пóлость I. hollow, cavity; брюш-ная (носовая) п. abdominal (nasal) cavity.

пóлость II. the rug of a sledge (*в санях*).

полотéн‖це towel; napkin (*ма-ленькое*); rough towel (*мохнатое*); Turkish towel (*мохнатое с бахро-мой*); jack-towel (*общего пользова-ния, на валике*); dish-towel (*посуд-ное*); вешалка для ∼ец towel-horse (*стоячая*); материя для ∼ец towelling.

полотёр floor-polisher.

полóтнище width.

полотн‖ó 1. linen; Holland (*гол-ландское*); brown Holland, un-bleached linen (*небелёное*); crash (*суровое для кухонных полоте-нец*); huckaback (*для полотенец*); 2. road-bed of a railway; п. пилы saw-blade.

полотнúный linen, Holland.

полóть to weed; ∼е weeding.

полоýм‖ие madness, craziness; ∼ный halfwitted, crazy.

полпéн‖ни halfpenny; стоимо-стью в ∼са halfpennyworth.

полпрéд (*полномочный предста-витель*) plenipotentiary repre-sentative; ambassador; ∼ство (*полномочное представительство*) plenipotentiary representation; em-bassy.

полпутú: на п. halfway.

полслóва: мне вас надо на п. I have a few words to say to you; I should like a word or two with you; не сказал ни п. never said (uttered) a word.

полсóтни fifty.

Полтáва Poltava.

полтáкта *муз.* half a bar.

полтúн‖а, ∼ник fifty copecks.

полторá one and a half; ∼ста a hundred and fifty.

пóлу- *в сложн. словах* half-, semi-, demi-, hemi-.

полубáк *мор.* forecastle, fo'c'sle.

полубóг demigod.

полуботúнки shoes.

полувáтт *эл.* half watt; ∼ная лампочка half watt lamp (bulb).

полувзвóд *воен.* section.

полувóльт demivolt.

полуглáсный *фон.* semivowel.

полугóд‖ие half year, six months; ∼ичный half-yearly; semi-annual; ∼овáлый six months old, half a year old; ∼овóй *см.* полугодичный.

полуграмотный one of little ed-ucation, illiterate.

полýда tin.

полýденны‖й midday, noontide; п. зной noontide blaze; ∼е стра-ны the southern countries.

полудúкий half-savage.

полуднéвный half-day.

полужесткокрылые Hemiptera (*насекомые*).

полуживóй half-dead, more dead than alive.

полуимпериáл half a sovereign.

полукафтáн *уст.* coat.

полукóжаный: п. переплет half-binding.

полуколониáльный semi-colo-nial.

полуколóнна *арх.* engaged col-umn.

полукрóвка half-blood (*лошадь*).

полукрýг semi-circle, hemi-cy-cle; ∼лый semi-circular; ∼лая ар-ка round arch.

полулежáть to recline.

полумéра half-measure; никa-ких полумéр no half-measures.

полумёртвый half dead.

полумéся‖ц half-moon, crescent (*тж. символ Турции и ислама*); рога ∼ца the horns of the cres-cent; имеющий форму ∼ца semi-lunar, crescent(-shaped); ∼чный se-mi-monthly.

полумрáк shade.

полунагóй half naked.

полуно́чн∥ик night-bird (*о птице и человеке*); ~ичать to sit up into the night; ~ый midnight; в ~ый час at midnight; ~ые страны the northern countries.

полуоборо́т half-turn; right-about turn (*направо*).

полуоде́тый half-dressed, in déshabillé.

полуокру́жность semicircumference.

полуо́стров peninsula; имеющий форму ~а, ~но́й peninsular.

полуот||во́ренный, ~кры́тый ajar (*о двери*).

полуофициа́льный semi-official.

полупансионе́р day-boarder (*ученик*).

полуповоро́т demi-volt.

полупро̀зра́чный semi-transparent.

полупья́ный half drunk.

полуразру́шенный tumbledown (*о здании*).

полуро́та platoon.

полусапо́жки boots.

полусве́т 1. twilight (*сумерки*); 2. demi-monde.

полусерьёзн∥ый serio-comic; ~о *см.* полушутя́.

полусло́в∥о: понять с ~а to catch the meaning at once.

полусме́шно́й serio-comic.

полусо́нный half asleep.

полуспу́щенный *мор.* half-mast (*о флаге*).

полуста́нок small station; flag station.

полусти́шие hemistich.

полута́ктн∥ый: ~ая нота *муз.* minim.

полуте́нь penumbra.

полуто́н semi-tone; ~а́ half-tints; ~ова́я гравю́ра half-tone engraving.

полутораго̀дова́лый one and a half years old.

полуто́рный increased by 50 per cent; of one and a half.

полутра́ур half mourning.

полуучёный *ирон.* half educated, half read.

полуфабрика́ты unfinished goods (products).

полуцирку́льное окно́ semicircular (*или* compass) window.

получасово́й half-hourly.

получа́тель recipient, remittee (*ден. перевода*).

получ∥а́ть to receive, obtain, get; to secure (*обеспечить себя чем-либо*); to succeed (*to*) (*должность*); to take in (*газету и пр.*); to inherit (*наследство*); to be edu-cated (*образование*); to gain, win (*приз, одобрение*); п. вы́году (*сведения*) to pick up profit (information); п. жа́лованье (паёк) *воен.* to draw pay (rations); п. замеча́ние to be reprimanded; п. обмунди́рование to draw equipment; п. обра́тно to recover, get back; п. огла́ску to come to light; п. одобре́ние (призна́ние) to win approval; п. учёную сте́пень to take a degree; п. чи́стый дохо́д to net, clear; ~а́ться to be received; ~а́ться в результа́те to ensue; to result, to be the consequence; пи́сьма ~а́ются в 6 ч. у. letters are delivered at 6 a. m.; не ~а́ющий пла́ты unpaid; ~е́ние receipt (*тж. расписка в получении*); ~е́ние письма́ (де́нег) receipt of a letter (of money); ~и́ть(ся) *см.* получа́ть(ся); с него́ де́нег не ~и́ть *фиг.* you won't see the colour of his money; '~ка 1. *см.* получе́ние; 2. pay-day (*день получения зарплаты*).

полу́чше somewhat better.

полуша́рие hemisphere.

полу́шк∥а *уст.* the fourth part of a copeck; ни ~и not a farthing.

полушёпот half whisper.

полушто́ф *уст.* bottle=¹/₁₆ of a vedro.

полушу́бок sheep-skin coat; a fur coat made in the style of a peasant's sheep-skin coat.

полушутя́ jocularly, under show of seriousness.

полфу́нта half a pound.

полчаса́ half an hour.

по́лчище horde.

по́л∥ый 1. hollow; 2.: ~ая вода́ high-water in spring.

по́лымя *см.* пла́мя; из огня́ да в п. *погов.* out of the frying-pan into the fire.

полы́нь wormwood; absinth.

полынья́ unfrozen patch of water in an ice-covered surface, air-hole, polynia.

полысе́∥ть *см.* лысе́ть; он совсе́м ~л his hair has gone quite thin; he is quite bald.

полыха́ть to blaze.

по́льз∥а use, good, profit, benefit; кака́я от э́того п.? what good will it do?; what is the use of that?; в чью-л. ~у in (on) behalf of one; for the benefit of; извлека́ть ~у из ч.-л. to benefit by; извлека́ть ~у из кого́-л. (чего́-л.) to make one's profit out of...; он говори́л в его́ ~у he spoke in his favour; вы́боры сложи́лись не в ⌣у либералов the election(s) went against the liberals; приносить ⌣у, служить чему-л. на ⌣у to do good to..., to profit; э́то не говорит в вашу ⌣у it does not argue (tell, weigh) in your favour; ради общей ⌣ы for the public welfare (weal); что ⌣ы в слезах? what is the good of tears?; что ⌣ы об этом говорить? it's no use talking; это было сделано ради его же ⌣ы it was done for his good.

по́льзовани‖**е** 1. use; 2. treatment, cure (*больного*); места общего ⌣я public places; право ⌣я *юр.* right of user.

по́льзовать to attend (*to*), treat; *разг.* to doctor; to physic (*уст.*); ⌣**ся** to make use (*of*), to put to use, to have the use (*of*), enjoy; to profit (*by*) (*использовать, воспользоваться*); ⌣**ся** доверием to have (enjoy) the confidence (*of*); ⌣**ся** кредитом to have credit; ⌣**ся** любовью to be popular with; ⌣**ся** преимуществом перед к.-л. to enjoy advantages; ⌣**ся** случаем to take an opportunity; ⌣**ся** уважением to be respected; ⌣**ся** хорошей (дурной) репутацией to be well (ill-)spoken of; ⌣**ся** у врача to be treated by a physician.

по́лька 1. Pole (*ж. р. от поля́к*); 2. polka (*танец*); п.-мазурка polka-mazurka.

по́льский Polish.

польсти́ть *см.* льстить; ⌣**ся** на ч.-л. to be tempted by something; to steal something.

По́льша Poland.

полюби́‖**ть** to grow fond (*of*), to take (*to*), to conceive a liking (*for*), to take a fancy (*to*); to fall in love (*with*) (*влюбиться*); ⌣**те** нас чёрненькими, а беленькими нас всякий полюбит take us as you find us; ⌣**ться**: она ему ⌣**лась** с первого взгляда he took to her at first sight.

полюбо́в‖**ник** *см.* любовник; ⌣**ный** amicable; securing mutual satisfaction; ⌣**ная** сделка mutual settlement; ⌣**но** amicably, to the mutual satisfaction (*of*).

по-лю́дски humanly, as other people do; жить п. to live as other people do.

по́люс pole; ⌣**ный** polar.

поля́к Pole.

поля́н(к)а glade.

поляр‖**иза́ция** *физ.* polarization; ⌣**изова́ть** to polarize; '⌣**ность** *физ.* polarity; обратная ⌣**ность** -reversed polarity; '⌣**ный** polar, arctic,

hyperborean; ⌣**ный** круг polar circle; северный ⌣**ный** круг arctic circle; '⌣**ная** звезда the North star, Pole-star, Polaris, Cynosure; ⌣**ная** ночь arctic night; ⌣**ная** экспедиция arctic expedition; '⌣**ные** пояса the frigid zones; ⌣**ные** страны the arctic regions.

поли́чка *см.* полька 1.

пом- *сокр.* помощник.

пома́д‖**а** pomade; pomatum (*для волос*); губная п. 'lip-salve, rouge, lipstick; ⌣**ить** to grease (*волосы*); to rouge (*губы*); to put some pomatum (salve) on; ⌣**ка** a sweet.

пома́зать to anoint; *см.* мазать; п. по губам *фиг.* to disappoint the hopes (*of*); п. иодом to paint with iodine.

пома́зо́к brush.

пома́зывать *см.* помазать.

помале́ньку little by little, gradually, slowly; tolerably so-well, so (*о здоровье*).

пома́лкивать *см.* молчать; to hold one's tongue, to keep silent.

пома́лу *см.* помаленьку.

пома́ни‖**вать**, '⌣**ть** to beckon (*to*); to summon by beckoning.

пома́рка blot, blur; п. карандашом pencil mark.

по-матро́сски sailor-like.

пома́х‖**ать**, '⌣**нвать** to wave; to whisk (*тросточкой и пр.*).

помбу́х (*помощник бухгалтера*) assistant book-keeper.

помело́ broom for cleaning the hearth.

поме́ньше *см.* мало, меньше; somewhat smaller (*о размере*); somewhat less (*о количестве*); somewhat shorter (*о росте*).

поменя́ть *см.* менять; ⌣**ся** to exchange.

помера́нец I. Pomeranian.

помера́н‖**ец** II. bitter (wild) orange; ⌣**цевка** orange brandy; ⌣**цевый** orange (*attr.*); ⌣**цевый** цвет orange blossom; ⌣**цевое** дерево orange tree.

помере́ть *см.* помирать.

помере́щиться *см.* мерещиться.

помёрз‖**лый** frost-bitten; ⌣**нуть** to be frost-bitten; to perish from cold.

поме́рить *см.* мерить; to try on (*платье, обувь*); ⌣**ся** силами to measure one's strength (*with*); *фиг.* to enter into competition (*with*).

померк‖**лый** dimmed, tarnished; ⌣**нуть** to be (grow) dim (tarnished).

помертве́‖**лый** *см.* омертвелый; *фиг.* ashy (deadly) pale, pale as death; ~ть от страха, ужаса to be frightened to death.

поместительность capaciousness, spaciousness.

поместительный roomy, capacious, spacious.

поместит||ь(ся) *см.* помещать (-ся); это здесь не ~ся there is no (not enough) room for this here.

помест||ный local (*сбор*); п. собор *ист.* local council; ~ное дворянство landed gentry; ~ные владения landed property; ~но locally; ~ье (real) estate; manor; patrimony (*родовое, наследственное*).

помесь cross (*between*), cross-bre d, hybrid, mongrel.

помесячно per month, once in a month.

помесячный monthly.

помёт 1. dung, excrement, manure, droppings (*навоз*); 2. litter, brood; farrow (*поросят*).

пометить *см.* помечать.

пометка mark, nota bene (*сокр.* N. B.), note.

помех||а hindrance, impediment, obstacle; служить ~ой to hinder, hamper, to stand in the way (*of*).

помеч||ать to mark; to date (*числом*).

помеченн||ый marked; письмо, ~ое 14 с. м. letter dated the 14th inst.

помеша||нный 1. *s.* a lunatic, madman, maniac; 2. *a.* mad, crazy, cracked; *разг.* touched in the wits; п. на чём-л. mad (*on, about*); '~тельство madness, lunacy, infatuation; monomania (*на чём-л. одном*); ~тельство на чём-л. craze for; предмет '~тельства craze.

помеша||ть *см.* мешать; 1.: п. печку to stir (poke) the fire; п. чай to stir the tea; 2.: п. чему-л. to prevent from; надеюсь, я вам не ~л? I hope I am not in your way (not disturbing you); мне ~ли притти во-время I was prevented from coming in time.

помешаться to go mad; п. на чём-л. to be mad (*on, about*), to be possessed by the idea of.

помещать to place, to establish in a place, to locate; *комм.* to invest (*капитал*); to put up (*гостей на ночь*); to perch (*на высоком месте*); to lodge (*жильцов в доме*); п. бок-о-бок to place side by side; to juxtapose; п. в ряд to stand (set) in a row, to range; п. в склад to warehouse (*мебель*

и пр.); п. на службу to install in office; п. объявление to advertise; п. письмо (статью) в газету to insert a letter (an article) in the paper; неудачно п. капитал to sink capital; ~ся to be situated, to live (*в доме*); to be invested (*о капитале*).

помещение 1. investment (*капитала*); 2. lodging, appartment; room, premises; здесь большое п. there is plenty of room here.

помещ||ик landowner; ~ца wife of a landowner, landlady; ~чий дом manor; ~чий класс landed class, landocracy.

помидор tomato; консервированные ~ы canned tomatoes.

помил||ование pardon, remission of punishment, forgiveness; просить о ~овании to beg for mercy; ~овать to pardon, forgive; ~уйте, ведь вы же говорите вздор! for pity's (goodness') sake! you are talking nonsense! ~осердствовать to take pity (*upon*); to have mercy (*upon*).

помимо apart (*from*) (*независимо*); but (*кроме*); unknown (*to*), without a person's knowledge (*of*) (*без ведома*); п. меня никто этого не сделает none but I can (will) do it; п. прочих соображений apart from other motives; п. того moreover; всё это произошло п. нас all this occurred without our knowledge (without our knowing about it); we had no knowledge of what was happening.

помин: лёгок на ~е talk of the devil; об этом и ~у не было there was no mention made of it.

помина||ть to (make) mention; п. к.-л. лихом to have a grudge against; п. старого let bygones be bygones; а его ~й как звали! he has vanished into thin air.

поминки wake.

поминутно every moment (minute).

помирать to die; п. со смеху to die of laughter, to burst one's sides with laughing.

помирить *см.* мирить; п. к.-л. to reconcile a person to (with) one; ~ся с к.-л. to make peace (make it up) with one; ~ся с чем-либо to be reconciled to.

по-миру: п. пойти *фиг.* to be utterly ruined; ходить п. to live by begging.

помнит||ь to remember, to (keep in) mind; ~е, что вы делаете!

mind what you are doing!; насколько мне ~ся as far as I can
remember.

помнóгу см. много; a great deal
(of), a large number (of), a lot
(of), a quantity (of).

помнож||**áть** to multiply (by); ~-
éние см. умножение; '~**енный**
multiplied; 6 '~**енное** на 5 соста-
вит 30 six multiplied by five
makes (is) thirty; '~**ить** см. по-
множать.

помогá||**ть** to help, assist; to aid
(to do, in doing); to favour (благо-
приятствовать); to relieve (облег-
чать); to forward (способствовать
дальнейшему развитию и пр.);
п. бедным to help the poor, to
do relief work; п. в rope to assist (help) in need; п. вотать на
ноги to lend a hand, to set one
up in business; п. к.-л. в тяжёлую
минуту to see a person through
his troubles; п. материально to
support; ей никакие лекарства не
~ют no medicines seem to do her
any good.

по-мóему in my eyes, to my
mind (thinking), in my opinion
[judg(e)ment]; I find (that).

помó||**и** slops, swill, dish-water,
wash; п. для свиней hog-wash;
pig('s)-wash; ~**йка**, ~**йная яма**
dust-hole; sink (сточная яма); ~**й-
ное** ведро slop-pail.

помóкнуть см. мокнуть; п. в
воде to be soaked in water (о го-
рохе и пр.).

помóл grist; multure (плата за
помол).

помóлв||**ить** to betroth (to), to
promise in marriage; ~**ка** betrothal, engagement; объявить ~**ку** to
announce an engagement; ~**лен-
ные** engaged couple, plighted lov-
ers.

помолúться см. молиться; to say
one's prayers.

помóлог pomologist; ~**йческий**
pomological; '~**ия** pomology.

помолодé||**вший** rejuvenated; он
вернулся ~**вшим** на 10 лет he
came back looking younger by
ten years; ~**ть** см. молодеть; to rejuvenate, renew one's youth.

по-молодéцки bravely, daringly,
like a sport (brick).

помолóже см. моложе; somewhat younger.

помолчáть см. помалкивать.

помóльщик one who brings
grist to the mill.

помóр(ец) см. поморянин.

помори||**ть** см. морить; я его не-

множко ~л разг. I've tried his patience a little.

помóрский sea-shore (attr.).

помóр||**ье** sea-shore, seaboard,
coast region; ~**янин** an inhabitant
of the sea-coast (especially of the
White Sea).

помóст dais, raised platform.

помотáть см. мотать 3; п. головой to shake one's head.

помóч||**и** leading strings; (pair
of) braces (подтяжки); быть на
~**áx** to be in leading strings.

помó||**чь** см. помогать; этому не
п.! this can't be helped; ~**гите!**
help!; это делу не ~**жет** this won't
mend matters; это лекарство вам
~**жет** this medicine will relieve
you.

помóчь 1. см. помощь; 2. уст.
mutual help in work among Russian peasants.

помóщник helper, assistant; official subordinate (to), aid, adjunct; п. редактора sub-editor; п.
секретаря under-secretary.

помóщ||**ь** help, aid, assistance;
favour, service (услуга); п. бедным
poor relief; п. больным (нужда-
ющимся) ministration; медицинская п. medical attendance; Международная Рабочая П. (Межраб-
пом) International Workers' Relief
(сокр. I.W.R.); первая п. first
aid; звать на п. to cry for help;
на п.! murder!, help!; притти на
п. to succour, to come to the assistance (of); без посторонней ~**и**
single-handed; карета скорой ~**и**
ambulance; не оказать ~**и** to give
no help; подать руку ~**и** to lend
a helping hand; при ~**и** by means
(of); просить ~**и** to ask for help
(assistance); фонд ~**и** бедным poor
relief fund.

пóмпа I. pump (насос).

пóмп||**а** II. pomp, state (пыш-
ность); посол прибыл с большой
~**ой** the ambassador arrived in
great state; ~**ёзность** pomposity;
~**ёзный** pompous.

помпéйский Pompeian.

помпóн pompon, tuft.

помрачáть(ся) to obscure,
(over)cloud, overcast, darken; to
blear (взор); to dull, cloud (чувства, рассудок); to be clouded, obscured, dulled.

помрач||**éние** obscuration; ~**ить
(-ся)** см. помрачать(ся).

помут||**ить** см. мутить; ~**иться**
to dim, blear (о рассудке); ~**нéние**
dimness; muddiness, turbidness
(жидкости).

помыкáть: п. кем-л. to domineer (*over*), to deal roughly (*with*).

пóмыс‖(е)л thought, idea, notion, intention, inclination, desire; у меня и ⌐ла не было уходить со службы I had no notion of resigning.

помы́слить *см.* помышлять.

помышлéние *см.* помысел.

помышля́ть: п. о чём-л. to think of; to design, purpose, intend.

помяну́ть *см.* поминать.

помя́ть *см.* мять, смять.

понаб(и)рáть(ся) *см.* набрать (-ся).

понадéяться: п. на к.-л., на ч.-л. to count upon.

понáдобит‖ься to be necessary; если ⌐ся in case of need; мне это ⌐ся I shall need it.

понапрáсну in vain; говорить п. to waste (spend) one's breath in talking (to talk).

по-настоя́щему in earnest, in the right way.

понатаскáть *см.* натаскивать.

понату́житься to make an (the last) effort.

по-нáшему 1. to our mind (*по нашему мнению*); **2.** according to our custom, in our way (*по нашему обычаю*).

понёва a peasant woman's homespun skirt.

поневóле against one's will; willy-nilly; perforce; necessarily (*неизбежно*).

понедéльн‖ик Monday; ⌐ый weekly; ⌐о per week.

понéже *уст.* because, for, since.

по-немéцки (in) German; like a German.

понемнóгу little by little; bit by bit; in a small way; gently (*постепенно, осторожно*); знать обо всём п. to know a little of everything.

понемнóжку *разг.* so-so.

по необходи́мости: делать ч.-л. п. to be under the necessity of doing.

понести́ *см.* нести; to bolt (*о лошади*).

по несчáстью unfortunately.

пóни pony.

понижáть to reduce, let down; to lower (*качество*); to debase (*качество, значение, пробу сплава*); ⌐ся to fall, go down, lower, drop, sink.

понíже somewhat lower; '⌐ние reduction, fall; debasement; ⌐ние заработной платы wage-cut; ⌐ние покупательной способности

decrease in the buying power of; ⌐ние себестоимости lowering of cost of production; ⌐ние температуры fall of temperature; играть на ⌐ние to speculate for a fall; тенденция к '⌐нию downward policy; ⌐нный reduced; ⌐нный тон undertone.

пони́зить *см.* понижать.

понизóвье *см.* низовье.

поник‖áние drooping; ⌐áть, '⌐нуть to droop; to wilt (*о растении*); ⌐áть головой to droop one's head.

понíкший drooping.

понимáни‖е understanding, comprehension, intelligence (*способность понимать*); conception, notion (*представление*); sense (*чувство, чутьё*); тупой на п. dull-witted, slow (of understanding), dense; его речи выше нашего ⌐я he talks over our heads; his talk is too high-brow for us; это выше моего ⌐я it is beyond me, it is past my comprehension; острота ⌐я acumen, keen discernment, penetration.

понимá‖ть to understand, comprehend, conceive, apprehend; to realize (*ясно*); to recognize (*отдавать себе отчёт*); to penetrate, fathom (*вникнуть*); to grasp, seize (*схватывать смысл*); to gather (*заключать*); to make out (*разбирать смысл*); п. в чём-л. to have an eye for...; п. сущность (*факта, довода*) to take in; неправильно п. to misunderstand; неправильно п. смысл сказанного to mistake the meaning; прекрасно п. предмет, вопрос to have a subject at one's finger-tips; как вы это ⌐ете? what do you make of it?, ⌐ю! I see!; я не ⌐ю! I do not understand; I don't get you (*sl.*); я не ⌐ю, что вы хотите этим сказать what do you mean?; I do not catch your meaning; пóнял?! *разг.* got that?!; did you get me?

по-ни́щенски like a beggar; он живёт п. he leads a beggarly existence.

по-нóвому in the modern (novel) way, in a new fashion.

пóножи *ист.* greaves, jambes.

поножóвщина knifing, throat-cutting.

пономáрь sexton.

понóс diarrh(o)ea; looseness (of bowels); кровавый п. dysentery; склонность к ⌐у loose bowels.

поноси́т‖ель defamer, slanderer; ⌐ельный defamatory, abusive; ⌐ь

I. to abuse, defame; revile, vilify, slander, libel; to rail (*at, against*); to inveigh (*against*).

понос‖и́ть II. *см.* носить; wear for a time; '‿ка anything given to a trained dog to carry.

поноше́ние defamation, slander, obloquy, vilification.

поно́шенный shabby, thread-bare, the worse for wear (*об оде́жде и пр.*).

понра́виться *см.* нравиться; п. кому-л. to catch the fancy of one.

понтёр *карт.* punter.

понти́ров‖ание *карт.* punting; ‿ать to punt; '‿ка *см.* понтирование.

понто́н *военн.* pontoon; ‿ёр pontooner; ‿ный мост pontoon bridge.

пону‖ди́тель impeller; compeller; ‿ди́тельный coercive, impellent; '‿дить, ‿ждать to coerce, urge, press (*to*), force (*to*), compel, drive (*to*), impel; ‿жде́ние coercion, compulsion.

понука́‖ние driving on, speeding up; ‿ть to drive on, speed up, urge on.

пону́р‖и(ва)ть: п. голову to hang one's head; ‿ый downcast, depressed, dismal; у него ‿ый вид he looks downcast.

понутру́ to one's liking; не п. against the grain; contrary to inclination; это мне не п. this goes against the grain with me.

по́нчик dumpling fried in fat *or* oil; doughnut.

поны́не *уст.* up to the present time, till now.

по-ны́нешнему in modern (new-fangled) way; in the way of to-day.

поню́‖хать *см.* нюхать; ‿шка табаку a pinch of snuff.

поня́т‖ие conception, notion, idea; я ‿ия не имел, что он придёт I had no idea he was coming; у вас нет ни малейшего ‿ия об этом предмете you have not the slightest notion of the subject; ‿‖ливость understanding, comprehension; ‿ливый intelligent, bright, quick-witted; ‿ность intelligibility, clearness, perspicuity; ‿ный intelligible (*to*); clear, perspicuous, comprehensible; ‿но 1. clearly, plainly, intelligibly (*to*); perspicuously (*вразуми́тельно*); 2. naturally, of course (*конечно*); ‿но, он недоволен he is naturally discontent(ed).

поня́той *уст.* witness at an in-

quest, search, perquisition *etc.* (*при рассле́довании, о́быске, изъя́тии иму́щества и пр.*).

поня́ть *см.* понимать; он дал мне п. he gave me to understand; ясно п. ч.-л. to understand clearly, to awake to.

пообду́мать *см.* обдумывать.

пообе́да‖ть to dine, to have dined; мы уже ‿ли we have already dined (had our dinner).

пообеща́ть to promise.

пообсо́хнуть *см.* обсыхать.

поо́даль at some distance, at a little distance.

поодино́чке one by one, singly, one at a time, one after another.

поотвы́кнуть *см.* отвыкать.

поотсыре́ть to grow slightly damp.

по-отцо́вски in a fatherly (paternal) way.

поохо́титься to hunt a little; п. на мелкую дичь to shoot.

по-охо́тничьи like a hunter (sportsman).

по о́череди, поочерёдно by turns, in turn, alternately; делать ч.-л. п. to take turns.

поощр‖е́ние encouragement, stimulation, incitement, spur; об-во ‿е́ния худо́жеств Society for the Advancement of Arts; ‿и́тельный encouraging, stimulating, inspiring; ‿и́ть, ‿я́ть to encourage, stimulate, spur on; to patronize, advance (*покрови́тельствовать*); ‿я́ть лучших уда́рников to encourage the best shock-workers.

поп priest, parson, pope; *ирон.* devil-dodger, sky-pilot; каков п., таков и приход *посл.* like master, like man.

попада́ние hit; п. в цель *фиг.* hitting the mark.

попа́да‖ть to fall; кни́жки ‿ли со стола the books fell off the table.

попа́д‖а́ть to hit, strike, touch (*в цель и пр.*); п. в беду *шут.* to get into a scrape, to be in a fix (in a hole, in a nice mess); п. в неприятное положение to get into trouble, to get (be) in an awkward (unpleasant) position (situation); п. впросак to put one's foot in it, to make a blunder; не п. в цель to miss; ‿а́ться to be caught; to come across (*встреми́ться*); ‿а́ться в чьи-л. руки to fall into someone's hands; ‿а́ться на удо́чку to take the bait; ‿а́ться на глаза to catch someone's eye; дичь редко ‿а́ется game is scarce, there is a scarcity of game.

попадья priest's wife; wife of a priest.

попа́рно in pairs, two and two.

по-парти́йному in the Party way (manner).

попа́‖сть(ся) *см.* попадаться; тебе ‿дёт за это you'll catch it; он ‿л в неприятную историю he has got into a mess; я всё-таки ‿л в театр I got into the theatre after all (in spite of all); I obtained a ticket after all (*получил билет*); пуля ‿ла ему в ногу the bullet hit him in the (hit his) leg; ему здорово ‿ло за это he had a good scolding for that; как ‿ло pell-mell; higgledy-piggledy, helter-skelter (*в беспорядке, панике; о бегстве*); это сделано как ‿ло this is done anyhow, carelessly (*небрежно*); как это ‿ло в печать? how did it find its way into print?; куда ‿ло at random; anywhere; наконец-то ты ‿лся! I've caught (got) you at last!; он ‿лся мне навстречу I came across him; эта книга ‿лась мне у букиниста I chanced upon (found) this book at a second-hand bookseller's.

попа́хивать *разг.* to smell slightly, to have a slight smell (a faint odour).

попере́к across, athwart, crosswise; п. дороги *фиг.* in the way, in the light; дерево упало п. дороги the tree fell across the road; стать п. горла to stick in one's throat; искать вдоль и п. to search far and wide.

попереме́нно by turns, in turn, alternat(ive)ly.

попере́ч‖ина cross-beam (-piece, -bar); jib (*грузопод. крана, укосина*); ‿ник diameter; girth, belly-band (*в упряжи*); ‿ный transverse, diametrical, cross; ‿ный разрез cross-section; встречный и ‿ный *фиг.* the first comer, anybody, everybody; для всякого встречного и ‿ного for comers and goers; ‿ное сечение *мат.* cross-section.

поперхну́ться to swallow wrongly, to choke oneself.

попечени‖е care, solicitude; имущество, ребёнок, вверенные ‿ю charge; ребёнок вверен моему ‿ю the child is in my charge.

попечи́тель, ‿ница trustee, guardian, curator, member of Board of Trustees (Guardians), patron; ‿ный solicitous, careful; ‿ный совет Board of Trustees (Guardians); ‿ство guardianship,

trusteeship; ‿ствовать to be a trustee, guardian.

попива́ть to drink a little.

попира́‖ние trampling; treading down; ‿ть to trample on (down, under one's feet); to tread on (down) *фиг.* to scorn, defy; ‿ть врага to tread on the neck of the enemy, to vanquish.

пописа́ть to write a little.

попи́скивать to whine, whimper, squeal, squeak a little.

попи́сывать to write from time to time (sometimes).

попи́ть to drink a little.

по́пка *разг., дет.* Poll (*попугай*).

попла́вать to swim a little (during a short time).

поплаво́к (cork-)float.

попла́кать to cry, weep a little, shed a few tears.

поплати́‖ться to pay, to have to pay (suffer) (*for*); п. правом to forfeit one's right; он ‿лся здоровьем he lost his health; он дорого за это ‿лся he paid for it dearly; вы за это ‿тесь you shall suffer (pay, smart) for it.

по-плечу́: это ему не п. this is beyond him; this is too hard (heavy, difficult) for him (*см. тж.* плечо).

поплин poplin (*материя*).

поплы́ть to swim along.

попляса́ть to dance a little.

попов‖ич, ‿на son (daughter) of a priest.

попо́вник *бот.* marguerite, ox-eye daisy, moon flower.

попо́вский priest's, of a priest, popish.

попои́ть to water the horses (*лошадей*).

попо́йка drinking-bout, carouse, spree.

попола́м in two, in half, by halves, half and half; делить п. to cut in two, divide into halves; to halve; разрезанный п. cut in two.

по́ползень nut-hatch (*птица*).

поползнове́ние inclination, longing, wish.

пополне́ние supplement; replenishment, enrichment, addition; *военн.* reinforcement.

попо́лн‖ить, ‿я́ть to supplement, add, fill up, refill; to reman (*полк*); to enrich, widen, enlarge (*знания*); ‿и́ться, ‿я́ться to be refilled (supplemented).

пополу́‖дни post meridiem (*сокр.* p. m.); in the afternoon, afternoon; ‿ночи after midnight, ante meridiem (*сокр.* a. m.).

попо́льзоваться to profit (*by*), to take advantage (*of*).

по-по́льски in the Polish way (style, manner); in Polish.

попо́на horse-cloth, blanket; caparison (*богатая*).

попо́ртить *см.* испортить.

попост||и́ться, '~ничать to fast for some time.

попоте́ть to sweat, perspire a little; *фиг.* to give oneself much trouble.

поправе́ть to become more conservative, to trend to the right.

поправи́мый repairable, reparable, corrigible; remediable, curable (*о болезни*).

попра́ви||ть(ся) *см.* поправлять (-ся); вы очень ~лись с тех пор, как я вас видел you are looking much better than you did when I saw you last.

попра́вк||а correction, rectification; recovery (*здоровья*); п. к резолюции amendment to a resolution; у него дело идёт на ~у he is on the mend; *см.* починка.

поправл||е́ние recovery (*здоровья*); ~ять to repair, mend, readjust, put (set) right (in order) (*вещи*); to correct, rectify (*ошибки*); ~ять волосы to smooth the hair; ~ять подушку to adjust the pillow; ~я́ться to recover, get better (stronger), to be on the way to good health, to mend, to pick up (*sl.*) (*о здоровье*); to correct oneself (*в разговоре*).

попр||а́ть *см.* попирать; '~анные права violated rights.

попре́жнему as before, as formerly, in the old way.

по преиму́ществу mostly.

попр||ёк reproach, reproof; ~ека́ние reproaching, blaming; ~ека́ть, ~екну́ть to reproach, blame (*with*); to cast in one's teeth.

по́прище profession, course; arena, field, career (*литературное, сценическое, военное*).

по-прия́тельски as a friend, as from friend to friend, in friendly manner.

попро́б||овать *см.* пробовать; ~уй! try!

по-пролета́рски in the proletarian way (manner).

попроси́т||ь(ся) *см.* просить(ся); ~е его ко мне ask him (to step) in; ~е его наверх ask him upstairs; ~е у него денег ask him for some money.

по́просту simply, without ceremony; merely (*только*); п. говоря

in common parlance; говоря п., это жу́льничество stripped of fine names, it is a swindle; it is, not to put too fine an edge upon it, a swindle.

попроша́й||ка cadger, beggar (*нищий*); wheedler; ~ничание begging; ~ничать to beg, wheedle things out of people; to go about begging, importuning people; to cadge; ~ничество *см.* попрошайничание.

попроща́ться *см.* прощаться.

попры́г||ать to skip, jump, hop a little; ~у́н(ья) hopper; ~унья стрекоза grasshopper.

попры́ск(ив)ать to sprinkle.

по-пти́чьи like a bird, in bird-like fashion.

попуга́й parrot (*тж. фиг.*); parakeet, paroquet (*маленький длиннохвостый*); cockatoo (*хохлатый*); повторять как п. to parrot.

попуг||а́ть, '~ивать to frighten a little, to give a fright, to scare.

попу́дно *уст.* per pood.

попу́дрить to powder a little; ~ся to powder oneself.

популяр||иза́тор popularizer; ~иза́ция popularization; ~изи́ровать to popularize; '~ность popularity; дешёвая ~ность cheap popularity; '~ный popular; '~ное издание popular edition; '~ные лекции popular lectures.

попурри́ *муз.* pot-pourri, medley of musical airs.

попусти́т||ельство sufferance, toleration; ~ельствовать, ~ь to connive (*at*), to let, permit, suffer, tolerate.

попусто́му, по́пусту in vain, uselessly, to no purpose.

попу́тать *см.* путать, спутать, перепутать.

по пути́: ему с ними не п. their roads differ.

попу́т||ный: п. ветер fair (favourable) wind; ~но by the way, in passing, passingly; ~чик, ~чица travelling companion, fellow-traveller; писатели-~чики non-communist writers sympathizing with the Revolution; fellow travellers (in literature), poputchiki.

попуще́ние sufferance.

попыт||а́ть(ся) to try, attempt, venture; ~ать счастья to try one's luck; '~ка trial, attempt, endeavour, venture, step, essay, tentative; ~ка к бегству attempt to fly (at flight, to escape); ~ка не пытка *посл.* nothing venture, nothing have.

попя́тный: пойти на п. *фиг.* to retract one's promise, to go back from one's word.

пор‖а́ time, season; п. итти it is time to go; it is time we were going (*нам пора итти*); глухая п. slack time, dead season; зимняя п. winter time; давно п. it is high time, it ought to have been done ages ago; это лучшая п. его жизни it is the prime of his life; во всякую ' ~у at any time, whenever you like; в самую ~у just at the right time, just when it was most wanted; до каких пор? how long?, till when?; до сих пор now, till (up to) the present day (*о времени*); up to here (*о месте*); с тех пор since then, since that day (time); с этих пор hence, from to-day, in future; до ~ы up to a certain time; до ~ы до времени up to a given moment; ~о́й, ~о́ю from time to time, now and then, occasionally; вечерней ~ой in the evening, of an evening.

по́ра pore.

порабо́та‖ть to work (a little, during a certain time); я достаточно в своё время ~л I've worked enough in my time (day).

порабо‖ти́тель(ница) enslaver, subduer, conqueror; ~ти́ть, ~ща́ть to enslave, subjugate, subject, enthral(l); ~ще́ние enslavement, subjugation, subjection, enthralment, servitude, slavery; ~щён-ный enslaved; enthralled (*преим. фиг.*).

поравня́ться to come up to, to come alongside.

пораде́ть *см.* радеть; п. родственнику to do a service to one's relative; как не п. родному человечку! *прибл.* blood is thicker than water.

поря́д‖овать to give pleasure; вы меня этим очень ~уете you will give me great pleasure; ~оваться to rejoice.

пораж‖а́ть to strike, deal (give) a blow (*об ударе*); to stab (*кинжалом*); to rout, discomfit (*неприятеля*); to surprise, strike, astonish (*удивить*), to give a fit (*to*), flabbergast (*тж. разг.*); to strike (*о болезни*); п. в правах to debar from certain rights; ~а́ться to be surprised, astonished, struck, thunder-struck, wonder-struck; ~е́нец defeatist; ~е́ние defeat; blow, discomfiture; *мед.* affection, disease; ~ение в правах debarring from certain rights; неприятель понёс ~ение the enemy was de-

feated; ~ённый surprised, astonished, struck; ~е́нческий defeatist (*attr.*); ~е́нчество defeatism.

пораз- *двойная приставка к глаголам; см. соотв. глаголы с приставкой раз-, рас- (напр.:* поразбежаться *см.* разбежаться, порастерять *см.* растерять).

порази́тельн‖ость strikingness; ~ый wonderful, astonishing, striking, astounding; ~ое сходство я striking likeness; ~о wonderfully *и пр.*

порази́ть *см.* поражать.

поран‖е́ние wound; '~и́ть to wound.

пора́ньше: разбудите меня п. wake me as early as you can.

порас- *см.* пораз-.

порва́‖ть *см.* порывать; он с ним всё ~л he has broken with him altogether; ~ться to tear, to be torn, to break.

по-ребя́чески in a childish way.

поребя́читься to behave (romp) like a child; to have a bit of fun.

пореде́‖лый grown thinner (poorer, scarcer); ~ть *см.* редеть; его волосы ~ли his hair has thinned; полки ~ли the ranks became thinner.

поре́з cut, wound; ~ать to cut; я ~ал себе палец I have cut my finger; ~аться to cut oneself.

поре́й *бот.* leek.

поре́ч‖ный of river-side; ~ье river country.

пореш‖а́ть, ~и́ть to decide, determine (*см. тж.* решать); to do away (*with*) (*прикончить, убить*).

по́рист‖ость porosity; ~ый porous.

порица́‖ние blame, censure, reproof; disapprobation, disapproval (*неодобрение*); общественное п. public censure; судом (судьёй) ему было объявлено общественное п. the judge sentenced him to public censure; в п. in disparagement; заслуживающий ~ния blameworthy; ~тель blamer, censurer, reprover; ~ть to blame, censure, reproach, reprove; to disapprove (*of*), accuse.

по́рка flogging, thrashing, whipping (*хлыстом*); caning (*палкой*); birching (*розгой*).

порногра́ф obscene writer; ~и́ческий pornographic; ~ия pornography, coprology.

по́ровну equally, in equal parts.

поровня́ться *см.* поравняться.

поро́г 1. threshold; переступать п. to cross one's threshold; обивать

~и *фиг.* to importune; 2.: ~и реки rapids; Днепровские ~и Dnieper rapids.

порода breed, stock, race, blood, species; горная п. *мин.* rock; layer, bed, stratum (*пласт*); ~истый thoroughbred, pedigreed (*с родословной*); of good breed, well-bred, aristocratic-looking; ~йть *см.* порождать; ~нйться to become related.

порождать to give birth (*to*), beget, generate, breed, produce, raise; ~аться *см.* рождаться; ~ение begetting, producing, generation; ~ение мечты fancy's child.

порожистый full of rapids (*река*).

порожний empty; ~ник empty cars, vehicles without a load; ~няком, ~нём empty, without a load.

порознь separately; asunder, apart, severally; вместе и п. all and sundry.

порой *см.* пора.

порок vice, crime, defect; taint (*особ. наследственный*); п. сердца organic defect of the heart; бедность не п. poverty is no crime; без ~ов clean (*о лошади и пр.*).

поросёнок sucking-pig; жареный п. roast (sucking) pig; *фиг.* (little) pig; ~иться to farrow, pig.

поросль verdure, shoots.

поростать, ~ти to grow over (*with*), to be covered (*with*); '~ший overgrown (*with*).

поросятина young pork; ~чий помёт litter, farrow; ~чьи ножки pettitoes, pigs' trotters (*блюдо*).

пороть 1. to rip, undo, unpick (*шов*); 2. to whip, flog (*розгами*); 3. п. горячку *вульг.* to be in the greatest hurry; п. ерунду (дичь) *вульг.* to talk nonsense (rot), to talk through one's hat.

порох powder, gun-powder; бездымный п. smokeless powder; пироксилиновый п. gun-cotton; держать п. в пороховнице сухим to keep one's powder dry; он ~а не выдумает he will not set the Thames on fire; he is no Solomon; запахло ~ом there is a smell of gun-powder; ~овница powder-horn (-flask); ~овой завод gun-powder works; powder-mill; ~овой заговор *ист.* gun-powder plot; ~овой погреб powder-magazine.

порочить to blame, censure, defame, libel; ~ность depravity, viciousness, perversity; ~ный vicious, depraved, perverse; ~ный круг *лог.* vicious circle.

порошa first snow, newly fallen snow; ~инка a grain of dust (powder); ~йт it is snowing slightly.

порошкообразный powder-like, powdery.

порошок powder; п. для чистки серебра plate-powder; п. от насекомых insect-powder; зубной п. tooth-powder; превращать в п., посыпать ~ком to powder.

порою *см.* пора.

порт I. port, harbour; вольный п. free port; приморский п. sea-port.

порт II. *мор.* port(-hole) (*бортовое отверстие*).

Порта *ист.* the Porte; высокая П. the Sublime (Ottoman) Porte.

портал *арх.* portal.

Порт-Артур Port Arthur.

портативность portability, portableness; ~ый portable, convenient for carrying.

порт-букет port-bouquet, bouquet-holder.

портвейн port (*реже* port-wine).

портер porter; ~ная bar, public house, ale-house.

портик *арх.* portico, porch.

портить 1. to spoil, damage; to bungle (*sl.*); to make a hash (mess) (*of*); 2. to corrupt, deprave, vitiate, demoralize, debauch (*нравы*); to spoil, vitiate, debauch (*вкус*); ~ся to be (become) spoilt (damaged, corrupt, depraved, vitiated, demoralized, debauched); to become carious (*о зубах*); to rot (*гнить*); не ~ся от жары (сырости) to resist heat-(moisture); у меня ~ся настроение I'm losing my good spirits.

портки *вульг.* trousers.

портландский цемент Portland cement.

портмоне purse.

портниха dressmaker; ~овский tailor's; ~овский утюг goose; ~ой tailor; дамский ~ой ladies' tailor; п., ~ой при театре dresser; ~яжничать to tailor; ~яжничество tailoring, tailor's business; ~яжный sartorial.

портовый port (*attr.*); п. город a sea-port town; ~е деньги portage, harbour dues.

порто-франко free-port.

портплед hold-all.

портрет portrait, likeness; picture (*of*); п. во весь рост a full length portrait; поясной п. half length portrait; рисовать п. to paint a portrait; to do a picture (*of*); to take the likeness (*of*); я заказал свой п. I've had (I am having) my picture (portrait) done (taken, drawn); я—точный п. отца I'm the very picture of my father; ~ист(ка) portrait-painter; ~ная живопись portraiture, portrait-painting.

портсигáр cigarette-case.

Пóртсмут Portsmouth.

португáлец Portuguese.

Португáл‖**ия** Portugal; п~ьский: п~ьский язык Portuguese.

портулáк *бот.* purslane.

портупéя sword-belt, sword-hanger, waist-belt, girdle.

портфéл‖**ь** brief-(dispatch-, attaché) case; portfolio (*тж. министерский*); он получил п. министра просвещения he received the portfolio of education; министр без ~я minister without portfolio.

портьéра portière, curtain(s), drapery, hanging(s).

портя́нки coarse rags (puttees) wound spirally round foot and leg and worn instead of stockings.

порубéжный *см.* пограничный.

порубить *см.* рубить.

поруб‖**ка** illegal cutting (felling) of timber; ~щик wood-stealer.

поруг‖**áние** insult, outrage; '~анный insulted; '~анная честь insulted honour; ~áть *см.* ругать; ~áться to quarrel (*with*); to abuse, insult one another.

порук‖**а** surety, pledge, bail, security, guarantee; круговая п. mutual responsibility; на ~и on bail; взять на ~и to offer bail, to go bail, to bail (*out—заключенного*); отпустить, освободить на ~и to admit to bail; освобождение на ~и bailment; я тому ~ой I'll go bail for it, I'll guarantee it.

по-рýсски Russian, in the Russian way (manner); говорить п. to speak Russian.

поруч‖**áть** to entrust (*with*), charge (*with*), trust (*with*); to commission (*служебные обязанности*); to recommend (*внимание*); я ~áю это вам I entrust it to you; ~áться *см.* ручаться; ~éние commission, errand; message (*устное для передачи кому~л.*); mission (*дипломатическое*); давать ~ение *см.* поручать; по ~éнию per procuration (*сокр. на письме* р. proc., р. pro., р. p.), by proxy; я пришёл по ~ению т. Н. I have been sent here by comrade N.

пóруч‖**ень** hand-rail; ~ни 1. railing; 2. handcuffs (*кандалы*).

поручик *ист.* lieutenant.

поручи́тель, ~ница bail, surety, sponsor, guarantee, warranter; ~ство guarantee, bail.

поручи́‖**ть(ся)** *см.* поручать(ся); он ~л мне передать вам he asked me to tell you; ему ~ли рассмотреть это дело he was comissioned to examine the affair.

пóручни *см.* поручень.

порфи́р *мин.* porphyry.

порфи́ра purple.

порхá‖**ние** flutter(ing); ~ть to flutter, fly about, flit.

порцио́н *военн.* ration; ~ный à la carte, by the bill of fare; ~ное блюдо a dish paid for at a specific price (*противоп.* table d'hôte); ~ные деньги board money.

пóрция portion.

пóрч‖**а** deterioration, damage, spoiling; corruption; breakage (*поломка*); evil spell, charm, bewitchment, evil eye (*колдовство*); vitiation (*моральная*); ~еный spoilt, spoiled; bewitched, bedevilled (*см.* порча).

пóрш‖**ень** piston; sucker (*насоса*); ход ~ня stroke of piston; ~невый стержень piston-rod; ~невая машина reciprocating engine.

поры́в gust, puff (*ветра*); fit, transport, passion (*о человеке*); п. ветра gust (rush) of the wind; п. отчаяния agony of despair; под влиянием ~а, в ~е in a fit, on impulse, on the spur of the moment, on a momentary impulse.

порывáть to tear asunder; *фиг.* to break off, sever, tear; п. сношения to cut connection, to break off relations; ~ся to try, endeavour.

поры́вист‖**ость** violence, impetuosity; ~ый vehement, violent, impetuous (*о характере*); ~ый ветер gusty, fitful wind; ~ые движения jerky, quick movements; ~o by jerks; impetuously.

порыжé‖**вший,** ~лый rusty, (grown) brown(ish), red(dish); ~ть *см.* рыжеть; моё платье совсем ~ло my coat looks quite rusty.

поры́ться *см.* рыться; п. в бумагах to rummage among one's papers.

по-ры́царски in a knightly manner.

поря́дков‖**ый** ordinal; ~ое слово entry word (*библиот.*); ~ое числительное ordinal.

поря́дком *разг.* rather, thoroughly, soundly; мне п. надоело I am rather bored; он его п. избил he gave him a sound thrashing.

поря́д‖ок order, form; sequence, arrangement; п. был восстановлен order was restored; п. дня the order of business (of the day); agenda (*на повестке*); п. управления form of government (administration); алфавитный п. alphabetical order; боево́й п. battle array, martial order; есте́ственный п. the natural order; обще́ственный п. peace, public peace; отме́нный п. perfect order; *разг.* apple-pie order, shipshape; после́довательный п. consecutive order, sequence, succession; ста́рый п. the old order; *ист.* the ancient régime; хронологи́ческий п. chronological order; наруша́ть п. to break order; приводи́ть в п. to order, arrange, adjust, tidy, settle; to set (put) to rights; to get things square (straight); приводи́ть себя́ й п. to tidy oneself up; соблюда́ть п♦ to keep order; в ⌣ке in order, in good (working) order, first-rate, shipshape; в ⌣ке ведения собрания as a point of order; не в ⌣ке out of order; механи́зм не в ⌣ке there is something wrong with the works (gear); у меня́ пе́чень не в ⌣ке my liver has gone wrong; э́то в ⌣ке веще́й that's quite natural, all in the day's work; де́ло идёт свои́м ⌣ком the affair goes (takes) its regular course; зако́нным ⌣ком legally; обыкнове́нным ⌣ком in the ordinary course; организо́ванным ⌣ком in an organized manner; смотре́ть за ⌣ком to keep order; суде́бным ⌣ком in legal form; по ⌣ку in order, in succession, one after another; де́лать по ⌣ку to proceed regularly, to do things methodically (systematically), one after another; к ⌣ку! order! order! (*на заседаниях*); ⌣ки *фиг.* usages, customs.

поря́дочно pretty well; п. наро́ду a good lot of people; он п. зараба́тывает he earns fairly well.

поря́дочность honesty, integrity, respectability, decency, probity.

поря́дочн‖ый honest, honourable, respectable, decent (*о человеке*); ⌣ая цена́ a considerable (fair) price.

поса́д suburb.

посади́‖ть *см.* сажа́ть; 1. to make one sit down; п. в тюрьму́ to put to gaol (jail), to put into prison, to imprison; п. в печь хле́бы to put the bread in the oven; п. за рабо́ту to put one to work; п.

на мель to strand; п. под аре́ст to arrest; п. себе́ на ше́ю to put to one's own detriment; он ⌣л её на стул he sat her on a chair; его́ ⌣ли на год (*за*) he got a year (*for*); 2. to plant (*дерево, куст*).

поса́дка 1.: п. на парохо́д embarkation, embarking on ship; 2. planting (*деревьев, кустов, расте́ний*); 3. landing (*самолёта*); alighting on water (*гидроплана*); 4. seat (*всадника*).

поса́д‖ник *ист.* possadnik, mayor, burgomaster; ⌣ница *ист.* mayoress; ⌣ские лю́ди *ист.* tradespeople (*торговые люди*).

посажён‖ый, ⌣о *уст.* by the sajen (fathom).

посажён‖ый: *уст.* п. оте́ц, ⌣ая мать one who blesses the young married couple.

поса́сыва‖ть to suck (a little); он сиде́л, ⌣я тру́бку he sat there sucking at his pipe.

посва́таться to propose, to make a proposal (*to*).

посвеже́‖лый grown fresh; п. вид fresh (bright) look; ⌣ть to grow fresh; ⌣ло it has got cooler, fresher (*о температуре*); у неё лицо́ ⌣ло her face looks fresher, brighter, younger.

посвети́т‖ь to give some light; ⌣е мне в коридо́ре light me down the corridor.

посветле́ть to grow light(er).

по-свински like a pig (swine), piggishly.

посви́ст whistle; whistling; ⌣а́ть, ⌣е́ть to whistle (a little).

по-сво́ему in one's own way; он всё де́лает п. he does everything in his own way; он говори́т п. he speaks in his own tongue.

по-сво́йски in a familiar way.

посвя‖ти́тельный dedicatory; ⌣ти́ть, ⌣ща́ть 1. to dedicate (*книгу*); 2. to devote, give (up), sacrifice (*жизнь*); 3. to ordain, consecrate (*в сан*); 4. to initiate, let into (*в тайну*); 5. to dub, knight (*в рыцари*); утро бы́ло ⌣щнё уче́бным заня́тиям the morning was given up to study; ⌣ти́ться, ⌣ща́ться to be ordained, consecrated, dedicated *и пр.*; ⌣ще́ние dedication; (self-)devotion, sacrifice; ordination, consecration; initiation; dubbing, knighting (*см.* посвяща́ть); ⌣щённый dedicated; ⌣щённый в сан ordained; конце́рт ⌣щённый па́мяти Му́соргского concert given in memory of Moosorgski.

посе́в sowing; яровой п. spring sowing; ~но́й материал sowing material; ~на́я кампания sowing campaign; ~ная площадь acreage under crop, sowing region, area under grain; ~но́е время seed-time; ~ное зерно sowing seed; ~щик sower.

поседе́‖вший, ~лый grown gray; ~ть *см.* седеть.

по секре́ту secretly; in secret, in confidence.

поселе́н‖ец settler, colonist; ~ие settlement, colony; сослать на ~ие to deport; ссылка на ~ие deportation.

посели́ть(ся) *см.* поселять(ся).

посе‖ёлок small village, hamlet; рабочий п. workers' settlement; ~еля́нин *уст.* villager, peasant.

поселя́ть to settle, colonize, establish, quarter, domicile; *фиг.* to inspire (*подозрение, отвращение*); ~ся to settle, take abode, take up one's quarters (residence).

по сему́: быть п. *уст.* so be it.

посему́ *уст.* therefore, accordingly.

посерди́ть to anger, tease a little; ~ся to be angry for some while.

посереб‖ре́ние silver-plating; ~ри́ть to silver over, to plate.

посереди́(не) in the middle; *см. тж.* посреди(не).

посере́‖ть to turn gray(ish); небо ~ло the sky has got gray.

посети́‖тель (ница) visitor, guest; ~ть *см.* посещать; горе ~ло их misfortune visited them.

посеща́ем‖ость attendance; плохая (слабая) п. лекций bad attendance at lectures; ~ый frequented; haunted, visited; хорошо ~ый well-attended; в мало ~ой местности in a place off the beaten track.

посеща́ть to visit, to go to see; to frequent, haunt (*часто*); ~е́ние visit.

посе́‖ять *см.* сеять; to sow; п. вражду, смуту to sow (the seeds of) dissension, sedition; п. раздор to sow dragon's teeth; что ~ешь, то и пожнёшь *посл.* as you sow you shall mow; *срв. тж.* to reap as one sows; я ~ял свой кошелёк *разг.* I have lost my purse.

посиде́лки *уст.* village evening sittings of women during the spinning season (usually from the 1st of Sept. to the 25th of March).

посиде́ть to sit for a while; приходите вечерком п. с нами come and spend the evening with us.

поси́льн‖ый according to one's strength (power, possibility); оказать ~ую помощь to do what one can (*for*).

посине́‖лый gone blue (bluish); ~ть от холода to look blue with cold.

посини́ть to blue (*синькой*).

поскака́ть to gallop off (away).

поскита́ться to roam about.

поскользн‖у́ться to slip; смотри, не ~и́сь mind you don't slip; он ~у́лся и упал he (his foot) slipped and (he) fell.

поско́льку in so far as, in as much as, as, since; п..., постольку just as... so.

поско́нный made of hemp.

по́сконь fimble, hemp.

поскоре́е quick(er); бегите за доктором, да п.! quick run for the doctor; run for the doctor and mind you're quick about it (and hurry up); лучше сделайте это п. you had better do it pretty quick.

поскрёбки scrapings.

поскрести́ to scrape a little.

поскри́пывать to creak a little.

поскупи́ться to grudge the money (*for*).

послабле́ние indulgence, slackening; оказывать п. to be indulgent.

посла́н‖ец messenger, envoy; ~ие message, epistle, sending; ~ник minister plenipotentiary; ~нический ministerial.

по́сланный messenger, envoy.

посла́ть *см.* посылать.

посла́ще sweeter.

по́сле after, afterwards, another time, subsequently, later (on); since; п. чего whereupon; п. этого hereupon; он пришёл п. всех he came last; оставить п. себя to leave behind one.

после- *в сложн. словах* post-.

послево́енный post-war.

после́д *анат.* placenta (*pl.* -tae), afterbirth; ~ки remainder, leavings; на-~ки lastly, to finish, to wind up (round off) with; at (towards) the end.

после́дн‖ий last; latter (*из двух названных; противоп.* former); в п. раз for the last time; ~яя капля *фиг.* the last straw; в ~юю критическую минуту at the supreme moment; в ~ее время for some time past; of late, lately, recently; занимать ~ее место to occupy the last place; моё ~ее решение my final decision; это уже ~ее дело this is the (very) last (lowest) thing to do; по ~ему слову науки according to the last word of science.

послѐдование following.

послѐдователь follower, partisan, disciple, adherent; ~ность succession, sequence; ~ность времён *гр.* sequence of tenses; ~ный successive, consistent; *фиг.* logical, consecutive (*о порядке*); ~ная речь coherent, consistent speech; ~но one after another, in succession.

послѐдовать *см.* следовать; п. примеру to follow the example.

послѐдствие consequence, result, sequel; after-effect; sequela (*мед.*); чреватый ~ями eventful.

послѐдующий following, subsequent, posterior; *мат.* the consequent (*член*).

послѐдыш the last (youngest) child.

послезавтра the day after to-morrow.

послеобѐденный after dinner('s); п. сон afternoon nap; forty winks (*шут.*).

послеоктябрьский post-October.

послеродовой post-natal; п. период post-partum.

послеслѐвие epilogue, concluding remarks.

послѐвица proverb; saying, adage, wise saw; стало ~ей has passed into (has become) a proverb.

послужить to serve (work) for some time; это '~ит вам на пользу that will be useful to you; you will profit by it; ~ной список record of the service of an employee, service record.

послушание 1. obedience, tractability, docility; 2. imposed penance in convent (*в монастыре*).

послушать to listen; ~ем let's listen in (*радио и пр.*); ~йте! look here!; ~йте меня (you) listen to me a moment; now look here; ~ться to obey; он не ~лся he didn't do what he was told, he didn't obey.

послушник novice, lay-brother; ~ица novice, lay-sister.

послушность *см.* послушание 1; ~ый obedient, tractable, docile, manageable, governable; dutiful (*сын, дочь, ребёнок*); ~о obediently, docilely.

послышаться: мне ~лось I thought I heard; it seemed to me that; ~лся стук в дверь a knock at the door was heard.

посмѐтривать to look, throw glances (*at*); п. на часы to consult one's watch; to glance at the clock; п. по сторонам to look about; ~й! be on the look-out; be on the watch; ~йте за моими вещами keep an eye on my things (my luggage).

посмѐиваться to laugh in one's sleeve, to chuckle.

посмѐнно by turns, alternately, in shifts.

посмѐртный posthumous (*о произведении*).

посмѐть *см.* сметь; to dare; он не ~л это сделать he didn't dare to do it, he dared not do it.

посмешить *см.* смешить; to make one laugh a little.

посмѐшище laughing-stock; он служит ~м he is the laughing-stock (*of*); he is the butt (target) of jokes (witticisms, mockery).

посмейние mockery, derision; ~ться *см.* смеяться; to laugh; я люблю ~ться I'm fond of a joke; I like to have a bit of fun; ~ться над к.-л. to laugh (*at, at the expense of*); над ним ~лись he was laughed at.

посмотрѐть to look (glance) (*at*).

поснимать to take everything off; он ~л все картины со стен he took all the pictures down from the walls.

по-собачьи like a dog.

пособие 1. help, relief, assistance; п. бастующим (от профсоюза) strike pay; п. безработным unemployment relief, dole; п. при болезни sick-pay, pecuniary assistance during illness; выходное п. compensation (for loss of work); 2.: научные ~я books and appliances for the subject being treated (*in science*); учебные ~я education accessories; school appliances.

пособить, ~лять to help, assist, aid; '~ник, '~ница aid, helper; '~ничество aid, complicity.

посодѐйствовать *см.* содействовать; to help, assist.

посѐл ambassador.

по-солдатски as a soldier, in a soldierlike way.

посолить to salt, put some salt.

посоловѐлый sodden-looking; у него глаза **посоловѐли** he's got blear (fishy) eyes.

посѐльский ambassadorial, ambassador's.

посѐльство embassy (*во главе с послом*); legation, mission (*во главе с посланником*).

пососа́ть см. посасывать.

по-сосе́дски in a neighbourly way.

посо́тенно by the hundred, by hundreds.

по́сох staff; shepherd's crook (*пастуха*).

посо́хнуть to dry for a while; to dry up; to wither (up, away).

посошо́к: п. на доро́гу! *фиг.* one more drink before you go (*ср.* stirrup-cup).

поспа́ть to sleep a little, to take a nap.

поспева́ть I. to ripen, grow (get, be getting) ripe.

поспева́ть II. to be ready, arrive (be) in time (*во-время*); to keep up, to keep pace (*за кем-л.*—*with*).

поспекта́кльн‖ый: ⁓ая пла́та actor's pay per night (for⁓ every night).

поспе́‖ть см. поспевать; я не могу́ п. за ва́ми I can't keep up with you; я не ⁓л к обе́ду I came too late to dinner, I was late for dinner; я не ⁓л к по́езду I missed the train.

поспеш‖а́ть, ⁓и́ть см. спешить; '⁓ность promptitude; hurry, haste (*см.* поспешный); '⁓ный prompt; hasty, hurried (*необдуман-ный, слишком п.*); '⁓но promptly, hastily, hurriedly, in a hurry, in great haste, hot-foot.

поспо́рить 1. to dispute, debate, argue, quarrel; он мо́жет с ним п. в зна́нии he can compete with him in knowledge; 2. to bet, wager (*об закла́д*).

по справедли́вости justly, fairly.

посрам‖и́ть(ся) см. посрамлять (-ся); ⁓ле́ние shame, disgrace, humiliation; ⁓ля́ть to shame, cover with shame, humiliate; ⁓-ля́ться to be covered with shame, to be humiliated (shamed), to cover oneself with shame.

посреди́ in the middle (midst) (*of*), among; п. бе́ла дня in broad daylight; ⁓не in the middle; находя́щийся как-раз ⁓не middle-most, midmost.

посре́дни‖к mediator, negotiator; intermediary, middleman, agent; estate agent (*по прода́же и сда́че недви́жимости*); быть ⁓ком to act as a middleman, as a go--between (*ме́жду ры́нком и потре-би́телем*); ⁓ческий intercessory, interceding; ⁓чество mediation.

посре́дственн‖ость mediocrity; ⁓ый middling, second-rate, mediocre, indifferent; ⁓о so-so, from fair to middling, not very well (fair).

посре́дство means, agency, medium; че́рез п. by, through (the medium of…), thanks to, owing to (*благодаря́ чему-л.*); ⁓м by means of, through; by dint (*of*); ⁓м ча́стого повторе́ния by dint of repetition; ⁓м э́того thereby.

пособи‖́ть см. ссорить; to make mischief (*between*); он ⁓л их he made mischief between them; ⁓ть-ся см. ссориться; to quarrel, disagree, fall out.

пост I. post, office, station; point-duty (*милиционе́ра*); высо́-кий п. high station; сторожево́й п. watch post; на ⁓у́ on point--duty выдвига́ть на кома́ндные ⁓ы́ to advance (promote) to a commanding post.

пост II. *рел.* fast(ing); abstinence; вели́кий п. Lent.

поста́в loom (*тка́цкий*); set of millstones; ме́льница на три ⁓а a mill with three sets of mill-stones.

поставе́ц *уст.* sideboard, dresser.

поста́в‖ить to put, place, set; to erect, set up, raise (*па́мятник*); to stand, treat (*угоще́нье*); to set, regulate (*де́ло и пр.*); to supply (*см.* поставлять); п. ба́нки to cup; п. буты́лку вина́ to stand a bottle of wine; п. в вину́ to reproach (*with, for*); п. в затрудни́тельное положе́ние to place in an awk-ward situation; п. вопро́с to put (raise) the (*или* a) question; п. в счёт кому-л. to charge to a person's account; п. втупи́к to puzzle, pose, nonplus; п. лошаде́й на коню́шню to stable; п. на голосова́ние to put to the vote; п. на ка́рту to stake; *фиг.* to venture; п. на коле́ни to put one down on his knees; п. на́ ноги кого-л. to set a person on a firm footing; п. на своём to have one's (own) way, to insist; п. на сце́не to stage, produce; п. па́рус to set sail; п. пия́вки to apply leeches; п. себе́ до́лгом to set oneself the task (*of*); to deem (esteem) it one's duty (*to*); п. себе́ за пра́вило to make it one's rule (*to*); п. себе́ це́лью to set oneself the aim (*of*); п. часы́ (*по*) to set a watch (clock) (*by*); его́ жизнь ⁓лена на ка́рту his life is at stake; ⁓ка supply(ing), purveyance; victualling, catering (*припа́сов*); ⁓ля́ть to supply, pur-vey, furnish, cater; ⁓щи́к contractor, purveyor, supplier, provider, victualler; army agent (*на армию*); outfitter (*обмундирования, снаряжения*).

постаме́нт pedestal, base.

постанови́ть *см.* **постановля́ть.**

постано́вка 1. erection, raising (*памятника*); **2.** *театр.* staging, production; **3.** (*вопроса*) stating, putting; the way a question is put (formulated); п. голоса voice training; неправильная п. в ведении дела faulty adjustment in business management.

постановл||е́ние decision; decree, enactment (*указ*); ~я́ть to decide, establish, ordain, fix; to resolve (*в протоколах*); decree (*правит.*).

постаре́||вший, ~лый grown old, looking older.

постаре́ть to look older.

по-старико́вски like an old man.

по-стари́нке, по-стари́нному in the old way (fashion).

по-ста́рому in the old way; as before.

постате́йно by paragraphs, paragraph after paragraph; clause after clause.

постели́ть *см.* **постила́ть.**

постел||ь bed(ding); *военн.* platform of a battery; в ~и in bed; прикованный к ~и bedridden; ~ьное бельё bed clothes.

постепе́нн||ость gradualness; ~ый gradual, ~о by degrees, gradually, little by little, bit by bit.

постепе́новец evolutionist.

постере́чь *см.* **стере́чь.**

пости||га́ть, '~гну́ть to grasp, understand, comprehend; to strike, overtake (*о несчастье*); его '~гла внезапная смерть a sudden death overtook him; его '~гло большое несчастье a great misfortune has befallen him; ~же́ние comprehending; ~жи́мый understandable, comprehensible, conceivable.

постил||а́ть to spread, lay; п. ковёр to spread the carpet; п. постель to make one's bed; как постелешь, так и поспишь *посл.* as you make your bed so you must lie in it; '~ка litter (*животного*).

постир||а́ть *см.* **стира́ть;** ~у́шка a small wash at home.

пости́ться to fast, keep the fast.

пости́чь *см.* **постига́ть.**

постла́ть *см.* **постила́ть.**

по́стн||ик, ~ица faster; ~ича́ть to fast; ~ый lenten; ~ое лицо *фиг.* lenten face; ~ое мясо lean meat.

постово́й: п. милиционер point-duty militiaman, pointsman.

посто́||й I. *военн.* quartering, quarters; поставить на п. to put to quarters, to billet; свободен от ~я no quartering.

посто́й! II. halt!; stay!; wait a bit (a little)!

посто́льку in so far as, in as much as.

посторони́т||ься to stand (step) aside, make way, clear the way; ~есь! make way there!; out of the way!

посторо́нн||ий 1. *s.* a stranger, outsider; ~им вход воспрещён no admittance to outsiders; **2.** *a.* strange, foreign; *мед.* extraneous; ~ее тело extraneous body.

посто́я||лец lodger; guest (*в гостинице*); ~лый двор inn.

посто́я́н||ный constant, continual, continuous, perpetual (*непрерывный*); invariable, steady, steadfast, lasting (*неизменный*); п. адрес regular address; п. житель resident (*of*); п. капитал *экон.* fixed capital; п. ток *физ.* continuous current; ~ная величина *мат.* constant (quantity), двигатель ~ного давления *техн.* engine of unremitment pressure; ~ное пребывание a permanent stay (residence); ~но constantly, continually, perpetually, permanently, always.

посто́янство constancy.

постоя́ть to stand (some time); п. за себя to hold one's own, to be able to take care of oneself.

пострада́||ть to suffer, smart (*or*), come to harm (grief); здоровье его ~ло his health suffered (*from*), was impaired (*by*).

пострани́чный paginal, per page, for every page.

постре́л, ~ёнок little rogue, urchin; *мед. см.* прострел.

постреля́ть *см.* **стреля́ть;** to shoot a little.

по́стри||г taking the monastic vows (*о мужч.*); taking the veil (*о женщ.*); ~га́ть to cut; ~же́ние *см.* постриг; '~чь to cut; '~чься в монахи(ни) to take the monastic vows (*о мужч.*) [the veil (*о женщ.*)].

построе́ние construction (*тж. мат.*); structure (*конструкция*); п. социализма the building up of socialism; задача на п. problem of construction.

постро́ечный building.

постро́ить *см.* **строить;** п. войска в боевом порядке to draw up troops in battle array; п. предложение to build a sentence; п. социализм to build up socialism; ⌐ся *см.* строиться; to fall into line.

постро́йк‖**а** structure, building; п. новых фабрик и заводов the erection of new factories and work-shops; главная часть ⌐и trunk; наблюдающий за ⌐ой clerk of the works.

постройко́м (*построечный комитет*) Building Committee.

постро́мка trace.

постро́чная пла́та payment by the line.

постскри́птум postscript (*сокр. P. S.*).

посту́кива‖**ние** light knocking; ⌐ть to knock, tap, rap, patter.

постул‖**а́т** postulate; ⌐и́ровать to postulate.

поступа́тельный progressive.

поступ‖**а́ть**, ⌐и́ть 1. to act, to do (*действовать*); to deal (*with, by*), treat (*по отношению к кому-либо*); to behave, to comport, conduct oneself (*вести себя*); п. хорошо (дурно) to behave (act) well (badly); to treat (one) well (badly) (*тж. с к.-л.*); to comport, conduct oneself well (badly) (*тж. по отношению к к.-л.—towards*); как нам ⌐и́ть? what are we to do?, what shall we do?, what ought we to do?; 2. to enter (*на службу, в школу*); to enlist (*в армию*); ⌐и́ло ли к вам его заявление? have you received his application?; дело ⌐и́ло в суд the case was brought before the lawcourt; ⌐а́ться, ⌐и́ться to give up, cede, yield.

поступ‖**ле́ние** entrance, entering (*into*); enlistment, enlisting; return, receipt (*доходов, налогов*); ' ⌐ок action, step, deed (*действие*); ' ⌐ки conduct, behaviour, doings, goings on (*поведение*).

по́ступь step, walk, gait, tread; твердой ⌐ю with a firm tread.

постыд‖**и́ться** *см.* стыдиться; ⌐и́тесь! you ought to be (feel) ashamed of yourself; how can you have the face to...; ' ⌐ность shamefulness, infamy; ' ⌐ный shameful, infamous, disreputable; ' ⌐но shamefully *и пр.*

посты́лый hateful, repelling.

посу́да: глиняная п. earthenware; глиняная и фаянсовая п. crockery; жестяная п. tinware; кухонная п. kitchen utensils; фарфоровая п. china; чайная п. tea-

-things; битая п. два века живёт *посл.* ≅ creaking doors hang the longest.

посуда́чить to gossip.

посу́дина vessel, jar.

посуди́т‖**ь** to judge, consider; ⌐е сами see for yourself; now don't you agree?; don't you think so?

посуди‖**ный**: п. шкаф (china) cupboard, dresser; ⌐ая лавка china-shop; ⌐ое полотенце kitchen towel, dish-towel.

посу́л *уст.* promise; ⌐и́ть to promise.

посу́точн‖**ый**, ⌐о for every 24 hours, per day.

по́суху on (by) land.

посчастли́ви‖**ться** (*безлично*): мне ⌐лось I was lucky enough to ...; если мне ⌐тся if I'm lucky.

посчита́‖**ться** *см.* считаться; to get even (*with*); я еще с ним ⌐юсь I shall yet pick the bone with him.

посыл‖**а́ть** to send (*к.-л., ч.-л.*); dispatch; to mail, post (*по почте*); п. за доктором to fetch the doctor; to send for the doctor; п. за чем-л. to send one to fetch something; п. к чорту to send one to Jericho, to wish one at the devil's (to the devil); п. на работу to send to work; п. поклон to send one's greetings, compliments; to beg to be remembered; п. по почте to (send by) post; to mail; ' ⌐ка sending; parcel (*почтовая*); *лог.* premise; большая (меньшая) ⌐ка major (minor) premise; быть на ' ⌐ках to run errands; мальчик на ⌐ках errand-boy; ' ⌐ьный messenger; commissionaire; мотоциклист-⌐ьный *воен.* dispatch rider (*тж. верховой*); ' ⌐ьное судно dispatch vessel.

посыпа́‖**ние** strewing, sprinkling, powdering; ⌐ть to powder; to strew (*разбрасывать*); ⌐ть гравием to gravel; ⌐ть песком to sand, cover with sand; ⌐ть сахаром to sprinkle with sugar, to sugar; ⌐ть солью to sprinkle with salt, to salt.

посыпа́‖**ть** *см.* посыпа́ть; ⌐ться *фиг.* to pour down, to rain; несчастья ⌐лись на неё градом misfortunes rained on her; пули градом ⌐лись the bullets came flying like hail.

посяг‖**а́ние**, ⌐а́тельство encroachment; infringement; ⌐а́ть to attempt, make an attempt (*на жизнь и пр.*); to encroach, infringe (on, *upon*) (*на права или имущество*); ~ать на права другого to infringe upon another's rights; ~ающий encroaching, infringing; ~нуть *см.* посягать.

пот perspiration, sweat; холодный п. a cold sweat; в ~е лица in (by) the sweat of one's brow; ~ом и кровью with bloody sweat; обливаясь ~ом running, dripping wet (with sweat); весь в ~у covered with sweat.

потаённый, **потайн**||**ой** secret, hidden; ~ой фонарь dark lantern; (подземный) ~ой ход(underground) secret passage; ~ая дверь secret door.

потака||**ние** indulgence (*снисхождение*); connivance; ~ть to indulge, show too much indulgence, connive; ~ющий conniving.

потанцовать to dance a little.

потапливать to heat from time to time.

потап||**гывать** *см.* топтать.

потаск||**ать**, '~ивать *см.* таскать; to filch, pilfer.

потаску||**ха**, ~шка *вульг.* hussy, jade, streetwalker, prostitute.

потасовк||**а** brawl, fight; задать ~у to give one a thrashing (drubbing).

потачка *см.* потакание.

поташ potash.

по-твоему as you wish; in your way; as you advise; как п.? what do you think?; what is your opinion?

потвор||**ство** connivance, indulgence; ~ствовать to connive, indulge; to spoil (*баловать*); ~ству-ющий conniving, ~щик conniver.

потёк(и) damp stain(s) on the wall(s).

потёмк||**и** darkness; полные п. pitch darkness; в ~ах in the dark.

потеме||**вший** grown dark, dim; ~ние dimness (*в глазах*); dul(l)-ness (*разума*); ~ть to grow (become) dark(er).

потение perspiration, sweating.

потентат potentate.

потенциал potential; ~ьность potentiality; ~ьный potential.

потенция potence, potency.

потепле||**ть** *см.* теплеть; to get warm(er); ~ло it has got warmer.

потереть *см.* погирать, тереть.

потерп||**еть** *см.* терпеть; п. кораблекрушение to be shipwrecked; п. убытки to suffer losses; ~ев-ший полный провал completely collapsed; ~ите немного have a little patience, keep patient.

потёртый shabby, threadbare.

потер||**я** loss; waste (*на производстве*); bereavement (*чья-либо смерть*); п. времени waste of time; п. крови loss of blood; п. памяти loss of memory, amnesia; п. права forfeiture of a right; его уход—не вел ка п.! he is no loss!; п. за ~ей loss on loss; наградить за ~ю to make good; список ~ь (*на войне*) (return *или* list of) casualties; борьба с ~ями fight against waste (loss).

потеря||**ть** *см.* терять; п. всякий стыд to be lost to all shame; п. голову to lose one's head; п. из виду to lose sight of; п. почву под ногами to lose one's assurance; п. равновесие to lose one's balance; to be thrown off one's balance; п. самообладание to lose one's composure (self-possession); ~ться *см.* растеряться; to get lost; он ~лся в толпе he was lost (disappeared) in the crowd.

потесниться to make room (*для кого-л.—*or); to press a little, sit closer.

поте||**ть** to perspire, sweat; *разг.* to stew; *фиг.* to toil (and moil), to grind; окна ~ют the windows are damp (covered with steam, misty).

поте||**ха** fun (*что-либо смешное*); amusement, diversion (*развлечение*); вот п.! what fun!; ~шать to amuse, divert; ~шаться to amuse (divert) oneself; to make merry, have a bit of fun; to laugh (*at*), to make fun (*of*) (*над кем-л.*); ~шить *см.* потешать; ~шный funny, amusing.

потешные *ист.* regiment of boy-soldiers under Peter I.

потирать to rub (*руки*); п. руки (от удовольствия) to rub one's hands.

поти||**хоньку** silently, noiselessly (*без шума*); secretly, on the sly, by stealth, furtively (*украдкой*); '~ше *см.* тише.

пот||**ливость** disposition to perspire (sweat); ~ливый subject to sweat; ~ник saddle-cloth; '~ный perspiring, damp with perspiration; sweaty; '~ное лицо moist face; (холодные) '~ные руки damp (clammy) hands.

потогон||**ный** ~ое средство sudorific, diaphoretic; ~ая система sweating system.

поток stream; flow, torrent (*сильный*); п. слов flow (string) of words; людской п. stream of people; ⊸и крови streams of blood; лить ⊸и слёз to weep in torrents; ⊸ообра́зный torrential.

потолка́ть to push; ⊸ся: ⊸ся в толпе to jostle about in the crowd; ⊸ся по белу свету to knock (wander, rove) about the world.

потолкова́ть см. толковать; to have a talk (about).

потоло́к ceiling.

потолсте́ть to grow fat, to put on flesh (weight).

пото́м afterwards; after this (that) [после этого (того)]; next, then (затем); subsequently (впоследствии); later on (после, как-нибудь, потом); когда-нибудь п. some day after.

пото́мн‖ый, ⊸о by volumes.

пото́м‖ок descendant, offspring; ⊸ки progeny; ⊸ки мужского рода юр. male issue; ⊸ственный hereditary; ⊸ственный дворянин а nobleman by birth; ⊸ственный пролетарий proletarian by birth; ⊸ство posterity, descendants, offspring, progeny; race, breed (от общего предка); one's own flesh and blood (кровное); у него не было ⊸ства he had no issue.

потому́ therefore, consequently; п. что because. for, on account of, in consequence of; вот п.-то я и не пришёл that's just why I didn't come; он сделал это и п. я... he did it and therefore I...

потону́ть to be drowned, to drown; to sink (о судне и пр.).

пото́п flood, inundation, deluge; всемирный п. the Flood.

потопа́ть см. потонуть.

потопи́ть I см. потоплять.

потопи́ть II. см. потапливать.

потопл‖е́ние sinking; ⊸я́ть to sink, drown; см. затоплять.

потора́пливать см. торопить.

поторгова́ть(ся) см. торговать (-ся); to bargain; to haggle over.

поточи́ть to sharpen a little.

пото́чн‖ый: ⊸ая система производства conveyer system in industry.

потра́в‖а damage to a field caused by cattle; ⊸и́ть см. травить.

потра́гивать см. трогать; to touch slightly and often.

потра́ф‖ить, ⊸ля́ть to please; на него трудно ⊸ить he is hard to please.

потре́б‖а уст. need, want; всем на ⊸у for all who are in need.

потреби́тель, ⊸ница consumer; ⊸ная стоимость costs; ⊸ская кооперация co-operation of con-

sumers; ⊸ская лавка co-operative stores; consumers' co-operative stores; ⊸ская сила consuming power; ⊸ское общество co-operative society; ⊸ские товары consumers' goods.

потреб‖и́ть см. потреблять; ⊸ле́ние consumption, use, expenditure; общественное ⊸ление public consumption; ⊸ля́ть to consume, use, expend; ⊸ля́ться to be consumed, used; ⊸ля́ющий район consuming district.

потре́бн‖ость want; necessity (необходимость); need (нужда); requirement (требование); longing (желание); физическая п. physical necessity; жизненные ⊸ости the necessaries of life; человек с небольшими ⊸остями a man of few wants; ⊸ый necessary, needful.

потре́б‖овать см. требовать; он ⊸овал доктора he asked for a doctor; he called for the doctor; ⊸оваться см. требоваться; ⊸ласть баллотировка a poll was demanded; сахару не ⊸уется? any sugar?

потрево́жи‖ть(ся) см. тревожить (-ся); to disturb, trouble; я не ⊸л (побеспокоил) вас? excuse my troubling you; он ни разу не ⊸лся (потрудился) это сделать he never took pains to do it.

потрёпанн‖ый shabby; иметь п. вид to look shabby (seedy); ⊸ое платье shabby clothes; ⊸ые книги ragged books.

потрепа́ть см. трепать; п. за волосы to pull the hair; п. по плечу to tap on the shoulder; п. по щеке to pat the cheek.

потре́‖скивание crackling; ⊸скивать, ⊸ща́ть to crackle; огонь ⊸скивает the fire is crackling.

потро́гать to touch.

потро‖ха́ bowels, intestines, pluck; ha(r)slet (особ. свиные); giblets (особ. гусиные); ⊸ши́ть to (dis)embowel, gut, eviscerate, clean.

потруди́т‖ься см. трудиться; ⊸есь это сделать be good enough to do it; do it please; give yourself the trouble; do it, take the trouble of doing it.

потряс‖а́ть to shake; to brandish (оружием); крики ⊸а́ют воздух shouts rend the air; он был ⊸ён he was much shaken (by, at); ⊸а́ющий stunning, stupendous; ⊸а́ющаявесть terrible news; ⊸а́ющее событие event of utmost importance, world-shaking event; ⊸е́ние shock, blow; вызвать нервное ∼ение to cause shock; *разг.* to give one a turn; ∼тӥ *см.* потрясать.

потря́хивать *см.* трясти; to shake (now and then).

поту́ги travail, birth pangs (*родовые*); *фиг.* painful (laborious) efforts.

потужи́ть *см.* тужить; to grieve a little.

поту́п‖ить(ся) *см.* потуплять (-ся); она́ стоя́ла ∼ив глаза́ she stood with downcast eyes; ∼ленный downcast; ∼ля́ть глаза́ to drop (cast down) one's eyes, to look down; ∼ля́ться to look down, cast down one's eyes.

по-туре́цки in Turkish, in the Turkish way; сиде́ть п. to sit cross-legged, to sit Turkish fashion.

потускне́‖вший, ∼лый tarnished (*о металле*); dimmed (*о взгляде*); ∼ть *см.* тускнеть.

потусторо́нний belonging to the other world.

потух‖а́ние extinction; ∼а́ть, '∼нуть *см.* тухнуть; ого́нь поту́х the light has gone out (is out); '∼ший extinct (*о вулкане и пр.*).

потуши́ть *см.* тушить; п. газ to turn out the gas; п. пожа́р to extinguish a fire; п. свет to put out the light; п. свечу́ to blow out a candle; п. электри́чество to switch off the electric light.

по́тчева‖ние, по́тчива‖ние regaling; ∼ть to regale, treat, entertain choicely (*with*).

потя́‖гивание stretching oneself; ∼гивать, ∼ну́ть to pull; to sip, drink (*пить*); ∼гиваться, ∼ну́ться to stretch oneself.

поуба́вить to lessen, diminish.

по-уда́рному in a shock worker's way (manner), using shock methods.

поумне́ть to grow wiser.

поуро́чн‖ый: ∼ая пла́та piece-work pay; ∼о by the job.

поутру́ in the morning.

поуч‖а́ть to teach, instruct; ∼е́ние lesson; precept (*предписание*); sermon (*проповедь*); ∼и́тельный instructive; ∼и́ть *см.* поучать.

по-францу́зски in French (*на фр. яз.*); in the French way (*на фр. манер*).

похаб‖‖ник *вульг.* ribald, foul-mouthed man; ∼ничать to speak obscenely; ∼ный indecent, gross, vulgar, foul, obscene, coarse; ∼ство, ∼щина ribaldry, obscenity, indecency, grossness, coarseness.

похвал‖а́ praise, commendation; compliment; *рит.* eulogy, encomium, panegyric; отзыва́ться о к.-л. с ∼о́й to speak favourably of a person; он был вы́ше вся́кой ∼ы́ he was beyond (above) all praise; '∼ивать to praise (from time to time); ∼ить(ся) *см.* похвалять(ся); ∼ьба́ brag, boasting; '∼ьный laudable, praiseworthy; ∼ьный лист school certificate (testimonial) of good conduct and improvement (progress); '∼ьное сло́во eulogy, encomium; ∼и́ться to boast (of); не могу́ ∼и́ться свое́й кварти́рой I can't boast of my flat; не могу́ ∼иться свои́ми ученика́ми my pupils do not do me much credit; ∼и́ться свое́й си́лой to boast of one's strength.

похва́рыва‖ть to be (frequently, often) unwell (indisposed); я э́ту зи́му что́-то ∼ю I've been unwell most of the time this winter; I've not been feeling very well (strong) this winter.

похва́стать(ся) *см.* похвалять(ся).

похвата́ть *см.* расхвата́ть; to seize, catch.

похе́ри(ва)ть *вульг.* to cross out (off), cancel.

похи‖ти́тель(ница) ravisher; abductor, kidnapper; usurper; ∼тить, ∼ща́ть to ravish (*поэт. о похищении женщины*); to kidnap, abduct (*ребёнка, взрослого*); to steal (*украсть*); ∼ще́ние rape, ravishment, abduction, kidnapping; theft (*см.* похищать).

похлёб‖ка soup, skilly; ∼ывать *см.* хлебать.

похлóп(ыв)ать to clap a little; п. по спине́ to pat on the back (*в знак одобрения*); to slap one's back (*при кашле и пр.*).

похме́лье drunken headache; п. по́сле весёлой но́чи «the morning after the night before» (*sl.*); в чужо́м пиру́ п. being an involuntary sharer in other people's misfortunes.

похо́д 1. *воен.* campaign, march, expedition; campaign (*за грамотность и пр.*); кресто́вый п. crusade; выступа́ть в п. to march; 2. overweight (*излишек в весе*); с ∼ом with a little overweight.

похо‖ди́ть I. to resemble, look (be) like; to have a likeness (*to*); to bear resemblance (*to*); он '∼дит на мать he is like his mother; he takes after his mother.

похо́д‖ить II. *см.* ходить; to walk a little; '∼ка walk, gait; ∼ка крупными, ровными шагами swinging gait, stride; переваливающаяся ⌐ка waddle; суетливая, торопливая ⌐ка scuttle; тихая ⌐ка slow walk; я узнаю его по ⌐ке I shall recognize his walk.

похо́дн‖ый of a campaign; ⌐ая кровать camp (folding) bed; ⌐ая кухня travelling kitchen; вести ⌐ую жизнь to campaign, to serve on a campaign.

похо́дя *уст.* on the march (*на ходу*); делать ч.-л. п. to do something by the way.

похожде́ние adventure.

похо́ж‖е like; п. на дождь it looks like rain; это ни на что не п. it is unheard of (*о поведении*); I've never seen the like of this; ⌐ий similar, resembling, like; ⌐ий как две капли воды as like as two peas; ⌐ий на воск, железо *и пр.* waxy, irony *etc.*; ты сам на себя не похо́ж you don't look yourself; они очень ⌐и друг на друга they are very much like each other.

похоро́н‖и́ть *см.*хорони́ть;' ⌐ный funeral, obsequial; *фиг.* funereal (*похоронного характера*); ⌐ный звон knell; passing bell; ⌐ный марш dead march; участник '⌐ного шествия mourner; '⌐ное бюро undertakers.

по́хороны burial, funeral, funeral ceremony, obsequies.

по-хоро́шему without quarrelling; поговорить п. to talk in a peaceable (kind, amicable, friendly) way.

похотли́в‖ость lasciviousness, lubricity, lust, lechery, voluptuousness; ⌐ый lascivious, lewd, wanton (*о людях и желаниях*).

по́хоть lust, coveting, desire; the desires of the flesh.

похра‖пе́ть to snore a little while; ⌐пывать to snore quietly.

похрома́ть to limp, be lame (for some time).

поца́рствовать to reign (for some time).

поцел‖ова́ть *см.* целовать; она ⌐ова́ла его she kissed him; ⌐у́й kiss.

поча́сно hourly, by the hour.

поча́сту *уст.* often.

почато́й *см.* початый.

поча́т‖ок *текст.* сор; ⌐ый commenced, begun.

поча́ть *см.* починать.

поча́ще oftener, more often.

по́чв‖а soil, ground, earth, land; плодородная п. rich (fertile) soil;

стоять на твёрдой ⌐е to go (stand, be) upon sure (firm) ground; терять ⌐у под ногами to lose foothold; to go beyond (out of) one's depth; ⌐енный of soil; ⌐енная влага soil moisture; ⌐ове́дение soil science; ⌐оуглуби́тель kind of plough.

по-челове́чески in a human way.

почём 1.: п. эти яблоки? what's the price of these apples?; what do these apples cost?; 2.: п. знать? who knows?; п. я знаю? how am I to know?; how (ever) do I know?

почему́ why; вот п. that is why; ⌐-то for some reason or other; он ⌐-то не хотел это сделать he refused to (he did not) do it for some reason or other.

по́черк hand(writing); иметь хороший п. to write a good hand.

почерне́‖вший, ⌐лый blackened, grown black; ⌐ть to grow black.

почерни́ть to blacken.

почерп‖а́ть, ⌐ну́ть *см.* черпать; откуда вы такие сведения ⌐ну́ли? where did you get this information from?

почеса́ть *см.* почёсывать; п. язык *фиг.* to gossip.

по́честь‖ honour, distinction; respect, esteem (*уважение*); оказывать к.-л. ⌐и to honour somebody.

почёсывать to scratch (a little); ⌐ся to scratch oneself.

почёт honour, respect, esteem; он пользуется общим ⌐ом и любовью he is beloved and honoured (esteemed) by everybody; he enjoys general love and respect (esteem); он у них в большом ⌐е he stands high in their esteem, they make very much of him; ⌐ный honourable (*приносящий почёт*); honorary (*о звании и пр.*); complimentary (*о грамоте и пр.*); ⌐ный караул guard of honour; ⌐ный президиум honorary presidium; ⌐ный член honorary member; ⌐ное место place of honour.

по́чечка *бот.* gemmule.

по́чечник *мин.* jade.

по́чечн‖ый pertaining to the kidneys, nephritic; п. камень (gall-)stone; ⌐ая лоханка *мед.* pelvis of the kidney; ⌐ое сало suet.

почечу́йник *бот.* peachwort.

почива́‖льня *уст.* bedchamber, state-bedroom; ⌐ние sleeping, resting, reposing; ⌐ть to sleep, rest, take one's rest; ⌐ть в могиле to lie (rest) in the grave.

почи́вший the deceased.

почи́н *см.* начинание; beginning; start; делать п. to be the first to try (to buy, to begin *etc.*) something; to han(d)sel (*редк.*); **~а́ть** *уст. см.* начинать; to begin; to broach (*бочёнок, ящик*).

почин‖**и́ть** *см.* починять; **'~ка** mending, repairing; darning (*чулка*); отдать в '~ку to have something mended; **~я́ть** *см.* чинить; to mend up.

почи́стить *см.* чистить; отдать сапоги п. to have one's boots polished.

почита́й *см.* почитать II.

почита́‖**ние** honouring, respect (-ing), esteem(ing); reverence, worship (*как святыню*); **~тель**(**ни**ца) admirer (*особ. таланта*); worshipper.

почита́ть I. to honour, respect, look up (*to*), esteem (*уважать*); to worship, revere, venerate (*благоговеть, поклоняться*).

почита́‖**ть** II. *уст.* to think, believe, consider (*as*); to look upon; п. другом to consider one to be a friend; п. за честь to esteem it an honour; п. своим долгом to consider it one's duty; они, **~й**, всё забрали it seems they have taken everything; they seem to have taken almost everything.

почит‖**а́ть** III. to read a little; '**~ывать** to read now and then (sometimes).

почи́ть *см.* почивать; to die, pass away, depart from life, to breathe one's last (*умереть*).

почи́ще 1. cleaner; 2. *фиг.* stronger, better.

по́ч‖**ка** I. *анат.* kidney; воспаление **~ек** nephritis.

по́чк‖**а** II. *бот.* bud, burgeon; gemma (*листа*); shoot (*побег*); **~ова́ние** gemmation, gemmulation.

почкови́дный *анат.* reniform, having the shape of a kidney.

почконо́сный *бот.* gemmiferous.

по́чт‖**а** post; mail; post-office (*почтамт*); general post (*игра*); городская п. town post; утренняя п. morning post; по **~е** per post, by post (mail); воздушной **~ой** by air mail; ехать **~ой** *ист.* to travel by post; с обратной **~ой** by return of post, by return mail.

почтальо́н postman, letter-carrier.

почта́мт post-office; центральный п. General Post-Office.

почт-дире́ктор *уст.* Postmaster-General.

почте́ние respect, esteem (*ува-* жение); consideration (*в письмах*); honour, veneration; засвидетельствовать кому-либо п. to present one's respects to a person; мое п.! my compliments; оказывать п. to treat with respect; он шлёт вам своё п. he gives (sends, presents) you his respects; he sends his duty to you; остаюсь с совершенным **~м** *уст.* (*в письме*) I remain, with the highest esteem (respect), yours faithfully (very truly).

почте́н‖**ый** honourable, respectable; time honoured (*о возрасте, сроке и т. п.*); п. возраст a venerable age; это очень **~ая** работа (занятие) this is a highly creditable (respectable) occupation; очень **~о** заниматься таким делом it is most creditable to undertake this sort of work.

почти́ almost, nearly, well-nigh; at the point (*of*), almost; п. того же размера much of the same size; это п. то же самое that's pretty much the same thing; моя работа п. готова my work is almost ready (done, finished).

почти́тельн‖**ость** respectfulness, deference, respect; **~ый** respectful, deferential; **~ый** сын respectful son; держать к.-л. на **~ом** расстоянии to hold one at arm's length.

почти́‖**ть** *см.* почитать I; п. память вставанием to stand up in memory (*of somebody deceased*); он **~л** своим присутствием he honoured by his presence.

почти́-что *см.* почти; п.-ч. ничего almost nothing.

почтме́йстер *уст.* postmaster.

почто́в‖**ый** post (*attr.*), of post, postal, postage; п. пароход packet-boat, mail-boat; п. поезд mail-train; п. штемпель postmark; п. ящик letter-box; pillar-box; **~ая** бумага note-paper, letter-paper; **~ая** карета *ист.* stage-coach, post-chaise, mail-coach; **~ая** карточка post card; **~ая** контора post-office; **~ая** марка (postage) stamp; **~ая** станция *ист.* post-station; **~ая** сумка post-bag; **~о-телеграфные** служащие postal and telegraph employees; на **~ых** *ист.* using post horses; *фиг.* hastily, in haste; с оплаченными **~ыми** расходами post-paid, carriage-paid.

почу́вствовать to feel, experience; to have a sensation.

почу́ди‖**ться** to appear, seem; мне **~лось** it seemed to me; I seemed to hear (to see), I thought I heard (saw).

почу́ять to scent, smell (*обонянием*); to hear (*слухом*).

пошали́||вать, '~ть to have a bit of fun; у меня́ се́рдце ~ва́ет *разг.* my heart is out of order; здесь ~ва́ют it is not quiet in this place; this place is not safe.

пошат||а́ть, ~ну́ть, '~ывать to push (rock) something slightly; ~а́ться to roam, stroll about (*бродить*); ~ну́ться to lean on one side; дом (столб)~ну́лся the house (pillar) is leaning on one side; ~ну́вшееся зда́ние a ramshackle (tipsy, crazy) building; '~ываться to walk *or* stand unsteadily; to stagger; to reel from side to side (*в пьяном виде*).

пошвы́р||ивать, ~ть *см.* швыря́ть; to toss, throw about.

пошевёл||ивать, '~ить to move, touch, push (slightly); он па́льцем не ~и́л he never budged; he never stirred a finger; ~ива́ться, ~и́ться: ~ива́йся! hurry up!; don't dawdle!; stir your stumps! (*sl.*).

пошепта́||ть(ся) *см.* шепта́ть(ся); они́ ~лись и ушли́ they talked to each other in a whisper and went off.

пошехо́н||ец very provincial person; wise man of Gotham, Gothamite; ~ье *фиг.* dull province; Gotham.

пошиб manner, smack, tinge.

поши́в||ка sewing; ~очно-почи́ночные мастерски́е sewing workrooms (shops) for making new and repairing old clothes.

поши́ть to sew a little occasionally.

пошлёп(ыв)ать: п. по грязи to wade in mud.

по́шлин||а duty, customs, tax, impost; ввозна́я п. import duty; вывозна́я п. export duty; покрови́тельственная п. protective (countervailing) duty (*на товары, конкурирующие с местными*); опла́ченный ~ой duty paid; подлежа́щий опла́те ~ой dutiable; список необлага́емых ~ой това́ров free list; у вас есть (предъяви́ть) ч.-л., подлежа́щее опла́те ~ой? have you anything to declare?; освобождённый от ~ы duty free.

пошл||ова́тый rather vulgar; '~ость vulgarity, triviality, banality, platitude;' ~ый trivial, banal, commonplace; ~я́к vulgar person; ~я́тина *см.* по́шлость.

поштучн||ый by the piece (*о плате и пр.*); опла́чиваемый ~о paid by the piece.

пошуме́ть to make (raise) a noise, a row.

пошути́||ть to joke, jest, laugh a little; я то́лько ~л I was only joking.

пошу́чивание joking.

пощад||а mercy, pardon, quarter; без ~ы without mercy; нет ~ы no quarter; проси́ть ~ы to cry quarter (for mercy); ~и́ть to spare, have mercy.

пощёлк||ивание clicking; ~ивать to crack (*орехи*); ~ивать па́льцами to snap one's fingers; ~ивать языко́м to click, to make a click (with the tongue).

пощёчин||а a slap in the face; box on the ear; *фиг.* insult, affront; дать ~у to slap (smack) in the face.

пощип||а́ть, '~ывать to pinch; п. тра́ву to browse (graze) in the meadow, to nibble the grass.

пощу́па||ть to feel; ~й, горячо́ ли? feel (see) whether it is hot; ~йте! feel it!

поэ́зия poetry.

поэ́ма poem; лири́ческая п. a lyric; эпи́ческая п. an epic.

поэскадро́нно by squadrons.

поэ́т poet; пролета́рский п. proletarian poet; слова́рь, стиль ~а poetic diction; ~е́сса poetess; ~изи́ровать to poetize; ~ика poetics, theory of poetry; ~и́ческий, ~и́чный poetic; ~и́ческая во́льность poetic licence; ~и́ческие произведе́ния poetical works; ~и́чно poetically.

поэ́тому therefore, that is why, consequently, accordingly, for that reason.

появ||и́ться *см.* появля́ться; ~ле́ние appearance; ~ля́ться to appear, make one's appearance, put in an appearance, to show oneself; to emerge (*на поверхности*); to heave in sight (*о судне на горизонте*); в Москве́ ~и́лась замеча́тельная актри́са a wonderful actress has made her appearance in Moscow; со́лнце ~и́лось из-за облако́в the sun appeared through the clouds.

по́йр||овый felt (*attr.*); made of felt (lamb's wool); ~ко́вая шля́па felt hat; ~о́к lamb's wool, felt.

по́яс girdle, belt; sash (*завязывающийся*); *геогр.* zone; поля́рный п. frigid zone; спаса́тельный (про́бковый) п. lifebelt, cork-jacket, life-

-buoy; тарифный п. tariff belt; тропический п. torrid zone; умеренный п. North (South) temperate zone; заткнуть к.-л. за п. to outdo someone; кланяться в п. to make a low bow; по п. waist-deep (-high); за ~ом in one's belt.

поясн‖ение explanation, elucidation; ~ительный explanatory; ~ить *см.* пояснять.

поясни‖ца loins, small of the back; боль (прострел) в ~це lumbago.

поясничный lumbar.

поясн‖ой for wearing as a belt; ~ая ванна hip-bath.

пояснять to explain, elucidate, expound, illustrate.

пр. (*сокр.* проч ее) the rest; *обыкн.* и пр. and the like, and so on, etc.

пра- *приставка, часто* great; ~бабка (уш)ка great-grandmother.

правд‖а 1. truth, verity; п. глаза колет 'tis only truth can give offence; п. до конца truth is truth to the end of the reckoning (*Шекспир*); ваша п. you are (in the) right; голая п. naked truth, the plain truth; горькая п. home truth; что п., то п. it is but too true; there is nothing to say against it; это п. that's true, it's true; это истинная п. it's the exact (the real) truth, it's quite true; это сущая (совершенная) п. that's the naked truth; по ~е говоря (сказать) truth to tell, to tell the truth; поступать по ~е to act (behave) according to equity (justice); он не всегда говорит ~у he does not always speak the truth; стоять за ~у to stand up for (defend) a good cause; в том, что он говорит, нет ни слова ~ы there is not a word of truth in what he says; ради ~ы in the interest of truth; всеми ~ами и неправдами by hook or by crook; **2.** *уступит.* it is true; although, certainly; **3.** *вопросит.* indeed?; is that so?, isn't it so?; is it possible?; не п. ли? isn't it so?; вы устали, не п. ли? you must be tired; you are tired, aren't you?

правдив‖ость truthfulness, veracity; ~ый truthful; veracious (*реже*), honest; ~o truthfully, in a truthful manner.

правдоподоб‖ие verisimilitude, probability, plausibility, likelihood; ~ный verisimilar, probable, likely, plausible.

праведн‖ость justness, sinlessness, righteousness; ~ый just, righteous, blessed.

правил‖о rule, maxim, principle, precept, canon; regulation (*внутреннего распорядка и пр.*); п. пропорционального деления rule of proportional division; грамматическое п. grammatical rule; тройное п. the rule of three; это п. относится ко всем this rule applies to all; ~a внутреннего распорядка inner-office (-factory) regulations; ~a езды the rule of the road; ~a уличного движения traffic regulations; соблюдать ~a to keep the rules (regulations); четыре ~a арифметики the first four rules of arithmetic; человек без правил an unprincipled man; по всем ~ам искусства according to the rules of art; after the rules of the trade.

прави‖ло 1. helm, rudder (*руль*); **2.** *мех.* guide-bar, guide-rod, motion-bar, reversing rod; **3.** *охотн.* the tail; brush.

правильно right(ly), accurately, correctly, justly, soundly; не умею это сделать п. I haven't got the trick of it (*разг.*).

правильн‖ость correctness, justness, accuracy; п. слога (языка) correctness of style; ~ый correct, just, accurate, sound; normal (*о телосложении и пр.*); proper (*должный*; *тж.* о дроби); ~ый вывод legitimate inference; ~ый многоугольник rectilineal polygon; ~ый расчёт just estimate; ~ая пропорция just proportion; ~ое соотношение just proportion; ~ое замечание just comment; ~ые черты лица regular features.

правитель, ~ница ruler, governor, administrator, manager; п. дел head clerk, first secretary; ~ственный government (*attr.*); governmental, of government; ~ственный кризис government crisis.

правительств‖о government; временное п. provisional government; ~ующий ruling.

править I. to govern, rule, manage, direct, guide, administer; п. государством to govern (rule) a state; п. железной рукой to rule with an iron hand; п. лошадью to drive a horse; п. рулём to steer.

править II. to correct; п. корректуру to read proofs, to correct (proofs) for the press.

править III. to strop (*бритву*).

правка 1.: п. бритвы stropping; **2.:** п. корректуры proof-reading, correcting.

правлёнец *уст.* member of the board.

правлёни||е 1. direction, administration, management; directorate, board of directors; член ~я member of a board of directors, member of a managing committee; 2. government; искусство ~я государством art of governing; образ ~я form of government.

правну||к great-grandson; ~ки, ~чáта great-grandchildren; ~чка great-grand-daughter.

прáво I. (*наречие*) really, truly, ndeed; I assure you.

прáв||о II. right, law; claim (*особ. предъявляемое на ч.-л.*); п. вето veto; п. голоса vote, suffrage; п. голоса избирательного right of vote (franchise); п. голоса совещательного the r ght to take part in debates; п. гражданства right of citizenship; п. держать вооружённую силу right of keeping an army (armed forces); п. законодательной инициативы initiative; п. на владение title (*to*); п. на жительство right (permit) of residence; п. назначения power of appointment; п. наибольшего благоприятствования preference; most-favoured nation clause; п. охоты right of shooting, shooting rights; п. пользования right of use; п. прохода passage, way-leave, right of way; п. самоопределения the right of self-determination; п. сильного right of might, club-law; п. собственности ownership, the right of property; п. частной собственности private ownership; п чеканки rights of coinage; авторское п. copyright; вещное п. law of estate; государственное п. public (political) law (science); гражданское п. civil law; избирательное п. vote, suffrage; исключительное п. patent right, exclusive right; ленное п. feudal law; международное п. international law, law of nations; морское п. maritime law; наследственное п. hereditary right; неотъемлемое п. imprescriptible right; обычное п. common (unwritten) law; советское п. Soviet law; торговое п. law merchant; уголовное п. criminal law, penology; давать кому-либо п. to entitle a person; изучать п. to read law; иметь п. на пенсию to have a right (to be entitled) to a pension; Декларация **прав** Declaration of Rights; доктор прав doctor of laws;

у него нет никакого ~а he has no manner of right; предъявлять ~á to lay claim (*to*), to assert one's claims; я в ~е I have the right (*to*); по ~у rightfully; принадлежащий по ~у rightful.

правобережный situated on the right bank.

правовéд one knowing the laws; lawyer; ~ение Jurisprudence, (science of) law.

правовéрн||ость orthodoxy; ~ый orthodox, true believer.

правов||ой law, right (*attr.*); lawful, rightful; ~ые отношения legal relations.

правозаступник advocate.

право-левáцкий right-leftist.

правомéрный proportionable, equal.

правомóч||ие competence; ~ный competent; делать ~ным to capacitate.

правонарушéние infringement of the law.

правонарушитель criminal.

правооппортунистíческий right-opportunist.

правописáние spelling, orthography.

правопорядок law and order.

правослáв||ие orthodoxy, Greek Church; ~ный orthodox.

правоспособ||ность capacity; ~ный capable.

правосуд||ие justice; отправлять п. to administer the law; отправление ~ия judicature, administration of the law; ~ный just, equitable.

правотá uprightness, integrity; justice, equity, right, legitimacy, lawfulness.

прáв||ый 1. right (*рука, сторона, тж. полит.*); п. уклон right deviation (trend); ~ая задняя нога the off hind leg; он ~его ~ая рука *фиг.* he is his right hand; на ~ую сторону on the right hand; to the right of; ~ое переднее колесо the off front wheel; 2. right, rightful, just, upright; innocent; ~ое дело just (right) cause; вы ~ы you are right; быть ~ым to be (in the) right.

прáвящий п. класс the ruling class.

Прáга Prague.

прагермáнский Teutonic.

прагмати||зм pragmatism, pragmaticality; ~ческий pragmatic (-al); ~ческая санкция *ист.* pragmatic sanction.

прáдед, '~ушка great-grandfather.

пра́здн‖ество festival, solemnity; Октябрьские ~ества the celebration (of the anniversary) of the October Revolution; ~ик holiday, feast; будет и на нашей улице ~ик *погов.* ≅ every dog has his day; с ~иком compliments (best wishes) of the season (*поздравление*); ~ичный holiday (*attr.*), festive; ~ование celebration; ~ование дня работницы the celebration of Women's Day; ~ование 1-го мая the May Day celebration; ~овать to celebrate; ~овать лентяя to play truant.

праздносло́вие idle talk.

пра́здн‖ость idleness, inactivity; п.—мать всех пороков *погов.* ≅ idleness is the mother of want; ~ошата́ние vagrancy; ~ошата́ющийся idler, truant, vagabond; ~ый idle; ~ый разговор idle (vacant, empty) talk; ~о idly.

пра́ктик 1. practical worker; 2. practical man (woman).

пра́кти‖ка practice; у доктора большая п. the doctor has a large practice; на ~ке in practice; не имеющий ~ки briefless (*о юристе*); заниматься медицинской ~кой to practise medicine; ~ка́нт probationer; ~кова́ть(ся) to practise; ~кующий practising; это часто ~куется it is often done; ~ци́зм practicality; ' ~ческий practical; ~ческий смысл common sense; ~ческий человек practical man; ' ~ческая меди́цина practical medicine; ' ~ческие занятия practical courses; ' ~чность practicality; ' ~чный practical.

пра‖ма́терь our first mother, mother of mankind; ' ~отец forefather; отправиться к ' ~отцам to be gathered to one's fathers.

пра́порщик *ист.* ensign.

прароди́тель forefather, ancestor; primogenitor; ~ский ancestral.

пра́сол cattle-dealer, grazier.

прах dust, earth; ashes (*мёртвого*); обратить в п. to reduce to dust (to ashes); разнести в пух и в п. to give one a sound scolding; всё пошло ~ом all went to rack and ruin; мир ~у его peace to his ashes, may he rest in peace.

пра́ч‖ечная laundry; wash-house; ~ка laundress, washerwoman.

пращ‖а́ sling; метать из ~й to sling.

пра́‖щур great-grandfather's grandfather; ancestor; ~язык *фил.* parent language.

пре- *приставка*; very, most (прескучный very dull; премилый most charming); *в глаголах* sur-, over- (превысить to surpass; превозмочь to overcome).

пребыва́‖ние stay, residence, sojourn; постоянное п. domicile (*адрес*); долгое п. у власти a long run of power; ~ть to stay, reside, sojourn; to continue; ~ть в вере to walk in faith.

превали́ровать to prevail.

превенти́вный preventive.

превзой‖дённый surpassed; не п. unequalled, unrivalled, unsurpassed; быть ~дённым кем-л. to yield the palm to one; ~ти́ *см.* превосходить; ~ти всех to surpass all; to whip creation; to take the cake (*sl.*); ~ти ожидания to top expectations; ~ти самого себя to surpass (outdo) oneself.

превозмо‖га́ть, ' ~чь to overcome, master, surmount.

превозн‖есе́ние exaltation; ~ести́, ~оси́ть (до небес) to exalt, extol, laud, praise (to the skies); to speak in (the most) flattering terms; ~оси́ться to be exalted (extolled); ~оше́ние exaltation.

превосходи́тель‖ный having the title of excellency; ~ство *ист.* excellency; Ваше П~ство Your Excellency.

превосход‖и́ть to surpass, excel, outdo, outgo, top, outclass; to exceed (*превышать*); п. в цене to outvalue; п. числом to outnumber; это ' ~ит всё that beats everything; ' ~ный excellent, capital, first-class, splendid, rare; ripping, clinking, spanking (*sl.*); ' ~ная степень *гр.* superlative (degree); ' ~но excellently, superiorly, capitally, first-class; ~но! capital!, excellent!; ' ~ство superiority; иметь ~ство to have the upper hand; ' ~ствовать to surpass.

преврати́ть(ся) *см.* превращать (-ся).

превра́тн‖ость vicissitude; ~ости судьбы the reverses (tricks) of fortune, the ups and downs, the vicissitudes of life; ~ый changeful (*изменчивый*); wrong (*неправильный*); ~о wrongly; ~о истолковать to misinterpret, misapprehend.

превращ‖а́ть to turn, change, transform, transmute, convert, metamorphose (*into*); п. в пыль to reduce to powder, pulverize; п. в стекло to turn into glass, vitrify; п. в уголь to carbonize; ~а́ться to turn, change, be converted (into), become; ~**éние** transformation, conversion, change, transmutation; metamorphosis (*чудесное*); ~ение в стекло vitrification; ~ение в уголь carbonization.

превы‖**сить**, ~**шáть** to exceed, go beyond, top; п. свой кредит в банке to overdraw; п. свои полномочия to exceed one's commission; ~**шáться** to be exceeded *и пр.*; ~**ше** *уст.* above, over; ~**шéние** excess; ~шение власти exceeding (going beyond) one's authority (power); ~шение нормы exceeding the norm; ~ение своего кредита в банке overdraft; план был выполнен с ~**шéнием** the plan was overfulfilled (fulfilled to excess).

прегрá‖**да** obstacle, obstruction, bar, barrier, impediment; грудобрюшная п. *анат.* diaphragm; ~**дить**, ~**ждáть** to obstruct, block up, bar, impede; ~ждать путь to stop (block) the way; ~**ждáться** to be obstructed (barred, impeded); ~**ждéние** hindering, blocking (up).

прегреш‖**áть** *уст.* to sin, transgress; ~**éние** sin, transgression; ~**и́ть** *см.* прегрешать.

пред *см.* перед.

пред- *сокр.* председатель, представитель.

предавáть to betray, to play one foul (*изменять*); п. забвению to bury in oblivion; п. земле to commit (consign) to the grave, to commit to earth, to bury; п. мечу to put to the sword; п. огню to commit to the flames; п. проклятию to curse, anathematize; п. смерти to put to death; п. суду to bring to (to put on) trial; ~**ся** to give (abandon) oneself (*to*), to addict oneself (*to*); ~ся горю to give way to grief; ~ся мечтам to fall into reverie; ~ся отчаянию to give way (abandon oneself) to despair; ~ся порокам to addict oneself to vice, to indulge in vice.

предáние I. tradition (*изустное*); legend, traditional story (*легенда*).

предáние II.: п. земле burial, committing to the grave; п. смерти putting to death; п. суду bringing to trial, arraignment.

прéдани‖**ость** devotion, devotedness, attachment; ~**ый** devoted, attached; ~**ый** вам yours truly (*в письме*); ~**ый** одному делу single-minded, true to one object; ~**ый** рабочему классу devoted to the working class; ~**ый** сын duti-

ful son; *см. тж.* предавать; ~**о** devotedly.

предáтель traitor, betrayer; ~**ница** traitress; ~**ский** treacherous, traitorous, perfidious; ~**ский** румянец telltale blush; ~**ски** treacherously *и пр.*; ~**ство** treachery, betrayal, treason, perfidy, foul play.

предáть(ся) *см.* предавать(ся).

предбáнник room before Russian bath for undressing.

предварéние forewarning, premonition, telling beforehand (*предуведомление*); precedence, forestalling (*упреждение*); п. равноденствий *астр.* precession.

предвари́тельн‖**ый** preliminary; п. экзамен preliminary examination; ~**ая** продажа билетов advance ticket sale; ~**ая** смета preliminary estimate(s); ~**ое** заключение imprisonment before trial (*тюремное*); ~**ое** следствие preliminary investigation; ~**ое** условие condition precedent, pre-condition; по ~**ому** соглашению by preliminary arrangements; ~**ые** переговоры *полит.* pourparlers; ~**ые** расходы initial expenses; ~**о** as a preliminary, first (of all).

предвар‖**и́ть**, ~**я́ть** to tell beforehand, warn, forewarn (*о чём-л.— of*); to precede, forestall, anticipate (*упредить*).

предвéдение *уст.* prescience, foreknowledge.

предвéст‖**ие** presage, foretoken, omen; portent (*чего-л. недоброго*); ~**и́ть** *см.* предвещать; ~**ник**, ~**ница** forerunner, precursor; presage (*только о неодушевл.*); чёрные тучи — ~**ники** бури dark clouds are the presage of a storm.

предвéчный *уст.* having no beginning *or* source.

предвещá‖**ние** prediction, foretelling; ~**ть** to foretoken; to forebode, presage, portend (*недоброе*); to foretell (*только о людях*).

предвзя́т‖**ый** preconceived; ~**ое** мнение preconceived notion (*или* opinion), preconception, prejudice (*against, in favour of*).

предвиде‖**ние** foresight, prevision, foreknowledge; ~**ть** to foresee, foreknow; ~**ться** to be foreseen; to be in view.

предвку‖**си́ть**, ~**шáть** to foretaste; to anticipate with pleasure, to look forward (*to*); ~**шáемое** удовольствие pleasure to come; ~**шéние** foretaste, anticipation, expectation (*of*).

предводи́тель, ~ница leader; п. дворя́нства *ист.* Marshal of the nobility; ~ство leadership, command; ~ствовать to command, lead, to be the leader.

предвозве́|стить *см.* предвозвеща́ть; '~стник, '~стница foreteller, forerunner; ~ща́ть to foretell, prophesy; ~ще́ние foretelling.

предвосхи́|тить, ~ща́ть to anticipate; не ~ща́йте собы́тий don't anticipate events; ~ще́ние anticipation.

предвы́борн|ый (pre-)election (*attr.*); ~ая кампа́ния (pre-)election campaign; canvassing (*с ли́чным обхо́дом избира́телей на дому́*); ~ое собра́ние pre-election meeting.

предго́рье foot-hill.

преддве́рие beginning, eve; introduction to.

преде́л limit, bound; п. сча́стья summit of happiness; э́то вне ~а мои́х сил it is beyond (the compass of) my powers; в ~ах го́да within a year; не выходи́ть из ~ов зако́на to keep within the law; ~ы колеба́ния температу́ры the range of temperature; за ~ы outside of, beyond (the limit of); ~ьный срок limitation; вы́йти в отста́вку за достиже́нием ~ьного во́зраста to retire under the limit-of-age law; ~ьная ли́ния boundary line; ~ьная ско́рость top speed; ~ьное напряже́ние breaking point.

предержа́щи|й *уст.*: вла́сти ~е the powers that be, constituted authorities.

предзавко́ма chairman of a Factory Committee.

предзнаменов|а́ние foretoken, omen, auspice, augury; prognostic (*особ. мед.*); foreboding, portent (*дурно́го*); э́то хоро́шее (плохо́е) п. it is of good (bad) omen, it bodes well (ill); ~а́ть to foretoken, foreshadow; to forebode, portend (*недо́брое*).

предика́|т *гр.* predicate; ~ти́вный predicative; ~ти́вно predicatively; ~ция predication.

предиле́кция predilection, partiality (*for*).

предисло́вие preface, foreword, introduction, preamble, proem; служи́ть ~м to preface.

предиспо́лкома chairman of an Executive Committee.

пре́дки *см.* пре́док.

предлага́ть to offer; to conjecture (*исправле́ние те́кста*); to propose (*зага́дку, тео́рию, тост, кандида́та и пр.*); to put forward, propound (*тео́рию*); to suggest (*выска́зывать предположе́ние*); п. внима́нию to propose, put forward, bring forward, call attention (*to*); п. по́мощь (соде́йствие) to proffer help (assistance); п. резолю́цию to move a resolution; п. ру́ку to tender (offer) one's hand; to propose (marriage) (*to*); п. ру́ку и се́рдце to offer one's heart and hand.

предло́г 1. *гр.* preposition; 2. pretext, pretence, make-believe, stalking-horse, blind; под ~ом on (under) the pretext (*of*), under cloak (colour, cover) (*of*), under pretence (*of*); on the plea (*of*) служа́щий ~ом ostensible.

предложе́ни|е offer, proposal, overture, proposition, suggestion; motion (*в собра́нии*); *экон.* supply; *гр.* sentence; proposition (*в ло́гике*); п. при́нято (отве́ргнуто) motion carried (lost) (*в собра́нии*); вво́дное п. parenthesis; гла́вное (прида́точное) п. *гр.* principal (subordinate) clause; просто́е (сло́жное) п. *гр.* simple (complex, compound) sentence; сли́тное п. contracted sentence; де́лать п. to propose, *разг.* to pop the question (*о бра́ке*); спрос и п. supply and demand; ми́рные ~я overtures for peace.

предложи́ть *см.* предлага́ть; п. попра́вку (*в собра́нии*) to move an amendment.

предло́жный: п. паде́ж *гр.* prepositional case.

предме́стье suburb.

предме́т object; subject, topic, theme (*разгово́ра*); *комм.* article; п. его́ любви́ the object of his love; *разг.* his flame; п. насме́шки object (butt) of ridicule, laughing-stock; п. спо́ра the point at issue; на п. for; перемени́ть п. разгово́ра to change the subject; служи́ть ~ом о́бщих толко́в to be much talked of, to be the talk of the town; ~ы пе́рвой необходи́мости the necessaries of life, the articles of prime necessity; ~ы широ́кого потребле́ния commodities; ~ность objectivity; ~ный object (*attr.*), objective; ~ный катало́г subject-catalogue; ~ный уро́к object-lesson.

предмо́стн|ый: ~ое укрепле́ние bridge-head.

предназнач|а́ть to intend, reserve (*for*); to destine, foreordain, predestine; для кого́ э́то '~ено?

for whom is it intended (meant)?; ~**áться** to be intended *и пр.*; ~**éние** destination, predestination; '~**ить** *см.* предназначать.

преднамéрен‖**ие** premeditation, set purpose, forethought; *юр.* malice prepense; ~**ность** premeditation, forethought; ~**ный** premeditated, aforethought; ~**но** of set purpose, by design.

предначерт‖**áние** outline, plan, design; ~**áть**, '~**ывать** to outline (sketch, plan) beforehand.

предо *см.* перед.

предобéденный pre-prandial, before dinner (*attr.*).

предóбрый very kind.

пред‖**ок** ancestor, forefather; ~**ки** ancestors, ancestry, forbears.

предопредел‖**éние** predestination (*рел.*), fatality, ~**ённый** predestined, foreordained, fated; ~**и́ть**, ~**я́ть** to predestine, foreordain, preordain, predetermine, ordain.

предостáв‖**ить** *см.* предоставлять; ~**лéние** leaving, giving; с ~**лéнием** ему права leaving him the right; ~**ля́ть** to leave, let, allow; ~**ля́ть в чьё-л.** распоряжение to place at one's disposal; ~**ля́ть самому себе** to leave someone alone; to leave someone to his own devices (to shift for himself); ~**ля́ть** удобный случай to give (afford) an opportunity; я ~**ля́ю** это на ваш выбор I leave it to your choice; ~**ьте** это ему leave it to him; ~**ля́ться** to be left.

предостере‖**гáть** to warn, caution (*against*), admonish (*of*), to put one on one's guard; ~**жéние** warning, caution, premonition, admonishment, forewarning; '~**чь** *см.* предостерегать.

предосторóжност‖**ь** precaution, safe-guard; из ~**и** out of precaution; меры ~**и** precautions; принимать ~**и** to take precautions.

предосуди́тельн‖**ость** blameworthiness, reprehensibility; ~**ый** blameworthy, blamable, reprehensible; считать ~**ым** to hold blameworthy; to be scandalized (shocked) (*by*); ~**о** blameworthily *и пр.*

предотвра‖**ти́ть**, ~**щáть** to prevent, preclude; to avert, ward off, obviate (*опасность*); п. сомнение to preclude doubt; п. трату to prevent waste; ~**ти́ться**, ~**щáться** to be prevented *и пр.*; ~**щéние** prevention, precluding; averting, warding off.

предохран‖**éние** protection, preservation; ~**и́тель** protector, preservative, guard; ~**и́тельный** preservative; ~**и́тельный клапан** safety-valve; ~**и́тельная лампа** safety-lamp, Davy lamp (*шахтёра*); ~**и́тельная мера** precautionary measure; ~**и́тельная прививка** preventive (protective) inoculation; ~**и́тельное средство** preservative; *мед.* prophylactic; ~**и́ть**, ~**я́ть** to protect, preserve, keep safe (*from*); ~**и́ться**, ~**я́ться** to be protected; to protect oneself.

предощу‖**ти́ть**, ~**щáть** *уст.* to feel by anticipation.

предписá‖**ние** order, injunction, prescription, writ; секретное п. secret order; согласно ~**áнию** by order; ~**áть**, '~**ывать** to prescribe, enjoin, order, ordain, dictate.

предплéчье *анат.* forearm.

предплюснá *анат.* tarsus (*pl.*-si).

предпол‖**агáемый** supposed, reputed, putative, conjectural; ~**а**-**гáть** to (pre-)suppose, surmise, conjecture; to propose (*намереваться*); что вы ~**агáете** сделать? what do you think of doing?; ~**о́жим**, что это треугольник let us suppose (assume that) it is a triangle; ~**ожим**, вы заболеете suppose you fall ill; ~**агáться** to be supposed *и пр.*; завод ~**агáется** пустить к 1 мая the works propose to start operations on May 1st; ~**ожéние** supposition, presupposition, surmise, conjecture; hypothesis; assumption; ~**ожи́тельный** suppositive, conjectural, hypothetical; ~**ожи́тельно** supposedly, suppositively *и пр.*; ~**ожи́ть** *см.* предполагать.

предполя́рный subarctic.

предпослá‖**ть** *см.* предпосылать; он ~**л** своему докладу обзор литературы he prefaced his report with a review of the literature on the subject.

предпослéдний penultimate, last but one; *п. слог* гр. penult(imate); п. круг semifinal (*в спорт. состязании*).

предпосыл‖**áть** to premise; '~**ка** premise (*в логике*); *фиг.* prerequisite; reason, ground; делать '~**ку** to premise.

предпоч‖**éсть**, ~**итáть** to prefer, like better, choose; я бы ~**ёл** I had rather, I would rather; ~**итáться** to be preferred; ~**тéние** preference; ~**ти́тельность** preferableness; ~**ти́тельный** preferable; ~**ти́тельно** preferably, rather in preference.

предпраздничн‖ый: ~ая суета the bustle in the shops, streets *etc.* before holidays.

предприимчив‖ость enterprise; ~ый enterprising, full of enterprise, go-ahead; ~о enterprisingly.

предприн‖иматель, ~имательница owner of an industrial *or* commercial enterprise; ~имать, ~ять to undertake; ~имать путешествие to take a journey.

предприятие undertaking, enterprise; concern, business (*торговое и пр.*); рискованное п. a risky undertaking; a venture.

предраспол‖агать to predispose; to prepossess (*внушать расположение*); ~ожение predisposition; prepossession; *мед.* diathesis; ~ожить *см.* предрасполагать.

предрассуд‖ок prejudice; без ~ков without prejudices, unprejudiced; закоснелый в ~ках steeped in prejudice.

предрекать *см.* предсказывать.

предреш‖ать, ~ить to foreclose, predetermine, to decide beforehand.

предрика (*председатель районного исполнительного комитета*) chairman of a district executive committee.

председател‖ь, ~ьница chairman (*собрания*); president (*правления и пр.*); Speaker (*палаты общин*); Председатель Центрального Исполнительного Комитета Chairman of Central Executive Committee; обращаться к ~ю собрания to appeal to the chair; ~ьское место the chair; ~ьство chairmanship; presidency; ~ьствовать to be the chairman, to preside; кто ~ьствует? who is in the chair?; ~ьствующий chairman.

предсердие auricle (of the heart).

предсказ‖ание prognostication, prophecy, prediction; п. погоды weather forecast; ~атель(ница) foreteller, soothsayer; ~ать, '~ывать to foretell, prognosticate, foreshow, augur, prophesy; to predict (*особ. научно, на основании фактов*); to forecast (*особ. погоду*); он хорошо '~ывает погоду he is weather-wise.

предсмертн‖ый: п. хрип death-rattle; ~ая агония death-agony, death-struggle; ~ое желание dying wish.

предсовнаркома (*председатель Совета Народных Комиссаров*) Chairman of the Council of People's Commissars.

представитель, ~ница representative (*тж. пол.*); spokesman (*оратор от партии, группы*); полномочный п. plenipotentiary; ~ность presence, portliness; ~ный portly, imposing; ~ный человек a man of dignified presence; ~ный образ правления representative system; ~ство representation; полномочное ~ство СССР Plenipotentiary Representation of the USSR.

представ‖ить, ~иться *см.* представлять(ся); можете ли вы п. себе будущее? can you imagine the future?; имею честь ~иться I beg to introduce myself; жвачные ~лены в этой местности ламами the ruminants are represented in that country by llamas; ~ьте себе, что он уехал fancy he has gone (*он уехал*); fancy his having gone (*он уехал*).

представлени‖е performance (*театральное*); presentation (*документов и пр.*); introduction (*одного человека другому*); idea, notion (*мысленное*); дневное п. afternoon performance; matinée; первое п. *театр.* first night; я не имею ни малейшего ~я о том, что он имеет в виду I have not the haziest notion (the remotest conception, the faintest idea) of what he means.

представл‖ять to present, represent; to offer (*трудности и пр.*); to perform (*пьесу*); to introduce, present (*одного человека другому*); to adduce, produce (*доказательства и пр.*); п. на рассмотрение to submit (present) for consideration; п. свидетелей to produce witnesses; п. себе to imagine, represent (figure) to oneself, picture, fancy, conceive; п. собой to be; это не ~яет трудности the case presents (offers) no difficulty; он ~яет этот избирательный округ в палате общин he represents (sits for) this constituency in the House of Commons; это не ~яет для меня интереса this has no interest for me; декорации ~яют гористую местность the scenery represents a hilly country; ~яться to be presented *и пр.*; to feign, pretend (*притворяться*); to seem (*казаться*); когда ~яется случай when opportunity offers (presents itself); он ~яется больным he pretends to be ill; мне ~ялось, что это вздор I thought it was rot.

предста́‖**тель(ница)** *уст.* intercessor; **~тельная железа** *анат.* prostate (gland); **~тельствовать** *см.* ходатайствовать; **~ть** to appear.

предсто́‖**я́ть: мне ~и́т пойти туда** I shall have to go there; **нам ~ит война** we are going to have a war; **вам ~я́т большие трудности** you will meet with great difficulties, great difficulties are in store (lie in wait) for you; **~я́щий** future, forthcoming; imminent (*о чём-либо опасном, тяжёлом*).

предте́ча forerunner, precursor.

предубе‖**ди́ть, ~жда́ть** to prejudice; **~ди́ться, ~жда́ться** to become prejudiced; **~жде́ние** prejudice; **~ждённый** prejudiced.

предуведом‖**и́ть** *см.* предуведомлять; **~ле́ние** notice, notification, forewarning; **~ля́ть** to inform beforehand; to notify (*of*), advise (*of*).

предугад‖**а́ть, '~ывать** to guess, foresee.

предуготов‖**и́ть** *уст.* *см.* предуготовлять; **~ле́ние** preparation; **~ля́ть** to prepare.

предумышленн‖**ость, ~ый, ~о** *см.* преднамеренность, преднамеренный, преднамеренно.

предупреди́тельн‖**ость** obligingness, courtesy; **~ый** preventive, precautionary; obliging, attentive, courteous (*любезный*); **~ая мера** (*средство*) preventive; **~о** obligingly, courteously.

предупре‖**ди́ть, ~жда́ть** to forestall, anticipate, to be beforehand with (*упредить*); to prevent (*предотвращать*); to warn, forewarn, caution (*against*) (*предостерегать*); to notify, to tell beforehand (*предуведомлять*); **п. за неделю о расчёте, уходе со службы** *и пр.* to give a week's notice (warning); **п. события** to anticipate events; **~жда́ю вас, что...** I warn you that...; **~жде́ние** warning, prevention *и пр.*; **~ждение беременности** prevention of conception, birth control; **выговор с ~жде́нием** reprimand with a caution.

предусм‖**а́тривать, ~отре́ть** to foresee; *фиг.* to provide (*against, for*); **~отри́тельность** prudence, foresight, forethought, providence, prevision, long head; **~отри́тельный** prudent, provident, long-sighted, foreseeing; **~отри́тельно** prudently, providently.

предустано́вленный pre-established, predetermined.

предчу́вств‖**ие** presentiment, foreboding, premonition; misgiving (*дурное*); **~овать** to have a presentiment, to forebode, misdoubt; **моё сердце ~овало беду** my heart misgave me.

предше́ств‖**енник, ~енница** predecessor; forerunner; precursor; **~ие, ~ование** precedence, antecedence, priority; **~овать** to precede, forego, forerun; to usher (*ввести*); **~ующий** preceding, foregoing; antecedent, prior, anterior, previous (*to*) (*во времени*); **~ующие события** antecedents, anterior events.

предъяв‖**и́тель, ~и́тельница** bearer (*чека и пр.*); **п. иска** prosecutor, plaintiff, claimant, bringer of suit; **п. обвинения** accuser; **вексель на ~и́теля** promissory note payable to bearer; **~и́ть** *см.* предъявлять; **~ле́ние** producing, presentation; **~ление иска** bringing of a suit (*against*); **~ление обвинения** bringing of a charge, accusation; **~ление права** assertion of a claim, pretention (*to*); **по ~ле́нию** at sight, on presentation; **~ля́ть** to produce, present; **~лять билет** to produce a ticket; **~лять иск** to bring a suit (*against*), to institute proceedings (*against*); **~лять обвинение** to bring (prefer) a charge (*against*); **~лять право** to assert one's right, to lay (raise) claim, to pretend (*to*); **~лять требование** to lay claim (*to*), to make a demand; **~ля́ться** to be produced *и пр.*

предыду́щий preceding; **п. оратор** the previous, the last speaker.

преём‖**ник, ~ница** successor, inheritor; **быть чьим-либо ~ником** to succeed to someone; **~ственный** successive; **~ство** succession, successorship.

пре́жде 1. *наречие:* before, previously, formerly, heretofore; **п. его романы были лучше** formerly (previously) his novels (*или* his former novels) were better; 2. *предлог:* before; **п. всего** first of all, first and foremost, to begin with, in the first place; **п. чем** before, previous to, prior to, preparatory to, ere; **п. чем поехать туда** before (previous to *и пр.*) going there.

преждевре́менн‖**ость** prematurity, untimeliness; **~ый** premature, untimely, abortive; **~о** prematurely, untimely.

пре́жн‖**ий** previous, former; **моё**

⌣ее местожительство my late residence; по-⌣ему as before.

презабáвный very amusing; priceless (*sl.*).

презент‖**áбельность** presentability; ⌣**áбельный** presentable; ⌣**овáть** to present, to make a present (*of*).

презервá‖**тив** preservative; '⌣**ция** preservation.

президéнт president; ⌣**ский** presidential; ⌣**ская должность** presidency.

презúдиум presiding council; presidium; почётный п. honorary presidium; в п. поступило предложение a proposal has been submitted to the presidium.

през‖**ирáть** to despise, scorn; *лит.* contemn, to hold in contempt, to hold cheap; ⌣**рéние** contempt, scorn, disdain; ⌣**рéнный** contemptible, despicable, scurvy, paltry; ⌣**ренный металл** *шут.* filthy lucre; ⌣**рéть** to scorn, disdain; ⌣**рúтельность** contemptuousness; ⌣**рúтельный** contemptuous, scornful; disdainful; ⌣**рúтельно** contemptuously *и пр.*

презýмпция *юр.* presumption.

преизбыток superabundance.

преимýществ‖**енный:** ⌣**енное право** preference; ⌣**енное право на покупку земли** *и пр.* pre-emption; ⌣**енное снабжение ударников** preferential supplying of shock-workers; ⌣**енно** in preference, for the most part, chiefly; ⌣**о advantage**; preference; получить ⌣**о над к.-л.** to gain an advantage over one; они имеют то ⌣о, что они дёшевы they have the advantage of being cheap; по ⌣у *см.* преимущественно.

преисподняя the pit of hell, Tartarus, the lower (nether) world (regions).

преисполн‖**енный** full (*of*); п. опасности fraught with danger; ⌣**ить**, ⌣**ять** to fill; ⌣**иться**, ⌣**яться** to be filled.

прейскурáнт price-list, price-current, priced catalogue; bill of fare.

прейти *см.* преходить.

преклон‖**éние** bending, bowing; admiration, worship; ⌣**ить(ся)** *см.* преклонять(ся); '⌣**ный возраст** old age; ⌣**ять** to bend, bow; ⌣**ять голову** to bend one's head; ⌣**ять колени** to kneel, to bend one's knees; to genuflect (*особ. в церкви*); ⌣**яться** to bend, submit; to admire, worship (*перед кем-л.*).

прекослóви‖**е** contradiction; ⌣**ть** to contradict.

прекрáсн‖**ый** beautiful, fine, excellent, capital; п. пол the fair sex; в один п. день one fine day; ⌣**ое** the beautiful; ⌣**о** beautifully, finely, rarely, excellently, very well; он ⌣о знает, что я имею в виду he knows perfectly well (well enough) what I mean.

прекра‖**тúть**, ⌣**щáть** to discontinue, cease, stop, leave off, break off, finish, end, to put a stop (an end) (*to*); п. войну to put an end to the war; п. выписку газеты to discontinue a newspaper; to discontinue taking in a newspaper; п. знакомство to break off all relations (*with*), to renounce; п. невыгодное предприятие to cut a loss; п. обсуждение вопроса to dismiss a subject; п. платежи to suspend (stop) payment; п. прения to break off the debate; п. работу to leave off (to cease) work; п. разговор to cease talking, to break off the conversation; ⌣**тúте ваши глупости!** stop your nonsense! ⌣**тúться**, ⌣**щáться** to cease, end, to come to an end; to be stopped; ⌣**щéние** cessation, discontinuance, ceasing, stopping; ⌣**щение военных действий** cessation of hostilities; ⌣**щение платежей** suspension (stoppage) of payment.

прелáт prelate.

прел‖**éстный** charming, delightful, very pretty; ⌣**éстно** charmingly, prettily; '⌣**есть** charm, fascination; это имеет свою ⌣**есть** it has a charm of its own (all its own); шутки теряют свою ⌣**есть** jokes lose their point; просто ⌣**есть!** (simply) charming!

прелиминáрный preliminary.

прелом‖**úмый** refrangible, refractable; ⌣**úть** *см.* преломлять; ⌣**лéние** breaking; *физ.* refraction; *фиг.* aspect; ⌣**лять** to break; *физ.* to refract (*лучи*); ⌣**ляться** to be brok'n; *физ.* to be refracted.

прéл‖**ый** rotten, fusty; ⌣**ь** rot.

прель‖**стúть**, ⌣**щáть** to allure, seduce, attract, fascinate; меня не ⌣**щáет эта перспектива** I do not relish the prospect, the prospect does not attract m; ⌣**стúться**, ⌣**щáться** to be allured (attracted, seduced); ⌣**щéние** allurement, seduction, fascination.

прелюбодé‖**й** adulterer, fornicator; ⌣**йка** adulteress; ⌣**йный** adulterous; ⌣**йство** *см.* прелюбодеяние; ⌐йствовать to commit adultery, to fornicate; ⌐йние adultery, fornication.

прелю́дия prelude.

премиа́льный premium (*attr.*); п. фонд premium fund.

преми́лый (most) charming (sweet).

преми́нуть: не п. not to fail; не ⌐у уведомить вас I shall not fail to let you know; он не ⌐ул добавить he didn't omit to add.

премиров||а́ние bonus, remuneration of labour; '⌐анный скот prize cattle; '⌐анное стихотворение prize poem; ⌐а́ть to reward with a premium.

пре́ми||я premium, prize, bonus; страховая п. premium, insurance; получить ⌐ю to get a premium.

премно́го *уст.* very much.

премудр||ость great wisdom; ⌐ый very wise; ⌐о very wisely.

премье́р *пол.* prime minister, premier.

премье́ра *театр.* first night, première; постоянный посетитель премье́р first-nighter.

пренебрега́ть to neglect, disregard, slight, scorn, disdain, to pay no regard to, to make light of, to set at naught.

пренебреж||е́ние neglect, disregard; scorn, disdain (*презрение*); п. долгом neglect (dereliction) of duty; говорить с ⌐е́нием to disparage, slight, to set at naught; ⌐и́тельный disdainful, neglectful, slighting; ⌐и́тельно disdainfully и пр.

пренебре́чь *см.* пренебрегать; которым можно п. negligible.

пренеприя́тный most disagreeable.

пре́ни||е I. rotting; sweating; stewing (*см.* преть).

пре́ни||е II. *ист. лит.* débat; ⌐я debate, discussion; открыть ⌐я to open debates; судебные ⌐я pleadings; прекращение ⌐й closure of debate; вносить предложение о прекращении ⌐й *парл.* to move to report progress.

преоблада́||ние predominance, prevalence; ⌐ть to predominate prevail; ⌐ющий predominant; ⌐ющая страсть ruling passion.

преобра||жа́ть to transfigure, transform; ⌐жа́ться to be transfigured; ⌐же́ние transformation; transfiguration (*тж. праздник*); ⌐ви́ть(ся) *см.* преображать(ся).

преобразов||а́ние reform, reformation, reorganization; ⌐а́тель

(⌐ница) reformer; ⌐а́тельный reformative; ⌐а́ть, '⌐ывать to reform, reorganize.

преодол||ева́ние overcoming; surmounting; ⌐ева́ть to overcome, conquer (*трудность, чувство*); to surmount, get over (*препятствие*); to repress (*чувство*); ⌐е́ние *см.* преодоление; ⌐е́ть *см.* преодолевать; ⌐и́мый superable, surmountable.

препар||а́т preparation; ⌐а́тор preparer; ⌐и́ровать to prepare, to make a preparation (*of*).

препина́ни||е: знаки ⌐я *гр.* stops; расставлять знаки ⌐я to punctuate, to point, to stop.

препира́т||ельство dispute, altercation, wrangle, quarrel; ⌐ься to dispute, altercate, wrangle.

препода||ва́ние teaching; ⌐ва́тель(ница) teacher; ⌐ва́тельская деятельность teaching profession; ⌐ва́ть to teach; ⌐ва́ть историю to teach history, to instruct in history; ⌐ва́ться to be taught; '⌐ть *см.* преподавать.

преподн||есе́ние presentation; ⌐ести́, ⌐оси́ть to present, offer.

препо́н||а obstacle, impediment; ставить ⌐ы to place obstacles in the way.

препоруч||а́ть to entrust (*with*), confide, commend, commit; ⌐е́ние entrusting, commission; ⌐и́ть *см.* препоручать.

препоя́с(ыв)ать *библ.* to gird, girdle.

препрово||ди́тельный *см.* сопроводительный; ⌐ди́ть, ⌐жда́ть to forward, send, dispatch; ⌐жда́ться to be forwarded; ⌐жде́ние forwarding; ⌐жде́ние времени passtime, passing the time; для ⌐жде́ния времени to pass the time.

препя́тств||ие obstacle, impediment, hindrance, obstruction, bar, barrier, block; скачка с ⌐иями obstacle-race, steeple-chase; ⌐ова́ние preventing, obstructing, hindering *и пр.*; ⌐ова́ть to prevent, obstruct, hinder, impede, trammel, hamper, bar, to stand in one's way; я не ⌐ова́л ему делать это I did not stop (prevent) his doing it; он мне ⌐ова́л he obstructed (put obstacles in the way of) my designs, he opposed me, he tried to thwart my plans.

прерва́ть *см.* прерывать.

пререка́||ние quarrel, wrangle, altercation, dispute; ⌐ться to quarrel, wrangle, dispute, altercate, bicker, have words (*with*).

пре́рия prairie.

прерогати́в‖а prerogative; имею́-
щий ～у prerogatived.

прерыв‖а́ние interruption; ～а́-
тель *техн.* interrupter; ～а́ть to
interrupt (*кого-л. в разговоре*); to
snap up, cut short (*говорящего*); to
break off re-
lations (*with*); ～а́ться to be inter-
rupted, to intermit; to crack
(*о голосе от волнения*); '～истость
brokenness; '～истый broken, in-
terrupted; ～истый ток *эл.* intermittent current; '～исто in a broken voice.

пресе‖ка́ть to suppress, interrupt,
cut short, cut off; ～че́ние suppression, interruption, cutting off,
cutting short; '～чь *см.* пресе-
ка́ть.

прескве́рный very bad.

преску́чный very tedious; п. че-
лове́к an infernal bore.

пресле́д‖ование persecution; pursuing, chasing (*погоня*); п. суде́б-
ным поря́дком prosecution; ус-
кользать от ～ования to baffle
the pursuit; мания ～ования persecution mania; ～ователь pur-
suer; persecutor; ～овать to persecute (*притеснять*); to pursue,
chase (*гнаться за*); to hunt, run
(*зверя*); ～овать собственные интересы to pursue (study) one's
own interests; ～овать судебным
порядком to prosecute, to institute proceedings (*against*), to proceed (*against*), to bring an action
(*against*), to sue; ～овать цель to
pursue one's object; этот образ ～у-
ет меня this image haunts me.

пресло́ву́тый *пренебр.* notorious.

пресмыка́‖ние creeping, crawling; *фиг.* cringing, grovelling;
～ться to creep, crawl; *фиг.* to
cringe, grovel, fawn, to lick
someone's shoes, to kiss the
dust; ～ющееся reptile, reptilian;
～ющиеся Reptilia; *разг.* creeping things.

пресн‖ово́дный: ～ово́дная рыба
fresh-water fish; '～ость freshness; *фиг.* insipidity, vapidity;
'～ый fresh (*о воде*); unleavened (*о
хлебе*); *фиг.* insipid, vapid, flat;
～ые остроты flat wits; ～ая еда
insipid food; ～ая речь vapid
speech.

преспоко́йно very quietly, quite
coolly.

пресс press; п. для выжимания
масла oil-press; дави́льный п.
winepress.

пре́сса press; бульва́рная п. gut-

ter press; жёлтая п. yellow press;
пролета́рская п. proletarian press.

пресс-бювар blotting pad.

прессов‖а́ние *техн.* pressing;
'～анный pressed; ～а́ть to press;
～щик presser.

пресс-папье́ paper-weight.

преста́в‖иться *см.* преставля́ть-
ся; ～ле́ние *уст.* decease, death;
～ля́ться *уст.* to die, decease, expire.

престаре́л‖ость great age, extreme old age; ～ый stricken (advanced) in years, very old.

прести́ж prestige.

престо́л altar, communion table;
throne; па́пский п. the Holy See;
возводи́ть на п. to enthrone; всту-
пи́ть на п. to come to (ascend)
the throne; отказа́ться от ～а to
abdicate; све́ргнуть с ～а to dethrone, depose; ～онасле́дник successor to the throne; ～онасле́до-
вание succession to the throne.

престра́нный very strange.

преступ‖а́ть, ～и́ть to transgress,
outstep, overstep, pass; п. зако́н
to transgress (infringe, violate,
break, trespass against) the law.

преступ‖ле́ние crime; offence,
delinquency, misdeed (*обыкн. мелкое*); transgression; госуда́рствен-
ное п. a crime against the State;
пойма́ть на ме́сте ～ле́ния to take
red-handed, to catch in the act;
соверши́ть п. to commit a crime;
соста́в ～ле́ния body of the crime;
'～ник, '～ница offender, culprit,
criminal, felon, delinquent; госу-
да́рственный ～ник State criminal;
'～ность criminality, guiltiness;
'～ный criminal, guilty, culpable;
'～ное отноше́ние к свои́м обяза́н-
ностям malpractice; '～но crimi-
nally *и пр.*

пресы́‖тить, ～ща́ть to satiate,
sate, surfeit, glut, gorge; to cloy,
overcloy (*особ. сластями*); ～-
ти́ться, ～ща́ться to satiate oneself, surfeit, to be cloyed; ～ще́-
ние satiety, satiation, surfeit, glut;
～ще́ние жи́знью weariness of life;
до ～ще́ния to satiety, to repletion; ～щенность satiety, surfeit;
～щенный satiated, surfeited,
sated.

претворе́ние transformation,
transmutation.

претвор‖и́ть, ～я́ть to transform,
transmute.

претен‖де́нт(ка) pretender,
aspirant, claimant, candidate; ～-
дова́ть to pretend, claim, lay
claim (*to*).

претензи‖я pretension, claim; grievance; п. на остроумие pretension to wit; без ∼й unpretendingly, unpretentiously; быть в ∼и на кого-л. to bear one a grudge, to have a grudge against one; иметь ∼и на к.-л. to have grievances against one.

претенцио́зн‖ость pretentiousness, pretension, affectation; ∼ый pretentious, affected; ∼о pretentiously, affectedly.

претерпе‖ва́ние suffering, undergoing; ∼ва́ть, '∼ть to suffer, undergo.

прети́ть to repel, to give a feeling of dislike; мне это **прети́т** it nauseates me.

преткнове́ни‖е: камень ∼я stumbling-block.

пре́тор *др.-рим. ист.* prætor; ∼иа́нец, ∼иа́нский prætorian.

преть to sweat (*потеть*); to stew (*о тушёном мясе и пр.*); to rot (*гнить*).

преувелич‖е́ние exaggeration, overstatement; '∼енный exaggerated, hyperbolical; '∼енно exaggeratedly; '∼и(ва)ть to exaggerate, overstate, overdraw, heighten, romance; *разг.* to draw the long bow, to throw the hatchet, to pile it on, to talk tall.

преуменьш‖а́ть to understate, minimize; ∼е́ние understatement; ∼и́ть *см.* преуменьшать.

преуспева́‖ние prosperity, success; ∼ть to prosper, thrive, flourish; to succeed, to be successful; ∼ющий well-to-do, prosperous, successful.

префе́кт prefect; ∼у́ра prefecture.

префера́нс preference (*карт. игра*).

преференциа́льный preferential.

префи́кс *гр.* prefix.

преход‖и́ть to pass; ∼я́щий transient, ephemeral, passing; всё (на свете) ∼я́ще all is transient (in this life); everything is variable and fleeting.

прецеде́нт precedent; не имеющий ∼а unprecedented.

преце́ссия *астр.* precession.

при 1. in the time(s) of (*во время*); during, in, at; п. Иване Грозном during (under) the reign of Ivan the Terrible; п. крепостном праве in the times of serfdom; п. переправе через реку in crossing the river; п. расставании at parting; 2. (*около*) by, near; п. дороге by the road; 3. (*в присутст-*

вии) in the presence of; п. мне in my presence; 4. (*для обозначения нахождения у кого-л.*) about, with; она была п. нём целый день she was with him the whole day long; у меня не было п. себе денег I had no money about me; 5. (*при обозначении связи, подлинности, принадлежности*) attached to, affiliated to; п. заводе attached to the factory (works); п. Совнаркоме attached to the Council of People's Commissars; п. университете affiliated to the University; состоять п. to be attached to; 6. (*особые выражения*) п. всём том in spite of all that, besides; п. входе (выходе) at the entrance (exit); п. лунном свете by moonlight; п. малярии in case of malaria; п. наших темпах considering our tempo; п. свете дня by daylight, by the light of day; п. сём herewith; п. случае at a convenient time, when occasion arises; п. смерти at death's door; п. существующих условиях under the existing circumstances; п. условии under the condition that; п. этом besides.

приба́в‖ить(ся) *см.* прибавлять (-ся); ∼ка прибавление; потребовать ∼ки зарплаты to ask for a rise (for higher wages); ∼ле́ние addition, augmentation, supplement, increase; ∼ля́ть to add, increase, augment; ∼ля́ть жалование to raise wages; ∼ля́ть шагу to mend one's pace; ∼ля́ться to be added; to increase; ∼очный additional; ∼очный продукт *экон.* surplus product; ∼очная стоимость surplus value; норма ∼очной стоимости rate of surplus value; ∼очное время surplus time.

прибалти́йский Baltic.

прибау́тка (facetious) saying.

прибега́ть I. to have recourse (*to*), resort (*to*), betake oneself (*to*); п. к силе to resort to force.

прибега́ть II. to come running.

прибе́гнуть *см.* прибегать I.

прибежа́ть *см.* прибегать II.

прибе́жище refuge; находить п. в чём-л. to take refuge in something.

прибере‖га́ть to reserve, preserve; ∼га́ться to be reserved (preserved); '∼чь *см.* приберегать.

прибива‖́ние fastening; nailing; ∼а́ть to fasten; to lay (*пыль и пр.*); to drive to the shore (*к берегу*); ∼а́ть гвоздями to nail; ∼а́ться to be fastened (nailed); to be driven to the shore (*к берегу*); '~ка см. прибивание.

прибира́ть to put in order, arrange, clean up; straighten up; п. ко́мнату to do (tidy) a room; п. к рука́м to appropriate (*ч.-л.*); to take in hand (*к.-л.*); ~ся to be put in order.

приби́||ть 1. to beat, thrash (*поколотить*); 2. см. прибивать; гра́дом ~ло посевы the hail has laid the corn.

прибли||жа́ть to draw nearer, approximate; ~жа́ться to approach, near, draw near, approximate; вре́мя ~жа́ется к весне the time is drawing near to spring; кризис ~жа́ется the crisis is imminent [near(ing)]; мы ~жа́лись к бе́регу we were nearing land; ~же́ние approach(ing), drawing near, approximation, oncoming; ~жённость nearness, proximity; ~жённые *s.* persons in attendance, retinue; ~зи́тельность approximateness; ~зи́тельный approximate, rough; ~зи́тельно approximately, roughly; '~зить(ся) см. приближать(ся).

приблу́д||ный strayed; ~ное живо́тное stray.

прибо́й surf, breakers, wash.

прибо́р apparatus, instrument; set; cover (*за столом*); ками́нный п. set of fire-irons; письменный п. writing set; туале́тный п. toilet set; ча́йный п. tea-service (-things, -set); обе́д на 10 ~ов a dinner of 10 covers; стол был накрыт на 12 ~ов twelve covers were laid.

прибб||ра́ть см. прибирать; ~ери́те эти кни́ги put these books away.

прибре́жн||ый littoral (*у моря*); riverain, riparian (*по реке*); ~ая полоса littoral, seaboard (*у моря*); riverside (*по реке*); в ~ых вода́х in shore.

прибре́жье coast, coastal region, littoral.

прибрести́ to creep (crawl) back (home), to come creeping along.

прибы||ва́ние rising, swelling, increase; waxing (*см. прибывать*); ~ва́ть to arrive, come (*о человеке*); to increase (*увеличиваться*); to wax (*о луне*); to rise, swell (*о воде*); поезд прибыл the train is in (has arrived); ~ва́ющий поезд ingoing (incoming) train (*противоп.* outgoing).

прибыл||ь profit(s), gain, returns, increment; increase, rise; валова́я (чи́стая) п. gross (net)

profit; но́рма ~и rate of profit; ~ьный profitable, gainful, paying, lucrative; ~ьно profitably, gainfully.

прибы́т||ие arrival; ~ь см. прибывать.

прива́||дить, ~живать to habituate, accustom.

прива́л halt; де́лать п. to halt; ~ивать, ~ить to heap up; парохо́д ~ил к пристани the steamer arrived at the port (landing stage); какое ему счастье ~ило! how fortunate he is!; ~ило мно́го наро́ду people came in crowds.

прива́р||ивать, ~ить to boil an additional quantity of; *техн.* to weld; ~ка welding; ~ок addition to ration.

прива́т||-доце́нт lecturer; ~-доценту́ра lectureship; *соб.* body of lecturers; '~ный private.

приведе́ние bringing; adduction, adducing (*доводов*); п. в движе́ние setting in motion; п. в поря́док putting in order; п. к общему знамена́телю reduction to a common denominator; п. к прися́ге swearing, administration of oath.

привезти́ см. привозить.

привере́д||ливость fastidiousness, squeamishness; ~ливый fastidious, squeamish, finical; ~ливо squeamishly, fastidiously; ~ник, ~ница squeamish (fastidious) person; ~ничать to be hard to please, to be fastidious; to be squeamish.

приве́ржен||ец adherent, partisan; ~ность adherence, attachment; ~ный attached.

прив||ерте́ть, ~ёртывать to screw.

приве́с overweight; ~ить см. привешивать; ~ка, ~ок pendant.

прив||ести́(сь) см. приводить(ся); эта дорога ~едёт их к гибели that road will lead them to destruction; это ~едёт к путанице that will lead to confusion; это ни к чему не ~едёт it will come to nothing; ~еди́те его наве́рх bring him up(stairs); ему ~елось испыта́ть мно́го го́ря he has experienced (undergone) many misfortunes.

приве́т welcome, greeting, compliments; п.! hail!; бра́тский п. fraternal (brotherly) greetings; Ка́тя шлёт вам п. Kate begs to be kindly remembered to you; Kate sends you her love; переда́йте п. ва́шей сестре́ remember me (kind regards, my compliments) to your sister; с коммунисти́ческим ~ом with communist greetings; ~ливость affability; ~ливый affable; ~ливо affably; ~ливо встречать to welcome; ~ственный welcoming; ~ственная речь address of welcome; ~ствие greeting, salute, salutation; ~ствовать to salute, hail, greet, welcome, bid welcome.

привёшивать to append, hang, suspend.

привив||áние *бот.* grafting, engrafting; *мед.* inoculation; vaccination (*особ. оспы*); ~áть *бот.* to graft, engraft, inoculate; *мед.* to inoculate; to vaccinate (*особ. оспу*); *фиг.* to engraft, implant (*мысль и пр.*); ~áть сближением *бот.* to inarch; ~áться to be grafted *и пр.*; to take (*о вакцине, черенке*); у некоторых оспа не ~áется with some people vaccination does not take; '~ка *см.* прививание; '~ок *бот.* graft; '~очный serving as a graft; inoculative.

привидéние ghost, spectre, apparition.

привидé||ться to appear; мне ~лось во сне I dreamt.

привиле||гирóванный privileged, licensed; ~гирóванное положение privileged position; ~гирóванный класс privileged class; '~гия privilege, licence.

привин||тить to screw; '~чивание screwing; '~чивать to screw.

привирáть to exaggerate, romance; *фиг.* to draw the long bow.

приви́||тие *см.* прививка; ~ть *см.* прививать: это выражение не ~лóсь this expression did not find favour with the public; эти взгляды не ~лись these views found no followers.

привкус smack, flavour, touch, dash, tang.

привлекáтельн||ость attractiveness, attraction; ~ый attractive, taking, winning, winsome, fetching; ~ая улыбка winning smile; ~о attractively *и пр.*

привле||кáть to attract, draw (*to*); п. внимание to attract (draw) one's attention; п. к суду к.-л. to have one up, to prosecute one; п. к.-л. на свою сторону to win one round; ~кáться to be attracted (drawn); ~чéние attraction; ~чение к суду prosecution; '~чь *см.* привлекать.

привн||ести, ~осить to introduce.

привóд bringing; *техн.* drive, gear; train (*порохового*); ременный п. belt drive; червячный п. worm-gear.

приводи́||ть to bring, lead; to reduce, throw into (*в состояние*); to quote, cite (*цитировать*); to adduce, bring forward (*довод*); п. в беспорядок to disarrange; п. в восторг to enrapture, delight, to transport with ecstasy; п. в движение to set in motion, to drive, actuate; п. в замешательство to throw into confusion; п. в исполнение to carry into execution (effect), to put into practice, to carry out, execute, accomplish; п. в отчаяние to reduce (drive) to despair; п. в порядок to put (set) in order, arrange, tidy; п. в пример to cite as an example; п. в удивление to surprise; to astonish; п. в ужас to frighten, to horrify; п. доказательства to produce proofs; п. к концу to bring to an end; п. к.-л. в себя to bring one round, to bring one to one's senses, to restore one's consciousness; п. кого-л. к присяге to put one on one's oath, to administer an oath, to swear; п. к общему знаменателю to reduce to a common denominator; ~ться to be brought *и пр.*; to chance, happen (*случаться*); мне не ~лось бывать там I have never been there.

привóдка *тип.* register.

приводнóй: п. вал driving shaft; п. ремень driving belt.

привóз bringing; import, importation (*из-за границы*); ~и́ть to bring, convey; to import; ~и́ться to be brought (imported); ~ный brought from another place, imported.

привол||áкивать to drag, draw; ~áкиваться to drag (oneself), ~окнуться to court, make love (*to*), pay court (*ухаживать*); ~очь, ~óчь *см.* приволакивать.

привóль||е freedom, plenty, living in clover; ~ный plentiful, affording freedom.

привор||áживать, ~ожи́ть to bewitch, enchant; ~óтное зелье philtre, love-philtre.

приврáтни||к gate-keeper; door-keeper, porter, janitor; *анат.* pylorus; ~ца door-keeper, portress.

приврáть *см.* привирать.

привск||áкивать, ~очи́ть to start, jump up.

привста||вáть, '~ть to raise oneself a little.

приходя́щ||ий: ~ее обстоятельство an accessory (collateral) circumstance; a slight complication.

привы́||ка́ть, '~кнуть to get accustomed (used), to habituate (inure) oneself, to become inured; я не '~к к подобным вещам I am not accustomed (used) to such things; '~чка habit, use, wont, habitude; приобретать '~чку to contract (fall into) a habit; дурные '~чки bad habits; '~чный habitual, usual.

привя́занн||ость attachment; ~ый tied, bound; фиг. attached.

привяза́ть см. привязывать.

привя́зчив||ость affectionateness, lovingness; quarrelsomeness, captiousness (придирчивость); ~ый affectionate, loving; quarrelsome, captious (придирчивый).

привя́зывать to tie, bind, fasten, attach, lash; п. канатом to rope; ~ся to be tied; to get attached (полюбить); to nag, cavil (at) (придираться).

при́вяз||ь tie, string, rope; tether (пасущегося животного); собака на ~и the dog is on the chain.

пригво||жда́ть, ~зди́ть to nail; фиг. to transfix, to root one to the spot (о страхе и пр.).

пригиба́ть(ся) to bend, bow.

пригла́||дить, ~живать to smooth, sleek; ~диться, ~живаться to smooth one's hair; to make oneself tidy.

пригла||си́тельный: п. билет invitation card; ~си́тельное письмо invitation; ~си́ть, ~ша́ть (на обед) to invite, ask (to dinner); ~ша́ться to be invited; ~ше́ние invitation.

приглуш||и́ть, ~а́ть to damp down; to choke (огонь); to muffle, deaden (звук).

пригляде́||ть(ся) см. пригля́дывать(ся); я к этому ~лся I (have) got accustomed to it.

пригля́дывать to look after; ~ся to look attentively (at).

пригляну́||ться to please, to catch one's fancy; она ему ~лась she caught his fancy.

пригна́ть см. пригонять.

пригну́ть(ся) см. пригибать(ся).

пригова́ривать I. to add, repeat (слова).

пригов||а́ривать II. to sentence, condemn (судом); п. к пожизненному заключению (к принудительным работам, к смертной казни, к тюремному заключению) to sentence to life-long term of imprisonment (to forced labour, to death, to imprisonment); ~о́р sentence, judgment, award; выне-

сти ~ор to pass a sentence (upon); to bring in a verdict; смертный ~ор sentence of death; death sentence; ~ори́ть см. пригова́ривать.

пригод||и́ться to be of use, to be useful, to stand one in good stead; '~ность fitness, suitableness; '~ный fit, suitable; good (for); ~ный к употреблению fit for use.

приго́жий comely, good-looking; не родись умён, не родись пригож, родись счастлив посл. better be lucky born than a rich man's son.

приголу́б||ить, ~ливать to treat lovingly, to caress.

приго́н||ка fitting, adjusting; ~я́ть 1. to drive (скот); 2. to fit, adjust, work in (прилаживать).

пригор||а́ть to be burnt, to burn; ~е́лый burnt, scorched; ~е́ть см. пригорать.

при́город suburb; ~ный suburban; ~ный поезд local train; ~ное сообщение suburban railway communication.

приго́рок hillock, small hill.

приго́ршня handful; hollow of the hand.

пригорю́ни(ва)ться to become sad.

пригото́в||и́тельный preparatory; ~и́тельная школа preparatory (school); '~ить(ся) см. приготовля́ть(ся).

пригото́вишка разг. pupil of preparatory school (form).

пригото́в||ле́ние preparation, preparative; без ~ле́ния off-hand, ex-tempore; '~ленный prepared; set (о речи); ~ля́ть to prepare, to make ready; ~ля́ть лекарство to prepare (make up) a medicine; ~ля́ть обед to cook a dinner; ~ля́ть путь to pave the way (for); ~ля́ть ученика to prepare a pupil (student); ~ля́ться to prepare (oneself); to be prepared, to be in preparation (быть приготовляемым).

пригрева́ть to warm; give shelter. treat kindly.

пригре́зи||ться to appear; мне ~лось I dreamt.

пригре́ть см. пригревать.

пригрожа́ть to threaten, menace.

пригу́бить to touch with the lips, to nip, to taste.

прида||ва́ть to give, add, lend; to attach (значение); п. вкус to add a zest (to), to make piquant; п. духу to encourage, inspirit, to put spirit (into); п. лоск to polish; п. много прелести to lend much charm; п. силы to give strength, invigorate; лунный свет ⌐ёт очарование пейзажу the moonlight lends enchantment to the landscape; я не ⌐ю значения его словам I attach no importance to his words; они ⌐ют этому большое значение they make much of it; им ⌐ют форму диска they are shaped (formed, fashioned) into disks, they are given the form of disks; ⌐áться to be given и пр.

придав‖**áть**, '⌐ливать to press, squeeze.

придá‖**ное** dowry; trousseau (*платья, бельё и пр. невесты*); ⌐ток appendage; ⌐точный additional, accessory; ⌐точное предложение *гр.* subordinate clause; ⌐точное предложение цели final clause; ⌐ть *см.* придавать; ⌐ча addition; в ⌐чу into the bargain, to boot, in addition.

придви‖**гáть(ся)**, '⌐нуть(ся) to draw near; он '⌐нул свой стул к столу he drew his chair up to the table.

придвóрный 1. *s.* courtier; 2. *a.* court (*attr.*).

придéл chapel.

придéл(ыв)ать to attach, join, put; ⌐ся to be attached (joined, put).

придерж‖**áть**, '⌐ивать to hold (back); п. язык to hold one's tongue; '⌐иваться to hold, stick to, follow, keep to, adhere to (*держаться*); to confine oneself to (*ограничиваться*); ⌐иваться берега to keep close to the shore, to hug the shore; ⌐иваться мнения to be of the opinion; ⌐иваться правила to follow the rule; ⌐иваться программы to stick to the programme; ⌐иваться темы to keep (confine oneself) to the subject, to keep to the record.

придúр‖**а** a caviller, captious person, fault-finder; ⌐áться to nag (*at*), cavil (*at*), carp (*at*), seize (*on*), find fault (*with*); ⌐ка cavil, captious objection; ⌐чивость captiousness; ⌐чивый captious, nagging, naggy, fault-finding; ⌐чиво captiously.

придорóжный roadside, wayside (*attr.*).

придрáться *см.* придираться.

придýм‖**(ыв)ать** to devise, excogitate; to fabricate, invent, find, concoct, cook up (*отговорку, историю*); я не могу ⌐ать другого вы-

хода I can think of no other alternative; я ⌐ал как это сделать I have found the means of doing it.

придуркóватый half-witted, half-baked, foolish, doltish, silly, soft-headed.

прúдурь foolishness, imbecility; она немного с ⌐ю she is somewhat crazy.

придушúть to smother, strangle.

придыхá‖**ние** *фон.* aspiration, breathing; ⌐тельный *фон.* aspirate; ⌐ть to aspirate.

приедáться to pall (on), to become insipid.

приéз‖**д** arrival, coming; ⌐жáть to come, arrive; ⌐жáющий a new-comer, visitor, arrival; ⌐жий a non-resident, new-comer, visitor; там было несколько ⌐жих ораторов there were several orators arrived for the occasion.

приём reception (*гостей, больных и пр.*); dose (*лекарства*); method, way, mode (*способ*); радушный п. cordial reception, welcome; в один п. at one time, at one bout; часы ⌐а hours of reception; ⌐ка reception.

приéмле‖**мость** acceptability; ⌐мый acceptable.

приёмник *техн.* receiver.

приём‖**ный** 1. п. день reception-day, at-home; п. покой casualty ward; п. экзамен entrance-examination; ⌐ная (комната) reception-room; waiting-room; 2. п. отец foster-father; п. сын adopted son; ⌐ная мать foster-mother; ⌐щик, ⌐щица receiver; ⌐ыш adopted child, foster-child.

приé‖**сться** *см.* приедаться; мне ⌐лось это кушанье I am sick of this dish.

приéхать *см.* приезжать.

прижá‖**ть** *см.* прижимать; меня ⌐ли к стене *фиг.* I was pushed to the wall.

прижéчь *см.* прижигать.

приживáл‖**ка**, ⌐ьщик toady, sponger, hanger-on.

прижи‖**вáть**: п. детей to have children; to beget (*об отце*); ⌐вáться to get accustomed to a place; to take, to strike root, to acclimatize oneself (*о растении*).

прижигá‖**ние** searing, cauterization, cautery; ⌐тельный caustic; ⌐ть to sear, cauterize.

прижúзненный occurring during **one's** lifetime.

прижим‖**áние** pressing, squeezing; ⌐áть to press; *фиг.* to squeeze, screw; ⁓áть к груди to press to one's breast (bosom); ⁓áться to press oneself, to lie (stand) close; to nestle, snuggle, cuddle (*ласка-лясь*); '⁓истый close-fisted, stingy, niggardly.

прижи́ть см. приживать.

приз prize; *мор.* prize, capture; п. за стрельбу shooting prize; получить, выиграть п. to win a prize, to bear away the bell; уч-редить денежный п. to put up a purse; раздавать ⁓ы́ to give out the prizes.

призаду́м(ыв)аться to become thoughtful.

призва́ние vocation, calling.

при́зва‖нный called to; '⁓ть см. призывать.

призе́мист‖ый thickset, squat, stocky; ⁓ая фигура squat figure.

призёр prizeman.

при́зма prism; ⁓ти́ческий prismatic.

призна‖ва́ть to acknowledge, recognize, admit, own; п. ошиб-ки to acknowledge mistakes; п. свои недостатки to own one's deficiencies; (не) п. себя винов-ным to plead (not) guilty; п. себя побеждённым to admit defeat, to own oneself beaten; *разг.* to throw (chuck) up the sponge; калоши, которые никто не ⁓ёт своими galoshes that nobody will own; ⁓ёте ли себя виновным? do you plead guilty or not guilty?; я ⁓ю́, что это верно I acknowledge (ad-mit) it to be true; ⁓ва́ться to be acknowledged (recognized) (*кем-либо*); to confess, own (up), avow (*в чем-л.*); он ⁓ётся, что был там he confesses (owns) that he was there.

призна́к sign, indication, token, symptom; не подавать ⁓ов жиз-ни to give (to show) no signs of life; служить ⁓ом to indicate, be-token, denote.

призна́‖ние 1. acknowledgement, recognition (*чего-л.*); 2. confession, avowal (*в чем-либо*); п. в любви declaration of love; п. де факто (де юре) *пол.* de facto (de jure) recognition; по личному ⁓нию автора это письмо подложное the letter is confessedly (avowedly) a forgery; ⁓тельность gratitude, thankfulness; ⁓тельный grateful, thankful; ⁓тельно gratefully, thank-fully.

призна́‖ть см. признавать; п. не-зависимость страны to recognize the independence of a country;

обвиняемый был **при́знан** винов-ным the defendant was returned (found, declared, brought in) guilty; документ признан недей-ствительным the document was declared invalid; **при́знанный** факт an acknowledged fact; пред-ставление было **при́знано** неудач-ным the performance was voted a failure; ⁓ться см. признаваться; надо ⁓ться, что... the truth is (it must be admitted, I must confess) that...; ⁓ться в любви to make a declaration of love; ⁓ться ска-зать *разг.* to tell the truth.

призово́‖й: п. суд prize-court; ⁓ы́е деньги prize-money.

призо́р: без ⁓а untended, un-cared-for, neglected.

при́зра‖к ghost, phantom, phan-tasm, apparition, shadow; призрак бродит по Европе, призрак ком-мунизма a spectre is haunting Europe, the spectre of commu-nism; гоняться за **при́зраками** to catch at shadows; ⁓чный un-real, illusory, phantasmal, spec-tral, shadowy; ⁓чная надежда a delusive hope.

призре‖ва́ть to protect, to take care (*of*), to support by charity; ⁓ва́емые people supported by charity, alms-folk; '⁓ние protec-tion, care, charity; '⁓ть см. при-зревать.

призы́в call, appeal; *военн.* conscription (*в буржуазных стра-нах*); enrolment, levy; call to mi-litary service; ⁓áние calling; ⁓áть to call; to call up (*на военную службу*); to invoke (*музу и пр.*); ⁓áть обратно to recall; ⁓áть проклятья (*на чью-либо голову*) to imprecate curses (*upon*); ⁓áться to be called *и пр.*; ⁓ник a young man of call-up age; ⁓но́й возраст age at which men are called up to serve in the army; conscription age; ⁓ный invocatory; ⁓ный клич call.

при́иск mine; золотые ⁓и gold-field; ⁓áние finding; бюро по ⁓áнию работы employment office; '⁓ивать to look for, seek.

прийти́ см. приходить.

прика́‖з order, command, injunc-tion; п. о выступлении *военн.* marching orders; route; чек ⁓зу *комм.* order cheque, cheque to person's order; ⁓зáние order, command, injunction, summons, bidding; отдать ⁓зание to give the order, to say (give) the word; ⁓зáть см. приказывать; как ⁓же-те as you choose; как ⁓жете понимать это? how am I to understand it?; что ~жете? what do you wish?, what can I do for you?; ~зный *ист.* clerk, scrivener.

прика́зчи‖к salesman, shopman, *шут.* counter-jumper (*в ла́вке*); steward, bailiff (*в име́нии*); ~ца saleswoman, shopwoman.

прика́зывать to order, command, enjoin, bid, charge; *см. тж.* приказа́ть.

прика́лывать to pin, to fasten (attach) with a pin; to dispatch, finish (*на войне́*).

прика́нчивать to finish (*конча́ть*); to kill.

прикарма́ни(ва)ть to pocket, appropriate.

прика́рмливать to feed up; lure, entice by a bait (*прима́нивать*).

прикаса́ться to touch.

прика́т‖ить, '~ывать to roll; *разг.* to come, arrive (*прие́хать*).

прики́‖дывать, ~нуть to throw in, add; to reckon, calculate (*в уме́*); to try the weight, to weigh (*на весах*); ~дываться, ~нуться to be thrown in *и пр.*; to feign, pretend, sham; ~нуться больны́м to sham ill, to pretend to be ill, to feign illness; он то́лько ~дывается he is only shamming (feigning *etc.*).

прикла́д butt (*ружья́*); accessories (*для пла́тья*).

прикладн‖о́й applied; ~а́я нау́ка applied science.

прикла́дыва‖ние apposition, application; ~ть *см.* прилага́ть; to add (*прибавля́ть*); to apply (*пла́стырь и пр.*); to enclose (*к письму́ и пр.*); ~ть печа́ть to affix *или* set a seal (a stamp), to stamp; ~ть по́дпись to affix one's signature, to sign; ~ть ру́ку to set one's hand (*to*) (*к докуме́нту*); ~ться to be applied *и пр.*; to take aim (*це́литься*); to kiss (*целова́ть*).

прикле́‖енный glued, pasted, stuck; ~и(ва)ть to stick, glue, paste (*to*); ~и(ва)ться to stick, adhere; to be glued (*to*); ~йка sticking *и пр.*

прикл‖епа́ть, ~ёпывать to rivet.

приклон‖и́ть, ~и́ть to lay; он не зна́ет, где го́лову ~и́ть he does not know where to lay his head.

приключ‖а́ться to happen, occur; ~е́ние adventure; иска́тель ~е́ний adv‖nturer; рома́н ~е́ний, ~е́нческий рома́н adventure novel; ~и́ться *см.* приключа́ться.

прикова́‖ть, '~ывать to chain (*це́пью*); *фиг.* to rivet, arrest (*вни-*

ма́ние*); страх ~а́л его́ к ме́сту fear rooted him to the spot; '~анный к посте́ли боле́знью bed-ridden.

прикол‖а́чивать, ~оти́ть to nail, to fasten with nails.

приколдо́в‖ать, '~ывать to bewitch.

приколо́ть *см.* прика́лывать.

прикомандиро́в‖ать, '~ывать to attach.

прико́нчить *см.* прика́нчивать.

прикопи́ть to accumulate.

прико́рм extra food; lure, bait (*прима́нка*).

прикорну́ть to nestle down, to take a nap.

прикоснове́н‖ие touch, touching; при ~ии at a touch; то́чка ~ия point of contact; ~ность participation; ~ный implicated (*in*).

прикосну́ться to touch.

прикра́са embellishment; изобража́ть кого́-л. без прикра́с to paint one with his warts.

прикра́‖сить *см.* прикра́шивать; ~шивание embellishing, embellishment; ~шивать to embellish, embroider (*расска́з*); ~шенный портре́т a flattering likeness.

прикреп‖и́ть *см.* прикрепля́ть; ~ле́ние fastening, attachment (*to*); ~лённый к земле́ attached to the land, predial (*о раба́х*); ~ля́ть to fasten, attach, affix; ~ля́ть к земле́ to attach to the land; ~ля́ть кно́пкой to tack; ~ля́ться to be fastened, attached, affixed; ~ля́ться к ме́стному to register at the local committee of the Trade Union.

прикри́к‖ивать, ~нуть to raise one's voice.

прикру‖ти́ть, '~чивать to tie, bind, fasten; to turn down (*фити́ль ла́мпы*).

прикры́‖ва́ть to cover, screen, shelter, protect; п. отступле́ние to cover the retreat; п. фланг to flank, to protect the flank; п. от ве́тра to shelter (protect) from the wind; ~ва́ться to be covered *и пр.*; to cover oneself; он ~ва́ется свои́м незна́нием he screens himself behind his ignorance; ~ва́ющий отря́д *воен.* covering party.

прикры́‖тие cover(ing), screen (-ing); escort, convoy, covering party (*сопровожд. отря́д и пр.*); под '~тием under cover; тре́бующий '~тия на зи́му half-hardy (*о расте́нии*); '~тый covered; '~ть(ся) *см.* прикрыва́ть(ся).

прикуп‖а́ть, ‿и́ть to buy more; '‿ка additional purchase; ‿но́й bought in addition.

прику́ри‖вать, '‿ть to light one's cigarette from another one; позвольте ‿ть will you oblige me with a light?; will you give me a light?

прикус‖и́ть, '‿ывать: п. язык to bite one's tongue; пить чай в '‿ку to drink one's tea unsweetened taking small bites of sugar.

прила́в‖ок counter; за ‿ком behind the counter.

‖прилага́ем‖ый subjoined; по ‿ому списку on the schedule subjoined.

прилага́‖тельное: имя п. гр. adjective; ‿ть см. прикладывать; ‿ть старание to do one's best, to take pains; при сём ‿ю I enclose herewith; ума не приложу́ разг. I can't understand.

прила́‖дить см. прилаживать; ‿живание fitting; ‿живать to fit, adapt.

приласка́ть to caress, stroke, pet; ‿ся to show affection, to snuggle up.

прила́ститься to fawn upon (о собаке).

прилга́ть to add a lie, to exaggerate.

прилега́‖ть to adjoin, border (upon), skirt, to be adjacent (to); ‿ющий adjacent, contiguous, adjoining.

прилеж‖а́ние diligence, industry, application, assiduousness; assiduity, sedulity, studiousness; '‿ный diligent, industrious, assiduous, sedulous, studious; '‿но diligently и пр.; ‿но посеща́ть лекции to attend one's lectures assiduously.

прилеп‖и́ть, ‿ля́ть to stick, glue, paste, attach (to); ‿иться, ‿ля́ться to stick.

прилёт arrival, coming.

прил‖ета́ть, ‿ете́ть to come, arrive; ‿е́тный migratory (перелётный).

приле́чь to lie down (for a moment); to take a nap.

прили́в influx; мор. flood, flow (противоп. ebb), tide (тж. отлив), flux (противоп. reflux), high water (противоп. low water), flood tide, flowing tide; п. в колхозы influx to the colkhoze; п. иностранного капитала influx of foreign capital; п. крови congestion; п. крови к голове a rush of blood to the head; п. рабочих flow of workers; волна ‿а tidal wave; ‿а́ть to flow (to); to rush (о крови); кровь ‿а́ет к щекам blood flushes (suffuses) the cheeks.

прилиз‖а́ть, '‿ывать to lick, lick clean; to smooth; ‿а́ться, '‿ываться to smooth one's hair.

прилип‖а́ла зоол. remora; фиг. importunate person; ‿а́ние adhesion, sticking; ‿а́ть, '‿нуть to stick, adhere; to be communicated (о болезни); '‿чивость contagiousness, infectiousness; '‿чивый contagious, catching, infectious.

прили́стник бот. stipule.

прили́ть см. приливать.

прили́ч‖ествовать to become, befit, beseem, to be fitting; не п. to misbecome, to be unbeseeming, to ill beseem; ‿ие decency, decorum, propriety, becomingness; из ‿ия for propriety's sake; ‿ия proprieties; соблюда́ть ‿ия to observe the rules of propriety; ‿ный decent (тж. удовлетвори́тельный); proper, decorous, becoming, seemly; ‿но decently, properly, decorously, becomingly.

приложе́‖ние application; гр. apposition; affixing (печати, подписи); enclosure (к письму); appendix, supplement (добавление); п. к журналу magazine supplement; точка ‿е́ния силы (в рычаге) power; ‿и́ть см. прикладывать, прилагать; к сему мы, нижеподписавшиеся, руку ‿и́ли to the truth of the foregoing we the undersigned set our hands.

прильну́ть to cling, nestle up (to).

при́ма муз. the first violin, the first string (of a violin); ‿до́нна primadonna.

прима́з(ыв)ать: п. волосы помадой to fix (plaster) one's hair with pomade; ‿ся разг. to stick (to), hang on (to); ‿ся к партии to hang on to the party.

прима́н‖ивать, ‿и́ть to allure, lure, entice, decoy; ‿иваться, ‿и́ться to be allured и пр.; ‿ка allurement, enticement, lure, decoy, bait; stool-pigeon (о человеке).

прима́с primate (глава церкви).

прима́т pre-eminence; ‿ы зоол. primates.

прима́чивать to foment, bathe, embrocate, moisten.

примелька́ться to become unnoticeable through being often seen.

примен‖éние application, use; ~**имость** applicability, adaptability; ~**имый** applicable; ~**ительный** conformable, suitable; ~**ительно** conformably и пр.; ~**ить**, ~**ять** to apply, employ; to practice, use, to put in practice; ~**иться**, ~**яться** to be applied и пр.; to adapt oneself, to conform (to).

примéр example, instance; подавать п. to set an example; не в п. другим as an exception; не в п. лучше better by far; служить ~**ом** чего-л. to serve as an example, to exemplify, instance; по ~**у** in imitation (of); следовать чьему-либо ~**у** to follow someone's example (someone's lead); приводить ~**ы** to cite (adduce) instances.

прим‖ерзáть to freeze (together или to); ~**ёрзлый** frozen (to); ~**ёрзнуть** см. примерзать.

примéр‖ивание trying on, fitting; ~**ивать**, ~**ить** to try on; семь раз ~**ь**, один раз отрежь посл. measure thrice what thou buyest, and cut but once; look before you leap; ~**ка** trying on, fitting.

примéрн‖ость exemplariness; ~**ый** exemplary; approximate (приблизительный); ~**ая** бригада an exemplary brigade; ~**о** exemplarily; approximately; ~**о** наказать to make an example (of).

примерúть to try on.

прúмесь admixture, dash, touch, tinge.

примéт‖а sign, token; иметь на ~**е** to have an eye (to); ~**ы** особ. description, distinctive marks (человека и пр.).

приметáть см. примётывать.

примéт‖ить см. примечать; ~**ливость** power of observation; ~**ливый** observant; ~**ный** perceptible, observable, visible; ~**но** perceptibly и пр.

примётывать to tack, stitch (to); ~**ся** to acquire skill (наловчиться).

примечá‖ние note, annotation, comment; footnote (внизу страницы); снабжать ~**ниями** to annotate; ~**тельность** notability, noteworthiness; ~**тельный** notable, noteworthy, remarkable; ~**ть** to perceive, notice, observe, remark, to take notice (of).

примеш‖áть, ~**ивать** to admix, add.

приминáть to trample down, flatten, to make flat.

примир‖éнец conciliator; ~**éние** reconciliation, reconcilement; ~**•**

éнчество compromising attitude (towards); conciliatoriness; ~**имость** reconcilability; ~**имый** reconcilable; ~**итель(-ница)** reconciler, conciliator; ~**ительный** conciliatory, pacificatory; ~**ительная** камера court of conciliation, arbitration court.

примир‖úть, ~**ять** to reconcile (to, with); п. противоречивые утверждения to conciliate (reconcile) contradictory statements; п. разногласия to reconcile differences, to smooth differences over; ~**иться**, ~**яться** to reconcile oneself (to, with); to make it up (with) (с кем-л.); ~**иться** со своей участью to reconcile (resign) oneself to one's lot.

примитúв primitive; ~**ность** primitiveness; ~**ный** primitive, rude; ~**но** primitively; rudely.

примкнýть см. примыкать.

примóина alluvium.

примóлвить to add.

примóр‖ский maritime; sea-side (attr.); п. город maritime town; П~**ская** область the Maritime Province; ~**ье** sea-side, sea-shore, littoral.

примостúться to find place for oneself.

примоч‖úть см. примачивать; ~**ка** wash, lotion, fomentation; ~**ка** для глаз eye-wash.

прúмула бот. primula, primrose.

прúмус primus(-stove).

примчáть to bring, whirl; ~**ся** to come tearing along (running at full speed).

примыкáть to adjoin, abut, border upon (граничить); to join (присоединяться); to fix (штык).

примять см. приминать.

принадлеж‖áть to belong, appertain; ~**ность** appliance, implement; appurtenance (к владениям); ~**ность** туалета article of toilet; ~**ность** к партии party membership; домашние ~**ности** utensils, domestic implements; письменные ~**ности** writing-materials (tackle); рыболовные ~**ности** fishing-tackle; по ~**ности** to the owner, to the proper person.

принáлечь to make an effort, to strain.

принарядúться to make oneself smart, to smarten oneself up.

принестú см. приносить.

приниж‖енн‖ость humility, servility; ~**ый** humble, lowly, humiliated, servile.

приник‖**а́ть,** '**нуть** to stoop; to nestle up (*прильнуть*).

принима́ть to take (*пищу, лекарство, ванну, последствия, совет и пр.*); to receive (*гостей*); to accept (*подарок, извинение и пр.*); to admit (*на службу и пр.*); to assume, put on, take on (*вид*); to adopt (*резолюцию*); п. вексель комм. to accept a promissory note; п. во внимание to take into consideration (account), to take account of; п. в партию to admit to the party; п. в плохую (хорошую) сторону to take in bad (good) part; п. в школу to admit to (enter at) school; п. в шутку to take as a joke; п. вызов to accept (take up) the challenge; п. за... to mistake (take) for... (*по ошибке*); п. к сердцу to lay (take) to heart; п. меры to take measures; п. меры предосторожности to take precautions; to make sure; п. на себя to take upon oneself, to assume; п. от кого-л. to take over (*предприятие и пр.*); п. предложение to accept (embrace) the offer; п. радушно to receive cordially, to welcome; п. резолюцию to carry (pass) a resolution against (*против*), for (*за*); п. слепо to take for gospel; п. участие to take part, participate (*в чём-л.—in*); п. чью-л. сторону to take the part of one, to side with one, to take up the cudgels for one; п. чьё-либо учение to embrace someone's doctrine; он сегодня (не) ет he receives (does not receive) visitors to-day; они много ают they entertain a great deal; ая во внимание seeing, considering, remembering; in view of; аться to be received и пр.; то take about, set to, fall to (*за что-л.*); to take (strike) root, to take (*о растении*); to take (*о прививке*); аться за работу to set to work; этот кредитный билет ается всюду this banknote passes everywhere.

принор‖**а́вливать,** **ови́ть** to fit, adapt, adjust; **а́вливаться, о-ви́ться** to adapt (to accomodate) oneself.

принос‖**и́ть** to bring; to yield, bring in, return (*доход*); to fetch (*пойти и принести*); п. благодарность to tender thanks; п. в дар to present; п. в жертву to sacrifice, immolate; п. на кого-либо жалобу to prefer (lodge) a complaint against someone; п. плоды to bear fruit; п. повинную to confess one's guilt; п. счастье to bring luck; п. удовольствие to give pleasure; предприятие '‖ит пять миллионов чистого дохода в год the enterprise nets five million (yields five million of net profit) a year; ‖иться to be brought.

приноше́ние offering, present, gift.

прину‖**ди́тельный** compulsory, coercive; **ди́тельные работы** forced labour; **ди́тельно** compulsorily; '‖**дить,** **ждать** to oblige, constrain, force, compel, coerce; дить крепость к сдаче to reduce a fortress; я ждён согласиться I have no choice but to consent; ждение constraint, compulsion, coercion; по ждению under constraint (compulsion); без ждения without any constraint; ждённость constraint, stiffness; ждённый constrained, forced, stiff; ждённая улыбка a forced smile; ждённо constrainedly и пр.

принц prince; п. Уэльский Prince of Wales; есса princess.

при́нцип principle; из а on principle; жить согласно своим ам to live up to one's principles; ал principal; бр.-рим. ист. principate; иа́льный of principle; он человек иа́льный he is a man of principle; иа́льно on principle.

приня́тие reception, acceptance, admission, adoption, assumption; см. принимать; п. пищи taking of food (a meal).

прин‖**я́ть(ся)** см. принимать(ся); предложение было '‖ято the motion was carried; это не ято it isn't done.

приободр‖**и́ть,** **я́ть** to inspirit, put spirit (into), hearten; и́ться, я́ться to recover spirit, respire, hearten up.

приобре‖**сти́** см. приобретать; та́ние acquirement, acquisition, gaining, obtaining; та́тель(ница) acquirer; та́ть to acquire, gain, obtain, get; to buy (*купить*); тать лоск to take a polish; тать плохую репутацию to acquire a bad reputation; тать чьё-л. расположение to win (gain) someone's goodwill, to conciliate someone.

приобщ‖**а́ть** to unite, join, aggregate; а́ться to unite oneself, to be united; е́ние uniting, junction; и́ть(ся) см. приобщать(ся).

приобы́кнуть см. привыкать.

приоде‖ва́ть(ся),' ⁓ть(ся) to dress (oneself) up, smarten (oneself), titivate.

прио́р *церк.* prior (*настоятель*); ⁓и́тѐт priority.

приоса́ни(ва)ться to assume a dignified air.

приостан‖а́вливать, ⁓ови́ть to stop (*поезд и пр.*); to suspend (*приговор*); ⁓а́вливаться, ⁓ови́ться to stop; to be suspended; ⁓о́вка stopping; stoppage; ⁓овка приговора reprieve, suspension of judgment, respite; ⁓овка работы stoppage of work.

приотвор‖и́ть, ⁓я́ть to open slightly, to leave ajar; ⁓и́ться, ⁓я́ться to open slightly.

прпоткры‖ва́ть(ся), ' ⁓ть(ся) *см.* приотворя́ть(ся).

приохо́‖тить *см.* приохо́чивать; ⁓титься to conceive a liking (*for*); ⁓чивать to give one a liking (*for*).

припада́ть to fall down; п. к груди́ to press oneself against a person's breast; п. на но́гу to limp.

припа́док fit, attack; п. бешенства a paroxysm of rage; п. лихора́дки a fit of ague; истери́ческий п. a fit of hysteria; не́рвный п. a fit of nerves.

припа́‖ивать to solder; п. припоем to braze; ⁓йка soldering.

припалённый burnt, singed.

припа́р‖(и)(ва)ть to foment, poultice; ⁓ка poultice, cataplasm, fomentation.

припа́с store, supply, provision; съестны́е ⁓ы provisions, victuals, eatables, comestibles; вое́нные ⁓ы supplies, munitions, military provisions; ⁓а́ть, ⁓ти́ to lay in, lay up, store.

припа́сть *см.* припада́ть.

припая́ть *см.* припа́ивать.

припе́в burden, refrain; ⁓а́ть to sing, troll; жить ⁓аючи to live in clover.

прип‖'ёк 1. the difference in weight between a quantity of flour and the bread made from it; 2. *см.* солнцепёк; на ⁓ёке in the sun; ⁓ека́ть to be hot (*о солнце*).

прип‖ере́ть *см.* припира́ть; зачем он ⁓ёр сюда? *вульг.* what the deuce ever brought him here?

припеча́т(ыв)ать to seal.

припе́чь *см.* припека́ть.

припира́ть 1. to shut (*дверь*); to press; п. к стене́ *фиг.* to drive into a corner; 2. *вульг.* to come.

припи́с‖ать *см.* припи́сывать; ⁓ка postscript; attaching, registration; ⁓ка к завеща́нию codicil;

⁓ка ‹ме́жду строк interlineation; ' ⁓ывание imputation; adding; ascription, attribution.

приплав‖ить, ⁓ля́ть to bring in rafts; to raft.

припла́‖та additional payment; за ва́нну полага́ется п. baths are extra; ⁓ти́ть, ⁓чивать to pay more, pay additionally.

приплие‖сти́ *см.* приплета́ть; ⁓сти́сь to drag oneself, come (*to*); ⁓ти́ть to plait; to implicate (*коголибо*).

приплод issue, offspring (animal); ⁓ный скот cattle for breeding.

приплы‖ва́ть,' ⁓ть to come, swim up; to sail up; п. к бе́регу to reach the shore.

приплю‖сну́ть, ⁓щивать to flatten.

припля́сывать to dance; *разг.* to foot it.

приподн‖има́ть, ⁓я́ть to raise (lift) a little, to take up; в ' ⁓ятом настрое́нии excited; ⁓има́ться, ⁓я́ться to raise oneself a little; ⁓има́ться на цы́почках to stand on tip-toe.

припо́й *техн.* solder; сла́бый п. soft solder.

приполз‖а́ть, ⁓ти́ to creep, crawl (up).

припом‖ина́ние remembering; recollection, reminiscence; ⁓ина́ть, ' ⁓нить to remember, recollect, recall; я вам э́то ' ⁓ню I shall take my revenge on you some day.

припра́в‖а seasoning, condiment, relish; ⁓ить *см.* приправля́ть; ⁓ка *тип.* making ready; ⁓ля́ть to season, flavour; to spice (*пряностями*); *тип.* to make ready.

припры́‖гивать, ⁓гнуть to hop, skip; ⁓жка: итти в ⁓жку to skip.

припря‖га́ть to harness; ' ⁓жка harnessing to; ⁓жная лошадь side-horse.

припря́‖тать *см.* припря́тывать; ⁓тывание hiding, laying up; ⁓тывать to hide, secrete, lay up, put by.

припря́чь *см.* припряга́ть.

припуг‖ивать, ⁓ну́ть to frighten (into submission), to threaten.

припу́дрить to powder a little; ⁓ся to powder oneself a little.

припус‖ка́ть, ⁓ти́ть to let out (*при шитье*); to couple (*случать*); to add (yeast to the dough); ⁓кно́й жеребе́ц stud-horse, stallion.

припу́т(ыв)ать to implicate (*in*).

припух‖а́ть to swell a little; ' ⁓лость swelling, intumescence; ' ⁓

лый swollen; '∼нуть *см.* припухать.

Прийять the Pripet.

прираб‖**атывать**, ∼**о́тать** to earn additionally.

прирабо́ток additional earnings.

прира́внивать to level; to compare (*to*), to treat as identical, identify (*with*).

прираст‖**а́ть**, ∼**й** to adhere (к ч.-л.); to grow, increase, accrue; ∼**и** к ме́сту to become rooted to the spot; ∼**и** к чему-либо to grow fast to.

прира‖**сти́ть**, ∼**ща́ть** to make something adhere; to increase; ∼**ще́ние** increment, increase.

приревнова́‖**ть** to be jealous (*of*); он ∼**л** её he was jealous of her; он ∼**л** её ко мне he was jealous of me.

прире́з(ыв)ать to add (*добавля́ть*); to kill (*заре́зать*).

прире́чный riparian, riverain.

прировня́ть *см.* приравнивать.

приро́д‖**а** nature; челове́ческая п. human nature; humanity; по ∼**е** by nature; игра́ ∼**ы** freak of nature; зако́н ∼**ы** law of nature, natural law; той же ∼**ы** connatural; ∼**ный** natural, inborn, innate, inbred, native; ∼**ный** недоста́ток inborn defect; ∼**ный** ум mother wit, innate intelligence; ∼**ные** бога́тства natural resources; ∼**ные** дарова́ния natural gifts; ∼**ове́дение** natural history.

прирождённый innate, (in)born, native.

прирос‖**т** growth, increment; accretion (*о ле́се*); addition (*книг в библ.*); есте́ственный п. населе́ния natural growth of population; ∼**ток** excrescence, growth; ∼**ший** к чему-л. grown fast to.

прирубе́жный situated near the frontier.

прируч‖**а́ть** to domesticate, tame; to reclaim (*особенно со́кола*); ∼**е́ние** domestication, taming; ∼**имый** tamable, domesticable; ∼**и́ть** *см.* приручать.

приса́живаться to sit down, to take a seat.

приса́сываться to attach oneself (adhere) by suction, to stick.

присва́ивать to appropriate; to misappropriate; им было присво́ено зва́ние геро́ев Сове́тского Сою́за they were awarded the honour of the heroes of the Soviet Union; ∼**ся** to be appropriated.

присва́т(ыв)ать to ask in marriage; to woo.

при́свист whistle; произноси́ть с ∼**ом** to sibilate; '∼**ывать** to whistle.

присво‖**е́ние** appropriation; misappropriation (*незако́нное*); '∼**ить** *см.* присваивать.

приседа́‖**ние** squatting; curtsy, curtsying (*см.* приседать); ∼**ть** to squat (*на ко́рточки*); to drop a curtsy, to curtsy, bob (*де́лать ревера́нс*); to cower (*от стра́ха*).

присе́ст sitting; в один п. at one go; in one sitting, at a stretch; *см.* приса́живаться, приседать.

при́сказка story-teller's exordium (ornamental addition).

прискака́ть to come galloping.

приско́рб‖**ие** sorrow, affliction, distress; к моему́ ∼**ию** to my regret; ∼**ный** sorrowful, lamentable, deplorable, regrettable.

приску́чить to tire, weary, bore.

присла́ть(ся) *см.* присылать(ся).

присло́вье saying.

прислон‖**и́ть**, ∼**я́ть** to lean (rest) (*against*); ∼**и́ться**, ∼**я́ться** to lean (*against*).

прислу́г‖**а** servants, domestics; maid(-servant), servant-girl; ору́дийная п. the crew of a gun; приходя́щая п. charwoman; быть одно́й ∼**ой** to be a maid-of-all-work.

прислу́ж‖**ивание** waiting; fawning, subservience; ∼**ивать** to wait (*upon*), serve, attend (*upon*); ∼**ивать** за столо́м to wait at table; ∼**иваться** to fawn (*upon*), toady; ∼**ник**, ∼**ница** servant; *презр.* lickspittle, fawner, myrmidon; follower.

прислу́ш(ив)аться to listen (*for*); to accustom one's ear to; *фиг.* to lend an ear.

присма́тривать to look for; п. за кем-л., чем-л. to look (see) after..., to keep an eye on...; п. за рабо́той to oversee (superintend) the work; её оста́вили до́ма, что́бы п. за ребёнком she was left at home to mind the baby; ∼**ся** to examine, to look attentively, scrutinize; ∼**ся** к кому-л. *фиг.* to measure the length of someone's foot; to take the measure of someone's foot.

присмире́ть to grow quiet, grow tame; to draw in one's horns.

присмо́тр looking after, care, attendance, tendance; superintendence, supervision (*надсмо́тр*); расти́ без ∼**а** to run wild; ∼**е́ть** to find; *см.* *тж.* присматривать.

присни́‖**ться**: мне ∼**лся** оте́ц I dreamt of my father.

приснопа́мятный *уст., ирон.* ever memorable.

присовокуп‖и́ть *см.* присовокуп-
ля́ть; ⌐ле́ние addition; ⌐ля́ть to
add, subjoin, annex, append.

присоедин‖е́ние addition, incorporation; annexation; joining;
⌐и́ть, ⌐я́ть to add, incorporate,
join, adjoin; to annex (*территорию*); ⌐и́ться, ⌐я́ться to be added *и пр.*; to join; ⌐и́ться к мнению to subscribe to an opinion;
⌐и́ться к реше́нию to join in the
resolution.

присосе́диться *разг.* to hang on.

присо́ска sucker.

присо́хнуть *см.* присыха́ть.

приспе‖ва́ть, ⌐ть *разг.* to approach, come (*о времени*); ⌐шник,
⌐шница *презр.* myrmidon.

приспи́чи‖вать, ⌐ть: почему это
вам так ⌐ло? *разг.* why are you
so impatient?

приспособ‖и́ть(ся) *см.* приспо-
собля́ть(ся); ⌐ле́ние adaptation, adjustment, accommodation, adap-
tedness; *техн.* device, contrivance;
⌐ля́емость adaptability; ⌐ля́ть to
adapt, fit, suit, adjust, accommodate; ⌐ля́ться to be adapted; to
adapt oneself; ⌐ля́ться к обстоя́-
тельствам to adapt oneself to circumstances.

при́став *ист.* police-officer, inspector; суде́бный п. bailiff.

пристава́ние putting in (*к берегу*); pursuing, worrying, importunity (*надоеда́ние*).

приста‖ва́ть to stick, adhere
(*прилипа́ть*); to join, side (*with*)
(*присоединя́ться*); to worry, pester,
importune (*надоеда́ть*); to solicit
(*о проститу́тках*); *мор.* to put in,
land; to beach; to approach the
shore; to communicate itself (*о болезни*); to become, beseem (*при-
ли́чествовать*); п. к незнако́мым
to accost and importune strangers;
п. с сове́тами to press advice upon;
парохо́д ⌐л к бе́регу the boat
reached the shore; ⌐ю́щий adhesive, tenacious, clinging.

пристав‖ить *см.* приставля́ть;
⌐ка a piece attached to something; *гр.* prefix; ⌐ля́ть to set, put,
lean (*against*); to appoint; ⌐ля́ть
ле́стницу к стене́ to put a ladder
against the wall; ⌐ля́ть сто́рожа
к до́му to appoint a watchman to
look after the house; ⌐но́й added,
attached; ⌐на́я ле́стница ladder.

приста́льн‖ость fixedness,
steadiness; ⌐ый fixed, intent,
steady (*о взгля́де*); ⌐о fixedly, intently, steadily.

при́стань landing(-stage, -place);

wharf (*для погру́зки и разгру́зки*);
(landing-)p i e r (*выступа́ющая в
мо́ре*).

приста́‖ть *см.* пристава́ть; ло́дка
⌐ла к бе́регу the boat reached the
shore; ко мне ⌐ла соба́ка a dog
followed me; вам не ⌐ло жа́ло-
ваться it's not for you to complain; it ill beseems you to complain.

пристё‖гивать, ⌐гну́ть to button (*on*); *фиг.* to append, tag, tack
(*to, on*).

присто́йн‖ость decency, decorum, propriety; ⌐ый decent, decorous, proper; ⌐о decently, decorously, properly.

пристра́ивать to add to a building; to attach (*балкон и пр.*); to
settle, establish, place (*челове́ка*);
п. к до́му наве́с to build a shed
against a house; п. к ме́сту to
find a situation (*for*); ⌐ся to be
attached (added); to get a place.

пристра́ст‖ие partiality, liking,
predilection, weakness (*for*); у него п. к кни́гам he has a passion
for books; ⌐и́ть to give a liking
(*for*), to inspire with a passion
(*for*); ⌐и́ться to conceive a liking
(*for*), to give oneself up (*to*); ⌐ить-
ся к вину́ to give oneself up to
drink; ⌐ность partiality; ⌐ный
partial, prejudiced; ⌐но partial-
ly, with partiality, unfairly.

пристраща́ть to intimidate, to
frighten by threats.

пристре́ли‖вать, ⌐ть to dispatch, shoot, kill; ⌐ваться *воен.*
to find the range by shooting.

пристро́‖ить(ся) *см.* пристраи-
вать(ся); ⌐йка something built
against (added to) a structure,
lean-to.

пристру́ни(ва)ть to take one in
hand, to treat one severely.

пристук‖ивать to heel (*каблука́-
ми*); ⌐нуть кого́-л. *разг.* to kill.

при́ступ *воен.* assault, storming,
storm, rush; fit, attack, access, paroxysm (*боле́зни и пр.*); beginning
(*нача́ло*); п. бо́ли pang, paroxysm,
twinge; п. гне́ва fit (paroxysm,
access) of anger; п. ка́шля fit of
coughing; лёгкий п. пода́гры touch
(slight attack) of gout; к нему́
нет ⌐а he is difficult of access;
к э́тому това́ру нет ⌐а this article
is too expensive (is extravagant-
ly dear); брать ⌐ом to carry by
assault, to take by storm, to
storm, rush.

приступ‖а́ть, ⌐и́ть to approach
(*приближа́ться*); to set about, set

to, enter upon, begin (*начинать*); п. к работе to set to work; затем он ⌒йл к анализу вещества he then proceeded to analyse the substance; ⌒иться to approach, accost.

приступ‖ка step.

присты‖дить, ⌒жать to put to shame (to the blush), to make ashamed; ⌒жённый ashamed; ⌒жённо ashamedly.

пристяж‖ка, ⌒ная outrunner, side-horse.

прису‖дить, ⌒ждать to adjudge, award (*премию*); to sentence, condemn (*приговаривать*); п. степень доктора to confer doctorate (*on*); ⌒ждение adjudgement, awarding.

присутств‖енный: *уст.* п. день court (working-)day; ⌒енное место office; ⌒енные часы office(business) hours; ⌒ие presence *уст.*; sitting (*заседание*); office (*учреждение*); ⌒ие духа presence of mind; ваше ⌒ие необходимо your attendance is necessary; в его ⌒ии in his presence; ⌒овать to be present, to attend, assist; ⌒овать при церемонии to attend (at) a ceremony; ⌒ующий present, attending, assisting; все ⌒ующие согласились all present assented; о ⌒ующих не говорят present company always excepted.

присущ‖ий inherent (*in*); ⌒ность inherence.

присы‖лать to send; ⌒латься to be sent; ⌒лка sending.

присып‖ать, ⌒ать to sprinkle, dust, powder; to add; ⌒ка sprinkling; powder.

присыхать to adhere (in drying).

присяг‖а oath; п. на верность oath of allegiance; приводить к ⌒е to swear, to put one on one's oath; под ⌒ой on oath; показание под ⌒ой sworn evidence; давать (принимать) ⌒у to swear, to take oath; ⌒ание swearing; ⌒ать, ⌒нуть to swear, take oath, swear an oath.

присядк‖а: плясать в ⌒у to dance squatting.

присяжны‖й *уст.* juror, juryman (*присяжный заседатель*); п. маклер sworn broker; п. поверенный barrister; суд ⌒x jury; список ⌒x list of jurors, panel; скамья ⌒x jury-box.

притайть: п. дыхание to hold one's breath, to check one's breathing; ⌒ся to hide, conceal oneself, keep quiet.

притаптывать to tread down, cruch.

притач‖ать, ⌒ивать to stitch (*to*).

притащи‖ть to bring; ⌒ться *разг.* to drag oneself; я едва ⌒лся I could hardly drag myself along.

притворить *см.* притворять.

притвор‖ность hypocrisy, falseness; ⌒ный feigned, affected, pretended, simulated, hypocritical; ⌒но feigningly, hypocritically, falsely; ⌒ство dissimulation, simulation, dissembling, hypocrisy, affectation, pretence; ⌒щик, ⌒щица dissembler, hypocrite, dissimulator, pretender.

притворять to shut, close; ⌒ся I. to be shut (closed).

притворяться II. to feign, pretend, simulate, sham; to dissemble, dissimulate (*скрывать чувство*); п. больным to feign (pretend) illness; п. мёртвым to sham dead (death), to feign death, to play possum; п. спящим to pretend to sleep, to sham sleep.

притекать to flow (*to*).

притёртый ground (*о пробке*).

притесн‖ение oppression, persecution; ⌒итель(ница) oppressor, persecutor; ⌒ить, ⌒ять to oppress, persecute, grind.

притира‖ние 1. rubbing; grinding; 2. paint, cosmetic, rouge (*для лица*); ⌒ть to rub; to grind (*пробку*); to paint, rouge (*лицо*).

притис‖кивать, ⌒нуть to press, squeeze.

притих‖ать, ⌒нуть to grow quiet; to quiet down; to fall silent; *фиг.* to sing small; to lower one's tone.

приткнуть *см.* притыкать; ⌒ся: мне негде ⌒ся *разг.* I have nowhere to stand (to sit).

приток tributary (stream), affluent (*реки*); influx, inflow, affluence (*наплыв*); п. рабочих в партию influx of workers to the Party.

притол(о)ка lintel (*двери*).

притом besides, at the same time, withal.

притон den, haunt, sink of iniquity; воровской п. den (haunt) of thieves.

притопнуть to stamp; п. каблуками to heel.

притоптать *см.* притаптывать.

притопывать to heel.

притопывать *см.* притопнуть.

приторгов‖ать, ⌒ывать to gain by trade; ⌒аться, ⌒ываться to ask the price.

приторн‖ость excessive sweetness, lusciousness; ⌐ый cloying, luscious; ⌐о cloyingly, lusciously.

притр‖агиваться, ⌐онуться to touch.

при‖тти(сь) *см.* приходить(ся); он ⌐шёл ко мне вчера he came to see me yesterday; мне ⌐шло в голову it occurred to me; мне ⌐шлось уйти I was obliged (I had) to go; это ему не ⌐шлось по вкусу he didn't like it; it was not to his taste.

притулиться *разг.* to lean against; to keep quiet (out of the way); to lie low (*sl.*).

притуп‖ить(ся) *см.* притуплять (-ся); ⌐ление blunting, dulling; ⌐лять to blunt, dull, deaden; ⌐лять нож to turn the edge of a knife; ⌐лять чувства to sear (deaden) the feelings; ⌐ляться to become blunt; to dull.

притч‖а a parable; что за п.? what is that?; how strange!; быть ⌐ей во языцех to be much talked of, to be the talk of the town.

притыкать to stick; to stop up (*отверстие*).

притя‖гательный attractive; ⌐гивать to attract, draw to oneself; ⌐гивать как магнит to magnetize.

притяж‖ательный *гр.* possessive; ⌐ение attraction.

притяза‖ние pretension, claim; ⌐тельный exacting, exigent (*требовательный*); hard to please (*придирчивый*); ⌐ть to pretend, lay claim (*to*).

притян‖уть(ся) *см.* притягивать (-ся); ⌐утый за волосы *фиг.* farfetched, strained.

приудар‖ить, ⌐ять *вульг.* to pay one's addresses, to make love (*to*).

приумнож‖ать to increase, augment, multiply; ⌐аться to increase, augment, multiply; to be increased; ⌐ение augmentation, multiplication; ⌐иться *см.* приумножаться.

приумолкнуть to become (fall) silent.

приумыться to wash oneself with care.

приунывать *разг.* to become melancholy.

приуроч‖ и(ва)ть to time, adapt to the time; я ⌐у это к его приезду I'll time this to his arrival.

приутихнуть *см.* притихать.

приуч‖ать to accustom, habituate, inure, train, school; п. к чёрной **работе** to inure to drudgery;

п. себя к терпению to school oneself to patience; ⌐аться to get accustomed; to inure oneself; ⌐ение, ⌐ивание accustoming, inurement, training, schooling; ⌐ить (-ся) *см.* приучать(ся).

прихварывать to be indisposed (unwell, poorly).

прихвастнуть to boast (brag) a little.

прихват‖ить, ⌐ывать to catch, seize; to injure slightly; цветы ⌐ило морозом the flowers are touched with frost, frost has injured the flowers.

прихворнуть *см.* прихварывать.

прихвостень hanger-on.

прихлебатель(ница) sponger, parasite, hanger-on.

прихлёбывать to sip.

прихлоп‖нуть, ⌐ывать to clap, slap; to slam (*дверь*); *вульг.* to kill (*убить*).

приход coming, arrival, advent (*прибытие*); receipt(s) (*противоп.* расход); п. и расход debit and credit; *церк.* parish.

приходить to come (*to*), arrive (*at, in*); п. в восторг to be delighted (enraptured); п. в гнев to fall into a rage, to fly into a passion; п. в голову to occur; to come into one's mind; to cross one's mind; п. в изумление to be surprised (amazed); п. в отчаяние to fall into despair; п. в порт to touch the port; п. в себя, в сознание to come to one's senses, to come round; to recover (regain) consciousness, to recover oneself; to pull oneself together; п. в упадок to decline, decay; п. домой to come home; п. к выводу to come to a conclusion; п. к концу to come to an end; п. к убеждению to come to a conviction; п. на память to recur.

приход‖иться: ключ ⌐ится к замку the key fits the lock; окно неплотно ⌐ится the window does not shut well; он ⌐ится ей сродни he is related to her; ему плохо ⌐ится he is hard pressed; с вас ⌐ится 100 рублей you must pay (you owe) 100 roubles; всякому ⌐ится отвечать за свою работу everyone has to be responsible for his work.

приход‖ный: ⌐ная книга receipt-book; ⌐о-расходная книга account-book.

приход‖ий parochial; ⌐ая церковь parish church.

приходя‖щ‖ий: п. ученик day-

-pupil, day-boy, day-scholar; ~ая домработница day servant, charwoman.

прихо́жая anteroom, antechamber, lobby, hall.

прихора́шиваться to smarten (preen, trim, smooth) oneself.

прихотли́||вость whimsicality, capriciousness, fastidiousness; ~вый whimsical, capricious; fastidious; ~во whimsically и пр.

при́хоть whim, whimsy, caprice, crotchet, fancy.

прихра́мыва||ние limping; ~ть to hobble, limp slightly.

прицве́тник бот. bract.

прице́л (taking) aim; арт. sight; п. и му́шка sights; за́дний п. back-sight; ра́мка ~а back-sight leaf; вы́стрел без ~а snapshot; ~и(ва)ться to take aim, take sight (at); ~ьный бараба́н военн. range dial; ~ьный хому́тик back-sight slide; ~ьная да́льность sighting range; ~ьная коло́дка back-sight bed.

прице́ни||ваться, '~ться to ask the price.

прице́п trailer (вагон); ~и́ть(ся) см. прицепля́ть(ся); ~ка hitching, hooking; бот. tendril, cirrus; ~ле́ние hitching, hooking; ~ля́ть to hitch, hook; ж.-д. to couple; фиг. to tack, tag; ~ля́ться to be hitched и пр.; to stick, cling; фиг. to catch, nag, cavil (at); ~но́й ваго́н трамва́я и пр. trailer.

прича́л hawser, rope for mooring; ме́сто ~а moorage; ~ивание mooring; ~и(ва)ть to moor; ~ьная ма́чта ав. mooring mast.

прича́стие 1. гр. participle; п. настоя́щего (проше́дшего) вре́мени present (past) participle; 2. рел. communion, the sacrament.

прича́ст||ность: п. к како́му-нибудь де́лу having relation to a thing; ~ный participating (in), implicated (in), involved (in), concerned (in); быть ~ным к to be privy to; to be involved in (к преступле́нию и пр.).

причём: п. изве́стно, что... it being known that...; п. я ему́ сказа́л and I told him; име́ется два сосу́да, п. ка́ждый из них содержи́т 2 ли́тра there are two vessels, each of them containing two litres; а п. же я тут? and what have I to do with it?; и он оста́лся ни п. he had nothing to go on with.

причеса́||ть(ся) см. причёсывать (-ся); она́ ~ла́сь she did her hair.

причёска head-dress, coiffure.

причёсыва||ние dressing (brushing) one's hair; ~ть to dress; to brush (щёткой), comb (гребёнкой); ~ть под одну́ гребёнку фиг. to tar all with the same brush; to treat all alike; ~ться to dress (do, brush, comb) one's hair.

причи́н||а cause, reason; п. войны́ casus belli; п. и сле́дствие cause and effect; п. о́чень проста́ the reason is very simple; ближа́йшая (вне́шняя, ко́свенная) п. immediate (external, indirect) cause; побуди́тельная п. motive; по ~е because (of), by reason (of), owing (to), on account (of); по како́й ~е? for what reason?, on account of what?; служи́ть ~ой to cause; нет де́йствия без ~ы there is no effect without a cause; не без ~ы not without reason, with reason; я не хочу́ вдава́ться в ~ы э́того I don't want to go into the whys and wherefores of it; разли́чные ~ы побуди́ли нас отказа́ться we refused for a variety of reasons; various considerations induced us to refuse.

причи́н||е́ние causing, causation; ~и́ть см. причиня́ть; убы́ток ~ённый пожа́ром the damage done by the fire.

причи́нн||ость causality; ~ый causal; гр. causative; ~ая связь causality; ~ое ме́сто genitals.

причиня́ть to cause, occasion, do; п. вред to injure; to do harm (to).

причисл||е́ние reckoning; addition; attaching; '~и́ть, ~я́ть to reckon, number, rank (among, with); to add (прибавля́ть); to attach (прикомандирова́ть); его́ ~я́ют к изве́стнейшим учёным его́ вре́мени he is reckoned (numbered) among the most conspicuous scholars of his time.

причита́ние lamentation, jeremiad.

причита́ть to lament, wail.

причит||а́ться to be due (to); с вас ~а́ется рубль you must pay a rouble; ~а́ется доплати́ть гри́венник there remain 10 copecks to be paid; '~ывать to add.

причмо́к||ивать, ~нуть to smack one's lips.

причу́да whim, whimsy, caprice, fancy, freak, vagary, oddity, crotchet.

причу́ди||ться to seem, appear; э́то вам ~лось you were dreaming.

причу́д||ливость fantasticality, fancifulness, quaintness; ~ливый fantastic, fanciful, whimsical, quaint, baroque; ◡ливо fantastically, fancifully, whimsically, quaintly; ◡ник, ◡ница whimsical (fanciful) person, crank.

пришéлец new-comer; stranger, alien (*чужой*).

пришепётыва‖**ние** lisping; ◡ть to lisp.

пришéствие advent, coming; второе п. second advent (coming).

пришиб‖**áть,** ◡**и́ть** to hurt; to kill; ᛁ◡**ленный** crestfallen, dejected.

приши‖**вáть** to sew (*on, to*); п. пуговицу to sew on a button; ◡**вáться** to be sewed (*on, to*); ᛁ◡**вка** sewing; ◡**вно́й** sewed on; ᛁ◡**ть(ся)** *см.* пришивать(ся).

пришл‖**éц** *см.* пришелец; ᛁ◡**ый** newly come; alien (*чужой*).

пришпи́ли(ва)ть to pin.

пришпо́ри‖**вание** spurring (*on*); ◡**(ва)ть** to spur (*on*); to put (set) spurs (*to*).

прищёлк‖**ивание** snapping one's fingers; cracking, smacking *и пр.* (*см.*прищёлкивать); ◡**ивать,** ◡**нуть** to snap one's fingers (*пальцами*); to crack (smack) one's whip (*кнутом*); to click one's tongue (*языком*).

прищем‖**и́ть** *см.* прищемлять; я ◡**и́л** себе палец дверью I have jammed my finger in the door; ◡**лéние** pinching, shutting into; ◡**ля́ть** to jam (shut) into, pinch.

прищу́ри(ва)ть: п. глаза, ◡**ся** to screw up (to narrow) one's eyes.

прию́т shelter, refuge; asylum (*особенно учреждение*); детский п. charity-school, orphan asylum; родильный п. lying-in hospital; ◡**и́ть** to shelter, give refuge; ◡**и́ться** to take shelter.

прия́зн‖**енный** friendly, amicable; ◡**ь** good-will, friendliness.

прия́тель, ◡**ница** friend; ◡**ский** friendly, amicable.

прия́тн‖**ость** agreeableness; ◡**ый** agreeable, pleasant, pleasing, nice, pleasurable; ◡**ый на вид** gratifying to the eye; easy on the eye (*противоп.* hard on the eye); ◡**ый на вкус** palatable; ◡**ая новость** welcome news; ◡**о** agreeably *и пр.*; ◡**о слышать это** it is pleasant to hear it.

про of, about (*о*); for (*для*); я п. него ничего не знаю I know nothing about him; сказать п. себя to say to oneself (*не вслух*); это не п. вас писано it's not for you, it was not meant for you.

про́б‖**а** trial, test; assay (*испытание металла*); standard (*установленное качество монеты*); hallmark (*пробирное клеймо*); п. голоса a test of voice; п. пера the trying of a pen; п. сил a trial of forces; рудная п. assay; взять на ◡**у** to take on trial; серебро высокой ◡**ы** sterling silver; золото 96-й ◡**ы** pure gold.

пробавля́ться to subsist; to rub along.

проба́лтывать to talk, chatter; to pass a certain time in talking; ◡**ся** to blab, let out, to let the cat out of the bag.

проба́ция probation.

пробéг run.

пробегáть to run (pass) over; to run through, run over, look over, skim (*книгу и пр.*).

пробéгать to spend a certain time in running.

пробежá‖**ть** *см.* пробегáть; его взор ◡**л** по картине his eyes travelled (he ran his eyes) over the picture; он ◡**л** пальцами по клавиатуре he ran his fingers over the keys; дрожь ◡**ла** по её телу fear (joy, horror *etc.*) thrilled through her veins; тень ◡**ла** по его лицу a shadow passed over his face.

пробéл gap, hiatus, blank; lacuna (*особ. в рукописи*); *тип.* quadrat (*сокр.* quad); восполнять ◡**ы** to fill up the gaps.

пробивá‖**ть** to make a hole in, to breach (*стену*); to go through, pierce (*о пуле и пр.*); to puncture (*шину*); to punch (*компостером*); to strike (*о часах*); п. дорогу to open a way; п. лёд to break the ice; ◡**ться** to force one's way, to break through; to make one's way; ◡**ться сквозь толпу** to elbow one's way through the crowd; трава начинает ◡**ться** the grass is beginning to shoot; свет едва ◡**лся** сквозь грязные окна the light was struggling in through dirty panes.

пробирá‖**ть** to scold, rate, reprove, reprimand; меня ◡**ет** холод I am cold; ◡**ться** to make one's way, rub through, thread one's way; to steal into (*прокрасться*); ◡**ться сквозь толпу** to thread (one's way through) the crowd, to elbow one's way through the crowd.

проби́р‖**ка** test-tube; ◡**ный** камень touchstone; ◡**ная палатка** assay office; ◡**ное клеймо** hallmark; ◡**щик** assayer.

проби́‖**тие** breaching; piercing

(*см.* пробивать); ∽ть *см.* пробивать; ∽л час для... *фиг.* the hour has struck for...; ∽ться *см.* пробиваться; я ∽лся над этим два месяца it took me two months of hard work.

пробк‖а cork (*из пробкового дерева*); stopper, plug; jam (*на жел. дор.*); *мед.* embolus; *фиг.* blockhead; п., загоняемая в каменную стену *стр.* dowel, dook; дульная п. tampion; притёртая п. ground-in stopper; глуп как п. *разг.* ≅ as stupid as an owl (a post); закупоривать ∽ой to cork, stopper; ∽овый пояс cork-jacket, life-belt; ∽овое дерево cork-tree, cork-oak.

проблема problem; зерновая п. the grain problem; ∽тический, ∽тичный problematic(al).

проблеск ray of light, gleam, flash, spark; п. надежды а гау (gleam, flash) of hope; ∽овый огонь *мор.* flashing light; ∽нуть to flash, gleam.

проблуждать to wander (a certain time).

пробн‖ый experimental; п. камень touchstone; п. кран *техн.* trial cock, test cock; п. полёт trial flight (ascent); ∽ая страница specimen page; ∽ое предложение tentative (proposal).

пробова‖ние trying; tasting; ∽ть to try; to taste (*на вкус*); to attempt, endeavour, essay (*пытаться*); ∽ть своё уменье to try one's (prentice) hand (*at*); ∽ть счастья to try one's luck.

пробод‖ать to pierce, gore; ∽ение *мед.* perforation.

пробо‖ина hole, gap; ∽й cramp (-iron); puncture (*в шине*); ∽йник *техн.* punch.

проболеть to be ill.

проболтать‖(ся) *см.* пробалтывать(ся); ∽ся to idle, loiter.

пробор parting; делать п. to part one's hair.

проборка *разг. см.* нагоняй; rating, dressing.

пробормотать to mutter, stammer, falter; п. извинение to falter out an excuse.

пробочник cork-screw (*штопор*); cork-cutter.

пробрать(ся) *см.* пробирать(ся).

пробри‖вать, ∽ть to shave partly.

пробу‖дить(ся) *см.* пробуждать(-ся); ∽ждать to (a)wake, (a)waken, (a)rouse; ∽ждаться to wake up, awake, (a)waken; ∽ждение waking up, awaking, awakening.

пробурав‖ить *см.* пробуравливать; ∽ливание boring, perforation; ∽ливать to bore, perforate.

про‖быть to stay, remain; я ∽буду там до среды I shall stay there till Wednesday.

провал downfall (*падение*); gap (*отверстие*); failure (*неудача*).

провал‖ивать, ∽ить to reject in examination; to plough, pluck (*sl.*); п. законопроект to kill a bill; п. предложение to outvote (defeat) a motion; ∽ивай! *вульг.* off (away) with you!; get along with you!; get away!; ∽иваться, ∽иться to fall (*through, in*); to break down, collapse (*о мосте и пр.*); to fail, to be ploughed (plucked, spun) (*sl.*) (*на экзамене*); ∽иться сквозь землю to disappear, to sink into the earth; ∽иться мне на этом месте, если... *разг.* ≅ I'll be hanged if...; куда он ∽ился? where the deuce has he gone?

прованс‖алец, ∽альский (язык), '∽кий Provençal; '∽кое масло olive-oil, sweet-oil, salad-oil.

провари‖вать, '∽ть to boil thoroughly; ∽ваться, '∽ться to be boiled thoroughly.

провевать to winnow; to blow, breathe.

проведать *см.* проведывать.

проведение leading, conducting; passing; п. в жизнь carrying into life (effect); п. жел.-дор. линии the laying of a railway line; п. кампании the conducting of a campaign; п. кандидата the passing of a candidate; п. линии the drawing of a line.

проведывать to visit, call on (*кого-л.*); to find out, learn, to get the wind (*of—о чём-л.*).

провезти *см.* провозить.

провентилировать to ventilate (*тж. фиг.*), to air.

провербиальный proverbial.

провер‖ить *см.* проверять; ∽ка verification, examination, checking; ∽ка баллотировки scrutiny; ∽ка инвентаря stock-taking; ∽ка исполнения control of work done; ∽ка счетов audit (*официальная*).

провернуть *см.* провёртывать; *разг.* to work out (*вопрос*).

провер‖очный verifying, checking; ∽очная комиссия control committee.

пров‖ертеть, ∽ёртывать to bore, perforate, pierce.

проверять to verify, check, examine; to audit (*счета*).

провѐс wrong weight; *техн.* sag (*прогиб*); **~ить** *см.* провешивать.

прове‖**стѝ** *см.* проводить 1; его не **~дёшь** there is no tricking him; he was not born yesterday.

провѐтри‖**ванне** airing, ventilation; **~вать, ~ть** to air, ventilate; **~ваться, ~ться** to be aired (ventilated).

провѐшивать to give wrong weight (*неправильно взвешивать*); to give bad weight (*недовешивать*).

провѐять *см.* провевать.

провиа́нт provisions, victuals.

провидѐние *рел.* Providence.

провѝдение *уст.* foresight, foreknowledge.

провѝде‖**ть** *уст.* to foresee, foreknow; **~ц** seer, prophet, soothsayer.

провизжа́ть to squeak.

провизи‖**я** provisions, victuals; снабжать **~ей** to cater, purvey (*for*), provision, victual.

провѝзор pharmaceutist, pharmacist.

провин‖**ѝться** to commit an offence, to be guilty (*of*), to transgress, make a slip; **'~ность** misdemeanour.

провинциа́л provincial (person); country cousin (*разг.*); **~изм** parochialism, parochiality; provincialism (*слово*); **~ка** *см.* провинциал; **~ьность** provinciality; **~ьный** provincial.

провѝнция province (*область*); глухая п. a remote place (of the province).

провира́ться *разг.* to blab.

провисѐть to hang (for some time).

про́вод *эл.* wire, conductor; п. с пущенным током live wire; подводный п. cable; по прямому **~у** by direct line, wire; **~ѝмость** conductivity, conductance.

проводѝть 1. *см.* провожать; 2. *физ.* to conduct, to spend, pass, while away (*время*); to deceive, cheat, beguile, impose upon, trick, overreach (*обмануть*); п. в жизнь to put in practice, to carry out; п. воду to lay on water supply; п. железную дорогу to construct a railway; п. законопроект to pass (carry) a bill; п. кандидата to pass (run in, seat) a candidate; п. мысль to develop an idea; п. пешку в королевы *шахм.* to queen a pawn; п. рукой по волосам to pass one's hand over one's hair; п. черту to draw a line; п. элек-

тричество to install electric light (*в доме*); *физ.* to conduct electricity; **~ся** to be lead *и пр.*

провод‖**ка** walking (*лошади*); п. электричества installation of electric light; **~нѝк** guide, conductor; *физ.* conductor; *ж.-д.* guard.

про́воды seeing-off, send-off.

провожа́‖**нне** seeing home, seeing off, seeing out, accompanying; **~тый** guide, conductor.

провожа́‖**ть** to see one home (*домой*); to see one off (*уезжающего*); to show one out, to see one to the door (off the premises) (*до дверей*); to accompany, escort (*сопровождать*); п. глазами к.-л. to follow a person with one's eyes; п. покойника на кладбище to follow the dead to the churchyard (graveyard).

прово́з carriage, conveyance, transport.

провозве‖**стѝть** *см.* провозвещать; **~стник, '~стница** herald; **~ща́ть** *уст.* to foretell, prophesy; to proclaim; **~ще́ние** foretelling, prophecy; proclamation, announcement.

провозгла‖**сѝть** *см.* провозглашать; **~ша́тель** proclaimer; **~ша́ть** to proclaim, announce, enunciate; **~шать** тост за кого-л. to propose the health of one; **~ше́ние** proclamation, announcement, enunciation, declaration; **~шение** независимости declaration of independence.

провозѝть to convey, transport, carry; п. контрабандой to smuggle in; **~ся** I. to be conveyed.

провозѝ‖**ться** II. *см.* возиться; я **~лся** с этим два дня I spent two days in doing it.

провока́‖**тор** agent provocateur; **~ция** provocation; антисоветская **~ция** anti-Soviet provocation.

про́волока wire; колючая п. barbed wire.

проволо́чк‖**а** protraction, delay, procrastination; без **~и** without delay.

про́волочн‖**ик** wire-drawer; **~ый** канат wire-rope; **~ая** сеть wire-netting; **~ое** заграждение wire-entanglement; **~ое** сито wire-gauze.

провоня́ть to stink.

прово́рл‖**ость** *см.* проворство; **~ый** quick, prompt, nimble, agile, alert, swift, adroit; **~о** quickly *и пр.*

проворова́ться to commit a theft and to be found out.

проворо́нить *см.* прозевать.

проворство quickness, promptness, nimbleness, agility, adroitness.

провоцировать to provoke.

провраться см. привираться.

провяли(ва)ть to dry in the open air, to jerk.

прогадай||ть, '⁓ывать to miscalculate, lose; **я ⁓ал** I am the loser.

прогалина glade.

прогиб caving in; sag; **⁓аться** to cave in, to sag.

прогимназия уст. preparatory classical school.

прогла||дить, ⁓живать to iron.

прогла||тывание swallowing, deglutition; **⁓атывать, ⁓отить** to swallow; to gulp down (*жадно*); to choke down (*с трудом*); to bolt (*не жуя*); **⁓отить обиду** to swallow (stomach, pocket) an insult; **точно аршин ⁓отил** stiff as a poker.

прогляд||еть, '⁓ывать I. to overlook. miss (*ошибку и пр.*).

прогля||дывать II., **⁓нуть** to peep out, appear (*о солнце и пр.*); **в его словах ⁓дывает ирония** there is a touch of irony in his words; **солнце ⁓нуло из-за облаков** the sun peeped through the clouds.

прогнати||зм prognathism; **⁓ческий** prognathic, prognathous.

прогнать см. прогонять.

прогнёв||ать to displease, irritate, anger; **⁓аться** to be displeased, to be (get) angry; **⁓ить** см. прогневать

прогни||вать, '⁓ть to rot through.

прогноз мед. prognosis; **(не)благоприятный* п.** (un)favourable prognosis; **ставить п.** to prognosticate.

прогнуться см. прогибаться.

прогов||аривать, ⁓орить to say, utter (*произносить*); to talk (*проболтать*); **мы ⁓орили целый вечер** we have been talking all the evening long; **⁓ариваться, ⁓орйться** to let the cat out of the bag; to blab, to let out the secret.

проголодать см. голодать; **⁓ся** to get (feel) hungry.

прогон road for driving the cattle to the pasture; **⁓ные (деньги), ⁓ы** allowance for travelling expenses.

прогонять to drive away; to turn away (out, off); *разг.* to dismiss (*служащего*); to send packing, to send one about one's business (*выпроводить*); to scare away (*птиц и пр.*); **п. печаль** to drive away (dispel) melancholy; **п. с глаз долой** to banish from one's presence;

п. сквозь строй to make one run the gauntlet; **п. тучи** to blow away (drive away, dissipate) the clouds.

прого||рать to burn through, burn down; *фиг.* to go bankrupt; **⁓релый** burnt through; **⁓реть** см. прогорать.

прогорк||лость rancidity, rankness; **⁓лый** rancid, rank; **⁓нуть** to become (get) rancid.

программ||а program(me); **п. минимум** minimum program(me); **п. партии** party program(me); **п. скачек** race-card; **театральная п.** play-bill; **учебная п.** syllabus; **⁓ная музыка** program(me) music.

прогревать to warm thoroughly.

прогреме||ть to thunder; **его слава ⁓ла по всей Европе** his fame resounded through Europe.

прогресс progress; **мировой п.** the world progress; **⁓ивность** progressiveness; **⁓ивный** progressive; **⁓ивный подоходный налог** progressive income tax; **⁓ивно** progressively; **⁓ировать** to progress, advance, make progress, improve; to rise to higher levels; to develop, to grow more serious (*о болезни и пр.*); **⁓ирующий** progressive; **⁓ист(ка)** progressive; progressionist; **⁓ия** мат. progression.

прогреть см. прогревать.

прогрохотать to resound (*о выстреле и пр.*); to rattle (rumble) past (*о телеге и пр.*).

прогрыз||ать, '⁓ть to gnaw through.

прогул non-appearance, truancy, loafing, shirking; **борьба с ⁓ами** fight against shirking; **⁓ивать** to walk (*лошадь*); to spend in idleness (*часы работы*); to shirk work; to squander (*деньги*); **⁓иваться** to take a walk (a turn, an airing), to go for a walk, to promenade, stroll, saunter (см. прогулка); **⁓ка** walk; airing; stroll (*небольшая*); saunter (*не спеша*); ramble (*без опред. цели*); ride (*верхом*), drive (*в экипаже и пр.*); row (*на лодке*); **увеселительная ⁓ка** pleasure-trip, excursion, jaunt, outing; **водить на ⁓ку** to take for a walk; **место для ⁓ок** promenade, walk; **⁓ьный** passed in idleness; **⁓ьщик** shirker; **злостный ⁓ьщик** malicious shirker; **⁓ять(ся)** см. прогуливать(ся); **⁓ять обед** to be too late for dinner; **хорошенько ⁓яться** to go for a good round.

прода||вать to sell; *фиг.* to betray (*предавать*); **п. в кредит** to sell on credit (on trust); to sell on tick (*sl.*); п. в розницу to sell by retail; п. оптом to sell (by, at) wholesale; п. с аукциона to sell by auction, to put up for sale; п. свою честь to sell (traffic away) one's honour; п. себе в убыток to sell at a loss; п. тому, кто дороже даёт to sell to the highest bidder; ⮑ва́ться to sell, to be sold; to change hands (*переходить в другие руки*); ⮑ва́ться нарасхват to sell like wildfire; книга хорошо ⮑ётся the book sells well (is a good seller); дом ⮑ётся the house is on (for) sale; ⮑ве́ц seller; vender; hawker (*уличный*); salesman (*жс. р.* saleswoman) (*в магазине*); *юр.* vendor.

продав||и́ть, '⮑ливать to break (through), to crush.

продавщи́||к, ⮑ца *см.* продаве́ц.

прода́ж||а sale, selling; в ⮑е for (on) sale, on offer; нет в ⮑е out of sale; это издание вышло из ⮑и this edition is out of print; пустить в ⮑у to offer for sale, to put on the market; ⮑ность venality, bribability, mercenariness; ⮑ный to be sold (*о вещи*); venal, corrupt, mercenary (*о человеке*).

прода́лбливать to chisel through, to make a hole (*in*).

прода́ть(ся) *см.* продава́ть(ся).

продви́||га́ть to move (push) forward; *фиг.* to promote, advance, help forward; ⮑га́ться to be moved forward; to advance, make way, move forward, get on; ⮑га́ться с трудом to forge ahead, pound (worry, rub) along; ⮑же́ние advancement, furtherance, progress, headway; '⮑нуть(ся) *см.* продвига́ть(ся).

продева́||ние passing (running) through, threading; ⮑ть to pass, put through, run through, thread; ⮑ть канат через кольцо to pass a rope through a ring; ⮑ть нитку в иголку to thread a needle.

продел||ать *см.* проделывать; ⮑ка trick, prank, escapade; ⮑ывать to do, perform; ⮑ывать отверстие to make an opening.

продёргивать to pass (run) through, thread; *фиг.* to reprimand, criticize; to weed (*полоть*).

продержа́ть to keep, hold (for a certain time); ⮑ся to hold out (*выдержать*).

продёрнуть *см.* продёргивать.

проде́ть *см.* продева́ть.

продефили́ровать to defile, file, march past.

продешеви́ть to sell too cheap.

продиктова́ть to dictate.

продира́ть to tear, wear out; п. глаза to open one's eyes; с трудом п. глаза to wake up with difficulty; ⮑ся to tear (*рваться*); to break through, to force one's way through (*сквозь чащу и пр.*).

прод||ле́ние prolongation; ⮑и́ть to prolong, lengthen; ⮑и́ться to last (for a long time); to be prolonged.

прод||ма́г provision stores; ⮑нало́г tax in kind.

продово́льств||енный: п. магазин provision stores; п. налог tax in kind; ⮑енная база provision base; ⮑енная карточка food-card; ⮑енная развёрстка *ист.* provision (food) distribution; ⮑ие supply of provisions, provisioning; provisions, victuals; food; ⮑овать to victual, provision, feed.

продолби́ть *см.* прода́лбливать.

продолгова́т||ость oblong form; ⮑ый oblong; ⮑ый мозг *анат.* medulla (oblongata).

продолжа́тель, ⮑ница continuator, continuer.

продолж||а́ть to continue, go on, proceed; to resume (*после перерыва*); to prolong (*пребывание, линию и пр.*); to pursue, carry on (*изучение и пр.*); п. линию to prolong (produce) a line (*в черчении*); ⮑а́йте! go on!; get on with it; ⮑а́йте говорить! say on!; ⮑а́йте читать! read on!; он ⮑а́л смотреть he kept (on) looking; ⮑а́ться to continue, last; to be prolonged; ⮑е́ние continuation; sequel (*особ. повести и пр.*); prolongation (*линии, стены*); ⮑е́ние следует to be continued; в ⮑е́ние during, throughout, in the course (*of*); частокол служит ⮑е́нием стены the palisade continues the wall.

продолжи́тель||ость duration, continuance, length; ⮑ый prolonged, long, of long duration; на ⮑ое время for a long time.

продолжи́ть *см.* продолжа́ть.

продо́льн||ый longitudinal; ⮑ая пила ripping-saw; ⮑о longitudinally.

продр||а́ть(ся) *см.* продира́ть(ся); с '⮑анными локтями out at elbows.

продрема́ть to doze.

продро́гнуть to be chilled to the marrow.

проду́в||а́тельный: п. клапан blow-through valve; ⮑а́ть to blow (through); ⮑а́ться to be blown;

фиг. to lose; ' ⹂ка *техн.* blowing through; ⹂ной *разг.* sly, roguish, crafty; ⹂ная бестия rogue.

продук‖т product; съестные ⹂ты victuals, provisions, eatables, food stuffs; ⹂тивность productivity; ⹂тивный productive; ⹂тивно productively; with a good result; ⹂товый магазин grocery stores; ⹂ция production; output.

продум(ыв‖ать to think (reason) out, think over.

продуть(ся) *см.* продувать(ся).

продушина *техн.* air-hole (*тж. во льду*).

продыря‖в‖ить, ⹂ливать to make a hole in, to hole, pierce, perforate; ⹂иться, ⹂ливаться to tear, to become full of holes, to wear through.

проедать 1. to eat away, corrode; 2. to spend (on eating) (*деньги*).

проезд passage; thoroughfare; п. воспрещается no thoroughfare; ⹂ить to pass a certain time in travelling (riding, driving); *см. тж.* проезживать; я ⹂ил два дня по просёлочным дорогам I spent two days in driving along by-ways; я ⹂ил 100 рублей I spent 100 roubles during the journey; ⹂иться to spend all one's money in travelling; ⹂ная плата fare; ⹂ом in passing, for a short time.

проезж‖ать to pass; to drive (*на экипаже и пр.*); to ride (*верхом, на велосипеде*); ' ⹂ивать to exercise (*лошадь*); ' ⹂ий 1. *s.* a traveller, passer-by; 2. *a.*: ' ⹂ая дорога public road, thoroughfare.

проект project, plan, scheme, design; ⹂ировать to project, plan, design; ⹂ировка projection, projecting, designing; ⹂ная скорость the designed speed (*судна и пр.*).

проекционный аппарат projector.

проекция projection.

прое‖сть *см.* проедать; железо, ⹂денное ржавчиной iron eaten away with rust.

проеха‖ть *см.* проезжать; как туда п.? what is the way there?; how am I to get there?; мы только-что ⹂ли Клин we have just passed Klin; мы уже ⹂ли 10 км. we have already made 10 km.; они ⹂ли через город на грузовике they rode through the town in a truck (lorry); ⹂ться to take a drive (ride); ⹂ться на чей-л. счёт *фиг.* to show wit at another's expense.

прожар‖и(ва)ть to fry (roas)

thoroughly; хорошо ⹂енный бифштекс well done steak.

прожд‖ать to wait; я ⹂ал вас два часа I have been waiting for you two hours.

прож‖евать, ⹂ёвывать to chew well, masticate.

п р о ж е к т ё р projector; ⹂ство hare-brain plans (projects).

прожектор search-light.

прожелть yellowish tint.

прожечь *см.* прожигать.

прожжённый burnt through, *фиг.* cunning, sharp (*хитрый*).

проживание residence, living; spending (*денег*).

прожива‖ть to live, reside; to stay, sojourn (*временно*); to spend (*деньги*); он ⹂ет за границей he resides (is living) abroad; ⹂ться to spend (to squander) all one's money.

прожига‖ние burning through; ⹂тель жизни man of pleasure, fast liver; ⹂ть to burn through; ⹂ть жизнь to live fast, to lead a dissipated life.

прожил‖ка, ⹂ок vein; с ⹂ками veined, veiny.

прожи‖тие living, livelihood; зарабатывать на п. to earn a living; ⹂точный минимум living wage; ⹂ть *см.* проживать; они прожили лето в деревне they spent the summer in the country; он не ⹂вёт до завтра he will not outlive the day; he will not live over to-day; он прожил свое состояние he has wasted his fortune; he has run through his fortune.

прожорлив‖ость voracity, greediness, gluttony; ⹂ый voracious, greedy, ravenous, gluttonous; ⹂о voraciously *и пр.*

прожужжать to buzz, drone; п. уши to din into someone's ears; to weary with repetition.

проза prose; ' ⹂ик prose-writer; ⹂ический prosaic; ⹂ически prosaically.

прозакладывать *уст.* to lose (in betting).

прозва‖ние nickname, sobriquet, cognomen, by-name; surname (*тж. фамилия*); по ⹂нию nicknamed (*по прозвищу*); surnamed (*тж. по фамилии*); ⹂ть(ся) *см.* прозывать (-ся).

прозвенеть to ring; *см. тж.* звенеть.

прозвище *см.* прозвание.

прозвонить to ring.

прозвучать to sound, to be heard.

прозевать to miss, let slip; to muff (*гл. обр. спорт.*); п. поезд to miss one's train; п. (удобный) случай to let the chance (good opportunity) slip.

прозектор prosector, dissector.

прозелит proselyte.

прозодежда working clothes, working kit, overalls.

прозорлив‖**ец**, **~ица** clairvoyant, perspicacious person; **~ость** perspicacity, sagacity, insight, penetration, clairvoyance; **~ый** perspicacious, penetrating, sagacious; **~о** perspicaciously, penetratingly, sagaciously.

прозрачн‖**ость** transparence, transparency, limpidity; **~ый** transparent; *фиг.* pellucid (*о стиле, выражении*); *техн.* hyaline; diaphanous (*особ. о ткани*); limpid (*о воде, воздухе*); liquid (*о воздухе*); **~ый** намёк transparent allusion; делаться **~ым** to clarify; **~о** transparently *и пр.*

прозре‖**вать** to recover one's sight; *фиг.* to foresee; to begin seeing clearly; **'~ние** recovery of one's sight; **'~ть** *см.* прозреть.

прозывать to name, nickname, surname; **~ся** to be named (nicknamed); to call (style) oneself.

прозяб‖**ание** vegetation; vegetating, vegetative life; **~ть** to vegetate (*букв. и фиг.*).

прозябнуть to be chilled to the marrow.

проигр‖**ать** *см.* проигрывать; **~аться** to lose (all one's money) (at cards *etc.*); **'~ывать** to lose (*потерпеть поражение*); to play (*играть известное время*); они **~ä**-ли всю ночь they have been playing the whole night through.

проигрыш loss; он остался в **~е** he came off a loser.

произведени‖**е** production, work; composition (*художественное, особенно муз.*); *мат.* product; п. искусства work of art; лучшее п. masterpiece; мелкое п. opuscule; **~я** Пушкина Pushkin's writings (works).

произвести *см.* производить.

производитель, **~ница** producer (*в пол. экон.*); stud-horse, stallion (*о лошади*); п. работ superintendent of works; **~ность** productivity, productiveness; output (*выработка*); повышать **~ность** труда to raise labour efficiency; **~ный** productive; efficient (*продуктивный*); **~ные** силы productive forces.

производит‖**ь** to produce; to make (*делать*); to effect, perform (*выполнять*); to prefer, promote (*в чин*); to derive (*от чего-л.*); п. впечатление to make (produce) an impression, to impress; п. глубокое впечатление to impress deeply, to bring into the world, to bring forth, to give birth (*to*); п. опыты to make experiments, to experiment; п. перемены to effect changes; п. платёж to effect payment; п. подсчёт to make a calculation; п. работу to execute work; п. сенсацию to make a sensation; п. слово от корня to derive a word from a root; п. смотр to review, muster, to hold a review; п. съёмку to survey (*землемерную*); to film (*кинематограф.*); п. суд to try; п. учение воен. to drill, train; **~ся** to be produced *и пр.*; дознание **производится** an inquiry is in progress.

производн‖**ый** derivative; **~ая** *мат.*, **~ое** слово *гр.* derivative.

производственн‖**ый** production (*attr.*); relating to production; **~ая** единица production unit; **~ая** кооперация producing co-operative; **~ая** практика industrial practice; **~ая** программа production program(me); **~ое** совещание conference on production; **~ые** отношения relations of production.

производств‖**о** production, manufacture (*чего-л.*); industry; promotion, preferment (*в чин*); derivation (*от чего-л.*); execution (*работы*); effecting (*платежей и пр.*); п. опытов experimentation; п. предметов роскоши luxury industry; п. средств **~а** production of means of production; кустарные **~а** handicraft industries; своего (заграничного) **~а** of home (foreign) manufacture; средства **~а** the means of production; издержки **~а** the cost of production; working expenses.

произвол arbitrariness, club-law; административный п. arbitrary administration; оставить на п. судьбы to leave to the mercy of fate; **~ьный** arbitrary; **~ьно** arbitrarily.

произнесение pronouncing, uttering; delivery (*речи*).

произн‖**ести**, **~осить** to pronounce, utter, enounce, enunciate; п. громогласно to thunder out, to utter in a stentorian voice; п. задыхаясь to pant out; п. приговор to pronounce judgment, to pass a judgment (*upon*); п. речь to make (deliver) a speech, to harangue; п. явственно to pronounce distinctly; он не ~ёс ни слова he did not utter a word; вы ~ócите это слово неправильно you pronounce this word incorrectly, you mispronounce this word; ~ocи́ться to be pronounced (uttered); ~оше́ние pronunciation (*выговор*); articulation, utterance (*действие*); картавое ~оше́ние burr; шепеля́вое ~оше́ние lisp.

произо||йти́ *см.* происходить; что ~шло́ между ними? what passed between them?

произраст||а́ние growth, growing, springing (up); ~а́ть, ~и́ to grow, spring (up).

про́иски intrigues, machinations, underhand plotting.

происте||ка́ть, ~чь to result, ensue, spring (*from*).

происход||и́ть to come (*of, from*); to proceed, result, spring, arise (*from*); to be descended, descend, issue (*from*) (*о человеке*); to happen, occur, come about, come to pass, befall (*случаться мгновенно*); to take place; to be in progress (*обыкновенно длительно*); что здесь ~ит? what is going on here?; what's up? (*разг.*); это слово ~ит от... this word is derived from...; это ~ит благодаря небрежности it is due to negligence.

происхожде́ние origin; extraction, birth, parentage, descent, lineage (*о родословной человека*); provenance (*вещи*); п. видов биол. origin of species; знатное п. high birth, blue blood; социальное п. social origin; его п. неизвестно his parentage is unknown.

происше́ствие incident, occurrence, event; accident (*несчастный случай*); комическое п. a ludicrous incident; ужасное п. a terrible accident.

пройдо́ха *разг.* artful dodger, cunning old fox, sneak, cunning fellow, a deep one.

про́йма opening, aperture, hole; arm-hole, slit (*у платья*).

пройти́ *см.* проходить II, III, IV; ~сь *см.* прохаживаться.

прок use, benefit; заготовлять в п. to cure (*мясо, овощи, фрукты*); запасать в п. to store; ему все идёт в п. all is fish that comes to his net; ему от этого ~у не было he derived no

benefit from it; что ~у в разговорах? what is the use of talking?

прока||жённый 1. *s.* a leper; 2. *a.* leprous; '~за I. *мед.* leprosy.

прока́за||а II. a frolic, playful trick, prank, lark (*шалость*); ~ы roguery, pranks; ~ить *см.* проказничать; ~ливый roguish, larky, tricksy, mischievous, puckish, waggish; ~ник rogue, wag; a mischievous child (*о ребёнке*); ~ничать to frolic, to play pranks; to be up to mischief.

прока́л||ивать, ~и́ть *см.* калить; to anneal, temper.

прока́лывать to pierce, prick; to pink, run through (*саблей и пр.*); to puncture (*особ. шину*).

прока́пывать to dig across (*канаву и пр.*).

прокара́ули(ва)ть *см.* караулить; to fail to see whilst watching (guarding).

прока́рмливать to maintain, keep, provide sustenance (*for*); ~ся to subsist, live on.

прока́т hire (*тж. плата за прокат*); на п. on hire.

прока́та́ть I. *см.* прокатывать I.

прокати́ть II. *см.* прокатывать II; ~ся *см.* прокатываться.

прокати́ть *см.* прокатывать II; п. на вороных *фиг.* to blackball; to pip; ~ся *см.* прокатываться II.

прока́тка *техн.* rolling.

прока́тный I. let out on hire.

прока́т||ный II.: п. завод, п. стан rolling mill; ~ное железо rolled iron.

прока́тывать I. to roll; to spread flat with a roller.

прока́тывать II. to take for a drive; ~ся to go for (to take) a drive.

прока́ш||иваться, ~ляться to clear one's throat.

проква́шивать *см.* квасить.

про||кипа́ть, ~кипе́ть, ~кипяти́ть to boil thoroughly.

проки́с||а́ть to sour, turn sour; '~лый sour; foxy (*о вине*); '~нуть *см.* прокисать; '~ший *см.* прокислый.

прокла́дка 1. packing, stuffing, padding; *техн.* washer (*металл., кож. и резин.*); 2. laying, breaking (*дороги и пр.*); п. кабеля cabling; п. труб pipe laying; draining (*канализационных*).

прокла́дывать to lay, break (*дорогу, путь*); to pipe (*трубы*); to rail (*рельсы*); to tunnel (*тоннель*); to interlay (*каким-либо материалом*); п. книгу белыми листами

to interleave; п. путь (*для к.-л.,
ч.-л.*) to pave the way (*for*); п. новые пути *фиг.* to pioneer; п. себе дорогу to work one's way; to elbow one's way through the crowd (*сквозь толпу*).

прокламация proclamation; leaflet (*листовка*).

проклеи(ва)ть to paste, glue, size.

проклина‖ть to curse, execrate, damn; п. тот час, когда... to rue the hour when...; ~ющий maledictory.

прокл‖ясть *см.* проклинать; будь оно '~ято! damn it!, drat it!; plague on it!; ~ятие curse, imprecation, malediction, perdition; ~ятия bad language; ~ятый cursed, damned; *разг.* accursed; dratted, bloody (*sl.*).

проковыр‖ивать, ~ять to pick a hole (*in*).

прокозырять to play out one's trumps.

прокол puncture; ~оть *см.* прокалывать.

проконсул *др.-рим. ист.* proconsul; ~ьский proconsular; ~ьство proconsulate.

прокопать *см.* прокапывать; ~ся с ч.-л. *разг.* to be long over a thing, to dawdle.

прокопте‖лый permeated with smoke; ~ть *см.* коптеть; он всю свою жизнь ~л в глухой провинции *фиг.* he got rusty living all his life in the dull province.

прокорм nourishment, sustenance; п. лошадей livery; зарабатывать себе на п. to earn one's daily bread; ~ить *см.* прокармливать; ~ление *см.* прокорм.

прокос a scythe-wide strip of mowed meadow.

прокрадываться to steal (*out, in, past, up, through*); to come (go) stealthily.

прокрасить to paint thoroughly.

прокрасться *см.* прокрадываться.

прокричать to cry out (*воскликнуть*); п. голос to lose one's voice, to scream oneself hoarse; п. уши to din into one's ears.

прокрустово ложе *миф.* Procrustes' bed.

прокуратор *ист.* procurator.

прокуратура prosecuting magistracy.

прокур‖ивать, ~ить *см.* курить; п. все деньги to spend all one's money on tobacco (smoking).

прокурор public prosecutor; п.

Верховного суда Союза ССР the public prosecutor of the Supreme Court of the Union of Socialist Soviet Republics; генеральный п. Attorney General; товарищ ~а assistant prosecutor.

прокус‖ить, '~ывать to bite through.

проку‖тить, '~чивать to squander, dissipate, to spend wastefully (*деньги*); п. всю ночь напролёт to make a night of it.

пролагать *см.* прокладывать.

пролаза a sly person, one who pushes himself forward, one who wriggles in.

проламывать to break (*стену, лёд и пр.*); to cut open; to fracture (*череп*); п. отверстие (дыру) to make an aperture (a hole); ~ся (*сквозь ч.-л.*) to break (through something).

пролегать to lie (*о дороге*).

пролегомены *научн.* prolegomena.

пролежа‖ть *см.* лежать; я ~л 3 недели в постели I kept (was confined to) my bed for three weeks.

пролеж‖ень bedsore; долежаться до ~ней to contract bedsores.

пролез‖ать, '~ть to get through; п. незаметно to get in stealthily.

пролеп‖сис *фил.* prolepsis; ~тический proleptic.

пролесок vista, glade.

пролёт flight of stairs (*лестницы*); span (*моста, арки*); flight (*аэропланов, птиц*).

пролетар‖иат proletariat(e); *амер. тэс.* working class; диктатура ~иата dictatorship of the proletariat; ~иазция proletarization; ~изировать to proletarize; '~ий proletarian; ~ии всех стран, соединяйтесь! Workers of the world, unite!; Proletarians of all lands, unite!; '~ский proletarian; ~ский привет proletarian greetings (welcome); '~ская культура proletarian culture; ~ская революция proletarian revolution.

про‖летать, ~лететь to fly (*past, across, over*).

пролётка droshky.

пролечить(ся) *см.* лечить(ся); to spend all one's money on medical attendance.

пролив strait, sound.

проли‖вать to shed (*кровь, слёзы*); to spill (*расплескать*); п. свет на ч.-л. to shed (throw) light on a thing; ~вающий свет luminous (*об открытии и пр.*); ~ваться to be shed, to be spilled (spilt); это наверное **прольётся** it is sure to spill; ⁓**вной** дождь pouring (driving) rain; идёт ⁓**вной** дождь *разг.* it is raining cats and dogs; '⁓**тие** shedding; ⁓**тие** крови bloodshed; ⁓**ть(ся)** *см.* проливать(ся).

проло́г prologue.

проло́ж∥**и́ть** *см.* прокладывать; книга с '⁓**енными** листами interleaved book (copy).

проло́м breach, gap, split; п. черепа fracture of the skull; итти на п. to break through, to smash along; ⁓**а́ть**, ⁓**и́ть** *см.* проламывать.

пролонг∥**а́ция** prolongation; ⁓**и́ровать** to prolong.

пром- *сокр.* промышленный.

прома́лывать *см.* молоть.

прома́сл∥**енный**: ⁓**енная** бумага (ткань) oil-paper (-cloth); ⁓**и-(ва)ть** to treat with oil, to oil.

прома́тывать to squander; *разг.* to make (play) ducks and drakes (*of, with*); ⁓**ся** to ruin oneself.

про́мах miss, fault (*упущение*); blunder, slip (*ошибка*); oversight (*недосмотр*); он парень не п. he is no blunderhead; сделать п. to trip; '⁓**иваться**, ⁓**ну́ться** to miss (one's aim), to make a bad shot, to miss the mark.

прома́чивать to wet thoroughly, drench, soak.

прома́ять to torment (*мучить*); to try a person's patience (*изводить*); ⁓**ся** (*с чем-л.*) to drudge (*over*); to have trouble (*with*); ⁓ся всю жизнь to have a hard life.

промба́нк (*промышленный банк*) industrial bank.

промедл∥**е́ние** delay; без ⁓**е́ния** without delay, without putting off, at once; '⁓**ить** *см.* медлить.

проме́жност∥**ь** *анат.* perineum; разрыв ⁓**и** *мед.* laceration of the perineum.

∥**промежу́т**∥**ок** interval, space; interspace; interstice (*о месте*); span (*времени, места*); п. времени period, while; stretch (lapse) of time; с большими ⁓**ками** once in a way (while), from time to time (*о времени*); ⁓**очный** intermediate, intersticial, interjacent; ⁓**очное** звено an intermediate link.

промелькну́ть *см.* мелькать.

проме́н exchange, truck, barter.

проме́н∥**ивать**, ⁓**я́ть** to exchange, truck, barter.

проме́р 1. measurement; 2. error in measurement.

про∥**мерза́ть** to freeze (right through); to be chilled; ⁓**мёрзлый** chilled, frozen; ⁓**мёрзнуть** *см.* промерзать.

проме́р∥**и(ва)ть**, ⁓**ять** to estimate the exact measurements.

проме́шивать to stir up.

проме́шкать to linger, to be long over (a thing).

промина́ть 1. to knead thoroughly (*глину и пр.*); 2. to give exercise (*to*) (*лошадь, ноги*).

промкоопера́ция Association of Craftsmen (Industrial Co-operatives).

промозг∥**лость** foulness; ⁓**лый** foul; ⁓**нуть** to get (grow, become) foul.

промо́ина a place hollowed out by water.

промок∥**а́тельный**: ⁓**а́тельная** бумага blotting paper; ⁓**а́ть**, '⁓**нуть** to get wet, to get soaked; ⁓**нуть** до костей to get drenched to the skin; эта материя ⁓**ает** this stuff is not waterproof; она '⁓**ла** до нитки she has not a dry thread on her; '⁓**ший** насквозь dripping wet.

промола́чивать *см.* молотить.

промо́лви∥**ть** *см.* молвить; он не ⁓**л** ни слова he never uttered a word.

промоло́ть *см.* молоть.

промолча́ть to remain (keep) silent.

промора́живать *см.* морозить.

проморга́ть *разг.* to miss; to overlook (*не предусмотреть*); п. случай to miss an opportunity, to let a chance slip by.

промори́ть *разг.* to try a person's patience (*испытать терпение*); to torment (*мучить*); to lead one a dance; п. голодом to starve.

промота́ть *см.* проматывать.

промочи́∥**ть** *см.* промачивать; п. горло *разг.* to wet one's whistle; п. ноги to wet one's feet; я ⁓**л** ноги насквозь my feet are soaking wet.

промтова́ры manufactured goods.

промучиться: п. над ч.-л. to worry over a thing.

промфинпла́н (*промышленный финансовый план*) the industrial and financial plan; досрочное выполнение ⁓**а** the carrying out of the industrial and financial plan before the sheduled time.

промча́ться to fly (past); п. стрелой to dart, flash (past).

промыв‖а́ние washing (out, off); irrigation (*раны*); п. желудка *мед.* lavage (irrigation) of the stomach; **⌐а́ть** to wash (out, off); to rinse (out, away); to syringe (*рану*); to pan off (out) (*золотоносный песок в тазу*); '**⌐ка** см. промывание.

про́мыс‖ел craft, trade (*ремесло*); business (*дело, занятие*); горный п. mining, working of mines; кустарный п. home trade, domestic craft industry; рыбный п. fishery; соляной п. salt-mine; золотые **⌐лы** gold-fields.

промысло́в‖ый: ⌐ое свидетельство licence.

промы́‖ть см. промывать; вода **⌐ла** плотину the water has washed through (away) the dam.

промы́шлен‖ник manufacturer, trader; **⌐ность** industry; горная **⌐ность** mining industry; добывающая (обрабатывающая) **⌐ность** extracting (manufacturing) industry; крупная (мелкая) **⌐ность** large (small) scale industry (*или -ries*); лёгкая (тяжелая) **⌐ность** light (heavy) industry; своя (чужая) **⌐ность** home (foreign) industry; текстильная **⌐ность** textile industry; хлопчатобумажная **⌐ность** cotton industry; **⌐ный** industrial; **⌐ный** округ industrial district; **⌐ный** переворот industrial revolution; **⌐ная** продукция industrial output.

промышля́ть (*чем-л.*) to earn one's living (*by*); п. краденым to deal in stolen goods.

промя́млить to mumble.

промя́ть см. проминать.

прона́шивать to wear out, wear to shreds.

про‖нести́(сь) *см.* проносить(ся) 1; **⌐нёсся** слух, что... there was a rumour spread that...; поезд **⌐нёсся** the train rushed past.

пронза́ть to pierce, transfix; to run through, spit (*чем-л. острым*); to spear (*копьём*).

пронзи́тельн‖ость shrillness, sharpness, acuteness; **⌐ый** shrill, sharp, acute, piercing; **⌐ый** крик piercing shriek; **⌐ые** глаза searchlight eyes; **⌐о** shrilly, piercingly *и пр.*

пронзи́ть см. пронзать.

прониз‖а́ть, '**⌐ывать** to pierce; '**⌐ывающий** взгляд (холод) piercing glance (cold).

проник‖а́ние penetration, permeation, pervasion; percolation (*просачивание жидкости*); **⌐а́ть** to penetrate, permeate, pervade;

to percolate (*о жидкости*); to filter (through, out) (*об известиях, новостях*); to sink (work, bore) into (*углубляться*); to fathom (*постигать*); **⌐а́ть** взаимно to interpenetrate (*with*); to be filled (*with*); **⌐а́ться** любовью to be inspired with love; **⌐а́ться** какой-л. теорией to be imbued with a theory; **⌐нове́ние** penetration, emotion, feeling; **⌐нове́нный** full of feeling; **⌐нове́нно** with much feeling; '**⌐нутый** (*чем-л.*) imbued, inspired (*with*); '**⌐нуть(ся)** см. проникать (-ся).

пронима́‖ть to make a thing felt; дрожь **⌐ет** меня I've got the shivers; меня **⌐ет** холод I am suffering acutely from cold.

проница́ем‖ость permeability, penetrability, perviousness; **⌐ый** permeable, pervious; pellucid (*для света и пр.*); porous (*пористый*).

проница́тельн‖ость penetration, clear-sightedness, insight, perspicacity, acumen; shrewdness (*сообразительность*); understanding (*понятливость*); intelligence (*смышлёность*); astuteness (*хитрость*); clairvoyance (*ясновидение*); острая п. poignant (penetrating) insight; обладать исключительной **⌐остью** *фиг.* ≅ to see (far) into (through) a millstone; **⌐ый** penetrating, keen, eagleeyed; shrewd; astute; sagacious (*мудрый и пр.*); см. проницательность.

проница́ть см. проникать.

проноси́ть 1. to carry (*along, past, through*); 2. to have a loose motion of the bowels; ветер про**⌐но́сит** тучи the wind blows away the clouds; 3. *см.* пронашивать.

проноси́ться to shoot, rush (*along, past, before*); п. перед глазами to float before the eyes (*в мыслях*).

проно́шенный the worse for wear; worn out, threadbare (*о материи*).

проны́р‖а *разг.* pushful person; *см. тж.* пройдоха; **⌐ливость** slyness, pushfulness; **⌐ливый** pushful, sly.

проню́х(ив)ать to smell, nose (out).

проня́‖ть *см.* пронимать; его этим не п. he is too thick-skinned to feel it; при мысли об этом его **⌐ла́** дрожь it gave him the shivers (it made his flesh creep) to think of it.

прообраз prototype, type, symbol; быть (служить) ~ом to (pre-)figure.

пропаганд‖а, ~и́рование propaganda, propagation; п. де́йствием propaganda by action (deeds); ~и́ровать to propagate; proselytize; ~и́ст, ~и́стка propagandist; я́рый ~ист zealous propagandist.

пропада́‖ть to be lost (теря́ться, ги́бнуть); to vanish, disappear (исчеза́ть); п. из до́му to be away from home; п. от го́лода to die of starvation; п. от хо́лода to perish with cold; где вы всё вре́мя ~ли? where have you been all this time?

пропа́жа loss, the missing thing(s); the stolen thing(s).

пропази́ть техн. to mortise (сде́лать па́зы).

пропа́‖сть см. пропада́ть; ~ди́те вы пропа́дом! I wish you were at the bottom of the sea!; отва́га ~ла courage fell; соба́ка ~ла the dog is lost (has strayed); тепе́рь я ~л! now I am lost (done for)!; тепе́рь пиши́ ~ло! now it is as good as lost!; без ве́сти ~вший missing (особ. военн.).

про́пас‖ть 1. precipice, abyss, gulf; 2. разг. a world of, a lot of, heaps of (ма́сса); бездо́нная п. bottomless pit; у него́ была́ п. хлопо́т he has had a world of trouble; на краю́ ~и on the brink of a precipice; фиг. on the verge of disaster; тьфу, п.! the devil!; deuce take it!

пропа́хнуть to be (become) permeated with a smell.

пропа́ш‖ка (thorough) ploughing; ~ник cultivator.

пропа́щий ruined, lost; п. челове́к a bad lot.

пропеде́втика научн. propædeutics, preliminary instruction.

пропе́ллер техн. propeller, air-screw, fan.

пропеча́т‖(ыв)ать: п. к.-л. (ч.-л.) в газе́тах разг. to have a person (fact) mentioned in the press; я его́ ~а́ю в газе́тах I'll show him up (disclose the truth about him) in the press.

пропива́ть: п. го́лос (здоро́вье) to lose (ruin) one's voice (health) through excessive drink; п. де́ньги (состоя́ние) to squander one's money (fortune) on drink.

пропи́л техн. kerf (в де́реве); де́лать ~ы to kerf; ~ива́ть, ~и́ть см. пили́ть.

пропис‖а́ть, '~ывать см. пи-

са́ть; 1. to vise (па́спорт); 2. to prescribe, order (лека́рство, лече́ние); ~а́ться, '~ываться to have one's passport stamped, to register.

про́пис‖и samples for calligraphy; писа́ть ~ью to write out (in full); '~ка visa, vise (па́спорта); ~на́я бу́ква capital (letter); тип. uppercase letter; ~ны́е и́стины common (или Sunday-school) truths, copy-book maxims; hackneyed truths.

пропита́ние subsistence, livelihood, living; зараба́тывать себе́ на п. to earn one's living (keep).

пропи́т‖анный (чем-л.) impregnated, imbued (with); penetrated (with) (прони́кнутый); saturated (with) (насы́щенный); ~а́ть см. пропи́тывать; ~ыва́ние impregnation (with), transfusion (of); ~ыва́ть to impregnate, transfuse (with); to swamp, to soak, steep (in) (о воде́); to saturate (насыща́ть); ~ыва́ть ио́дом to iodize; ~ыва́ть ма́слом to oil; ~ыва́ть се́рой to sulphurate, sulphurize.

пропи́ть см. пропива́ть.

пропих‖а́ть, '~ивать, ~ну́ть разг. to push, force through; ~ну́ть како́е-л. де́ло вульг. to forward a matter.

проплы‖ва́ть, '~ть to swim (float) past (along, through); п. пе́ред глаза́ми to float before the eyes.

пропове́д‖ник preacher; ~ничество, ~ывание preaching; sermonizing (особ. поуче́ние); homiletics; ~ывать to preach, sermonize, propagate, hold forth.

про́поведь sermon, homily.

пропо́йца drunkard, tippler, sot.

прополаскива‖ние, ~ть см. полоска́ние, полоска́ть.

прополз‖а́ть, ~ти́ to creep, crawl past (through, along).

пропо́л‖ка weeding; ~ётъ to weed; ~очная кампа́ния weeding campaign.

пропорхну́ть to flit past.

пропорциона́льн‖ость proportionality; proportionateness (соразме́рность); just proportion; ~ый proportional, proportionate; сре́днее ~ое the mean proportional; ~о in proportion, proportionately, proportionally.

пропо́рция proportion, ratio.

про́псы лес. props.

про́пус‖к 1. pass, permit (разреше́ние); 2. omission, lapse (недосмотр); **3.** blank, gap (*пустое место*); ~кáние через что-либо passing through; ~кáние через фильтр filtration; ~кáть **1.** to pass, let pass; **2.** to pass over, miss, pretermit, omit, skip (*оставить без внимания*); **3.** to pass through (*через что-либо*); to filter, filtrate (*фильтровать*); to percolate (*процеживать*); ~кáть воду to leak (*о лодке, бочке, и пр.*); ~кáть часть текста в книге to omit a passage; ~кáть случай to miss an opportunity; она всегда ~кáет описания she always skips the descriptions; стекло ~кáет свет the glass is translucent; я ~тил много уроков в этой трети I have missed many lessons this term; экзаминаторы ~тили его the examiners passed him; ~кáющий воду pervious to water; ~кнáя бумага filter (blotting) paper; ~кная способность завода productive capacity of a factory; ~тúть *см.* пропускáть.

прорáб (*производитель работ*) construction superintendent(foreman).

прораб‖áтывать, ~óтать *см.* работáть; п. вопрос to work out a question; п. всю ночь to work all night long; п. 10 лет to work ten years; ~óтка (вопроса) the working out (of a question).

прораⷠстáние germination; ~стáть, ~стú *бот.* to germinate; to sprout, shoot (*давать ростки*).

прóрв‖а *вульг.* **1.** lot, quantity; **2.** glutton (*обжора*); куда тебе такую ~у бумаги? what do you want such quantities of paper for?; ~áть(ся) *см.* прорывáть I, прорывáться.

прорéжива‖ние (*леса*) thinning; ~ть (*лес*) to thin.

прорéз slot; *техн.* notch; делать ~ы to notch; ~áть(ся) *см.* прорезывáть(ся).

прорезúн‖енный: ~енная ткань rubber-cloth, mackintosh; ~и́(ва)ть to treat (impregnate) with caoutchouc; to coat with rubber.

прорéз‖ывание: п. зубов teething, dentition, eruption of teeth; ~ывать *см.* резать; to trench (*бороздки, желобки*); *карт.* to finesse; ~ываться to cut (*о зубах*); у ребёнка ~ывается зуб, ~ываются зубы the child is cutting a tooth, is teething.

прорéха placket(-hole); slit, tear, rent (*разорванная*); *фиг.* gap, blunder.

проржáветь to rust through.

прорисóв‖ать, '~ывать to trace, make tracing of a drawing.

прорицá‖ние oracle, divination; ~тель augur; Nostradamus (*шарлатан*); ~тельный predictive, oracular, Delphian, Delphic; ~ть to foretell, predict, prophesy.

прорóк prophet, seer; нет ~а в своём отечестве *погов.* a prophet is not without honour save in his own country.

пророни‖ть: п. замечание to drop (let slip) a remark; не ~л ни слова never uttered a word, did not breathe a word.

проро́ч‖еский prophetic(al), sibylline, orphic; ~ество prophecy, vaticination; ~ествовать, ~ить to prophecy, predict, foretell; ~ица prophetess.

прóрубь an opening cut in the ice for rinsing the washing, for fishing *etc.*

прорýха blunder; и на старуху бывает п. *посл.* ≙every man has a fool in his sleeve.

прорыв break, gap, inrush; *геол.* fault (*в слое*); п. на производстве hitch (breach, break) in production; полный п. break-through (-down); ликвидировать ~ы to do away with hitches, to bridge the gaps.

прорывáть I. to break through; п. ряды неприятеля to pierce the enemy's lines.

прорывáть II. to dig through; to hole (*ямы*); п. себе ход to burrow (dig) one's way through.

прорывáться to burst open, to shoot (forth); п. сквозь что-л. to force one's way through, burst through.

прорыть *см.* прорывáть II.

проса‖дить, '~живать: п. состояние (в карты) to squander one's fortune (in gambling).

просáк: попасть в п. to get into a scrape, to be in a sorry plight.

просáли‖вание greasing; ~вать I. to grease (*салом*).

просáливать II. to corn, preserve in salt.

просáлить *см.* просаливать I.

просáчива‖ние soakage; transudation; oozing, exudation (*см.* просачиваться); ~ться to soak (*into*) (*внутрь*); to ooze, exudate (*наружу*); to transude, percolate, filter (*сквозь ч.-л.*).

просвéрли‖вание perforation, boring; ~вать, '~ть to perforate, bore, pierce.

просве́т clear space (gap, chink) admitting light, *анат.* lumen; *арх.* bay; без ⌐а without a ray of hope; ⌐и́тель instructor, teacher; ⌐и́тельный instructive, elucidative; ⌐и́ть *см.* просвещать; ⌐ле́ние, период ⌐ле́ния *мед.* lucid interval; ⌐ле́ть to clear up (о *погоде*); to lucidify, clarify (о *жидкостях*); ⌐ли́ть, ⌐ля́ть to clarify.

просве́чива‖ние 1. translucence (-су); 2. radioscopy; X-raying (*рентгеновскими лучами*); ⌐ть 1. to be translucent (о *ткани и пр.*); написанное ⌐ет сквозь эту тонкую бумагу the writing is seen (shows) through this thin paper; 2. *мед.* to examine with X-rays, to X-ray; ⌐ться to be (get) X-rayed; ⌐ющий translucent; diaphanous (*особ.* о *плёнке, ткани*).

просвеща́‖ть to enlighten, instruct, teach; to illuminate (*духовно*); ⌐е́нец educationalist, teacher; ⌐е́ние enlightenment, instruction, education; ⌐ённый educted; ⌐ённый ум an informed mind; ⌐ённое мнение enlightened opinion.

просви́р‖няк *бот.* mallow; '⌐чатый *бот.* malvaceous.

просвис‖та́ть, ⌐те́ть, '⌐тывать *см.* свисте́ть; *фиг.* to waste (squander) away (*деньги, состояние*).

просева́ть *см.* просеивать.

про́седь: волосы (борода́) с ⌐ю grizzly hair (beard).

просе́ива‖ние sifting, riddling, screening, bolting; ⌐ть to sift, riddle, screen (*сквозь решето*); to bolt (*сквозь грубую ткань*).

про́сека vista, lane cut through a forest.

просека́ть to hew (cut) through.

просёло‖к, ⌐чная доро́га country road (lane); by-road, cart-road.

просемина́р practical course for beginners.

просе́чь *см.* просекать.

просе́ять *см.* просеивать.

проси‖де́ть *см.* сиде́ть; '⌐живание sitting up (*по ночам*); '⌐живать *см.* сиде́ть; ⌐живать (всю ночь) у больно́го to sit up (all night) with a patient; ⌐живать в гостя́х to spend one's time with friends; ⌐живать ме́бель to spoil furniture by constant use.

про́синь bluish tint.

проси́‖тель applicant, petitioner; suitor, beseecher; ⌐тельный petitionary, supplicatory, suppliant, beseeching; ⌐ть to ask, beg, request; to beseech, entreat, solicit (*умолять*); to sue (*to..., for*) (*судебным порядком*); to intercede (*with..., for*) (*перед к.-л., за к.-л.*); ⌐ть к обеду to ask (invite) to dinner; ⌐ть ми́лостыню to beg, go begging; ⌐ть по́мощи to apply for aid; ⌐ть проще́ния, извине́ния to beg pardon; ⌐ть разреше́ния to ask (for) permission (*to*); посети́телей '⌐ят... visitors are requested...; ⌐ться to ask (*for, to do*); он '⌐ится домо́й in отпуск he is asking to go home on leave.

проси́я‖ть to brighten (*up*), irradiate (*with*); он ⌐л от восторга he beamed with delight.

проска́бливать to scrape a hole (*in*), to make a hole by scraping.

проскака́ть to gallop, rush, tear past (along, through).

проска́кивать to spring, slip in (past, through).

проска́льзывать to slip, steal, shave (past), to fleet, glide away; *см. тж.* проскользну́ть.

проскобли́ть *см.* проскабливать.

проскользну́‖ть *см.* проскальзывать; ⌐ло в газетах has been mentioned in the papers; ⌐ло много оши́бок many mistakes have slipped in.

проскочи́‖ть *см.* проскакивать; ⌐ла оши́бка *разг.* a mistake has slipped in.

проскре‖ба́ть, ⌐сти́ to scrub a hole; to scrub thoroughly.

проскрипц‖ио́нный: п. список list of the persons proscribed; '⌐ия proscription; подверга́ть '⌐ии to proscribe.

просла́в‖ить(ся) *см.* прославля́ть(ся); он ⌐ился свои́ми трудами; he has become famous for his writings; ⌐ле́ние glorification, celebration, apotheosis; ⌐ленный famous, celebrated; ⌐ля́ть to glorify (*окружать ореолом славы*); celebrate (*праздновать*); to signalize, to add lustre (*to*), to throw (shed) lustre (*on*); ⌐ля́ться to become illustrious (famous); to be famous (*for*).

просла́ивать to interlay, sandwich; to insert (*between*).

проследи́ть *см.* прослеживать; п. за выполнением чего-л. to see a thing done.

просле́довать to pass.

просле́жива‖ть to trace, track, follow; *фиг.* to nose (*after, for*); п. до источника to retrace, to trace back.

прослези́ться to shed a few tears.

просло‖и́ть *см.* прослаивать; '‑йка layer, stuffing; padding (*мягкая*); *геол.* seam, streak; партийная ‑йка party stratum.

прослу́ш‖(ив)ать 1. *см.* (вы)слуш(ив)ать; ‑ать курс лекций to attend a course of lectures; **2.:** я ‑ал, что вы сказали I have missed (did not catch) what you said.

просма́ливать to coat (impregnate) with tar.

просма́тривать 1. to look over (through); to glance (run) over (*бегло*); **2.** to overlook, miss (*недосмотреть*).

просмоли́ть *см.* просмаливать.

просмо́тр 1. survey; п. документов the examination of papers; п. текста recension; закрытый п. private view; общественный п. пьесы public hearing of a play; **2.** oversight, blunder (*недосмотр*); ‑еть *см.* просматривать; ‑енное и исправленное издание revised edition.

просну́ться *см.* просыпаться I.

про́со millet.

просо́вывать to push, shove, force (*through*); п. голову в дверь to thrust one's head in (through) the door.

просоди́‖ческий *фил.* prosodic (‑al); '‑ия prosody.

просоли́ть *см.* просаливать II; ‑ённое мясо corned beef.

просо́н‖ки: он это сказал с ‑ок he said that when he was only half roused from sleep (half awake); he said it when still half asleep

просо́х‖нуть to (get) dry; ‑ший dried.

просочи́ться *см.* просачиваться.

проспа́ть *см.* просыпать I; *фиг.* to overlook, fail to notice (*не заметить*); ‑ся to sleep oneself sober, to sleep off.

проспе́кт 1. avenue (*улица*); **2.** prospectus.

проспо́рить *см.* спорить; п. пари to lose a bet.

проспряга́ть to conjugate.

просро́ч‖енный overdue; ‑и(ва)ть to be overdue; to hold over, delay (*задерживать*); ‑ка delay, expiration of the due period of time; ‑ка в предъявлении иска *юр.* non-claim.

проста́вить: п. дату to date, to mark with a date.

проста́ивать to stand; *см.* стоять.

проста́к simpleton, noddy, gaby,

noodle; a man of simple manners; обманутый п. pigeon; разве я кажусь таким ‑ом? do you see any green in my eyes? (*sl.*).

проста́та *анат.* prostate; prostatic gland.

прост‖ега́ть, ‑ёгивать, ‑егну́ть *см.* стегать.

просте́йш‖ий *см.* простой; ‑ее животное *зоол.* protozoon (*pl.*-zoa).

просте́нок pier.

простере́ть *см.* простирать II.

простира́ть I. *см.* стирать.

простира́‖ть II. to stretch, extend, reach (*out*); ‑ться to stretch, reach, range, sweep; берег ‑ется к северу the coast sweeps northwards; лес ‑ется на много миль the forest stretches for miles; владения ‑ются domains extend.

прости́тельн‖ость remissibility; veniality (*о проступке*); ‑ый pardonable, excusable; это вполне ‑о it is quite pardonable.

проститу‖и́ровать to prostitute; '‑тка prostitute, streetwalker, harlot, drab; *разг.* strumpet; *вульг.* whore; *фиг.* white slave; '‑ция prostitution.

прост‖и́ть(ся) *см.* прощать(ся); ‑и́те! (I am) sorry!; не ‑я́сь without taking leave; taking French leave.

про́сто simply, plainly; merely, just (*только*); он это сделал п. по привычке he did it from mere (bare) habit; ‑ва́тость simplicity, silliness, simple-mindedness; ‑ва́тый simple(-minded); silly, foolish; ‑ва́то somewhat plainly.

простоволо́сый bare-headed.

простоду́ш‖ие open-heartedness, artlessness, simple-heartedness, simple-mindedness; ‑ный simple-hearted, simple-minded, artless, innocent, naïve (*наивный*).

прост‖о́й I. simple; plain; ordinary (*обыкновенный*); common (*обычный, часто встреч.*); rude (*неотёсанный*);homely (*грубоват.*); bare, mere (*без прикрас*); unsophisticated (*безыскусственный*); п. образ жизни plain living; п. стиль simple (unadorned) style; он не настолько прост, чтобы... he knows better than to...; ‑а́я еда plain cooking; ‑ое дело simple thing, matter; ‑ое любопытство mere curiosity; ‑ое тело *хим.* simple substance, element; ‑ое число *мат.* prime number.

прост‖о́й II. demurrage (*тж.* плата за п. вагонов, судов *и пр.*); п.

машины the standing idle of a machine; **вынужденный** п. forced stoppage.

простоква́ша clotted milk.

простонаро́дье *уст.* populace, the common people.

простона́ть to utter a groan (moan); to moan.

просто́р scope, ampleness, spaciousness; e l b o w-r o o m; *фиг.* range, full play; даёт широкий п. деятельности gives ample scope (full play) to; нет ⌐а no elbow-room.

просторе́чие popular language, common parlance.

просто́рн‖ый spacious, ample; capacious, commodious, roomy (*вместительный*); здесь очень ⌐о there is plenty of room here.

простосерде́чн‖ие simple-heartedness, artlessness, frankness; ⌐ный simple-hearted, artless, frank; ⌐но simple-heartedly *и пр.*

простота́ simplicity; artlessness (*бесхитростность*); candour, frankness (*откровенность*); homeliness, rusticity (*грубоватость*); silliness (*глуповатость*).

простофи́ля *разг.* duffer, ninny.

просто‖я́ть to stand; холодная погода ⌐и́т недолго the cold weather will not last long.

простра́нн‖ость d i f f u s e n e s s; extensiveness; verbosity; prolixity; *см.* пространный; ⌐ый extensive, expansive, vast; diffuse, verbose (*многословный*); prolix (*утомительно многословный*); ⌐о extensively, prolixly, at length, with details.

простра́нств‖енный spatial; ⌐о space, expanse, scope, field, tract; room (*площадь, занимаемая помещением*); безвоздушное ⌐о vacuum; вредное ⌐о *техн.* clearance (*в цилиндре*); пустое ⌐о void; на широком ⌐е over a wide-spread area.

простра́ция prostration, mental (physical) depression, exhaustion.

простре́л *мед.* lumbago; ⌐ивать, ⌐и́ть to shoot (through).

просту‖да cold, chill; схватить ⌐ду to catch a chill (cold); ⌐ди́ть *см.* студить, простужать; ⌐ди́ть-ся *см.* простужаться; ⌐дный catarrhal; ⌐жа́ть *см.* студить; не ⌐ди́те ребёнка take care that the child doesn't catch cold; ⌐жа́ть-ся to catch cold; ⌐женный affected with cold.

просту́пок fault, offence, delinquency, shortcoming; *юр.* misde-

meanour; тяжёлый п. flagrant offence.

просту́шка *разг.* a simple-minded woman.

простыва́ть *см.* остывать.

простыня́ sheet.

просты́ть *см.* остывать.

просу́нуть *см.* просовывать.

просу́ш‖ивание thorough drying; ⌐ивать to dry thoroughly; ⌐иваться to be thoroughly dried; ⌐и́ть(ся) *см.* просушивать(ся); ⌐ка *см.* просушивание.

просуществова́ть to exist (for a while).

просфора́ *церк.* host, a kind of bread.

просце́ниум *театр.* proscenium.

просчёт 1. an error in counting; 2. checking; ⌐ита́ть, ⌐и́тывать to check one's calculations; ⌐и́-тывать деньги to count up money; ⌐ита́ться, ⌐и́тываться to make an error in counting; to miscalculate.

про́сып: спать без ⌐у to sleep without waking; спать без ⌐у 12 часов to sleep the clock round.

просыпа́ть to oversleep oneself.

просы́пать, ⌐ся to spill.

просыпа́ться to waken, rouse, awake.

просыха́ть to dry, to get dry.

про́сьб‖а request, solicitation, prayer; application, petition (*письменная*); п. не курить no smoking please; у меня к вам большая п. I have a great favour to ask of you; по чьей-либо ⌐е at someone's request; обращаться с ⌐ой to make a request, to petition (*for*); подать ⌐у to enter an application; подать ⌐у об отставке to send in one's resignation; удовлетворить ⌐у to comply with a request.

проси́нка bunting, corn bunting (*птица*).

прота́лина thawed patch of earth on a snow (ice) covered surface.

прота́лкивать to push, press (*forward*); ⌐ся to shoulder, to force (elbow) one's way, to hustle.

протанцова́ть *см.* танцовать; п. менуэт to step a minuet; п. с к.-л. to have a dance with one.

прота́плива‖ние heating; ⌐ть to heat occasionally.

прота́птывать to trail.

прота́скивать to drag, pull, trail (*through*); to introduce *or* propagate surreptitiously (*чуждую идеологию и пр.*).

прота́чивать *см.* точить; to eat (*о черве и пр.*).

протащи́ть *см.*, протаскивать.

протеж‖**е́** protégé; делать к.-л. своим п. to take one up; ∼и́рование protection; ∼и́ровать to protect, favour.

проте́з prosthesis; ∼ный prosthetic.

протеи́н protein; ∼отерапи́я proteinotherapy.

Проте́й *миф.* Proteus (*фиг. тж.* inconstant person); *зоол.* proteus.

протека́‖**ть** to flow past (*о реке*); to leak (*о сосуде, судне*); to elapse, to fly (*о времени*); болезнь ∼ет нормально the illness is taking its normal course; ∼ющий между... interfluent.

проте́к‖**тор** protector, patron; ∼тора́т protectorate; ∼циони́зм *экон.* protectionism; protection, favouritism (*кумовство*); ∼циони́ст protectionist; ∼ция protection, favour, patronage.

протелефони́ровать to telephone; to put in a call; to call up; *разг.* to phone.

про‖**тере́ть(∼я)** *см.* протирать (-ся); ∼тёртый worn, threadbare (*о материи и пр.*).

проте́ст protest, remonstrance; complaint (*жалоба*); п. векселя protest of a promissory note; горячий п. feeling protest; громкий п. outcry; подать п. to enter a protest; демонстрация ∼а demonstration of protest; резолюция ∼а vote of protest; склонный к ∼у disaffected.

протеста́нт *рел.* protestant; ∼и́зм *см.* протестантство; ∼ский protestant; ∼ство protestantism.

протест‖**ова́ть** to protest, remonstrate (*against*); ∼у́ющий remonstrant.

протёсывать *см.* тесать.

проте́чь *см.* протекать.

про́тив 1. opposite; дерево, которое п. дома the tree opposite the house; это произошло п. здания школы it happened opposite the school; 2. against; выска́зываться, говорить п. to speak (make) against, to negative; за и п. pro and con; доводы за и п. the pros and cons; сражаться п. кого-л. to fight against one; я ничего не имею п. I have nothing against it; вы ничего не имеете п., если я закурю папиросу (расскажу ему)? do you mind my smoking (my telling him)?; 3. contrary; п. моих ожиданий всё сошло хорошо contrary to my expectations all went well; 4. to; десять шансов п. одного, что он придёт it is ten to one that he will come; 5. as compared to; 6. versus (*сокр.* v. *о судебном процессе, спортивном состязании*); п. ветра windward.

про́тивень griddle.

проти́виться to oppose, object (*протестовать*); to resist (*сопротивляться*); to traverse (*мнению, предложению*); *фиг.* to set one's face against; п. чему-либо to react against something.

проти́вник adversary, opponent, antagonist; assailant, assailer (*нападающий*); п. войны adversary of war.

проти́вн‖**ый** 1. opposed, contrary, adverse (*to*) (*противопол.*); alien (*to*) (*чуждый*); п. ветер contrary wind; п. нашим интересам adverse to our interests; путем доказательства от ∼ого by rule (*или* reason, argument) of contraries; в ∼ом случае otherwise; ∼ая сторона the opposite party; 2. disgusting, obnoxious, repugnant (*to*) (*отвратительный, неприятный*); п. запах foul odour; п. человек disgusting man; ∼ое зрелище repugnant sight; ∼о 1. contrary; это ∼о моим желаниям it is contrary to my wishes; 2. disgustingly, repulsively (*отвратительно*); ∼о смотреть! it disgusts (repels) one to see it!

противо- *в сложн.* counter- (противодействие counteraction); anti- (противоядие antidote).

противоалкого́льный temperance (*attr.*).

противобо́рство opposition,antagonism; ∼вать to oppose, resist.

противовенери́ческий antivenereal.

противове́с counterbalance, counterpoise; *мех.* equipoise.

противовоспали́тельный antiphlogistic.

противога́‖**за** box-respirator; ∼овый gasproof; ∼овый шлем gas-helmet, gas-mask.

противоглисти́стый vermifuge, anthelmintic.

противоде́йств‖**ие** counteraction, reaction; contrariety; ∼овать to counteract, react (*against*); to oppose, resist (*противиться*); to cross (*перечить*); ∼ующий reactive; reactionary.

противоесте́ственн‖**ость** unnaturalness; ∼ый unnatural, against nature; ∼о unnaturally.

противозако́нн‖**ость** illegality; ~ый illegal, unlawful; ~о illegally, unlawfully.

противозача́точные сре́дства contraceptives.

противолежа́щий lying (situated) opposite.

противолихора́дочный antifebrile.

противоломо́тный *мед.* antiarthritic.

противообще́ственный antisocial.

противопожа́рн‖**ый:** ~ые меры anti-fire measures, preventative measures against fire.

противопоказа́ние *мед.* contraindication.

противополага́ть(ся) см. противопоставлять(ся).

противополо́ж‖**ение** contrast, antithesis; contradistinction; *лог.* contraposition; ~и́ть(ся) см. противопоставлять(ся); '~ное the contrary, the reverse, counterpart; ты настаиваешь на '~ном общему мнению you insist on the reverse of the general opinion; '~ность opposition, contrast; в ~ность on the contrary, in contrast (*with*); он—полная ~ность своему предшественнику he is a great contrast to his predecessor; прямая ~ность the exact opposite to; '~ный opposed, contrary; opposite (*о месте*); different (*различный*); counter (*контр-*); диаметрально ~ный antipodal; прямо ~ный directly opposite; '~ная доктрина (сторона) the counter doctrine (side); смотреть в '~ную сторону to look the contrary (another) way; у них '~ные взгляды they hold different views; '~но contrar(il)y, contrariwise, in an opposite way.

противопоста́в‖**ить** см. противопоставлять; ~ля́емость opposability; ~ля́ть to oppose, contrast; to set off (*against*); to object (*to, against*); ~ля́ться to be contrasted; to be set off (*against*).

противоправи́тельственный anti-government (*attr.*); antigovernmental.

противоречи́в‖**ость** contrariety; ~ый contradictory, contradictious; inconsistent (*непоследовательный*); ~о contradictorily; inconsistently.

противоре́чи‖**е** contradiction; collision, clash, conflict (*столкновение*); inconsistency (*непоследовательность*); п. интересов conflict of interests; ~я капитализма contradictions of capitalism; дух ~я spirit of contradiction; defiance; он сделал это из духа ~я he did it to defy me (from the mere love of opposition); внутренние ~я internal contradictions; ~ть to contradict; to cross (*перечить*); он любит ~ть he is fond of arguing; он сам себе ~т he contradicts himself.

противосамолётн‖**ый:** ~ое орудие *военн.* anti-aircraft gun.

противостоя́‖**ние** resistance; *астр.* opposition; ~ть to resist, countervail.

противосу́дорожный *мед.* antispasmodic.

противоцынго́тный *мед.* antiscorbutic.

противочахо́точный *мед.* antiphtisic.

противочу́мный *мед.* antiplague.

противойдие *мед.* antidote.

протира́‖**ть** to rub; to fray, to wear by rubbing (*от носки и пр.*); п. запотелое оконное стекло to wipe a dimmed window pane; ~ться to wear; to be worn (frayed); тарелки ~ются насухо the plates are rubbed dry.

проти́с‖**к(ив)ать(ся), ~нуть(ся)** to press, squeeze (*past, through, into*); ~к(ив)аться в толпе to elbow one's way.

проткну́ть to pierce (through), to prick (*прокалывать*).

протозо́и *биол.* protozoa.

прото́к canal; *анат.* duct; выводной п. excretory.

протоко́л minutes, proceedings (*pl.*) (*заседания*); protocol (*дипломатический*); record (*заседания суда*); the journals (*заседания парламента*); transactions (*научного общества*); record, charge-sheet (*полицейский, во Франции—procès-verbal*); official act (*акт*); п. опроса examination record; ~и́ровать to minute, to record.

протолк‖**а́ть(ся), ~ну́ть(ся)** см. проталкивать(ся).

прото́н *физ.* proton.

протопи́ть см. протапливать.

протопла́зм‖**а** *биол.* protoplasm, plasm(a); ~енный protoplasmic.

протопта́ть см. протаптывать.

проторгов‖**а́ть, '~ывать** см. торговать; to lose in trading; ~а́ться, ~ываться to ruin oneself in trading.

прото́ренн‖**ый** beaten, well-trodden; по ~ой дорожке along the beaten track (path).

протор‖и́ть, ~я́ть *см.* протапты-вать.

прототи́п prototype.

проточ‖и́ть *см.* протачивать; вода ~и́ла дыру the water has bored a hole; ' ~енный червями wormeaten; платье ' ~енное молью moth-eaten clothes.

прото́чный flowing, running (*о воде и пр.*).

протра́в‖а *хим.* mordant; ~ливать. *хим.* to treat with a mordant.

протрезв‖и́ть(ся) *см.* протрезвлять(ся); ~ле́ние the recovery from drunkenness (intoxication); ~и́ть to sober (down), to make sober; ~и́ться to sober (up); to recover from drunkerness.

протруби́ть to sound the trumpet, to trumpet, to blow the trumpet; п. все уши к.-л. to din into someone's ears; п. сигнал to sound a trumpet call.

проту́х‖лый foul, putrid, rotten; ~нуть to become foul (putrid); ~ший *см.* протухлый.

протыка́ть to pierce (through); to prick, pink (*прокалывать*).

протя́‖гивать 1. to stretch (out), extend; to reach out (*руку, ветку и пр.*); 2. to prolong (*продлить*); п. ноги *фиг.* to die; п. проволоку через дорогу to stretch a wire across the road; п. руку (ноги) to extend (stretch) out hand (legs); п. руку to hold out one's hand (*кому-л.—to*); п. руку помощи to lend a helping hand; по одёжке п. ножки *посл.* to cut one's coat according to one's cloth; он долго не ~нет he won't last long; ~гиваться to extend; to last (*продолжаться*); ~же́ние extent, stretch; spread (*распространение*); range (*охват*); большое ~жение expanse; ~жение времени duration; на ~же́нии мили for the space of a mile; ~жность slowness (*речи и пр.*); lengthiness (*длительность*); ~жный lasting, lengthy (*длительный*); (long) drawn-out, drawling (*о речи*); ~жный вой a long howl; говорить ~жно to drawl; ~ну́ть (-ся) *см.* протягивать(ся).

проуч‖а́ть, ' ~ивать, ~и́ть to give one a good lesson; *см.* учить.

проф- *сокр.* профессиональный.

профа́н an ignorant person; uninitiated; он совершенный п. в этом вопросе he is utterly ignorant in that question; ~а́ция profanation; ~и́ровать to profane.

профбиле́т Trade-Union card.

профдвиже́ние trade - union movement.

профессиона́л professional; ~изи́ровать to professionalize (*особ. политику*); ~изм professionalism; ~ьный professional; ~ьный союз trade union, labour union; член ~ьного союза unionist, member of a trade union; не член ~ьного союза non-union; ~ьная работа work in the Trade Union line; ~ьное движение trade union movement; ~ьное обучение vocational training; ~ьные заболевания professional (occupational) diseases; съезд ~ьных союзов Trade Union Congress.

профе́ссия profession (*умств. труда*); trade (*физич. труда*); calling (*призвание*); business (*занятие*); station, function (*должность*); *фиг.* walk of life.

профе́сс‖ор professor; заслужённый п. в отставке emeritus professor; ~орская professors' (room); ~орский professorial; ~орство professorship; ~у́ра professorate (*собирательное*); professorship (*звание*).

профила́кти‖ка prophylaxis(-xy); ' ~ческий prophylactic; ' ~ческая мера, ' ~ческое средство prophylactic, preventive.

про́филь profile, side view; п. учебника (школы) type of text-book (school); поперечный (продольный) п. transverse (longitudinal) section.

профильтров‖а́ть, ' ~ывать to filter, pass (*through*).

Профинте́рн (*Международный совет профессиональных союзов*) Red International of Labour Unions.

профинти́ть *вульг.* to squander.

проф‖ко́м local trade-union committee; ~о́бр Department of vocational training; ~о́рг trade-union organizer; ~организа́ция trade-union organization.

профо́рма anything done for the sake of form.

проф‖рабо́тник *см.* профсоюзный работник; ~сою́за trade union; ~сою́зный работник one working in the Trade Union line; ~уполномо́ченный trade-union deputy; ~шко́ла vocational school.

прохажива‖ние perambulation; hinting (*at*) (*на чей-л. счёт*); ~ть *см.* проходить I, to hint; ~ться to perambulate; ~ться на чей-л. счёт *фиг.* to allude (*to*).

прохва́т‖ить, ' ~ывать to pierce, penetrate (*о ветре, холоде*); п. к.-л.

to give one a good scolding; п. кого-л. в газетах to subject a person to criticism in the papers.

прохвóст scoundrel, blackguard; unscrupulous person.

прохлá‖да the cool; coolness, freshness, breeziness; работать с ∼дцей to work at low pressure, to take one's time over a thing; ∼дйтельный refreshing. cooling; ∼дйтельное питьё refreshing drink; ∼дйть(ся) *см.* прохлаждать(ся); это его ∼дйт it will refresh him; ∼дность coolness: freshness (*воздуха и пр.*); ∼дный cool, coldish; breezy, fresh (*о воздухе, погоде*); у них ∼дные отношения there is a coolness between them; ∼дно coolly; сегодня ∼дно it is fresh (cool) to-day; ∼ждáть to cool; ∼ждáться to refresh oneself (*освежаться*); to idle (away one's time) (*бездельничать*).

прохóд passage; avenue, thoroughfare; aperture (*отверстие*); gate (*калитка*); gangway (*между рядами кресел*); lane (*между рядами зрителей, солдат*); aisle(*в церкви*);upcast (*для вентиляции шахт*); throat, gut (*узкий*); pass (*узкий в горах*); анат. duct; задний п. анат. anus; vent (*у рыб, птиц*); крытый п. covered way; наружный слуховой п. acoustic duct; право ∼а passage.

проходúмец rogue; п. крупного масштаба adventurer, a thorough-paced rascal.

проходúм‖ость practicability (*дорог*); мед. permeability (*кишок, канала*); ∼ый passable; practicable (*о дороге*); pervious, permeable (*пропускающий*).

проходú‖ть I. *см.* ходить; он ∼л за доктором целых 2 часа he took (it took him) two hours to go and fetch the doctor; мы ∼ли всё утро по городу we spent all the morning walking about the town.

проход‖úть II. to learn, study; что вы '∼ите по грамматике? what are you doing in grammar?

про‖ходúть III. to pass, to roll on, to elapse (*о времени*); to pass off (*о событиях*); to expire (*истекать, о сроке*); to go through (*испытывать*); п. дальше to move on, to proceed; п. квалификацию to qualify (*for*); п. мимо to pass by, to come by; п. незаметно to glide (*о времени*); п. по мосту to cross a bridge; п. сквозь to pass through; to penetrate (*проникать*); to pierce (*пронзать*); to permeate,

percolate (*просачиваться*); п. огонь и воду *фиг.* to go through fire and water; п. цензуру to pass the censorship; п. церемониальным маршем to march past; можно здесь ∼йтú? may we go (pass) here?; это не ∼йдёт that won't pass; дорога ∼хóдит через... the road lies across (through); тоннель ∼хóдит через Альпы the tunnel pierces the Alps; это ∼хóдит красной нитью it is emphasized throughout; ∼ходúте, пожалуйста! pass on, please!; годы ∼хóдят незаметно the years glide past; это ему даром не ∼йдёт he will have to pay for it; пьеса ∼шлá плохо the play was not a success; река ∼шла the river is clear of ice.

про‖ходúть IV., ∼йтú to pass, to be over (*окончиться*); боль ∼шлá the pain is over; то время ∼шлó, когда... the time has past when...; ∼ходящая боль passing twinge (pain).

проходн‖óй: п. двор passage (transit) yard; ∼ые рыбы catadromous fishes (*спускающиеся в море для нереста*), anadromous (*входящие из моря в устья рек*).

проходящий passing.

прохождéние I. going, walking, crossing.

прохождéние II. study(ing), learning.

прохождéние III. passing, passage.

прохóжий passer-by.

процветá‖ние flourishing, thriving; prosperity, well-being (*благосостояние*); ∼ть to thrive, prosper, flourish; ∼ющий prosperous.

процедúть *см.* процеживать.

процедýра procedure; судебная п. leg il proceedings.

процéжива‖ние filtration, percolation; ∼ть to filter, percolate; ∼ть сквозь сито to pass through a sieve.

процéнт percentage; per cent (*сокр.* p. c.); interest; ростовщический п. usury; простые (сложные) ∼ы simple (compound) interest; занимать деньги под большие ∼ы to borrow money at high interest; вернуть с ∼ами to return with interest; заём приносит 5 ∼ов the loan carries 5 p. c. interest; ∼ное отношение percentage; ∼ные облигации interest-bearing obligations.

процéсс process; п. дыхания the operation (process) of breathing;

п. понимания intellection; биологический (химический) п. biological (chemical) process; судебный п. action, lawsuit; начинать судебный п. против к.-л. to bring an action against one, to sue; подвергать ∼у to process.

процесси‖я procession; похоронная п. funeral (procession); участвовать в ∼и to take part in a procession.

прочеса́ть to comb (dress) thoroughly (*волосы*); to hackle thoroughly (*лён*).

прочёсть *см.* прочитывать.

прочёсывать *см.* прочесать.

прочёт deficiency, an error in counting.

про́ч‖ий other; и ∼ee et cetera (*сокр.* etc.), and the rest, and so on; и всё ∼ee and (all) the rest of it; пахотные и ∼ие земли tracts agricultural and otherwise; между ∼им by the way, by the by; между ∼ими among the rest.

прочи́ст‖ить *см.* прочищать; ∼ка scour(ing); thorough cleaning; *мед.* purging (*желудка*); sweeping (*печной трубы*).

прочит‖а́ть *см.* прочитывать; он ∼а́л всю ночь напролёт he sat up reading all night; '∼ывание reading; skimming; '∼ывать to read (*through*); to skim (*бегло*); to peruse (*тщательно*).

прочи́‖ть to design, destine, appoint (*for, to*); это ∼лось в подарок it was designed for a gift.

прочища́‖ть to scour; to clean, cleanse thoroughly; to purge (*кишечник*); ∼ться to clear up (*о небе*); ∼ающий purgative (*кишечник*).

про́чн‖ость durability; toughness (*плотность материи и пр.*); stability, firmness, tenability (*твёрдость положения и пр.*); reliability (*отношений, обещания и пр.*); ∼ый durable, wear-resisting (*неснашивающийся*); tough (*плотный*); ∼ый мир lasting peace; ∼ый союз stable alliance; ∼ый фундамент социализма a stable foundation of socialism; ∼ая краска fast colour; ∼ая позиция tenable position; ∼ое обещание reliable promise; ∼ое основание stable foundation; ∼о firmly, stably, reliably.

прочте́ни‖е *см.* прочитывание; по ∼и after reading, on reading.

прочу́вствова‖нность emotion; ∼нный full of emotion; heart-felt, home-felt; ∼нно with emotion; ∼ть to feel (a thing) keenly.

прочь away, off!, away with you!, begone!; *шут.* avaunt!; п. отсюда! get out of here!, clear out!; п. с глаз моих! get out of my sight!; он не п. поехать туда. но... he doesn't object to going there but...; руки п.! hands off!; я не п. I have no objection, I am not averse to, I don't mind.

проше́дш‖ий past, by-gone (*о времени, событиях*); п. мимо человек the man who has just passed (by); ∼ее the past; ∼ее время *гр.* past tense, preterite; imperfect tense (*несовершенное*); причастие ∼его времени *гр.* past participle; ∼ей зимой last winter.

проше́ние application, petition (*особ. петиция*); подать п. to enter an application.

прошепта́ть to murmur, to (utter in a) whisper.

проше́ств‖ие: по ∼ии (*какого-л. времени, срока*) after the lapse (*of*), after the expiration (*of*); по ∼ии года after a year had elapsed.

прошиб‖а́ть, ∼и́ть to break (through); п. к.-л. голову to break a person's head; его ∼а́ет пот при одной мысли об этом he breaks out in perspiration at the mere thought of it; слеза её '∼ла she was moved to tears.

прошив‖а́ть to sew (*down*), to stitch, hem; *мед.* to suture; '∼ка sewing, stitching.

проши́ть *см.* прошивать; п. три часа (без перерыва) to sit up for three hours sewing.

прошлого́дний last year's.

про́шл‖ое the past; его п. не говорит в его пользу his past is against him; ∼ый past, bygone (*прошедший*); last (*последний*); former (*предыдущий*); за ∼ый месяц for the last month; на ∼ой неделе last week; вызывать воспоминания ∼ых лет to call up old memories.

прошмыгну́ть to slip (steal) past.

прошнуров‖а́ть, '∼ывать to string through (*книгу*); to tape.

проштуди́ровать *см.* штудировать; п. вопрос to go in for a thorough study of a subject.

прошумé‖ть to sound for a while; поезд ∼л и скрылся вдали the train roared past and vanished in the distance; об этом ∼ли в газетах there was much noise made about it in the papers.

проща́йте! good-bye!, farewell!, adieu!; good-night! (*доброй ночи*); *разг.* tata, bye-bye, so long.

проща∥льный farewell, valedictory; ⌐льные слова parting words, valediction.

прощáние leave-taking, farewell, good-bye; parting (*расставание*); на п. at parting.

прощá∥ть to forgive, to pardon; to excuse (*извинять*); to condone, overlook (*не замечать*); to absolve (*грехи*); to remit (*долг*); *юр.* to release; ⌐ться 1. to be forgiven, excused; to be overlooked (*о проступке*); to be remitted (*о грехах, долге*); 2. to take (one's) leave (*of*); to bid farewell; to make (t ak) one's adieu; не ⌐ясь without taking leave.

прóще *сравн. степ.* от просто(й) easier; нет ничего п. nothing can be easier.

прощелы́га scamp, knave, rogue.

прощéни∥е forgiveness, pardon; excuse (*извинение*); condonation (*смотря сквозь пальцы*); remission (*долга*); absolution (*грехов*); полное п. plenary pardon; молить о ⌐и to crave pardon.

прощу́пывать to feel through to...

прояв∥и́тель *фот.* developer; ⌐и́ть(ся) *см.* проявлять(ся); он ⌐и́л себя хорошим работником he showed himself as an efficient worker; ⌐лéние manifestation; display, show; *фот.* development; свободное ⌐лéние чувств free play of feelings; ⌐ля́ть to manifest, display, show; *фот.* to develop; ⌐ля́ть инициативу to initiate; ⌐ля́ть нежелание *разг.* to hand back; ⌐ля́ть нерешительность to vacillate, hesitate; ⌐ля́ть признаки безумия to show signs of insanity; ⌐ля́ть радость to jubilate; ⌐ля́ть силу to put out (show) strength; ⌐ля́ть такт to be tactful; ⌐ля́ться to be manifested (displayed, shown); to peep (*фиг.*).

прояснéни∥е clearing; ⌐и́ть, ⌐я́ть to clarify, clear, to make clear; to throw light (*on*), elucidate; ⌐и́ться, ⌐я́ться to clear (up, away); to brighten (up); небо ⌐и́лось the sky has become clear.

пруд pond; осушить п. to drain (off) a pond; развести рыбу в ⌐у́ to stock a pond; ⌐и́ть to pond, dam (up); хоть п. ⌐и́ *фиг.* an abundance (*of*), plenty (*of*).

пружи́н∥а spring; главная п. mainspring (*тж. часовая*); п.-воло́сок hairspring; быть гла́вной ⌐ой (*чего-л.*) *фиг.* to be the mainspring (*of*); ⌐ить to be elastic, to possess elasticity, to have a spring (*in*); ⌐ный матрац spring mattress; ⌐ная кровать spring bed.

прусс∥áк Prussian; П ⌐ия Prussia; ' ⌐кий Prussian.

прут rod, twig; switch (*срезанный*); withe, withy (*ивовый*); stair-rod (*придерживающий ковер на лестнице*); сечь ⌐ьями to switch; наказание ⌐ьями the rod; ⌐ик twig; ⌐кóвый rod-shaped; ⌐кóвая сталь rod steel; ⌐кóвое железо rod iron; ⌐яно́й of osier.

прыг∥áние jumping, leaping, skipping, cutting capers; ⌐áть, ⌐нуть to jump, leap, caper, to cut capers, spring; to bound (*крупными прыжками*); to lope (*о животных*); to skip, gambol (*о детях и пр.*); to hop (*на одной ноге или обеими сразу*); ⌐áть от радости to jump for joy; ⌐áть с помощью шеста to pole-jump; сердце ⌐а-ет от радости heart leaps (high); heart thrills with joy; ⌐ун jumper; hopper, skipper.

прыжóк jump, leap; caper, spring, bound (*крупный, стремительный*); skip, gambol, hop, frisk; gambade (-ado), curvet (*лошади*); п. в воду souse; п. в воду вниз головой header; п. в воду «ласточкой» swallow; п. в неизвестность a leap in the dark; п. на высоту high jump; п. на расстояние long jump; п. с парашютом parachute jump.

прыс∥калка sprayer, syringe; ⌐кание spraying, syringing; ⌐кать, ⌐нуть to spray, syringe; ⌐кать со смеху to burst out laughing; ⌐каться, ⌐нуться to sprinkle one another (*with*).

прытк∥ий quick, bright, lively, alert; ⌐ость quickness, brightness, liveliness, alertness; ⌐о quickly *и пр.*

прыт∥ь rapid pace, (full) speed; *фиг.* energy, initiative; daring; лошадь неслась во всю п. the horse galloped at full speed; побежал во всю п. ran as fast as his legs would carry him (as fast as he could); никто не ожидал от него такой ⌐и no one had expected him to be so daring.

прыщ pimple, acne; *мед.* pustule; у него ⌐й на лице he has got an eruption on his face; ⌐евáтый pimpled, pimply, blotchy;*мед.* pustular, pustulous; ⌐ик*см.* прыщ.

прюнéл∥евый prunella; ⌐ь prunella; ⌐евые ботинки prunella shoes.

пряде∥но tow; ' ⌐ние spinning.

прядиль‖**ный**: п. óрган spinneret (*у паука и пр.*); п. станóк spinning loom; ∼ная фáбрика spinning mill; spinning factory; ∼щик, ∼щица spinner.

прядь strand (*каната, волос, ниток, проволоки*); lock (*волос*); ply (*верёвки*)(*attr.*: 3-ply rope).

пряжа yarn, thread; шерстянáя п. woollen yarn, worsted.

пряжка buckle; clasp (*застёжка*); shoe-buckle (*на обуви*).

прялка distaff (*ручная*); spinning wheel (*с колесом*).

прям‖**изнá** straightness; ∼икóм cross country (*напрямик, не по дороге*—*о прогулке, пробежке*); point-blank (*о высказанном мнении и пр.*); ∼úть to straighten (*up, out*).

прямо straight(ly), straightway; п. в лицó straight (plump) in the face; п. в нос full on the nose; п. мéжду глаз square between the eyes; врезáлся ц. в стéну ran sheer into the wall; высказанный п. plain-spoken; выскáзывать ч.-л. п. to say a thing point-blank; итти п. вперёд to go (walk) straight ahead; относящийся п. к вопрóсу (дéлу) (to) the point; попáл ему п. в глаз hit him slick (slap) in the eye; сидéть (стоять) п. to sit (stand) bolt upright; смотрéть п. в лицó to look a person full in the face; я вам говорю п. I tell you flat.

прямо- *в сложн.* rect(i).

прямодýш‖**ие** straightforwardness, outspokenness, frankness; ∼∼ный straightforward, outspoken, frank; ∼но straightforwardly *и пр.*

прям‖**óй** straight; direct (*непосредственный*); erect, upright (*о зданий, фигуре и пр.*); plump, blunt (*резкий — об ответе, отказе*); straightforward, single-hearted, candid (*откровенный*); near (*короткий, о пути*); п. налóг (ответ) direct tax (answer); п. убыток sheer waste; п. угол right angle; п. ýзел reef-knot, reefer; не п. crooked; ∼ым путём directly; ∼áя кишкá *анат.* rectum; ∼óе дéйствие direct action (effect); пóезд(билéт)∼óго сообщéния through train (ticket).

прямокрыл‖**ый**: ∼ое насекóмое orthopteran.

прямолинéйн‖**ость** rectilinearity; *фиг.* straightforwardness; ∼ый rectilinear; *фиг.* straightforward; ∼о straightforwardly; plain-spokenly.

прямотá straightness, rectitude; *фиг.* straightforwardness, uprightness; bluntness (*резкость*); plain dealing (*откровенность*).

прямоугóль‖**ник** rectangle; quadrate, square (*квадрат*); oblong (*с неравными сторонами*); ∼ый rectangular, right-angled; quadrate, square; оснащённый ∼ыми парусáми *мор.* square-rigged.

прян‖**ик** gingerbread, treacle-cake, honey-cake; ∼ость spice; ∼ости spicery; ∼ый spicy, gingery; rich (*о пище*).

прясть to spin; п. ушáми to prick up the ears (*о лошади*).

прят‖**ание** hiding, concealment; ∼ать to hide, conceal; to secrete (*человека, вещь*); ∼ать что-л. под замóк to place (keep) under lock and key; ∼аться to hide, lurk; ∼аться от закóна to abscond; ∼ки hide-and-seek; игрáть в ∼ки to play hide-and-seek.

пряха spinner.

псалóм *церк.* psalm; ∼щик sacristan (*reader in the Greek Church*).

псалтúрь *церк.* Psalter.

псáр‖**ня** *уст.* kennels; ∼ь whipper-in (*сокр.* whip).

псевдо‖**-** *в сложн.* pseudo-, sham-; ∼клáссик pseudo-classic; ∼классицúзм pseudo-classicism; ∼маркcúзм pseudo-Marxism; ∼нáучный pseudo-scientific; ∼нúм pseudonym; литератýрный ∼нúм pen-name; писáтель, пишущий под ∼нúмом pseudonymous writer.

псúн‖**а**: пáхнуть ∼ой to smell of dogs, to reek of dogs.

психиáтр psychiater, psychiatrist; *разг.* mad-doctor; ∼úческий psychiatric; ∼úя psychiatry.

псúхи‖**ка** mind, psyche, psychology; '∼ческий psychic(al); '∼ческое расстрóйство psychosis, mental disorder, mental derangement; '∼чески больнóй mentally diseased.

психо‖**анáлиз** psychoanalysis; ∼аналитúческий psychoanalytic; ∼гéнезис psychogenesis; '∼з psychosis; мáссовый ∼з mass psychosis; '∼лог psychologist; ∼логúческий psychologic(al); ∼логúчески psychologically; ∼лóгия psychology; ∼мéтрия psychometry; ∼неврóз psychoneurosis; ∼пáт psychopath; *разг.* crank; ∼пáтия psychopathy; ∼патолóгия psychopathology; ∼терапúя psychotherapy; ∼тéхника psychotechnics; ∼фúзика psychophysics; ∼физиолóгия psychophysiology.

псо́в‖ый: ⌐ая охота hunt(ing).
пта́ш(еч)ка pipit.
птене́ц squeaker, fledg(e)ling; nestling, squab (неоперившийся); фиг. pupil.
птерода́ктиль палеонт. pterodactyl.
птиали́н хим. ptyalin.
пти́‖ца bird; poultry (домашняя, собир.); болотная п. wader; водяная п. waterfowl; певчая п. singing bird, warbler; перелётная п. migrant, bird of passage; хищная п. bird of prey; видна п. по полёту посл. a bird may be known by its song; знаем, что это за п. we know what kind of a bird he is; любитель ⌐ц bird-fancier; ⌐цево́дство bird rearing; poultry farming (домашн.); ⌐цело́в fowler; ⌐цело́вство fowling; ⌐чий bird, bird's; вид с ⌐чьего полёта bird's eye view; ⌐чье молоко pigeon's milk; ⌐чья грудь pigeon-breast.
пти́чк‖а 1. см. птица; 2. tick (пометка); ставить ⌐и to tick off.
пти́чни‖к 1. aviary (питомник); poultry-yard (птичий двор); 2. dealer in birds (торговец); ⌐ца hen-woman, hen-wife.
пто́зис мед. ptosis.
птома́йн хим. ptomaine.
пу́бли‖ка public; audience (собравшаяся на лекцию, концерт и пр.); ⌐ка́ция advertisement (объявление); publication (печатание, опубликование); по ⌐ка́ции by advertisement; помещать ⌐ка́цию to advertise; лицо, поместившее ⌐ка́цию advertiser; ⌐кова́ть to publish; ⌐цист publicist, journalist; ⌐ци́стика journalism; '⌐ч-ность publicity, notoriety; '⌐ч-ный public; ⌐чный дом brothel, house of prostitution (ill fame); '⌐чная библиотека public library; ⌐чная лекция public lecture; ⌐чная продажа, '⌐чные торги public sale, auction; '⌐чное место public place; '⌐чно publicly, in public; openly.
пу́гало scarecrow (огородное); guy; она вырядилась ⌐м she has made a guy (a fright) of herself.
пуга́‖ние frightening, scaring; ⌐ть to frighten, scare, startle; to bewilder (ошеломлять); to appal (ужасать); to intimidate (смущать); фиг. to freeze one's blood; ⌐ться to be frightened (startled, scared); to shy (о лошади); пу́га-ная ворона куста боится посл. once bit twice shy.

пуга́ч 1. зоол. screech owl (филин); 2. toy-pistol (пистолет).
пугачо́вщина ист. the Pugatchev revolt.
пугли́в‖ость timorousness, fearfulness; timidity, timidness (боязливость); ⌐ый timorous, fearful, timid; wild (дикий); shy, skittish (о лошади); ⌐ая лошадь shyer; ⌐о timorously, timidly.
пугну́ть см. пугать.
пу́гови‖ца button; хватать (держать) к.-л. за ⌐цу to buttonhole; застёгнутый на все ⌐цы buttoned up; ⌐чный buttony (attr.).
пуд уст. pood (=40 Russian pounds = 36 pounds avoirdupois).
пу́дел‖ь poodle; фиг., охотн. a bad shot; дать ⌐я, ⌐ять to miss a shot.
пу́динг pudding.
пу́динговый: п. камень pudding stone; conglomerate.
пудлингов‖а́ние техн. puddling; ⌐а́ть to puddle; '⌐щик puddler.
пу́длингов‖ый: ⌐ая печь puddling furnace; ⌐ое железо puddle iron.
пудо́в‖ик a pood's weight; '⌐ый having a pood's weight.
пу́др‖а powder; п. для волос hair-powder; душистая п. perfume; сахарная п. castor- (powdered) sugar; ⌐еница puff-box, powder-box; ⌐ить, ⌐иться to powder (oneself).
пуз‖а́н вульг. big-bellied person; ⌐ано́к shad (рыба); ⌐а́тый big-bellied; '⌐о вульг. (pot) belly, paunch.
пузыр‖ёк phial, vial (с лекарством и пр.); bead (в шипучих напитках); анат., зоол., бот. vesicle; выделять ⌐ьки, выделяться в виде ⌐ько́в to effervesce (при кипении, брожении и пр.); '⌐и-стый см. пузырчатый; '⌐иться to bubble (о жидкости); to belly (о парусах, одежде); '⌐чатый биол. vesicular, vesiculous; '⌐ь bubble; blister (водяной, от ожога и пр.); анат. bladder; биол. cyst; жёлчный (мочевой) ⌐ь gall (urinary) bladder; мыльный ⌐ь soap-bubble; плавательный ⌐ь (fish-) sound, swimming-bladder (у рыб); пускать мыльные ⌐и to blow bubbles; натирать ⌐и (вызывать) ⌐и to blister; ноги, стертые до ⌐е́й blistered feet.
пук bunch (моркови, цветов); wisp (соломы); tuft (травы, волос).
пулемёт machine-gun; ⌐ный огонь machine-gun fire; ⌐ная ро-

та machine-gun company; ~чик operator of a machine-gun, soldier of a machine-gun company.

пульвериз‖а́тор pulverizer, atomizer, sprayer; ~а́ция pulverization; ~и́ровать to pulverize, atomize, spray.

пу́лька I. *карт.* pool.

пу́лька II. small bullet.

пу́льмановский: п. вагон Pullman (*car*).

пу́льпа *анат.* pulp.

пульс pulse; п. с перебоями dropped-beat pulse, intermittent pulse; неровный п. jerky pulse; частый п. quick pulse; считать п. to take the pulse; щупать п. to feel the pulse; удар ~a pulse beat; частота ~a pulse rate; ~а́ция pulsation; ~и́ровать to pulse, pulsate; ~и́рующий pulsatory, pulsatile.

пульт desk.

пул‖я́ bullet, ball, shot; pellet (*малого калибра*); slug (*негладкая, средней величины*); отлить ~ю *фиг.* to tell a fib; лить ~и to cast shot; град ~ь a hail of lead.

пуля́р‖да, ~ка fatted fowl (pullet).

пу́ма *зоол.* puma, cougar.

пуни́ческий Punic.

пункт point; spot (*место*); article, paragraph, item, clause (*договора, программы и пр.*); plank (*партийной программы*); агитацио́нный п. agitators' station; кульминацио́нный п. climax; медици́нский п. dispensary; наблюда́тельный п. post of observation, vantage-ground; перевязочный п. dressing-station; торговый п. trading station; довести (дойти) до кульминацио́нного ~a to bring (come) to a climax; к climax; по всем ~ам at all points.

пункти́р dotted line; stipple (*в гравировании*); ~ова́льная игла etching needle; ~ова́ть to dot (*отмечать*); to stipple (*гравировать*); ~о́вка dotting; stippling.

пунктуа́льн‖ость punctuality; accuracy (*точность*); ~ый punctual, precise; ~о punctually, on the minute; in good time, to the tick (*в смысле времени*).

пунктуа́ция punctuation.

пунсо́н *техн.* punch.

пунцо́вый crimson.

пунш punch; ~евая чаша punch-bowl.

пуп *см.* пупо́к; п. земли the centre and omphalos of the earth.

пупа́вка *бот.* camomile.

пуп‖ови́дный umbilicate; ~ови́на navel string; *анат.* umbilical cord; ~о́к navel, omphalos; *анат.* umbilicus; ~о́чный umbilical; ~о́чная грыжа *мед.* umbilical hernia.

пупы́р‖ышек, ~ь pimple, fever-blister.

ПУР (*Полит. Управление Рабоче-Крестьянской Красной Армии*) Political Administration of the Workers' and Peasants' Red Army.

пурга́ snow-storm.

пури‖зм purism; ~ст purist; ~стский puristic; ~тани́зм Puritanism; ~та́нин, ~та́нка Puritan; ~та́нский puritan(al); *фиг.* strait-laced; по-~та́нски puritanically.

пу́рпур purple; ~ный, '~овый purple; ~но-, '~ово- purply-.

пуск: п. в ход the setting in motion (into operation) (*машины и пр.*); ~а́й *см.* пусть; ~а́ние *см.* пуск; ~ание змея kite-flying; ~ание корней striking, (taking) root; ~ание ростков (побегов) sprouting, shooting.

пуска́‖ть to let; to allow, permit (*разрешать*); to spin (*волчок*); to exhale (*дым*); to turn on (*газ, воду*); to fly (*змея*); to strike (*корни*); to run, set in motion (*машину*); to put forth, shoot, sprout (*побеги*); to bud (*почки*); to drivel (*слюну*); to wing, shoot, launch (*стрелу*); п. в обращение to issue (*деньги и пр.*); п. в отпуск кого-л. to let a person go on leave; п. в продажу to offer (put up) for sale; п. в ход to start, set going, give a start, launch; *комм.* to float (*дело, предприятие*); п. в ход лесть to try flattery; п. жильцов в дом to take in lodgers; п. ко дну to sink; п. корни to take root; п. кровь to let blood; п. лошадь галопом (рысью) to gallop (trot) a horse; п. на волю to set free, release; to let out (*птицу*); to let loose (*собаку и пр. с привязи*); п. первым экраном to release a film; п. по-миру to send begging; п. пыль в глаза *см.* глаз; п. слух to spread a rumour; п. часы to start a clock; к нему никого не ~ют no one is allowed to see him; ~ться to start, set out; to be started; ~ться в бегство to take to flight; ~ться в игру to take to gambling; ~ться в море to put (set out) to sea; ~ться во все тяжкие (напропалую) to plunge (*into*); to let oneself go; ~ться в путь to start on a journey.

пустельга́ *зоол.* kestrel, wind-hover, staniel (*птица*); a shallow person (*фиг. о человеке*).

пусте́ть to (become) empty.

пусти́ть *см.* пускать; пусти́ меня! let me go! ~ся *см.* пускать-ся; ~ся стрелой to dart (launch) off like an arrow.

пусто‖ва́тый rather empty; ~ва́ть to remain empty; to be vacant (*о здании*); to lie fallow (*о земле*); ~голо́вый empty-headed, rattle-brained, rattle-headed (-pated); ~зво́н idle talker, windbag.

пуст‖о́й empty, inane, void; hollow (*полый*); vain (*тщетный*); vacant (*пустующий*); jejune (*бессодержательный—о стиле*); idle (*о разговоре*); futile; frivolous (*легкомысленный—об образе жизни*); shallow (*о характере, словах и пр.*); п. карман an empty purse; п. лист бумаги a blank sheet; п. лотерейный билет blank; п. орех deaf nut; п. человек a shallow person; вести п. образ жизни to lead an empty life, to frivol; на п. желудок on an empty stomach; ~а́я болтовня idle talk, froth; ~а́я голова empty head; ~а́я отговорка a lame excuse; ~о́е! nonsense!; ~о́е место blank space (*на странице и пр.*); ~о́е пространство void; the inane (*бесконечное*); это ~о́е дело! it is a mere trifle!; переливать из ~о́го в порожнее to waste one's time in idle talk; ~ы́е слова mere words, wind; ~ы́е угрозы bluster; с ~ы́ми руками empty-handed; мы наслушались ~ы́х слов we have had enough of phrases; ' ~о emptily; у меня ~о на душе I have a void in my heart; чтоб тебе ~о было! I wish you at the bottom of the sea!

пусто‖ме́лить to talk idly; ~ме́ля an idle tale-teller, windbag; ~поро́жний empty, vacant; fallow (*о земле*); ~сло́в idle talker; ~сло́вие verbage, twaddle, prate, idle talk; ~сло́вить to twaddle, prate; ~сло́вный idle.

пустота́ emptiness, inanity, void, vacuity; vacuum (*абсолютная*); frivolity, futility (*легкомыслие, тщета*); blankness (*отсутствие мыслей, чувств*); Торичеллиева п. Torricellian vacuum.

пустоцве́т *бот.* barren (sterile) flower.

пусто́шка *зоол.* hoopoe (*удод*).

пу́стошь a waste plot of land.

пу́стула *мед.* pustule.

пустын‖ник hermit; anchoret, anchorite, recluse (*затворник*); ~нический reclusive; hermitic(al); ~ничество reclusion; ~ный desert; ~ное место desert, wild.

пусты́н‖я desert, waste; wild, wilderness; унылая п. howling wilderness; глас вопиющего в ~е a voice in the wilderness.

пусты‖рь vacant plot of ground (land); ~шка blank (*в лотерее*); deaf nut (*орех*); *фиг.* shallow man or woman.

пусть: п. будет так! let it be so!; п. *a = в мат.* let *a = в*; п. делает, что угодно let him do as he likes (pleases).

пустя‖к, ~ко́вина trifle, bagatelle; ~ки́ nothings; nonsense!, fiddlesticks! (*вздор*); never mind! (*не важно*); болтать ~ки to piffle (*sl.*); тратить время по ~ка́м to waste one's time on trifles; заниматься ~ка́ми to fiddle, niggle, peddle; вздорить из-за ~ко́в to pettifog; ~ко́вый frivolous; venial (*о проступке*); ~чность triviality, nothingness; ~чный trifling, trivial; paltry, petty (*мелочный*); fiddle-faddle, niggling; rubbishy, trashy; ~чная боль flea-bite; ~чное дело child's play.

пута́н‖ик marplot, blunderer; ~ица confusion, tangle, ravel, embroilment; *разг.* mishmash; a pretty kettle of fish (*неразбериха*); вносить ~ицу to make hay (*of*); ~ый confused; confusing (*сбивающий с толку*); cloudy (*туманный*); у него ~ая голова he is a muddle-headed fellow.

пу́та‖ть 1. to confuse (*сбивать с толку*); 2. to confuse (*with*), to mix up (*одно с другим*); 3. to fetter (*спутать лошадь*); ~ться to render a confused story (confused evidence) (*в рассказе, показаниях*); ~ться где-л. *разг.* to loiter about; ~ться с кем-либо *разг.* to keep company with someone; to carry on with a person (*с лицом другого пола*); у него язык ~ется he speaks with a faltering tongue.

путёвка pass; order, permit (for a place in a rest home *etc.*).

путеводи́‖тель guide-book, itinerary; железнодорожный п. railway-guide; ~тельство guidance; ~тельствовать to guide, to serve as guide; ~ный serving as guide; ' ~ная звезда lodestar, loadstar; ' ~ство(вать) *см.* путеводитель-ство(вать).

путев‖о́й travelling, itinerary; ~а́я ка́рта travelling map; ~ы́е заме́тки itinerary; ~ы́е расхо́ды travelling expenses.

путе́‖ец railway engineer; student of the Institute of Ways and Means of Communication (*студе́нт*); ~ме́р odometer; ~прово́д viaduct.

путеше́ств‖енник traveller; tourist (*тури́ст*); *шут.* globe-trotter, peregrinator; ~ие journey (*особ. по су́ше*); tour (*кругова́я пое́здка*); trip (*особ. для развлече́ния*); cruise (*без опред. це́ли*); voyage (*по воде́*); предприня́ть ~ие to take (make) a journey (*to*), to go on a journey; прия́тного ~ия I wish you a pleasant journey! ~ия travels; ~овать to travel; to voyage (*особ. по мо́рю*); *шут.* to peregrinate; он лю́бит ~овать he is fond of travelling.

пути́на fishing season.

пу́тни‖к, ~ца wayfarer, traveller.

пу́тн‖ый sensible, decent (*о челове́ке*); из него́ ничего́ ~ого не вы́йдет you'll never make a man of him; он (это) ни на что ~ое не годи́тся he (it) is good for nothing.

путч Putsch, unsuccessful uprising.

пу́ты fetters, clogs, shackles; fetter-lock, hobble (*для ло́шади*); религио́зные п. bonds of religion.

путь‖ way, road, path, course; journey (*путеше́ствие*); race (*со́лнца, луны́*); п. сюда́ the way here (*ре́же* hither); п. туда́ the way there; запа́сный ж.-д. п. side-track; Мле́чный п. *астр.* Milky Way; обы́чный п. usual course; одноколе́йный (двухколе́йный) п. single (double) line; око́льный п. indirect route; официа́льный п. official channel; разъездно́й п. shunt; рельсо́вый п. track; са́нный п. snow-covered road which makes sleighing possible; взять п. на... to take the way to...; избра́ть определённый п. to take a definite course; пуска́ться в п. to start on a journey; каки́м ~ём in what way, by what means (*каки́м о́бразом*); око́льным(и) ~ём (~я́ми) in a roundabout way; он ничего́ ~ём не зна́ет he knows nothing thoroughly; путеше́ствовать сухи́м (во́дным) ~ём to travel by land (water); э́тим ~ём вы ничего́ не сде́лаете you'll never manage it (in) this way; на ~й к к.-л. (ч.-л.) on the way to...; на

ло́жном ~и off the track; на обра́тном ~и on the way back; на чьём-либо обы́чном ~и in the track of one; на пол-~и halfway, midway; нет в нём ~и there is no good in him; перехвати́ть на ~и to intercept; сби́ться с ~и to lose one's way; сойти́ с чьего́-л. ~и to get out of a person's way; стоя́ть у кого́-л. на ~и to stand in a person's way; счастли́вого ~и! pleasant journey! это мне не по ~и it's out of my way; ~и сообще́ния means of communication; все́ми возмо́жными ~я́ми by all ways and means.

пуф puff.

пух down; fluff, fuzz (*на мате́рии и пр.*); гага́чий п. eider (-down); лебя́жий п. swan's-down; *бот.* pub scence; ~ленький, ~лый chubby, plump (*о ребёнке и пр.*); ~лые щёки plump cheeks; ~ляк *зоол.* tufted titmouse; ~нуть to swell; ~ови́к feather-bed; ~о́вка puff; powder-puff (*для пу́дры*); ~о́вник *бот.* rosebay, oleander; ~о́вый downy.

пучегла́зый goggle-eyed, lobster-eyed.

пучи́на gulf; chasm; морска́я п. the deeps.

пу́чи‖ть: п. глаза́ to goggle; его́ ~т he is troubled with wind.

пуч‖кова́тый *бот.* fascicular; ~о́к cluster, tuft; truss; wisp (*соло́мы, се́на*); bunch (*ч.-л. одноро́дного*); *бот.* fascicle, fascicule; ~о́к луче́й *физ.* pencil (of rays); расту́щий ~ко́м bunchy; собира́ть ~ка́ми to cluster.

пу́шечн‖ый: п. вы́стрел *воен.* gun-fire (*ука́зывающий вре́мя*); п. стано́к gun-carriage; ~ая па́льба gunnery; ~ое мя́со *фиг.* food for powder, cannon-fodder.

пуши́н‖ка minute particle of fluff (fuzz); сне́жная п. snow-flake; ~стость fluffiness; ~стый fluffy, downy; ~ть *см.* опуши́ть, распуши́ть(ся).

пу́шка gun; cannon (*ре́же*); ~рь gunner, cannoneer.

пушкини́ст an authority on Pushkin.

пушни́на furs, furriery, peltry.

пушн‖о́й: п. зверь fur bearing animal(s); п. това́р furs, furriery, peltry; ~а́я торго́вля furriery, fur-trade.

пушо́к *см.* пух; bloom (*на плода́х*); pubescence (*на расте́ниях*); п. чертополо́ха thistledown.

пу́ща thicket in a dense forest.

пу́ще *см.* бо́льше.

пфальцгра́ф, ~ский *ист.* palatine; Рейнское ~ство the Palatinate.

пчел||а́ bee; п.-рабо́тница working bee; ~и́ный воск bees-wax; ~и́ный рой swarm of bees; ~и́ный улей bee-hive; ~ово́д bee-master; apiarist; ~ово́дный bee-keeping; ~ово́дство bee-keeping, apiculture; '~ьник bee-garden, apiary.

пшени́||ца wheat; яровая (озимая) п. spring (winter) wheat; ~чный колос ear of wheat; ~чный хлеб wheaten bread.

пшённи||к millet (gruel) pudding; ~ая крупа millet meal; ~ая каша millet gruel.

пшено́ millet; сарачинское п. *уст.* rice.

пшют fop, dandy; *амер.* dude; ~ова́тый foppish.

пыж wad; ~ить to wad; ~иться to puff up.

пыл flame, blaze, heat, fire; *фиг.* fervour, fervency, passion, ardour, eagerness; со свойственным юности ~ом with the ardour of youth; в ~у́ спора in the heat (blaze) of the argument; с ~у, с жару *погов.* glowing with warmth, as warm as toast; ~а́ние blazing, flaming; ~а́ть to flame, blaze; to be on fire; to glow (о лице); ~а́ть жаром to glow; ~а́ть любовью to burn with passion.

пыл||есо́с vacuum cleaner; ~и́нка mote, speck of dust; ~и́ть to dust, to raise the dust; ~и́ться to get (become) dusty.

пы́лк||ий flaming, blazing, glowing, fervent, fervid, ardent (о стремлении, желании); passionate, impassioned (о чувствах); ~ое описание flaming description; ~о fervently, ardently, passionately; ~ость ardency, ardour.

пыль dust; spray (водяная); slack (угольная); п. прибило дождём the rain has beaten down the dust; поднимать п. столбом to raise (kick up) the dust; пускать п. в глаза *см.* глаз; стирать, вытряхивать п. to dust; стирать п. с ч.-л. to remove the dust; ~ник dust-coat, dust-cloak; *бот.* anther; ~ный dusty; ~ная тряпка duster; здесь очень ~но it is very dusty here; ~ца́ *бот.* pollen.

пыре́й *бот.* couch-grass, quitch.

пыр||ну́ть, ~я́ть to jab (штыком, ножом); *разг.* to strike; to butt (рогами); п. ножом to thrust a knife (into).

пыта́ть to torture, torment, rack, excruciate; to pump (выпытывать ч.-л. словами).

пыта́ться to attempt, try, endeavour; п. убедить to plead (with).

пы́тк||а torture, excruciation; torment (моральная); орудие ~и instrument of torture; подвергать ~е to put to torture.

пытли́в||ость searchingness, keenness, acuteness; ~ый searching, keen, inquisitive; curious (любопытный); ~ый взгляд a searching (penetrating) glance; ~о searchingly, keenly.

пыхте́||ние panting (от бега и пр.); puffing (паровоза, папиросой и пр.); snort(ing) (храпение); ~ть to pant, puff, snort.

пы||ша́ть: от печки '~шит жаром the stove is blazing hot; он ~шит здоровьем he looks the very picture of health; '~шущий гневом boiling (blazing) with rage, raging.

пы́шка dough-nut, bun.

пы́шн||ость pomp(osity), show; state; splendour, magnificence (великолепие); ~ый pompous, sumptuary, exuberant; costly, rich (богатый); solemn (торжественный); ~ый стиль exuberant style; ~ая растительность luxurious vegetation; ~о pompously, exuberantly, richly, solemnly.

пьедеста́л pedestal (тж. фиг.); stand (подставка); база ~а *арх.* plinth.

пьезо́метр *физ.* piezometer.

Пьерр||е́тта Pierrette; ~о́ Pierrot.

пье́са play (драматическая); piece (музыкальная); историческая п. history (historical) play.

пьяне́||ть to get (grow) drunk; п. от чего-л. to be intoxicated with; легко ~ющий weak-headed.

пьянёхонек dead drunk.

пьян||и́ть to intoxicate; '~ица drunkard, toper; горький ~ица inebriate, habitual drunkard; soaker; three-bottle man, pot-knight; быть '~ицей to drink hard, tipple; to drink like a fish; ~ка drinking bout, spree; carousal (sl.); '~ство inebriety, inebriation, intoxication, hard drinking; '~ствовать to drink hard, tipple; начать ~ствовать to take to drinking; ~чуга, ~чужка sot; '~ый drunk, tipsy; inebriate, intoxicated; overtaken in drink, overcome with liquor; tight, half-seas-over; squiffy (sl.); пьян как стелька drunk and incapable; мертвецки пьян dead drunk; '∼ая походка lurch.

пэр peer; жена ∼а peeress; ∼ство peerage (*сословие в Англии*).

пюпи́тр desk, reading-desk, reading-stand; п. для нот music-stand.

пюре́ purée; thick soup (*суп*); картофельное п. mashed potatoes; mash (*sl.*).

пяд∥ь span; ни одной ∼и чужой земли мы не хотим we don't want a single inch of foreign land; (не) семи ∼ей во лбу (is no) Solomon; измерять ∼ями to span.

пя́л∥ение stretching; ∼ить to stretch; ∼ить глаза *вульг.* to stare; ∼ьцы tambour (*круглые для вышивания*); lace-frame (*для кружев*).

пясть *анат.* metacarpus.

пят∥а́ heel; п. свода *арх.* spandrel; ахиллесова п. tendon of Achilles; *фиг.* vulnerable spot; по ∼а́м at heel, at one's heels; ходить по ∼ам за к.-л. to tail (after) one; to dog (*упорно, с дурным умыслом*); быть под чьей-л. ∼о́й to be under someone's thumb.

пят∥а́к, ∼ачо́к five copeck coin; ∼ери́к candles 5 to the pound; ∼ери́чный fivefold, quintuple; ∼ёрка fiver; *карт.* five, cinque; *разг.* five rouble (bank-)note; ∼ерно́й quinquepartite; consisting of five parts; ∼ерня́ *вульг.* the five fingers, the hand; '∼еро five; их было ∼еро there were five of them.

пяти∥алты́нный fifteen copeck coin; ∼гра́нник *геом.* pentahedron; ∼гра́нный pentahedral; ∼десятиле́тний fifty year old, quinquagenarian; ∼деся́тый fiftieth; ∼дне́вка five-day week; ∼дне́вный lasting five days (*о сроке*); ∼зна́чное число a number of five ciphers; ∼кни́жие *библ.* Pentateuch.

пяти∥копе́чная звезда pentacle, fivepointed star; ∼копе́ечный having the value of five copecks (*о монете*); five copecks' worth (*о покупке*); ∼кра́тный fivefold, quintuple; ∼ле́тие quinquennial, quinquennium.

пяти∥ле́тка five year plan; Piatiletka; ∼летка в 4 года realization of the 5 year plan in 4 years; 5 year plan in 4.

пяти∥ле́тний five year, five year old; ∼летний план *см.* пятилетка; ∼ли́стник *бот.* cinquefoil; ∼ме́сячный lasting five months (*сроком*); five month old (*о ребёнке и пр.*); ∼по́льная систе-

ма *с.-х.* fivefield crop rotation; ∼проце́нтный carrying 5% interest (*о ценных бумагах, вкладах*); ∼рублёвка five rouble (bank-)note; ∼рублёвый having the value of five roubles (*о монете*); five roubles' worth (*о покупке*); ∼сло́жный pentasyllabic; ∼сотле́тие quincentenary, ∼сотле́тний quincentennial, ∼сто́пный стих pentameter; ∼сторо́нний pentagonal; ∼стру́нный pentachord (*муз. инструмент*); ∼ты́сячный five-thousandth.

пя́тить to back; to cause to move back (*лошадь и пр.*); ∼ся to back, to move backward, to jib.

пятиуго́льн∥ик *геом.* pentagon; ∼ый pentagonal, five-cornered; ∼ая звезда pentacle, five-pointed star.

пя́тк∥а *см.* пята; лизать кому-л. ∼и to lick someone's shoes; удирать так, что ∼и сверкают to fling up one's heels, to take to one's heels, to show a clean pair of heels.

пятнадцатикра́тный fifteenfold.

пятна́дцат∥ый fifteenth; ∼ь fifteen.

пятн∥а́ть to spot, stain, blemish, speck, blot, smirch; ∼а́шки tag, touchlast (*игра*); ∼и́стый spotty, mottled; *бот., зоол.* punctate.

пя́тни∥ца Friday; у него семь ∼ц на неделе he often changes his mind.

пятно́ spot, stain; blot, blemish, slur, tarnish (*на репутации и пр.*); smudge, smut (*грязное*); smear, blur (*расплывчатое*); blotch (*большое чернильное*; *красное на лице, коже*); dab (*краски и пр.*); patch (*неправильной формы*); blood-stain, gout (*крови*); macula (*другого цвета, чем фон*); cloud (*на драгоценном камне*); blaze (*на лбу у животного*); красочное п. splash; несмываемое п. indelible stain; позорное п. taint, blemish; ржавое п. ironmould; родимое п. birthmark; mole; тёмное п. dark spot; *астр.* nebula (*pl. -lae*); выводить ∼а to take out stains; покрываться бурыми '∼ами to fox (*о книге*); покрываться красными ∼ами to blotch (*о лице*); покрытое ∼ами blotchy (*лицо*).

пято́к: п. яиц five eggs.

пя́точный heel (*attr.*).

пя́т∥ый fifth; в ∼ом часу at past four, after four; три четверти ∼ого a quarter to five; ∼ая часть one fifth; читать через ‿ое в десятое to tell a story in snatches (*рассказывать*).

пят‖ь five; п. нотных линеек staff; чай в п. часов five o'clock tea; упражнение для ‿и пальцев five finger exercise; ‿ью п. 25 five times five makes twenty five; ‿ьдесят fifty; ‿ьсот five hundred.

Р раб, ‿á slave; bondsman, bondswoman; крепостной р. serf, bondsman.

рабáтка bed (*грядка*).

рáбби rabbi.

раб‖кооп (*рабочий кооператив*) workers' co-operative store (*сокр.* workers' co-op.); ‿кóр (*рабочий корреспондент*) worker correspondent; Р‿крин (*Рабоче-крестьянская инспекция*) Worker and Peasant Inspection.

рабовладéл‖ец slave-holder (-owner); ‿ьческий slave owning.

раболéп‖ие slavishness, servility, obsequiousness, carpet-kissing; ‿ный slavish, servile, obsequious; slimy (*фиг.*); ‿ный человек toad-eater, toady; ‿но slavishly *и пр.*; ‿ствовать to fawn, cringe.

работ‖а work, labour, task, job; р. вне дома или мастерской outside work, outwork; р. ради денег hack-work, journey-work; домашняя p. household work; каторжная р. hard labour; лёгкая и хорошо оплачиваемая p. fat (cushy) job (*разг.*); неприятная p. drudgery; общественная p. voluntary public work; плохо сделанная p. bungle, botch; подённая p. daily work, time-work; charring (*домашняя*); разведочная p. *горн.* prospecting; ручная p. handiwork, handwork; manual labour; сверхурочная p. overtime work; сдельная p. piece-work; случайная p. odd job; совместная p. collaboration, co-operation; тонкая p. a fine piece of work, delicate work; тяжёлая p. hard work, toil; sweat (*sl.*); ударная p. shock work; умственная p. head-work, brain-work; intellectual work; быть в ‿е to be in work; *фиг.* to be in operation; to be (up)on the anvil, to be in harness; объединиться в ‿е *разг.* to join in battle; экономия в ‿е economy of work; бросать ‿y to stop work; to drop (chuck) a job, to down tools; портящий ‿y botcher, bungler; быть без ‿ы to be out of work (job), to be unemployed (*амер.* jobless); единица ‿ы unit

of work; лишать ‿ы to dismiss, turn out; to sack (*sl*); лишаться ‿ы to lose one's work (situation); to get the sack (*sl.*); развёртывание ‿ы the development of work; общественные ‿ы public works.

работа‖ть to work, labour, toil; р. без отдыха *разг.* to work without rest; р. день и ночь to work day and night, *разг.* to work double tides; р. для пропитания to work for one's support (keep); р. за четверых to do the work of four; р. из процента to work on percentage; р. подённо to work by the day; р. по найму to work for hire; р. посменно to work in shifts; р. по-ударному to work at full capacity (in shock-brigade way); р. сдельно to be paid by the job(piece), to do piece-(task-)work; р. спустя рукава to scamp; р. усердно to work with a will; to take pains; to work tooth and nail, to work like mad; завод ‿ет непрерывно factory has the non-stop week (*о непрерывной неделе*); factory works uninterruptedly.

работни‖к workman, worker, operative, labourer; hand; skilled worker (*квалифицированный*); day-labourer (*подённый*); handy-man (*подручный*); р. прилавка shopman; р. умственного труда brain-worker; р. физического труда manual worker (*противоп.* non-manual worker); научный p. scientific worker; низовой p. one who works at a local branch of an organization; ответственный p. responsible worker; ‿ца workwoman, factory woman, factory girl (*на заводе*); dairymaid (*на ферме*); домашняя ‿ца maid-servant, housemaid.

рабóтный дом workhouse.

работо‖датель employer; (*пониженная*) ‿спосóбность (lowered) efficiency; ‿спосóбный efficient.

работя‖га *разг.* laborious (hard-working) man (woman); ‿щий hard-working, painstaking.

рабоче-крестья́нск‖ий: ‿ая Красная армия (РККА) Workers' and Peasants' Red Army; ‿ое государство (правительство) Worker and Peasant State (Government).

рабóч‖ий 1. *s.* worker, workman, labouring man; artisan, operative (*преимущ. механик*); р.-железнодорожник railwayman, railman; roadman (*службы пути*); p.-металлист metallist, metal worker; р. на заводе, фабрике **factory-**

-worker (hand), millworker (hand); p. на текстильном заводе textile worker; p. от станка bench worker; p.-подросток juvenile worker; сельскохозяйственный p. farm--hand; 2. *a.* work, working, worker, labour (*attr.*); p. вопрос labour question; p. день working-day; p. квартал district inhabited by workers; p. класс working class; клуб workers' club; p. люд work people; p. план working (practical) plan; 8-часовой p. день eight hour working day; ~ая артель workers' association, artel of workers, gang, squad; ~ая делегация labour delegation; ~ая партия Workers' Party; Британская ~ая партия British Labour Party; ~ая сила man-power; член Британской ~ей партии Member of the British Labour Party, Labour member, labourite; ~ее время working time; ~ее движение Labour Movement; ~ие руки hands (*раб. сила*).

рабочко́м workers' committee.

Рабпро́с (*профессиональный союз работников просвещения*) Educational Workers' Trade Union.

рабселько́р workers' and peasants' correspondent.

рабси́л‖а man-power, hands; наем ~ы hiring of man power.

ра́бс‖кий slavish, servile; p. труд slave labour; ~кое подражание slavish imitation; ~тво servitude, serfdom, bondage, slavery; находиться (держать) в ~тве to be held (to hold) in servitude.

рабфа́к (*рабочий факультет*) Workers' Faculty, Workers' High School; ~овец student of the Workers' Faculty.

рабы́ня см. раба.

равви́н rabbi(n); ~ский rabbinic(al).

равели́н *военн.* ravelin.

ра́венств‖о equality, parity; всеобщее p. general equality; национальное p. national equality; знак ~а *мат.* the sign of equality.

равне́ние levelling, equalization; p. направо (налево) *военн.* eyes right (left); держать p. на кого-л. to take someone as a model.

равни́на plain.

равно́ equally, alike; всё p. it comes to the same; *разг.* it is six of one and half a dozen of the other; дважды три p. шести twice three is six; мне всё p. I don't mind (care); it does not matter a bit; it does not matter a hang

(*sl.*); it's all one (the same) to me.

равнобе́дренный *геом.* isosceles.

равнове́с‖ие equilibrium, equipoise, balance; политическое p. balance of powers; восстановить p. to redress the balance; нарушить p. to overset; потерять p. to overbalance, lose one's balance; приводить в p. to balance; ~ный equiponderant.

равновре́менн‖ость *мех.* isochronism; ~ый isochronal, isochronous (*to, with*); ~о isochronally, isochronously.

равноде́йствующая си́ла *мех.* resultant.

равноде́йств‖енный equinoctial; ~ие equinox; весеннее (осеннее) ~ие vernal (autumnal) equinox.

равноду́ш‖ие indifference; p. к страданию callousness towards suffering; сохранять p. to be calm; to show indifference; ~ный indifferent, unconcerned; ~но indifferently, unconcernedly.

равнозна́чущий equivalent, synonymous, synonymic.

равноме́рн‖ость proportionality, equability, equality; ~ый proportional, equal; ~ое движение even motion.

равномо́щн‖ость *см.* равносилие; ~ый *см.* равносильный.

равнопотенциа́льный *физ.* equipotential.

равнопра́вие equality of rights; p. наций equal rights of nations; женское p. womens' rights.

равноси́л‖ие equivalence; equipollence, equipollency; ~ьный equivalent, equipollent.

равносторо́нний *геом.* equilateral.

равноуго́льный *геом.* equiangular.

равноце́нн‖ость equivalence, equivalency; ~ый equivalent.

равночи́слен‖ность equality in number; ~ый equal in number.

ра́вн‖ый equal, alike, similar; он ра́вен (*по значению, таланту*) (*кому-л.*) he is on a level (par) (*with*); ему нет ~ого he has no match; ~ым образом equally; ~ая борьба equal fight, even contest; на ~ых условиях on terms of equality; при прочих ~ых условиях other things being equal.

равня́‖ть to equal(ize); p. строй *военн.* to dress; ~ться to equal (-ize); ~ться по лучшим (в работе) to try to equal the best (in work); ~йся! dress!

рагу́ ragout, hotchpotch.

рад glad; p. не p. like it or not; willy-nilly; очень p.! very glad indeed!

раде́‖ние zeal; vigil (*хлыстовское и пр.*); ⁓тель zealous person; ⁓тельный zealous, vigilant, painstaking; ⁓ть to tend carefully.

радёшенек delighted; pleased as Punch.

ра́джа rajah.

ра́ди for the sake (love) (*of*); p. меня for my sake; он пишет p. денег he writes for money; чего p.? what for?; шутки p. for fun.

радиа́льный radial.

радиа́‖тор *техн.* radiator; ⁓ция radiation.

ра́ди‖й *хим.* radium; эманация ⁓я radium emanation.

радика́л *пол., мат., хим.* radical; ⁓изм radicalism; ⁓ьничать *ирон.* to assume extreme political radicalism; ⁓ьность efficiency, completeness (*лечения, меры*); ⁓ьный radical, efficient, complete; ⁓ьно radically *и пр.*

ра́дио radio, wireless; передавать по p. to broadcast; *амер.* to wireless.

радио‖акти́вность radio-activity; ⁓акти́вный radio-active; ⁓аппара́т radio-receiving set; ⁓веща́ние broadcasting, radio-casting; ⁓гра́мма radiogram, marconigram; ⁓гра́ф radiograph; ⁓графи́ческий radiographical; ⁓гра́фия radiography; ⁓люби́тель radio fan (amateur); ⁓ма́як radio-beacon, radiophare; ⁓ме́тр radiometer; ⁓пеленга́тор (wireless) direction finder; ⁓пеленга́торная ста́нция direction-finding station; ⁓переда́тчик transmitter; ⁓переда́ча wireless transmission, broadcast(ing); слушать ⁓переда́чу to listen in; ⁓приемник receiver; детекторный ⁓приемник crystal (radio receiving) set; одно-(двух-)ламповый ⁓приемник one (two) valve set; ⁓связь radio communication; ⁓ста́нция broadcasting (radio)station; ⁓телегра́мма radiogram; ⁓телегра́ф radiotelegraph; ⁓телеграфи́ст wireless operator; sparks (*прозвище*); ⁓телефо́н radio(phone); ⁓терапия radiotherapy; ⁓те́хника radio-technics.

радиофи‖ка́ция, ⁓ци́рование radiofication.

ради́ст см. радиотелеграфист.

ра́диус radius; ⁓-ве́ктор radius vector.

ра́довать to gladden, rejoice; to make joyful; to give joy; p. сердце to warm (the cockles of) the heart; ⁓ся to rejoice, exult, jubilate (*at, in, over*); я очень ра́дуюсь этому I am heartily glad of it.

ра́дост‖ный glad, joyous, joyful; ⁓ное известие glad tidings.

ра́дост‖ь joy, gladness; прыгать от ⁓и to dance for joy.

ра́ду‖га rainbow; переливающий всеми цветами ⁓ги iridescent, opalescent.

ра́ду‖жность iridescence; ⁓жный iridescent, opalescent; ⁓жная оболочка глаза *анат.* iris; ⁓жные надежды sanguine expectations, optimistic hopes.

раду́ш‖ие cordiality, affability, hospitality; ⁓ный cordial, genial, affable, hospitable; ⁓ный приём hearty welcome; ⁓ный хозяин kind host; ⁓но cordially, genially; affably, hospitably.

ра‖ёк *театр.* upper gallery, paradise; peep-show, raree-show; посетители ⁓йка́ gods (*sl.*); ⁓ёшник showman.

раж: войти в p. to fly into a rage (passion).

ра́жий corpulent, robust.

раз one, one time, once; p. навсегда once for all; в другой p. another (some other) time; вот тебе p.! here's a nice how d'ye do (*sl.*); всякий p. every time; единственный p. the only time; ещё p. once more, over again; за-р. at once, at one go; как-р. just, exactly, precisely; как-то p. once upon a time; много p. many times, often, over and over (again), a number of times; не p. more than once, many a time; только в этот p. this once only; это как-р. то, что мне нужно it is the very thing I want; я видел его не больше ⁓а I saw him but once; ⁓ом at once, at a stroke, at a blow; все ⁓ом simultaneously; я его ни ⁓у не видел I have never set eyes on him (seen him).

раз-, рас- un- (разбинтовать to unbandage); dis- (раскрыть to disclose); away (разогнать to drive away); off (размотать to reel off).

разба́в‖ить(ся) *см.* разбавлять (-ся); ⁓ленный diluted, mixed, watered; ⁓лять to dilute, mix; ⁓лять вино водой to water one's wine; ⁓ляться to be mixed, diluted.

разбаза́ри‖вание squandering, waste; ⁓(ва)ть to squander, waste.

разба́лива‖ться to begin to ache; у меня ∼ются зубы my teeth are beginning to ache.

разба́лтывать I. to shake (stir) up; p. му́ку в воде to mix flour with water.

разба́лтывать II. to divulge, let out; to spill the story; p. секре́т to give away a secret; to let the cat out of the bag.

разба́лтываться I. to come out of one's shell (*разговориться*).

разба́лтываться II. to be shaken up.

разбе́‖г run, start; с ∼га at a run; с ∼га бро́ситься (*в*) to take a running start and leap (*into*); прыжок с ∼га running jump; прыжок без ∼га standing jump; ∼га́ться, ∼жа́ться to start running; to take a run; to disperse, flee, scamper away (*в ра́зные сто́роны*); у меня глаза ∼жа́лись I was dazed (dazzled).

разбереди́ть to irritate; см. береди́ть.

разбива́ть to break, smash (*по- суду́ и пр.*); to stave in (*бо́чку, ло́дку*); to fracture (*го́лову и пр.*); to ruin (*карье́ру*); to defeat (*не- прия́теля*); to pitch (*пала́тку*); to lay out (*сад*); to parcel, divide (*in- to*) (*на уча́стки*); to split (*си́лы, го- лоса́*); p. вдре́безги to smash (dash) to pieces; to break into smither- eens; p. на́-голову to crush, over- whelm (*неприя́теля*); ∼ся to bruise oneself badly; to smash, be wreck- ed (*о по́езде*).

разби́вк‖a laying out (*са́да*); в ∼y at haphazard; *тип.* spaced out.

разбинто‖ва́ть, ' ∼вывать to un- swathe, unbind; to remove (*бинт, повя́зку*).

разбира́тельство examination, investigation, discussion; *юр.* tri- al, court-examination.

разбира́‖ть to take (pick) to pieces (*часы́ и пр.*); to disjoint, to knock down (*маши́ну для пересы́л- ки*); to read (*но́ты*); to decipher (*по́черк, шрифт*); to sort (*ве́щи, бума́ги*); to analyse (*кни́гу*); to un- pack (*чемода́н*); to pull down (*строе́ние*); to pick and choose (*при поку́пке, вы́боре*); p. де́ло *юр.* to try a case; p. по ко́сточкам to criticise severely, to slate; ero ∼ет зло́ба he is worked up with spite; ∼ться to discriminate; to estimate, appraise, gauge (*в лю́- дях, собы́тиях*).

разбитно́й bright, sprightly.

разби́т‖ость break-down (*нерв-*

ная); ∼ый broken; ∼ый мо́лнией struck by lightning; ∼ый парали- чо́м struck(smitten) with paralysis; чу́вствовать себя ∼ым to feel jad- ed; ∼ые наде́жды shattered hopes; ∼ь см. разбива́ть; ∼ь по всем пу́нктам *фиг.* to pick to pieces; я по́сле э́того разгово́ра соверше́н- но разби́т this conversation has taken it out of me; ∼ься см. раз- бива́ться.

разбла́говестить *разг.* to spread (broadcast) news.

разбогате́‖ть to get rich; to make (come into) a fortune; to ac- quire wealth; p. внеза́пно to boom; он ∼л he has become rich, he has acquired wealth; *фиг.* he has lined his purse well.

разбо́й brigandage, robbery; pi- racy (*морско́й*); ∼ник brigand, cut-throat, bandit; outlaw (*объяв- ленный вне зако́на*); highwayman (*с большо́й доро́ги*); ах ты ∼ник (∼ница)! *шут.*, *дет.* you roguel; сде́латься ∼ником to take to the road; ∼ничать to rob, to take to the highway; ∼ни́ческий piratic (*о догово́ре и пр.*); ∼ни́чество rob- bery, pillage, depredation; ∼ни- чий см. разбо́йнический; ∼ничий прито́н a den of robbers.

разболе́‖ться см. разба́ливаться; я совсе́м ∼ся I am quite ill.

разболта́ть(ся) см. разба́лты- вать(ся).

разбо́р choice, selection; deci- pherment (*шри́фта*); *гр.* parsing; p. де́ла *юр.* trial; p. кни́ги, ста- тьи́ critique; де́лать p. *гр.* to parse; де́лать синтакси́ческий p. to analyse; без ∼a indiscriminate- ly, without distinction; одного́ ∼a of the same stamp (batch); прит- ти́ к шапочному ∼y *фиг.* to come after the fair; ∼ка (*маши́ны*) tak- ing to pieces; ∼ный (*складно́й*) col- lapsible; ∼ный дом *стр.* ready- -cut house; ∼чивость fastidious- ness, scrupulousness, niceness, ni- cety; ∼чивый squeamish, fastid- ious (*привередли́вый*); clear, legi- ble (*о по́черке*); ∼чиво clearly, plainly; писа́ть ∼чиво to write plain (legibly).

разбрани́‖ть to abuse, to give a sharp scolding; *разг.* to blow up, to fly at; я его ∼л *разг.* I gave it him; ∼ться to quarrel, wrangle; to have a row (*with*), to fall out.

разбра́сыва‖ние scattering, dis- persing; strewing (*соло́мы и пр.*); ∼ть to scatter, to throw (fling) about, around; to squander (*день-*

ги); to strew (*солому*); ‿ть на ветер to send flying; ‿ться to lack singleness of purpose; *погов.* to have too many irons in the fire at once.

разбр‖естись to scatter, straggle, disperse in different directions; ‿óд dispersion; они пошли в ‿ол they straggled along (dispersed); в ‿óде scattered, dispersed, disseminated, straggled, in a straggle.

разбрóс: сеять в p. to scatter seeds.

разбрóсанн‖ость dispersion, disconnectedness, disjointedness; sparseness (*о населении и пр.*); ‿ый dispersed, disconnected, disjointed; ‿ое население sparse population; ‿о dispersedly *и пр.*

разбросáть *см.* разбрасывать.

разбрызгивать *см.* брызгать.

разбудить to (a)waken, rouse from sleep; p. сознание to stir (awaken) the consciousness (*of*).

разбух‖áние swelling, distension, inflation, intumescence; ‿áть, ‵‿нуть to swell, distend, inflate; to intumesce.

разбушевá‖ться to rage, storm, to run riot; море ‿лось the sea is (running) high.

развáжничаться to swagger, put on airs; to assume importance.

развáл disorganisation, collapse; downfall (*империи*); был полный p. everything was going to pieces; ‿ивать to undo, unmake; to pull asunder; to pull down (*здание и пр.*); to disorganize (*работу*); ‿иваться to fall, tumble down; to go to pieces (ruin); to loll, sprawl, lounge (*на кресле, диване*); ‿ивающийся ramshackle, crazy (*о постройке*); ‿ина ruin, wreck; он стал совсем ‿иной he is a wreck of his former self; ‿ины ruins; ‿ить(ся) *см.* разваливать(ся); не дать ‿иться делу to hold things together.

развáлк‖а: ходить в ‿у to waddle.

развáр‖енный *см.* разварной; ‿ивать, ‵‿ить to boil soft, to stew; ‿ной soft-boiled, cooked to rags, stewed; ‿ной картофель boiled potatoes.

рáзве perhaps; if, save, unless (*условно*); p.? is that so?; really?; you don't say so?; p. вы не знаете? don't you know?; p. притти? perhaps I had better come; никто не знает, p. только N. nobody knows save perhaps N.

развевá‖ть to blow asunder, to scatter, disperse (*сено, облака*); to dispel (*тоску*); ‿ться to flutter, fly (*о флаге*); to nod (*о перьях*); to stream (*о волосах, лентах и пр.*); знамена ‿лись the banners streamed in the air.

развéдать *см.* разведывать.

развéдéние 1. parting, disunion; p. моста pulling up of a bascule bridge; 2. (stock-)breeding, (stock-)raising, live-stock rearing (*домашнего скота*); cultivation (*овощей, бактерий*).

развéдённый pulled up (*о мосте*); divorcee (*о супруге*).

развéдк‖а search, exploration; *военн.* reconnaissance; *горн.* prospecting; воздушная p. air observation; судно для ‿и scout; производить ‿у to reconnoiter, scout.

развéдочный *см.* разведывательный.

развéдри‖(ва)ться to clear up; to become fine (serene) (*о погоде*).

развéд‖чик *военн.* scout, feeler; *горн.* prospector; ‿ывательный reconnoitring; *горн.* prospecting; ‿ывательный самолет reconnaissance plane; ‿ывать to inquire (*about*); to investigate, explore.

развезти *см.* развозить.

развенч‖áть, ‵‿ивать to dethrone, discrown, uncrown; *фиг.* to take down from a pedestal.

развернýть(ся) *см.* развёртывать(ся); *фиг.* to let oneself go; to show oneself to (dis)advantage.

разверстáть *см.* развёрстывать.

развёрст‖ка division, distribution, allotment; assessment in kind (*продовольственная*); ‿ывать to divide, distribute, allot.

развёртк‖а *техн.* reamer; отделка отверстия ‿ой reaming.

развёртывание opening, unwrapping, unfolding (*пакета и пр.*); development (*промышленности и пр.*).

развёртывать to open, unwrap, unfold, unroll; develop; to open (*книгу*); to spread (*ковёр*); p. знамя *военн.* to fly (unfurl) a banner; p. работу to develop work; p. строй *военн.* to deploy a column; ‿ся to expand, develop; to come out (*о листьях и пр.*).

развéс weighing; на p. by weight.

развеселить(ся) *см.* развеселять (-ся).

развесёлый mirthful, merry (gay) as a lark.

развеселять to amuse, liven up, cheer up; ‿ся to brighten, cheer up.

развѣсистый branchy, ramose, ramous (*о дереве*).

развѣсить *см.* развешивать; р. мешок муки на килограммы to weigh out a sack of flour into kilogramms; p. уши to flap one's ears.

развѣс∥ка *см.* развес; ⁓ной чай loose tea sold by the weight.

развести(сь) *см.* разводить(ся).

разветвл∥ение fork, ramification, branching; *анат.* radicle (*нерва*); ⁓ять(ся) to branch; to divide into branches.

развѣшивать 1. to weigh out (*на весах*); p. на граммы to weigh out in grams; **2.** to suspend, hang (*на стене и пр.*); p. бельё на верёвке to hang out the washing on a line.

развѣять *см.* развевать.

развива∥ть to develop (*способности, скорость*); to evolve (*теорию и пр.*); to untwist, wind off (*раскручивать*); to uncurl (*волосы*); p. бешеный темп to put on break-neck speed; p. скорость to develop (gather) speed; ⁓ться to develop; ⁓ться умственно to develop (evolve) mentally, to mature; у него ⁓ется воспаление легких he is developing pneumonia.

развил∥на fork, (bi)furcation, divarication; ⁓стый forked, furcate (*о ветке и пр.*).

развин∥тить *см.* развинчивать; ¹⁓ченный unscrewed; *фиг.* unstrung, neurasthenic; ¹⁓чивать то unscrew; ⁓чивать винты to loosen screws; ⁓тились нервы nerves are unstrung.

развит∥ие development, growth, progress; evolution (*постепенное*); march (*событий, цивилизации*); неправильное p. maldevelopment; раннее p. precocity; p. своих способностей self-development; ⁓ой intelligent; well developed (mentally *or* physically); ⁓ая промышленность developed industry.

развить(ся) *см.* развивать(ся).

развле∥кать to amuse, entertain, recreate, divert; ⁓каться to sport, play, to have a good time; ⁓чение amusement, diversion, divertissement, entertainment, recreation; он занимается живописью для ⁓чения he has taken up painting as a pastime; поездка для ⁓чения pleasure trip; народные ⁓чения popular amusements; ¹⁓чь *см.* развлекать.

развод divorce; *военн.* parade; оставить на p. to leave for prop-

agation; ответчик в деле о ⁓е respondent; соучастник при ⁓е corespondent; ⁓ы arabesque, design.

разводить 1. to divorce (*супругов*); **2.** to breed, propagate (*потомство, скот*); to raise, cultivate (*растения*); **3.** to dilute (*жидкость*); p. мост to pull up a bascule- (swing-)bridge; p. огонь to light a fire; ⁓ся **1.** to divorce (*с мужем, женой*); **2.** to breed, multiply, to teem.

развод∥ка 1. *техн.* saw-set; **2.**: p. моста swinging (pulling) up the bascule-bridge; ⁓ной ключ wrench; ⁓ной мост bascule- (swing-)bridge.

развоеваться *шут.* to bluster, storm; *разг.* to fly at one.

развоз∥ить to convey, transport, carry (*людей, скот в вагонах, на лодках и пр.*); ⁓иться to be conveyed, transported, carried; to frolic, gambol (*шуметь, шалить*); to toss (*about, hither and thither*) (*стать беспокойным*); ¹⁓ка conveyance, transport.

разволновать to agitate, move, stir; ⁓ся to get agitated; to fluster, palpitate; to be in trepidation; ⁓ся из-за пустяков to be fussed over trifles.

разворачивать to unwrap, unfold, unroll (*пакет и пр.*); to upset, destroy, shatter (*разрушать*); to undo.

разворовывать *см.* воровать.

разворо∥тить *см.* разворачивать; ему ⁓тило всю руку his arm was mangled; ядро ⁓тило стену the cannon-ball shattered the wall; ¹⁓ченный destroyed, shattered, mangled.

разворошить to scatter (about).

разврат corruption, debauch, harlotry, lechery, perversity; ⁓итель(ница) corrupter, seducer; ⁓ить *см.* развращать; ⁓ник debauchee, libertine; ⁓ничать to lead a depraved life; ⁓ность corruption, debauchery, depravity, perverseness; ⁓ный corrupt, debauched, depraved, profligate, perverse.

развращ∥ать to deprave, corrupt, debauch, pervert; ⁓аться to grow depraved (corrupt, debauched); ⁓ение corruption, seducement; ⁓ённость perversion; ⁓ённый perverted.

развьючивать to take off a pack-saddle; to unburden, unload.

развязать(ся) *см.* развязывать (-ся).

развя́з‖ка dénouement; winding up (*в драме*); outcome, issue (*дела*); closing event, episode; дело идёт к ~ке the affair is coming to a head; ~ность jauntiness, freedom; ease; ~ный forward (*о человеке*); free and easy; ~ывать to untie, unbind; to loose, loosen (*язык*); ~ывать кому-либо руки to give rein, to give full scope (swing) to; ~ываться to undo, to get untied (undone); ~ываться с кем-л. to rid oneself of somebody; он ~я́лся с долгами he cleared his debts; у тебя ~ался башмак your shoe-lace is undone.

разгада́ть *см.* разгадывать.

разга́д‖ка answer, solution, key, clue (*загадки, тайны, вопроса*); ~чик deviner; ~ывать to unriddle, devine, guess, puzzle out; to read (*мысли*).

разга́р *фиг.* climax, tightest point; в ~е лета in the height of summer; работа в полном ~е the work is in full swing.

разгиба́‖ть to unbend, straighten; to smooth out (*складки*); ~ться to straighten oneself up; ~ющая мышца *анат.* extensor.

разгильдя́й idler, lout; ~ство untidiness, slovenliness.

разглаго́льствова‖ние idle (profuse) talk; ~ть to talk idly; *фиг.* to spout; to perorate.

разгла́‖дить *см.* разглаживать; ~женный smoothed, ironed, pressed; planished; ~живание smoothing; ironing, pressing, planishing; *см.* разглаживать; ~живать to smooth, to iron, press (*бельё, платье*); to planish (*металлич. изделия*).

разглас‖и́ть *см.* разглашать; ¹ ~ка publicity, notoriety.

разглаш‖а́тель divulgator, proclaimer; ~а́ть to spread, divulge, proclaim, publish (*известия, события*); to trumpet, noise abroad, blaze, blazon (*рекламировать*); ~е́ние spreading, publishing; случайное *или* злостное ~ение (*секрета*) leakage.

разгля‖де́ть, ¹ ~дывать to view, examine, scrutinize, consider; p. хорошенько to regard, examine closely (narrowly); p. со всех сторон to take an all round view (*of*) (*тж. фиг.*).

разгне́в‖анный wrathful, offended, incensed; *поэт.*, *рит.*, *шут.* wroth; ~ать to offend, incense, anger; ~аться to get angry; to fly into a passion (*разг.*).

разгова́ривать to talk, speak (*to, with*); *лит.* to converse; не давать другим p. to monopolize the conversation; перестаньте p. stop talking.

разгово́р talk, conversation; p. в повышенном тоне high words; p. о погоде *фиг.* talk about the weather and dicky-birds; small talk; p. по душам heart to heart talk; застольный p. table talk; вести пустой p. to twaddle; он имел с ним длинный p. he had a long interview with him; переменить p. to change the topic; быть предметом ~a to be the subject of conversation; to be on the carpet; ~иться to indulge in talk; ~ный colloquial, conversational; ~ный язык spoken language.

разгово́р‖чивость talkativeness, garrulity; gift of the gab; ~чивый talkative; garrulous (*болтливый*).

разго́н run, start (*разбег*); dispersal (*собрания и пр.*); *тип.* spacing; курьеры в ~е the messengers (errand boys) are out; ~истый: ~истый почерк scrawling handwriting.

разгони́ть to drive away (asunder); to dispel (*страх, мрак*); to disperse, scatter (*толпу*); to disrupt (*митинг*); *тип.* to space (*шрифт*).

разгора́живать to take down a fence (*противоп.* загораживать); to hedge off, separate, divide (*загораживать*); to fence; ~ся to hedge (fence) oneself off (*тж. фиг.*).

разгора́ться to begin to flame (burn, blaze); to leap (kindle) into flames; to get hotter and hotter (*о войне*); to run high (*о страсти*); to blaze with envy (desire) (*о глазах*).

разгоре́‖ться *см.* разгораться; у него глаза и зубы ~лись ≅ his mouth was watering.

разгоро‖ди́ть *см.* разгораживать; поля ¹ ~жены fields are fenced (*изгороди стоят*); the fences in the fields have been taken down (*изгороди сняты*).

разгоряч‖а́ть to heat; *фиг.* to excite (*разговором, зрелищем*); to fluster (*вином*); ~ённый burning, flushed (*о щеках, лице*); heated, excited (*with*) (*возбуждённый*); ~ённый ненавистью ablaze with hatred; ~и́ть *см.* разгорячать; ~и́ться to get hot; to be excited, heated (*возбудиться*); to work oneself up into a passion.

разгра́бить to plunder, pillage, (ran)sack.

разграбл‖е́ние plunder, pillage, sack, loot; отда́ть на p. to give over for plunder; ~я́ть см. разграбить.

разграни́ч‖е́ние demarcation, delimitation; ~енный delimited; ~и(вл)ть to delimit, mark (fix) the limit (of).

разграф‖и́ть см. разграфля́ть; ~ле́ние ruling; ~ля́ть to rule, draw lines.

разгре‖ба́ть, ~сти́ to rake (сено); to scrape asunder (мусор); to shove (песок и пр.).

разгро́м destruction, havoc; военн. rout, smash; devastation (ме́стности); rowing, rating; учинить p. to give a good rowing; ~и́ть, ~ля́ть to ruin, waste, devastate; военн. to rout, smash.

разгру‖жа́ть, ~зи́ть to unload, discharge; ~жа́ться, ~зи́ться to get unloaded; to disburden oneself (of); ~зка unloading, discharging; combing out (учреждения); ~зка от работы relief from work; пла́та за ~зку судов lighterage; ~зно́е су́дно lighter; ~зочный unloading; ~зчик гор. (wheel-)barrowman.

разгрыза́‖ть, ~ть to gnaw, to gnaw through, to break with one's teeth, to crack (орех и пр.).

разгу́л revelry, debauch, saturnalia; bacchanalia (пья́ный); предава́ться ~y to revel, riot; ~ивать to walk, loiter, stroll (about, along); ~иваться to rage (о буре, море); to lift (о тумане); to clear up, become fine (о погоде); ~ьный loose, rakish; ~я́ть to drive away, dissipate (головную боль, сон); ~я́ться см. разгу́ливаться; есть ~я́ться где на во́ле there is unlimited scope (for).

разда‖ва́ние distribution, dealing out; ~ва́ть to distribute, portion out, deal out; to pay (зарплату); to confer, grant (награды); to dish out (ку́шанье); ~ва́ть кни́ги to give out the books; ~ва́ться to be distributed, portioned (dealt) out, payed, conferred, granted; to grow wider (в ширину́); to stretch, splay (о сапогах и пр.); to be heard, to resound (о звуке); to roar, crash (о гро́ме); to chime, peal (о колоколе); to arise (о ро́поте); толпа́ ~ла́сь the crowd made way; ра́достные кли́ки ~ю́тся в воздухе joyous cries resound in the air.

раздави́ть см. разда́вливать.

раздавл‖ивание crushing, squashing; ~ивать to crush, smash (beneath, under); to run over (down) (автомоби́лем и пр.); to squash (лимон и пр.); ~ен на́ смерть crushed to death.

разда́лбливать to make hollow.

разда́рива‖ние distribution (giving away) of presents; ~ть to distribute in presents, to give away presents.

разда́т‖очный: p. пункт distributing centre; ~чик distributor; ~ь(ся) см. раздава́ться.

разда́ча distribution; delivery (поку́пок, това́ров); allotment (земельных участков); presentation (of) (пода́рков и пр.).

разда́ивать см. двои́ть; ~ся to fork, (bi)furcate, divaricate.

раздви‖га́ть to disjoin; to put asunder, separate; to extend (стол); ~жно́й extensible, telescopic; ~жно́й стол extension-(sliding) table; ~нуть см. раздвига́ть.

раздво‖е́ние fork, (bi)furcation, divarication; бот., зоол. dichotomy; p. ли́чности мед. dissociation of personality, multiple personality; ~енный forked, (bi)furcate; ~енный хвост swallow-tail; ~енное копы́то cleft hoof; cloven foot (о фа́вне).

раздева́‖лка cloak-room; ~льня undressing, unclothing; divestment, disrobing; ~ть to undress; to unclothe, disrobe, divest; to strip (догола́); ~ться to undress, disrobe, divest (unclothe) oneself; to take off one's things.

разде́л division; allotment (земли).

разде́лать см. разде́лывать.

разделе́‖ние division, distribution; disseverance (отделе́ние); гр. syllabi(fi)cation (на слоги); p. труда́ division of labour; ~енный parted, divided; ~имость divisibility, separability; ~ительный союз гр. partitive conjunction; ~ительное местоиме́ние distributive pronoun; ~и́ть см. разделя́ть.

разде́лывать: p. под оре́х фиг. to give a dressing (to); p. дверь под дуб to grain a door in imitation of oak; ~ся с кем-л. to have done (be through) with.

разде́льный separate; p. акт уст. deed of division.

разделя́ть to part, divide, separate, sever (from, with); to share (with) (ра́дость, го́ре); p. на слоги to syllabicate; ~ся to divide, part; to pair off (по па́рам).

раздёр‖г(ив)ать, ~нуть to pull asunder, drag back; to pull, draw back (*занавеску*).

раздѣ́ть *см.* раздевать; р. кого-л. to take the coat off someone's back.

раздѣ́ться *см.* раздеваться.

раздира́‖ть to tear; rend; to wrench (*преимущ. вкось*); *фиг.* to lacerate, torture, harrow, wrench; капиталистический мир ~ем внутренними противоречиями the capitalist world is torn by internal contradictions; его ~ли на части *фиг.* he was pulled in all directions; ~ющий душу harrowing, heart-rending, heart-breaking; ~ющий уши ear-piercing, earsplitting.

раздобрѣ́ть 1. to get fat (plump) (*потолстеть*); **2.** to get kind.

раздобриться to have a spell of kindness (generosity), to become generous.

раздобы́ть to get, obtain, procure.

раздолби́ть *см.* раздалбливать.

раздо́‖лье ease, freedom; expanse (*степи и пр.*); жить в р. to live in plenty (clover).

раздо́р dissension, discord, quarrel, squabble; сеять р. to breed (make, sow) mischief; яблоко ~а apple of discord, bone of contention.

раздоса́довать to vex, put out; ~ся to be vexed (put out, provoked) (*with*).

раздраж‖а́ть to irritate, annoy, pique, spite; to try the patience (*of*); to exasperate; to rub the wrong way in; *амер.* to get someone's goat; свет ~а́ет мне глаза the light makes my eyes smart; ~а́ться to fret, lose one's temper; to get irritated; to be in a pet; ~е́ние exasperation, irritation, irritability, irritableness, pique, annoyance; припадок ~е́нпя pet, huff, ill-humour.

раздражи́‖мость irritability; ~мый irritable.

раздражи́‖тель *мед.* stimulant; ~тельность irritability, fretfulness, peevishness; ~тельный irritable, fretful, peevish, cross-grained, tetchy, touchy, pettish; ~тельно irritably *и пр.*; ~ть *см.* раздражать.

раздразни́ть to provoke, to tease; *разг.* to get (take) a rise out (*of*); to put one on edge; to rag (*sl.*).

раздроб‖и́ть(ся) *см.* раздроблять

(-ся); ~ле́ние smash(ing), parcelling; ~ля́ть to break (smash) to pieces; to dismember (*государство*); to parcel (*участок земли, государство*); to splinter (*кость*); ~ля́ться to crumble away, to fall to pieces; to be parcelled out.

раздружи́ться to break (*with*); to break off friendship (*with*).

разду‖ва́льный: р. мех *техн.* bellows; ~ва́ние blowing *и пр.*, *см.* раздувать; ~ва́ть to blow (*угли*); to disperse, blow away (*разгонять ветром*); to fan (*огонь, страсти*); to foment (*мятеж*); to distend (*ноздри*); to inflate, exaggerate (*слухи и пр.*); ~ва́ться to swell, inflate.

разду́м‖ать to change one's mind, to think better of a thing (plan); ~ывание meditation; irresolution, irresoluteness, incertitude, doubt (*колебание*); ~ывать to waver, hesitate (*колебаться*); to ruminate, to be in a brown study (*размышлять*); нечего ~ывать no grounds for hesitation; ~ье hesitation, wavering; его взяло ~ье he began to think (doubt, waver); по ~ьи on second thoughts.

разду́‖тость inflation, swelling, dilation, distention (*желудка*); ~тый inflated, swollen, tumid; ~тая слава hollow fame; ~тые штаты swollen staffs; ~ть(ся) *см.* раздувать(ся); мне ~ло щёку my cheek is swollen.

разду́ш‖енный perfumed; drenched in perfume (*разг.*); ~и́ться *см.* душиться.

разева́ть to gape, open wide; р. рот to gape.

разжа́лобить to move to pity (compassion); to stir (quicken) the pity (*of*); ~ся to be overwhelmed with pity (compassion) (*for*).

разжа́лова‖ние degradation; ~нный degraded; офицер ~нный в солдаты *ист.* officer degraded to the ranks; ~ть *военн.* to reduce to the ranks, to degrade, cashier, drum out; ~ться to complain bitterly; to break (burst) into complaints.

разжа́ть *см.* разжимать.

раз‖жева́ть *см.* разжёвывать; ~жёвывание mastication, chewing; *фиг.* elaborate explanation; ~жёвывать to masticate, chew; *фиг.* to explain elaborately.

разже́чь *см.* разжигать.

разжи́‖ва gain, profit; ~ва́ться to make a profit, grow rich; to get, obtain (*чем-л.*); to make a pot of money (*sl.*); он ⁓лся после войны he boomed after the war.

разжига́ть to kindle; *фиг.* to inflame, excite, stimulate (*воображение, страсть*); р. национа́льную рознь to excite national differences, to sow discord between nationalities; ⁓ся to become inflamed, to catch fire, to blaze up.

разжижа́ть to dilute (*жидкость*); to thin, rarefy (*воздух*); to water (*водой*); ⁓ся to be diluted, thinned, rarefied.

разжиже́ние dilution; rarefaction (*воздуха, газов*).

разжима́‖**ние** unclasping, opening; ⁓ть to unclasp, open; он не ⁓л рта he never opened his lips.

разжире́‖**ть** to grow fat; он ⁓л *разг.* he bursts his buttons (his clothes).

разжи́ться см. разживаться.

раззадо́ри(ва)тьto provoke, rouse, excite; ⁓ся to get excited over.

раззнако́ми‖**ться** to break off one's acquaintance (*with*), to break (*with*); он со всеми ⁓ся he cuts everybody.

ра́зик *уменьш. от раз.*

рази́н‖**уть** см. разевать; ⁓я simpleton, gawk.

рази́тельный striking, impressive; stunning (*sl.*).

рази́ть I. to beat, strike, smite.

рази́‖**ть** II. to smell, reek, stink (*пахнуть*); от него ⁓т во́дкой he reeks of brandy.

разлага́ть *хим.* to analyse, decompose, resolve; *фиг.* to corrupt, to disorganize; ⁓ся to decay, rot, putrefy, dissolve, decompose; *фиг.* to (become) corrupt(ed); to get disorganized.

разла́‖**д** dissonance, discord, dissension; вносить p. to sow seeds of discord; ⁓дить, ⁓живать to untune; ⁓диться, ⁓живаться to take a bad turn, to go wrong; дело ⁓ди́лось *разг.* the deal was called off.

разла́комить to allure, entice; ⁓ся to relish; to contract a taste (*for*).

разла́мыва‖**ние** break(ing), fracture; ⁓ть to break, fracture, smash; to pull down (*здание*); ⁓ться to break (go) to pieces.

разлёживаться to sprawl.

разлеза́ться to tear, ravel out (*о материи*); p. по швам to give at the seams.

разлéз‖**ться** см. разлезаться; мои сапоги ⁓лись my boots are gaping.

разлéни‖**ваться**, ⁓ться to grow lazy; to loaf; to fall into idleness.

разле‖**та́ться**, ⁓те́ться to fly away (*о птицах*); to billow (*о полах одежды*); to rush up; *фиг.* to have the cheek (*to*); p. на куски to fly to bits, to break to pieces.

разлéчься to stretch oneself out.

разли́в overflow, inundation; flood; внезапный p. реки spate; ⁓ка bottling (*по бутылкам*).

разли‖**ва́ть** to pour out (*вино, чай*); to bottle (*по бутылкам*); to spill (*на стол, пол*); ⁓ва́ться, ⁓ться to overflow (*о реке*); румянец ⁓лся по её лицу a flush spread over her face; ⁓вно́й in bottles.

разлин‖**ева́ние** ruling; ⁓ева́ть to rule; ⁓о́вка ruling; ⁓о́вывать to rule.

разли́‖**тие** overflow, inundation; p. жёлчи bilious attack; ⁓ть(ся) *см.* разливать(ся); у него ⁓ла́сь жёлчь he has a bilious attack.

разли́ч‖**а́ть** to discern, distinguish, discriminate, tell; ⁓а́ться to differ (*from*), to be unlike; to be distinguished (differentiated) (*from*); ⁓éние distinction, discrimination; ⁓ествовать to differ, vary; ⁓ие distinction, difference, diversity; тонкое словесное ⁓ие word-splitting; не делать ⁓ия to make no distinctions (*between*); ⁓и́тельный distinctive; ⁓и́ть *см.* различать; он не может ⁓ить, кто там he cannot tell who is there; ⁓ность unlikeness, difference; ⁓ный different; various (*многообразный*); diverse, distinct, dissimilar (*отличающийся*); ⁓ный по существу different in kind; по ⁓ным соображениям for diverse reasons; ⁓но differently *и пр.*

разлож‖**éние** *хим.* analysis, resolution (*into*) (*на составн. части*); decomposition, putrefaction, decay (*трупа и пр.*); *фиг.* corruption; p. капитализма decay (decline) of capitalism; p. капиталистического общества decomposition of capitalist society; ⁓и́вшийся corrupt, putrefied, putrid.

разложи́ть *см.* разлагать, раскладывать.

разло́м break; fracture (*костей, черепа*); ⁓а́ть(ся), ⁓и́ть(ся) *см.* разламывать(ся); меня всего ⁓и́ло I feel every bone in my body.

разлу́‖**ка** separation, parting; wrench (*тягостная*); ⁓ча́ть(ся) to part, separate, disunite; *лит.* to sever; ⁓чéние severance (*from, with*); ⁓чи́ть(ся) *см.* разлучать (-ся); ⁓чник successful rival.

разлюби́ть to cease to love, to grow sick (*of*).

размагни́‖**тить**, **∼чивать** to unmagnetize.

разма́з‖**ать** *см.* размазывать; **∼ня** thin gruel; *фиг.* listless (spineless) person, a sluggish (drowsy) fellow; **∼ывать** to smear, spread; *фиг.* to amplify, to relate with unnecessary details (*о манере говорить*).

размал‖**ёванный** streaked with colour; **∼евать**, **∼ёвывать** to paint in gaudy colours, to daub.

размáлывать to grind.

размáсли(ва)ть to oil, butter; *фиг.* to amplify.

размáтыва‖**ние** unwinding, unreeling; **∼ть(ся)** to unwind, wind off, reel off, uncoil (*о верёвке и пр.*); to unreel (*о катушке*).

размáх range (*дела*), swing; span (*аэроплана*); sweep (*косы, весла*); scope, amplitude (*событий*); p. топора swing of an axe; со всего **∼а** *разг.* slap-bang; с **∼у** врезаться to crash (smash) into (*о моторе и пр.*); ударить с **∼у** to give one socks (*sl.*); **∼ивать**, **∼нýть** to brandish (*палкой*); **∼ивать** руками to gesticulate; to saw the air; **∼иваться**, **∼нýться** на кого-либо to lift one's hand against somebody.

размáчива‖**ние** soaking, saturation, steeping; **∼ть** to soak, saturate, steep.

размачтóвыва‖**ние** *мор.* dismastment, dismasting; **∼ть** to dismast.

размáшист‖**ый** bold, loose (*о почерке*); sweeping (*о движении*); **∼о** boldly, sweepingly.

размеж‖**евáние** delimitation, demarcation; **∼евáть**, **∼ёвывать** to delimit, bound; to mark limits (boundaries); **∼евáться**, **∼ёвываться** to come to a mutual agreement as to boundaries; to fix the boundaries (*of*).

размельч‖**áть**, **∼и́ть** to divide into particles, to crumble.

размéн (ex)change; **∼ивать**, **∼я́ть** деньги to change money, to give change.

размéн‖**иваться**, **∼я́ться** на мелкую монету *фиг.* to squander (scatter) one's efforts to small purpose; **∼ная** монета small coin, change.

размéр dimension; size; rate (*жалованья*); amount (*суммы*); metre (*стихов*); p. капитальных вложений amount of capital investments; меньше требуемого **∼а** undersized; сверх обычного **∼а** outsize; в каком **∼е?** to what ex-

tent?; стол **∼ом** в 2 фута a table measuring two feet; больших **∼ов** of vast dimensions; строительство огромных **∼ов** construction of a large scale; **∼и(ва)ть**, **∼и́ть** to measure off (out); поле **∼ено** на участки field is divided (parcelled) into lots.

размести́ *см.* разметáть II.

размести́ть‖**(ся)** *см.* размещáть (-ся); в гостинице могут **∼ся** 300 человек the hotel can accomodate 300 (guests).

разметáть I. to sweep (*away*).

разметáть II. *см.* размётывать; **∼ся** to toss (*о ребёнке, больном*).

размёт‖**ить** *см.* размечáть; **∼ка** marking.

размётывать to throw asunder, toss, scatter (*сено и пр.*).

размечáть to mark, set a mark.

размеш‖**áть(ся)** *см.* размешивать(ся); '**∼ивание** stir(ring) (*лекарства, сахара в чае и пр.*); kneading (*теста*); '**∼ивать** to stir; to knead (*тесто*); '**∼иваться** to be stirred, kneaded.

размещ‖**áть(ся)** to dispose (*располагать*); to distribute (*распределять*); to rank (*по видам, классам*); to place, allocate (*деньги, должности*); to quarter, billet (*войска по квартирам*); to set (*книги на полке*); p. заказы на машины to place orders for machines; студенты **∼ены** в пяти комнатах the students are accomodated in five rooms; **∼éние** disposition, order, distribution; allocation (*должностей, денежных сумм и пр.*); географическое **∼ение** производительных сил geographical distribution of productive forces.

размин‖**áть** to crumble; to knead (*тесто*); to mash (*картофель*); p. ноги to walk about.

разминý‖**ться** to pass, cross (each other); наши письма **∼лись** *разг.* our letters have crossed.

размнож‖**áть** to multiply; to manifold (*документ в копиях*); **∼áться** to breed, propagate (*о животных*); to spawn (*о рыбах, лягушках*); **∼éние** reproduction, propagation, increase (*о людях, животных, растениях*); бесполое **∼ение** asexual reproduction, agamogenesis; половое **∼ение** *биол.* sexual reproduction; органы **∼éния** reproductive organs; '**∼ить** *см.* размножать.

размозжи́ть to smash, shatter, squash; p. голову to knock (blow, blast) one's brains out.

размо́л grist, grind; кру́пный p. coarse grind; ме́лкий p. small (fine) grind; коли́чество ~а amount of grist.

размо́лвка difference, variance, misunderstanding, disagreement; tiff (*о прия́телях, влюблённых*); у них p. they have fallen out (of tune) with each other.

размоло́ть *см.* размалывать.

размота́ть *см.* разматывать.

размоча́ли(ва)ть to tear to shreds; to separate into filaments.

размо́ч‖енный soaked through; ~и́ть *см.* размачивать.

размы́в wash-out; p. плоти́ны bursting of a dike (dam); ~а́ние washing (out, away); ~а́ть to wash off (out, away); to hollow (scoop) out (*бе́рег*); *геол.* to erode.

размыка́‖ние *эл.* breaking, disconnection; ~ть to open, unlock, unfasten; *эл.* to break, disconnect.

размы́кать: p. rope to shake off dark thoughts.

размы́слить *см.* размышлять.

размы́‖ть *см.* размывать; река́ ~ла запру́ду the river has broken through (worn away) the dam.

размышл‖е́ние reflection *и пр.* (*см.* размышлять); по зре́лом ~е́нии upon second thoughts; беспло́дные ~е́ния barren thoughts; ~я́ть to reflect, consider; to meditate (*на высо́кие те́мы*); to speculate (*над прое́ктом и пр.*); to ponder, brood over (*над кни́гой и пр.*).

размягч‖а́ть to mollify, soften, to render soft; ~е́ние mollification, softening; ~е́ние мо́зга softening of the brain; ~и́ть *см.* размягчать.

размяк‖а́ть, '~нуть to soften; to become sodden; *фиг.* to become sentimental, to go limp (*о челове́ке*).

размя́ть *см.* разминать.

разна́шивать to make wider and easier by wear; to wear to one's shape, to wear off the freshness (*of*).

разне́жи(ва)ть to soften, render delicate (tender); ~ся to grow delicate (tender).

разнес‖ти́ *см.* разносить 1, 2; щёку ~ло́ *разг.* cheek is swollen.

разнима́ть to part, separate, disunite; to tear asunder (*деру́щихся*); to stop (*дра́ку*).

ра́зни‖ться to differ, to be unlike; ~ца difference, distinction; inequality (*в сте́пени*); заме́тная ~ца marked distinction; огро́мная ~ца enormous difference; кака́я ме-

жду ни́ми ~ца! what a contrast between them!; *разг.* a whale of a difference; э́то не составля́ет ~цы it makes no difference (odds).

ра́зно differently, diversely, variously.

разнобо́й disharmony, dissonance, discord (*разла́д, неблагозву́чие*); disparity (*несоразме́рность*); lack of coordination (*де́йствий*).

разнове́с small weights.

разнови́дн‖ость variety (*о живо́тных, расте́ниях и пр.*); *ест. ист.* sport (*измене́ние ви́да при мута́ции*); ~ый of different form, multiform, diverse, various; *биол.* variant.

разновре́менный alternative (*при чередова́нии*); of different time (epoch).

разногла́зый with eyes of different colour, with squinting eyes; cross-eyed.

разногла́с‖ие discord, disharmony; difference of opinion; у нас p. we are at issue; быть в ~ии to be at variance (at outs) (*with*); ~ный discordant, conflicting, dissonant.

разноголо́сица discordance, dissonance.

ра́зное *см.* разный; different (various, miscellaneous) things; miscellany, variety.

разнозна́чащий of different meaning (signification, import).

разноимённый of different names.

разнокали́берный of different calibres (sizes).

разнолепе́стка *бот.* candytuft.

разноли́стный *бот.* heterophyllous.

разнома́стный of different colour, unmatched (*о па́ре лошаде́й и пр.*); *фиг.* scratch.

разномы́сл‖ие difference of opinion, dissidence; ~ящий dissident.

разнообра́з‖ие diversity, variety; вноси́ть p. to relieve the monotony of; ~ить to diversify, to vary, to chequer (checker); ~ный diverse, various; polyphonic (*о разме́ре стиха́*).

разноплемённ‖ость diversity of race (tribe); ~ый of different races (tribes).

разнопо́лый 1. of different sexes (genders); 2. with unequal skirts (*о пла́тье*).

разноречи́вый contradictory (*противоречи́вый*) varying, diverse.

разноро́дн‖ость heterogeneity; difference in kind; ~ый heterogeneous, mixed, hybrid.

разно́с 1. bearing (carrying) about; peddling, hawking (*товаров торговцами*); delivery (*писем, товаров*); торговать в р. to peddle, hawk, cadge; **2.** *фиг.* rating, rebuke, reprimand; *разг.* rowing, dressing down; ~и́ть **1.** to carry, convey; to deliver (*письма*); **2.** to disperse, scatter; to blow asunder; бурею **разнесло́** все корабли the storm dispersed all the ships; **3.** *см.* разна́шивать; **4.** *фиг.* to rate, scold, rebuke, chide (*ругать*); **5.** *безл.* (*в значении распухать*) to swell, bulge, stick out; ~и́ть впух и впрах to pick to pieces; to dress down; ~и́ть в ще́пки to blow to chips; ~и́ть по гра́фам to enter in columns; ~и́ться to resound (*о голосе*); to spread, float (*о слухе, молве*); ~ка *см.* разно́с 1.

разносо́лы *фиг.* dainties, cates.
разносторо́нн‖ий many-sided, resourceful; *геом.* scalene, scalenous; ~яя де́ятельность manifold activity; ~ость miscellaneousness, resourcefulness, multiplicity.

ра́зность variety, diversity; difference (*тж. мат.*).

разно́счик pedlar, huckster, cadger, Cheap-Jack; hawker, costermonger (*торг. с тележки на улице*).

разнохара́ктерный multiplex; of different character (type); motley (*пёстрый*).

разноцве́тный particoloured, many-coloured, variegated, motley, polychromatic.

разночи́нец *ист.* a member of the intelligentsia in Tsarist Russia in the sixties of the nineteenth century, not belonging to the privileged classes.

разночте́ние *фил.* variant reading.

разношёрстн‖ый of different colour; *фиг.* scratchy (*с бору да с сосенки*); patchy (*из разнообразного материала*); ~ая кома́нда scratch team (*о футболе и пр.*); ~ая пу́блика mixed crowd, people of every degree.

разноязы́чный polyglottic.
разну́зданн‖ость unruliness (*буйность*); licentiousness; ~ый *фиг.* unruly, uncontrollable, unbridled (*также о лошади*); ~ая страсть ungovernable (unrestrained) passion.

разнузд‖а́ть, ~ывать to unbridle.
ра́зный different, diverse, various, unlike.

разню́х‖ать *см.* разню́хивать; ~ивание smelling, sniffing, ferreting;

~ивать to smell, sniff (*про собаку*); *фиг.* to ferret about; scent; to smell out; to get wind (*of*) (*тайну*).

разня́ть *см.* разнима́ть.
разоблач‖а́ть to divest; to unclothe, undress; *фиг.* to disclose, unmask, expose (*обман, предательство*); ~а́ться to divest oneself (*of*), to undress (oneself); ~е́ние divestment, disrobing; *фиг.* disclosure, exposure (*преступления, подделки*); ~и́ть(ся) *см.* разоблача́ть(ся).

разобра́ть *см.* разбира́ть; все биле́ты разо́браны all the tickets are sold out; ничего́ не разберу́ I can make neither head nor tail of it.

разобщ‖а́ть to disunite, dissociate; *мех.* to disconnect; *физ.* to insulate; ~а́ющий dissociative; ~е́ние, ~ённость disunion; dissociation, disconnection; *физ.* insulation; ~ённый *физ.* insulated; ~и́ть *см.* разобща́ть.

разово́й valid for use once (*о билете и пр.*).

разогна́ть *см.* разгиба́ть; р. лошаде́й to whip up the horses.

разогну́ть *см.* разгиба́ть.
разогре‖ва́ние warming; ~ва́ть, ~ть to warm up; ~ть до кипя́чения to heat to boiling point; ~тое ку́шанье réchauffé (*франц.*).

разоде́т‖ый dressed in best clothes; in glad rags (*sl.*); ~ая впух и впрах же́нщина *разг.* woman dressed to kill; ~ься to dress, adorn oneself; to put on one's best dress.

разодра́‖нный tattered, torn to rags, rent; ~ть *см.* раздира́ть; ~ться to come to blows.

разозли́ть to enrage, to make angry; ~ся to get angry.

разойти́сь *см.* расходи́ться.
раз‖о́к, ~о́м *см.* раз.
разомкну́ть *см.* размыка́ть.
разомле́ть *см.* мле́ть; to get deeply affected by tender emotions; to get tired with heat (*от жары*).

разопре‖ва́ть, ~ть to sweat freely; to stew.

разорва́ть(ся) *см.* разрыва́ть(ся).
разор‖е́ние ruin; destruction (*разрушение*); ravage (*опустошение*); *юр.* waste (*дома, имения*); ~ённый ruined; stony broke (*sl.*); ~и́тель spoiler, harrier; ~и́тельность ruinousness, extravagance; ~и́тельный ruinous, wasteful; ~и́тельно ruinously, wastefully.

разори́ть *см.* разоря́ть.
разоруж‖а́ть(ся) to disarm; to dismantle (*о корабле*); ~е́ние dis-

armament; dismantlement (*крепости, корабля*); конференция по ⌐ению Disarmament Conference; ⌐йть(ся) *см.* разоружать(ся).

разорить to ruin; to destroy; to spoil; to waste (*дома, имения*); to sack, ravage (*город, страну*); ⌐ся to be ruined; *разг.* to be down and out, to go to pot.

разослать *см.* рассылать.

разоспаться to sleep long and soundly.

разостлать *см.* расстилать.

разоткать 1. to unweave; 2. to weave designs into cloth.

разохотить to stimulate, entice; to quicken a taste for; ⌐ся to take an interest in, to take a liking to.

разочаров‖**áние**, '⌐**анность** disenchantment, disillusion, disappointment (*см.* разочаровывать); сильное ⌐ание acute disappointment, chagrin, sharp stab of disappointment; '⌐**анный** disenchanted, disillusioned, disappointed.

разочаров‖**áть**, '⌐**ывать** to disappoint (*обмануть*); to disillusion(ize), disenchant (*открывать глаза*); ⌐áться, '⌐ываться to be disappointed, disillusioned, disenchanted; to be out of conceit with.

разраб‖**áтывание** *см.* разработка; ⌐áтывать, ⌐отать to treat, develop, work out (*тему, вопрос*); to elaborate (*план*); to exploit (*копи*); to cultivate (*землю*); он ⌐áтывает проблемы марксизма he is working up the problems of Marxism; ⌐отка treatment (*темы и пр.*); elaboration (*плана*); exploitation (*копи*); cultivation (*земли*).

разра‖**жáться**, ⌐зиться to burst, explode; to give vent to (*смехом, слезами*); to crash (*о громе*); р. аплодисментами to break into applause; р. бранью to fly into a passion; to start abusing; р. смехом to burst out laughing.

разрастáние profuse growth (*дерева и пр.*); expansion, widening, development (*дела, проекта*); чрезмерное р. rank growth.

разраст‖**áться**, ⌐ись to expand, widen.

разревéться to set up a howl; *разг.* to begin to cry.

разре‖**дить**, ⌐жáть to rarefy, thin; ⌐жéние, ⌐жённость rarefaction (*воздуха*); thinning (*тумана и пр.*); ⌐жённое пространство *физ.* vacuum.

разрéз cut, rip; gash, slash (*глу-*

бокий); slit (*продольный*); section (*чертежа*); осветить вопрос в ⌐е решений XVII партсъезда to interpret a question in accordance with the resolutions of the XVII Party Congress; ⌐áть, ⌐ать *см.* разрезывать; ⌐нóй нож (*для бумаги*) paper-knife; ⌐ная балка flitch-beam; ⌐ывать to cut; to slit (*вдоль*); to section (*на доли*); to carve (*жареное мясо, дичь*); to snip (*ножницами*); to rip (*вспарывать*).

разреш‖**áть** to permit, allow, authorize (*позволять*); to solve (*задачу*); to resolve (*сомнения*); to grant (*отпуск*); to absolve (*грехи*); *см. тж.* разрешение; р. проблему to solve a problem; ⌐йте войти may I come in?; ⌐áться от бремени to be delivered of a child; воспаление ⌐áется inflammation is resolving; тучи ⌐áются дождём clouds discharge rain.

разреш‖**éние** permission, leave, authorization (*санкция*); permit (*особ. письменное*); licence (*официальное*); solution (*вопроса*); delivery (*от бремени*); imprimatur (*печатать*); grace (*на получение учёной степени*); settlement (*спорных вопросов*); *мед.* resolution; *см. тж.* разрешать; р. на въезд entry permit; ⌐ймость solvability, solvableness; ⌐ймый solvable, resolvable; ⌐йться *см.* разрешаться.

разрисов‖**áть**, '⌐**ывать** to ornament with designs.

разровнять *см.* разравнивать.

разроз‖**н(ва)ть** to break a set (*of*) (*книги, рукописи и пр.*); том из ⌐енного собрания сочинений odd volume.

разруб‖**áть**, ⌐йть to cut, cleave, slash; р. гордиев узел *погов.* to cut the Gordian knot.

разругáть *см.* ругать; ⌐ся to abuse one another; to have a stormy quarrel (*with*).

разрумя́н‖**и(ва)ть** to paint, rouge; ⌐и(ва)ться to blush, flush, redden; to paint, rouge (*искусственно*); ⌐енная flushed; rouged; lip-sticked (*о губах*).

разрýх‖**а** disorder, collapse, ruin; годы ⌐и years of collapse.

разруш‖**áть** to demolish, destroy, ruin; to cast down, overthrow, subvert (*строй, религию и пр.*); to blast, blight (*надежды, иллюзии*); р. до основания to rase (raze) to the ground; р. здоровье to ruin one's health; р. планы to spoil someone's plans; *разг.* to upset (crash into) someone's apple-cart; начать p. to set the axe to (*фиг.*); ~иться to go to ruin, to sink, fall, decay (*см.* разрушение); ~áющий destructive, devastating; subversive (*о принципах*); ~éние destruction, ruin, collapse; decay (*тж.* гниение); downfall (*режима*); *мед.* caries (*зуба, кости*); полное ~ение (w)rack and ruin; старческое ~ение senile decay; '~енный ruinous, ruined, decayed, destroyed; ~итель destroyer; destructionist; ~ительный ruinous, destructive, fatal, consuming (*об огне, страсти и пр.*); ~ительное действие destructive effects; ravages (*огня, бури*); '~ить(ся) *см.* разрушать(ся).

разрыв rupture (*отношений, сосудов*); break, severance (*между друзьями, супругами*); burst, explosion (*снаряда*); *мех.* rupture; p. в воздухе *военн.* a burst in the air; p. дипломатических отношений rupture of diplomatic relations; p. между теорией и практикой gap between theory and practice; p. сердца heart-failure.

разрывáть I. to dig up, unearth.

разрывáть II. to tear, lacerate, rend, disrupt, break apart; p. пополам (на клочки, куски, полосы) to tear in two (to shreds, in pieces, to ribbons); *см. тж.* разрыв; ~ться to tear, wear (*о платье*); to burst (*о сапогах*); to explode, burst (*о снаряде*); у меня сердце ~ется my heart is breaking.

разрывн||**ой**: p. снаряд *военн.* explosive shell; ~áя пуля *военн.* dumdum (bullet).

разрыв-травá *бот.* saxifrage, stone-break.

разрыдáться to burst into sobs (into a passion of weeping).

разрыт||**ый** dug up; rummaged, ransacked (*при обыске и пр.*); ~ь *см.* разрывать I.

разрыхл||**éние** mellowing, loosening (*земли*); ~ить, ~ять to hoe (*землю*).

разряд I. class, category, division, sort, rank; первого ~a first-class (-rate); второго (низшего) ~a second-rate.

разряд II. discharge (*ружья*).

разрядить(ся) I., II. *см.* разряжать(ся) I, II.

разрядка *тип.* spacing; набирать в ~y to space.

разрядник *физ.* discharger.

разряжáть I. to discharge (*электрическую батарею*); to unload, discharge (*ружьё, орудие*).

разряжáть II. to dress up, to don finery.

разряжáться I., II. *см.* разряжать I, II.

разряжéние discharge, unloading.

разряженный dressed up.

разубе||**дить**, ~ждáть to dissuade; to reason out (*of*), advise (*against*) (*о плане, намерении*).

разуб(н)рáть to bedeck, adorn.

разувáть to unshoe, to help one off with his (her) shoes (boots); ~ся to take off one's foot-wear.

разувер||**éние** dissuasion; '~ить, ~ять to dissuade, disabuse, divert by persuasion.

разузна||**вáние** inquiry, investigation; ~вáть, '~ть to inquire, investigate; to spy (ferret) out (*хитростью*); to hunt out (*упорно*); ~вать чьи-л. намерения to sound someone's intentions.

разукрá||**сить**, ~шáть, ~шивать to decorate, adorn; ~шенный флагами decorated with flags.

разукрупн||**éние** dividing into smaller units; ~ить to divide into smaller units.

рáзум intellect, mind; intelligence (*ум*); reason (*благоразумие*); чистый p. *филос.* pure reason; он утратил p. he is out of his mind (*тж. ирон.*).

разумé||**ние** understanding, intellection, cognition; поддающееся ~нию knowledgeable; по моему ~нию to my mind, to my understanding; ~ть to understand, comprehend, apprehend; само собой ~ется it stands to reason, it goes without saying.

разумн||**ик** reasonable (sensible) person; ~ость reasonableness, sensibleness; soundness (*проекта, плана*); ~ый reasonable, intelligent, sensible, level-headed; ~ый ответ an intelligent answer; ~ая цена sensible (reasonable, moderate) price; ~о reasonably; sensibly.

разýть *см.* разувать.

разутюжи(ва)ть to iron, press.

разухáбистый rollicking, boisterous.

разуч||**ивание** learning; *театр.* rehearsal; *муз.* exercise; ~ивать, ~ить to learn, study; to practice (*на рояли и пр.*); ~ивать роль to rehearse a part in a play; ~иваться, ~иться to forget, unlearn.

разъеда‖ние corrosion, erosion, fret (*см.* разъедать); ⌐ть to fret, eat (*о моли, ржавчине*); *геол.* to erode; *хим.* to corrode; to canker (*о болезни, тж. фиг.*); ⌐ющий cankerous, erosive, corrosive.

разъедин‖ение disunion, disjunction, separation, dissociation; *эл.* interruption; disconnection; breaking (*размыкание*) (*см.* разъединять); ⌐итель *эл.* breaker; interrupter; ⌐ить to disjoin(t) (*вещь на части*); to unlink (*руки*); to disunite, dissociate (*людей*); *эл.* to disconnect, break; нас ⌐ли we have been separated, they have cut our connection (*по телефону*); ⌐яющий dissociative, disjunctive (*о влиянии, учении и пр.*).

разъез‖д departure, going away, separation; *военн.* horsed patrol; *ж.-д.* railway sidings; ⌐дные деньги sum for travelling expenses; ⌐жать to drive (ride) about, around; ⌐жаться to break up, separate; to cross one another, to miss one another (*не встретиться*); to fray, go to pieces (*о материи*); *см. тж.* разъехаться.

разъесть *см.* разъедать.

разъеха‖ться *см.* разъезжаться; так узко, что трудно было бы двум автомобилям р. so narrow that two cars would find it difficult to pass; крыша совсем ⌐лась the roof is going to pieces (is leaky, in a bad state); они ⌐лись they separated (*о супругах*).

разъярённ‖ость fury, rage; ⌐ый furious; *разг.* in a white rage; mad (*про быка*); ⌐о furiously.

разъярить to enfuriate; ⌐ся to rage, storm, to fly into a rage.

разъясн‖ение explanation, elucidation; *фиг.* key; notice (*в газете*); давать ⌐ения to give information (explanation); ⌐итель elucidator; ⌐ительный elucidative, elucidatory, explanatory.

разъясн‖ить, ⌐ять to explain, elucidate; to make clear; р. значение закона bring out the meaning of a law.

разыгр‖ать(ся) *см.* разыгрывать (-ся); ¹⌐ывание performance (*драмы, муз. произведения*); execution (*квартета и пр.*); drawing (*лотереи*); ¹⌐ывать to perform, execute (*пьесу и пр.*); *разг.* to make a fool of; ⌐ывать в лотерею to put up for lottery; to raffle; ⌐ывать дурака to play the fool; ⌐ывать лотерею (*фанты*) to draw lots (for-

feits); ¹⌐ываться to break out (*о внезапной буре, пожаре*); to run high (*о страсти*).

разыск‖ание (re)search, investigation; inquiry; ⌐ать to find, discover; ⌐аться to be found, discovered; to turn up (*разг.*); ¹⌐ивание search(ing), hunt; ¹⌐ивать to search, look, hunt (*for*); to track, trail (*по следу*); to ferret (*for*) (*упорно, хлопотливо*); ¹⌐иваемый полицией wanted by the police; ¹⌐иваться to be sought.

рай paradise, heaven, Eden; р. на земле *фиг.* heaven on earth.

рай- (*районный*) regional.

рай‖грас *бот.* rye-grass.

рай‖здравотдел district board of health; ⌐исполком district executive committee; ⌐ком district (party) committee; ⌐конференция district conference.

район area; field (*деятельности*); *адм.* district (*часть области*); quarter, *амер.* borough (*часть города*); р. армии army zone; р. безопасности safety zone; р. сбыта market; зерновой р. grain region; рабочий р. workers' district; ⌐ирование division into districts; работник ⌐ного масштаба one who works on a regional scale.

райск‖ий paradisi(a)c(al), heavenly; ⌐ая птица bird of paradise.

райсовет district soviet.

рак *зоол.* crawfish, crayfish; *мед.* cancer; *астр.* Crab, Cancer; красный как р. red as a lobster; он очутился как р. на мели he is in a fix (hole), he is at a low ebb; он знает, где ⌐и зимуют ≅ he knows what's what; he knows on which side his bread is buttered; he knows how many beans make five.

ракета (sky-)rocket.

ракетка racket, racquet (*для тенниса*); battledore (*для волана*).

ракит‖а *см.* ива; ⌐ник willow-osier.

раковидный *мед.* cancerous.

раковин‖а shell, conch; sink (*для стока воды*); ушная р. helix; вынимать из ⌐ы to shell; to open (*устриц*).

раковый *мед.* cancerous; р. суп crawfish soup.

ракообразн‖ый crustacean; ⌐ые *зоол.* crustacea; ⌐ая опухоль cancerous tumour.

ракурс *жив.* foreshortening; в ⌐е foreshortened.

ракушка cockle-shell; mussel (*двустворчатая*).

ра́м‖а frame; оконная р. window-frame, window-casing; двойные ⌣ы double windows.

ра́мк‖а frame; вставлять в ⌣y to frame; в ⌣ах исследования within the limits of research; не выходя из ра́мок not going beyond (the limits).

ра́мпа footlights; float (sl.).

ра́на wound; gash (глубокая); cut (резаная); stab (колотая); gun-shot wound (огнестрельная); р. в руку wound in the hand; р. не залеченная green wound; р. не затронувшая кости flesh-wound; р. опасная для жизни dangerous (vital) wound; р. поверхностная surface (grazed) wound.

ранг уст. grade, class; военн. rank; расположить по ⌣y to grade.

рангоут мор. masts and yards of a ship; spars.

ра́нее см. раньше.

ран́ён‖ие см. рана; получить p. to be wounded; to stop a bullet (sl.); искалеченный ⌣ием mangled, maimed.

ра́неный wounded.

ран́енько разг. rather early.

ран́ет rennet (сорт яблок).

ран́ёхонько разг. very early.

ра́нец knapsack, pack, haversack, kit (солдатский); satchel, school-bag (школьный).

ранжи́р военн. line; под p. into line.

ра́нить to wound; to gash (глубоко); to hit (попасть); to cut (ножом); р. очень сильно to mangle, maim.

ра́нн‖ий early; слишком р. precocious (о развитии); р. период фиг. infancy; р. сев early sowing; с ⌣его детства from the cradle up; ⌣им утром early in the morning; ⌣яя весна early spring; ⌣яя пора morning hour; ⌣яя пташка early bird.

ра́но early, at an early hour; p. или поздно some time or other; sooner or later; р. вставать и p. ложиться to keep early hours; ни p. ни поздно at the right (exact) time; он не любит р. вставать he is not an early riser; он стал р. заниматься политикой he went early into politics; слишком p. too early (soon); ⌣ва́то rather early (soon).

рант welt (на обуви); ⌣ова́я обувь welted shoes (boots).

рантьé rentier, man of property (substance, means).

рань: в такую р.! so early!

ра́ньше earlier, sooner; before, formerly; как можно p. as soon as possible; не p. месяца not before a month; не p. пяти not before five; он p. болел he was formerly (heretofore) an invalid; он бывал здесь p. he used to be here before; я приехал несколькими минутами p. I arrived just a few minutes ahead.

рапи́ра rapier, foil.

ра́порт report, account; return (официальный отчёт); ⌣ова́ть to report, to give an account.

Раппа́льский догово́р Rappallo agreement.

рапс бот. rape; ⌣овое масло см. сурепное масло.

рапсо‖ди́ческий rhapsodic(al); ⌣дия rhapsody.

ра́са race.

раска́ива‖ться to repent, regret; ⌣ющийся penitent, contrite, remorseful.

раскалённ‖ость incandescence; p. добела white-heat; p. докрасна red-heat; ⌣ый incandescent, red-hot; ⌣ый добела white-hot; ⌣ый докрасна red-hot.

раскал́‖ивать, ⌣ить to incandesce, to make red-hot; ⌣иваться, ⌣иться to glow.

раска́лыва‖ть to cleave, rive; to split, chop (дрова); to crack (посуду); р. голоса на выборах to split a vote; ⌣ться to split, crack; to divaricate (надвое); ⌣ющийся пластами мин. fissile.

раскали́ть см. раскаливать.

раска́пывать to dig out, excavate; фиг. где вы это раскопали? where did you find it?

раска́рмлива‖ние разг. fattening, plumping up; ⌣ть to make fat, fatten; разг. to plump up; ⌣ться to fatten, to get (grow) fat.

раскаря́‖ка разг. bandy-legged person; ⌣чивать ноги to straddle.

раскасси́ровать to windup; liquidate.

раска́т roll, peal (грома); slide (с ледяной горы); ⌣а́ть см. раскатывать; фиг. to give a good scolding; ⌣а́ться см. раскатываться; ⌣истый rolling, rumbling (о звуке); ⌣истый смех peal (shouts) of laughter; ⌣истое «р» фон. rolling (vibrating) «г»; ⌣исто произносить звук «р» to roll one's «р»s; ⌣и́ть to set rolling; to give onward motion to, propel; ⌣ывать to roll (тесто); to unroll (ковёр, половик); to drive about (разъезжать); ⌣ываться to be rolled.

раскач∥а́ть(ся) *см.* раскачивать (-ся); '∿ива́ние swinging, swaying; ∿ива́ние маятника the vibration (swinging, oscillation) of the pendulum; '∿ивать to swing, to set swinging; to shake (*дерево*); '∿иваться to sway, swing, oscillate; когда ещё он ∿ается *фиг.* he is in no hurry to...

раска́шляться to break into a cough, to have a fit of coughing.

раская́∥ние repentance, penitence, remorse, regret, contrition; ∿ться *см.* раскаиваться.

расквартирова́∥ние cantonment; ∿ть to canton, billet, quarter.

расква́сить to squash, crush; р. себе́ нос to smash one's nose.

расквита́ться to be quits (even) (*with*); to square up accounts.

раскида́ть *см.* раскидывать I и II.

раскидно́й extensible, folding (*стул, стол*).

раски́дывание spreading, scattering; unfolding.

раски́дывать I. to pitch (*палатку, лагерь*); to spread (*руки, ветви*); р. умом to consider.

раски́дывать II., ∿ся *см.* разбрасывать(ся).

раски́нуть *см.* раскидывать I, II; ∿ся *см.* раскидываться.

раскисли́ть *хим.* to deoxydize, deoxidate.

раски́снуть *фиг.* to be depressed, to be in low spirits; *разг.* to look blue.

раскла́дка apportionment, distribution, allotment; р. податей assessment of taxes.

раскла́дывать to spread; to lay out (*карты*); to unpack (*чемодан*); р. огонь to build a fire; ∿ся to unpack.

раскла́н∥иваться, ∿яться to bow; to take leave (*of*), to bow oneself off (out); to take one's departure; to take one's hat off (*to*) (*о мужчине*); р. с кем-л. to exchange greetings with one; *фиг.* to break (*with*) (*расста́ться, порва́ть*).

раскл∥ева́ть, ∿ёвывать to peck (pick) open.

раскле́∥и(ва)ть to unpaste, unglue (*склеившиеся предметы*); to post, stick, placard (*афиши*); р. обои to hang wall-paper; ∿йщик афиш bill-sticker.

раскл∥епа́ть, ∿ёпывать to unrivet, unclench.

раскли́ни∥вать, ∿ть *мех.* to unwedge; to fasten with wedges; *мор.* to knock up the wedges.

расков∥анный unshod; ∿а́ть, ∿ывать to unchain, unfetter; to strike off irons (fetters); to unshoe (*лошадь*); ∿а́ться, ∿ываться to get unshod; to lose a shoe (*о лошади*).

расковы́р∥ивать, ∿я́ть to pick open; to scratch raw (*прыщ*).

раско́кать *разг.* to break (smash) to pieces.

раско́л cleft, crack; *пол.* split, dissidence; *рел.* sect, schism, dissidence; р. в консервативной партии split (schism) in the conservative party.

раскола́чивать to break to pieces; to stretch on a last (*сапоги*).

раско́лка chopping, splitting (*дров*).

расколоти́ть *см.* расколачивать.

расколо́ть *см.* раскалывать.

расколошма́тить *вульг.* to smash into smithereens.

расколу́п∥ать, '∿ывать to pick open.

расколыха́ть to rock; to set rocking (swaying).

раско́льни∥к sectarian, dissenter, schismatic; ∿ческий, ∿чий schismatic(al).

расконопа́∥тить *см.* расконопачивать; ∿ченный uncaulked; ∿чивать to uncaulk; to remove the oakum.

раскоп∥а́ть *см.* раскапывать; '∿ка digging, excavation; '∿ки *архл.* excavations.

раскорми́ть *см.* раскармливать.

раскоря́ка *см.* раскаряка.

раско́с *техн.* strut.

раско́с∥ость squint, slant; ∿ый squint-eyed, cross-eyed, slant-eyed.

раскоше́ливаться to disburse, lay out money; to open one's purse; to loosen one's purse-strings; to shell out (*sl.*); to pay up; to come down with one's money.

раскра́дыва∥ние stealing, thieving; pilfering, filching (*по мелочам*); ∿ть to steal, thieve; to pilfer, sneak, filch.

раскра́ивать to cut.

раскраса́вица perfect beauty; beautiful woman.

раскра́с∥ить *см.* раскрашивать; ∿ка coloration, colouring, painting; illumination (*рукописи*).

раскрасне́∥вшийся red, crimson; ∿ться to colour, redden; to grow red (in the face); у него лицо ∿лось his face was ablaze.

раскра́сть *см.* раскрадывать.

раскрашива‖ние painting, colouring; ~ть to paint (дом); to colour (карты, картинки и пр.); to grain (под дерево); to marble (под мрамор).

раскрепо‖стить to set free, liberate; ~щние liberation; ~щение женщины enfranchisement (emancipation) of women.

раскритиковать to criticize, to pick (pull) to bits; to scarify (фиг.); to crab (разг.); to slate (немилосердно).

раскричаться to shout, scold, abuse, storm (against), bellow (at).

раскройть см. раскраивать; р. череп to split one's head.

раскромсать to shred, to cut to pieces.

раскрошить(ся) to crumble, break into small pieces.

раскру‖тить, '~чивать to untwine, untwist, disentangle; p. снасть мор. to undo the kinks of a горе; ~титься, '~чиваться to come untwisted; to untwist, uncoil.

раскры‖вать to uncover; to open (книгу, рот, дверь); to reveal, disclose, expose, to show up (тайну, манёвр); to open (скобки); to put up, unfurl (зонтик); он не '~л рта he never opened his lips; секрет '~т the secret is out; разг. the murder is out; the cat is out of the bag; ~ваться to be opened, revealed; эта книга хорошо ~вается this book opens well; ~тие opening, uncovering; disclosure, exposure (обмана, преступления); '~тый open; disclosed, exposed (см. раскрывать); full-blown (о цветке); с широко '~тыми глазами wide-eyed; '~ть(ся) см. раскрывать(ся).

раскудахтат‖ся to begin to cackle; to cackle wildly.

раскулачива‖ние nationalization of kulaks' property; dekulakization; ~ть to nationalize kulaks' property; to dekulakize.

раскуме́кать вульг. to comprehend, unriddle.

раскуп‖ание buying up; ~ать to buy up; ~аться to sell; книга хорошо ~ается the book has a considerable run; ~ить см. раскупать.

раскупор‖и(ва)ть to uncork, open; ~ка uncorking, opening.

раскури‖вание lighting, smoking; ~вать, '~ть to light (сигару, папиросу); to smoke; ~вать трубку мира to smoke the calumet,

раскус‖ить, '~ывать to bite (crack) in two; фиг. to understand, grasp the meaning (import) (of); to see through; ~ить кого-л. to find (know) the length of a person's foot; его трудно ~ить he is a hard nut to crack.

раскут(ыв)ать to take off a wrap (wraps); to uncover.

расов‖ый racial; ~ая теория race theory; ~ое отличие racial distinction.

распад falling to pieces, ruin, downfall (империи); dissolution, disintegration (семьи, класса); ~аться to fall to pieces; to dissolve, disintegrate; ~ение см. распад.

распа‖ивание unsoldering; ~ивать to unsolder; ~иваться to come unsoldered; ~йка см. распаивание.

распаков‖ать см. распаковывать; '~ка unpacking; '~ывать to unpack, undo (пакет и пр.).

распал‖ивать, ~ить, ~ять фиг. to incense, infuriate (гневом); to fire (воображение); to inflame, excite (страсть); ~иться, ~яться to flash up (или out); ~ённое воображение overwrought imagination.

распари‖(ва)ть to stew, steam; p. кости фиг. to take a steam bath.

распарыва‖ние ripping, unpicking, unstitching; ~ть to rip up, unpick, undo (платье и пр.); to unstitch (шов).

распасться см. распадаться.

распах‖ать см. распахивать I; '~ивание ploughing up; '~ивать I. с.-х. to plough up, till; to scarify; ~ивать целину to break fresh ground.

распах‖ивать II., ~нуть to open wide; to throw (swing) open; ~нуть шубу to throw open one's fur-coat.

распашка ploughing.

распашник с.-х. horse-hoe.

распаш‖ной open, loose; ~онка baby's chemise.

распаять(ся) см. распаивать(ся).

распев drawl; говорить на р. to drawl, to speak in a sing-song; см. тж. нараспев; ~ать to sing away, to warble.

распекать to upbraid; to rate, blow up, dress down (разг.); to haul over the coals (фиг.).

распел‖енать, ~ёнывать to unswathe, unswaddle.

распереть см. распирать.

распетушиться разг. to fly into a passion,

распеча́т‖**ать** см. распечатывать; **~ывание** opening, unsealing; **~ывать** to open (*письмо*); to unseal, break a seal, break open (*запечатанное помещение*).

распе́чь см. распекать.

распи‖**ва́ть** to drink off, away; **'~вочная** tavern, tap-room; **'~вочно** consumption on the premises.

распи́л‖**ивание** sawing; **~ивать**, **~ить** to saw; **~ка** sawing.

распина́‖**ние** crucifixion; **~ть** to crucify; **~ться** (*за кого-л.*) to back (stand up for) one whole-heartedly.

распира́ть to thrust asunder, to bulge out.

расписа́ни‖**е** time-table (*школьное, тж. ж.-д.*); р. поездов *амер.* (railroad) schedule, railroad time; поезд, отходящий по **~ю** в 6.30 train timed to leave at 6.30.

расписа́ть см. расписывать.

распи́ска receipt; voucher (*в получении денег, вклада*); р. с отказом от претензии, долга release; обратная р. advice of delivery (*на почте*).

расписно́й painted, decorated with (coloured) designs.

распи́сывать to paint (*красками*); to describe, depict (*описывать*); to overstate, give an exaggerated account of (*преувеличивать*); **~ся** to sign; to acknowledge receipt (*for*); to register (*в загсе и пр.*); **~ся** на обороте (*документа, векселя*) to endorse (indorse); **~ся** под предъявленным счётом to foot a bill.

распи́ть см. распивать; р. бутылку вина с приятелем to crack a bottle with a friend.

распих‖**а́ть**, **'~ивать** to push, shove asunder; р. по карманам to cram (shove) into different pockets.

расплав‖**ить(ся)** см. расплавливать(ся); **~ка** melting, fusion (*металлов*); **~ленный** molten (*о металле*); **~ленная** масса fusion; **~ливание** см. расплавка; **~ливать** (**~ся**), **~лять(ся)** to melt, fuse, liquify, run; **~лять** серебряную (золотую) посуду to melt down silver (gold) plate.

распла́каться to burst (melt) into tears; to open (turn on) the water-works (*шут.*); готовый р. on the verge (brink) of tears.

распланирова́ть to plan.

распласт‖**а́ть** см. распластывать; **'~ывание** spreading, stretching, flattening; **'~ывать** to spread, stretch, flatten.

распла́т‖**а** pay(ment); reckoning, settling of accounts; р. по получении товара payment on delivery; р. за грехи *шут.* wages of sin; часы **~ы** the time of reckoning.

распла‖**ти́ться**, **'~чиваться** to pay (off), settle with; to square (clear) accounts; to defray, reimburse (*за понесённые расходы*); *фиг.* to atone (pay) for.

распл‖**еска́ть**, **~ёскивать** to spill, slop, splash; ведро **~ескалось** the pail slopped over.

распле‖**сти́**, **'~сть** см. расплетать; **~та́ние** unplaiting, unbraiding (*волос и пр.*); untwisting, untwining (*проволоки, верёвки*); **~ти́ть** to unplait, unbraid; to untwist, untwine (*см.* расплетание).

распло‖**ди́ть(ся)**, **~жа́ть(ся)** to breed, propagate, multiply.

расплыва́ться to spread, run (*о пятне, чернилах*).

расплы́вчат‖**ость** dimness, diffuseness, indistinctness (*очертаний*); wordiness, diffuseness, deliquescence (*речи, слога*); **~ый** wordy, diffuse, deliquescent, nerveless, rambling (*о речи, слоге*); dim, diffuse, indistinct (*об очертаниях и пр.*); **~о** wordily и пр.

расплы́ться см. расплываться.

расплю‖**снуть(ся)** см. расплющивать(ся); **~щивание** flattening, squashing; **~щивать(ся)** to flatten out, squash.

расплясáться to dance wildly (exultantly, without stopping).

распозна‖**ва́ние** discernment, knowledge, distinction, discrimination; **~ва́ть**, **~ть** to distinguish, discern, discriminate (*from, between*); он всегда **~ёт** подделку he knows a fake when he sees one; он не **~ёт** чёрного от белого he does not know (cannot tell) white from black; **~ющий** discriminative, discerning.

располага́‖**ть** to dispose of (*средствами*); to dispose, place, set (*мебель и пр.*); to intend, purpose (*намереваться*); to dispose (*to*), incline (*to*) (*к бездействию и пр.*); to grade, graduate (*по рангу, признаку*); р. в алфавитном порядке to put (arrange) in alphabetical order; р. временем to have time (*for*); р. к себе to be prepossessing, to conciliate; он **~ет** большими средствами he is amply provided with means; СССР **~ет** сильной армией USSR disposes of a strong army; **~йте** мной I am at your disposal; я не **~ю** временем I can't afford the time; ~**ться** to station (camp) in (*о войске*); ~**ться на жатьё** to take up one's quarters (*at,in*); ~**ющий** conducive (*to*).

располза́‖ться, ~**ти́сь** to crawl apart (about); to sprawl (*о растении, почерке*); to tear, to go to pieces, to ravel out (*о материи, платье*).

располо́жен disposed, situated; inclined; го́род р. на холме́ the town is situated (sits) on a hill; го́род хорошо́ р. the town is happily situated; он хорошо́ р. к вам he is kindly disposed towards you; он р. к полноте́ he is inclined to be stout; во́йско бы́ло ~**о** в Пско́ве the army lay at Pskov; пра́вильно ~**о** in right position; непра́вильно ~**о** out of position.

расположе́ни‖е disposition, situation, distribution; order (*слов и пр.*); inclination (*к чему-л.*); р. ду́ха frame of mind; mood; р. ме́стности lay of the land; р. не́рвов *мед.* nervation; р. по возраста́ющим степеня́м disposition in order of accretion; р. цифр в ви́де диагра́ммы, табли́цы tabulation; заслужи́ть чьё-либо ~**е** to win the favour of one; удо́бное р. ко́мнат convenient arrangement of rooms; быть в прекра́сном ~**и** ду́ха to be in high (good) humour; иска́ть ~**я** to court favour; лиши́ться чьего-л. ~**я** to be out of favour with one.

располож‖енный *см.* располо́жен; ~**и́ть(ся)** *см.* располага́ть (-ся); он ~**и́л** его́ в свою́ по́льзу he won his favour; он ~**и́лся** писа́ть he settled down to write; я ~**усь** здесь I'll settle here; *разг.* I'll perch here.

распо́рка *техн.* strut; cross-bar, tie-beam (*в постройке*).

распоро́ть *см.* распа́рывать.

распоряди́тель manager, director; master of ceremonies (*на торжестве*); ~**ность** efficiency, activity, good management, capability; отсу́тствие ~**ности** mismanagement; ~**ный** efficient, active, capable.

распоряди́ться *см.* распоряжа́ться.

распоря́д‖ок order, arrangement, method; пра́вила вну́треннего ~**ка** office, factory *etc.* regulations.

распоряжа́‖ться to dispose of (*имуществом и пр.*); to be in command, to order (*about*); to boss (*sl.*); р. все́м и ка́ждым to run everything and everybody; р.

де́льно to run a thing effectively; р. чужи́м to make free with; разреши́ть р. to give a free hand; он ~**ется** в э́том де́ле he has the management (ordering) of this job; империали́сты ~**ются** кита́йскими тамо́жнями imperialists control the Chinese customs.

распоряже́ни‖е arrangement, disposition, order (*порядок*); ordinance, decree, edict (*власти*); by-law (*местной власти, тж. корпорации*); бы́ло о́тдано р. word was passed among (*на ста́чке, митинге*); отда́ть р. (*кому-л.*) to leave instructions (*with*); я в ва́шем ~**и** I am at your disposal; I am yours to command.

распоте́ши‖ть to amuse greatly (vastly); э́то меня́ ~**ло** *разг.* I had the laugh of a lifetime.

распоя́с‖ать(ся) *см.* распоя́сывать(ся); ~**ывание** ungird(l)ing; ~**ывать** to ungird(le), loosen one's belt; ~**ываться** *фиг.* to let oneself go.

распра́ва mobbing; р. фаши́стов с рабо́чими mobbing of the workers by the fascists; коро́ткая р. rough (prompt) justice; крова́вая р. bloody retribution; butchery, carnage; кула́чная р. club-law, fist-law, beating.

распра́вить to straighten; р. кры́лья to spread one's wings; р. скла́дки to smooth out creases.

распра́виться to avenge oneself (*of*); to obtain satisfaction (*from*); р. без суда́ to take the law into one's own hands.

расправле́ние straightening.

расправля́ть(ся) *см.* распра́вить (-ся).

распреде‖ле́ние assignment, distribution; allotment (*земли, комнат*); apportionment (*пропорциональное*); assessment (*налогов*); ~**и́тель** distributor; закры́тый ~**и́тель** co-operative store with restricted membership (closed to non-members); co-operative stores for members only; ~**и́тельный** distributive; ~**и́тельный пункт** distributing centre; ~**и́тельная доска́** *эл.* switch-board; ~**и́ть**, ~**я́ть** to distribute (among, *to*), deal (portion) out, apportion, assign (*to*); to allocate, assign (*назнача́ть*); to assess (*нало́ги*); to allot (*по жре́бию*); to allocate; ~**я́ть ро́ли** акте́рам to cast parts to actors.

распре́чь *см.* распряга́ть.

распрода‖ва́ть to sell off (out); to sell by auction, to auction off (с *молотка*); to sell bit by bit (*по частям*); издание **распро́дано** the edition (the book) is sold out; билеты **распро́даны** (all the) tickets (are) sold; **~ва́ться** to sell; to have a market; to be sold off (out); **'~жа** sale; bargain-sale (*дешёвая*); clearance (total) sale (*окончательная*); rummage-sale (*остатков, невостребованных товаров*); cake sale (*с благотворительной целью*); **'~ть** см. распродавать.

распрост‖ере́ть(ся), **~ира́ть(ся)** to stretch out, extend; to spread, widen (*о влиянии и пр.*); **~ёртое тело** (*об утопленнике, пьяном и пр.*) prone body; с **~ёртыми** объятиями with (out)stretched (open) arms.

распрости́ться см. распрощаться.

распростран‖е́ние expansion; circulation (*известий, книг*); emission; diffusion (*света, знаний*); enlargement, amplification (*темы и пр.*); spreading (*новостей, заразы*); propagation (*идей*); **~ённость** prevalence, the fact (state) of being wide-spread; **~ённый** prevailing, prevalent, widespread, far-flung; controlling (*о мнении, влиянии*); **~и́ть**, **~я́ть** to circulate, broadcast, disseminate (*мнения, труды*); to noise abroad, peal out (*открытие и пр.*); to radiate, diffuse, emit (*свет, теплоту*); **~и́ться**, **~я́ться** to spread, expand; to radiate, emit (*о свете, теплоте*); to run (*об огне*); to enlarge (expatiate) (*on, upon*) (*в речи, письме*); его слава **~и́лась** по всей Европе his fame spread all over (filled) Europe; этот закон не **~я́ется** на всех this law does not extend to everybody.

распроща́ться to take final leave (*of*), to bid farewell.

распры́гаться to jump, leap, skip; to keep on jumping *etc.*

распры́скивать to spray, sprinkle.

ра́спря conflict, quarrel, dispute.

распря‖га́ть to unharness; **'~жка** unharnessing.

распрям‖и́ть(ся) см. распрямлять(ся); **~ле́ние** straightening, unbending; **~ля́ть** to straighten; to set upright; **~ля́ться** to straighten oneself; to pull oneself up.

распря́чь см. распрягать.

распуг‖ивать, **~ну́ть** to scare away.

распуска́ние *хим.* solution, deliquescence; *бот.* blooming, blossoming.

распуска́ть to dissolve, deliquesce (*хим.*); to melt (*масло*); to dismiss (*собрание*); to dissolve (*парламент*); to unknit, undo (*вязание*); to unreel (*катушку*); to untuck (*складку*); to break up (*школу и пр.*); to unweave (*ткань*); to unstring (*бусы и пр.*); *военн.* to disband (*армию*); to spread, unfurl (*паруса*); *мор.* to pay off (*команду корабля*); *фиг.* to spoil, overindulge (*избаловать*); р. крылья to spread one's wings; р. нюни to turn on the water-works (*sl.*); р. паруса to set the sails; р. рабочих to discharge workmen; р. слух to set a rumour afloat; **~ка́ться** to open, blossom out (*о цветке, тж. фиг.*); *фиг.* to become slovenly, to acquire low habits; сахар **~ти́лся** в воде sugar dissolved in water; **~ка́ющийся** *хим.* deliquescent; **~ти́ть(ся)** см. распускать(ся).

расчу́тать(ся) см. распутывать(-ся).

распу́тица spring and autumn season of bad roads.

распу́т‖ник libertine, debauchee, rake, rip, profligate, loose liver; man of pleasure; **~ница** harlot; quean; whore, bitch (*sl.*); **~ничать** to lead a dissolute life, to wanton; **~ный** dissolute, profligate, wanton, rakish, lewd; **~ство** profligacy, debauchery, libertinism, dissoluteness, rakishness, slackness.

распу́тывани‖е disentanglement, unravelling, extrication; не поддаю́щийся **~ю** inextricable.

распу́тывать to disentangle, unravel, untwine; *фиг.* to disembroil, puzzle out; **~ся** *фиг.* to free oneself (*of*); to wriggle out (*of*).

распу́тье cross-road, cross-way; parting of the ways (*тж. фиг.*).

распух‖а́ние swelling, inflation; intumescence; **~а́ть** to swell, inflate, bulge; to intumesce; **~а́ющий** swelling; intumescent; **'~ший** swollen, inflated, bulgy, tumid.

распуши́ть *фиг.* to give a good scolding (dressing); **~ся** to become downy (*о шерсти, волосах, перьях*).

распу́щенн‖ость dissoluteness, wantonness, looseness; **~ый** dissolute, wanton, loose; **~ый** парламент dissolved parliament.

распыл‖и́тель pulverizer, atomizer, sprayer; **~и́ть**, **~я́ть** to pulverize, spray, atomize, crumb; **~я́ть** силы to scatter forces; **~и́ться**, **~я́ться** to crumb, to turn (crumble) into dust, to be pulverized; *фиг.* to disperse, scatter.

распя́л‖и(ва)ть to stretch on a frame, to extend; ⌐ка для перча́ток glove-stretcher.

распя́т‖ие crucifix(ion), cross; ⌐ь *см.* распина́ть.

расса́д‖а sprout, shoot, seedling; сажа́ть ⌐у to prick off, out; ⌐и́ть *см.* расса́живать; ⌐ка planting. pricking; ⌐ник nursery, seminary, seed-plot, hotbed; ⌐ник мятеже́й hotbed (seed-plot) of sedition; владе́лец ⌐ника nurseryman; ⌐ники просвеще́ния seats of learning.

расса́живать to (trans)plant (*расте́ния*); to seat, to offer seats (*люде́й*); ⌐ся to sit down, to take seats; to sit at ease; ⌐ся ряда́ми to sit down in rows.

расса́ривать to litter, spill, shed; to squander, spend foolishly (*де́ньги*).

расса́сыв‖ание resolution (*о́пухоли*); ⌐аться *мед.* to resolve; о́пухоль ⌐ается tumour is resolving.

рассве́т dawn, day-break, peep of dawn (day), cock-crowing; на ⌐е at day-break; ⌐а́ть to dawn.

рассвире́пе́ть to become furious, to break into a frenzy.

рассе́в sowing, dissemination; ⌐а́ть *см.* рассе́ивать.

рас‖седла́ть, ⌐седлывать to unsaddle.

рассе́ивание sowing (*о семена́х*); dispersal, scattering (*о толпе и пр.*).

рассе́ивать to sow, broadcast (*семена́*); to dispel, dissipate (*мрак, стра́хи, сомне́ния*); to disperse, scatter, send flying (*неприя́теля*); ⌐ся to disperse, scatter; to roll away (*о тума́не*).

рассека́‖ние riving, cleaving; ⌐ть to rive, cleave (*во́лны*); to swish (*во́здух косо́й, тро́стью*); to dissect (*на ча́сти*); кора́бль ⌐ю́щий во́лны ship cutting her way through the waters.

рассе́ление settling about (all over) a country or in different countries; *см. тж.* расселя́ть.

рассе́лина rift, split, cleft; crevasse (*глубо́кая и у́зкая в ледни́ке*).

рассел‖и́ть, ⌐я́ть to settle people in new places; *см. тж.* расселе́ние.

рассер‖ди́ть to anger; to make angry; to put someone's back up; ⌐ди́ться to get angry, to lose one's temper; *разг.* to get into a tantrum; ¹⌐женный angry; mad, wild, savage (*at*); shirty (*sl.*); *рит.* wrathful.

рассе́сться *см.* расса́живаться.

рассе́чь *см.* рассека́ть.

рассе́ян‖ие dispersion, dissemination; ⌐ность absence of mind, absent-mindedness, distraction, dreaminess, wool-gathering; ⌐ный absent-minded, distracted, wool-gathering, scatter-brained; ⌐ный взгляд vacant (wandering) look; ⌐ный о́браз жи́зни dissipated life; ⌐ный свет diffuse light; ⌐ный челове́к absent-minded person, scatter-brain; ⌐но absent-mindedly, distractedly.

рассе́я‖ть(ся) *см.* рассе́ивать(ся); вам на́до ⌐ться you must have a holiday; мои́ наде́жды ⌐лись как дым my hopes vanished into thin air.

расска́з story, tale, narration, narrative, recountal, account; hackneyed (worn, much-told) story (*изби́тый*); sob-story (*трога́тельный*); traveller's tale, yarn (*сомни́тельной правдоподо́бности*); tall story (*преувели́ченный*); bed-time story (*снотво́рный*); ghost story (*о привиде́ниях*); ⌐а́ть *см.* расска́зывать; ⌐чик, ⌐чица story-teller, narrator (*ж. р.* narratress); весёлый ⌐чик humorist; ⌐ывать to relate, narrate, tell, recount; to reel off (*бы́стро, гла́дко*); to trace (*подро́бно, тща́тельно*); to retail (*напра́во и нале́во*); to spin yarns (*ска́зки, вы́мыслы*); to relate piecemeal (*по частя́м*); ⌐ыва́й кому́ друго́му (*не ве́рю*) tell that to the horse-marines.

расскака́ться to leap, jump; to gallop (*на ло́шади*).

расслаб‖ева́ть, ⌐е́ть to grow weak (feeble), to weaken suddenly (completely); to feel (go) limp; ¹⌐ить *см.* расслабля́ть; ⌐ле́ние, ¹⌐ленность weakening, enfeeblement, enervation (*физи́чески или нра́вств.*), depression; prostration (*доведённое до кра́йней сте́пени*); ¹⌐ленный weakened, enfeebled, unstrung, slack, prostrate; ⌐ля́ть to weaken, enfeeble, debilitate, unbrace; ⌐ля́ющий enervating, weakening, relaxing (*о кли́мате*); ¹⌐нуть *см.* расслабева́ть.

рассла́в‖ить, ⌐ля́ть to divulge, proclaim; to noise abroad (*разг.*).

рассла́ива‖ние exfoliation, stratification; ⌐ть(ся) to divide into layers, exfoliate, stratify, flake.

рассле́дова‖ние investigation, inquiry, examination; *юр.* inquest, inquiry, inquisition; производи́ть p. to hold inquest; ⌐ть to make inquiries, explore, investigate; to look into; *юр.* to hold an inquest; это надо ⌐ть this must be looked into (seen to).

рассло́||е́ние *см.* расслаивание; ⌐и́ть *см.* расслаивать; ' ⌐йка separation into layers (flakes); *мин.* strata.

расслы́ша||ть to hear distinctly; я не ⌐л вашего имени *разг.* I did not catch (get) your name.

рассма́трива||ние examination; consideration; ⌐ть to examine, look at, contemplate, take a view of, observe; to look into (*дело*); to scrutinize, study (*критически*); to scan (*по пунктам*); to overhaul (*с целью починки*); to take stock of, to pass in review (*фиг.*); to consider, envisage (*вопрос и пр.*); ⌐ть с марксистской точки зрения consider from the Marxian point of view; ⌐ть как угрозы to take as a threat; ⌐ться to be examined *и пр.*

рассмеши́||ть to make one laugh; р. общество to set the company (table) in a roar; здорово р. to make one laugh heartily; to raise a hearty laugh; to send into convulsions of laughter; это меня ⌐ло *разг.* it sent me off.

рассмея́ться to laugh, to burst out laughing; to give vent to laughter; to laugh outright.

рассмотре́||ние examination, investigation; consideration (*проекта, предложения*); scrutiny (*обыкн. критическое*); представить план на чьё-либо р. to submit plan to someone's judg(e)ment; быть на ⌐нии to be on the tapis; ⌐ть *см.* рассматривать.

рассна́||стка *мор.* unrigging, dismantling (*судна*); ⌐щивать to unrig, dismantle.

рассов||а́ть *см.* рассовывать; ' ⌐ывание shoving, pushing (*about, asunder*); ' ⌐ывать to shove (push) (*about, into, asunder*); *фиг.* to distribute indiscriminately (*деньги и пр.*); ⌐ывать по карманам to shove (put) into different pockets.

рассо́л pickle; ⌐ьник kidney soup with salt cucumbers.

рассо́рить to set at variance; ⌐ся to fall out (quarrel, disagree) (*with*); to break (off friendship) (*with*); to have a little argument (*шут.*).

рассортиров||а́ть, ' ⌐ывать to sort out, class(ify).

рассо́х||нуться *см.* рассыхаться; ⌐шийся cracked, burst (*о дереве*).

расспра́шива||ние questioning, inquiry; ⌐ть to question minutely, to interrogate, inquire (*у кого-л.—of, о чём-л.—after*).

расспро́с interrogation, inquiry, question; *юр.* inquest, interrogatory; отклонить ⌐ы *разг.* to brush aside inquiries; надоедать ⌐ами to pester with questions; ⌐и́ть *см.* расспрашивать.

рассро́ч||и(ва)ть to authorize deferred payment; ⌐ка instalment, part payment; в ⌐ку by instalment, on the deferred payment system, on the hire purchase system.

расстава́||ние parting, separation, leave-taking; wrench (*тягостное*); ⌐ться to part, leave; to part company (*with*),separate, to take (one's) leave; ⌐ться с мыслью to put the thought out of one's head.

**расста́в||ить, ** ⌐ля́ть to place, arrange, dispose; to put in proper order; to set (*книги на полку*); р. стражу to set the guard; р. сети to net, set nets; широко ⌐ленные зубы spaced teeth.

**расстан||а́вливать, ** ⌐ови́ть to place, arrange; ⌐о́вка arrangement, order; ⌐о́вка знаков препинания punctuation; pointing; говорить с ⌐о́вкой to speak leisurely (deliberately, without haste).

расста́ться *см.* расставаться.

расстега́й small fish and rice pie (patty).

**расст||ёгивать, ** ⌐егну́ть to unbutton, unfasten; to unbuckle (*пряжку*); to unclasp (*застёжку*); to unhook (*крючок*); ⌐ёгиваться, ⌐егну́ться to get unbuttoned, unfastened, unhooked.

расстил||а́ние spreading; ⌐а́ть (-ся) to spread, extend, unfold; ⌐а́ться *фиг.* to cringe, fawn (*upon*), toady; ' ⌐ка *см.* расстилание.

расстоя́ни||е distance, way; space, interval (*между предметами*); на близком ⌐и near, at no great distance; within easy range (*в стрельбе*); на далёком ⌐и a great way off, in the far distance; держаться на (почтительном) ⌐и to keep one's distance (at a distance); на недоступном ⌐и out of reach; на одинаковом ⌐и at regular intervals (*о ряде предметов*); на ⌐и оклика within hail; на ⌐и пушечного выстрела within gunshot; размещать на одинаковом ⌐и distance, space.

расстра́ивать to disconcert, discompose, upset, perturb, put out (*человека*); to derange, disconcert (*планы*); to untune, put out of tune (*муз. инструмент*); to unsettle, unbalance (*рассудок*); to shatter, impair (*здоровье*); to disorganize (*общество, компанию*); р. желудок to disorder one's stomach; р. чьи-либо замыслы to frustrate (baffle, upset) someone's plans; *разг.* to take the wind out of one's sails; р. нервы to rasp (shake) the nerves (*of*); ⁓ся to be put out, to feel upset; не **расстрáивайтесь** don't be disturbed.

расстрéл execution (*о казни*); shooting down; fusillade (*тж. толпы*); ⁓ивать, ⁓я́ть to shoot; to fusillade; ⁓ять все патроны to spend all cartridges; ⁓ять каждого десятого to decimate.

расстри́‖га unfrocked (degraded) priest (monk); ⁓гáть, ⁓чь, to unfrock, degrade, unpriest.

расстрó‖енный put out, upset, disturbed; сильно р. perturbed; слегка р. uneasy; ⁓енное воображение distempered fancy; ⁓енное здоровье ill-health; ⁓енные надежды shattered hopes; ⁓енные умственные способности disordered mind; ⁓ить(ся) *см.* расстраивать(ся); свадьба ⁓илась the engagement is off (broken); планы ⁓ились the plans fell to the ground.

расстрóйств‖о disorder, disarray, disorganization, confusion (*в вещах, делах и пр.*); discomposure, upset, disconcertment (*о нравств. состоянии*); р. желудка indigestion; р. замыслов defeat, frustration; р. здоровья decline of health, malady, decay; находиться в ⁓е *разг.* to be put out (off the hinges, out of gear).

расступ‖áться, ⁓и́ться to give way, make room; земля ⁓и́лась the earth opened; толпа ⁓и́лась, чтобы пропустить нас the crowd opened to let us pass.

рассуди́тельн‖ость sound sense, judiciousness, reasonableness, sagacity, sagaciousness, sober mind; ⁓ый reasonable, judicious, sagacious, sober-minded; ⁓о reasonably, judiciously, advisedly.

рассуди́‖ть to judge (between); суд ⁓л the tribunal decreed; ⁓те нас judge between us.

рассу́д‖ок reason, mind, intelligence, understanding, sense; расстроенный р. disordered (unbalanced) mind; ясный р. clear intellect; он потерял р. he has gone out of his mind; *разг.* he is off his head; ⁓очность rationality; ⁓очный rational; ⁓очно rationally.

рассужд‖áть to reason; to debate, deliberate, argue, discourse, discuss (*обсуждать*); to ratiocinate (*логически*); to moralize (*об этических вопросах*); тут нечего много р. there is not much to argue about; ⁓éние reasoning, judg(e)ment, consideration, argumentation; dissertation, discourse (*учёное*); ratiocination (*логическое*); paralogism (*ложное*); пуститься в ⁓ение (*особ. нравоучительное*) *разг.* to take up one's parable; в ⁓éнии (*чего-л.*) *уст.* in regard to; as to that.

рассу́нуть *см.* рассовывать.

рассуч‖ивание untwining, untwisting; ⁓ивать(ся), ⁓и́ть(ся) to untwine, untwist (*о пряже, верёвке*).

рассчитáть I., II. *см.* рассчитывать I, II.

рассчитáться *см.* рассчитываться.

рассчи́тывать I. to dismiss, discharge, pay off; to cashier (*увольнять за что-л.*); *разг.* to fire, to give the sack (boot, mitten); to victimize (*преим. рабочих, с целью репрессии*).

рассчи́т‖ывать II. to calculate, reckon (*on, upon*), to compute, figure out; to expect, depend, count (*on, upon*) (*на помощь, должность и пр.*); не ⁓áть своих сил to overestimate one's strength; *фиг.* to bite off more than one can chew; я это всё ⁓ял I figured it all out; я ⁓ывал на его смелость I counted on his boldness; ⁓ываться to settle (reckon) (*with*); to defray (*за понесённые расходы*); to obtain satisfaction (*from*) (*за оскорбление и пр.*); ⁓ывающий expectant.

рассыл‖áть to send about, round; to distribute (*повестки, извещения*); ⁓ка distribution; ⁓ьный errand-boy (-man), messenger-boy (-man); ⁓ьный при магазине delivery-boy (-man).

рассып‖áние strewing, scattering (*зерна, соломы*); ⁓áть, ⁓áть to scatter (*about, on, upon*); to spill (over) (*зерно, соль и пр.*); to intersperse (*between, among*) (*пересыпать*); ⁓áться to moulder, crumb(-le) away (*о дереве и пр.*); ⁓аться в похвалах to shower praise on smb.; ⁓аться мелким бесом *фиг.* to fuss in the effort to please; бисквит ⁓áется во рту biscuit eats short;

'⁓ка *см.* рассыпание; ⁓ной строй *воен.* extended order; в ⁓ную dispersedly; '⁓чатость friableness, friability, crumbling; '⁓чатый crumb(l)y, powdery; crisp, short (*о песочном печенье и пр.*); '⁓чатое печенье shortbread, shortcake.

рассыхáться to dry, to parch (*о губах, коже*); р. от жары to crack with heat (*о земле, дереве*).

растáлкива‖ние pushing, elbowing (*локтями*); ⁓ть to push (*asunder, away*); to shake (*спящего*); to wedge off (away) (*насильственно*); *фиг.* to rouse, quicken, awaken; ⁓ть локтями to elbow.

растáплива‖ние lighting; melting; ⁓ть to light, kindle (*печь*); to melt (*масло, металл*); to thaw (*снег*); to fuse, smelt (*металл*).

растáптывать to crush, crunch (*ч.-л. хрупкое*); to trample under foot.

растаск‖áть, '⁓ивать 1. to drag (pull) asunder, to separate (*дерущихся и пр.*); 2. to steal (little by little), to pilfer (*красть*).

растасов‖áть, '⁓ывать *см.* тасовать; *фиг.* to move, transfer.

растащи‖ть *см.* растаскивать; его добро ⁓ли his possessions were stolen.

растáять to melt away (*тж. фиг.*).

раствóр *хим.* solution; известкóвый р. mortar, white-lime; крéпкий (слáбый) р. strong (weak) solution; ⁓éние dissolution, solution; ⁓имость (dis)solubility; ⁓имый (dis)soluble; ⁓итель *хим.* menstruum (*pl.* -trua), (dis)solvent; ⁓ить, ⁓ять 1. to dissolve, resolve; to liquefy; to knead (*тесто*); 2. to open, unfasten (*дверь, окно*); ⁓иться, ⁓яться to be dissolved, resolved, liquefied, kneaded; to be opened, unfastened; ⁓яющее *хим.* solvent.

растекáться to spread (*о жидкостях, пятнах*); to run (*о чернилах*); to divide into arms (*о реке*).

растéни‖е plant; free-grower (*дикое*); annual plant (*однолетнее*); perennial plant (*многолетнее*); biennial plant (*двухлетнее*); aquatic plant (*водяное*); climber (*вьющееся*); creeper, straggling (gadding) plant (*ползучее*); trailer (*стелющееся*); medicinal herb (*лекарственное*).

растéпа *разг. см.* растяпа.

растеребúть to dishevel, tousle,

tumble (*преим. волосы*); to tear to pieces.

растерéть *см.* растирать; р. в порошок to grind to powder; *фиг.* to make powder of.

растерéха one who is always losing something.

растерз‖áние laceration; '⁓анный rent; *фиг.* harrowed, tortured; ⁓анный вид dishevelled appearance; ⁓áть to rend, harrow, lacerate.

растéривать to lose, mislay.

растёртый levigated, triturated, ground (*в порошок*); rubbed, chafed (*о коже и пр.*).

растéря‖нность confusion, embarrassment, perplexity; ⁓нный lost; confused, embarrassed, perplexed; *разг.* flabbergasted; '⁓ть to lose, mislay; '⁓ться to be at a loss, to be disconcerted, embarrassed, to lose countenance; я совсем '⁓лся I was embarrassed, I lost my head; *разг.* I went all to pieces.

растéчься *см.* растекаться.

расти́ to grow (up); to shoot (run) up (*о растении, ребёнке*); to flourish, thrive (*пышно*); to overgrow (*слишком быстро*); to increase, swell (*о прибыли*).

растирá‖ние rubbing; *мед.* massage; grinding (*в порошок*); trituration, levigation (*в мельчайший порошок*); ⁓ть to rub; *мед.* to massage; to rub up (*краску*); ⁓ть в порошок to grind to powder; to triturate, levigate (*в мельчайший порошок*); ⁓ть докрасна to rub red; ⁓ть до раны to rub sore, to chafe.

растис‖кивать, ⁓нуть to unclench; to push asunder, burst open.

растительн‖ость vegetation; verdure, green; лишённый ⁓ости bleak, barren; ⁓ый vegetative, vegetable; ⁓ая пища vegetable food (diet); ⁓ое царство vegetable kingdom; жить ⁓ой жизнью to vegetate; *разг.* to become a mere vegetable.

расти́ть to grow, raise, breed.

растл‖евáть to corrupt, seduce, deprave, pollute, contaminate; ⁓éние corruption, depravation; ⁓итель corrupter, seducer; ⁓и́ть *см.* растлевать.

растолк‖áть, ⁓нуть *см.* расталкивать.

растолков‖áть *см.* растолковывать; '⁓ывание explanation, explication, interpretation; '⁓ывать to interpret, explain, elucidate; to explicate (*уст.*); to expound (*закон и пр.*); *разг.* to rub in.

растоло́чь to pound, grind; to pulverize, triturate, levigate (*в мельчайший порошок*).

растолсте́‖**ть** to grow stout, to put on flesh (weight), to plump up (out); ~**ли** щёки her cheeks plump out.

расто́п‖**ка** 1. fire-lighter (*топливо*); kindling (*печи*); 2. melting (*масла*); ~**ленный** molten (*о металле*); ~**ленная** печь burning stove; ~**ленное** (*очищенное*) масло clarified butter; ~**ля́ть** *см.* растапливать.

растопта́ть *см.* растаптывать.

растопы́р‖**и(ва)ть** to spread wide; ~**и(ва)ться** to stick (bulge) out; с ~**енными** локтями with elbows sticking out; with arms akimbo.

расторг‖**а́ть**, '~**нуть** to tear, rend, rupture; ~**нуть** брак to dissolve a marriage, to divorce; ~**нуть** договор to break an agreement; ~**нуть** связь (сотрудничество) to dissolve ties (association).

расторгов‖**а́ть**: р. свои товары to sell off one's wares; ~**а́ться** to extend one's trade; '~**ываться** to extend one's commercial operations; to sell out (off), to clear a stock (*распродать*).

расторж‖**е́ние** rupture; breach (*обещания, дружбы*); р. брака dissolution of marriage; ~**и́мость** dissolubility (*сотрудничества и пр.*).

растормоши́ть to pull about roughly; to tousle; *фиг.* to spur to activity.

растаро́пн‖**ость** smartness, efficiency; ~**ый** smart, quick, prompt, efficient, expeditious; *разг.* wide-awake; ~**ый** малый bright fellow; ~**ая** хозя́йка efficient housewife.

расточ‖**а́ть** to waste, dissipate, squander, lavish, to use lavishly; to shower (*комплименты, подарки и пр.*); р. любовь to lavish love on; р. похвалу to panegyrize; to lay it on with a trowel (*фиг.*); ~**е́ние** имущества squandering of property.

расточи́тель waster, spender, spendthrift, squanderer, profligate, wastrel; ~**ность** waste, lavishness; squandermania (*особ. правительства*); ~**ный** extravagant, improvident, lavish, wasteful; ~**ный** хозя́ин bad manager; ~**ный** челове́к spendthrift; twohanded

spender (*sl.*); *амер.* two-handed with his dollars (*sl.*).

расто́чка *техн.* boring (*цилиндров и пр.*).

ра́стра *муз.* music-pen (*для графления нотной бумаги*).

растрав‖**и́ть** *см.* растравлять; ~**ле́ние**, '~**ливание** irritation (*раны и пр.*); *фиг.* embitterment; '~**ливать**, ~**ля́ть** to irritate, make raw (*рану*); to embitter (*горе, воспоминания*).

растранжи́рить *разг.* to squander (away), to run through one's money.

растра́‖**та** embezzlement, defalcation, peculation; ~**тить** *см.* растрачивать; ~**тчик**, ~**тчица** embezzler, defalcator, peculator; ~**чивать** (*казённые деньги и пр.*) to embezzle, defalcate, peculate; to divert into one's own pocket (*разг.*); ~**чивать** по мелочам to fritter away.

растрево́жить to alarm, agitate, disquiet, perturb, fret; ~**ся** (*чем-либо*) to take alarm; to feel perturbed (*over*).

растрезво́нить: р. по всему городу to proclaim from the house tops.

растрёп‖**а** shock-head; ~**анный** shock-headed, tousled, dishevelled; ~**анная** голова tousled (rumpled) head; ~**анная** книга battered book; в ~**анных** чувствах *разг.* rattled.

растрепа́ть to unravel (*верёвку*); to tousle, rough, ruffle, rumple, tumble (*волосы*).

растре́с‖**к(ив)аться**, ~**нуться** to crack (*о посуде, потолке*); to chap (*о коже*); to parch (*о губах*); р. от жары to crack with heat.

растро́гать to move, affect, touch; р. до слёз to move to tears; ~**ся** to be deeply moved (touched, affected) (*by*).

растру́б funnel-shaped opening; *муз.* bell; р. водопроводной трубы socket.

раструби́ть *фиг.* to divulge, divulge, broadcast; to make publicy known; р. свою славу to blow one's own horn (trumpet).

раструс‖**и́ть** *см.* растрясти; '~**ка** strewing, scattering, loose spreading, tedding.

растрясти́ to strew, scatter, ted (*сено, солому*); to jolt (*об экипаже и пр.*); to squander (*деньги*).

растуш‖**ева́ть** *см.* растушёвывать; ~**о́вка** shading; ~**о́вывать** to shade, to lay on shades.

расту́щий growing, increasing, crescent; accretive.

растыка́ть, расты́кать *разг.* to stick in various places; to make (pick) holes.

растя́гивать to lengthen, elongate, stretch; to dilate, spin out (*рассказ*); to sprain, strain (*мускул*); to drawl (*слова*); to linger (*over*, *on*, *upon*) (*подробности и пр.*); *военн.* to extend (*войска*); *~ся* to stretch, to be stretched; *см. тж.* растянуться.

растяж‖**е́ние** expansion, (ex)tension; (w)rick, crick, strain, sprain (*мускула*); *~и́мость* expansibility, expansiveness, extensibility, extensiveness; tensility, elasticity; *~и́мый* extensive, expansive, elastic, extensible; *физл.* (ex)tensile; это *~и́мое* понятие this statement (definition) might mean anything; *'~ка* stretching, extending; в *'~ку* at full length.

растя́ну‖**тость** lengthiness, prolixity, prolixness (*речи, книги*); drawl (*произношения*); *~тый* stretched; distended; lengthy, long-winded, prolix (*о рассказе*); long-drawn (*скучный*); drawling (*о говоре*); *~тые* шеренгой lined (along) (*о войсках и пр.*); *'~ть см.* растягивать; *'~ться* во всю длину to stretch one's length; to fall (lie) flat; to couch (*о звере*); *~ться* на лестнице to fall full length on the stairs.

растя́па *разг.* bungler, blunder-head, ne'er-do-well (-weel).

расформирова́‖**ние** *военн.* disbandment; *~ть(ся)* *военн.* to disband.

расфран‖**ти́ться** to dress oneself up showily (gaudily); *~чён-ный* overdressed, flashy; *разг.* dressed up to the nines, in glad rags.

расфуфы́риться *вульг. см.* расфранти́ться.

расха́жива‖**ние** walking, strolling about; *~ть* to walk about, stroll, saunter, ramble; *~ть* взад и вперёд to walk up and down (to and fro); *~ть* по комнате to pace the floor; *~ть* to walk up and down the room; важно *~ть* to strut.

расхва́ли‖**вать**, *'~ть* to extol, eulogize, glorify, exalt, to lavish (shower) praises (*on*, *upon*); to praise up to the skies.

расхва́стать(**ся**) to boast, vaunt, brag, bluff, to praise oneself; *разг.* to do self-advertising; to blow one's own horn (trumpet).

расхва́т snatching, grabbing; товар брали на-р. there was a run on the goods; *разг.* there was a scramble for the wares; *~ить, ~ы-вать* to snatch, grab; to scramble (*for*) (*с целью покупки*).

расхвора́‖**ться** to fall ill, to collapse, to lose one's health, to break down; он не на шутку *~лся* his illness is no joke.

расхи‖**ти́тель** embezzler, peculator; р. государственного имущества misappropriator of state property; *'~тить, ~ща́ть* to (de-)spoil, plunder, dilapidate, pillage; to embezzle, peculate, defalcate; имущество *~ща́ется* damage and loss is being caused to the estate; *~ще́ние* pillage, plunder, depredation; embezzlement, peculation, defalcation (*денег*); борьба с *~ще́нием* социалистической собственности fight against the plunder of socialist property.

рас‖**хлеба́ть, ~хлёбывать** *см.* хлебать; *фиг.* to bear the consequences (*of*); этой каши не *~хле-бать* *фиг.* there's no disentangling this tangle.

расхля́б‖**анность** laxity; want of discipline; *~анный* slack, lax, relaxed, loose, unstrung; *~анная* телега ramshackle cart; *~аться* to want a tightening of screws (general repair).

расхо́д expense, expenditure, outlay, out-go, disbursement; extra (*дополнительный*); prime cost (*заготовительный*); working-expenses (*по производству*); overhead expenses (*накладной*); (cost of) carriage (*по перевозке*); р. силы expenditure of power; ввести в р. to put to expense; записывать p. to keep accounts; за покрытием *~ов* all charges borne (cleared); не уклоняться от *~ов* not to shirk expenses.

расход‖**и́ться** to part, to go separate ways; to drop away (*один за другим*); to part company, to part from one another (*расставаться*); to break up (*о собрании*); to separate (*о супругах*); to radiate (*о теплоте, лучах*); to be spent (*о деньгах*); to diverge (*о линиях, дорогах*); to dissent (*from*), to differ in opinion (*with*), to disagree (*with*), to fall out, to discord (*во мнениях*); to lose one's self-control, to fly into a temper (*потерять самообладание*); *~ись!* move on!; мнения по этому вопросу '~ятся opinions vary on this point; письма наши разошли́сь our letters crossed.

расхо́дн‖**ый**: ~ая кни́га a book for entering expenses; ~ая часть бюджета budget expenditure.

расхо́дова‖**ние** expense, expenditure; ~ть to spend, consume, lay out, use up; ~ться to be spent, expended.

расхожде́ние divergence, discord, separation; dissent; глубо́кое p. во взгля́дах a great divergence of opinions.

расхол‖**а́живание** cooling; chilling (тж. фиг.); ~а́живать, ~оди́ть to cool; фиг. to damp one's feelings.

расхорохо́риться разг. to get on one's high horse.

расхоте́ть to unwill, to feel disinclined to, to lose the inclination (desire, zest) (for).

расхохота́ться to burst out laughing.

расхрабри́ться to make bold (to); to take one's courage in both hands.

расцара́п(ыв)ать to scratch, to tear (лицо, руки).

расцвест‖**й**, '~ь см. расцвета́ть.

расцве́‖**т** bloom, blowing, blossoming, opening; p. жи́зни prime (heyday) of life; пери́од ~та time of prosperity (торго́вли, промы́шл.); golden age (литерату́ры и пр.); в ~те сил in the plenitude of one's powers; ~та́ть to bloom, blossom out, open, to burst into flower; фиг. to flourish; не дать ~сти́ фиг. to nip in the bud; его́ лицо́ ~ло́ улы́бкой his face was wreathed in smiles.

расцве‖**ти́ть(ся)** см. расцве́чивать(ся); '~ченный gorgeous, glittering in various colours; '~чива́ние colouring, painting; '~чива́ть to paint in gay colours, adorn; ~чивать фла́гами to decorate with flags; мор. to dress with flags; '~чива́ться to be painted in gay colours (adorned gorgeously).

расцелова́ть to kiss; to smother with kisses; ~ся to exchange kisses.

расцéн‖**ивание** estimation, (e)valuation, appraisement; ~ивать to estimate, value, appraise; to assess (для обложе́ния); to fix prices, to cost (това́р); как вы ~иваете собы́тия? what do you think of the events?; ~иваться to be estimated, appraised, assessed;

~йть см. расце́нивать; ~ка см. расце́нивание; tariff, rate; ~оч- ный отде́л valuation department; ~очно-конфли́ктная коми́ссия Appraisement and Conflict Commission; ~щик assessor.

расцеп‖**и́ть(ся)** см. расцепля́ть (-ся); ~ле́ние unhooking, unlinking, uncoupling; ~ля́ть to unhook, unlink, untack; to uncouple (ваго́ны и пр.); ~ля́ться to get (come, be) unhooked, unlinked, uncoupled.

расчер‖**ти́ть**, '~чивать to trace, line, delineate.

рас‖**чеса́ть** см. расчёсывать; гла́дко ~чёсанные во́лосы sleek hair; ~чёска comb (гребёнка).

расче́сть см. рассчи́тывать.

расчёсыва‖**ние** combing out; техн. carding (льна, ше́рсти); ~ть to comb (во́лосы, шерсть); to card (лён, шерсть); ~ть во́лосы на пробо́р to part one's hair.

расчёт calculation, account, computation, reckoning; dismissal (слу́жащего и пр.); дать кому́-л. p. to dismiss, to give notice, to pay off; не принима́емый в p. negligible; приня́ть в p. to take into consideration; нет ~а э́то де́лать it does not pay to do it; быть в ~е to be quits (even) (with); обману́ться в ~е to be out of one's reckoning, to back the wrong horse; по мо́ему ~у to my mind; ~ливость economy, thrift, prudence; ~ли́вый economic(al), thrifty, prudent, calculating, careful; жить ~ливо to live economically; ~ный день pay-day (на заво́де); settling-day (на би́рже); ~ная кни́жка pay-book.

расчисл‖**е́ние** calculation, reckoning, computation; '~ить, ~я́ть to calculate, reckon, compute; to cast up, to figure out.

расчи́ст‖**ить** см. расчища́ть; ~ка clearing (ж.-д. пути́ и пр.).

расчиха́ться разг. to sneeze repeatedly.

расчища́ть to clear (away), to free from obstruction; p. доро́гу to clear a path (в лесу́); to clear the way (в толпе́); p. снег to clear away the snow.

расчлен‖**е́ние** dissection; dismemberment (о́бщества и пр.); p. Кита́я partition of China; ~и́ть, ~я́ть to dissect, dismember, analyse; ~и́ться, ~я́ться фиг. to ramify.

расчу́вствоваться to be affected (with a tender feeling).

расшалиться to frolic, to play pranks.

расша́рк|**аться** *см.* **расшаркиваться**; ∼**ивание** scraping, bowing; *фиг.* obsequiousness; ∼**иваться** to scrape; *фиг.* to be overpolite (obsequious).

расша́тан||**ность** instability; ∼**ный** unstable; shattered (*о здоровье, нервах*); rickety (*о мебели*); loose (*о винте, гвозде*); unsound, shaky (*о финансах*); out of gear; ∼**ный** экипаж rattletrap.

расша́т||**ать**, '∼**ывать** to unsettle; to shake loose; to shatter, upset (*нервы*); ∼**а́ться**, '∼**ываться** to get loose; *фиг.* to go to pieces.

расшвы́р||**ивать**, ∼**я́ть** to throw right and left, to send things flying; to squander (*деньги*); ∼**иваться**, ∼**я́ться** *см.* **разбрасываться**.

расшевели́||**вать**, ∼**ть** to move, stir, to set in motion; *фиг., разг.* to rattle (shake) up, to bustle; **р.** память to stimulate (jog) a person's memory; его́ трудно ∼**ть** *фиг.* it's a hard task (job) to liven him up.

расшиб||**а́ть**, ∼**и́ть** to break to pieces, to smash to bits; ∼**а́ться**, ∼**и́ться** to get broken; to hurt (injure) oneself.

расши́ва decked bark (on the Volga).

расшива́||**ние:** **р.** узоров embroidery; ∼**ть** to embroider, to adorn with needlework; to unsew, unrip, unpick (*распороть*); ∼**ть** швы известкой *техн.* to point (*о каменщике*); ∼**ться** to come undone (unripped) (*распороться*); to be embroidered (*вышиваться*).

расшир||**е́ние** widening, expansion, extension, dilation, enlargement; *техн.* expansion; **р.** артерии *мед.* aneurysm (-ism); **р.** базы widening (enlargement) of base; **р.** посевно́й площади extension of the sowing area; **р.** сердца *мед.* dilatation of the heart; **р.** физических тел от нагрева́ния expansion of physical bodies by heat; тройное **р.** *техн.* triple expansion; машина с ∼**е́нием** expansion engine; коэффициент ∼**е́**-**ния** coefficient of expansion; '∼**енный** widened; dilated (*о зрачках*); varicose (*о вене*); с '∼**ен**-**ными** глазами wide-eyed.

расшир||**и́тель** dilator; '∼**ить** (-ся) **р.** расширя́ть(ся); ∼**яемость** dilatability; ∼**я́емый** expansive, dilatant; ∼**я́ть(ся)** to widen, expand, dilate (*в объёме*); to extend

(*границы, сферу деятельности, значение слова*); to enlarge (*круг знаний*); ∼**я́ть** кругозо́р *фиг.* to open the mind; теплота ∼**я́ет** все тела heat dilates all bodies; ∼**я́ю**-**щаяся** промышленность expanding industry.

расши́ть(ся) *см.* **расшива́ть(ся).**

расшифро́в||**а́ть** *см.* **расшифро́вывать**; '∼**ка** decipherment; '∼**ы**-**вать** to decipher, decode; *фиг.* to interpret.

расшнуро́в||**а́ть(ся)** *см.* **расшнуро́вывать(ся)**; '∼**ывание** unlacing; '∼**ывать(ся)** to unlace.

расшуме́ться to get noisy; *разг.* to kick up a racket.

расшути́ться to crack jokes.

расще́дриться to have a burst of generosity.

расще́лина crack, chink, cleft, fissure, crevice; crevasse (*особ. в ледниках*).

расщеп||**и́ть(ся)** *см.* **расщепля́ть** (-ся); ∼**ле́ние** splintering; ∼**и́ть** (-ся) to split, slit, splinter; to foliate, laminate (*на тонкие слои*).

расщип||**а́ть**, '∼**ывать** to unravel, shred (*нитки, ткани*); to pick asunder.

ратифи||**ка́ция** ratification, validation; ∼**ци́ровать** to ratify (*договор*); to validate (*сделку, соглашение*).

ра́т||**ник** *ист.* warrior, soldier; **р.** ополче́ния man of reserve; ∼**ный** military.

ра́товать to declaim (for); to contend (for).

ра́туша town- (guild-)hall.

рать *уст.* army, troops.

ра́унд *спорт.* round.

ра́ут large party; rout (*уст.*).

рафин||**а́д** refined sugar; lump sugar (*в кусках*); ∼**а́дный** завод sugar refinery; ∼**и́ровать** to refine.

рахат-луку́м Turkish delight.

рахит||**и́зм** *мед.* rachitis, rickets; '∼**ик** sufferer from rachitis; ∼**и́ческий** *мед.* rachitic; rickety.

рацбюро́ (*бюро рационализации*) rationalization bureau.

раце́я *уст., ирон.* sermon, lecture.

рацио́н (*паёк*) ration, allowance.

рационал||**иза́тор** rationalizer; инженер-**р.** engineer-rationalizer; ∼**иза́торские** предложе́ния rational suggestions; ∼**иза́ция** rationalization; бюро ∼**иза́ции** rationalization bureau; ∼**изи́ровать** to rationalize; ∼**и́зм** *филос.* rationalism; ∼**и́ст** rationalist; ∼**исти́че**-**ский** rationalistic; '∼**ьность** раtionality, reasonableness; ⏌ьный rational.

рачи́тельн⏌ость *уст.* zeal, zealousness, care(fulness), assiduity, sedulousness; ⏌ый zealous, careful, assiduous, sedulous.

ра́шкуль crayon (*для рисования*).

ра́шпиль *техн.* rasp.

рван⏌у́ть to draw, pull; to lug at (*за волосы*); ⏌у́ться to rush, dart, dash; ⏌ь rags; *техн.* clamp; *фиг.* ragamuffin.

рвать I. to tear, lacerate, rip; to pull (*зубы*); to pick, pluck (*цветы*); р. и метать to be in a rage (fury); р. на куски, клочки to tear to bits (tatters); ⏌ся to tear, wear out (*о материи*); to break, snap (*о нитке*); ⏌ся в бой to rush to battle; ⏌ся на свободу to strive to escape; где тонко там и рвётся *посл.* a chain bursts at the weakest link.

рвать II. *см.* тошнить; его рвёт he vomits, fetches up, disgorges.

рвач grabber; *амер.* grafter; ⏌ество grabbing, grafting; занимать-ся ⏌еством to practice grabbing (grafting).

рве́ние zeal, ardour, eagerness, fervency, keenness (*for*); горящий ⏌м zealous, ardent, eager, fervent, keen.

рвот⏌а vomiting; ⏌ина *мин.* flaw (*металла*); ⏌ный emetic, vomitive; ⏌ный корень ipecacuanha; ⏌ное средство emetic.

рде́ние redness, glow.

рде⏌ть to redden, glow (*о закате и пр.*); ⏌ющие угли glowing coals.

ре *муз.* re.

реабилит⏌а́ция rehabilitation, vindication; ⏌и́ровать to rehabilitate, right, vindicate, to free from indictment; *разг.* to whitewash; ⏌и́роваться to rehabilitate oneself; ⏌и́рующий vindicatory.

реаге́нт *хим.* reagent, test.

реаги́р⏌овать to react, respond; ⏌ующий reactive, responsive (*to*); не ⏌ующий irresponsive (*to*).

реакти́в *см.* реагент; ⏌ная бумага test-paper; ⏌ная турбина reactive turbine.

реакци⏌оне́р *пол.* reactionary, reactionist; ⏌о́нный *пол.* reactionary, counter-revolutionary; ⏌о́нные силы reactionary forces.

реа́кци⏌я reaction; подвергнуть-ся ⏌и *хим.* to react; полоса ⏌и period of reaction.

реа́л real (*испанская монета*); *тип.* composing frame, rack.

реализ⏌а́ция realization; р. займа loan realization; р. шести условий Сталина the realization of Stalin's six (efficiency) points; ⏌и́ровать to realize; to cash (*чек и пр.*); to convert into cash (*ресурсы*).

реали́⏌зм realism, truth to nature; социалистический р. socialist realism; ⏌зова́ть *см.* реализировать; ⏌зовать проект to realize the project; ⏌ст realist; *ист.* pupil of a Real School (of a secondary school with no Latin and Greek); ⏌стический realistic(al); ⏌стическое искусство realistic art.

реа́льн⏌ость reality; ⏌ый real, tangible, substantial; ⏌ое училище *ист.* Real School (secondary school teaching no classics); ⏌о in a realistic (practical) way; soberly.

ребёнок (*мн. ч.* ребята) child (*pl.* children); *разг.* kid, kiddy; беспризорный p. homeless (abandoned, uncared for) child, waif; грудной p. (suckling-)babe, infant, nurseling, baby; маленький p. baby, chit, tot, dot, prattler, little one, sprat.

рёберный costal.

ребр⏌и́стый ribbed; ⏌о́ *анат.* rib (*тж. скалы́*); edge, verge; поставить ⏌о́м to stand edgewise; поставить вопрос ⏌о́м to put a question point blank; ложные рёбра *анат.* false ribs; нижние рёбра *анат.* short ribs.

ре́бус rebus.

ребя́⏌та, ⏌тишки *см.* ребёнок; lads, boys, youngsters (*мальчики*); ⏌ческий babyish, childish, puerile; ⏌чество puerility, childishness; это ⏌чество! it is baby stuff!

ребя́ч⏌иться to behave like a child; to play pranks; to indulge in pranks (tomfoolery); ⏌ливость *см.* ребячество; ⏌ливый *см.* ребяческий.

рёв roar, bellow(ing); squall (*ребёнка*).

рева́нш revenge; *спорт.* return match; дать р. to play a return match.

Реввоенсове́т (*Революционный военный совет*) The Revolutionary War Council.

реве́нный порошо́к gregory-powder.

реве́нь *бот.* rhubarb.

ревера́нс curtsy, obeisance; делать p. to (make, drop, bob a) curtsy; *разг.* to duck.

реверберъ *техн.* reverberator; ~**ация** reverberation.

реверс *военн.* caution-money.

реверсивн‖**ый**: р. двигатель reversing engine; ~**ая** муфта *техн.* reversing clutch.

ревёть to roar, bellow, squall, blare; р. в три ручья to blubber, to cry one's heart out; ревмя р. to set up a howl.

ревиз‖**ионист** revisionist; ~**ионный** revisionary; ~**ионная** комиссия auditing committee, inspection committee; '~**ия** examination, inspection, audit; ~**овать** to examine, inspect, audit; ~**ор** inspector, auditor.

ревком (*революционный комитет*) Revolutionary Committee.

ревмат‖**изм** *мед.* rheumatism, rheumatic fever (*острый суставный*); *разг.* rheumatics; myalgia (*мускульный*); '~**ик**, ~**ический** rheumatic.

ревни‖**вец** jealous (jaundiced) man; *разг.* Othello; ~**вый** jealous; *разг.* green-eyed; ~**во** jealously; ~**во** охранять свои права, свободу to preserve with zeal [to be jealous (tenacious) of] one's rights, freedom; ~**тель**, ~**тельница** *уст.* earnest (zealous) person; ~**тельный** earnest, zealous.

ревновать to be jealous (*of*).

ревностный zealous, assiduous, ardent, fervent.

ревность jealousy, heart-burning; zeal, ardour, fervour, fervency (*for*) (*в исполнении дела*).

револьвёр revolver; automatic (pistol); bulldog (*разг.*); шестизарядный р. six-shooter; барабан ~**а** barrel; дуло ~**а** muzzle; спусковая собачка ~**а** trigger.

революци‖**онёр** revolutionary, revolutionist; р. в искусстве a revolutionist in art; ~**онизировать** to revolutionize; ~**онность** revolutionism; ~**онный** revolutionary; ~**онный** трибунал Revolutionary Tribunal.

революция revolution, upheaval; американская р. (1775—1783) The American Revolution; The Revolution; английская р. (1642—1660) ˋThe Great Rebellion; социалистическая р. the socialist revolution; мировая р. the world revolution; Великая Октябрьская Пролетарская Р. The Great October Proletarian Revolution; буржуазная демократическая р. bourgeois democratic revolution.

ревун bawler, squaller.

регалии regalia, the insignia of royalty.

регенера‖**тор** *техн.* regenerator; ~**ция** regeneration.

регент regent (*государства*); choir-master, leader of a choir (*хора*); ~**ство** regency, regentship.

регистр register, calendar, list; *муз.* register; ~**атор** actuary, recorder, registrar; ~**атура** registry, register office; ~**ация** registration; ~**ировать** to (en)register, record, calendar; to file (*документы*); ~**ироваться** to register (oneself).

регламент regulation, order, rule, statute; это согласно (противоречит) ~**у** is in (out of) order.

регламент‖**ация** regulation; ~**ировать** to regulate.

регресс regress(ion), retrogression; *астр.* retrogradation; ~**ивный** regressive, retrograde; ~**ировать** to regress, retrogress, backslide, to turn back; to put the clock back (*фиг.*); тот, кто ~**ирует** backslider.

регулирова‖**ние** regulation, control; р. уличного движения traffic regulation; ~**ть** to regulate, regularize, control, settle; ~**ть** наклон парусов (равновесие судна) *мор.* to trim sails (ship).

регулы *мед.* menses, periods, menstruation.

регулярн‖**ость** regularity, order; ~**ый** regular; вести ~**ый** образ жизни to keep regular hours; ~**о** regularly.

регулятор *техн.* regulator; governor (*паровой машины*); р. тока current regulator.

редактирова‖**ние** editing; redaction; ~**ть** to edit, redact, revise; ~**ть** часть газеты to subedit.

редактор editor; р.-издатель publisher; р. отдела газеты subeditor; главный р. editor-in-chief; ~**ский** editorial; ~**ство** editorship.

редакционн‖**ый** editorial; ~**ая** коллегия editorial staff (board); advisory panel.

редакция editorship; editorial office; неудачная р. этого документа the awkward wording of this document.

редан(**т**) *военн.* redan.

реде‖**ть** to thin, to become less dense (numerous); их ряды ~**ют** their ranks are thinning.

редиска *бот.* radish.

редк‖**ий** rare, uncommon, infrequent (*о событиях*); thin, sparse (о волосах, населении); flimsy (о ткани и пр.); scarce (о деньгах и пр.); ~ая вещь curiosity (для коллекции); ~о seldom, rarely; ~о расставленные far between, sparse (о зубах и пр.); ~о да метко not often but well; очень ~о very seldom; разг. once in a blue moon; ~оватый rather rare.

редколлéгия см. редакционная коллегия.

рéдкост‖ь rarity, rareness; rara avis (лат.) (о человеке или вещи); infrequency; художественные ~и articles of virtu.

реднина́ canvas used for making sacks etc.

редуктор хим. reducing agent.

редукц‖ио́нный кла́пан reducing valve; ' ~ия техн. reduction.

реду́т военн. redoubt.

рéдьк‖а бот. radish; надоело мне хуже горькой ~и погов. I'm perfectly tired of it; it is gall and wormwood to me.

реéстр list, roll; р. убитых, раненых и пропавших без вести на войне list of casualties.

режи́м regime; мед. regimen, diet; р. экономии regime of economy; старый р. пол. the old regime.

режисс‖ёр stage-manager, producer; ~и́ровать пьесу to stage (produce) a play.

резáк chopping-knife; pole-axe (мясника); plough-share (плуга).

резáльная маши́на cutting--machine, guillotine (для бумаг и пр.).

резáльщик cutter, carver.

рéзан‖ие cutting; carving; ~ая рана (sword-)cut.

рéзать to cut, carve; slice; to kill, slaughter (скот); р. по меди, дереву to engrave; р. правду to speak the truth boldly; р. слух to split (pierce) the ears, to grate on one's ears (nerves); ~ся на экзаменах to fail; ~ся в карты to plunge, to play desperately; у ребёнка зубы рéжутся baby is cutting his (her) teeth.

резви́ться to sport, frolic, gambol, frisk.

рéзв‖ость sportiveness, playfulness, sprightliness, high spirits; ~ýн, ~ýнья, ~ýшка playful (frolicsome) boy or girl; ~ый sportive, frolicsome, playful, high-spirited; mettlesome (преимуществ. о лошади.

резедá бот. mignonette, reseda.

резéкция хир. resection.

резéрв военн. reserve(s); иметь в ~e to have in store; ~ный военн. reserve (attr.).

резервуáр reservoir, receiver, basin, cistern, tank; р. для бензи́на petrol-tank; р. лампы font, fount; ёмкость ~a capacity of tank, tankage.

резéц мех. cutter; incisor (передний зуб); р. гравёра chisel, burin, graver.

резидéн‖т resident; ~тство residency; ~ция residence.

рези́н‖(к)а india-rubber, caoutchouc, elastic; rubber band (для бумажника и пр.); вулканизированная ~a vulcanite; ~овый rubber (attr.); ~овая промышленность rubber industry; ~овые галоши india-rubber galoshes (goloshes), overshoes; амер. rubbers.

рéзка cutting, clipping (бумаги, материи и пр.).

рéзк‖ий hard, ungentle, brusque, rough (о характере); jarring, shrill, strident, harsh, sharp, piercing (о звуке, голосе); cutting, piercing, biting, sharp (о ветре); sharp, tart, biting (об ответе, суждении и пр.); crude, glaring (о красках); slashing, harsh (о критике); abrupt (о манерах); trenchant (о слоге); ~ие (вульгарные) выражения rough (vulgar) language; strong language; ~ие черты лица rugged features; ~о sharply, roughly, abruptly; off-handedly (о бесцеремонной манере, обращении); ~о обойтись (с к.-л.) to be short (curt) (with); ~ость sharpness, trenchancy, shrillness, shortness, abruptness; ~ость обращения sharpness (shortness, curtness) of manner.

резн‖и́к butcher; ~ой cut, carved, fretted; ~ой драгоценный камень intaglio; ~áя работа арх. fretwork.

резня́ slaughter, massacre, butchery, carnage.

резолю‖ти́вный: ~ти́вная часть доклада part of a report proposing a resolution; ' ~ция resolution, decision; ~ция отвергнута the resolution has been thrown out (rejected); ~ция по целому ряду вопросов omnibus resolution; вынести (поддержать, предложить, наложить, принять) ' ~цию to pass (second, move, put, carry, adopt) a resolution.

резóн reason (основание); argument (довод).

резонá‖нс resonance; ~тор resonance chamber; физ. resonator.

резонёр reasoner, moralist; **~ство** reasoning, moralization; **~ствовать** to reason; moralize.

резони́р||овать to resonate; **~ующий** resonant.

резо́нный reasonable, rational, sensible.

резорци́н *хим.* resorcin.

результа́т result, upshot; consequence (*последствие*); issue, outcome (*исход*); product (*материальный*); *фиг.* fruit, harvest, crop; р. голосова́ния result of the ballot; вот р. твое́й неосторо́жности! that comes of your imprudence!; зара́нее предви́денный p. foregone conclusion; в **~е** in consequence, in the issue; **~ом** э́того бы́ло... the end of it was...; име́ть **~ом** to result (*in*), to give rise (*to*).

ре́зчик engraver, cutter, carver; sculptor; р. печате́й seal-engraver.

резь grips, colic, mulligrubs (*в животе*).

резьба́ statuary, imagery; carving, fretwork (*по де́реву, мра́мору и пр.*); р. на винте́ the thread of a screw.

резюм||е́ summary, resumé; **~и́ровать** to summarize, sum up, recapitulate.

ре||й *мор.* yard, sail-yard; бра́сопить **~и** to brace (strike) the yards; **~и** стоя́т пря́мо the yards are square.

рейд *мор.* roadstead, roads; *военн.* raid; возду́шный p. air-raid.

ре́йка lath, batten; скрепля́ть **~ми** to batten.

Рейн the Rhine.

рейн||ве́йн Rhine-wine, hock; **~ский** Rhenish.

рейс passage, voyage (*корабля*).

рейсфе́дер 1. pencil (crayon) holder (*для рисова́ния*); 2. drawing-pen (*для черче́ния*).

рейту́зы *военн.* riding-breeches; *амер.* pantaloons.

рейхс||ве́р Reichswehr; **~ра́т** (*в А́встрии и Герма́нии*) Reichsrat; **~та́г** Reichstag.

рек||а́ river, stream; р. забве́ния (Ле́та) the river of oblivion (Lethe); вверх по **~е́** up-stream, up the river; вниз по **~е** down-stream, down the river; прито́к **~и́** tributary, affluent, confluent; *амер.* creek; середи́на **~и** mid-stream.

ре́квием requiem.

реквизи́ровать to requisition, commandeer.

реквизи́т *театр.* properties.

реквизиц||ио́нный отря́д requisitioning party; **~ия** requisition; impressment (*для гос. нужд*).

рекла́м||а advertisement; крича́щая газе́тная p. screaming head-lines; челове́к-p. sandwich man (boy); листо́к с **~ой** handbill; плака́ты ходя́чей **~ы** sandwich-boards.

рекла́мация reclamation, protest, complaint.

реклами́ровать to advertise, puff, boom; р. свой това́р to push one's wares.

рекогносцир||о́вк||а reconnaissance; reconnoitring; производи́ть **~y** to reconnoitre, scout.

рекоменд||а́тельный: ~а́тельное письмо́ letter of introduction (credence); **~а́ция** introduction (*представление*); recommendation, reference, character (*отзыв*); **~о́ванный** recommended; **~ова́ть** to (re-)commend, introduce; **~у́ется** it is advisable (*to*).

реконстру||и́ровать to restore, rebuild, reconstruct; **~кти́вный** reconstructive.

реконстру́кция restoration, reconstruction (*of*); р. промы́шленности reconstruction of industry; социалисти́ческая p. socialist(ic) reconstruction.

реко́рд record; поби́ть p. to break (cut, beat) the record; **~ный** record-breaking (*об урожа́е и пр.*).

ре́крут *уст.* recruit; **~ский на́бор** recruiting, recruitment; **~чина** recruitment.

ректифи||ка́ция *техн., мат.* rectification; **~ци́ровать** to rectify.

ре́ктор principal (*университе́та*); rector (*уче́бного или духо́вного заведе́ния*); provost (*преиму́щ. колле́джа*); до́лжность **~а** principalship.

рекупера́тор *техн.* recuperator.

реле́ *эл.* relay.

религи||о́зность religiousness; religiosity (*кра́йняя*); **~о́зный** religious, devout, pious; **~о́зный дурма́н** religious dope.

религи||я religion, faith, creed, belief; р. о́пиум для наро́да religion is opium for the people; исключе́ние **~и** из шко́льного преподава́ния secularization.

рели́квия relic.

релье́ф relief, raised work; украша́ть **~ами** to (em)boss.

релье́ф||ность relief; **~ный** relieved; clear, distinct (*отчётливый*); **~но** in relief.

рельс rail; зу́бчатый p. cogged (toothed) rail; сходи́ть с **~ов** to derail; паровоз сошел с ~ов the engine left the track (metals); ~овый путь track; ~овый стык rail-joint, rail-bond.

релятиви́зм *филос.* relativism.

реля́ция *уст.* report, recount.

рема́рка *театр.* stage-direction.

ремённ∥ый: р. пояс leather belt; ~ая передача *техн.* belt-drive; ~ь leather band, belt; strap (*с пряжкой, у чемодана, дорожный и пр.*); (razor-)strop (*для правки бритв*); наплечный ~ь для патронов bandoleer(-ier).

ремесленн∥ик artisan, workman; (handi)craft∖man, artificer (*высокой квалификации*); ~ичество workmanship; ~ый industrial; ~ий пролетариат the handicraft proletariat(e); ~ое производство handicraft production; ~ое училище industrial school.

ремесл∥о́ trade, handicraft, art; обученный ~у́ trained to a profession.

реме́сса *комм.* remittance.

ремешо́к *см.* ремень; р. на руку для часов wristlet.

реми́з *карт.* mulct, forfeit; ~и́ться to be mulcted; ~ная нить *текст.* heddle.

ремингто́н (*пишущая машина*) Remington.

реминисце́нция reminiscence.

ремити́ровать *комм.* to remit.

ремо́нт repair, mending; refit (-ment), recondition (*судна*); doing up, repair (*квартиры*); restoration (*восстановление*); remount (*лошадей*); годный для ~а repairable; ~ёр *воен.* one who furnishes fresh horses to the cavalry; ~и́рование *см.* ремонт; ~и́ровать to repair; to refit, overhaul, recondition (*судно, механизм и пр.*); to remount (*кавалерию*); ~ный repair (*attr.*); ~ная мастерская repairing shop; ~ные работы repairing work.

ренега́т renegade; apostate, traitor; *разг.* turncoat; *пол., разг.* rat; ~ство apostasy (*об убеждениях*); desertion (*о политической деятельности*).

ренесса́нс *ист.* renaissance, renascence.

ре́ний *хим.* rhenium.

ренкло́д greengage (*сорт слив*).

реноме́ fame, reputation; name; notoriety (*дурная слава*).

ре́нт∥а rent; annuity (*ежегодная*); р. продуктами или натурой rent in kind; дифференциальная р. differential rent; земельная р.

land rent; получающий ежегодную ~у annuitant; ~а́бельность profitableness, rentability; ~а́бельный profitable, rentable.

рентген∥иза́ция X-raying; подвергаться ~иза́ции to be X-rayed; '~овский кабинет Rœntgen cabinet; ~овский снимок rœntgenogram; '~овские лучи X-rays, Rœntgen rays; подвергать действию '~овских лучей to X-ray; ~огра́мма rœntgenogram; ~о́лог radiographer.

Реомю́р Réaumur; термометр со шкалой ~а Réaumur thermometer.

реорганиз∥а́ция reorganization; ~ова́ть to reorganize.

рео∥ско́п *эл.* rheoscope; ~ста́т *эл.* rheostat.

реофо́р *эл.* rheophore.

ре́па *бот.* turnip.

репара∥цио́нный reparation (*attr.*); ~цио́нные платежи reparation payments; '~ция *пол.* reparation, indemnity, compensation.

репе́й∥ник *бот.* agrimony; burdock; ~ное масло hair-oil.

репертуа́р *театр.* repertoire, repertory.

репети́ровать *театр.* to rehearse; repeat; to coach (*ученика*).

репети́∥тор coach, crammer; *sl.* grinder; ~цио́нный зал studio (*балетный*).

репети́ци∥я *театр.* rehearsal; dress-rehearsal (*генеральная*); часы с ~ей repeater.

ре́плик∥а *театр.* cue, catchword; remark (*замечание*); подать ~у to give one a cue; to make a remark (*заметить*).

реполо́в *зоол.* linnet; redpoll (*самец*).

репорт∥а́ж reporting; ~ёр reporter, pressman.

репресс∥а́лия reprisal; ~и́вный repressive; ~и́вная мера repressive measure; '~ия repression; проводить политику '~ий to follow a policy of repression; *разг.* to sit on the safety-valve.

репроду́ктор reproducer, loud-speaker.

репроду́∥кция reproduction; ~ци́ровать to reproduce.

репс rep(p)(s); ~овая лента petersham.

репти́лия reptile.

репута́ци∥я reputation, repute, character, name, fame; дурная р. disrepute, ill (bad) name (fame); *разг.* unsavoury reputation; пошатнувшаяся р. cracked reputation; хорошая р. fair (good) name (fame); пользующийся дурной ~ей notorious, disreputable, infamous; оправдать свою ~ю to live up to one's reputation; to justify one's reputation; испортить свою ~ю to fall into disrepute; испортить чью-л. ~ю to rob of character, to ruin a name (reputation).

реско́нтро *комм.* ledger.

рескри́пт rescript, order, mandate.

ресни́||ца eye-lash, cilia; ~чный ciliary; *бот., зоол.* ciliate.

респе́кт *уст.* respect; ~а́бельность respectability; ~а́бельный respectable.

респира́тор *мед.* respirator, inhaler.

респира́ция respiration.

респу́блик||а republic, commonwealth; буржуазная р. bourgeois republic; советская р. Soviet republic; автономные ~и autonomous republics; союзные ~и the union republics; ~а́нец republican; член ~а́нской партии republican; ~а́нство republicanism.

рессо́р||а spring; на ~ах on springs; ~ный экипаж spring-carriage.

реставр||а́ция restoration (*династии, картины, здания*); repair, renewal, mending, renovation; ~и́рованный restored, repaired, renewed, mended, renovated; ~и́ровать to restore, repair, renew, mend; ~и́ровать дом to renovate a house.

рестора́||н restaurant, eating-house; eating-shop, cook-shop, chop-house (*дешёвый*); bar, buffet (*маленький*); р. с сомнительной репутацией drinking-den, low-dive; вагон-р. dining-car; шикарный р. fashionable restaurant; ~тор restaurateur, restaurant-keeper.

ресу́рс resource; денежные ~ы monetary resources; сырьевые ~ы raw material resources; у него есть ~ы he has means.

рети́в||ость zeal, eagerness, ardour, mettle; ~ый zealous, eager, mettlesome; ~ый конь high-spirited horse; ~ое the heart.

ретира́д lavatory; water-closet; *амер.* toilet.

ретиров||а́ться to retreat, retire, withdraw; to take oneself off, to leave the premises; '~ка retreat, withdrawal.

рето́рта *хим.* retort,

ретраншеме́нт *военн.* retrenchment.

ретрибу́ци||я *военн.* retribution; требовать ~и to demand retribution.

ретроакти́в||ность retroaction; ~ный retroactive.

ретрогра́д reactionary; ~ность reactionary spirit; ~ный reactionary.

ретроспек||ти́вный retrospective; р. взгляд a backward look (*at, on*); '~ция retrospection.

ретуш||ёр retoucher; ~и́рование retouching; ~и́ровать to retouch.

рефера́т paper, essay; он прочёл р. he read a paper (*on*).

рефере́ндум referendum.

рефере́нт reader, reviewer.

рефере́нция reference.

рефери́ *спорт.* referee, arbitrator, umpire; исполнять функцию р. to arbitrate, umpire.

рефле́кс reflex; безусловный р. *физл.* unconditioned reflex; условный р. conditioned reflex; ~ия reflexion; ~оло́гия reflexology.

рефлект||и́вный reflective; '~ор reflector, reverberator; ~о́рный reflex (*attr.*).

рефо́рма reform, amendment; строгая р. drastic (extreme) reform; '~т(ка) member of the Reformed Church; '~тор reformer; ~цио́нный reformational; '~ция *ист.* The Reformation.

реформи́||зм reformism; ~ровать to reform, amend; ~рующий reformative (*о мероприятии и пр.*); ~ст reformist.

рефра́к||тор *физ.* refractor; ~ция refraction.

рефре́н *муз., поэт.* refrain, burden (*припев*).

рефрижера́тор refrigerator; refrigerated cargo boat (*судно*).

рехн||у́ться *вульг.* to be out (to take leave) of one's senses; to lose one's senses; to go off one's nut (chump) (*sl.*); он ~лся he has taken leave of his senses.

рецен||зе́нт critic, reviewer; ~зи́ровать to criticize, review; '~зия critique, review.

реце́п||т prescription (*докторский*); recipe (*кулинарный*); ~ти́вный receptive; ~ция reception.

рециди́в relapse, backset, setback (*преимущ. о преступных наклонностях*); return of, relapse (*о болезни*); ~и́зм recidivism; ~и́ст recidivist, old offender; *разг.* backslider,

реч‖евой speech (*attr.*); р. аппарат organs of speech; ⌒истость garrulousness, garrulity; ⌒истый talkative, loquacious, voluble, garrulous, fluent.

речитатив *муз.* recitative.

реч‖ка small river, stream; ⌒ной river (*attr.*), riverine, fluvial; ⌒ное судоходство river navigation.

реч‖ь speech; р. призывающая к восстанию seditious speech; бранная, обвинительная р. diatribe, invective; высокопарная р. bombast, high-flown speech; длинная р. long-winded speech; изысканная р. refined speech; неясная р. mumling, murmur; прямая (косвенная) р. *гр.* direct (indirect) speech; торжеств. р. address, harangue, allocution; учёная р. discourse, disquisition; произнести р. to make (deliver) a speech (an address); to harangue; дар ⌒и eloquence; органы ⌒и vocal organs; его ⌒и выше нашего понимания he talks over our heads; выступить с ⌒ю to take the floor.

Речь Посполитая *ист.* (republic of) Poland.

реша‖ть to decide, determine, to make up one's mind; resolve; to solve, work out (*задачу и пр.*); to settle, fix, clench, clinch (*вопрос*); предоставляю вам р. I leave it to you; это не ⌒ет вопроса this does not settle the question; ⌒ться to settle, decide, determine, resolve; to make up one's mind; to be decided (resolved) (*о вопросе*); ⌒ющий decisive, conclusive, determinative; ⌒ющий удар decisive blow; ⌒ющий фактор decisive factor; третий ⌒ющий год пятилетки third decisive year of the Piatiletka.

решени‖е decision, resolution; solution (*вопроса, мат. задачи и пр.*); pronouncement, judg(e)ment, decree (*суда*); verdict (*присяжных*); vote (*принятие большинством голосов*); foregone conclusion (*заранее сложившееся*); выносить р. to pass a resolution; осуществление ⌒й партии the realization of Party decisions; не изменять своих ⌒й to stand by one's decisions.

решетина lath.

решето sieve; screen (*для сортирования угля и пр.*).

реши‖мость resoluteness, determination, firmness, decision.

решительн‖ость resolution, firmness, decision; ⌒ый resolute, re-

solved, categorical; plump (*sl.*; *об отказе и пр.*); stalwart (*тж. о характере*); crisp (*об интонации, тоне*); когда дошло до ⌒ого момента when it came to the point; ⌒ая склонность (*к*) a decided (propensity) proclivity (*for*); ⌒ое заявление a forceful statement; прекратить болезнь ⌒ыми мерами to jugulate a disease; ⌒о resolutely, determinedly, absolutely, categorically, point-blank; ⌒о всё равно it matters not a pin-head; он ⌒о ничего не делает he does absolutely nothing; он ⌒о отрицал he flatly denied; он ⌒о против he is vigourously opposed (*to*); это мне ⌒о всё равно it is quite the same (it is immaterial) to me.

реши‖ть(ся) *см.* решать(ся); ⌒ённое дело settled matter; ⌒ено settled, fixed.

решка tail (*монеты*); см. *тж.* орёл.

решётка grating; fire-guard, fender (*у камина*); trellis (*для ползучих растений*); lattice, grille, *амер.* herse (*окна, двери*); grate (*камина*); fire-bars (*колосниковая*); bottom (seat) of a cane chair (*стула*).

решётчатый latticed, trellised.

рея см. рей.

ре‖ять to float, soar, to be carried along; to flutter (*о знамёнах*); облака ⌒ют в вышине clouds hover high above.

ржа rust (*тж. на растениях*); ⌒веть to rust; ⌒вость rustiness; ⌒вчина rust; изъеденный ⌒вчиной eaten away with rust; пятно ⌒вчины iron-mould; ⌒вый rusty.

ржание neigh(ing); snicker, whinny (*тихое*).

ржанка *зоол.* plover.

ржаной: р. хлеб rye-bread.

ржать to neigh; to snicker, whinny (*тихо*); *фиг.* to roar.

РЖСКТ (районное жилищное строительное кооперативное товарищество) District Housebuilding Co-operative Society.

рига threshing barn.

Рига Riga.

ригори‖зм rigour, rigidity; ⌒ст rigorist; *фиг.* square-toes; ⌒стичность см. ригоризм.

ридикюль *уст.* small hand-bag used by ladies.

рижский Riga (*attr.*).

риз‖а 1. chasuble, sacerdotal vestment; 2. embossed metal (silver) covering of an icon; ⁓ница vestry, sacristy.

рик *сокр. см.* райисполком.

рикошёт ricochet; rebounding shot (*пули и пр.*); делать р. to ricochet (*to*); ⁓ом on the rebound; кидать в воду камни ⁓ом to play ducks and drakes.

рикша rickshaw.

Рим Rome.

рима *техн.* tenter (*для растягивания сукон*).

рим||лянин, ⁓ский Roman; ⁓ский папа pope; с ⁓ским носом Roman-nosed; ⁓ское право Roman law; ⁓ские цифры Roman numerals.

ринуться to rush; р. вперёд to plunge (*тж. о лошади, судне*).

рис rice; paddy (*на корню или в шелухе*).

риск risk, hazard; на ваш р. at your peril; на р. владельца at owner's risk; никакого ⁓а not the slightest risk, quite safe; с ⁓ом для жизни at the risk of one's life.

рискнуть *см.* рисковать.

риск||ованность riskiness; ⁓ованный risky, full of risk, venturesome; ⁓овать to risk, hazard, venture; to take one's chance, to run the chance (risk) (*of*); *разг.* to go bald-headed into; ⁓овать головой to risk one's neck; ⁓овать жизнью to peril (stake, hazard) one's life; ⁓овать последствиями to chance consequences; ⁓ните! chance it!, risk it! try it on! (*sl.*); кто не ⁓ует, тот ничего не имеет nothing venture, nothing have; ⁓я жизнью at the peril of one's life.

рисов||альный drawing; ⁓альщик designer, draughtsman, draftsman; ⁓ание drawing, designing; школа ⁓ания art school; ⁓ать to draw (*карандашом, мелом, пером*); to charcoal (*углем*); ⁓ать в ярких (мрачных) красках *фиг.* to paint in bright (dark) colours; ⁓аться to pose; to give oneself airs, act a part, flaunt oneself, parade, show off; он мне ⁓ался очень интересным человеком I imagined him to be a very interesting man.

рисовка drawing; *фиг.* putting on airs.

рисов||ый rice (*attr.*); ⁓ая бумага rice-paper.

ристалище hippodrome, arena.

рисун||ок drawing; illustration, picture (*в книгах*); charcoal (*углем*); pattern (*узор*); р. на крыль-

---

ях насекомых design; переводной p. transfer; см. p. see fig. (illus.); как показано на ⁓ке 1. as shown in figure 1.

ритм, ⁓ика rhythm; lilt, swing (*песни, стиха*); roll (*речи*); ⁓ический rhythmic(al); ⁓ическая гимнастика eurhythmics; ⁓ическое ударение ictus; ⁓ично rhythmically.

ритор rhetorician; '⁓ика rhetoric, oratory; ⁓ический rhetorical, oratorical; ⁓ическая фраза rhetorical phrase.

ритуал ritual, rite, ceremony; ⁓изм, ⁓ьность ritualism; ⁓ьный ritual, ritualistic.

риф 1. reef (*парус*); брать p. to reef; взять два ⁓а to double reef; на первых (вторых, третьих) ⁓ах single (double, treble) reefed; **2.** (*подводный камень*) reef, ledge, shelf, key; коралловые ⁓ы coral reefs.

рифм||а rhyme, rime; женская p. *прос.* double (female, feminine) rhyme; мужская p. single (male, masculine) rhyme; неполная p. imperfect rhyme; подбирать ⁓ы *разг.* to tag; ⁓ач *см.* рифмоплёт; ⁓ованный стих rhymed (rimed) verse, rhyme, rime; ⁓овать to rhyme; ⁓оплёт rhymer, rimer, rhymester, poetaster.

РКП *см.* Рабкрин.

РККА (*Рабоче-Крестьянская Красная Армия*) Workers' and Peasants' Red Army.

роба *уст.* gown, robe.

робер *карт.* rubber.

робеть to quail, cower; to feel shy (diffident).

робкий shy, timid, bashful (*застенчивый*); diffident (*неуверенный в себе*); faint-hearted, weak-hearted, pigeon-hearted (*боязливый*); р. человек *пренебр.* old woman; он очень р. *разг.* he can't say bo to a goose.

робость shyness, timidity, bashfulness, diffidence; p. мешает успеху faint heart never won fair lady (*посл.*).

ров ditch, trench; pit (*яма*); львиный p. lion pit; обносить рвом to ditch; обнесённый рвом moated.

ров||есник, ⁓ца coeval.

ровность evenness, flatness (*о поверхности, дороге*); smoothness (*о ходе автомобиля и пр.*); equanimity (*характера*); equability (*климата*); equality, parity (*равенство*),

ро́вн‖ый even; flat (*плоский*); steady (*о ветре*); level, plane (*о поверхности*); р. голос smooth voice; р. климат equal climate; р. характер even temper; ска́чки на ~ой поверхности flat race; ~о just, equally; exactly; дели́ть ~о to divide equally; он ~о ничего не понима́ет he understands positively nothing; приходи́те ~о в семь be here at seven sharp; я ~о ничего не зна́ю об · этом I know nothing (whatever) of the matter, I don't know the first thing about it; ~я equal, person equal in age and position; он вам не ~я he is not your equal (not up to your level, not on a par with you).

ровня́ть *см.* равня́ть.

рог horn; bugle, hunting-horn (*охотничий*); powder-horn (*пороховой*); antler (*олений*); р. изоби́лия cornucopia, horn of plenty; р. молодо́го ме́сяца horn, cusp; оле́ний р. для изде́лия stag-(buck-)horn; согну́ть в бара́ний р. to reduce one to servile obedience; труби́ть в р. to bugle; звук ~а bugle, tooting, tootle; лиша́ть ~о́в to dishorn; ~а́тина boar-spear; ~а́тка turnpike; chevaux de frise; catapult (*игрушка*); ~а́тый скот cattle; ~а́ч *зоол.* stag-beetle; ~ови́к *мин.* hornstone; ~ово́й horn(y); ~ова́я обма́нка *мин.* hornblende; ~овая оболо́чка гла́за cornea; ~овые очки́ horn-rimmed spectacles.

рого́ж‖(к)а bast, matting; прикрыва́ть расте́ния ~ей to mat; попа́сть из кулька́ в ~ку *погов.* to change from bad to worse.

рого́з *бот.* reed-mace, bulrush.

род family, kin (*от общего предка*); generation (*поколение*); tribe, clan (*племя*); *зоол., биол.* genus (*pl.* genera); blood, stock (*происхождение*); *гр.* gender; же́нский р. feminine (gender); мужско́й р. masculine (gender); сре́дний р. neuter (gender); челове́ческий р. mankind, humankind, our species; о́бщего ~а of common gender; epicene; предме́ты этого ~а things of this nature (sort, kind); чле́ны ~а tribesmen; в не́котором ~е in some sort; что-то в э́том ~е something to that effect, of that sort; он ~ом из неме́цких колони́стов he is by origin a German settler; он ~ом из Ташке́нта he was born in Tashkent; без ~у, без пле́мени without kith or kin; ему 15 лет от ~у he is fifteen years old (fifteen years of age); с ~у in all one's born days.

ро́дий *хим.* rhodium.

роди́льн‖ица lying-in woman; woman in child-birth (child-bed); woman recently confined; ~ый дом lying-in home (hospital); ~ая горя́чка puerperal fever.

роди́мчик childish eclampsia, eclampsy.

роди́м‖ый natal, native; dear, darling, own (*ласкат.*); ~ое пятно́ birth-mark.

ро́дин‖а native country, mother country, birth-place, fatherland; тоска́ по ~е nostalgia, homesickness.

ро́динка birth-mark, mole, strawberry mark.

роди́ны *уст.* ceremonies after confinement, birth, delivery.

роди́тел‖и parents; for(e)bears (*предки*); ~ь father, parent; ~ьница mother, parent; ~ьный паде́ж *гр.* genitive, possessive case; ~ьский parental, paternal.

роди́‖ть(ся) *см.* рожа́ть, рожда́ть(ся); жена́ ~ла́ ему́ сы́на his wife has presented him with a son; в чём мать ~ла as naked as his mother bore him; ~ться слепы́м to be born blind.

ро́дич *см.* родственник.

родни́к spring, source; ~о́вая вода́ spring-water.

родн‖о́й natal, native (*город, страна*); own, german (*брат, сестра*); own (*ласкат.*); р. брат own brother; р. язы́к native (mother) tongue, vernacular; ~а́я сестра́ own sister; ~я́ relatives, relations, kindred.

родови́т‖ость blood, gentility; ~ый well-born, gentle, of illustrious race.

родов‖о́й ancestral, tribal; patrimonial (*об имении, замке*); р. быт *ист.* tribal government; ~а́я месть blood feud; ~о́е поме́стье, иму́щество patrimony; ~ы́е поту́ги *см.* поту́ги.

родовспомога́тельный obstetric (-al); *см. тж.* роди́льный дом.

рододе́ндрон *бот.* rhododendron.

родо‖нача́льник ancestor, progenitor, for(e)bear, forefather; р. ру́сской поэ́зии father of Russian poetry; ~сло́вие genealogy, pedigree; ~сло́вная *s.* genealogy, pedigree, line; ~сло́вный genealogic(al); ~сло́вная кни́га book of genealogical records; stud-book (*лошадей, породистого скота*); ~словное дерево family tree.

ро́дственн∥ик, ~ица kinsman, kinswoman, relation, relative, kin; р. по боковой линии collateral; р. по восходящей линии ascendant; близкий p. near relation; дальний p. distant relation; он мне не p. he is no connection of mine; ~ики kin, kindred, kinsfolk; people (*с притяжательным местоимением*); ~ый related, akin to; agnate (*по отцу*); cognate (*по матери*); *фиг.* warm, hearty (*о приёме, участии*); не ~ый unparented; ~ая душа destined affinity; twin soul (*преимущ. шут.*); ~ые связи ties of blood.

родств∥о́ relationship, kinship, parentage, blood, consanguinity; *фиг.* affinity, alliance, propinquity; полукровное p. half-blood; ли́ния ~а́ (line of) parentage; в ~е́ related.

ро́д∥ы child-bed, child-birth, lying-in, delivery, confinement; parturition (*о женщине, о самке животного*); легкие p. easy delivery; преждевременные p. premature delivery; трудные p. severe travail; муки при ~ax the pangs (pains) of child-birth; мучиться в ~ax to be in labour with child.

рое́ние swarming (*о пчёлах и др. .насекомых*).

ро́жа I. *мед.* erysipelas, St. Anthony's fire, rose.

ро́ж∥а II. *вульг.* ugly mug; grimace; строить ~и to pull faces, to make faces.

рож∥а́ть to bear; *разг.* to bring into the world, bring forth; engender, to give birth to; ~да́емость births, birth-rate, breeding, propagation; natality; ~да́ть *см.* рожать; война ~да́ет тысячу бедствий war gives rise to a thousand evils; ~да́ться to be born, to come into the world, to breed.

рожде́ни∥е birth, delivery; статистика ~й vital statistics, birth statistics (rate); день ~я birthday; до ~я pre-natal; место ~я birth-place; от ~я by nature; слепой от ~я born blind.

рождённый born; p. после смерти отца posthumous.

рождеств∥е́нский Christmas (*attr.*); ~ó Christmas, *сокр.* Xmas; the Nativity; до ~á Христова before Christ (*сокр.* В. С.); после ~a Христова Anno Domini (*сокр.* A. D.); канун ~a Christmas Eve.

роже́ница *см.* родильница.

ро́жистое воспале́ние *см.* рожа I.

ро́жки *зоол.* antennae, feelers, palps (*насекомых*).

рож∥о́к small horn; *муз.* trumpet, clarion, cornet; bugle (*велосипеда*); p. для грудных детей feeding-bottle; p. для надевания обуви shoe-horn; p. электрической люстры bracket lamp; английский p. saxhorn; газовый p. gas-ring(-bracket); охотничий p. hunting-horn; сигнальный p. trumpet call; слуховой p. ear-trumpet; кормить с ~ка́ to bring up on the bottle; to bring up by hand; ребёнок, вскормленный с ~ка bottle baby; hand-fed infant.

рожо́н: лезть на p. to kick against the pricks.

рожь rye; озимая p. winter rye; яровая p. spring rye; цветение ржи flowering of the rye.

ро́з∥а rose; .война Алой и Белой ~ы *ист.* Wars of the Roses; месячные ~ы monthly roses; ползучие ~ы climbing (rambler) roses; чайные ~ы tea-roses; ~ан rose; ~анчик (*булка*) kind of small round loaf.

роза́рий rosarium, rosary.

ро́звальни wide and low country-sledge.

ро́зга birch rod.

ро́здых rest, repose (*отдых*); respite (*передышка*); halt (*в пути*); дать p. to give a rest.

розе́тка rosette (*из ленты, кожи, камня*); rose-window (*круглое окно в готической архитектуре*).

розмари́н *бот.* rosemary.

ро́зниться *см.* разниться.

ро́зни∥ца: в ~у by retail; ~чный торговец retailer, retail-dealer; ~чная продажа retail.

ро́зный odd, incomplete, unmatched.

рознь difference; сеять p. to set at variance (by the ears), to sow seeds of discord.

розова́тый pinkish.

розови́дный *бот.* rosaceous.

ро́зов∥ый pink, rosy, roseate, rose-coloured; p. сад, ~ая беседка, грядка rosary; ~ая вода rose-water; ~ое дерево rosewood; видеть в ~ом свете *фиг.* to see through rose-coloured spectacles; ~ые щёки rosy cheeks.

ро́зыгрыш draw, drawn game; p. лотереи the drawing of a lottery.

ро́зыск search, inquest, inquiry; уголовный p. criminal investigation department,

ро‖и́ться to hive, swarm, cluster; **~й** swarm, cluster (*пчёл и пр.*).

рок fate, fatality, destiny, lot; злой р. doom.

рокамбо́ль *бот.* rocambole (*род чеснока*).

рокирова́ть *шахм.* to castle.

РОКК (*Общество красного креста РСФСР*) Red Cross Society of RSFSR.

роково́й fatal, fateful.

рококо́ rococo (*стиль*).

ро́кот roll(ing), roar (*грома, пушек*); **~а́ть** to roll, roar.

ро́лик roller; castor (*на мебели*); катанье на **~ах** roller-skating; кататься на **~ах** to rink; полотенце на **~е** roller-towel.

ро́л‖ь *театр.* rôle, part, character; безупречно заученная р. letter-perfect rôle; заглавная р. title-rôle; плохо заученная р. fluff; играть р. to play a part (*тж. притворяться*); играть р. в обществе to play a rôle in society, to be somebody, to impersonate; играть р. хозяйки (советника) to play hostess (adviser); плохо знать р. to fluff; исполнять р. Гамлета to play Hamlet; актёр, играющий неподходящую р. miscast actor; актёр на характерные **~и** character-actor; распределять **~и** to cast; распределение **~ей** the cast.

ром rum.

рома́н novel (*бытовой,реалист.*); romance (*фантаст., рыцарский*); penny dreadful, shocker (*дешёвый, сенсационный*); yellow-back (*преим. французский*); love-affair, amour (*отношения*); тенденциозный р. novel with a purpose.

романе́я *уст.* kind of sweet wine.

романи́‖ст, **~стка** novelist (*писатель, -ница*); a student in Romanic(s) (Romance philology) (*филолог*); **~ческий** romantic.

рома́нс *муз.* song, ballad.

рома́нск‖ий Romanesque (*арх. стиль*); *фил.* Romanic, Romance (*о языке*); р. мир, **~ие** народы Romanic(s); **~ая** филология Romance philology.

роман‖ти́зм romanticism; **'~тик** romantic, romanticist; **'~тика** romance; **~ти́ческий**, **~ти́чный** romantic.

рома́шка *бот.* daisy, camomile.

ромб rhomb(us); lozenge, diamond; **~и́ческий** rhombic, rhomboid, diamond-shaped.

ронде́ль rondel (*стихотворная форма*).

рондо́ *муз.* rondo; rondeau (*стихотворная форма*); перо р. J-pen (*с тупым концом*).

роня́‖ть to drop, let fall; to shed (*слёзы, листья*); to cast off, shed, moult (*перья*); это **~ет** его в общественном мнении this injures him in public opinion.

ро́п‖от murmur, complaint, mutter; **~та́ние** murmur; **~от** листьев, ручья murmur; **~та́ть** to murmur, grumble, complain.

рос‖а́ dew; вечерняя р. night-dew; утренняя р. early-dew; появляется р. dew is falling; it dews; покрывать **~о́й** to bedew; покрытый **~о́й** bedewed, dew besprinkled; **~и́нка** dew-drop; у него во рту маковой **~и́нки** не было he has not had a morsel of food; **~и́стый** dewy.

ро́сказни incredible (cock-and-bull) story.

роско́ш‖ествовать to live sumptuously (on the fat of the land); to luxuriate; **~ный** luxurious, magnificent, splendid, sumptuous; **~ное** издание splendid edition, édition de luxe; **~но** luxuriously *и пр.*

ро́скош‖ь luxury, magnificence, splendour, sumptuosity; содержать в **~и** to keep in luxury; *разг.* to swaddle in luxury.

ро́слый tall, stalwart, of good stature.

росома́ха *зоол.* glutton, wolverine (-ene), carcajou; *фиг.* sloven, draggletail.

ро́спись 1. list, catalogue, inventory; государственная р. (*доходов*) government rent-roll; 2. *жив.* fresco (*pl.* -os), wall-painting (*стенная*); 3. signature (*подпись*).

ро́спуск 1. breaking up (*учащихся, гостей*); dismissal (*слушателей, собрания и пр.*); *военн.* disbandment (*армии*); dissolution (disruption) (*парламента*); объявлен р. парламента parliament dissolves (is dissolved); 2. unravelling, unreeling (*ниток и пр.*).

росси́йск‖ий Russian; Р **~ая** Советская Федеративная Социалистическая Республика *см.* РСФСР.

Росси́я Russia.

ро́ссыпь scattering (*зерна и пр.*); золотая р. auriferous sand.

рост stature, size, height (*высота*); increase, growth (*увеличение*); interest (*проценты*); р. основного капитала the growth of fixed capital; р. посевной площади extension of sown area; р. продукции increase of production; р. соцсоревнования и ударничества growth of socialist competition and the shock brigade movement; сказочно быстрый р. (города и пр.) mushroom growth; чрезмерный p. overgrowth; в р. человека man-high; во весь p. full-length (о портрете); остановить p. to stunt the growth; отдавать деньги в р. to advance money at an interest; растянуться во весь p. to measure one's length; болезни ~a difficulties of growth; большого ~a very tall, of commanding stature; одного ~a of the same size; человек вашего ~a a man of your inches (height); он ~ом в шесть футов he stands six feet in his stockings; мешать ~у to (be-)dwarf.

ро́стбиф roast beef (сыроватый—underdone, хорошо прожаренный—well done).

ро́степель thaw, period of bad roads (in spring).

ростовщи́||к usurer, money-lender; pawnbroker (ссужающий деньги под залог вещей); uncle (sl.); loan-shark (амер. разг.); Shylock (кличка); ~ческий usurious; ~чество usury.

рост||о́к sprout, shoot; seedling (из зерна); пускать ~ки to germinate.

ро́счерк flourish, scroll, quirk, twirl, paraph; делать p. пером to flourish; одним ~ом пера with a stroke (scratch) of the pen.

рот mouth; mug; р. до ушей mouth from ear to ear; зажимать p. to stop (shut) one's mouth; пересохшие p. и горло hot coppers (sl.); разинв p. от удивления agape; я вина в р. не беру I never touch wine; он не разжимал рта см. разжимать; полость рта oral cavity; у меня во рту сильно пересохло I feel as if I could spit cotton (амер. sl.); сколько ртов в семье? how many mouths to feed?

ро́та военн. company.

рота́||тор техн. rotator; ~цио́нный rotary, rotatory; ~цио́нное движение rotation.

ро́тмистр военн. ист. captain of cavalry.

ро́тный: p. командир captain.

ротозе́й loafer; ~ничать to gape, loaf; ~ство gaping, loafing.

рото́к: на чужой p. не накинешь платок погов.≅the wind cannot be prevented from blowing.

рото́нда арх. rotunda; ист. mantle.

ро́тор техн. rotor.

ро́хля разг. lazy-bones, gawk.

ро́щ||а grove, coppice, copse; holt (техн.); ~ица spinn(e)y.

ролли́||зм royalism; ~ст royalist; ист. cavalier (в 17 веке в Англии).

роял||ь (grand, square) piano; играть на ~е to play the piano; у ~я такой-то so-and-so will preside at the piano.

РСФСР (Российская Советская Федеративная Социалистическая Республика) The Russian Soviet Federative Socialist Republic (RSFSR).

рту́т||ный mercurial; ~ное лечение mercurial treatment; ~ь mercury, quicksilver; гремучая ~ь fulminate of mercury; быстрый как ~ь quick (swift) as a lamplighter; отравление ~ью mercurialism.

руба́нок техн. plane.

руба́||ха (coarse) shirt; русская p. Russian shirt (косоворотка); p.-парень разг. blade; см. тж. парень; ~шка shirt (мужская), chemise (женская); водяная ~шка техн. water-jacket; крахмальная ~шка starched shirt; амер. boiled shirt; мягкая ~шка soft shirt; ночная ~шка night-shirt (мужская); night-gown, night-dress (женская или детская); паровая ~шка техн. steam-jacket; своя ~шка ближе к телу посл. charity begins at home; остаться в одной ~шке фиг. to be ruined; родиться в ~шке погов. to be born with a silver spoon in one's mouth, to be born in a caul.

рубе́ж border, frontier, boundary, limit (граница); verge, brink, поэт. marge (край); confine; на ~е on the verge; за ~ом abroad, beyond the frontier; ~ная черта boundary line.

рубе́ц scar, seam, cicatrice (от пореза, раны); weal, wale (от удара кнутом); hem, seam (на материи); tripe (требуха); rumen (первый отдел желудка жвачных).

руби́льник техн. cleaver.

руби́н мин. ruby.

руб||и́ть to cut, hack, hew, chop (дрова и пр.); to fell (дерево); to mince (мясо); to mangle (на куски); to sabre, slash (саблей); поэт.

to shear (*мечом*); p. избу to build a peasant's wooden house; p. направо и налево to hew down right and left; p. с плеча *фиг.* to act (speak) rashly; лес ∾ят, щепки летят *посл.* you cannot make omelettes without breaking eggs.

ру́бище sackcloth; rags; tatters.

ру́бка I. hewing, felling, chopping; construction, erection (*избы и пр.*); p. леса the felling of a forest; выборочная p. selection felling; сплошная p. clear cutting.

ру́бка II. *мор.* deck-cabin, round-house (*корабля*); боевая p. conning tower.

ру́блен∥ый chopped, minced; ∾ое мясо hash, minced meat.

рубль rouble, ruble; последний p. *разг. амер.* bottom dollar; копейка p. бережёт *посл.* take care of the pence and the pounds will take care of themselves.

ру́брик∥а heading, rubric (*газетная и пр.*); под ∾ой under the heading.

руб∥цева́тый scarred, seamed; '∾чатый ridged, corrugated (*гофрированный—о металле*); ribbed (*о материи, ткани*).

ру́г∥ань abuse, bad language, swearing, invective; ∾а́тель abuser, reviler; ∾а́тельный abusive, injurious, opprobrious, vituperative; ∾а́тельство swear-words, curse, oath; ∾а́ть to scold, abuse; to rail (*at, against*); to berate, revile; to call names; он всех ∾а́ет *разг.* he criticizes everybody; он меня ∾а́тельски ∾а́л he scolded me like anything; ∾а́ться to swear, inveigh, curse, to use bad language; он отчаянно ∾а́лся *разг.* he didn't half swear; они постоянно ∾а́ются they are always abusing each other; ∾ну́ть to swear, to utter a curse.

руд∥а́ ore; железная p. iron ore; золотая p. gold ore; магнитная p. magnetic iron ore; марганцевая p. manganese ore; медная p. copper ore; серебряная p. silver ore; обогащение ∾ы́ ore enrichment (dressing); промывать ∾у́ to jig.

рудиме́нт rudiment; ∾а́рный rudimentary.

руд∥ни́к mine; ∾ничный газ firedamp; ∾ничный лес pit-props; ∾ни́чный посёлок (комитет) miners' settlement (committee); ∾ничный пласт ore-bed '∾ная жила *гор.* lode, vein of metal ore; ∾—

ная залежь ore-bed; ∾ока́тка rolls (*pl.*); ∾око́п miner, pitman; ∾оно́сный containing ore, orebearing.

ружéйн∥ый rifle (*attr.*); p. выстрел rifle-shot, discharge; p. замо́к screw plate of a gun, musket lock; p. мастер gunsmith, armourer; p. ствол barrel of a gun; на p. выстрел within gun-shot; ∾ая амуниция small-arms ammunition; ∾ая граната rifle-grenade; ∾ая ложа gun-stock; ∾ая пирамида pile of arms; ∾ые ко́злы arm-racks; обучение ∾ым приёмам musketry manual; непроницаемый для ∾ых пуль bullet- (rifle-)proof.

ружь∥ё gun, rifle; p. бьёт далеко the gun carries well; автоматическое p. automatic rifle; гладкоствольное p. smooth-bore gun; двуствольное p. double-barrelled gun; духовое p. air-gun; игольчатое p. needle-gun; кремнёвое p. firelock; магазинное p. magazine gun (rifle); охотничье p. fowling-piece; взять p. на плечо to shoulder a rifle; заряжать p. to load a gun; взвести курок ∾я́ to cock a gun; ствол ∾я́ barrel; стоять под ∾ём to remain under arms; '∾я на перевес! trail arms!; ∾я на плечо! slope arms!

руи́на ruin.

рук∥а́ hand (*кисть*); forearm (*от кисти до локтя*); arm (*от кисти до плеча*); *фиг.* (hand)writing (*почерк*); influence (*протекция*); «правая p.» second self; у меня не поднимается p. это сделать I have not the heart to do it; у него там p. he has got a hand there; играть в четыре ∾и́ to play duets; написано от ∾и́ written by hand; он плут большой ∾и́ he is a trickster of the first water; просить чьей-либо ∾и́ to ask for someone's hand; to ask in marriage; to seek in marriage; с правой (левой) ∾и́ on the right (left) hand (side); набить себе '∾у на чём-либо to acquire skill (*for, in*), to be well practised in; на скорую ∾у off-hand; под пьяную ∾у under fumes of wine; он взял меня под ∾у he took my arm in his; подать ∾у to hold out one's hand; подать ∾у помо́щ to lend a helping hand; поднять на кого-либо ∾у to lift (raise) one's hand against; пожать ∾у to shake hands, to press someone's hand; приложить ∾у to sign, to affix one's signature under, to set one's hand to; сон в ~у dream has come true; он нечист на́ ~y he is not honest; *разг.* money sticks to his fingers; это мне на ~y it just suits me; как ~о́й сняло vanished (disappeared) as if by magic (*о боли, заботе*); махнуть ~о́й to give up, to lose interest in things (people); под ~о́й at hand, ready to hand; это ~о́й подать it is no distance; ' ~и в боки arms akimbo; ~и вверх hands up!, stand and deliver!; ~и прочь hands off!; взять ребёнка на ~и to take a child in one's arms; взять себя в ~и to pull oneself together; в собственные ~и (*надпись на конверте*) personal; мастер на все ~и *разг.* jack-of--all-trades; мозолистые ~и horny hands; наложить на себя ~и to commit suicide; сложить ~и to fold one's hands (*тж. фиг.*); у меня ~и опустились I feel utterly discouraged; из рук в ~и from hand to hand; из первых рук at first hand; покупать из вторых рук to buy second hand; сбы ь с рук что-либо to get a thing off one's hands, to rid oneself (*of*); сделано из рук вон плохо wretchedly done; у неё всё из рук валится she doesn't know how to take the matter in hand (to do it); это вам не сойдёт с рук you will have to bear the consequences (*of, for*); *разг.* you shall not get away with this; ~а́м воли не давай! steady with your hands!; прибрать к ~ам to appropriate (*о вещи, деньгах*); прибрать кого-л. к ~ам to take one in hand; ударить по ~ам to shake hands on a deal (*притти к соглашению*); по ~ам! agreed!, done!; под ~а́ми ready to (one's) hand; с пустыми ~ами empty-handed; трогать ~ами to finger; хватать ~ами to paw; чужими ~ами жар загребать *погов.* to take the chestnuts out of the fire with the cat's-paw; держать в ~а́х кого-л. to have a person under one's thumb; держать себя в ~ах to have oneself in hand; теперь он в моих ~ах now I have him.

руква́ sleeve (*платья*); branch, arm (*реки*); arm, firth (*моря*); inlet (*маленький морской*); пожарный р. hose; резиновый р. rubber-hose; ~а́ раструбом funnel sleeves; относиться к делу спустя ~а to let things slide; let things go hang (*sl.*); ~и́ца mitten; gauntlet (*шофёра, для фех-

тования и пр.*); ~чик cuff (*манжета*).

руко**би́тие** *уст.* striking of hands.

руко**блу́д**||**ие** masturbation, onanism; ~ник onanist.

руко**вод**||**и́тель(ница)** leader (*вождь*); guide (*советник*); instructor (instructress) (*инструктор*); supervisor, manager, director (*заведующий*); старший р. senior instructor; ~и́тельствовать *см.* руководить; ~и́ть to lead, guide, instruct, direct, rule; *фиг.* to tow; ~и́ть делами to conduct, manage; ~и́ть неправильно to mislead; ~я́щий орган leading organ; ~я́щий принцип leading (guiding) principle; ~я́щая роль партии the leading rôle of the Party; ~и́ться to be guided, directed (*by*).

руко**во́дств**||**о** 1. guidance, direction; lead, leadership (*о политике, предприятии*); 2. text-book, hand-book, manual (*учебник*); взять на себя р. to take the leadership; ждать ~а от кого-л. to look for a lead; искать чьего-л. ~а to turn to one for guidance; под личным ~ом personally conducted by; ~овать *см.* руководить; ~оваться соображениями to be influenced by consideration; ~оваться указаниями to follow directions.

руко**де́л**||**ие** hand(i)work; needle(-fancy)-work; ~ьник, ~ьница nimble-fingered person; ~ьный hand-made (*об изделии*).

руко**кры́лые** *зоол.* cheiroptera.

руко**мо́йник** ewer and basin; wash (hand)-stand.

руко**па́шн**||**ая**, ~ый бой hand-to-hand fight; вступить в ~ую to come to blows, to fall to grips with.

руко**пи́сный** manuscript; р. шрифт cursive.

ру́ко**пись** manuscript.

руко**плеска́**||**ние** applause, clap, plaudits; ~ть to applaud, clap; to give a clap.

руко**пожа́тие** handclasp; обменяться ~м to shake hands.

руко**пол**||**ага́ть** *церк.* to ordain, to lay hands on (*о служителе культа*); ~оже́ние ordination, imposition of hands; ~ожи́ть *см.* рукополагать.

руко**прикла́дство** *уст.* signature; *фиг.* fisticuffs (*драка*); bruising person's face with one's fist; заниматься ~м to be handy with one's fists; ~вать *уст.* to sign.

рукоятк‖**а** handle, grip(e); haft (*ножа*); hilt (*оружия*); helve (*топора и пр.*); по ⌣у up to the hilt.

руляда *муз.* roulade, run.

рулево‖**й** *мор.* helmsman, steersman, pilot; p. двигатель rudder motor; ⌣е колесо helm; steering wheel (*автомобиля*); ⌣е перо (*птицы*) rectrix (*pl.* rectrices).

рулётка roulette (*игра*); tape--measure (-line) (*для измерения*).

рулóн roll of printing paper.

рул‖**ь** *мор.* rudder, helm; p. управления *ав.* control stick; судовой механический p. steering engine; без ⌣я rudderless; сила ⌣я *мор.* steerage; слушаться ⌣я to answer the helm; не зевать на ⌣é to mind the helm; управлять ⌣ём to pilot.

румб *мор.* rhumb.

рýмпель *мор.* tiller.

румын Roumanian.

Румыния Roumania.

румын‖**ка**, ⌣**ский** Roumanian.

румяна rouge, paint; употреблять p. to rouge, paint.

румянеть to blush, redden (*о заре и т. п.*).

румян‖**ец** (high) colour, good complexion, ruddiness, roses (*здоровый*); blush, glow (*стыда*); p. молодости bloom of youth; она потеряла свой p. she has lost her colour; залиться ⌣цем to blush all over, to be suffused with blushes, to get red in the face; ⌣ый rosy, ruddy, rubicund, incarnadine.

рундýк locker.

рунический runic.

рун‖**ный** fleece; ⌣ó 1. fleece, wool; 2. shoal (*о рыбах*).

рýны *фил.* runes.

рýпия rupee (*индийская монета*).

рýпор speaking trumpet.

русáк hare.

русáлка mermaid, water-nymph, undine, nixie.

русéть to become blond.

русин, ⌣**ка**, ⌣**ский** Ruthenian.

рýсло bed, channel; race (*искусственное*); water-way (*судоходное*); ввести работу в p. to direct work into the right channel.

русси‖**зм** a Russian word (adopted in a foreign language); ⌣**фикáция** Russification; ⌣**фицировать** to Russify, Russianize.

рýсс‖**кий** Russian; p. язык Russian; ⌣**офил** Russophil; ⌣**офильство** Russophilism; ⌣**офóб** Russophobe; ⌣**офóбия**, ⌣**офóбство** Russophobia.

рýсый blond, fair.

рýта *бот.* rue.

рутин‖**а** routine, groove; склонный к ⌣е groovy; это стало ⌣ой it has settled into a regular routine; нарушить ⌣у to break the routine; отказаться от ⌣ы to lift oneself out of one's ruts; ⌣**ёр(ка)** man (woman) of inveterate habits; ⌣**ный** groovy.

рýхлядь lumber, ramshackle furniture.

рухляк *см.* рыхляк.

рýхну‖**ть** to crash down, to tumble down in a heap; все мои планы ⌣ли all my plans have failed, all my plans are destroyed.

ручáтельство guaranty, guarantee, warrant(y), voucher; тот, кто даёт p. guarantor, guarantee; warrantor; тот, кто получает p. warrantee; часы с ⌣м на два года watch warranted to go for two years.

ручá‖**ться** to warrant, guarantee; to answer, (a)vouch (*за кого-л. for*); to certify (*за верность сообщения*); p. за содействие кого-л. to vouch for the assistance of one; ⌣**юсь** за то, что... I ensure that...; ⌣**юсь**, что вам этого не сделать I bet you'll not do it; I defy you to do it; ⌣**юсь**, что сделаю это I'll be bound to do it.

руч‖**еёк** brooklet, streamlet, rill; ⌣**ей** brook, stream, water-course; дождь льёт ⌣**ём** the rain comes down in torrents; it rains cats and dogs; пот лил с него в три ⌣**ьи** perspiration (sweat) streamed down his face; проливать ⌣**ьи** слёз to shed floods of tears.

ручúща *разг.* a broad (huge, heavy) hand.

рýчка small (little) hand, pud; handle (*предметов вообще*); door--knob (handle) (*двери*); arm (*кресла*); pull (*звонка*); penholder (*пера*); grip (*сундука, комода и пр.*); helve (*инструмента*); p. натяжного стержня *техн.* cotter.

ручник towel (*полотенце*).

ручн‖**ой** 1. manual (*о труде*); hand-made (*об изделии*); ⌣**áя** пила hand-saw; ⌣**áя** работа handwork; handiwork (*изделие*); ⌣**áя** тележка push-cart, hand-cart; сапоги ⌣**óй** работы hand-made boots; ⌣**ые** кандалы handcuffs; ⌣**ые** тиски hand-vice; 2. tame, domestic (*о животных*); он совсем p. he eats out of my hand (*о животном, тж. фиг.*); p. ягнёнок pet lamb.

ру́шиться to fall in, to crumble away, to collapse; to go to ruin, to fall (to the ground) (*тж. фиг.*); р. с треском to come down with a crash.

ры́б||а fish; р. самец milter (*во время нереста*); красная р. cartilaginous fishes; биться как р. об лёд to struggle desperately; ни р. ни мясо neither fish, flesh nor good red herring; изобилующий ⌇ой fishy; торговец (торговка) ⌇ой fishmonger (fish-wife; ловить (удить) ⌇у to fish; ловить ⌇у в мутной воде *погов.* to fish in troubled waters; кусок ⌇ы без костей fillet; нож для ⌇ы fish-knife; плавательный пузырь ⌇ы sound; судок (котёл) для варки ⌇ы fish-kettle; Р⌇ы *астр.* the Fish(es), Pisces; относящийся к ⌇ам piscine.

рыба́||к fisherman; р. ⌇ка́ видит издалека *посл.* birds of a feather flock together; ⌇цкий fishing; ⌇цкий колхоз collectivized fishery; ⌇чество fishing; ⌇чить to be a fisherman, to live by fishing; ⌇чка fisherman's wife; ⌇чье село fishing village.

ры́б||ец vimba; ⌇ёшка *см.* рыбка; ᛁ⌇ий жир cod-liver oil; ⌇ий клей isinglass, fish-glue; ᛁ⌇ья чешуя fish-scales; ᛁ⌇ка small fry; золотая ⌇ка gold-fish; ᛁ⌇ный piscine, piscatory; ⌇ный рынок fish-market; ᛁ⌇ная ловля fishing; ᛁ⌇ное дело fishery; ᛁ⌇ные консервы tinned fish; ⌇ные отбросы (*для удобрения*) pomace; ⌇ные промыслы fishing trade (industry).

рыбово́д pisciculturist; ⌇ный piscicultural; ⌇ство pisciculture; fish-culture; artificial fish-breeding.

рыболо́в fisherman, fisher; angler (*с удочкой*); osprey (*птица*); ⌇ный piscatory, piscatorial; ⌇ные принадлежности fishing tackle; ⌇ство fishery.

рыбопромы||сло́вый fishing industry (*attr.*); ᛁ⌇шленник fish-monger.

рыборазведе́ние fish culture.

рыбойдный *зоол.* ichthyophagous.

рыг||а́ть, ⌇ну́ть to belch, keck, eructate.

рыда́||ние sob(bing); заглушённые ⌇ния stifled sobs; ⌇ть to sob.

рыдва́н *уст.* travelling coach (carriage).

рыже||боро́дый red-bearded; ⌇ва́тый reddish, sandy, rusty, rust-coloured; ⌇воло́сый red-(carroty-)haired.

рыже́ть to become reddish (rust-coloured) (*о животном*); to become rusty (*о вещах*).

ры́жий red(dish); rufous; sorrel (*о лошади*); ruddy (*о белке*).

ры́жик kind of edible orange-brown mushroom.

рыка́||ние roaring; ⌇ть to roar.

рыл||о snout (*животного*); *вульг.* mug (*пренебрежительно о человеке*); не смыслить ни уха ни ⌇а *прибл.* to make neither head nor tail of something; ⌇ьце *бот.* stigma; *техн.* jet; у него ⌇ьце в пушку *погов.* he had a finger in the pie.

ры́н||ок market(-place); денежный р. money-market; денежный р. США Wall Street; тихий р. flat (easy) market; выбросить на р. to put on the market; забивать мировой р. to glut the world market; состояние ⌇ка the state of the market; она на ⌇ке she is out marketing; продавать на ⌇ке to market; снижать цены на ⌇ке to bang the market; ⌇очный market (*attr.*); ⌇очная зерновая продукция marketable grain products; ⌇очная торговка market woman; ⌇очная цена market price (rate).

рыс||а́к trotter, racehorse; ⌇и́стый fleet; ⌇и́стая лошадь good trotter; ⌇и́стые бега races.

ры́скать to scour about; р. по всему городу to race all over the town; р. по пятам to dog, hunt, chase, be (run) after (*преследовать*); р. по следу to follow the scent (*о собаке*); to follow the trail (*о человеке*).

рыс||ца́ jog-trot; ᛁ⌇ь I. trot; fast trot (*быстрая*); jog-trot (*мелкая*); ехать ᛁ⌇ью to trot; ехать мелкой ⌇ью to go ajog.

рысь II. *зоол.* lynx.

ры́твина rut, groove.

рыть to dig, hollow out; to mine (*под землёй*); to burrow (*норку*); to paw (*копытом, о лошади*); to nuzzle, root up (*рылом, о кабане*); р. кому-л. яму to dig a pit for; самому себе р. яму to build a fire under oneself; ⌇ся to burrow (*in*) (*в архивах и пр.*); to rummage (*in*), to ransack (*в вещах*).

рых||ле́ть to become friable; ᛁ⌇лость friability; ᛁ⌇лый friable; mellow (*о земле*); *разг.* puffy (*о нездоровой полноте*); pasty (*о лице*); crumb(l)y (*о хлебе*); ⌇ля́к *мин.* marl.

ры́цар‖ский knightly, chivalrous; p. поединок *ист.* joust; ‿ство knighthood, chivalry; ‿ь *ист.* knight; ‿ь печального образа knight of the rueful countenance.

рыча́г lever, hand-spike, jack; weighted lever (*нажимной*); starting lever (*спускной*); p. первого (второго, третьего) рода lever of the first (second, third) order (kind); действие ‿á leverage; поднимать ‿óм to lever up; ‿й управления *физ.* the moving forces of administration; система ‿óв leverage.

рыча́‖ние growl, snarl; ‿ть to growl, snarl; ‿ть от голода to roar with hunger.

ры́яный zealous, fervent, ardent.

рюкза́к rucksack.

рю́м(оч)ка wine-glass.

рюхи *см.* городки.

рюш ruche, quilling (*для отделки платья*).

рябин‖а *бот.* mountain ash, rowan-tree; ‿ник *см.* дрозд; ‿овка ashberry brandy.

ряб‖и́ть to ripple, curl, ruffle; у меня в глазах ‿и́т I am dazzled; ‿ой pitted, pocked, pock-marked (*от оспы*); spotted, speckled; '‿чик hazel-hen, hazel-grouse; ‿ь ripple; покрываться '‿ью to ripple, fret.

ря́вк‖ание bellowing, roaring; ‿ать, ‿нуть to bellow, roar; *физ.* to snap.

ряд row, range; rank, string, line (*каких-л. предметов, фактов и пр.*); queue (*очередь*); suite (*комнат*); series; sequence, succession (*поражений, фактов и пр.*); set (*зубов, книг*); train (*последствий и пр.*); *военн.* rank; p. экипажей rank of carriages; нестройный p. ragged row; стройный p. ordered row; целый p. писателей many writers; в p. in a line; гласный переднего (заднего) ‿а *фон.* front (back) vowel; из ‿а вон выходящий pre-eminent; на ‿ý (c) on a line (*with*); ставить на ‿y (c) to class (*with*); в четыре ‿á four-deep; торговые ‿ы arcades, stalls (in a market); ‿áми in rows (series, sets); расположенный параллельными восходящими ‿ами (о *стульях, камнях и пр.*) arranged in tiers.

ряди́ть 1. to hire, to engage the services (*of*) (*подряжать*); 2. to dress up, adorn (*наряжать*); 3.: судить да p. to gossip; ‿ся 1. to bargain for; 2. to dress oneself up.

рядко́м *см.* рядом.

рядов‖о́й 1. *a.* ordinary; rank-and-file, commonplace (*о человеке, событии и пр.*); p. человек the man in the street (*обыватель*); 2. *s. военн. уст.* ranker, private (common) soldier, soldier of the ranks; 3.: p. посев drill; ‿áя сеялка grain drill; ‿ые солдаты (рабочие) rank and file; офицер, выслужившийся из ‿ых ranker.

ря́дом abreast, alongside (*of*), hard by, side by side, cheek by jowl (*with*); ехать верхóм p. to ride boot to boot (*with*); живущий p. living next door; лошади бежали p. horses ran neck to neck; они все трое шли p. they all three walked side by side (abreast); сидеть p. to sit beside (next to); сплошь да p. very often.

ря́ж‖еный masker, mummer; ‿енье maskerading, mumming.

ря́са *церк.* cassock, frock.

ря́ска *бот.* duckweed.

С **с** 1. c *род. п.* by, for, from, on, over, since, down; с вашего разрешения by your leave; by your permission; с головы до пят from head to foot, from top to toe; с горы downhill; перестраивать с самого низа to reconstruct from the bottom up; плакать с досады to cry with vexation; ростом с тебя about your size; свалиться с обрыва to fall over a precipice; с моей (его) стороны on my (his) part; с одной (другой) стороны on the one (other) hand; с тех самых пор ever since; это продолжается с 1900 года it has been going on since 1900; со страха for fear; я со своей стороны I for one; 2. с *твор. п.* with; пойдём со мной come with me; со мной случилась перемена a change has come over me; 3. с *вин. пад.* for; с добрую милю for quite a mile.

сабáйон kind of egg-flip.

сабáн sort of Russian plough.

сáбельник *бот.* marsh-cinq(ue), cinq(ue)foil.

сáбельный sabre-, sword(s)-.

сáбля sabre, (cavalry) sword; scimitar (*восточная*); yatagan (*турецкая*).

сабó sabot (*деревянная обувь*).

сабот‖áж sabotage, bungling (of) work; с. разоружения disarmament sabotage; ‿áжник saboteur; ‿и́ровать to sabotage.

сабýр *бот.* aloes.

са́ван shroud, winding-sheet, cerement, grave-clothes; одева́ть в с. to shroud.

савра́с: *фиг.* с. без узды́ roisterer, jovial swaggerer; ~ый Isabella coloured (*о лошади*).

са́га saga.

са́го *бот.* sago; ~вый пу́ддинг sago pudding.

сад garden; pleasure-ground (*для прогулок*); ботани́ческий с. botanical garden; зоологи́ческий с. zoological garden (*собр.* zoo), vivarium (*в естественных условиях жизни зверей*); возде́лывать с. to garden.

саддуке́й *ист.*, *рел.* Sadducee.

сади́зм sadism.

сади́||ст sadist; ~ческий sadistic.

са́дик small garden.

сади́т||ь *см.* сажа́ть; ~ься to sit (down), to take a seat; to bestride (*верхом на лошадь, скамью, стул и пр.*); to mount (*на лошадь, верблюда и пр.*); to shrink (*о материи*); to perch, roost (*на насест*); to settle (*о пыли*); to set, sink (*о солнце*); to give way, to sink (*оседать, о здании*); ~ься без приглаше́ния to help oneself to a seat; ~ься в ва́нну (каре́ту) to get into a bath (carriage); ~ься за рабо́ту to set (fall) to work; ~ься на зе́млю to settle on the earth; ~ься на кора́бль to go aboard; ~ься на мель to run aground; ~ься на по́езд to take the train; ~ься обе́дать to sit down to dinner; ~есь be seated; take a seat, sit down.

са́дка planting, plantation.

садо́вник gardener.

садо́в||од horticulturist; ~о́дство gardening, horticulture; относя́щийся к ~о́дству horticultural; ~ый нож garden knife; ~ая скаме́йка garden bench; ~ые но́жницы garden shears.

садо́к live-fish tank, stew (*живорыбный*); rabbit-warren (*кроличий*); oyster-bank (*для разведения устриц*).

са́ж||а soot, smut; lamp-black (*голландская*); па́чкать ~ей to besmut, soot, grime; запа́чканный ~ей sooty, grimy; удобря́ть ~ей to soot.

са́жалка small pond.

сажа́ть to seat; to set, place, put; to plant (*растения*); с. в печь to put into the oven; с. го́стя, посети́теля to give (offer) a seat; с. ку́рицу на я́йца to set a hen on eggs; с. на трон to enthrone; с. на

хлеб и на во́ду to put one upon bread and water; с. под аре́ст (в тюрьму́) to put under arrest; to imprison, incarcerate; to lock up (*разг.*); с. расса́ду to prick off (out) seedlings.

саже́нец (*посаженное растение*) set.

са́жень *уст.* former Russian measure equal to seven feet; коса́я с. в плеча́х *разг.* door-wide shoulders.

сазáн carp (*рыба*).

сайгá *зоол.* antelope of steppes, saigа.

сáйда pollack (*рыба*).

сáйка a kind of small loaf.

сак bag; lady's coat.

саквоя́ж travelling-bag (-case), hand-bag.

сáкля «saklia», hut (*кавказских горцев*).

сакрамента́льный sacramental.

сакс, ~онец Saxon.

Саксо́ния Saxony.

саксо́нский Saxon; с. фарфо́р Saxony china.

саксофо́н *муз.* saxophone.

саля́зки sled, toboggan.

салáка a kind of sprat (*рыба*).

салама́ндр||а *зоол.* salamander; ~овый salamandrine.

салáт salad; *бот.* lettuce; cabbage lettuce (*кочанный*); запра́вка к ~у salad dressing; ~ник salad bowl (dish).

сáлить to make greasy; to tag, tig (*в игре*).

салици́л *хим.* salicylic acid; ~овый salicylic.

сали́ческий зако́н *ист.* Salic law.

сáлки touch, tig (*игра*).

сáло fat, grease; suet (*говяжье*); tallow (*для изготовления свечей, мыла и пр.*); lard (*свиное*); the first thin ice on rivers and ponds (*before their freezing up*).

салóл *хим.* salol.

салóн drawing-room; литерату́рный с. literary salon; ~ные разгово́ры drawing-room talk.

салóп mantle, cloak (*женский*); ~ница *уст.* an old-fashioned dowdy.

салото́пенный заво́д fat-melting works.

салфе́т||ка (table-)napkin, serviette; кольцо́ для ~ки napkin ring; ~очное полотно́ linen fabric for table napkins.

сальд||и́ровать to strike a balance; ~о balance.

сáльн||ик *мед.* epiploon, omentum, *разг.* caul; *техн.* stuffing-box;

⌣ость greasiness; *фиг.* obscenity, bawdiness; ⌣ый fat(ty), greasy, lardy, adipose, sebaceous; *фиг.* obscene, bawdy; ⌣ый анекдот bawdy story; ⌣ая железа sebaceous gland; ⌣ая свеча tallow candle.

сальтомортáле salte mortale, somersault, somerset, summersault.

салют salute; ⌣овáть to salute; ⌣овáть винтовкой to present arms; ⌣овáть флагом *мор.* to dip the ensign.

сам self, himself, itself; in person; он пришёл с. по себе he came alone (by himself); ⌣á herself; она ⌣а это сказала she said so herself; ⌣о по себе in itself; хорошо ⌣о по себе good in itself; ⌣о собой разумеется it is self-evident; it goes without saying; '⌣и yourself, ourselves, themselves; вы ⌣и признались you yourself acknowledged it; мы ⌣и слышали это we ourselves heard it; они ⌣и это знают they themselves know it.

Самаркáнд Samarkand.

сам-дрýг: он пришёл с.-д. he came with an other person.

сам‖éц male; buck (*антилопы, зайца, кролика и пр.*); he (*как приставка: he-wolf, he-goat и пр.*); '⌣ка female; cow (*слона, кита, тюленя и пр.*); she (*как приставка*); hen (*у птиц, омара: hen-partridge, hen-lobster*).

самоанáлиз self-analysis, study of self.

самобичевáние self-flagellation; *фиг.* self-torture; занимающийся ⌣м self-flagellant.

самобытн‖ость originality; ⌣ый original.

самовáр samovar; ездить в Тулу со своим ⌣ом *посл.* to carry coals to Newcastle.

само‖влáстие absolute power; ⌣влáстный absolute, unlimited, despotic.

самовнушéние self-suggestion, auto-suggestion.

самовозгорáние *см.* самозагорание.

самовóл‖ие self-will, arbitrariness, wilfulness, insubordination; ⌣ьник, ⌣ьница wilful (wayward) person; ⌣ьничать to be off-hand (wayward); ⌣ьный off-hand, wayward, self-willed; ⌣ьная отлучка unwarranted absence; ⌣ьно отлучившийся из полка absentee from his regiment; вносить ⌣ьные изменения to tamper with.

самовосхвалéние self-applause.

самогóн home-distilled spirit; home-brewed brandy; ⌣щик dealer in home-brewed brandy.

самодви‖гатель automatic engine; ⌣жущийся automatic, self-moving.

самодé‖йствующий self-acting, automatic; ⌣льный hand-made, of home make; homespun (*фиг.*); ⌣льщина anything crudely made without skilled help.

самодерж‖áвие autocracy; ⌣áвный autocratic; '⌣ец autocrat.

самодéятельност‖ь self-activity, self-help; вечер ⌣и self-entertainment evening.

самодовлéющий self-sufficient.

самодовóль‖ный self-satisfied, conceited, self-righteous, smug, self-complacent, puffed-up; с. человек *разг.* swollen individual; иметь весёлый с. вид to perk (up); ⌣ная ограниченность priggishness; ⌣ство self-conceit, self-righteousness, self-satisfaction, smugness, complacency; priggishness (*связанное с ограниченностью*).

самодýр stubborn, wilful and unreasonable person; ⌣ство stupid stubbornness, wilfulness.

самоéд *уст.* Samoyed(e); ⌣ский Samoyedic.

самозабвéние self-oblivion.

самозагорáние spontaneous combustion.

самозажигáние spontaneous ignition.

самозакреплéние self-attaching.

самозарождéние spontaneous generation.

самозащúта self-defence.

самозвáн‖ец impostor, pretender, counterfeit, self-styled person; ⌣ный self-styled, counterfeit; ⌣ство imposture, counterfeit.

самоиндýкция self-induction.

самокáт *см.* велосипед.

самоконтрóль self-control.

самокрúтика self-criticism.

самокрýтка *разг.* screw (*папироса*).

самолёт *см.* аэроплан; ковёр-с. magic carpet.

самолúчно in (one's own) person, personally.

самолюб‖úвый ambitious, self-loving; '⌣ие ambition, pride, self-esteem; оскорблённое ⌣ие wounded self-esteem; спрятать ⌣ие в карман to put one's pride in one's pocket.

самомнéние conceit.

самонаблюдéние introspection.

самонадéянн‖ость presumption, self-confidence; ⌣ый overweening, stuck-up, presuming.

самообвинéние self-condemnation.

самообладáние self-possession, self-command, self-control, restraint, nerve; имѣть с. to be self-possessed (-composed); потерять с. to lose one's nerve.

самообличéние self-accusation.

самообложéние self-taxation.

самообмáн self-deception.

самообожáние self-adoration.

самообольщéние self-delusion.

самооборóна self-defence.

самообразовáние self-education.

самообслуживание self-service.

самообучéние self-instruction.

самоограничéние reserve.

самоокупáем‖ость self-support; быть на ⌣ости to be self-supporting; ⌣ый self-supporting.

самооплодотворéние биол. self-fertilizing.

самоопредѣлéние self-determination; с. народов self-determination of nations.

самоопылéние бот. self-pollination; autogamy.

самоотвéрженн‖ость self-denial, abnegation; ⌣ый self-denying, unselfish, selfless.

самоотравлéние мед. auto-intoxication.

самоотречéние renunciation, self-renouncement.

самоохрáна selfpreservation.

самопи́шущее перó fountain pen.

самоподаю́щий механи́зм техн. self-feeder.

самопожéртвование self-sacrifice.

самопознáние self-knowledge.

самопóмощь self-help.

самопровѣ́рка self-control.

самопроизвóльно spontaneously, arbitrarily; ⌣сть spontaneity, arbitrariness.

самопря́лка spinning-wheel.

саморанéние self-inflicted wound.

самореклáма self-advertising.

саморóдный мин. native (о металлах).

саморóдок мин. native (virgin) metal, native ore; фиг. talented by nature; с. золота nugget.

самосѣ́вка self-sown plant.

самосожжéние burning oneself alive.

самосознáние self-consciousness, consciousness.

самосохранéни‖е self-preservation; чувство ⌣я instinct of self-preservation.

самостоя́тельность independence.

самостоя́тельн‖ый independent; ⌣о independently; разг. on one's own hook.

самострéл arbalest, cross-bow.

самосу́д lynch-law; расправа ⌣ом lynching.

самотёк drift (of man-power); ⌣ом of its own accord.

самотéчный automatic, spontaneous.

самоубíйство suicide; юр. felo (pl. -nes, -s) de se; совершить с. to commit suicide, to make away with oneself.

самоубíйца suicide.

самоуважéние self-respect.

самоувéренн‖ость self-confidence, assurance, assuredness, self-reliance (-assurance); ⌣ый assured, self-reliant, self-confident; opinionated (чрезмерно); bumptious, cocksure, perky (разг.); nervy (sl.).

самоуни‖жéние self-humiliation; ⌣чижéние self-contempt.

самоуправ‖лéние self-government; англ. пол. Home Rule; с. всем народам Home Rule all round; ⌣ля́ющийся self-governing; municipal; '⌣ный arbitrary.

самоупрáвство taking the law into one's own hands; self-assumed power.

самоусовершéнствование self-completion, self-perfection.

самоуч‖и́тель manual of self-instruction; '⌣ка self-taught person; self-made man.

самохвáл self-advertiser, blusterer; ⌣ство self-advertising bluster, swagger.

самочу́вствие: имѣть хорошее с. to feel fit; имѣть плохое с. to be poorly.

саму́м simoom, simoon, sand-storm.

самурáй Samurai (в Японии).

сампи́т бот. box, box-tree.

сáм‖ый self; с. верхний topmost; с. предмет the thing itself; с. факт, что... the very fact that...; ⌣ое бóльшее at the outside; до ⌣ого дна right to the bottom; с ⌣ого начала from the very first.

сан dignity; order (духовный); kingship (королевский).

санатóр‖ий sanatorium, health resort; с. для выздоравливающих nursing home; детский с. nursing home for children; ~ный режим, sanatorium regimen.

сангви́ни‖к sanguine person; ' ~ческий sanguine; *фиг.* optimistic, hopeful, confident; ~ческий темпера́мент sanguine disposition.

санда́ли‖я sandal; обу́тый в ~и sandalled.

санда́ловое де́рево sandal-wood.

са́ндвич sandwich.

са́н‖и sledge, sleigh; sled (*санки*); ката́ться на ~я́х to sled(ge), sleigh; лю́бишь ката́ться, люби́ и ~о́чки вози́ть *посл.* ≅ he who would have the eggs must bear with the cackling; хоро́ший ~ный путь good sleighing.

санита́р orderly, man-nurse; ~ия sanitation; ~ный sanitary; ~ный по́езд sanitary train; ~ное управле́ние Medical Department; ~ные усло́вия sanitary conditions.

санкоми́ссия (*санита́рная коми́ссия*) sanitary commission.

санкц‖иони́ровать to sanction, assent, ratify; ' ~ия sanction, assent; ratification; *пол.* sanctions (*репре́ссии*).

санкюло́т *ист.* sansculotte.

санов‖и́тый majestic, dignified; ' ~ник dignitary, statesman, high official; ~ный invested with dignity, of high rank (standing).

санскри́т Sanskrit; ~ский Sanskrit(ic); ~ский язы́к the Sanskrit (language).

санти‖гра́мм centigramme; ~ли́тр centilitre.

санти́м centime.

сантиме́тр centimetre; tape (*портно́го и т. п.*).

Сан-Франци́ско San Francisco.

санча́сть (*санита́рная часть*) sanitary section.

сап *вет., мед.* glanders, farcy.

са́п‖а *воен́н.* sap; де́йствовать ти́хой ~ой to sap.

сапажу́ sapajou (*обезья́на*).

сап‖ёр sapper; pioneer (*рядово́й пионе́рного батальо́на*); ~и́ровать *воен́н. уст.* to sap.

сапо́г boot; ~и́ boots; waders (*боло́тные*); high boots (*высо́кие*); jack-boots (*вы́ше коле́на*); top-boots (*с отворо́тами*); ammunition boots (*солда́тские*); без с. bootless; приспособле́ние для снима́ния с. boot-jack; чи́стильщик с. shoeblack; два ~а́ па́ра *погов.* well matched; чини́ть ~и́ to mend (cobble) shoes.

сапо́жки shoes; children's shoes (boots), shoelets, bootees (*дет.*).

сапо́ж‖ник shoemaker; cobbler (*почи́нщик*); bungler, botcher (*фиг.* о неиску́сном рабо́чем и т. п.); с. без сапо́г *погов.* the shoemaker's wife is the worst shod; прекра́сный с. an artist in foot-gear; беда́, коль пироги́ начнёт печи́ с. *посл.* the cobbler must stick to his last; ~нича́ть to make boots; ~ничество boot-(shoe-)making.

сапрофи́т(ы) *бот.* saprophyte(s).

сапфи́р *мин.* sapphire.

сараба́нда saraband (*танец*).

сара́й shed; cart-shed (*для теле́г*); carriage-house (*для экипа́жей*).

саранч‖а́ locust; на поля́ налете́ла с. the fields are swarming with locusts; борьба́ с ~о́й measures taken against a swarm of locusts.

Сара́тов Saratov.

сарафа́н sarafan.

сараци́н *ист.* Saracen; ~ский Saracenic.

сарга́н garfish (*ры́ба*).

сарде́лька sardelle.

сарди́на *см.* сарди́нка.

сарди́нец Sardinian.

сарди́нка pilchard; sardine (*в ма́сле*).

сарди́нский *см.* сарди́нец.

сардо́никс *мин.* sardonyx.

сардони́ческий sardonic.

са́ржа serge for lining (*мате́рия*).

сарка́зм sarcasm; scorcher (*sl.*); *фиг.* vitriol (*язви́тельный*).

сарка́сти́ческий sarcastic; *фиг.* scorching.

сарко́ма *мед.* sarcoma.

саркофа́г sarcophagus.

сарпи́нка striped cotton cloth.

сарсапари́ль *бот.* sarsaparilla.

сары́ч buzzard (*пти́ца*).

сатан‖а́ Satan, Lucifer; ~о́й гляде́ть to look black.

сатане́ть to be wroth.

сатани́‖нский, ~ческий satanic; ~нски, ~чески satanically.

сати́н, ~е́т satinet(te); ~и́ровать to hot-press.

сати́р satyr.

сати́р‖а satire; писа́ть ~у на кого́-л. to satirize; ~ик satirist; ~и́ческий satiric(al); ~и́чески satirically.

сатра́п *ист.* satrap; ~ия satrapy.

Сату́рн *астр.* Saturn; ~ическая ~а Saturnian system; с ~а́лии *ист.* saturnalia.

сафо́й *бот.* savoy(-cabbage).

сафья́н, ~о́вый morocco, saffian.

Сахали́н Sakhalin.

сахар sugar; пилёный, кусковой с. lump sugar; «с. медович» honeymouthed person; all sugar and honey; щипцы для ~a sugar-tongs; варить в ~e to candy.

Сахара Sahara.

сахарин saccharin(e).

сахаристый sugary.

сахарить to sugar.

сахар‖ница sugar-basin (-bowl); ~ный sugar(y); saccharine; ~ный завод (sugar-)refinery; ~ный песок moist sugar, ground sugar; ~ный тростник sugar-cane; я не ~ный, не растаю ≅ I am not made of salt; I am not afraid of getting wet; ~ная болезнь см. диабет; ~ная глазурь ice; ~ная голова sugarloaf; ~ная пудра sifted sugar, castor sugar; ~ная свекловица sugar-beet; ~овар sugar-refiner.

сахароза saccharose.

сачок hoop-net.

Саянские горы the Sayansk Mountains.

сбавить см. сбавлять; с. несколько цену to take something off the price.

сбавка reduction, lowering, abatement, cut (цены, жалованья).

сбавлять to reduce, abate, lower; с. вес тренировкой to train down; с. зарплату to cut wages; см. тж. сбавить.

сбагрить разг. to get rid of, to cast off.

сбалансированный balanced; строго с. бюджет firmly balanced budget.

сбалтывать to stir (mix) up (together).

сбега‖ть to run (down); ~й в магазин run down to the shop; ~й за доктором run for the doctor; fetch a doctor quickly.

сбе‖гать, ~жать to run (rush) down, to come running (rushing) down; to run away; у него краска ~жала с лица he became pale; ~гаться, ~жаться to run (come running) together; to flock, crowd, troop.

сбере‖гательный: ~гательная касса savings-bank; **~гательная книжка** savings-bank book; **~гать** to save, lay up (by); to reserve, conserve; to treasure; **~жения** savings; его скромные ~жения his little economies.

сберечь см. сберегать; с. на чёрный день погов. to lay up for a rainy day.

сберкасса savings-bank.

сбивать to knock down; to beat together; с. в кучу to huddle together; с. масло to churn; с. подстилку to shake up a litter; с. с дороги to lead astray; с. с ног to send flying; с. сливки to whip (whisk) up cream; с. спесь разг. to take one down a peg or two; с. с такта to throw out of time; с. цену to underbid, to beat down the price; с. яйца to beat up (whip) eggs; ~ся to be disconcerted (lost, confused); ~ся в войлок to felt; ~ся в кучу to huddle together, to bunch; ~ся с ног to be dead tired; ~ся с ноги военн. to fall out of step; ~ся с пути to stray; ~ся с толку to be at a loss (perplexed); to go off the rails (разг.).

сбивка churning (масла); whipping (сливок); beating (яиц).

сбивчивость confusedness.

сбивчив‖ый confused, indistinct; ~ые показания conflicting statements; ~о confusedly, indistinctly; говорить ~о to speak in a rambling way.

сбирать см. собирать.

сбитень уст. sbeeten, hot Russian drink of water, honey and spices.

сбить см. сбивать.

сбли‖жать to draw together; to bind, connect; с. показания to compare evidence; ~жаться (с кем-либо) to make friends (with); to become chummy (with) (sl.); ~жение bringing (drawing) near (together); фиг. accord, agreement, friendship; reconciliation (после ссоры); rapprochement (франц. дипл. о странах); ' ~зить(ся) см. сближать(ся).

сбоку sideways, by the side (of).

сболтнуть to blurt out, to let the cat out of the bag; to talk incautiously, to drop (slip out) a word (of, about).

сбор assemblage, gathering; vintage (винограда); stamp-duty (гербовый); collection (денежный); yield (of) (количество собранных плодов и пр.); levy (принудительный); с. чая tea plucking; с. членских взносов collection of members' subscription (fees); военный с. muster; лагерный с. muster in camp; таможенный с. customs; товары, подлежащие таможенному ~у dutiable goods; ~ы preparations (for) (для путешествия и пр.); ~ище medley; crowd, jumble, mob; пренебр. a raft of people; ~ка assemblage (частей механизма); flounce, crease, tuck (*на платье*); украшать ⌐ками to smock (*платье*); ⌐ки gathers (*на платье*); ⌐ник сочинений collected volume; ⌐ник статей различных авторов symposium; ⌐ный miscellaneous, farraginous, heterogeneous; scratch (*о команде, компании и пр.*); ⌐ный пункт gathering place; ⌐ный цех assembling shop; ⌐ная компания scratch company; ⌐ное место gathering place; ⌐щик roundsman (*заказов*); tax-gatherer (-collector) (*податей*); *техн.* assembler, fitter.

сбра́сывание throwing down.

сбра́сывать to throw (fling, cast) down; to discard (*карту*); to dump (*груз*); с. в кучу to pile, heap; с. всадника с седла to throw (unhorse, unseat, *разг.* spill, buck off) a rider; с. кожу to cast, slough, throw off (*о змее и пр.*); с. кору to exfoliate (*о дереве*); с. лишний груз (*с корабля во время бури и пр.*) to jettison; с. маску to unmask, to throw off a mask; *фиг.* to take off a disguise; с. ношу to shed one's burden; с. одежду to slip off one's clothes; *разг.* to shuffle off one's clothes; с. прочь to shake off; с. с себя уныние to take heart of grace.

сбрехну́ть *разг.* to blunder, blurt out.

сбри(ва́)ть to shave, shear off.

сброд rabble; всякий с. tag-rag, rag-tag and bobtail.

сбро́сить *см.* сбрасывать; завеса ⌐шена *фиг.* truth is revealed; ⌐шенная карта discard; быть ⌐шенным с лошади to take a toss.

сбру́я harness.

сбу́хты-бара́хты *разг.* without rhyme or reason.

сбы(ва́)ть to dispose (*of*), rid oneself (*of*); to sell off, market (*товары и пр.*); to utter (*монеты, тж. фальш.* монеты и *докумен-ты*); он ⌐л свои вещи he disposed of his belongings; ⌐ва́ться to happen, occur, turn out; сны не ⌐ва́ются dreams don't come true.

сбыт sale, market; иметь с. (*для*) to have a market (*for*); ⌐очный possible, probable; ⌐очное ли это дело? is it possible?; ⌐ь(ся) *см.* сбывать(ся).

сва́дебный wedding, marriage (*attr.*); nuptial, bridal; с. пир wedding feast; с. поезд *ист.* wedding procession.

сва́дьба wedding, marriage, nuptials.

сваебо́йная маши́на ram, pile-driver.

сва́й||ка *мор.* marline-spike, splicing fid; ⌐ный мост pile bridge; ⌐ная постройка lake-(pile-)dwelling; эпоха ⌐ных построек lacustrine age.

свали́||вать, ⌐ть to throw down; с. бремя на другого to shift off a burden; с. вину на кого-л. to put one in the wrong; с. в кучу без разбора to huddle, lumber up; с. воз to unload a cart; с. дерево to fell a tree; с. обязанности на кого-л. to shift off a duty to someone else; ветром ⌐ло дерево a tree was blown down by the wind; ⌐ваться to fall, tumble down, collapse; ⌐ться с лестницы to tumble downstairs; to fall off a ladder; ⌐ться как снег на голову to come like a bolt from the blue; он ⌐лся (*слёг*) he is bed-ridden.

свал||ка scramble, rough-and-tumble fight; *разг.* row, Donnybrook Fair; heap, scrap- (rubbish-)heap, sweepings (*отбросы*); с. вокруг мяча *спорт.* scrummage; в самой ⌐ке in the thick of the fight.

сваля́ть to felt (*шерсть*); с. дурака *фиг.* to make a fool of oneself.

сва́ра quarrel, brawl.

свараджи́ст swarajist (*индийский националист*).

сваргани́ть *разг.* to contrive, to manage; to do anyhow.

свар||и́ть to boil, cook (*пищу*); to weld (*металл*); ⌐ка *техн.* welding; ⌐ка с помощью вольтовой дуги arc-welding; *см. тж.* автогенный.

сварли́вость quarrelsomeness, snappishness, cantankerousness и пр. (*см.* сварливый); shrewishness (*о женщине*).

сварли́||вый quarrelsome, cantankerous, fractious, peevish, crabby, currish; shrewish (*о женщине*); ⌐вая женщина shrew, scold; *разг.* scratch-cat.

сва́рщик welder.

сва́стика swastika, fylfot.

сват *уст.* match-maker; father of a son-(daughter-)in-law; он мне ни брат ни с. he is of no interest to me; ⌐анье match-making, courting; ⌐ать to seek in marriage, to urge a suit, to make a match; ⌐аться to seek in marriage, to woo; ⌐овство́ *см.* сватание; ⌐ья mother of a son-(daughter-)in-law.

сваха match-maker, go-between.
сваи pile.
сведени|е knowledge, information, intelligence; принять к ~ю to take notice of; доводить до ~ю to notify; давать ~я to give information; сообщать ~я to instruct, to impart knowledge; по моим ~ям to my knowledge.
свед||ение *мед.* contraction, cramp (*руки, ноги и пр.*); settling (*счётов*); с. личных счётов squaring of personal accounts; ~ённый contracted, cramped (*о руке, ноге*); settled, closed (*о счёте*).
сведущ||ий versed (*in*), adept (*in*), conversant (*with*); быть ~м в чём-л. to be versed (*или* at home) (*in*).
свежевать to flay, dress (*скотину*).
свеже||просольный newly pickled; ~срубленный лес *лесн. амер.* green lumber.
свеж||есть coolness, breeziness, crispness (*о воздухе*); freshness (*о воздухе, цвете лица и пр.*); recency (*об известиях и пр.*); '~ть to freshen, cool.
свеж||ий fresh (*во всех знач.*); cool, crisp, breezy (*о воздухе*); sweet (*о молоке*); recent, hot (*о новостях*); new (*о хлебе*); new-laid (*о яйцах*); ~ó cool; chilly (*о воздухе*).
свезт||и, ~ь *см.* свозить; я свёз детей в театр I took the children (kids) to the play; я свёз его в город I drove him to the town.
свёкл||а beet, beetroot, beet-radish, beet-rove (*красная*); кормовая с. mangel-wurzel, mangel; сахарная с. (**свекловица**) sugar beet; ~овичный сахар beet-sugar.
свёкор father-in-law.
свекровь mother-in-law.
сверб||ёж itching; ~ёть to itch.
сверг||áть, '~гнуть to throw (cast) down, to overthrow; с. с престола to depose, dethrone, unking; ~гáться, '~гнуться с вышины to be hurled down from a pinnacle; ~жéние overthrow; ~жение самодержавия overthrow of autocracy; ~жение с престола dethronement; быть '~женным to be thrown (cast) down, overthrown, dethroned, hurled (*from*).
Свердловск Sverdlovsk.
сверить *см.* сверять.
сверка collation, revise; с. часов regulation of a clock.
сверк||áние scintillation, gleam, twinkling, sparkle, glitter, flash,

coruscation; ~áть, ~нуть to scintillate, twinkle, sparkle (*особ. о звёздах*); gleam, glitter, flash, coruscate; to glare (*ослепительно*); глаза ~áют eyes flash fire; ~áющий как драгоценные камни gemmy.
сверл||éние boring, drilling, piercing; ~ильная машина *техн.* boring (drilling) machine; drill-machine (*зубного врача*); ~ить to bore, pierce, perforate, drill; *фиг.* to rankle (*о тяжёлом воспоминании, боли и пр.*).
сверло auger, drill.
сверлящий *фиг.* rankling.
свернувшийся curdled, set (*о молоке, сливках*); coagulated (*о крови*).
свёрнутость convolution.
свёрнутый rolled, folded, convolute; с. пакетом made up into a parcel.
сверну||ть *см.* свёртывать; с. винт to wrench a screw; с. в улицу to turn into a street; с. к.-л. шею to wring the neck of; с. направо (налево) to turn right (left); с. с дороги to go out of one's way (road); ~ться *см.* свёртываться; ~ться в клубок to curl oneself up (*о ребёнке, собачке и пр.*); ~ться в петлю to kink (*о верёвке, проволоке*); ~ться спиралью to coil (*о змее, волосах и пр.*); змея ~лась кольцом serpent coiled itself up; листья ~лись leaves shrivelled up.
сверстáть *см.* свёрстывать.
свёрстка *тип.* making up into pages.
сверстник person of the same age, coeval.
свёрстывать *тип.* to make up into pages.
свертéть(ся) *см.* свёртывать(ся).
свёрток package, packet, roll.
свёртыва||ние coagulation; rolling, coiling, shrivelling [*см.* свёртывать(ся)]; ~ть to roll (up) (*карту, папироску*); to wrap up; to furl (*парус, знамя, зонтик*); to coil (*кольцом*); ~ть предприятие to wind up a business; *см. тж.* свернуть; ~ться to roll up; to be rolled up, to curl up; to coagulate, to clot (*преим. о крови*); to curd(le), set (*о молоке и пр.*); to shrivel (*ссыхаться*).
сверх above, over, beyond; *в слжн.* super-; ultra-; с. ожидания above expectation; с. плана over and above the plan; с. сил beyond one's strength; с. того besides, moreover, over and above,

on (the) top of; с. 40 **forty odd**; ⁀у донизу from top to bottom; положите лучшую землянику ⁀у put the finest strawberries at the top; свет падает ⁀у the light falls from above.

сверхдредноу́т *мор.* superdreadnought.

сверхкомпле́ктный supernumerary.

сверхмо́щный superpower.

сверхпри́быль excess profit.

сверхсме́тный exceeding the estimate.

све́рху *см.* сверх.

сверхуда́рн‖ый: ⁀ые те́мпы super shock-work tempo.

сверхуро́чн‖ый overtime; ⁀ая рабо́та overtime, overtime job (work), overwork; ⁀ое вре́мя overtime.

сверхчелове́‖к superman; ⁀ческий superhuman.

сверхшта́тный supernumerary.

сверхъесте́ственн‖ость supernaturalness, miraculousness; ⁀ый supernatural, miraculous; unearthly (*о страшном*); распространя́ться со ⁀ой быстрото́й to spread like wild-fire; ⁀о supernaturally, miraculously.

сверчо́к cricket.

сверш‖а́ть to complete, accomplish, achieve, perfect; ⁀а́ться to be completed, accomplished, achieved, perfected; ⁀е́ние completion, accomplishment, achievement; ⁀и́ть(ся) *см.* свершать(ся).

сверя́ть to compare, collate (*копию с подлинником*); to regulate (*часы*); ⁀ся to be compared, collated.

све́сить(ся) *см.* свешивать(ся).

све‖сти́ I. to lead, take to; ⁀ди́те во́ра в мили́цию take the thief to the militia station.

свести́ II. *см.* сводить II.

свет I. light, daylight (*дневной*); dawn (*зари*); glitter, twinkle (*мелькающий*); gleam (*слабый, отражённый*); blaze, flare (*яркий*); увидеть с. to be born, to come into the world; чем с., чуть с., ни с. ни заря at the break of day; представить ч.-л. в самом выгодном ⁀е show a thing to the best advantage.

свет II. world; высший с. the upper classes of society (in capitalist countries); старый (новый) с. the Old (New) World; производить на с. to bring into the world; отречься от ⁀а to renounce the world; со всех концов ⁀а

from every corner of the world; четыре страны ⁀а (*т. е. север, юг, восток, запад*) four cardinal points; ни за что на ⁀е not for the world; распространённое по всему ⁀у world-wide.

свет‖а́ть to dawn; начинает с., ⁀а́ет daylight is beginning to dawn.

свете́лка small room (in an attic).

све́тик darling; dearie.

свети́л‖о star, luminary, light (*тж. фиг.*); с. фина́нсового мира a shining light in the banking world; ⁀а (небесные) heavenly bodies.

свети́льник lamp.

свети́льный газ illuminating gas.

свети́льня wick, taper.

свети́ть to light; to sparkle, twinkle (*о звёздах*); ⁀ся to shine, gleam, glisten.

светле́ть to lighten, brighten; to grow light.

све́тл‖ость clearness, lucidity (*ясность*); serenity (*духа*); *ист.* Serene Highness (*титул*).

свет‖лый light, bright, luminous; clear, lucid; ⁀ло́ light, bright, clear; ⁀лозелёный, ⁀ложёлтый *и пр.* light-green, light-yellow *etc.*

светобоя́знь *мед.* photophobia, morbid dread of light.

светов‖о́й: ⁀а́я сигнализа́ция light-signals.

светолече́бница light-radiating institute.

светолече́ние heliotherapy.

свето́пись heliotype.

светопреставле́ние *рел., фиг.* doomsday.

светоси́ла candle-power.

светоте́н‖ь chiaroscuro; ⁀и the lights and the darks (*на картине*).

светофи́льтр heliofiltre.

све́точ torch, lamp.

светочувстви́тельн‖ый: ⁀ая бумага sensitive paper; делать бумагу ⁀ой to sensitize.

све́тск‖ий secular, temporal, lay, laic(al) (*противоп. церковный*); worldly, mundane (*мирской, противоп. духовный*); fashionable (*об обществе*); ⁀ая власть temporal power; ⁀ость worldliness, worldly-mindedness (*мирские интересы*); good breeding (*о воспитании*).

светя́щийся luminous (*о звёздах*); phosphorescent (*о море, насекомых и пр.*).

свеч‖а́ candle; *техн.* sparking-plug (*зажигательная*); pastil(le) (*курительная*); taper (*тонкая восковая*); tallow-candle (*сальная*); жечь ~у́ с двух концов to burn the candle at both ends.

свече́ние glint, shimmer, luminosity; с. на горизонте or отражения света льдом ice-blink.

све́ч‖ка *см.* свеча; ~но́й завод candle works; ~на́я лавка tallow--chandlery.

све́шивать 1. to weigh; 2. to hang down.

све́шиваться 1. to be weighed; 2. to hang down, to overhang.

свива́‖льник swaddle; ~ние nidification (*гнезда*); coiling (*верёвки*).

свива́ть to wind, coil; с. венок to wreathe flowers.

свида́ни‖е meeting, appointment, assignation, rendez-vous; *уст.* tryst (*преим. любовное*); назначить деловое с. to fix a business appointment; *амер.* to have a date (*with*); не притти на деловое с. to fail at the appointment; до ~я good-bye; *sl.* so long; see you soon; *дет., шут.* ta-ta! не пропустить назначенного делового ~я to keep an appointment.

свиде́тел‖ь witness; attestor (*при подписании акта и пр.*); third person (*сделки и пр.*); deponent (*преим. на суде*); witness, bystander, looker-on, onlooker (*происшествия*); быть ~ем чего-л. to witness; допрашивать ~я to put a witness in the box (*на суде*); подписать документ в качестве ~я to witness a document, to sign a document as a witness; брать (призывать) в ~и to call to witness; место для ~ей witness-box (*на суде*); ~ьское показание evidence (*на суде*).

свиде́тельство evidence, attestation, affirmation; testimony (*торжеств. заявление*); testimonial (*рекомендация*); certificate (*документ*); record (*о поведении, службе и пр.*); marriage lines *брачное*); birth certificate (*метрическое*); safe-conduct (*охранное, преим. при переезде через территорию неприятеля*); permit of residence (*на право жительства*); certificate on finishing school (*об окончании школы*).

свиде́тельств‖ование witnessing, examination, verification; ~овать to attest, witness; to bear witness (*to, of*); to testify (*to, against*); ~овать своё почтение to present one's respects (*to*); ~о-

ваться у доктора to get a health certificate.

свиде́ться to meet, to see one another.

свина́рн‖ик, ~я pigsty, piggery.

свине́ц lead; листовой с. sheet lead; похожий на с. plumbeous (*особ. по цвету*).

свин‖и́на pork; pig; жареная с. roast pig (*pork*); brawn (*особ. солёная*); ~ка *мед.* mumps; *техн.* pig, pig-iron; морская ~ка *зоол.* guinea-pig; ~ово́дство swine-(pig-)-breeding.

свин‖о́й: ~а́я кожа pig-skin; ~а́я котлета pork chop.

свинопа́с hog- (swine-)herd.

сви́нс‖кий *фиг.* piggish, swinish; caddish; ~тво swinishness, piggery, piggishness; caddishness; filth, dirt (*грязь*).

свинти́ть *см.* свинчивать.

сви́н‖тус *разг.* pig; ~у́х(а) *бот.* agaric (*гриб*).

свинцо́в‖ка *бот.* plumbago; ~ый lead(en); *хим.* plumbic; ~ый груз plumb-bob; ~ый отвес plumb (-line); ~ая бумага tin foil; ~ая примочка Goulard water; ~ая руда lead-ore; ~ое отравление lead poisoning, plumbism; ~ые белила white lead, ceruse.

сви́нчивать to screw together.

свинь‖я́ pig, swine, hog; sow (*особ. с поросятами*); с.! pig!, swine!, cad!, dirty fellow! (*бранное слово*); морская с. (*дельфин*) porpoise; откормленная на убой с. bacon hog, porker; от лося лосята, от ~и́ поросята *посл.* like begets like; подложить ~ю́ *разг.* to queer the pitch for.

свире́ль pipe; quill (*из тростника*); pan-pipe, Pandean pipe.

свирепе́ть to grow furious.

свире́п‖ость fierceness, atrocity, violence; с. приговора the fierceness of the conviction (*sentence*); ~ствовать to rage; ~ый fierce, ferocious, savage, truculent; tigerish (*как тигр*).

свиристе́ль waxwing, chatterer (*птица*).

Свирь the Svir; ~стро́й Svirstroy, water-power station on the river Svir.

свис‖а́ть to lop, slouch (*о полях шляпы*); to trail (*о растениях*); to hang loosely (*об одежде*); ~а́ющие усы *разг.* walrus moustaches; ~лый hanging, drooping; ~нуть *см.* свисать.

сви‖ст whistle; *театр.* hiss, catcall; whiz, swish (*от рассекания* *воздуха*); sough (*о ветре*); fizzle (*слабый*); с. пуль whistle and whine of bullets, ping; ∼стать, ∼стеть to whistle, hiss, whiz, swish; to hoot (*о паровом свистке*); to pipe (*о птицах*); to hurtle (*о летящем снаряде*); ветер (пуля) ∼щет wind (bullet) sings.

свистнуть *см.* свистать; to give a whistle; *разг.* to sneak (*стащить*); с. по уху *вульг.* to box the ear (*of*).

свист‖**о́к** whistle; *театр.* cat-call; hooter (*паровой*); призывать звуком ∼ка́ to whistle, pipe (*for*); ∼у́лька penny whistle, tin whistle; ∼у́н(ья) whistler, piper; ∼я́щий (звук) *фон.* sibilant.

свита suite, retinue, train, escort, attendants; following (*часто шут.*).

свитер sweater (*фуфайка*).

свитка kind of Ukraine overcoat.

свиток roll; scroll; *зоол.* volute.

свитский *ист.* belonging to a suite (retinue).

свит‖**ый** coiled, convolute(d); ∼ь *см.* свивать.

свихнуть to dislocate, sprain (*ногу, руку*); ∼ся *разг.* to go off one's chump.

свищ *мед.* fistula; honey-comb (*на металлах*).

свобод‖**а** liberty, freedom; с. выбора liberty of choice; с. выборов *пол.* freedom of election; с. действий freedom of action; с. печати freedom (liberty) of the press; с. слова freedom of speech; с. собраний freedom of meeting; с. стачек freedom of strike; на ∼е he is at large; выпустить на ∼у to set free; дать некоторую ∼у *разг.* to give one a bit of rope; дать полную ∼у to give free rein (full scope); не стеснять ∼ы to give a free hand (*особ. в делах*); ∼ный free; ∼ный выбор free choice; ∼ный как ветер free as air; день ∼ный от занятий off day; ∼ный от предрассудков unconventional, unbiassed; ∼ен ли он? is he disengaged? ∼ная комната spare room; ∼ная торговля free trade; ∼ное время leisure; ∼ное место vacant post (*о службе, должности*); ∼ное место room (*о пространстве*); ∼ное пальто (платье) loose overcoat (dress); ∼ного голосования franchise; ∼ные деньги ready money; ∼ные манеры free and easy manners; ∼ные полчаса spare half hour; ∼ные часы off hours, leisure hours; вы ∼ны принять или не принять you are free to accept or to refuse; ∼но freely; он ∼но говорит по-английски he speaks English fluently.

свободомы́сл‖**ие** free-thinking; ∼ящий *s.* free-thinker.

свод *арх.* vault, arch, cove, crypt; с. законов the statute book; code; выводить ∼ом *арх.* to arch, cove; покрывать ∼ом to overarch; ∼ы vaulting.

сводить I. *разг. см.* свести I.

свод‖**ить** II. to settle (square) up, pay off (*счета*); to bring together (*людей*); с. дружбу to contract friendship with; с. концы с концами to make both ends meet; с. леса to dis(af)forest, to cut down forests; с. личные счёты to square (up) one's accounts with; с. мозоль to remove a corn; с. на нет to bring to naught; с. с ума to infatuate, drive mad, send crazy; *фиг.* to unhinge; ∼иться к пустякам to come (boil down) to nothing; всё это '∼ится к... all this comes to...; the result (issue) of all will be...; '∼ка resume; summary; *тип.* revise; оперативная ∼ка summary of operations.

сводни‖**к** procurer, pander, pimp; ∼ца procuress, bawd; ∼чать to procure, pander, bawd, pimp; ∼чество procurement.

сводн‖**ый** compound, collated; с. брат step-brother; с. указатель united (joint) index; ∼ая сестра step-sister; ∼я *см.* сводница.

сводчатый vaulted, arched.

своё *см.* свой.

своевластие arbitrary rule.

своево́л‖**ие** self-will; high-handedness; ∼ьный self-willed, high-handed, headstrong, arbitrary.

своевре́менн‖**ость** opportuneness; ∼ый opportune, seasonable, timely, well-timed; ∼о in good season (time); betimes, opportunely.

своекоры́ст‖**ие** self-interest, cupidity; ∼ный self-seeking, self-interested, selfish.

своеко́штный *ист.* school boy (student) receiving no government subsidy.

своенра́в‖**ие** self-will, wilfulness, waywardness, caprice; ∼ный self-willed, wilful, wayward, capricious, whimsical, froward; *разг.* cranky.

своеобра́з‖**ие**, ∼**ность** originality, singularity, eccentricity; ∼

ный original, singular, eccentric; out of the common; ⁓ный вкус a peculiar flavour.

своеобы́чный *уст.* original.

своз‖**и́ть** to convey, carry, transport; to cart (*в телеге, фургоне*); ⁓**и́ться** to be conveyed, carried, transported, carted; ᾿⁓**ка** conveyance, conveying, transport, removal; carting.

сво‖**й** my, his, her, its, our, your, their; на с. риск a (his, her, your) peril; нужда с. закон пишет necessity has its own law; он продал с. дом he sold his house; я сам не с. I am not myself; она сама не ⁓**я́** she is not herself; в ⁓**ё** время in good time; иди́те каждый на ⁓**ё** место go to your respective places; он знает ⁓**ё** дело he knows his business; ⁓**его́** производства of home manufacture; умере́ть ⁓**е́й** смертью to die a natural death; настоять на ⁓**ём** to have one's own way; он не в ⁓**ём** уме he is out of his wits; по-⁓**ему** on one's own lines; делать по-⁓**ему** to follow one's own devices; он верен ⁓**ему** слову he is as good as his word; ⁓**й** зубы natural teeth; тут все ⁓**и** no strangers here; я еду к ⁓**и́м** I am going to my people; итти на ⁓**и́х** на двои́х *разг.* to ride on Shanks's mare.

сво́йственни‖**к**, ⁓**ца** relation, kinsman, kinswoman.

сво́йственн‖**ость** peculiarity, singularity; ⁓**ый** peculiar, natural, native (*to*); distinctive (*of*); со ⁓**ой** ему рассеянностью with characteristic absent-mindedness; человеку ⁓**о** ошиба́ться it is human to err.

сво́йство attribute, property, nature, virtue; с. почвы the nature of the soil; физи́ческое с. physical property; целебное с. healing virtue (*о растении и пр.*).

свойств‖**о́** relationship, kinship, alliance; в ⁓**е́** related.

сволáкивать to trail, drag.

сво́лочь rabble, riff-raff (*бранно*); rascal, villain, rogue, knave (*ругательство*).

свор‖**а** leash, slip (*для охотничьих собак*); pack (*собак*); вести на ⁓**е** to lead on a leash.

сворáчива‖**ние** turning, shunting; ⁓**ть** to displace, remove, dislodge (*камень и пр.*); to shunt, turn aside (off) (*в сторону*); ⁓**ть** направо (налево) to take to the right (left); ⁓**ть** с правильного пути to turn from the right path.

сво́рить to leash (*собак*).

своровáть to pilfer, sneak.

свороти́ть *см.* сворачивать.

своя́к brother-in-law (*муж сестры жены*).

своя́ченица sister-in-law (*сестра жены*).

своя́си: *см.* во-свояси.

свык‖**áться**, ᾿⁓**нуться** to accustom (habituate) oneself (*to*), to become accustomed (habituated) (*to*).

свысокá from above, from on high, from aloft; смотреть с. *фиг.* to look down (up)on, to patronize.

свы́ше above, beyond, upwards; с. сил beyond one's strength; с. цены over and above the price; нашли с. сорока экземпляров upwards of forty specimens (copies—*книги*) were found; присутствовало с. тридцати человек above thirty persons were present.

свя́занный tied, bound, linked; с. временем (сроком) tied (pressed) for time; с. обещанием bound by promise; с. узами родства related (*to*), connected (*with*).

связ‖**áть(ся)** *см.* связывать(ся); ⁓**ть** кого-л. по рукам и ногам (*букв. и фиг.*) to bind one hand and foot.

связ‖**ка** bundle, roll, sheaf (*бумаг*); pack, bunch (*ключей*); *анат.* ligament; *гр.* copula; с. луку горе of onions; голосовые ⁓**ки** *анат.* vocal c(h)ords; ⁓**ность** connectedness, coherence, coherency; ⁓**ный** connected, coherent, congruous (*о рассказе, речи и пр.*); cohesive (*о молекулах*); ⁓**очный** *мед.* ligamentous.

связýющий binding, connective, conjunctive.

свя́зывание tying (binding) together.

свя́зыва‖**ть** to tie, bind, link, lash, cord, rope (*верёвкой, ремнем и пр.*); to wire (*проволокой*); to chain, fetter, shackle (*цепями, оковами*); to manacle (*руки*); to brace (*скрепами при постройке*); to connect (*по ассоциации идей, узами родства и пр.*); to bind (*обещанием, обетом*); to cramp, trammel, shackle, fetter (*свободу печати, действий и пр.*); с. очень крепко to tie up in a sailor's knot (*тж. фиг.*); с. себя обещанием to pledge oneself; с. сноп to bind a sheaf; ⁓**ться** to be tied (bound); to bind oneself (*to*); to hook up with (*с учреждением и пр.*); to throw in one's lot (*with*) (*на всю жизнь*); to hamper oneself (*with*) (*на свою беду*); не ᴗ**йся** с ним don't have anything to do with him.

связ‖**ь** tie, bond, junction, connection, connexion; interconnexion (*взаимная на почве общественности*); communication (*жел.-дор., телеграфн. и пр.*); liaison (*любовная*); *техн.* truss; *военн.* liaison, intelligence; с. с массами contact with the masses; культурная с. с СССР cultural relations with the USSR; поддерживать с. to uphold a connection; порвать с. to cut (sever) a connection; в ᴗ**й** in connection (*with*); в ᴗ**и** с этим следует упомянуть in this connection it is worth while mentioning; использовать свои ᴗ**и** to use one's connections; офицер ᴗ**и** liaison officer (*за границей*); родственные ᴗ**и** ties of blood; с хорошими ᴗ**ями** well connected.

свят‖**áя святы́х** *ист.* Holy of Holies (*при иерусалимском храме*); ᴗ**йлище** sanctuary; ᴗ**йть** to sanctify; to consecrate (*церковь*).

свя́тки Christmas holidays, yule (-tide).

свят‖**óй** 1. *s.* saint; 2. *a.* saintly, holy, sacred; с. долг sacred duty; для него нет ничего ᴗ**óго** nothing is sacred to him; ᴗ**ость** sanctity, holiness; sainthood.

святотáтств‖**енный** sacrilegious; ᴗ**о** sacrilege.

свя́точный: с. рассказ Christmas tale (story).

свят‖**óша** sanctimonious person, hypocrite; *разг.* goody-goody person; ᴗ**óшество** sanctimoniousness, hypocrisy; ᴗ**цы** church calendar.

свящéнни‖**к** priest, clergyman; *разг.* parson; ᴗ**ческий** priestly, sacerdotal; *разг.* parsonic.

священнодéйств‖**ие** *церк.* celebration of divine service; *фиг.* pompous (solemn) performance of some act (duty); ᴗ**овать** to officiate; *ирон.* to do something with solemnity (pomp).

свящéнный holy, sacred.

сгиб *анат.* flexion; ᴗ**áние** flexure, flection.

сгибá‖**ть** to bend, flex (*колени, руку*); to curve, crook (*палку и пр.*); ᴗ**ться** to bend (bow) down; to stoop; он ᴗ**ется** под тяжестью своей ноши he sinks beneath his burden; ᴗ**ющая мышца** flexor; ᴗ**ющийся** flexible.

сгин‖**уть** to disappear, vanish; с. бесследно *разг.* to disappear into nowhere; ᴗ**ул** disappeared (vanished) from sight (view), vanished into thin air; ᴗ**ь!** away with you!; get away!; avaunt!

сглá‖**дить(ся)** *см.* сглаживать (-ся); ᴗ**живание** smoothing, out-pressing; levelling, scraping, planing (*рубанком и пр.*); *фиг.* smoothing down (away); ᴗ**живать** to smooth, level down(out); to scrape, plane (*ножом, рубанком и пр.*); *фиг.* to smooth down (away); ᴗ**живаться** to be smoothed (pressed) out; следы болезни ᴗ**живаются** traces of the disease are fading away.

сглáзить to throw (cast) an evil spell on, to overlook; не с. бы! touch wood!

сглупи́ть to blunder; *разг.* to get into a mess.

сгни‖**вáть**, ᴗ**ть** to rot, putrefy.

сгнойть *см.* гноить; с. к.-л. в тюрьме to let one rot in prison.

сговáриваться to concert, arrange (*for*), settle (*with*); to make an appointment (arrangements) (*with, for*); to conspire (*тайно*); с. о цене to agree about the price.

сгóвор agreement (*соглашение*); knock-out (*между участниками аукциона*); ᴗ**йться** *см.* сговариваться; ᴗ**чивость** tractability, compliancy; ᴗ**чивый** tractable, compliant, manageable.

сгон driving together; rafting, floatage (*дров*); ᴗ**я́ть** 1. to drive together (*в одно место*); to round up (*скотину, лошадей*); 2. to chase (drive) away (*с места*); ᴗ**я́ть со двора** to turn out of the house; ᴗ**я́ться** to be driven together; to be floated (rafted).

сгорáем‖**ость** combustibility; combustibleness; ᴗ**ый** combustible, inflammable; ᴗ**ое вещество** combustible.

сгорá‖**ние** combustion; двигатель внутреннего ᴗ**ния** combustion motor; камера ᴗ**ния** *техн.* combustion chamber; ᴗ**ть** to burn out (away); to be consumed; ᴗ**ть дотла** to burn to ashes; ᴗ**ть желанием** (*любовью*) to be inflamed with desire (love); ᴗ**ть со стыда** to be consumed (to flush) with shame.

сгорб‖**иться** to stoop, slouch; ᴗ**ленный от старости** bent (crooked) with age.

сгорéть *см.* сгорать.

сгорячá rashly, in anger, in the heat of passion; написано с. written at white heat; пойти с. to go hotfoot (*to*).

сготóвить *см.* приготовить; с. обед to get the dinner ready.

сгребáние raking.

сгре||бáть, ⁓стú to rake up together (*сено граблями*); to shovel (*песок и пр. лопатой*); ⁓стú в охапку to grab.

сгру||жáть, ⁓зúть to unload.

сгруппиров||áть(ся), ʼ⁓ывать(ся) to group, assemble, cluster together; to form a group.

сгубúть to ruin, spoil, destroy, to waste.

сгустúт||ель *техн.* condenser; ⁓ь(ся) *см.* сгущать(ся).

сгýсток clot (*преим. о крови*).

сгущ||áемость condensability; ⁓áть, ⁓áться** to thicken, condense (*о тумане, темноте*); ⁓áть жидкость выпариванием to inspissate, concentrate; ⁓áть краски *фиг.* to overcolour (*в описании*); ⁓áющиеся сумерки gathering darkness.

сгущ||éние thickening, condensation; inspissation (*жидкости выпариванием*); ⁓ённое молоко condensed milk.

сдáбривать to give a better taste to; to spice (*приправлять пряностями*); с. тесто to make dough rich; *амер.* to shorten.

сда||вáть to give up, part with; to check (*багаж*); to deal (*карты*); to rent (*квартиру, дом и пр.*); to hire, let (out) (*внаём, напрокат*); to lease (*на правах аренды*); to surrender (*крепость и пр.*); to cede (*территорию, правá*); с. багаж на хранение to leave the luggage in the cloak-room; с. позиции to yield the position; с. помещение за низкую плату to rent one's tenants low; с. экзамен to pass an examination; вам с. *карт.* your (turn to) deal; он не ⁓ёт темпов he does not slacken speed; тот, кто ⁓ёт карты dealer; ⁓вáться to surrender, to acknowledge defeat, to lay down arms, cease fighting; ⁓вáться на волю победителя to surrender at discretion; не ⁓вáться to keep one's pecker up (*sl.*); позорно ⁓вáться из трусости to cry craven; дом ⁓ётся house is to (be) let; ⁓ётся it seems (appears) to me (to my mind).

сдáвливание squeezing, pressing, compression.

сдáвл||ивать to squeeze, (com-)press, squash; ⁓енный голос constrained voice.

сдáивать to strip (*корову*).

сдáтчик lessee.

сдá||ть(ся) *см.* сдавать(ся); он сильно ⁓л he looks pulled down. surrender (*армии, крепости и пр.*); checking (*багажа*); deal (*карт*); cession (*территории*); lease (с аренду); с. хлеба колхозами государству the delivery of grain to the State by the Kolkhozes; я дал ему ⁓и *фиг.* I gave it him, I gave him back.

сдвáива||ние doubling, duplication; gemination; ⁓ть to double, combine in pairs; ⁓ть след to double.

сдвиг displacement; *геол.* dislocation; *фиг.* upheaval (*социальный*); с. направо (налево) shifting to the right (left); заметный с. noticeable improvement (*в работе и пр.*).

сдви||гáть, ʼ⁓нуть to (re)move, displace, shift; to draw together; ⁓нуть ряды to close the ranks; ⁓гáться, ʼ⁓нуться** to be removed (displaced, shifted); to come (draw) together; он не ʼ⁓нулся с места he never moved (budged).

сдвó||енный double, geminate; ⁓ить *см.* сдваивать.

сдéла||ть to make, do, manufacture, fabricate; с. больше, чем обещал to do better than one's word; с. всё возможное to do one's utmost (one's level best); с. жест to make (give) a gesture; с. комплимент to pay a compliment; с. ч.-л. на живую нитку to do something with a hot needle and a burning thread; с. неловкость *разг.* to put one's foot in it; с. объявление to advertise; to put an advertisement in a newspaper (*в газете*); с. пакость to play a dirty trick; с. предложение to propose (*с целью брака*); to advance, offer, suggest, propose (*деловое, дружественное*); вот как это нужно с. that is the way to do it; я далёк от того, чтобы это с. I am far from doing it; я должен с. это во что бы то ни стало I must do it at any (whatever) cost; ⁓йте мне одолжение will you do me a favour?; он хорошо ⁓л, что отказался he did well to refuse; ⁓нный made, manufactured, fabricated; ⁓нный на заказ made to order; дело ⁓но it is done; замечание было ⁓но не во-время the remark was not well timed; ни в коем случае этого не ⁓ю far be it from me to do it; ~ться жертвой to fall a prey (victim) to; у него ~лась лихорадка he was taken (seized) with ague; ей ~лось дурно she fainted away; ему ~лось холодно he began to feel cold.

сде́лк||а agreement, arrangement, transaction; *разг.* deal; bargain (выгодная); грошёвая с. *разг.* pennyworth bargain; незаконная с. *юр.* unconscionable bargain; заключить выгодную ~у to strike a bargain; заключить торговую ~у to close a business deal; совершать ~у to negotiate.

сде́ль||ный: ~ная плата payment by the piece (by the job); ~ная работа jobbing, job-work, piece-work; ~ная система piece-work system; оплачено ~но paid by the piece (job); ~щик workman paid by the piece; ~щина piece-(task-)work.

сде́ргивать to draw (drag, pull) down, to tear off (down); ~ся to be drawn (dragged, pulled) down (off).

сде́ржанн||ость reserve, staidness, demureness, discreetness, restraint; reticence (в речах); ~ый reserved, staid, demure, discreet, sedate, self-controlled, composed; ~ая ярость pent-up fury.

сдержа́ть *см.* сдерживать; с. лошадь to hold back a horse; этот канат может с. 1000 кило this cable can bear 1000 kilos; с. слово (обещание) to stand by one's word (promises), to be as good as one's word.

сдержа́ться *см.* сдерживаться.

сде́рж||ивание check, restraint, suppression; *военн.* containment; ~ивать to check, restrain, to keep (hold) in check (гнев и пр.); *фиг.* to bridle, curb, subdue (страсти, желания); to repress, keep down (смех, вздох и пр.); *военн.* to contain (неприятеля); ~иваться to keep oneself in hand, to master oneself; ~ивающий restrictive; ~ивающее начало restraint.

сде́рнуть *см.* сдёргивать.

сдира́ние flaying, skinning, excoriation (кожи, шкуры); barking (коры).

сдира́ть to flay, skin, excoriate, bark; to strip (rip) off (away) (быстро); ~ся to peel (о поверхности).

сдо́б||а richness of the dough (сдобность); ingredients making the dough rich (масло и пр.); rich (fancy) bread (сдобный хлеб ~ить

см. сдабривать тесто; ~ный rich; ~ная булочка rich roll.

сдо́брить *см.* сдабривать.

сдобровать: тебе не с. you will bark your shins.

сдо́хнуть *вульг.* to die.

сдружи́ться to make friends (with), to strike up a friendship (with); *разг.* to become chummy (with).

сдува́ть to blow away (off).

сдури́ть to blunder, commit a folly.

сду́ру foolishly, through (out of) stupidity.

сдуть *см.* сдувать.

сеа́нс sitting (у художника-портретиста); séance; у меня завтра с. у художника I sit to-morrow for my portrait; кино-с. cinema show (séance).

себе́ *см.* себя; мне не по с. I feel out of sorts, I am unwell; она заботится только о с. she cares for nothing but herself; сам с. хозяин his own master; уйти к с. to go home (to one's own room).

себесто́имост||ь net (first, prime) cost, cost price; снижение ~и the lowering of production cost.

себя́ oneself, myself, thyself, himself, herself, itself, ourselves, yourself, yourselves, themselves; взять на с. to undertake; взять на с. ответственность to assume the responsibility (for); вне с. (от) beside oneself (with); он выдал с. *разг.* he gave himself away; поперёк с. толще wider than high; приходить в с. to recover one's senses; *разг.* to come to.

себялюб||ец egoist; ~ивый egoistic, selfish; ~ие egoism, self-love.

сев sowing; весенний (осенний) с. spring (autumn) sowing.

Севасто́поль Sebastopol.

се́вер north; повернуть на с. to turn northward; к ~у (от) north (of); ~ный north(ern), arctic, boreal; ~ный ветер north wind; ~ный житель northerner; *миф., рит.* hyperborean; ~ный олень reindeer; С~ный полюс North Pole; С~ная Америка North America; ~ное сияние aurora borealis, northern lights, north light.

Се́веро-америка́нские соединённые шта́ты *см.* США.

се́веро||-восто́к, ~восто́чный north-east; ~-за́пад, ~за́падный north-west.

Се́веро-Кавка́зский край North Caucasus Region.

Северолес Severoles (*North Timber Trust*).

северянин northerner.

севооборот rotation of crops, crop-rotation.

севрский фарфор Sèvres.

севрю‖га kind of sturgeon; **~жина** flesh of the sturgeon.

сегмент *геом.* segment; **~ация** segmentation; **~ный** segmental, segmentary.

сегодня to-day; this day; с. вечером to-night; с. густо, завтра пусто stuff to-day and starve to-morrow; с. 1-е мая it is the first of May; с. утром this morning, какое с. число? what day of the month is it to-day?; не с.—завтра in the near future; **~шний** to-day's, this day's; вот как обстоит дело до **~шнего** числа that is the position up to date; от **~шнего** числа from to-day, from now on; с **~шнего** дня через неделю to-day week; **~шняя** газета to-day's paper.

седáлищ‖е seat; **~ный** *анат.* sciatic; **~ный** нерв sciatic nerve; воспаление **~ного** нерва sciatica.

сед‖ёлка saddle-strap; **~éльник** saddler; **~éльный** вьюк saddle-bag.

седé‖ть to get (turn) grey (gray), to grizzle; **~ющие** виски a touch of grey about the temples.

седина grey hair.

седлáть to saddle.

седл‖о saddle; вьючное с. pack-(load-)saddle; дамское с. side-saddle, woman's saddle; вскочить на с. to swing oneself into the saddle; ездить верхом без **~á** to ride bare-back; лошадь под **~óм** mount.

седо‖бородый grey-bearded; **~вáтый** greyish, grizzly; **~влáсый**, '**~й** grey haired, -headed), hoary; **~й** как лунь white-haired; наполовину **~й** *разг.* pepper and salt; человек с **~й** бородой grey-bearded man; polar bear (*sl.*).

седок horseman, rider; fare (*на извозчике, на автомобиле*).

седьмó‖й seventh; ему с. десяток he is sixty and some odd years old, he is in his sixties; в исходе **~го** часа a little before seven; четверть **~го** quarter past six; половина **~го** half past six; три четверти **~го** quarter to seven; быть на **~м** небе to be in the (*или* one's) seventh heaven.

сезáм *бот.* sesame (*кунжут*); с. отворись! open, sesame! (*в сказке*).

сезóн season; мёртвый с. the dead season, the off season; **~ник** seasonal worker; **~ный** seasonal; **~ный** билет season-ticket; **~ный** рабочий seasonal worker; **~ная** работа seasonal work.

сей, сия, сиé *мн. ч.* **сий** *уст.* this (*pl.* these); **сегó** ради therefore; при **сём** извещаю, что... I notify herewith that...; прилагаемое при **сём** письмо the enclosed letter; за **сим** after this, next; до **сих** пор up to now.

сейм diet.

сейсм‖ический seismic; **~ическая** кривая coseismal, coseismal line, coseismal curve; **~огрáф** seismograph; **~ографический** seismographic; **~ография** seismography.

сейсмология seismology.

сейф safe.

сейчáс now, immediately, in an instant, this minute, presently, at once, just now; помнить как с. to remember distinctly as though it were yesterday; сделайте это с. do it at once; этого можно не делать с. that can stand over; я с. приду *разг.* I'll be here in a second.

сéканс *мат.* secant.

секвéстр sequestration; подлежащий **~y** sequestrable.

секвестрировать to sequestrate, sequester.

секир‖а *уст.*, *поэт.* axe, hatchet, pole-axe; убивать *или* ударять **~ой** to pole-axe.

секрéт secret; с. раскрылся the secret leaked (oozed) out; the murder is out; большой с. dead secret; открыть с. to reveal a secret; разболтать с. *разг.* to let the cat out of the bag; это с.! *разг.* mum's the word!; держать в **~е** to keep one's own counsel; под большим **~ом** in strict confidence; сказать под **~ом** *разг.* to tell under the rose; по **~y** secretly, confidentially; ему можно доверять **~ы** he is safe with secrets.

секретар‖иáт secretariat(e); '**~ский** secretarial; '**~ство** secretaryship.

секретáр‖ь secretary, clerk; генеральный с. Secretary General; личный с. private secretary; непременный с. perpetual secretary; ответствен‖ный с. responsible secretary; учёный с. scientific secretary; должность **~я** post of secretary; помощник **~я** assistant-secretary.

секре́т‖**ка** letter card; **∽ничать** to be mysterious; **∽ность** secrecy; **∽ный** secret, confidential; **∽ная** боле́знь secret ailment, foul disease; весьма **∽но** strictly confidential; **∽ное** предписа́ние secret instruction; **∽ные** фо́нды secret funds.

секре́ци‖**я** *мед.* secretion; же́лезы вну́тренней **∽и** endocrine glands; уче́ние о вну́тренней **∽и** endocrinology.

се́кста *муз.* sixth.

секста́нт *мат.* sextant.

сексте́т *муз.* sextet.

сексуа́ль‖**ность** sexuality; **∽ный** sexual; **∽но** sexually.

се́кта sect; **'∽нт** sectarian, sectary, dissenter; **'∽нтский** sectarian; **'∽нтство** sectarianism.

се́ктор sector (field); с. ка́дров the staff department; с. оборо́ны zone of defence; социалисти́ческий с. наро́дного хозя́йства the socialist section of national economy.

секуляриза́‖**ция** secularization; **∽и́ровать** to secularize; **'∽м** secularism.

секу́нд‖**а** second; подожди́те **∽у** *разг.* wait a sec.

секунда́нт second (*при дуэ́ли*).

секу́нд‖**ный**: **∽ная** стре́лка second needle (pointer), seconds hand; **∽оме́р** stop-watch (*часы́*).

секу́щая ли́ния *геом.* secant.

секцио́нный sectional.

се́кция section; с. Коминте́рна a section of the Comintern; с. нау́чных рабо́тников Section of Scientific Workers; с. сове́та section of the Soviet; инжене́рно-техни́ческая с. section of engineers and technicists.

селёдка herring; вя́леная с. kippered herring; копчёная с. red herring, bloater.

селезён‖**ка** *анат.* spleen; **∽очный** splenic.

се́лезень *зоол.* drake.

сел‖**е́кция** selection.

сел‖**е́н** *хим.* selenium.

сел‖**е́ние** village, settlement.

сели́тр‖**а** *хим.* saltpetre, nitre; превраща́ться в **∽у** to nitrify; **∽енный** saltpetrious; **∽ова́рня** saltpetre works, nitre works.

сели́ть to settle, colonize; **∽ся** to settle; to fix one's residence (abode) (*in*).

сел‖**о́** village; ни к **∽у́** ни к го́роду *погов.* inappropriate; *разг.* neither here nor there.

сельдева́я аку́ла porbeagle.

сельдере́й *бот.* celery.

сельд‖**ь** *см.* селёдка; наби́ты как **∽и** в бо́чке *погов.* packed like sardines (like herrings in a barrel).

селько́р (*се́льский корреспонде́нт*) peasant correspondent.

Сельма́ш (*Всесою́зное объедине́ние сельскохозя́йственного машинострое́ния*) Selmash (*All-Union Agricultural Machine Combine*); с **∽строе́ние** agricultural machine building.

се́льск‖**ий** rural; с. жи́тель villager, countryman; rustic; **∽ая** ме́стность country, country-side; **∽ая** общи́на village community; **∽ое** хозя́йство agriculture, husbandry, farming.

сельскохозя́йственн‖**ый** agricultural; с. инвента́рь agricultural implements; с. рабо́чий farm-labourer, farm-hand, land-worker; **∽ая** арте́ль agricultural artel (kolkhoz); **∽ая** промы́шленность agricultural industry; **∽ое** машинострое́ние agricultural engineering (machine building); **∽ое** ору́дие agricultural implement.

сельсове́т village Soviet.

се́льтерская вода́ seltzer water.

сельфа́ктор *текст.* self-acting mule.

сель‖**цо́** a small village; **∽ча́нин** peasant, villager.

селя́м salaam.

сема́нтика semantics.

семасиоло́гия *фил.* semasiology, semantics.

семафо́р semaphore.

сёмга salmon (*рыба*); salmon flesh.

семе́й‖**ный** domestic, household; с. раздо́р domestic troubles; с. сове́т family council; **∽ная** вражда́ family feud; **∽ная** жизнь domestic (family) life; **∽ное** положе́ние family status; скло́нность к **∽ной** жи́зни domesticity; **∽ные** дела́ household matters (affairs); **∽ные** свя́зи family ties (bonds); **∽ственный** *см.* семе́йный; **∽ство** family, household; *ест. ист.* family, tribe.

Семён Simeon, Simon.

семена́ *см.* се́мя.

семени́ть: с. нога́ми to mince, tittup.

семенни́к plant left to run to seed.

семенн‖**о́й** *анат.* seminal, spermatic; с. кана́тик *анат.* spermatic cord; **∽а́я** коро́бка *бот.* seed-vessel.

семено‖**вмести́лище** *бот.* placenta (*pl.* -æ); **∽во́дческий** seed-cultural; ~дольный cotyledonous; ~-дбля *бот.* cotyledon.

семенос placenta; ~ный seminiferous, seed-bearing.

сем‖еричный septenary; ~ёрка seven; ~ёрка бубён (червей *и пр.*) seven of diamonds (hearts *etc.*); '~еро seven; ~еро одного не ждут *посл.* ≅ for one that's missing there's no spoiling a wedding.

семестр term, semester; ~овый terminal, half yearly, semi-annual.

семи‖башенный having seven towers; ~главый having seven cupolas (domes); ~гранник *геом.* heptahedron; ~десятилетний seventy years old (of age); ~десятилетний старик septuagenarian, septuagenary; ~десятый seventieth; ~-десятые годы the seventies; ~-дневный weekly; *мед.* septan (о перемежающейся лихорадке); ~кратный sevenfold, septuple; (школа) ~лётка *уст.* Seven-Year School; ~летний septennial; ~летний срок службы septennate; ~месячный ребёнок seven month's child.

семинар seminar; ~ист *ист.* student in a training school for priesthood; ~ия *ист.* seminary.

семинедельный seven weeks long (о сроке); seven weeks old (о младенце).

Семипалатинск Semipalatinsk.

семи‖сотый seven hundredth; ~струнный *муз.* having seven strings; ~струнный музыкальный инструмент heptachord.

семит Semite (тж. Shemite); ~йческий Semitic (тж. Shemitic); изучение ~йческих языков и литератур Semitics.

семиугольник *геом.* heptagon.

семичасовой с. рабочий день seven-hour working day.

семнадцат‖ый seventeenth; ~ь seventeen.

семфонд (семенной фонд) grain fund, grain stock.

сем‖ь seven; с. бед—один ответ *посл.* ≅ as well be hanged for a sheep as for a lamb; ровно в с. at seven sharp; теперь почти с. it is about seven, it is going on towards seven; к ~й by seven; у ~и нянек дитя без глазу *посл.* too many cooks spoil the broth.

семь‖десят seventy; ~сот seven hundred.

семья family, household; ~нин family man.

сем‖я seed, grain; *анат.* semen,

sperm; пойти в ~ена to go (run) to seed; сеять ~ена to seed, sow; ~ена раздора *фиг.* seeds of discord; ~яносец *бот.* placenta.

сенат senate; ~ор senator; ~орский senatorial; ~орство senatorship.

сен-бернар St-Bernard dog (порода собак).

сени entrance, passage.

сенник hay-mattress.

сен‖о hay; ворошить с. to ted; косить с. to mow, to make hay; складывать с. в стога to cock hay; охапка ~а bottle of hay; стог ~a hay-rick.

сено‖вал hay-loft; ~ворошилка tedding machine; ~вязалка hay binding machine; ~кос hay-making, hay-harvest, mowing; второй ~кос aftermath; ~косилка mowing-machine; ~косные угодья meadow land; ~уборка haymaking.

сенсацибнн‖ый sensational; ~ая пьеса *амер.* thriller; ~ое событие, заявление *разг.* startler; front-page stuff (в газетах).

сенсаци‖я sensation; shine (sl.); мировая с. world-sensation; вызвать ~ю to create a sensation; *разг.* to make a flutter.

сенсуал‖изм *филос.* sensualism; ~ист sensualist; '~ьный sensual.

сентенцибзн‖ость sententiousness; ~ый sententious.

сентенци‖я sentence, aphorism, maxim; изрекать ~и *ирон.* to pour out wisdom.

сентиментал‖изм sentimentalism, sickly sentiment; '~ьничать to be sentimental; '~ьность sentimentality, mawkishness; '~ьный sentimental, mawkish; крайне ~ьный *амер.* plumb sentimental; '~ьная пьеса maudlin play; '~ьщина *разг.* sobstuff, slip-slop (о книге, пьесе).

сентябр‖ь, ~ьский September; в начале ~я in early September.

сень shadow; *поэт.* umbrage, shelter.

сеньёр (франц.) *ист.* liege lord, seigneur (феодальный властелин); власть ~а seignory; ~иальный liege, seignorial.

сепарат‖изм *пол.* separatism, particularism; ~ист separatist, particularist; '~ный separate; *биол.* separative; ~ный мир separate peace.

сепаратор *техн.* separator.

сепиолит *ест.* *ист.* sepiolite; meerschaum.

сéпия sepia (*краска*); cuttle(fish) (*животное*).

септ‖éт *муз.* septet(te); '⌣има *муз.* seventh.

септи́ческий septic.

сéра *хим.* sulphur, brimstone; *анат.* ear-wax (*ушная*).

серáль seraglio.

серб Serb(ian).

Сéрбия *ист.* Serbia.

сéрбский Serb(ian).

серви́‖з service; dinner-set (*обеденный*); tea-set (*чайный*); ⌣ровáть to serve; ⌣рóвка столá laying out (spread of the table).

Сергéй Serge.

сердéчко *diminit. of* сердце (little heart).

сердéчник 1. *бот.* cuckoo-flower; 2. *техн.* core; 3. specialist in heart diseases.

сердéчн‖ость cordiality, warmth, heartiness; ⌣ый cordial, hearty, warm-blooded (-hearted); *анат.* cardiac; ⌣ый припáдок heart-seizure; ⌣ая бесéда heart-to-heart talk; ⌣ое спаси́бо cordial (heartfelt) thanks; ⌣ое срéдство cardiac; ⌣ые делá love affairs; ⌣о heartily, cordially; люби́ть ⌣о to love well.

серди́т‖ый angry, cross (*with*) (*на кого-л.*); sour, cross-grained (*о характере*); shrewish (*о женщине*); с. гóлос gruff voice; у негó óчень с. вид he looks very black; ⌣о angrily, crossly, sullenly; говори́ть ⌣о to be sharp (*with*); смотрéть ⌣о to glower (*at*).

серди́ть to anger, vex, irritate; ⌣ся (*на к.-л.*) to be angry (*with*), to be up (*against*), to be sore (*at*); *разг.* to fret and fume.

сердобóл‖ие pity, compassion (*on, for*); tender-heartedness; ⌣ьный pitiful, compassionate, tender-hearted.

сердоли́к *мин.* cornelian, sard.

сéрдц‖е heart; с. надрывáющий heart-breaking; с. у негó отошлó *разг.* he was appeased; he came round again; с. у неё си́льно би́лось her heart thumped violently; кáменное с. heart of flint; глубокó затрóнуть с. to pull the heart-strings; защеми́ло с. heart smites one; имéть на с. to have at heart; положá рýку на с. candidly; скрепя́ с. reluctantly; у меня́ к нему́ I have a warm corner in my heart for him; чýет моё с. my heart misgives me; ожирéние ⌣а fatty degeneration of the heart; от всегó ⌣а whole-heartedly; в ⌣áх in anger; с лёгким ⌣ем light-heartedly, with an easy heart; с тяжёлым ⌣ем with a heavy heart; принимáть ч.-л. к ⌣у to take to heart.

сердце‖биéние palpitation of the heart; ⌣ви́дный heart-shaped; *бот.* cordate; ⌣ви́на heart, core; *бот.* pith, heartwood, medulla; имéющий ⌣ви́ну *бот.* pithy; без ⌣ви́ны *бот.* pithless.

серебрéние silvering, silver-coating (-plating).

серебри́ст‖ый silvery, argentine; с. звук silver(y) sound (tone); с. тóполь silver poplar; ⌣ая лапчáтка *бот.* silver-weed.

серебри́ть to silver, to plate with (coat with) silver; ⌣ся to silver.

серебр‖ó silver; silver coin (*деньги*); ⌣онóсный argentiferous; '⌣яный silver; ⌣яный век silver age; '⌣яная монéта silver, silver piece (coin); ⌣яная ýтварь silver-plate; ⌣яная фольгá silver-foil; '⌣яных дел мáстер silversmith.

середи́н‖а middle, midst; с. корабля́ midship; с. лéта midsummer; с. реки́ midstream; золотáя с. golden mean; держáться золотóй ⌣ы to avoid extremes, to steer a middle course; в сáмой ⌣е in the very middle; middlemost, midmost.

середня́‖к peasant of average means; зажи́точный с. well-to-do middle-class peasant; ⌣цкое хозя́йство middle class farm.

серёжка earring (*ушная*); *бот.* catkin, earring, tassel (*на дерéвьях*); wattle (*у птиц*).

серенáд‖а serenade; петь ⌣у to serenade.

серéть to grow (turn) grey (a grey colour).

сéрия series, set; ромáн (фильм) в нéскольких ⌣х serial novel (film).

сермя́‖га drab coat; ⌣жи́на drab cloth (*грубое сукнó*); ⌣жник *уст.* peasant.

сéрна *зоол.* chamois.

серн‖и́стый sulphur(e)ous, sulphury, brimstony; ⌣и́стая кислотá sulphurous acid; '⌣ый *см.* сернистый; ⌣ый истóчник sulphur-spring; ⌣ый цвет flower of brimstone (sulphur); '⌣ая кислотá sulphuric acid; ⌣окислая соль sulphate.

сéро-grey, gray; ⌣бýрый brownish grey.

серовáтый greyish.

серοводорόд sulphurated hydrogen, hydrogen sulphide.

сероглáзый grey-eyed.

сéро-голубόй dove-coloured; **~** зелёный glaucous.

серόзн‖ый *мед.* serous; **~ая** оболочка serous membrane.

серο-пéгий piebald (*о лошади*).

сéрость greyness, greyishness; какая с.! *фиг.* what ignorance!, what dullness!

сероуглерόд *хим.* carbon disulphide.

серп sickle, hook, reaping-hook; с. и молот sickle and hammer.

серпентύн *мин.* serpentine.

серпοвύдный crescent.

серпύнка «serpyanka», a kind of homespun cotton fabric.

серсό hoop (*игра*).

сертификáт *фин.* (savings) certificate.

сéрум *мед.* serum.

сéр‖ый gray, grey; *фиг.* ignorant, coarse; **~ая** жизнь dull life.

серьгá см. серёжка.

серьёзн‖ость seriousness, gravity, earnestness; **~ый** serious, grave, earnest; **~о** seriously *и пр.*; вы это **~о**? are you in earnest?; он говорит **~о** he speaks seriously.

сéссия sitting, session; term (*судебная*); с. ЦИК Central Executive Committee session; осенняя экзаменационная с. autumn examinations.

сестéрций *ист.* sesterce (*монета*).

сестр‖á sister; hospital nurse, Red-Cross nurse (*медицинская*); с. по отцу или матери half-sister; двоюродная с. cousin, first (full) cousin; родная с. sister german, own sister; **~ύнский** sisterly.

сесть см. садиться.

сéтка net(ting); rack (*для вещей в вагоне*); hair-net (*для волос*); *зоол.* reticulum, honeycomb (*второй отдел желудка жвачных*); *техн.* mantle (*калильная*); torpedo-net (*против мин*); с. из проволоки wire-net.

сéтова‖ние complaint; **~ть** to mourn, deplore; to complain.

сéттер setter (*порода собак*).

сетчáтка *анат.* retina.

сéтчат‖ый netted, veined, reticulate; с. узор, **~ое** строение reticulation; покрывать **~ым** узором to reticulate, vein.

сет‖ь net(ting), network, meshes; drag- (drift-)net (*для ловли рыбы*); с. школ, железных дорог network of schools, railways; низовая с. ячеек local network of nuclei; вязать (плести, расставлять) **~и** to net; поймать в **~и** to (en)snare, entrap; попасться в чьилибо **~и** *фиг.* to get entangled in the meshes of somebody.

сéч‖а carnage, slaughter; **~éние** whipping, thrashing, fustigation; *мат.* section (*тж. в хирургии*); золотое **~ение** *мат.* golden section of Euclid; кесарево **~ение** *мед.* Cæsarean operation; **~ка** chopper, chopping-knife, cleaver (*мясника*).

сеч‖ь to whip, thrash, flog (*розгами и пр.*); to chop, mince (*ножом*); **~ься** to cut, split; шёлк **~ётся** silk cuts.

сéя‖лка sowing- (seeding-)machine; drill (*рядовая*); тракторная с. tractor drawn seeder (sower); **~нец** seedling; лук **~нец** chives; **~тель** sower; **~ть** to sow; to drill (*рядами*); **~ть** раздор to sow dragon's teeth.

сжáлиться to take pity (compassion) (*on*).

сжáт‖ие condensation, compression (*жидкости, газа*); shrinkage (*вещества*); jamming (*в массу*); grasp, grip, clutch (*рукой, клещами*); **~ость** compression, compactness, conciseness, succinctness.

сжáт‖ый compact; compressed (*о воздухе*); close (*о почерке*); concise, succinct, compendious, terse, brief (*об изложении*); рассказать в **~ом** виде to relate in a few words; *разг.* to put things in a nutshell; **~ые** губы tightened lips.

сжать I. to finish reaping.

сжать II. см. сжимать.

сжéчь(ся) см. сжигать(ся).

сживáть: с. к.-л. со света *фиг.* to ill-use; *разг.* to be the death of a person; **~ся** to get accustomed (used) (*to*).

сжигá‖ние burning, incineration; cremation (*покойников*); **~ть** to burn up (down, out); to set on fire; to cremate (*в крематории*); **~ть** дотла to incinerate, to burn to ashes; **~ть** свои корабли *фиг.* to burn one's boats; **~ться** to be burnt up (down, out), to be set on fire.

сжимá‖емость compressibility, contractability; **~ние** см. сжатие; *мед.* strangulation (*кровеносных сосудов*); *техн.* compression; **~ть** to press, squeeze, contract, constrict; to condense (*воздух и пр.*); to hug (*в объятиях*); **~ть** губы to tighten one's lips; **~ть** зубы to clench (set) one's teeth; **~ться**

to condense, to contract, shrink.

сжить(ся) *см.* сживать(ся).

сза́ди behind, from behind; at (in) the rear (*of*).

сзыва́ть *см.* созывать.

си *муз.* si; си бемо́ль si flat; си дие́з si sharp.

сиа́м‖ец, ⌐ский, ⌐ский язык Siamese; **⌐ские близнецы** Siamese twins.

сиба́рит sybarite; **⌐ствовать** to lead the life of a sybarite, to wallow in luxury.

сиби́лла sibyl.

сиби́рск‖ий Siberian; **Вели́кий С. ж.-д. путь** Great Trans-Siberian Railway; **⌐ая язва** anthrax.

Сиби́рь Siberia.

сибиря́‖к, ⌐чка Siberian.

си́верко *разг.* cold, windy and cloudy weather.

си́вка grey horse.

сивола́пый *разг.* clumsy, boorish.

сиву́‖ха weak cornbrandy; **⌐шное масло** fusel (grain, potato) oil.

си́вый bluish grey.

сиг whitefish (*рыба, амер.*).

сига́р‖а cigar; *разг.* weed; tweeny (*дешёвая, небольшая*); **⌐ёт(ка)** cigarette; smoke (*sl.*).

сигна́л signal; alarm; signal of distress (*бедствия*); fire-alarm (*пожарный*); preparatory signal (*приготовительный*); warning signal (*предостерегающий*); trumpet-call (*трубный*); *военн.* recall (*к возвращению*); retreat (*к отступлению*); boot and saddle (*к посадке*); chamade (*к сдаче или переговорам*); *ав.* landing signal (*для спуска аэропланов*); *мор.* flare (*световой*); дава́ть с. к отплытию *мор.* to pipe away; **⌐иза́ция** signalling; звукова́я **⌐иза́ция** sound signalling; светова́я **⌐иза́ция** light signalling; **⌐изи́ровать** to signal, to sound the signal (*гудком, трубой и т. п.*); to semaphore (*семафором*); to buzz (*электр. шумящим аппаратом*); **⌐ьный огонь** *мор.* flash light; **⌐ьная будка** signal-box; **⌐ьная пушка** alarm gun; **⌐ьная станция** signal station (post); **⌐ьные флаги** signal flags; **⌐ьщик** signaller, signalman.

сигнату́ра *тип.* signature; апте́чная с. signature; label, ticket.

сиде́лец *ист.* tapster (*в кабаке, пивной*).

сиде́лка (hospital) nurse.

сиде́ние sitting; с. но́чью подле больно́го sitting up, night-attendance.

сид‖е́нь a stay-at-home; **⌐нем сиде́ть** to lead a sedentary life; **⌐е́нье** seat, driving-seat (*шофёра*); folding seat (*поднимающееся — в автомобиля́х, теа́тре и пр.*); thwart (*гребца*); pillion (*для пассажира на мотоцикле́тке*); pew (*в церква́х на за́паде*).

сидери́‖т *мин.* siderite; **⌐ческий** *астр.* sidereal.

сиде́ть to sit, to be seated; to fit, sit (*о платье*); с. в тюрьме́ to be imprisoned (locked up); с. до́ма to remain at home (indoors); с. за обе́дом to sit at the dinner table, to dine; с. на коле́нях у к.-л. to sit on a person's lap; с. на ло́шади to be on horseback; с. на насе́сте to roost (*о птицах*); с. на я́йцах to sit on eggs, to incubate; с. непо-дви́жно to sit without moving; с. под аре́стом to be under arrest; с. поджа́в но́ги to sit cross-legged; с. по ноча́м to sit up; с. пря́мо to sit bolt upright; с. сложа́ ру́ки *фиг.* to idle away the time; мне не сиди́тся I feel restless; *разг.* I have the fidgets; си́дя when seated.

Си́дней Sydney.

сидр cider.

сид‖я́чий sedentary; он ведёт с. о́браз жи́зни he leads a sedentary life; *бот.* sessile (*о листья́х, цветках*); **⌐я́чая ва́нна** hip-bath; **⌐я́чее положе́ние** sitting posture.

сие́на *хим.* sienna (*краска*); жжёная с. burnt sienna.

сизи́фов труд *миф., фиг.* Sisyphean labour; everlasting laborious enterprise.

си́зый dove-coloured.

сиккати́в *хим.* siccative.

сикомо́р *бот.* sycamore.

сикофа́нт sycophant.

сикх Sikh (*член воинствующей секты в Индии*).

сил‖а strength, force, vigour; vim (*sl.*); с. ве́тра strength of the wind; с. ду́ха fortitude; с. зву́ка *муз.* volume; с. притяже́ния *физ.* attraction, gravity; с. сопротивле́ния sustaining power; с. тя́жести gravity; вооружённая с. armed force; *фиг.* mailed fist; гидравли́ческая с. water-power; дви́жущая с. power moving (propelling) power, impetus, impulse; де́йствующая с. activity; лошади́ная с. horse-power; мускульная с. thews; подъёмная с. leverage; рабо́чая с. man-power; творя́щая с. приро́ды the plastic forces of Nature; в едине́нии с. union is strength; посредством вооружённой ~ы by means of armed forces; в полной ~e *разг.* going strong; остаётся ли это в ~e? will that hold (stand) good?; брать ~ой to take by force; с сокрушительной ~ой with might and main; в ~у такого закона in virtue of such a law; в ~у этого решения on the strength of this decision; вошло в ~у has come into effect; закон сохраняет свою ~у law remains in force; имеющий ~у *юр.* valid; не под ~у *разг.* too much for; пускать в ход ~у to use forcible means; через ~у overstraining; работать через ~у to strain beyond one's powers; воздушные ~ы *военн. ав.* aircraft, air force; жизненные ~ы *фиг.* sap, stamina; надорвать свои ~ы to overtax one's strength; положить все ~ы to go at it tooth and nail; уравновешивать ~ы to handicap; не щадя сил *разг.* without stint; соотношение сил balance of power; это свыше моих сил it is above my strength; он ещё в ~ах he is still vigorous; я не в ~ах этого сделать I've no power to do that; собираться с ~ами to collect one's strength, to nerve oneself; to gather one's energies.

силач athlete.

Силезия Silesia.

силикат *мин.* silicate; ~ный silicic; ~ная промышленность silicate industry.

силиться to strain, strive, try, endeavour.

силком by force, under compulsion.

силлабический syllabic (*о стихосложении*).

силлогизм *лог.* syllogism; выражать в форме ~a to syllogize.

силов||ой ~ая станция power station (house); мощная ~ая установка superpower station (plant).

силок noose, trap, gin, snare; clap-net (*для птиц*); поймать в с. to nooze, trap, gin, snare.

силомер dynamometer.

силос *с.-х.* silo; ~ная яма *агр.* silo; ~ные культуры ensilage crops; ~ование, ~ованный корм ensilage; ~овать to ensilage (*корм для скота*); ~орезка ensilage cutter.

силурийская формация *геол.* Silurian formation.

силуэт silhouette; рисовать с. to silhouette.

сильно strongly, powerfully, vigorously; с. действующий drastic (*о лекарстве и пр.*); virulent (*о яде*); с. желать (*чего-либо*) to be keen (*on*); с. потеть to perspire freely; с. прозябший chilled through and through; быть с. раненым to be badly wounded; быть с. расшибленным to be badly hurt (damaged).

сил||ьный strong, powerful, vigorous; keen (*об аппетите, голоде*); severe, violent (*о болезни*); high (*о ветре*); potent (*о влиянии, аргументе и пр.*); towering (*о гневе*); driving (*о дожде*); fierce (*о жаре*); intense (*о желании, чувстве*); full (*о свете*); swashing (*об ударе*); robust, vigorous, lusty, sappy (*о человеке*); ~ён в ч.-л. good at...; право ~ьного club (sword) law; ~ьная сторона кого-л. forte.

сильф, ~ида sylph.

сим *уст.* herewith; *см.* сей.

симбиоз symbiosis.

Симбирск Simbirsk, *теперь* Ульяновск.

символ symbol, sign, emblem, image; круг как с. бесконечности the circle as a sign of infinity; обозначение ~ами symbolic notation; ~изировать to symbolize, emblem, figure, represent, stand (*for*); ~изм symbolism; '~ика symbolism, symbology, symbolatry; ~ист symbolist (*в искусстве*); ~ический symbolic(al), emblematic(al), figurative, hieroglyphic.

симметр||ичный symmetric(al); не с. unsymmetrical; делать ~ичным symmetrize; '~ия symmetry.

симпат||изировать to be in sympathy (*with*), to feel (*with*); не с. to be out of sympathy (*with*); ~ический sympathetic(al); ~ическая нервная система sympathetic system; ~ичность likableness, attractiveness; ~ичный likable, taking; nice; ~ично attractively, takingly; '~ия sympathy (*with*); fellow-feeling; у меня есть свои '~ии и антипатии I have my likes and dislikes.

сымптом symptom, sign; ~атический symptomatic.

симул||ировать to simulate, feign, sham; с. болезнь to malinger; *мор., военн.* to swing the lead; с. сумасшествие to feign madness; ~янт (-ка) simulator; ~яция simulation.

Симферополь Simferopol.

симфо||нический symphonic; '~ния *муз.* symphony.

синагога synagogue.

сингале́з Sinhalese, Cingalese.

си́нди‖к syndic; **~кали́зм** syndicalism; **~кали́ст** syndicalist; **~ка́т** syndicate; **~ци́ровать** to syndicate; **~ци́рованная промышленность** syndicated industry.

синева́ (sober) blue colour; *лес.* blue stain (*порок древесины*); the blue sky; **~тый** bluish; **~тобагро́вый** (*о лице*) livid.

синедрио́н *ист.* sanhedrim.

синеку́ра sinecure.

синемато́граф *см.* **кинематограф.**

синеро́д *хим.* cyanogen.

сине́ть to take on a bluish tint.

си́н‖ий dark blue; **~яя кни́га** *пол.* Blue Book.

сини́льная кислота́ hydrocyanic acid, Prussian acid.

сини́ть to blue (*бельё*).

сини́ц‖а *зоол.* tomtit, titmouse (*pl.* titmice), *сокр.* tit; coalmouse (*pl.* coalmice); с. болотная nun; не сули журавля в небе, а дай **~у** в руки *посл.* a bird in the hand is worth two in the bush.

синкли́т *уст.* senate, council.

синко́па *муз.* syncope.

сино́д *ист.* synod; **~а́льный** synodic.

сино́лог Sinologist, Sinologue (*китаевед*); '**~ия** Sinology.

сино́ним synonym; '**~ика** *фил.* synonymy; **~и́ческий** synonymous (*with*); '**~ный** synonymic.

синопти́ческий synoptic(al).

си́нтакси‖с syntax; '**~ческий** syntactic.

си́нте‖з synthesis (*pl.* -theses); **~ти́ческий** synthetic; **~тический** каучу́к synthetic rubber.

синтони́‖зм *физ.* syntony; **~ческий** syntonous.

си́нус *мат.* sine.

синхрони́‖зм synchronism; **~сти́ческий** synchronous.

синь (the) blue; dark blue; **~ка** (бельевая) blue.

синьо́р signor; **~а** signora.

синю́ха *мед.* cyanosis; *бот.* cornflower, bluebottle.

синя́к bruise; wale, weal (*от удара кнутом*); **~й** под глазами blue around the eyes; подставля́ть **~и** to bruise; изби́ть до **~о́в** to beat black and blue.

сиони́ст Zionist; **~ское** движе́ние Zionism; Zion movement.

сип I. *зоол.* griffin.

сип II. *см.* сиплость.

сипа́й sepoy (*солдат-индус в индо-британской армии*).

сипе́ть *см.* сипнуть.

сип‖лость huskiness, hoarseness; **~лый** husky, hoarse; **~лый** го́лос woolly voice; **~ло** huskily, hoarsely; **~нуть** to speak in a husky (hoarse) voice; **~ота́** *см.* сиплость; **~уха** (*сова*) screech-owl, barn-owl, church-owl.

сире́на 1. siren, hooter (*гудок*); 2. *миф.* siren, mermaid; 3. *зоол.* siren.

сире́н‖евый lilac; **~ь** *бот.* lilac.

си́речь *уст.* that is, namely.

сири́‖ец Syrian; **~йский** язы́к Syriac.

Си́риус *астр.* Sirius.

Си́рия Syria.

сиро́кко sirocco (*ветер*).

сиро́п syrup; **~ный** syrupy.

сирота́ orphan (*тж.* кру́глый); fatherless child (*потеряеш. отца*); motherless child (*потеряеш. мать*).

сироте́ть to be orphaned, to become an orphan.

сиро́т‖инушка, '**~ка** *см.* сирота.

сиро́т‖ский orphan; с. дом orphanage; **~тво** orphanhood.

систе́ма system, method, scheme, organization; с. сете́й arrangement of nets; с. счисле́ния scale of notation; индустриа́льная с. industrial system; метри́ческая с. metric system; не́рвная с. the nervous system; речна́я с. river system; **~тиза́ция** systematization; **~тизи́ровать** to systematize; '**~тик** systematizer; '**~тика** systematism; **~ти́ческий** systematic(al), methodical; **~тический** катало́г classed catalogue; **~ти́чно** systematically.

си́т‖ец cotton (print); chintz (*преим. мебельный*); *амер.* calico (print); оби́тый **~цем** upholstered in chinz.

си́тник I. *бот.* rush.

си́тн‖ик II., **~ый** хлеб coarse white bread made of sifted flour.

си́то sieve; bolter (*преим. для муки*); просе́ивать сквозь с. to sieve, bolt.

ситро́ a kind of lemonade.

ситуа́ция situation; сло́жная, запу́танная с. complicated situation, imbroglio.

си́тцев‖ый: **~ое** пла́тье calico (cotton, print) dress.

сифили‖с *мед.* syphilis; *вульг.* рох; перви́чный (втори́чный, трети́чный) пери́од **~са** primary (secondary, tertiary) syphilis; '**~тик**, **~ти́ческий** syphilitic.

сифо́н syphon, siphon; *техн.* siphon, trap; проходи́ть (проводи́ть) через с. *техн.* to siphon, trap.

Сици́лия Sicily.

сия́ние radiance, refulgence, sheen; aureole, nimbus (*ореол*); се́верное с. aurora borealis, northern lights.

сия́тельство *уст.* Excellency (*титул*).

сия́|ть to beam, shine; ∼ет ра́достью is radiant with joy; his face beams with joy; ∼ющий radiant, beaming, refulgent.

скабрёзн∥ость obscenity, bawdiness; ∼ый obscene, indecent, scabrous, bawdy; ∼ый расска́з bawdy tale.

сказ tale; вот тебе и весь с. and that's the whole story; that's the long and the short of it; ∼а́ние legend, story.

сказа́ть to say; to tell (*кому-л.*); to speak; с. в шутку to say in jest; с. № (по телефону) to give the number; с. пря́мо to say in plain words; если с. всю пра́вду if the truth were told; не име́ть что с. to have nothing to say; так с. so to say (speak); as it were; он никогда́ не '∼жет it will never pass his lips; ∼жи́те ва́шу це́ну name your price; ∼жи́те наконе́ц! out with it!; что '∼жут? what will people say?; он ничего́ не ∼за́л he did not breathe a word; '∼зано, сде́лано no sooner said than done; ∼за́ться to tell; он ∼за́лся больны́м he pleaded illness, he reported himself ill.

сказа́тель(ница) narrator (narratress, reciter) of old Russian ballads.

сказ∥ка tale, story; *фиг.* story, fib; волше́бная с. fairy tale; де́тская с. nursery tale; рассказа́ть ∼ку to tell a story; to spin a yarn (*расска́зывать небыли́цы, вы́думывать*); ∼очник teller of stories; ∼очный fantastic, fabulous; ∼очная страна́ Fairyland, cloudland.

сказу́емое *гр.* predicate.

сказ∥ывать(ся) to tell; напряже́ние ∼ается на челове́ке the strain tells on one.

скак∥а́лка skipping-rope (*игру́шка*); ∼а́ние skipping, jumping, leaping; hopping (*на одной ноге*); ∼а́ть, ∼ну́ть to skip, jump, leap, bound; to hop (*на одной ноге*); to gallop (*на лошади*); to lope (*о зайце и пр.*); ∼ова́я ло́шадь race-horse, racer; на ∼у́ galloping; ∼у́н, ∼уно́к jumper, leaper; ∼у́нчик hopper; ∼у́нья *см.* скаку́н.

ска́ла *муз.* scale, gamut; scale (*барометра и пр.*).

скал∥а́ rock, crag (*большая*; *отде́льная*); cliff (*отве́сная*); нависа́ющая с. pendant crag; ∼и́стость rockiness, cragginess; ∼и́стый craggy.

Скали́стые го́ры The Rocky Mountains, the Rockies.

ска́лить: с. зу́бы to grin, to bare one's teeth; *фиг.* to sneer, jeer at.

ска́лка rolling-pin (*для теста*); battledore (*для белья*).

ска́лыва∥ние cleaving; ∼ть I. to cleave, chop · off; ∼ть лёд to break the ice.

ска́лывать II.: с. рису́нок to transfer the outline of a drawing on another sheet by means of pin pricks; to prick out a design.

ска́лывать III. to pin together (*була́вками и пр.*).

скальд *ист. лит.* skald.

скальп scalp; ∼ель scalpel; ∼и́рование scalping; ∼и́ровать to scalp.

скаме́ечка *уменьш. от* скаме́йка; с. для ног foot-stool.

скаме́йка bench; garden bench (*садовая*).

скамь∥я́ bench; form (*школьная*); settle (*с высокой спинкой и ящиком под сиденьем*); с. подсуди́мых dock; *фиг.* pen of shame; на ∼е́ подсуди́мых in the dock.

сканда́л scandal; *разг.* row; како́й с.! what a disgrace!; ∼изи́ровать to scandalize; ∼и́ст brawler; ∼ить *разг.* to rag, to kick up a (hell of a) row; ∼ьность scandalousness; ∼ьный scandalous, shocking, shameful; распространя́ющий ∼ьные спле́тни scandal-monger; ∼ьно scandalously.

ска́ндий *хим.* scandium.

скандина́вец Scandinavian.

Скандина́в∥ия Scandinavia; с∼ский Scandinavian.

Скандина́вский полуо́стров Scandinavian Peninsula.

сканди́рова∥ние scansion; ∼ть to scan.

ска́пливать to collect, treasure, hoard; ∼ся to be piled up, accumulated, heaped (*кем-л.*); to accumulate.

ска́пывать to dig off (away).

скарб furniture, household goods; *разг.* rattle-traps, goods and chattels.

скаре́д niggard, miser, skinflint; ∼ничать to stint; *разг.* to scrape and hoard; ∼ность stinginess, parsimony, avarice; meanness, pettiness (*мелочность*); ⌐ный stingy; niggardly, grudging.

скарлати́на *мед.* scarlet-fever.

ска́рмливать to spend in feeding.

скат I. ray, skate (*рыба*); электри́ческий с. torpedo-fish, torpedo (*pl.* -es).

скат II. slope, incline, descent; pitch (*крыши*); gradient (*ж.-д. полотна*); chute, shoot (*для свалки угля, товаров и пр.*); *арх.* ramp (*стены, бастиона*).

ската́ть *см.* ска́тывать.

ска́терть table-cloth; ⌐ю доро́га *ирон., разг.* a good riddance.

ска́тывать to roll, slide; to roll (*бинты*); *шк.* to crib (*sl.*) (*списывать*); с. бельё *см.* ката́ть; ⌐ся to roll (tumble) down; to slide (*с ледяной горы и пр.*); to be rolled (slid) (*кем-л.*).

ска́ут scout.

скафа́ндр diving-dress.

ска́чк‖**и** horse race; с. с препя́тствиями obstacle- (hurdle-)race, steeple-chase; уча́ствовать в ⌐ах to race.

скач‖**о́к** jump, bound, spring, skip, leap; caper (*игривый прыжок*); saltation (*в танцах, тж. фиг.*); сде́лать с. to take (give) a jump (bound, leap); ⌐ка́ми by leaps and bounds (*тж. фиг.*); '⌐ущий galloping (*на лошади*); hopping (*на одной ноге*); '⌐ущая лихора́дка swinging temperature.

ска́шива‖**ние 1.** mowing; **2.** sloping; ⌐ть **1.** to mow down (*тж. артиллери́йским огнём*); **2.** to cut aslant, slope, bevel, splay (*отверстие, окно*).

скважи‖**на** chink, slit; pit-hole (*буровая*); key-hole, latch (*замочная*); всу́нуть ключ в замочную ⌐ну to fit one's key to the lock; ⌐стость porosity, porousness; ⌐стый porous.

сквалы́‖**га**, ⌐жник, ⌐жничать *разг. см.* скаред, скаредничать.

сквер square, small public garden in a town.

скверносло́в foul-mouthed fellow; ⌐ие swearing, foul (bad) language, profanity; ⌐ить to swear, to use foul (bad) language.

скверн‖**ость** nastiness; dirt, filth (*фиг.*); ⌐ый nasty, filthy, bad; ⌐ая кни́жка vile book; ⌐ая пого́да dirty weather; ⌐о nastily; мои́ дела́ иду́т ⌐о I'm in a bad way; I'm in a hole (*разг.*); поступи́ть ⌐о по отноше́нию к к.-л. to play a dirty trick on someone.

сквита́ться to square accounts (*with*); to get even (*with*).

скво‖**зи́ть 1.** to appear (to be seen) through; в его́ мане́рах ⌐и́т не́которая самонаде́янность there is a suspicion of presumption in his manner; свет ⌐ит че́рез зана́веску light shines through the blind; **2.** здесь ⌐ит (*дует*) there is a draught here; ⌐но́й transparent; ⌐но́й ве́тер current of air, draught; ⌐но́й по́езд a through train; ⌐ная брига́да brigade made up of members of different sections (in a shop, factory etc.) to complete the whole process of work; ⌐ная стро́чка open work; ⌐ня́к current of air, draught.

сквозь through; с. строй *см.* прогоня́ть; говори́ть с. зу́бы to speak through clenched teeth.

скворе́‖**ц** starling; ⌐чник, ⌐чня small wooden box for starlings.

скеле́т skeleton; пригото́вить с. to skeletonize.

ске́псис *филос.* scepsis.

ске́пти‖**к** sceptic; ⌐ци́зм scepticism; '⌐ческий sceptic(al).

ске́рцо *муз.* scherzo.

ске́тинг-ринк skating-rink.

ски́д‖**ка** abatement, allowance, rebate, reduction, deduction; с. с цены́ reduction in the price; ⌐ки не де́лается no reduction (abatement) made; де́лать ⌐ку to discount, to make a reduction; ⌐ывать to throw off; ⌐ывать пальто́ to throw off one's coat; ⌐ывать с цены́ to abate, rebate, discount, deduct, throw down from the price.

ски́ния *библ.* tabernacle.

ски́нуть *см.* ски́дывать.

ски́петр sceptre.

скипида́р turpentine; *разг.* turps; неочи́щенный с. crude turpentine; очи́щенный, францу́зский с. oil (spirit) of turpentine; ⌐ное де́рево terebinth, turpentine-tree.

скирд(а́) stack, rick.

скиса́ть to turn sour, to curd(le) (*о молоке*); *фиг.* to be off colour.

скит hermitage.

скита́‖**лец** wanderer, itinerant, rover; vagabond (*особ. бродяга*); ⌐ние wandering, roaming, roving; ⌐ться to wander, rove, roam; ⌐ющийся wandering, roaming; *разг.* on the wallaby.

скиф, ⌐ский Scythian.

склад I. warehouse, storage warehouse, storehouse (*для товаров*); cold-storage (*холодный*); store-room (*кладовая*); *фиг.* depositoгу; *военн.* ammunition-dump, ordnance stores, magazine; depot (*пищевого довольствия, оружия и боевых припасов*); сдать в с. на хранение to warehouse; на ⁓е in storage.

склад II. turn, habit; с. ума habit of mind, mentality; vein (*фиг.*); люди такого '⁓a men of that stamp (kidney); ни ⁓y, ни ладу *погов.* neither rhyme nor reason.

скла́дк‖a tuck, fold, crease (*на платье и пр.*); wrinkle (*на лице, коже*); делать ⁓и to tuck, fold, crease; испещрённый ⁓ами creasy; *ест. ист.* rugose; лицо в ⁓ах a wrinkled (seamed, lined) face.

складн‖о́й folding; с. стол folding (collapsable) table; с. стул folding chair; camp-chair, camp-stool; ⁓а́я кровать folding bed, camp-bed.

скла́дность harmony, coherence.

скла́дный *разг.* harmonious, coherent.

скла́дочн‖ый: ⁓ое место *см.* склад I.

складчин‖a collection; делать ч.-л. в ⁓y to club, pool for something.

склад‖ы: читать по ⁓а́м to spell out the words.

скла́дыва‖ние putting (laying) together; stowing, stowage, storing (*товаров, мебели*); ⁓ть to put (lay) together; to double up (*вдвое*); to furl (*зонтик*); to fold (*материю, бумагу и пр.*); to pile (*в кучу*); to store (*мебель, имущество*); to wharf (*товары на пристани*); to add up, sum (*разг.* tot) up (*столбец цифр*); ⁓ть песни to compose songs.

скл‖ева́ть, ⁓ёвывать *см.* клевать.

скле́‖ивание pasting, gluing; ⁓вать, ⁓ть to glue together (*клеем*); to paste together (*клейстером*); ⁓ваться, ⁓ться to be glued, pasted together; листы ⁓лись pages have stuck together.

скле́йка gluing (pasting) together.

склеп tomb; vault, crypt (*со сводом*).

склёп‖ка riveting, fastening; ⁓ывать to rivet, fasten, clench.

склеро́з *мед.* sclerosis.

склеро́тика *анат.* sclerotic.

скли́зкий *диал.* slippery; slimy.

скликать to call together.

скло́ка quarrel, squabble, brawl.

склон slope, side (*горы и пр.*); отлогий с. gentle slope; на ⁓е лет in his declining years; ⁓е́ние *гр.* declension; *астр.* declination; *мат.* inclination; *мор.* deviation, variation; ⁓ компаса incline of the compass; ⁓и́ть(ся) *см.* склонять(ся); я с трудом ⁓и́л его это сделать it was with difficulty that I persuaded him to do that.

скло́нност‖ь inclination, propensity, bent, leaning, taste, penchant, relish (*for*); proclivity (*особ. к дурному*); с. к заболеванию susceptibility to illness; с. к осуждению uncharitableness; с. к пьянству addiction to drink; прирождённая с. (*к*) constitutional bias (*towards*); иметь с. к военной службе (*к музыке*) to have a turn for soldiering (music); не чувствовать ⁓и to be (feel) disinclined; я не чувствую ⁓и I am not disposed that way.

скло́н‖ный inclined, disposed, given, prone, ready (*to*); с. к полноте inclined to corpulence; я ⁓ен думать, что... I'm inclined to think that...

склоняем‖ость *гр.* declinability; ⁓ый diclinable.

склоня́‖ть to incline, bend, bow, stoop (*голову, корпус*); to incline, win over (*на свою сторону*); *гр.* to decline; *см. тж.* склонить; ⁓ться to incline, bend; to be inclined (disposed) (*быть расположенным*); to yield, accede, assent, comply, to give in (*соглашаться*); *гр.* to be declined; день ⁓е́тся к вечеру the day is declining; солнце ⁓е́тся к западу the sun goes down.

скло́чни‖к, ⁓ца brawler, squabbler; ⁓чество brawling.

скля́нка phial, bottle, flask; *мор.* half an hour, bell.

скоб‖а́, ⁓ка́ holdfast, catch, clamp, brace; scraper (*для чистки обуви при входе*); *техн.* cramp, cramp-iron, clamp; скрепить ⁓о́й, '⁓кой to cramp, clamp; '⁓ки *тип.* parentheses, brackets; заключить в ⁓ки to enclose in brackets, to parenthesize.

скоб‖ле́ние scraping; ⁓ли́ть to scrape, file; to scarify (*в хирургии*).

скобяны́е товары ironware.

сков‖а́ть *см.* сковывать; лёд ⁓а́л реку the river is ice-bound; '⁓ка welding (*металлов или посредством металла*).

сковорода́ frying pan.

ско́вородень *техн.* dovetail.

сковоро́дка (small) frying pan.

ско́выва‖ние chaining; **~ть** to forge, weld (*металлы*); to chain, shackle, to put in fetters (irons) (*заковать в цепи*).

скок bound, leap, jump; **~ом** by leaps and bounds.

скол‖а́чивать to knock off, to beat down; to knock together (*строить*); крепко **~о́ченный** strongly built; sturdy (*только фиг. о человеке*).

ско́лок pricked pattern; copy, picture; соверше́нный с. с него the very spit of him (*о сходстве*).

сколоти́ть *см.* скола́чивать.

сколо́ть *см.* ска́лывать I, III.

сколь *уст.* how, how much.

скольже́ние slip(ping), sliding, gliding; skid(ding) (*колеса по льду, по грязи*); с. зву́ка *муз., фон.* glide.

скольз‖и́ть to slip, slide, glide; *разг.* to slither (*пошатываясь*); с. в сто́рону to skid, side-skid (*об автомобиле и пр.*); с. по пове́рхности to skim over the surface; ' **~кий** slippery; говори́ть на ' **~** кую те́му to be on slippery ground; ' **~ко** slippery; ' **~кость** slipperiness, lubricity; **~ну́ть** *см.* скользи́ть; **~ну́ть** в ко́мнату to glide into the room; **~я́щий** sliding, skidding.

ско́лько how much, how many; с. вам лет? how old are you?; с. вре́мени? what's the time?, what time is it?; с. голо́в, сто́лько умо́в *погов.* so many men, so many minds; с. раз? how often?, how many times?; с. э́то составля́ет? how much does it come to? (*о цене*); с. я вам до́лжен? what do I owe you?; е́сли вы с.-нибудь лю́бите меня́ if you have the slightest affection for me; есть у вас с.-нибудь де́нег? have you any money?

скома́ндовать to give out (to issue) an order.

ско́мканный crumpled.

ско́мкать to crumple; *фиг.* to make a hash of.

скоморо́‖х buffoon, clown, merry-andrew; **~шество** buffoonery, clownery; **~шествовать** to play the buffoon (clown).

скомпанова́ть *разг.* to combine.

скомпромети́ровать to compromise.

скондачка́ *разг.* superficially.

сконфу́‖женный embarrassed person, sheepish; **~зить** to abash,

disconcert, outface, to put out of countenance; **~зиться** to lose countenance, to be confused.

сконча́ни‖е: до **~я** ве́ка till the end of time.

сконча́ться to die; *юр.* to decease.

скоп: моло́чные **~ы** dairy-products.

скопа́ bald buzzard, osprey (*птица*).

скопе́ц eunuch.

скопидо́м hoarder, curmudgeon, money-grubber; **~ство** parsimony, avarice.

скопи́ть I. to geld, castrate.

скопи́ть II. *см.* ска́пливать; **~ся** *см.* ска́пливаться.

скоп‖и́ще horde, crowd, mob, gang; **~ле́ние** accumulation, heap, multitude; *мед.* afflux; **~ом** all together.

скорбе́ть to sorrow, grieve, to be afflicted; to mourn, deplore (*о чём-л.*).

скорб‖ность mournfulness, sorrowfulness; **~ный** sorrowful, afflicted, mournful; **~ный** лист death roll.

скорбу́т *мед.* scurvy (*цынга*); **~ный** scorbutic.

скорбь sorrow, affliction, grief; *рит., шут.* woe; мирова́я с. «Weltschmerz».

скорбя́щий *см.* ско́рбный.

скоре́‖е, **~й** *см.* ско́ро.

скорлу́п‖а shell (*яйца, оре́ха и пр.*); nutshell (*оре́ха*); покры́тый **~о́й** shelly, shelled; снима́ть **~у́** to shell.

скорми́ть *см.* ска́рмливать.

скорня́к furrier, fur-dresser.

ско́р‖о quickly, swiftly, rapidly, promptly, speedily (*быстро*); soon, before long (*в ско́ром вре́мени*); с. ска́зка ска́зывается, не с. де́ло де́лается *погов.* ≈ easier said than done; с. сообража́ть to do fast thinking; с. схва́тывать to be quick in the uptake; итти́ с. to walk fast; to make good time; он с. придёт he will be here soon; он с. придёт? is he likely to be long?; реша́ть с. to make quick decisions; **~е́е!**, **~е́й!** quick!; **~е́й** умере́ть, чем сда́ться rather (sooner) die than surrender.

скорогово́рк‖а patter; говори́ть **~ой** to patter.

скоропали́тельный hasty, rash.

скоропеча́тный: с. стано́к *тип.* engine-press.

ско́ропись cursive writing (*о по́черке*).

скоропо́ртящийся: с. груз perishables, perishable goods.

скоропости́жн‖**ость** suddenness; ～ая смерть sudden death.

скоропреходя́щий fugacious, transitory; shortlived.

скороспе́л‖**ка** early fruit, early ripening fruit; jargonelle (груша); фиг. precocious child, infant prodigy (о ребёнке); ～ость earliness; фиг. precocity, forwardness; ～ый early (ripening); фиг. precocious, forward.

скорострѐльн‖**ый** quick-firing (об орудии); ～ое орудие quick-firer.

ско́рость speed, quickness, swiftness, rapidity; velocity (особ. о неодушевлённых предметах); rate (охлаждения, испарения и пр.); максима́льная с. top speed, full pelt; развива́ть с. to gather speed (об автомобиле и пр.); устанавливающий с. pace-maker (на состязаниях); большой (малой) ～ю by fast (slow) train (о багаже и пр.); мчаться с недозволенной ～ю to exceed the speed limit (об автомобиле); со ～ю десяти миль в час at the rate of ten miles per hour.

скороте́чн‖**ость** transience, transiency; ～ый transient; фиг. ephemeral; fulminant (о болезни); ～ая чахотка galloping consumption.

скорохо́д уст. runner.

скорпио́н зоол. scorpion; астр. Scorpio, the Scorpion.

ско́рчить: с. гримасу to pull a fase, to make a wry face; ～ся to writhe (от боли и пр.).

скор‖**ый** fast, rapid; quick, speedy (быстрый); swift (обыкн. поэт., рит.); с. ответ ready answer; с. поезд fast train; ～ая помощь quick help; мед. first aid; в ～ом времени soon, before long, in a short (little) time.

скос bevel (стекла, зеркала); splay (отверстия, стекла); с., срезанный угол постройки внутри здания арх. mitre; ～и́ть см. скашивать.

скости́ть to strike off (долг); to mark down (цену).

скот cattle, (live) stock; крупный с. neat and horses; мелкий с. sheep, goats, swine; молочный с. dairy-cattle; племенно́й с. bloodstock; рогатый с. horned cattle; выставка рогатого ～а cattle-show; чума рогатого ～а cattle plague; ～и́на cattle; brute, beast (тж. бранно о человеке); ～ний

cow-herd, neatherd; ～ный двор cattle-shed; ～обо́йня slaughterhouse, shambles; ～ово́д cattle-breeder; ～ово́дство cattle-breeding, cattle-rearing (-raising); заниматься ～ово́дством to breed cattle; to ranch (амер.); ～ово́дческий cattle-raising (-rearing); ～опригонный двор market; ～опромышленник drover, dealer in cattle; ～опромышленность cattle-trade; ～ский bestial, swinish (бранно); ～ство bestiality, brutality, brutishness, swinishness.

скра́дывать to conceal, tone down (недостатки и пр.).

скра́ивать см. кроить.

скра́сить см. скрашивать.

скрасть см. скрадывать.

скра́шивать to embellish, beautify, adorn; с. жизнь to make life easier (more pleasant); с. недостаток to smooth over (redeem from) a defect.

скреб‖**ни́ца** (curry-)comb (для лошадей); чистить лошадей ～ни́цей to curry, comb; ～ну́ть см. скрести 2; ～ок trowel; road-scraper (для дорог); paint-scraper (для красок); (foot-)scraper (для сапог).

скре́жет scrunch; gritting of teeth (зубов); ～а́ние gritting и пр.; ～а́ть зубами to grit (grind, gnash, grate) one's teeth.

скреп‖**а** техн. tie, clamp, scarf (деревянных частей); ～и́ть см. скреплять; ～ка для бумаг split-pin; ～ле́ние fastening; tightening; countersignature (подписи); техн. scarf, splice; ～ля́ть to strengthen, consolidate; техн. to tie, clamp, scarf, splice; to bolt (болтами); to mortar (известью); to countersign (подписью); to sanction (согласием); to seal (печатью); to ratify (официально).

скрести́ 1. to scrape, scrub (пол и пр.); 2. to claw, to scratch (когтями, ногтями).

скрести́ть to cross; с. руки to fold one's arms; с. шпаги to cross swords.

скрещ‖**е́ние**, '～ивание crossing, interbreeding (пород); '～ивать(ся) to cross; биол. to cross-breed, interbreed, hybridize.

скриви́ть to crook, bend, twist; с. лицо to make a wry face.

скрижа́л‖**ь** (завета) библ. table of commandments; заносить в ～и to enrol, to record.

скрип creak (двери, пола); gride, crunch, scroop (песка, угля под ногами); scratch (пера).

скрипа́ч(ка) violinist, performer on the violin; fiddler (*уличный, неискусный*).

скрипе́ние *см.* скрип.

скрипе́ть to creak, grate, gride, crunch.

скрипи́чный: с. ключ *муз.* treble (G) clef; с. мастер violin-maker.

скри́пк‖**а** violin; *разг.* fiddle; первая (вторая) с. first (second) violin; играть на ~е to play (on) the violin; to fiddle; дужка ~и scroll; кобылка ~и bridge; колки ~и pegs.

скри́пнуть *см.* скрипеть.

скрипу́чий creaky, scratchy, grating, grinding.

скро́мн‖**ик** modest man; ~ичать to be overmodest; to put on modest airs; ~ость modesty, discretion, reserve; ложная ~ость false modesty; ~ый modest; discreet (*тактичный, сдержанный*); demure (*особ. по виду*); unpretending (*нетребовательный*); ~ый наряд simple attire; ~ая работа lowly task; по моему ~ому мнению in my poor opinion; ~о modestly и пр.

скру́ббер *техн.* scrubber.

скру́пул scruple (*аптекарский вес*).

скрупулёзный scrupulous.

скру‖**ти́ть**, '~чивать to twist, contort, roll up; to pinion (*руки верёвкой*); '~ченный кусок бумажки для зажигания чего-л. spill.

скрыва́ние concealment, hiding; reticence (*в разговоре*).

скрыва́ть to conceal, hide, secrete; to dissemble; to shroud, keep dark (*тайну*); to draw the curtain on, hush up (*факты, правду*); to pocket (*гнев, обиду*); с. своё прошлое to conceal one's past; не уметь с. чувства *разг.* to wear one's heart on one's sleeve; ~ся to disappear, vanish (*из виду*); to slip away (*уходить*); to hide, lurk (*в засаде и пр.*); to abscond (*от закона*); to levant (*от долгов*); to skulk (*с дурным намерением*).

скры́тие *см.* скрывание.

скры́т‖**ничать** to be furtive, dissembling; ~ость reserve, reticence; furtiveness, dissembling; *см.* скрытный; ~ый close, reserved; *разг.* close-tongued (-mouthed) (*about*); reticent, reserved; furtive, dissembling (*с дурным оттенком*).

скры́‖**тый** hidden, concealed, secret, surreptitious; insidious, latent (*о болезни, чувстве*); covert, veiled (*об угрозе, намёке*); cryptic (*о смысле изречения*); *фиг.* smouldering (*о гневе, неприязни*); ~тое состояние latency; ~ты(ся) *см.* скрывать(ся); солнце ~лось за тучи the sun was hidden behind clouds.

скрю́чи(ва)ть, ~ся to crook; ~ся от боли to double up with pain.

скря́‖**га** miser, skinflint, niggard, curmudgeon; ~жничать to stint, scant; to be close-fisted; ~жничество miserliness, niggardliness, stinginess.

скуде́ль *уст.* clay; ~ник potter; ~ный earthen; *фиг.* frail, feeble, weak.

скуде́ть to thin, decline; to grow poor.

скуд‖**ность** scarcity, poorness, exiguity; bareness, barrenness (*местности*); sparseness (*населения и пр.*); ~ный poor, meagre, scanty (*об обеде, урожае*); small, scant (*о знании, освещении и пр.*); short (*о запасах*); bare, barren, hungry, meagre (*о почве*); ~ные средства meagre means; ~но scantily, sparsely; ~но снабжать to keep one short; ~оу́мие stupidity, dullness; ~оу́мный stupid, dull.

ску́к‖**а** boredom, tedium, tediousness, ennui; умирать от ~и to be bored to death, to die of ennui (boredom).

скул‖**а́** cheek-bone; ~а́стый with high (prominent) cheek-bones; ~и́ть to whine, whimper.

ску́льпт‖**ор** sculptor (*ж. р.* sculptress); ~у́ра sculpture, statuary; ~у́рный sculptural, plastic, statuary; *фиг.* sculpturesque, statuesque (*о фигуре, чертах лица*); ~у́рное изображение plastic image.

ску́мбрия *зоол.* mackerel (*рыба*).

скунс *зоол.* skunk.

скупа́ть to buy up; to corner (*с целью повысить цену*).

скуперд‖**я́й** *разг.*, **скупе́ц** miser, niggard, hoarder, skinflint.

скупи́ть *см.* скупать.

скупи́ться to stint, scant, grudge, to be stingy; с. на похвалы to be sparing of praise.

ску́пка buying up; с. товаров forestalling, corner, rig (*с целью повысить цену*); с. всей ржи a corner in rye.

скупо‖**ва́тый** somewhat stingy; он ~ва́т *разг.* he is a bit of a miser; he is stingy with his money; '~й avaricious, miserly, stingy, parsimonious, chary, close-(hard-, tight-)fisted; ~й на похвалы chary of praise.

скупость avarice; miserliness, parsimony, stinginess; *разг.* cheese-paring.

скупщик forestaller; knacker (*лошадей на убой, домов на слом*).

скуфья violet *or* black velvet conical cap worn by the orthodox clergy.

скучать to be bored, to feel dull; to feel lonesome; to be dispirited; *разг.* to eat one's head off with boredom; to be bored stiff (to death) (*разг.*); с. по к.-л. to miss somebody; он ~л time hung heavy on his hands (*разг.*).

скученн||ость density, congestion (*населения*); overcrowded state; ~ый boxed up, close-packed, huddled together (*о вещах, людях и пр.*).

скучива||ние boxing up; crowding; ~ть to heap, pile (*собирать в кучи*); to crowd, huddle together (*набивать битком*); ~ть сено to cock (the hay); ~ться to assemble, flock, nestle (herd) together (*with*).

скучн||оватый somewhat tedious; он ~оват he is a bit of a bore; he comes very near being tiresome; '~ый boring, tedious, tiresome, wearisome; prosy, insipid (*о разговоре*); ~ый человек (infernal) bore; очень ~ый as dull as ditch water; ~ая дорога dull road; ~ая игра lacklustre game.

скушать to eat up.

слабеть to weaken, slack off, waste away.

слабительн||ый: ~ое средство *мед.* purge, purgative, aperient, laxative, cathartic.

слабить *мед.* to purge; его **слабит** he has diarrhoea.

слабнуть to become (grow) weak.

слабо faintly, feebly, weakly; ~ватый weakish; *фиг.* rather bad.

слабовольный weak-willed; unstable, weak-kneed (*фиг.*).

слабогрудый weak-chested.

слабодуш||ие faint-heartedness, pusillanimity, weakness; ~ный faint-hearted, mean-spirited, pusillanimous, weak.

слабосил||ие debility, feebleness, frailty; ~ьный feeble, weak.

слабость weakness, feebleness, debility, languor; *мед.* asthenia; sinking (*от внезапного потрясения, голода*); failing, foible, weak point (*слабое место*); иметь к к.-л. с. to have a soft corner in one's

heart for; узнать чью-л. с. to find out a person's weak side; to find (know) the length of a person's feet; чувствовать с. to feel low (poorly).

слабоуздый soft-(tender-)mouthed (*о лошади*).

слабоум||ие imbecility, cretinism; старческое с. dotage, second childhood; ~ный imbecile, cretinous, silly, weak-headed (-minded); soft, crackbrained, cracky, cranky (*разг.*).

слабохарактерность weak character, flabbiness.

слабохарактерный nerveless, flabby; с. человек person of feeble character; nincompoop, milksop (*разг.*).

слаб||ый weak; feeble (*физически, морально, в умственном отношении*); delicate (*о здоровье*); puny (*хилый — о человеке*); frail (*о здоровье, тж. морально*); languid (*вялый*); lax (*ненатянутый*); slight (*легкий, незначительный*); faint (*о звуке, свете*); squeamish, queasy (*о желудке*); thin, mild (*о настойке*); small (*о пиве*); ineffectual (*об аргументе*); с. глагол *гр.* weak verb; с. игрок rabbit (*sl.*); с. пол (*женский*) weaker sex, soft sex; с. человек (*животное*) weakling; он очень **слаб** he has not the strength of a cat; ~ая струна foible; ~ое вино thin wine; ~ое пиво small beer; найти ~ое место to find the joint in the armour (*разг.*).

слав||а glory, fame, renown, repute; всемирная с. world-wide fame; дурная с. disrepute, ill fame, ill name; вершина земной ~ы the pinnacle of earthly fame; достичь ~ы to win fame; на ~у first rate; приобрести дурную ~у to fall into disrepute; пути к ~е the paths of glory.

славист student in Slavonic languages and literature.

слав||ить to glorify, celebrate, praise, to sing the praises (*of*); ~иться to have a reputation (*for*) (*остроумием и пр.*); он ~ится своей честностью he has a name for honesty; эта область ~ится своей пшеницей this province is famous for its wheat; ~ненький nice.

слав||ный famous, glorious, renowned; nice (*хороший*); с. домик jolly little cottage; с. малый good fellow; sport (*sl.*); ~ословие glorification, doxology, eulogy; ~ославить to glorify, eulogize, hymn.

славян‖и́н Slav; ~офи́л Slavophil; ~офи́льство Slavophilism; ~офо́б Slavophobe; '~ский (тж. словенский) Slavic; Slavonic, Slavonian; '~ские языки Slavic (Slavonic) languages; '~ство Slavism, the Slavs.

слага́емое мат. item.

слага́ть to put together; с. бремя to shed one's burden; с. звание to resign, renounce, abdicate; с. недоимки to strike off (cancel) arrears; с. оружие to lay down arms; с. стихи to versify; ~ся to be added (summed up); to be composed (of) (состоять из).

слад‖ить см. слаживать; ему с этим не с. he can't cope with this; с детьми не было ~y the children were unmanageable (out of hand).

слад‖кий sweet; sugary (особенно приторный, льстивый); honeyed, honied (о словах, обращении); blissful (о сне); ~кое блюдо the sweet; ~кое мясо sweetbread (поджелудочная железа телёнка); пристрастие к ~кому sweet tooth; ~ко sweetly, suavely; ~кова́тый rather sweet; ~козву́чный melodious, sweet; ~коречи́вый smooth-tongued, fair-spoken, mellifluous, mellifluent.

сладостн‖ый suave, delightful, sweet; ~о suavely, delightfully, sweetly.

сладостра́ст‖ие voluptuousness, sensuality; ~ный voluptuous, sensual.

сла́дост‖ь sweetness; ~и sweets, sweetmeats.

сла́жива‖ние arrangement, agreement; ~ть to arrange, agree, settle.

сла́мывать to break, demolish; to pull down (постройку).

сла́н‖ец мин. schist, slate; shale (глинистый); ~цевый slaty, schistose; schistous; ~цевый пласт schist.

сласт‖ёна sweet tooth; '~и sweets, sweetmeats, confection, bonbons; tucks (шк. sl.); амер. candy; ~и́ть to sweeten.

сластолюб‖ец voluptuary; ~ивый voluptuous, lascivious, lewd; ~ие voluptuousness, lust, sensuality, lasciviousness.

слаща́в‖ость assumed sweetness, sugariness; ~ый sugary, all sugar and honey.

сле́ва left, leftward(s), to (at, from, on) the left; с. от зрите-

ля театр. prompter's side (сокр. p. s.).

слега́ lath.

слегка́ slightly; с. взволнован slightly excited; с. обижен somewhat offended (sore); с. удивлён faintly astonished.

след trace, mark; foot-mark (-print) (ног); finger-mark (-print) (пальца); thumb-mark (большого пальца); track, trail, scent, slot, spoor (зверя); wake, furrow (судна); vestige (прошлого и пр.); горячий с. охотн. hot (burning) scent; остывший с. cold scent; а его и с. простыл the bird had flown away; no traces were left; напасть на с. to find the track; ни ~á no sign (trace) (of); сбить со ~а to put off the scent; to foil (собак); сбиться со ~а to lose the scent; ~ом (за) immediately (after), in the footsteps (wake) of; притти за кем-л. ~ом to come on the heels of one; ходить ~ом за кем-либо to dog a person, to dog someone's steps; ~ы оспы pock marks; возвратиться по своим ~а́м to retrace one's steps; итти по чьим-либо ~ам to tread in the footsteps of a person; преследовать кого-л. по ~ам to follow in someone's tracks.

след‖ить to watch, have (keep) one's eye (up)on; to spy (up)on, to shadow (тайно; с целью уличения); с. внимательно to take notice, to pay attention; to heed (лит.); с. глазами to follow with one's eyes; за тобой ~я́т they are on your trail; you are shadowed.

следова‖ние sequence (событий и пр.); с. примеру imitation; ~тель examining magistrate; передать дело о ком-л. ~телю to take action against, to prosecute; ~тельно therefore, consequently, hence.

след‖овать to follow, to go (come) after; to succeed; с. по пятам to tread on the heels (of); вам ~овало бы уйти you would have done better to go away; как и ~овало ожидать as was to be expected; вам ~ует уйти you ought to go away; делайте что ~ует do what is expedient; как ~ует из сказанного as follows from the above...; ему заплатили как ~ует he was paid his due; отколотить как ~ует to give a sound beating; сколько ~ует заплатить за...? how much are you charging me for this?; сколько с меня

~ует? what must I pay?; отдайте ~уемые ему деньги pay him his due.

сле́дств‖енный: с. материал evidence; ~енная комиссия committee of inquiry; ~ие consequence, issue, effect, result; conclusion, deduction (*вывод*); corollary (*логическое*); *юр.* inquest, inquisition; причина и ~ие cause and effect; находиться под ~ием to be under judicial examination.

сле́дующи‖й following, next, sequent; с., пожалуйста next, please!; с. ответ the following answer; с. по качеству (порядку, размеру) next in quality (order, size); в с. раз next time; ~м образом in the following way.

слежа́ться, слёживаться to deteriorate in store (*о мануфактуре, зерне и пр.*).

слёжк‖а (*за*) trailing, tailing (*after*); установить ~у за кем-л. to dog (shadow, trail) a person.

слеза́ tear; *разг.* eye-water, brine; слёзы навернулись на глаза (*у*) tears welled up into the eyes (*of*); смех сквозь слёзы laughter through tears; довести до слёз to reduce (bring) to tears; залиться ~ми to burst into tears; *шут.* to turn on the waterworks.

слеза́‖ние descent; alighting; ~ть to descend, come down (*from*); to dismount, alight (*from*) (*с лошади*); to get out (*of*), alight (*from*) (*с поезда и пр.*).

слеза́‖ться to water; ~ящиеся глаза watering eyes.

слезк‖а *уменьш. от* слеза; *фиг.* little drop; батавские ~и *физ.* Rupert's drops.

слезли́в‖ость tearfulness; ~ый tearful.

слёзн‖ый tearful; с. проход *анат.* lachrymal duct; мое ~ое послание *уст., шут.* my humble epistle; ~ые железы lachrymal glands.

слезотече́ние *мед.* epiphora.

слезоточи́вы‖й газ *военн.* tear-gas, lachrymatory gas; снаряд со ~м газом tear-shell.

слезть *см.* слезать.

слепе́нь horse-fly, gad-fly, gad-bee, breeze.

слепе́ц blind man (*слепой*).

слепи́ть I. to dazzle.

слеп‖и́ть II., '~ливать *см.* лепить; ~иться, '~ливаться to stick together.

слеп‖нуть to become blind, to lose one's sight; ~ой 1. *s.* blind man; 2. *a.* blind, sightless; почти ~ой purblind, bat-eyed; совершенно ~ой stone-blind; ~ая курица *презр.* blind bat; ~ое повиновение implicit (unquestioning) obedience; убежище для ~ых blind asylum; ~о blindly; *фиг.* implicitly, unquestioningly, blindfold; ~о to follow blindfold; принимать ~о за истину to take for gospel truth.

слепо́к mould, cast; copy, stamp (*тж. фиг.*).

слепо‖рождённый born blind; ~та́ blindness, cecity; куриная ~та *мед.* hemeralopia; nyctalopia, night-blindness.

слес‖а́рничать to do mechanical jobs; ~а́рня locksmith's workshop; '~а́рство locksmith's trade; '~а́рь locksmith, fitter, ironworker.

слёт flight (*птиц*); assembly, gathering (*людей*); с. колхозников a conference of kolkhoz members; с. ударников a conference of shock-workers.

слета́‖ть to fly down (off, from); *фиг.* to fall from; ~ть *разг.* there and back in no time; ~ться to fly together; *фиг.* to gather.

слете́‖ть *см.* слетать; с. с места *фиг.* to be fired (*sl.*); ~л с лошади was thrown off; с него ~ла шляпа his hat was blown away.

слёток nestling, young bird.

слечь to lie up, to take to one's bed.

сли́ва plum (*плод*); plum-tree (*дерево*).

слива́‖ть to pour off (*излишки*); to mix (*вместе*); to melt (*металл*); ~ться to unite, fuse, combine, coalesce, blend, merge; ~ющийся interfluent, confluent.

сли́в‖ки cream; пастеризованные с. pasteurized cream; сбитые с. whipped cream; слизать с. (*тж. фиг.*) to lick up all the cream; ~очник cream jug (pot); ~очный cream-; ~очное масло fresh butter; ~очное мороженое ice cream.

сливя́нка liqueur made of plums.

слиза́ть *см.* слизывать.

сли́зень *зоол.* slug.

слизи́ст‖ый slimy, mucous, mucilaginous; glaireous, glairy; *см.* слизь; ~ая оболочка *анат.* mucous membrane.

сли́зкий *разг.* slippery, viscous, glutinous, slimy, mucous.

слизну́ть *см.* слизывать; *вульг.* to steal, sneak (*украсть*).

слизня́к *зоол.* snail, mollusc.

сли́зывать to lick up.

слизь slime; glair; mucus, mucilage (*животн. и растительн.*); phlegm (*мокрота*).

слиня́ть to fade (*о красках*); *фиг.* to fade, disappear; to lose one's lustre.

слипа́‖ться to stick, cling together; у меня глаза ~ются ≅ my eyes are sticky with sleep; I can't keep my eyes open.

сли́т‖ность coalescence, fusion; oneness, unification (*целей и пр.*); ~ный coalescent, conjoint; ~ное предложе́ние *гр.* contracted sentence; ~ное слово portmanteau word (*искусственно составленное*); ~ок ingot (*металла*); bullion (*золота, серебра*).

слить *см.* сливать.

слич‖а́ть to compare, collate (*тексты, издания и пр.*); ~а́ться to be compared, collated; ~е́ние comparison, collation; ~и́тельный comparative, used for comparing; ~и́ть *см.* сличать.

сли́шком too, too much, too many; over; с. больши́е ру́ки overlarge hands; ему́ 50 лет с. he is over fifty, he is fifty odd; с. любопы́тный overcurious; с. ма́ло too little (few); not half enough; с. мно́го too much, overmuch; too many; он с. стар, что́бы... he is too old to...; he is above the age for...

слия́ние confluence (*рек*); fusion, union, coalescence (*целей, намерений*); blend(ing), merging (*партий, фракций и пр.*).

слобода́ suburb; large village.

слова́к Slovak, Slovakian.

слова́р‖ь dictionary; vocabulary (*особ. в знач. запаса слов*); lexicon (*особ. греческий, еврейский и арабский*); glossary (*специальных или техн. слов*); phrase-book (*фразеологии*); с. рифм rhyming dictionary; составитель ~я lexicographer.

слова́‖цкий Slovakian; ~чка Slovak, Slovakian woman.

слове́н‖ец, ~ка, ~ский Slovene, Slovenian.

слове́сн‖ик man of letters; ~ость literature, letters; ~ый verbal, oral; nuncupative (*преимущ. о завещании*); ~ая война́ wordy warfare.

сло́вник vocabulary.

сло́вно as, as if, as though; like; с. он знал как if he knew.

сло́в‖о word; say; speech; vocable (*вокабула*); с. в с. word for word, verbatim; заключи́тельное с. на заседа́нии closing speech; звукоподража́тельное с. imitative word, onomatopœia; основно́е с., от кото́рого произво́дятся други́е etymon; тру́дно выгова́риваемое с. crack-jaw, jaw breaker; честное с.! upon my word!, honour bright!; взять с. (*на митинге*) to take the floor; взять наза́д с. to break one's word; to go back on one's word; дать с. to give (pledge, pass) one's word; сдержа́ть своё с. to be as good as one's word; мне ну́жно вам сказа́ть два ~а a word with you; ни ~а! not a word (a syllable)!; об э́том ни ~а! cut that out!; одни́м ~ом in short; ~а́ употребля́емые некста́ти malapropisms; ласко́вые ~а fair words; одни ~а mere words; оскорби́тельные ~а offensive (insulting) words; бога́тый запа́с слов copious (rich) vocabulary; по его́ ~а́м according to his story; други́ми ~а́ми in other words; сказа́ть в двух ~а́х to tell in a few words; to make a long story short; на ~а́х by word of mouth.

сло́во‖ли́тня *техн.* letter foundry; ~ли́тчик letter founder; ~образова́ние word building; ~охо́тливость talkativeness, verbosity, loquacity; gift of the gab (*разг.*); ~охо́тливый talkative, verbose, loquacious, garrulous, wordy.

сло́во‖пре́ние controversy, dispute; logomachy, word-play; ~произво́дство *гр.* etymology; ~сочета́ние combination of words; word-group; ~ударе́ние stress, accentuation.

словц‖о́ *уменьш. от* слово; кра́сное с. jest, quip, witticism, witty remark; для кра́сного ~а́ не пожале́ет и отца́ he would rather lose a friend than a jest.

слог syllable (*часть слова*); style (*литературный*); возвы́шенный с. high-flown style; ударя́емый с. stressed syllable; разделя́ть на ~и́ to syllabify, syllabize; ~ово́й согла́сный *фон.* syllable-building consonant.

слое́н‖ый: с. пиро́г puff pasty; ~ое те́сто puff paste.

сложа́: сиде́ть с. ру́ки to sit (be) idle.

сложе́ние *мат.* addition; figure, build, physique, constitution (*тела*); кре́пкое с. sound constitution; плохо́е с. awkward build; с. с себя́ до́лжности *уст.* resignation of office.

сло́женный folded (*о материи и пр.*); плохо с. ungainly, gawky (*о человеке*); хорошо с. well-knit (-built, -made), trim.

сложи́‖**ть 1.** *см.* слагать; **2.** *см.* складывать; **~ться** to club, pool together; заранее **~вшееся** мнение foregone conclusion.

сложн‖**ость** complication, complexity, intricacy (*см.* сложный); в общей **~ости** on the whole, after all; **~ый** complicated, complex, intricate (*о вопросе*); multiplex (*об аппарате*); composite, compound (*о слове*); **~ая** ситуация complicated situation, imbroglio; **~ые** проценты compound interest; **~о** intricately, complexly.

слойст‖**ость** *мин.* cleavage; **~ый** flaky; *мин.* schistose, schistous; *ест. ист.* lamellar, lamellate; *см.* облако.

слои́ться to flake, scale, peal off.

сло‖**й** layer, stratum (*pl.* -ta); coat(ing) (*краски*); lamella, lamina (*кости, органической ткани*); sheet, foil (*металла*); thickness (*материи*); покрывать **~ями** металла to laminate; **~йка** puff paste.

слом breaking, demolition; покупать (продавать) бронзу, серебро на с. to buy (sell) for old metal.

слом‖**ать** *см.* сламывать; **~ить:** **~ить** сопротивление to break the resistance (*of*); **~я** голову *разг.* headlong, in violent haste, at full pelt.

слон (bull-)elephant; tusker (*с развитыми клыками*); *шахм.* bishop; **~ёнок** elephant calf; **~иха** she- (cow-)elephant; **~бвая** болезнь *мед.* elephantiasis; **~овая** кость ivory; чёрная краска из обугленной **~о́вой** кости ivory black.

слоня́ться to ramble, saunter, stroll; to idle (gad, loaf) about; *разг.* to mooch about.

слопать *вульг.* to gobble up.

слуга́ servant; valet; ваш покорный с. your obedient (humble) servant; yours to command.

служа́ка *разг.* campaigner, old-timer.

служа́нка *уст.* girl, maid-servant, house-maid.

служащ‖**ий** employee; wage-earner; clerk (*в конторе*); **~ая** (*женщина*) employee, girl-clerk.

служб‖**а** service (*военн., гражданская, церковная*); office (*гра-*

жданская); duty, job, work, employment (*как профессия*); с. пути line service; с. связи communication service; с. тяги railway (transport) service; действительная с. *военн.* active service; на **~е** at work, in the office; on duty (*на посту*); быть на государственной **~е** to hold a government position (post); с. **~ой**, а дружба дружбой *посл.* friendship does not exempt one from fulfilling one's duties; брать на **~у** to take into service; сослужить кому-л. **~у** to render service to one; искать **~у** to look for employment (for job); **~ы** *уст.* out-houses (*помещения*).

служебн‖**ый 1.** official; **2.** ancillary, subservient, subordinate (*подсобный*); с. вагон service car (-riage); **~ая** записка official note, report; **~ое** время working-hours; **~ое** преступление violation of duty; breach of duty (trust); **~ые** обязанности official duties (functions); **~ые** часы office hours.

служ‖**ение** service, ministry; общественное с. social service; **~ивый** soldier; **~итель** attendant, servant; orderly (*больничный*); **~итель** культа minister of religious worship.

служи́‖**ть** to serve, work; to be employed; с. в армии to serve in the army; с. и нашим и вашим to run with the hare and hunt with the hounds; с. признаком to indicate; с. примером (ч.-л.) to be an instance (*of*); to serve as an example; с. чьей-либо цели to subserve; с. ширмой *фиг.* to serve as a screen; бревно **~ло** сиденьем a log did for a seat.

слуши́‖**ть:** с меня **~ли** втридорога *вульг.* they made me pay through the nose.

слух hearing, ear; rumour, hearsay, report, news, talk; музыкальный с. an ear for music; плохой с. a dull hearing; тонкий с. a nice ear; хороший с. a good ear; несчастие, о котором прошёл с. the rumoured disaster; он весь обратился в с. he was all ears; пустить с. to rumour, to spread a rumour; с. serre a rumour abroad (afloat); не всякому **~у** верь believe only half of what you hear; ни **~у** ни духу о... neither hide nor hair of...; петь по **~у** to sing by ear; есть **~и,** что... there is some talk that...; ходят **~и** it is rumoured; по **~ам** by hearsay; я его знаю только по ~ам I know him only by reputation; ~ом земля полнится news flies quickly; основанный на ~ах founded on hearsay; ~овóй acoustic, auditory, auricular; ~овой проход acoustic duct; ~овáя трубка ear-trumpet; ~овая чувствительность aural sensitiveness; ~овóе окно dormer (window).

случа||й case, occurrence (*происшествие*); circumstance (*обстоятельство*); contingency, chance (*случайность*); непредвиденный с. unforeseen occurrence; несчастный с. mischance, accident, mishap; несчастный с. на ж. д. railway accident; удобный с. opportunity; на всякий с. in case of need; страховать рабочих на с. болезни to insure workers against sickness; упустить с. to miss an opportunity; ухватиться за с. *разг.* to jump at the chance; в ~е in case, in the event of; в ~е крайности in the event of an emergency; at a push; во всяком ~е at any rate, at all events, in any case; в противном ~е otherwise; в худшем ~е at the worst; в этом ~е in this instance; ни в каком ~е on no account; воспользоваться ~ем to take the opportunity; по ~ю болезни on account of illness; закрыто по ~ю ремонта closed for repairs; приобретенное по ~ю second hand; 8 ~ев из 10 8 times out of 10; в некоторых ~ях in certain cases; в несчастных ~ях in case of accident.

случáйн||ость chance; accident (*преимущ. несчастная*); fortuity; windfall, fluke (*счастливая*); по несчастной ~ости as ill luck would have it; по счастливой ~ости by good fortune; ~ости войны hazards of war; оградить себя от ~остей to put oneself beyond the reach of chance; ~ый accidental, chance, casual; fortuitous, adventitious; ~ая встреча a chance meeting; ~ое обстоятельство accidental circumstance; ~о by chance (accident), accidentally, casually; найти ~о to pitch upon; он ~о оказался там he chanced (happened) to be there.

случáть to couple, pair; ~ся I. to copulate.

случá||ться II. to happen, chance, occur, take place, befall, come about, turn up, eventuate; но так не ~ется в жизни but things

don't work out that way in life; *см. тж.* случиться.

случáть *см.* случать.

случáться I. *см.* случаться I.

случ||áться II. *см.* случаться II; это должно было с. it was bound to happen; ~илась большая неприятность a rotten thing happened (*разг.*); как это ~илось, что... how comes it that...; ничего особенного не ~илось nothing happened (occurred); ~илось, как он сказал it fell out as he said; что ~илось? what's the trouble?; что ~илось с ним? what has become of him?

случ||ка coupling, copulation; плата за ~ку (*с племенным жеребцом, быком и пр.*) sire-fee; ~нóй for covering; ~ной пункт copulation, (coupling) stable.

слуша||ние hearing (*дела, свидетелей*); audition (*муз. произведения на конкурсе и пр.*); ~тель hearer, listener; student (*в университете и пр.*); радио-~тель listener in; ~тели audience, auditory.

слуша||ть to listen, hark(en); с. радио to listen in; не с. to turn a deaf ear (*to*); вы ~ете? are you there? (*по телефону*); ~ться to obey; to follow, to pay heed, listen (*to*) (*совета*); to be ruled (*by*) (*руководиться ч.-л.*); хорошо (плохо) ~ться узды to have a good (bad) mouth (*о лошади*); дело ~ется в суде the case has been brought before the court.

слыть to be reputed (looked upon) as, to pass for.

слы||хáть to hear; '~ханное ли это дело? who ever heard of such a thing?

слыш||ать to hear, to be told; я ~ал что... I am told that...; ~аться to be heard; ~ится отдалённый гром one can hear distant thunder; ~имость audibility, audibleness; ~ный audible; ~но audibly; ~но было, как муха пролетит *фиг.* you might have heard a pin fall; мне отсюда ~но I am within earshot; что ~но о...? what is heard (rumoured) about...?

слюбúться to grow fond of one another.

слюд||á *мин.* mica; ~янóй micaceous.

слюн||á saliva, slaver, slobber, spittle; брызгать ~óй to splutter, slobber; ~úть to wet with saliva, to beslaver; '~ки: у него ~ки текут *фиг., разг.* his mouth waters;

'~ный salivary; ~тя́й slaverer, slobberer; ~я́вый slobbery.

сля́кот‖ный slushy, miry; ~ь slush (*при оттепели*); mire; ~ь на улицах greasy streets.

сма́з‖ать *см.* смазывать; ~ка grease, oil, lubrication; lubricant (*вещество для смазки*).

смазли́в‖ость prettiness, comeliness, good-looks; ~ый pretty, prepossessing, comely, goodlooking.

сма́з‖чик greaser, lubricator; ~ывать to grease, oil; to lubricate (*машину*); *фиг.* to bribe, to grease one's palm; ~ывать вопро́с to evade (blur) the question.

смак, ~ова́ние gusto, relish, unction; со ~ом with gusto; ~ова́ть to relish, savour.

сма́льта smalt (*голубая краска*).

сма́нивать to entice, lure, decoy, win over; с. рабо́чих to entice away workers.

смара́гд *мин.* emerald.

сма́р‖ка: пошло на ~ку is annulled (cancelled); *разг.* the thing is off.

сма́тыва‖ние winding, reeling (*ниток на катушку*); winding off, unreeling (*ниток с катушки*); ~ть to wind, reel on (off); ~ть в клубо́к to wind into a ball; ~ть удо́чки *фиг.* to disappear, to liquidate one's affairs; ~ться to be wound (reeled) off.

смах‖ивание whisking (*пыли, мух*); ~ивать, ~ну́ть to whisk off, brush aside; ~ивать на кого́-л. *разг.* to look like, resemble, to have a likeness to one.

сма́чива‖ние moistening, wetting; ~ть to moisten, wet, soak; ~ться to be moistened (wetted, soaked, drenched).

сма́чн‖ость savour; ~ый *разг.* savoury, tasteful, highly-flavoured; ~о with relish.

смеж‖а́ть *поэт.*: с. о́чи to shut (close) one's eyes; ~а́ться to be shut (closed).

смежи́ть *см.* смежать.

сме́жн‖ость adjacency, contiguity, proximity; ~ый adjacent, contiguous, conterminous, proximate; ~ые о́бласти neighbouring districts; ~о next, contiguously.

смек‖а́лка mother-wit, intelligence, goodsense; sharpness, cuteness; ~а́ть, ~ну́ть to comprehend, understand.

сме́л‖ость daring, pluck, boldness, bravery, audacity, audaciousness, hardihood; cheek (*sl.*);

поэт. resolve; беру́ на себя́ с. I take the liberty (*of*); с. го́рода берёт *разг.* cheek brings success; ~ый daring, courageous, plucky, bold; audacious, hardy; ~о daringly *и пр.*; это́ бы́ло ~о! that was some cheek! (*sl.*); ~ьча́к daredevil; он ~ьча́к he is a David in daring.

сме́н‖а change, shift, relay; *воен.* relief; с. белья́ change of linen; дневна́я с. day shift (*на заводе*); комсомо́льская с. young Communist relay; молода́я с. the rising generation, the new relay; ночна́я с. night shift; они́ рабо́тают в три ~ы they work in three shifts; ~и́ть *см.* сменя́ть; ~ный changeable.

сменя́ем‖ость removability; ~ый removable.

сменя́ть to change, replace, remove; *воен.* to relieve, relay; с. карау́л to relieve the guard; ~ся to take turns.

смерд *ист.* bondsman, serf.

смерде́ть *уст.* to stink, reek.

сме́ри(ва)ть *см.* ме́рить; с. глаза́ми to eye one from top to toe.

смерк‖а́ться to grow dark (dusky); ~а́ется it is getting dark; darkness is falling; night is drawing on.

смерте́льн‖ый mortal, deathly, deadly, lethal; fatal (*о ра́не и пр.*); ~о mortally *и пр.*; ~о уста́лый dead tired (-beat); мне ~о надое́ло I am sick to death.

сме́ртник prisoner sentenced to death.

сме́ртност‖ь mortality; death-rate; коэффицие́нт ~и death-rate.

сме́ртн‖ый mortal; с. бой deadly battle; с. грех *фиг.* deadly sin; с. пригово́р death warrant, death sentence; ~ая казнь execution; ску́ка ~ая deadly dullness; на ~ом одре́ on one's death-bed; ~ые mortals (*люди*).

смерто‖но́сность deathliness, deadliness; ~но́сный death-dealing; murderous, fatal, homicidal; lethal (*о га́зе и пр.*); pestilent (*тж. фиг. о влия́нии и пр.*); ~уби́йство murder, homicide.

смерт‖ь 1. death; decease (*особ. юр.*); passing; *поэт.* last sleep, rest, fatal shear; наси́льственная с. violent death; скоропости́жная с. sudden death; борьба́ не на жизнь, а на с. fight for life; на с. to death, mortally; презира́ть с. to affront death; в моме́нт ~и in the moment (article) of death;

на волосок от ~и within a hair's breadth of death; надоесть до ~и to be the death (*of*); находящийся при ~и moribund; at the point of death; at death's doors; объявление о ~и obituary (*тж. некролог*); удостоверение о ~и death certificate; погибнуть ~ью героя to die a heroic death; 2. *разг.*: с. как курить хочется I am dying for a cigarette.

смерч waterspout.

смести *см.* сметать I.

сместить *см.* смещать.

смесь mixture, compound; concoction (*преимущ. жидкая*); jumble, farrago, medley (*мешанина*); miscellany (*особ. литературная*); с. высших сортов choice blend (*о чае, жидкостях, красках*).

смет||**a** estimate(s); раздутая с. inflated estimate; составить ~у расходов to make an estimate of costs; урезать ~у to curtail the estimate.

сметана sour cream.

сметать I. to dust, flick off (*пыль*); to sweep (*с пола и пр.*); с. артиллерийским огнём *военн.* to rake, sweep; с. в кучу to sweep into a heap; с. с лица земли *рит.* to sweep out of existence.

сметать II. *см.* смётывать.

смётка shrewdness, sagacity.

сметлив||**ость** sagacity, gumption, resourcefulness; *разг.* nous; ~ый sagacious, resourceful, keen-witted.

сметны||**й**: с. годовой доход the estimated increase per annum; ~е цифры planned figures.

смётывать to baste, tack.

сме||**ть** to dare, venture; ~ю сказать I dare say, I make bold to say.

смех laugh(ter); horse-laugh (*громкий, грубый*); chuckle (*тихий, сдавленный*); гомерический с. Homeric laugh; заразительный с. infectious laughter; поднять на с. to make fun (*of*); это курам на с. that would make a cat laugh; ему не до ~а he is past laughter; живот надорвать от ~a to burst (split) one's sides with laughter; залиться ~ом to burst out laughing; прогнать ~ом to laugh away (*скуку, досаду*); прыснуть со ~у to splutter with laughter; ~отворный laughable, ridiculous.

сме́шанн||**ый** mixed, compound, composite; farraginous (*сборный*); hybrid (*о породе*); ~ая комиссия mixed committee; ~ая кровь half-breed; ~ые войска mixed troops.

смеш||**а́ть(ся)** *см.* смешивать(ся); ~аться to be confused (*смущаться*); ~аться с толпой to be swallowed up by the crowd; ~ение mixture, combination; medley (*путаница*); blending, merging (*слоёв общества, красок*); ~ение пород cross between breeds; ~ение языков babel; '~ивание mixing; '~ивать to mix, compound, mingle, blend, combine; to jumble, to put out of order; not to distinguish; ~ивать в кучу to lump together; ~ивать краски to blend colours; я ~иваю эти два цвета I can never see a difference between these two colours; I always mix these two colours; '~иваться to intermix, intermingle, (inter)blend, commingle.

смеш||**ить** to make one laugh; ~ки ripples of laughter; ~ливость risibility, risibleness; ~ливый risible.

смеш||**ной** funny, comical, droll, amusing; ludicrous (*нелепый*); ~ная фигура comic figure; figure of fun; я не вижу в этом ничего ~ного I don't see the fun of it; это до ~ного легко it is quite contemptibly easy; выставлять кого-л. в ~ном виде to stultify, ridicule; как он ~он! how absurd he is!; ~но funnily, comically *и пр.*; ~но! ridiculous!

смеш||**ать** to displace, dislodge; to unseat (*ссадить*); лишить места или звания); to remove (*с должности*); ~аться *геол.* to heave; ~ение displacement, dislodgement; removal; *геол.* heave, upheaval, dislocation (*пластов*).

смея́ться to laugh; to chuckle (*тихо*); to giggle (*глупо, нервно*); с. до упаду to double up with laughter; с. за спиной к.-л. *фиг.* to jeer behind someone's back; с. над к.-л. to poke fun at one, to laugh at someone's expense; to pull someone's leg (*sl.*) (*морочить*); с. украдкой to laugh in one's sleeve; вы ~ётесь (*шутите*)? you're joking surely?

смиловаться to have (take) pity (compassion) (*on*), to be moved to pity (*for*).

смир||**ение** humility, lowliness, submissiveness, meekness; ~ённик, ~ённица meek person; hypocrite (*притворный*); ~ённый humble, meek, lowly, submissive; ~ённо humbly, meekly, submissively; ~итель subduer; ~ительный: ~ительная рубашка strait jacket; ⁓**ѝть** *см.* смирять; '⁓**ный** quiet, tractable, tame; '⁓**но** quietly *и пр.*; ⁓**но!** at attention!, *сокр.* shun! (*команда*); ⁓**ѝть** to subdue, reduce, humble, tame; to master, restrain, control (*свои страсти и пр.*); *фиг.* to bring to heel; ⁓**ѝться** to humble oneself; *разг.* to eat humble pie.

смоква I. Russian home-made marmalade; damson-cheese (*сливная*).

смоква II. *бот.* fig-tree, sycamore; banian (*индийская*).

смокинг smoking-jacket, dinner jacket.

смоковница *см.* смоква II.

смола resin; pitch, tar (*жидкая*); rosin (*твёрдая*).

Смоленск Smolensk.

смол‖**истость** resinousness, pitchiness; ⁓**истый** resinous, bituminous; ⁓**ить** to resin, tar, pitch.

смолк‖**áть**, '⁓**нуть** to grow silent, to fall into silence; to cease (*о шуме, говоре*).

смолоду from the time of one's youth.

смолокурня tar-works.

смолчáть to hold one's peace.

смоль *см.* смола; чёрный как с. pitch black (dark), black as jet; чёрные как с. волосы jet black hair.

смолянóй *см.* смолистый; с. запах smell of resin.

сморгнýть to blink away.

сморк‖**áться**, ⁓**нýться** to blow one's nose.

сморóдин‖**а** *бот.* currant; красная с. red-currant; чёрная с. black-currant; куст ⁓**ы** currant-bush.

сморóзить to blunder out.

сморчóк morel (*гриб*).

сморщ‖**енный** wrinkled, crinkled, shrivelled, furrowed, corrugated; wizened (*о лице*); ⁓**и(ва)ть:** ⁓**и(ва)ть** брови to frown; ⁓**ить**‖**ся** to wrinkle, shrivel, crinkle; to wizen (*о лице*); to crumple up, shrink (*о материи*).

смотáть *см.* сматывать.

смотр inspection; *военн.* review, parade; с. ударников review of shock workers; произвести с. to inspect, review; созвать на с. to muster.

смот‖**рéть** to look (*at*), contemplate, eye, view, regard; с. в оба to be on one's guard; с. заводы to inspect works; с. за детьми to be in charge of children; с. за кем-л. to mind, look after one; с. за работами to superintend work; с. пренебрежительно to look down (*at*); с. сердито to glare, glower (*at*); с. сквозь пальцы *фиг.* to wink (*at*), connive; с. с неудовольствием *фиг.* to frown (*upon*); с. широко раскрытыми глазами to stare; на него нечего с. do not mind him; он иначе '⁓**рит** на это he views the matter in a different light; ⁓**рѝ!** look!, behold!; ⁓**ри** не делай этого mind you do not do that; beware of doing that; того и ⁓**ри**, что он придёт I am afraid he will come; ⁓**рѝте**, он вас обманет take care, he will deceive you; ⁓**рѝ** по... according to...; ⁓**рéться** в зеркало to look at oneself in a looking-glass.

смотрѝ‖**ны** *ист.* visit to a prospective bride with the object of appraising her appearance; ⁓**тель** superintendent, supervisor, overseer, inspector; governor (*тюремный*).

смочѝть *см.* смачивать.

смочь to be able, to prove able.

смошéнничать to cheat.

смрад stink, stench; ⁓**ность** fetidness, stench; ⁓**ный** stinking, foul-smelling.

смугл‖**éть** to become brown; ⁓**овáтость** certain degree of swarthiness; ⁓**овáтый** a little swarthy (brown, dark); ⁓**олѝцый** *см.* смуглый; '⁓**ость** swarthiness; '⁓**ый** swarthy, brown, dark; ⁓**янка** dark girl (woman).

смýт‖**а** sedition, riot, stir, disturbance; alarm; сеять ⁓**у** to sow (spread) discord; ⁓**ѝть** *см.* смущать.

смýт‖**ность** dimness, indistinctness, haziness; confusedness (*изложения, речи*); ⁓**ный** dim, indistinct, hazy; confused; ⁓**ное** время time of unrest; ⁓**ное** представление vague idea; ⁓**но** dimly *и пр.*; ⁓**ьян** seditionary, mischief-maker.

смущ‖**áть** to disturb, perplex, trouble, confuse, confound, bewilder, embarrass, to put out of countenance, outface; ⁓**áться** to lose countenance, to be embarrassed (taken aback); ⁓**éние** confusion, perplexity, disconcertment, discomposure; к великому ⁓**éнию** кого-л. to someone's great confusion; ⁓**ённый** abashed, confused, embarrassed.

смыв‖**áть** to wash off (away); с. обиду to wipe out an insult;

⌐ться to wash (to be washed) off (away); *фиг.* to vamose (*sl.*) (*удрать*); грязь не ⌐ется the dirt won't wash (come) off (*или* out).

смыка́ть to close (*уста, глаза, ряды*).

смысл sense, meaning, signification, purport; гла́вный с. burden, import (*доклада, речи*); приро́дный здра́вый с. (common) sense, mother wit; есть глубо́кий с. в том, что он говори́т there is much in what he says; извраща́ть с. слов to twist words; улови́ть с. разгово́ра to catch the thread; не понима́ю ⌐а расска́за I don't see the point of the story; в перено́сном ⌐е figuratively, metaphorically; понима́ть в превра́тном ⌐е to take in the wrong spirit; понима́ть по ⌐у (*при переводе*) to interpret according to the sense; по ⌐у контра́кта according to the terms of the contract; по то́чному ⌐у strictly; ⌐ить to understand; он ничего́ не ⌐ит в иску́сстве he is an ignoramus where art is concerned; ⌐ово́й sense (*attr.*).

смы⌐ть *см.* смыва́ть; волна́ ⌐ла матро́са за борт a wave washed the sailor overboard; ⌐ться *см.* смыва́ться.

смы́чк⌐а *см.* спа́йка; *техн.* clamp; *пол.* bond, union; с. го́рода с дере́вней bond between town and village; произво́дственная с. industrial fellowship; ве́чер ⌐и преподава́телей со слу́шателями evening party for the establishment of close and friendly contact between teachers and students.

смычо́к 1. *муз.* bow, fiddlestick; 2. *охот.* leash.

смышлён⌐ость cleverness, intelligence, brightness, understanding, sharpness, gumption; ⌐ый clever, quick(-witted); bright, intelligent, sharp; быть ⌐ым to know how many beans make five (*разг.*).

смягч⌐а́ть to soften, mollify; to assuage, soothe (*гнев, неприязнь*); to mitigate (*гнев, боль, наказанье*); to tone down (*свет, краски и т. п.*); to extenuate (*вину*); to lighten, commute (*наказание*); ⌐а́ться to relent, to ease off; ⌐а́ющий *мед.* emollient; ⌐а́ющие обстоя́тельства extenuating (mitigating) circumstances; ⌐е́ние softening, mollification; attenuation (*приговора*); ⌐ённый subdued (*о тоне, краске*); ⌐и́ть(ся) *см.* смягча́ть(ся).

смяте́ние confusion, disturbance, alarm, commotion; consternation, dismay (*ужас*); приводи́ть в с. to perturb.

смя́тк⌐а: в ⌐у soft-boiled.

смя́⌐тый tumbled; с. воротни́к rumpled collar; ⌐ть to tumble, rumple, crumple, ruffle; ⌐ть а́рмию to disrupt an army; ⌐ть траву́ to trample upon the grass; его́ ⌐л автомоби́ль he was badly bruised by a motor-car.

снаб⌐ди́ть, ⌐жа́ть to provide, supply, furnish; to purvey, victual, cater for (*провизией*); to stock (*инвентарём*); скудно с. to skimp, stint; ⌐же́ние supply, provision, purveyance; ⌐же́ние мясом и жира́ми meat and fat supply; ⌐же́ние проду́ктами пита́ния supply of food-stuffs; вое́нное ⌐же́ние war supplies, ammunition; рабо́чее ⌐же́ние workers' supply; получа́ть ⌐же́ние to draw supplies.

сна́добье ingredient, condiment; medicament, drug; nostrum (*особ. знахарское, шарлатанское*).

сна́йпер *военн.* sniper.

снару́жи on (from) the outside, at the exterior, exteriorly, outwardly; дверь отворя́ется с. door opens from outside.

снаря́д *военн.* shell, missile, projectile; burster (*разрывной*); с. со слезоточи́вым га́зом tear-shell; с. с уду́шливым га́зом gas-shell; невзорва́вшийся с. dud; да́льность полёта ⌐а range; попа́сть ⌐ом в ко́рпус корабля́ to hull a ship.

снаря⌐ди́ть, ⌐жа́ть to equip, fit out (*with*); с. кора́бль людьми́ to man a ship; с. экспеди́цию to equip an expedition; ⌐ди́ться, ⌐жа́ться to be equipped; ⌐же́ние *военн.* equipment, outfit; ⌐щик ⌐же́ния outfitter; хорошо́ ⌐жённый *мор.* well-appointed, well-found (*о корабле*).

снасть tool; equipment, gear, apparel; *мор.* rope, cordage, tackle.

снача́ла at first, firstly, from the start (beginning); at the beginning; с. сде́лайте это get this done first; всё на́до нача́ть с. it must be done all over again.

сна́шивать to wear out.

снег snow; та́лый с. slush; идёт с. it is snowing, it snows; как с. на го́лову like a bolt from the blue (*об известии и пр.*); покры́тый ⌐ом covered with snow.

снеги́рь *зоол.* bullfinch.

снего⌐во́й: ⌐ва́я ли́ния snow-line; ⌐очисти́тель snow-plough; ⌐

па́д snow-fall; ~та́ялка apparatus for melting snow.

снегу́р(оч)ка Ice-maiden (-princess).

снеда́емый *редк.*: с. завистью consumed with envy.

снедь *уст.* food, eatables; то́нкая с. delicate food.

снеж‖и́нка snow flake; '~ный snowy, of snow; '~ные вершины snow-capped peaks; заде́ржанный '~ными зано́сами snow-bound; ~о́к *dimin.* of снег; snow-ball (*кру́глый ком*); идёт небольшо́й ~о́к it is snowing gently; игра́ в ~ки́ pelting-match with snow-balls.

снес‖е́ние removal, pulling down (*дома и пр.*); ~ти́ *см.* сноси́ть; ку́рица ~ла́ яйцо́ the hen has laid an egg.

сни‖жа́ть to sink, lower; to reduce, mark down, bring down, cut (*цены*); с. цены, конкури́руя с к.-л. *комм.* to undercut, underbid; ~же́ние зарпла́ты wage-cut; decrease in wages, wage-reduction; ~же́ние себесто́имости фабрика́тов reduction in the production cost of manufactures; ~же́ние температу́ры fall of the temperature; ~же́ние цен abatement (reduction) of (in) prices; '~зить *см.* снижа́ть; '~зиться *см.* снижа́ться; to land (*об аэропла́не*).

снизойти́ *см.* снисходи́ть.

сни́зу from below.

снима́ть to take off (away); to draw off (*перча́тки и пр.*); to skim (*сли́вки, наки́пь*); с. допро́с to interrogate, examine; с. запреще́ние to lift a prohibition; с. канда́лы (око́вы) to unshackle, unfetter; с. кварти́ру to rent a flat (apartment); с. кры́шу to unroof; с. ме́рку to take measure; с. нало́г to lift a tax; с. оса́ду (блока́ду) to raise the siege (blocade); с. подря́д to sign (conclude) an agreement (contract); с. с пете́ль to unhinge; с. с рабо́ты to dismiss, discharge; с. со списка to scratch from the list; с. со стола́ to clear the table; с. отве́тственность с кого́-л. to release one from a responsibility; с. фотогра́фию to take a photograph; с. хлеб с по́ля to harvest, gather in one's crops; с. черепицу to untile; ~ся: ~ся с ла́геря to decamp; ~ся с мели to get afloat again; ~ся с ме́ста to start; ~ся с я́коря to weigh anchor; ~ся у фотогра́фа to have one's photo(graph) taken.

сни́мок *см.* отпеча́ток; print, copy; фотографи́ческий с. photo (-graph).

сниск‖а́ть, '~ивать: с. благоволе́ние to ingratiate oneself into the favour (*of*), to find favour in the sight (*of*); с. дове́рие to conciliate the confidence (*of*); с. уваже́ние to win respect.

снисходи́тельн‖ость condescension, condescendence, leniency, indulgence, forbearance; ~ый condescending, lenient, indulgent, forbearing; ~о condescendingly *и пр.*

снисходи́ть to condescend, to be pleased (*to*); to defer (*to*).

снисхожде́ни‖е *см.* снисходи́тельность; он заслу́живает ~я he deserves lenience; allowances must be made for him.

сни́‖ться to dream; мне ~лось I dreamed (dreamt); мне э́то и во сне не ~лось such an idea never crossed my brain (never entered my head); не ~вшийся и во сне undreamt (*of*) (*об успе́хе и пр.*).

СНК (*Сове́т Наро́дных Комисса́ров*) Council of People's Commissars.

сноб snob; ~и́зм snobism, snobbery, snobbishness.

сно́ва anew, afresh, (over) again; нача́ть с. to make a fresh start; я с. с ва́ми I am again with you; here I am again.

снова́ть to scurry; to poke about.

сновиде́ние dream; повторя́ющееся с. recurrent dream.

ногсшиба́тельный *разг.* exceedingly good, wonderful; *sl.* clinking.

сноп sheaf; с. луче́й shaft of light; вяза́ть пшени́цу в ~ы́ to sheaf wheat.

сноповяза́лка binder, self-binder.

сноро́в‖ка skill, knack, ability, trick; рабо́та, тре́бующая ~ки tricky job.

снос demolition, pulling down (*дома и пр.*); амба́р про́дан на с. barn has been sold to be taken away (for removal); ~и́ть 1. to take, carry; я снёс обра́тно книгу I returned (carried back) the book; 2. to demolish, pull down, to wash away (*волна́ми, пото́ком*); 3. *фиг.* to bear, suffer, put up with (*оби́ды, неприя́тности*); 4. *карт.* to discard; ~и́ть с лица́ земли́ to level (raze) to the ground; ~и́ться to confer, communicate; ~и́ться ме́жду собо́й to intercommunicate; ~ка reference; footnote (*внизу́ страницы*); ~ный supportable, bearable, endurable; ~но supportably *и пр.*

снотво́рн‖**ый** soporific, drowsy, opiate, narcotic; ~ое сре́дство sleeping-draught.

сноха́ daughter-in-law.

сноше́ни‖**е** relation, connection, dealings, intercourse (*междунар.*, *торг. и пр.*); дипломати́ческие ~я diplomatic relations; полово́е ~я sexual intercourse; подде́рживать ~я to be in touch (contact) (*with*).

СНР (*се́кция нау́чных рабо́тников*) Section of Trade Union for scientific workers in the USSR.

сно́хиваться *вульг.* to concert (*with*); to come to a mutual understanding.

сня́т‖**ие** taking down; с. блока́ды raising of a blockade; с. урожа́я harvesting; ~ое молоко́ skimmed milk; ~ь *см.* снима́ть.

со *см.* с.

соа́вторы joint authors.

соба́‖**ка** dog; hound (*гончая*); watch-dog (*сторожева́я*); с. на се́не *фиг.* dog in the manger; издо́х как с. died a dog's death; я уста́л как с. I am dog-tired; жить как ко́шка с ~кой to live a cat-and-dog life; он на э́том ~ку съел that is his strong point (his forte); ~чий dog-, canine; ~чий фурго́н dog-box; ~чья ко́нура dog-kennel; ~чка little dog; lap-dog (*ко́мнатная*); trigger (*ружья́*); ~чонка nasty little dog.

собесе́дник interlocutor (*ж. р.* -trix, -tress); он интере́сный (*ску́чный*) с. he is good (bad) company.

собесе́дова‖**ние** conversation, colloquy; ~ть to converse, hold conversation (*with*).

собира́‖**ние** gathering, collecting, collection; *см. тж.* сбор; с. колосьев gleaning; с. трав herborization; ~тель gatherer, collector; ~тельный collective; ~тельное существи́тельное collective.

собира́‖**ть** to gather, collect; to levy, raise (*войско*); to pick, pluck (*цветы, ягоды*); to pull (*репу, морковь и пр.*); с. в доро́гу to equip; с. колосья to glean (*после жа́твы*); с. маши́ну to assemble a machine; с. бо́рками to gather; с. тра́вы to herborize (*ботанизи́ровать*); ~ться to gather; to forgather, congregate (*о лю́дях*); to club together (*для совме́стных де́йствий*); to troop together (*сходи́ться*); to agglomerate, congregate (*о предме́тах*); ~ться в да́льний путь to prepare for a long journey; *фиг.* to gird one's loins; ~ться в ку́чу to cluster together; ~ться для совеща́ния to meet in council; ~ться с ду́хом to summon up (screw up) one's courage; to get up one's nerve; ~ться с мы́слями to collect one's thoughts; ~ться с силами to nerve oneself (*for*); *фиг.* to get up steam (*for*); мы ~а́емся итти́ we intend to go; гроза́ ~а́ется a storm is brewing; что он ~а́ется де́лать? what is he going (planning) to do?

соблаговоли́‖**ть** *уст.* to deign, vouchsafe, to be pleased to, to have the kindness to; он не ~л объясни́ть *ирон.* it never pleased him to explain.

собла́зн temptation, allurement, inducement, enticement; вводи́ть в с. to tempt; к вели́кому ~у to the great scandal (*of*); ~и́тель tempter (*ж. р.* temptress); seducer; ~и́тельность enticement, allurement, seducement, seductiveness; ~и́тельный seductive, alluring; suggestive (*о карти́не*); ~и́ть, ~я́ть to tempt, seduce, entice, allure; to lead astray; to corrupt (*взя́ткой*).

соблю‖**да́ть** to observe, stick (*to*) (*пра́вила*); to keep, maintain (*поря́док*); ~да́ться to be observed (kept, fulfilled, maintained); э́то пра́вило нике́м не ~да́ется nobody observes this rule; ~де́ние maintenance (*поря́дка*); observance (*зако́нов и пр.*).

соблюсти́ *см.* соблюда́ть.

соболе́знование condolence, pity, commiseration, sympathy, compassion; выража́ть с. to express condolence; письмо́, выража́ющее с. letter of condolence.

соболе́зновать to condole, pity; to commiserate, sympathize (*with*).

собо́‖**лий:** с. мех sable(s); ~оль sable.

собра́ни‖**е** gathering, reunion, assemblage, assembly; meeting, conference, sitting; collection (*колле́кция*); с. и́збранных стихо́в и отры́вков про́зы anthology; с. правле́ния Board; законода́тельное с. Legislative Assembly; о́бщее с. general meeting; откры́тое (закры́тое) с. open (closed) meeting; парти́йное (профсою́зное) собра́ние party (trade-union) meeting; по́лное с. сочине́ний complete works; учреди́тельное с. *ист.* Constituent Assembly; зал ~я assembly room.

собра́т: с. по ору́жию brother in arms; с. по ремеслу́ fellow-worker; «наш с.» (*одна газета о другой*) our contemporary; ~ья по профессии brethren, fellow workers (teachers *etc.*).

собра́ть(ся) *см.* собира́ть(ся).

со́бственни‖к owner, proprietor (*эю. р.* -tress); земе́льный с. land-owner; класс ~ков proprietary class; ~ческий proprietary; ~чество possessorship.

со́бственно properly, strictly; с. говоря́ strictly (practically) speaking.

собственнору́чн‖ый autographic; с. акт holograph; ~ая по́дпись sign manual.

со́бственност‖ь property, possessions; дви́жимая с. movables; недви́жимая с. immovables; о́бщая с. joint property; ча́стная с. private property (ownership); моя́ ли́чная с. my particular (peculiar) property; име́ть ~и to own, possess; лиша́ть ~и to dispossess; пра́во ~и proprietary rights.

со́бственн‖ый own, proper; он живёт в ~ом до́ме he lives in a house of his own; ~ой персо́ной in person; ~ое досто́инство dignity, proper pride; в ~ые ру́ки personal (*о письме*).

собуты́льник boon companion.

собы́ти‖е event, fact, occurrence; неожи́данное с. sudden event, thunder-clap; отпра́здновать с. to celebrate the occasion; э́то бы́ло це́лым ~ем it was quite an event; по́лный ~й eventful.

сов‖á owl; молода́я с. owlet; похо́жий на ~ý owlish; крик ~ы́ hoot.

сова́ть to thrust, poke, shove; to pop (*разг.*); с. ру́ку в карма́н to dig one's hand into one's pocket; с. свой нос в чужи́е дела́ to poke one's nose into other people's affairs, to pry (*into*); не с. сви́ное ры́ло в наш сове́тский огоро́д not to poke one's swinish snout in our Soviet garden; ~ся to intrude, interfere; to butt in (*sl.*); ~ся с сове́тами to volunteer unasked advice.

соввла́сть Soviet power (government).

соверш‖а́ть to accomplish, effect, perform, achieve; to commit, perpetrate (*ошибку, преступление*); с. ни́зость to make a beast of oneself; с. по́двиг to accomplish a feat; с. ч.-л. едини́чно to do single-handed; ~а́ться to be accomplished (fulfilled, performed,

achieved); ~е́ние accomplishment, completion, performance, achievement; ~е́ние преступле́ния perpetration (committal) of crime.

соверше́нно quite, completely, entirely, fully, thoroughly, wholly, outright, downright, out and out; с. без ри́ска dead certain; с. ве́рно precisely, quite so (*как ответ*); с. го́лый stark naked; с. незнако́мый a perfect stranger; *амер.* a plump stranger; с. разорён completely ruined; stony broke (*sl.*); с. слепо́й (глухо́й) stone-blind (-deaf).

совершенноле́т‖ие majority; дости́гнуть ~ия to come of age; ~ний of age; быть ~ним to be of age.

соверше́нн‖ый perfect, complete, thorough; с. дура́к downright fool, perfect idiot; проше́дшее ~ое *гр.* perfect (tense).

соверше́нств‖о perfection, ideal; верх ~а acme (pink) of perfection; в ~е to perfection; стреми́ться к ~у to strive for perfection; ~ова́ние perfectioning; спосо́бность к ~ова́нию perfectibility; ~овать to improve, perfect; ~оваться to improve, perfect oneself; to raise one's efficiency; to be improved (perfected).

соверши́тель accomplisher, performer; с. преступле́ния perpetrator of crime.

соверши́ть(ся) *см.* соверша́ть(ся).

со́вѣститься to scruple, to have scruples; to be ashamed (*of*).

со́вест‖ливость conscientiousness; scrupulousness, scruple; ~ливый conscientious, scrupulous; obedient to conscience; как вам не ~но! have you no shame!; are you not ashamed!; ~ь conscience; усыпи́ть ~ь to lull the conscience; я э́то оставля́ю на ва́шу ~ь I leave it to you; для успокое́ния ~и for conscience sake; име́ть ч.-л. на ~и to have on one's conscience; по ~и говоря́ honestly (speaking); угрызе́ния ~и compunction, remorse, pricks of conscience; чу́вствовать угрызе́ния ~и to be conscience stricken.

сове́т I. council; Soviet (*в СССР*); с. мини́стров Cabinet Council; С. Наро́дных Коммисса́ров (Совнарко́м) Council of People's Commissars (Sovnarkom); С. Национа́льностей Council of Nationalities; С. рабо́чих и крестья́нских депута́тов (Совде́п) Soviet of Workers' and Peasants' Deputies (Representatives) (Sovdep); С. труда и обороны Labour and Defence Council; военный с. Council of War, Army Board (Council); городской с. town council, municipal corporation; тайный с. (*в монархич. государствах*) Privy Council; фабричный с. factory council; зал ᴗа council room; член ᴗа a councillor; member of the Soviet(*в СССР*); Дворец Cᴗов Palace of the Soviets; Съезд Cᴗов Congress of Soviets.

совет II. advice, counsel; opinion (*юриста*); надёжный с. sound advice; своевременный с. word in season.

совети‖зáция sovietization; 'ᴗзм sovietism.

совéт‖ник adviser, counsellor, guide; *юр.* legal adviser; ᴗовать to advise, counsel, recommend; ᴗоваться to consult, to advise (*with*), to take counsel (*with*).

совéтск‖ий soviet(ic); с. аппарат the Soviet apparatus; ᴗая власть Soviet Power, the Soviet Government; ᴗая действительность Soviet reality; ᴗая литература Soviet literature; ᴗое государство the Soviet State; ᴗое законодательство Soviet legislation; ᴗое право Soviet law; ᴗое строительство Soviet construction.

совéтчи‖к, ᴗца counsellor adviser.

совещá‖ние council, counsel, conference, board meeting (*официальное*); consultation, deliberation, conference (*обсуждение*); conclave (*частное, тайное*); ᴗтельный consultative, deliberative; ᴗтельный голос deliberative vote; ᴗтельная комната room set aside for deliberations; ᴗтельное собрание deliberative assembly; ᴗться to deliberate, confer, to take counsel; to put heads together (*фиг.*); ᴗться наедине (с) to be closeted (*with*).

совинóвн‖ость complicity; ᴗый accomplice.

совиный owlish.

Совкинó Sovigt Cinematograph Enterprises (*сокр.* Sovkino).

совладáть to accomplish, succeed in (*с делом*); to master (*подчинить себе*).

совладé‖лец joint owner (proprietor); ᴗние joint ownership (property); ᴗть to own in common.

совлекáть *уст.* to take off, strip, pull off, divest.

совмести́м‖ость compatibility; ᴗый compatible; ᴗо compatibly; это не ᴗо it is incompatible (*with*); it clashes (*with*).

совмести́тель one holding several employments; ᴗство plurality of offices; pluralism; должность по ᴗству plurality; ᴗствовать to hold two or more offices, to pluralize.

совмéстн‖ый joint; common (*общий*); ᴗая работа team-work; ᴗое владение joint ownership; ᴗое действие joint action; ᴗое обучение co-education; в продолжение их ᴗой жизни during their joint lives; ᴗо in common, (con)jointly; владеть ᴗо to share.

совмещ‖áть to combine, join; ᴗéние combination.

Совнаркóм *см.* Совет I.

совóк shovel, scoop; trovel (*садовый*).

совокуп‖и́ть(ся) *см.* совокуплять(ся); ᴗлéние copulation, sexual intercourse; ᴗли́ть to joint, unite; ᴗли́ться to copulate.

совокýпн‖ость combination, totality; в ᴗости in the aggregate, in total, together; ᴗый joint, collective, cumulative.

совпад‖áть to coincide, concur, tally (*with*); с. частично to overlap; с. во времени to synchronize; два заседания ᴗáют the hours of the two sittings clash; ᴗáющий coincidental, concurrent; ᴗéние coincidence, concurrence, synchronism.

совпартшкóла Soviet Party school.

совпáсть *см.* совпадать.

совратíт‖ель perverter, seducer, defiler, corrupter (*ж. р.* -tress); ᴗь *см.* совращать.

соврáть *разг.* to fib, tell a fib, tell a story.

совращ‖áть to corrupt, pollute, debauch, defile, to lead astray; с. с пути истинного to pervert; ᴗéние corruption, defilement, pollution, contamination.

совремéнн‖ик contemporary, coeval; наши ᴗики our contemporaries; ᴗость the present time (epoch), contemporaneity, modernity; приспособить(ся) к ᴗости to modernize; ᴗый contemporary, contemporaneous (*with*) (*одновременный*); contemporary, modern, neoteric (*настоящий*); up to date (*отвеч. последним требованиям*); ᴗый тип девушки the girl of the period; ~ая литература contemporary (modern) literature; быть ~ым to be modern; to be on modern lines.

совсе́м quite, altogether, absolutely, completely, entirely; с. не то nothing of the sort; с. но́вый bran(d)-new; с. сумасше́дший stark mad; *амер.* plumb crazy (*sl.*); мне от этого с. не легче I am none the better for it; он с. не горд he is by no means proud; они с. не так уже его любят they are none too fond of him; я с. с ним поко́нчил I have done with him.

Совторгфло́т Sovtorgflot, the Soviet mercantile marine.

совхо́з state farm.

согбе́нный *уст.* bent, stooping, crooked.

согла́с‖ие consent, acquiescense, compliance, concurrence, assent; accord, agreement, harmony, unison (*мир, гармония*); дать с. to give consent (*to*), to agree (*to*); общее с. general consent; consensus; в ~ии in accordance (*with*); in good intelligence (understanding) (*об отношениях*); in keeping (*with*) (*с правилами, обычаями*); де́йствовать по обою́дному ~ию to act in concert; с ва́шего ~ия with your consent; subject to your consent; с ~ия к.-л. with someone's approbation (consent); с общего ~ия by general (joint) consent; молча́ние—знак ~ия *посл.* silence gives consent; ~и́тельный conciliatory; ~и́тельная коми́ссия Conciliation Board; ~и́ть (-ся) *см.* соглаша́ть(ся); мо́жно ли ~и́ть два таких противоположных мне́ния? is it possible to conciliate two such different opinions?; я ~и́лся на его про́сьбу I complied with his request; ~и́сь, что ты непра́в admit that you are wrong; ~ность harmony, consonance, consistency; ~ный 1. consentaneous, consistent (*with*), harmonious; в этом отноше́нии я с ва́ми не ~ен in this I am not of your opinion; ко́пия ~на с подли́нником the copy is conformable to the original; 2. *гр.* consonant (*звук, буква*); оконча́ние на ~ный звук (бу́кву) consonantal ending; ~но in conformance (compliance) (*with*), according (*to*); in pursuance (*of*); in obedience (*to*); ~но мо́де after the fashion; они пою́т ~но they are singing in perfect harmony.

согласова́ние concordance, congruence; agreement; *гр.* concord; непра́вильное с. *гр.* false concord.

согласо́ванность congruousness.

согласова́ть to adjust, square; to conciliate (*разные цели, интересы*); ~ся to conform, to be in keeping (*with*), to chime (*with*), to be of a piece (*with*).

соглаша́тель *пол., презр.* conciliator, tolerationist, tolerator; reformist.

соглаша́тельство conciliation, toleration, reformism; *фиг.* cap-in-hand policy.

соглаша́ть to bring to consent, to persuade, induce; *см. тж.* согласова́ть; ~ся to consent, assent, acquiesce, accede, agree (*to*); to comply (*with*).

соглаш‖е́ние agreement, covenant, understanding, arrangement, compromise; composition (*с кредиторами и пр.*); та́йное с. secret understanding; collusion (*с целью обма́на*); по взаи́мному ~ю by mutual agreement; притти́ к ~ю to come to terms (of accommodation); to come to (enter into) an agreement.

согляда́тай *уст.* spy, emissary.

согна́ть to drive away; с. со двора́ to throw out of the house.

согну́ть *см.* сгиба́ть; to bend, curve, twist; *фиг.* to curb.

согра́ж‖данин townsman, fellow citizen; ~да́не (one's) fellow-countrymen; nationals (*в междунаро́дном пра́ве*).

согре‖ва́ние warm(ing), heating; ~ва́тельный компре́сс compress; ~ва́ть, '~ть to warm, heat; ~ва́ться, '~ться to grow (get) warm.

согреш‖а́ть, ~и́ть to sin, trespass; to offend (*against*); *фиг.* to fall.

со́да *хим.* soda; с. для сти́рки washing soda; с. для те́ста baking (cooking) soda.

соде́йств‖ие assistance, co-operation, concurrence; с. в преступле́нии abetment; оказа́ть с. to lend support.

соде́йствовать to help, assist, concur, co-operate (*with, in, for*); to contribute (*to*) (*счастию и пр.*); to further, forward, subserve (*достиже́нию успе́ха и пр.*); to abet (*преступле́нию*).

содержа́‖ние allowance, salary, maintenance (*денежное*); keep (*челове́ка, семьи́*); contents, tenor (*ре́чи, письма́, докуме́нта*); с. и фо́рма form and contents; руда́ богатая ‿нием a very rich ore; человек без внутреннего ‿ния a shallow-minded person; ‿нка kept woman, concubine; ‿тель proprietor (*ж. р.* -tress), owner; keeper (*гостиницы и пр.*); ‿тельность sapidity (*о лит. произведении и пр.*); ‿тельный sapid.

содерж‖а́ть to keep, support, maintain (*семью и пр.*); to contain, include, comprise (*в себе*); с. в страхе to keep in awe; with a rod of iron; килограмм '‿ит 1000 грамм a kilogram(me) is equal to a thousand grams (grammes); ‿аться в чистоте to be kept in cleanliness; в этом детдоме '‿ится 500 детей five hundred childern are taken care of in this Home for Children; ‿имое contents.

содержи́мость volume, cubature, capacity.

со́дов‖ый: ‿ая вода soda water.

содокла́д co-report; ‿чик, ‿чица co-reporter.

Содо́м *библ.* Sodom; *фиг.* row, racket; С. и Гоморра Sodom and Gomorrah.

содра́ть *см.* сдирать, слупить; с. шкуру с человека *фиг.* to strip the very skin off a person's back; to take the coat off a person's back.

содрога́‖ние shudder, shiver; это приводит меня в с. it makes my flesh creep, it gives me the creeps; ‿ться to shudder, shiver.

соедине́ние union, junction, juncture, joint, combination; aggregation, conglutination (*в плотную массу*); amalgamation, coalescence, fusion (*слияние*); *техн.* coupling.

соединённ‖ый united; ‿ая сессия joint session; С‿ые Штаты (Америки) the United States (of America).

соедини́тель connector; ‿ный connective, conjunctive; *гр.* copulative; ‿ная ткань *анат.* connective (conjunctive) tissue.

соедин‖и́ть, ‿я́ть to join, unite, connect, link; с. абонентов по телефону to put through; с. мостом to bridge; to span (*без промежуточных устоев*); ‿и́ться, ‿я́ться to unite, join, associate; to league, federate, coalesce (*для организованного действия*); to pair (*парами*); *биол.* to conjugate.

сожале́‖ние repentance, regret (*о поступке и пр.*), pity, compassion (*о чужом горе*); высказывать с. to express regret; достойный ‿ния regrettable, deplorable; pitiful, pitiable (*особ. презрит.*); из ‿ния for pity's sake; полный ‿ния regretful, remorseful; ‿ть to regret, deplore, rue; to repent (*раскаиваться*); to be sorry (*for*); to have pity (compassion, commiseration) (*on, for*).

сожж‖е́ние burning, consuming; с. трупа cremation; предавать ‿е́нию to commit to flames; ‿ённый burnt; scorched, adust (*солнцем*).

сожи́тель, ‿ница companion, room-mate (-fellow); cohabitant; ‿ство cohabitation; ‿ство нескольких человек в одной комнате chummage, chummery; ‿ствовать to cohabit, to bed together; to keep house together; to inhabit (live) in company.

созва́ть *см.* созывать.

созве́здие *астр.* constellation.

созвони́ться *разг.*: с. по телефону to get connection by telephone; to talk on (over) the telephone; to make an appointment by telephone.

созву́ч‖ие *муз.* consonance, accord, harmony; ‿ный consonant; ‿ный эпохе in harmony with the epoch.

созда‖ва́ние creation; elaboration (*плана и пр.*); в процессе ‿ва́ния in the making (*о художественном произведении и пр.*); ‿ва́ть to create, make; to frame, form (*планы и пр.*); to build, set up (*теорию и пр.*); to coin, mint (*новое слово*); ‿ва́ть роль *театр.* to create the part (*of*); я не со́здан для этого дела I am not made for this work; '‿ние creature; creation (*процесс*); *см. тж.* создавание; '‿тель creator, maker; founder, originator (*учения*); '‿ть *см.* создавать.

созерца́‖ние contemplation; ‿тель contemplator; ‿тельный contemplative; ‿ть to contemplate.

созида́‖ние erection, construction, building; creation, foundation; ‿тель constructor, builder; creator, founder; рабочая сила ‿тель стоимости labour is the producer of value; ‿тельный constructive; ‿ть to erect, construct, build (*сооружать, строить*); to create (*творить*); found (*основывать*).

созна‖ва́ть, '‿ть to acknowledge, recognize; to feel, to be conscious (*of*); с. неудачу to be aware (conscious) of failure; с. своё превосходство to be conscious of superiority; с. свои силы to be aware of one's strength; *фиг.* to feel one's legs; я ~ю свои ошибки I am sensible of my mistakes; ~ва́ться, ' ~ться to confess; ~(ва)ться чистосердечно *фиг.* to make a clean breast of it.

созна́ние conscience, consciousness, sense; acknowledgement, avowal, confession (*вины и пр.*); с. опасности feeling (consciousness) of danger; потеря́ть с. to faint, swoon, lose one's senses; притти́ в с. to come to one's senses.

созна́тельн‖ость consciousness, awareness; кла́ссовая с. class-consciousness; ~ый conscious; ~ый пролета́риат class-conscious (-minded,-spirited) proletariat(e), proletariat(e) with class feeling; ~о consciously, wittingly, knowingly; *фиг.* with open eyes.

созрев‖а́ть to ripen, mature; to gather, to come to a head (*о нарыве*); to grow up (*о человеке*); ' ~ший ripe, mature (*тж. фиг.*).

созы́в convocation; 2 се́ссия ЦИК седьмо́го ~а the second session of С. Е. С. seventh convocation; ~а́ть to summon, rally together; to invite, gather (*гостей*); to convoke (*парламент*); to call (*митинг*); ~а́ться to be convoked.

соизволе́ние assent; sanction, consent, authorization; ' ~ить, ~ять to assent, agree, consent(*соглашаться*); to sanction, consent, authorize (*разрешать*).

соизда́тель joint editor, co-editor.

соизмери́м‖ость commensurability, commensuration; ~ый commensurate.

соиска́‖ние competition, rivalry, contest; ~тель competitor, rival, contestant; ~ть *уст.* to compete, emulate.

со́йка jay (*птица*).

сойти́ *см.* сходи́ть; всё сошло́ прекра́сно all went off splendidly; *разг.* it went off like a breeze; э́то сошло́ ему́ с рук *разг.* he got away with it; сойдёт that may pass; that will do; ~сь *см.* сходи́ться; не сойдёмся there's nothing doing (*о сделке*).

сок juice, sap (*растений*); желу́дочный с. gastric juice; мле́чный с. *физл.* chyle; в ~у́ sappy; в по́лном ~у *фиг.* in the prime of life.

со́кол falcon (*особ. для охоты*);

охо́титься с ~а́ми to hawk; ' ~ик ласк. darling; you dear thing; my pet; ~и́ная охо́та falconry; ' ~ьничий *ист.* falconer (*придворный в древней Руси*).

Сокра́т Socrates.

сокра‖ти́ть, ~ща́ть to abbreviate, abridge, shorten (*речь и пр.*); to reduce, curtail, pare, cut, lower (*расходы, жалованье и пр.*); to contract (*мускул и пр.*); с. расхо́ды to cut down expenses; to tighten the purse strings, to draw rein (*фиг.*); с. роль to cut the part; с. со слу́жбы to (give the) sack, to dismiss, to turn away (off); to fire (*sl.*); с. часы́ рабо́ты to reduce (shorten) working hours; с. штат to cut down the staff (personnel); ~ти́ться, ~ща́ться to shorten, contract; to close in (*о днях*); спосо́бность ~ща́ться contractility, retractility; спосо́бный ~ща́ться contractive, retractive (*о мускулах и пр.*); ~ще́ние abbreviation, abridg(e)ment; reduction (*тж. мат.*); contraction (*мускула и пр.*); ~ще́ние бюдже́та curtailments in the budget; ~ще́ние жа́лованья wage-cut; ~ще́ние непроизводи́тельных расхо́дов curtailment of non-productive expenses; ~ще́ние се́рдца *мед.* systole, contraction of the heart (*противоп.* diastole); ~ще́ние шта́тов staff-reduction; ~ще́ние э́кспорта shrinkage of export; ~щённость brevity, conciseness; ~щённый abridged, abbreviated; brief, concise, succinct (*краткий*); shortened; ~щённый курс (*науки*) brief course of lectures (*on*); ~щённое сло́во abbreviated word; ~щённо briefly, shortly, concisely.

сокрове́нн‖ость secrecy, mystery; occultness (*об учении*); ~ый secret, mysterious, occult (*об учении*); innermost (*о чувствах*); ~ые мы́сли intimate thoughts.

сокро́вищ‖е treasure; чье́-л. с. *фиг.* one's ewe lamb; the apple of one's eye; ~ница treasure-house, depository; ~ница зна́ний *и пр.* thesaurus (*pl.* -ri); storehouse of information.

сокруш‖а́ть to break, crush, smash, shatter, ruin, wreck, demolish, beat down, squash, pulverize, annihilate; *рит.* to quell; с. неприя́теля to overwhelm the enemy; он ~и́л мои́ наде́жды he shattered (ruined) my hopes (expectations); ~а́ться to be distressed; ⁓ éние demolition, destruction; contrition (*сердечное*); с ⁓ ённым сердцем contritely; ⁓ йтель destroyer, ⁓ йтельный shattering, destructive, damaging; devastating; ⁓ ительный удар shattering blow; ⁓ йть *см.* сокрушать.

сокрытие concealment; receiving (*краденого*); занимающийся ⁓ м краденого receiver.

солга́‖ть *см.* лгать; кто раз ⁓ л, тому больше не верят once a liar, always a liar.

солда́‖т soldier; ⁓ ты *соб.* the ranks, rank and file; служить в ⁓ тах to soldier; ⁓ тка *пренебр.*, *разг.* soldier's wife (widow); ⁓ тчина *уст.* soldiering; ⁓ фон *презр.* brutal soldier.

солева́рня salt works.

сол‖ **ение** salting, pickling; ⁓ ёность saltness, salt, salty; briny (*преимущ. о море*); saline (*об источнике и пр.*); ⁓ ёное мясо corned beef; ⁓ ёные огурцы pickled cucumbers; ⁓ енье salt (pickled) foods.

солеци́зм *фил.* solecism.

солидар‖ **изи́роваться** to hold together, to make common cause, to join, identify (*with*); ' ⁓ ность solidarity; классовая ⁓ ность class solidarity; котельщики забастовали из ' ⁓ ности с железнодорожниками the boilermakers struck in sympathy with the railwaymen; ' ⁓ ный solidary; having common interests; ' ⁓ но jointly and severally.

соли́дн‖ **ость** solidity, firmness, reliability, soundness; ⁓ ый firm, sound, strong; staid, sedate (*о человеке*); ⁓ ый человек man of good standing; ⁓ ая фирма sound (reliable) enterprise.

соли́ст, ⁓ ка soloist.

солите́р *мед.* tape-worm; solitaire (*бриллиант*).

соли́ть to salt, brine, pickle.

со́лнечн‖ **ый** solar; sunny; с. луч sun-beam; с. свет sunlight, sunshine; с. удар sunstroke; ⁓ ая ванна sun-bath; ⁓ ая погода sunny weather; ⁓ ое сплетение *анат.* solar plexus.

со́лнц‖ **е** sun, sunshine; *поэт.* Sol, Phoebus; ложное с. *астр.* parhelion; греться на с. to bask in the sun; отражать с. to reflect (blaze back) the sun; для защиты от ⁓ а against the sun; определять положение ⁓ а *мор.* to shoot the sun; залитый ⁓ ем flooded with the sun; к ⁓ у sunwards; ⁓ е-

стоя́ние solstice; зимнее (летнее) ⁓ стояние winter (summer) solstice; день летнего ⁓ естояния Midsummer Day (*24 июня*).

со́ло solo.

солов‖ **ей** nightingale; ⁓ ья баснями не кормят *посл.* fine words butter no parsnips; *см. тж.* басня.

Солове́цкие острова́ the Solovetski Islands.

соло́вый light bay, Isabella (*цвет, масть*).

со́лод malt; ⁓ ить to malt; ⁓ ко́вый корень *бот.* liquorice; ⁓ о́вня malt-house; ⁓ о́вщик malster.

соло́м‖ **а** straw; haulm (*подстилочная*); chaff (*мелко нарезанная*); крыть ⁓ ой to thatch; цвета ⁓ ы straw-coloured; ⁓ енный straw (*attr.*); ⁓ енная вдова *разг.* grass widow; ⁓ енная крыша straw--thatched roof; ⁓ енная шляпа strawhat; ⁓ инка straw; хвататься за ⁓ инку to catch (snatch, clutch) at a straw.

соломоре́зка chaff-cutter.

солони́на corned beef; *мор.* (salt-)junk.

соло́нка salt-cellar.

со́лоно: они вернулись не с. хлебавши *фиг.* they returned disappointed; ⁓ ватость brackishness; ⁓ ва́тый brackish.

солонча́к salt-marsh, solonchak.

сол‖ **ь** I. salt (*тж. фиг.*); английская с. *мед.* Epsom salt(s); нюхательная с. smelling salts; столовая с. table-salt; углекислая с. carbonate; без ⁓ и saltless (*тж. фиг.*); ложечка для ⁓ и salt-spoon; не понимаю ⁓ и рассказа I don't see the point of the story.

соль II. *муз.* sol.

со́льный: с. номер solo.

сольфе́джио *муз.* solfeggio; петь с. to sol-fa.

соля́нка Russian dish of sour cabbage and fish.

соля‖ **ной:** ⁓ ая кислота hydrochloric (muriatic) acid; ⁓ ая копь salt mine.

сом sheat-fish (*рыба*).

соматоло́гия *мед.* somatology.

сомкн‖ **уть** *см.* смыкать; ' ⁓ утый строй *военн.* close order; ' ⁓ утые ряды serried ranks.

сомле́ть *см.* разомлеть.

сомна́мбул‖ **(а)** sleep-walker, somnambulist; ⁓ и́зм somnambulism, sleep-walking.

сомне‖ **ва́ться** to doubt, to call in question; не с. to make no doubt (*of*); ' ⁓ ние doubt; возбуждать ⁓ ние to arouse doubts (suspicion);

разрешить ⌐ние to solve a puzzle; to fix the axe on the helve (*фиг.*); тут-то и является ⌐ние there's the rub; подвергать '⌐нию to question, query, to throw doubts on; без '⌐ния no (without, beyond) doubt; в этом нет ⌐ния there is no doubt about it; муки ⌐ния qualms (*особ. угрызения совести*).

сомнительн‖**ость** doubtfulness, dubiousness, incertitude; ⌐ый doubtful, uncertain, suspicious, dubious, queer, questionable; fishy (*sl.*); equivocal; *фиг.* left-handed (*о комплименте*); shady (*о репутации*); ⌐ые дела sharp practice, jobbery.

сомон salmon (colour) (*цвет*).

сон sleep; repose, rest (*покой*); slumber, doze (*легкий*); dream (*сновидение*); гипнотический с. hypnotic sleep; зимний с. hibernation; летаргический с. lethargy; послеобеденный с. midday (post-prandial) sleep, siesta; *разг.* forty-winks; прерывистый с. broken sleep, cat-sleep; видеть во сне to dream, to see in a dream.

сонат‖**а** *муз.* sonata; ⌐ина sonatina.

сонет sonnet; сочинитель ⌐ов sonneteer; писать ⌐ы to sonneteer (*преим. пренебр.*).

сонлив‖**ость** somnolence, drowsiness; *фиг.* phlegm; неестественная с. coma; ⌐ый sleepy, drowsy; *фиг.* slothful; болезненно ⌐ый comatose.

сонм *уст.* multitude, host, crowd.

сонник *уст.* book interpreting dreams.

сонн‖**ый** sleepy (*тж. фиг.*); ⌐ая артерия *см.* артерия; ⌐ая болезнь sleeping sickness; ⌐ая одурь *бот.* belladonna, deadly nightshade; ⌐ые капли sleeping-draught; ⌐о sleepily.

соня *разг.* sleepy-head, lie-abed; *зоол.* dormouse (*pl.* dormice).

соображ‖**ать** to cogitate, consider, to take into consideration; to combine, to weigh pros and cons, to put two and two together; ⌐ение consideration; deliberation (*обдумывание*); принимать в ⌐ение to allow (*for*), to take into consideration; по тактическим ⌐ениям for tactical considerations (reasons).

сообразительн‖**ость** shrewdness, sagacity, discrimination, quickness, sharpness; ⌐ый shrewd, sagacious, discriminative, quick, sharp; он ⌐ый he has his wits about him; ⌐о shrewdly *и пр.*

сообразить *см.* соображать.

сообразн‖**ость** suitableness, suitability, conformity, compliance; ⌐ый suitable, consistent (*with*); ⌐о in conformity (compliance) (*with*), according (*to*); ⌐о закону in observance of the law.

сообразов‖**ать**, '⌐ывать to adapt, adjust; ⌐аться, '⌐ываться to fit, suit, conform; ⌐аться с обстоятельствами to adapt oneself to circumstances.

сообща together, jointly, conjointly; действие с. consolidated (combined) action.

сообщ‖**ать** to communicate, inform, to let know, to send word; с. известие to convey (impart, break) news; ⌐аться to be in communication (*with*); ⌐ение communication, information, message, notification; notice; confidence (*конфиденциальное*); ⌐ение по беспроволочному телеграфу wireless (message); последнее ⌐ение в газете stop-press; между этими комнатами есть ⌐ение (дверь) the two rooms communicate (by a door); пути (способы) ⌐ения means of communication.

сообщество fellowship, company, society.

сообщительн‖**ость** communicativeness *и пр.*; ⌐ый communicative, talkative, unreserved.

сообщить *см.* сообщать; я имею кое-что вам с. I'd like to tell you a thing or two.

сообщни‖**к** accomplice, accessary (*to*); ⌐чество complicity, participation; в ⌐честве in complicity (*with*).

сору‖**дитель** builder, constructor; ⌐дить, ⌐жать to build, construct, erect, frame; ⌐дить наспех, на время to rig up; ⌐жение building, construction, erection (*преим. муш. прямого высокого здания*); Институт ⌐жений Institute for the Study of Buildings and Constructions.

соответственн‖**ость** conformance, conformity, suitableness, suitability; ⌐ый expedient, proper, suitable, corresponding (*см.* соответствующий); ⌐ые углы *геом.* corresponding angles; ⌐о accordingly, according (*to*); in reason (*of*), correspondingly; becomingly, consequently; ⌐о указаниям in conformance with instructions.

соотве́тств‖**ие** conformity, correspondence, congruence (*between*, *with*); expediency (*пригодность*); в ⌐**ии** in accordance (compliance) (*with*), in conformity (*to*); ⌐**овать** to correspond (*to*, *with*); to tally (*with*); to match, fit (*подходить*); ⌐**овать** цели to answer the purpose; ⌐**ующий** appropriate, suitable, becoming; ⌐**ующий** существу дела pertinent (*to*), ⌐**ующий** требованиям equal to the requirements (*of*), adequate; принять ⌐**ующие** меры to take suitable measures.

соотве́тчик co-respondent (*при бракоразводных делах*).

соотéчественни‖**к** compatriot, countryman; ⌐**ца** countrywoman.

соотноси́тельн‖**ость** correlation; ⌐**ый** correlative.

соотноше́ние correlation, relation, connection; с. сил correlation of forces; верное с. just proportion; установить правильное с. to co-ordinate, to bring into proper correlation.

сопе́ние wheeze.

сопе́рни‖**к** rival, competitor, contestant; это с. серьёзный he is more than a match for me; **не** имеющий ⌐**ка** unrivalled; ⌐**ки** (*в профессии*) two of a trade; ⌐**ки** в любви *шут*. the rival swains; стать ⌐**ками** to be brought into rivalry; ⌐**чать** to rival, compete, vie (*with*—*с кем-л.*, *in*—*в чём-л.*); to emulate; ⌐**чество** rivalry, competition, emulation, contest.

сопе́ть to wheeze.

со́пка mound; small volcano.

соплеме́нни‖**к** tribesman, kinsman; ⌐**ость** affinity of tribe, tribalism; ⌐**ый** tribal.

со́пл‖**и** snivel; mucus running from the nose; *вульг.* snot; ⌐**ивость** snivelling; ⌐**ивый** snivelly; *вульг.* snotty.

со́пло *техн.* nozzle.

сопля́к sniveller.

сопоста́в‖**ить** *см.* сопоставлять; ⌐**ление** comparison, confrontation; juxtaposition; ⌐**лять** to compare, confront, contrast; to juxtapose (*ставить рядом*).

соправи́тель co-regent.

сопра́но *муз.* soprano, treble; sopranist (*певица*).

сопреде́льный contiguous, adjoining, adjacent.

сопре́ть to fester.

соприк‖**аса́ться** to touch, to come into contact (*with*); to border (verge) (*on*); to be adjacent

(*to*); *геом.* to osculate ⌐**основ́ние** osculation; *геом.* osculation; ⌐**основéнность** contiguity; ⌐**основéнный** contiguous, implicated (*in*); accessary (*к дели*).

сопричáсти‖**ик**, ⌐**ый** (co-)participant; *см.* соучастник.

сопроводи́тельн‖**ый** accompanying, concomitant; ⌐**ое** письмо covering letter.

сопровожд‖**а́ть** to accompany, attend; to convoy, escort (*для безопасности*, *почёта*); to squire (*из любезности*); ⌐**éние** accompaniment; attendance, escort; convoy; concomitance (*сосуществование*); в ⌐**éнии** accompanied by; under escort (*of*).

сопротивл‖**éние** resistance, opposition; с. материалов *техн.* strength of materials; оказать с. to put up a resistance; линия наименьшего ⌐**éния** the line of least resistance; не встречать ⌐**ения** to carry all before one; ⌐**я́ться** to resist, oppose; to hold out (*against*); *разг.* to kick (*at*, *against*); не ⌐**я́ться** to offer (make) no resistance.

сопряж‖**éние** union, junction; ⌐**ённый** concomitant; *мат.* conjugate; ⌐**ённые** обстоятельства concomitant circumstances; это ⌐**енó** с большими затруднениями that offers the greatest difficulties.

сопу́тств‖**овать** *см.* сопровождать; ⌐**ующий** attendant, concomitant; ⌐**ующие** обстоятельства concomitant circumstances.

сор litter, rubbish, dust, dirt.

соразме́р‖**ить** *см.* соразмерять; ⌐**ность** proportionality, commensurateness; ⌐**ный** proportionate; ⌐**но** in proportion (*to*, *with*); ⌐**я́ть** to proportion, regulate.

сора́тник companion in arms.

сорване́ц mad-cap; romp, tomboy (*о девушке*).

сорва́‖**ть** to snatch (tear) away; to pick, pluck (*цветок*); с. банк to break the bank, to sweep the board; с. висячий замок to jump a padlock; с. маску *фиг.* to unmask, uncloak; с. работу to hamper work; с. раздражение на ком-либо to vent one's spleen (*upon*); с. стачку to disrupt a strike; ветер ⌐**л** крышу the wind tore down the roof; ⌐**ться** с места to scoot (*sl.*); собака ⌐**лась** с цепи dog slipped his chain; ⌐**лóсь**! the affair has miscarried! nothing doing! (*разг.*); ⌐**лось** с языка escaped one's lips.

сорви́-головá *см.* сорванец.

сóрго *бот.* sorghum.

соревнова́ние competition, emulation, contest, contention, rivalry; социалисти́ческое с. socialist(ic) competition (contest); ~ться to emulate, rival, compete.

соревну́ющийся competing; ~иеся заводы competing works (plants. mills).

сор‖**и́нка** mote; fleck (particle) of dirt; ~и́ть to litter; ~и́ть деньга́ми to squander (lavish) money; ~ный weedy (о по́ле); littered, dirty (гря́зный); '~ная трава́ weed; ~ная трава́ бы́стро растёт посл. ill weeds grow apace (fast).

соро́дич tribesman, kinsman.

со́рок forty; с. с ли́шним forty odd; ей за с. she is over [on the shady (wrong) side of] forty; she'll never see forty again (разг.); ей нет ~á she is under (on the sunny side of) forty; ему́ немно́го за с. he is in the early forties; под с. hard on forty.

соро́ка magpie, pie.

сорок‖**але́тний** quadragenarian, forty year old (attr.); ~ачасова́я неде́ля forty-hour week (на заво́де); ~о́вка уст. about half a pint of vodka; ~ово́й fortieth.

сороконо́жка зоол. centipede.

сорокопу́т зоол. speckled magpie.

соро́чк‖**а** chemise; ночна́я с. night-dress, night-gown (же́нская, де́тская), nighty (уменьш., дет.); мед. caul (плева́ у носорождённого); роди́ться в ~е to be born in a caul; фиг. to be born with a silver spoon in one's mouth.

сорт sort, kind; quality (ка́чество); второ́й с. second rate; second chop (разг.); вы́сший с. superior quality, nonpareil; пе́рвый с. first rate; first chop (разг.); вся́кого ~a of all sorts; ко́фе (вино́) плохо́го ~a coffee (wine) of a kind; тако́го ~a лю́ди this sort of people; това́р сре́днего ~a middlings; того́ же ~a of the same batch; в коро́бке 12 ~о́в 12 varieties in the box; ~ирова́ть to (as)sort; to size (по величине́); to match (по цве́ту, величине́); ~иро́вка sorting, assortment; ~иро́вка семя́н grain sorting; ~иро́вщик sorter; ~ово́е желе́зо assorted iron.

соса́‖**ние** suction, sucking; ~ть to suck; дава́ть ~ть (грудь) to suckle.

соват́ать to betroth, affiance, to throw people together.

сосе́д, ~ка neighbour; abutter (по владе́нию); ближа́йший с. im-

mediate neighbour; игра́ в ~и puss in the corner; ~ний neighbouring, adjoining; ~ний дом next house; по-~ски neighbourly; ~ство neighbourhood, vicinity; по ~ству near by, in the neighbourhood (vicinity).

сосе́нк‖**а** small pine; с бору да с ~и погов. scratch (attr.).

соси́ска sausage; ве́нская с. German sausage.

со́ска feeder, feeding-bottle; soother.

соска́бливать to scrape, scratch, scale off (away); с. шерсть (с ко́жи) to grain.

соска́кивать to jump, spring down (off).

соска́льзыва‖**ние** slide, slip; ~ть to slide down (с леда́ной горы и пр.); to slip off (о кольце́ и пр.).

соскобли́ть см. соска́бливать.

соскови́дный mammiform.

соскользну́ть см. соска́льзывать.

соскочи́ть см. соска́кивать; дверь ~ла с петель door is unhinged.

соскрести́ to scrape, scratch; to rasp off (away).

соску́чи(ва)ться to feel melancholy (bored); с. в ожида́нии to get tired of waiting; с. по к.-л. to miss (long for) one.

сослага́тельн‖**ый** гр. subjunctive; ~ое наклоне́ние subjunctive mood.

со́сла‖**нный** 1. s. an exile; 2. a. exiled, banished; '~ть(ся) см. ссыла́ть(ся); могу́ я ~ться на вас? may I use your name?

сосло́в‖**ие** estate; тре́тье с. ист. third estate; ~ность social hierarchy; ~ные привиле́гии class privileges.

сослужи́‖**вец** colleague, fellow worker; ~ть: ~ть слу́жбу to render a service.

сосн‖**а́** pine(-tree); spruce(кана́дская); parasol pine (зо́нтичная); larch pine (кры́мская); maritime pine, sea pine (примо́рская); амер. loblolly pine (скипида́рная); ~о́вый лес pinery, pine forest; ~о́вая доска́ deal; ~о́вая ши́шка pine cone.

соснуть to take a nap.

сосня́к см. сосно́вый лес.

сосо́к анат. nipple, teat.

сосредото́ч‖**ение** centring, concentration; ~енность concentration; ~енный centred, concentrated, focussed; rapt (о внима́нии); ~енно intently; ~и(ва)ть to concentrate; to focus (лучи́, мы́сли);

⌣и(ва)ть мысли to centre (focus) one's thoughts (on), to give one's mind (to).

состáв composition; body (*общества*, *союза*); staff (*служебный*); с. имущества amount of property; подвижной с. *ж.-д.* rolling stock; социальный с. social composition; химический с. chemical composition; войти в с. to amalgamate (*with*); to become part and parcel (*of*) (*разг.*); уйти в полном ⌣e to leave in a body.

составитель author, writer; composer.

состáв⌣ить *см.* составлять; ⌣лéние composition; ⌣ление таблицы tabulation; ⌣лять to compose, constitute, form, aggregate (*to*); to put together (*отдельные части машины*); to draw up, to work out (*документ*); to compile (*сводку*); ⌣лять документ в двух экземплярах to indent a document; ⌣лять фразу *гр.* to construct a sentence; это ⌣ит большую сумму it will make a large sum; это ⌣ит сто рублей it will amount to a hundred roubles; часть ⌣ляющая целое component; ⌣нóй compound, composite; ⌣нáя часть component, ingredient, constituent.

состáри⌣ть(ся) to age, to grow old; как он ⌣лся! how old he has grown (become)!; он ⌣лся до неузнаваемости he has grown old out of recognition; он ⌣лся от забот care has aged him.

состояни⌣e 1. condition, state, status; 2. fortune; с. неопределенности suspense; с. рынка state of the market; нетрезвое с. insobriety; первобытное· с. state of nature; получить с. to come into a fortune; сколотить с. to make one's pile; быть в ⌣и купить to afford; в плачевном ⌣и in a sad (sorry) pickle; в плохом ⌣и in a bad state (way); off colour (*sl.*); в прекрасном ⌣и in excellent fettle, in the pink of condition; fit like (as) a fiddle (*разг.*); в ужасном ⌣и in a terrible condition; in a parlous state (*уст.*, *шут.*); в хорошем (плохом) ⌣и in good (bad) condition (repair — о *вещи*); в хорошем ⌣и fit (*sl.*), in good fig (*sl.*) (о *здоровье*); дела в запущенном ⌣и the work is in a neglected state; при нынешнем ⌣и дел as affairs now stand; при тогдашнем ⌣и дел in the then state of affairs; я в ⌣и сказать I

am in a position to report; я не в ⌣и этого сделать I cannot do it; он обладает ⌣ем в 40.000 фунт. стерл. he is worth forty thousand (pounds).

состоятельн⌣ость competence, competency (*денежная*); solvability, solvency (*кредитора*); ⌣ый well off; comfortable (*разг.*); ⌣ый человек man of substance; ⌣ые люди well-to-do people.

состо⌣ять to consist (*of*), to be made (compounded) (*of*); с. в списке рабочих завода to be on the pay-roll; с. под надзором to be under surveillance; с. подписчиком to be subscribed (*to*); квартира ⌣ит из пяти комнат apartment contains five rooms; it is a flat of 5 rooms (a 5 roomed flat); ⌣ятьcя to happen, eventuate, to take place; сделка ⌣ялась the deal is concluded.

сострáгивать to plane off (away); ⌣ся to be planed off (away).

сострадáни⌣е pity, compassion, commiseration, sympathy (*for*); вызывающий с. pitiful: piteous (*рит.*); испытывать с. to feel (*for*); не чувствовать ⌣я to be unsympathetic; у него нет никакого ⌣я he has no pity.

сострадáт⌣ельность *см.* сострадание; ⌣ельный pitiful, compassionate, soft-hearted, tender-hearted; ⌣ь to feel (*for*); to sympathize (*with*).

сострия⌣гáть, ·⌣чь to cut (shear) off.

сострогáть *см.* сострагивать.

сострóить: с. рожу *разг.* to pull a face.

сострáпать to cook; с. рассказ *ирон.* to cook up (concoct) a tale.

состязáни⌣е contest, competition; с. в скорости race; с. в футбол football match; взять приз на ⌣и to win the prize (the palm); to bear away the bell, to take the cake (*фиг.*); превзойти в ⌣и to outvie; участник ⌣я contestant, competitor (*на приз и пр.*); спортивные ⌣я sports, competitive games.

состязáт⌣ельный controversial, contentious; ⌣ься to contend, compete (*with*, *for*), contest; to race (*в скорости*); ⌣ься в плавании, беге *и пр.* to have a race; ⌣ься с к.-л. to compete (try conclusions) with one.

сосýд vessel; кровеносные ⌣ы *анат.* (blood-)vessels; ⌣истый vascular.

сосу́лька icicle.

сос\`**н,** ∽**о́к** suckling, sucker; поросёнок-∽**ок** sucking pig.

сосуществова́‖**ние** co-existence; ∽**ть** to co-exist.

сосу́щий *зоол.* suctorial.

сосц‖**еви́дный** mammiform; ∽**ы́** nipples, teats; снабжённый ∽**а́ми** *ест. ист.* papillose, papillate.

сосчит‖**а́ть,** '∽**ывать** to count, calculate; to sum, add up (*делать сложжение*); ∽**а́ться,** '∽**ываться** to square accounts.

сот *см.* соты.

сотвор‖**е́ние** creation, making; fabrication (*часто ирон.*); ∽**и́ть,** ∽**я́ть** to make, create; to fabricate (*часто ирон.*).

соте́рн Sauterne (*вино*).

со́тн‖**ик** *ист.* captain of a troop of hundred cossacks; *см.* центурион; ∽**я** a hundred; a troop of hundred cossacks.

сотова́рищ associate, co-partner, partner, yoke-fellow, yokemate; fellow member (*по партии и пр.*); fellow-worker (*на заводе и пр.*); ∽**ество** co-partnership.

со́тов‖**ый:** с. мёд honey in combs; ∽**ая** катушка *рад.* honeycomb coil.

сотрапе́зник mess-mate (*особ. на корабле, в полках*).

сотру́дни‖**к** collaborator, contributor (*газеты, журнала*); journalist (*газеты*); assistant-worker (*помощник*); fellow-labourer, fellow-worker (*товарищ по работе*); employee (*в учреждении*); ∽**чать** to collaborate, co-operate (*with*); to contribute (*в газете*); ∽**чество** collaboration, co-operation.

сотряс‖**а́ть(ся)** to shake, concuss; ∽**е́ние** shake, commotion; ∽**ение** мозга concussion of the brain.

со́ты honey-comb.

со́тый hundredth.

соумы́шленни‖**к,** ∽**ца** accomplice.

со́ус sauce; dressing (*к салату и пр.*); catchup (catsup, ketchup) (*пряный: из грибов, томатов и пр.*); ∽**ник** butter-boat, sauce-boat, well-dish.

соуча́ст‖**вовать** to participate, to take part (*in*), to co-operate, collaborate; ∽**ие** participation, co-operation, collaboration; complicity (*в преступлении и пр.*); он был заподозрен в ∽**ии** в заговоре he was suspected of privity to the plot; ∽**ник** participant, associate (*дела*); accessary (*to*); accomplice (*преступления*); ∽**ный** participating.

соучени́‖**к,** ∽**ца** school-fellow, school-mate, co-disciple; fellow-student, fellow-scholar.

софа́ sofa.

софи́‖**зм** sophism, quibble, quiddity; ∽**ст** sophist; ∽**стика** sophistry, captiousness; ∽**стический** sophistic(al).

софи́т *арх.* soffit.

Софи́я Sophia, Sophy.

сох‖**а́** wooden plough; от ∽**и́** *фиг.* from the plough.

соха́тый furcate, forked; *охотн.* elk (*лось*).

со́хнуть to dry; *фиг.* to pine away; to parch (*о траве, языке, губах*).

сохран‖**е́ние** preservation, conservation, care; custody (*документов*); reservation (*права*); с. эне́ргии conservation (persistence) of energy; ∽**и́тельный** preservative; ∽**и́ть(ся)** *см.* сохраня́ть(ся); карти́на хорошо́ ∽**и́лась** picture is in fair (excellent state of) preservation; '∽**ность** safety, integrity, wholeness; preservation; посы́лка пришла́ в '∽**ности** parcel came safely; '∽**ный** safe, secure; '∽**ная** распи́ска receipt.

сохрани́ть to conserve, maintain, keep, observe; с. за собо́й to reserve to (for) oneself; с. хладнокро́вие to keep cool; ∽**ся** to last; to be well preserved (*о наружности*).

соц- *сокр.* социа́льный, социалисти́ческий.

соцве́тие *бот.* raceme.

соцдогово́р socialist agreement, contract.

социа́л-демокра́т social-democrat; ∽**и́ческий** social democratic; ∽**ия** social-democratic party.

социали‖**за́ция** socialization; ∽**зи́ровать** to socialize; '∽**зм** socialism; нау́чный ∽**зм** scientific socialism; гильде́йский (утопи́ческий) ∽**зм** guild (utopian) socialism; '∽**ст** socialist; ∽**сти́ческий** socialist(ic); ∽**сти́ческая** перестро́йка socialist reconstruction; ∽**сти́ческая** револю́ция socialist revolution; ∽**сти́ческое** о́бщество socialist society.

социа́л-‖**преда́тель** a traitor to the cause of socialism; ∽**револю-цион́р** *ист.* social-revolutionary; ∽**фаши́ст** social-fascist; ∽**шови-ни́ст** social chauvinist.

социа́льно-бытов‖**о́й:** с. се́ктор section of a trade union providing for the welfare of its members; ∽**ое** обслу́живание daily needs service.

социа́льн‖ый social; ~ая защита social defence (protection); ~ая революция social revolution; ~ое положение social rank (standing, station); ~ое происхожде́ние social extraction (descent, origin); ~ое страхование social insurance; ~ые боле́зни social diseases; ~ые нау́ки social sciences; ~ые разли́чия social differentiations.

социо́лог sociologist; ~и́ческий sociological.

социоло́гия sociology.

соц‖соревнова́ние socialist competition; ~стра́х social insurance; ~строи́тельство socialist construction.

сочёльник рел. Christmas eve.

сочёние trickle, ooze, dribble; мед. suppuration.

сочета́‖ние union, combination, conjunction; с. браком matrimony, marriage; ~ть to unite, combine, join, connect; to match (по сродным признакам); to wed (браком); ~ться to marry (браком); to conjoin, unite, associate.

Со́чи Sochi.

сочин‖е́ние composition; paper (написанное); ко́нкурсное с. competition, thesis (pl. -ses); студе́нческое с. thesis; шко́льное с. composition, paper; по́лное собра́ние ~е́ний complete works; ~и́тель author; story-teller (тж. ля́сец); муз. composer, a writer of music.

сочин‖и́ть, ~я́ть to write, pen (лит. произведе́ние); to compose (муз. или лит. произведе́ние); фиг. to fib, tell stories (врать); to spin a yarn (шут.).

сочи́ться to distil, trickle, to ooze out; to dribble; с. кро́вью to bleed, to run blood.

сочле́н fellow member.

сочлене́ние articulation; joint.

со́чн‖ость juiciness, sappiness, succulence, richness; ~ый juicy; sappy, succulent; rich (о расти́тельности, кра́сках); в ~ых кра́сках in rich colours.

сочу́вств‖енный sympathetic; ~енно sympathetically; ~ие sympathy, feeling (for); interest (in); ~овать to sympathize (with), to feel (for, with); to condole (with) (го́рю); я ~ую ему́ my heart warms towards him; ~ующий sympathetic, pitiful, compassionate; ~ующий компа́ртии Communist Party sympathizer.

сош‖ка́ share (плу́га); rest (ко́пья, мушке́та); ме́лкая с. фиг. small fry; ~ни́к ploughshare, coulter.

сою́з union, association, coalition, confederation, league; alliance (госуда́рств., ро́дств.); гр. conjunction; С.безбо́жников League of the Godless; с. госуда́рств alliance, federation; Всесою́зный Ле́нинский Коммунисти́ческий С. Молодёжи All-Union Leninist Young Communist League; С. красных фронтовиков Red-Front Fighters; С. молоды́х спартако́вцев League of Young Spartacists; с. оборони́тельный и наступа́тельный defensive and offensive alliance; с. потреби́тельских обществ Union of Co-operative Societies; с.рабо́чего кла́сса и трудя́щихся масс крестья́нства the alliance between the working class and the labouring peasant masses; С. Сове́тских Социалисти́ческих Респу́блик (сокр.СССР) The Union of Soviet Socialist(ic) Republics (сокр. USSR); почто́вый с. Postal Union; профессиона́льный с. trade union; «свяще́нный с.» ист. the Holy Alliance; Сове́тский с. The Soviet Union; та́йный с. secret alliance; записа́ться в с. to join a union; объединя́ться в с. to associate, confederate, league; to cabal (преимущ. со злым умыслом); член ~a union member; union man (преимущ. о рабо́чем); не член профессиона́льного ~a non union man; ~ник ally, associate, confederate; ~ный union-; allied, confederate; С-ный сове́т The Council of the Union; ~ное прави́тельство the Government of the Union.

со́я soy (острый соус-подли́вка); soy-bean, soy-pea (бобовое расте́ние).

спада́‖ние fall, abatement, diminution, drop; с. жара́ fall in the temperature (у больно́го); ~ть to fall down (away, off); to diminish, abate, lower, drop, fall, to go down (уменьша́ться); вода́ ~ет water recedes (subsides); жара́ ~ет the heat abates; ли́стья ~ют leaves are falling; температу́ра спа́ла the temperature has gone down (fallen).

спа́зм‖а spasm, convulsion, cramp; gripes (в желу́дке); писча́я с. мед. writer's cramp (palsy); ~о́дический spasmodic(al), convulsive.

спа́ивать I. to make a drunkard of one.

спа́ивать II. to solder, braze (мета́лл).

спай техн. joint.

спа́йка *техн.* solder (*металла*).

спа́лзывать to creep (slip) off (down).

спали́ть to singe (*волосы*); с. дом to burn down a house.

спа́льн||ый: с. вагон sleeping- -car; с. мешок sleeping-bag; ~я bedroom, bedchamber, sleeping- -room.

спанье́ sleep(ing).

спа́ренн||ый paired; ~ая езда double manning.

спа́рж||а *бот.* asparagus; консервы ~и bottled (tinned) asparagus.

спа́ри(ва)ть(ся) to mate, couple, pair.

Спарта́к Spartacus; ~иа́да athletic games of revolutionary sport organisations; с~о́вец Spartacist.

спарта́н||ец, ~ка, ~ский Spartan.

спа́рхивать to fly (flutter) away.

спа́рывать to rip off; to unsew.

спаса́||ние *см.* спасение; ~тельный salutary; saving; ~тельный отряд rescuing party (squad); ~тельный пояс life-belt; ~тельная лодка life-boat.

спаса́ть to save, rescue; to redeem (*от нравственной гибели*); to pull one through (*от неприятности, болезни*); с. положение to save the situation.

спаса́||ться to be saved; ~йся кто может find safety who can; sauve qui-peut.

спасе́ни||е rescue; salvage (*корабля, имущества от огня*); salvation (*души*); Армия ~я Salvation Army; член Армии ~я salvationist.

спаси́бо thanks, thank you; большое с. thanks very much, thanks ever so much.

спаси́тель saviour, rescuer; ~ный salutary.

спасова́ть to be remiss; not to rise to the occasion; *карт.* to pass.

спасти́(сь) *см.* спасать(ся).

спасть *см.* спадать.

спать to sleep, repose, to take rest; с. беспоко́йно to be a restless (uneasy) sleeper; to have a bad night; с. как убитый to sleep like a top; с. под открытым небом to sleep in the open; с. сладким сном to sleep sweetly; с. сном праведных to sleep the sleep of the just; итти с. to go to bed; рано ложиться с. и рано вставать to keep good (early) hours; не ложиться с. to sit up; уложить детей с. to put the children to bed; мне не спится I feel wakeful.

спа́я||нность *фиг.* unity, solidarity, singleness of purpose; team-

-spirit; ~нный soldered; *фиг.* knit together; ~ть to solder, braze (*металла*).

спев||а́ться to rehearse choir singing; *фиг.* to come to an agreement; to act jointly; ~ка choir practice, rehearsal.

спекта́кль play, performance; amateur (private) theatricals (*любительский*); matinée (*дневной*).

спектр *физ.* spectrum (*pl.* -ra); ~а́льный spectral; ~а́льный анализ spectrum (spectral) analysis, spectroscopy; ~оско́п *физ.* spectroscope.

спекул||и́ровать to speculate, job; to bull (*на бирже*); ~я́нт profiteer; stag, bull, stock-jobber (*биржевой*); plunger (*sl.*); ~я́тивный speculative; ~я́тивная сделка crooked deal (transaction); ~я́тивные цены speculative prices; ~я́ция speculation, jobbery, (ad)venture.

спёкши||йся: ~еся губы parched lips.

спел||ена́ть *см.* пеленать; ~ёнутый ребёнок swaddled infant.

спе́л||ость ripeness, maturity; ~ый ripe, mature.

спе́рва́ at first, firstly, in the first place, in the first instance; at the start.

спе́реди before, in front (*of*).

спере́ть I. *см.* спирать; у меня дыхание спёрло it took my breath away.

спере́ть II. *разг.* to steal, pilfer, sneak (*украсть*).

спе́рм||а *анат.* sperm, semen; ~атозо́ид spermatozoon; ~ато́лог spermatologist; ~атоло́гия spermatology; ~аторе́я *мед.* spermatorrhoea; ~аце́т spermaceti; ~аце́товое масло sperm oil; ~и́н spermin.

спёрт||ость closeness, stuffiness; ~ый close, stuffy, fusty, frowsty; stifling, suffocating (*удушливый*).

спесив||ец supercilious (stuck-up) person; ~иться to be inflated with pride (conceit); to snub; ~ость *см.* спесь; ~ый haughty, lofty, supercilious.

спесь haughtiness, loftiness, pride of place; сбить с. to cut the comb (*of*); to make one sing small, to take down.

спеть I. to ripen.

спеть II. *см.* петь; ~ся *см.* спеваться.

спех haste, hurry; сделать наспех to do a thing slapdash; не к ~у no hurry; это не к ~у *разг.*

take it easy (*в обращении к кому-либо*).

спец *см.* специалист; ~**едство** badgering of specialists.

специал‖**изация** specialization; ~**изироваться** to specialize; ~**ист** specialist, expert; '~**ьность** speciality; '~**ьный** special; specific, particular, peculiar (*особый, особенный*); '~**ьно** specially *и пр.*

сп(ции spices.

спецификация specification.

специфическ‖**ий** specific; ~**ое средство** specific remedy.

спец‖**овка**, ~**одежда** working clothes (overalls), service clothing, working kit; ~**снабжение** specialists' supply; ~**ставка** salary drawn by (paid to) a specialist; rate of pay for a specialist; ~**фонд** special funds.

спечь(ся) *см.* печь(ся).

спеш‖**ивание** dismounting; ~**ивать**, ~**ить** to unhorse, dismount; ~**иваться**, ~**иться** to dismount, to alight from a horse; ~**ившиеся**, ~**енные войска** dismounted army.

спеш‖**ить** to hasten, hurry, to make haste; to press (push) on; *разг.* to hustle; с. со всех ног to go double quick; зачем с.? what is the rush?; не ~**á** leisurely; часы ~**áт** the watch gains (is fast); '~**ка**, '~**ность** haste, hurry, urgency, rush time; '~**ный** urgent; hasty (*поспешный*); immediate (*о письме*); ~**ный** заказ pressing order; больше ничего '~**ного** не оставалось nothing remained that pressed; '~**ная** операция urgent operation; ~**ная** почта special delivery; '~**но** hastily, hurriedly; urgent, immediate (*на письме*); in haste, urgently; притти ~**но** to come hot foot.

спив‖**áться** to become an inveterate drunkard; '~**шийся** given to drinking; ~**шийся человек** inveterate drunkard.

спикер speaker (*председатель палаты общин в английском парламенте*).

спили‖**вание** sawing (filing) off (away); ~**вать**, '~**ть** so saw (file) down (off, away).

спин‖**á** back (*стула, шкафа ...*); ~**ой** к ~**é** back to back; за ~**ой** кого-л. behind someone's back (*тж. фиг.*); повернуться ~**ой** to turn one's back on; прятаться за чужую '~**у** to skulk behind others; удар в ~**у** *фиг.* stab in the back.

спинéль *мин.* spinel.

спин‖**ка** back (*стула, шкафа*

и пр.); ~**ной** *анат.* dorsal, spinal; ~**ной** мозг spinal cord; ~**ной** хребет spinal column.

спирáль spiral; helix (*pl.* -ices); *техн.* ~**ный** spiral, helical.

спирáнт *фон.* spirant.

спирáть 1. to steal, pilfer, sneak (*красть*); 2. *см.* сдавливать.

спирит spirit(ual)ist; ~**изм** spirit(ual)ism; ~**ический сеанс** spiritualistic séance; ~**уализм** spiritualism; ~**уалист** spiritualist; ~**уалистический** spiritualistic.

спирохéта *мед.* spirochæte.

спирт spirit(s), alcohol; винный с. spirit of wine; ~**ной** spirituous; ~**ные** напитки spirits; крепкие ~**ные** напитки fire-water; ~**овка** spirit-lamp; ~**овой** уровень *техн.* spirit-level; ~**омéр** alcoholometer; ~**уозность** spirituousness.

списáть(ся) *см.* списывать(ся).

спис‖**ок** copy; list, register, roll (*имён и пр.*); *военн.* muster-roll; с. больных sick-list; с. находящихся на действительной службе *военн.* active list; с. посещаемости (*в школах и пр.*) list of attendance; с. раненых, убитых, пропавших без вести casualties, death-roll, roll of honour; butcher's bill (*убитых*) (*фиг.*); с. умерших obituary column (*в газете*); избирательный с. poll; послужной с. service record; штрафной с. delinquency roll (book); вносить в с. to enter in a register; по прилагаемому ~**ку** on the schedule subjoined.

спи́сыва‖**ние** copying; ~**ть** to copy, transcribe, to take (make) copy of; ~**ть** со счёта to write off, erase; ~**ться** с к.-л. to exchange letters with one; to settle by letter (*условиться*).

спиться *см.* спиваться.

спих‖**ивать**, ~**нуть** to push off (from, aside); to thrust down.

спица spoke (*колеса*); knitting needle (*вязальная*); он последняя с. в колеснице he is quite negligible, he need not be taken into account.

спич speech, harangue, address (*речь*).

спичечница match box.

спич‖**ка** match; lucifer (*серная*); худой как с. as lean as a post; коробка ~**ек** box of matches; у него ноги как ~**ки** *разг.* ≈ he is spindle-shanked.

сплав floatage (*леса*); alloy, fusion (*металлов*); ~**ить** *см.* сплавливать; ~**ить** кого-л. *разг.* to rid oneself of someone; to send off;

~ить ч.-л. кому-л. *разг.* to turn something over to somebody; ~ка, ~ливание floating, rafting; alloying, melting, fusion; ' ~ливать, ~лять to float, raft (*лес*); to alloy, fuse (*металлы*); ~ной floatable; ~ная река floatable river; плоты из ~ного леса lumber rafts; ~щик raftsman, wood-floater.

спланировать 1. *см.* планировать; 2. to volplane, plane down (*об аэроплане*).

спла́чива‖ние uniting, rallying; scarfing, joining (*балок и пр.*); ~ть(ся) to unite, join, close, rally; ~ть ряды to close (strengthen, fortify) ranks.

сплевывать to spit out.

сплёс‖кивать, ~нуть to throw (dash) water (*on*).

сплесни(ва)ть *мор.* to splice.

спле‖сти́, ' ~сть, ~та́ть to plait, braid (*волосы и пр.*); to interlace, interweave, intertwist, intertwine; to splice (*концы верёвки*); с. факты, фабулу *фиг.* to weave; ~тение interlacement, entanglement; *анат.* plexus (*нервов, сосудов*); ~тение лжи tissue of lies; сложное ~тение обстоятельств (*в интриге литерат. произведения*) nodus.

сплёт‖ник, ~ница gossip, scandalmonger, newsmonger, talebearer, telltale; ~ничать to gossip, tittle-tattle, to tell tales; ~ня gossip, tattle, story, scandal, yarn.

сплеча́ straight from the shoulder (*об ударе и пр.*); рубить с. to strike from the shoulder; *фиг.* to act (speak) rashly.

сплин spleen.

сплоти́‖ть(ся) *см.* сплачивать (-ся); ~ться вокруг партии to rally round the Party; мы ~лись против общего врага we mustered all our forces against the common enemy.

сплоховать *разг.* to blunder, fail; to make a slip (mistake).

спло‖чéние, ' ~ченность solidarity; firmness (*войска, партии*); ' ~ченным строем in serried ranks.

сплош‖ной continuous, entire; с. лёд ice-field, solid ice; с. лес dense wood; его тело представляло с. кровоподтёк his body was a mass of bruises; ~ная коллективизация all-round collectivization; ~ь continuously, uninterruptedly, without exception; ~ь да рядом very often, ever and anon.

сплы‖ва́ть(ся), ' ~ть(ся) to run, blend, merge (*о красках*); было да

' ~ло *разг.* it was a shortlived possession (joy *etc.*).

сплю́нуть *см.* сплёвывать.

сплю́снут‖ость, ~ый, ~ь(ся) *см.* сплющенность и пр.

сплющ‖енность flatness; ~енный flattened out; ~ивание flattening; ~ивать(ся) to flatten.

сплясать *см.* плясать; с. русскую to dance the Russian dance.

сподви́жни‖к, ~ца fellow-champion.

сподличать to sneak, to play a nasty (mean) trick (*ирон.*).

сподоб‖ить *уст.* to esteem one worthy (*of*); ~иться to be thought worthy (*of*); ~лять *см.* сподобить.

сподру́ч‖ность handiness, convenience; ~ный 1. *s.* assistant, helper; 2. *a.* handy, convenient.

спозара́нку very early, in small hours, in good time; before the time.

споко́‖йный calm, tranquil, quiet (*взгляд, человек, день*); even-tempered; sedate, staid (*характер, человек*); sober, subdued (*тон, краска*); с. сон quiet sleep; невозмутимо с. imperturbable, impassive; насчёт этого я (не) ~ен I feel (un-) easy in my mind on this point; моя совесть ~йна I have no scruples (≅ no twinges of conscience); ~йно calmly, quietly, composedly; море ~йно the sea is calm (flat); на Шипке всё спокойно *фиг.* ≅ all quiet on the Potomac (*амер.*); ~йной ночи! good night!

споко́йствие calmness, tranquillity, quietness, repose, placidity; с. восстановлено peace is restored; внешнее с. outward composure; душевное с. peace of mind; невозмутимое с. imperturbability, imperturbableness; сохранить с. духа to keep one's head.

споко́н вéку *уст.* ever, from the remotest times, from time immemorial.

споласкивать to rinse out, to give a rinsing.

сполго́ря nothing much; there is no great harm in that; nothing to write home about (*разг.*); это еще с. it could be far (much) worse.

спола‖зать, ~ти́ *см.* спалзывать.

сполна́ quite, completely, entirely, in full; выплачивать с. to pay up, to clear accounts (indebtedness).

сполос‖ка́ть, ~ну́ть *см.* сполас-кивать.

споло́‖х *см.* переполох; ~хи *см.* северное сияние ~шить to alarm, disquieten, perturb; ~шйться to be alarmed, disquieted, perturbed.

спондей *прос.* spondee.

спор dispute, controversy, contest; wrangle, jangle, row, altercation (*шумный*); горячий с. heated discussion; ученый с. debate, argumentation; разгорячённый ~ом heated by argument; об этом нет ~y it is self-evident; it is past discussion.

спора *бот.* spore.

спорадический sporadic(al).

спорангий *бот.* sporangium.

спор||ить to dispute, debate, contest, argue; to bandy words, chop logic; to wrangle, jangle, altercate (*шумно*); о вкусах не ~ят ≅ tastes differ; ~ь до слёз, а об заклад не бейся *погов.* dispute as much as you will but lay no wager; ~йться to succeed (*о деле*); дело ~йтся *разг.* things hum; ~ный disputable, debatable, questionable, contestable, controversial; ~ный вопрос vexed question; question at issue.

споро||к unripped garment *or* lining; '~ть *см.* спарывать.

спорофиллы *бот.* sporophylls.

спорт sport; водный с. aquatics; лыжный с. skiing; куртка для ~а sports-coat(-jacket); blazer (*цветная*); ~ивный sporting, sport; Красный ~ивный интернационал Red Sport International; ~ивная площадка sport ground; ~ивные состязания competitive games, sports; ~смён sportsman; sport (*sl.*); ~смёнка sportswoman; ~с-мёнский sportsmanlike; ~смён-ство sportsmanship.

спорхнуть *см.* спархивать.

спорщик controversialist; squabbler (*из-за пустяков*); wrangler (*крикливый*); master of fence (*фиг.*).

спорый profitable.

спорынь||я *бот.* ergot; отравление ~ёй *мед.* ergotism.

способ manner, mode, way; means (*средство*); method (*особ. система*); artifice, shift (*уловка*); makeshift (*за неимением лучшего*); избитый с. hackneyed method; у меня есть лучший с. *разг.* I know a trick worth two of that; механическим ~ом by machine(ry); таким ~ом in this way.

способн||ость capacity, capability, faculty; talent, aptitude (*дарование*); ability (*умение*); с. к музыке musical ability; пропускная с. capacity, accomodation; разнородные ~ости manifold abilities;

иметь ~ости к чему-л. to have a turn for; ~ый clever, capable; gifted (*одарённый*); *разг.* cute; ~ый к исправлению improvable.

способств||ование contribution, aid, assistance; ~овать to promote, assist (*in*), contribute (*to*); ~овать восстанию to favour revolt.

споспешествова||ние, ~ть *уст. см.* способствование, способствовать.

спот||кнуться *см.* спотыкаться; ~ыкание stumbling; ~ыкаться to stumble, trip (*on, over*); to catch one's foot (*in*).

спохват||йться, '~ываться to recollect; to rein up (*фиг.*); мы ~ились не успели, как воры ушли the thieves were gone before we had time to collect our thoughts; the thieves had gone before we knew where we were; он сказал одно вместо другого, но ~ился he used the wrong word, but soon discovered it; он хотел сказать, да ~ился it had almost escaped his lips, but he reined up in time.

справа on (at) one's right (hand), from the right side; to the right (*of*); с. и слева right and left; с. от зрителя *театр.* opposite prompter (*сокр. о. р.*).

справедлив||ость justice, right, fairness, equity; отдать ему с. to render (do) him justice; добиться ~ости to obtain justice; по ~ости надо сказать in all fairness it must be said; ~ый just, fair, equitable; ~о justly и *пр.*

справ||ить(ся) *см.* справлять(ся); ~ить себе пальто to buy a coat, to have a coat made to order.

справ||ка information, reference (*информация*); certificate, paper (*документ*); библиографическая с. bibliographical reference; наводить ~ки to make inquiries (*about*) (*о человеке, деле*); to investigate (*о деле*); ~лять to celebrate (*праздник*); ~ляться to consult (*у к.-л.*); to inquire, make inquiries (*about*); to manage, master, to cope (*with*) (*с ч.-л.*); ~ляться в словаре to look up in the dictionary, to consult (refer to) a dictionary; прекрасно ~ляться с делом to run the show in a fine fashion (*разг.*); ему не ~иться he can't hit it off (*разг.*); с ним трудно ~иться *разг.* he is a hard nut to crack; ~ляйся сам shift for yourself; ~очник book of reference; gazetteer (*географический*); vademecum (*карманный*); ~очная контора inquiry office.

спра́шив‖ать to ask, demand; to inquire, interrogate (*узнавать*); с. о чьем-л. здоровье to inquire after one's health; с. слишком высокую цену to overcharge; с. слишком низкую цену to undercharge; нельзя с него много с. you can't expect much from him; с кого надо с.? who bears the responsibility?; who is answerable for this?; кто-то ~ает вас someone wishes to speak to you; ~аться to ask permission; ~ается the question arises.

спринцов‖а́ть to syringe; '~ка syringe (*прибор*); syringing (*действие*).

спрова́‖дить *см.* спроваживать; ~живание getting rid (*of*); ~живать to show the door (*to*), to dismiss roundly (rudely); to bundle off (*sl.*).

спровоци́ровать to provoke; с. выступление to provoke to action.

спрос permission, leave; *экон.* demand; с. и предложение supply and demand; с. на резину *и пр.* run on rubber *etc.*; повысить с. to key up the demand; без ~а without permission (leave); законы ~а и предложения laws of supply and demand; на этот товар нет ~а there is no demand for these goods; в большом ~е in great request; ~и́ть(ся) *см.* спрашивать (-ся); мне надо о многом ~ить вас I have many questions to put to you; с него ~ится he will answer for it.

спросо́нок half-awake, sleepily, befuddled with sleep.

спроста́ naively; он сказал это с. he said it quite innocently; не с. with some hidden design (intention); это не с. there is something behind that.

спрут *зоол.* octopus.

спры́г‖ивание jumping, springing (down); ~ивать, ~нуть to jump (spring) down.

спры́ски‖вание sprinkling; ~кивать to sprinkle, bedew; ~нутый sprinkled, bedewed; ~нуть *см.* спрыскивать; *фиг.* to celebrate by drinking; ~нуть сделку to wet a bargain.

спря‖га́ть *гр.* to conjugate; ~же́ние conjugation.

спря́тать *см.* прятать.

спуг‖ивать, ~ну́ть to frighten (scare) off (away).

спуд: вытащить из-под ~а to drag out from beneath; рукопись лежит под ~ом the manuscript is under lock and key; держать свет под ~ом *фиг.* to hide one's light (candle) under a bushel.

спус‖к 1. *мед.* cerate (*мазь из воска и масла*); 2. descent, slope (*горы*); launch (*корабля*); он ~ка не даст he will give no quarter; ~ка́ть, ~ти́ть to lower, let off, let loose; *фиг.* to pardon; ~кать курок to pull the trigger; ~кать с лестницы to kick downstairs; ~кать петлю to drop a stitch; ~кать собак со своры to unleash; ~кать с цепи to unchain; ~кать шлюпочный парус *мор.* to dip a sail; ~кать якорь to lower (let fall) the anchor; я этого ему не спущу́ I'll make him pay for that; ~ка́ться, ~ти́ться to come down, descend; ~каться на землю to land (*об аэроплане*); ~каться отлого (уступами) to slope (shelve down) (*о местности*); ~каться по верёвке to come down a rope; ~каться по реке to go with the stream; ~титься с пьедестала to step from a pedestal; ~кно́й, ~ково́й рычаг starting lever; ~кна́я собачка trigger.

спустя́ after(wards), later (on); ~ некоторое время after a while; с. рукава carelessly, negligently; немного с. a little later, shortly after.

спу́танн‖ый entangled; ~о in a tangle.

спу́тать(ся) *см.* спутывать(ся).

спу́тни‖к, ~ца fellow-traveller, companion; *астр.* satellite; с. планеты secondary planet.

спу́т‖ывать to (en)tangle; *фиг.* to muddle up (together); to hobble (*ноги лошади*); to mat (*волосы*); он спу́тал две разные вещи he mixed up (confounded) two different things; ~ываться *фиг.* to become confused (perplexed, muddled); to be (get) entangled.

спьяна́ in a drunken fit; in a state of inebriation.

спя́тить: с. с ума to go mad; to go off one's chump (*sl.*); to take leave of one's senses (*разг.*)

спя́‖чка sleep, somnolency; зимняя с. животных hibernation; ~щий 1. *s.* a sleeper; 2. *a.* sleeping, dormant; ~щая красавица sleeping beauty.

срабо́та‖нность team work, team spirit; ~ть to make, fabricate; ~ться to work in unison.

сравн‖е́ние comparison, simile; выдержать с. to bear (stand) comparison; вне ~е́ния incomparable, beyond compare, past comparison, without parallel; по ~е́нию compared to (with); '~ивание 1. comparing; 2. levelling (земли).

сравн‖ивать to compare (to, with); to parallel (with); to collate (сличать); ~иваться to be compared; ~и́тельный comparative; respective; relative (относительный); ~и́тельная грамматика comparative grammar; ~и́тельная степень гр. comparative degree; ~и́тельно comparatively и пр.; жить ~и́тельно хорошо to live in comparative comfort; ~и́ть см. сравнивать; ~и́ться см. сравняться.

сравн‖я́ть to level, smooth; с. с землёй to raze (level) to the ground; ~я́ться to equal; to be equal, to come up (to); никто не может ~я́ться с ним в скорости nobody can touch him for speed; женщины ~я́лись с мужчинами women hold their own with men.

сра‖жа́ть to throw down, smite, overwhelm; он ~жён смертью дочери he is cut up by the death of his daughter; ~жа́ться (против к.-л.) to combat, fight (особ. воен.); to battle, struggle, militate (бороться) (against, with); ~жаться с ожесточением фиг. ≅ to fight tooth and nail; ~же́ние fight, battle, engagement, action; выиграть ~жение to win a battle; поле ~же́ния battle-field, war-field, field of action; ~зи́ть(ся) см. сражать(ся); болезнь ~зи́ла его he was smitten with disease.

сра́зу at once, there and then, straight away (off), at the first go, at a stroke; с. после right after; они с. поняли друг друга they hit it off immediately (at once); платить с. to pay on the nail.

срам shame, scandal; ~и́ть to shame; to slander, revile (злословить, поносить); ~и́ться to bring shame upon oneself; to behave scandalously; ~ни́к, ~ни́ца shameless being; ~ность turpitude, ignominy; ~ный shameful, ignominious, scandalous, obscene; ~оти́ см. срам.

сраст‖а́ние growth, coalescence, concretion; мед. knitting (костей); inosculation (волокон, сосудов); ~а́ться, ~и́сь анат. to knit (о костях после перелома); to inosculate (о кровеносных сосудах).

сра‖сти́ть см. сращивать; ~ще́ние см. срастание; неправильное ~ще́ние после перелома мед. vicious union; '~щивать to unite, join organically (деревья, кости); to splice (балки, верёвку); '~щиваться см. срастаться.

сребро‖люби́вый greedy, avaricious (person); ~лю́бие greed for money, cupidity, avarice; ~но́сный argentiferous (песок и пр.).

сред‖а́ 1. Wednesday; 2. medium, surroundings; в нашей ~е́ amidst us, in our midst; ~и́ among(st), amid(st); ~и́ бела дня in broad daylight; ~и́ ночи in the dead of night; ~и́ улицы in the open street.

Средизе́мное мо́ре the Mediterranean Sea.

среди́н‖а см. середина; ~ный middle; С~ная импе́рия (Китай) ист. Middle Kingdom.

среднеазиа́тский Central Asia (attr.).

средневеко́в‖ый medieval, mediæval; ~ье Middle Ages.

Среднево́лжский край Middle Volga District.

сре́дн‖ий middle; mean (особ. мат.); average (в статистике; тж. обычный); medium (особ. умеренный); с. дневной заработок average daily wage; с. залог гр. middle voice; с. ключ муз. natural key; с. палец middle finger; с. род гр. neuter (gender); биол. non sexual gender; с. рост middle height; с. уровень моря mean sea level; с. урожай average harvest; a fair harvest; с. человек a neutral sort of man, an average man; ~ее average; ~ее арифметическое arithmetical mean; ~ее из наблюдаемых количеств normal; ~ее крестьянство middle-peasantry; ~ее пропорциональное mean proportional; ~ее сословие middle class; ~ее ухо middle ear; выводить ~ее число to average; выше ~его above the average; в ~ем on (at) an average; я работаю в ~ем 6 часов I average six hours (at work); ~яя годовая зарплата average annual wage (earnings); ~яя стоимость average price; ~яя точка попадания снарядов main point of impact; брать ~юю величину to take the mean quantity; to split the difference.

средо‖сте́ние dividing wall; partition; ~то́чие centre(-point), focus, point of concentration.

сре́дств‖о means, expedient; remedy (от болезни и пр.); с. защиты means of defence; с. к цели stepping-stone; антисептическое с. antiseptic; временно помогающее с. palliative; знахарское (шарлатанское) с. nostrum; универсальное с. panacea; служить ~ом для достижения цели to be instrumental (*for*, *in*); ~а борьбы means of struggle; ~а к существованию means of existence (life), subsistence, living, livelihood; ~а передвижения means of locomotion, transport facilities; перевязочные ~а bandages (appliances) for dressing wounds; жить на свои ~а to support oneself; жить на чужие ~а to be dependent (*on*); to sponge (*on*) (*злостно*); мои ~а не позволяют этого it is beyond my means; пустить в ход все ~а to leave no stone unturned; он вынужден прибегать к отчаянным ~ам he is reduced to desperate shifts; человек со ~ами man of substance (means).

средь *см.* среди.

срез cut; microscopic section (*для микроскопического анализа*); ~ать(ся) *см.* срезывать(ся); ~ок cutting; ~ывание cutting; ~ывать to cut off (away); *разг.* to reject at an examination; to plough (*sl.*) (*на экзамене*); to truncate, poll, top, lop, trim (*верхушки деревьев*); to pare (*ногти, кожу, корку и пр.*); ~ываться to fail (*на экзамене*).

срисов||а́ть, ~ывать to draw, copy; to make a drawing.

сробе́ть *см.* оробеть, робеть.

сродн||и́: мы с. we are akin; ~ник relative, relation; ~ни́ться to become allied by marriage (*to*, *with*); я ~ни́лся с этим делом I know all the ins and outs of this matter; ~ный innate, natural; related, akin to (*близкий, родственный*); ~ство́ relationship, kinship, affinity; *фиг.* affinity, congeniality; ~у *разг.* in all one's born days.

срок term, date; с. аренды term of lease; с. давности term of limitation; с. доставки date for delivery; с. платежа term of payment; в кратчайший с. in the shortest time; дайте с. give me time; ~ом до трёх месяцев within three months; этот вексель был ~ом на 30 дней this bill ran thirty days; к условленному ~у at a fixed date.

сро́сток growth (coalescence) of two bodies together; *мин.* concretion.

сро́чн||ый urgent, pressing (*о заказе, операции*); с. платёж payment delivered at fixed date (term); ~ые нужды exigencies; ~ые почтовые отправления express messages; ~о urgently, quickly, by express.

сруб frame(work), shell; продать лес на с. to sell wood for felling (timber); ~а́ть, ~и́ть to cut down, fell, hew.

срыв disruption (*митинга и пр.*); collapse (*плана, предприятия*); с. печати breaking of seals.

срыва́ть I. *см.* сорвать; с. цветы удовольствия to enjoy the pleasures of life; to gather roses; с. на к.-л. свое раздражение *и пр.* to work off one's bad temper *etc.* (*on*).

сры||ва́ть II. to level (raze) to the ground (*до основания*); ~тие levelling (razing) to the ground; ~ть *см.* срывать II.

сря́ду one after the other, uninterruptedly, continuously, at a spell.

сса́дина *мед.* excoriation, abrasion, lesion; raw (*особ. у лошади*); hack (*на ноге*).

ссади́ть I. *см.* ссаживать.

ссади́ть II. to excoriate, chafe, graze (*сделать ссадину*).

сса́живать to unseat; to assist in alighting (*from*) (*с лошади и пр.*); с. пассажира to drop a passenger.

ссек loin, sirloin, round of beef.

ссо́р||а quarrel, disagreement; wrangle, brawl, broil (*шумная*); squabble (*из-за пустяков*); fight (*фиг.*); быть в ~е с кем-л. to be at variance (odds) with one; вызывать к.-л. на ~у to pick a quarrel with one; уладить ~у to make up a quarrel; желать ~ы to spoil (ask) for a row; ~ить одного с другим to embroil; to make mischief between two persons; ~иться to quarrel, bicker, squabble, to have words (*with*); to be at loggerheads (*with*) (*разг.*).

ссо́хнуться *см.* ссыхаться.

СССР USSR; *см.* Союз Советских Социалистических Республик.

ссу́д||а loan; безвозвратная с. permanent loan; долгосрочная (краткосрочная) с. long term (short term) loan; ~и́ть *см.* ссужать; ~ный банк loan-bank; ~ная касса pawnshop.

ссужа́ть to loan, lend, advance.

ссучи́ть *см.* ссучить.

ссыл||а́ть to banish, exile, deport, send away; ~а́ться 1. to refer, allude (*to*); to cite; quote (*особ. цитировать*); ~аться на головную боль to plead a headache; ~аться на к.-л. to call one to witness; 2. to be banished (exiled, deported); '~ка 1. reference (*на источник*); chapter and verse (*фиг.*) (*точная*); подтвердить '~кой на to give chapter and verse; 2. banishment, exile, deportation, transportation (*кара*); ~ьнопоселéнец *ист.* settler by compulsion; '~ьный exile, convict.

ссып"áние pouring; ~áть to sack (*в мешок*); to pour (*муки*); ~ка зерна corn collection; ~нóй пункт grain collecting station.

ссыхáться to dry up; to shrink, to contract in drying (*сжиматься*); to shrivel (*сёживаться*).

стабилиз"áция stabilization; ~ировать to stabilize; ~óванный stabilized.

стабильн"ость stability; ~ый stable, steadfast, secure.

стáв"ень shutter; закрыть ~ни to put up (close, fasten) shutters; открыть ~ни to pull down (open, unfasten) shutters.

стáвить to put, place (*помещать*); to stand, set (*стоймя*); to station (*человека на какое-либо место*); с. в безвыходное положение to drive into a corner; с. в невыгодное положение to handicap; с. вопрос to put a question; с. в ряд to align, range; с. в счёт to put down to the account of; с. втупик to puzzle, nonplus; с. в угол to put into a corner; с. на голосование to put to the vote; с. на карту to hazard, to stake; с. на место кого-л. to put one in his place; с. пьесу to stage (mount) a play; с. себе целью to aim at; с. условия to lay down conditions; с. часы to set (regulate) a watch (clock); ни в грош не с. to set at naught; ~ся to be put (placed, set).

стáвк"а rate (*жалованья*); rating (*налога*); stake (*в играх*); *военн.* quarters of the commander in chief; очная с. confrontation, fronting; улавив"ние ~и при проигрыше martingale.

стáвленник protégé, creature (*of*); с. буржуазии creature of the bourgeoisie.

стáвня *см.* ставень.

ставрúда (*рыба*) horse-mackerel, scad.

ставролúт *мин.* staurolite.

стадиóн stadium.

стáди"я stage: stadium (*болезни*); в этой ~и at this point; вопрос в ~и разрешения the question is about to be decided.

стáдный gregarious.

стáдо herd (*скота*); flock (*гусей и пр.*); school, shoal (*рыб*); держаться ~м to flock, herd.

стаж qualification, experience; record, a long (good) record; партийный с. duration of party membership; человек с большим ~ем person with a long record of work; experienced, highly qualified person; ~ёр probationer (*прибл.*); ~ировáние probation (time); ~ировать to qualify practically.

стáивать to melt; to thaw off (away) (*о снеге*).

стакáн glass, tumbler.

стакнýться *разг.* to concert, agree, to come to an understanding (agreement); to come to terms; мы не могли с. we could not hit it off.

сталагмúт *мин.* stalagmite.

сталактúт *мин.* stalactite.

стале"литéйный steel-casting; с. завод steel foundry; ~прокáтный steel-rolling; ~прокáтный завод steel rolling mill.

Сталингрáд Stalingrad.

стáлкивать to push, shove off (down) (*from*); ~ся to collide (*with*); to dash (run) (*against*); to run slap (*into*) (*разг.*); *мор.* to run foul(*of*); to encounter (*с человеком, препятствием*); to clash, conflict (*об интересах и пр.*); мне не приходилось с ним ~ся I have never come across him.

стáло-быть consequently, therefore, on that account, accordingly.

сталь steel; rough-steel, furnace--steel (*сырая*); sheet steel (*листовая*); cast steel (*литая*); puddled steel (*пудлинговая*); weld (welding) steel (*сварочная*); chilled steel (*закалённая*); высокoкачеств. с. high quality steel; ~нóй steel(y); ~нáя каска helmet; tin hat (*sl.*); ~нóго цвета steel-blue; железные и ~ные изделия hard ware.

стамéска *техн.* chisel.

стан I. stature; тонкий с. slender waist.

стан II. camp; вражий с. enemy's camp.

стан III.: прокáтный с. *техн.* rolling mill.

стандáрт standard, norm; ~изáция standardization; ~ный standard, normal.

станúна *техн.* mount.

станиóль tin-foil.

станица Cossack village (*казацкое поселение*).

станкостроение machine tools construction.

становить см. ставить.

станови́||ться to place (put) oneself, to get upon (*куда-л.*); to become, get, grow, wax (*чем-л., кем-л.*); to turn (*превратиться*); с. в очередь to queue (line) up, to stand in a queue (line); с. в позу to strike an attitude; с. государственным деятелем to become a statesman; с. доносчиком to turn informer; с. жертвой to fall a victim (*to*); с. известным to acquire a reputation (*for*); to get abroad (*об огласке*); с. на колени to kneel; с. на твёрдую ногу to put oneself on a sure footing; с. общей собственностью to become common property; с. членом союза to join a union; ~сь! военн. fall in!; становится поздно it is getting late.

становлéни||е: в процессе ~я in the process of settling (stabilizing).

становой *уст.* district police officer.

стан||о́к bench, machine tool; frame (*рама*); weaving-loom (*ткацкий*); saw-frame (*лесопильный*); joiner's bench (*столярный*); printing-press (*печатный*); boring machine, drill (*сверлильный*); power-loom (*механический ткацкий*); grinding-machine (-lathe) (*точильный*); screw-cutting lathe (*винторезный*); turning-lathe (*токарный*); lace-frame (*для выделки кружев*); рабочий от ~ка́ manual labourer in actual production, bench-worker.

станцио́нный: с. зал waiting-room.

станци||я station; с. назначения destination; с. спасания на водах lifeboat station; климатическая с. health-resort; машинно-тракторная с. machine-tractor station (base); опытная с. experiment station; спортивная водная с. water-sport station; телефонная с. telephone office (exchange); узловая с. junction; начальник ~и station master.

ста́пель *мор.* dock-yard, stocks.

ста́пливать to melt, fuse.

ста́птывать to wear out (*сапоги*).

стара́ние endeavour; effort (*усилие*); assiduity (*прилежание*); exertion, diligence, pains, application; единоличное с. single effort; приложить всё с. to do one's level best; с бо́льшим ~м to the best of one's ability.

старáтель (*на приисках*) a gold seeker.

старáтельн||ость assiduity, application; ~ый painstaking, assiduous; studious (*об ученике*); efficient (*о рабочем*).

старáться to endeavour, strive, try; to exert oneself; to be at pains (*to*); to expend labour (care) (*on*); to strain (*at*); to do one's best; to lay oneself out; с. во-всю to be all out (*sl.*); с. впустую to make vain efforts, to mill the wind, to beat the air; с. изо всех сил *разг.* to try for all one is worth.

старé||йший oldest; ~на syndic (*сословия и пр.*); ~ны fathers.

старéть to grow (get, wax) old, to advance in age (years); to become (grow) old-fashioned (obsolete, antiquated) (*о вещах, словах*).

старе́||ц venerable old man, ancient; мудрый с. Nestor; '~ющий aging, senescent; не ~ющий ageless.

стар||и́к old man; grey beard (*разг.*); ~ика́шка little old man; ~иковский см. старческий; ~ина́ 1. antiquity; old times, times of yore; 2. old fellow (bean), old thing (*в фамильярном обращении*); в ~ину́ in days of yore; when the world was young; ~и́нный ancient, antique, old-fashioned, pristine; '~ить кого-л. to age one, to make one look old; эта шляпа вас '~ит this hat makes you look years older than you are; '~иться см. стареть.

старобытный old-fashioned; archaic.

старова́тый oldish.

старовéр *рел.* old-believer, sectarian.

старода́вн||ий ancient, time-honoured; ~ость ancientness.

стародéвичий spinsterish, old-maidish.

стародýбка *бот.* adonis.

старожи́л old inhabitant; ~ы не запомнят более холодной осени it is the coldest autumn on record.

старозакóнный of the Old Law (Testament).

старомóдный old-fashioned; out of date; quaint (*непривычный, причудливый*).

старообра́зный old-looking.

старообря́дец см. старовер.

старопечátн‖ый printed anciently; ~ые книги incunabula.

старорежи́мный old regime(*attr.*).

старосве́тский (of the) old school, old-fashioned, quaint, out of date.

ста́роста bailiff; overseer (*в имении*); village chairman, elder (*сельский*); с. церковь-warden (*церковный*); с. группы (*в вузе*) monitor; ~т board of monitors.

ста́рост‖ь old age, senility; на ~и лет in one's old age.

старт start; ~ёр starter; ~ова́ть to start.

стар‖ýха old woman; mother, gammer (*особ. деревенская*); crone, beldam, hag (*сморшенная, непригля́дная*); ~ýшечий old-womanish; anile (*пренебр.*); ~ýшечья похо́дка shambling gait; ~ýшка, ~ушо́нка см. старуха.

ста́рческий senile.

ста́рш‖е older, elder; оп с. меня на год he is my senior by a year; ~ий oldest, eldest, elder, major, superior; ~ий брат elder brother; ~ий офицер senior officer; ~ий рабочий foreman; ~ий руководитель senior instructor; ~ий сын eldest son; ~ина́ foreman (*рабочих, присяжных*); steward (*в клубе*); ~инство́ seniority; precedence (*первенство*); второй по ~инству́ воен. second in command.

ста́р‖ый old, advanced in years; *разг.* long in the tooth; ancient (*старинный*); с. как мир world-old, as old as Adam; с. моряк old sailor, old salt; с. номер газеты (*журнала*) back-number; с. свет Old World; он с.-преста́рый he is as old as the hills; ~ая дева old maid, spinster; tabby (*sl.*); ~ьё old things (clothes); rubbish; ~ьёвщик old-clothes-man.

ста́скивать to drag (pull) off (down, together).

стате́йка short article; item, a newspaper paragraph (*в газете*).

ста́тика statics.

стати́ст *театр.* super (numerary), mute, dumb performer.

статисти‖к statistician; ~ка statistics; ~ка рожде́ний и сме́ртей vital statistics; ~ческий statistic, statistical; ~ческие да́нные statistic data.

стати́ческ‖ий: ~ое электри́чество static electricity.

ста́тн‖ость stateliness, shapeliness; ~ый stately, well-shaped, well-knit, well-built.

ста́тор *техн.* stator.

ста́точн‖ость possibility, plausibility; ~ый possible, plausible; ~ое ли де́ло? is it possible?

ста́тский civilian.

статс-секрета́рь Secretary of State.

ста́тус-кво status quo.

стату́т statute, ordinance.

стат‖ýтка statuette, figurine; ~ýя statue; polychrome (*в красках*).

стат‖ь I. form, stature, shape; под с. to match, alike in all respects, similar; с какой ~и? to what purpose?; why should I (he, we are, etc.); what's the big idea? (*разг.*).

ста‖ть II. см. станови́ться; он ~л пить he has taken to drinking; река ~ла the river is icebound; когда́ ~ло изве́стно when the word went round; во что бы то ни ~ло at any price come what may; его́ не ~ло he has passed away; за чем де́ло ~ло? what's the hitch?; рабо́ты ~ли the work is suspended; у меня́ во́лосы ~ли ды́бом my hair stood on end; часы́ ~ли the clock (watch) has stopped; это ~нет до́рого it will cost a good bit; ~ться to happen, eventuate; мо́жет ~ться, что... may be that...; что ~лось с вами? what has happened to you?

стать‖я́ article, paper; leader, leading article (*передовая*); item (*счёта*); clause (*докумéнта, закóна*); это с. другая *разг.* that is a different thing (is another thing); ~й points (*спортивного*).

стаха́новец stakhanovite.

стациона́рный stationary; с. больно́й hospital patient; ~ёр мор. guard ship.

ста́чечни‖к striker; ~ый пикет picket.

ста́чиваться to wear, to be worn off (*стира́ться*).

ста́чк‖а understanding, plot; strike (*рабочих*); всеобщая с. general strike; участвовать в ~е to strike, to join in a strike; руководи́ть ~ой to conduct a strike; разогнать ~у to break (disrupt, smash) a strike.

стачко́м (*стачечный комитет*) strike committee.

стащи́ть см. стаскивать; *разг.* to lift, pinch (*своровать*).

ста́я flock, flight, bevy (*птиц*); run, shoal, school (*рыб*); pack (*волков*); covey (*куропаток*); держаться ~ми to flock.

ствол trunk, stem, bole (*дерева*); stool (*дающий новые побеги*); barrel (*ружья*); shaft (*колонны*); ⌐й-стый tubular, tubulate.

створ *мор.*: знаки видны в ⌐е the beacons are in line.

ство́рка fold.

ство́рный ого́нь *мор.* leading light.

ство́рчатый folding.

стеари́н *хим.* stearin.

сте‖**беле́к** pedicel, pedicle; снабжённый ⌐белька́ми *бот.*, *биол.* pedicellate, pediculate; '⌐бель stem, stalk; scape (*безлистный*).

стега́льщик quilt-worker.

стёган‖**ый**: ⌐ая куртка quilted jacket.

стега́ть I. to quilt (*одеяло и пр.*).

стег‖**а́ть II.**. ⌐ну́ть to whip, lash (*кнутом*); to flick (*слегка*).

стёжка quilting.

стежо́к stitch.

стезя́ *уст.* foot-path (-way).

стека́ть to flow, to gutter down; to trickle (*по капле*) ⌐ся to flow into each other (*о реках*); *фиг.* to gather, crowd, throng, assemble (*о людях*).

стек‖**ло́** glass; burning glass (lens) (*зажигательное*); lamp-chimney (*ламповое*); suffused glass (*матовое*); window-pane (*оконное*); crystal (*на карманных часах*); magnifying glass, lens (*увеличительное*); осторожно, с.! (*надпись на перевозимом ящике со стеклом*) Fragile, with care; сильные стёкла powerful glasses; ⌐лови́дный vitreous, glassy; *мед.* hyaline; ⌐ля́нный glass (*attr.*); ⌐ля́нные глаза glassy (glazed) eyes; ⌐ля́рус artificial jet; bugle; ⌐о́льный vitreous; ⌐ольный завод glass-works; ⌐о́льщик glazier.

стели́ть to make a bed (*постель*); to strew, litter (*солому*); ⌐ся to spread; to float, drift, hover (*об облаках, тумане*); to creep (*о корнях деревьев*).

стелла́ж shelving.

стѐлька inner sole, sock.

стѐльная with calf (*о корове*).

стѐлющийся *бот.* procumbent, trailing.

стем *мор.* stem.

стемне́‖**ть** *см.* темнеть; ⌐ло darkness had fallen (set in).

стен‖**а́** wall; party wall (*между двумя домами*); partition (*перегородка*); быть припёртым к ⌐е́ to be at bay; место, огороженное ⌐о́й enclosure; обнести ⌐о́й to wall in.

стена́‖**ние** groan, moan; ⌐ть to groan, moan.

стенгазѐта (*стенная газета*) wall news sheet.

стѐнк‖**а** *уменьш. от* стена; *анат.*, *бот.* wall; ⌐и кровеносного сосуда the walls of a blood-vessel.

стенко́р special contributor to wall news sheet.

стенн‖**о́й** mural; parietal (*анат.*); ⌐ая живопись mural painting.

стеногра́‖**мма** stenograph; ⌐фи́ровать to write in shorthand; ⌐фи́ст(ка) stenographer, stenographist; ⌐фи́ческий shorthand, stenographic; ⌐фия shorthand, stenography.

стѐньга *мор.* top-mast.

Степа́н Stephen.

степе́нн‖**ость** staidness, sedateness, demureness; ⌐ый staid, sedate, demure; ⌐ый человек grave (sedate) person; sober-sides (*разг.*).

стѐпен‖**ь** degree, grade; class (*разряд*); rate (*размер*); *мат.* power of a number; с. бакалавра baccalaureate; с. доктора doctorate, doctor's degree; с. эксплоатации rate of exploitation; высокая с. превосходства a high pitch of excellence; положительная, сравнительная, превосходная с. *гр.* positive, comparative, superlative degree; присуждать учёную с. to confer a degree; в должной ⌐и in just degree; готовиться к учёной ⌐и to study for a degree; до некоторой ⌐и in some measure; до последней ⌐и to the last degree; ни в какой ⌐и in no wise, in no degree.

степ‖**но́й** steppe (*attr.*); ⌐ня́к inhabitant of the steppe; ⌐ь steppe, veld(t) (*южно-африканская*); large treeless plain of grass-land.

стѐр‖**ва** *бранн.* vile person; ⌐вя́тник *зоол.* carrion-bear; carrion-eagle.

стереже́ние guard, watch; custody, charge (*охрана*).

стереогра́‖**фи́ческий** stereographic(al); ⌐фи́чески stereographically; '⌐фия stereography.

стереоме‖**три́ческий** stereometric(al); ⌐три́чески stereometrically; '⌐трия stereometry; solid geometry.

стереоско́п stereoscope.

стереоти́п stereotype; ⌐и́ровать to stereotype; ⌐ия, ⌐ный stereotype.

стере́ть *см.* стирать; с. с лица земли to raze to the ground.

стере́‖**чь** to guard, watch over; to take care (*of*); to have the custody (charge) (*of*) (*охранять*); кошка ~жёт мышь the cat watches the mouse.

сте́ржень *техн.* rod, pivot; shank (*инструмента*); nipple (*ружья, пистолета*); plug (*водопр. крана*); core (*чирея*); *арх.* scape (*колонны*); изогнутый с. cranked rod.

стерили‖**за́ция** sterilization; ~зйровать, ~зова́ть to sterilize.

стери́льн‖**ость** sterility; ~ый sterile, sterilized.

сте́рлинг: фунт ~ов pound sterling [*обозначается* £].

стерля‖**дь** *зоол.* sterlet, small sturgeon; '~жья уха sterlet soup.

стерпе́ть to bear, tolerate, endure, support; с. без протеста *разг.* to sit down under (*обиду и пр.*); этого нельзя с. this is beyond endurance.

стёртый worn out (*от времени*; *тж. изношенный*); effaced, erased (*о слове и пр.*).

стеса́ть *см.* стёсывать.

стесн‖**е́ние** constraint; embarrassment; ~ённый cabined, pinched, cramped; быть в ~ённых обстоя́тельствах to be in straitened (reduced) circumstances; ~и́тельность troublesomeness (*положения*); ~и́тельный embarrassing; cumbrous (*обременительный*); inconvenient (*неудобный*); irksome (*неприятный*); binding (*о контракте*).

стесни́ть(ся) *см.* потесни́ть(ся).

стесня́‖**ть** to embarrass(*тж.фиг.*); to constrain; to cramp (*связывать*); to cumber (*обременять*); to hamper, handicap (*мешать*); ~ться to feel shy (embarrassed, constrained); не ~йтесь обраща́ться ко мне do not hesitate to ask me; have no scruples about asking my help.

стёсывать to hew (cut, chop) off (*топором*); to plane off (*рубанком*).

стетоско́п *мед.* stethoscope; ~и́ческий stethoscopic.

стеч‖**е́ние** confluence (*рек*); crowd, throng, concourse (*толпы*); concurrence, coincidence (*обстоятельств*); ~ *см.* стекать.

СТЗ (*Сталинградский тра́кторный заво́д*) Stalingrad Tractor Works.

стигма́ты stigmata..

стиле́т stiletto, stylet.

стил‖**иза́ция** conformance to a definite style; ~изо́ванный рису́нок conventionalized design (drawing); ~изова́ть to conform to some style; ~и́ст stylist; ~и́стика the science of style; ~исти́ческий stylistic.

стило́граф stylograph, fountain-pen; stylo (*разг.*).

стил‖**ь** style, manner, fashion; бле́дный с. jejune style; возвы́шенный с. grand style; газе́тный с. journalese; лакони́ческий с. laconic style; но́вый с. (*о календаре*) new style, Gregorian calendar; просто́й с. simple style; ста́рый с. old style, Julian calendar; в ~е ампи́р in the Empire style; изя́щество ~я elegance of style; atticism; ~ьный stylish, true to some epoch.

сти́мул stimulus, spur, goad.

стипенд‖**иа́т** student having a scholarship; '~ия stipend, scholarship.

стира́‖**ние** rubbing; *фиг.* obliteration, effacement; *см.* стирать I; ~ть I. to dust, wipe (*пыль*); to rub, erase (*слово и пр.*); *фиг. см.* стере́ть; to obliterate; to efface; ~ть пот с лица́ to mop one's face.

стира́ть II. to wash, launder (*бельё*).

стира́ться to rub away, down (*о ворсе и пр.*); to wear out, away (*о ткани*).

стира́ющийся washable.

сти́рк‖**а** wash(ing), laundry; маши́на для ~и machine for washing clothes; washing-machine; отда́ть в ~у to send to the laundry (to the wash).

сти́с‖**кивать**, ~нуть to squeeze, jam; to hug (*в объятиях*); с. зу́бы to clench (set) one's teeth.

стих verse; mood (*настроение*); плохо́й с. lame verse; ~й poems, poetry; blank verses (*белые*); nursery rhymes (*для детей*); писа́ть ~и to write poetry; в ~а́х in verse.

стиха́ть to calm down, abate, to grow (become) calm; to be appeased (*успокоиться*); to quieten (soften) down (*о шуме*).

стихи́‖**йный** elemental; ~йное бе́дствие natural calamity; ~йное движе́ние *фиг.* spontaneous movement, elemental upheaval; ~я element.

сти́х‖**нуть** *см.* стихать; бу́ря ~ла the storm has abated.

стихо‖**плёт** rhymer, poetaster, bardling; ~сложе́ние versification; ~творе́ние poem, piece of poetry; rhyme (*короткое*); ~творе́ние в про́зе prose poem; ~тво́рец poet; ~тво́рный poetic(al); ~творство poetry.

стишо́к rhyme, rime.

стла́ть(ся) *см.* стели́ть(ся).

сто hundred; в отряде было с. человек the column was a hundred strong; увеличить во с. раз to centuplicate.

СТО *см.* совет.

стог stack, rick (*сена, соломы, ржи и пр.*); haystack, hayrick (*сена*); складывать в ⌒á to rick, stack, pitch (*сено и пр.*).

стогра́дусный centigrade.

сто́ик stoic.

сто́имост‖**ь** 1. *эк.* value, worth; потребительная с. use-value; прибавочная с. surplus value; 2. *комм.* price (*цена*); действительная с. net price; с. перевозки haulage; выше (ниже) номинальной ⌒и *комм.* above (below) par (*об акциях, паях и пр.*); по номинальной ⌒и at par.

сто́‖**ить** to cost, to come (amount) (*to*); to be worth; это будет с. рубль this will come to a rouble; абсолютно ничего не ⌒ит it is of no earthly use; игра не ⌒ит свеч *погов.* the game is not worth the candle *или* it is not worth powder and shot; не ⌒ит благодарности don't mention it, never mind; ничего не ⌒ит worthless, not worth a pin; сколько это ⌒ит? how much does this cost?; это ⌒ит прочесть it is well worth reading; дорого ⌒ящий costly; немного ⌒ящий not worth much; poor fish (*разг.*).

стои‖**ци́зм** stoicism; '⌒че́ский stoic(al).

стой! halt!, stop!, hold on!; *военн.* halt!, stand fast! (*команда для временного прекращения огня*).

сто́йк‖**а** bar, counter (*прилавка*); chuck (*подвижная, токарного станка*); set (*собаки*); делать ⌒у *охотн.* to point.

сто́й‖**кий** steadfast; staunch, stalwart (*верный*); sturdy, firm (*непоколебимый*); persevering (*упорный*); ⌒ко staunchly, sturdily *и пр.*; ⌒кость staunchness, sturdiness, firmness, steadfastness, perseverance, stalwartness.

сто́йло stall, pen (*для скота*); stall, box (*для лошадей*); ставить в с. to stall, pen.

сто́ймя upright.

сток flow, drip; runnel, channel, sewer, drain, gully, culvert (*подземный*).

Стокго́льм Stockholm.

стокра́тный centuple.

стол 1. table; dining-table (*обеденный*); desk, writing-table (*письменный*); 2. board; fare; *разг.* feed (*еда*); с. и квартира board and lodging; с. находок lost property office; адресный с. *см.* адрес; военно-учётный с. military registration bureau; ломберный с. card table; скудный с. short commons; держать хороший с. to keep a good table; иметь даровой с. to have free board; to have the run of one's teeth (*разг.*); накрывать на с. to lay the table; сесть за с. to sit down to table; за ⌒óм at table.

столб pillar, post; shaft; milestone (*верстовой*); picket (*заостренный*); sign-post, finger-post (*указательный на повороте дороги*); pillory (*позорный*); с. у старта starting-post; с. у финиша winning-post, the post; позвоночный с. *анат.* spine, spinal column; ⌒ене́ть to fall into a stupor; ⌒е́ц column (*газетный, цифр и пр.*); agony column (*разг.*) (*газетный с публикациями о без вести пропавших*); ⌒ик ртути в термометре mercury column.

столбня́к *мед.* tetanus, catalepsy, stupor.

столбова́я доро́га high road.

столбча́к *мин.* basalt.

столбча́тый columnar, columned; shaped like a column (pillar).

столе́т‖**ие** century, age; ⌒ний secular, centennial; ⌒ний человек centenarian; ⌒няя война the Hundred Years' War; ⌒няя годовщина centenary, centennial; ⌒ник *бот.* American aloe, century-plant.

столи́стник *бот.* centifolio.

столи́‖**ца** capital, metropolis; ⌒чный metropolitan.

столкн‖**ове́ние** collision, impact, shock; с. с полицией collision with the police; вооружённое с. armed collision, skirmish, passage of arms; *мор.* running foul (*судов*); ⌒у́ть(ся) *см.* сталкивать (-ся).

столов‖**а́ться** to board; to feed, victual (*разг.*); '⌒ая dining-room (*комната*); public dining-room, eating-house, cook-shop (*общественная*); refectory (*в университете, училище*); mess (-room) (*в армии, флоте*); образцовая ⌒ая model (first class) dining room; '⌒ое серебро plate.

столоверче́ние table-turning.

столо́чь to grind; с. в порошок to grind to powder.

столп *фиг.* support.

столпи́ться to crowd, gather, cluster, throng.

столпотворе́ние *фиг.* disorder, confusion, welter; вавилонское с. babel.

столь *уст.*: с. же важно as important as; с. мало so little, so few; с. много so much, so many.

сто́лько so, as much, as many, thus much; с. же as much again.

столя́р joiner, carpenter (*плотник*); cabinet-maker (*краснодеревщик*); ~ничать to joiner, carpenter; ~ный joiner, carpenter (*attr.*); ~ное дело the trade (business) of a carpenter; ~ная, ~ня joiner (carpenter) shop.

стоматоско́п *мед.* stomatoscope.

стон moan, groan; ~а́ть to moan, groan.

стоп! stop!, hold on!, cease!; *мор.* avast!

стоп‖а́ I. 1. foot (*ноги*); по его ~а́м in his steps; итти по чьим-либо ~ам to follow someone's footsteps; 2. foot (*в стихосложении*); безударная часть ~ы́ thesis; четырёхсто́пный ямб four-foot iamb.

стопа́ II. ream (*бумаги*).

стопи́ть *см.* ста́пливать.

сто́пка rouleau (*монет*); cup (*водки*).

сто́пор *мор.* stopper; *техн.* catch, plug; ~ить to stopper.

стопоходя́щие живо́тные *зоол.* plantigrade animals.

стопроце́нтный hundred per cent (*attr.*).

стоп‖та́ть *см.* ста́птывать; с. сапоги to wear out one's shoes; '~танный каблук down trodden heel; носить '~танные башмаки to be down at heel.

сторгов‖а́ться, '~ываться to make (fix up) a bargain; *фиг.* to come to an understanding.

стори́цею *уст.* hundredfold.

сто́рож keeper, guard, watch; watchman (*особ. ночной*); care-taker (*при оставленной хозяином квартире*); beadle (*церковный*); lock-keeper, locksman (*при шлюзе*); railway guard (*железнодорожный*); warder (*преим. тюремный*); на ~é on the alert (watch); ~ева́я будка sentry-box; ~ева́я вышка watch-tower; ~ево́е судно patrolling boat; ~и́ть to guard, to keep watch over, to stand guard over; ~ка lodge (*привратника*).

сторон‖а́ side; land, place (*местность*); *юр.* party (*в судебном деле, договоре, браке и пр.*); litigant (*в судебном деле*); задняя с. back; левая с. корабля portside, larboard; левая с. платья wrong side, seamy side; наветренная с. корабля weather-side; оборотная (передняя) с. медали reverse (obverse); передняя с. face, front; подветренная с. корабля lee-side; правая с. корабля starboard; родная с. native land, birth-place; слабая с. blind (weak) side; мое дело с. it does not concern me, I don't interfere; в ~é aside, apart; в нашей ~е down at our place; down our way; держаться в ~е to keep apart (aside, aloof) (*from*), to keep in the background; остаться в ~е to be out of the picture; ~ой sideward(s), sideways; узнать ~ой to know by hearsay (indirectly); взять чью-либо сто́рону to take a person's part; вывернуть на другую ~у to turn inside out; он принял мои слова в дурную ~у he took my words in a bad sense, he took my words amiss; отдать на́ ~у to give into other hands; отложить что-л. в ~у to lay a thing aside; повернуть ~у to turn aside; по другую ~у дороги over (across) the way; по правую (левую) ~у to the right (left); ч.-л. сказанное в ~у (*напр. «апарта» актёра*) an aside; как глупо с их ~ы how silly of them; ни с той ни с другой ~ы on neither side; они родственники со ~ы отца they are relatives on the father's side; очень мило с вашей ~ы it is very kind of you; с какой ~ы ветер? from what quarter is the wind?; с одной ~ы так on the one hand it is so; с той ~ы горы from beyond the mountain; я со своей ~ы for my part, I for one; во все сто́роны on all sides; in different directions; обе сто́роны виноваты there are faults on both sides; пустить на все четыре сто́роны to turn loose.

сторони‖ться to avoid, shun (*избегать*); to withdraw (*ретироваться*); to side-step; to steer, clear off (*разг.*); ~сь! stand back!

сторо́нни‖й outside; irrelevant (*не относящийся к делу*); от ~х глаз from alien eyes.

сторо́нни‖к adherent, supporter, partisan, sider, advocate (*мнения и пр.*); stickler (*for*) (*обычаев, эти-*

кета); быть ~ком to rank on the side (*of*); to adhere; ~чество partisanship, support, adherence, advocacy.

сторублёвка *уст.* a hundred rouble note.

стосковаться to pine (*for*).

сточн‖**ый**: ~**ая труба** sewer, pipe; ~**ые воды** sewage.

стойлый stale.

стойн‖**ие** standing; ~**ка** stand; *военн.* quarters, billet; ~**ка такси** taxi-stand; **якорная** ~**ка** *мор.* berth.

сто‖**ять** to stand; to continue (*о погоде*); to uphold, persist, insist, stand upon; с. **дыбом** to stand on end; с. **в гостинице** to stay (live) in a hotel (inn); с. **горой за к.-л.** to back one through thick and thin; с. **за правое дело** to defend the just cause; to stand up for a just cause; с. **за ч.-л.** to stand for something; с. **на квартире** *военн.* to quarter, billet; с. **на коленях** to kneel; с. **на ногах** to stand on one's feet (on one's legs *тж. фиг.*); с. **на позициях марксизма-ленинизма** to uphold the principles of Marxism-Leninism; с. **на цыпочках** to stand on tiptoe; с. **на часах** to mount guard; с. **на якоре** *мор.* to lie at anchor; с. **с обнажённой головой** to stand hat in hand; **крепко** с. **за свои права** to defend one's rights vigorously; **дом** ~**йт на горе** the house is situated on a hill; **на повестке дня** ~**ит этот вопрос** the question stands (is) on the agenda; **он** ~**ит на своём** he persists; **ругать на чём свет** ~**ит** *разг.* to scold with all one's might; **мороз** ~**ял больше месяца** the frost held out over a month; **хорошая погода** ~**яла свыше месяца** fine weather lasted over a month; ~**ячий** stagnant (*о воде*); stick-up, stand up (*о воротничке*); ~**ячее положение** standing posture.

страбизм *анат.* strabismus, squint(ing).

страв‖**ить**, '~**ливать** 1. to trample (*траву и пр.*); **коровы** ~**йли всё поле** the cows spoilt (ruined, trampled over) the whole field; 2. *см.* натравить; to set (to excite; to fight, to pit) one against another.

страда *разг.* harvest-time.

страдал‖**ец** sufferer (*from*); martyr (*to*); ~**ьческий вид** the air of a martyr.

страда‖**ние** suffering, pain; af-

fliction (*огорчение*); distress (*горе*); **невыразимое** с. agony beyond words; ~**тельный залог** *гр.* passive voice.

страда‖**ть** to suffer, to have a pain; с. **втихомолку** to eat one's heart out; с. **от зубной боли** to have a toothache; с. **по вине кого-л.** to suffer through somebody's fault; с. **по своей вине** to suffer through one's own fault; **сильно** с. (*от*) to suffer badly (*with, from*); ~**ющий** distressed, pained.

страдн‖**ый**: ~**ая пора** harvest-time.

страж *см.* сторож; sentinel; ~**a** guard, watch; **стоять на** ~**е** to be upon guard; **содержаться** (**быть**) **под** ~**ей** to be under arrest, to be arrested (apprehended); ~**ник** *уст.* mounted policeman in country districts.

страза strass, paste (*поддельный бриллиант*).

стран‖**а** country, land; region (*край, область*); с. **лесоэкспорта** timber-exporting country; с. **чудес** wonderland; **аграрно-индустриальная** с. agro-industrial country; **по всей** ~**é** throughout the country, the country over; '~**ы света** the four cardinal points; **полярные** ~**ы** arctic lands, regions.

страни‖**ца**, ~**чка** page, leaf; **нумерация** ~**ц** pagination; **считать** (**нумеровать**) ~**цы** to page, paginate.

странни‖**к**, ~**ца** wanderer, rover; peregrinator; ~**чать** to pilgrimage; ~**ческая жизнь** roving (wandering) life; ~**чество** pilgrimage; *пренебр.* vagrancy, vagabondage.

странн‖**ость** strangeness, singularity, oddness, oddity, peculiarity, queerness; quaintness (*причудливость*); ~**ый** strange, singular, odd, peculiar, queer, quaint; rum(my) (*sl.*); ~**ым образом** in a strange (odd, queer) way; ~**о** strangely *и пр.*; **это** ~**о** this is strange.

странствование wandering, travelling, roving, peregrination; itinera(n)cy; roaming, perambulation (*скитанье*); pilgrimage; с. **с приключениями** Odyssey (*фиг.*).

странств‖**овать** to wander, travel, rove, peregrinate, range, perambulate, itinerate (*in, over, along*); to be on the wallaby (*разг.*); ~**ующий** ambulant, ambulatory, peripatetic, perambulating; ~**ую-**

щий актёр stroller, strolling actor; ~ующий рыцарь knight-errant; ~ующие музыканты wandering musicians; *ист.* minstrels.

страст‖**и́шка** addiction (*to*) (*к карточной игре и пр.*); '~ность sensualism, sensuality; temperament, blood, passion; '~ный passionate; sensual, lustful, salacious; быть '~ным охотником до чего-л. to be keen (*on*); to be nuts (*on*) (*sl.*); ~оцвѐт *бот.* passion-flower.

страст‖**ь** 1. passion; lust (*for*) (*к деньгам, борьбе, успеху*); mania, rage (*for*); с. к вину a passion for drink; с. к музыке a passion for music; нежная с. tender passion; кипеть ~ю to burn with passion; 2. *разг.* мне с. как хочется I crave (*to, for*), I long (*to*), I wish awfully (*разг.*).

страт‖**аге́ма** stratagem; ~е́г *воен.* strategist; кабинетный ~ег closet (armchair) strategist; ~е-ги́ческий strategic(al); ~е́гия *воен.* strategy, strategics; ~егия и тактика ленинизма the strategy and tactics of Leninism; ~е-гия измора starvation tactics.

страти‖**гра́фия** *геол.* stratigraphy; ~фика́ция stratification.

страто‖**ста́т** stratostat (balloon); ~сфе́ра stratosphere.

стра́ус *зоол.* ostrich; ~овое перо ostrich feather (plume); ~овая политика *фиг.* ostrich policy.

страх 1. fear, fright, scare, apprehension, trepidation; awe (*благоговейный*); *воен.* wind (*sl.*); funk (*sl.*); основательный с. just fear; сильный с. blue funk (*sl.*); взять на свой с. to take the risk (*for*); им овладел с. a fear came over him; лицо его выражало с. his face betrayed his apprehension; на свой с. at one's peril; он сделал это за свой с. he did it on his own responsibility; дрожать от ~а to tremble with fear; to tremble in one's shoes (*разг.*); быть в ~е to be afraid (in fear) (*of*); мы в смертельном ~е we are in mortal fear (dread) (*of*); объят ~ом gripped by fear; под ~ом штрафа (смертной казни) on pain of forfeit (death); 2. *разг.* он с. как силен he is awfully strong; я с. как голоден I am famishing.

страхка́сса (*страховая касса*) social insurance (social welfare) bureau.

страхов‖**а́ние** insurance, assur-

ance; с. жизни life-insurance; с. от несчастных случаев insurance against accidents; с. от огня fire-insurance; с. от старости old age insurance (care and support); государственное с. state insurance; социальное с. social insurance; ~а́ть to insure; ~о́й взнос insurance instalment; ~о́й полис insurance policy; ~а́я премия insurance premium; ~о́е от огня общество fire-insurance company; '~щик insurer, assurer.

страш‖**и́лище** fright, sight, bugbear; ~и́ть to scare, frighten, alarm, terrify; to awe (*с оттенком благоговения*); ~и́ться to fear, dread, apprehend; to be in fear (dread, apprehension); to be all of a tremble (*разг.*); '~ный frightful, dreadful, dire(ful); ~ный вид ghastly appearance (*после болезни, испуга и пр.*); ~ный мороз terrible (ghastly) frost; ~ный насморк frightful cold; ~ный рассказ blood-curdling narration; он поднял ~ный шум he kicked up a hell of a row (the devil of a racket); ~но frightfully *и пр.*; ~но на него смотреть he looks ghastly; мне ~но I am terror-stricken, terrified; я ~но счастлив I'm awfully happy.

страща́‖**ние** *разг.* intimidation; ~ть *разг.* to intimidate, frighten, scare; to threaten, menace (*with*) (*наказанием и пр.*).

стрека́‖**ло** good; *арх.* king-truss; задать ~ча́ *разг.* to show a clean pair of heels, to take to one's heels.

стреко‖**за́** *зоол.* dragon-fly; (devil's) darning needle (*разг.*); ~та́-ние chirping, chirruping; ~та́ть to chirp, chirrup; **stridulate** (*о кузнечиках*); сорока '~чет the magpie jabbers.

стрел‖**а́** arrow, bolt; *бот.* shaft; с., пущенная в меня *фиг. разг.* a dig (slam) at me; прямой как с. as straight as an arrow; зубец ~ы barb; наконечник ~ы arrow-head; он пробежал ~о́ю he flew like a shot (shaft); метать '~ы to rain arrows; град стрел hail of arrows.

стреле́ц *ист.* fusilier, Strelets, musketeer in Russia in the 16th—17th centuries; С. *астр.* Archer, Sagittarius; ~ки́й бунт *ист.* mutiny of the musketeers (Streltsi) in Peter the First's time.

стре́лка *уменьш. от* стрела; *техн.* needle, pointer (*компаса и пр.*); index (*указатель на при-*

борах); *ж.-д.* railway point; hand (*часов*); *арх.* ogive (*свода*); с. на копыте лошади frog; с. чулка clock; магнитная с. magnetic needle; минутная с. minute hand.

стрелко́вый shooting; с. баталья́н rifles; с. кружо́к shooting circle; с. тир shooting range.

стрелови́дный arrowy, sagittal; с. шов черепа *анат.* sagittal suture.

стрело́к *воен.* rifleman, shooter, tirailleur; с. из лука archer, bowman; искусный с. marksman, sharpshooter; dead shot.

стре́лочник switchman, pointsman, signalman.

стрельба́ shooting, firing, fusillade; cannonade, fire (*артиллери́йская*); machine-gun firing (*из пулемёта*); marksmanship (*меткая, искусная, в цель*); с. бе́глым огнём running fire; с. в цель target shooting; с. по самолётам anti-aircraft shooting; с. ружейным огнём rifle (gun) fire; треску́чая с. rattling fire; отдать приказ о прекращении ~ы to cease (hang) fire; '~ище butts, shooting range, shooting ground.

стрельну́ть *см.* стрелять.

стре́льчат‖**ый** *см.* стреловидный; gabled; ~ая арка (~ое окно) *арх.* lancet-arch (-window).

стреля́‖**ть** to shoot; to fire (*из огнестрельного оружия*); to shell (*из орудия*); с. в птицу на лету to shoot a bird upon the wing; с. глазами *разг.* to shoot fascination (*at*); с. из пистолета to fire a pistol; с. не целясь to fire at random; начать с. to open fire; у меня ~ет в ушах I have a shooting pain in my ears; ~ться to attempt suicide; to put a bullet through oneself; to fight a duel (*на дуэли*); **стре́ляный** воробей *фиг.* old bird.

стремгла́в headlong, rashly, precipitously, impetuously.

стреми́тельн‖**ость** impetuosity, violence, precipitation, precipitance, precipitancy, impetus; с. речи volubility; ~ый impetuous, violent, precipitate, precipitous; ~ый натиск violent attack; ~ое бегство precipitate flight; ~о impetuously *и пр.*

стреми́ться to rush; to aim at (*добиваться*); to aspire (*к знанию, положению*); to yearn, long, crave (*страстно желать*); с. к достижению намеченной цели to try to reach the chosen goal.

стремле́ни‖**е** tendency, inclination, proclivity, leaning; aspiration (*особ. честолюбивое*); yearning, longing, craving (*for, after*) (*томление*); дурные ~я evil inclinations.

стремни́на *поэт.* rapid (*реки, потока*); steep, cliff (*в горной местности*).

стре́мя stirrup; вложить ногу в с. to put the foot in the stirrup.

стремя́нка step-ladder.

стремя́нный *ист. s.* groom, ostler, hunter.

стремя́щийся aspirant; aspiring; с. попасть в университет one trying to join the university.

стрено́жи‖**вание** hobbling; ~(ва)ть to hobble (*лошадь*).

стрептоко́кк *мед.* streptococcus; ~овая ангина streptococcic angina.

стре́ха *стр.* eaves.

стрига́льный *текст.* shearing.

стригу́н, ~о́к *разг.* a colt of the first year with mane and tail cut.

стриж *зоол.* martlet; sand-martin (*береговой*); swift (*каменный*).

стри́ж‖**еный** bobbed (*в кружок, о женщине*); shingled (*очень коротко на затылке*); sheared (*об овце*); ~ка (hair-)cutting, clip (*волос*); clip, shear(ing) (*овец*); искусство фигурной ~ки садовых деревьев topiary art.

стрихни́н *мед.* strychnin(e), strychnia.

стричь to cut, clip (*волосы, бумагу*); to clip, shear, fleece (*овец*); to cut, pare (*ногти*); ~ся to have one's hair cut (shingled, bobbed).

строга́‖**ло** plane; ~льная машина planer; ~ть to plane, shave.

строг‖**ий** severe (*о взгляде, дисциплине, критике, учителе, приговоре, инспекции*); rigid (*жёсткий—о принципах, соблюдении правил, экономии*); strict (*точный—о приказаниях, смысле, также об изоляции*); stern (*суровый—о лице, обращении, воспитателе*); strait-laced (*в вопросах этики*); stringent (*о законе и пр.*); austere, chaste (*в образе жизни*); с. в суждениях censorious; с. порядок strict order; слишком с. в суждениях hypercritical; ~ая диета strict diet; ~ое лицо stern face; ~ое наказание severe penalty; ~ие меры sharp measures; ~ие нравы rigid morals; ~о severely *и пр.*; ~о запрещено strictly forbidden; prohibited; ~ость severity, severeness, rigidity, rigour, strictness, stringency, sternness, austerity, austereness (*см.* строгий).

строев‖о́й: 1. с. офицер line officer; ~а́я служба service in the ranks; ~о́е учение drill; плац для ~о́го учения parade ground; **2. с.** (барочный) лес timber; ~ое дерево timber tree; ~ы́е брусья timbers.

строе́ние construction, building; edifice (*здание*); texture (*кожи, дерева и пр.*); grit (*камня*).

строи́тель, ~ница builder; инженер с. building engineer; ~ный материал building materials; ~ный сезон building season; ~ная горячка building fever (craze); ~ство construction, building, erection; партийное ~ство Party organization; социалистическое ~ство socialist construction (up-building).

стро́‖ить to build, construct, erect; *муз.* to tune (*настраивать*); *военн.* to form up, draw up, order, rank, align, line up (*войска*); с. воздушные за́мки *фиг.* to build castles in the air (in Spain); с. ко́зни to machinate; to work behind somebody's back (*исподтишка*); с. планы to plan, plot; с. предположения to make suppositions; с. ро́жи *см.* гримасничать; с. сарай to put up a shed; с. социализм to build up socialism; ~иться to build, to be built; *военн.* to fall into line, draw up; дом ~ится the house is being built; ~йся! fall in! (*военн.* команда).

стро‖й régime, order (*гос.*); social order (*обществ.*); *муз.* tune; *военн.* order, formation; боевой с. fighting order; пеший с. dismounted formation (*кавалерии*); рассыпной с. extended order; сомкнутый с. close order; проходить военный с. to drill; негодный для военного ~я incapacitated for active service.

стро́йка construction, building.

стро́йн‖ость harmony; shapeliness; just proportion (*о человеческом теле, здании*); ~ый harmonious (*о пении и пр.*); well-shaped, well-knit, shapely (*о человеке*); svelte (*особ. о женской фигуре*); well-proportioned (*о здании и пр.*); ~ая система orderly system; ~о harmoniously, melodiously; войска ~о двинулись вперёд the troops moved in fine order.

строк‖а́ line; начать с новой ~й to indent, to begin a new paragraph; не всякое лыко в '~у one must not be too exacting; черкните мне несколько строк drop me just a few lines.

стропи́л‖ина, ~о rafter, beam, truss; угольное ~о hip rafter.

строптив‖ость refractoriness, contrariness, stubbornness; ~ый refractory, stubborn; ~ый ребёнок disobedient (contrary) child; ~ая женщина shrew.

строфа́ stanza; verse, strophe.

строч‖и́ть to sew, stitch (*шить*); to scribble, run off (*писать*); '~ка *см.* строка; backstitch (*в шитье*); hemstitch (*ажурная*); ~на́я буква small letter; *тип.* lower-case letter.

стро́ящийся under construction.

струбци́нка *техн.* cramp, cramp-frame.

струг 1. *техн.* plane; **2.** *уст.* sort of large boat (barge); ~а́ть *см.* строгать.

стру́жка shaving, chip.

стру‖и́стый fluid, flowing, moving (*о воде*); ~и́ться to stream, ripple, flow (*о воде*); to shine, stream (*о свете*).

стру‖й‖ный насос jet-pump; ~чатый *см.* струистый.

структу́р‖а structure; с. пьесы, рассказа architectonics; физическая с. организма physique; ~ный structural.

струн‖а́ string, chord; catgut; натягивать ~у́ to string; сердечные '~ы heartstrings; ударить по '~ам to strike up; '~ка уменьш. от струна; задеть чувствительную '~ку to touch the right chord; '~ный stringed; ~ный инструмент stringed instrument; *pl.* the strings; ~ный оркестр string-band.

струп *мед.* eschar, scab (*на ране*); slough; покрытый ~ьями scabby; sloughy.

стру́‖сить, ~хнуть to quail, funk; to show the white feather (*фиг.*).

струч‖ко́вый leguminous; с. перец capsicum, cayenne; ~ко́вые растения leguminous plants; ~о́к *бот.* legume, pod, cod (*гороха, бобов*); siliqua (*pl.* -æ), silique (*салатный, горчичный и пр.*); follicle (*очень мелкий*).

стру‖я́ stream; ray (*света*); spirt, jet, spout, squirt (*из крана, трубы, спринцовки*); flush (*сильная*); whiff, current of air (*воздуха*); носок для выпускания ~й пара, газа, пламени jet; бить ~ей to spirt, jet, spout, squirt.

стряп||ать to cook (concoct, prepare) a meal; ~ня cookery, cooking; ~уха разг. woman-cook.

стряпчий уст. lawyer; пренебр. pettifogger; ист. scrivener.

стряс||аться, ~тись to befall, happen; ~лось несчастье a misfortune befell me, him etc. (happened).

стрях||ивание shaking off, away; ~ивать to shake off (пыль и пр.); to shake down (фрукты с дерева); он ~нул пепел сигары с колена he dusted some cigar-ash off his knees; ~иваться to shake oneself; ~нуть to shake off.

студ||енеть to get (grow) cold, to cool down; to jellify; ~енистый jelly-like; ~еность coldness.

студен||т student, undergraduate (вуза); с. второкурсник second year (student); амер. sophomore; с.-медик medical student; с. первокурсник freshman; с.-юрист student of law; старый с. senior man (student); ~ческий student (attr.); ~чество соб. students.

студ||ёный gelid; frigid; с. ключ cold stream; ' ~ень jelly; cow-heel; calves-foot (из телячьих ножек); гремучий ~ень хим. blasting gelatine; ~ить to cool, refrigerate; ~иться см. студенеть.

студия studio, atelier; с. художника painter's studio.

стужа cold, frost.

стук knock, rap (в дверь); buzz, run (швейной машины); rumble (колёс); clatter of dishes (тарелок); thump, thud (глухой); pad (босых ног, лап зверя); tap (лёгкий); patter (дождевых капель, детских ног и пр.); thump (о сердце); ~альце техн. knocker; ~анье knocking; ~ать, ~нуть см. стучать; to beat, rap, thump; ~нуть кулаком по столу to bang one's fist on the table; ей ~нуло 40 лет she is past (over) forty; разг. she will never see her fortieth birthday again; ~аться, ~нуться to knock, strike; ~нуться головой об стену to knock one's head against the wall; ~отня clatter, knocking, rattling noise.

стул chair; мед. stool; венский с. cane chair; мягкий с. padded (upholstered) chair; складной с. camp-stool, joint stool, folding (collapsible) chair; иметь с. мед. to stool; опуститься на с. to sink (subside) into a chair; сесть меж-

ду двух ~ьев to fall between two stools; снабдить ~ьями to seat.

стульчак stool.

ступ||а mortar; толочь воду в ~е погов. to beat the air.

ступа||ть to step, tread; to stump, lump, clump (тяжело); to pad (мягко, неслышно); ~й! be off!; get away!; ~ющий всей ступнёй зоол. plantigrade (о человеке, медведе).

ступен||ь step, tread (лестницы); phase (развития); поднять соцсоревнование на высшую с. to raise socialist competition to a higher level; вертикальная часть ~и riser; школа первой (второй) ~и first (second) grade school; ~и на борту мор. gangway; ~ька step (лестницы); footboard (вагона); round of ladder, spoke, rung (перекладина верёвочной и пр. лестницы); stile (у забора, стены).

ступи||ть см. ступать; ~ца колеса nave, hub.

ступк||а см. ступа; пестик ~и pestle.

ступня foot.

стуч||ать to knock (at, on) (в дверь); to hammer (at, on) (сильно по чему-л.); с. ногами to stamp; у него зубы ~ат his teeth are chattering; не ~ите так don't make such a noise; ~аться to knock at (on) the door, to ask admission; фиг. to seek admittance.

стуш||еваться, ~ёвываться фиг. to efface oneself, to keep in the background; to disappear, vanish (скрыться); амер. to vamose (sl.).

стыд shame; disgrace, scandal (позор); с. и срам howling shame (sl.); потерять с. to lose all sense of shame; покраснеть от ~а to blush (flush) with shame; сгорать от ~а to burn with shame; ~ить to shame, to put to shame; ~иться to feel ashamed, to lose countenance; ~итесь говорить это! you ought to be ashamed of saying that; ~ливость modesty, pudency, shyness, bashfulness; ~ливый modest, shy, bashful; ~но! shame!; for shame!; мне ~но за вас I am ashamed of you.

стык butt, abutment; техн. joint; на ~е двух эпох at the meeting point of two epochs; ~овая накладка техн. fish-plate.

сты||(ну)ть to cool; кровь ~нет от ужаса it makes the blood curdle with fear (horror).

стычка quarrel, dispute, skirmish; военн. engagement, passage of arms; brush (with, between); у меня с ним была с. 1 had a quarrel (fight) with him.

стяг *уст.* banner.

стя́гива‖ть to draw together, to constrict, constringe, tighten; to strap (*ремнём*); to lace (*шнуровкой*); to tie, bind (*верёвкой и пр.*); to astrict; *геом.* to subtend (*о дугах и хордах*); **∼ться** to tighten; to be drawn together; войска **∼ются** the army is being rallied; **∼ющий** constringent.

стяжа́‖ние snatching; **∼тель** money-grubber; **∼тельный** grasping, covetous, greedy, avaricious; **∼тельство** money-grubbing, greed; **∼ть** to snatch, obtain, get.

стяну́ть *см.* стягивать; *разг.* to filch, pilfer, sneak, pinch (*украсть*); **∼ся** *см.* стягиваться.

стя́пать *вульг.* to sneak, pilfer.

суб- sub-, under-.

субалте́рн subaltern.

субаре́нда *юр.* sublease; **'∼тор** sublessee.

субаркти́ческий subarctic.

суббо́т‖а Saturday; **∼ник** gathering for collective social work (on free evenings *or* rest days), subbotnik.

субве́нция subvention, subsidy.

суб-инспе́ктор junior inspector.

сублим‖а́т *хим.* sublimate; **∼и́ровать** to sublime, sublimate.

субордина́ция subordination, subordinance.

субполя́рный subpolar.

субре́тка *уст.*, *театр.* soubrette, lady's maid.

субсиди‖ровать to subsidize; **∼руемый государством** subsidized by the State.

субси́дия subsidy, subvention.

субстанц‖иа́льный substantial; **'∼ия** substance.

субстра́т substratum (*pl.* -ta).

субтро́пи‖ки subtropics; **'∼ческий** subtropical.

субъе́кт subject; *разг.* fellow; подозри́тельный с. a shady individual; **∼иви́зм** *филос.* subjectivism; **∼и́вность** subjectivity; **∼и́вный** subjective; **∼и́вный идеали́зм** subjective idealism; **∼и́вный подхо́д** subjective attitude; **∼и́вное мне́ние** subjective opinion.

сувени́р *уст.* souvenir, memento, keepsake, relic.

сувере́н *ист.* sovereign; **∼ите́т** suzerainty, sovereignty; **∼ите́т наро́да** the sovereignty of the people; **∼ный** sovereign; **∼ное госуда́рство** a sovereign state.

суггести́вный suggestive.

суглин‖истый argillaceous, clayey; **∼ок** argillaceous (clayey) soil.

сугро́б snow-drift.

сугу́б‖ый double, twofold; **∼ое внима́ние** great (double) attention; **∼о** twice (again), doubly.

суд court of law, court of justice, court; tribunal (*рит.*, *фиг.*); с. прися́жных court of assizes; наро́дный с. People's Court; верхо́вный с. Supreme Court; показа́тельный с. show-trial; полево́й с. court martial; това́рищеский с. court of colleagues, fellow-workers, fellow-students *etc.*; trial by comrades; трете́йский с. court of referees; уголо́вный с. criminal court; вызыва́ть в с. to cite; подава́ть в с. to institute proceedings (an action) against; to sue; без **∼á** и сле́дствия without trial or inquest; день стра́шного **∼а** *см.* стра́шный суд; иска́ть **∼а** to seek justice (redress); на нет и **∼а** нет you can't squeeze water from a stone; быть под **∼о́м** to be under trial; предава́ть **∼у́** to prosecute, to put on trial.

суда́к pike-perch (*рыба*).

Суда́н the Sudan.

суда́н‖ец, **∼ский** Soudanese.

суда́‖рыня *уст.* ma'am (*сокр. от* madam); **'∼арь** *уст.* sir.

суда́чить to gossip, tittle-tattle.

суде́бн‖ик *уст.* code of law; **∼ый** legal; law, justice (*attr.*); **∼ый** исполни́тель bailiff; **∼ый** сле́дователь examining magistrate; **∼ая** оши́бка judicial mistake; **∼ая** пра́ктика practice; **∼ая** се́ссия sitting of the Court; **∼ое** постановле́ние court decision; **∼ое** разбира́тельство law-suit, trial; **∼ое** сле́дствие inquest, inquisition, investigation, examination; **∼ым** поря́дком in legal form; **∼ые** изде́ржки costs, legal expenses; **∼о-медици́нский** medico-judicial.

суде́йск‖ий judicial; **∼ое лицо́** law-officer.

суди́‖лище *см.* суд; **∼мость** conviction.

суди́ть to try (*судом*); to judge (*т.ж. име́ть сужде́ние*); to pass judgment on (*выноси́ть пригово́р кому́-л.*); to guess, imagine, conjecture, foresee (*о бу́дущем*); с. и ряди́ть to consider and talk over matters; to gossip, tittle-tattle; наско́лько я могу́ с. to my mind, in my opinion; не тру́дно с. о результа́те one can easily foretell the issue; он не мо́жет с. о карти́нах he is no authority on pictures; he is no judge of pictures; **сýдя** по... to judge from...; ему **суждено́ вы́играть** he is bound to win; ему суждено пострадать he is destined to suffer; ему было суждено умереть от разрыва сердца he was doomed to die of heart failure; **~ся** to have a law suit; to be tried.

суд‖но́ ship, boat, vessel; steamer (*пароход*); с. с водоизмещением в 2000 тонн 2000 tonner; адмиральское (флагманское) с. admiral, flag-ship; военное с. man-of-war, war-ship, battle-ship; грузовое с. freight ship (boat); двухмачтовое с. brig; десантное с. troop-ship; китобойное с. whale-boat; нефтеналивное с. tanker; парусное с. sail-boat; wind-jammer (*sl.*) (*торговое*); плоскодонное с. pra(a)m; торговое с. merchant ship, merchant-man; торговое с. без определённого рейса (ocean) tramp; учебное с. training ship; подводная часть **~на́** bilge; по всему **~ну́** from stem to stern; **~á** *соб.* craft (*мелкие*); легкие маневренные **~a** mosquito craft; запрещение **~áм** выходить из гавани embargo; объявлять запрещение **~ам** выходить из гавани to embargo; to lay on an embargo.

су́дно stool, night-chair, night-stool, close-stool, bed-pan.

судо‖владе́лец ship-owner; **~во́й** naval; **~во́й** журнал log book; **~во́й** провиант ship's stores.

судоговоре́ние proceedings; pleading (*for and against*).

судо́к cruet(-stand), castor; dinner pan (*for carrying one's dinner*).

судомо́йка kitchen- (scullery-)maid.

судоподъёмник ship elevator.

судопроизво́дство law-proceedings, legal procedure.

су́доро‖га cramp, spasm, convulsion; twitch; **~жный** convulsive, spasmodic; *фиг.* spasmodic, fitful; **~жное** сжатие челюстей lock-jaw.

судостро‖е́ние ship-building; **~и́тель** ship-builder; **~и́тельный** ship-building.

судоустро́йство judicial system.

судохо́д‖ность navigability, navigableness; **~ный** navigable, sailable; **~ство** navigation.

судьб‖á, **~и́на** fate, destiny, chance, lot, fortune, luck; не **~a** мне вы́играть it is not my fate to win; его **~a** сегодня решится his fate will be fixed to-day; предоставить **~é** to abandon to fate;

благодарить **~ý** to thank one's lucky stars; соединить свою **~у** с... to throw in one's lot with...; баловень **~ы́** spoilt child of destiny; **~ы** народов the fortunes of nations; книга суде́б the book of destiny; какими **~áми?** by what chance?

суд‖ья́ judge; мировой с. *ист.* Justice of the Peace; народный с. People's Judge; съезд мировых **~е́й** *ист.* session of the justices of the Peace.

суеве́р‖ие superstition; **~ность** superstitiousness; **~ный** superstitious; **~но** superstitiously.

сует‖а́ fuss; *фиг.* vanity, wordly-mindedness; с. жизни inanities of the world; с. сует vanity of vanities; мирская с. wordly vanity; **~и́ться** to fuss, bother, bustle, to have the fidgets, to hurry-scurry; не **~и́тесь** don't fuss; keep your nerve.

суетли́в‖ость fuss(iness), bustle; fidgetiness; **~ый** fussy, fidgety; **~о** fussily.

су́етн‖ость vanity, vainness; futility; **~ый** vain, idle, futile.

сужде́ние judg(e)ment (*тж. филос.*), opinion, pronouncement; правильное с. sound reasoning; высказывать с. to pass a judg(e)ment; предвзятое с. preconceived judgement.

суж‖е́ние narrowing, contraction, constriction; waist (*в скрипке и пр.*); **~ивать(ся)**, **су́зить(ся)** to narrow, contract, constrict; **~иваться** к концу to taper off (away, down).

сук branch, bough, limb; подрубать с., на котором сидишь to build a fire under oneself.

су́ка *зоол.* bitch.

сукн‖о́ cloth; синее толстое с. pilot-cloth; положить под с. *фиг.* to shelve; to put the matter on file; to pigeon-hole; **~a** (*мн. ч.*) cloths; **~ова́л** wool-worker, fuller; **~ова́льня** fulling mill.

сукова́тый см. сучковатый.

суко́н‖ка piece of cloth, rag; **~ный** cloth; **~ный** товар clothing; **~ный** язык *фиг.* clumsy (awkward) style in writing; **~щик** clothier.

су́крови‖ца *физл.* (inflammatory) lymph; ichor; **~чный** ichorous.

сулема́ *хим.* mercuric bichloride, corrosive sublimate.

сули‖ть to promise; это не **~ло** ничего хорошего it held no promise of good.

султáн 1. plume (*на шляпе*); **2.** *ист.* sultan; турéцкий с. the Sultan; ⌐ша sultana.

сульфáт *хим.* sulphate.

сумⁱá *уст. см.* сумка; **с.** нищего beggar's scrip; ходить с ⌐óй *фиг.* to beg.

сумасбрóд, ⌐ка extravagant person, madcap; ⌐ничать to behave in an extravagant way; ⌐ный extravagant, scatter-brained, wild, crazy; ⌐ство extravagance, folly, whimsicality.

сумасшé⫼дший 1. *s.* madman (*эж. р.* madwoman); lunatic; maniac; **2.** *a.* mad, insane, demented, brain-sick, crack-brained, crazy; frenzied, distracted, raving mad, dangerous (*буйно*); out of his mind; off his head (*разг.*); loony (*sl.*); с. дом madhouse, (lunatic) asylum, mental home, home for the mentally unbalanced; ⌐ствие madness, distraction, lunacy, insanity, dementia; доводить до ⌐ствия to send (drive) mad.

суматóха confusion, disorder, fuss; hurly-burly, bustle, scurry, jumble, turmoil, hullabaloo; с. жизни rough and tumble of life.

сумбýр confusion, muddle; ⌐ный confused, muddled (*о рассказе и пр.*); ⌐ный человек *разг.* muddle-headed person.

сýмер⫼ечный twilight, crepuscular, dusky; ⌐ки twilight, night-fall, dusk, owl-light, crepuscule; сидеть в ⌐ках to sit in darkness.

сумé⫼ть *см.* уметь; он ⌐л убедить меня he contrived to persuade me; не ⌐ю сказать I can't say (tell).

сýмка 1. bag, sack, wallet; pack (*солдатская*); satchel (*ученическая*); shoulder bag (*заплечная*); дамская с. vanity bag (case); wrist bag; **2.** *зоол.* pouch, marsupium; *анат.* follicle, capsula.

сýмм⫼а sum, amount; с. чего-л. the whole (amount) of something; бóльшая с. a large sum (amount) of money; общая с. (grand) total, totality, sum total; *разг.* tot; подотчётная с. a sum to account for; хорошая с. *разг.* a tidy (pretty) penny; эта с. отнесена на ваш счёт this sum has been laid to your account; набрать ⌐у to make up the sum; ⌐áрный summary; ⌐ирование summation, summing (adding) up, addition; ⌐ировать to sum (add) up, summarize.

сýмоч⫼ка *уменьш. от* сумка; ⌐ный *анат.* capsular(y).

сýмра⫼к dusk, twilight, crepuscule (*лёгкий*); darkness, obscurity (*густой*); *фиг.* gloom(iness); ⌐чность darkness, obscurity; ⌐чный dark, dusky, cloudy, murky; ⌐чное лицо gloomy face; ⌐чное небо overcast sky; ⌐чно darkly, duskily, murkily.

сýмчатый *зоол.* marsupial.

сумя́тица *см.* суматоха.

сундýк trunk, box, chest; coffer (*денежный, железный*).

сунни́ты Sunnites.

сýнуть(ся) *см.* совать(ся).

суп soup; broth (*особ. бульон*); porridge (*особ. овсяный*).

суперарби́тр umpire; ⌐áж umpirage.

суперфосфáт superphosphate.

сýпесок sandy clayey soil.

супи́н *гр.* supine.

супóв⫼ой: ⌐áя миска tureen; ⌐ая разливательная ложка ladle.

супóн⫼ить to tighten the thongs of the collar (*of a horse*); ⌐ь thongs of the collar.

сýпорос⫼ая свинья́, ⌐ь *разг.* sow with young.

суппóрт *техн.* support.

супранатурали́зм *филос.* supernaturalism.

супрý⫼г, ⌐га husband, wife; consort, spouse (*лит.*); (help)mate; companion, partner (in life) (*разг.*); ⌐га короля queen consort; ⌐жеский conjugal, connubial, marital, matrimonial; wedded; ⌐жеские отношения connubial relations; ⌐жество marriage, wedlock, matrimony, conjugality, married life (state).

сургýч sealing-wax.

сурди́нк⫼а *муз.* sordine; под ⌐у *фиг.* on the sly.

сурéп⫼ица *бот.* rape; cole seed; ⌐ное масло colza- (rape-)oil.

сýрик *хим.* minium; red lead.

сурóв⫼ость grimness, austerity, austereness, sternness, dourness; с. климата the rigours of the climate; ⌐ый grim, stern, hard, rough, severe; coarse (*материал*); ⌐ый характер severe character; ⌐ая жизнь austere life; ⌐ая зима severe winter; ⌐ая погода weather (stormy, inclement) weather; ⌐ое полотно unbleached linen (cloth), brown holland; ⌐ое выражение stern countenance; ⌐ые законы drastic laws; ⌐о sternly, grimly, drastically.

сурóк *зоол.* marmot; *амер.* woodchuck; спать как с. to sleep like a top.

суррога́т substitute; *мед.* succedaneum.

сурьм‖**а́** *хим.* antimony, stibium; ‿**и́ть** to blacken, darken (*глаза, брови*); ‿**я́ный** stibial.

суса́ль tinsel; ‿**ное** зо́лото leaf gold, tinsel; *фиг.* fairy-money.

су́слик *зоол.* earless (pouched) marmot, suslik.

су́слить to slobber, drivel.

су́сло must (*виноградное*); wash.

суспенсо́рий *мед.* suspensory.

суста́в joint, articulation; неподви́жность ‿**ов** *мед.* anchylosis; ‿**ный** ревмати́зм rheumatic fever; ‿**чатый** articulate.

сута́на cassock; soutane.

сутенёр souteneur, prostitute's bully; fancy man (*sl.*).

су́тки day, 24 hours; астрономи́ческие с. astronomical day; гражда́нские с. civil day; со́лнечные с. solar day; за после́дние с. in the last twenty four hours.

су́толока hurly-burly, disorder; *фиг.* throng, crowd, crush.

су́точны‖**й** daily; ‿**е** (де́ньги) daily allowance.

суту́л‖**иться** to stoop; to poke one's head; ‿**оватость** stoop, round shoulders; desk-stoop (*от постоя́нного писа́ния и пр.*); ‿**ова́тый** round-shouldered (-backed), bent; ‿**ость**, ‿**ый** *см.* сутулова́тость, сутулова́тый.

сут‖**ь** substance, essential(s), gist; kernel; main-point, pith (heart) of the matter; в э́том вся с. де́ла that is the essential part of the business; доиска́ться до ‿**и** to get to the point (bottom) of the matter.

сутя́‖**га** pettifogger,. chicaner, barrator, caviller, litigious person; ‿**жить**, ‿**жничать** to chicane; to quibble and quirk; to go to law; ‿**жнический** pettifogging, litigious; ‿**жничество** barratry.

суфле́ soufflé (*кушанье*).

суфл‖**ёр** prompter; бу́дка ‿**ёра** prompter's box; ‿**ёрский** экземпля́р пье́сы prompter's book; ‿**и́ровать** to prompt.

суфражи́‖**зм** suffragetism; ‿**стка** suffragette.

су́ффикс *гр.* suffix.

суха́р‖**ница** biscuit plate (box); ‿**ный** квас Russian drink made of rye rusks; ‿**ь** rusk, biscuit; hard tack (*sl.*) (*морско́й*); обваля́ть в ‿**я́х** to sprinkle with crumbs.

су́хо drily (*тж. фиг.*); it is dry out of doors (*о пого́де*); он при́нял меня́ о́чень с. he was very short (distant) with me; ‿**ва́тость** dryishness; ‿**ва́тый** dryish.

сухове́й drought; dry wind.

сухожи́л‖**ие** *анат.* sinew, tendon; ‿**ьный** tendinous.

сух‖**о́й** dry; *поэт.* sere; arid, barren, parched (*о по́чве*); с. док dry dock; с. кли́мат (ка́шель) dry climate (cough); с. отве́т short answer; с. това́р dry goods; ‿**а́я** па́рка в туре́цкой ба́не Turkish hot air bath; ‿**а́я** перего́нка dry distillation; вы́йти ‿**и́м** из воды́ *фиг.* to come unscathed out of the battle; to come out as smooth as a whistle and as free as a bird; ‿**и́м** путём by land, over land.

сухомя́т‖**ка** dry food; есть в ‿**ку** to eat solid food without drinking; to have no regular dinner (meals).

сухопа́р‖**ый** lean, lank(y), scraggy; с. челове́к, ‿**ое** живо́тное scrag.

сухопу́тн‖**ый** (dry) land (*attr.*); overland, terrestrial; ‿**ая** торго́вля land trade; ‿**ые** войска́ land forces.

сухору́кий with a shrivelled arm.

сухосто́й dead wood.

су́хость dryness, aridity, aridness.

сухо́тка *мед.* marasmus, emaciation; с. спинно́го мо́зга tabes dorsalis, locomotor ataxia.

сухоцве́т *бот.* immortelle.

сухоща́в‖**ость** leanness, meagreness, lank(i)ness, spareness; ‿**ый** lean, meagre, emaciated, lank(y), spare.

Суху́ми Sukhumi.

суч‖**е́ние** twisting; ‿**и́льщик** twister, spinner; ‿**и́ть** to twist; to spin (*ни́тку*); to throw (*шёлк*); ‿**и́ться** to be twisted (spun).

суч‖**кова́тый** knotty, nodose, snagged, snaggy, gnarled, gnarly; ‿**о́к** krag, knot (*в де́реве*); без ‿**ка́** и задо́ринки *погов.* not a ripple, not a jar.

су́ша dry land.

су́ше drier, dryer.

суш‖**е́ние** drying, desiccation; '‿**е́ница** *бот.* cudweed; ‿**ёный** dried, desiccated; ‿**ёный** горо́х dried (parched) peas; ‿**ёные** фру́кты dry fruit; ‿**и́льная** печь drying stove; dry kiln (*для де́рева*); ‿**и́льня** desiccator, drying-room; tenter-ground; ‿**и́ть** to dry, desiccate; to air (*бельё*); ‿**и́ть** на со́лнце to bake in the sun; ‿**и́ться** to dry, desiccate, bake; to get (be) dried (desiccated, baked).

су́шка I. ring-shaped cracknel.

су́ш‖ка II. *см.* сушение; воздушная с. дерева air-seasoning; естественная с. дерева seasoning of wood; искусственная с. дерева kiln-drying; **~ь** dryness.

суще́ственн‖ость essentiality, substantiality; **~ый** essential, substantial; **~ые** достоинства essential qualities; **~о** essentially, substantially.

существи́тельное *гр.* noun, substantive.

существо́ being, creature; nature (*природа*); essence, point (*дела*); ма́ленькое с. mite, minikin; **~ва́ние** existence, being; subsistence; совместное **~вание** co-existence.

существ‖ова́ть to be, exist, live; to subsist; я не понима́ю, как он **~у́ет** *разг.* I don't understand how he keeps body and soul together; **~у́ют** ли таки́е ве́щи? do such things exist?; **~у́ющий** existent; всё **~у́ющее** all that exists; **~у́ющие** обстоя́тельства the existing circumstances.

су́щ‖ий existing; с. вздор downright (arrant) nonsense; с. пустя́к a mere trifle; он с. буквое́д he is a regular book-worm; **~ая** пра́вда real (exact) truth, gospel truth; **~ность** substance, nature, (main) point, essence, essentiality, entity, pith and marrow (*of*); кла́ссовая **~ность** class nature; в **~ности** virtually, practically, in effect; в **~ности** говоря́ practically speaking.

су́ягная овца́ ewe with young.

сфабрикова́ть *см.* фабриковать; с. фальши́вку (докуме́нт) to forge a document.

сфе́р‖а sphere (*шар*); sphere, realm, range, scope, domain, demesne (*область*); с. влия́ния sphere of influence; с. де́йствия field of operation (activity); быть в свое́й **~е** to be on one's own ground; э́то лежи́т вне мое́й **~ы** this is out of my sphere (domain); **~и́ческий** spheral, spheric(-al), orbicular; **~и́чность** sphericity; **~о́ид** spheroid; **~оида́льный** spheroidal.

сфинкс sphinx.

сфи́нктор *анат.* sphincter.

сформиро́в‖анный formed; **~а́ть** to form.

схват‖и́ть *см.* схватывать; с. боле́знь to catch an illness; с. за ру́ку кого́-либо to snatch someone's hand; с. за ши́ворот to seize

by the collar; с. лихора́дку to be stricken with fever; с. мысль на лету́ to grasp in a single flash; с. на́сморк to catch a cold; с. схо́дство to catch the likeness; **~и́ться** *см.* схватываться; **~и́ться** с неприя́телем to close in with the enemy; **'~ка** skirmish, conflict, grapple, scuffle, fray, scrimmage, encounter, scramble, jostle, wrestle, brush (*with, between*); passage; **~ка** в борьбе́ bout; после́дняя **~ка** final close; **'~ки** бо́ли fits of pain; **'~ывать** to seize, lay hold (*of*); lay hands (*on*), grasp, catch, clutch; он бы́стро **'~ывает** he is quick-witted; **'~ываться** to quarrel; to come to words (blows); *см. тж.* схватиться.

схе́ма scheme, plan, project; **~тизи́ровать** to schematize; **~ти́ческий** schematic; **~ти́чность** schematism.

схи́зма schism; **'~тик, ~ти́ческий** schismatic.

схи́ма schema, monastic habit in the Greek Church.

схитри́ть to act slyly (evasively).

схлы́ну‖ть to abate, flow away; вода́ **~ла** the water receded; толпа́ **~ла** с пло́щади the crowd poured out of the square (place).

схо́д 1. descent, descending; 2. meeting; се́льский с. village meeting.

сход‖и́ть to go down, descend, come down, alight; с. за кого́-либо to pass for (as) someone else; с. за чем-л. to fetch; с. на нет to dwindle to nothing; с. на ры́нок to go marketing (to the market); с. с доро́ги to side-step, to get out of the way; с. с корабля́ to land; to go on shore; с. с ле́стницы to go down stairs; с. с ло́шади to dismount, alight from a horse; с. со сце́ны to leave the stage; *фиг.* to be put on the shelf; to fall into oblivion; с. с ре́льсов to derail, leave the track; с. с ума́ to go mad, to lose one's reason; to go out of one's mind; снег сошёл the snow has melted; кра́ска сошла́ the colour has faded (gone); э́то ему́ сошло́ с рук he went scot-free; э́то сло́во у него́ не **'~ит** с языка́ that word is always in his mouth; не **~я́** с ме́ста on the spot; **~и́ться** to meet, join (*встреча́ться*); to come together (*собира́ться вме́сте*); to live together, to cohabit (*сожи́тельствовать*); сойти́сь в цене́ to agree (come to an agreement) about the price; они близко **сошлись** they have become close friends; they are as thick as thieves (*разг.*); они сошлись для совещания they met in conference, they met to deliberate; **'⌣ится ли счёт?** is the account squared?; жилет не ⌣ится the waist coat won't meet; наши взгляды не **'⌣ятся** your ideas do not square (accord, tally) with mine; *см. тж.* сойтись.

схо́дка meeting, assembly, assemblage.

схо́дни *мор.* gang-way.

схо́дн‖**ый** analogous, similar, like; ⌣ая цена́ a reasonable (sensible) price.

схо́дство likeness, resemblance, similarity, similitude; семейное с. family likeness.

схо́жий like, alike, similar.

схола́сти‖**к** scholastic; ⌣ка scholasticism; **'⌣ческий** scholastic.

схол‖**иа́ст** scholiast; **'⌣ия** scholium (*pl.* -ia).

схорони́ть *см.* хоронить; с. концы в воду to cover one's tracks; ⌣ся to hide oneself.

сца́пать to seize, grip, catch, grab, lay hold (*of*); to snatch, steal (*украсть*).

сцеди́ть *см.* сцеживать.

сце́жива‖**ние** drawing off, decanting; ⌣ть to draw off, rack off, decant; ⌣ться to be drawn (racked) off, to be decanted.

сце́н‖**а** stage, boards, scene; действие третье, с. первая act III (three), scene I (one); в 3-й ⌣е II акта in the third scene of act two; влечение к ⌣е stage-fever; находиться на ⌣е (*во время игры*) to be on; за ⌣ой behind the scenes; место под ⌣ой dock; выходить на ⌣у (*во время спектакля*) to go on; оставить ⌣у to quit the stage; поставить на ⌣у to stage; боязнь ⌣ы stage-fright; пожалуйста, не устраивайте ⌣ы pray, don't make a scene; уйти со ⌣ы (*во время спектакля*) to make an exit; ⌣а́рий scenario; ⌣ари́ст scenarist; ⌣и́ческий scenic; ⌣и́ческий образ a character in the stage; ⌣и́ческий шопот stage whisper; говорить ⌣и́ческим шопотом to stage-whisper; ⌣и́ческая рема́рка stage direction; ⌣и́чность staginess; ⌣и́чный stag(e)y; эта пьеса не ⌣и́чна this play does not stage well.

сцеп hook, link, chain, bond; ⌣и́ть(ся) *см.* сцеплять(ся); ⌣ка

техн. coupling; автоматическая ⌣ка automatic coupling; ⌣ле́ние concatenation, chain; series (*событий, идей*); *физ.* cohesion; ⌣ление вагонов *ж.-д.* coupling; ⌣ля́ть to couple, (inter)link, catenize; ⌣ля́ться to grapple with; ⌣ной for chaining (linking together); ⌣щик coupler.

Сцилл‖**а** *миф.* Scylla; между ⌣ой и Харибдой between Scylla and Charybdis; between the devil and the deep sea.

сча́лка *мор.* mooring rope, hawser.

счастли́в‖**ец** (⌣ица) lucky man (woman); ⌣ый happy, fortunate; lucky (*удачливый, удачный*); он всегда **сча́стлив** he is always happy; he is as happy as the day is long; ⌣ая полоса run of good luck; по ⌣ой случайности by good luck; ⌣ого пути! farewell!; ⌣ые дни palmy days; ⌣ые часов не наблюдают happiness takes no account of time; ⌣о happily, fortunately, luckily; ⌣о! *разг.* good luck to you!; всё обошлось **сча́стливо** all went off well.

сча́сть‖**е** happiness; contentment (*мирное*); (good) fortune, felicity; chance, luck, windfall (*неожиданное*); с. не изменило ему his luck held; ему во всём с. he is always successful; какое с.! what luck!; what perfect bliss!; на с. for luck; к ⌣ю luckily, fortunately, by good fortune; каждый — кузнец своего ⌣я every man is the architect of his own fortune; пожелать кому-л. ⌣я to wish one luck; попытать ⌣я to try one's luck.

счерп‖**а́ть**, ⌣ну́ть, **'⌣ывать** to scoop, ladle (*out, off*).

счер‖**ти́ть**, **'⌣чивать** to copy, trace, draw.

счеса́ть *см.* счёсывать.

счесть *см.* считать; я **сочту́** это за честь I shall esteem it a honour; ⌣ся: свои люди — **сочтёмся** accounts between friends are easily settled.

счёсывать to comb off (*волосы и пр.*); to card off (*шерсть, лён*); ⌣ся to be combed (carded) off.

счёт account; bill; expense; numeration; score (*очков в игре и пр.*); с. в уме mental arithmetic; с. кассы cash account; с. по разным статьям an omnibus bill; большой с. heavy bill; правильный с. correct account; текущий с. current account; фиктивный с. a fake bill of sale (*за проданную вещь*);

жить на чужо́й с. to sponge (*on*); живу́щий на чужо́й с. parasitic; мо́жете быть споко́йны на э́тот с. you may be easy on that score; на мой с. at my cost (expense); он с. потеря́л свои́м деньга́м he has lost count of his money, he is rich beyond reckoning; поме́тьте э́то за мой с. put it down to my account; спроси́ть с. to ask for one's bill; кру́глым ⁓ом in round figures; быть на хоро́шем счету́ to have a fair reputation; to stand well (*with*); на онко́льном счету́ *комм.* on call; на теку́щем счету́ on account; плати́ть по ⁓у to settle (square) an account; *разг.* to pay one's shot; плати́ть по ⁓у попола́м to halve the bill; по моему́ ⁓у to my account; в два ⁓а immediately, in no time; заноси́ть в счёта́ to score; to keep a record; свести́ счета́ to strike a balance; прове́рка счето́в audit; у меня́ с ним ⁓ы I have a bone to pick (*или* a crow to pluck) with him; ⁓ный account (*attr.*); ⁓ная кни́га book of accounts, account book; ⁓ная лине́йка slide-rule; ⁓ная ма́рка stamp-duty; ⁓ная маши́на calculator; ⁓ная табли́ца register; ⁓ная часть book-keeping.

счетово́д book-keeper; accountant; ⁓ство book-keeping.

счёт∥чик *техн.* meter, register, recorder; indicator; watt-meter (*электри́чества*); speedometer (*ско́рости*); clock (*автомоби́льный*); teller (*голосо́в*); ⁓ы abacus.

счисле́ни∥е numeration, reckoning, calculation; систе́ма ⁓я scale of notation.

счи́стит∥ь *см.* счища́ть; ⁓ься: э́то пятно́ ⁓ся this spot can be removed.

счита́лка *дет.* counting-out rhyme.

счита́∥ть to count; to compute (*подсчи́тывать*); to tell off (over) (*пересчи́тывать*); to rate, reckon (*for, as*) (*причисля́ть к*); to score (*засчи́тывать*); to hold, regard, think (*находи́ть*); с. возмо́жным to think fit (good); с. его́ вы́бывшим count him gone, count that he has left; с. голоса́ to tell votes; с. за кого́-л. to put down for (as) one; с. недействи́тельным to consider null and void; он ⁓ет, что всё потеря́но he reckons that all is lost; я ⁓ю его́ блестя́щим ора́тором I think (consider) him a splendid speaker; я не ⁓ю вас

в их числе́ I have not numbered you among them; ⁓ю свои́м до́лгом I deem it my duty; ⁓ю усло́вия подходя́щими I find the terms reasonable (suitable); ⁓ю, что... I am of the opinion that...; in my opinion...; ⁓ю э́то безу́мием I count it a folly; его́ ⁓ют у́мным челове́ком he is reputed to be a man of sense; не ⁓я apart from, exclusive of; ⁓ться: не ⁓ться с чем-л. to be regardless of something; с ним не́чего ⁓ться he is out of reckoning; э́то не ⁓ется недоста́тком it is not held to be a defect; ⁓лось, что it was deemed that; не ⁓ясь... in spite of..., despite of..., regardless of..., in the teeth of... (*вопреки́*).

счища́ть to clean, cleanse, clear, to take away (off); to brush off; to purge away; с. напи́санное to erase, scrape off; с. снег to shove away the snow; с. шелуху́ to peel; ⁓ся to be cleaned.

США the United States of America (*USA*).

сшиб∥а́ние knocking off, striking down; ⁓а́ть to knock (strike) down; ⁓а́ть с ног to knock down; ⁓а́ться to be knocked down; ⁓и́ть *см.* сшиба́ть.

сши∥ва́ние sewing, seaming; tacking together (*слегка́*); ⁓ва́ть to sew, seam (tack) together; to patch (*при почи́нке, из куско́в*); *мед.* to suture; ⁓ва́ть до́ски to joggle; ⁓ва́ть куски́ to piece together; ⁓ва́ться to be sewn (seamed, tacked) together; '⁓вка sewing, piecing, seaming, tacking; ⁓вно́й sewed (seamed) together; ⁓тое по после́дней мо́де пла́тье an up-to-date dress, dress made in the latest fashion; '⁓ть(ся) *см.* сшива́ть (-ся).

съед∥а́ть to eat up, to devour (*пожира́ть*); ⁓о́бный eatable.

съёжи∥ваться to shrink, shrivel, contract; to cower (*от стра́ха, хо́лода*); мате́рия ⁓лась (се́ла) the cloth has shrunk.

съезд congress, convention, conference, meeting, assembly, reunion; Всесою́зный с. сове́тов All Union Congress of Soviets, The Congress of Soviets of the USSR; с. ВКП(б) Congress of the All Union Communist Party (Bolsheviks); с. колхо́зников-уда́рников Congress of the Udarniks of the Kolkhozes; ⁓ить to go.

съезжа́ть: с. с горы́ в экипа́же to drive down hill; с. с горы́ на моторе to run down hill; с. с горы на ногах, салазках, коньках to slide; с. с квартиры to move to another apartment (other rooms), to quit; ~ся to meet, convene, assemble.

съём‖ка survey, plan; filming (*кинематогр.*); с. берегов *мор.* coast-survey; геодезическая с. geodetic survey; геологическая с. geological survey; топографическая с. topographical survey; тригонометрическая с. trigonometrical survey; делать кинематографическую ~ку to film; ~щик lessee, tenant (*квартиры*); surveyor (*местности*); cinema-operator, camera-man (*кинематогр.*).

съест‖ной *см.* съедобный; ~ные припасы eatables, edibles; ~ь *см.* съедать; ~ь собаку на чём-л. *разг.* to be past master (*in*); to be nuts (*on*) (*sl.*).

съёха‖ть(ся) *см.* съезжать(ся); у неё шляпа ~ла на бок her hat was all askew.

съязвить *см.* язвить; to make a dig (*at*) (*sl.*).

сыворотка whey; buttermilk (*пахтанье*); *мед.* serum.

сыга *бот.* crowberry.

сыгр‖ать to play, perform; с. вальс to play a waltz; с. в руку кому-л. to play into the hand of one; с. партию на бильярде to play a game at billiards; с. роль to perform a part; с. свадьбу to celebrate a wedding; с. шутку to play (serve on) a trick; хорошо с. *фиг.* to play one's cards well; ~аться, '~ываться to rehearse, practice (*об актёрах, музыкантах*); они хорошо ~ались the whole cast run the play very smoothly (*об актёрах*).

сызмала from one's childhood.

сызнова anew, afresh.

Сызрань Syzran.

сын son; младший с. youngest son; Benjamin; ~овний filial; ~ок sonny.

сып‖ать to strew, pour, scatter; с. деньгами to squander (throw away) money; с. песок to strew sand; ~аться to rain, pour; ~аться градом *фиг.* to hail; ~ной тиф, ~ной тиф typhus; ~учий friable; ~учий песок quicksand; мера ~учих тел dry measure; ~ь rash, eruption; red gum (*у новорождённого*); ~ь показалась the rash broke out.

сыр cheese; голландск. с. Dutch cheese, Edam; молодой с. green-cheese; сливочный с. cream-cheese; швейцарский с. gruyère; как с. в масле *фиг.* in clover, in a bed of roses (of down); on plush (*sl.*).

сыр-бор: с. загорелся the fat is in the fire.

Сыр-Дарья the Syr-Daria.

сыреть to grow (become) damp, to grow moist.

сырец raw materials.

сыр‖ник cheese cake; ~ный caseous; ~ная корка cheese-paring; ~овар cheese-maker; ~оварня cheese dairy.

сыроват‖ость slight dampness; ~ый dampish.

сыроежка *бот.* russula.

сырой damp, moist, humid; wet (*мокрый*); soggy (*намокший, о земле и пр.*); raw, crude (*невареный, необработанный; тж. фиг.*); *фиг.* green; sodden (*о хлебе*); foul (*о погоде*); с. материал raw material.

сыромятн‖ик tanner, tawer, raw hide dresser; ~ая кожа raw hide; ~я tannery, tawery.

сырость humidity, damp(ness), moisture; испорченный ~ю spoilt by damp.

сырь‖ё raw materials (stuff); промышленное с. industrial raw material; сельскохозяйственное с. agricultural raw material; борьба за рынки ~я struggle for the raw material markets; ~евая база промышленности raw material base of industry.

сыск search, perquisition, pursuit, detection; ~ать to find, discover; ~аться to be found (discovered); ~ной detective; агент ~ной полиции detective; ~ное отделение detective department, criminal investigation department.

сыт‖ность repletion, satiety; ~ный satisfying, filling; ~ный обед, завтрак a square meal; ~ость satiety, satiation, repletion; ~ый satisfied, replete; ~ый голодного не разумеет *посл.* he whose belly is full believes not him that is fasting *или* he that is warm thinks all so; ~ый по горло full to the throat, fed to the teeth; благодарю вас, я сыт thank you, I have had enough; до ~а to repletion.

сыч brown owl, screech owl, barn owl; сидит как с. he is like an owl in an ivy-bush.

сычу‖г abomasum; ~жок rennet (*в сыроварении*).

сы́щик detective, inquiry agent; sleuth(-hound) (*фиг.*).

сэр Sir.

сюда́ here, hither; пожалуйте с. (step) this way, please.

сюже́т subject, plot; с. для маленького рассказа a theme for a sketch; a subject for a short story; развитие ~a development of the plot.

сюзере́н *ист.* suzerain, overlord.

сю́ита *муз.* suite.

сюрпри́з surprise, unexpected present.

сюрту́к frock-coat; ~чи́шка shabby frock-coat.

сюсюка||**ние** lisp(ing); ~ть *презр.* to lisp, to have an impediment in one's speech.

сяк: и так и с. this way and that; one way and another; this way and the other; то гак то с. now one way, now another (the other); sometimes one way, sometimes the other; ~о́й such.

сям: и там и с. here and there; here, there and everywhere; at every turn (*всюду*); ни там ни с. neither here nor there.

Сясьстро́й Siasstroy.

Т та *см.* тот.

таба́к tobacco; tobacco plant (*растение*); plug (*для жевания*); cavendish, plug (*прессованный*); snuff (*нюхательный*); ~ёрка tobacco-box, snuffbox; музыкальная ~ёрка musical-box; ~оводство tobacco-culture.

таба́нить to back the oars; *мор.* to pull back.

табарга́н *зоол.* jerboa.

таба́чн||**ик**, ~ица 1. tobacconist (*продавец*); 2. great smoker (*курильщик*); ~ый nicotian; ~ый кисет tobacco-pouch; ~ый магазин tobacco shop; ~ый цвет snuff colour; ~ая монополия tobacco-monopoly; ~ая плантация tobacco plantation.

та́бель table; list, roll (*список*); ~ный день *уст.* holiday established by the government; ~щик timekeeper.

та́бес *мед.* tabes (dorsalis).

табле́тка tablet, tabloid, cake, lozenge; курительная т. pastil(le).

табли́||**ца** table, scale; list, roll; т. умножения the multiplication table; подвижная счётная т. sliding scale; ~цы логарифмов logarithmical scales; законы 12 ~ц (*в древнем Риме*) the Twelve Tables; составление ~ц tabulation; ~чный tabular.

та́бор camp (party) of gypsies (*цыганский*); encampment; расположиться ~ом to encamp; to strike a camp.

табу́ taboo; подвергать т. to taboo, put under taboo; подвергнутый т. tabooed.

табу́н drove of horses; ~щик keeper of a drove of horses.

табуре́т, ~ка stool, tabouret; т. для рояля (*на винте*) music-stool; конторский т. office-stool.

тавли́нка snuff-box made of birch-bark.

та́волга *бот.* spiraea; т. болотная meadow-sweet.

тавро́ mark, brand, stamp; earmark (*на овце*); накладывать т. to stamp, earmark.

та́вров||**ый:** ~ая балка T-beam.

тавтоло́||**ги́ческий** tautological; ~гия tautology.

тага́н trivet, andiron, firedog.

Тага́нро́г Taganrog.

таджи́к, ~ский Tadjik; Т-ская ССР the Tadjik Soviet Socialist Republic.

таёжн||**ик** a hunter (fowler) of the vast Siberian forests; ~ый vast Siberian forests (*attr.*).

таз basin; *анат.* pelvis; т. для умывания wash-basin; т. и кувшин (*умывальник*) ewer and basin; промывать в ~у́ to pan off (out) (*золотоносный песок*); ~ик small basin; *анат.* pelvis; ~овый *анат.* pelvic; ~овый пояс pelvic girdle; ~овая полость pelvic cavity.

тайнственн||**ость** secrecy, secretness, mysteriousness; ~ый mysterious, secret; ~ая история a mystery; ~о secretly.

таи́ть to conceal, hide, secrete, shelter; т. злобу to bear malice; т. злобу против к.-л. to owe one a grudge; нечего греха т. ≅ frankly confessing; ~ся to hide oneself, to conceal; to make a mystery (*of*); ~ся от к.-л. to hide oneself from someone.

тайга́ taiga, vast Siberian forests.

тайко́м secretly, in secret, stealthily; by stealth, surreptitiously, behind the back (*of*), on the sly, underhand; in a hugger-mugger way (*разг.*); действовать т. to act in an underhand manner; to hugger-mugger (*разг.*).

тайн||**а** secret; mystery (*обыкн. необъяснимая*); secrecy, privacy (*скрывание, скрытость*); hugger-mugger (*разг.*); держать новость в

~e to keep the news secret; делать из чего-л. ~у to make a mystery of; сохранять ~у to keep a secret; ~ы природы the secrets of nature; ~ик secret (hiding) place; secret (hidden) passage; recess (*сердца*); скрытые ~ики человеческого сердца the innermost recesses of the human heart.

тайнобрач||ие *бот.* cryptogamia; ~ный cryptogamic, cryptogamous; ~ное растение cryptogam, cryptogamous plant, flowerless plant.

тайн||ый secret; mysterious, occult, cryptic (*таинств.*); stealthy (*скрытый*); privy (*уст.*); clandestine, underhand (*недозволенный*); *филос.* esoteric; hugger-mugger (*разг.*); hole-and-corner (*attr.*); т. брак secret (clandestine) marriage; т. договор secret treaty; т. заговор secret plot; т. совет Privy Council; ~ая типография underground printing shop; ~ое соглашение secret understanding; ~ые происки underhand dealing; ~о secretly, stealthily, in secret, in stealth, mysteriously, in a hugger-mugger way (*разг.*).

тайфу́н typhoon.

так so, thus, like this (that); т. же so, as; т. же... как as... as; as well as; similarly, in the same manner; т. же длинен как as long as; т. и быть let it be so; be it so; т. и есть so it is; т. или иначе whether or no, somehow or other, by some means or other, right or wrong; т. и надо ему it serves him right; т. и т. so and so; я сказал ему т. и т. I told him so and so; т. ли он сказал? точно т. didn't he say so? yes, he did; т. ли это? is it so?; т. называемый so-called; т. например thus (for example); for instance; т. себе *разг.* so so, pretty well, from fair to middling; как вы поживаете? т. себе how are you? so so (middling); т. сказать so to say (speak); т.-то вот so that's that; т.-то и т.-то thus and thus; т. точно just so, exactly; т. что so that; т. чтобы... so as to...; я встал рано, т., чтобы быть во-время I got up early so as to be in time; будьте т. добры be so kind (good) as to; вы сказали, что это хорошо,—т. оно и есть на самом деле you said it was good, and so it is; если т. if so; именно т. just so; и т. д. and so on (forth), etc.,

and what not (*после перечисления*); и г. и сяк in every possible manner, this way and that way, every way; somehow or other; как т. how so?; не т. not so; не т. долго not so long; не т... как... not so... as...; не т. ли? is it not so?; он сказал это, не т. ли? he said it, didn't he?; не будьте т. любопытны don't be so curious; раз взялся т. не отказывайся once you have undertaken a thing to do, you mustn't give it up; тут что-то не т. there is something wrong here; он т. изменился he is so very much changed; почему это т.? why is it so?; why this thusness? (*шут.*); пусть т. well and good, that is right, so be it; сложите это т. fold it like this; устройте т. чтобы он был доволен вами arrange it so (in such a manner) that he should be pleased with you; это т. yes, that's so (flat); это т., ничего that's nothing; я это сделаю т., как вы хотите I shall do this in the way you want me to do it.

такела́ж *мор.* rigging, tackle; running rigging (*бегучий*); spare rigging (*запасный*); wire-rigging (*проволочный*); standing rigging (*стоячий*); ~ить to rig (out); ~ный rigging, of rigging; ~ная a rigging loft; rigging house.

та́кже also, too, likewise; т. не neither; я т. знаю это I also know it, I know it too; я т. не знаю этого I do not know it either; если вы не пойдете, я т. не пойду if you do not go, neither shall I; я т. не могу no more can I.

таки *разг.* still; вы т. неправы and still you're in the wrong; он т. виноват and yet it's he who is in fault; всё-т. all the same, though, for all that; а я всё-т. сделаю это I shall do it all the same (after all); так-т. still; так-т. он не пошёл and still he wouldn't go.

так как *см.* потому что; as, because, for, since, inasmuch as, seeing that, being that.

тако́в such, like; т. обычай such is the custom; и был т. *разг.* he took to his heels, he decamped; он не т. как вы думаете he is not the man you think him to be; все они ~ы all of them are alike.

таково́й such; как т. as such.

тако́вский *разг.* such a one; он т. that is his way.

так||о́й such; suchlike (*sl.*); т.

поступок such an act; т. умный человек so clever a man; т. же such a one; вы всё т. же´ you are always the same; you never change; он т. же специалист, как и я *ирон.* he is no more a specialist than I am; кто он т.? who is he?; не т. not such a...; не т., как unlike; не т. человек как я ожидал is not such a man as I expected (him to be); т.-то so--and-so (*вместо имени*); он пришёл в т.-то день he came on such and such a day; ~им образом thus, in such a manner; hereby; в ~ом случае in such a case, in that case, then; в ~ом-то часу at such-and-such an hour; ~ая картина such a picture; ~ое состояние such a state; что ~ое? what is it?; what do you say?; you don't say so! (*удивл.*); what has happened?, what is up?, what is the matter? (*что случилось?*); ~ие люди all such; suchlike (*sl.*); кто ~ие эти люди? who are these people?

такса I. dachshund, badger hound, basset (*порода собак*).

такс‖**а** II. fixed price; assize (*твёрдая цена, мера, вес*); ~**атор** appraiser; ~**ация** assize, fixing of prices, appraisment.

такси taxi (cab), motor cab.

таксирова‖**ние** fixing of prices; ~**ть** to rate, to fix prices, to tax.

таксо‖**метр** taximeter, automatic fare indicator; ~**мотор** *см.* такси; ~**моторное** движение taxi traffic.

такт 1. tact (*о поведении*); 2. *муз.* time, measure, beat, bar, cadence; в т. с чем-л. in time with; отбивать т. to beat time.

такти‖**к** tactician; ~**ка** tactics; победить превосходством ~ки to outgeneral; ' ~**ческий** tactic(al); ~**ческий** приём tactical stratagem; ~**ческий** шаг tactical step; ' ~**ческая** ошибка tactical blunder.

тактичн‖**ый** tactful; т. человек a man of tact; требующий ~**ого** отношения pernickety.

талант 1. *ист.* talent (*мера веса и денежная единица у древних*); 2. talent, gift; ~**ливость** giftedness; ~**ливый** talented, gifted, endowed; ~**ливо** написанная книга a brilliant book.

талер t(h)aler.

тали *мор.* tackle, winding tackle.

талий *хим.* thallium (*металл*).

талисман talisman, amulet.

талия 1. waist; middle; тонкая т. slender (small) waist; 2. *карт.* deal.

талмуд Talmud.

талон check, order, bond; money-order.

талый melted, thawed.

тальк *мин.* talc; *комм., разг.* mica; soapstone, steatite; ~**а** skein; ~**овый** talcose, talcous.

тальник *бот.* willow.

там there; yonder (*на дальнем, но видимом месте*); я т., где я должен быть I am where I should be; т. же in the same place; ibidem (*в книге и пр.; лат.*); т. и сям here and there.

Тамара Tamar.

тамариск *бот.* tamarisk.

Тамбов Tambov, Tambof.

тамбур tambour; вышивать ~**ом** to chain-stitch.

тамбурин *муз.* tambourine.

тамбурмажор *ист.* drum major.

тамбурн‖**ый**: ~**ая** игла embroidering needle; ~**ое** шитьё tambour work.

тамож‖**енный** relating to customs; т. договор the customs agreement; т. осмотр custom house examination; т. чиновник custom-house officer; ~**енная** война protective tariffs; ~**енная** политика customs policy; ~**енная** пошлина customs, custom duties; ~**енное** управление customs; ~**енные** отчёты customs returns; ~**ня** custom-house; octroi (*городская*).

тамошн‖**ий** of the place, of that place; native, indigene (*по происхожд.*); local (*местный*); он т. he is from that place; ~**е** обычаи local customs.

тамплиер *ист.* Templar.

тампон *мед.* tampon; ~**аж** tamponage; ~**ировать** to tampon, ply with tampon.

там-там tam-tam; tom-tom (*тэж. барабан на Востоке*).

тангенс *геом.* tangent; относящийся к ~**у** tangential.

танго tango (*танец*).

тандем tandem.

тан‖**ец** dance; т. смерти Dance of Death (Macabre); ~**цы** carpet dance (*запросто, домашние*); учитель(ница) ~**цев** dancing master (mistress).

танин tannic acid, tannin.

танк *военн.* tank; male (female) tank (*более, менее мощный*); whippet (*малый быстроходный*); ~**ист** tank driver; ~**овый**: ~**овые** части tank parts (*части танка*); tank company, brigade (*войска*).

тантáл tantalum (*металл*).

Тантáл *миф.* Tantalus; муки ~а pangs of Tantalus; подвергать мукам ~а to tantalize.

тантьéма bonus.

танцовáльный dancing, of (for) dancing; т. вечер dancing party; а dance; т. класс dancing classes.

танц‖овáть to dance; to trip the light fantastic toe; т. под джазбанд to jazz; ~óвщик, ~óвщица (ballet-)dancer, figurant; ~óр(ка) dancer; ~ýлька *презр.* fandango (*амер. sl.*).

танцóр a pianist engaged for a dancing party.

тапиóка tapioka.

тапи́р *зоол.* tapir.

тáпочки *разг.* light sport shoes.

тáр‖а *комм.* tare; скидка на ~у tare and tret.

тарабáр‖ский *разг.* incomprehensible, illegible, obscure; ~щина *разг.* gibber(ish), lingo.

таракáн cockroach; black-beetle (*чёрный*).

тарáн *военн.* battering-ram; *мор.* spur of an ironclad ship; ~ить to ram; ~ный of (battering-)ram, of spur; ~ная косточка *анат.* astragalus, ball of ankle joint.

тарантáс *уст.* a sort of travelling carriage formerly used in Russia.

тарантéлла tarantella (*танец*).

тарáнтул *зоол.* tarantula.

тарáнь species of carp (*рыба*).

тарарáхнуть *разг.* to bang; ~ся to fall with a crush.

таратáйка sort of gig.

таратóр‖енье *разг.* talkee-talkee, jabbering, prattling; babbling; ~ить *разг.* to chatter, prattle, prate, babble, jabber; ~ка *разг.* chatterer, babbler, chatter-box, tattler, prattler.

тарáщ‖енье staring; ~ить: т. глаза to stare, gaze at, to open one's eyes wide, goggle.

тарéл‖ка plate; глубокая т. soup plate; полная т. ч.-л. a plateful of...; быть не в своей ~ке to be out of sorts; to have the pip (*sl.*); вы сегодня не в своей ~ке you are not quite yourself to-day; ~ки *муз.* cymbals; ~очка small plate.

тари́ф tariff; протекционный тари́ф protective tariff; ~икáтор tariff clerk; ~ный пояс tariff belt; tariff zone; ~ная сетка tariff ta-

ble; scale of wages (*зарплаты*); ~ная ставка salary according to the tariff table.

тарлатáн tarlatan, tarletan (*материя*).

таровáтый *уст.* liberal, unsparing, generous.

тартáн tartan (*шотландская клетчатая материя и плед*).

тáртар *греч. миф.* Tartarus, Hell; в ~áры *разг.* into the depths of hell.

тарти́нка thin slice of bread spread with butter, jam *etc.*

тáры-бáры *разг.* chit-chat, tittle-tattle.

таскá‖а: задать кому-л. ~у *разг.* to give one a sound drubbing (thrashing).

таскá‖ние dragging, trailing, pulling, drawing; ~ть to pull, drag, draw, trail, tug, lug; to steal, pilfer (*воровать*); ~ть брёвна из реки to drag logs out of the river; ~ть груз без помощи машины *мор.* to manhandle; ~ть дрова to carry wood; ~ть за волосы to pull by the hair; ~ть из кармана to steal out of the pocket; ~ть каштаны из огня для другого to pull chestnuts out of fire for somebody else; ~ться *разг.* to hang about, to loiter, to lounge; он ~ется по гостям he spends his time in visiting; он ~ется по улицам he loiters about the streets.

тасов‖áние shuffle, shuffling; ~áть to shuffle (*карты*); '~ка *см.* тасование.

ТАСС (*Телеграфное агентство СССР*) Telegraphic Agency of the Soviet Union.

татáр‖ин Tartar, Tatar; ~ка Tartar woman; ~ник *бот.* thistle; ~ский Tartar, Tatar (*attr.*); ~ское иго, ~щина *ист.* the period of the Tartar yoke in Russia.

Татáрская Автономпая ССР the Tartar Autonomous Soviet Socialist Republic.

татуи́ров‖ать to tattoo; ~аться to tattoo oneself; '~ка tattoo, tattooing; прибегающий к '~ке tattooer.

тать *уст.* thief.

тафтá taffeta.

тафья́ *ист.* scull-cap.

тахеомéтр tachometer; ~ия tachometry.

тахи‖грáфия tachygraphy; ~кáрдия tachycardia; ~мéтр tachymeter.

тахомéтр(ия) *см.* тахеомéтр(ия).

тахта́ a low sofa covered with a carpet.

та́чк‖а a wheel-barrow; вывозить на ～е to wheel in a wheel-barrow.

Ташке́нт Tashkent.

тащи́ть to carry, bear along, draw along and heavily; to haul, tow (*на буксире*); ～ся to lag (trail) (*behind*); to drag; to crawl (*ползти*); creep (*ползти*); to trudge, tail (*after*), plod (*along*).

та́эль tael (*китайская мера веса и денежная единица = около 1 р. 50 к.*).

та́‖яние thaw, thawing; ～ять to thaw, melt (*распускаться, расплавляться, растопиться*); *фиг.* to waste away (*как свеча*); to pine away (*чахнуть*); to dwindle away (*о средствах*); начинает ～ять the thaw has set in; ～ет it is thawing; больной ～ет the patient is wasting away; он перед ней ～ет his heart melts when he sees her; снег ～ет the snow thaws.

тварь creature, being, thing; *фиг.* a (the, that) creature; *презр.* flea; поллая т. beast; *соб.* vermin.

тверде́ть to harden; grow hard (firm, solid); to solidify, toughen; to set (*застывать*).

тверди́ть to repeat over and over (again); т. наизусть to recite from memory.

твердодре́вник *бот.* iron-wood.

твердоло́бый thick skulled; ～ые *пол.* Die-hards (*о крайних консерваторах в Англии*).

тве́рд‖ость solidity, hardness, toughness; *фиг.* constancy, firmness, backbone, *разг.* grit (*характера*); strength (*убеждения*); fixedness (*намерения*); resolution (*решимость*); ～ый hard, firm, solid, tough; *фиг.* sturdy, steadfast, unyielding (*стойкий*); manly, manful (*мужественный*); resolute, resolved, hard-set (*решительный*); rocky (*непреклонный*); stable, constant (*неизменный*); iron-bound (*о правилах*); ～ый курс денег stable currency; ～ый на ногу sure-footed; ～ая воля firm will; ～ая масса concretion (*сросшаяся*); ～ая память good (sound) memory; превращать в ～ую массу to concrete; ～ое правительство strong government; ～ое тело *физ.* solid; быть ～ым в своём решении to be firm in one's decision; делать ～ым to indurate; ～ые цены stable (fixed) prices; ～о firmly, stead-

fastly; thoroughly, well (*знать ч.-л.*); ～о стоять на своём to be firm in one's decision; ～о стоять на своём слове to stand firmly by one's word; я ～о стою за своё первое предложение I stand to my first proposition; я ～о решил I am quite resolved; знать предмет ～о to know the subject thoroughly.

тверды́ня stronghold, fort, fortress, citadel; СССР—т. мировой революции USSR is the citadel of the world revolution.

Тверь Tver.

тво‖й, ～я, ～ё, ～й your, yours; *библ.*, *поэт.* thy, thine.

творе́‖ние 1. creation, creating, making; 2. creature (*о живых существах*); 3. work; ～ц creator, maker; author, former, achiever.

твори́ло *техн.* lime-pit; mortar-pit; cellar-flap (*в погребе*).

твори́тельный паде́ж *гр.* ablative (instrumental) case.

твори́ть I.: т. известь to mix quicklime with water.

твори́т‖ь II. to create; to make, do, shape; to produce; т. суд to administer justice; т. чудеса to do (work) wonders (miracles); ～ся to be created (done, made); to be executed; to go on (*происходить*); что там только ни ～ся! what strange happenings are going on there!

творо́‖г curd(s); ～жистый clotted, clotty; ～житься to curd(le), clot, grow clotty; ～жник curd-frittte ; ～жны́й caseous, of curds.

творче́‖ский creative; ～ство creative power (genius); creations, works (*произведения*).

теа́тр theatre, play-house; т.-буфф Opera bouffe theatre; т. военных действий the theatre of war, scene of operation; т. был полон the house was full; домашний т. private (amateur) theatricals; оперный т. opera-house; ～ал theatre-goer; ～а́льность theatricality; ～а́льность в манерах theatrical gestures; ～а́льны́й theatric(al), scenic, stagy; *фиг.* melodramatic; affected; showy; ～а́льный кумир idol of the theatre; ～а́льный плотник (рабочий) scene-shifter, stage-hands; ～а́льный художник scene-painter; ～а́льный шопот stage whisper; ～а́льная контрамарка paper; ～а́льное искусство histrionics; ～а́льно theatrically.

тевто́н Teuton; ～ский Teutonic.

Тезе́й *миф.* Theseus.

те́зис thesis (*pl.* -ses); защищать т. to defend one's thesis; один из ~ов программы Коминтерна a plank of the theses of the Comintern programme.

тёзка namesake; он мне т. we are namesakes.

тей||зм theism; ~ст theist; ~сти́ческий theistic(al).

текст text.

тексти́ль||ный textile; Т. институт Textile Institute; ~ная фабрика cotton-mill; ~ные изделия textile fabrics; ~щик loom-worker, cotton-spinner.

текстуа́льный textual.

тектони||ка tectonics; ~ческий tectonic.

теку́||честь flow (*тж.* *фиг.*), fluidity; т. рабочей силы fluctuation of labour; ~чий flowing, running, fluid; ~щий flowing, running, streaming, current; ~щий год current year; 10-го числа ~щего месяца the 10th instant (*в письме*); в ~щем году in this year; in the current year; ~щая политика current policy; ~щие дела (*на собрании*) current business; ~щие задачи the present task; ~щие события current events.

телеви́дение *рад.* television.

теле́га cart. truck.

телегра́||мма telegram, wire, despatch; ~ф telegraph; беспроволочный ~ф wireless (telegraph); известие передано по ~фу news was sent by telegraph; news was flashed over; результат сообщите мне по ~фу wire me the result; ~фи́рование telegraphing; ~фи́ровать to telegraph, wire; to cable (*по подводному кабелю*); to wireless, radio (*по радио*); ~фи́руйте мне send me a wire, let me know by wire; ~фи́ст telegraphist; ~фный telegraphic(al); ~фная лента tape.

теле́ж||ка hand-cart, porter's truck (*носильщика*); ~ный мастер cart-wright.

телёнок calf; *фиг.* a meek person.

телеоло́г||и́ческий teleological; ~ия teleology.

телепа́т telepathist; ~и́ческий telepathic; ~ия telepathy, thought-transference.

телеско́п telescope; наблюдатель в т. telescopist; ~и́ческий telescopic; ~ия telescopy.

телесн||ость corporeity; ~ый corporal, corporeal; ~ый цвет flesh colour (tint); трико ~ого цвета flesh-tights, fleshings; ~ое нака-

зание corporal punishment; ~ые недостатки bodily deffects; ~о corporally, bodily.

телефо́н telephone; т. занят the line is engaged; т. не работает (испорчен) the telephone is out of order; автоматический т. automatic telephone; междугородный т. trunk line; пригородный т. local line; разъединили т. the connexion is cut; снять трубку с ~а to switch off the (tele)phone; по ~y by telephone, over the telephone; вызов по ~y telephone call; вызвать по ~y to call someone's number, говорить по ~y to speak over the telephone; позвонить по ~y to phone, ring one up; получить соединение по ~y to get on the telephone; снестись по ~y to send a message by telephone; to communicate by telephone (*with*); я звонил четыре раза (по ~y) I have put through four calls; я пе мог к нему дозвониться (по ~y) I couldn't get him on the telephone; ~и́рование telephoning; ~и́ст(ка) telephonist, telephone operator; ~ия telephony; ~ный telephone (*attr.*), telephonic (*редко*); ~ный абонент subscriber; ~ный аппарат telephone apparatus; ~ный звонок telephone call; ~ный разговор a conversation over the telephone; ~ная будка public call box, telephone booth; ~ная книга telephone directory; (центральная) ~ная станция (central) telephone exchange; call office; ~ная трубка receiver; повесить ~ную трубку to hang up the receiver; ~ное сообщение telephone system; ~ограмма a telephone message.

теле́ц calf; Т. *астр.* Taurus, the Bull; ~и́ться to calve (*о корове*).

тёлка heifer.

теллу́р *хим.* tellurium; ~ий tellurion (*прибор, изображающий движение земли вокруг солнца*).

те́л||о body, substance; gaseous body (*газообразное*); solid (*твёрдое, трёхмерное, стереометрическое*); liquid (*жидкое*); corpse, dead body (*мёртвое*); быть в ~e to be stout, plump, fleshy, corpulent, fat; держать в чёрном ~e to ill-treat; чувствовать боль во всём ~e to feel pain all over the body; он дрожал всем ~ом he trembled all over, he trembled in every bone; она рыдала и дрожала всем ~ом sobs shook her frame; небесные ~а heavenly bodies; твёрдые и жидкие ~a solids and liquids; ~огрёйка *уст.* warm (sleeveless) jacket; ~одвижёние exercise, motion, gesture; ~осложёние frame, build; ~охранйтель life-guard, body-guard.

телушка *см.* тёлка.

тёльце *уменьш. от* тело; *физ.* corpuscle.

теля||**тина** veal; ~**тник** stall for calves; ~**чий** veal, of calf; ~**чья котлета** veal cutlet; ~**чьи ножки** calf's feet.

тем *см.* тот; т. более all the more, besides, further, also; т. временем in the meantime; т. не менее nevertheless; вместе с т. at the same time; с т., чтобы... in order to...

тёма theme (*тж. муз.*); subject, topic (*тж. лог.*); ~**тйческий** thematic; ~**тйческая гласная** thematic vowel; ~**тйчно** thematically.

тембр timbre, characteristic.

теменные кости parietal bones.

тёмень *см.* темнота.

тёмечко *уменьш. от* темя.

Тёмза the Thames.

темляк sword-knot.

темнё||**ть** to darken, to grow (get) dark; ~**ет** it's getting dark; ~**ет в глазах** the sight gets dull (dim); all is dark before the eyes; ~**ться**: что-то ~ется вдали something is looming in the distance.

темнйца *поэт.* prison, gaol, jail; dungeon (*подземная*).

темнб dark(ly), obscure(ly); it's dark, it's night; т. хоть глаз выколи it's pitch dark.

темно||**багрбвый** dark purple; ~**бурый** dark brown; dark sorrel (*о лошадях*).

темновát||**ый** darkish, rather dark, dusky, rather obscure, duskish; ~**о** darkly *и пр.*

темноволбсый dark, dark-haired.

темнокрáсный dark red, reddish brown.

темнорусый chestnut, dark (*о волосах*).

темнорыжий dark russet, dark red, chestnut.

темносйний dark blue.

темнотá dark(ness), obscurity.

темноцвётный dark coloured; *ест. ист.* fuscous.

тёмн||**ый** dark, obscure, sombre, black (*мрачный*); blind (*нечёткий, неясный*); deep, drab, murky (*о цветах*); т. человек an ignorant person (man); ~**ая вода** *мед.* amaurosis; ~**ая личность** a per-

son of ill repute; темнá вода во облацех *погов.* it is inconceivable (beyond the reach of intellect); ~ое дело a dark affair; ~ое место в книге an obscure passage; ~ые слухи vague rumours.

темп time, tempo; rate; *муз.* movement, tempo; развить бешеный т. to develop high speed, усилить т. to speed up the rate; всё идёт быстрым ~ом everything is going on rapidly; большевистские ~ы Bolshevik tempo; быстрые ~ы индустриализации rapid tempo of industrialization.

тёмпер||**а** *жив.* tempera; distemper; писать ~**ой** to paint in tempera.

темперáмент temperament; passion, blood-mettle (*живой, горячий*); у него нехватает ~a he is phlegmatic; ~**ный** temperamental, of mettle, of blood, of passion.

температýр||**а** temperature; т. тела blood-heat; высокая (низкая) т. high (low) temperature; комнатная т. room temperature; нормальная т. normal temperature; мерить ~**у** to take one's temperature; кривая ~**ы** temperature curve; лист с записями ~**ы** temperature-chart.

темь *см.* тьма.

тёмя sinciput, crown of the head.

тенáкль *тип.* copy-holder.

тенденцибзн||**ость** tendentiousness, bias; ~**ый** tendentious.

тендёнция tendency; inclination, leaning, bent (*склонность*); trend (*направление*); т. роста tendency of growth.

тёндер tender; паровоз с ~**ом** tender-engine.

теневбй shady, shaded.

тенёта net, snare.

тенйст||**ость** shadiness, shadowiness; ~**ый** shady, shaded, shadowy, umbrageous.

тённис tennis, lawn-tennis; искусный в игре в т. great at tennis; площадка для игры в т. tennis-court; ~**йст** tennis player.

тёнор tenor; у него т. he has a tenor voice, he sings tenor.

тент tent; *мор.* awning.

тен||**ь** shade (*вещи*); shadow (*человека*); ghost, spectre (*призрак*); *астр.* umbra; т. отца Гамлета the ghost of Hamlet's father; бросать т. на ч.-л. *фиг.* to cast a shade on something; от неё осталась одна т. she is a shadow of her former self; держать в ~й to keep in the shade, to keep from the light; здесь нет и ⌐и сомнения there is not the shadow (ghost) of a doubt; ни ⌐и правды not a ray of truth; ни даже ⌐и подозрения not even a shade (hint) of suspicion; сидеть в ⌐й to sit in the shade (*of*); промелькнуть ⌐ью to pass away like a shadow; китайские ⌐и galanty show.

теого́ния theogony.

теодоли́т theodolite; ⌐ный theodolitic.

теократ‖и́ческий theocratic (al); ⌐ия theocracy.

тео́лог theologian; *амер.* theolog(ue) (*студент богословского факультета*); ⌐и́ческий theologic (-al); ⌐и́чески theologically; ⌐ия theology.

теоре́м‖а theorem, proposition; обратная т. converse proposition; доказать ⌐у to prove a proposition; ⌐ный theorematic (al), theoremic.

теорет‖изи́ровать to theorize; ⌐ик theorist; star-gazer (*ирон.*); ⌐и́ческий theoretic (al); ⌐и́чески theoretically.

тео́рия theory, system; theoretics (*противоп. практике*); т. вероятности theory of probability; т. и практика theory and practice; т. классовой борьбы theory of class struggle; т. относительности theory of relativity; атомная т. atomic theory.

теосо́ф theosophist, theosoph, theosopher; ⌐и́ческий theosophic (-al), theosophistical; ⌐ия theosophy.

тепе́решни‖й present, actual, of nowadays, modern (*современный*); ⌐е времена the present time, our days.

тепе́р‖ь now, nowadays, at the present time, at present; т. когда now that; т., когда я стал взрослым, я думаю иначе now that I am a man I think otherwise.

тепле́ть to grow warm.

те́пли‖ться to burn (shine) faintly, to glimmer; жизнь чуть ⌐ится life is hanging by a thread; надежда еще ⌐ится there is a glimmer of hope; огонь ⌐ится fire is smouldering; свет ⌐ится light is glimmering.

тепли́‖ца conservatory, hothouse, greenhouse, glass-house; ⌐чный growing in a hothouse.

тепл‖о́ 1. *s.* warmth, heat; mildness (*о погоде*); т. стоит две недели we are having a fortnight of

warm weather; 15° ⌐а́ fifteen degrees of heat; держать ч.-л. в ⌐е́ to keep something warm; 2. *adv.* warm(ly); 3. *adj.*: на дворе т. it is warm out of doors.

тепло- *сокр.* тепловой.

теплобето́н thermo-concrete.

теплова́т‖ость tepidity, lukewarmness; ⌐ый tepid, lukewarm.

теплово́з Diesel locomotive, engine.

теплов‖о́й thermal, thermic; т. эффект heating effect; ⌐а́я энергия thermal energy.

теплоёмкость heat capacity; удельная т. specific heat.

теплокро́вный warm-blooded, red blooded.

тепломе́р thermometer; calorimeter; ⌐ный thermometric(al).

теплопрово́дн‖ость heat conduction; thermal conduction; diathermancy; ⌐ый heat-conveying, diathermic, diathermanous.

тепло‖ро́дный calorific, caloric; ⌐ снабже́ние heat supply.

теплот‖а́ см. тепло 1; radiating heat (*лучистая*); latent heat (*скрытая*); specific heat (*удельная*); скрытая т. плавления (испарения) heat of fusion (evaporation); единица ⌐ы́ thermal unit, therm.

теплоте́хн‖ика thermotechnics; т-и́ческий институт Power Engineering Institute.

теплофика́ция thermification.

теплохо́д motor ship; ship propelled by Diesel-engine.

тёплы‖й warm, tepid, lukewarm; mild (*о погоде*); т. приём warm (hearty, cordial) reception; делаться ⌐м to tepefy; ⌐е слова sympathetic words.

теплы́нь *разг.* warm weather.

терапе́вт therapeutist; ⌐и́ческий therapeutic (al); ⌐и́ческое лечение therapeutic treatment.

терапи́я therapy, therapeutics.

терато́лог *биол.* teratologist; ⌐и́ческий teratological; ⌐ия teratology.

тереб‖и́ть to tousle, pull about; т. волосы to tousle the hair; ⌐ле́ние tousling.

Те́рек the Terek.

те́рем, теремо́к *ист.* old-Russian house, a room in the house; attic, chamber at the top of the house.

тере́ть to rub, grate, scrape (*сыр и пр.*); to chafe (*оттирать, раздражать, напр. кожу*); т. на тёрке что-л. to scrape; т. руки to rub one's hands; ⌐ся обо ч.-л. to rub against (on, over) something; ⌐ся среди людей to rub shoulders with other people; он трётся среди... *фиг.* he is always in the society of...

терза́||ние torment, torture, tearing, worrying, pain; ~ть to tear to pieces, rend, claw, harrow, prey (*добычу*); to lacerate (*тж. фиг.*); *фиг.* to torment, torture, worry, rend; не ~й меня do not torment me; ~ться to torment oneself; to be torn (*раздираться*); to be tormented (worried).

терия́к *мед.* theriac.

тёрка grater.

те́рма therm (*англ. единица теплоты*=2,519 *калорий*).

термидо́р Thermidor.

те́рмин term; technical term (expression); technicality (*технический*); ~ологи́ческий terminological, of nomenclature; ~оло́гия terminology, nomenclature.

терми́т *зоол.* termite.

терми́ческ||ий thermic, thermal; ~ая единица thermal unit.

термодина́ми||ка thermodynamics; ~ческий thermodynamic.

термо́метр thermometer; медицинский т. clinical thermometer; т. Цельсия (Фаренгейта, Реомюра) centigrade (Fahrenheit, Réaumur) thermometer; поставить т. to take temperature.

те́рмос thermos, thermos flask, thermos bottle.

термосифо́н thermosiphon.

термоста́т thermostat.

термоэлектри́ческ||ий thermoelectric; ~тво thermoelectricity.

тёрн *бот.* blackthorn, sloe (*Prunus spinosa*).

тёрн||ий *поэт.* thorns (*шипы*); bristling points (*колючки*); ~и́стый thorny; ~и́стый путь a thorny path; ~о́вник thorn-bush, bramble-bush, brier (briar), furze, gorse; ~о́вый *см.* терни́стый.

терпе||ли́вость patience, forbearance; ~ли́вый patient; ~ли́во patiently; ~ние patience, endurance; ~ние и труд всё перетрут *посл.* patience and labour can accomplish everything; потерять ~ние to lose one's patience.

терпенти́н, ~о́вый turpentine.

тер||пе́ть to endure, bear, suffer, tolerate (*боль, убытки и пр.*); to stand (*выносить*); to put up (*with*) (*допускать*); т. голод (холод) to bear (endure) hunger (cold); т. нужду to suffer from want (*of*); т. убытки to bear (sustain) losses; я его т. не могу I cannot bear

him; время ~пит there is plenty of time; дело не ~пит отлагательства the business is pressing; ему не ~пится пойти туда he is very impatient to go there.

терпи́м||ость toleration, tolerance; sufferance; tolerability, tolerableness; дом ~ости house of prostitution, brothel; ~ый tolerable, bearable, sufferable, endurable (*выносимый*); ~о tolerantly *и пр.*

те́рпк||ий tart, sharp; ~ость tartness, acerbity.

Терпсихо́ра *миф.* Terpsichore.

терпу́г *техн.* rasp, grate.

терраκо́т||а, ~овый terra-cotta.

терра́рий terrarium.

терра́са terrace, large balcony, porch.

территориа́льн||ый territorial; т. сбор territorial muster; ~ая армия territorial army.

террито́рия territory.

терро́р terror, terrorism; Reign of Terror (*во Франции в 1793 г.*); белый т. white terror; ~изирова́ние terrorization; ~изи́рованный terror-stricken (-struck); ~изи́ровать to terrorize, establish a system of terror; to put in fear, cow; ~изи́ровать стрельбо́й to shoot up; ~и́ст terrorist, dynamiter, dynamitard; ~исти́ческий акт terrorist act.

терце́т *муз.* tierce.

терци́на *прос.* terza rima.

те́рция *муз.* third, tierce; third (*3-я струна*); *мат., астр.* third; *тип.* great primer; большая т. *муз.* major third; малая т. flat third, minor third.

терье́р terrier; фокс-т. fox-terrier; шотландский (ирландский) т. Scotch (Irish) terrier; toy terrier (*очень маленький*).

терь||ть to lose; to waste (*время*); to shed (*волосы, зубы, листья*); to give up (*надежду*); to drop (*ронять*); т. авторите́т to lose authority; т. из виду to lose sight of; т. разум to lose one's head; т. самообладание to lose one's nerves; не т. мужества not lose one's courage (*sl.* pecker); не ~й надежды never say die; ~ться to lose oneself, to get lost; to lose one's wits, to be at one's wit's end (*растеряться*); ~ться в дога́дках to be lost in conjectures; не ~ться to have (keep) one's wits about one.

тёс thin planks, battens; deals (*сосновый или еловый*).

тесáк short sword; *мор.* cutlass.

тесáние cutting; hewing.

тёсаный cut, hewn, squared.

тесáть to cut, hew, square; т. камни to square stones; ⁓ся to be cut (hewn, squared).

тесё́м‖ка tape, ribbon, braid; ⁓чатый tape-like, ribbon-like.

тёска *см.* тесание.

тесло́ *техн.* adz(e).

теснúна gorge; т. долины jaws.

теснúть to press, squeeze, cram; to oppress (*притеснять*); ⁓ся to crowd, hustle, to be pressed, stand close; to squeeze in; to be crammed.

тесно‖вáтый, ⁓вáто rather narrow, rather crowded; ⁓тá closeness, tightness; crowded state; какая ⁓тá! what a crush!; в ⁓тé да не в обиде *погов.* very crowded and close together but not at variance.

тéсн‖ый narrow, strait, tight (*узкий*); *фиг.* close, intimate; ⁓ая дружба close (intimate) friendship; ⁓ая улица narrow street; ⁓ые ботинки tight shoes; ⁓о narrowly *и пр.*; здесь ⁓о it is crowded here.

тесóвый made of deal (planks).

тесситýра *муз.* tessitura.

тéсто paste, dough; duff (*sl.*); месить тесто to knead; мягкий как т. doughy; ⁓обрáзный pasty, doughy.

тесть father-in-law.

тесьмá *см.* тесёмка; braid.

тéт‖ерев, ⁓ёрка black grouse, black game (*без различия пола*); heath-cock, black-cock (*самец*); grey hen (*самка*); он глух как т. he is as deaf as a post; т.-глухáрь *см.* глухарь.

тетёха *разг.* stout, clumsy woman (girl).

тетивá string, bow-string.

тётка aunt; *уменьш.* auntie.

тетрáд‖ка, ⁓ь exercise book, note book; нотная ⁓ь music book; рабочая ⁓ь work diary.

тетралóгия tetralogy.

тетрáметр *прос.* tetrameter.

тетрáрх *ист.* tetrarch; ⁓ия tetrarchy.

тетрахóрд *муз.* tetrachord.

тётя aunt(ie).

тех- *сокр.* технический.

Техáс Texas.

тéхни‖к mechanic, technicist; ⁓ка technics; technique (*искусства*, *дела*); достижения ⁓ки the achievements of technics; ⁓ку в массы! technical knowledge for the masses!; овладеть ⁓кой to master technics; овладеть ⁓кой чего-либо to master the technique of...; ⁓кум technical school; ⁓⁓ческий technic(al); ⁓ческий персонал technical personnel; ⁓ческий руководитель (*технорук*) guide of the technical part in work; ⁓ческая работа technical work; ⁓ческая сторона technical part, technicality; ⁓ческие термины technical terms; ⁓чески technically.

технóлог technologist; ⁓ический technologic(al); Т⁓ический институт Technological Institute (College); ⁓ия technology.

технорýк *см.* технический руководитель.

течéни‖е current, stream, run, track, course, flux; т. воды water course; т. времени course of time; т. дел course of affairs; run of business; левое т. *пол.* left trend; литературное т. a literary movement; медленное т. ooze; морское т. race, sea current; подводное т. undercurrent, underset; в т. недели in the course of a week, within a week; то, что несётся ⁓ем drift; вверх по ⁓ю реки up the river; вниз по ⁓ю реки down the river; плыть по ⁓ю to drift (swim) with the stream; предоставить дела их собственному ⁓ю to let things run their course; против ⁓я against the current.

тéчка rut (*у животных*).

тe‖чь 1. to flow, run, stream; to leak (*протекать*); у неё ⁓кли слёзы tears ran down her cheeks; у него слюнки ⁓кýт his mouth waters; время ⁓чёт time flies; кран ⁓чёт the tap is running; река ⁓чёт the river flows; судно ⁓чёт the ship has sprung a leak; у него ⁓чёт из носу his nose is running, he is running at the nose; he has a dew-drop on his nose; у него ⁓чёт кровь из носа his nose is bleeding; 2. *s.* leak(age), leaking.

тéши‖ть to amuse, divert, rejoice; to please; ⁓ться to take pleasure (*in*); чем бы дитя не ⁓лось, лишь бы не плакало *посл.* ≅ do anything you choose as long as you are satisfied.

тéшка the flesh on the belly of large fishes.

тёша mother-in-law.

Тибéт Tibet.

тибéт‖ец, ⁓ка Tibetan; ⁓ский Tibetan.

тигель *техн.* melting pot, crucible; ∼ный of crucible; ∼ная сталь cast steel.

тигр tiger; ∼ица tigress; ∼овый глаз tiger's eye (*драгоценный камень*); ∼ового цвета tiger coloured.

тизана (p)tisan, barley-water.

тик I. jean, tick, ticking (*бум. ткань*).

тик II. *мед.* tick.

тик III. *стр.* teak (*остиндское дерево*).

тик∥**анье** tick (*часов*); ∼ать to tick; ∼-так tick-tack.

тильда *тип.* tilde.

тимбер∥**ованный** timbered; ∼овать *мор.* to repair, refit; ∼овка repair(ing).

тимберс timbers.

тимиан *бот.* thyme.

тиммерман *мор.* ship-carpenter.

тимол thymol.

тимофеевка *бот.* timothy(-grass) (*трава*).

Тимофей Timothy.

тимпан cymbal; *анат.* tympanum (*барабанная перепонка*); *тип.* tympan; *арх.* tympanum.

тин∥**а** slime, mud, ooze mire; ∼истость sliminess *и пр.*; ∼истый slimy, muddy, oozy, miry.

тинктура tincture, solution.

тип type; pattern, figure; exemplar; *пренебр.* type; странный т. a strange person; ∼ичность typicalness; ∼ичный typical.

типовой standard, model, pattern (*attr.*).

типограф printer, typographer; ∼ия printing-house, printing establishment; в ∼ии at the printing house; at the printer's; ошибки ∼ии typographical errors; ∼ский станок printing-machine, printing-press; ∼ским способом typographically; ∼щик *см.* типограф.

типо-литография printing and lithographic establishment.

типун pip; т. тебе на язык! may you get the pip!

тир I. butts, shooting-range, shooting-gallery.

тир II. *мор.* tar, pitch.

тирада tirade, long (vehement) speech, long passage of declamation.

тираж drawing lots, drawing of a lottery (*займа, лотереи*); т. газеты (*журнала*) circulation; облигация займа вышла в т. the lottery bond has been redeemed.

тиран tyrant; ∼ить to tyrannize, torture; ∼ический tyrannic(al); ∼ически tyrannically; ∼ия, ∼ство tyranny.

тире dash (*большое*); hyphen (*маленькое, дефис*).

тировать *мор.* to tar, pitch.

тирол∥**ец** Tyrolese; Т∼ь the Tyrol; ∼ьский of the Tyrol.

тис *бот.* yew.

тиска∥**ние** squeezing, pressing; ∼ть to squeeze, press, cram; ∼ться to squeeze, press, throng, to be crammed; *разг.* to push in, cram in, squeeze in.

тиск∥**и** vice (vice) (*pl.* -ses); jaws; он у него в ∼ах he is in his clutches.

тисн∥**ение** impressing, stamping; ∼уть *разг.* to print.

тисовый of yew; ∼ое дерево yew-tree.

Тит Titus.

титан 1. *миф.* Titan; 2. *хим.* titanium; ∼ы titans; ∼ический titanic.

титло tilde put over a Slavonic word to indicate abbreviation.

титр *хим.* titre; ∼ование titration; ∼овать to titrate.

титул title; ∼ованный titled; ∼овать to title, give a title, entitle; ∼оваться to be titled, to assume a title; ∼ьный лист title page.

титька *вульг.* breast teat; nipple (*особ. сосок*).

тиф typhus; брюшной т. typhoid (fever); enteric fever; возвратный т. relapsing fever (typhoid); сыпной т. typhus; ∼озная лихорадка typhoid fever.

тих∥**ий** quiet, still; calm; quiet (*ребёнок*); peaceful, gentle (*кроткий*); noiseless (*бесшумный*); soft (*о звуке*); slow (*медленный*); mild (*о погоде*); languid, sluggish (*о ручье*); Т. океан the Pacific Ocean; т. ужас *разг.* ghastly horror; ∼ая погода calm weather; ∼о quietly *и пр.*; дела идут ∼о business is going on slowly (is slack); жить ∼о to live quietly; он говорил ∼о he spoke in a low voice; ходить ∼о to walk slowly (softly); в ∼омолку in silence, silently, secretly; underhand; ∼онько *см.* тихо; ∼оня demure (looking) person; ∼оход *зоол.* sloth; ∼охонько very gently (quietly *и пр.*); т∼ше! tut! hush!; silence!, keep quiet!

тиш∥**ина** stillness, calm(ness), quiet tranquillity (*спокойствие*); silence (*молчание*); mildness, serenity, sereneness (*о погоде*); peace (*мир*); водворять ⸺ину́ to hush; соблюдать ⸺ину to be (keep) quiet; ⸺ь *см.* тишина; ⸺ь да гладь *погов.* peaceful state.

ткань *текст.* (textile, woven) fabric, cloth, stuff; tissue (*особ. тонкая*); *анат.* tissue; бумажная т. cotton cloth; киперная т. twill; нервная т. nervous tissue; редкая (плотная) т. a cloth of loose (close) texture; ⸺ё weaving (*действие*); piqué (*материя*); ⸺ёвое одеяло piqué blanket.

тка‖ть to weave; ⸺ться to be woven; ⸺цкий станок loom; ⸺цкий челнок shuttle; ⸺цкая фабрика weaving mill; ⸺ч weaver.

ткнуть *см.* тыкать.

тле‖н *фиг.* dust, rust, rot, ashes; ⸺ние smouldering (*горение*); decay, rottenness (*гниение*); ⸺нность perishability, frailness; ⸺нный perishable; ⸺творный baneful; ⸺ть to glow; to rot, decay; ⸺ться to smoulder.

тля aphis (*pl.* -ides); plant-louse.

тмин *бот.* cum(m)in.

то 1. *см.* тот; 2. (*в соединении с* если, так как, да и, и пр.): а не то if not, otherwise, or else; да и то even then; если так, то я поеду if it is so, then I shall go; 3.: то ли от удивления, то ли от испуга он совсем потерял голову either from surprise or from fright he quite lost his head; не то, чтобы она была умна, но... not that she can be called clever but...; one cannot call her clever but...; 4.: то... то sometimes, at times... at others, now... now; он то смеётся то плачет at times he laughs, at others he weeps; то тут то там now here now there; 5.: то-то она удивится how surprised she will be; об этом-то я и хотел вас предупредить that is precisely what I wished to warn you about; я и слышать-то об этом не хочу I do not even want to hear about it.

Тобо́льск Tobolsk.

това́р goods, wares, merchandise, commodities; хороший т. сам себя хвалит *посл.* good wine needs no bush.

това́рищ comrade, companion, friend, partner, fellow, colleague mate, associate, pal; т. командир! (*обращение*) comrade commander!; т. министра Assistant Minister; Under-Secretary (*англ. и амер.*); т. по игре playmate; т. по оружию fellow soldier; т. по плаванию shipmate; т. по торговле partner in trade; т. по тюрьме fellow-prisoner; т. по учению fellow-student; школьный т. school-fellow; ⸺еский friendly; по-⸺ески in a friendly manner, as a comrade; это не по-⸺ески that is not comradely; с ⸺еским приветом yours fraternally; with comradely regards; ⸺ество company, society, association (*общество*); fellowship, companionship, comradeship (*отношения*); ⸺ество с ограниченной ответственностью limited company.

това́рность marketability.

това́р‖ный goods (*attr.*); т. голод goods famine; т. поезд goods train; *амер.* freight train; т. фонд stock of goods; ⸺ная станция goods station; *амер.* freight station; ⸺ное хозяйство goods economy; ⸺ные излишки surplus of goods; ⸺оведение science of staple commodities; ⸺ообмен barter, truck; ⸺ооборот exchange of commodities; commodity-circulation.

то́га toga.

тогда́ then, at that time; т.-то и нужно было это сделать you ought to have done it at the time (then); т. как while, whilst, whereas, when; ⸺шний of the (that) time; ⸺шнее положение дел the then state of affairs; ⸺шние условия the then existing conditions.

то́-есть that is that is to say (*сокр.* т. е. i. e.).

тожде́ственн‖ость *мат.* identity; sameness; ⸺ый identical, same; ⸺о identically.

тожде́ство *см.* тождественность.

то́же also, too, likewise.

то и де́ло now and again, constantly.

ток 1. current stream; *эл.* current; current, fluid (*в физике*); air current (*воздуха*); т. высокого напряжения high pressure current; переменный т. alternating current; постоянный т. constant current; электрический т. electric current; включать т. to connect the electric current; подача ⸺а supply of current; 2. threshing (thrashing) floor; barn floor (*место для молотьбы*); 3.: тетеревиный т. gathering place of grouse at pairing time.

тока́йское Tokay (*вино*).

тока́р‖ная turner's workshop, turnery; ⸺ничать to turn; to work on the lathe; ⸺ный turned, worked on a lathe; ~ный станок (turning-)lathe; ~ная бабка *техн.* mandrel; ~ное ремесло turnery; ~ня *см.* токарная.

тóкарь turner.

Тóкио Гокуо, Tokio.

тóкмо *уст. см.* только.

токовáть to cry at pairing time (*of the black-cock, snipe etc.*).

токсикóлог toxicologist; '~ия toxicology.

токси∥н *мед.* toxin, poison; ~ческий toxic.

толк 1. meaning, sense; знать т. в чём-л. to understand a thing; to be a good judge (*of*); он знает т. в живописи he is a competent judge of painting; он знает т. в музыке he is a good judge of music; я в т. не возьму I cannot understand; говорить ~ом, с ~ом to speak clearly (plainly, reasonably, wisely); в этом нет никакого ~у that has no sense; говорить без ~у to speak without sense (meaning); сбить с ~у to disconcert, baffle; сбитый с ~у led astray (*фиг.*); 2. doctrine, sect; 3.: ~и talk, rumour; городские ~и town talk.

толкá∥ть to push, give a push; to jostle, elbow (*локтем*); to hustle, thrust, jerk, poke, jab, shove; т. тихонько локтем to nudge; ~ться to push one another, to elbow (*локтями*); ~ться без дела to walk about idly; не ~йтесь don't push; ~ч pusher.

тóлки *см.* толк.

толкнýть *см.* толкать; он ни в зуб т. *разг.* he knows nothing; he stood dumb (*при вопросе*); ~ся *фиг.* to look someone up, to drop in, pop in (*зайти к кому-л.*).

толк∥овáние interpretation, comment(ary), explanation; ~ователь interpreter, commentator; ~овáть to interpret, explain, comment, gloss (*объяснять*); to discourse, converse, talk (*разговаривать*); ~овать в дурную (хорошую) сторону to take (see) a thing in a bad (good) light; ~овать закон to interpret law; ~овать о делах to talk about business; что тут много ~овать there's nothing to talk about; он всё своё ~ует he is harping on the same string; как вы ~уете это место? how do you read this passage?; ~овáться to be interpreted (explained, connected); ~овый sensible; ~овый работник an efficient worker; ~овый словарь живого русского

языка an explanatory dictionary of current Russian; ~ово объяснить to explain clearly; ~ово устроить дело to arrange a thing properly.

толк∥отня crush; ~учий рынок, ~учка rag-fair.

толмáч interpreter, translator.

толокá manuring a corn-field by letting cattle graze.

толокнó oat-flour.

толóчь to pound, powder, comminute, crush, break; т. воду в ступе *погов.* to lash the waves.

толп∥á crowd, throng; ~иться to crowd, throng, swarm.

толс∥теть to grow stout, to fatten, to become corpulent; to put on flesh (weight); ~тить to fatten; это платье её ~тит this dress makes her look stout.

толстобрюхий barrel-shaped.

толстовáтый thickish.

толстóв∥ец follower of Leo Tolstoy; ~ка type of blouse as worn by Tolstoy; ~ский Tolstoy's; ~ство Tolstoy's moral philosophy.

толстогýбый blobber-lipped.

толстокóжий pachyderm, thick-skinned (*тж. фиг., шут.*).

толстонóгий thick-legged.

толстонóска *зоол.* grosbeak (*птица*).

толстонóсый bottle-nosed.

толстопýзый barrel-(pot-)bellied.

толстосýм money-bags.

толстý∥ха, ~шка buxom gir (woman).

тóлст∥ый thick; stout, fat, corpulent, fleshy, obese, gross, rotund (*о человеке*); человек с ~ым лицом fat-chops; ~o thickly.

толстя́к stout (corpulent) man, squab.

толч∥éние comminution; ~ёный pounded, powdered, crushed; ~ея *разг.* crush, crowd.

толчóк push, jerk, jolt; лёгкий т. локтем nudge; *фиг.* impulse; impetus; т. землетрясения shock of earthquake.

тóлщ∥а thickness; в ~е масс in the thick of the masses; ~инá thickness; stoutness, obesity (*полнота*).

толь *техн.* roofing made of pitched paper.

тóлько only, merely, but, just; т.-т. barely; если т. if only; как т. as soon as; лишь т. no sooner than; не т. not only; т.-что just (now).

том volume.

томагавк tomahawk; убить (ранить) ~ом to tomahawk.

томат tomato.

томбуй *мор.* buoy, can-buoy; бросай т.! stream the buoy!

томительный tiresome, wearisome.

том||ить to tire, exhaust, weary, fatigue; т. голодом to make a person suffer from hunger; ~иться to languish, pine; ~иться в тюрьме to languish in prison; ~иться любовью to pine for love; ~иться от жажды to be thirsty; ~иться от жары to be oppressed with the heat; ~иться по ч.-л. to long for, to groan (yearn) for (*сильно желать*); ~иться по недостижимому to cry for the moon; ~ление languor, depression; '~ность languor; '~ный languid; ~ный голос languid voice; ~ные глаза languid eyes.

томпак tombac, red-brass, pinchbeck (used in imitation of gold in cheap jewelry).

Томск Tomsk.

тон tone, intonation; *муз.* key; tint (*о картине*); т. приказания tone of command, high tone; высокий т. high (thin) tone; дурной т. bad form; мажорный т. major key; минорный т. minor tone (mode); minor key; мягкий т. soft key; низкий т. deep (low) tone; основной т. *муз.* tonic; повелительный т. peremptory tone (accent); холодный т. cold (icy) tone; задавать т. to rule the roast; to be boss of the show; to give tone; настроенный на высокий т. pitched (too) high; сбавить т. to sing small; ~альность tonality; keynote, key, mode; переходить из одной ~альности в другую to modulate; обозначение ~альности *муз.* signature; ~альный tonal.

тоненький *уменьш. от* тонкий.

тонзура tonsure.

тоника *муз.* tonic; the keynote of a composition.

тонировать *театр.* to prompt (read) with intonation.

тоническ||ий ~ое стихосложение accentual verse; ~ое средство *мед.* tonic, restorative.

тонк||ий thin, fine; gossamer (*о прозрачной ткани*); *см.* тонкость); т. голос thin voice; т. запах delicate smell; т. знаток connoisseur; т. плут artful rogue; т. политик clever politician; т. слух keen hearing; ~ая бумага thin paper; ~ая работа delicate work; ~ая

талия slender waist; ~ая шутка jest of the first water; ~ое замечание an ingenious remark; ~ое понимание вещей thorough (subtle) understanding of things; ~ие нитки fine thread; ~ие ноги spindle-shanks; ~о thinly *и пр.*; ~озернистый fine grained; ~окожий thin-skinned; ~оногий spindle-legged; ~оносый tenuirostral (*о птицах*); ~орунный fine-wooled (*об овцах*); ~ость thinness; fineness (*ткани*); slimness, slenderness (*стройность*); delicacy (*нити, ткани, вкуса, исполнения*); sharpness, acuteness, subtlety; cleverness (*соображения*); cobweb (*рассуждения*); вдаваться в ~ости to split hairs.

тонна ton (*мера веса =1000 кг*); '~ж tonnage.

тоннель *см.* туннель.

тонус *мед.* tonicity, tone.

тонуть to drown, sink.

тоня fishing place, fishery; haul.

топаз *мин.* topaz.

топа||ние stamp(ing); ~ть to stamp.

топенант *мор.* lift; брам-т. top-gallant lift.

топика *лог., рит.* topic.

топить 1. to heat, put fuel (*in*); т. печку to heat a stove; 2. to melt; tallow; т. воск to melt wax; т. сало to melt fat down; 3. to drown; т. судно to sink (founder) a ship; ~ся 1. to burn; 2. to melt, to be melted; 3. to drown oneself.

топка 1. furnace (*печь*); fire-box (*парового котла*); 2. heating (*печи*); melting (*сала*).

топк||ий swampy, muddy, miry; ~ость swampiness, miriness.

топл||ёние 1. heating; 2. melting; scalding; ~ёное молоко scalded milk; '~иво fuel; жидкое ~иво oil-fuel; ~ивоснабжение fuel supply.

топл||ый *разг.* swamped, soaked, wet; long kept under water; ~який wood soaked (wetted) by floating.

топнуть *см.* топать.

топограф topographer; ~ический topographic(al); ~ическая съемка topographical survey; '~ия topography.

тополь poplar; душистый т. balsam poplar; канадский т. cotton-wood; пирамидальный т. Lombardy (Italian) poplar; серебристый т. abele, white poplar.

топор ax(e); ~ик hatchet; *зоол.* puffin; ~ище helve; ~ный rough,

rough-hewn, coarse, clumsy; ∽ная работа bungling piece of work.

топо́рщить to distend; ∽ся to swell, to puff.

то́пот stamp(ing); ко́нский т. the trampling of horses; ∽а́ть to tramp.

то́псель *мор.* topsail, flying topsail.

топта́ть to tread upon, trample; т. тра́ву to tread upon the grass; ∽ся 1. to trample; *фиг.* to shilly-shally; to jib (*на одном месте*, *о лошади*); 2. to be trampled.

топти́мберс *мор.* timber head.

топча́к *техн.* treadmill.

топь wet, spongy land, swamp.

то́рб∥а nose-bag, bag, wallet; носи́ться с к.-л. (с ч.-л.) как с пи́саной ∽ой to make much of.

торг bargain, bargaining; ∽и́ auction; продава́ть с ∽о́в to sell by auction; ∽а́ш *презр.* one who haggles (bargains, higgles); huckster(er); ∽а́шеский mercantile, mercenary, higgling, haggling; ∽а́шество huckstery, commercialism.

торгова́ть to trade, deal (*in*); to carry on trade; to negotiate, sell; to peddle (*в разнос*); т. без запро́са to sell at fixed prices; т. о́птом (в ро́зницу) to deal wholesale (retail), to be a wholesale (retail) dealer; т. по мелоча́м to huckster; ∽ся to bargain, haggle, higgle, chaffer; ∽ся из-за гроша́ to stand haggling for a penny.

торго́в∥ец tradesman; dealer (*in*); shopkeeper (*лавочник*); merchant (*оптовый*); т. ви́ном wine merchant; т. галантере́ей haberdasher; т. дома́шней пти́цей poulterer; т. желе́зом и скобяны́ми това́рами ironmonger; т. моска́тельным това́ром chandler; т. рыбо́й fishmonger; т. ското́м cattle-dealer; т. сы́ром cheesemonger; т. фру́ктами fruiterer; т. хле́бом corn-factor (-chandler); т. чулка́ми hosier; странствующий т. pedlar, chapman; ∽цы tradespeople; ∽ка tradeswoman, huckstress; ∽ка я́блоками applewoman.

торго́вл∥я commerce, trade, traffic (*in*); вне́шняя т. foreign trade; вну́тренняя т. home trade, home commerce; колхо́зная т. kolkhoz trade; мело́чная т. chandlery; мено́вая т. barter; опто́вая т. wholesale; ро́зничная т. retail; сове́тская т. soviet trade; хле́бная т. **corn-trade**; предме́т ∽и

commodity; основны́е предме́ты ∽и staple commodities.

торго́в∥ый trading, commercial, mercantile; т. го́род commercial town; т. день market day; т. догово́р trade (commercial) agreement; т. оборо́т trade turnover; т. посре́дник middleman; т. флот mercantile marine; т. центр entrepôt, emporium; ∽ая делега́ция trade delegation; ∽ая пала́та Chamber of commerce; ∽ое де́ло business; ∽ое су́дно merchantman, merchant ship; ∽ые кни́ги office books; books of accounts; ∽ые отноше́ния trade relations (*with*); ∽о-промы́шленный pertaining to commerce and industry.

торгпре́д official trade representative of the USSR; ∽ство Trade Mission.

тореадо́р toreador; Spanish bull-fighter.

торе́ц a small square block of wood for paving the streets.

торже́ственн∥ость solemnity, solemnness; ∽ый solemn, pompous, triumphal, gala; grave (*степенный*); *шут.* portentous; ∽ый день high day, solemn feast-day; ∽ый обря́д solemn ritual; ∽ая кля́тва solemn vow; ∽ая колесни́ца triumphal chariot; ∽ое заседа́ние grand meeting; ∽ое обеща́ние (*пионера*, *красноармейца*) solemn vow; ∽о solemnly, triumphantly.

торжеств∥о́ triumph, celebration; т. победи́теля triumph of the conqueror; т. правосу́дия triumph of justice; ∽ова́ние triumphing; ∽ова́ть to triumph (*over*), exult, glory (*in*); to celebrate (*день и пр.*); exult (*над ч.-л.* at, in; *над к.-л.* over); to crow over (*над соперником*); to maffick (*sl.*); ∽у́ющий triumphant.

то́ржище *уст.* market, market place.

то́ри *пол.* tory; '∽зм toryism; '∽йский tory.

торриче́ллиева пустота́ Torricellian vacuum.

торма́шк∥и: полете́ть вверх ∽ами to turn a somersault, to fall head over heels.

торможе́ние brake, putting on the drag; inhibition (*психическое*).

то́рмоз brake, drag, drag-chain, drag-wheel (*экипажа*); skid; vacuum brake (*действующий при помощи разреженного воздуха*); rim-

-brake (*действ. на обод*); ~**ить** to put the drag (brake) on; to lock, skid; to throttle (*при помощи регулир. клапана*); *фиг.* to stop, hinder, rein up; ~**ить** колесо to trig; ~**ный** башмак brake-block, cross-shoe; ~**ный** вал brake-shaft; ~**ный** винт brake-screw.

тормош‖**ёнье** tousling; ~**ить** to tousle, harass, pull about, worry.

торна́до tornado (*шквал, ураган*).

то́рн‖**ый** beaten, trodden, traced out (*о дороге, тропинке*); ~**ая** доро́жка beaten track.

тороп‖**и́ть** to hasten, hurry (on), urge (on), push on, forward, precipitate, rush; ~**и́ться** to hasten, make haste, be in haste; to hurry, speed, spur, bustle; to look slippy (*sl.*); нам надо ~**и́ться** we must make haste; ~**и́тесь!** make haste!; куда вы ' ~**итесь**? where are you hurrying to?; не ~**ясь** leisurely; ~**ли́вость** hastiness, haste, hurry, speed(iness), precipitation, precipitance; ~**ли́вый** hasty, speedy, quick, prompt, precipitate, ready; ~**ли́выми** шагами with quick steps; ~**ли́во** hurriedly, speedily, with speed.

то́рос blocks of ice heaped one upon another.

торпе́да torpedo.

торс torso (*pl.* -sos).

торт tart.

торф peat, turf; ~**яни́к** peat-moss, turf-pit; ~**яни́стый** peaty, turfy; ~**яно́е** болото peat bog, peat-moss; ~**яны́е** разработки peat exploitation.

торц‖**ова́ть** to pave with small blocks of wood; ~**о́вая** мостовая wood pavement; ~**ы́** *см.* торец.

торч‖**а́ние** sticking (out); ~**а́ть** to stick out, protrude, project, to show oneself; он вечно там ~**и́т** he is always (to be found) there; he is always hanging about there; ~**ко́м** on end, upright, vertically, apeak.

торшо́н torchon (paper) (*род бумаги*); torchon lace (*род кружев*).

тоск‖**а́** yearning, longing (*по*); dejection (*подавленность*); boredom, sickness (*скука*); anguish, pangs (*мучительная*); melancholy, anxiety; т. по родине home sickness, longing for (after) home, nostalgia (*болезнь*); предсмертная т. pangs of death, agony; смертельная т. mortal anguish; он наводит на меня ~**у́** he bores me to death.

Тоска́на Tuscany.

тоска́н‖**ец**, ~**ский** Tuscan.

тоск‖**ли́вый** dull (*день, погода, настроение*); ~**ова́ть** to feel melancholy; ~**овать** по... to languish for, yearn for (after), to be anxious (for), to long for, pant for (after); to grieve, be sad; ~**ова́ть** по ком-л. to miss someone.

тост toast; отвечать на т. to reply to a toast; провозглашать т. to propose (give) a toast, to drink to the health of.

тот, та, то that, *pl.* **те** those; **тот же** (самый) the same (*тж. pl.*), selfsame; (и) **тот** и **другой** both the one and the other; both; и тот и другой не правы they are both wrong, neither of them is right; тот или другой (*всё равно*) either; тот, кто the one who, whoever; тот, кто живёт здесь he who lives here; та, которую я так уважаю she whom I respect so much; именно тот just that one, exactly the one; именно те just those, exactly those; ни тот ни другой neither; один и тот же one and the same (*тж. pl.*); этот и тот this (one) and that (one), both; эти и те these and those; ни то ни сё between hay and grass; он ни то ни сё he is neither one thing nor the other (neither fish, flesh nor good red herring); это то же на то же выходит it is much of the same thing; it is six of one and half a dozen of the other; того, чего я хочу, я не получу никогда the thing I want I shall never get; до того to such an extent (a degree), so (very) much; он до того кричал, что потерял голос he screamed to such an extent that he lost his voice; с того дня from that day (that time); since that day; тому назад ago; 3 дня тому назад 3 days ago; с месяц тому назад about a month ago; к тому же besides, moreover, at that; тем более the more so; тем лучше so much the better; тем не менее non the less; nevertheless, for all that, in spite of that, after all; тем хуже so much the worse; вместе с тем at the same time, in addition to that; с тем (чтобы) to, in order to, on condition (that), provided (that), it being understood (that); я доволен тем, что я имею I am satisfied with what I have.

тотализа́тор totaliser, totalizator; sweep-stakes (*разг.*).

тóтчас immediately, instantly, at once, directly, in an instant, without delay, on the instant, on the spot, right away; я т. же дам вам знать I shall let you know without delay.

точ‖éние sharpening, whetting, grinding, turning, working on a lathe; ~ёный chiselled.

точил‖ка whetstone, grindstone; ~о whetstone, grindstone; strickle (*для серпа*); steel (*для ножей*); ~ьный брусок strickle; ~ьный камень grinding stone, hone, oilstone; ~ьный ремень oil- (razor) -strop; ~ьный сланец whet-slate; ~ьный станок lathe, turning machine; ~ьная машина grinding machine; ~ьня grind-mill; ~ьщик knife-grinder.

точ‖ить 1. to sharpen, whet, grind, hone (об оселок); т. зубы *фиг.* to beaт a grudge; т. инструменты to set tools; т. нож to sharpen a knife; **2.** to eat, gnaw, corrode; вода '~ит камень water wears away a stone; горе его ~ит grief preys on him; черви '~ат дерево worms eat wood; **3.** to turn (in a lathe) (*на токарном станке*); ~иться to be sharpened; to be turned (in a lathe).

тóчк‖а 1. point, dot; *гр.* full stop, stop, period; т. замерзания freezing point, zero; выше (ниже) ~и замерзания above (below) zero, freezing point; т. зрения point of view; т. зрения закона (in) the eye of the law; т. кипения boiling point; т. опоры prop; *мех.* fulcrum; т. пересечения point of interception; т. пересечения двух кривых cusp; т. плавления melting point; т. с запятой semicolon; т. соединения частей механизма joint; т. соприкосновения point of contact; высшая т. climax, acme, culminating point; исходная (отправная) точка starting point; выше (ниже) ~и замерзания above (below) zero; сдвинуть с мёртвой ~и to drive from dead-lock; попасть в ~у *фиг.* to hit the mark; to hit the nail on the head; т. в ~у *см.* точь-в-точь; ставить ~у над i *фиг.* to dot the i's and cross the t's; **2.** *см.* точение.

тóчно 1. exactly, accurately, punctually, to the tick (tittle); т. в восемь at eight sharp; т. так exactly so, just so; т. такой exactly the same; **2.** as, like, as if; т. он не знает as if he

doesn't know; он т. помешанный he is like a madman (lunatic); ~сть exactness, exactitude, preciseness, accuracy, accurateness; punctuality (*аккуратность*); в ~сти exactly, punctually; я передаю его слова в ~сти I repeat his very words; с ~стью механизма with clock-work precision; определить сумму с ~стью до нескольких копеек to fix the sum to within a few copecks.

тóчн‖ый precise, exact, strict, accurate; punctual (*аккуратный*); т. перевод exact translation; т. список книг a correct list of books; в ~ом порядке in the exact order; ~ое время exact time; ~ое изображение the very portrait (*of*); ~ые весы exact scales; ~ые науки exact sciences; это ~ые его слова these are his very words.

точь-в-тóчь exactly, in the same manner, quite, to a tittle (hair).

тошн‖ить to feel sick, vomit, to have nausea, to puke; меня ~ит I feel sick; '~о смотреть it is sickening to look (*at*); мне ~о I feel sick (*фиг.* disgusted); ~отá nausea, sickness; sea-sickness (*морская болезнь*); вызывать ~отý to turn one's stomach; чувствовать ~оту to be sick, to sicken, nauseate, to experience a nausea; ~отвóрный nauseous, queasy (*о пище*); *фиг.* loathsome, sickening, disgusting.

тощ‖áть to grow thin, to pine away, to waste away, to dwindle away, wither; '~ий lean (*о человеке и животных*); lank (*тощий и высокий*); gaunt, meagre, spare, raw-boned, emaciated (*истощённый*); jejune (*о пище, рассказе, стиле*); ~ий карман light purse; '~ая земля poor soil; '~ее лицо emaciated face.

трав‖á grass, herb, herbage; weed (*сорная*); богородская т. thyme; морская т. sea-weed; огуречная т. borage; покрытый ~óй grassy; лекарственные (ароматичные) '~ы medicinal herbs; собирать ~ы to herborize; ~инка blade, herb.

травить 1. *охотн.* to bait (with dogs), chase, hunt; *фиг.* to badger; **2.** *см.* стравливать (*траву*); to damage by grazing; **3.:** т. канат to pay away, pay out the cable, loosen; **4.** *см.* вытравливать; to corrode; **5.** to poison; ~ся to poison oneself.

тра́вка blade, herb.

травл‖**е́ние** corrosion (*разъеда́ние*); etching (*кислота́ми*), engraving (*худо́жественное*); dipping (*лёгкое, поверхностное*);'∼я охо́тн. baiting; *фиг.* badgering; ежедневная ∼я в газетах daily badgering in the papers.

тра́вма trauma; ∼**ти́ческий** traumatic.

трав‖**осе́яние** sowing of herbs; ∼**о́йдный** herbivorous; '∼**у́шка** blade; ∼**яне́ть** to grow over with grass (*покрыва́ться траво́й*); ∼**я́нистый** grassy, herbaceous; ∼**яно́й** grass, grassy, herbal (*сде́ланный из травы́*); ∼**яно́й** матра́ц a grass mattress.

трагака́нт *бот.* tragacanth.

траг‖**е́дия** tragedy; ∼**и́зм** tragedy, tragicalness; '∼**ик** tragedian; ∼**икоме́дия** tragicomedy; ∼**икоми́ческий** tragicomic(al); ∼**и́ческий** tragic(al); *поэт., рит.* Thespian; ∼**и́ческая** актри́са tragedienne; ∼**и́чески** tragically; ∼**и́чность** *см.* трагизм; ∼**и́чный** tragical.

традици‖**о́нный** traditional, traditionary; ∼**о́нно** traditionally.

тради́ция tradition; партийная т. party tradition.

траекто́рия trajectory.

тракт high road, highway, road; почто́вый т. post-road (-route).

тракта́т *научн.* treatise; *пол.* treaty; ми́рный т. treaty of peace; филосо́фский т. philosophical treatise.

тракти́р *уст.* public-house; inn, tavern; pub (*разг.*); *амер.* saloon; ∼**щик** landlord, host, innkeeper; ∼**щица** hostess, landlady.

трактов‖**а́ние** treating; ∼**а́ть** to treat; '∼**ка** treating.

тра́ктор tractor, traction-engine; *с.-х.* tractor-plough; ∼**иза́ция** tractorization; ∼**и́ст** operator of a tractor; tractor driver; ∼**ный** заво́д tractor works (plant); ∼**ный** плуг tractor driven plough; ∼**ная** вспа́шка tractor plowing; ∼**ная** коло́нна tractor column; ∼**ные** ку́рсы courses of instruction for tractor drivers; ∼**остро́ение** tractor construction.

трал trawl; ∼**е́ние** trawling; ∼**ер** trawler, mine-sweeper; ∼**ить** to trawl; ∼**ьщик** trawler, mine-sweeper.

трамбов‖**а́ние** ram(ming); ∼**а́ть** to ram; '∼**ка** beatle, rammer.

трамва́‖**й** tramway; tram (*разг.*); *амер.* street car, trolley car; е́хать на ∼е to go by tram; ∼**йный**

tram(way) (*attr.*); ∼**йный** ваго́н tram-car; ∼**йный** парк tramway park; ∼**йная** сеть network of tram-way tracks, tram(way) system; ∼**йная** остано́вка stopping-place, stop, station.

трампли́н spring-board.

тра́нец *мор.* transom.

транжи́р‖**а** spendthrift; ∼**ить** to squander, dissipate (*де́ньги*); ∼**ка** spendthrift.

транзи́т transit; ∼**ный** transit (*attr.*); ∼**ная** ви́за transit visa; ∼**ная** по́шлина transit-duty; ∼**ные** това́ры transit goods.

транс *мед.* trance.

трансальпи́йский transalpine.

трансатланти́ческий transatlantic.

Трансваа́ль the Transvaal.

трансе́пт *арх.* cross-aisle; transept (*в готи́ческой арх.*).

транскри‖**би́рование** transcription; ∼**би́ровать** to transcribe; '∼**пция** transcription.

трансля́тор translator.

трансляц‖**ио́нная** сеть translation system; '∼**ия** translation, relay.

трансми́ссия *техн.* transmission.

транспара́нт transparent.

транспланта́ция transplantation.

транспони́ров‖**ание** transposition; ∼**а́ть** to transpose; '∼**ка** transposition.

тра́нспорт transport, traffic; transportation, conveyance, carriage (*перево́зка*); troop-ship (*деса́нтное су́дно*); городско́й т. municipal transportation; реконстру́кция ∼а a reorganization of transport; ∼**ир** protractor; ∼**иро́вание** *см.* транспорт; ∼**и́ровать** to transport, convey, carry; ∼**ник** transport worker; ∼**ный** (of) transport; ∼**ная** конто́ра forwarding agency.

трансфе́р *фин.* transfer.

трансформ‖**а́тор** transformer; т. понижа́тель (повыси́тель) step-down (step-up) transformer; ∼**а́ция** transformation; ∼**и́ровать** to transform.

трансцендент‖**али́зм** *филос.* transcendentalism; ∼**а́льность** transcendentality; ∼**а́льный** transcendental; '∼**ный** transcendent.

транше́я trench, fosse, dug-out, line of approach, cutting in a wall; кры́тая т. sap.

трап ladder, trap-ladder; *геол.* trap; gang-way (*схо́дни*).

Трапезу́нд Trebizond.

трапе́ц‖ия trapeze; *геом.* trapezium; ~о́ид trapezoid; ~оида́льный trapezoidal.

тра́т‖а expense, expenditure; waste, wasting (*напрасная*); не делайте таких трат don't go to such expense; ~ить to spend, expend (*on, in*); to waste, disburse, fool away (*зря—деньги, время*); не ~ьте время понапрасну do not waste time; не ~ьте так много денег do not spend so much money.

тра́тта bill of exchange, draft.

тра́ур mourning; widow's weeds (*вдовий*); sables (*поэт., рит.*); глубокий т. deep mourning; носить т. to go into (wear) mourning; ~ный mournful, funer(e)al; ~ное шествие funeral procession; ~ные одежды sables (*поэт., рит.*).

трафаре́т stencil; *фиг.* routine, groove; действовать по ~у to run on in a groove; ~ный hackneyed, trite.

трахе‖и́т tracheitis; '~и́йный tracheal; '~я *анат.* trachea.

трахо́ма *мед.* trachoma.

тре́бова‖ние demand; requirement; т. назад долга call in; военное т. на снабжение indent; удовлетворить т. to meet a request (claim, pretension); по вашему первому ~нию at your first request; по настоятельному ~нию at the instance (*of*); по ~нию суда by requisition of the court; предъявляющий чрезмерные ~ния unconscionable (*шут.*); отступиться от своих ~ний to withdraw one's claim; отвечать ~ниям to meet demands; отвечать всем школьным ~ниям to meet all school requirements; ~тельность exactions; ~тельный exacting, particular; ~тельный хозяин exacting master; я—человек не ~тельный I am not particular; ~тельная ведомость list of payments.

тре́б‖овать to demand, claim, reclaim, exact, require, request, ask (*of, from*); to want, call (*for*), challenge (*восхищения, поклонения*); to tax (*находчивости, изобретательности*); т. настойчиво to insist; т. освобождения to demand one's release; т. ответа to demand an answer; т. свою долю to cry halves; т. сдачи крепости to summon a fortress to surrender; долг честного человека ~ует этого it is the duty of an honest man; это ~ует внимания that requires attention (consideration); это ~ует много внимания (энергии) it is a great tax upon one's attention (energy); это ~ует много времени it takes much time; это ~ует подтверждения that needs confirmation; это ~ует починки it needs repairing; это ~ует специальных знаний that demands special knowledge; это не ~ует извинения that needs no excuse; это не ~ует от него особых усилий it comes naturally to him; вас ~уют you are wanted; его ~уют в суд he is summoned before the court; растение, ~ующее прикрытия на зиму half hardy plant; ~уемый requisite; ~оваться to be required, requested, demanded; ~уется доказать *геом.* to prove; на костюм ~уется три метра материала it takes three metres of cloth to make a suit; на это ~уется много времени that requires much time.

требуха́ tripe, chitterlings (*блюдо*); guts, entrails, garbage (*внутренности*); rubbish, garbage, tripe (*фиг. хлам*).

трево́‖га alarm, anxiety, fear, agitation, perturbation, concern; *мор.* beating to quarters; боевая (химическая) т. battle (chemical) alarm; быть в ~ге to be anxious (*about*); бить ~гу to give the alarm; to beat to arms; поднимать ложную ~гу to give a false alarm; to cry wolf; ~жить to alarm, make anxious, disturb, worry; ~жить неприятеля to harass; ~житься to be alarmed, to be anxious; to worry; ~жный alarming, troubling, uneasy; ~жное ожидание breathless expectation; ~жное состояние feeling (state) of uneasiness; ~жные слухи alarming news.

треволне́ние great agitation, disturbance.

тре́зв‖енник teetotal(l)er, abstainer, water-drinker; ~о soberly; *фиг.* soundly, moderately.

трезво́н loud ringing of bell(s); chime, peal, joy-bells; *фиг.* cry; с ~ом *фиг.* with beat of drum; ~ить to ring (bells) in a peal; to peal; to announce (news) by pealing (out); *фиг.* to cry (proclaim) from the house-tops; to trumpet; ~ить по всему городу *фиг.* to spread over the whole town.

тре́звость soberness, sobriety, temperance, teetotalism.

тре́зв‖ый sober, temperate; *фиг.* staid, sound, judicious, hard-

-headed, matter-of-fact (*attr.*); т. взгляд на вещи a sound judg(e)ment of things; что у ~ого на уме, то у пьяного на языке *посл.* what soberness conceals, drunkenness reveals.

трезу́б‖**ец** trident; ~**чатый**, ~**ый** tridented, tridentate.

трек *спорт.* track.

трекля́тый *разг.* confounded, three times damned, thrice cursed.

трель trill, quaver(ing); *муз.* shake, warble.

трелья́ж trellis, trellage, trellis work, lattice-work, lattice.

тре́моло *муз.* tremolo.

тренгова́‖**ние** *мор.* marling; ~**ть** to marl.

тренёр *спорт.* trainer.

тре́нзель snaffle.

тре́ни‖**е** rubbing, friction, attrition; *фиг.* discordance, disagreement, issue; без ~**я** slick (*о работе машины*); машина работает без всякого ~**я** the machine goes very slick.

трениро́в‖**анный** trained; thoroughpaced (*о лошади*); ~**а́ть** to train (*in*); ~**а́ться** to train oneself; ~**ка** training.

треножить to clog, fetter, hobble.

трено́жн‖**ик** tripod, trivet; ~**ый** tripodal.

трень *мор.* worm of a rope.

тре́нькать to thrum, strum.

трепа́к a popular Russian dance.

трепа́‖**лка**, ~**ло** brake, swingle; scutch-blade, scutching sword; ~**льный** scutching, braking; ~**льная** машина cotton-gin; ~**льщик**, ~**льщица** man, woman who scutches hemp (flax).

трепа́н 1. *см.* трипан; 2. *хир.* trepan, trephine (*инструмент*); ~**а́ция** trepanation, trepanning.

трепа́ние scutching, swingling, braking.

трепани́ровать to trepan.

треп‖**а́ть** to pull about; to scutch, brake, swingle (*коноплю, лён*); to tousle (*волосы*); to chuck (*по подбородку*); т. нервы to shake one's nerves; т. по плечу to tap one on the shoulder; т. языком *фиг.* to blab; его лихорадка ~**лет** he is shaking with fever; ~**а́ться**: платье ' ~**лется** the dress is fraying; ~**а́ч** *разг.* blabber.

тре́пел *мин.* tripoli, rotten-stone.

тре́пе‖**т** tremble, tremor, trepidation, palpitation, quake, quiver, throb, shiver, fear, alarm; при-

вести кого-либо в т. to make one tremble, to frighten one; ~**та́ние** palpitation, throbbing, trembling, quaking, shaking; ~**та́ть** to palpitate, throb, tremble; to quake, shiver, shake, quiver, pant; он ' ~**щет** от страха he trembles with fear; сердце ~**щет** от радости the heart beats (thumps) with joy; ~**та́ться** to wriggle, flutter, struggle; рыба ' ~**щется** the fish is wriggling; ~**тный** palpitating, trembling; anxious, frightened, alarmed; ~**тно**: сердце ~**тно** билось the heart went pit-a-pat.

трёпк‖**а** hiding, drubbing; здоровая была т. (*фиг.*) it was an awful strain; задать ~**у** to give one a thrashing (good hiding, flogging).

трепыха́ться: т. крыльями to quiver, make wings quiver.

треск crash, crack, crackle, snap, noise; т. огня crackle of the fire; ружейный т. musketry crackle (*вдали*); дерево свалилось с ~**ом** the tree came down with a crash.

треска́ cod.

тре́ск‖**ание** cracking, crackling, bursting, splitting; ~**аться** to crack, chap (*о коже, земле*); руки ~**аются** от холода hands are chapping from the cold.

треско́вый жир cod-liver oil.

треск‖**отня́** rattle, clatter, continual crackling; blather, blether, rattle (*болтовня*); т. кузнечиков the chirr of grasshoppers; ~**у́нчик** *бот.* weld, dyer's weed; ~**у́чий** мороз hard (sharp, pinching, ringing) frost; ~**у́чие** фразы highflown words.

тре́сну‖**вший** cracked; knocked against something, fallen to the ground; ~**тый** cracked; ~**ть** to split, burst; to crack (*о стекле, дереве и пр.*); to chap (*о коже*); *вульг.* to strike hard, whop, deal a heavy blow; ~**ть** по́ уху to fetch a box on the ear; ~**ться** обо что-либо to knock against something, to strike (hit) against.

трест trust; т. точной механики Precision Instrument Trust; правление ~**а** a trust board; ~**и́рование** foundation of a trust; ~**ирование** промышленности trustification of industry; ~**и́рованная** промышленность trustified industry; ~**и́ровать** to combine into a trust.

трете́йски‖**й**: т. суд arbitration (*тж. решение*); т. судья arbitrator, referee (*ж. р.* arbitress, arbitratrix); быть ~м судьёй to arbitrate.

трет||ий the third; ~ьего дня the day before yesterday; в ~ьем часу past two, after two o'clock; в-~ьих thirdly, in the third place.

третировать to treat in an off-hand manner; to slight, ill-treat.

третичный *геол.* tertiary; т. период сифилиса tertiary syphilis.

треть a third, the third part; ~егодняшний of the day before yesterday (before last).

треуголка cocked-hat, three-cornered hat.

треугольн||ик triangle; *муз.* musical triangle; т. на производстве factory (works) triangle (*director, secretary of the Party committee and chairman of factory committee*); остроугольный т. acute angled triangle; прямоугольный т. rectangular triangle; равнобедренный т. isosceles triangle; равносторонний т. equilateral triangle; разносторонний т. scalene (triangle); тупоугольный т. obtuse angled triangle; ~ый three-cornered.

трефол||ь *бот.* trefoil; листья в виде ~и trifoliate leaves.

трефы *карт.* clubs.

трёх- three-; tri-.

трёхакти||ый: ~ая пьеса a three act play.

трёхголосый of three voices.

трёхгранн||ик trihedron; ~ый trihedral, three-sided, triangular; ~ый клинок three-edged blade.

трёхдневный of three days.

трёхдольный trilobate.

трёхзуб||чатый tridentate(d); ~ый three-pronged.

трёхколёсный: т. велосипед tricycle.

трёхлепестковый tripetalous.

трёхлет||ие triennial; ~ка three-year-old (*о лошади*); ~ний triennial (*о растении*).

трёхлист||ный trifoliate; ~овой of three sheets.

трёхлопастный three-bladed; three-feathered; trifoliate; *бот.* trilobate.

трёхмачтов||ый three-masted; ~ое судно three-masted vessel; a three-master.

трёхместный three-seated, having three places.

трёхмесячный of three months; trimestr(i)al.

трёхнедельный of three weeks.

трёхпалубн||ый three-decked; ~ое судно three-decked vessel, a three-decker (*военное*).

трёх||палый, ~пёрстный tridactylous.

трёхпольн||ый distributed in three crops; three field (*attr.*); ~ое хозяйство tillage distributed in three crops, three-field system, three-field crop rotation.

трёхпроцентный three per cent (*attr.*).

трёхрублёвка three rouble (bank-) note.

трёхсложный trisyllabic.

трёхслойн||ый: ~ая фанера three-ply.

трёхсот||летие tercentenary, tricentenary; '~ый the three-hundredth.

трёхствольный having three barrels; three-barrelled (*оружие*).

трёхстоп||ный: т. стих verse of three feet, three-foot line.

трёхсторонн||ий three sided, trilateral; ~ее соглашение a triangular agreement.

трёхстру||нный trichord, having three strings (chords).

трёхфазный: т. трансформатор *эл.* threephase transformer.

трёхфунтовый weighing three pounds.

трёхцветный tricolour(ed); *бот.* trifloral, triflorous.

трёхчетвертной three quartered.

трёхчлен||ый of three members; ~ое количество *мат.* a trinomial.

трёхэтажный three storieshigh, three-storeyed, three-storied.

трёхъязычный trilingual, of three languages.

трехъярусный *см.* трехъэтажный.

трёшка *разг.* three roubles.

трешко(у)т *мор.* track scout.

трещ||ание cracking, crackling; rattling, chattering (*болтовня*); ~ать 1. to crack, crackle; rattle; *фиг.* to chatter, blather, blether, rattle, prate, prattle (*болтать*); *фиг.* ~ать по всем швам to go to pieces; дрова ~ят firewood crackles; кузнечики ~ат grasshoppers chirr; она ~ит без умолку she chatters (rattles) away; 2. to burst, split (*растрескиваться*); голова ~ит (от боли) head is ready to burst (with pain).

трещина crack, cleft, chink; fissure, cranny, crevice (*щель, расщелина*); rent (*разрыв*); split (*раскол*); flaw (*в отливках и пр.*);

chap (*в земле, на руках или губах*); *вет.* sand-crack (*копыта у лошади*); *фиг.* т. в отношениях little rift within the lute; заделанная т. mend.

трещо́тка rattle, rattle-box, chatter-box (*о человеке*).

три three; т. измерения three dimensions; имеющий т. измерения tridimensional; счёт на т. *муз.* triple time; документ в трёх копиях document drawn up in triplicate.

триа́да triad.

триангул‖**и́ровать** to triangulate; ~я́ция triangulation.

триа́с *геол.* trias; ~овый triassic; ~овая формация triassic.

трибра́хий *прос.* tribrach.

трибу́н *ист.* tribune; народный т. people's tribune; должность ~a tribunate; Либкнехт был народным ~ом германского пролетариата Liebknecht was the people's tribune of the German proletariat.

трибу́н‖**а** tribune, rostrum; *разг.* stump, *амер.* soap-box (*импровизированная*); stand; докладчик появился на ~е the speaker appeared on the platform; 1-го мая все ~ы переполнены on the 1st of May all the stands are crowded; ~а́л tribunal, bench; военный ~ал military tribunal, court of justice; революционный ~ал revolutionary tribunal.

тривиа́льн‖**ость** triviality, platitude; ~ый trivial, platitudinous; hackneyed, trite (*избитый, банальный*); ~o trivially.

тригли́ф *арх.* triglyph.

тригон *мат., астр.* trigon; ~ометри́ческий trigonometric(al); ~ометри́чески trigonometrically; ~оме́трия trigonometry (*шк. сокр.* trig); плоская ~ометрия plane trigonometry.

тридевять: за т. земель at the world's end, far away.

тридцат‖**иле́тний** thirty years old, of thirty years, tricennial; '~ый thirtieth; ему ~ый год he is entering (on) his thirtieth year; '~ое марта the thirtieth of March; '~ого числа the thirtieth of the month; '~ые годы the thirties.

три́дцать thirty.

три́жды three times, thrice, threefold; т. пять—пятнадцать three times five make fifteen.

трико́ tights, tricot; т. телесного цвета fleshings, flesh-tights; ~та́ж knitted fabric.

трик-тра́к back-gammon (*игра*).

трили́стн‖**ик** trefoil (*тж. бот.*); shamrock (*эмблема Ирландии*); *бот.* clover; ~ый trifoliate, triphyllous.

триллио́н trillion.

трилоби́т (*в палеонтологии*) trilobite.

трило́гия trilogy.

триме́стр trimester.

триме́тр *прос.* trimeter.

триму́ж‖**ие** *бот.* triandria; ~ний triandrian, triandrous.

трина́дцат‖**ый** thirteenth; ~ое столетие the thirteenth century; ~ого марта (on) the thirteenth of March; March 13 (*особ. в письмах*); ~ь thirteen; long dozen, baker's dozen (*чортова дюжина*).

тринитротолуо́л trinitrotoluol (*сокр.* T. N. T.).

три́о *муз.* trio; ~ле́т *поэт.* triolet.

трип imitation of velvet.

трипа́н *зоол.* holothurian (*морской слизняк*).

трипла́н *ав.* triplane.

три́ппер gonorrhoea; clap (*вульг.*).

три́‖**птих** triptych; ~ре́ма trireme (*др.-римское судно*).

трисе́кция trisection.

три́ста three hundred.

трито́н *зоол.* triton; гребенчатый т. eft, newt; *миф.* Triton, merman.

триумви́р *др.-рим. ист.* triumvir; ~а́т triumvirate.

триу́мф triumph; ~а́льный triumphal; ~а́льное шествие triumphal procession; ~а́льные ворота Triumphal Arch, Arch of Triumph; ~а́льно triumphantly, in triumph; ~а́тор triumpher.

трифто́нг *фон.* triphthong; ~и́ческий triphthongal.

трихи́н‖**а** trichina; ~ёз *мед.* trichinosis, trichiniasis.

троака́р *хир.* trocar, trochar.

тро́га‖**ние** touching; stirring (*с места*); ~тельный touching, moving, pathetic; ~тельная речь touching speech; ~тельная сцена touching (impressive) scene; ~тельно touchingly.

тро́га‖**ть** to touch; *фиг.* to touch, move, affect; это меня не ~ет that doesn't touch (interest) me; ~ться to stir, move; start (*в дорогу*); to taint (*портиться*); он не ~ется с места he does not stir from his place.

троглоди́т troglodyte.

тро́е three; нас было т. we were three, there were three of us; на́-т. in three parts.

троежён‖ец trigamist; **~ство** trigamy.

троскрáтн‖ый threefold; **~ое число** threefold numeral; **~о** thrice, three times.

трёечница *бот.* epimedium, barren wort.

троить *агр.* to trifallow; **~ся в глазах** to see treble.

трóи‖ца trinity, triad, three; **~чная трава** Trinity herb; heartsease.

трóйк‖а 1. 3 (three); 2. troika, a team of three horses abreast; кататься на **~е** to drive in a carriage (sledge) drawn by three horses abreast; 3. *карт.* three; 4. *разг.* a suit of clothes; 5. leash (*охотн.*); 6. the three of the presiding council (*в президиуме*).

тройни‖к three inches thick; three fathoms long; three stands; three way pipe; **~чный** нерв trifacial nerve.

тройн‖óй triple, of three, triplicate; treble; *мат.*, *хим.* ternary; т. бархат three-ply velvet; **~óе** правило *мат.* rule of three; **~ое** число ternary (number); **~я** children at a birth; *разг.* triplets.

трóйственн‖ость triplicity, trebleness; **~ый** triple, treble; **~ый** союз *ист.* Triple Alliance; **~ое** согласие *ист.* Triple Entente; **~о** triply, trebly.

тройчáт‖ка triad, three forming one; **~ный** ternate (*особ. бот.*).

трок shabrack-girth (*у седла*).

троллéйбус trolleybus.

тромбóн trombone; **~ист** trombonist.

трон throne.

трóн‖уть *см.* трогать; это его не может т. *фиг.* this cannot move him; это **~уло** его до глубины души he was profoundly moved; листья **~уты** морозом leaves are touched with frost; не **~ь** don't touch, leave (let) it alone; **~уться** 1. to be touched, affected, moved; 2. to start; **~емся** в путь let us start on our journey; лёд **~улся** ice has broken; 3. to be crackbrained, touched, deranged, insane; to turn mad, not to be sound in the head; он немного **~улся** he is touched in the wits, he is a little touched; 4. to go bad, to be spoilt.

троп *фил.* trope; **~ы** figures of speech.

тропá path, pathway, footpath, walk; track; side-track; боковая т. by-path; pad (*sl.*).

трóпик *геогр.* tropic; т. Козерога the tropic of Capricorn; т. Рака the tropic of Cancer; между **~ами** intertropical; **~и** tropics.

тропин(оч)ка *уменьш. от* тропа.

тропúческ‖ий tropic(al); т. пояс torrid zone; **~ая** жара tropical heat; **~ая** лихорадка jungle fever; **~ая** растительность tropical plants.

трос *мор.* rope, cordage, rigging, hawser, halser, wire-rope, guy.

тростúльная машúна slubbing frame.

тростúльщик slubber; т. шёлка silk thrower.

тростúнка a thin reed.

тростúть to twist, splice.

трост‖нúк reed; cane; сахарный т. sugarcane; **~никóвая** кровля thatch; **~очка**, **~ь** walking-stick, cane; **~янка** reed (*дудка*).

тротуáр pavement (*в Англии*), side-walk (*гл. обр. в Америке*), footpath; footway, pathway; край **~a** kerb, *амер.* curb.

трофéй trophy.

трохе‖úческий trochaic; **~й** *прос.* trochee. **~**

троцкúзм Trotskyism (*counterrevolutionary theory*).

трощéние slubbing, twisting; т. шёлка silk throwing.

троюрóдн‖ый брат, **~ая** сестра second cousin.

Трóя Troy.

трóяк‖ий triple, threefold, treble; **~о** trebly; in three different manners.

трóян‖ец, **~ский** Trojan.

труб‖á tube, pipe; stack (*заводская*); chimney, flue, shaft (*печная*); funnel (*паровых машин, судов и пр.*); *муз.* trumpet, horn (*валторна*); басовая т. tuba; боковая т. branching pipe; вилообразная т. bifurcated pipe; водоподъёмная т. ascending (rising) pipe; водопроводная т. water-pipe, water conduit, conduit pipe of an aqueduct; **~**водосточная т. gutter, spout, rain-pipe, spout of a gutter; впускная т. inlet pipe; всасывающая т. suction pipe; выпускная т. blast-pipe, waste-pipe, waste tube; газовая (газопроводная) т. gas-pipe, service-pipe; дымовая т. (*на крыше*) chimney-pot; коленчатая т. bent pipe; муфтовая т. socket-pipe; нагнетательная т. delivery pipe; forcing pipe; наставная т. additional pipe; обводная т. by-pass pipe, circulating pipe; органная т.

trumpet; отводная т. discharge--pipe; отводящая т. для отработанных жидкостей exhaust pipe, additional pipe; отливная т. *мор.* delivery pipe; паровозная (пароходная) т. smoke-stack; паропроводная т. steam-pipe; переговорная т. speaking tube; питающая т. feed-pipe; подземная водосточная т. sewer; подзорная т. telescope, spy-glass; слуховая т. ear--trumpet; сточная т. common sewer; играть на ~é to play the trumpet, to blow the horn; вылететь в ~у *фиг.* to be ruined (lost, done for); звук ~ы (*рога*) toot, звуки труб blare.

трубаду́р *ист.* troubadour.

труб‖а́ч trumpeter; главный кавалерийский т. trumpet-major; blower.

труби́ть to blow (play) the trumpet; т. в трубу to sound the trumpet; to trumpet; т. громко to blare, wind, toot.

труб‖ка tube; pipe, tobacco-pipe (*для курения*); т. табаку a pipeful; Гейслерова т. Geissler tube; длинная глиняная т. long clay--pipe; дренажная т. trap; зрительная т. spy-glass; слуховая т. trumpet; согнутая т. в виде U U-tube; телефонная т. receiver; бумага свернутая ~кой roll, scroll of paper; ~ный of pipe, of tube, of funnel, of trumpet; ~опрово́д pipe line, piping; ~оро́г whelk (*раковина*); ~оцве́т trumpet flower; ~очи́ст chimney sweep(er); ~очка *уменьш. от* трубка; ~очный of pipe; ~очная глина pipeclay; ~чатый tubular, tubulous, tubulated, piped.

труд *экон.* labour (*создающий стоимость и измеряемый лишь количественно*); *экон.* work (*качественно определенный, создающий потребительные стоимости*); toil; т. подростков juvenile labour; принудительный т. forced labour; сельскохозяйственный т. agricultural labour; тяжёлый т. hard work, sweat toil; физический (ручной) труд manual labour; взять на себя т. to take the trouble; без ~а́ without difficulty (trouble); не стоит ~а it's not worth while; отдел охраны ~а Committee for Protecting Labour; Labour Welfare Department; положить много ~а to take great pains; предложение ~а labour supply; производительность ~а productiveness of labour; labour

efficiency; работник физического ~го ~a manual worker; система, основанная на принудительном ~é *ист.* corvée (*барщина*); жить своим ~ó́м to live by one's work (labour); с ~ом hard (-ly); итти с ~ом to jog on; с большим ~ом with great (much) difficulty; человек, живущий своим ~ом one earning his own living, wage-earner; ~ы́ (*научного общества*) transactions; все мои ~ы пропали даром all my trouble was for nothing; чьи-л. ~ы works (*сочинения*); отдыхать от дневных ~о́в to rest after the toils of the day; ~и́ться to work, labour; to sweat, fag, toil (*усиленно*); ~иться над чем-л. to work at something; неусыпно ~иться to be hard at work; не ~и́тесь, пожалуйста don't trouble (yourself), please; ~нова́тый, ~нова́то rather difficult.

трудновоспиту́емый difficult (hard) to rear (*о ребёнке*).

труд‖ность difficulty; hardship (*нужда*); ~ный difficult, hard; laborious (*тяжёлый*); recondite; ~ный ребёнок unmanageable child; ~ная вещь difficult thing; ~ная работа hard work; uphill work; sap (*sl.*); не поддержал его в ~ную минуту failed him in his need; ~ное дело complicated affair (business); ~ное обстоятельство difficult circumstance; ~ное положение difficult position; ~ные времена hard times; ~но difficult; with difficulty; ~но ему угодить he is difficult to please, it is difficult to please him; ~но иметь успех в этом it is difficult to succeed; ~но поверить этому it is hard to believe; это было очень ~но it was hard work.

трудов‖о́й earned by labour; т. договор labour contract; т. кодекс Labour Code; (не)т. элемент (not) belonging to the working classes; ~а́я артель labour artel, handicraftsmen's artel; peasants' (workers') artel; ~ая дисциплина labour discipline; ~ая жизнь a life full of labour; ~ая повинность *ист.* corvée; fatigue duty; теория ~о́й стоимости the labour theory of value.

трудоде́нь a day's work (in a collective farm).

трудолю́б‖ивый hard working, industrious; ~и́во industriously; ~ие industry, assiduity.

трудоспосо́бн‖ость capacity for work; efficiency; *см.* трудоспосо́бный; ⌣ый able-bodied (man, woman) (*способный к труду*); efficient (*хорошо работающий*).

трудя́щ‖ийся working; ⌣ееся крестья́нство the toiling (working) peasants; ⌣иеся (ма́ссы) toiling (working) masses; нау́ка ⌣имся knowledge for the working masses.

тру́жени‖к, ⌣ца hard working man, woman; industrious person; toiler; ⌣ческий industrious; ⌣ческая жизнь industrious life, toiling life.

труни́ть to make fun of a person, to banter, jest, jeer, quiz.

труп dead body, corpse; carcass (*животного; тэк. презр. о человеке*); сжига́ние ⌣ов cremation; ⌣ный corpse (*attr.*); ⌣ный яд ptomaine, cadaveric alkaloid.

тру́ппа company, troupe (*гимнастов, актёров*); стра́нствующая т. travelling troupe.

трус coward, craven, dastard, timid (faint-hearted) person; funk (*sl.*); по́длый т. abject coward; ⌣а пра́здновать to show the white feather.

тру́сики shorts, loin-cloth, waist-cloth, trusses.

труси́ть 1. to jog (*о лошади*); 2. to ted (*сено*).

тру́с‖ить to fear, be afraid; to be in a funk (*разг.*); ⌣и́ха faint-hearted woman; ⌣и́шка *см.* трус; ⌣ли́вость cowardice, cowardliness, faint-heartedness, want of courage; ⌣ли́вый cowardly, recreant, craven, faint- (dead-, chicken-, weak-)hearted; timid, poor-spirited; он не ⌣ли́вого деся́тка he is not easily frightened; ⌣ли́во cowardly, faint-heartedly; он ⌣ова́т he is a bit of a coward; ⌣ость *см.* трусли́вость; вы́сказать ⌣ость to betray cowardice.

трусы́ *см.* тру́сики.

трут tinder, punk; a bracket fungus (on a birch stem).

тру́тень drone; *фиг.* idle person.

трух‖а́ rotten wood; ⌣ля́вый rotten.

трущо́ба slum (*район*); hole (*жилище*).

трын-трава́ *разг.*: ему́ все т.-т. he doesn't care a straw about anything.

трюи́зм truism, platitude, hackneyed truth.

трюк trick; де́лать акробати́ческие ⌣и to do acrobatic feats; to tumble, perform.

трюм *мор.* hold.

трюмо́ cheval-glass; pier-glass (*между окон*).

трю́мсель *мор.* sky-sail.

трю́фель truffle.

тряп‖и́чник, ⌣и́чница rag-man, rag-woman; rag-picker; ⌣ка rag, floor cloth, dish-cloth; duster (*пыльная*); *фиг.* milksop (*о человеке*); ⌣ки пренебр. fancy-goods, finery (*наряды*); ⌣очка *уменьш. от* тря́пка; ⌣ьё льняно́е (бума́жное, шерстяно́е) linen (cotton, woollen) rags.

тряс‖е́ние shaking, shivering, trembling; ⌣и́на marsh, bog, swamp, mire, miry place, slough, quagmire; ⌣ка jolting, joggling, jarring, bumping, rumble-tumble; *см.* трясти́(сь); ⌣ки́й shaky; ⌣ки́й экипа́ж a shaky vehicle; ⌣огу́зка wagtail.

тряс‖ти́ to shake; to jolt (*особ. подбрасывать*); to wag (*качать*); to jog (*толчками*); т. голово́й to shake (wag) one's head; т. де́рево to shake a tree; его́ ⌣ёт лихора́дка he is shivering with ague; его́ ⌣ёт от хо́лода he is shivering with cold; ⌣ти́сь to shiver, tremble, shake; to jolt (*особ. в экипаже*); to jog (*о ходьбе*); to dodder (*от старости и пр.*); to dote (*над кем-л.*); to grudge (*над ч.-л.*); его́ голова́ ⌣ётся his head shakes (trembles); он ⌣ётся над ка́ждой копе́йкой he grudges every penny; он ⌣ётся от сме́ха he is shaking with laughter; он ⌣ётся от стра́ха he is trembling with fear; ⌣у́чий *см.* тря́ский; ⌣у́чка *разг.* intermittent fever; *бот.* quaking- (doddering-)grass; *разг. см.* тря́ский экипа́ж; ⌣су́щийся shaky, quaky; ⌣ну́ть *см.* трясти́.

туале́т toilet(te), dress; full dress (*парадная форма*); ⌣ный прибо́р toilet set; ⌣ный сто́лик toilet- (dressing-)table; ⌣ный у́ксус toilet vinegar; ⌣ное мы́ло toilet soap; ⌣ные принадле́жности toilet accessories; ⌣ные това́ры articles of toilet.

ту́ба *муз.* tuba.

тубе́ркул *мед.* tubercle; покры́тый ⌣ами tubercled.

туберкулёз tuberculosis; consumption; ⌣ный tuberculate(d), tuberculous, consumptive; ⌣ный диспансе́р dispensary for the tuberculosed; ⌣ный санато́рий sanatorium for consumptives.

туберкули́н tuberculin(e).

тубероз‖а *бот.* tuberose; ～ный tuberous.

туго tightly, fast; *фиг.* slowly (*медленно*); with difficulty (*с трудом*); дело подвигается т. the work goes on slowly; ему приходится т. he is in great straits, he is in a critical situation; завязывать т. to tie securely, to bind fast; мешок набит т. the bag is stuffed full; ～ватый на ухо hard of hearing.

тугой tight, dull, stiff; т. воротник (узел) tight collar (knot); туг на расплату he is stingy (close-fisted, close-handed); туг на ухо he is hard of hearing, he has a dull (thick) ear.

тугоплавкий *техн.* refractory.

тугость tightness, stiffness, slowness.

тугоуздый hard-mouthed (*о лошади*).

туда there; thither, thitherwards (*уст.*); т. и обратно there and back; т. и сюда to and fro, up and down, hither and thither, back and forth; взять билет т. и обратно to take a return ticket; идите т. go there.

туже tighter.

тужить *разг.* to grieve, be afflicted, regret.

тужиться to make an effort, to strain, force oneself.

тужурка short coat, kind of Norfolk jacket.

туз *карт.* ace; *мор.* dinghy, dingey; *фиг.* nob, bigwig, big pot (*важное лицо*); с бубновым ～ом на спине *ист.* with a pip of diamonds on the back (of a convict's grey coat) (*об арестанте*).

тузем‖ец native; aboriginal (*pl.* -gines); indigene; ～ный native; indigenous; aboriginal; ～ное население the native population.

тузить *разг.* to pommel, lam, beat, cuff, bang, strike.

тук manure used as fertilizer.

тукан *зоол.* toucan.

тук-тук! rat-a-ta!

Тула Tula.

туловище trunk, body; torso (*статуи*).

тулуп sheepskin coat (*in Russia*).

тулья crown of a hat.

тумак blow, cuff; дать ～а to cuff.

туман mist, vapour; fog (*густой*); haze (*дымка*); т. рассеялся the fog has lifted; лондонский т. London particular (*шут.*); быть как в ～е *фиг.* to be as in a mist;

окутывать ～ом, напустить ～у to fog; ～ы стоят над долиной mists brood over the valley; ～ить to darken, make obscure; ～иться to grow dark (foggy, obscure); *фиг.* to grow dim, be gloomy, have a melancholy air; ～ность mistiness; *астр.* nebula; ～ный foggy, misty, hazy, overcast, nebulous; cloudy (*тж. о смысле*); hazy (*неясный*); ～ный взор dim eyes; ～ный день foggy day; ～ная речь foggy speech; ～ное утро misty morning; ～ные картины (*волшебного фонаря*) dissolving views; сегодня ～но it is misty to-day.

тумба kerbstone; *амер.* curbstone.

тунгус Tungus; ～ский Tungusic.

тундра tundra, marshy plain, swamp, fen bordering on the Arctic Ocean.

тунец tunny (*рыба*).

тунеяд‖ец parasite, sluggard, idler; ～ный parasitic(al); ～ство parasitism, sloth, idleness.

туника tunic.

туннель tunnel, subway.

тупеть to become (grow) blunt; *фиг.* to grow dull (stupid).

тупик blind-alley, impasse, cul-de-sac; *ж.-д.* siding; *фиг.* impasse, position from which there is no escape; т. для погрузки вагонов siding for loading; попасть в т. to be at a loss (at a deadlock); поставить в т. to reduce one to a nonplus; стать в т. to be at a loss (puzzled, at a standstill, perplexed).

тупить to blunt, take off the edge; to dull; ～ся to become (grow) blunt (dull).

тупица dunce, dullard, stupid person, blockhead, loggerhead, thick-head, dolt.

тупо‖ватость bluntness; ～ватый bluntish; *фиг.* dullish, doltish; ～головый stupid, dull-headed, thick-headed, slow-witted, thick-sculled.

туп‖ой blunt, edgeless; *фиг.* dull, stupid; obtuse; т. нож blunt knife; т. угол *геом.* obtuse angle; т. ученик dull pupil; нож—т. the knife has no edge; ～ая боль dull pain; '～о bluntly; *фиг.* stupidly, dully; stolidly (*упрямо*).

тупоконечный blunt-pointed.

тупонос‖ка sort of wild duck; ～ый snub-nosed, blunt-nosed; blunt-pointed (*о предмете*).

тупость bluntness; *фиг.* dullness, stupidity, stolidity (*вялая*);

crassitude; sottishness (*от пьян-ства*).

тупоуго́льный obtuse-angled.

тупоу́м‖**ие** stupidity, dullness, doltishness; **~ный** stupid, dull-brained, dull-witted, thick-head-ed, dullard, narrow, purblind.

тур I. turn; т. ва́льса a turn of waltz; *спорт.* round (*тж. на вы-борах*).

тур II. *военн.* gabion.

тур III. *зоол.* aurochs.

ту́ра *шахм.* rook, castle.

турб‖**и́на** turbine; многоярус-ная т. multistage turbine; **~ин-ная** устано́вка turbine-plant; **~о-генера́тор** turbogenerator.

туре́цкий Turkish.

тури́‖**зм** tourism; **~ст** tourist, traveller.

Туркеста́н Turkestan.

туркме́н Turkmen (Turcoman).

Туркме́нская ССР the Turkmen Soviet Socialist Republic.

туркофи́ль(ский) Turkophil.

Турксиб (*Туркеста́но-сиби́рская жел.-дор.*) Turkestan-Siberian Railway.

ту́рман *см.* голубь.

турне́ tour; тру́ппа арти́стов от-пра́вилась в т. a company of ac-tors went on a tour.

турне́пс *бот.* turnip, swede.

турнике́т turnstile, turnpike; tourniquet.

турни́р tournament, tourney, joust.

турну́ть *разг.* to drive away.

турню́р tournure, bustle, crino-lette pad.

ту́рок Turk.

туру́сы: т. на колёсах idle sto-ries.

турухта́н *зоол.* ruff; reeve (*сам-ка*).

Ту́рция Turkey.

турча́нка Turkish woman.

туск‖**лова́тость** dimness, dull-ness, tarnish; **~лова́тый** some-what dim; '**~лость** *см.* тусклова-тость; '**~лый** dim (*тж. фиг.*); dull (*об уме, способностях, свете, цвете, глазах, пасмурной погоде и пр.*); faint, tarnished (*о металле, полировке*); obscure (*темноватый*); wan (*о небе, море, свете и пр.*); blear, lacklustre (*о глазах*); '**~ло** dimly; **~не́ть,** '**~нуть** to grow dim (dull); to tarnish, sully.

ту-сте́п two-step (*танец*).

тут here; т. же there and then; не т.-то было on the contrary.

ту́тов‖**ый: ~ая** я́года, **~ое** де-рево mulberry.

туф *мин.* tufa, tuff; вулкани́че-ский т. tuff-cone; известко́вый т. travertine, tufa; **~овый** tufa-ceous.

ту́фл‖**я** slipper (*домашняя*); shoe; **~и** patent leather shoes (*лакиро-ванные*); plimsolls (*парусиновые на резиновых подмётках*).

ту́хл‖**ость** putrefaction; decom-position, rottenness; **~ый** tainted, spoiled, putrefied, rotten; addled (*о яйцах*); **~я́тина** tainted provi-sions (*meat*).

ту́хнуть I. to go out (*об огне*).

ту́хнуть II. to get spoiled (tainted, putrefied); to addle (*о яйцах*).

ту́ча cloud; *фиг.* swarm, host (*множество*); т. комаро́в a swarm of gnats; грозова́я т. thunder cloud; *мет.* nimbus; покрыва́ться **~ми** to lour, lower; не́бо в **~х** the sky is overcast.

тучне́ть to grow obese (fat, stout); to fatten.

ту́чн‖**ость** obesity, fatness, stout-ness, corpulence (*о теле*); fertili-ty, richness (*о земле*); **~ый** obese, fat(ty), stout, corpulent, well-fed (*о теле*); fertile, rich (*о земле*).

туш *муз.* flourish.

ту́ша carcass (*животного*); *фиг.* corpulent person.

туше́ *муз.* touch.

туш‖**ева́льный** for shading a drawing; **~ева́ние** shading; **~е-ва́ть** to shade (*в рисовании*); *см. тж.* затушевать.

туше́ние putting out, extinguish-ing.

туши́ть I. to put out, extin-guish, blow out; *фиг.* to put down, quell, suppress (*подавлять*); т. ого́нь to extinguish (put out) the fire; т. свет to put out the light; т. электри́чество to switch off the light.

туши́ть II. to braise, stew (*мя-со*); **~ся** to be stewed (braised).

тушка́нчик *зоол.* jerboa.

тушо́вка shading.

тушь Indian ink, China ink.

ту́я *бот.* thuja, thuya.

т щ а́ т е л ь н‖**о с т ь** minuteness, elaborateness, carefulness; **~ый** elaborate, elaborative; careful; **~о** elaborately, carefully, with great care, with due attention; **~о** оде́т elaborately dressed, dressed up to the nines; **~о** отде́ланный carefully (minutely) worked out; worked out in detail.

тщеду́ш‖**ие** debility (*хилость*); in-firmity (*дряхлость, немощность*);

feebleness, weakness (*слабость*); ⁓ный puny, infirm, weak, feeble (*см.* тщедушие).

тщесла́в‖ие vanity, vainglory, conceit, pride; гордость и т. vanity and pride; удовлетворять т. to pamper one's pride; ⁓иться to boast (*of*), vaunt, brag; ⁓ный vainglorious, vain, conceited; быть ⁓ным to be vainglorious. *и пр.*; ⁓но vaingloriously *и пр.*

тще́т‖а́ vanity; '⁓ность vainness, uselessness, futility; '⁓ный vain, useless, futile; '⁓но in vain, to no purpose, vainly.

тщи́ться *уст.* to try, endeavour, strain oneself, strive.

ты you; *библ., поэт.* thou, *косв. пад.* thee; ты сам yourself; thyself (*поэт.*); говорить к.-л. ты to thou; он с ним на ты he says thou to him, they are chums, they are intimate (closely acquainted).

ты́ка‖ние 1. thrusting, poking; 2. *разг.* thouing (*говорить ты*); ⁓ть 1. to poke, prod, thrust; т. пальцем to poke (with) one's finger; 2. *разг.* to thou (*говорить ты*); ⁓ться носом to nuzzle, nose.

ты́ква pumpkin; мозговая т. vegetable marrow.

тыл rear; зайти неприятелю в т. to hang on the rear of the enemy; батарея с ⁓а reverse battery; напасть на неприятеля с ⁓а to take the enemy in the rear; огонь с ⁓а reverse fire; с ⁓а at (in) the rear (*of*); ⁓овой, ⁓ьный of (from) the rear; rear (*attr.*).

тын paling, fence, hedge.

ты́сяч‖а a thousand, ten hundred; т. извинений thousand apologies; в ⁓у раз больший thousandfold; один на ⁓у one in a thousand; ⁓елétие millenary, millenium, chiliad; ⁓елétний millenial, millenarian; ⁓елétняя годовщина millenary; ⁓елúстник *бот.* yarrow, milfoil; ⁓енóг, ⁓енóжка millepede; ⁓ный thousandth; millesimal; ⁓ная доля one thousandth.

тычи́на prop, stake.

тычи́н‖ка *бот.* stamen; prop, stake; ⁓ковый staminal, staminate (*без пестиков*); ⁓конóсный staminate.

тычóк 1. *стр.* header (*в кирпичной кладке*); 2. stub (*пенёк и пр.*).

тьм‖а dark, darkness; т. кромешная pitch black; pitch darkness; т. невежества *фиг.* crass ignorance; т. тьмущая народу *разг.* crowds of people, great multitude; власть ⁓ы the power of darkness.

тьфу! pshaw!, pish!; т. пропасть! deuce!

тюбетéйка oriental skullcap.

тю́бик tube.

тюк bale, package; игла для зашивания ⁓á packing needle; укладывать в ⁓й to bale.

тю́кать *разг.*: т. капусту to chop cabbage.

тюлéн‖евый seal-skin; ⁓ий of seal; ⁓ья кожа seal-skin; ⁓ина flesh of the seal; ⁓ь *зоол.* seal; sea-calf; sea-dog; *фиг.* awkward (clumsy) fellow; охота на ⁓ей seal fishery; охотник (судно для охоты) на ⁓ей sealer.

тюль tule.

тюльпа́н tulip.

тюрба́н turban.

тюрбó turbot (*рыба*).

тюрéм‖ный prison (*attr.*); т. смотритель prison superintendent; ⁓ное заключение confinement, imprisonment; ⁓щик gaoler, jailer, warder, turnkey; ⁓щица wardress.

тю́ркски‖й Turkic; ⁓е языки Turkic languages.

тюрьм‖а́ prison, gaol, jail; quod, jug (*sl.*); limbo, bonds; common gaol; dungeon (*подземная*); в ⁓é in prison, under ward; in boob (bird) (*sl.*); немедленно заключить к.-л. в ⁓у́ to clap one in prison; он был брошен в ⁓у he was flung into prison; сажать в ⁓у to imprison, confine, cast into (commit to) prison, incarcerate; сесть в ⁓у to get into prison; to get boob (bird) (*sl.*); беглец из ⁓ы́ prison-breaker; из ⁓ы́ out of prison; out of boob (bird) (*sl.*).

тю́ря kind of cold soup of kvass with bread *or* rusks and spring onion.

тютю́н *укр.* tobacco.

тюфя́к mattress; *фиг.* fat apathetic person; соломенный т. a straw bed; мешок для ⁓á bed-tick.

тя́вк‖анье *разг.* barking, yelping; ⁓ать, ⁓нуть to bark, yelp.

тя́г‖а 1. draught (*тж. воздуха, сквозняк*); pull, current (*воздуха*); *ж.-д.* traction; *мор.* tracking; *мех.* connecting rod, (side-)rod; т. воздушного насоса air-pump side-rod; т. на Восток a yearning for the East; т. на родину a yearning for home; боковая т. parovogo цилиндра cylinder side-rod; эксцентриковая т. eccentric rod; начальник ⁓и *ж.-д.* head of the railway traction; сила ⁓и tractive force; дать ⁓у *фиг.* to take to

one's heels; to cut one's lucky;
2. period of birds' migration;
shooting at this period.

тяга́‖**ние 1.** litigation; **2.** vying;
см. тягаться; **~ться 1.** *уст.* to
litigate, go to law (*with*) (*в суде*);
2. to vie (*with*) (*соперничать*);
трудно с ним **~ться** it is hard to
vie with him.

тя́гл‖**о** *ист.* assessment on land
alloted to one peasant householder; **~овой, ~ый** paying the taxes
as one householder; of burden;
~ый скот beasts of burden.

тя́го‖**стный** burdensome, oner-
ous, oppressive, weighty (*обременительный*); painful (*тяжёлый*);
wearisome, irksome (*утомительный*); **~стное** впечатление painful impression; **~стное** зрелище
painful (distressing) sight; **~сть,
~та́** burden, weight, load, heaviness; быть к.-л. в **~сть** to be a
burden to a person.

тяготе́‖**ние** *физ.* gravitation, attraction (*тж. физ.*); **~ть 1.** to
gravitate (*toward*); to be attracted; он **~ет** к науке he is attracted by science; **2.** to weigh; над
ним **~ет** проклятие a curse hangs
over him.

тяготи́‖**ть** to press down with
one's weight, to overburden, overload (*обременять*); to overwhelm
(*подавлять*); to hang (*on, upon*),
to weigh; to hang heavy (*давить*);
это **~т** его совесть that hangs
heavy on his conscience; **~ться**
to feel the weight (burden) (*of*);
~тся своим существованием his
existence is a burden to him.

тягу́ч‖**есть** ductility, malleability (*о металлах*); **~ий** ductile,
malleable (*о металлах*); ropy, viscous (*о жидкости*); **~ая** песнь a
wearisome (long drawn) song.

тяж trace, shaft-brace; *мех.*
drawing-rod; т. тормозного вала
brake-rod.

тя́жб‖**а** *уст.* lawsuit, action in
a court, a suit at law, litigation;
вести **~у** to litigate, go to law,
contest at law, engage in a law
suit; вести **~у** против к.-л. to take
the law of one; завести с кем-л.
~у to bring an action against a
person.

тя́жебный of lawsuits, litigious.

тяжеле́ть to grow (get) heavy.

тяжело́ heavily, weightily, labo-
riously, with difficulty; *фиг.* painfully, hard, sadly; т. вздыхать
to sigh heavily; т. нагружённый
heavily loaded, hard-burdened; т.

это видеть it is painful (distressing) to see this; мне т. I am
down in the dumps; мне т. рас-
статься с вами it is hard for me
to part from (with) you; он т. ра-
нен he is badly wounded; у меня
т. на душе I have a weight upon
my heart; книга написана т. the
book is heavy reading; **~ва́тый**
rather heavy.

тяжелове́с *мин.* Siberian topaz.

тяжелове́сн‖**ость** ponderosity;
~ый heavy, ponderous; **~ый** стиль
overloaded style.

тяжелогру́зный heavily loaded.

тяжелоду́м thick-skulled, slow
in thinking, slow-minded (-witt-
ed) person.

тяжёл‖**ый 1.** heavy, weighty,
ponderous; **2.** hard, difficult
(*трудный*); burdensome (*обременительный*); grievous (*печальный*);
разг. lumping; stertorous (*о дыхании*); stodgy, rich (*о пище*); т.
воздух close air; т. запах a
heavy smell; т. налог heavy tax;
т. слог heavy (dull, ponderous)
style; он тяжёл на подъём he is
slow to move; he's a slow starter; он тяжёл на руку he hits
hard; **~ая** артиллерия heavy artillery; **~ая** болезнь a serious
illness; **~ая** дорога bad road; **~ая**
задача difficult task (problem);
~ая индустрия heavy industry;
~ая работа toil, fag; uphill
work; **~ая** рана bad wound; **~ое**
впечатление a painful (bad) impression; он в очень **~ом** положении he is hard up; he is in a
very distressing situation; исполнять **~ую** работу to toil, drudge,
plod; **~ые** времена hard times.

тя́жест‖**ь** heaviness; weight
(-iness), gravity (*вес*); load, burden (*груз, бремя*); т. бремени
weight of a burden; он снял с меня эту т. he took this load off me;
у меня т. в голове my head feels
heavy; сила **~и** gravity; центр
~и centre of gravity; гнуться под
~ью to bend under а burden.

тя́жк‖**ий** grave, weighty, serious, grievous, terrible; т. грех
grievous (capital) sin; **~ая** болезнь severe illness; **~ое** горе a
poignant grief; пуститься во все
~ие to go off at a tangent; **~о**
grievously, seriously, sadly, badly, painfully, distressingly.

тя́жущийся *s.* litigant.

тя‖**ну́ть** to draw, drag, pull, tug;
to stretch (*растягивать*); to delay,
put off, prolong, protract, to be

tardy (*дело и пр.*); т. вверх to draw up; т. всё ту же песню *фиг.* to harp; т. жребий to draw lots; т. за волосы to pull by the hair; т. канат *мор.* to heave; to haul (up); т. на буксире to take in tow, to have in tow; т. проволоку to draw wire; т. слова to drawl out one's words; to speak in a slow and lazy manner; т. судно бечевой to tow, track a boat; '∼нет десять кило weighs ten kilograms; меня ∼нет домой I am longing to go home; насос ∼нет воду pump draws in water; он ∼нет из него всё, что можно he draws (takes) all he can out of him; ∼нуться 1. to stretch, extend, range, go along, run (along), sweep; '∼нется с севера на юг stretches from north to south; берег ∼нется на север coast sweeps northward; дорога ∼нется вдоль леса the road runs along (skirts) the wood; это болото ∼нется до того леса this swamp reaches to (as far as) that wood; вдали '∼нутся горы mountains range in the distance; 2. to last, seem long, hold out, hang heavy, linger, wear on, drag on (*о времени*); болезнь ∼нется очень долго illness lasts long; время ∼нется time wears (drags) on; это дело ∼нется годами this affair has been lingering on for many years; 3. to strive; to strive to imitate (equal) (*за кем-л.*); он ∼нется за богатыми he strives to rank with the rich; ребёнок ∼нется за игрушкой the child stretches out its hands towards the toy; 4. to lengthen (*растягиваться*).

тяну́чка toffee.

тя́п∥анье hacking; ∼ать 1. to hack, chop, cut; 2. to snatch; ∼ка chopper, cleaver (*мясника*).

тяп-ля́п carelessly, anyhow, in a slipshod (slipslop) way.

тя́пнуть *см.* тяпать.

тя́т∥енька, ∼я papa, pa, father; *разг.* daddy, dada, dad, da.

У у by, near to, at; of; дом стоит у дороги the house stands by the road(-side); мы сидели у огня we were sitting by (over) the fire; я был у издателя I was at the publisher's; я занял у него 10 рублей I borrowed 10 roubles of (from) him; я хочу попросить у вас книгу I want to ask you for a book (to lend me a book); партия, стоящая у власти the party in power; либералы были у власти Liberals were in; он у себя

в комнате he is in his room; я у них иногда бываю I sometimes go to see them; у него есть недостатки he has his faults; у меня этого нет I have not got it; быть в милости у кого-л. to be in one's good graces.

уáтт *эл.* watt; производительность в у.-часах watt hour efficiency; счетчик у.-часов watt hour meter; число у. wattage.

убáв∥ить(ся) *см.* убавлять(ся); ∼ка shortening, curtailment, reduction; ∼ка в весе decrease in weight; ∼ление diminishing; ∼лять(ся) to diminish, lessen, shorten, curtail, abate; ∼лять длину to shorten the length.

убаю́к∥ать *см.* убаюкивать; ∼ивание lulling, rocking; ∼ивать to lull, still, to rock one to sleep; ∼ивать несбыточными надеждами to lead one into a fool's paradise; ∼ивать пением to sing one to sleep; ∼ивать чтением to read one to sleep.

убегáть to run away, make away, make off; *см. тж.* бежать.

убегáться to get tired out with running.

убеди́тельн∥ость persuasiveness, conclusiveness, cogency; речи т. Сталина отличаются большой ∼остью Comrade Stalin's speeches are very convincing; ∼ый persuasive, convincing, cogent, conclusive, demonstrative, telling, forcible; ∼ая просьба earnest request; ∼ое красноречие piercing eloquence; быть ∼ым to carry conviction.

убеди́тельно persuasively, convincingly, tellingly *и пр.*; earnestly (*просить*).

убеди́∥ть *см.* убеждать; у. кого-л. в своей правоте to convince one that you are right; дать у. себя to hear (listen to) reason; он ∼л меня he has convinced me; они ∼ли его оставить сомнения they reasoned (argued) him out of his doubts; ∼ться *см.* убеждаться; я ∼лся в том, что... I am satisfied that...

убежáть *см.* убегать.

убеждáть to convince, persuade to prevail (*upon*), persuade (*to*); ∼ся to convince, persuade oneself.

убежд∥éние conviction, persuasion; не поддающийся ∼éнию inconvincible; ∼ённость conviction, assurance; ∼ённый convinced; positive (*of*) (*в чём-либо*); *разг.* out and out; слепо ⌣ённый в чем-л. cocksure (of).

убе́жище refuge, retreat, haven, harbour; shelter (*приют, кров*); asylum (*особ. для душевнобольных и пр.*).

убел‖**и́ть**, ⌣я́ть to whiten; ⌣ённый сединами grey with age.

убере‖**га́ть**, '⌣чь to preserve, guard, protect, keep safe (*from*); ⌣га́ться, '⌣чься to keep (oneself) safe, to preserve (protect) oneself.

убива́ние killing.

убива́ть 1. to kill, to make away with; to put to death (*казнить*); to slay (*рит.*); to murder, to break a person's neck (back) (*с умыслом*); to assassinate (*тж. при покушении*); to slaughter, butcher, massacre (*как на бойне*); 2. to overwhelm, crush (*горем и пр.*); 3. to ram (*трамбовать*); у. время to kill (lounge away) time; у. ка́рту to trump a card; ⌣ся to lament, grieve, pine, waste away with grief (*горевать*).

убийств‖**енный** deadly, killing; *фиг.* wearisome, boring; ⌣енно deadly, extremely; ⌣о murder, assassination (*предумышленное*); manslaughter (*непредумышленное*); slaughter, massacre, butchery (*избиение*); юридическое ⌣о judicial murder; виновный в ⌣е blood-guilty.

убийца assassin, murderer, cut-throat.

убир‖**а́ть** to remove, take off, take away, put away, stow away (*вещи со стола и пр.*); to store (*в склад*); to furnish, adorn, trim, decorate (*коврами, цветами*); to gather in, harvest (*с поля*); to remove (*с должности*); у. ко́мнату to tidy (do, put in order) the room; у. паруса to furl (take in) the sails, to strike sail; у. с доро́ги to put out of the way; у. со стола to clear away, to remove from the table; ⌣а́ться to be put in order; to be decorated; to be gathered in (*см. убирать*); *разг.* to dress (trim) oneself (*наряжаться*); to tidy one's room (house); to clear off (*уходить*); ⌣а́ться по добру́ по здоро́ву to get off with a whole skin, to save one's bacon, to make the best of one's way off; ⌣а́ться со всеми пожитками to clear out bag and baggage; де́рево ⌣а́ется листья́ми the tree breaks into leaf; ⌣а́йся! begone!, away with you!, get you gone!, be off!, get away!; ⌣а́йся к чор-

ту! *вульг.* go to hell!, hang you!, damn you!, be hanged to you!

уби́т‖**ь** см. убивать; одни́м уда́ром двух за́йцев у. *погов.* to kill two birds with one stone; хоть уби́й, не могу́ поня́ть! I cannot for the life of me understand you; он о́чень уби́т свое́й неуда́чей he is greatly depressed (cut up) by his failure; он спит как ⌣ый he is dead asleep, he sleeps like a log; ⌣ся *разг.* to hurt oneself (*ушибиться*).

ублаж‖**а́ть** to pet, to study someone's wishes (someone's comfort); ⌣е́ние petting, pampering.

ублюдо‖**к**, ⌣чный hybrid, mongrel, half-bred, cross-bred.

убо‖**гий** 1. miserable, squalid (*о жилье и пр.*); pitiable (*жалкий*); scanty (*скудный*); 2. a poor wretch, beggar; ⌣го scantily, poorly; ⌣гость, ⌣жество squalor; pitiableness; scantiness; ⌣жество мысли poverty of mind.

убо́ина meat (*мясо*); fattened cattle (*откормленный скот*).

убо́й slaughter; откармливать на у. to fat, fatten (*скот*); *фиг.* to feed to excess, to overfeed, посыла́ть солда́т на у. to send soldiers to be massacred (butchered, slaughtered).

убо́р attire, dress, finery; головно́й у. head-dress.

убо́рист‖**ость** closeness, compactness; ⌣ый close, compact; ⌣о closely, compactly.

убо́р‖**ка** putting in order, arranging; removal, harvest, gathering in, storing, housing (*с поля*); у. улиц scavenging; ⌣ная lavatory, retiring room, privy, water-closet; *амер.* toilet; dressing-room (*актёра*); ⌣очная кампа́ния harvest campaign; ⌣очные маши́ны harvesting machines; ⌣щик, ⌣щица attendant, office-cleaner.

убра́нство *уст.* attire; ornaments, decoration.

убра́ть см. убирать; изли́шние эпи́теты сле́дует у. redundant epithets should be trimmed away.

убыва́‖**ние** decrease; waning; subsidence; ⌣ть to decrease, diminish, lessen; to wane; to be on the wane (*о лине*); to become lower, subside, sink to a lower level (*о воде*).

у́быль decrease, diminution, subsidence; итти на у. см. убывать.

убы́т‖**ок** damage, loss; у. причинённый бу́рей (пожаром) the damage done by storm (fire); чи-

стый у. dead loss; взыскивать ~·
ки to recover damages; возмещать
~ки to pay damages; терпеть ~·
ки to incur losses; ~очность un-
profitableness; ~очный losing,
working at a loss, unprofitable (o
предприятии и пр.); wasteful,
ruinous, detrimental (*разоритель-
ный*).

уваж||а́ть to respect, esteem, con-
sider, honour; у. себя to respect
oneself; ~е́ние respect, esteem,
deference, consideration, regard,
appreciation, reverence; ~ение к
самому себе self-respect, self-esteem; засвидетельствовать своё
~ение to pay one's respects; пользоваться ~е́нием to be held in
respect; с ~ением yours respectfully (*в письмах*); достойный ~е́-
ния estimable, respectable; ~и́-
тельный acceptable as justification, valid; '~ить to consider, to
take into consideration; ~ить
просьбу to comply with a request
(demand).

у́валень lubber, lump, clumsy
fellow.

ува́р||ивать, ~и́ть to boil down,
stew; to cook to a turn (in boiling); ~ка boiling down, boiling
through; loss through boiling.

уведоми́тельн||ый informative;
~ое письмо letter of advice.

уве́дом||ить *см.* уведомлять; ~·
ле́ние information, notification,
notice, intimation; communiqué
(*официальное*); ~ля́ть to inform;
to advise (*офиц.*); to notify, give
notice (*to*) (*особ. об увольнении*); ~·
ля́ться to be informed.

увезти́ *см.* увозить.

увекове́ч||ение, ~ивание record-
ing; immortalization, eternaliza-
tion; ~и'ва)ть to record; to com-
memorate (*память*); to immortalize, eternalize.

увеличе́ние increase, augmentation; enlargement, magnification;
enhancement; у. производительности труда rise in the productivity of labour; у. темпов производства increase of the tempo (rate) of
production; у. числа безработных
increase in the number of unemployed.

увели́чи||вать to increase, aug-
ment; to enlarge (*расширять*); to
magnify (*о микроскопе и пр.*); to
enhance (*ценность и пр.*); ~вать-
ся to increase, to be on the increase, to augment, grow; to enlarge; то ~ваться, то уменьшать-
ся to wax and wane; '~тельный

суффикс *гр.* augmentative suffix; '~тельное стекло magnifying
glass, magnifier, lens; ~ть(ся) *см.*
увеличивать(ся).

увен||ча́ние crowning; ~ча́ть, '~·
чивать to crown, crest; вершины
'~чанные снегом peaks crowned
(capped) with snow.

увере́ние assertion, assurance.

уве́рен||ность assurance, assured-
ness; sureness; confidence (*in*),
certitude (*of*), certainty; у. в по-
беде коммунизма certainty of the
victory of communism; у. в себе
self-assurance, self-confidence; можно с ~ностью сказать it is safe
to say, it may be safely (confidently) said, one may be confident
(*that*); ~ный assured, sure, confident, positive, certain (*в чём-
либо—of*); я не так уве́рен I'm not
so certain (sure); можно быть ~·
ным, что... one may be confident
that...; ~но confidently, positively.

уве́р||ить *см.* уверять; я в нём
~ен I am sure of him, I rely upon
him; я ~ен, что этого не может
быть it surely cannot be; будьте
~ены be assured; ~иться to assure oneself, convince oneself, become convinced, make sure.

уверну́ться *см.* увёртываться.

уве́ровать to believe (*in*).

увёрт||ка subterfuge, evasion,
dodge, shift; ~ливость evasiveness, shiftiness; ~ливый evasive,
shifty, elusive; ~ываться to
evade, elude, dodge, slip away, escape, avoid; to shirk (*от исполнения долга*).

увертю́ра *муз.* overture.

уверя́||ть to assure (*of*) (*в чём-л.*);
~ю вас I promise (tell, assure)
you, you may rely upon it; I warrant you, I'll warrant (*разг.*).

увесел||е́ние amusement, enter-
tainment, diversion; ~и́тельная
поездка pleasure-journey (trip);
pleasure-ride (*на автомобиле и
пр.*); ~и́тельные заведения places
of entertainment; ~и́ть, ~и́ть to
amuse, entertain, exhilarate.

уве́сист||ость heaviness, weight-
iness; ~ый heavy, weighty.

увести́ *см.* уводить.

уве́ч||ить to maim, cripple, mu-
tilate, disable; ~иться to maim
oneself; ~ный 1. *a.* lame, crippled,
maimed; 2. *s.* a cripple; ~ье mutilation; personal injury.

уве́ш||(ив)ать to hang with; to
adorn; комната ~ана картинами
the room is hung with pictures.

увещ‖áние exhortation, admonition, admonishment; **~áтель** monisher, monitor, exhorter; **~á-тельный** admonitory, (ex)horfative, (ex)hortatory; **~eвáть** to admonish, exhort, talk (to), expostulate (with).

увивáть to entwine, twine, wreathe, wrap round; **~ся** to court, pay court (to) (ухаживать).

увидáть, '**~еть** to see, to catch (get) sight (of), to set eyes (on); to espy, behold; to sight (особ. берег); to perceive, understand (понять); '**~еться** to see each other; to meet.

увил‖ивание elusion, evasion, dodging, wriggling; у. от правды prevarication; **~ивать, ~ьнýть** to elude, evade, dodge; to funk (sl.); **~ивать от исполнения взятого на себя обязательства** to back (wriggle) out of an engagement; **~ивать от правды** to palter with the truth, to prevaricate.

увлажни‖éние moistening, damping; **~йть, ~ять** to moisten, damp, wet.

увлекáтельн‖ость charm, attractiveness; **~ый** absorbing, thrilling, captivating; **~o** absorbingly и пр.

увле‖кáть to carry along; фиг. to carry away, captivate, fascinate; **~кáться** фиг. to be carried away (by); to take a fancy (to), to be keen on; to be absorbed (by) (чем-л.); to fall in love (with) (кем-л.); **~кáющийся** enthusiastic; of an amorous disposition (влюбчивый); **~чéние** enthusiasm; passion (for); flame (только любовное); '**~чь(ся)** см. увлекать(ся).

увóд leading away; stealing, theft (скота); abduction; **~йть** to lead away; to abduct (силой, обманом); to walk off, march off (заключённого); to steal (скот).

увóз carrying off; **~йть** to carry away, drive away, take away, remove; to carry off, abduct (похищать).

уволáкивать to carry (drag) away carry off.

увóл‖ить см. увольнять; **~ьте меня от необходимости...** spare me the necessity...

уволóчь см. уволакивать.

увольн‖éние discharge, dismissal; **~йтельное свидетельство** discharge-ticket; **~ять** to discharge, dismiss, discard, cashier, turn away (off), give one the sack (sl. the bird); to superannuate (по ста-

рости); to expel, turn out (из школы); to furlough (в отпуск, особ. солдат); to free, dispense (from), exempt (from) (освобождать от работы, обязанности); **~ять по сокращению штатов** to dismiss owing to reduction of staff; **~ять с волчьим билетом** to discharge (expel) without right to enter other service or school; to pay off with a bad character; **~йться** to be discharged (dismissed), to get the sack (sl. the bird); to leave, retire (по собственному желанию).

увы! alas! woe is me!

увяд‖áние fading, withering; **~áть** to fade, wither, droop (о цветах); to waste away (о человеке); '**~ший** withered, sere, sear.

увязáть I. см. увязывать.

увязáть II. to stick; у. в грязи to stick (clog) in the mud.

увязйть to get (one's foot, beak etc.) clogged (stuck) in something sticky.

увязка tying up; фиг. concordance, accordance, agreement; у. работы linking up of work.

увязнуть см. увязать II.

увязыва‖ние tying up; **~ть** to tie (pack) up; to truss, to make into trusses (в охапки); фиг. to make concordant, to agree, to bring into harmony (with); **~ть теорию с практикой** to link up theory with practice; **~ться** to be tied up; **~ться за кем-либо** to tail on to.

увянуть см. увядать.

угад‖áть см. угадывать; '**~чик** guesser, diviner; '**~ывание** guessing, divining, divination; '**~ывать** to guess, divine.

угáр vapour of burning charcoal; poisoning by carbonic acid (gas); madness (увлечение); техн. loss in burning; текст. (cotton etc.) waste; пьяный у. intoxication, drunkenness; carousing, revelry; **~ный** vaporous.

угас‖áние dying away; **~áть** to go out, become extinct, die away; надежда '**~ла** hope is extinct.

угасйть см. угашать.

угáснуть см. угасать.

угашáть to extinguish; to quench (поэт.)

углáживать to smooth down; ср. сглаживать.

углевóд хим. carbo-hydrate; **~o-рóд** hydrocarbon.

углежжéние charcoal burning.

углекис‖лотá хим. carbonic acid, carbon dioxide; '**~лый** газ carbonic acid; choke-damp (*в шахте*); ⌐лый натрий sodium carbonate; '⌐лая соль carbonate.

углекóп (coal-)miner, collier.

углепромы́шленн‖ик owner of coal mines; ⌐ость coal-mining.

углерóд *хим.* carbon; превращать в у. to carbonize; соединять с ⌐ом to carburet; ⌐истый carbonaceous; ⌐ная сталь carbon steel.

угловáт‖ость angularity; ⌐ый angular; ⌐о angularly.

угло‖вóй angular; corner (*attr.*); у. дом corner-house; ⌐вáя передача angular drive; ⌐вáя скорость angular velocity; ⌐мéр goniometer, bevel protractor.

углуб‖и́ть(ся) *см.* углублять(ся); ⌐лéние deepening (*действие*); hollow, hole, cavity, recess (*место*); ⌐лять to make deeper, deepen, excavate; ⌐ля́ться to become deeper, to deepen (*стать глубже*); to go far into (*в лес и пр.*); *фиг.* to examine closely; investigate; ⌐ля́ться в лес to go far into the wood; ⌐ля́ться в работу to be absorbed by work, to be intent upon work; ⌐ля́ться в размышления to plunge into meditation; ⌐ля́ться в изучение карты to be deep in a map; ⌐ля́ться в себя to be wrapped up in oneself, to indulge in introspection.

угнáть(ся) *см.* угонять(ся).

угнет‖áтель oppressor; класс-у. oppressing class; ⌐áть to oppress (*притеснять*); to depress, to sit (lie) heavy on, to weigh down; капиталисты ⌐áют рабочий класс capitalists oppress the working class; ⌐éние oppression; ⌐ённость depression; ⌐ённый oppressed, depressed (*см.* угнетать); ⌐ённое настроение depression; ⌐ённые колониальные народы oppressed colonial peoples; быть в ⌐ённом состоянии to be in the dumps (blues).

уговáрива‖ние persuasion, urging; ⌐ть to urge, exhort (*см. тж.* уговорить); ⌐ться to agree, concert.

уговóр agreement, understanding; с ⌐ом on condition; ⌐и́ть to persuade, prevail (*upon*); to induce, talk over; ⌐и́ться to come to an agreement.

угóд‖а: в ⌐у (in order) to gratify, to oblige, to please; он сказал это ему в ⌐у he said it to gratify him; ⌐и́ть *см.* угождать; to hit, strike (*попасть в глаз*

и пр.) он ⌐и́л в лужу he fell into a pool; он ⌐и́л прямо к обеду he dropped in just in time for dinner; он ⌐и́л мне прямо в глаз he hit me slap in the eye; есть люди, которым ничем не ⌐и́шь there is no contenting some people; на всех не ⌐и́шь it is difficult to please everybody.

угóдлив‖ость officiousness; ⌐ый officious; ⌐о officiously.

угóдни‖к, ⌐ца officious person, fawner, sycophant; saint (*святой*); ⌐чать to be officious, to fawn (*upon*); ⌐чество officiousness, fawning.

угóдно: как вам у. as you choose, as you please; делайте как вам у. please yourself; он дал бы что у., лишь бы остáться he would give anything (the world) to stay; ему было у. остаться he was pleased (he chose, it pleased him, it was his pleasure) to stay; не у. ли вам молока? will you have (would you like to have) some milk?; сколько у. as much as one wants; сколько душе у. to one's heart's content; что вам у.? what can I do for you?

угóдья appendages of landed property (arable land, forests, pastures *etc.*).

угожд‖áть to humour, gratify, please; у. и нашим и вашим *погов.* to run with the hare and hunt with the hounds; ⌐éние humouring, compliance.

уг‖ол corner (*комнаты, дома, улицы*); nook (*укромное место*); *геом.* angle; у. зрения visual angle; *фиг.* point of view; у. отражения *физ.* the angle of reflection; у. падения the angle of incidence; входящий у. re-entrant (angle); острый у. acute angle; прямой у. right angle; тупой у. obtuse angle; завернуть за у. to turn the corner, to go round the corner; загнать в у. to drive into a corner, to corner; иметь свой у. to have a home; to have a corner of one's own; поставить ребёнка в у. to stand a child in the corner; срезать у. to cut off a corner; из-за ⌐лá from round the corner; за ⌐лóм round the corner; загнутые ⌐лы dog's-ears (*в книге*); сгладить острые ⌐лы *фиг.* to smooth over sharp corners.

уголóв‖ник criminal; ⌐ный criminal, penal; ⌐ный розыск Criminal Investigation Department;

~ный суд criminal court; ~ное право criminal law; ~ное преследование prosecution; ~ные законы penal laws; ~щина criminal act.

уголо́к corner; у. Мопра Corner of the I. L. R.; красный у. Red Corner (*sort of club room reserved for educational or recreational needs*); ленинский у. Lenin corner.

у́г‖оль coal (*каменный*); charcoal (*древесный*); brown coal, lignite (*бурый*); белый у. water power; пароходный у. steam coal; превращать в у. to carbonize; чёрный как у. coal-black; залежь каменного ~ля coal-field; грузить (-ся) ~лем to coal; горящие ~ли live coals; быть как на ~ольях to be on the gridiron (on hot coals, on tenter-hooks, on thorns).

уго́льник set-square.

уго́льный angular; corner (*attr.*).

у́голь‖ный coal-; у. бассе́йн coal--basin, coal-field; у. пласт coal--bed; у. ящик coal-box, coal--scuttle, coal-bin; bunker (*на корабле*); ~ная копь coal-mine, coal--pit, colliery; ~ная пыль coal-dust; ~ная станция *мор.* coaling station; ~щик charcoal-dealer; charcoal--burner; collier (*судно*).

угомо́н: на него ~у нет he is very restless; there's nothing to keep him down; ~и́ть to calm, quiet; to still, lull (*ребёнка*); ~и́ться to quiet (calm) down, become quiet; to lull.

уго́н driving away; у. скота cattle-stealing.

угоня́ть to drive away; to blow away (*о ветре*); to steal (*красть скот, лодку*); ~ся to overtake, come up (*with*), catch up, equal; за ним не ~ there's no keeping pace with him (*тж. фиг.*).

угора́зди‖ть: как это его ~ло? what on earth made him do it?

угор‖а́ть to be poisoned by carbonic acid (charcoal gas); ты что, ~е́л? *фиг., разг.* I believe you are out of your wits, your wits are running riot; он мечется как ~е́лый he is running about like one frenzied (like one possessed, like a madman); ~е́ть *см.* угора́ть.

у́горь I. pimple, black-head (*на лице*).

у́г‖орь II. *зоол.* eel; морской у. conger, sea-eel; электрический у. electric eel; живой как у. as lively as a cricket (grig); верша (острога) для ловли ~рей eel--buck (-spear).

угости́‖ть *см.* угощать; нас ~-ли обедом we were treated to a dinner.

угото́в‖ить *см.* уготовлять; ~-ле́ние preparation, making ready; ~ля́ть to prepare, make ready.

угощ‖а́ть to treat (*to*), regale (*with—чем-л.*); to stand treat, pay (*платить за кого-л.*); у. палкой to belabour with a stick, to cudgel, to thrash soundly; ~а́ться to regale oneself (*with*); to take a sip (*выпить*); ~е́ние treating, regaling; entertainment, regale, treat.

угрева́тый pimpled, pimply (*о лице*).

угро́бить *разг.* to ruin, kill; *фиг.* to murder; to spoil.

угрожа́‖ть *см.* грозить; ~ющий threatening, menacing, minatory; ~ющий местью threatening vengeance, comminatory; ~ющая опасность impending (imminent) danger; принять ~ющую позу to square up; ~юще threateningly, menacingly.

угро́за threat, menace, danger (*of*); у. войны war menace; у. дождя threat of rain.

угро́зыск *см.* уголовный розыск.

угрызе́н‖ие remorse, compunction; ~ия совести pangs (pricks, twinges) of conscience, the worm of conscience, gnawing of remorse.

угрю́м‖ость moroseness, sullenness; ~ый morose, sullen; ~о morosely, sullenly.

уда́ *см.* удочка.

уда́бривать *см.* удобрять.

уда́в boa, boa constrictor.

уда‖ва́ться to succeed, turn out well; не у. to miscarry, fail; опыт ' ~лся the experiment was successful; мне не ~лось его повидать I failed te see him.

удав‖и́ть to strangle, throttle; to scrag (*sl.*); ~и́ться to strangle (hang) oneself; ~ле́ние strangling; ' ~ленник strangled person, someone who has strangled (hanged) himself.

удал‖е́ние removal, withdrawal, recession; extraction (*зуба*); ~ённый removed; remote (*отдалённый*); ~ённый от моря inland.

удале́ц daring fellow.

удали́ть(ся) *см.* удалять(ся).

удал‖о́й, ' ~ый ' daring, bold, audacious.

у́даль, ~ство́ daring, audacity, boldness, prowess.

удали́‖ть to remove, clear away; to turn out (*из обществен. места*);

to banish, expel (*изгонять*); to extract (*зуб*); ⁓ться to be removed; to withdraw, retire, go away; to recede; ⁓ться в деревню to retire to the country, to rusticate; ⁓ться от темы to wander from the subject, to travel out of the record; пятна ⁓ются бензином spots are removed with benzine.

удáр blow, stroke, hit, knock; shock, impact, smash (*при столкновении*); rap, tap (*лёгкий*); thump, thud (*глухой*); whang, bang (*звонкий*); thrust, cut, lunge, stab (*рапирой, кинжалом*); beat (*пульса*); chop (*топором*); lash, slash (*плетью*); punch, fib (*в боксе*); kick (*ногой*); punt (*ногой в мяч*); cuff (*рукой, кулаком*); butt (*головой, руками*); lick, whack (*палкой*); у. грома thunder-clap, clap of thunder; словно у. грома среди ясного неба as a bolt from the blue; у. молнии stroke of lightning; thunderbolt, bolt, shaft; у. от электрического разряда electric shock; апоплектический у. apoplexy, stroke of apoplexy, seizure; гидравлический у. water-hammer; смертельный у. death-blow; солнечный у. sunstroke; сокрушительный у. knock-down blow, floorer; нанести у. to deal a blow; быть в ⁓е to be in high feather (in a good vein); актёр был в ⁓е the actor was in wonderful form; одним ⁓ом at one blow, at a blow, at one stroke; одним ⁓ом двух зайцев убить to kill two birds with one stone; это известие было для меня страшным ⁓ом the news was a terrible blow (shock) to me; ⁓ы судьбы blows (buffets, frowns) of fortune.

удáр́ние accent, stress, emphasis (*эмфатическое*); accent, (metrical) stress, ictus (*метрическое*); у. падает на второй слог the stress is on the second syllable; острое у. acute accent; тупое у. grave accent; делать у. на чём-л. to lay stress (*on*); to emphasize, accentuate (*подчёркивать*); ставить у. to stress, accent; to lay the stress (*on*).

удáри‖ть(ся) *см.* ударять(ся); он ⁓л кулаком по столу he struck his fist on the table; ⁓ться в бегство to take to flight; ⁓ться в сентиментальность to run to sentimentality; ⁓ться головой to butt (ram) against.

удáрни‖к *техн.* pellet; *неол.*

shock-worker; бригадир ⁓ков shock-brigader; объявить себя ⁓ком to declare oneself a shock-worker; ⁓чество shock work.

удáрн‖ый shock (*attr.*); ⁓ая бригада shock (exemplary) brigade; ⁓ая кампания drive; в ⁓ом порядке with concentration of all forces, with dispatch, without delay; работать по-⁓ому to work in a shock working way; to work at shock tempo; ⁓ые инструменты *муз.* pulsatile (percussion) instruments; ⁓ые темпы quick rate, high tempo.

удáрять to strike, hit, knock, deal a blow; to whack, thwack; to kick (*ногой*); у. в колокол to sound (ring, toll) the bell; у. на врага to attack (charge) the enemy; у. по рукам to strike a bargain, strike hands; *см. тж.* ударить; ⁓ся to strike (hit, knock, bump) (*against*); to hurt oneself; *см. тж.* удариться.

удá‖ться *см.* удаваться; ему ⁓лóсь сделать это he succeeded in doing it; он ⁓лся в отца he took after his father; опыт ⁓лся the experiment was successful (turned out well).

удáч‖а good luck, good fortune, success, good job; на ⁓у at random; пожелать ⁓и to wish one good luck, to bid one good speed; ⁓и и неудачи ups and downs; ⁓ливый lucky, fortunate, happy; ⁓ный successful, lucky, fortunate, happy; good, felicitous, well turned (*о фразе, обороте и пр.*); ⁓ный перевод happy translation; ⁓но successfully, with success; well.

удвáивать to double, redouble; *гр.* to reduplicate (*слог и т. п.*); ⁓ся to be doubled; to double, redouble.

удвó‖éние doubling, redoubling; reduplication (*слога и пр.*); '⁓енный doubled; twofold (*двукратный*); '⁓ить *см.* удваивать.

удевятерять to multiply by nine.

удéл lot, portion, destiny, fate; *ист.* ap(p)anage; ⁓éние sparing; ⁓ить *см.* уделять; не можете ли вы ⁓ить мне немного денег? can you spare me a little money?; ⁓ьный вес *физ.* specific gravity (weight); ⁓ьный князь *ист.* duke; ⁓ьная теплота *физ.* specific heat.

уделять to spare, give; у. внимание to pay heed (*to*); я не могу у. на это время I cannot spare time for it.

удерж: без ~y immoderately, without restraint; ~**áние** keeping, reservation, retention.

удерж‖áть, '~**ивать** to keep back, hold (back), restrain; to withhold, deter, keep (*from*), retain (*от совершения чего-л.*); у. в памяти to retain (in one's memory), to keep in mind; у. за собой to reserve for oneself, to retain; у. зевок to suppress (smother) a yawn; у. из жалованья to keep back (stop) out of someone's pay, deduct from someone's pay; у. свои слёзы to hold back one's tears; у. улыбку to suppress a smile; его нельзя ~**áть** there is no holding him; я его '~**ивал** I held him back; ~**áться,** '~**иваться** to hold on; to refrain, restrain oneself, check oneself, hold back, abstain (*from*); я не мог ~**áться** от смеха I couldn't help laughing.

удесятер‖ённый decuple, tenfold; ~**йть(ся),** ~**я́ть(ся)** to decuple.

удешев‖йть *см.* удешевлять; ~**лéние** reduction of prices; ~**ля́ть** to reduce the price.

удивйтельн‖ый wonderful, astonishing, surprising, striking, amazing, marvellous; что ~**ого?** what wonder?; ничего ~**ого** no wonder; ~**о** wonderfully *и пр.*; ~**о** хорошо to a miracle, surprisingly well.

удив‖йть *см.* удивлять; ~**лéние** wonder, surprise, astonishment, wonderment, amazement; приводить в ~**лéние** to astonish, amaze; он посмотрел на него с ~**лéнием** he looked at him in wonder; к моему ~**лéнию** to my surprise; ~**ля́ть** to astonish, surprise, amaze; ~**ля́ться** to be astonished (surprised), to wonder, marvel; я ~**ля́юсь,** что вы никогда мне об этом не говорили I wonder you never told me; I am surprised you never mentioned it.

удилá bit, bridle-bit; грызть у. to gnaw at one's bit; закусить у. to bite the bit and dart off; *фиг.* to be persistent.

удйл‖ище (fishing-)rod; ~**ьщик** angler.

удирáть to scamper (off), to take to one's heels (legs), to run off, scuttle, make off; to guy, to do a guy (*sl.*).

удйть to angle.

удлин‖éние lengthening, elongation; ~**йть,** ~**я́ть** to lengthen,

elongate; ~**йться,** ~**я́ться** to lengthen.

удóбн‖ый convenient; handy (*об инструменте, формате книги и пр.*); comfortable, cosy (*о кресле и пр.*); у. случай opportunity, occasion, favourable juncture; удóбен вам этот день? will that date (day) suit you?; пользоваться ~**ым** случаем to seize the opportunity; ~**о** conveniently; comfortably; ~**о** ли вам? are you comfortable?; если это вам ~**о** if convenient; это вполне ~**о** (*противопол. неловко*) it isn't awkward at all; it is quite proper.

удобоварйм‖ость digestibility; ~**ый** digestible.

удобоисполнйм‖ость feasibility, practicability; ~**ый** easy to carry out; feasible, practicable.

удобоносй‖мость portability; ~**мый** portable.

удобоперевозйм‖ость transportability; ~**ый** transportable.

удобопоня́тн‖ость comprehensibility, intelligibility; ~**ый** comprehensible, intelligible.

удобопроизносймый pronounceable.

удобочитáемый readable.

удобр‖éние manuring, fertilization (*действие*); manure, dressing (*навоз*); fertilizer (*хим.*); '~**ить,** ~**я́ть** to manure, dung, fertilize, dress; to top-dress (*не вспахивая*).

удóбств‖о convenience, comfort, accommodation; со всеми ~**ами** with all accommodations.

удовлетвор‖éние satisfaction; reparation, atonement (*возмещение*); ~**ённость** satisfaction, content, contentment; ~**ённый** satisfied, content; ~**ённо** with satisfaction.

удовлетворйтельн‖ость satisfactoriness; ~**ый** satisfactory; ~**о** satisfactorily, pretty well.

удовлетвор‖йть, ~**я́ть** to satisfy, content; у. чьи-либо желания to meet one's wishes; у. потребности to meet the needs; у. требованиям to be up to the mark; его трудно у. it is hard to please him; ее работа меня ~**я́ет** I am pleased with her work; ~**йться,** ~**я́ться** to be satisfied, to content oneself (*with*).

удовóльствие pleasure, enjoyment, joy, gratification; gusto, relish (*вкус*); это для него громадное у. it affords him the greatest pleasure; доставлять у. to give pleasure, to give one a good time;

находить у. (*в чём-либо*) to take pleasure (*in*), enjoy, delight (*in*); тот, кто отравляет у. killjoy, wet blanket; я сделаю это с ~м I shall be pleased to do it; я слушаю музыку с большим ~м I enjoy music very much; он ест мясо с ~м he eats meat with relish.

удовольствоваться to be satisfied (*with*), to content oneself (*with*).

удод *зоол.* hoopoe.

удой amount of milk drawn at one milking, meal; ~ливая корова cow giving much milk; ~ник milking-pail; ~ность milk yield.

удорож‖**а́ние** rise in price; ~а́ть, ~и́ть to raise (enhance) the price (*of*).

удоста́ивать to honour (*with*), grace (*with*), deign, vouchsafe; у. внимания to give one's attention; у. учёной степени to confer a degree; *см. тж.* удостоить; ~ся to be honoured (graced) (*with*).

удостовер‖**е́ние** certificate (*документ*); у. личности identification card; у. с места службы certificate from one's office; attestation, certifying; в у. чего-л. in witness of; ~и́тель attestor, witness.

удостове́р‖**ить**, ~я́ть to testify (*to*), attest, bear witness (*to*); to certify (*официально*); у. личность to prove one's identity; ~и́ться, ~я́ться to ascertain, prove, to convince oneself.

удосто́и‖**ть(ся)** *см.* удостаивать (-ся); он не ~л меня ответом he vouchsafed me no answer.

удосу́жи(ва)**ться** to find time (leisure) (*for*).

удочери́ть to adopt, affiliate (a daughter).

у́дочк‖**а** fishing-rod, rod; крючок на ~е fish-hook; попасться на ~у to take the bait, to swallow a gudgeon.

удра́ть *см.* удирать.

удружи́ть to do one a friendly service; *ирон.* to do one an ill turn.

удруч‖**а́ть** to depress, deject, dispirit, cast down; ~ённость dejectedness, despondency; the blues (*sl.*); ~ённый dejected, depressed; сердце, ~ённое горем a stricken heart, a heart crushed with grief (bursting with grief); ~ённо dejectedly; ~и́ть *см.* удручать.

удуш‖**а́ть** to stifle; to suffocate; asphyxiate (*угаром, газом*); to strangle, throttle (*петлей, рука-*

ми); to smother (*особ. подушкой*); ~е́ние stifling, suffocation, asphyxiation, strangulation, strangling, smothering (*см.* удушать); ~и́тель strangler, smotherer; *фиг.* oppressor; ~и́ть *см.* удушать; ~ливый stifling; ~ливый воздух close air; ~ливый газ suffocating gas, choke-damp; ~ливая жара stifling (oppressive) heat, sultriness; снаряд с ~ливым газом gas-shell; ~ье asthma; asthmatic fit.

уедине́ни‖**е** solitude, retirement, seclusion; живущий в ~и recluse; склонный к ~ю retiring.

уединён‖**ость** solitariness; ~ый solitary, lonely, isolated, retired, secluded, private; ~ая жизнь retired (solitary, secluded) life; ~ое место secluded (lonely) place, retreat, nook; ~о solitarily.

уедин‖**и́ть**, ~я́ть to isolate, seclude; ~и́ться, ~я́ться to retire, keep private, seclude (cloister) oneself.

уе́зд *ист.* district.

уе́зди‖**ть** to wear a road smooth by traffic; у. коня to ride a horse till it is tired; был конь, да ~лся *погов.* ≅ he is not the dashing fellow he used to be.

уе́здный *ист.*: у. город chief town of a district.

уезжа́ть to go away, depart, leave; *см. тж.* уехать.

уе́мистый capacious, roomy.

уе́ха‖**ть** *см.* уезжать; он ~л в Лондон he has gone to (left for) London.

уж I. *зоол.* grass-snake, ringed snake.

уж II. *см.* уже́; уж (я) не знаю I really don't know; уж сколько раз я был там! how many times have I been there!; уж я ему за это задам! he shall smart for this!; я уж отобедал I have already dined.

ужа́лить to sting.

ужа́ри‖(ва)**ть** to reduce by roasting; to roast to a point; ~(ва)ться to be reduced by roasting; мясо не ~лось the meat (beef) is underdone.

у́жас terror, horror, dismay, fright; у. как холодно it is terribly cold; притти в у. to be terrified (horrified); это привело меня в у. it gave me the creeps; он в ~е от этого he is horrified by it; объятый ~ом horror-struck, terror-struck, aghast; он убедился к своему ~у he found to his dismay; ⌐áть horrify, to terrify, shock, dismay; ⌐áться to be horrified (terrified); ⌐áющий terrific; horrific; *фиг.* tremendous; ⌐нýть (-ся) *см.* ужасáть(ся); '⌐ный terrible, horrible, frightful, awful, fearful, horrid, dreadful, dire, direful, ghastly; appalling; '⌐ные услóвия appalling conditions; '⌐но terribly, horribly, awfully, dreadfully, frightfully; это ⌐но it is terrible (awful).

ýже narrower.

ужé already; у. не no longer; его у. нет he has already gone; he is no more (он *умер*); он у. не ребёнок he is no longer a child.

ужéли *см.* неужéли.

ужéние angling.

ужив||áться to agree, to live in harmony (*with*); '⌐чивость good disposition; '⌐чивый good tempered, livable, easy to live with.

ужúмка grimace.

ужúн harvest, reaping.

ýжин supper; ⌐ать to sup, to take supper.

ужúться *см.* уживáться.

ужóвка cowrie, porcelain shell (*раковина*).

узá propolis (*у пчёл*).

узакон||éние legitimation, legalization (*действие*); statute, ordinance, decree (*закон*); действующее у. юр. operative law; '⌐ить, ⌐ять to legitimate, legitimatize, legalize.

узбéк Uzbek.

Узбек||истáн Uzbekistan; '⌐ская Совéтская Социалистúческая Респýблика the Uzbek Soviet Socialist Republic.

узд||á bridle; *фиг.* curb, check, restraint; держáть в ⌐é to keep in check, to hold in leash; ⌐éчка bridle, snaffle-bridle; держáть лóшадь под ⌐цы́ to hold the horse by the bridle.

ýзел knot; *бот.* node; *мор.* knot (*мера длины*); bundle, pack (*свёрток*); гóрдиев у. Gordian knot; железнодорóжный у. junction; мёртвый у. *мор.* clove-hitch; нервный у. ganglion (*pl.* -lia); прямóй у. *мор.* reef-knot; делáть у. на верёвке to knot a string; увязывать в у. to tie in a bundle, to bundle; ⌐óк small knot; *бот.* nodule; small bundle.

ýзк||ий narrow; tight (*об одежде*); у. человéк narrow-minded person; в сáмом ⌐ом смы́сле слóва in the narrowest sense; в ⌐их грани́цах within narrow bounds; ⌐ое

мéсто tight place; bottleneck; ⌐ие взгля́ды narrow (short, contracted) views; ⌐о narrowly; tightly; ⌐огóрлый narrow-necked; ⌐околéйная желéзная дорóга narrow-gauge railway; ⌐олóбый low-browed; *фиг.* narrow-minded.

узловáт||ость knottiness, nodosity; ⌐ый knotty, nodose, nodulo(u)se, nodulated.

узлов||óй nodal; у. вопрóс key question; ⌐áя стáнция junction.

узна||вáние recognition; learning; discovery (*в драматич. технике*); ⌐вáть, '⌐ть to recognize, know, identify (*по лицу, голосу и т. п.*); to learn, to come to know, to hear, to find out (*факты*); я вездé его '⌐л бы I should know him anywhere; я его бóльше ⌐л тепéрь now; я тотчас ⌐л в нём америкáнца I spotted him at once as an American; я ⌐л это от негó I learned it from him (of him); я '⌐ю об этом I shall find out all about it; I shall inquire about it.

ýзни||к, ⌐ца prisoner, captive; ⌐ки капитализма prisoners of capitalism.

узóр pattern, design, figure; у. для вышивáния a design for embroidery.

узóр||ный, ⌐чатый ornamented; figured, inwrought with a pattern, damasked (*о ткани*).

ýзость narrowness; tightness (*об одежде*).

узрéть *уст.* to see, behold, catch sight (*of*).

узýра *мед.* wasting away of bone, tissue *etc.*

узурп||áтор usurper; ⌐áция usurpation; ⌐úровать to usurp.

ýзус *юр.* usage, customary practice; common law, habit or tradition which has become law.

ýзы bonds, ties; у. крóви the ties of blood; брáчные у. the bonds of marriage (wedlock); рóдственные у. family ties, kinship.

ýйма a lot, a peck; у. дéнег a lot of money, heaps of money.

уйти́ *см.* уходúть; '⌐ это от вас не уйдёт you will get it sooner or later; it is sure to be yours; он ушёл домóй he went home; поезд ушёл the train has pulled out (gone); врéмя ещё не ушлó there is still time; молокó ушлó the milk has boiled over; сýдно ушлó в мóре the ship put (went out) to sea; мои́ часы́ ушли́ вперёд на 20 минут my watch is 20 minutes fast (has gained 20 m.).

ука́з ukase, order; ∼а́ние indication; direction; instruction (*тех. инструкция*); по ∼а́ниям Нарко́ма according to the instructions of People's Commissar; ∼а́тель sign, indication (*признак*); guide (*библиогр.*); indicator (*особ. как прибор*); index (*в книге*); railway-guide, (railway) ABC (*жел.-дор.*); ∼а́тельный indicating, indicatory; *гр.* demonstrative; ∼а́тельный па́лец forefinger, index; ∼а́тельный столб guide-post, finger-post, sign-post; ∼а́тельная стре́лка pointer; ∼а́ть *см.* ука́зывать; не мо́жете ли вы ∼а́ть мне, как пройти́ на ста́нцию? will you kindly direct me to the station?; ∼ка pointer, fescue; он мне не ∼чик he can't lay down the law to me.

ука́зыва∥ть to indicate, point out, show; to betoken, indicate; denote (*быть при́знаком*); у. доро́гу to show the way; у. па́льцем to point; я ∼л им на опроме́тчивость тако́го посту́пка I pointed out to them the rashness of such an action; его́ оши́бки ∼ют на его́ неве́жество his mistakes denote his ignorance; ∼ться to be indicated (pointed out).

ука́лывать to prick; *фиг.* to sting, pique, wound, nettle; ∼ся to prick oneself (one's finger *etc.*).

ука́та́ть *см.* ука́тывать.

ука́ти́∥ть to roll away; to drive off; он давно́ ∼л в Москву́ *разг.* he went off to Moscow quite a long time ago.

ука́тывать to roll, smooth; ∼ся to be smoothed.

ука́ч∥а́ть *см.* ука́чивать; '∼ива∥ние rocking to sleep; '∼ивать to rock to sleep; to cause sea-sickness (*на мо́ре*); меня́ ∼а́ло I am (I was) sea-sick.

укип∥а́ние boiling away; ∼а́ть, ∼е́ть to boil away, to boil enough.

укла́д tenor of life, usage; ∼ка 1. packing, stowage; laying (*ре́льсов и т. п.*); stacking (up) (*в шта́бель*); 2. small (wooden) trunk; ∼чик packer; ∼ывание packing, stowing; piling (*в гру́ду*); stacking (*в штабеля́*); ∼ывать to pack, pack up, stow (*ве́щи*); to put to bed (*в посте́ль*); ∼ывать ж.-д. путь to lay the rails.

укла́дыва∥ться 1. to lie down; to go to bed; to turn in; 2. to be

packed (stowed); to pack (up), to pack one's things; это не ∼а́ется в моём созна́нии I can hardly believe it; я ещё не ∼а́лся I have not yet begun to pack my things; таре́лки не ∼а́ются в сунду́к the plates can't be packed into the trunk (won't fit in); there is no room in the trunk for the plates.

укле́йка *зоол.* bleak.

укло́н declivity, slope; *ж.-д.* gradient; deviation (*в сто́рону*; *тех. полит.*); у. ма́чты inclination of the mast, rake; пра́вый (ле́вый) у. right (left) deviation; техни́ческий у. technical bias (*в шко́ле*); под у. down hill; с техни́ческим ∼ом with a technical trend; вести́ борьбу́ с ∼ами от генера́льной ли́нии па́ртии to carry on a fight against the deviation from the general Party line; ∼е́ние deviation, aberration, deflexion; evasion, avoiding (*избега́ние*); digression (*от те́мы*); ∼е́ние от генера́льной ли́нии па́ртии deviation from the general Party line; ∼я́м deviationism; ∼и́ст deviator; ∼и́ться *см.* уклоня́ться.

укло́нчивость evasiveness.

укло́нчив∥ый evasive; ∼ый отве́т evasive (non-committal) answer; ∼о evasively.

уклоня́ться to evade, avoid, shirk, shun; to deviate, swerve (*отклоня́ться*); у. от до́лга to evade (shirk) one's duty; у. от обяза́тельства to wriggle out of (to swerve from) an engagement; у. от отве́та to parry (evade) a question; у. от те́мы to digress.

уклю́чина rowlock, thole, thole-pin.

уко́в∥а́ть, '∼ывать to reinforce (bind) with metal sheets.

укоко́шить *разг.* to make away (with), destroy, kill; to dispatch.

уко́л prick; *фиг.* pin-prick; *мед.* injection; ∼о́ть(ся) *см.* ука́лывать(ся).

укомплектов∥а́ние completing, manning (*людьми́*); '∼анный completed, manned (*людьми́*); все шта́ты уже́ ∼аны all vacancies on the staff have been filled.

уко́р reproach, blame; ∼ы со́вести stings of conscience.

укора́чивать(ся) to shorten.

укорен∥и́вшийся rooted, inveterate; ∼и́вшаяся привы́чка an inveterate habit; ∼и́ть, ∼я́ть to implant; ∼и́ться, ∼я́ться to take (strike) root.

укоризн‖а reproach; ～енный reproachful; ～енно reproachfully.

укорить см. укорять.

укоро‖тить(ся) см. укорачивать (-ся); ·～чение shortening.

укорять to reproach, upbraid.

укос amount of hay-harvest.

украдкой by stealth, stealthily, furtively; взгляд у. stealthy (furtive) glance; взглянуть у. to look furtively (at).

украин‖ец, ～ка, ～ский, ～ский язык Ukrainian; У～ская ССР the Ukrainian Soviet Socialist Republic.

украсить см. украшать.

украсть to steal, purloin, to make off (with); to filch, pilfer (о мелкой краже).

украш‖ать to adorn, decorate, ornament, embellish, beautify, set off; у. гирляндой to garland; у. драгоценными камнями to gem, bejewel; ～аться to be adorned (decorated); to adorn oneself; ～ение ornament, decoration, ornamentation, adornment, embellishment (см. украшать); лепное ～ение арх. moulding.

укреп‖ить(ся) см. укреплять (-ся); ～ление strengthening, fortifying; военн. fortification, fort; defence-work (обыкн. pl.); ～ление берегов bank protection; внешнее ～ление outwork; временное ～ление field-work; мостовое ～ление bridge-head; первая линия ～лений first line of fortifications; ～плять to strengthen, fortify, brace, consolidate, solidify, reinforce; военн. to fortify; to fix, infix (в земле и т. п.); у. город стеной to fortify (secure) town with a wall; у. здоровье to improve health; у. клином to wedge; у. мощь Красной армии to reinforce the might of the Red Army; у. обороноспособность страны to strengthen the defensive capacities of the country; у. окопами to entrench; у. силы to invigorate, brace; ～ляться to strengthen, to be fortified (braced); ～ляться на занятых позициях to fortify the occupied positions.

укрепляющ‖ий bracing, invigorating, corrob orant, onic, restorative (здоровье); ～ее средство tonic, corroborant, restorative.

укромн‖ость seclusion, cosiness, isolation, retiredness; ～ый retired, secluded, isolated, cosy, quiet; ～ое местечко cosy nook; secret hiding place.

укроп бот. dill; fennel; морской у. samphire.

укро‖титель(ница) tamer; ～тить, ～щать to tame, subdue; to break, curb (лошадь); to pacify, appease, calm (гнев); ～щение taming, subdual, breaking, pacification (см. укрощать).

укрупн‖ение enlargement; consolidation (соединение); ～ить, ～ять to enlarge; to consolidate (соединить).

укрыва‖ние concealment; ～тель (-ница) краденого receiver (of stolen goods); ～тельство concealment; юр. misprision; ～тельство краденого receiving of stolen goods.

укры‖вать, ·～ть to cover (одеялом и т. п.); to screen, conceal, harbour (преступника); to shelter (от ч.-л.); у. краденое to receive stolen goods; ～ваться, ·～ться to cover oneself (одеялом); to seek (find, take) shelter; to shelter oneself (под крышей и т. п.); to hide, conceal oneself (прятаться); ～ваться от неприятеля to take cover; от вас ничто не укроется nothing escapes you.

уксус vinegar; туалетный у. aromatic vinegar; превращать(ся) в у. to acetify; ～ница vinegar-cruet; ～нокислая соль acetate; ～ный acetous, vinegary, acetic; ～ная кислота acetic acid.

укупор‖ивание corking; ～ивать, ～ить to cork; to pack; ～ка corking; ～щик corker; packer.

укус bite; sting (пчелы и т. п.); ～ить to bite, sting; какая муха вас ～ила? what possesses you?, what's up?

укут‖ать(ся) см. укутывать(ся); ～ывание wrapping (muffling) up; ～ывать to wrap (muffle) up; ～ываться to wrap (muffle) oneself up.

улавливать to catch, detect, discern; у. смысл шутки to see the joke; у. сходство to catch a likeness; у. удобный случай to seize an opportunity; ～ся to be caught.

уладить(ся) см. улаживать(ся).

улажива‖ние settling, composing; reconcilement (ссоры); ～ть to settle, compose; to reconcile, make up, arrange (ссору); ～ть вопрос to set a question at rest, to settle an affair; ～ться to be settled.

уламывать разг. to persuade, prevail (упоп), induce.

улан ист. uhlan, lancer.

улегаться см. укладываться 1.

у́лей bee-hive, hive; сажать пчёл в у. to hive the bees.

улеп‖етну́ть, ∼ётывать *разг. см.* удирать.

улет‖а́ние flying away; **∼а́ть, ∼е́ть** to fly away, to take flight.

улету́чи‖вание volatilization; **∼(ва)ться** to volatilize; *фиг.* to disappear.

улё‖чься *см.* укладываться 1; дать возбуждению у. to let the excitement settle down; буря **∼г∼ла́сь** the storm has calmed (quieted) down, has lulled (fallen).

улё́щивать to win over by flattery (cajolement).

улизну́ть *разг.* to slip away, steal out, escape; у. от к.-л. to give one the slip; to give the guy, to do a guy (*sl.*).

ули́к‖а evidence, proof; служить **∼ой** to serve as evidence, to testify, evidence.

ули́тк‖а snail, helix; съедобная у. edible snail; ушная у. *анат.* cochlea; раковина **∼и** snail-shell; **∼ообра́зный** snail-like, spiral, helical.

у́лиц‖а street; на **∼е** in the street; out of doors, outside.

улич‖а́ть to convict (*в ч.-л.—of*); to detect, catch in the act; **∼е́ние** conviction; detection; **∼и́тель** detector; **∼и́ть** *см.* уличать.

у́личн‖ый street (*attr.*); у. бой street fight; **∼ая** демонстрация street demonstration; **∼ое** движение street traffic; правила **∼ого** движения rules of traffic.

уло́в catch, take, amount of fish caught; **∼и́мый** perceptible; **∼и́ть** *см.* улавливать.

уло́вка trick, ruse, stratagem, shift, dodge; их отступление—только у. their retreat is only a dodge.

уложе́ние *юр.* code.

уложи́ть *см.* укладывать; *фиг.* to kill; to lay out (*sl.*); **∼ся** *см.* укладываться 2.

уломать *см.* уламывать; я не мог его у. I couldn't bring him round to reason.

улу́с Mongolian nomad tribe, group of semi-nomadic communities united by kinship; settlement.

улуч‖а́ть, ∼и́ть: у. минуту to find time, to seize an opportunity.

улучш‖а́ть to improve, better, amend, make better, ameliorate; **∼а́ться** to improve, better, to become (grow) better, ameliorate; его здоровье **∼а́ется** his health is improving; дела **∼а́ются** things

are mending (are going better); **∼е́ние** improvement, betterment, amelioration, amendment; **∼е́ние** общего благосостояния betterment of general well-being; **∼е́ние** снабжения рабочих improvement of workers' supply; **¹∼и́ть(ся)** *см.* улучшать(ся).

улыб‖а́ться to smile (*кому-либо — at*); у. в знак согласия to smile assent; у. глупо (жеманно) to smirk (simper); у. горько to smile bitterly; у. иронически to smile an ironical smile; мне не **∼а́ется** эта перспектива I do not relish the prospect; счастье **∼ну́лось** ему fortune smiled on him, luck looked his way; **¹∼ка** smile; smirk, simper (*глупая, притворная*); лукавая **∼ка** arch smile; широкая **∼ка** big-toothed smile; broad grin; **∼ну́ться** *см.* улыбаться.

ульми́н *хим.* ulmin; **∼овая** кислота ulmic acid.

ультима́тум ultimatum; вручить у. to deliver an ultimatum.

у́льтра ultra-, excessively; у.-консервати́вный ultra-conservative.

ультра‖мари́н ultramarine; **∼микроско́п** ultramicroscope.

ультрамонта́н ultramontane, ultramontanist; **∼ский** ultramontane; **∼ство** ultramontanism.

ультрафиоле́тов‖ый ultra-violet; стекло, пропускающее **∼ые** лучи vita-glass.

Улья́новск Ulianovsk.

улюлю́кание hallooing; hooting.

улюлю́кать to halloo; to hoot.

ум mind, intellect, intelligence, understanding, sagacity, insight; у него ум за разум зашел he is out of his senses; ум хорошо, а два лучше *посл.* two heads are better than one; four eyes see more than two; живой ум plastic mind; острый ум sharp intelligence, keen wit; гибкий ум mobile mind; проницательный ум penetrating mind; взяться за ум to come to one's senses, to become wiser; мне пришло на ум it occurred to me, it struck me; **∼á** не приложу I cannot understand, I am at my wit's end; быть без **∼а** от... to dote upon, to be passionately fond of; вы с **∼а** сошли? are you out of your mind (senses)?; are you mad?; сводить с **∼а** to drive mad, madden; склад **∼а** cast of mind; сойти с **∼а** to go mad; у него не хватит ∼а на это he has not the wit to do it; это не его ∼а дело it is beyond his comprehension; it is above his understanding; это сводит меня с ∼а *фиг*. it drives me mad (wild); это у меня с ∼а нейдёт it runs in my head, I cannot forget it; в ∼é inwardly; два в ∼е (*при счёте*) to carry two; счёт в ∼е mental arithmetic; в своём ∼е in one's senses, in one's right mind; не в своём ∼е out of one's wits, off one's head, cracked, crazy, deranged; beside oneself (*вне себя*); он себе на ∼е he is cunning; he knows which side his bread is buttered; he is a deep one (*sl.*); у него другое на ∼е he has something at the back of his mind, his thoughts are otherwise occupied; задним ∼óм крепок wise after the event; он принадлежал к благороднейшим ∼áм своего времени he was among the noblest spirits of his time.

умалéние belittling, disparagement, detraction; depreciation.

умáливание supplication, imploring, entreating, beseeching.

умалить *см.* умалять.

умалишённы‖й madman, lunatic, insane person; дом ∼х madhouse, lunatic asylum.

умáлчива‖ние suppression, keeping secret, pretermission; ∼ть to say nothing (*of*), pretermit, to pass over in silence, to leave unsaid, suppress, keep secret.

умалять to diminish, lessen; to belittle, depreciate, disparage (*принижать*); ∼ся to diminish; to be belittled.

умáсли‖вание coaxing; ∼(ва)ть to coax.

умастить *см.* умащивать.

умáтывать to wind round; to muffle up, wrap.

умáщивать 1. to pave, to floor; **2.** to anoint.

умáять to tire out, fatigue; ∼ся to get tired (weary).

ýмбра umber, Cologne earth (*краска*).

умé‖лый skilful, expert; ∼ло skilfully; ∼нье skill, ability, dexterity; ∼нье делать пироги a hand for pies.

уменьш‖áемое *мат*. minuend; ∼áть to diminish, lessen, reduce, decrease, abate; ∼áть расходы to retrench (cut down) expenses; ∼áться to diminish, lessen, decrease, abate; ∼éние diminution,

lessening, decrease, decrement; reduction, abatement (*цен*); extenuation (*вины*); ∼ённая копия reduction; ∼ительная степень *гр*. diminutive degree; ∼ительное имя diminutive; ∼ить(ся) *см.* уменьшать(ся); ничто не может ∼ить его вину nothing can extenuate his guilt.

умерéние moderation, tempering, mitigation, restraining.

умеренн‖ость moderation, moderateness; temperance (*особ. трезвость*); ∼ый moderate, temperate; abstemious (*в пище, платье и пр.*); ∼ый климат temperate climate; ∼ая скорость moderate speed; ∼ая цена moderate (reasonable) price; ∼ые взгляды moderate views; политик ∼ых взглядов a moderate; ∼о moderately, temperately.

умерéть *см.* умирать; у. естественной (насильственной) смертью to die a natural (a violent) death; у. как собака to die a dog's death; у. на своём посту to die at one's post; to die in harness (*фиг*.); у. от воспаления лёгких to die of (succumb to) pneumonia; у. от голода to die of starvation; у. славной смертью to die a glorious death; он ýмер he is dead (gone); от какой болезни он умер? of what illness did he die?, what did he die of?

умéрить(ся) *см.* умеряться.

умер‖твить *см.* умерщвлять; '∼ший, '∼шие the dead, the departed, the deceased; ∼щвлéние putting to death, killing; mortification (*плоти*); ∼щвлять to put to death, kill, slay.

умерять to moderate, mitigate, attemper, qualify, modify, restrain; у. аппетиты to moderate the appetite of; у. свой гнев to restrain one's anger; ∼ся to be moderated; to abate.

умест‖ительный roomy, spacious; ∼ить(ся) *см.* умещать(ся); вы ∼итесь там оба there is room for both of you there; яблоки не ∼ятся в ящике the box will not hold the apples.

умéстн‖ость propriety, relevancy; ∼ый proper, well-timed, appropriate, in place; relevant, pertinent (*относ. к делу*).

умёт *военн*. trench; entrenched post; anything swept away; dust, refuse.

умé‖ть to be able, know; он ∼ет быть приятным he understands how to make himself agreeable; я не ~ю делать это I don't know how to do it, I cannot do it; сделаю как ~ю I shall do it as best I can (to the best of my ability).

умéшивать to knead, work up.

умещáть to put, pack, find room (*for*); ~ся to go in, to admit of being put in.

умил||éние tenderness, emotion; ~ительный touching; ~ить *см.* умилять.

умилосéрдить to stir one's pity, propitiate; ~ся to be propitiated, feel pity.

умилостив||ить *см.* умилостивлять; ~лéние propitiation; ~лять to propitiate, placate, conciliate, mollify.

умил||ьный suppliant, imploring, touching; ~ьно imploringly, touchingly; ~ить to touch, move, affect; ~иться to be touched, be moved.

уминáть to compress, press, squeeze; to knead (*глину и т. п.*); to tread down (*ногами*); ~ся to be compressed.

умирá||ть to die; to expire; *поэт.* to pass away, depart this life, to breathe one's last, to go hence; у. со смеху *фиг.* to split one's sides; у. с тоски to be bored to death; он ~ет he is dying; *см. тж.* умерéть; ~ющий dying, moribund; желáние ~ющего dying (last) wish.

умир||(отвор)éние pacification, appeasement; ~отворительный pacificatory; ~(отвор)ить, ~(отвор)ять to pacify, appease, conciliate.

умнéть to grow more intelligent, to grow wiser.

ýмн||ик intelligent man, sharp wit; *дет.* good boy; ~ица intelligent woman; *дет.*, good girl; ~ичанье philosophizing, showing off one's intelligence; ~ичать to show off one's intelligence, philosophize, subtilize; ~о cleverly, wisely, sensibly.

умнож||áть to increase, augment; *мат.* to multiply; у. на пять to multiply by five; ~áться to increase; *мат.* to be multiplied; ~éние multiplication; знак ~éния symbol of multiplication; таблица ~éния multiplication table; '~иться(ся) *см.* умножáть(ся).

ýмн||ый intelligent, clever, sensible, wise; ~ые люди men of understanding, intelligent (wise) people.

умозаключ||áть to conclude, infer; ~éние conclusion, inference.

умозр||éние speculation; ~ительность speculativeness; ~ительный speculative, theoretical; ~ительно speculatively.

умоисступлéние rage, delirium, mental derangement, frenzy.

умóл grinding; loss (waste) in grinding.

умолáчивать to thrash, thresh.

умолúть *см.* умолять; to obtain by entreaties.

умолк||áть, '~нуть to fall (become) silent, to hush down, to subside, to be heard no more; болтáть без ýмолку to talk without stopping; to rattle on (away, along).

умолóт yield (of grain); ~ить *см.* умолáчивать.

умолчá||ние suppression, pretermission, reservation; ~ть *см.* умалчивать.

умоля||ть to supplicate, entreat, beseech, implore; у. о помощи to supplicate (crave) for help; ~ющий suppliant, supplicatory.

умопомешáтельство madness, insanity, alienation of mind, mental alienation, lunacy.

умопомрачé||ние temporary insanity; ~ительный *разг.* tremendous, stupendous.

умóр||а: это прóсто у. it makes one split with laughter; ~ительный side-splitting, funny, laughable; ~ительно laughably, funnily; ~ить to kill; to cause one's death; to tire to death (*утомить*); ~ить с гóлоду to starve to death; ~ить со смеху to make one burst with laughter.

ýмственн||ый mental, intellectual; рабóтник ~ого труда brain-worker; ~ая рабóта mental work, head-work; ~ое расстрóйство mental alienation; ~о отстáлый mentally deficient, backward.

ýмствова||ние philosophizing, reasoning, ratiocination; ~ть to philosophize, reason.

умудр||ить(ся) *см.* умудрять(ся); он ~ился избежáть этого he managed to avoid it; ~ённый опытом made wiser by experience; ~ять to make wiser; ~яться *разг.* to contrive, manage.

умчáть(ся) to whirl away, hurry away.

умывá||льник washing - stand, wash-stand; ~льный таз wash-basin; ~нье washing; wash.

умывáть to wash; у. рýки *фиг.*

to wash one's hands (*of*); ∽ся to wash (oneself).

умыка́‖**ние** *ист.* carrying off, abduction; ∽ть to carry off, abduct.

у́мыс‖**ел** design, intention, purpose; злой у. evil intent; *юр.* malice prepense; тайный у. secret design; без ∽ла undesignedly, without intention, unintentionally; с ∽лом designedly, of set purpose, on purpose, purposely.

умыть *см.* умывать.

умышленн‖**ость** designedness; ∽ый intentional, deliberate, designed; ∽о intentionally *и пр.*; on purpose.

умышля́ть to plot, scheme, design.

умягч‖**а́ть**, ∽и́ть to mollify, to soften.

умя́ть *см.* уминать.

унав‖**а́живание** manuring; ∽а́живать, ∽о́зить to dung, manure; to top-dress (*сверху*).

унасле́дова‖**ть** to inherit; он ∽л эту болезнь (привычку) от отца he has inherited this disease (habit) from his father.

унди́на *поэт.* undine, water-nymph.

унести́(сь) *см.* уносить(ся).

униа́т uniat(e).

универса́льн‖**ость** universality; ∽ый universal; ∽ый ключ (для гаек) *техн.* universal screw-wrench; ∽ый магазин (универмаг) General Supply Stores; *амер.* department store; ∽ый шарнир universal joint; ∽ое средство панацея, universal remedy; ∽о universally.

университе́т university; *амер.* college; varsity (*разг.*); коммунистический у. Communist University; ∽ский university (*attr.*).

унижа́ть to humiliate, humble, degrade, lower, abase, bring down; у. достоинство to lower the dignity; ∽ся to abase (lower) oneself; to grovel; не ∽ся до лжи to scorn lying.

униж‖**е́ние** humiliation, abasement, degradation; достигнуть ч.-л. путём ∽е́ния to stoop to conquer; '∽енность humility; '∽енный humble, lowly; humbled, humiliated; '∽енно humbly, with humility, cap in hand.

униза́ть *см.* унизывать.

унизи́‖**тельность** humiliation; ∽тельный humiliating, degrading; ∽тельно humiliatingly.

уни́зить *см.* унижать.

уни́зывать to adorn, ornament, stud, set.

у́никум unique (*s.*).

унима́‖**ть** to appease, calm, pacify, quiet, still; to stop (*кровь*); у. боль to abate (alleviate, soothe, assuage, allay) pain; у. бу́йство to repress the tumult; у. ребёнка to still (quiet) a child; ∽ться to abate, grow quiet, quiet down; боль ∽ется the pain is getting easier (decreasing); the pain is beginning to remit (abate).

униони́зм *пол.* unionism.

унисо́н *муз.* unison.

унитари‖**а́нский** unitarian; ∽а́нство, '∽зм unitarianism.

унита́рн‖**ый** unitary; У∽ая конфедерация труда (*объединение револ. профсоюзов во Франции и в Испании*) Unitary Confederation of Labour.

унифи‖**ка́ция** unification; у. алфавита unification of the alphabet; ∽ци́ровать to unify.

уничиж‖**а́ть** to disparage, run down; ∽е́ние disparagement, contempt; ∽и́тельный contemptuous, disparaging, humiliating.

уничтож‖**а́ть** to destroy, make away (*with*), annihilate; to abolish, do away (*with*), sweep away, suppress (*рабство и пр.*); to exterminate (*искоренять*); to demolish (*разрушать*); у. безработицу to abolish (eliminate) unemployment; у. брак, прогулы, простой put an end to (do away with) flaws, shirking, stoppage; у. взглядом *шут.* to wither with a look; у. надежды to frustrate one's hopes; у. национальное угнетение to put an end (a stop) to national oppression; у. противника to crush the enemy; у. сделанное to undo (unmake) what one has done (made); совершенно у. to make a clean sweep (*of*), to destroy utterly; ∽и́ться to be destroyed, be abolished, to cease to exist; ∽е́ние destruction, annihilation; abolishment, abolition, suppression; annulment, cancellation; extermination; demolition; frustration (*надежд*) (*см.* уничтожать); ∽е́ние классов abolition of classes; ∽и́тель destroyer, abolisher; ∽и́тельный destructive; '∽и́ть(ся) *см.* уничтожать(ся).

уноси́ть to carry (take, bear) away (off); ∽ся to be carried away; to whirl away.

у́нтер-офице́р *ист.* non-commissioned officer, corporal.

унциа́льный uncial (*о шрифте*).

у́нция ounce (=*28,3 грамма, сокр.* oz).

уны|ва́ть to despond, lose heart; to be cast down, to be disheartened; не надо у.! never say die!; '⁓лость despondency, cheerlessness; '⁓лый despondent, low-spirited, spiritless, dejected, downcast; cheerless, dreary, gloomy, dismal (*о пейзаже и пр.*); '⁓ло despondently, cheerlessly; '⁓ние despondency, low spirits, dejection, gloom, melancholy; blue devils (*разг.*); впадать в ⁓ние to fall into despondency, to lose heart; приводить в ⁓ние to dishearten, dispirit, depress; быть в '⁓нии to mope, to be in the dumps (blues), to be out of heart.

уня́ть *см.* унимать.

упад|а́ть *см.* падать; '⁓ок decline, decadence, decay; ⁓ок духа depression, low spirits; ⁓ок сил weakness, collapse, break-down; приходить в ⁓ок to decay, fall into decay; '⁓очник decadent; '⁓очничество decadence; '⁓очный decadent.

упаков|а́ть to pack (up); '⁓ка packing; wrapping; ⁓очная бумага wrapping paper; '⁓щик packer; '⁓ывание *см.* упаковка; '⁓ывать to pack, pack up.

упари(ва)ть to steam, stew; to sweat (*лошадь*); ⁓ся to be stewed; to be in a sweat.

упас|а́ть, ⁓ти́ to preserve.

упа́сть *см.* падать.

упа́хивать to till, plough thoroughly.

упёк loss in baking.

упека́ть *см.* упечь; ⁓ся to lose in baking.

упере́ть *см.* упирать; *вульг.* to steal, hook, pinch.

упе́чь *фиг., разг.* to send; у. в тюрьму to put into prison, run in; to shop (*sl.*); у. под суд to bring to trial, to put on trial, to prosecute; у. туда, куда Макар телят не гонял to send to a very remote place (to Jericho, to the back of beyond).

упива́ться *фиг.* to drink in, revel (*in*) (*музыкой и пр.*); у. созерцанием чего-л. to feast one's eyes (to gloat) upon something.

упира́ть to set, place, fix, rest, lean (*against*); ⁓ся to be fixed, rest; to persist (*in*), resist, kick (*упрямиться*); to jib (*особ. о лошади*); to run (*into*) (*об улице*); ⁓ся глазами в кого-л. to stare at one.

упис|а́ть, '⁓ывать 1. to get in (in writing); 2. *разг.* to eat heartily; to tuck in (*sl.*).

упи́танный well-fed, fat, plump.

упи́ться *см.* упиваться.

упих|а́ть, '⁓ивать to push in.

уплат|а payment, paying; clearing (*в окончательный расчёт*); repayment, refundment, reimbursement (*возмещение расходов*); у. при предъявлении документов payment against documents; подлежащий ⁓е payable.

упла|ти́ть, '⁓чивать to pay; у. в рассрочку to pay by instalments; у. долг to pay (discharge, answer, meet) a debt; у. натурой to pay in kind; у. по векселям to meet one's bills; у. по счёту to settle one's account (reckoning); to foot the bill; to pay one's shot (*sl.*); у. сполна to pay off (up); ⁓ти́ться, '⁓чиваться to be paid.

упле|сти́, ⁓та́ть *фиг., разг. см.* уписывать 2.

уплотни|е́ние condensation, inspissation; у. рабочего дня filling up of the working day; ⁓йть, ⁓ять to condense, thicken, inspissate; ⁓ить жилплощадь to reduce living room (area); ⁓йться, ⁓яться to be condensed; to reduce one's floor space.

уплы|ва́ть, '⁓ть to swim away; to sail away (*о корабле*); to be spent quickly (*о деньгах*); to pass (slip) away, flee, elapse (*о времени*).

упова́|ние *уст.* hope; ⁓ть to hope, trust (*in*), repose (put) trust (*in*).

уподо́б|ить(ся) *см.* уподоблять (-ся); ⁓ле́ние comparison, likening, assimilation; ⁓ля́ть to liken, compare (*to*); to assimilate (*to, with*); ⁓ля́ться to assimilate (*to, with*); to be likened (*to*).

упо|е́ние rapture, ecstasy; у. победой flush of victory; быть в ⁓е́нии to be in rapture; ⁓ённый enraptured, transported; ⁓йтельный ravishing, transporting, delightful.

уполз|а́ть, ⁓ти́ to creep (crawl) away.

уполномо́ч|ение authorization; ⁓енный representative, delegate, mandatory, commissioner; proxy, authorized agent; ⁓и(ва)ть to authorize, empower; to invest with full power.

упомина́|е mention, mentioning; ничего стоящего ⁓я nothing to speak of.

упомина́ть to mention, make reference (*to*), make mention (*of*); у. вскользь mention in passing; ~ся to be mentioned.

упо́мнить *разг.* to remember, retain (in one's memory), to keep in mind.

упомя́нут‖ый: у. вы́ше above (previously) mentioned; '~ь *см.* упомина́ть.

упо́р rest, something to steady one's hands (feet) against; stretcher (*на дне ло́дки для ног гребца́*); де́лать у. to emphasize, stress; вы́стрелить в у. to fire point-blank; сказа́ть пря́мо в у. to tell something right in the face; смотре́ть в у. to stare (*at*); ~ность *см.* упо́рство; ~ный stubborn, obstinate, unyielding, tenacious, dogged, refractory; ~ная боле́знь obstinate (refractory) disease; ~ное сопротивле́ние stubborn (stolid, stout) resistance; ~но stubbornly, obstinately, insistently, persistently; ~но продолжа́ть де́лать to persevere in doing; ~ство stubbornness, obstinacy, tenacity, doggedness, persistence, refractoriness; ~ство в рабо́те steadiness at work; ~ствовать to persist (*in*), to be obstinate; ~ствовать в безнадёжном предприя́тии to throw good money after bad.

упорхну́ть to flutter (flit) away.

упоря́доч‖ение regulation; ~енный well-regulated; ~и(ва)ть to put in good order, to regulate.

употреби́тельн‖ость usualness; ~ый generally used, usual.

употреби́‖ть *см.* употребля́ть; я ~л на э́то два дня it took me two days.

употребле́ни‖е use, employment, usage, application; у. слов некста́ти malapropism; непра́вильное у. те́рмина misnomer; сде́лать хоро́шее у. из ч.-л. to put to a good use; вводи́ть в у. to bring into use; быть в ~и to be in use (in requisition); выходи́ть из ~я to get disused, to grow out of use, to fall into disuse; выходя́щий из ~я obsolescent; вы́шедший из ~я obsolete, disused, out of use; для вну́треннего ~я *мед.* for internal application.

употребля́‖ть to use, employ, apply, to make use (*of*); у. во зло to abuse, to turn to evil use, to make bad use (*of*); у. все уси́лия to do one's best; to exert every effort; to leave no stone unturned; у. соль to take salt; ~ться to be used, employed, to see serv-

ice (*о веща́х*); э́тот ме́тод ~ется все́ми this method is in common usage, in general use (is generally used).

упра́в‖а *уст.* justice (*суд*); городска́я у. *ист.* town council; иска́ть ~ы to seek justice; на него́ нет ~ы there is no keeping him in check; ~де́л *см.* управля́ющий дела́ми; ~дом жа́кта the manager of the Tenants' Co-operative Association; ~и́тель(ница) steward, bailiff; ~и́ться *см.* управля́ться.

управл‖е́ние government, management, administration, steering, steerage (*рулево́е*); stewardship (*име́нием*); board (*правле́ние*); *гр.* regimen; у. дела́ми managing department; дурно́е у. ill management, maladministration, misrule; под ~е́нием тако́го-то *муз.* under the conductorship, under the direction of.

управля́‖ть to govern, rule, bear rule, sway, manage, control; у. автомоби́лем to drive a car (automobile); у. госуда́рством to govern the State; у. дела́ми to manage (administer, conduct) the affairs; у. маши́ной to control (run, operate, work) a machine; у. орке́стром to conduct an orchestra (band); у. падежо́м *гр.* to govern a case; у. рулём to steer; у. собо́й to control (govern) oneself, to have self-command (self-control); у. судно́м to steer (navigate, run, direct the course of) a ship; у. фа́брикой to manage a factory; ~емый возду́шный шар dirigible (navigable, steerable) balloon; ~ться to be governed (managed, ruled, controlled); to manage, handle, get along (*справля́ться с како́й-л. рабо́той*).

управля́ющий manager, superintendent, director; steward, bailiff (*име́нием*); у. дела́ми business manager (*в торг. предприя́тии, на заво́де, в теа́тре*); head of office (*в госучрежде́нии*).

упражне́ни‖е exercise, practice; exercise (*зада́ние*); гимнасти́ческие ~я gymnastic exercises.

упражня́‖ть to exercise; ~ться to exercise oneself, to practise; ~ться на роя́ле to practise on the piano; я давно́ не ~лся I am out of practice.

упраздн‖е́ние abolition; ~и́ть, ~я́ть to abolish, annul.

упра́шива‖ние begging, entreaty; ~ть to beg, entreat, urge; *см. тж.* упроси́ть.

упрёк reproach; осыпать ~ами to heap (hurl) reproaches on.

упрек||а́ть, ~ну́ть to reproach, to cast (throw) in one's teeth; to upbraid.

упре́ть to be well stewed.

упроси́ть to obtain by begging, to coax (into); я не мог его у. I could not move him by my entreaties; см. тж. упрашивать.

упрости́ть см. упрощать.

упро́ч||ение strengthening, consolidation; ~и(ва)ть to strengthen, make firmer (durable); ~ивать положение to strengthen the position; ~и(ва)ться to strengthen, become firmer.

упрощ||а́ть to simplify; ~ённая орфография simplified spelling; ~а́ться to be simplified; ~е́ние simplification; ~е́нчество vulgarization.

упру́||гий elastic, springy, resilient; ~гое равновесие elastic equilibrium; ~го elastically; ~гость elasticity, resilience, spring; коэффициент ~гости техн. coefficient of elasticity; предел ~гости elastic limit; сила ~гости elastic force.

упру́житься to be springy.

упря́ж||ка team, set of draught animals; ~на́я лошадь draught horse, carriage-horse, harness--horse.

у́пряжь harness, gear.

упря́м||ец obstinate person, mule; ~иться to be obstinate, to persist; ~ица см. упрямец; ~ство obstinacy, stubbornness, mulishness; ~ый obstinate, stubborn, headstrong, wilful, self-willed, pig-headed, mulish; opinionated (от самоуверенности); ~ая лошадь intractable horse; факты ~ая вещь facts are stubborn things; ~о obstinately.

упря́т(ыв)ать to hide, conceal; у. в тюрьму́ to put (cast) into prison.

упу||ска́ть, ~сти́ть to let escape (go, slip), to omit; to overlook (не заметить); у. из виду to lose sight (of); фиг. to forget; у. удобный случай to miss an opportunity, to let the chance slip; ~щенная возможность a lost opportunity; a might-have-been; ~ще́ние omission, shortcoming due to negligence, neglect; это большое ~щение it is a serious omission.

упы́рь vampire.

упятер||и́ть, ~я́ть to quintuple, increase fivefold.

ура́! hurrah!; hurray!; huzza!; hip, hip, hurrah!; кричать у. to hurrah, to hurray, to huzza; у.-патриоти́зм jingoism.

уравн||е́ние levelling; мат. equation; у. в правах equalization of rights; у. первой степени simple equation; квадратное у. quadratic (equation); неопределённое у. indeterminate equation; ~ивание levelling, equalization; ~ивать to level, equalize, even, smooth; ~иловка levelling of wages; levelling system, equalitarianism; ликвидация ~иловки abolishment of wage levelling; ~итель leveller; техн. regulator; ~и́тельный levelling.

уравнове́||сить см. уравновешивать; ~шенность equilibrium; equability, steadiness, even temper; ~шенный (well-)balanced, equable, level, steady; ~шивание balancing, equilibration, counterpoising; физ. neutralization; ~шивать to balance, to put in equilibrium, poise, counterpoise; to counterbalance, countervail, neutralize (только физ.).

уравни́ть см. уравнивать.

урага́н hurricane, tornado; ~ный огонь tornado-fire.

уразуме́||ние understanding, comprehension; ~ть to understand; comprehend, apprehend.

Ура́л the Ural Mountains.

урал||и́т мин. uralite; ~о-алта́йские языки Ural-Altaic languages.

Ура́ло - Кузне́цкий комбина́т Ural-Kuznezk Combine.

ура́льский Uralian.

ура́н хим. uranium; У. астр. Uranus; ~и́т мин. uranite; ~овый хим. uranic.

урано||гра́фия uranography (описательная астрономия); ~ли́ты meteorites; ~ме́трия uranometry (измерение неба); ~пла́стика мед. uranoplastics; ~ско́п uranoscope.

урбани||за́ция urbanization; ~м urbanism.

урва́ть см. урывать.

у́рду Urdu, Hindustani (индийский язык).

урегули́рова||ние regulating, regularization; ~ть to regulate, regularize; to settle (вопрос).

уре́з||ать см. урезывать; ~ка abridg(e)ment; curtailment.

урезо́ни||вание bringing to reason; ~(ва)ть to bring to reason, persuade.

уре́з||ывание cutting down, curtailment, retrenchment; ~ывать to cut down, curtail, abridge, retrench, reduce; ~ывать себя в чём-либо to stint oneself in; ~ывать смету to cut down (curtail) estimates.

урёма strip of forest or brushwood along river-bank.

уреми‖ческий *мед.* urœmic; ~я urœmia.

уре́тр‖а *анат.* urethra; ~оско́п *мед.* urethroscope.

ури‖льник urinal; ~на urine.

у́рн‖а urn; у. с прахом cinerary urn; избирательная у. ballot-box; класть (прах) в ~у to inurn.

у́ров‖ень level (*тж.* инструмент); у. довоенного времени pre-war level; у. моря sea level; высокий у. культуры (образования) a high standard of culture (education); жизненный у. standard of living; культурно-политический у. cultural and political level; спиртовой у. spirit-level (*инструмент*); в у. с веком abreast the times; на одном ~не с чем-либо on a level with, at the same height with; flush with; выше (ниже) ~ня моря above (below) the sea level.

уро́д(ина) monster, ugly being, abortion.

уроди‖ть(ся) *см.* урождать(ся); пшеница ~лась there is a fine crop of wheat; груши нынче ~лись крупные pears run big this year; он ~лся в отца he takes (took) after his father.

уро́д‖ливость deformity; ugliness; ~ливый misshapen, deformed; ugly (*безобразный*); ~ливо uglily; ~ование disfigurement; defacement; mutilation; ~овать to disfigure, deform, deface, to make ugly; to mutilate (*калечить*); ~ство ugliness; defacement, disfigurement; deformity, malformation (*патологическое уклонение*).

урожа́й harvest, yield, crop; у. винограда vintage; большой у. big (rich, abundant) harvest; ~ность fruitfulness, productivity, yielding capacity; ~ный год fruitful year.

урож‖да́ться to be born; ~дённая née, born (*о девичьей фамилии*); ~е́нец, ~е́нка native (*of*); местный ~е́нец native, indigene.

уро́к lesson; task; наглядный у. object-lesson; давать ~и to teach; давать ~и алгебры to give lessons in algebra; пусть это будет для вас ~ом let it be a lesson to you.

урбло́г ur(in)ologist; ~ия ur(in)ology.

уроме́тр urometer.

уро́н loss, damage, harm; наносить у. to do damage.

урони́ть to drop; у. своё достоинство to degrade (lower, abase) oneself.

уротропи́н urotropin(e).

уро́чище natural limit; survey mark.

уро́чн‖ый: ~ая работа task-work; ~ое время fixed time.

Уругва́й Uruguay.

урча́‖ние rumbling in the intestines; collywobbles (*разг.*); ~ть to rumble.

урыв‖а́ть to snatch; у. минутку to snatch (contrive) a moment of leisure; ~ками by snatches, at odd moments, by fits and starts.

урю́к dried apricot.

уря́дник *ист.* village policeman; sergeant, non-commissioned Cossack officer (*в казачьих войсках*).

ус moustache (*человека*); whisker (*кошки и пр.*); antenna (*pl.* -ae), feeler (*насекомого*); tendril (*растения*); awn, beard (*колоса*); barb (*налима и пр.*); китовый ус whalebone, baleen; *комм.* whale-fin; он себе и в ус не дует he does not care a rap.

усади́ть *см.* усаживать.

уса́дка *техн.* settling.

уса́дьба country-house with outbuildings and garden, country-seat; homestead, farmstead (*крестьянина, фермера*).

уса́живать to seat, to make (one) sit down, to settle (down); to plant, set (*растениями*); ~ся to sit down, take a seat, seat(settle) oneself.

уса́тый with a long moustache, whiskered; ~ч man with a long moustache; barbel (*рыба*).

усв‖а́ивание adoption; assimilation; mastering, understanding; *см.* усваивать; ~а́ивать to adopt (*обычай, манеру и пр.*); to assimilate (*пищевое вещество*); to master, familiarize oneself (with), understand (*предмет*); ~ойющая способность assimilative faculty; ~о́ение, ~о́ить *см.* усваивание, усваивать; ~о́емость assimilability; comprehensibility, easiness (*лёгкая*).

усе́ивать to stud, bestud, dot, strew, bestrew.

усека́ть to cut off, truncate.

усёнок *арх.* arris, sharp edge, bevel edge.

усе́рд‖ие zeal, diligence; assiduity, sedulity; *см.* усердно; ~ный zealous, diligent, assiduous, sedulous, industrious; painstaking (*старательный*); ~ный работник hard (diligent, industrious) worker; ~но zealously, diligently (*прилежно*); assiduously (*усидчиво*); hard (*упорно*); ~ствовать to be zealous, to go at it hammer and tongs.

усе́сться *см.* усаживаться; ую́тно у. to ensconce oneself.

усе́ч‖ение cutting off, truncation; ~ённая пирамида *геом.* truncated pyramid; frustum of a pyramid (*с плоскостью сечения параллельной основанию*); ~ь *см.* усекать.

усе́я‖ть *см.* усеивать; море ~нное островами sea studded with islands; небо ~нное звёздами sky studded (spangled) with stars; поле ~нное овцами field dotted with sheep.

усид‖е́ть to keep one's seat; remain sitting; он не ~и́т минутки he can't keep still for one moment.

усидчив‖ость sedulity, assiduity; perseverance (*прилежание*); ~ый sedulous, assiduous, persevering.

у́сик *бот.* tendril; *зоол.* antenna (*pl.* -ae), feeler, horn (*у членистоногих*).

усил‖е́ние strengthening, intensification, heightening, reinforcement; aggravation, exacerbation (*боли и пр.*); у. классовой борьбы intensification of the class struggle; ~енный increased, strengthened; ~енная работа strenuous (hard) work; ~енная стройка intensified construction (building); ~енное питание high-caloric (generous, rich) diet; ~енные просьбы earnest (urgent) requests; ~енно intensely, strenuously, hard, to the best of one's ability.

усил‖ивать to strengthen, reinforce, intensify, heighten, increase, redouble; to aggravate, exacerbate (*боль*); у. внимание to pay more attention; у. нажим to increase pressure (*on*); у. работу to intensify the work; ~ваться to become stronger, to strengthen, intensify, heighten; to increase, redouble (*увеличиваться*); to exert oneself (*стараться*); эпидемия ~вается the epidemic is gaining ground; крик ~лся the clamour redoubled; революционное дви-

жение ~лось the revolutionary movement has spread (has gained ground); ~е effort, exertion, endeavour, struggle; pull, strain, stress (*напряжение*); *техн.* stress; прилагать ~я to take pains, exert oneself, strain, make efforts; тратить понапрасну ~я to waste energy, to flog a dead horse; ~тель *техн.* intensifier; ~ть(ся) *см.* усиливать(ся).

ускака́ть to gallop away.

ускольз‖а́ть, ~ну́ть to slip off (away), escape; to give one the slip (*от к.-л.*); у. от внимания to escape (to slip) one's attention; от вас ничего не ~а́ет nothing escapes you; этот факт ~ну́л из моего внимания it has slipped my attention.

ускор‖е́ние acceleration; hastening; ~итель *хим.* accelerator; ~ительный accelerative.

ускор‖ить, ~я́ть to accelerate, quicken, hasten, precipitate; у. дело to expedite (dispatch) an affair; у. событие to precipitate an event; у. шаги to mend one's pace; ~енный поезд fast train; ~енное движение accelerated motion; ~иться, ~я́ться to quicken, to be accelerated.

усла́вливаться *см.* условиться.

усла‖да delight, pleasure, joy; ~ди́тельный delightful, sweet; ~ди́ть, ~жда́ть to delight, give delight (*to*); to regale, charm; ~ди́ться, ~жда́ться to delight (rejoice) (*in*), regale (*on*); ~жде́ние delight, pleasure, charm.

усласти́ть to sweeten.

усла́ть *см.* усылать.

услаща́ть *см.* усластить.

уследи́ть to follow; я не ~л за его аргументацией I lost the thread of his argument.

усло́ви‖е condition; stipulation, understanding (*между лицами*); proviso, clause (*как пункт в договоре и пр.*); ставить ~ем to stipulate, to condition; с ~ем, при ~и, что... on condition that..., provided, providing; по ~ю according to agreement; ~я договора the terms of the treaty; ~я жизни living conditions, circumstances (conditions) of life; ~я найма conditions of hire; ~я труда labour conditions; ставить ~я to make conditions; на таких ~ях on such terms; ни при каких ~ях under no circumstances; при благоприятных ~ях under favourable conditions; при данных ~ях under existing conditions; при прочих равных ~ях other things being equal.

услóв‖иться to agree, arrange, make arrangements, settle; у. заранее to agree beforehand, preconcert; у. о цене to settle the price; ~ленный agreed upon, fixed, stipulated.

услóвн‖ость conditionality, convention; см. условный; ~ый conditional, provisory (обусловленный); conventional (принятый); ~ый приговор nominal sentence; ~ое наказание suspended sentence; ~ое наклонение гр. conditional (mood); ~ое оправдание conditional discharge; release on probation; ~ое предложение гр. conditional sentence; ~ые знаки conventional signs, symbols; ~о conditionally и пр.

усложн‖éние complication; ~ить, ~ять to complicate; дело ~яется things become complicated.

услýг‖а service, good turn, good office; плохая у. ill turn, ill office, disservice; у. за ~у one good turn deserves another; оказать ~у to render (do) one a service, to do one a good turn; оказать медвежью ~у to do one a disservice (an ill turn); коммунальные ~и communal service; предложить свои ~и to come forward, to offer one's assistance; к вашим ~ам at your service, at your disposal, yours to command; меблированная квартира с ~ами furnished apartments (rooms) with attendance; service flat.

услуж‖éние service; в ~ении in service; '~ивание rendering a service; '~ивать, ~ить to render (do) one a service, tó do one a good turn; '~ливость obligingness, complaisance; '~ливый obliging, complaisant; '~ливо obligingly.

услы́шать to hear; нас услышат we shall be overheard.

усматривать to discern, see, find.

усме‖хáться to ~хнýться to smile (at); он криво ~хнýлся he made a wry face; '~шка sneer.

усмир‖éние appeasing, pacification; suppression, putting down (бунта); ~ѝтель(ница) appeaser; suppressor; ~ить, ~ять to appease, pacify (гнев); to suppress, put down (бунт).

усмотрéние предоставлять на чье-л. у. to leave to one's discretion; по вашему ~ю at your discretion; (действовать) по своему ~ю

(to act according) to one's own judg(e)ment, at one's discretion.

усмотрéть см. усматривать; за всем не у. one cannot attend to everything; они ~ли в этом злой умысел they thought it was done with evil intent (designedly).

усна‖стить, ~щáть to garnish, interlard, lard (словечками и пр.).

уснýть to fall asleep.

усóбица уст. dissension.

усоверш‖éнствова‖ние improvement; ~нный improved, perfected; ~тель improver; ~ть to improve, perfect; ~ться to improve (perfect) oneself; to be improved (perfected).

усóве‖стить, ~щивать to admonish, exhort, to appeal to one's conscience.

усомнѝться to doubt, to feel doubt (about); to have misgivings (опасаться).

усонóгие зоол. cirripedia, cirripedes.

усóхнуть см. усыхать.

успе‖вáть to have time, to be able; to make progress, improve (в науках); to be successful, to obtain good results, to succeed (в деле); прежде, чем вы '~ете сказать одно слово before you can (have time to) say a word; не '~ешь оглянуться, как... before you can say Jack Robinson...

успéть см. успевать.

успé‖х success; improvement, progress, advance; книга имеющая большой у. a good seller (разг.); пьеса имела у. the play was a success; добиться ~ха to win success, to come off with flying colours; желать кому-либо ~ха to wish (bid) one good luck (good speed, god-speed); новый роман не имел ~ха the new novel proved a failure; пользоваться ~хом to be popular; делать ~хи to make progress, improve, advance; ~шный successful; ~шный ученик good pupil; ~шно successfully; план выполнен ~шно plan fulfilled successfully.

успок‖áивать to calm, quiet, still, appease, soothe, lull; to reassure, set at rest (ease) (разогнать сомнения); у. боль to assuage (allay, soothe, mitigate) pain; у. ребёнка to still (soothe, lull) a child; у. совесть to soothe (salve) one's conscience; это его ~óило it set his mind at rest, it reassured him; ~áиваться to calm, quiet down, become quiet, to be appeased (soothed), compose oneself; ~о́йтесь! make your mind easy!; compose yourself!; ~о́вние calming, quieting. appeasing, soothing, assuagement (*действие*); pea_.e, quiet, calm (*мир*); ~ойтельный soothing, restful, reassuring; ~ойтельное средство calmative; ~ойтельно soothingly; reassuringly.

успоко́ить см. успокаивать.

УССР the USSR *см.* Украинская Советская Социалистическая Республика.

уста́ mouth; из уст в у. from mouth to mouth (from lip to lip).

уста́в (code of) regulations, statutes, rules; у. партии party statute(s); военно-морско́й у. Articles of war; примерный у. с.-х. артели model regulations of the agricultural artel (kolkhoz); таможенный у. customs statutes.

уста||ва́ть to get tired, to tire (*от ч.-л. — of*); я о́чень ~ю I'm very tired; он бы́стро ~ёт he soon tires.

устав||ить, ~лять to set, fill, cover; стол был ~лен цветами the table was covered with flowers; ~ить глаза (*на*), ~иться, ~ля́ться (*на*) to stare (*at*), to fix one's eyes (*on*).

уста́л||ость fatigue; weariness, lassitude; languor (*апатия*); ~ый tired, weary, fatigued, worn out; languid (*апатичный*); ~о wearily, languidly.

у́сталь: без ~и untiringly, unceasingly.

устана́вливание см. установка, установление.

устан||а́вливать, ~ови́ть to set, put, place (*ставить*); to mount (*машину*); to establish (*порядок, факт*); to determine, fix, settle (*определять*); to ascertain, find out (*выяснять*); у. в ряд to range, to arrange in a line (row); у. орудия to mount the guns; ~а́вливаться, ~ови́ться to be set (established, fixed, ascertained); зима ~ови́лась winter has set in; погода ~ови́лась the weather has settled; его́ взгля́ды не ~ови́лись his ideas are unsettled; ~о́вка setting, placing; mounting (*машины*); *техн.* plant; aim, purpose, tendency (*целевая*); силовая ~овка power-plant; дать ~о́вку to give indications; име́ть ~о́вку на ч.-л. to aim at...; полити́ческие ~о́вки пятиле́тки the political setting of the 5 Year Plan; ~овле́ние deter-

mining, fixing, ascertainment (*действие*); establishment, institution (*учреждение*); statute, law (*закон*); ~овле́ние отцо́вства *юр.* affiliation; ~о́вленный поря́док (*факт*) established order (fact); ~о́вленного разме́ра of standard size, of the regulation size; ~о́вленная ско́рость regulation speed; ~о́вленная фо́рма set form; ~овля́ть см. устана́вливать.

устаре́||лость obsoleteness, obsolescence; the quality of being antiquated *or* out of use; ~лый obsolete, archaic, antiquated, out of date; moth-eaten, worm-eaten (*фиг.*); ~лое сло́во archaism, obsolete word; ~ть to become obsolete (archaic).

уста́||ть *см.* уставать; я ~л ждать I am tired (weary) of waiting; моя́ спина́ ~ла от.рабо́ты my back is (was) tired with the work; the work tires my back.

устере||га́ть, ~чь to succeed in watching (protecting from, guarding against).

уст||ила́ние paving, strewing, covering; ~(и)ла́ть to cover, pave, strew, bestrew, spread; ~ила́ть ковро́м to carpet; ~(и)ла́ться to be covered (paved, strewn).

у́стн||ый oral, viva voce; nuncupative (*о завещании*); ~о orally, viva voce, by word of mouth.

усто́||й *стр.* abutment; *фиг.* basis (*pl.* bases); нра́вственные ~и moral principles.

усто́йчив||ость steadiness, stability, firmness; ~ый steady, firm, stable, four-square; ~ая валю́та stable currency; ~ая пого́да settled (constant) weather; ~ое равнове́сие stable equilibrium; ~ые це́ны firm prices; де́лать ~ым to steady, stabilize; ~о steadily, firmly.

усто́ять to resist, hold out (*against*); to withstand; у. на нога́х to keep one's feet; у. про́тив искуше́ния to resist the temptation; ~ся to cream, to gather (*о молоке*); to settle, to precipitate (*о жидкости*).

устра́ива||ть to arrange, make; to make arrangements (*for*), organize (*праздник и пр.*); to get up (*концерт и пр.*); to construct (*сооружить*); to place, settle, establish (*на слу́жбу и пр.*); у. свои́ дела́ to settle one's affairs; у. сце́ну *фиг.* to make a scene; э́то меня́ не ~ет it does not suit me, it is inconvenient to me; it does not meet my requirements (*это мне не подходит*); ~**ться** to be arranged (made, organized); to settle (oneself).

устран‖**е́ние** removal, removing, setting aside, elimination; ~**и́ть**, ~**я́ть** to remove, put (set) aside; to smooth away, remove (*препятствие*); ~**я́ться**, ~**я́ться** to be removed; to withdraw, stand aside, keep (*from*) (*держа́ться вдали́*).

устраш‖**а́ть** to intimidate, daunt, frighten, scare; ~**а́ющий** formidable, redoubtable; ~**е́ние** intimidation, frightening, terrorizing; ~**и́ть** *см.* устраша́ть.

устрем‖**и́ть(ся)** *см.* устремля́ть(ся); ~**ле́ние** onrush, rush; directing, tendency, striving; ~**ля́ть** to direct, turn, fix (*внима́ние, взгляд*); ~**ля́ть** все усилия на выполнение хлебозагото́вок to exert every effort to effect grain collection; ~**ля́ться** to be directed (*о взгля́де и пр.*); to rush (*на врага́ и пр.*); орёл ~**и́лся** вниз the eagle swooped down.

у́стри‖**ца** oyster; ~**цево́дство** ostreiculture, oyster-culture; ~**цевые** *зоол.* ostracea; ~**цело́в** oyster-catcher (*пти́ца*); ~**чный** заво́д oyster-park (-farm).

устро‖**и́тель** organizer; '~**и́ть(ся)** *см.* устра́ивать(ся); ~**иться** на рабо́ту to get a job; ~**иться** на слу́жбу to obtain a post (situation); '~**йство** arrangement, organization; ~**йство** маши́ны (working) principle of a machine.

усту́п shelf, ledge (*в скале́ и пр.*); terrace (*горы*).

уступ‖**а́ть** to yield, give in, submit (*поддава́ться*); to give up, resign (*отдава́ть*); to cede (*террито́рию*); to bate, abate, take off (*в цене́*); у. давле́нию to yield to pressure; у. доро́гу to make way (*for*); to let one pass; у. ме́сто to give place; у. па́льму пе́рвенства to yield the palm (*to*); не у. to hold one's own; ~**и́тельный** *гр.* concessive; ~**и́ть** *см.* уступа́ть; в э́том вопро́се я не могу́ ~**и́ть** in that matter I cannot give in; он ~**и́л** мне бри́тву за 5 рубле́й he let me have the razor for 5 roubles; он ~**и́л** мне на не́сколько дней свою́ кни́гу he lent me his book for a few days; он никому́ не '~**и́т** в э́том отноше́нии he yields (is second) to none in this respect; '~**ка** concession; cession (*террито́рии*); deduction, abatement, discount (*в цене́*); взаим-

ная ~**ка** mutual concession, give-and-take; де́лать '~**ки** to compromise (*with*), to meet half-way; '~**чивость** compliance, pliability, pliancy, complaisance; '~**чивый** yielding, submissive, compliant; '~**чиво** yieldingly, compliantly.

усты́ди́ться to be (become) ashamed (*of*).

у́стье mouth, embouchure, outfall, issue (*реки́*); estuary (*покрыва́емое прили́вом*); opening, mouth, aperture, orifice (*отве́рстие*); у. ша́хты the mouth of a shaft.

усугуб‖**и́ть(ся)** *см.* усугубля́ть (-ся); ~**ле́ние** aggravation, redoubling; ~**ля́ть** to redouble (*уси́ливать*); to aggravate, make worse (*уху́дшать*); ~**ля́ться** to be aggravated.

усу́шка shrinkage, loss in drying.

ус‖**ы́** moustache; *см.* ус; по ~**а́м** текло́, а в рот не попа́ло *погов.* ≅ between the hand and the lip a morsel may slip; there's many a slip 'twixt the cup and the lip.

усыла́ть to send away; ~**ся** to be sent away.

усынов‖**и́тель(ница)** adopter; ~**и́ть(ся)** *см.* усыновля́ть(ся); ~**ле́ние** adoption, affiliation; ~**ля́ть** to adopt, affiliate; ~**ля́ться** to be adopted.

усыпа́льница *уст.* tomb, sepulchre, burial-vault, repository.

усып‖**а́ние** strewing; ~**а́ть**, '~**ать** to strew, bestrew (*цвета́ми и пр.*); to bespangle, stud (*звёздами*); ~**а́ться** to be strewn.

усып‖**и́тельный** drowsy, soporific, slumberous; ~**и́тельное сре́дство** sleeping-draught; ~**и́ть** *см.* усыпля́ть; ~**ле́ние** lulling to sleep (*убаю́кивание*); hypnotization (*внуше́нием*); ~**ля́ть** to lull, to get to sleep, to make drowsy; to narcotize (*нарко́тином*); to hypnotize (*внуше́нием*); ~**ля́ть** внима́ние to put one off one's guard; ~**ля́ть** подозре́ние to lull one's suspicion; ~**ля́ть** чте́нием to read one to sleep.

усыха‖**ние** drying, shrinking; ~**ть** to dry, shrink.

ута‖**ивание** concealment, suppression; ~**ивать** to conceal, hide, keep secret, suppress; ~**иваться** to be concealed, to hide oneself; ~**и́ть(ся)** *см.* ута́ивать(ся); ~**йка** concealment; без ~**йки** frankly, unreservedly.

ута́пт‖**ывание** treading, trampling; ~**ть** to tread (trample) down, beat.

утя́||скивать, ~щи́ть to drag away, to carry off; to steal, to hook (*sl.*) (*своровать*).

у́тварь utensil(s), implements; дома́шняя у. household stuff (utensils); церко́вная у. church plate.

утверди́тельн||ый affirmative; ~о affirmatively; отве́тить ~о to answer in the affirmative.

утверди́||ть *см.* утвержда́ть 2 *и* 3; э́то ~ло меня́ в моём мне́нии it confirmed me in my opinion; ~ть||ся *см.* утвержда́ться 1 *и* 2.

утвержд||а́ть 1. to affirm, assert, maintain; кля́твенно у. to asseverate; он ~а́ет, что он неви́нен he will have it (he insists) that he is innocent; 2. to confirm, corroborate, sanction, approve (*реше́ние и пр.*); to ratify (*догово́р*); to prove (*завеща́ние*); 3. to strengthen, consolidate (*укрепи́ть*); ~а́ть||ся 1. to be affirmed; to be confirmed; 2. to strengthen oneself; to become consolidated.

утвержде́ние affirmation, assertion, statement; confirmation; approval (*реше́ния*); ratification (*догово́ра*); probate (*завеща́ния*); strengthening, consolidation; *см.* утвержда́ть; кля́твенное у. asseveration; противополо́жное у. *лог.* converse.

утёк: пусти́ться на у. *разг.* to take to one's heels, to turn tail, to cut and run.

утека́ть to flow away; to flow (*from*); to run, to escape, slip away.

утёнок duckling.

утере́ть *см.* утира́ть.

утерпе́||ть to succeed in refraining (restraining oneself) (*from*); я не ~л, что́бы не сказа́ть I could not forbear (refrain from) saying, I could not but say, I could not help saying.

утеря́ть to lose; to forfeit (*пра́во, уваже́ние*); у. госпо́дство положе́ния to lose one's grip of the situation.

утёс rock, crag, cliff; ~истый rocky, craggy.

утесня́ть *см.* притесня́ть.

утёсывать to hew, to reduce by hewing.

уте́ха joy, delight, pleasure, comfort, solace.

уте́ч||ка leakage; ullage (*в бо́чке*); ~ь *см.* утека́ть.

утеш||а́ть to comfort, console, solace, cheer up; ~а́ться to be comforted (consoled), to take comfort, solace oneself, cheer up; ~е́ние consolation, comfort, solace, relief; ~и́тель(ница) comforter, consoler; ~и́тельность consolatory import; consolation; ~и́тельный consolatory, comforting, consoling; encouraging; ~и́тельно *а.* comforting; '~ить(ся) *см.* утеша́ть(ся).

утил||иза́ция utilization; ~изи́ровать to utilize; ~итари́зм utilitarianism; ~итари́ст utilitarian; ~ита́рный utilitarian; '~ь utilizable refuse (scrap).

утин||ый duck's; ~ое перо́ duck's feather.

утира́||льник towel; ~ние wiping.

утир||а́ть to wipe; у. нос to wipe one's nose; у. кому́-л. нос *фиг.* to put one out of countenance, to snob one; у. пот с лица́ to wipe sweat from (to mop) one's brow; ~а́ться to wipe oneself; '~ка wiping.

утих||а́ние abatement, subsidence, dying away; ~а́ть, '~нуть to abate (*о бо́ли, эпиде́мии*); to subside (*о бу́ре, возбужде́нии*); to fall (*о ве́тре*); to fall quiet, die away, quiet down; *см.* затиха́ть; бу́ря ~а́ет the storm abates; ве́тер ~а́ет the wind falls; шум ути́х the noise died away (down).

утихоми́ри(ва)ть to calm, appease, pacify; ~ся to become quiet; to be becalmed, to have sown one's wild oats (*перебеси́ться*).

утиш||а́ть, '~и́ть to calm, quiet, still; to soothe, allay, alleviate (*боль*).

у́тка duck; *фиг.* canard (*слух*); дика́я у. wild duck, mallard, teal; у.-ко́ксун shoveller.

утка́ть to weave into a pattern, to weave a pattern into.

уткну́ть: у. нос в кни́гу to pore over a book; ~ся голово́й в поду́шку to bury one's head in one's pillow.

утконо́с *зоол.* duckbill, platypus.

у́тлый *уст.*, *поэт.* old, full of holes, unreliable.

уто́к weft, woof.

утол||е́ние slaking, quenching (*жа́жды*); satisfaction, assuagement (*го́лода*); alleviation, allaying (*бо́ли*); ~и́ть *см.* утоля́ть.

утол||сти́ть(ся), ~ща́ть(ся) to thicken; ~ще́ние thickening; thicker part.

утоли́ть to slake, slack, quench (*жа́жду*); to satisfy (*го́лод*); to alleviate, allay, assuage, lull, soothe (*боль*); ~ся to be slaked.

утоми́тельн‖ость tiresomeness; ~ый tiresome, wearisome, toilsome, fatiguing, irksome; ~ая работа hard (exhausting) work; ~о tiresomely и пр.

утом‖и́ть(ся) см. утомлять(ся); ~ле́ние fatigue, weariness, lassitude; tedium (*моральное*); ~ление металлов *техн.* the fatigue of metals; ~лённый tired, weary, (toil-)worn; ~ли́ть to tire, fatigue, weary: мелкая печать ~ля́ет мои глаза small print tires my eyes; ~ля́ться to be tired (fatigued); to tire oneself; ~ляться работой to work hard (to exhaustion).

утону́‖ть см. утопать; он ~л купаясь he was drowned while bathing.

утонч‖а́ть to thin, make thinner; to refine, subtilize; ~а́ться to thin, grow thinner; to become refined (*делаться лучше, изящнее и пр.*); ~аться к концу to thin down, taper; ~е́ние thinning, refining; ~ённость refinement, subtlety; ~ённый refined, subtle, fine; ~ённая жестокость a refinement of cruelty; ~ённое удовольствие exquisite pleasure; ~и́ть(ся) см. утончать(ся).

утопа́ть to be drowned; to founder, sink (*о судне*); у. в богатстве to wallow in money; у. в зелени to be buried in verdure; у. в крови to welter in blood; у. в роскоши to roll in luxury.

утопи́‖зм utopism, utopianism; ~ст utopian, utopist; ~ческий utopian.

утопи́ть to drown.

уто́пия Utopia.

утопл‖е́ние drowning; '~енник ('~енница) drowned man (woman).

утопта́ть см. утаптывать.

уточн‖е́ние making more precise; ~и́ть, ~я́ть to make more precise (exact), to define more accurately.

утра́ивать(ся) to treble.

утрамбов‖а́ть to ram; '~ка, '~ывание ramming; '~ывать to ram.

утра́‖та loss; у. трудоспособности disablement; понести ~ту to suffer a loss; ~тить(ся) см. утрачивать(ся); ~чивание loss, losing; ~чивать to lose; ~чивать права to forfeit one's rights; ~чиваться to be lost.

у́тренн‖ий morning (*attr.*), matutinal; ~яя звезда morning star, Lucifer; ~ик *театр.* morning performance, matinée; morning frost (*мороз*); детский ~ик children's matinée.

утри́ров‖ание overdoing, exaggeration; ~ать to overdo, exaggerate, to carry to excess; '~ка overdoing, exaggeration.

у́тр‖о morning, forenoon; morn (*поэт.*); у. вечера мудренее *погов.* to take counsel of one's pillow; to sleep on (over, upon) a question; в 9 часов ~á at nine o'clock in the morning, at 9 a. m. (ante meridiem); по ~áм in the morning; с добрым ~ом! good morning!

утро́б‖а maw, belly (*желудок*); womb; у. матери mother's womb; ~ный uterine; ~ный плод foetus.

утро‖е́ние trebling, triplication; '~енный treble, threefold, triple, three times as great; '~ить(ся) см. утраивать(ся).

у́тром in the morning.

утружд‖а́ть to trouble, inconvenience; ~ся to take trouble, to trouble oneself.

утряс‖а́ть, ~ти́ to shake down; ~а́ться, ~ти́сь to be shaken down.

утучне́ние enrichment, fertilization.

утучн‖и́ть, ~я́ть to enrich, fatten, fertilize.

утыка́ть to stick, set (*колышками и пр.*).

утю́‖г iron, flat-iron, smoothing-iron; портновский у. goose; ~же́ние ironing; ~жить to iron; ~житься to be ironed; ~жка 1. ironing; 2. pad *or* piece of cloth for handling hot irons.

утя́гивать to bind (tie, cord) strongly.

утяну́ть *вульг.* to steal, filch, pilfer (*украсть*).

Уфа́ Ufa.

ух! oh!, ah!

уха́ fish-soup.

уха́б, ~ина hole (in a road); rut (*колея*); ~ы ups and downs; humps and bumps; ~истый full of holes, rough, rutty, uneven; ~истая дорога rutty (uneven) road.

ухажёр *вульг. см.* ухаживатель.

ухажива‖ние nursing, tending; courtship, wooing, love-making, love-suit, addresses, attentions; ~тель suitor, wooer, lover, admirer, follower; ~ть to tend, nurse, to take care (*of*), to look after (*за больным, ребёнком*); to court, woo, make love (*to*), pay one's addresses (*to*), to pay (make) court (*to*), to pursue with attentions (*за женщиной*); to humour (please, gratify) one (*обхаживать кого-либо*).

ухар||ский daring; ~ство dashing behaviour; ~ь daring fellow, jolly blade, dare-devil.

ухват oven-fork (*for placing pots etc. into the oven*); ~ить(ся) *см.*

ухватывать(ся); ~ка way, manner, trick; ~ывать(ся) to catch (lay) hold (*of*), grip, grasp; ~иться за случай to seize an opportunity; он ~ился за моё предложение he snatched (jumped) at my proposal.

ухитр||иться, ~яться to contrive, manage, make (a) shift.

ухищрени||е shift, device, dodge, contrivance, artifice; он был принуждён прибегать ко всяким ~ям he was reduced to desperate shifts.

ухищр||ённый artful, cunning; ~яться *см.* ухитряться.

ухлоп(ыв)ать *разг.* to kill, murder (*человека*); to spend, waste, squander (*деньги*).

ухмыл||ьнуться, ~яться to grin, smile, smirk, simper.

ухну||ть *разг.* to break (the news) abruptly; to tumble (throw) down with great effort; to lose (money) at one stroke; он ~л сразу всё состояние he lost the whole of his property at one stroke; ~ться to fall (tumble) down.

ухо ear; наружное у. auricle; среднее у. middle ear; тугой на у. hard of hearing; в одно у. вошло, в другое вышло *погов.* it goes in at one ear, and out at the other; держи у. востро be on the alert!; шептать на́ у. to whisper in one's ear; воспаление среднего уха otitis; он и ~м не ведёт *фиг.* he does not care a rap; уши вянут его слушать he talks through his hat; резать уши *фиг.* to jar (grate) upon one's ears; он влюблён по́ уши he is in love over head and ears (head over heels in love); прожужжать уши to din (drum) in(to) one's ears; у меня болят уши I have ear-ache; он пропустил это мимо уше́й he did not pay attention to it; he turned a deaf ear to it; с обрезанными уша́ми crop-eared.

уховёртка *зоол.* earwig.

уход 1. departure, going away (out, off), leaving, starting; *театр.* exit; 2. care, tendance, nursing (*за больным и пр.*); у. за машиной care of a machine; у. с долж-

ности resignation, retiring from office; это растение нуждается в ~e this plant needs care.

уход||ить I. to go away (off), walk away (off), depart, leave, to be gone, retire, to be off, to take oneself off, to make room; у. в нору to take earth, to run to earth (*о лисице*); у. в себя to retire (to shrink) into oneself; у. не прощаясь to slip away, to take French leave; время '~ит time passes; ~ит, '~ят (*сценическая ремарка*) exit, exeunt (*лат.*).

уходить II. *разг.* to tire to death, to wear out, to exhaust, consume; to kill; ~ся to calm down, to exhaust one's anger.

ухудш||ать to make worse, deteriorate; ~аться to become worse, to deteriorate; положение '~илось the situation has become worse; ~ение change for the worse, deterioration; '~ить(ся) *см.* ухудшать(ся).

уцелеть to survive, come off unhurt, remain uninjured, to be left whole, to escape destruction.

уцеп||иться, ~ляться to catch hold (*of*), seize, grip (*on*), grasp (*at*), clutch (*at*); ~иться обеими руками за предложение to grasp at a proposal.

участвова||ть to take part (*in*), to participate (*in*), to have a share (hand) (*in*), to be a party (*to*), to partake (*in*); to be involved (*in*) (*быть замешанным*); у. в конференции по разоружению to take part in the Disarmament Conference; у. на равных правах to share alike; я ~л в расходах I took (bore) my share of the expenses; он в этом не ~л he took no part (had no hand) in it.

участи||е share, sharing, part, participation, partnership; complicity (*в преступлении*); sympathy, interest, concern (*сочувствие*); у. в прибыли profit-sharing; labour copartnership (*рабочих частного предприятия*); у. всего населения participation of the entire population; принимать у. *см.* участвовать; to take interest (*in*), sympathize (*with*), to concern oneself (*about, for*) (*сочувствовать*); при ~и with the assistance (*of*).

участить(ся) *см.* учащать(ся).

участковый district (*attr.*).

участлив||ость sympathy, solicitude, compassion; ~ый sympathetic, solicitous, compassionate; ~о sympathetically.

учáстни||к, ~ца participator, participant, partner, sharer, party; copartner (*сотоварищества*); competitor (*состязания*); member (*съезда*).

учáст||ок part, portion, section (*часть*); tract of land; plot, strip (piece, parcel) of land (*небольшой*); allotment (*для сдачи в аренду*); region, district (*область, район*); beat (*милиционера*); *ист.* police--station; жаркий у. битвы warm (hot) corner of the fight; дробить на ~ки to parcel out.

ýчасть lot, portion, destiny, fate.

учащ||áть to make more frequent, to increase the frequency (*о/*), to thicken; **~áться** to become more frequent; **~éние** increase of frequency.

учáщий a teacher; **~ся** a student, pupil.

учёб||а *разг.* studies, studying; послать на ~у to send for a course of study.

учéбн||ик text-book, manual; school-book, class-book (*школьн.*); primer (*начальный*); **~ый курс** course of studies; **~ый плац** *военн.* practice-ground, drill-ground; **~ая стрельба** artillery (rifle) practice; **~ая часть** educational section; **~ое время** school-hours; term (*противоп. вакациям*); **~ое заведение** educational institution; военно-~ое заведение military school; **~ое судно** training-ship; **~ые книги** school-books; **~ые пособия** school appliances; school equipment (*оборудование лаборат. и пр.*); **~ые часы** school-hours (-time).

учéни||е teaching, instruction, tuition (*об учителе*); learning, studying (*на производстве*); apprenticeship (*на производстве*); doctrine, tenet (*секты и пр.*); science (*наука*); *военн.* drill, exercise, practice; у. Мáркса—Энгельса—Ленина—Сталина the doctrine of Marx—Engels—Lenin—Stalin; революциóнное у. revolutionary doctrine; отдавáть в у. мáстеру to apprentice; производить у. *военн.* to exercise; **~к, ~ца** pupil; disciple (*последователь*); apprentice (*подмастерье*); **~к, прогуля́вший** школьные часы truant; живущий **~к** boarder; приходящий **~к** day--boy, day-boarder; мы **~кú** Ленина we are disciples of Lenin; **~ческий** pupillary; **~ческая рабóта** pupil's work; **~чество** apprenticeship, pupillage.

учён||ость learning, erudition; ложная у. sciolism; **~ый 1. а.** scientific, learned, erudite, scholarly, academic; **~ый секретáрь** scientific secretary; **~ое общество** scientific society; **2. s.** a man of learning, learned person; scientist, savant (*особ. по точным наукам*); scholar (*особ. филолог-классик*); **~ые** learned people, scientists; **~о** scientifically, learnedly.

учёнь||е *см.* учение; без **~я** нет уменья *посл.* practice makes perfect.

учéсть *см.* учитывать.

учёт calculation; accounting; discount (*векселя*); registration (*на бирже труда и пр.*); у. стóимости cost accounting; у. товáра stock-taking; производить у. товáра to take stock; стать на у. to register oneself; снять с **~а** to strike one off the register; это не поддаётся **~у** it is beyond all calculation, it is above all accounting.

учетвер||ённый quadruple, quadruplicate; **~úть, ~úть** to quadruple, quadruplicate; **~úться, ~úться** to be quadrupled.

учётн||ый: у. банк discount company (bank); у. процент rate of discount; **~ая карточка** registration card.

училище school, college; ремесленное у. industrial school.

учин||éние making, causing, doing; perpetration; **~úть, ~úть** to make, cause, do; to commit, perpetrate (*преступление*).

учитель teacher, master; tutor (*особ. домашний*); schoolmaster (*школьный*); у. музыки music-master; у. пения singing master, teacher of singing; у. танцев dancing master; **~ница** teacher, mistress; schoolmistress (*школьная*); tutoress (*домашняя*); **~ская s.** common-room; **~ский** magistral, tutorial; **~ское собрáние** teachers' conference; **~ство** duties of a teacher; *соб.* teachers, schoolmasters; **~ствовать** to be a teacher.

учитыва||ние taking into account; discounting (*векселя*); **~ть** to take into account (consideration); to discount (*вексель*); **~ть** обстоятельства to take circumstances into consideration.

учú||ть to teach, instruct, train (*кого-л.*); to learn, con, study (*урок и пр.*); to drill (*солдат*); она ýчит меня музыке she teaches me music; **~ться** to learn; **~ться**

портновскому делу to be apprenticed to a tailor; усердно ~ться to grind, study hard; to swot (шк. sl.); он никогда не ~лся в школе he has never been to school.

учраспрёд registration and distribution section.

учреди́тель, ~ница founder, institutor, constitutor; ~ное собрание ист. Constituent Assembly.

учре||ди́ть, ~жда́ть to set up, establish, start, found; ~ди́ться, ~жда́ться to be set up и пр.; ~жде́ние establishment, institution; institute (научное).

учти́в||ость politeness, courtesy; ~ый polite, courteous; ~о politely, courteously.

учу́ять to scent, feel; to suspect, smell a rat (заподозрить).

уша́н зоол. long-eared bat.

уша́стый long-eared.

уша́т kid, small tub.

ушестер||и́ть, ~я́ть to sextuple, sextuplicate, to increase sixfold.

уши́б bruise; injury; мед. contusion; ~а́ние bruising; ~а́ть, ~и́ть to bruise; hurt; мед. to contuse; ~а́ться, ~и́ться to bruise (hurt) oneself.

уши||ва́ние taking in; ~ва́ть to take in; '~вка taking in; '~ть to take in.

уши́р||и́ть(ся), ~я́ть(ся) to broaden, widen.

ушк||о́ small ear; lug (котла и пр.); eye (иголки); handle (ручка); tab, tag (матерчатое, кожаное); '~и на макушке all ears; у него ~и на макушке he is all ears.

ушку́й ист. Russian pirates' boat; ~ник Russian river pirate.

ушн||о́й aural; ~а́я боль ear-ache; ~а́я область parotic region; ~а́я раковина анат. cochlea; ~а́я сера ear-wax; врач по ~ым болезням aurist, aural surgeon.

уще́лье gorge, ravine, clough, pass; canyon (особ. амер.).

ущем||и́ть см. ущемлять; у. палец to jam one's finger; ~ле́ние nip, nipping, jamming; ~лённая грыжа см. грыжа; ~лённое самолюбие wounded self-esteem; ~ля́ть to nip, jam; ~ля́ть интересы кого-л. to act counter to someone's interest.

ущёрб damage, injury, detriment, harm; wane (луны); у., нанесённый бурей damage done by the storm; в у. to the (in) prejudice (of); наносить у. to damage, injure, impair; без ~а (для) without prejudice (detriment) (to);

луна на ~е waning moon; the moon is on the wane; ~и́ться, ~ли́ться to diminish; to wane (о луне).

ущипну́ть to pinch, tweak, nip.

уэ́льский Welsh.

ую́т, ~ность comfort, comfortableness, cosiness, snugness; домашний у. house and home; ~ный comfortable, cosy, snug; ~но comfortably.

уязв||и́мость vulnerability; ~и́мый vulnerable; ~и́ть см. уязвлять; ~ле́ние wounding; ~ля́ть to wound, sting, hurt, pique; ~и́ть в самое сердце to cut to the heart (to the quick).

уясн||е́ние elucidation, explanation; realization, understanding (понимание); ~и́ть, ~я́ть to elucidate, explain; ~ять себе to understand, comprehend.

Ф

фа муз. fa.

фабзав||ко́м (фабрично-заводской комитет) factory committee; '~уч (фабрично-заводское учебное заведение) factory workshop school.

фабиа́н||ец Fabian; ~ское общество Fabian Society.

фабко́м (фабричный комитет) factory committee.

фа́бра moustache-dye.

фа́брик||а factory, manufactory, mill, works; амер. plant; ф.-ку́хня wholesale kitchen and restaurant; ~а́нт(ша) manufacturer, mill-owner; бумажный ~а́нт owner of a paper-mill; ~а́т finished (manufactured) product; ~а́ция manufacture, making, production; ~ова́ть to manufacture, make, produce.

фа́брить to dye (wax) one's moustache.

фабри́чн||ый 1. а.: ф. город manufacturing town; ф. комитет factory committee; ф. рабочий factory worker, factory-hand; ~ая марка trade mark; ~ая труба factory chimney, chimney-stalk; ~ая цена cost price, prime cost; ~ое законодательство labour legislation; Factory Acts; ~ое производство manufacturing; 2. s. уст. (factory) worker.

фа́була plot, story, fable; побочная ф. underplot.

фавн faun.

фаво́р favour; ~и́т favourite; minion (с презрит. оттенком); ~и́тка favourite; ~ити́зм favouritism.

фаго́т муз. bassoon; ~и́ст bassoonist.

фагоци́т *физл.* phagocyte.

фа́з‖**а** phase; ∼ы луны phases of the moon; угол сдвига фаз *техн.* phase angle.

фаза́н pheasant; мясо ∼a pheasant's flesh.

фа́зис *см.* фаза.

фай faille, kind of fine corded silk, poult-de-soie.

фа́кел torch, flambeau, cresset; *ист.* link.

фа́кель‖**ный**: ф. свет torch-light; ∼ная процессия torch-light procession.

фа́кельщик torch-bearer, *ист.* linkman, linkboy.

факи́р fakir.

факси́миле facsimile; replica.

факт fact; я знаю это как несомненный ф. I know it for a certainty; доказать на ∼ах to prove by facts; ∼и́ческий based (founded) on facts; practical, virtual; ∼и́ческое положение дела present (actual) state of affairs; ∼и́чески by facts (*фактами*); practically, virtually, in fact (*в сущности*); ∼и́чески он заведующий he is the virtual manager.

фа́ктор factor, cause, spring (*движущая сила*); *тип.* overseer (of a printing-office); ∼иа́л *мат.* factorial.

факто́рия factory, trading-station.

факту́ра *комм.* invoice, bill; *муз.*, *жив.* technique, manner of execution.

факультати́вный facultative, optional, discretional.

факульте́т faculty; ф. естественных наук faculty of (natural) science; ф. права faculty of law; медицинский ф. medical faculty; рабочий ф. workers' faculty.

фал *мор.* halyard, halliard.

фала́нг‖**а** phalanx (*анат. тж.* phalange); ∼ер *зоол.* phalanger.

фала́нстер phalanstery (*коммуна Фурье*).

фалбала́ furbelow, flounce.

фа́лда tail, skirt, coat-tails.

фа́линь *мор.* painter.

фалло́пиевы тру́бы *анат.* Fallopian tubes.

фалре́п *мор.* man-rope.

фалько́нер falconer.

фалько́нет *ист.* falconet.

фальсифика́тор falsifier, adulterator.

фальсифи‖**ка́ция** falsification, adulteration; ∼ци́ровать to falsify, adulterate.

фальц *техн.* rabbet, groove.

фальце́т *муз.* falsetto.

фальцова́ть *техн.* to rabbet, groove; *тип.* to fold.

фальцо́в‖**ка** *тип.* folding; ∼очная машина folder.

фальшбо́рты *мор.* wash-boards.

фальши́в‖**ить** to be false (hypocritical); to cheat (*обманывать*); *муз.* to sing out of tune; ∼ка forged document; ∼омоне́тчик coiner; snidesman (*sl.*); ∼ость falsity, falseness; ∼ый false; ∼ый документ forged document; ∼ая коса switch, false hair; ∼ая монета false (counterfeit, spurious) coin; bad money; ∼ая нота false note; ∼ые деньги falsh money; ∼ые драгоценности artificial (imitation, paste, pinchbeck) jewel(le)ry; snide (*sl.*); ∼ые зубы false teeth; ∼о falsely; *муз.* out of tune.

фальш‖**киль** *мор.* false keel; ∼ фе́йер *мор.* blue light.

фальшь falsity, deceit (*обман*); hypocrisy (*лицемерие*); *муз.* false note.

фами́л‖**ия** surname, family name; девичья ф. maiden-name; как ваша ф.? what is your (sur-) name?; ∼ьное сходство family likeness.

фами́льничать to take liberties (*with*).

фами́льярность unceremoniousness, familiarity, liberties.

фами́льярн‖**ый** unceremonious, familiar; ∼о unceremoniously, familiarly.

фанабе́ри‖**я** *разг.* pride, arrogance; разводить ∼и to give oneself airs.

фанати́зм fanaticism, zealotry.

фана́ти‖**к** fanatic, zealot; ∼ческий fanatic(al); ∼чность fanaticism.

фане́р‖**а** veneer; plywood (*в три и более слоя*); покрывать ∼ой to veneer.

фанерога́мы *бот.* phanerogams.

фанза́ I. Chinese hut.

фанза́ II. foulard (*ткань*).

фант forfeit; играть в ∼ы to play forfeits.

фантаз‖**и́ровать** to dream, to give rein to one's imagination; ∼ёр(ка) dreamer, castle-builder, fantast, visionary; ∼ия fantasy, fancy, imagination (*воображение*); fancy, whim (*причуда*); *муз.* fantasia.

фантасмагори́ческий phantasmagoric.

фантасмаго́рия phantasmagoria.

фантáст fantast; ~ика fantasticality; ~ический fantastic; capricious (*причудливый*); imaginary, fanciful (*выдуманный*); ~ически fantastically; ~ичность fantasticism; ~ичный, ~ично *см.* фантастический, фантастически.

фантóм phantom, phantasm; *мед.* Schultze's phantom.

фанфáра fanfare, flourish.

фанфарóн braggart, boaster; ~áда fanfaronade, bragging; braggadoccio; ~ство bragging, swaggering.

фар head-light (*на автомобиле*).

фарáд||а *эл.* farad; ~изáция faradization.

фараóн Pharaoh; faro (*карт. игра*); ~ов змей Pharaoh's serpent; ~ова мышь *зоол.* ichneumon.

фарвáтер fairway, waterway.

Фаренгéйт: термометр ~а Fahrenheit thermometer.

фаринг||**ит** *мед.* pharyngitis; ~оскóпия pharyngoscopy.

фарисéй *библ., фиг.* Pharisee; ~ский Pharisaic(al); ~ство Pharisaism.

фармако||**гнóзия** pharmacognosy; '~лог pharmacologist; ~лóгия pharmacology; ~пéя pharmacopoeia; ~химия pharmaceutical chemistry.

фармац||**éвт** pharmaceutist, apothecary; ~éвтика pharmaceutics; ~евтúческий pharmaceutical; ~ия pharmacy (*аптечное дело*).

фарс farce, low comedy; ~овый farcical.

фáртук apron.

фарфóр china, porcelain; ~овая глина china-clay; ~овые изделия china(-ware); магазин ~овых изделий china-shop.

фарш stuffing; forcemeat, mince (*мясной*); sausage-meat (*для колбас*); ~ировáть to stuff.

фас *фортиф.* face; ~áд façade, front, frontage, face; ~éтка *зоол.* facet; ~éточный глаз compound eye.

фасóль haricot bean, French bean, kidney-bean.

фасóн cut (*особ. платья*); style, fashion, make; ~истый *разг.* fashionable, modish.

фасциáция *бот.* fasciation.

фáсция *анат.* fascia.

фат fop, popinjay, puppy, coxcomb.

фатá long veil (*formerly worn by Russian women during the wedding ceremony*).

фатал||**úзм** fatalism; ~úст fatalist; predestinarian; ~истúческий fatalistic; '~ьность fatality; '~ьный fateful; fatal (*особ. гибельный*); '~ьно fatally.

фáта-моргáна fata morgana.

фатов||**áтый** foppish; ~ствó foppery, coxcombry, puppyism.

фáтум f*a*te.

фáуна fauna; морская ф. marine fauna.

фацéт facet (*грань*).

фашиз||**áция** fascisation; '~м fascism.

фашин||**а** *техн., военн.* fascine, faggot; ~ник brushwood.

фашúст, ~ский fascist.

фаэтóн phaeton; *зоол.* tropic-bird.

фаянс faience, Delft-ware, Delf.

Феб *миф.* Phoebus.

феврáль February; ~ская революция February Revolution.

федерá||**лизм** federalism; ~лúст federalist; '~льный federal; объединять(ся) на '~льных началах to federalize, federate; ~тúвный federative, federal; '~ция federation; Американская ~ция труда American Federation of Labour.

Фёдор Theodore.

фéери||**ческий**, ~чный fairy, magical.

фéерия fairy-scene.

фéйерверк firework; '~ер *ист.* non-commissioned officer in the artillery.

феллáх fellah.

фелло||**гéн** *бот.* phellogen; ~дéрма *бот.* phelloderm; ~плáстика phelloplastics.

фелýка felucca.

фельд||**мáршал** Field-Marshal; ~мáршальство Field-Marshalship; ~фéбель sergeant-major.

фéльдшер, ~ица dresser, surgeon's (doctor's) assistant.

фельдшпáт *мин.* feldspar.

фельдъéгерь *ист.* courier, state-messenger.

фельетóн feuilleton, newspaper article; маленький ф. a short feuilleton; ~úст writer of feuilletons, journalist; ~ный язык journalese.

фелюга *см.* фелука.

фемини||**зм** feminism; ~ст(ка) feminist.

фенацетúн *хим.* phenacetin.

фен||**иáнство** Fenianism; '~ий Fenian (член ирландского тайного общества, боровшегося за независимость Ирландии).

фéникс phoenix.

фени́л *хим.* phenyl.
фено́л *хим.* phenol.
феноло́гия *бот.* phenology.
фено́мен phenomenon (*pl.* -ena); **~али́зм** *филос.* phenomen(al)ism; **~а́льный** phenomenal; *разг.* extraordinary; **~а́льно** phenomenally; **~оло́гия** phenomenology.

фео́д feud, fief; **~а́л** feudalist; feudal lord; **~ализа́ция** feudalization; **~али́зм** feudalism; **~а́льный** feudal; **~альный спосо́б произво́дства** feudal method of production.

Феодо́сия Theodosia.
ферзь *шахм.* queen.
фе́рм‖**а** I. farm; ф. со слу́жбами farmstead; моло́чная ф. diary (farm); жило́й дом на **~е** farm-house; двор **~ы** farmyard.
фе́рма II. *техн.* girder.
ферма́та *муз.* fermata.
ферме́нт ferment; **~а́ция** fermentation; **~и́ровать** to ferment.
фе́рмер farmer; **~ство** farming.
Фермопи́лы Thermopylæ.
фе́рмуа́р clasp.
фернамбу́ковое де́рево Brazil-wood.
ферроти́пия *фот.* ferrotype.
ферт 1. Slavonic and Old Russian name of the letter Ф; 2. fop; **~ом** with one's arms akimbo.
феру́л‖**а** ferule; под **~ой** under the sway (*of*).
фе́ска fez, tarboosh.
фестива́ль festival.
фесто́н festoon, scallop; укра́шенный **~ами**, **~чатый** festooned, scalloped.
фе́тиш fetish, fetiche; **~и́зм** fetishism; **~и́ст** fetishist.
фетр felt; **~овая шля́па** felt hat.
фефё́ла *вульг.* simpleton; clumsy woman.
фехтме́йстер fencing master (*учитель фехтования*).
фехтова́‖**льный** fencing; **~льщик** fencer, master of fence; **~ние** fencing; учи́тель **~ния** fencing-master; **~ть** to fence.
фешене́бельн‖**ость** fashionableness, stylishness; **~ый** fashionable.
фе́я fairy.
ФЗС (*фабри́чно-заво́дская школа-семиле́тка*) Factory workshop 7 year school.
ФЗУ *см.* фабзавуч.
фи! phew! faugh!, pah!
фиа́кр fiacre, cab.
фиа́л cup.
фиа́лк‖**а** violet; **~овый ко́рень** orris-root.

фиа́ско fiasco, failure; потерпе́ть ф. to fail.
фибр‖**а** *анат.*, *бот.* fibre; **~ин** *физл.* fibrin; **~о́ма** *мед.* fibroma (*pl.* -mata).
Фи́вы Thebes.
фи́г‖**а** fig; показа́ть **~у** *вульг.* to show a fico; to give one the fico.
фигля́р mountebank, buffoon; **~ничать** to buffoon; **~ство** buffoonery.
фи́гов‖**ый**: ф. листо́к fig-leaf; **~ое** де́рево fig-tree.
фигу́р‖**а** figure; *карт.* court-card, picture-card; *фиг.* personage; bigwig, big pot (*шут.*); геометри́ческая ф. geometrical figure; конькобе́жная ф. skating figure; риторическая ф. figure of speech; явля́ть собой жа́лкую **~у** to cut a poor figure; **~а́льность** figurativeness; **~а́льный** figurative, metaphorical; **~а́льное** выраже́ние figurative expression; **~а́льно** figuratively, metaphorically; **~а́нт**‖**ка** figurant(e); **~а́ция** figuration; **~и́ровать** to figure; **~ка** little figure; statuette; **~ный** figured, ornamented with figures.
фи́дер *техн.* feeder.
фи́жмы *ист.* farthingale, hoop-petticoat, hoop-skirt.
фи́зик physicist; **~а** physics, natural philosophy.
физиогно́ми‖**ка**, **~я** physiognomy, physiognomics.
физио́граф physiographer; **~и́ческий** physiographical; '**~ия** physiography.
физиокра́т *экон.* physiocrat; **~и́зм** physiocratism; **~и́ческий** physiocratic; **~ия** physiocracy.
физио́лог physiologist; **~и́ческий** physiological; '**~ия** physiology; **~ия** живо́тных animal physiology; **~ия** расте́ний vegetable physiology.
физионо́ми‖**ка** *см.* физиогноми́ка; '**~ст** physiognomist; '**~ческий** physiognomical; **~я** physiognomy; *фиг.* character.
физио‖**пла́стика** physioplastics; **~терапи́я** physiotherapy.
физи́ческ‖**ий** physical; ф. кабине́т physical laboratory; ф. труд manual labour; **~ая** геогра́фия physical geography; **~ая** си́ла physical strength; Институ́т **~ой** культу́ры Institute of Physical Culture; **~ое** переутомле́ние physical exhaustion; **~и** невозмо́жно physically impossible.

физкультӳр‖а physical culture, athletics, gymnastics; **~ник** physical culturist; **~ная зарядка** early morning physical bracing; **~ное движение** physical culture movement.

фиколо́гия *бот.* phycology.

фикс‖а́ж, ~ати́в fixative; **~ату́ар** fixature, bandoline; **~а́ция, ~и́рование** fixation; **~и́ровать** to fix.

фикти́в‖ность fictitiousness; **~ный** fictitious; **~но** fictitiously.

фи́кция fiction, figment.

Филаде́льфия Philadelphia.

филантро́п philanthropist; **~и́ческий** philanthropic; **~ия** philanthropy; charity; **заниматься ~ией** to philanthropize.

филармон‖и́ческий philharmonic; **'~ия** Philharmonic Society.

филате́л‖и́ст, ~и́ческий philatelist; **~ия** philately, postage stamp collecting.

фил‖е́й) loin, fillet, sirloin.

филёнк‖а panel; **обшивать ~ой** to panel.

филёр spy, detective, secret agent; shadow *(фиг.)*.

филиа́л, ~ьное отделение filiation, branch; **~ьные организации** affiliated organizations.

филигра́н filigree; **~ный** filigreed.

фи́лин *зоол.* eagle-owl.

Фили́пп Philip.

фили́ппика philippic, bitter invective.

Филиппи́нские острова́ the Philippines.

фили́стер, ~ский Philistine; **~ство** philistinism.

филисти́млянин *ист.* Philistine.

филло́‖дий *бот.* phyllode; **~кла́дий** *бот.* phylloclade; **~та́ксия** *бот.* phyllotaxis.

филоген‖е́з phylogenesis; **'~ия** phylogeny.

филокс́е́ра *зоол.* phylloxera.

фило́лог philologist; **~и́ческий** philological; **'~ия** philology.

фило́соф philosopher; **~и́ческий** philosophic(al); **'~ия** philosophy; **'~ский** philosophic(al); **~ский камень** philosophers' stone; **'~ски** philosophically; **'~ствовать** to philosophize.

фильдеко́с, ~овый Lisle thread.

фильдепе́рс Persian thread.

фи́льм‖а) film, cinema pictures; *амер.* moving pictures; *амер. разг.* movies; **звуковой (радио) ф. sound** (talking, radio) film, a talkie.

фильтр filter, strainer; **~а́т** filtrate; **~а́ция** filtration; **~ова́льная бумага** filter paper; **~ова́ние** filtration; **~ова́ть** to filter, strain, filtrate.

филэ́ллин philhellene, philhellenist.

фимиа́м incense; **курить ф.** to incense; *фиг.* to flatter one *(льстить)*.

фин- *сокр.* финансовый.

фина́л finale.

финанс‖и́ровать to finance; **~и́ст** financier; **'~овый** financial; **~овый крах** financial collapse; crash; **~овый отдел** finance department; **'~овая система** financial system; **'~ы** finances.

фи́ник date.

финики́‖йский, ~я́нин Phoenician.

фи́ников‖ый: ~ая пальма date (-palm).

фининспе́ктор *(финансовый инспектор)* assessor.

фини́фт‖щик enameller; **~ь** enamel; **~яный** enamelled.

фи́ниш finish.

фи́нка I. Finnish knife.

фи́н‖ка II. Finn; **~ля́ндец** Finn.

Финля́ндия Finland.

финля́нд‖ка Finn, **~ский** Finnish.

финн Finn.

фи́нна *зоол.* pork tape-worm.

финотде́л *(финансовый отдел)* finance department.

финпла́н financial plan.

фи́нский Finnish; **Ф. залив** the Gulf of Finland; **ф. язык** the Finnish language, Finnish.

финти́‖ть to shuffle; **~флю́шка** bauble, bagatelle.

фиоле́товый violet.

фио́рд fiord, fjord.

фиориту́ры *муз.* graces.

фи́рма firm, house.

фирн névé *(снег глетчера)*.

фисгармо́ния harmonium.

фиск fisc, fisk, treasury; **~а́л** *ист.* fiscal; *разг.* tale-bearer, tell-tale; sneak, peacher *(sl.)* *(доносчик)*; **~а́лить** to peach, sneak *(sl.)*; **~а́льный** fiscal; **~а́льство** tale-bearing; peaching, sneaking *(sl.)*.

фиста́шк‖а pistachio, pistachio-nut; **~овое дерево** pistachio-tree.

фисту́ла *мед.* fistula; *муз.* falsetto.

фити́ль wick; slow-match *(для зажигания фейерверков и пр.)*.

фито- *в слжн.* phyto-.

фито патоло́гия phytopathology; **~хи́мия** phytochemistry.

фитю́лька *разг.* bagatelle; whipper-snapper (*о ребенке*).

фиш *мор.* fish; ф.-ба́лка fish davit.

фи́шка fish, counter (*в играх*).

фиш-та́ли *мор.* fish tackle.

флаг flag; ensign, colours, banner (*знамя*); ф. СШΑ Stars and Stripes; ф. СССР the Red Flag; брита́нский национа́льный ф. Union Jack; парламентёрский ф. flag of truce, white flag; францу́зский национа́льный ф. tricolour; подня́ть ф. to hoist one's flag; спусти́ть ф. to lower (strike) one's flag; сигнализи́ровать ‿ом to flag; ‿и приспу́щены (*в знак тра́ура*) flags are half-mast (on public buildings).

флаг‖ман flag-officer; ‿ма́нское су́дно flag-ship; ‿што́к flagstaff, ensign-staff.

флажо́к small flag.

флажоле́т *муз.* flageolet.

флако́н small bottle; ф. духо́в a bottle of perfume; ф. для духо́в scent-bottle; ф. с нюхательной со́лью smelling-bottle, vinaigrette.

фламандск‖ец, ‿ка Fleming; ‿ский (язы́к) Flemish; ‿ская шко́ла жи́вописи the Flemish school of painting.

флами́нго *зоол.* flamingo.

фланг *военн.* flank; обойти́ с ‿а to outflank; охва́тывание ‿а outflanking; с ‿а flankwards; угрожа́ть, напада́ть с ‿а to flank; ‿овый 1. *a.* flank (*attr.*); ‿овый ого́нь flank fire; 2. *s.* a file-leader (*солдат*); ‿овая ата́ка flank attack; ‿овое движе́ние flank march (movement).

фланел‖евый: ‿евые штаны́ flannels; ‿ёт flannelette; ‿ь flannel.

флане́р idler, saunterer, flâneur.

фла́нец *техн.* flange.

флани́ровать to saunter, lounge.

фланк *фортиф.* flank; ‿ёр flanker; ‿и́ровать to flank, enfilade; ‿иро́вка flanking enfilade.

флегма phlegm; ‿тик phlegmatic person; ‿ти́чный phlegmatic, lymphatic, sluggish; ‿ти́чно phlegmatically.

флегмо́на *мед.* phlegmon.

флейт‖а flute; fife (*особ. в военн. орке́стре*): игра́ть на ‿е to flute, fife; ‿и́ст flutist, flautist; fifer.

флек‖сия *гр.* inflexion, flexion; ‿ти́ровать to inflect.

флёр crape, crêpe; ф. д'ора́нж orange blossoms.

флеро́н fleuron (*арх. орна́мент*).

флешь *военн.* flèche.

флибустьѐр *ист.* filibuster.

фли́гель *арх.* wing; ф.-адъюта́нт aide-de-camp.

флинт-гля́с flint-glass.

флирт flirtation, flirting; philandering (*преиму́щ. о мужчи́нах*); ‿ова́ть to flirt, philander, gallant (*with*).

флокс *бот.* phlox.

фло́ра flora.

флоренти́‖йский, ‿нец Florentine; ‿йская шко́ла жи́вописи the Florentine school of painting.

Флоре́нция Florence.

Флори́да Florida.

флори́н florin.

флот fleet; вое́нный ф. navy; возду́шный ф. air-force; торго́вый ф. mercantile marine, merchant shipping; служи́ть во ‿е to serve in the navy; ‿и́лия flotilla, fleet; ‿ский naval.

флуоресц‖е́нция *физ.* fluorescence; ‿и́ровать to fluoresce.

флюг‖а́рка, ‿ер weather-cock (*тж. фиг.*); (weather-)vane.

флюи́д fluid.

флю́кция *мат.* fluxion.

флюс *мед.* gumboil; *техн.* flux.

фля́‖га flask; ‿жка flasket.

фойé foyer, lobby, crush-room.

фок *мор.* forsail.

фо́ка *мор.* fore; ф.-шта́г forestay.

фок-ма́чта *мор.* foremast.

фокстеррьѐр fox-terrier.

фокстро́т fox-trot; ‿и́ровать *разг.* to dance fox-trot, to fox-trot.

фо́кус (juggling) trick, sleight of hand, pass, hocus-pocus; freak, whim (*каприз*); *физ., мат., мед.* focus (*pl.* foci); собира́ться, помеща́ть в ‿е to focus; сопряжённые ‿ы conjugate foci; ‿ник juggler, conjurer, prestidigitator; ‿ниченье jugglery; *фиг.* caprices, naughtiness; ‿ничать to juggle; *фиг.* to be capricious (naughty); ‿ный *физ.* focal; ‿ное расстоя́ние focal distance.

фола́д‖а *зоол.* pholas (*pl.* -lades), piddock; ‿и́т *палеонт.* pholadite.

фолиа́нт folio (volume).

фолли́кул‖а *анат.* follicle; ‿я́рный follicular.

фольква́рк farm.

фо́льга foil, tinfoil.

фолькло́р folk-lore.

Фома́ Thomas.

фон ground; background; foil (*контрасти́рующий*); выделя́ться на тёмном ‿е to be brought into relief against a dark background;

служить ~ом to serve as a background.

фона́р‖ик small lantern; иллюминационный ф. fairy lamp, lampion; кита́йский ф. Chinese lantern; ~ный столб lamp-post; ~щик lamp-lighter; ~ь (street-) lamp; lantern (*особ. ручной*); ~ь сзади автомобиля (поезда) tail-(rear-)light; волше́бный (проекционный) ~ь (magic) lantern; потайной ~ь blind (dark) lantern; электри́ческий ~ь (*карманный, ручной*) electric torch; ~й впереди автомобиля (поезда) head-lamps (lights) (*противоп.* rear-, tail-); ~и под глазами black eyes.

фона́ц‖ио́нный phonatory; ф. (*говори́льный*) аппара́т speaking apparatus; '~ия phonation.

фонд fund, stock; ф. зарабо́тной платы wage(s)-fund; ф. индустриализа́ции industrialization fund; ф. погаше́ния (аморти́зации) sinking fund; ф. социа́льного обеспе́чения (страхова́ния) social insurance fund; госуда́рственный ф. state fund; желе́зный ф. «iron» fund, reserve fund; ~овая би́ржа stock exchange.

фоне́ма *фон.* phoneme.

фоне́ти‖ка phonetics, phonology; '~ст phonetician; '~ческий phonetic, phonological; '~ческая транскри́пция phonetic transcription; '~чески phonetically.

фоно‖гра́мма phonogram; '~граф phonograph; ~графи́ческий phonographic; ~графия phonography; ~ли́т *мин.* phonolite; '~метр phonometer.

фонта́н fountain; ~ы пущены (бьют) the fountains are playing.

фор *мор.* fore; итти на ~деви́нд to run before the wind.

фордзо́н Ford (*трактор*).

фордыба́чить(ся) *вульг.* to behave stubbornly.

форе́йтор *ист.* postilion, post-boy.

форе́ль trout; *см.* пестру́шка.

фо́рзац *тип.* fly-leaf.

фо́рзейль *мор.* reconnoitring ship, scout.

фо́рм‖а form, shape, configuration; mould, cast (*для отли́вки*); uniform, dress (*военная и пр.*); *тип.* form(e); ф. для ма́сла butter mould (stamper); ф. для шляп block; ф. и содержа́ние form and matter; пара́дная (похо́дная) ф. review (marching) order; полко́вая ф. regimentals; по́лная ф. full dress; отлива́ть в ~у to mould,

cast; придава́ть ~у ша́ра to shape (form, fashion) into a ball.

формали́зм formalism; red tape (*канцеля́рский*).

формали́н *хим.* formalin.

формали́ст formalist, precisian; ~ика *см.* формали́зм.

формальдеги́д *хим.* formaldehyde.

форма́льн‖ость formality, form; mere form, punctilio (*несуществе́нная, изли́шняя*); ~ый formal; ~о formally.

форма́т size; ф. в 8° octavo (*пи́шется* 8vo); ф. в 12° duodecimo (*пи́шется* 12mo); ф. в пол-листа́ folio (*пи́шется* fo).

формати́в *гр.* formative.

форма́ция formation; дево́нская (ме́ловая, пе́рмская, трети́чная, ю́рская) ф. Devonian (Cretaceous, Permian, Tertiary, Jurassic) formation; экономи́ческая ф. economic structure.

фо́рменн‖ый formal; positive, regular, downright (*су́щий*); ~ая оде́жда uniform.

формиро́в‖а́ние forming; ф. полко́в regimentation; ~а́ть *воен.* to form; ~а́ться to be formed; '~ка forming.

формов‖а́ние moulding, casting; ~а́ть to mould, cast; ~а́я гли́на loam; '~ка *см.* формова́ние; '~щик moulder.

фо́рмул‖а formula; слепо́е сле́дование ~е formulism; ~и́ровать to formulate, phrase, word, lay down; я́сно ~и́рованный conceived in plain terms; ~иро́вка formulation; redaction.

формуля́р, ~ный список [*уст.* service list.

форпо́ст outpost.

форс dash, swagger; swank (*sl.*).

форси́ров‖а́ние forcing; '~анный марш forced march; ~а́ть to force.

форси́ть *разг.* to swagger.

форсте́ньга *мор.* fore-top-mast.

форсу́н *см.* хвасту́н.

форсу́нка *техн.* sprayer.

форт *воен.* fort.

Форт: зали́в Ф. the Firth of Forth.

фо́рте *муз.* forte.

фо́ртель *разг.* trick.

фортепья́но *муз.* piano(forte).

форти́ссимо *муз.* fortissimo.

фортифика́ция fortification.

фо́рт(оч)ка hinged window pane used for ventilation.

форту́на fortune.

фо́рум *др.-рим. ист.* forum.

форшла́г *муз.* grace-note.

форште́вень *мор.* stem.

фосге́н *хим.* phosgen.

фосфа́т *хим.* phosphate.

фо́сфор *хим.* phosphorus; соединя́ть с (пропи́тывать) ~ом to phosphorate; ~есце́нция phosphorescence; ~есци́ровать to phosphoresce; ~есци́рующий phosphorescent; '~истый phosphoŕous; соль '~истой кислоты́ phosphite; ~йт *мин.* phosphorite; ~йческий phosphorescent; ~йчность phosphorescence; ~нокислая соль phosphate; ~ный phosphoric; ~ная кислота́ phosphoric acid.

фо́то- *сокр.* фотографи́ческий.

фотоге́н *хим.* photogen.

фотогравю́ра photo-engraving, photogravure.

фото́граф photographer; ~и́ровать to photograph, to take photograph (*of*); ~и́роваться to be photographed, to have one's likeness taken; ~йческий аппара́т camera; ~йческий сни́мок photograph; *разг.* photo; ~йчески photographically; '~ия photography (*искусство*); photograph (*снимок*); *разг.* photo; ~ия при вспы́шке ма́гния magnesium flashlight photograph; цветна́я ~ия chromo-photograph(y); я всегда́ на '~ии выхожу́ пло́хо I always photograph badly.

фото‖ксилогра́фия photoxylography; ~литогра́фия photolithography; ~ме́тр photometer; ~метри́ческий photometric; ~ме́трия photometry; ~механи́ческий photomechanical; ~монта́ж photomounting; ~сни́мок photo(graph); ~сфе́ра *астр.* photosphere; ~телегра́ф telephotograph, phototelegraph; ~терапи́я *мед.* phototherapy; ~ти́пия phototype; ~хи́мия photo-chemistry; ~цинкогра́фия photozincography.

фо́фан fool; a kind of card game.

фрагме́нт fragment; ~а́рный fragmentary.

фра́з‖а sentence; *муз.* phrase; ходя́чая (изби́тая) ф. stock (trite) phrase, tag, cliché; ~ы phrases, mere words, bunkum, buncombe, claptrap; ~еологи́ческий phraseological; ~еоло́гия phraseology; ~ёр phrase-maker, phrase-monger; ~ёрство rhetoric, oratory, phrases; ~и́ровать *муз.* to mark phrases; она́ ~и́рует хорошо́ she phrases naturally.

фрак evening-dress, dress-coat, swallow-tail.

фракц‖ио́нный factional; ~ио́н-

ная борьба́ interfaction struggle; '~ия faction, group.

фраму́га fixed frame, fixed casement.

франк I. franc (*монета*).

франк II. Frank (*народность*).

франки́ров‖а́ние prepayment (of postage, of a parcel); ~анный post-paid; ~а́ть to prepay, pay the postage; '~ка *см.* франкирова́ние.

франкмасо́н freemason; ~ство freemasonry.

фра́нко *комм.* paid, prepaid.

фра́нкский Frankish.

Фра́нкфурт на Ма́йне Frankfurt on the Main.

франт dandy, fop, jack-a-dandy; buck; како́й вы ф.! what a swell you are!; ~и́ть to flaunt, to play the dandy; ~йха fashionable (smart) woman; ~овско́й dashing, elegant, smart; ~овство́ smartness, dandyism.

франциска́нец Franciscan, Grey Friar.

Фра́нция France.

францу́женка Frenchwoman.

францу́з Frenchman; ~ский French; ~ский наро́д the French; ~ский язы́к the French language; French; учи́тель ~ского языка́ French teacher; French-master; ~ское судно́ Frenchman (*мор.*).

фрапи́ровать to strike, shock.

фрахт freight; ~ова́ть to freight, charter; ~о́вка freightage, chartering; ~о́вщик freighter.

фра́чн‖ый: ~ая па́ра dress suit.

фребелевский сад *педаг.* kindergarten.

фребели́чка woman-student of a Froebel school.

фрега́т *мор.* frigate; *зоол.* frigate (-bird).

фре́з‖а, ~ер *техн.* cutter, mill; ~ерный стано́к milling machine; ~ерова́ние milling; ~ерова́ть to cut; ~еро́вщик milling machine operator.

френези́я *мед.* phrenesis.

френо́лог *анат.* phrenologist; ~и́ческий phrenological; '~ия phrenology.

френч jacket of military cut.

фре́ск‖а, ~овая жи́вопись fresco; распи́санный ~ами frescoed.

фриво́льн‖ость frivolity; ~ый frivolous, light.

фриги́‖ец Phrygian; ~йский колпа́к Phrygian cap.

фриз *арх.* frieze.

фри́зов‖ый: ~ая шине́ль frieze overcoat.

фрика‖де́лька quenelle, force-meat ball; **~ссе́** fricassee.

фрикати́вный: ф. звук *фон.* fricative.

фрикцио́нн‖ый *техн.* frictional; **~ое** сцепление friction clutch.

фритре́дер free-trader; **~ство** the principles of free trade.

фри́тта frit (*в керам. произв.*).

фришева́ть *техн.* to refine.

фро́нда *ист.* Fronde.

фронт front; во ф.! front!; отправиться на ф. to go to the front; борьба на два **~а** fighting at two fronts; **~а́льный** огонь frontal fire; **~а́льная** атака frontal attack; **~ова́я** полоса front line.

фронтиспи́с *тип.* frontispiece.

фронто́н pediment; frontal (*наличник*).

фрукт fruit; **~о́вый** нож fruit-knife; **~о́вый** сад orchard; **~о́вое** дерево fruit-tree; **~о́вщик** fruiterer; **~о́за** fruit-sugar.

фтор *хим.* fluorine.

фу́г‖а *муз.* fugue; сочинять, исполнять **~у** to fugue.

фуга́нок plane, smoothing-plane (*столярный инструмент*).

фуга́с *военн.* fougasse.

фугова́льный стано́к jointing machine.

фуз‖ея́ *ист.* fusil (*ружьё*); **~иле́р** fusilier.

фу(й)! faugh!, pah! (*отвращение*); fie! (*отвращение, неудовольствие, нетерпение*).

фу́к‖ать, ~нуть *разг.* to huff (*шашку*).

фукс fluke (*в бильярдной игре*); сдать экзамен **~ом** *разг.* to pass an examination by mere chance (by a stroke of luck, by a fluke).

фуксин *хим.* fuchsine, magenta.

фу́ксия *бот.* fuchsia.

фу́ксово стекло́ water-glass.

фу́кус fucus (*морская водоросль*).

фульгури́т *мин.* fulgurite.

фуля́р foulard, silk neckerchief.

фунда́мент foundation, substruction, groundwork; ф. социализма the foundation of socialism; ф. социалистической экономики the foundation (base) of socialist economy; закладывать ф. to lay the foundation; **~а́льность** fundamentality; solidity; **~а́льный** fundamental; solid, substantial (*о постройке и пр.*); **~а́льно** fundamentally *и пр.*

фуникулёр funicular railway.

функц‖иона́льный functional; **~иони́рование** function(ing); **~иони́ровать** to function; **'~ия** func-

tion (*тж. мат.*); сложная **~ия** compound function; администра́тивные '**~ии** administrative functions.

фунт pound (*единица веса, пишется* lb.; *денежная единица, пишется* £); банковый билет в один ф. pound note; плата с **~а** poundage; 20 **~ов** стерлингов £20 sterling, (*пишется* stg.); вещь, стоящая 10 **~ов** стерлингов ten-pounder; **~ик** paper-bag, cornet; **~о́вый** weighing one pound.

фу́ра wag(g)on, van.

фура́ж forage, fodder, provender; **~и́р** forager; **~и́ровать** to forage; **~иро́вка** forage, foraging.

фура́жка peak cap; forage-cap (*пехотинца*).

фура́жн‖ый: ~ое довольствие forage.

фурго́н *см.* фура.

фу́ри‖я *миф.* Fury; vixen, virago, termagant (*злая женщина*); **~и** dire sisters, Furies.

фу́рма *техн.* tuyère, twyer.

фуро́р furore, sensation; произвести ф. to make (create) a furore (sensation).

фуру́нкул *мед.* furuncle, boil; **~ёз** furunculosis.

фурьери́‖зм Fourierism; **~ст** Fourierist.

фуст *арх.* shaft of a column.

фу́стик fustic (*краска*).

фут foot (*pl.* feet); указный ф. foot-rule.

футбо́л football; **~и́ст** footballer; **~ьный** мяч football; **~ьная** команда football team.

футля́р case, box; sheath (*для ножа, ножниц*); **~щик** case-maker.

футури́‖зм futurism; **~ст** futurist.

футшто́к *техн.* tide-gauge.

футфа́йка jersey, singlet, (under-)vest (*нижняя*); sweater (*наружн.*).

фуфы́риться to put on airs, to give oneself airs; to dress gaudily.

фы́рк‖анье snorting, sniffing; **~ать, ~нуть** to snort, sniff; to spit (*о кошке*); to burst out laughing (*расхохотаться*).

фьорд *см.* фиорд.

фюзеля́ж *ав.* fuselage.

Х **Хаба́ровск** Khabarovsk.

хавро́нья *шут.* pig.

ха́живать to frequent.

хазо́вый: х. конец *текст.* fag-end (of a piece of cloth).

ха́ки khaki.

хала́т dressing-gown; overall (*прозодежда*).

халатн‖ость negligence, remissness; **преступная х.** criminal negligence; **~ый** negligent, remiss, careless; **~ое** отношение negligence, remissness; **~o** negligently, remissly.

халва́ paste of nuts, sugar and oil.

халде́й(ский) Chaldean.

хали́ф caliph; **~а́т** caliphate.

халту́р‖а pot-boiler, pot-boiling (*фиг.*); **~ить** to make the pot boil (*фиг.*); **~ный** in the pot-boiling manner; **~щик** pot-boiler.

халу́па hut.

халцедо́н *мин.* chalcedony.

халя́ва muff (*в стекольном производстве*).

хам cad, boor.

хамелео́н *зоол.* chameleon (*тж. фиг.*); изменчивый как х. chameleonic.

хаме́ропс *бот.* hemp-palm.

хамова́тый caddish.

' **хамси́н** k(h)amsin (*южный ветер в Египте*).

ха́м‖ский caddish, impudent; **~ство** caddishness, impudence.

хан khan.

хандр‖а́ hypochondria, spleen, dumps, blues; **~ить** to be in the blues (dumps).

ханж‖а́ pharisee, hypocrite, bigot, Tartuffe; ' **~еский** sanctimonious, hypocritical; **~ество** sanctimoniousness, hypocrisy, bigotry, cant; **~ить** to cant, to make a show of piety.

ха́нство khanate.

хао́с chaos, state of disorganization.

хаоти́ческ‖ий chaotic; **~и** chaotically.

ха́п‖анье *вульг.* grabbing; **~ать**, **~нуть** to snatch, grab, seize; to take a bribe; **~у́н(ья)** *фиг.* grabber; bribe-taker.

хара́ктер character; temper, disposition; **мягкий х.** mild temper (disposition); **плохой х.** bad (ill) temper; **решительный х.** resolute temper; **угрюмый х.** sullen disposition; **~изова́ть** to characterize; **~и́стика** character (*описание характерных черт*); *мат.* characteristic; **~ный** characteristic, typical; *разг.* self-willed, wilful; **~ный танец** national dance; **~ная черта** characteristic; particular feature; **актёр на ~ные роли** *театр.* character-actor; **~но** characteristically; **это для него ~но** this is characteristic of him.

Харби́н Harbin.

Хари́бда *миф.* Charybdis.

ха́риус *зоол.* grayling, umber.

ха́рканье hawking, expectoration.

ха́рк‖ать, **~нуть** to hawk, expectorate, to clear one's throat; **~ать кровью** to spit blood.

ха́ртия charter; **Великая х. вольностей** (*1215 г.*) Magna Charta.

харче́вн‖ик *уст.* tavern-keeper; **~я** tavern, cook-shop, eating-house.

харчи́ victuals, food; board (*стол*).

Ха́рьков Kharkof.

ха́та peasant's cottage (hut); **моя х. с краю** *пог.* ≅ I stand aside, it does not concern (interest) me.

хя́ять *разг.* to blame, find fault (*with*), to criticize.

хвала́ praise, laud.

хвале́бн‖ый laudatory, eulogistic, encomiastic; **~ая речь** eulogy, panegyric, encomium.

хвалёный belauded.

хвали́ть to praise, commend, laud, eulogize, to speak in flattering terms (*of*); **х. до небес** to laud (praise) to the skies; **хороший товар сам себя хвалит** *посл.* good wine needs no bush; **всякий купец свой товар хвалит** *посл.* ≅ every cook praises his own broth; **~ся** *см.* хвастать(ся).

хваст‖анье *см.* хвастовство; **~ать(ся)** to boast, brag, vaunt, bounce, talk big, swagger; to blow one's own trumpet, to be one's own trumpeter; **~ливость** boastfulness, vainglory; **~ливый** boastful, vainglorious, bragging; **~ливо** boastfully *и пр.*; **~овской** bragging; **~овство** brag(ging), boasting, bounce, big talk, swagger(ing); braggadocio, vaunting, rodomontade (*лит.*); **~у́н(ья)** boaster, swaggerer, bouncer, braggart.

хват dashing fellow, jolly blade.

хват‖а́ть 1. to snatch, seize, catch (take) hold (*of*), pluck (*at*), grasp, clutch, grab (*схватывать*); **х. за руку** to grasp one's hand; **х. через край** *фиг.* to go a bit too far; **у меня не ~а́ет денег** I am short of cash; **этого не ~а́ло!** that's the limit!; **2.** to suffice, be sufficient (*быть достаточным*); **3.** to carry (*оружие и т. п.*); **~а́ться** to snatch (*at*), pluck (*at*), catch (*at*), grasp, grab; to turn one's hand (*to*) (*браться за что-либо*); **утопающий ~а́ется за соломинку**

drowning man plucks (snatches) at a straw.

хват‖и́ть 1. to suffice, be sufficient; 2. to hit, strike, knock (*ударить*); '∼ит! that will do!; этого мне ∼ит на месяц this will last me a month; *см. тж.* хватать.

хват‖и́ться to remember (discover) suddenly; х., но поздно to perceive (discover) but too late; я ∼и́лся кошелька — его не было! I looked for my purse—it was gone!; '∼ка grasp, grip, clutch; мёртвая ∼ка death grasp (deadlock); держать мёртвой '∼кой to hold on like grim death.

хвать: х.—а в кармане пусто he put his hand into his pocket—and lo, it was empty; он х. его топором he struck him suddenly with the axe.

хвойн‖ый coniferous; ∼ая древесина softwood (*амер.*); ∼ое дерево conifer.

хвора́ть to be ill (indisposed, sick).

хво́рост dry branches (twigs), brushwood; kind of dough-nut; ∼и́на long switch (stick); ∼и́нник brushwood.

хво́р‖ый *разг.* sickly (*болезненный*); ailing, sick (*больной*); ∼ь illness, sickness, ailment.

хвост tail; queue, line (*очередь*); brush (*лисицы*); scut (*кролика, оленя*); train (*павлина*); flag (*перо*) *сеттера*); х. кометы train (tail) of the comet; обрезанный х. у лошади bob; поджав х. with his tail between his legs; плестись в ∼е́ to lag behind; с обрубленным ∼о́м dock-tailed, bobtailed; cocktailed (*только о лошади*); лошадь с обрубленным ∼ом cocktail, bobtail; собака виляет ∼ом the dog wags his tail; ∼а́тый tailed, caudate.

хвости́зм submission to spontaneity in the labour movement.

хво́стик small (short) tail; 40 с ∼ом *разг.* 40 odd.

хвости́ст opportunist.

хвост‖и́ще huge tail; ∼ово́й молот *техн.* tilt hammer; ∼ова́я вена caudal vein; ∼ово́е оперение *ав.* tail (group).

хвощ *бот.* horse-tail, mare's-tail.

хво́я needle (of a conifer), acerose leaf.

хе́рес sherry.

Херсо́н Kherson.

хиба́рка shanty, hovel, hut.

хи́жина hut, cabin; мир ∼м, вой-

на дворцам peace—for the huts, war—for the palaces.

хиле́ть *см.* хиреть.

хи́лость feebleness, weakliness, sickliness.

хи́лус *физл.* chyle.

хи́лый feeble, weak(ly), sickly.

хим- *сокр.* химический.

химаппара́т chemical apparatus.

химе́р‖а chimera; ∼и́ческий chimerical, impracticable; ∼и́чность fantasticality, impracticability; ∼и́чный *см.* химерический.

химзаво́д chemical factory; *амер.* chemical plant.

хим‖иза́ция chemisation; ∼и́зм chemism; '∼ик chemist; ∼и́ческий chemical; ∼и́ческие войска chemical warfare troops; продукты ∼и́ческой промышленности chemicals; '∼ия chemistry; (не-)органическая (прикладная, аналитическая, промышленная, технологическая, физическая, физиологическая) ∼ия (in)organic (applied, analytical, industrial, technological, physical, physiological) chemistry.

хи́мус *физл.* chyme.

хин‖а cinchona, Peruvian (Jesuits') bark; *разг.* quinine; ∼и́н quinine; ∼ная корка *см.* хина; ∼ное дерево cinchona (tree).

хира́гр‖а *мед.* chiragra, gout in the hand; ∼ик chiragric person.

хире́ть to grow feeble (sickly).

хирома́нт, ∼ка chiromancer, palmist; ∼и́ческий chiromantic; ∼ия chiromancy, palmistry.

хиру́рг surgeon; ∼и́ческий surgical; ∼и́я surgery.

хити́н *зоол.* chitin.

хито́н *ист.* chiton.

хитр‖е́ц crafty person, dodger, fox; sly rogue, sly boots (*шут.*); он с ∼ецо́й he is a deep one (*sl.*); ∼и́ть to dodge about, to act craftily, to fox; ∼оспле́тение cobweb, tangle, entanglement; network; artful design; '∼ость cunning, artfulness, craftiness, slyness, astuteness; *см.* хитрый; ruse, trick, wile, dodge (*хитрый приём*); stratagem (*особ. военная*); взять '∼остью to outwit, overreach, circumvent; ∼оу́мный artful, cunning; '∼ый sly, cunning; artful, crafty (*ловкий*); sharp, astute (*проницательный*); это не '∼ая штука it isn't difficult; ∼о́ cunningly *и пр.*

хихи́ка‖нье giggling, titter(ing); snigger(ing); ∼ть to giggle, titter, snigger.

хищéние plundering, stealing, embezzlement (*растрата*).

хи́щн‖ик, ～ица rapacious person; beast of prey (*животное*); ～ичать to plunder, to be rapacious; ～ический predatory, rapacious, plundering (*о человеке*); ～ичество plundering; ～ость rapacity; ～ый predatory, rapacious; predacious, raptorial (*о животных*); ～ые инстинкты predacious instincts; ～ые птицы birds of prey; raptorial birds; Raptores (*научн.*).

хладнокро́в‖ие coolness, composure; equanimity; сохранять x. to keep cool; ～ный cool, composed, collected; ～но coolly.

хла́дный *поэт.* см. холодный.

хлам rubbish, trash; lumber (*рухлядь*).

хлами́да *ист.* chlamys; *разг.* long loose garment.

хлеб bread; loaf (*каравай*); corn (*на корню*); x. да соль! good appetite to you!; x. из непросеянной муки brown bread, wholemeal bread; x. насущный daily bread; x. с маслом bread and butter; белый x. white bread; чёрный x. rye-bread; зарабатывать кусок ～а to earn (make) one's bread; отнять у к.-л. кусок ～а to take the bread out of one's mouth; с ～а на квас from hand to mouth; ～á corn-crop; быть на ～áх у кого-л. *уст.* to board with a person, to eat one's salt.

хлеба́‖ть to eat (with a spoon), to sip; не солоно ～вши *погов.* without having got what one wanted.

хле́бец small loaf of bread.

хлебну́‖ть *см.* хлебать; to take a drop, to have a drop too much (*выпить*); он немного ～л he is a bit on (*sl.*).

хле́бн‖ый pertaining to bread, corn; x. амбар granary; x. запах smell of newly baked bread; x. торговец corn merchant (-factor); ～ая биржа corn-exchange; ～ая страна country producing much corn, granary; ～ая торговля corn trade; монополия ～ой торговли grain monopoly; ～ое вино vodka, whisky; ～ое дерево bread-tree; ～ое растение cereal (plant); плод ～ого дерева bread fruit; ～ые законы *ист.* corn-laws (*в Англии*); ～ые злаки cereals.

хлебозаво́д mechanical bakery.

хлебозаготов‖и́тельный: ～и́тельная кампания corn storage campaign; '～ки grain-collection,

corn-storage, storing up of corn.

хлебо́к sip, spoonful, mouthful.

хлебопа́ше‖ство agriculture, husbandry; ～ствовать to follow the plough; ～ц peasant, ploughman, husbandman.

хлебо‖пека́рня bakery, bake-house, baker's shop; ～пече́ние baking of bread; ～ро́б ploughman, husbandman, peasant; ～ро́д abundant corn-crop; ～ро́дный productive of (fertile in) corn; ～со́л, ～со́лка hospitable man, woman; ～со́льный hospitable; ～со́льство hospitality; ～торго́вец corn-merchant(-factor); corn-chandler (*розничный*); ～торго́вля corn trade; ～убо́рочный harvesting.

хлеб-со́ль *фиг.* hospitality; good appetite (*приветствие*).

хлев cattle-shed, cow-house, byre, stall (*для крупного скота*); sheep-cot(e) (*для овец*); (pig-)sty (*для свиней; тж. фиг.*).

хле‖ста́ть to whip, lash, slash; to switch (*прутом*); to flow in a gush, to gush out (*о жидкости*); дождь так и '～щет it is raining cats and dogs.

хлёстк‖ий biting, trenchant; ～о bitingly, trenchantly.

хлоп: он x. дверью he banged (slammed) the door; он x. его по спине he slapped him on the back; ～альщик clapper, claqueur; ～анье slapping; banging, slamming; clapping; *см.* хлопать.

хло́пать to bang, slam (*о двери*); to pop (*о пробке*); to clap (*в ладоши, дверями, крыльями*); to crack (*о биче*); x. бичом to crack (smack) the whip; x. в ладоши to clap one's hands; x. глазами *фиг.* to listen without understanding; x. дверью to bang (slam) the door; x. книгой по столу to slam the book on the table; x. крыльями to flap (clap) one's wings; x. по спине to slap (pat, tap, clap) one on the back; x. ушами to be inattentive.

хло́пец boy, lad.

хлопково́д‖ство cotton growing; ～ческий колхоз (совхоз, район) cotton growing colfarm (sovfarm, region).

хло́пков‖ый cotton; ～ое масло cotton-seed oil; ～ое семя cotton-seed; ～ые плантации cotton-plantations.

хло́пнуть *см.* хлопать; ～ся to flop down.

хло́пок cotton; cotton-wool (*сырой*),

хлопо́к a (single) clap.

хлопо́||та́ть to bustle about, to make a fuss, to take trouble (*суе-титься*); to solicit, petition (*for*) (*добиваться чего-л.*); to intercede, to plead (*for*) (*за кого-л.*); он ~та́л о получении пособия he tried to obtain relief, he petitioned for a dole; не ~чи́те об этом don't trouble (yourself); ~тли́вость troublesomeness; fussiness; *см.* хлопотли́вый; ~тли́вый troublesome (*о деле и пр.*); busy, bustling, fussy (*о человеке*); ~тли́во busily, fussily; это слишком ~тли́во it is too much trouble; ~тня́ bustle, fuss, ado.

хлопоту́н bustler, fussy; ~ья fussy woman.

хло́поты bustle, bustling about, fuss, ado (*суетня*); trouble (*беспокойство, труды*); дома́шние х. household cares; простите, что я причиняю вам столько хлопо́т I am sorry for the trouble I am giving you; у вас будет много хлопот с этим you will have a lot of trouble with it; с вами хлопот не оберёшься there is no end of trouble with you.

хлопу́шка pop-gun, Christmas cracker (*игрушка*); flapper (*для мух*).

хлопча́т||ник cotton(-plant); ~о-бума́жная материя cotton(-stuff); ~обума́жная промышленность cotton industry; ~ый cotton (*attr.*); ~ая бума́га cotton(-thread).

хло́пь||еви́дный flaky; ' ~я (snow) flakes (*снега*); flocks (*шерсти*).

хлор *хим.* chlorine; ~а́л chloral; ~а́л-гидра́т chloral hydrate; ~истый chloric; ~истый на́трий sodium chloride; ~истая кислота́ chloric acid; ~истоводоро́дная кислота́ hydrochloric acid; ~нова́тая кислота́ chlorous acid; ~оз *мед.* chlorosis, green sickness; ~офи́л *бот.* chlorophyll; ~офо́рм *мед.* chloroform; ~оформи́рование chloroforming; ~оформи́ровать to chloroform.

хлы́ну||ть to gush out, spout; to pour in torrents (*о дожде*); to rush (*о толпе*); ~л дождь it began to rain in torrents.

хлыст I. whip, horsewhip.

хлыст II. *ист.* a kind of flagellant sectarian.

хлыст||а́ть *см.* хлеста́ть; ~о́вщина *ист.* a sect of flagellants.

хлыщ fop, coxcomb; ~ева́тость foppishness; ~ева́тый foppish, coxcombical.

хлю́пать to squelch (*по грязи, по мокрому снегу*).

хля́бать to be loose, to want tightening.

хляб||ь *уст.* abyss (*пучина*); ~и морские troughs of the sea.

хм! hem!; h'm!; hum!; говорить «хм» to hem; to hum and ha.

хма́ра *укр.* cloud, mist, darkness.

хмел||ево́д hop-grower; ~ево́дство hop-growing; ~егра́б *бот.* hop hornbeam; ~е́ть to get drunk, to be intoxicated; ~и́ть to intoxicate.

хмел||ь hop (*растение*); hops (*высушенные серёжки*); *фиг.* intoxication; собирать х. to hop, to pick hops; под ~ько́м slightly drunk; во ~ю́ in one's cups; ~ьни́к hop garden; ~ьно́й heady, intoxicating (*о напитке*); drunk, in drink (*о человеке*); ~ьно́е intoxicating liquor; он ~ьно́го в рот не берёт he never touches alcohol; he is a teetotaller (a total abstainer).

хму́р||ить: х. брови to knit (contract, knot) one's brows; ~иться to knit one's brows, to frown, scowl, to look black; to lour, lower, gloom (*особенно о небе*); ~ость gloominess; lour (*неба*); ~ый gloomy, sullen; ~ый взгляд frown, scowl, lour; ~ое небо black (gloomy, louring) sky; ~о gloomily, sullenly.

хна henna (*краска*).

хны́ка||ние whimper(ing); snivel(ling); ~ть to whimper, whine, snivel, pule.

хо́бот trunk, proboscis (*слона*); tail (*орудия*); ~ок proboscis (*насекомого*).

ход course, march (*событий*); motion, movement (*движение*); speed (*скорость*); entrance (*вход*); passage (*проход*); *шахм.* move; *карт.* lead, turn; *техн.* run, running (*машины*); thread (*винта*); stroke (*поршня*); х. дел course (march) of events; х. мыслей train of thought; thought procession; х. планет motion of the planets; х. поршня вверх (вниз) upstroke (downstroke); задний х. backward motion (*двигателя*); давать задний х. to reverse the engine, to back; ло́вкий х. *фиг.* a fine stroke of policy, a master stroke; по́лный х. full speed; свобо́дный х. *техн.* free running; чёрный х. back entrance, backstairs; чей х.? whose move is it? (*в шахматах*); whose turn (to play) is it?, who leads?, whose lead is it? (*в картах*); пускать дело в x. to set an affair on foot; пустить в x. все средства to use all means; пустить в x. двигатель to start an engine; итти задним ~ом to back; на ~ý while walking; вскочить в трамвай на ~у to jump in the tram-car while it is in motion; исправлять ошибки на ~у to correct mistakes while going on with the business (on the way); эта книга в большом ~у this is a fashionable book; it is a good seller (*в большом спросе*); этот товар в большом ~у this article is in great demand (sells like wildfire); это в большом ~у it is in vogue (in great request); ему не дают '~у he doesn't get on; знать все ~ы и выходы to know the ropes, to know the ins and outs of...

ходáтай intercessor; ~ство intercession, solicitation, petition; ~ствовать to intercede, plead (*перед кем-л.—with*, *за кого-л.—for*), to petition (*for*).

хóдики *разг.* cheap wall clock (*часы*).

ход‖**и́ть** to go, walk; to run, ply (*курсировать*); to nurse, tend, to take care (*of*) (*за больным*); to tend (*за животным*); *карт.* to lead, to play; *шахм.* to move; to pass (current), to go (*о деньгах*); x. в чём-л. to wear (*об одежде*); x. гоголем to strut; x. за лошадью to groom a horse; x. под парусами to go under sail; x. под руку to walk arm in arm; x. по комнате to pace the room up and down, to walk about the room; x. пó-миру to beg, to be a beggar; x. стадом to herd; x., тяжело ступая to tramp; вам x. *шахм.* it is your move; '~ит слух, будто... it is rumoured (whispered) that...; он ~ит к ним каждый день he visits them every day; фунт стерлингов ~ит всюду sovereign passes anywhere; трамваи сегодня не '~ят the trams are not running to-day; there is no tramway service (there are no tram-cars) to-day; часы не ~ят the watch does not go.

хóд‖**кий** 1. salable, marketable, selling well, merchantable (*о товаре*); 2.: ~кое парусное судно fast sailer; ~кость salability; fastness.

ходовóй см. ходкий 1.

ходóк walker; intercessor (representing a community); *ист.* one sent by a village community.

ходоуменьши́тель *техн.* reducing gear.

ход‖**ýл**‖**и** stilts; ходить на ~ях to walk on stilts; ~очник *зоол.* см. кулик морской; ~ьность stiltedness; ~ьный stilted, highflown.

ходунóм: ходить x. to shake, tremble, rock, to be in motion.

ходьбá walking; pacing up and down; чрезмерная x. overwalking.

ход‖**я́ч**‖**ий** walking; current (*о монете*); ~ая фраза stock phrase, tag; ~ая энциклопедия *фиг.* walking dictionary.

хожд‖**éни**‖**е** walking; pacing up and down; nursing, care, tending (*за больным*); *уст.* pilgrimage; иметь x. to be current, pass (*о монетах*); по образу пешего ~я *шут.* on Shanks's mare.

хоз- *сокр.* хозяйственный.

хозрасчёт cost accounting; selfsupport; перевести на x. to exchange to cost-accounting; на ~е self-supporting, on business lines; ~ная бригада cost accounting brigade.

хозчáсть administrative and supply section (department).

хозя́ин master (*по отношению к слугам, животным, владениям*), host (*к гостю*), landlord (*к жильцу*); owner, proprietor (*владелец*); boss (*на языке рабочих, sl.*); x. гостиницы innkeeper, keeper of an hotel, landlord, host; x. дома master of the house; x. положения master of the situation; x. судна ship-owner; сельский x. husbandman, agriculturist, farmer; хороший x. good manager.

хозя́й‖**ка** mistress, hostess, landlady, proprietress; *см.* хозяин; *разг.* wife; домашняя x. housewife; она плохая x. she is a bad housewife, she is no housewife; ~ничать to keep house, to manage a household, to do housework (*о хозяйке*); to farm (*хлебопашествовать*); *ирон.* to make oneself at home, to make free with another's property (*распоряжаться*).

хозя́йственн‖**ик** industrial administrator (manager); ~ость thrift, frugality; ~ый economical, thrifty (*экономный*); housewifely (*о женщине*); economic (*экономический*); ~ый óрган economic institution (organ); ~ый отдел administrative and supply section (department); ~ый расчёт см. хозрасчёт; ~ое развитие economic development; ~o economically, thriftily.

хозяйство economy, farm; домашнее x. household, house-keeping, housewifery, domestic economy; коллективное x. collective farm; народное x. national economy; плановое x. planned economics; показательное x. model farm; сельское x. husbandry, farming, agriculture; советское x. (совхоз) soviet farm; *пол. эк.* Soviet economics; ~вать to manage (*управлять, заведывать*).

хоккей *спорт.* hockey.

холение tending, cherishing.

холеный well groomed; well--fed, carefully tended.

холера (Asiatic, epidemic, malignant) cholera.

холерик choleric person.

холерина cholerina.

холерический choleric.

холерный choleraic; x. вибрион comma bacillus.

холить to tend lovingly, to cherish; to curry (*лошадь*).

холка withers.

холм hill; hillock, knoll (*небольшой*); лесистый x. holt, wooded hill; могильный x. tumulus, barrow, sepulchral mound; ~ик hillock, hummock, mound; ~истый hilly.

холод cold; coldness (*тж. фиг.*); chill (*особенно озноб*); ~á cold weather.

холодеть to grow cold, to chill.

холод||ец kind of cold dish; ~ильник refrigerator; ice-safe; cold--store; (wine-)cooler (*для вина*); *техн.* condenser; хранение в ~ильниках cold-storage; ~ильный refrigerative; ~ильная техника refrigerative engineering; ~ить to make cold, to cool, chill, refrigerate.

холодно coldly, frigidly, chilly, frostily (*тж. фиг.*); *фиг.* stiffly; мне x. I am cold; они обошлись с ним x. they treated him coldly, they gave him the cold shoulder; сегодня x. it is cold to-day; ~ватость chilliness; ~ватый chilly, rather cold; здесь ~вато it is rather cold here; ~кровный *зоол.* cold-blooded.

холодность coldness, frigidity.

холодн||ый cold, wintry, frigid, frosty, chilly (*тж. фиг.*); x. воздух frigid air; x. как камень *фиг.* stone-cold; ~ая клёпка *техн.* cold riveting; ~ая погода cold (nippy) weather; ~ое (блюдо) cold

dish; ~ое оружие cold steel; вылить ушат ~ой воды *фиг.* to throw cold water (*upon*).

холоп *ист.* serf, bondman, servant; *фиг.* groveller; ~ка bond-woman; ~ский servile, slavish; ~ство serfdom, bondage; servility (*раболепство*); ~ствовать to cringe.

холост||ить to castrate, emasculate; to geld (*особ. лошадь*); ~ой single, unmarried, celibate (*о мужчине*); ~ой патрон blank, blank-cartridge; ~ой ролик *техн.* idler; ~ой ход (*машины*) no load work (run); ~ая жизнь single (unmarried) life; ~як bachelor; celibate.

холощение castration, emasculation, gelding.

холст sackcloth, sacking; canvas (*тж. фиг. картина*); x. для живописи (artists') canvas; клеёный x. buckram; ~ина a piece of canvas; ~инка gingham.

холщёвый canvas (*attr.*).

хол||я: жить в ~e to live in clover, to be carefully tended.

хомут collar, hames; *фиг.* yoke; надевать x. to put a collar (*on*), to collar.

хомяк *зоол.* hamster; *фиг.* sluggard, slow-coach.

хор chorus (*тж. в греч. трагедии*); choir (*преим. церковный*); петь ~ом to sing in chorus, to chorus, choir.

хорал *муз.* choral(e).

хорват, ~ский *см.* кроат.

хорд||а *мат.* chord; *зоол.* notochord; ~овые *зоол.* Chordata.

хоре||й *прос.* trochee; ~ические стихи trochaics, trochaic verse.

хорёк *зоол.* polecat, foumart, fitchew.

хореограф||ический chore(o)graphic(al); ¹~ия chore(o)graphy.

хорист(ка) chorister, chorus--girl.

хориямб *прос.* choriamb(us); ~ический choriambic.

хормейстер leader of a chorus.

хоровод dancing in a ring with singing; ~иться *разг. см.* возиться.

хоровой choral.

хорограф||ический chorographic; ¹~ия chorography.

хоромы *уст.* mansion, large dwelling-house.

хоронить to bury, inter, inhume; to hide, conceal (*прятать*); x. концы to remove what might serve as evidence against one; ~

ся to hide, conceal oneself (*прятаться*).

хорохо́риться *разг.* to ruffle, swagger, bluster, hector, to mount (ride) the high horse.

хоро́шеньк‖ий pretty, good--looking; '∼о well, thoroughly, soundly, properly; ∼о отколоти́ть to give a sound thrashing, to thrash soundly (properly).

хороше́ть to grow handsomer (prettier).

хоро́ш‖ий good; nice, fine (*тж. ирон.*); х. челове́к a good man; хоро́ш друг! a fine (precious) friend he has been!; как она ∼а́! how pretty she is!; ∼ая па́мять good (retentive, tenacious) memory; ∼ая пого́да fine weather; ∼ее настрое́ние good humour, high spirits; всего́ ∼его! good-bye!, farewell!; что ∼его? what (is the) news?; мы с ним ∼и́ we are on good terms (on a friendly footing) with him; не по ∼у мил, а по ми́лу хоро́ш *посл.* beauty lies in lover's eyes.

хорошо́ well (*в контексте*); very well!, all right!, good! (*как согла́сие*); х. вам говори́ть так it is easy (*или* it is all very well) for you to say that; как х. с ва́шей стороны how good of you; мне здесь х. I am all right here; э́то х. для пищеваре́ния́ it is good for the digestion; э́то х. ска́зано well said.

хору́нжий *ист.* cornet in the Cossack cavalry.

хо́ры gallery.

хорь *зоол.* polecat, foumart, fitchew.

хоте́ние wish(ing), desire, willing, volition.

хо‖те́ть to wish, want, desire; я ∼те́л бы, чтобы вы зна́ли э́то I should like you to know it; я ∼те́л бы, чтобы э́то оказа́лось непра́вдой I wish it were not true; де́лайте как ∼ти́те do as you like (please, choose); что вы ∼ти́те э́тим сказа́ть? what do you mean by this?; он де́лает, что '∼чет he does what he pleases (chooses); '∼чешь, не ∼чешь willynilly, whether one likes it or not; я ∼чу́ пить I am thirsty, I want to drink; я ∼чу, чтобы вы по́няли э́то I want (wish) you to understand it; я ∼чу, чтобы э́то было сде́лано I wish it (to be) done; ∼те́ться: мне '∼чется поговори́ть с ним I should like to talk with him; ему́ о́чень ∼чется пойти́ ту-

да he is very eager (anxious, desirous) to go there; мне ∼чется спать I am sleepy; мне совсе́м не ∼чется слы́шать об э́том I have no desire (I have no wish) to hear about it.

хот‖ь though, although; х. бы он ушёл! I wish he were gone!; х. бы что without being any the worse for it; х. убе́й, не по́мню I cannot for the life of me remember it; да́йте мне ско́лько мо́жете, х. три рубля́ give me as much as you can, even if three roubles; его́ предприя́тие идёт х. брось his business is going from bad to worse; па́рень х. куда́ first-rate [excellent, ripping good (*sl.*)] fellow (chap); вы х. сказа́ли бы об э́том you might at least speak about it; он х. бы взгляну́л на неё he never even glanced at her; ∼я́ *см.* хоть; ∼я бы я и потерпе́л неуда́чу even if I should fail; чтобы ко́нчить рабо́ту мне необходи́мо ∼я бы два свобо́дных дня to finish my work I must have at least two free days.

хох‖ла́тый crested, tufted; *ест. ист.* cristate; '∼ли́ться to bristle up; ∼о́л tuft, topknot; crest (*пти́цы*); ∼оло́к small tuft (topknot, crest).

хо́хот boisterous (hearty) laugh, roar, guffaw, hee-haw; ∼а́ть to laugh boisterously; ∼а́ть во всё го́рло to laugh out (outright); to roar (with laughter), to guffaw; ∼а́ть до упа́ду to split one's sides; ∼у́н, ∼у́нья, ∼у́шка laughter-loving person.

храбре́‖ть to grow braver; ∼ц brave (courageous) man; heart of oak (*фиг.*).

храбри́ться to muster up all one's courage, to pretend not to be afraid, to boast of one's courage.

хра́бр‖ость courage, bravery; показна́я х. bravado; ∼ый brave, courageous, high-spirited; *рит.* valiant, valorous, lion-hearted; х. во хмелю́ *шут.* pot-valiant; ∼о bravely, courageously, high-spiritedly; *рит.* valiantly, valorously, lion-heartedly.

храм temple, church; fane (*поэт.*); кита́йский х. joss-house; Chinese temple.

хран‖е́ние keeping, custody; storing, storage (*това́ров*); отдава́ть на х. to deposit; сдать бага́ж на х. to leave one's luggage in the cloak-room; to check one's luggage (*амер.*); ~**йлище** repository, depository, storehouse; ~**и́тель(ница)** keeper, custodian; curator (*музея, библиотеки*); помо́щник (-ица) ~**и́теля** assistant keeper.

храни́‖**ть** to keep; х. в холодном месте to keep in a cool place; х. в яме to pit, to store in a pit (*овощи*); х. молчание to keep silence; х. на складе to store in a warehouse; х. тайну to keep a secret (somebody's counsel); что имеем не ~**м**, потерявши плачем *посл.* good fortune is never good till it is lost; ~**ться** to be kept.

храп, ~**éние** snore, snoring; snort (-ing) (*лошади*); ~**éть** to snore; to snort (*о лошади*).

храпово́е колесо́ *техн.* ratchet-wheel.

храп‖**óк** snore; snort; *см.* храпеть; *техн.* strainer; ~**ýн(ья)** snorer.

хреб‖**éт** spine, spinal column, backbone (*спинной*); chain of mountains, mountain range (*горный*); х. горы́ ridge of a mountain; ~**тóвый** spinal.

хрен horse-radish; старый х. *вульг. см.* хрыч.

хрестома́тия reader, anthology; reciter (*для декламации*).

хризанте́ма *бот.* chrysanthemum.

хризо‖**бери́л** *мин.* chrysoberyl; ~**ли́т** chrysolite; ~**пра́з** chrysoprase.

хрип, ~**éние** rattle; crepitation (*при воспалении лёгких*); предсмертный х. death rattle; ~**éть** to speak hoarsely; to have a rattle in the throat; ~**лость** hoarseness, huskiness; stertorousness; ~**лый** hoarse, husky, throaty; raucous (*лит.*); stertorous (*о дыхании*); ~**ло** hoarsely *и пр.*; ~**нуть** to become hoarse; ~**отá** hoarseness; frog-in-the-throat (*фиг.*); ~**ýн(ья)** person with a hoarse voice.

христиа́н‖**и́н**, ¹~**ка** Christian; ¹~**ский** Christian; ¹~**ство** Christianity.

Христо́с *миф.* Christ.

хром *хим.* chromium; chrome (yellow) (*краска*).

хромат‖**и́зм** *физ.* chromatics; ~**и́н** *биол.* chromatin.

хромати́ческий *муз.* chromatic.

хрома́тóлиз *физл.* chromatolysis.

хроматоло́гия *физ.* chromatology.

хрома́топсия *мед.* chromatopsia.

хрома́‖**ть** to limp, hobble; его орфогра́фия ~**ет** his spelling leaves much to be desired.

хрóм‖**истый** *хим.* chromic; х. железня́к chromite; ~**истая сталь** chrome steel; ~**овая кислотá** chromic acid; ~**овая кóжа** chrome leather; ~**овые квасцы́** chrome alum.

хромóй lame, limping.

хромолитогра́ф‖**и́ческий** chromolithographic; ¹~**ия** chromolithography (*процесс*); chromolithograph, chromo (*оттиск*).

хромонó‖**гий** lame; ~**жка** lame person, one who limps.

хромосóма *биол.* chromosome.

хромосфе́ра *астр.* chromosphere.

хромотá lameness, limping.

хромофотогра́фия chromophotography (*процесс*); chromophotograph (*изображение*).

хрóник *мед.* chronic invalid.

хрóник‖**а** chronicle; current news; скандальная х. scandalous gossip; ~**ёр** chronicler, reporter.

хрони́ческ‖**ий** chronic; ~**ое** заболевание a chronic disease; ~**и** chronically.

хронó‖**грамма** chronogram; ¹~**граф** chronograph.

хронóлог chronologist; ~**и́ческий** chronologic(al); ¹~**ия** chronology.

хронóметр chronometer; ~**áж** application of chronometry to labour processes; ~**и́ческий** chronometric; ¹~**ия** chronometry.

хрýпк‖**ий** brittle; fragile, frail (*тж. хилый*); ~**ость** brittleness, fragility, frailness.

хруст crunch, scrunch, crackle; ~**нуть** *см.* хрустеть.

хруста́л‖**ик** *анат.* crystalline lens; ~**ь** crystal, cutglass; английский ~**ь** flint-glass; горный ~**ь** (rock-)crystal; ~**ьный** crystalline.

хруст‖**éние** *см.* хруст; ~**éть** to scrunch, crunch, crackle; печенье так и ~**и́т** на зубах the cake eats crisp (short).

хрущ *энтом.* cock-chafer.

хрыч *вульг.*: старый х. old grumbler.

хрю́к‖**анье** grunt(ing); ~**ать** to grunt.

хряк hog.

хрящ I. gravel (*крупный песок*).

хрящ II. cartilage, gristle; ~**евáтость** gristliness; ~**евáтый** cartilaginous, gristly; ~**еви́на** gristle; ~**евые** рыбы cartilaginous fishes; ~**ик** *уменьш. от* хрящ.

худ‖е́ние growing thin; '∼ень-кий slender, slim, slight; ∼е́ть to lose flesh, to grow thin.

ху́д‖о 1. *s.* harm, evil; они никому ∼а не де́лают they do no harm to anybody; нет ∼а без добра́ *посл.* there is no evil but good may come; 2. *adv.* badly, ill; э́то о́чень х. it is very bad (wicked, wrong); 3.: мне х. I am unwell, I feel queer; ∼оба́ leanness, meagreness, gauntness, thinness.

худо́жеств‖енность high artistic value, artistic finish; ∼енный artistic; Х ∼енный теа́тр Art Theatre; ∼енная литерату́ра literature, letters, belles-lettres; ∼енное произведе́ние work of art; ∼енно artistically; Акаде́мия худо́жеств Academy of Arts; э́то его́ ∼а *фиг.* it is a trick of his doing.

худо́жни‖к, ∼ца artist; painter (*живописец*).

худо́й bad, ill, inferior (*плохой*); thin, lean, meagre, gaunt, spare, lank (*худощавый*); torn, holey (*дырявый*); х. как ще́пка as thin as a lath (as threadpaper); х. мир лу́чше до́брой ссо́ры *посл.* a bad arrangement is preferable to the best lawsuit; на х. коне́ц at the worst.

худо‖со́чие cachexia, cachexy; ∼со́чный cachectic; ∼ша́вость leanness, thinness, lankness, meagerness; ∼ша́вый lean, thin, lank, meagre, spare.

ху́дш‖ий worse (*сравнит. степ.*); the worst (*превосх. степ.*); ещё х. still worse; в ∼ем слу́чае at (the) worst, if the worst comes to the worst; переме́на к ∼ему a change for the worse.

худы́шка *разг.* thin boy (girl).

ху́же worse (*по сравнению с плохим*); not so good (*прилаг.*), not so well (*нареч.*) (*по сравнению с хорошим*); х. всего́ то, что... the worst of it is that...; больно́му сего́дня х. the patient is worse to-day; мне от э́того не х. I am none the worse for it; сего́дня пого́да (ещё) х., чем вчера́ to-day the weather is worse than it was yesterday; тем х. more's the pity, much the worse.

хул‖а́, ∼е́ние *уст.* blame, censure, disparagement, dispraise.

хулига́н hooligan; rowdy, ruffian; ∼ский rowdy(ish), ruffianly; ∼ство rowdyism, ruffianism; ∼ьё pack of hooligans, *разг.* riff-raff.

хули́т‖ель(ница) *уст.* blamer, censurer; ∼ь to blame, censure, disparage, depreciate.

ху́тор farm(-stead); ∼я́нин farmer.

Ц

ЦА́ГИ (*Центра́льный аэро-гидродинами́ческий институ́т*) Central Aero-Hydrodynamic Institute.

ца́пать *разг.* to snatch, clutch, seize, snap, grab; *фиг.* to steal; ∼ся to scratch, catch (*at*).

ца́пл‖иный pertaining to heron; ∼иные гнёзда heronry; '∼я heron; бе́лая ∼я egret.

ца́пнуть *см.* ца́пать.

ца́пфа *техн.* pin, journal; *военн.* runnion.

цара́п‖ать to scratch, scrabble, claw (*когтями*); to scrawl, scrabble (*о письме*); ∼аться to scratch, scrabble, claw; ∼ающее перо́ a scratchy pen; ∼ина scratch; ∼нуть *см.* цара́пать.

царе́в‖ич (∼на) *ист.* tsarevitch (tsarevna) [*title given to the son (daughter) of a tsar*].

царедво́рец courtier.

царёк kinglet, kingling.

цареуби́й‖ство, ∼ца regicide.

цари‖́зм tsarism; ∼ть to reign (*over*), rule; ∼ца tsarina.

ца́рск‖ий tsarist, royal; ∼ая во́дка *хим.* aqua regia; ∼ая Росси́я tsarist Russia.

ца́рственный kingly, regal.

ца́рствие небе́сное *рел.* the kingdom of god (heaven).

ца́рств‖о kingdom; ц. ра́зума the kingdom of reason; живо́тное ц. animal kingdom; расти́тельное ц. vegetable kingdom; ∼ование reign(ing), rule, ruling; год ∼ования regnal year; ∼овать to reign, rule (*over*); ∼ующий reigning, ruling.

цар‖ь tsar; ц. звере́й the king of animals; ц. птиц the king of birds; при ∼е́ Горо́хе *шут.*, *ирон.* in the days of yore.

ца́ца *разг.* pet.

цвести́ to flower, bloom, blossom, blow; to effloresce; to become mouldy (*плесневеть*); *фиг.* to flourish, thrive (*о человеке, де́ле и пр.*).

цвет 1. (*мн. ч.* ∼а́) colour, paint, tint; ц. ко́жи the colour of the skin; защи́тный ц. (*хаки*) khaki; (*хороший*) ц. лица́ (good) complexion; вы́крашенный в зелёный ц. painted green; принима́ть (изменя́ть) ц. to colour; э́тот ц. не вы́держит сти́рки this colour will not stand washing; дополнительные ⁓а́ complementary colours; основные ⁓а primary colours; учение о ⁓а́х (красках) chromatics; 2. (мн. ч. ⁓ы́) flower, bloom, blossom, blow; во ⁓е лет in the prime of life, in the flower of one's age, in one's prime, in the prime of manhood; в (полном) ⁓у́ in (full) flower, abloom, efflorescent; см. тж. цветок; ⁓е́ние бот. flowering, inflorescence; florescence (тж. время цветения); efflorescence; flower, blossom и пр.; ⁓и́стость floridity, floridness; ⁓и́стый flowery, florid (тж. о стиле); flamboyant (ярко расцвеченный); ⁓истый стиль luxuriant style of writing; ⁓и́стое выражение flourish, florid expression; говорить ⁓исто́ to flourish (in language); ⁓ко́вый flowering.

Цветметзо́лото (Всесоюзное объединение по добыче, обработке и реализации цветных металлов, золота и платины) the All-Union Combine for the output and realization of non-ferrous metals, gold and platinum.

цвет‖ни́к flower-bed; parterre (площадь в цветниках); ⁓но́й coloured; tinged (слегка окрашенный); floral (цветочный); ⁓на́я капуста cauliflower; ⁓ная материя coloured stuff (material); ⁓ная paca coloured race; человек ⁓но́й расы man (woman) of colour; coloured person; ⁓но́е стекло coloured glass; ⁓ны́е металлы non-ferrous metals; ⁓ови́дный flower-shaped; ⁓ово́д florist (садовод); ⁓ово́дство floriculture.

цвет‖о́к (мн. ч. ⁓ки́, ⁓ы́) flower, bloom; ц. в петлице buttonhole; почка ⁓ка́ bud; ⁓ы́ красноречия flowers of speech; живые (искусственные) ⁓ы́ natural (artificial) flowers; изобилующий ⁓а́ми flowery; украшать ⁓а́ми to flower; подставка для ⁓о́в flowerstand, jardinière; разведение ⁓ов floriculture; ⁓оло́же бот. receptacle; ⁓оно́жка бот. peduncle; ⁓оно́сный floriferous; ⁓орасположе́ние бот. inflorescence; umbel (зонтичное); ⁓о́чек flow(e)ret, floret; ⁓о́чник flower maker; ⁓о́чница flower girl, flower maker; ⁓о́чный бот. floral; ⁓о́чный горшок flower-pot; ⁓о́чный одеколон eau-de-Cologne with some special perfume; ⁓о́чный покров бот. perianth; ⁓о́чный щиток бот. corymb; ⁓о́чное кольцо

verticil; ⁓у́щий flowering, blossoming, efflorescent; ⁓ущий вид a flourishing (sanguine) look (о лице); в ⁓у́щем возрасте in the prime of life.

це́вка текст. pirn, bobbin, spool, reel.

цевни́ца поэт. pipe, reed, flute.

цеди́‖лка, ⁓ло strainer, filter; ⁓ть to filter, strain, percolate; ⁓ть слова сквозь зубы to let the words drop listlessly or contemptuously.

це́дра shred (slice) of lemon (orange) peel.

цеже́ние straining, filtering.

Це́зарь Cæsar.

це́зий хим. cæsium.

цезу́р‖а прос. cæsura; ⁓ный cæsural.

Цейло́н Ceylon.

цейло́н‖ец, ⁓ский Sin(g)halese (тж. pl.).

цейхга́уз arsenal, armoury, depot.

Це́лебес Celebes Island.

целе́бн‖ость salubrity (климата); ⁓ый curative, medicinal, medicative, healthgiving, healing, sanative; salubrious (о воздухе, климате); salutary; ⁓ое средство a curative (healing) remedy.

целев‖о́й: ц. взнос specific appropriation; advance payment for goods (на товары); ц. сбор rate levied for special purpose; ⁓а́я установка object; fixing of the object.

целесообра́зн‖ость expedience (-су); ⁓ый expedient.

целеустано́вка см. целевая установка.

целеустремлённ‖ость purposefulness; endeavour; ⁓ый purposeful.

целико́м wholly, totally, entirely, completely, altogether; ц. и полностью fully; он ц. отдался музыке he wholly devoted himself to music.

целина́ new (virgin) soil.

цели́тель, ⁓ница healer; ⁓ность salubrity, salutariness; ⁓ный healing, curative, healthgiving.

це́л‖ить, ⁓иться to aim (at); level (at, against); to point (a gun) (at); фиг. to allude (to); ⁓иться to direct (at); ⁓иться из винтовки to point a rifle (at).

целко́в‖ик ист. a silver rouble; ⁓ый ист. one rouble.

целлюло́‖ид xylonite, celluloid; ⁓за cellulose; ⁓зность cellulosity.

целлюля́рный cellular.

целова́льник *ист.* tapster.

целова́||ние kissing; ∽ть(ся) to kiss, give a kiss (*поцеловать*); to salute (*уст.*).

це́ло||е the whole, entire, total, totality; *мат.* integer (*противоп.* fraction); природа—одно ц. nature is a whole; составные части ∽го integrant parts, the integrals of a body; в ∽м (up)on the whole; in all; in the mass; altogether.

целому́др||енность *см.* целомудрие; ∽енный chaste, continent, pure; ∽ие chastity; sexual purity, celibacy.

це́лостн||ость completeness, entireness, entirety; *филос.* continuum; ∽ый complete, entire; undivided, whole.

це́лост||ь wholeness, integrity, integrality, entireness; в ∽и intact; сохранить ч.-л. в ∽и to keep safe; to keep from injury; to preserve.

це́л||ый whole, entire, integral; unbroken (*неразбитый, несломанный*); intact (*неповреждённый*); full (*полный*); ц. день the whole (of the) day; the whole day long; ц. и невредимый safe and sound; right as a trivet; high and dry; уходи пока ещё цел! off with you while you are safe!; чашка ∽а the tea-cup is unbroken; ∽ая дюжина a round dozen; по ∽ым неделям several weeks running; вот уже ∽ых десять дней it is full ten days.

цел||ь aim; target, but, mark, goal (*в игре*); target (*мишень*); *фиг.* aim, mark, end, idea, object, goal; purpose, intention (*намерение*); конечная ц. устремлений objective point; моя единственная ц.—это... my sole object is...; призрачная ц. illusory aim; ignis fatuus (*лат.*); попадать в ц. to hit the mark; удар попал в ц. *фиг.* the thrust went home; достигнуть своей ∽и to gain (attain) one's end; to do the trick (*sl.*); его замечания не достигают ∽и his remarks lack point; мимо ∽и beside the mark; не достигающий ∽и ineffectual; не достичь ∽и to jump short; не имеющий ∽и purposeless; отвечать ∽и to answer the purpose; иметь ∽ью to purpose; иметь ∽ью показать to purport; с ∽ью purposely; on purpose (*to*) (*нарочно*); with a view (*to*); in order (*to, that*); с ∽ью чтобы... to the effect that..., to that effect; с

какой ∽ью? what for?, for what purpose?, to what end?

це́льн||ость wholeness, integrity, entirety, totality; ц. натуры singleness of heart; ∽ый whole, entire, integral, total; teetotal (*разг., полный*); ∽ый человек whole--hearted man; из ∽ого куска материи of a piece (of one piece) of material; ∽ое молоко unskimmed milk; ∽ое вино pure wine.

Це́льси||й: термометр ∽я centigrade.

цеме́нт cement; гидравлический ц. hydraulic cement; портланд-ц. Portland cement; романский ц. natural-rock cement, Roman cement; ∽а́ция cementation; ∽и́рование cementing; ∽и́ровать to cement; ∽ный of cement; ∽ный завод cement works.

цен||а́ price; charge (*особ. требуемая*); cost (*особ. издержки*); rate (*расценка*); value, worth (*ценность, стоимость*); ц. без скидки net price; ц. на аукционе bid; рыночная ц. market price; run of the market; ruling prices; умеренная ц. a reasonable price; фабричная ц. trade price; какая ц.? what is the price?, what is it worth?; what does it cost?; падать в ∽е́ to give way (*об акциях*); подниматься в ∽е to advance in price; продавать по высокой ∽е to sell at a high price; любой ∽о́й at any price; ∽о́ю чего-либо at the cost of; ∽ою жизни at the cost (at the expense) of one's life; дойти до высшей ∽ы́ на аукционе to advance on the last bidder; сбавка ∽ы abatement (of price); скидка ∽ы discount; начать ∽у to price, charge; назначать ∽у на товар to cost (*комм.*); он знает себе ∽у he knows his worth; he thinks no small beer of himself; he has a high opinion of himself; снижать ∽у to cheapen; уменьшить ∽у to abate (a price); ∽ы скачут the prices jump; крайние ∽ы rock-bottom prices; искусственно повышать (понижать) ∽ы to rig the market; общедоступные ∽ы popular prices; установление цен промышленниками cartel.

ценз qualification, right; избирательный ц. electoral qualification; right of vote; имущественный ц. property qualification; образовательный ц. educational qualification; ∽овик one having rights and qualifications; ∽овый qualificatory.

це́нзор censor; ～ство censorship.

цензу́р‖а censorship; ～ный censorial; ～ова́ть to censor.

цени́тель judge (*знаток*); valuer (*оценщик*); appreciator (*любитель*).

цен‖**и́ть** *см.* оценивать; to value, estimate, appreciate, rate; ц. себя́ высоко́ to think no small beer of oneself; высоко́ ц. to prize, treasure, set (much) store by, rate high; сли́шком высоко́ ц. to overrate, overestimate, overvalue; ни́зко ц. to set little by; сли́шком ни́зко ц. to underestimate, undervalue, misprize; во ско́лько '～ите вы э́ту кни́гу? at how much do you value this book;? я ～ю его́ дру́жбу I value his friendship; его́ не '～ят he is not appreciated; ～и́ться to be rated, valued, estimated, appraised (*at*); э́тот дом '～ится о́чень до́рого this house is valued at a high price.

це́нн‖**ость** value, worth, price; име́ющее реа́льную ц. money's worth; ～ости valuables; ～ый valuable, costly, of great price; dear (*дорогой*); ～ая вещь valuable thing, jewel; ～ая посы́лка insured parcel; ～ые бума́ги shares and stocks, securities.

цент cent (*монета: сотая часть доллара*).

Цента́вр: созве́здие ～а *астр.* Centaurus.

цент‖**и́грамм** centigram(me); ～ли́тр centilitre (-ter); ～ме́тр centimetre.

центифо́ль *бот.* cabbage rose.

це́нтнер centner (*50 кг в Германии, Швеции; 100 фунт. в Британии—cental*).

центр centre (-ter); ц. внима́ния the centre of attention; ц. враще́ния centre of rotation; ц. движе́ния centre of motion; ц. колеба́ния centre of oscillation; ц. кру́га centre of a circle; ц. си́лы (де́ятельности, интереса) ganglion; ц. тя́жести centre of gravity; ц. ч.-л. navel (*центральная точка*); ц. ша́ра centre of a sphere; администрати́вный (парти́йный) ц. administrative (party) centre; не́рвный ц. nerve centre; полити́ческий ц. political centre.

централиза‖**ция** centralization; ～и́ровать to centralize; '～м centralism; ～о́ванный centralized; ～ова́ть *см.* централизировать.

Центра́льно - Черноэёмная о́бласть Central Black Soil Region.

центра́льн‖**ость** centrality, centralness; ～ый central, centric(al) (*исходящий или соединенный с центром*); *фиг.* umbilical; Ц ～ый коми́тет всесою́зной коммуни́стической па́ртии (большевико́в) The Central Committee of the All-Union Communist Party (Bolsheviks); Ц ～ая контро́льная коми́ссия The Central Control Commission; ～ая телефо́нная ста́нция Central Telephone Exchange; Ц ～ое статисти́ческое управле́ние (Ц. С. У.) Central Department of Statistics; ～ые держа́вы the Central Powers.

центр‖**и́зм** *пол.* centrism; ～и́ст centrist.

центрифу́га centrifugal machine.

центробе́жн‖**ый:** ～ая си́ла centrifugal force.

Центросою́з (*Всесою́зный центра́льный сою́з потреби́тельских обществ*) The All-Union Consumers' Association.

центростреми́тельн‖**ость** centripetence; ～ый centripetal; ～ая си́ла centripetal force.

цеп flail; би́ло ～á swiple, swingle.

цепене́‖**ние** numbness, torpor, torpidness; torpidity; ～ть to be benumbed, to grow torpid.

це́пк‖**ий** grappling, clenching, clinging, clinching, clutching; gripping; *зоол.* scansorial (*о ла́пках, когтя́х птиц и пр.*); prehensile (*о хвосте, лапах живо́тных*); cohesive, adhesive, tenacious (*о веществе*); ～ость prehensility; tenacity; *физ.* cohesiveness, adhesiveness (*частиц вещества*).

цепля́ться grapple, cling, clench, clinch.

цепн‖**о́й** chain (*attr.*); ц. мост chain (suspension) bridge; ～а́я соба́ка chained dog, bandog; ～о́е колесо́ chain- (rag-, sprocket-)wheel; ～о́е пра́вило *мат.* chain rule.

цепо́чка chain; (watch-)chain (*у часо́в*); ма́ленькая ц. chainlet; ц. мундштука́ curb (*под губой у ло́шади*).

цеппели́н Zeppelin.

цеп‖**ь** chain; *фиг.* bonds; ц. собы́тий the chain (train) of events; го́рная ц. range (chain) of mountains; электри́ческая ц. circuit; наде́ть ц. to chain; привяза́ть соба́ку на ц. to chain a dog; сажа́ть на ц. to enchain; соба́ка сорвала́сь с ～и the dog broke loose; соединя́ть в ви́де ～и, ря́да to catenize; спустить собаку с ~и to unchain (let loose) a dog; в ~ях chained, in chains; *фиг.* in bonds, in shackles (*в кандалах*).

церабкооп (*центральный рабочий кооператив*) Central workers' cooperative.

Цербер *миф.* Cerberus.

церебр||альный *мед.* cerebral; ~о-спинальный менингит spotted fever.

церезин ceresin, earth wax.

церемониал ceremonial (of court), etiquette; ~ьный ceremonial; ~ьный марш parade march; ~ьное шествие parade.

церемонийме́йстер master of ceremonies; marshal.

церемон||иться to stand upon ceremony; он слишком ~ится he is too ceremonious; ~ия ceremony; без ~ий without ceremonies; ~ность ceremoniousness, ceremony; ~ный ceremonious; ~но ceremoniously.

Церера *миф.* Ceres.

церий *хим., мин.* cerium.

церковник churchman.

церковно||-славянский Church-Slavonic; ~служитель clergyman, *амер.* churchman.

церковный church (*attr.*), ecclesiastical, belonging to the church; ц. приход parish; ц. староста churchwarden.

церковь church; домовая ц. chapel (*тж. молельня, часовня*).

цесарка guinea-fowl (-hen), pintado.

цех workshop, trade-corporation, guild; section, shop; ~ком shop committee; ~овой belonging to a guild; shop (*attr.*); ~организатор section organizer; ~профбюро shop trade union bureau; ~ячейка shop party nucleus.

цеце tsetse, tzetze (*муха*).

циа́нист||ый cyanic; ц. калий hydrocyanic; Prussic acid; ~ая кислота cyanic acid.

цивилиз||атор civilizer; ~ация civilization; ~ованный civilized; ~овать to civilize.

цивилист a scholar in civil law.

цивильный *уст.* civil.

цизальпинский cisalpine.

ЦИК (*Центральный исполнительный комитет*) Central Executive Committee.

цикада *зоол.* cicada.

цикл cycle, round.

цикламен *бот.* cyclamen.

цикл||ист cyclist; ~ический cyclic(al).

циклометр cyclometer.

циклон cyclone; ~ический cyclonic.

циклоп Cyclops; ~ический Cyclopean; ~ические постройки Cyclopean masonry.

цикорий chicory endive, succory.

цикута *бот.* hemlock.

цилиндр 1. *техн.* cylinder, roller; ц. воздушного насоса air-pump cylinder; ц. паровой машины steam-cylinder; паровая (водяная) рубашка ~a cylinder-jacket; 2. high (top) hat, topper (*шляпа*); складной ц. opera-hat, crush-hat; ~ический cylindrical.

цимбал||ист cymbalist; ~ы cymbals.

цин||изм cynicism, cynicalness; gibe (*разг., в дурном смысле*); ~ик cynic; ~ический, ~ичный cynical; sneering.

цинк zinc; spelter (*комм.*); листовой ц. galvanized iron; ~ование zincifying; ~овать to zincify; ~овый zin(c)ky, zincy, zincous; ~ографический zincographic; ~ография zincography.

цирк circus; *геол.* cirque; выход на арену ~a ring entrance; ~ач acrobat; ~овой of (from) the circus.

циркон *мин.* zircon; ~ий *хим., мин.* zirconium.

циркулир||овать to circulate (*о крови, деньгах*); ~уют слухи it is rumoured, rumours are spread.

циркул||ь dividers (*делительный*); compasses; beam compasses, trammel (*рычажный*); ca(l)liper(s) (*калиберный*); ножки ~я legs.

циркуля||р(ный) circular; ~ция circulation.

циров||ание *техн.* engine-turning; ~ать to engine-turn; ~ка engine-turning.

цирюльн||ик *уст.* barber, hair-dresser; ~я the barber's shop, the hair-dresser's.

цистерна cistern; water-cart (*для поливки*); вагон-ц. tank-car.

цистоскоп *мед.* cystoscope.

ЦИТ (*Центральный институт труда*) Central Institute of Labour.

цитадель citadel, fort; *ист.* keep; *фиг.* stronghold.

цит||ата citation, quotation; quote (*разг.*); ~ирование quotation; ~ировать to quote, cite.

цитвар||ное семя the seed of santonica; ~ь santonica.

цитра zittern, zither(n); cittern, cithern.

цитрон *бот.* citron.

цитрус *бот.* citrus.

циферблат dial-plate, face.

цифр‖а cipher, figure, numeral, character; обозначать ~ами to figure; ~овой figured, numbered; ~овые данные figures.

цицеро *тип.* pica.

Цицерон Cicero; ц~овский Ciceronian.

ЦК Central (Party) Committee; ЦК ВКП(б) Central Committee of the All-Union Communist Party (Bolsheviks).

цоколь socle; dado, die (*колонны*).

цуг(ом) coach-and-four (-six, -eight).

цукат candied peel.

цыбик *уст.* a chest of tea weighing from 40 to 80 old Russian pounds.

цыбуля *укр.* onion.

цыган, ~ка, ~ский gypsy, tsigane; ~е, ~ский язык Romany; по- ~ски gypsy-like, like a gypsy.

цыгарка a bit of newspaper twisted into the shape of a cigarette and filled with cheap tobacco.

цыдул‖ька, ~я *шут.* note; *укр.* letter.

цык‖ать, ~нуть to hush.

цынг‖а scurvy; болеть ~ой to have the scurvy; ~отный scurvied, scorbutic; ~отный больной scorbutic; ~отная трава scurvy-grass.

цынов‖ка mat; стелить ~ку to mat; материал для ~ок matting.

цыпл‖ёнок (*мн. ч.* ~ята), ~ёночек chick(en), chuck, poult; ~ят по осени считают *посл.* don't count your chickens before they are hatched.

цыплятник *см.* коршун.

цыпочка *разг.* my little darling, chickabiddy; на ~х on tiptoe; пройти на ~х через комнату to tiptoe across the room.

цып-цып chuck-chuck.

цыц! hush!

Цюрих Zurich.

Ч чабан *тюркск.* shepherd.

чабёр *бот.* savory.

чавка‖ние champ(ing); ~ть to champ, make a noise while eating.

чад smoke (*дым*); steam (*пар*); smell of cooking (*кухонный запах*); он точно в ~у he seems dazed.

Чад: озеро Ч. Lake Chad.

чадить to smoke.

чадо *уст.* child; offspring; ~любивый fond of children, philoprogenitive; ~любие love of children, philoprogenitiveness.

чадра yashmak, veil worn by Moslem women in public.

чаевые tip, gratuity.

чаепитие *шут.* the ceremony of taking tea; дружеское ч. a friendly tea.

ча‖й I. tea; ч. да сахар! good appetite to you! (*while taking tea*); званый ч. tea-party; кирпичный ч. tile tea, brick tea; китайский ч. China tea; послеобеденный ч. five-o'clock tea; цейлонский ч. Ceylon tea; дать на ч. to tip, to give one a tip (gratuity); быть у к.-л. на чашке ~я to take (have) tea with someone, to come (go) to tea with one.

чай II. *разг.* probably, possibly, apparently; ты, ч., проголодался? I expect you're hungry, aren't you?; you must be hungry (by now, by this time); I dare say you're hungry.

чайка (sea-)gull, mew(-gull); белая ч. ivory gull; полярная ч. glaucous gull; трехпалая ч. kittiwake.

чайни‖к tea-pot; (tea-)kettle (*в котором кипятится вода*); ~ца tea caddy, canister (*небольшая металлическая*).

чайн‖ый tea (*attr.*); ч. магазин tea-shop; ч. поднос tea-tray; ч. сервиз tea-service, tea-set, tea-things; ч. стол tea-table; ~ая *s.* tea-house, public house; tea-shop; pub (*разг.*); ~ая плантация tea-plantation; ~ая роза tea-rose; ~ая скатерть tea-cloth; ~ая чашка tea-cup; ~ое дерево tea-plant, tea-shrub; ~ое полотенце tea-clothe; ~ое ситечко tea-strainer.

чакона *муз.* chaconne.

чал *мор.* hawser, mooring cable; ~ить *см.* причаливать.

чалма turban.

чал‖ый roan; ~о-пегий skewbald.

чан vat, tub; tun (*пивоваренный*).

чанел-вельс *мор.* channel-wale.

чапрак *см.* чепрак.

чара *уст.* cup, goblet, glass.

чардаш Hungarian dance, «tchardash».

чарка *уменьш. от* чара.

чаров‖ать to bewitch, charm, enchant, cast a spell (*over*); ~ница charmer.

чародей magician, sorcerer; wizard; enchanter, charmer (*тж. фиг.*); ~ка sorceress; enchantress, charmer (*обольстительница*); witch (*тж.* ведьма); ~ствовать to use magic, to practise witchcraft.

чарти||зм chartism; ~ст chartist; ~стское движение chartist movement.

чару́ющ||ий bewitching, magic, enchanting, charming, fascinating; ~ая откровенность (простота) engaging candour (simplicity).

ча́ры sorcery, witchery, witchcraft, magic (*колдовство*); charms, spell, fascination (*очарование*); злые ч. evil spell, devilment.

час hour; ч. обеда dinner-time; ч. от ~у не легче from bad to worse; worse and worse; в добрый ч. good luck to you, godspeed; который ч.? what is the time?; what o'clock is it?; не в добрый ч. the time was not propitious; *лит.* it was an unlucky day (in an evil hour); неровен ч. who knows what may happen?; one can never be too sure; теперь ч. it is one o'clock; через ч. in an hour('s time); это потребует ч. времени it will take (require) an hour; пол-~а́ half an hour; полтора ~а an hour and a half; я его жду с ~а на ч. I am expecting him every moment; ~ы 1. hours; ~ы занятий office hours; приёмные ~ы reception hours; consultation hours (*у врача*); свободные ~ы leisure hours; служебные ~ы hours of attendance, office hours; (нанимать) по ~а́м to hire by the hour; на ~а́х on guard; 12 ~о́в дня noon, twelve o'clock; 12 ~ов ночи midnight, twelve o'clock; ждать с 5 ~ов to wait from 5 o'clock; с 5 ~ов (после 5 ~ов) after five, from five on; 6 ~ов вечера 6 p. m.; 6 ~ов утра 6 a. m.; 2. watch (*карманные, ручные*); wrist watch (*на руке*); clock (*стенные*); sundial (*солнечные*); sand-glass (*песочные*); ~ы с будильником alarum, alarm-clock; ~ы с предохранительной сеткой bird-cage watch; мои ~ы отстают (спешат) my watch is slow (fast); поставить (завести) ~ы to set (wind) a watch.

часо́вня chapel.

часово́||й I. *s.* sentinel, sentry, watch, guard; поставить ~го to post a sentry; сменить ~го to relieve a sentry.

часов||о́й II. *a.* 1. an hour's, of one (an) hour (*разговор и пр.*); 2. belonging (pertaining) to a watch; ч. колпак clock-glass; ч. механизм clock-work; ч. футляр clock case; с точностью ~ого механизма like clock-work; ~а́я пружина mainspring; ~ая стрелка hour-hand; (итти) по ~о́й стрелке (to go) clockwise; (итти) против ~о́й стрелки (to go) counter clockwise.

часовщи́к watch maker, clock maker.

часо́к a short hour, a little while; соснуть ч. to have a little nap, to have one's forty winks; поболтать ч. to have a little chat.

часте́нько pretty often.

части́ть 1. to do something often (*см.* зачастить); 2. to accelerate, quicken (*о движении*).

части́ца particle; bit, grain fraction (*целого*).

части́чн||ый partial; с ~ым успехом with partial success; ~ая нагрузка *техн.* partial load; ~ые реформы piecemeal reforms; ~о partly.

ча́стник owner of a private business (shop).

ча́стное *мат.* quotient.

ча́стност||ь particularity; в ~и in particular; останавливаться на ~ях to particularize, to dwell on details.

ча́стн||ый private; informal (*неофициальный*); particular; ч. дом private house; ч. случай particular case; ~ая жизнь private life; ~ая собственность private property; ~ая торговля private trade; ~ое затмение partial eclipse; ~ое лицо private person; мое ~ое дело my private affairs; ~ым образом confidentially, not officially, privately; informally.

ча́сто 1. often, frequently; ч. повторяющийся oft recurring; ч. ли вы бываете в театре? do you often go to the theatre? весьма ч. very often, often and often, many a time, many times; довольно ч. not infrequently; 2. close, thickly (set, sown *и пр.*) (*густо*).

частоко́л paling, palisade; обнесённый ~ом paled.

частот||а́ 1. frequency; 2. thickness, closeness; преобразователь ~ы *эл.* frequency converter.

частотн||ость frequency; ~ый словарь frequency list.

часту́шка kind of limerick, popular song composed on some topic of the day.

ча́ст||ый frequent; ч. гребень fine tooth-comb; ч. лес thick wood; ~ая ткань close fabric.

част||ь part; share, portion; *мат.* part; ч. города district, quarter; ч. речи *гр.* part of speech; ч. целого integrant; бо́льшая ч. the main part, a large part, the body; the majority (greater part); войсковая ч. unit of an army; задняя ч. hindquarter (*о мясе*); hind quarters (*человека и животного*); меньшая ч. a small part, the lesser half (part); the minority; одна пятая ч. one fifth; очень малая ч. very small (negligible) part; modicum; первая ч. the first part; полицейская ч. *уст.* police office (court, station); составная ч. constituent, component; филейная ч. chine; это не по моей ~и it is not in my line; ~и машины parts (pieces) of a machine; ~и света parts of the world; ~и тела parts of the body; разделять на ~и to divide into parts (lots); разобрать на ~и to take to pieces; по ~ям in parts (instalments); (by) piecemeal; платить по ~ям to pay by instalments; ~ью partly; большей ~ью for the most part; сделанный ~ью из железа, ~ью из дерева made part(ly) of wood and part(ly) of iron.

часы́ *см.* час.

ча́хлик *бот.* calyptra.

чах‖**лость** unhealthiness; weakness; ~лый unhealthy-looking, weak, consumptive; ~лый лес a thin wood; ~лая растительность stunted vegetation; ~нуть to pine away, wither, to fade away.

чахо́т‖**ка** consumption; phthisis; скоротечная ч. galloping consumption; ~очный consumptive; ~очный румянец hectic flush (colour).

ча́ша *уст.* bowl, beaker, basin, cup; *см.* чашка; ч. (моего) терпения переполнилась ≅ the last straw breaks the camel's back; у них дом — полная ч. they live in plenty.

ча́шечка 1. small cup; 2. *бот.* calyx, bell.

ча́шка cup; coffee-cup (*маленькая*); cupful (*как мера*); ч. весов scale; коленная ч. knee cap(-pan); stifle (joint) (*у лошадей*).

ча́ща thicket, brushwood, brake.

ча́ще more often, oftener, more frequently; ч. всего mostly; как можно ч. as often as possible.

чая́‖**ние** *уст.* expectation, hope; в ~нии in the hope (*of*); ~ть *уст.* to expect, hope (*for*).

чван‖**иться** to pride oneself (*in, upon*), to be proud (*of*); to swagger (*sl.*); ~ливость pride, boast, swagger, conceit; ~ливый proud, conceited; ~ный boastful, vauntful; ~ство *см.* чванливость.

чеба́к bream (*рыба*).

чебота́р‖**ить** to cobble; ~ь cobbler.

чей, чья, чьё whose; ч. это нож? whose knife is this?; ч. это дом? to whom does this house belong? ч. это приказ? whose order is this?

чек cheque, draft; ч. выписанный на его имя cheque drawn in his favour; ч. выписанный на своё имя cheque drawn to self; погасить ч. to cross a cheque; заплатить по ~y to meet a cheque.

Чека́ *ист.* Tcheka; *см.* ВЧК.

чек‖**а́** (linch)pin; закрепить ~ой to key.

чека́н stamp, coinage; право ~а mintage; ~ить to mint, coin (*монету*); to chase (*золото, серебро*); ~ить медали to strike medals; ~ка *см.* чекан; серебро ~ной работы chased (embossed) silver; ~щик chaser.

чеки́ст official of the Tcheka; *см.* ВЧК.

чекме́нь *обл.* Cossack (Caucasian) coat.

чёлка *см.* чолка.

чёлн, челно́к canoe; *поэт.* skiff; *техн.* shuttle, quill; плыть в челне́, челноке́ to canoe.

чело́ *уст., поэт.* brow, forehead; бить ~м *уст.* to bow very low (*буквально*); to beseech most humbly, to beg most respectfully (*просить*).

челоби́т‖**ная** *ист.* petition; ~чик suppliant.

челове́к 1. man, person, individual, human being, creature; ч. с железной волей a man of iron (iron will); ч. слабого сложения a man (person) of weak constitution; weakling (*презрит.*); ч. такой складки a man of that stamp; ч. умудрённый опытом a man of great experience; безграмотный ч. illiterate; выдающийся ч. a man of mark, a clever man, a prominent (remarkable, outstanding) person; деловой ч. business-man; добрый ч. kind(-hearted) person; неизвестный ч. unknown man; новый ч. new man; обыкновенный ч. an ordinary (average) man, the man in the street; презренный ч. rascal, hound, cad; торговый ч. tradesman, merchant; утомительный (надоедливый) ч. tiresome creature (man, person), a bore; хороший (порядочный) ч. a (thoroughly) good man; кто этот ч.? who is this (person)?; по 2 рубля на ~a two roubles per person (head); 2. *уст.* waiter (*официант*) manservant (*слуга*).

человеко‖**день** work of one man a day; ~**любивый** philanthropic; ~**любие** philanthropy, love of mankind; ~**ненавистник** man-hater, misanthrope; ~**ненавистничество** misanthropy; ~**обравный** manlike; ~**убийство**, ~**убийца** homicide.

человекочас work of one man an hour.

человеч‖**ек** manikin; ~**еский** human; ~**ество** humanity; mankind, Man, universe; ~**ность** humanity, compassion,* kindness; ~**ный** human, compassionate, kind, considerate.

челюскинец Cheluskiner, Cheluskinite, a member of the crew of the steamer Cheluskin sank in Arctic.

челюст‖**ной** *анат.* maxillary; ~**ная кость** jaw bone.

челюст‖**ь** jaw, jowl; chaps, chops (*особ. животных*); *анат.* maxilla; верхняя ч. upper jaw; нижняя ч. lower jaw; mandible (*у млекопитающих и рыб*); судорожное сжатие ~**ей** lock jaw.

Челябинск Cheliabinsk.

челядь *уст.* servants, menials, household.

чем I. than, (the) more; ч. бы (*вместо того чтобы*) подумать instead of thinking; ч. дальше, тем хуже from bad to worse; ч. позже, тем лучше the later the better; ч. свет at peep of day, with the lark; он пишет ч. дальше, тем лучше the more he writes the better; he writes better and better.

чем II. with what; ч. вы открываете консервные банки? what do you open tins with?; ч. он не гений? isn't he a genius?, what does he lack to be a genius?

чём: на ч. мы остановились? where did we stop?; о ч. what about, of what; о ч. вы думаете? what are you thinking of?; о ч. горевать? what is there to grieve about?; он не при ч. he is not a party (*to*); he has nothing to do with...; остаться не при ч. to lose, to get nothing whatever; to allow to slip through the fingers.

чемерица *бот.* hellebore.

чемодан portmanteau; suit case; small trunk; ~**щик** trunk-maker.

чемпион champion; мировой ч. по шахматам chess champion of the world; ~**ат** championship.

чему to what; ч. вы удивляетесь? what surprises you?; why are you surprised?; к ч.? what for?; к ч. это поведёт? to what can this lead?; what good can come of it? к ч. эти разговоры? why all this talk?

чепец cap; домашний ч. mob-cap; ночной ч. night-cap.

чепрак shabrack, horse-cloth, housing, saddle-cloth.

чепух‖**а** nonsense, rubbish, fiddlesticks, twaddle, gibberish, tommy rot; tosh; не болтайте ~**й** don't talk nonsense; don't talk through your hat.

чепчик *см.* чепец.

червеобразный vermiform; ч. отросток *анат.* appendix.

червив‖**еть** to become wormy; ~**ый** worm-eaten; wormy, maggotty.

червлёный scarlet, bright red.

червон‖**ец** 10 roubles; tchervonetz; ~**ый** red, purple; ~**ное золото** highprobed gold; ducat gold.

червоточ‖**ина** worm-hole, dry-rot (*в дереве*); ~**ный** worm-eaten.

черв‖**ы** *карт.* hearts; король ~**ей** king of hearts.

черв‖**ь** worm; maggot (*личинка*); шелковичный ч. silkworm; круглые ~**и** *зоол.* nematods; ~**як** *см.* червь; ~**ячная передача** *техн.* worm-gear.

черда‖**к** garret, attic, loft; ~**чок** cock-loft.

чер‖**ёд** *разг. см.* очередь; теперь твой ч. now it's your turn; всё идёт своим ~**едом** all is going on as it should, all is taking its normal course.

череда *поэт.* turn, order; *бот.* bur marigold.

чередование alternation, rotation; ч. гласных звуков *фил.* gradation; *нем.* Ablaut, *фр.* apophonie.

чередоваться to alternate; to do something in turn (by turns), to take turns.

через across, over; per, via, by, through, from; in, after; ч. борт over side (*о погрузке*); ч. год in a year (year's time); (делать ч.-л.) ч. день (to do something) every oth г day; ч. дорогу over the way; ч. Одессу via Odessa (*на адресе*); ч. реку across the river; ч. час по ложке a spoonful every hour; бросить камень ч. стену to throw a stone over the wall; итти ч. лес to go through a wood; перейти ч. улицу to cross the road (street);

печатать ч. строчку to print with an interval of a line; пройти ч. галлерею to go along a gallery; пройти ч. тяжёлые испытания to pass through many a trial; проехать ч. Москву to pass through Moscow; сообщить ему ч. кого-л. to let him know through someone; узнать ч. кого-л. to hear from (to find out through) someone.

черемисы Tcheremisi.

черёмуха bird-cherry; bird-cherry tree.

черемша́ бот. ramson.

черен‖ко́вый grafting; ⌐о́к cutting, slip, graft; scion; ⌐ок ножа handle, haft.

че́реп skull; cranium (научн.); death's head (эмблема смерти); ч. и кости skull and cross-bones.

черепа́‖ха tortoise; turtle (морская); изделия из ⌐хи tortoise-shell; суп из ⌐хи turtle-soup; ⌐ховый tortoise (attr.); ⌐ший фиг. like a tortoise; итти ⌐шьим шагом to crawl (creep) like a snail; ⌐шьи темпы snail's pace.

черепи́ц‖а tile; голландская ч, pantile; крытый ⌐ей tiled.

черепно́й cranial; of the skull (cranium).

черепо́к potsherd, crock (глиняный).

черепоко́жный биол. testaceous; ч. моллюск testacean.

чересполо́сица peasant property in which fields are separated by strips of land belonging to different owners.

чересседе́льник saddle girth.

чересчу́р too, beyond measure, beyond bounds, overmuch; это уж ч. this is beyond the limit; this is too much of a good thing.

чере́шня cherry.

черка́ть to scribble.

черке́‖с Circassian; ⌐ска Circassian national coat; ⌐сский Circassian; ⌐шенка Circassian woman.

черкн‖у́ть см. черкать; ⌐и́те мне словечко drop me a line.

чернёный nielloed.

чёрненький уменьш. от чёрный.

черне́‖ть to become black; что-то ⌐ло вдали there was a black spot in the distance, something loomed in the distance.

черне́ть зоол. pochard; dun bird (самка).

чернёхонько quite black; pitch-dark (очень темно).

Черни́гов Chernigof.

черни́ка bilberry, whortleberry.

черни́л‖а ink; ч. для метки белья marking ink; несмываемые ч. indelible ink; бутылка с ⌐ами ink-bottle; ⌐ьница inkstand; ⌐ьный ink (attr.); ⌐ьный камень inkstone; ⌐ьный мешок (каракатицы) ink-bag; ⌐ьный орешек oak-gall, gall-nut; ⌐ьная душа фиг. red tapist; ⌐ьное пятно inkstain; покрытый ⌐ьными пятнами inky.

черни́‖ть to blacken; фиг. to bespatter, asperse, soil; он ⌐т меня he soils my reputation.

чернобро́дый black-bearded.

чернобро́вый dark-browed.

чернобу́р‖ый dark brown; ⌐ая лисица silver black fox.

чернобы́льник бот. wormwood.

черновáтый blackish.

черновик rough (foul) copy; draft.

черно‖воло́сый black haired; ⌐гла́зый black-eyed.

черного́р‖ец Montenegrin; Ч⌐ия Montenegro; ⌐ский Montenegrin.

черногри́вый black maned.

чернозём chernozyom, black earth; fertile soil; ⌐ная полоса (⌐ный район) fertile zone; black soil zone (district).

черноклён бот. common maple.

чернокни́ж‖ие black magic (art), necromancy; ⌐ник magician.

черноко́жи‖й black; ⌐е blacks, blackamoors (особ. в Африке).

черноле́сье deciduous woods.

черно‖ма́зый swarthy, black-faced; ⌐о́кий поэт. black-eyed.

чернорабо́чий unskilled workman.

черносли́в plum; сухой ч. prune; французский ч. French plum.

черносо́тенец ист. one of the Black hundred (of the ultra reactionary in old Russia).

чернота́ blackness.

черну́шка шут. brunette; бот. fennel-flower.

чёрн‖ый black; поэт. sable, ebony, raven (о волосах); dirty, soiled (грязный, измазанный); фиг. gloomy, sad, fatal, unlucky; ч. день evil (unlucky) day, Black Friday; копить на ч. день to put by against a rainy day; ч. как сажа sooty; ч. как смоль jet black; ч. таракан black beetle; ч. ход back entrance; видеть в ⌐ом свете to look through black glasses; держать в ⌐ом теле to treat badly, to keep in the background; ходить в ⌐ом to wear black; ⌐ая биржа illegal exchange; ⌐ая гадюка viper; ⌐ая доска black-board (в школе); ⌐ая лестница backstairs;

⌣ая меланхолия deep melancholy; ⌣ая неблагодарность the blackest ingratitude; ⌣ая работа unskilled manual labour; ⌣ая сотня *ист.* the Black Hundred; между ними пробежала ⌣ая кошка *погов.* they are at odds (at variance); there is a coolness between them; ⌣ое дерево ebony; ⌣ое духовенство the regular clergy (*monks, friars*); Ч⌣ое море the Black Sea; ⌣ые думы gloomy thoughts; ⌣ые тучи heavy clouds; **черным-черно** very black; pitchdark (*очень темно*).

чернь 1. rabble, mob; 2. niello (*на серебре*).

черняк *уст.* black ball; наложить ⌣ов, закидать ⌣ами to black-ball.

черпак scoop, bucket.

черп‖алка scoop; '⌣ать, ⌣нуть to draw up, bucket, ladle out, dip; to spoon (*up, out*) (*ложкой*); ⌣ать сведения to draw information (*from*); лодка ⌣нула воды the boat shipped a heavy sea.

черстветь to get stale (*о хлебе*); *физ.* to harden, become hard-hearted, unfeeling.

чёрств‖ость staleness, dryness, hardness; ⌣ый stale, dry, hard; ⌣ый человек a hard-hearted person, a person with a heart of stone.

черт‖а line; feature, lineament (*лица*); trait (*характера*); ч. оседлости *ист.* pale of settlement; отличительная ч. distinguishing feature; пограничная ч. frontier; ⌣а города within the boundaries of a town, within the precincts (pale) of the town; вне ⌣ы города beyond the pale of the town; в общих ⌣ах in a few words (lines); in general outline.

чертёж plan, sketch, draught, draft, scheme, diagram; ⌣ник draftsman; ⌣ный (for) drawing; ⌣ная доска drawing-board; ⌣ная игла drawing point; ⌣ная линейка ruler; ⌣ное перо drawing-pen.

черти‖льный *см.* чертёжный; ⌣ть to draw, sketch, trace; describe (*треугольник и пр.*); ⌣ть карту to map, make a map.

чертов‖ка she-devil; ⌣ский devilish, deuced; она ⌣ски хороша she is a deuced fine woman; ⌣щи́на devilry.

чертог *лит.* hall, apartment, chamber; ⌣и palace.

чертополох *бот.* thistle.

чертыхаться *вульг.* to swear, curse.

черчение drawing, sketching, designing.

чесал‖ка *текст.* hemp (flax) comd, ripple; hackle (*для льна*); card, carding-engine, combing-machine; ⌣ьный carding, combing, hackling; ⌣ьная машина *см.* чесалка; ⌣ьщик, ⌣ьщица comber, carder.

че‖сать to scratch (*тело*); to comb (*волосы*); to hackle, card (*лён, шерсть*); ч. шерсть to tease; ⌣саться to itch; *см.* причёсываться; у неё язык '⌣шется her tongue is itching to speak; у него руки '⌣шутся сделать это his fingers are itching to do it.

чёска combing, scratching.

чесно‖к garlic; ⌣чная головка bulb of garlic.

чесот‖ка itch, rash, scab, mange (*у животных*); ⌣очный scabby; mangy; ⌣очный клещ itch-mite.

чествова‖ние celebration, honouring; ⌣ть to honour, celebrate, feast.

честить *ирон.* to abuse, scold.

чести‖ость honesty, probity, integrity, rectitude; ⌣ый honest, upright, straightforward, honourable, fair, square, straight; white (*sl. амер.*); быть ⌣ым to be honest *и пр.*; to play the game; ⌣ая сделка square bargain; ⌣ое слово word of honour; даю ⌣ое слово I give my word of honour; upon my honour (life); honour bright (*разг.*); отпустить на ⌣ое слово to liberate on parole; действовать ⌣о по отношению к кому-л. to play fair (square), to act fairly (squarely) by one.

честолюб‖ец ambitious person; ⌣ивый ambitious; ⌣ие ambition.

чест‖ь honour; должная ч. due honour; в ч. к.-л. (ч.-л.) in honour of...; его ч. задета his honour is at issue (stake); надо и ч. знать one must not (ought not to, should not) abuse...; он делает ч. своей профессии he is a credit (an honour) to his profession; отдать ч. *военн.* to salute; to present arms (*оружием*); считать за ч. to esteem (deem) it an honour (favour); это делает ему ч. this does him credit; не имею ⌣и знать его I have not the honour of knowing him (of his acquaintance); труд в СССР есть дело ⌣и, дело славы, дело доблести и геройства labour in the USSR is a matter of honour, a matter of glory, a matter of valour and heroism; он у них в

⁓й they make much of him; всё ч.-⁓ью all as it should be; клянусь ⁓ью upon my honour.

чесу(н)чá sort of tussore silk.

чёт pair, even number; **ч. и нечет** odd and even.

четá pair, couple (*тж. супружеская*); **он тебе не ч.** he is no match for you; there is no comparing you two.

четвéрг Thursday; **после дождика в ч.** *погов.* ≅ latter Lammas; on the Greek Calends.

четверéньк‖и: на ⁓ах on all fours.

четверѝк *уст.* tchetverik (*dry measure*).

четвёрка four; a four-in-hand, a carriage and four, a team of four horses (*лошадей*); four-oar (*лодка для 4 гребцов*); four-pipped card (*игральная карта*).

четвернѝ *см.* четвёрка.

чéтверо four; **их ч.** there are four of them.

четвероно́гий fourlegged, quadruped.

четворору́кий fourhanded, quadrumanous.

четворости́шие quatrain.

четвертáк *уст., разг.* $1/4$ of a rouble = 25 copecks.

четверти́чный *геол.* quaternary.

четвёртка *см.* четверть.

четвертн‖áя *s.* $1/4$ of a vedro (*liquid measure*); **⁓óй** (containing) one fourth; **⁓ой билет** *разг., уст.* 25 roubles.

четвертовá‖ние quartering; **⁓ть** to quarter.

четверту́шка *см.* четверть.

четвёрт‖ый the fourth; **⁓ая часть** one fourth, a quarter.

чéтверт‖ь a (one) fourth (*тж. муз.*); quarter; *см.* четвертная; **ч. второго** a quarter past one; **ч. километра** a quarter of a kilometre; **ч. часа ходьбы** a quarter of an hour's walk; **без ⁓и шесть** a quarter to six; **по ⁓ям года** quarterly.

чётки rosary, beads.

чётк‖ий legible, clear; **ч. почерк** clear handwriting; **⁓ая директива** clear (precise) directions; **⁓ая работа** precise work; **⁓ое исполнение задания** efficient performance of a task; **⁓ость** legibility, clearness.

чётн‖ый even; **⁓ое число** even number.

четы́ре four.

четы́режды four times; **ч. четыре равняется 16** four times four make 16.

четы́реста four hundred.

четырёх- quadri-, quadru-, tetra-, four-.

четырёхголóсный fourvoiced, of four voices.

четырёхгрáнн‖ик tetrahedron; **⁓ый** tetrahedral.

четырёхднéвн‖ый of four days; four-day (*attr.*); **⁓ая лихорадка** quartan fever.

четырехклáссный having four forms, a four years course.

четырёхлéтний four years old.

четырёхлистóвый tetrapetalous, tetraphyllous.

четырёхмéстный fourseated; having four seats.

четырёхмéсячный four months old.

четырёхпáлый tetradactyl(ous).

четырёхпóль‖е four field system; **⁓ный** divided into 4 fields; **⁓ный севооборот** rotation of 3 crops.

четырёхпроцéнтный four per cent (*attr.*).

четырёхслóжный tetrasyllabic (-al).

четырёхсотлéтний quartercentenary.

четырёхсóтый the four-hundredth.

четырёхстóпный (стих) tetrameter.

четырёхсторо́нний quadrilateral.

четырёхстру́нный four stringed.

четырёхугóльн‖ик square (*квадрат*); quadrangle, tetragon; **⁓ый** fourcornered, tetragonal.

четырёхчлéнный of four members (periods).

четырёхэтáжный four storeyed (storied).

четы́рнадцат‖ый fourteenth; **⁓ь** fourteen.

чех Czech, Czecho-Slav; Bohemian.

чехардá leap-frog; **министерская ч.** *фиг.* rapid change of ministries.

чех‖óл cover, case; **в белых холщёвых ⁓лáх** in white Holland covers.

чехо-словáк Czecho-Slovak.

Чехо-Словáкия Czecho-Slovakia.

чехо-словáцкий Czecho-Slovak.

чечеви‖ца lentil; *физ.* lens; **⁓чная похлёбка** pottage of lentils; *фиг.* mess of pottage (*земные блага*); **⁓чное блюдо** a dish of lentils.

чечéн‖ец Chechenets; **Ч⁓о-Ингу́шская АССР** Chechen-Ingush Autonomous Soviet Socialist Republic.

чёш‖ка Czech woman; ⁓ский Czecho-Slav, Czechish, Bohemian; ⁓ский язык Czecho-Slav (language), Czechish.

чешу‖екрылый lepidopterous; ⁓екрылые насекомые Lepidoptera; ⁓йчатый scaled, scaly; ⁓й scale(s) (рыбы); squama; сбрасывание ⁓й desquamation; сбросить ⁓ю to desquamate; снимать ⁓ю to scale.

чи́бис зоол. lapwing, pe(e)wit.

чиж, ⁓ик 1. siskin (птица); 2. tip-cat (игра).

чик snip, clip.

Чика́го Chicago.

чи́к‖ание cutting, clip(ping) (ножниц); snap(ping) (фотограф. камеры, курка); ⁓ать, ⁓нуть to clip, snip, snap off.

Чи́ли Chile, Chili.

чили́‖ец, ⁓йка Chilean, Chilian; ⁓йская селитра Chile saltpetre.

чили́кать см. чирикать.

чили́м бот. water-caltrops.

чин rank, grade; без ⁓ов without ceremony.

чи́на бот. vetchling.

чина́р(а) бот. plane(-tree).

чини́ть 1. to mend, patch, clout, repair; 2.: ч. карандаш to point a pencil; 3.: ч. препятствия to put obstacles in the way; ч. суд и расправу to administer justice; ⁓ся 1. to be in mending и пр.; 2. to stand upon ceremony.

чи́нн‖ость decorum; ⁓ый decorous, sedate; ⁓о decorously, sedately.

чино́вн‖ик official, civil servant, functionary; bureaucrat; ⁓ический bureaucratic; ⁓ичество officialdom; ⁓ый of high rank.

чинонача́лие уст. hierarchy, subordination.

чи́рей boil, furuncle.

чирика‖ние chirping, twitter (-ing), tweet(ing); ⁓ть to chirp, chirrup, twitter, tweet.

чирк‖ать, ⁓нуть to strike a match (спичкой).

чиро́к зоол. teal.

чи́сленн‖ость number, quantity; ⁓остью in number; ⁓ый numeral; ⁓ое превосходство numerical superiority; majority (большинство).

числи́тель numerator; ⁓ный numeral; имя ⁓ное numeral adjective; имя ⁓ное количественное cardinal (number); имя ⁓ное порядковое ordinal (number).

чи́слить to count, reckon; to rank (в ряду); ⁓ся to be counted,

reckoned; ⁓ся больным to be on the sick-list; ⁓ся в отпуску to be on leave; ⁓ся в списках to be on the list; книга чи́слится за ним the book is on his name.

числ‖о́ 1. number, quantity; без ⁓а́ innumerable (не поддающийся перечислению); without number (без номера или даты); один из их ⁓а one of them; в том ⁓е́ among them; 2. гр.: единственное ч. singular; множественное ч. plural; в единственном ⁓е in the singular; 3. мат. number; алгебраическое ч. algebraic quantity; дробное ч. fractional number; именованное ч. concrete number; кратное число multiple quantity; мнимое ч. imaginary quantity; неизвестное ч. unknown quantity; нечётное ч. odd number; отвлечённое ч. abstract number; простое ч. prime number; целое ч. whole number; 4.: ч. месяца date; какое сегодня ч.? what date is it to-day?; what is the date?; сегодня тринадцатое ч. to-day is the thirteenth; без ⁓а without date, undated, dateless; помечать ⁓о́м to date; помечать задним ⁓ом to backdate; средним ⁓ом on an average.

числово́й numeral.

чист‖е́йший см. чистый; '⁓енький neat, tidy.

чи́стик зоол. guillemot.

чисти́лищ‖е purgatory; ⁓ный purgatorial.

чисти́льщик: ч. сапог shoeblack, bootblack; ч. (печных) труб chimney-sweeper.

чи́стить to clean, cleanse; to purge (тж. фиг.); to scrub (скрести); to brush (щёткой); to scour (металл. предметы, пол и пр.); ч. дно судна to grave; ч. зубы to brush (clean) one's teeth; ч. канал to dredge a canal; ч. котлы to fur; ч. лошадь to rub down a horse; ч. мусорные ямы to scavenge; ч. орехи to shell nuts; ч. платье to brush one's clothes; ч. сапоги to clean (blacken) one's boots; ч. трубы to sweep chimneys; ч. фрукты to peel (pare) fruit; ⁓ся to clean (brush, scrub) oneself; ⁓ся клювом to preen (plume) oneself.

чи́стк‖а cleansing, purging, weeding out, scouring; ч. партии (учреждения) cleansing, clean out, combing-out; отдать пальто в ⁓у to have one's coat cleaned, to send one's coat to the cleaner's.

чи́сто neatly, cleanly, purely; тут дело не ч. there is foul play here; чувствовать, что дело не ч. to smell a rat.

чистови́к fair (clean) copy.

чистога́н *уст.* cash, cash payment; ready money; заплатить ∼ом to pay in cash, to pay to the last penny, to pay cash down.

чистокро́вн∥ый thoroughbred, full-blooded; ∼ая лошадь a thoroughbred (full-blooded) horse.

чистописа́ние calligraphy.

чистопло́тн∥ость cleanliness, neatness, ∼ый clean, neat; ∼о cleanly, neatly.

чистосерде́чн∥ость candour, sincerity, frankness, ingenuousness, openness, straightforwardness; ∼• ый candid, sincere, frank, ingenuous; open-hearted; ∼о candidly *и пр.*; ∼о признаться to confess frankly (honestly), to make a clean breast (*of*).

чистота́ cleanliness, cleanness; neatness; purity, clearness, clarity (*воды*); innocence (*невинность*); ч. воздуха clearness (clarity, purity) of the air; ч. побуждений purity of motives, disinterestedness.

чисто∥те́л *бот.* greater celandine; царский ∼у́ст *бот.* osmund, royal fern, the flowering fern, king fern.

чист∥ый clean, neat, pure (*беспримесный*; *непорочный*); spotless, immaculate (*незапятнанный*); ч. вес (доход) net weight (profit); ч. вздор downright nonsense; ч. воротник clean collar; ч. голос clear voice; ч. спирт neat spirits; он вышел ∼ым he cleared himself; ∼ая правда naked truth; ∼ая перемена *театр.* carpenter scene; ∼ая случайность mere chance; ∼ая страница blank page; бриллиант ∼ой воды diamond of the first water; ∼ое поле open country; из ∼ого озорства from sheer sauciness (impudence, impertinence); из ∼ого сострадания from pure compassion; это было ∼ей-шее недоразумение it was a misunderstanding pure and simple.

Чита́ Chita.

чита́льн∥ый зал, ∼я reading-room (-hall).

чита́тель reader.

чит∥а́ть to read; ч. вслух to read aloud; ч. лекции to give (deliver) lectures; ч. лекции по запискам to lecture from notes; ч. лекции по какому-либо предмету to lec-

ture on a subject; ч. по ночам to burn the midnight oil; ∼а́ться to be read; этот роман легко ∼а́ется this novel is very easy reading; это очень легко ∼ается it reads well (like a joke); ∼ка *театр.* reading, first rehearsal; elocution, art of delivery (*дикция*).

чиха́∥ние sneezing, sternutation; ∼тельный sternutatory, sternutative; ∼тельный газ sneezing-gas; ∼ть to sneeze.

чичеро́не guide; cicerone (*итальянский*).

член member; fellow (*учёного общества, партии*); *гр.* article; ч. городской думы town councillor; ч. жюри juryman; ч. коммунистической партии member of the Communist Party; ч. партии party-man; ч. пропорции *мат.* term of a proportion; ч. профсоюза trade-unionist; ч. тела limb; детородный ч. genital organ; иметь гибкие ∼ы to have limber (lithe) limbs.

членовреди́тельство mutilation, maiming.

членоразде́льн∥ость articulateness; ∼ый articulate, distinct.

чле́нский of member; ч. билет membership card; ч. взнос membership fee.

чле́нство membership.

чмок smack (of the lips); ∼ать, ∼нуть to smack(one's lips); to kiss, give a hearty (smacking) kiss (a hearty smack).

чо́боты *укр.* boots.

чо́глок *зоол.* hobby.

чо́к∥анье clinking; ∼аться, ∼нуться to touch (clink) glasses.

чо́лка fringe (*у человека*); forelock (*у лошади*).

чо́мга grebe (*северная водяная птица*).

чо́пори∥ость stiffness, starchiness, buckram, primness, standoffishness, prudishness; ∼ый stiff, starchy, strait-laced, prim, prudish, standoffish, stuffy (*sl.*); ∼о stiffly *и пр.*; ∼о держаться to stand upon ceremony.

чорт devil, deuce, old Nick, old gentleman, old Harry, dickens; ч. возьми (побери)! dash it!; drat it!; the deuce (devil) take (confound) it!; ч. его знает the deuce knows; ч. знает, что за каша the devil's own mess; не так страшен ч., как его малюют the devil is not so black as he is painted; он работает как ч. he works like a horse (like a slave, like the deuce); сам ч. не разберёт, сам ч. ногу сломит there's no making head or tail of it; чем ч. не шутит? who knows?; one can never be too sure; you never can tell; ~а с два! *вульг.* not for the world!, on no account; какого ~а? what the deuce (dickens, devil *и пр.*)?; он живет у ~а на куличках he lives at the world's end; ни черта не стоит no earthly darned good; к ~у! dash it!; убирайся (иди, поди) к ~у! go to Jericho!; hang you!; a plague upon you!; may the devil take you!; это ни к ~у не годится this is not an atom of good; this isn't worth a pin; ~ов the devil's (own); ~ов палец *геол.* thunderstone, thunderbolt; belemnite (*научн.*).

чох: считать ~ом *разг.* to take in the lump.

чреват||**ый** pregnant; это событие ~о последствиями this event is big with consequences.

чрево belly, stomach; ~**вещание** ventriloquy; ~**вещатель** ventriloquist; ~**угодие** belly-worship, gluttony; ~**угодник** belly-worshipper, glutton, belly-slave; ~**угодничать** to be given to one's belly.

чрез *см.* через.

чрезвычайн||**ый** extraordinary, excessive, extreme; ч. посол ambassador extraordinary; Ч~ая комиссия (Ч. К., Чека) *ист. см.* ВЧК; ~ое собрание extraordinary congress; ~о extremely, exceedingly, highly; immensely; мне ~о прискорбно слышать это I am extremely sorry to hear it.

чрезмерн||**ый** excessive, inordinate; immoderate; ~ая цена exorbitant price; у него ~ые требования he is exorbitant (very particular) in his demands.

чресла *уст.* loins.

чте||**ние** reading; perusal (*особ. внимательное*); ч. лекций lecturing; ч. мыслей thought-reading; беглое ч. fluent reading; ~ц reader.

чтец-декламатор book of verse and prose.

чтить to honour, revere, respect.

чтица reader.

что I. what, why, whatever, how; ч. бы ни вышло из этого (ни случилось) whatever happens; whatever should come of it; ч. вы! how can you!; what do you mean?; you don't say so!; ч. вы молчите? why are you so silent?; ч. дадут, то и возьму I'll take whatever is offer-
ed me; ч. делать? what's to be done?; ч. до меня as to me; in my opinion (*по-моему*); ч. же дальше? what next?; ч. за дерзость! what impudence!; what cheek!; ч. за несчастье! how terrible!; что за misfortune!; ч. за шум? what's this noise?; ч. касается меня as far as I am concerned; ч. ни дай, всё ей мало she's never pleased whatever you give her; ч. ни слово, то ложь every word is a lie; ч. с вами? what is the matter with you?; what is wrong with you? (*при болезни*); ч. это такое? what's this?; а ч. я говорил? didn't I tell you?; I told you so; and what did I say?; дайте мне ч. можете give me anything you can; на ч.? what for? (*для чего?*); на ч. я ответил to which I answered; ни за ч.! never!; not for anything; not for the world; nothing shall induce me; ни во ч. не ставить to set at naught, despise; to make nothing of, to hold cheap; not to value; ни за ч. ни про ч. without the slightest reason (ground); without rhyme or reason; но ч. меня удивляет but what astonishes me most; но ч. хуже всего but the worst of it is; ну, ч. же! very well, all right, I don't mind; ну, ч. же вы не идёте? why aren't you coming?; я не знаю, ч. он сказал I don't know what he said.

что II. that (*часто опускается*); говорят, ч. он болен they say he is ill; he is said to be ill; он так болен, ч. ... he is so ill that...; я счастлив, ч. вижу вас I am delighted to see you.

чтоб, ~**ы** in order to, that, so that; ~ы не lest; ~ы вы не забыли lest you should forget; вместо того, ~ы... instead of...; это известие слишком хорошо, ~ы быть верным the news is too good to be true; я сделаю всё, ~ы вас успокоить I shall do my utmost to tranquilize (calm, quiet) you (to cause you less anxiety).

что-||**либо,** ~**нибудь,** ~**-то** something; видели (слыхали) ли вы ч.-либо подобное? have you ever seen (heard) the like of it?; мне ч.-то нездоровится I don't feel (very, quite) well; I'm poorly; I feel queer (seedy, indisposed); он только-ч. пришёл he has (is) just come; он ч.-то молчит сегодня he is very (rather) silent to-day; he is (rather) buttoned up to-day;

тут ч.-то не так there's something wrong (suspicious) about this; *разг.* I smell a rat.

чу! hark!, listen!

чуб *укр.* forelock, tuft of hair.

чуба́рый mottled, speckled.

чубу́к *тюркск.* chibouk, chibouque, a long tobacco-pipe.

чува́ш Tchoovash, Choovash.

Чува́шская АССР the Choovash Autonomous Soviet Socialist Republic.

чу́вственн‖ость sensuality; ‿ый sensual, sensuous, voluptuous.

чувстви́тельн‖ость sensibility, sensitiveness, susceptibility; ‿ый sensitive, tender, susceptible; receptive (*восприимчивый, впечатли́тельный*); sentimental (*особ. сентимента́льный*); painful (*ме́сто, зуб*); ‿ый уда́р painful blow; ‿ый хо́лод sharp (severe) cold; ‿ые весы́ sensitive balance.

чу́вство feeling, sensation; sense; ч. жа́лости pity; ч. любви́ love; ч. раздраже́ния a feeling of irritation; ч. со́бственного достои́нства feeling of proper dignity; ч. хо́лода sensation of cold; благоро́дное ч. *лит.* noble sentiment; притти́ в ч. to recover one's senses; to come to; её принесли́ домо́й без чувств she was carried home insensible; лиши́ться чувств to fall senseless, to faint; to swoon; обма́н чувств illusion, delusion; о́рганы чувств organs of sense.

чу́вствовать to feel, to have a sensation; ч. го́лод (уста́лость) to feel (be) hungry (tired); ч. себя́ больны́м to feel (be) unwell (ill); ‿ся to be felt.

чугу́н cast iron; cast iron pot (*посу́да*); ч. в болва́нках pig iron; бе́лый ч. specular pig iron.

чугу́нка I. *уст.* railway.

чугу́нка II. portable iron stove.

чугу́н‖ный cast-iron (*attr.*); ‿олитéйный заво́д cast-iron foundry.

чуда́‖к queer (quaint, odd) fellow (chap), original, oddity, crank, faddist; ‿чество extravagance.

чуде́сн‖ый 1. wonderful, miraculous; ‿ое избавле́ние miraculous escape; 2. lovely, beautiful, fine, splendid (*прекра́сный*); ч. вид beautiful view; у вас ч. вид you look splendid.

чуди́ть to try to be original; to behave in an unusual(odd, strange, queer) way.

чу́дит‖ься: мне ‿ся it seems to me, I seem to hear (see).

чу́дище *см.* чудо́вище.

чудно́й strange, comical, odd, queer, quaint; что-то чудно́ there's something strange.

чу́дн‖ый wonderful, lovely, beautiful, marvelous; ‿о wonderfully, beautifully, marvelously, lovely.

чу́д‖о miracle, wonder; ч. иску́сства (ума́) prodigy; ч. красоты́ (доброде́тели) paragon; ‿еса́ miracles, wonders; страна́ ‿éс wonderland.

чудо́вищ‖е monster; ‿ность monstrosity, enormity; ‿ный monstrous.

чудоде́й miracle worker; ‿ственный wonder-working, doing wonders, miraculous, wonderful.

чудотво́рец thaumaturgist, wonder-worker, worker of miracles.

Чудско́е о́зеро Lake Peipus.

чужа́к foreigner, stranger, alien.

чужби́на foreign country.

чужд‖а́ться to avoid, to shun, keep away (*from*); '‿ость the fact (state) of being foreign (alien) (*to*); '‿ый foreign, alien, strange (*to*), outlandish; ‿ый элеме́нт foreign element; он чужд э́тих интри́г he is a stranger to these intrigues.

чужезе́м‖ец stranger, foreigner, alien; ‿ный strange, alien, outlandish.

чужестра́нец *см.* чужезе́мец.

чуже́йдн‖ый parasitic(al); ‿ое расте́ние parasite.

чуж‖о́й 1. *a.* foreign, strange; жить на ч. счёт to live at the expense of another; присво́ить ‿у́ю мысль to borrow an idea; to plagiarize; распоряжа́ться ‿о́й со́бственностью to make free with; назва́ться ‿и́м и́менем to borrow a name; в ‿и́е ру́ки into strange hands; 2. *s.* a foreigner, stranger.

чу́йка farmer's short coat.

чук‖о́тский, '‿чи Tchuktchi.

чула́н larder, closet, store-room, lumber-room.

чул‖о́к stocking; ч. из грубо́й ше́рсти worsted stocking; ажу́рный ч. open-work stocking; си́ний ч. *фиг.* blue-stocking; шерстяно́й ч. woolen stocking; ‿ки stockings; hosiery (*как това́р*); рези́новые ‿ки elastic stockings; ‿о́чник, ‿о́чница stocking-maker; ‿о́чное отделе́ние (*в магази́не*) hosiery (department).

чум reindeer-tent.

чума́ plague, black-death; ч. рога́того скота́ rinderpest; cattle-plague; ч. у свине́й swine fever;

амер. hog cholera; бубонная ч. the (bubonic) plague, pestilence; собачья ч. distemper.

чумазый dirty, black-faced.

чумак *укр.* Ukrainian carter having a yoke of oxen to his cart.

чумиться to distemper (*о собаках*).

чумичка untidy woman, slut.

чумный of plague, pestilential, pestiferous; plague stricken.

чур: ч. меня! don't touch me!; ч.-чура! *дет.* fain(s)!; fen(s)!; fay-nights!; pax!; ⌐áться *разг.* to hold (stand) aloof, to dislike, to shun.

чурбан block, log, junk, chuck, chump; *фиг.* blockhead (*о человеке*).

чурка chock (*подкладка под колесо и пр.*).

чутк‖ий sensitive; delicate, tactful, thoughtful, considerate (*тактичный*); responsive (*отзывчивый*); ч. сон light sleep; ⌐ая собака quick- (sharp-)eared dog; ⌐о sensitively *и пр.*; ⌐о прислушиваться to listen attentively; ⌐ость quickness, sensitiveness, delicacy, considerateness, tact; *см.* чуткий.

чут‖очку (*чуть-чуть*) a little, a wee bit, a shade, slightly; дайте мне ч. отдохнуть let me rest a wee bit; ни ⌐очки not in the least, not at all; ⌐ь (*едва*) hardly, barely, scarcely; ⌐ь свет at peep of dawn; at day-break; ⌐ь что, она сердится she flares up at every trifle; он ⌐ь дышит he hardly breathes; ⌐ь не (*почти что*) nearly, almost, within an ace (inch) of; on the verge of; его ⌐ь не запороли до смерти he was flogged within an inch of his life; я ⌐ь не разбил чашку I very nearly broke (smashed) the cup; я ⌐ь не упал I nearly fell; ⌐ь что не all but; он ⌐ь что не попался he was all but caught.

чутьё scent (*обоняние*); hearing (*слух*); flair (*франц.*); художественное ч. artistic sense, flair; у собаки хорошее ч. the dog has a good nose.

чучело stuffed animal, dummy; ч. гороховое *фиг.* blockhead, dolt, booby; искусство набивки чучел taxidermy.

чушка pig;

чушь *см.* чепуха.

чу‖ять to smell, scent; *фиг.* to feel, understand; ⌐ет моё сердце недоброе I'm full of evil forebodings.

чьё, чья *см.* чей.

Ш

шабаш sabbath; ш. ведьм witches' sabbath.

шабаш rest; ш.! *разг.* enough, have done!; stop it!; ⌐ить to stop (leave off, finish) working.

шабер *техн.* scraper.

шаблон template, pattern (*в рисовании*); mould (*форма*); *фиг.* stereotype.

шаблонность want of originality, triteness.

шаблонный *фиг.* unoriginal, trite.

шавка hairy mongrel.

шаг step, pace; *военн.* time; stride (*крупный*); *техн.* pitch; ш. винта *техн.* the thread of the screw; ш. за ⌐ом step by step; ловкий ш. a clever manœuvre; политический (дипломатический) ш. démarche; всего один ш. but one step (move); он ни на ш. не отходит от неё he won't (can't, doesn't) stir a step from her; он сделал непоправимый ш. he took an irretrievable step; от великого до смешного один ш. there is only one step from the sublime to the ridiculous; сделать первый ш. *фиг.* to make advances (the first move); беглым ⌐ом double quick; скорым ⌐ом quick time; тихим ⌐ом slow time; вести лошадь ⌐ом to walk a horse; ехать ⌐ом to drive (ride) slowly; на каждом ⌐у at every step; ни ⌐у дальше! not a step further!; прибавить ⌐у, ускорить ш., ⌐й to mend (quicken, accelerate) one's pace; замедлить ⌐и to slacken one's pace; итти крупными ⌐ами to walk with long (vigorous) strides; итти медленными ⌐ами to walk slowly; в двух ⌐ах within a stone's throw; звук ⌐ов foot-fall.

шаг‖ать to pace (*мерно*); to step; to stride (*крупными шагами*); ⌐нуть to step, make a step.

шагомер pedometer.

шагрен‖евый shagreen (*attr.*); ⌐ь shagreen.

шаж‖ок small step; ⌐ком at a slow pace (*о лошади*); мелкими ⌐ками with small steps.

шайба *техн.* washer; clout.

шайка I. gang, band; ш. воров (разбойников) gang of thieves (robbers).

шайка II. small tub (*для воды*).

шайтан devil.

шакал jackal (*тж. фиг.*).

шаланда *мор.* wherry.

шалаш hut.

шалеть to get crazy; *см.* ошалеть.

шали‖ть to play pranks, to be naughty (*о детях*); to be up to mischief, romp; перестань ш. don't be so naughty; нет, ~шь! ≅ none of your tricks!, you won't catch me! шаловлив‖ость playfulness; ~ый playful, frolicsome.

шалопай *разг.* good-for-nothing, loafer, lazy dog, scapegrace; ~ничать to be good-for-nothing; to loaf about, loiter about, do nothing.

шалость prank, trick; глупая ш. silly joke.

шалун, ~ишка, ~ья frolicsome (playful, mischievous) child; tomboy (*о девочке*).

шалфей *бот.* sage.

шалый crazy.

шаль shawl.

шальн‖ой crazy, foolish, insane, mad, cracked; ~ая пуля a stray (random) bullet (shot).

шаман shaman (*priest, sorcerer*); ~изм, ~ство shamanism.

шамать *вульг. см.* жрать.

шамка‖ние mumbling; ~ть to mumble, mutter.

шампанское champagne.

шампиньон fairy-ring mushroom (*редк.* champignon).

шампун‖ь shampoo; мыть (*голову*) ~ем to shampoo.

шандал *уст.* candlestick.

шандра *бот.* horehound.

шанец *военн.* trench, entrenchment, sconce.

шанк‖ерный *мед.* chancrous; ~р chancre.

шанс chance; ни малейшего ~а not an earthly chance; иметь ~ы to stand a good chance; иметь все ~ы на успех to stand to win; у него нет никаких ~ов на выигрыш he is quite out of the running.

шансонет‖ка 1. (music-hall) song; 2. music-hall singer (*тж.* ~ная певица).

шантаж blackmail; ~ировать to blackmail; ~ист blackmailer.

шантрапа *вульг.* riff-raff, good--for-nothing.

Шанхай Shanghai.

шанц *см.* шанец.

шанцевый *военн.*: ш. инструмент entrenching tool.

шап‖ка cap; ш. волос a mane (head, shock) of hair; ш.-невидимка Fortunatus's cap; бобровая ш. beaver cap; меховая ш. fur cap; дать по ~е *фиг.* to clout someone's head; to kick out; ломать ~ку *уст.*

to bow; ~ками закидаем *фиг.* we shall carry off an easy victory!

шаповал fuller.

шапо-кляк *уст.* opera-(crush) hat.

шапоч‖ка a little cap; Красная ш. little Red Riding-Hood; ~ник hatter; ~ное знакомство a bowing acquaintance; притти к ~ному разбору to come to the end (of a meeting *etc.*).

шар (*тж.* бильярдный) globe, sphere, orb; воздушный ш. balloon; земной ш. globe; избирательный ш. ballot; положить ш. в лузу to hole a ball; поставить ш. к самому борту to give a close ball; поставить ш. на борт to lay a ball under the cushion; хоть ~ом покати *погов.* ≅ perfectly empty, quite clean.

шарабан gig.

шарада charade.

шарах‖аться, ~нуться to shy (*о лошадях*).

шарж 1. overdoing, overacting, buffoonery, burlesque; 2. sketch, grotesque, caricature; cartoon (*рисунок*); ~ировать to overdo, overact.

шарик *уменьш. от* шар; globule; pellet (*бумаги, хлеба*); кровяной ш. blood corpuscle; красные (белые) ~и red (white) corpuscles; ~оподшипник *техн.* ball-bearing.

шарить to search, rummage.

шарк‖ать, ~нуть to scrape one's feet; ш. ногами to darg one's feet; ~нуть ножкой to scrape one's foot; to make an obeisance (*поклониться*); салонный ~ун *презр.* carpet knight.

шарлатан charlatan, quack; impostor, cheat (*обманщик*); ~ить to play the charlatan; ~ство charlatanry, quackery.

шарлот *бот.* shallot; ~ка charlotte (*сладкое блюдо*).

шарман‖ка barrel-(street-)organ, hurdy-gurdy; играть на ~ке to grind a barrel-organ; ~щик organ-grinder.

шарнир hinge, joint(-pin); универсальный ш. universal (gimbals-)joint, coupling.

шаровары loose Turkish trousers tight at the ankle.

шаро‖видность spherical shape, globosity, globularity; ~видный, ~вой spheric(al), globular; ~вая мельница ball mill; ~образность, ~образный *см.* шаровидность, шаровидный.

шаробшка *техн.* fraice, cutter.

шартрёз chartreuse (*ликёр*).

шарф scarf; шерстяной ш. comforter.

шассе chassé, gliding step in dance (from left to right or forward and backward).

шасси chassis; ш. аэроплана undercarriage, underframe.

шасть *разг.* suddenly, unexpectedly; pop; without notice or warning.

шата́∥ние] reeling, tottering, swaying; ш. по городу roaming; беспельное ш. loafing; ∼ть to shake, rock, sway; ∼ться to reel, totter, stagger (*нетвёрдо держаться на ногах*); to lounge, loaf (*about*) (*праздно*); to roam, rove, ramble (*бродить*); to get loose (*о гайке, гвозде*); ∼ющийся зуб loose tooth; ∼ющаяся походка reeling gait.

шатён(ка) brown-haired person.

шатёр tent, hut.

шатия *вульг.* gang.

шатк∥ий tottering, unsteady, faltering, staggering, wavering, weak, precarious, rickety, crazy; ∼ие убеждения unsteady convictions; ∼ое положение precarious position; ∼ость unsteadiness, weakness, precariousness.

шатнуть(ся) *см.* шатать(ся).

шатров∥ый: ∼ая крыша *см.* крыша.

шату́н *редк.* tramp, vagabond; *техн.* connecting-rod, pump; *амер.* pitman.

шафер best man, bride's man.

шафра́н saffron; дикий ш. safflower.

шах 1. shah; 2. *шахм.* check; ш. и мат checkmate; ш. королю check to the king; объявить ш. to discover check.

ша́хер-ма́хер *разг.* jobber; ∼ство trickery, jobbery.

шахм∥атист chess-player; '∼атная доска chessboard; ∼атная фигура chessman; '∼аты chess.

ша́хт∥а mine, pit; угольная ш. coal pit; ∼ёр miner (*преим. углекоп*); забастовка ∼ёров miners' (coal) strike; ∼ком Mines Committee; ∼ный mining (*attr.*).

ша́ш∥ечный: ∼ечная доска draught-board; *амер.* checkerboard; ∼ка 1. sabre, sword (*оружие*); 2. *амер.* checker (*в игре*); играть в ∼ки to play draughts (*амер.* checkers).

шашлык slices of mutton roasted on spits.

ша́шни intrigues; tricks; pranks; *вульг.* adultery, liaison.

шваб, ∼ка Swabian.

швабр∥а mop; *мор.* swab; чистить ∼ой to mop, swab.

шваль *вульг.* rabble, riff-raff.

шва́льня sewing workrooms (workshop).

шварт *мор.* sheet anchor; канат ∼а sheet cable; ∼ов hawser; ∼овать to moor.

швед Swede; ∼ский, ∼ский язык Swedish.

швей∥ник sewer; ∼ый sewing, for sewing; ∼ая артель needleworkers' association; ∼ая машина (игла) sewing machine (needle); ∼ая промышленность sewing industry.

швейца́р porter (at the door), door-keeper; hall porter.

швейца́р∥ец Swiss; Ш∼ия Switzerland.

швейца́рская *s.* porter's lodge (*комната швейцара*).

швейца́рский Swiss.

шверц *мор.* lee-board.

Швеция Sweden.

швея seamstress, sempstress; needlewoman.

швыр∥ко́вый: ∼ко́вые дрова, ∼о́к fire-wood cut into 10—12 inch logs.

швыр∥нуть *см.* швырять; ∼я́ние throwing (about), hurling, flinging; ∼я́ть to throw, hurl, fling; ∼я́ть деньгами to spend money recklessly, to be lavish of money.

шевел∥и́ть, ∼ьну́ть to move, stir, budge; ш. губами to move one's lips; ш. сено to turn (ted) hay; ∼и́ться, ∼ьну́ться to move, stir (*редко* oneself); ну, ∼и́сь! hurry up; don't dawdle!; now then, look alive!

шевелю́ра head of hair, shag, shock.

шевиот serge (*реже* cheviot).

шевро́ kid.

шедевр chef d'oeuvre (*франц.*), masterpiece.

ше́йк∥а (slim, slender) neck; finger board (neck) (*скрипки*); ш. вала *техн.* journal; ш. матки *анат.* cervix of the uterus; ш. рельса web; раковые ∼и tails of crawfish; prawns (*конфеты*).

ше́йный *анат.* jugular; ш. платок neckerchief.

шейх sheikh.

шек *мор.* cut-water.

Шекспи́р Shakespeare; язык ∼а Shakespeare's language; ш∼овский Shakespearean.

ше́лест rustle, murmur, sough (*ветра*); ∼е́ть, ∼и́ть to rustle.

шёлк silk; ш.-сырец raw silk, floss, filoselle; искусственный ш. rayon, artificial silk; на шелку silk-lined.

шелко‖**видный** silk-like; ~вина silk thread; ~вистый silky; ~вица, ~вичное дерево mulberry-tree; ~вичный червь silk worm; ~вод silk-worm breeder; ~водство seri-(ci)culture; rearing (breeding) of silk-worms, silk-worm breeding; production of raw silk.

шёлковы‖**й** silk (*attr.*); ~е чулки silk stockings.

шелкопряд *зоол.* silk-worm; ~ение silk-spinning; ~ильня silkmill.

шёл(л)ак *техн.* shellac.

шелохн‖**уть(ся)** to move, stir; и листок не ~ётся not a leaf is stirring.

шелуди‖**веть** to become mangy, scabby; ~ый mangy, scabby.

шелуха peel(ing), rind, husk, hull, skin; scale (*чешуеобразная*); pod (*бобов и пр.*); картофельная ш. potato peelings.

шелуш‖**ение** peeling; *научн.* desquamation; ~ить to hull; ~ить горох, бобы to shell peas, beans; ~иться to peel; *научн.* to desquamate.

шельм‖**а** *разг.* rogue, rascal, minx (*о женщине*); ~овать to defame, stigmatize; ~овство roguery, rascality.

шемизётка chemisette.

шемякин суд *погов.* unjust trial.

шепеля‖**вить** to lisp; ~вость lisping; ~вый lisping; one who lisps, lisper.

шепнуть *см.* шептать.

шептала dried peach.

шепт‖**ать** to whisper; ~аться to whisper to each other; ~аться по углам to whisper in corners; ~ун whisperer, underhand intriguer.

шер share (*акция*).

шерамы‖**га**, ~жник *презр.* sharper, swindler, sponger, cheat, good-for-nothing, loafer; ~жничать to swindle, cheat, loaf.

шербёт sherbet.

шерёнга rank, file.

шериф sheriff.

шерл *мин.* schorl, black tourmaline.

шерохова́т‖**ость** roughness, unevenness, crispness; ~ый rugged, rough *и пр.*

шерсти́‖**стый** woolly, fleecy; ~ть: это будет ~ть this sort of wool will irritate the skin.

шерсто‖**бит**, ~бой wool-carder; ~битный, ~бойный wool-carding; wool washing machine; ~носный wool bearing, laniferous, laniger-ous; ~прядение wool spinning; ~прядильный wool spinning; ~прядильная фабрика wool-spinning mill, woollen manufactory; ~чёс wool-carder; ~чесальный wool-carding, for carding wool.

шерст‖**ь** wool; ш. животных hair; кошачья ш. fur; неочищенная ш. wool in the grease; овечья ш. wool; против ~и *фиг.* against the rub (grain), the wrong way; с жёсткой ~ью wire-haired; ~яной woollen, of wool; ~яная пряжа woollen-thread; ~яные изделия (вещи) woollens, *разг.* woollies.

шерхёбель *техн.* rough (large) plane (for coarse work); jack-plane.

шерша‖**веть** to grow rough, to roughen; ~вость roughness; ~вый rough.

шёршень *энтом.* hornet.

шест pole, perch, staff; boat-hook; barge-pole (*барочный*); punt-pole (*лодочный*); измерительный ш. Jacob's staff.

шёств‖**ие** procession, train; похоронное ш. funeral procession; ~овать to march, to take part in a procession; важно ~овать to stalk about in a grand way, to sail (in, along, out of).

шест‖**ерик**, ~ёрка six (*attr.*); ~ёрка лошадей team of six horses; ~ёрка червей six of hearts, ~ерной sixfold, of six; ~ерня *техн.* pinion; ~еро six; нас ~еро we are six, there are six of us.

шестигодов‖**алый**, ~ой six year old.

шестигранн‖**ик** hexahedron; ~ый hexahedral.

шестидесят‖**илётний** sexagenary; ш. человек a sexagenarian; '~ый sixtieth.

шестиднёв‖**ка** six day week; ~ный of six days.

шестилепёстный hexapetalous.

шестилёт‖**ие** six years; ~ний six-year-old.

шестилистный *бот.* hexaphyllous.

шестимесячный six months (old).

шестинёгий hexaped, hexapod, having six feet (legs).

шестипалый six-fingered.

шестипольный six field crop rotation (*шестипольная система*).

шестисотый six-hundredth.

шестиствольный: ш. револьвер six-shooter.

шестисте́пный: ш. стих a verse (line) of six feet.

шестисторо́нник *см.* шестигранник.

шестиуго́льн‖ик hexagon; ⌐ый hexagonal.

шестна́дцат‖ый sixteenth; ⌐ь sixteen.

шест‖о́й the sixth; ш. час it is past five, getting on for six; одна ⌐а́я one sixth; ⌐ое ма́я the sixth of May; ⌐ое число́ the sixth; ⌐о́го числа́ on the sixth (of); в-⌐ы́х sixthly.

шесто́к hearth.

шесть six; ⌐деся́т sixty, threescore; лет ⌐деся́т some (about) sixty years; ⌐со́т six hundred; ⌐ю ш. six times six.

шеф chief, patron; ⌐о́бщество patronage society; ⌐ство patronage; ⌐ство над деревне́й patronage over the village (rural district); рабо́чее ⌐ство worker patronage; приня́ть ⌐ство (над) to take over (adopt) the patronage (of); ⌐ствовать to patronize.

Ше́ффильд Sheffield.

Шехереза́да Scheherazade.

ше́‖я neck; получи́ть по ⌐е to get it in the neck; ⌐ю не повернуть to have a stiff neck (от бо́ли); гнать в ⌐ю вульг. to chuck one out (of the room) (neck and crop); гнуть ⌐ю (спину) to bend one's back; себе́ на ⌐ю фиг. to one's own detriment; слома́ть (сверну́ть) себе́ ⌐ю to break one's neck.

ши́б‖кий разг. fast, swift, rapid, quick; ⌐кая езда́ fast driving; ⌐ко quickly, rapidly; ⌐ко скака́ть to gallop post-haste; он ⌐ко меня́ оби́дел he hurt me very much; ⌐че! quicker!; harder!

ши́ворот collar; ш.-навы́ворот topsy-turvy, upside down, inside out; взять за ш. to take one by the neck, to seize by the scruff of the neck, to collar.

шии́т (у мусульма́н) Shiite, Shiah.

шик chic, smartness, elegance; ⌐а́рный chic, smart, elegant; ⌐а́рно smartly, elegantly, well.

шик‖ать, ⌐нуть to hiss, to catcall, to hush.

шик‖ну́ть, ⌐ова́ть to lead a smart life, to show off, to cut a dash.

ши́ллинг shilling; bob (sl.).

ши́л‖о awl, pricker, bradawl; ⌐а в мешке́ не ута́ишь погов. murder will out; ⌐ом мо́ре нагре-

вать погов. a pill to cure an earthquake; ⌐ови́дный awlshaped; ⌐охво́ст зоол. pintail; species of duck; ⌐ьце small awl.

шимпанзе́ зоол. chimpanzee.

ши́н‖а tire, tyre; мед. splint; запасна́я ш. stepney; масси́вная ш. solid tire; натя́гивать нагре́тую ⌐у to shrink on a tire; то́рмоз, де́йствующий на ⌐у tire break; дуты́е ⌐ы inflated tires; пневмати́ческие ⌐ы pneumatic tires; фа́брика шин tire factory; футля́р для шин tire case; чехо́л для шин tire protection.

шине́ль capote; красноарме́йская ш. Red Army man's great coat.

шинка́р‖ить укр. to sell drinks illegally; ⌐ство illegal sale of drinks; ⌐ь public house keeper.

шинко́ва‖нный: ⌐нная капу́ста shredded cabbage; ⌐ть to chop, mince, shred.

шино́к уст. tavern.

шинши́лла зоол. chinchilla.

шип 1. thorn, prickle; нет ро́зы без ⌐о́в посл. there are no roses without thorns; 2. small sturgeon (рыба); 3. техн. dowel (-pin), tenon, pin; calk (подко́вы, подо́швы); crampon; 4. см. шипе́ние.

шипе́‖ние hissing (зме́и, гуся́); sizzle (на сковороде́); ⌐ть to hiss; to spit (о ко́шке); to sputter (о сыры́х дрова́х); to sizzle (на сковороде́).

шипо́вник wild (hedge, dog) rose, sweet brier (briar), eglantine.

шип‖у́чий sparkling, fizzy, frothy; ⌐у́чее вино́ fizz, pop (разг.); ⌐у́чка разг. pop, effervescing drink (напи́ток); ⌐я́щий hissing; фон. sibilant (звук).

ши́ре wider, broader.

ширин‖а́ breadth, width; в ⌐у́ broadwise, broadways; де́сять футов ⌐ы́ ten feet broad; три фута ⌐ы́ и шесть длины́ three feet wide by six feet long.

шири́нка уст. short towel.

шири́ть см. расширя́ть; ⌐ся to widen, enlarge, spread.

ши́рм‖а, ⌐ы screen; складны́е ⌐ы folding screen.

широ́к‖ий broad, wide (путь, взгля́ды, молва́); ⌐ая for the public at large; жить на ⌐ую но́гу см. широко́; ⌐ое пла́тье loose dress; ⌐ие интере́сы wide interests; ⌐ие пла́ны extensive plans; ⌐ие пле́чи broad shoulders.

широко́ broadly, widely; две́ри бы́ли ш. откры́ты the doors stood wide open; жить ш. to live grandly.

широковеща́||ние, ~тельный broadcast(ing); ~тельная реклама much promising (alluring) advertisement; ~тельная станция broadcasting station.

широкогру́дый broad-breasted (-chested).

ширококоле́йный: ш. путь broad gauge.

ширококо́стный big-boned.

ширококры́лый large-winged.

широкола́пый broad- (splay-)footed.

широколи́стый broad leaved.

широколи́цый broad-faced.

широконо́с(ка) зоол. shoveller (птица).

широкопле́чий broad-shouldered.

широкопо́лый wide-brimmed (о шляпе); wide skirted (об одежде).

широт||а́ latitude; ш. взглядов фиг. broad views; ш. кругозора breadth (largeness) of mind; на 40 градусе северной (южной) ~ы in latitude 40° (degrees) North (South); низкие ~ low latitudes.

ширпотре́б (товары широкого потребления) commodities, articles of mass consumption.

ширь см. ширина, простор.

ши́тик обл. a decked boat on the Volga.

шить||ь to sew; ш. золотом (шелками) to embroider; это белыми нитками ~о погов. that is too thin. шитьё sewing, stitching, needlework; ш. золотом gold embroidery.

ши́фер slate (сланец); крыть ~ом to slate.

шифо́н chiffon.

шифонье́рка chiffonier; амер. bureau.

шифр 1. secret cipher, code; 2.: библиотечный ш. press-mark; ~ова́льщик codifier; ~ова́ть to (write in) cipher; to codify; ~о́ванный written in cipher (code), ciphered; ~о́ванное письмо cryptogram, cryptograph.

ши́хта schist; charge (в доменной печи).

шиш вульг. fico, fig; показать ш. to show the fico (fig); нет ни ~а́ not a trifle, not a penny (денег); ни ~а не стоит is not worth a fig.

шиша́к ист. helmet, morion.

ши́шк||а bump (тж. в френологии); lump; wen (тж. жировая); boss, knob; бот. cone; техн. knob; он большая ш. фиг. he is a big wig (big bug); еловые ~и fir cones; на бедного Макара все ~и валятся погов. ≅ an unfortunate man would be drowned in a tea-cup; покрытый ~ами bossy, lumpy, knobby; ~ова́тый knobby; ~о́ный бот. coniferous.

шкала́ scale, range; ш. зарплаты scale of wages.

шка́лик 1. уст. illumination lampion; 2. small glass of vodka.

шка́нечный журна́л мор. journal.

шка́нцы мор. quarter-deck.

шкап см. шкаф.

шкатори́на мор. bolt-rope; боковая ш. leech-rope; верхняя ш. head-rope; нижняя ш. foot-rope.

шкату́лка box, casket.

шкаф cupboard, dresser (посудный); wardrobe (платяной); bookcase (книжный); амер. bureau (зеркальный, платяной); несгораемый ш. safe.

шкафу́т мор. gangway, waist, foredeck.

шквал мор. squall; flaw; tornado (вихревой).

шква́рки cracklings.

шкво́рень coupling bolt, draw-bolt, drag bolt; pole bolt.

шке́нтель мор. span, tie pendant.

шкет (sl.) young hooligan.

шкив техн. sheave, pulley; приводной ш. driving pulley; ременный ш. belt pulley; холостой ш. dead (loose, idle) pulley.

шки́пер (ship)master; skipper, captain (небольшого торгового судна); boatswain (военного корабля); ~ская boatswain's store-room.

шкод||а разг. mischievous imp; ~ить to be up to mischief.

шко́л||а school; school-house (здание); ш. верховой езды riding school; ш. повышенного типа school of superior type; ш. закрывается на летний перерыв school breaks up for the summer; ш. закрыта сегодня there will be no school to-day; высшая ш. higher school, university, college; начальн. ш. primary school; неполная средняя ш. incomplete grammar school; рисовальная ш. drawing school; средняя ш. secondary school; амер. high school; заведующий ~ой headmaster; окончить ~у to leave school; он прошёл хорошую ~у he has had a good training; he has been well schooled; поступить в ~у to go to school; человек старой ~ы a man of the old school; ~ение schooling, training; ~ить to school, discipline.

шко́льни‖к schoolboy; **~ца** schoolgirl; **~ческий** schoolboy (*attr.*); **~ческие** проказы schoolboy pranks (tricks).

шко́льн‖ый school (*attr.*); ш. возраст school age; ш. жаргон schoolboy slang; ш. работн‖к school worker; ш. совет school board; ш. товарищ school-fellow (-mate); **~ое** самоуправление school self-government; **~ые** годы school days; **~ые** здания school premises.

шкот *мор.* sheet; марса-ш. topsail sheet; вытянуть ш. to haul a sheet; натягивать ш. to sheet.

шкун *мор.* shoe (of the anchor); **~а** *мор. см.* шхуна.

шку́р‖а hide, skin; fell (*с шерстью*); pelt; быть в чужой **~е** to be in another's shoes; волк в овечьей **~е** a wolf in sheep's clothing (*или* in lamb's skin); драть **~у** с кого-либо *фиг.* to exploit one; дрожать за свою **~у** to be in fear of (to tremble for) one's life (skin); содрать **~у** to skin, to flay; *фиг.* to whip the skin off some one's back; спасать **~у** save one's bacon (skin); с одного вола двух шкур не дерут *погов.* you can't flay the same ox twice; **~ка** *уменьш. от* шкура; glass-paper (*стеклянная бумага*), **~ник** *презр.* self-seeker; a self interested (selfish) person; **~ничество** self-se k-ing; self-interest; **~ный** of hide (skin); *фиг.* personal, selfish; **~ный** вопрос a question of self first.

шлаг *мор.* turn.

шлагба́ум barrier, bar, toll-gate (*у заставы, жел.-дор. моста и пр.*); turnpike.

шлагто́в *мор.* fid (of the topmast).

шлак slag, scoria, spongy, slag-like lava, dross, clinker; **~ование** scorification; **~ова́ть** to scorify; **~овый** scoriaceous.

шланг hose (*резиновый*).

шла́фрок *уст.* dressing-gown.

шле́йка *см.* шлея.

шлейф train. slap.

шлем *ист.* helm(et), head-piece; *карт.* slam; *техн.* neck; водолазный ш. diver's helmet (head piece); красноармейский ш. Red-army-man's helmet.

шлёп! clash!, splash!; ш.-ш. *дет.* slap.

шлёп‖анье smacking, splashing; **~ать, ~нуть** to smack, splash, slap, spank; **~ать** ногами to drag one's feet; **~ать** по воде to splash; **~аться, ~нуться** to tumble, fall down; **~нуться** прямо в грязь to fall down (pat) in the mud.

шлепо́к slap, smack.

шлей hip strap and breeching in Russian harness.

Шлиссельбу́р‖г Schlüsselburg; **~жец** *ист.* political prisoner in the Schlüsselburg fortress in tsarist Russia.

шлифов‖а́льный for polishing; **~а́льная** polishing room, polisher's workshop; **~а́льщик** polisher; **~а́ть** to polish; **~ка** polish(ing); **~щик** polisher.

шлих *гор.* slick; **~овое** золото gold dust.

шли́хт‖а *текст.* dressing size (*ткацкий клей*); **~ова́ть** to dress the warp.

шлюз lock, sluice, flood-gate; sluice-valve (-way, -gate); закрыть (открыть) ш. to shut (open) the sluices; пропустить через ш. to sluice; **~ник** locksman, sluice-keeper; **~ный** сбор lockage; **~ова́ние** damming.

шлюп *мор.* (war-)sloop; **~ка** (ship's) boat, launch (*на военном корабле*); shallop; заведующий **~ками** coxswain (*сокр.* cox); **~очный** of a boat (*attr.*).

шля́п‖а hat; *фиг., презр.* duffer, muff; соломенная ш. straw hat; фетровая ш. felt hat; широкополая ш. broad-brimmed hat; shovel hat; дело в **~е** *погов.* the affair is done; лента вокруг **~ы** hatband; **~ка** lady's hat; bonnet (*без полей, обыкн. с завязы. лентами*); **~ка** гвоздя head of a nail; **~ка** гриба flap cap; **~ник** hatter; **~ница** milliner (*модистка*); **~ный** hat (*attr.*); **~ный** магазин hatter (*мужской*); millinery establishment (*дамский*), milliner's; **~ная** булавка hat pin; **~ное** заведение hatter's, hat furnisher's.

шля́ться to roam, wander, gad (about); ш. без дела to loaf about (away).

шлях‖е́тский noble, of nobility; **~е́тство, ~та** *ист.* gentry, nobility (in Poland); **~тич** nobleman.

шма́льта *хим.* smalt.

шмель *энтом.* bumble-bee, humble-bee.

шмуцти́тул *тип.* half-title, bastard title.

шмыг‖ать, ~нуть to slip, dart, skip; to run to and fro.

шни́цель veal steak.

шнур cord, string, twine, twist; flex (*электрический*); бикфордов ш. Bickford's fuse.

шнуров.|а́ние lacing; ~а́ть to lace; ~а́ться to lace oneself; '~ка lacing; ~о́й of string, cord; ~а́я кни́га a corded book.

шнур|о́к *уменьш. от* шнур; ~ки́ для боти́нок boot-laces.

шныря́ть to poke about; ш. повсю́ду to poke one's nose into everything.

шов seam; *техн.* joint, junction; *анат.* commissure; *мед., бот.* suture; без шва seamless.

шовини́|зм chauvinism, braggart (bellicose) patriotism, jingoism; ~ст chauvinist; ~сти́ческий chauvinistic.

шок shock; ~и́ровать to shock, scandalize.

шокола́д chocolate; ~ный chocolate.

шо́мпол ramrod, gun-stick; ~ьное ружьё muzzle-loader.

шо́пот whisper; театра́льный ш. stage whisper; ~ом in a whisper.

шо́рн|ик saddler, saddle-(harness-)maker; ~ое произво́дство harness industry; ~ые изде́лия saddlery, harness.

шо́рох noise, rustling, rustle.

шо́ры blinkers; *амер.* blinders; взять в ш. to harness; *фиг.* to take well in hand.

шоссе́ paved high road.

шотла́нд|ец Scotchman, Scotsman; Ш~ия Scotland; ~ка Scotchwoman; ~ский Scotch, Scottish, Scots; ~ский го́рец Highlander; ~ский плед tartan; ~ская мате́рия plaid.

шофёр chauffeur; (motor-car) driver; ш. такси́ taxi-man; ~ские ку́рсы chauffeur classes.

шпа́га sword.

шпага́т sort of fine solid string.

шпа́жник *бот.* corn-flag, sword-lily.

шпакл|ева́ть to putty wood-work before painting; ~ёвка puttying.

шпа́ла sleeper, (cross)tie.

шпале́р|ы 1. trellis, espalier, lattice work (*для расте́ний*); стоя́ть ~ами to stand in a line on both sides; to line the way; 2. tapestry (*гобеле́ны*); wall paper (*обои*).

шпана́ *вульг.* rag-tag and bob-tail; rabble, riff-raff.

шпангоу́т *мор.* frame, timber rib (of a ship).

шпа́ндырь shoemaker's stirrup.

шпа́нка 1. black cherry; 2. merino sheep; 3. Spanish fly (*шпа́нская му́ха*).

шпарга́лка *шк.* crib (*sl.*).

шпа́рить to scald; *фиг.* to fire away (*sl.*).

шпат 1. *горн.* spar; алма́зный ш. corundum; бу́рый ш. boracite, brown spar; плави́ковый ш. fluor spar, pearl spar; полево́й ш. feldspar; тяжёлый ш. terra ponderosa; 2. spring-halt, string-halt (*боле́знь ло́шади*).

шпат||ови́дный *горн.* spathiform, sparry; ~овый spathic, sparry.

шпа́ция *тип.* space, slug; *мор.* room and space.

шпек 1. *см.* шпик; 2. *тип.* fat.

шпенёк pin, peg.

шпига́т *мор.* scupper(hole).

шпиго́в||анный larded, thrummed; ~а́ть to lard; *фиг.* to prick (*at, into*); *мор.* to thrum.

шпик 1. salt fat of pig; 2. *разг. см.* шпио́н; ~ова́ть *см.* шпиго́вать.

шпи́лить to pin, fasten with a pin.

шпиль spire, steeple, needle; *мор.* capstan; gear capstan (*ма́лый*); main-capstan (*большо́й*); crab-capstan (*перено́сный*).

шпи́льк||а 1. hair pin; 2. *техн.* small nail, tack; 3. *мор.* pivot; 4. *фиг.* sting, taunt, shaft; подпуска́ть ~и to sting.

шпина́т spinach, spinage.

шпингале́т casement-window bolt.

шпи́ндель *техн.* spindle, shaft.

шпине́ль *мин.* spinel.

шпине́т *муз.* spinet (*стар. муз. инструме́нт*).

шпио́н spy; intelligencer (*осведоми́тель*); ~а́ж, ~ство espionage, spying; ~ить to spy.

шпиц 1. spire, steeple (*ба́шни и пр.*); 2. spitz(-dog), Pomeranian dog, pom (*соба́ка*).

Шпицбе́рген Spitzbergen.

шпицру́тен *ист. военн.* gauntlet.

шпо́н(а) *тип.* lead.

шпо́нка cross-piece joining two planks.

шпор||а spur; дать ~ы to spur; ~ить to spur.

шпо́рник *бот.* delphinium, larkspur.

шпринг *мор.* spring, stern-fast.

шпри́нтов *мор.* sprit.

шприц syringe, injector.

шпрот sprat.

шпу́лька spool, bobbin, quill.

шпунт *техн.* groove, rabbet, rebate; ~ова́ть to groove; ~о́вый пояс *мор.* garboard (strake); ∽о-вый ряд pile-planking, border-piling, sheet-piling; ∽бвая свая sheet-pile, pile-plank; ∽убель grooving-plane.

шпынять *разг.* to spurn.

шрам scar.

шрапнель shrapnel; ∽ный огонь shell fire.

шрифт type, characters; готический ш. black letter; German text; Gothic type; жирный ш. clarendon; *амер.* bold-face; курсивный ш. italics; набранный ш. set type; прямой ш. Roman type; мелким (крупным) ∽ом in small (large) print; *размеры шрифтов:* цицеро Pica; корпус Long Primer; боргес Bourgeois; петит Brevier; нонпарель Nonpareil; перл Pearl; бриллиант Brilliant.

штаб staff; ш. полка regimental staff; главный (генеральный) ш. general staff; Коминтерн—боевой ш. мировой революции the Comintern is the fighting staff of the world revolution.

штабель pile, stack; складывать в ∽й to stack.

штабн∥ой, '∽ый staff (*attr.*); ∽ой командир staff commander.

штабс-капитан second captain.

штаг *мор.* stay; ш.-блок stay-block.

штаксель *мор.* staysail.

штальмейстер *ист.* equerry, master of the horse.

штамб *бот.* stem; ∽овые розы standard roses.

штамп stamp; *техн.* punch; *фиг.* cliché; ∽ованный stamped; ∽ованное выражение stock phrase, cliché; ∽овать to stamp; ∽овщик *техн.* puncher.

штанга upright post, pole, perch.

штанген-циркуль beam-compasses.

штандарт *уст.* standard (*знамя*); ш.-юнкер *ист.* standard bearer.

штан∥ина hose, trouser-leg; ∽ы trousers, breeches; *амер.* pantaloons, pants.

штат I. staff, establishment, personnel; зачислять (принимать) в ш. to take on the staff; сверх ∽а supernumerary; on the unattached list; быть за ∽ом to be on the unattached list; по ∽у according to the staff; сокращать ∽ы to reduce the staff.

штат II. State; Генеральные Ш∽ы *ист.* States General.

штатив support, foot.

штат∥ный on the staff, on the attached list; ∽ский 1. *a.* civil; ∽ское платье plain clothes, mufti; 2. *s.* civilian.

штейгер head miner.

штемпелева∥ние stamping; ∽ть to postmark.

штемпель stamp; почтовый ш. postmark.

штепсель switch, plug.

штиблеты men's boots.

штилев∥ой of calm; экваториальные ∽ые полосы doldrums.

штиль *мор.* calm; мёртвый ш. dead calm.

штирборт *мор.* starboard.

штифт *техн.* (joint-)pin, sprig; ∽ик brad.

шток *мор.* stock; *техн.* rod; ш. поршня piston-rod.

штокроза *бот.* hollyhock.

штольня *гор.* adit, drift.

штоп∥альный for darning; ∽альная игла darning needle; ∽альщик, ∽альщица mender of stockings; ∽ать to mend, darn (*чулки*); ∽ка darning (*штопание*); darning thread (cotton) (*нитки*).

штопор corkscrew.

штор∥а blind, curtain; спустить ∽у to pull down the blinds.

шторм; storm, tempest, gale, hurricane; ∽овой сигнал coast-warning, storm-cone (-drum).

штосс card game resembling faro.

штоф *уст.* I. tenth part of a vedro (*measure for liquids*).

штоф II. silk stuff, brocade, damask.

штранд beach, strand.

штраф fine, penalty; ∽ной журнал, ∽ная книга penal book; ∽овать to fine.

штрейкбрехер strike-breaker, scab, blackleg; ∽ство strike-breaking.

штрек drift.

штрипка strap.

штрих touch, trait, feature; характерный ш. characteristic trait; ещё один ш. и картина готова one touch (stroke) more and the picture is ready; ∽овать to shade, hatch.

штудировать to study.

штук∥а piece, head (*скота*); в том-то и ш. that is just the point, therein lies the rub; по тысяче рублей ш. a thousand roubles each; стара ш. that's an old story; это его ∽и that is his doing; сыграть ∽у to play one a trick; ∽арь cunning blade.

штукату́р plasterer, stucco-plasterer, pargeter; ⌐ить to plaster, stucco, parget, render, rough-cast (-coat); ⌐ка plaster, stucco, parget, rough-cast (-coat).

штуко́в‖а́ть to fine-draw; to piece, patch; '⌐ка fine-drawing.

штунди́‖зм Stundism; ⌐ст Stundist.

штурва́л мор. steering-wheel.

шту́рм attack, storm; взять го́род ⌐ом to take a town by storm.

шту́рман pilot, steersman.

штурмов‖а́ть to storm, attack, assault; ш. го́род to take a town by storm; ⌐о́й of attack, of storm (attr.); ⌐о́й самолёт attack airplane; ⌐а́я ле́стница scaling-ladder.

штурмфа́л военн. fraise.

штуртро́с мор. tiller-rope, truss.

штуф а piece of ore.

шту́цер carbine, rifle.

штык bayonet; покори́ть ⌐о́м to bayonet into submission; итти́ в ⌐и́ to charge with bayonets; отомкну́ть ⌐и to unfix bayonets; примкну́ть ⌐и to fix bayonets; уда́рить в ⌐и to bayonet; три́ста ⌐о́в при двух ору́диях three hundred men with two guns.

шу́ба fur coat (cloak).

шуг‖а́ть, ⌐ну́ть to frighten away, to shoo.

шу́лер cheat, sharper, shark, rook; ⌐ство foul play, sharp practice, trickery.

шум noise, tumult, clamour, riot, uproar, bluster; racket, din, shindy (sl.); broil (шум дра́ки); ш. волн murmur (лёгкий), roar (-ing) (си́льный) of waves; ш. в уша́х см. звон; ш. дере́вьев rustle (murmur) of trees; подня́ть ш. to kick up a row; мно́го ⌐у из ничего́ much ado about nothing (Шекспи́р); мно́го ⌐у, ма́ло то́лку great cry and little wool; э́то (происше́ствие) наде́лало мно́го ⌐у this (event) caused a sensation (was the talk of the town).

шум‖е́ть to make a noise; фиг. to raise a dust (sl.); ве́тер ⌐и́т the wind howls.

шум‖и́ха uproar, to-do, hue and cry; ⌐ли́вость noisiness, boisterousness; ⌐ли́вый noisy, boisterous; '⌐ный noisy, loud, clamorous, uproarious, riotous.

шумо́вка skimmer, ladle.

шумово́й: негритя́нский ш. орке́стр jazz(-band).

шумо́к: под ш. on the sly.

шунт эл. shunt.

шу́рин brother-in-law (the wife's brother).

шуру́м-буру́м rags and bones.

шуру́п техн. screw.

шурф гор. hole, prospect hole; ⌐ова́ть to dig, prospect, search; ⌐о́вщик digger.

шурша́‖ние: ш. бума́ги crackling (rustling) of paper; ⌐ть to rustle; ⌐щий crisp, rustling.

шу́ры-му́ры: стро́ить ш. to make eyes (at), to flirt (with).

шу́стрый lively, brisk (прово́рный); bright, intelligent (смышлёный).

шут jester, fool, buffoon, clown; ш. горо́ховый jackanapes, tomfool.

шути́‖ть to joke, jest, banter; to make fun (of), poke fun (at) (над кем-либо); ш. здоро́вьем to trifle with one's health; ш. с огнём фиг. to play (to jest) with edge (или edged) tools; ⌐я́ in jest, by way of a joke, for fun, in (for) sport; without any effort (без уси́лий); не ⌐я seriously.

шути́ха firecracker (фейерве́рк).

шу́т‖ка joke, jest, banter, sally, skit, lark, pleasantry; ш. над к.-л. practical joke (проде́лка); ш. сказа́ть! it's no joke, it's not a laughing matter; гру́бая ш. horse-play; зла́я ш. unkind joke; неви́нная ш. innocent joke; э́то не ш. it's no joke; э́то уже́ не ш. this is carrying a joke too far; this is beyond a joke; отде́лываться ⌐ками to laugh away something; ⌐ки в сто́рону joking (jesting) apart, in (good) earnest; оста́вь свои́ ⌐ки stop joking; без (кро́ме) ⌐ок quite seriously, not joking; мне не до ⌐ок I'm in no laughing mood; он не понима́ет ⌐ок he can't see (take) a joke; тепе́рь не до ⌐ок this is no time for jokes; в ⌐ку in jest, for fun's sake; он не на ⌐ку разоби́делся he has taken it ill; he is (was) really offended; отпусти́ть ⌐ку to crack a joke; сыгра́ть с кем-либо ⌐ку to play a trick on one; сыгра́ть с кем-либо скве́рную ⌐ку to play one a dirty trick.

шутли́в‖ость jocularity, jocosity, facetiousness, playfulness; ⌐ый joking, jesting, facetious, funny, playful, farcical, bantering; ⌐ый тон bantering tone.

шутни́к wag, joker, facetious person.

шутовско́й: ш. колпа́к fool's cap; ш. наря́д motley; ⌐ство́ buffoonery.

шу́точн||ый playful, mock; ~ая эпи́ческая поэ́ма mock heroic poem; э́то де́ло не ~ое that is no joke, that is no trifling matter, that is a serious affair.

шу́шера *разг.* rabble, the riff-raff.

шушу́каться to whisper.

шхербо́т *мор.* rock-boat.

шхе́ры sea cliffs, rocks, rocky islands.

шхо́ут *мор.* Flemish vessel.

шху́на *мор.* schooner.

шш! hush!; sh!

Щ щаве́л||евая кислота́ oxalic acid; ~евйслая соль oxalate; ~ь *бот.* dock; sorrel (*съедо́бный*); ко́нский ~ь horse-sorrel, water-dock.

щади́ть to have mercy (*on*), spare; щ. его́ жизнь to spare his life; щ. его́ чу́вства to spare his feelings; щ. самолю́бие to let one down gently.

щеб||ёнка, ~ень crushed stone; road metal (*для моще́ния у́лиц*); rubble; приготовля́ть ~ень to knap, break stones; мости́ть ~нем to metal.

щебет, ~а́ние twitter, tweet, chirp, chirrup; ~а́ть to warble, tweet, chirp, chatter, chirrup.

щеври́ца tit-lark (*пти́ца*).

щег||лёнок, ~о́л *зоол.* goldfinch.

щегол||ева́тость foppery, dandyism, vaunt; ~ева́тый dandyish, foppish, buckish, spruce; ~и́ха smart woman, woman fond of flaunting.

щёголь dandy, jack-a-dandy, swell, fop, puppy, coxcomb, beau, gallant.

щеголь||ну́ть *см.* щеголя́ть; ~ско́й dandy, swell, spick and span; ~ски́ одетый dandified; ~ство́ foppery, dandyism, vaunt.

щеголя́||ние sparkling. flaunting, parading, showing off; ~ть 1. to spark, flaunt, peacock, parade, show off; 2. to swagger, boast (*of*), vaunt (*хва́статься*); ~ть лошадьми́ (пла́тьем, зна́ниями) to show off one's horses (dress, knowledge); он ~ет всю зи́му без пальто́ he does not wear (he parades by not wearing) an overcoat the whole winter.

щедр||ость liberality, generosity, lavishness, bounty, munificence; ~о́ты bounties; ~ый generous, liberal, large(-hearted), lavish (*of*), unsparing. bountiful, free- (open-)handed, free, munificent; ~о generously *и пр.*

щек||а́ cheek; jowl (*че́люсть*); щ. золотника́ *техн.* valve face; уда́рить по ~е́ to slap the face; упи́сывать за о́бе щёки to devour.

щеко́лда latch; *техн.* pawl, finger.

щекот||а́ние *см.* щеко́тка; ~а́ть to tickle, titillate; ~ка tickling, titillation; боя́щийся ~ки ticklish; ки́тле; ~ли́вость ticklishness; *фиг.* touchiness; ~ли́вый *фиг.* touchy, delicate, tricky, pernickety, nice; ~ли́вый вопро́с a nice (delicate) question; ~ли́вая те́ма разгово́ра a thorny (tender, delicate) subject; ~но *безл.* it is tickling.

щёлк: он щ. его́ в лоб he gave him a fillip on the forehead.

щёлка *см.* щель.

щёлк||ание fillipping *и пр.*; *см.* щёлкать; ~ать, ~нуть to click (*языко́м, щеко́лдой, замко́м*); to smack, crack (*бичо́м, кнуто́м*); ~ать (зуба́ми) оре́хи to crack nuts (with the teeth); ~ать каблука́ми to click with the heels; ~ать па́льцами to snap the fingers, to fillip, flip; ~ать по́ носу to give a fillip on the nose; он ~ает зуба́ми his teeth are chattering.

щелкопёр *разг.* quill-driver, blusterer.

щелку́н *зоол.* elater (*жук*); ~чик nut-cracker.

щёлок lye, lixivium.

щелоч||е́ние lixiviation; ~и́ть to lixiviate.

щёлочка *уменьш. от* щель.

щёлоч||ность alkalescence (-су); ~ный alkaline; ~ный раство́р, ~на́я ва́нна alkaline bath; ~на́я соль alkali; alkali(ne) salts; ~ь alkali.

щелчо́к fillip; дать щ. to make (give) a fillip (*to*); дать щ. по но́су to give a fillip on the nose.

щель chink, flaw, slit, split; peep-hole (*сквозь кото́рую мо́жно наблюда́ть*); interstice (*промежу́ток*); chap (*в земле́*); crevice, cranny, fissure (*в земле́; тж. бот., анат.*); голосова́я щ. glottis.

щем||и́ть to pinch; ~и́т моё се́рдце my heart aches; ~ле́ние pinching; *см.* ущемле́ние.

щен||и́ться to pup; to whelp (*тж. о хи́щниках: во́лке, ли́се и пр.*); to cub (*тж. о медве́де, ли́се и пр.*); to litter; ~о́к pup(пу), whelp, cub.

щепа́ *соб.* chips, slivers, splinters; shavings (*стру́жки*); kindling (*расто́пка*).

щепа́||ние chipping, splitting, cleaving, splintering; ⁓ть *см.* расщепля́ть; to chip, split, cleave, splinter.

щепети́ль||ность scrupulosity, scruple; niceness, punctiliousness; ⁓ный scrupulous; precise (*точный*); squeamish (*разборчивый*); nice (*требовательный*); punctilious (*педантичный*).

щепи́ть *см.* щепа́ть.

ще́||пка chip, sliver, splinter, shiver; shaving (*стружка*); худо́й как щ. as thin as a herring, as lean as a rake.

щепо́т||(оч)ка, ⁓ь pinch; щ. со́ли a pinch (nip) of salt.

щерба́ 1. fish-broth (*редко*); 2. chip (*выщербинка*).

щерба́тый gap-toothed; pock-marked.

щерби́на 1. *см.* щель; 2. *см.* щерба́ 2.

щети́н||а bristle; сверка́я ⁓ой штыко́в bristling with bayonets; ⁓истый bristly, setaceous, setiferous, setigerous, setose; stubbly (*фиг.*); ⁓истая борода́ stubble (*буквально — живо*), stubb(l)y beard (*небритая*).

щети́ниться to bristle, rise like bristles; *фиг.* to bristle, to become angry, stand up, prepare for fight.

щетинообра́зный setiform.

щёт||ка, ⁓очка 1. brush (*платяная*); hairbrush (*головная*); tooth-brush (*зубная*); nail-brush (*для ногтей*); scrubbing-brush (*в кухне и прачечной*); boot-brush (*сапожная*); 2. fetlock (*у лошади*); ⁓очник brush-maker.

щёчка *уменьш. от* щека́.

щи cabbage soup; зелёные щи nettle- (spinage-, sorrel-)soup; ки́слые щи sour-cabbage soup; лени́вые щи soup of fresh cabbage.

щи́кол(от)ка ankle (*лодыжка*).

щип||а́ние pinching *и пр.; см.* щипа́ть; ⁓а́ть 1. to pinch; to nip; моро́з ⁓лет лицо́ the frost pinches (bites) the face; 2. to pluck (*особ. перья*); ⁓а́ть гуся́ to pluck a goose; ⁓а́ть траву́ to crop, browse (*о животных*); ⁓а́ться to pinch.

щипе́ц gable (*крыши*).

щипну́ть *см.* щипа́ть.

щип||о́к nip, pinch, tweak; ⁓ко́м *муз.* pizzicato.

щипцо́вая кры́ша gable-roof

щипцы́ (pair of) tongs (*общее название*); nippers (*общее техн.*); pincers (*клещи*); pliers (*плоскогибцы*); tweezers (*пинцет*); forceps (*мед.*); crow-bill (*для извлечения пуль*); pair of cancels (*для пробивки билетов*); curling irons (tongs) (*для завивки*); fire-irons (-tongs) (*каминные*); (nut-)crackers (*для орехов*); sugar-tongs (*для сахара*); *уст.* snuffers (*для снимания нагара*); роды с наложением ⁓о́в delivery by means of the forceps.

щит shield, buckle (*небольшой*); screen (*от света, огня*); scutcheon (*герба*); cow-catcher (*паровоза*); sluice-gate (*шлюза*); wind-screen (*стеклянный у автомобиля*); tortoise-shell (*черепахи*); *эл.* switch-board (*распределительный*).

щитко́видный *бот.* corymbose; ⁓носный *бот.* corymbiferous.

щитови́дн||ый thyroid; щ. хрящ thyroid cartilage; ⁓ая железа́ thyroid gland (body).

щито́к *бот.* cyme, corymb (*особ. вид соцветия*); *зоол.* corselet, thorax (*у насекомых*); splash-board, dash-board (*у экипажа от грязи*).

щитообра́зный shield-shaped.

щу́ка *зоол.* pike; pickerel (*молодая*); ling (*морская*).

щуп *см.* зонд.

щу́пальце tentacle, feeler; antenna (*pl.* -ae) (*особ. в виде усиков*); име́ющий щ. tentacled.

щу́па||ние feeling, touching; ⁓ть to feel, touch; щ. пульс to feel the pulse.

щу́пл||енький, ⁓ый feeble, weak sickly.

щур я martin-like bird.

щу́рить to screw up one's eyes; ⁓ся to blink, squint.

щу́ч||ий of pike; ⁓ина flesh of pike; ⁓ка small (young) pike.

Э

э́б||еновый, ⁓ое де́рево ebony.

эбони́т ebonite.

эваку||аци́онный: ⁓аци́онная ба́за evacuation centre; ⁓а́ция evacuation; ⁓и́ровать to evacuate.

эвдемони́зм *филос.* eudaemonism.

Эвере́ст Mt Everest.

эвкали́пт *бот.* eucalyptus; ⁓овое ма́сло eucalyptus oil.

эволюци||они́зм evolutionism; ⁓они́ст evolutionist; ⁓они́стический evolutionistic; ⁓о́нный evolutional, evolutionary.

эволю́ци||я evolution; тео́рия ⁓и Theory of Evolution.

э́врика! eureka!, I have (found) it!

эвфон||и́ческий euphonic, euphonious; ⁓и́чески euphonically, euphoniously; ⁓и́я euphony.

эвфуй‖зм euphuism (*аффекти-*
рованный стиль); ~стйческий eu-
phuistic.

эгéйск‖ий Aegean; Э~ое море
the Aegean Sea.

эгйд‖а *миф.* aegis; *фиг.* protection, impregnable defence; под
~ой under the protection (defence) (*of*).

эгой‖зм egoism, egotism, selfish-
ness, self-interest; ~ст, ~стка
egoist, selfish (self-interested) person; ~стйческий, ~стйчный selfish, ego(t)istic(al), self-centred,
narrow; ~стйчески, ~стйчно ego-
(t)istically *и пр.*

эгофутурйзм egofuturism.

эгоцентрйзм egocentrism.

эгрéт egret-plume; osprey (*торговое название*).

эдельвéйс *бот.* edelweiss.

Эдéм Eden, paradise; э~ский of
Eden, paradisi(a)c(al).

эдйкт edict, decree.

Эдинбýрг Edinburgh.

эжéктор *техн.* ejector.

эзóповский: э. язык the language of Æsop.

эзотерйческий esoteric, esoter-
ical.

эй! look here! I say!

экартé *карт.* écarté.

эквáтор equator, the line; ~иáл
астр. equatorial; ~иáльный equatorial.

эквивалéнт equivalent; ~ность
equivalence (-су); ~ный equivalent; ~ная стоимость equivalent
value.

эквилибр equilibrium, balance
(*равновесие*); ~овать to equili-
brate; ~йст equilibrist, rope walker, acrobat, equilibrator; ~йсти-
ка equilibration.

эксальтáция exultancy, exultation; ~ирóванный exultant; ~ирó-
ванно exultantly, exultingly.

экзáмен examination; exam
(*разг.*); вступительный э. qualification examination; конкурсный
э. competitive examination; выдержать э. to pass the examiners
(examination); держать э. to undergo an examination; to be exam-
ined; держащий э. examinee;
провалить на ~е to fail (*in*); to
reject the candidate; to pluck
(plough) (*шк. sl.*); провалиться
на ~е to fail; to be plucked
(ploughed) (*шк. sl.*); готовиться к
~у to prepare (qualify) for an examination; натаскивать к ~у to
coach for an examination; ~аци-
óнный examinatorial; ~ациóнная

письменная работа paper; ~овáть
to examine (*in*); ~овáться to undergo an examination; to be ex-
amined.

экзаминáтор(ша) examiner.

экзегéт exegete; ~ика exegetics;
~йческий exegetical.

экзекýтор *ист.* an administrative
clerk in the civil service.

экзекýция flogging.

экзéма *мед.* eczema, tetter; мок-
нущая э. weeping eczema; ~тóз-
ный eczematous.

экземпляр 1. copy (*журнала и
пр.*); presentation copy (*от автора*); 2. specimen (*образчик*);
превосходный э. чего-л. an excellent specimen (copy) (*of*); rattler,
nailer (*sl.*).

экзерцй‖ровать *военн.* to drill,
exercise; ~ция drill.

экзогá‖мйческий exogamous; ~-
мия exogamy (*обычай жениться вне
своего племени*).

экзосмос *физл.* exosmose, exos-
mosis.

экзотерйческий exoteric, exoter-
ical.

экзотермйческий *хим.* exother-
mic.

экзотй‖ка, ~ческий exotic.

эквивóк equivoque, equivoke,
quibble; говорить без ~ов to speak
plainly (*или* out).

экий *см.* экой.

экипáж vehicle, carriage (*тж.
карета*); equipage (*в упряжи, особ.
парадный, напр. посла и пр.*); *мор.*
(ship's) crew; ship's company;
ав. crew.

экипиров‖áть to equip, fit out
(up); to furnish; ~ка equipment,
fitting out, accoutrements (*тж.
военн.*).

эклáмпсия *мед.* eclampsy.

эклект‖йзм eclecticism; ~ик,
~йческий eclectic; ~йчески ec-
lectically.

эклйпти‖ка ecliptic; наклон-
ность ~ки *астр.* obliquity of the
ecliptic; ~ческий ecliptic.

эклóга *лит.* eclogue.

экой! что (а); ~е счастье! what
luck (happiness)!

экономщ housekeeper, steward.

экономи‖ка economics (*наука*);
economic structure (*страны*); ~ст
economist.

экономить to economize, save,
spare, husband; to skimp (*скупиться*); to cut down (retrench)
expenses; э. в пустяках to spoil
the ship for a ha'p'orth of tar; to
be penny-wise and pound-foolish.

экономи́ческ∥ий economic; ~**ая** база economic basis; новая ~**ая** политика new economic policy; с ~**ой** точки зрения economically, from an economic point of view; ~**ие** предпосылки economic premises; ~**ие** факторы economic factors.

экономи́∥я economy, economization; parsimony (*граничащая со скупостью*); э. труда saving (economy) of labour; политическая э. Political Economy; соблюдать ~**ю** to make a penny go a great way (*фиг.*); машины дают ~**ю** труда machines save labour; приспособление, дающее ~**ю** труда saving device.

эконо́мка housekeeper, stewardess.

эконо́мн∥ичать см. экономить; ~**ость** thrift; ~**ый** economical, thrifty; parsimonious (*скупой*); frugal (*особ. в отношении еды*); ~**ый** в мелочах penny-wise and pound-foolish.

экра́н shade (*от света, огня и пр.*); screen (*тж. кинематографа*); показывать на ~**e** to screen; этот сценарий не будет удачен на ~**e** this play will not screen well.

экс- ex- (*бывший*); э.-министр ex-minister.

экскава́∥тор *техн.* excavator, (steam) shovel, navvy; ~**ция** excavation; cutting (*при прокладке жел.-дор. пути*).

экскреме́нты excrements; faeces.

экску́рс∥ excursion; digression (*в лекции, статье*); ~**а́нт** excursionist; ~**ио́нная** база resting place for tourists; ~**ио́нное** бюро excursion office; ~**ия** excursion, trip; ~**ия** пешком walking tour; ~**ове́д** specialist on excursions.

экслибрис ex libris, book-plate.

экспанси́вн∥ость effusiveness; ~**ый** effusive, gushing; не ~**ый** undemonstrative.

экспа́нсия expansion.

экспатри́∥ация expatriation; ~**ироваться** to expatriate.

экспеди́∥ровать to expedite; ~**тор** clerk in filing documents.

экспеди́ц∥ио́нный 1. expeditionary; 2. dispatch (*attr.*) (*см.* экспедиция 2); ~**ия** 1. expedition; карательная ~**ия** punitive expedition; спасательная ~**ия** rescue party; 2. dispatch office (*в учреждении*).

экспериме́нт experiment, test, trial; tentative (*попытка*); результаты ~**а** experimental results; ч.-л. предложенное в виде ~**а** a tentative; ~**а́льный** experimental; ~**а́льная** психология experimental psychology; ~**а́льно** experimentally; ~**а́тор** experimenter, experimentalist; ~**и́рование** experimentation; *см. тж.* эксперимент; ~**и́ровать** to experimentalize, try experiments.

экспе́рт expert; ~**и́за** examination, estimation; valuation (*денежная*); consultation (*техническая*); проходить ~**и́зу** to undergo an examination by experts.

экспира́торный expiratory.

экспликация explication.

эксплоат∥а́тор exploiter, sweater; ~**а́торские** классы the exploiting classes; ~**а́ция** exploitation (*людей, тж. копей, земли*); improvement (of lands), working (*земли, копей и пр.*); sweating system (*только людей*); расходы по ~**а́ции** working expenses; ~**и́ровать** to exploit (*людей, тж. копи, землю*); to sweat, rack (*только людей*); to work (*копи, землю и пр.*).

экспо́∥зе exposé; ~**и́ция** exposition (*тж. лит., муз., фот.*); фот. exposure; exhibition, display (*картин и пр.*).

экспон∥а́т exhibit; ~**е́нт** exhibitor; *мат.* exponent, index (*показатель*); ~**е́нтный** *мат.* exponential; ~**и́ровать** to exhibit, expose (*выставлять вещи для продажи*).

э́кспорт export(s); бросовый э. dump export, dumping; предмет ~**а** export; ~**ёр** exporter; ~**и́рование** exportation; ~**и́ровать** to export; ~**и́ровать** товары по бросовым ценам to dump; ~**ный** export-portable; ~**ная** торговля export; ~**ная** фирма export firm; ~**ное** дело export business; ~**но-и́мпортный** план export-import-plan.

экспре́сс express (train).

экспрес∥сиони́зм expressionism; ~**сиони́ст** expressionist; '~**сия** expression.

экспро́мт impromptu, an extemporaneous speech; ~**ом** extempore, impromptu, without preparation; сказать ч.-л. ~**ом** to extemporize.

экспроприа́тор one who expropriates; ~**а́ция** expropriation; ~**а́ция** экспроприаторов expropriation of expropriators; право ~**а́ции** the right of dispossession; ~**и́ровать** to expropriate, dispossess (*from*).

экста́∥з ecstasy, trance, exaltation; приводить (впадать) в э. to ecstasize; ~**ти́ческий** ecstatic.

экстемпора́ле *уст., шк.* extempore translation.

экстенси́вн||**ость** extensiveness; ~ый extensive; ~ое хозяйство extensive cultivation.

экстéрн day scholar, student undergoing examinations without regular school attendance.

экстерриториа́льн||**ость** exterritoriality; право ~ости exterritorial right; ~ый exterritorial, extra-territorial.

э́кстра extra.

экстравага́нтн||**ость** extravagance; ~ый extravagant; ~о extravagantly.

экстра́к||**т** extract (*тж. вытяжка*); ~ти́вный extractive; ~тор extractor; ~ция extraction.

экстраордина́рный extraordinary; э. профессор professor adjunct; reader (*английского ун-та*).

экстреми́||**зм** extremism; ~ст extremist, ultra, ultraist.

э́кстренн||**ый** special (*о поезде, выпуске и пр.*); э. выпуск (вечерней газеты) extra special; ~ое собрание special meeting (conference); ~ые расходы unforeseen expenses; ~о special(ly).

эксуда́т *мед.* exudation.

эксце́нтри||**к** eccentric (*тж.мех.*); ~ки acrobats (*акробаты*); '~чность eccentricity; '~чный eccentric; odd, outré, fantastic, queer, cranky; ~чный человек an eccentric; быть '~чным to stand on one's head (*фиг.*).

эксцéсс excess; были ~ы there were excesses.

эласти́чн||**ость** elasticity, resilience, spring; ~ый elastic, resilient; ~о elastically.

элева́тор elevator.

элега́нтн||**ость** elegance (-су); ~ый elegant, spruce; делать ~ым to polish, to make elegant (smart).

элеги́||**ческий** elegiac; ~ческие стихи elegiacs; '~ия elegy, lament; писать '~ию to elegize.

электора́льный electoral.

электриза́||**ция**, ~ова́ние electrification, electrization; ~о́ванный electrified; ~ова́ть to electrify, electrize; ~ова́ться to be electrified.

элéктрик electrician; инженер-э. electrical engineer.

электри́к electric blue (*цвет*).

электрифи||**ка́ция** electrification; коммунизм есть советская власть плюс э. communism is the Soviet Power plus electrification; ~ци́ровать to electrify.

электри́ческ||**ий** electric (*реже* electrical, *употр. особ. в значении:* к электри́честву относя́щийся, *напр.:* ~ая работа electrical work); э. аккумулятор electric accumulator; э. заряд electric charge; э. звонок electric bell; э. привод electric driving; э. свет electric light; дать э. свет to turn on the light; э. угорь *зоол.* electric eel; э. удар electric shock; казнить на ~ом стуле to electrocute; казнь на ~ом стуле electrocution; ~ая лампочка incandescent lamp (globe), electric bulb; ~ая лошадиная сила electrical horse-power; ~ая машина electrical machine; ~ая машинная установка electric installation (plant); ~ая отдача electrical efficiency; ~ая проводка electric service; ~ая станция (электростанция) electric power station (*амер.* plant); ~ая энергия electrical energy (power); ~ое напряжение voltage, electric pressure.

электри́честв||**о** electricity; э. трения frictional electricity; гальваническое э. galvanic electricity; отрицательное э. negative electricity; положительное э. positive electricity; термическое э. thermal electricity; нет ли у вас книг по ~у are there any electrical books in your library?

электро- *сокр.* электрический.

электробиоло́гия electrobiology.

электрово́з electric locomotive.

электро́д electrode.

электродви́гатель electro-motor; ~ный electro-motive.

электродина́м||**ика** electrodynamics; ~и́ческий electro-dynamic.

электро́ды electrodes.

электроё́мкость electro-capacity.

электроимпорт import of electrical equipment.

электроинду́кция electroinduction.

электрокине́т||**ика** electrokinetics; ~и́ческий electrokinetic.

электрокульту́ра electroculture.

электро́лиз electrolysis.

электроли́т electrolyte; ~и́ческий electrolytic.

электромагн||**ети́зм** electromagnetism; ~и́т electromagnet; ~и́тный electromagnetic; ~и́тное поле electromagnetic field.

электрометаллу́ргия electrometallurgy.

электро́метр electrometer.

электромехани́ческий electromechanical.

электромонтáж electro-assembling.

электромотóр electromotor.

электрóн *физ.* electron (*pl.* -ons); ~ный electronic; ~ная теория electron theory; ~ная трубка electron tube.

электрооборýдование electrical equipment.

электроотрицáтельный electronegative.

электропáт‖ия electropathy; ~олóгия electropathology.

электропередáча electro-transmission.

электропéчь electro-furnace.

электропóезд electrical train.

электроположúтельный electropositive.

электропредприя́тие electric(al) works.

электропромы́шленность electric(al) industry.

электросвáрка electro-welding.

электросúла electro-power.

электроскóп electroscope.

электроснабжéние electro-supply.

электростáль electric steel.

электростáти‖ка electrostatics; ~ческий electrostatic.

электростройтельство building of electrical plants.

электротерапúя electro-therapy, electro-therapeutics.

электротéхн‖ик 1. student of the Institute of Electrical Engineers; 2. electrical engineer; ~ика electrical engineering; ~úческий electro-technical; ~úческий институт Institute of Electrical Engineers.

электрофóр electrophorus.

электрохим‖úческий: э. процесс electrochemical action; ~ия electrochemistry.

элемéнт element; преступный э. criminal classes; ~ы *мат.*, *физ.*, *хим.* *и пр.* elements; ~áрность elementariness; ~áрный rudimentary, elementary, simple; ~áрно elementarily.

элефантиáзис *мед.* elephantiasis (слоновая болезнь).

элúзия *гр.* elision.

эликсúр elixir; жизненный э. elixir of life.

элиминáция elimination.

éллин Hellene.

éллинг *мор.* slip, launch, stocks.

эллин‖úзм Hellenism; ~úст Hellenist; ~úческий Hellenic.

éллинский Hellenic.

éллип‖с(ис) *гр.* ellipsis, ellipse

(*pl.* -pses); *геом.* ellipse; ~сóид *геом.* ellipsoid; ~тúческий elliptic(al).

Эльба the Elbe (река); Elba (остров).

Эльбрýс Mt Elbruz.

Эльдорáдо El Dorado.

Эльзáс Alsace; э~ец, э~ский Alsatian.

эльф elf; puck, sprite; nix (водяной).

эмáл‖евый enamel; ~ировáть to enamel; ~ь enamel (*тж.* зубная); рисовать на ~и, покрывать ~ью to enamel; ~ьéр enameller.

эманáция emanation.

эмансип‖áтор emancipator; ~áция emancipation; ~ация женщин emancipation of women; ~úровать to emancipate; ~úроваться to become emancipated.

эмбáрго *мор.* embargo.

эмблéма emblem, ensign, figure; ~тúческий emblematic(al).

эмбри‖óлог embryologist; ~úческий embryological; '~ия embryology.

эмбриóн embryo; ~áльный embryonic.

эмигр‖áнт(ка) emigrant (переселенец); refugee (политический); fugitive; *ист.* émigré (франц. революции); ~ациóнный emigratory; ~áция emigration; ~úровать to emigrate, expatriate.

эмúр emir; ameer (особ. афганский).

эмиссáр emissary.

эмиссиóнный emissive; э. банк emission bank.

эмúссия emission.

эмоционáльн‖ость emotionality, sensibility; ~ый emotional.

эмóция emotion.

эмпирéн empyrean.

эмпир‖úзм empiricism; '~ик empiric, empiricist; ~ио-критицúзм empirio-criticism; ~úческий empiric(al); ~úчески empirically.

эмульс‖иóнный emulsive; '~ия emulsion; делать '~ию to emulsify.

эмфá‖за emphasis; ~тúческий emphatic.

эмфизéма *мед.* emphysema.

энгармонúческий *муз.* enharmonic.

эндемúческ‖ий, ~ая болезнь endemic.

эндúвий *бот.* endive.

эндогам‖úческий endogamous; '~ия endogamy.

эндодéрма *зоол.* endoderm.

эндокардúт *мед.* endocarditis.

эндокри́н‖ный: ⌣ные железы endocrine glands; ⌣оло́гия endocrinology.

э́ндосмос endosmose, endosmosis.

эндоспе́рма *бот.* endosperm.

Эне́йда Æneid.

энерва́ция *мед.* enervation.

энерге́тика energetics.

энерги́чн‖ость *см.* энергия; ⌣ый energetic, vigorous, strenuous; ⌣о energetically; with a will; vigorously.

эне́рги‖я energy; *техн.* power; pith, vigour, nerve, buoyancy; vim (*sl.*);водная (ветряная, солнечная, тепловая) э. water (wind-, sun-, thermo-)energy; жизненная э. vital energy; кинетическая э. motivity; затрата ⌣и *техн.* energy loss; закон сохранения ⌣и the law of conservation of energy; возбуждать ⌣ю to energize; посвятить свою ⌣ю to devote one's energies (*to*).

Энергострой (*Гос. энергостроительный трест*) Energostroi (*Power Station Construction Trust*).

энергоустано́вка power plant.

Энергоце́нтр (*Гос. всесоюзное объединение энергетического хозяйства*) Power Centre.

энзайм *хим.* enzyme.

энка́усти‖ка, ⌣ческий encaustic.

энкли́ти‖ка, ⌣ческий *гр.* enclitic.

э́нн ‖ый: ⌣ое количество (раз) a countless number (of times).

энтеротоми́я *хир.* enterotomy.

энтиме́ма *лог.* enthymeme.

энтомо́лог entomologist; ⌣и́ческий entomological; ⌣ия entomology; изучать ⌣ию to entomologize.

энтузиа́‖зм enthusiasm (*about, for*); fervent zeal; ecstasy, exaltation, rapture (*восторг*); проявлять э. to enthuse, to be enthusiastic; ⌣ст(ка) enthusiast; fanatic (*фанатик*).

энцефали́т *мед.* encephalitis.

энциклопед‖и́зм encyclop(a)edism; ⌣и́ст(ка) encyclop(a)edist; ⌣и́сты the Encyclop(a)edists; ⌣и́ческий (en)cyclop(a)edic(al); ⌣ия (en)cyclop(a)edia.

эозо́йск‖ий *геол.*: э. период Eozoic period; ⌣ая формация Eozoic formation.

эо́лова а́рфа *миф.* Æolian harp.

эоце́н *геол.* eocene.

эпиго́н Epigonus (*обыкн. pl.* -ni).

эпигра́м‖ма epigram, quip; сочинять ⌣мы to epigrammatize; ⌣мати́ст epigrammatist; ⌣мати́ческий, ⌣мати́чный epigrammatic(-al); ⌣мати́чески epigrammatically.

эпи́граф epigraph, motto; ⌣ика epigraphy; ⌣и́ческий epigraphic (-al).

эпидем‖иоло́гия epidemiology; ⌣и́ческий epidemic(al); ⌣и́ческая болезнь epidemic; ⌣ия epidemic.

эпиде́рм‖а *анат.* epidermis, scarf-skin, outer-skin, cuticle; ⌣и́ческий epidermal, epidermic.

эпизо́д episode; ⌣и́ческий episodic(al).

эпизоот‖и́ческий, ⌣ия epizootic.

Эпику́р Epicure; ⌣а после́дователь ⌣а epicurean; э⌣е́ец epicure; э⌣еи́зм epicurism; э⌣е́йский epicurean; э⌣е́йство epicureanism.

эпиле́п‖сия epilepsy, falling-sickness; ⌣тик, ⌣ти́ческий epileptic; ⌣тический припадок epileptic fit.

эпило́г epilogue.

Эпи́р Epirus.

эписто́л‖а epistle (*послание*); ⌣я́рный epistolary.

эпитала́ма epithalamium(-ion), nuptial song (poem).

эпита́фия epitaph.

эпите́лий *биол.* epithelium.

эпи́тет *гр.* epithet.

эпифи́т *бот.* epiphyte.

эпице́нтр *геол.* epicentre, epicentrum.

эпи́ческ‖ий epic(al); ⌣ая поэма epic.

эполе́т *уст.* epaulet(te).

эпопе́я epopee.

э́пос epos.

эпо́х‖а epoch, age, period, time; э. Возрождения Renaissance period; revival of learning; делающий ⌣у epoch making; бра ега; социалистическая э. Socialistic era.

эрг *физ.* erg, ergon.

эре́кция *физл.* erection.

эрети́зм *мед.* erethism.

Эри Lake Erie.

эри́стика eristic; art of disputation.

эрите́ма *мед.* erythema.

Эрмита́ж Ermitage.

эро́з‖ивный *геол.* erosive; ⌣ия erosion.

Эрос, Эро́т *миф.* Eros.

эро́т‖изм eroticism; ⌣ика erotic; ⌣и́ческий erotic(al); ⌣и́ческая поэма erotic; ⌣ома́н erotomaniac; ⌣ома́ния erotomania,

эрратический *геол.* erratic.

эруди́‖**т** erudite; **～ция** erudition, scholarship, learning; **с большо́й ～цией** scholarly.

эрцге́рцог archduke; **～иня** archduchess; **～ский** archducal; **～ство** archduchy.

эсде́к social-democrat.

эсе́р social-revolutionary.

эска́др‖**а**, **～енный** *мор.* squadron; **～илья** flying squadron.

эскадро́н *воен.* squadron, troop; **～ный** squadron (*attr.*); **～ный кома́ндир** squadron commander; **по～но** in squadrons.

эскала́д‖**а** *воен.* escalade; **～ировать** to escalade.

эскамот‖**а́ж** sleight of hand; **～ировать** to make something disappear unnoticed.

эска́рп *воен.* scarp.

эски́з sketch, rough draught, outline; **～ный** sketchy.

эскимо́с Eskimo (*pl.* -oes), Esquimau (*pl.* -aux); жили́ще **～а** igloo; ло́дка **～а** umiak.

эско́рт escort; **～ировать** to escort, attend as guard.

эскула́п Aesculapius, physician.

эспадро́н rapier.

эспа́н‖**бо́ка** imperial, a tuft of hair beneath the lower lip.

эспера́нт‖**и́ст** Esperantist; **'～о** Esperanto.

эспланада esplanade.

эссе́ *лит.* essay; **～и́ст** essayist.

эссе́нция *хим.* essence; лимо́нная э. essence of lemon; квинт-э. quintessence.

эстака́да scaffold bridge; stockade, boom of a harbour.

эста́мп print, plate, engraving.

эстафе́т‖**а** relay message, estafette; **～ные го́нки** relay race.

эсте́т (a)esthete; **～и́зм** (a)estheticism; **～ик** (a)esthetician; **～ика** (a)esthetics; **～и́ческий**, **～и́чный** (a)esthetic(al).

эстля́нд‖**ец**, **～ка**, **～ский** Est(h)onian.

эсто́н‖**ец** ˙ Est(h)onian; Э**～ия** Est(h)onia; **～ка**, **～ский** Est(h)onian.

эстраго́н *бот.* tarragon; у́ксус-э. tarragon vinegar.

эстра́д‖**а** platform, estrade; **～ный арти́ст** music-hall actor.

ↆ **э́та** this, that.

эта́ж storey, floor, flat; story (*pl.* -ies); ве́рхний э. upper storey; ни́жний э. ground floor; первый, второ́й, тре́тий, четвёртый э. first, second, third, fourth storey (floor flat); упа́л с тре́тьего **～а́**
fell from a third storey window; ко́мнаты на ве́рхнем **～е́** upper rooms; наверху́, на ве́рхнем **～е** overhead; зда́ние в три **～а** a building of three storeys (-ies); дом в пять **～е́й** a house of five storeys (-ies).

этаже́рка book-stand (*кни́жная*); revolving bookcase (*вертя́щаяся*); whatnot (*для безделу́шек*).

эта́жный storeyed, storied; *см.* одно-, двух-, трёхэта́жный *и пр.*

эта́к so, in such (this) manner; thus; **～ий** such; **～ий дура́к!** what a fool!

эта́п halting place, station; stage (*тж. сту́пень разви́тия*); остро́жный э. *ист.* halting place for transported convicts; по **～у**, **～ным поря́дком** as a transported convict.

э́ти these, those.

э́тика ethics, moral philosophy, morals.

этике́т etiquette; придво́рный э. court etiquette.

этике́тк‖**а** label; накле́ивать **～у** to label, attach label to (*тж. фиг.*).

эти́л *хим.* ethyl; **～е́н** ethylene.

этимо́лог etymologist; **～изи́ровать** to etymologize; **～и́ческий** etymological; **～и́чески** etymologically; **'～ия** etymology.

этиоло́г‖**и́ческий** (a)etiological; **'～ия** *мед.* (a)etiology.

эти́ч‖**еский**, **～ный** ethical, moral. Э́тна Mt. Etna.

этни́ческий ethnic(al).

этно́граф ethnographer; **～и́ческий** ethnographic(al); **'～ия** ethnography.

этно́лог ethnologist; **～и́ческий** ethnological; **'～ия** ethnology.

э́то this, that, it; **э. не так** it's not so; **всё э.** all of it, all this (that); **где э. вы бы́ли?** where have you been?; **как э. мо́жно!** how is it possible!; **как э. ты не сде́лал?** how is it that you didn't do it?; **кто э.?** who is it?; **отве́тьте мне на э.** answer me this; **на э. я вам отве́чу** I shall give you an answer to that; **что э.?** what is this (that)?; **что э. его́ до́лго нет?** what is the reason of his not coming?; **я принуждён был э. сде́лать** I was bound to do it; **для ～го** for this reason; **по́сле ～го** after that (this); **я видал ве́щи почи́ще ～го** I have seen stronger things than that; **я и без ～го пришёл бы** I would have come all the same; **я могу́ обойти́сь без ～го** I can go (do) without it (that);

я никогда ⁓го не забуду I shall never forget it; я никогда ⁓го не сделаю I shall never do it; в ⁓м in this (that); на ⁓м слове он остановился here he stopped; не в ⁓м дело this is not the point; об ⁓м много говорилось much was spoken about that; поговорим об ⁓м let us talk over the matter (about that); при ⁓м in addition to that. этот this, that.

этру́ск‖ий Etruscan, Tyrrhene (-enian); ⁓ая ваза Etruscan vase.

этуа́ль star.

этю́д жив. study; жив., лит. sketch; муз. étude, exercise.

эфеме́р‖а ephemeron (pl. -ra, -rons); ephemera (pl. -rae, -ras); ⁓иды астр. ephemerides (sing. -ris); ⁓ность ephemerality; ⁓ный ephemeral, shortlived, transitory.

эфе́нди effendi.

эфе́с sword-hilt; головка (навершие) ⁓a pommel.

эфио́п Ethiop, Ethiopian, Ethiopic; ⁓ский Ethiopic, Ethiopian.

эфи́р ether; превращать в э., употреблять э. to etherealize; превращение в э., употребление ⁓a etherealization; ⁓ность ethereality; ⁓ный ethereal; ⁓ное масло essential (volatile) oil.

эффе́кт effect; экономический э. economic effect; рассчитанный на э. calculated for effect; световые ⁓ы театр. lighting effects; ⁓ивность efficiency; ⁓ивный efficacious (лекарство, метод преподавания); ⁓ивная мощность техн. effective power; ⁓ный effective; showy.

эх! alas!, oh!

эхиноко́кк бактер. echinococcus.

эхма́! см. эх!

эхо echo (pl. -oes).

эшафо́т scaffold; послать на э. to send to the scaffold.

эшело́н военн., мор. echelon; ⁓ами in echelons.

Ю юбиле́й jubilee; 25-летний ю. silver jubilee; 50-летний ю. golden jubilee; справлять ю. to celebrate one's jubilee; ⁓ейный сборник book of homage; ⁓яр person whose jubilee is being celebrated.

юб‖ка skirt; petticoat (тж. нижняя); ⁓очка шотландского горца kilt.

ювели́р jeweller; ⁓ное искусство, дело jewel(le)ry.

юг south; обращенный на юг southward; ⁓о-восток, ⁓о-восточ-

ный south-east; ⁓о-запад, ⁓о-западный south-west; ⁓о-западный ветер sou'wester.

Югосла́вия Jugo-Slavia.

юдо́ль уст. valley; ю. печали valley of tears, this world.

юдо‖фил pro-Semite, Judæophil; ⁓фоб anti-Semite, Judæophobe; ⁓фобство anti-Semitism.

южа́нин southerner.

Южная Аме́рика South America.

южнобере́жный south coast (attr.).

южный southern; Ю. Ледовитый океан the Antarctic Ocean; ю. полюс antarctic pole; ю. полярный круг antarctic circle; самый ю. southernmost.

ю́кка бот. yucca.

юла́ whirligig, humming-top (игрушка); wood-lark (птица); фиг. fidgety (restless) person.

юлиа́нский календа́рь Julian calendar.

Ю́лий Julius.

юли́ть to ingratiate oneself (перед кем-л.—with); ю. веслом to scull.

Ю́лия Julia.

ю́мор humour; ⁓ист humorist; ⁓истический humorous, funny; ⁓истический журнал comic paper; comic (разг.).

ю́нга cabin-boy, ship-boy.

юнгшту́рм Jungsturm.

юне́‖ть to grow young again; ⁓ц youth; young shaver (sl.).

ю́нкер военн. cadet; junker (помещик в Пруссии); ⁓ское училище уст. military school.

юнко́р juvenile correspondent; ⁓движе́ние juvenile correspondent movement.

Юно́на миф. Juno.

ю́ность youth, youthfulness.

ю́нош‖а youth, young man; ⁓еский youthful, juvenile; ⁓ество young people, youth; книга для ⁓ества juvenile book.

ю́ный young, youthful.

Юпи́тер миф., астр. Jupiter. юр: на ⁓ý in an exposed (open, bare) place.

Юра́ the Yura Mountains.

юриди́ческ‖ий juridical; ю. факультет faculty of law; ⁓ое лицо juridical (juristic) person; ⁓ое убийство judicial murder.

ю́рий George.

юрис‖ди́кция jurisdiction; ⁓ко́нсульт jurisconsult, legal adviser; ⁓пруде́нция jurisprudence, science of law; ⁓т student of law; jurist, lawyer.

юрк‖ий brisk, nimble; **∼нуть** to disappear quickly; мышь ∼нула в норку the mouse whisked into its hole; **∼ость** briskness, nimbleness.

юрод‖ивый a beggarly and weak-minded devotee; **∼ствовать** to play the fool.

юрск‖ий: ∼ая формация см. формация.

юрта yourt, nomad's tent.

юстиц‖иарий *ист.* justiciary; **∼ия** justice.

ют *мор.* quarter deck.

ютйт‖ься to roost, nestle, find shelter; вся семья ∼ся в одной юрте the whole family lives (is cooped up) in a single yourt.

юфть Russia leather.

Я я I; это я it is I (*разг.* me).

ябед‖а *уст.* slander; chicane; **∼ник** slanderer; talebearer, informer; **∼ничать** to slander, to tell tales (out of school); to pettifog; **∼ничество** slandering; chicanery, pettifogging.

ябло‖ко apple; dapple (*пятно в масти лошади*); я. раздора apple of discord, storm-centre; глазное я. eyeball, ball (globe) of the eye; дикое я. crab-apple; серая в ∼ках лошадь dapple-grey (horse); **∼ня** apple-tree; дикая ∼ня crab-tree; я. от ∼ни недалеко падает *посл.* ≅ like father, like son; a chip of the old block; **∼чный** пресс cider-mill; **∼чный** торт apple-tart.

Ява Java.

яван‖ец, ∼ский Javanese.

яви‖ть(ся) *см.* являть(ся); **∼ть** милость to show mercy (*кому-л.* to); он ∼л пример беспристрастия he gave proof of his impartiality; у меня ∼лась мысль it occurred to me that...; an idea struck me; я пойду к нему как только явится подходящий случай I shall call on him as soon as opportunity offers.

явка appearance (*в суд*); presence; я. обязательна your presence is earnestly (urgently) requested.

явл‖ение appearance; *театр.* scene; я. природы phenomenon; **∼ять** to show, display; **∼яться** to appear, to make one's appearance; не ∼яться в суд to fail to appear before the court; не ∼яться в школу to play truant; to play wag (*sl.*); не ∼яться на свидание to fail to come to the rendezvous; он ∼яется крупным авторитетом в биологии he is a great authority on biology.

явн‖ость evidence, obviousness; **∼ый** evident, obvious, manifest, plain; **∼ый** взлор downright nonsense, patent absurdity; **∼ая** ложь downright (barefaced) lie; **∼ое** презрение open contempt; **∼о** evidently *и пр.*; **∼образное** растение *бот.* phanerogam(ous plant).

явор *бот.* platan.

явственн‖ость clearness, distinctness; **∼ый** clear, distinct; **∼о** clearly, distinctly.

явств‖овать to be clear (obvious); из этого **∼ует** hence it is clear (obvious), hence it appears.

ягдташ game-bag.

ягель *бот.* Iceland moss.

ягн‖ёнок lamb, lambkin, yeanling; **∼иться** to lamb, yean; **∼ятник** *зоол.* lämmergeyer.

ягод‖а berry; давать **∼ы** to come into berry, to berry; собирать **∼ы** to go gathering berries, to berry; одного поля **∼ы** birds of a feather.

ягодица buttock.

ягуар *зоол.* jaguar.

яд poison; venom (*животный, тж. фиг.*).

ядовйт‖ость poisonousness; venomousness; virulence; *фиг.* malice, bitterness; **∼ый** poisonous; venomous; virulent; **∼ый** газ poison gas; **∼ый** зуб fang (*змеи*); **∼ая** железа venom gland; **∼ая** змея venomous snake; **∼ое** начало *мед.* virus; **∼о** *фиг.* maliciously, cuttingly.

ядрён‖ый vigorous, healthy; sappy, juicy, succulent (*сочный*); sparkling (*игристый, о напитке*).

ядрица buckwheat (husked but not ground).

ядро kernel; *фиг.* core, kernel, gist (*суть*); *военн.* cannon ball, round shot; *биол., астр.* nucleus (*pl.* -ei) (*клетки, кометы*).

язв‖а ulcer; *фиг.* ulcer, plague (*порча*); круглая я. *мед.* round ulcer (of the stomach); моровая я. plague, pest, pestilence; сибирская я. malignant anthrax; **∼енный** ulcerous.

язв‖йтельность causticity, sarcasm; **∼йтельный** caustic, venomous, biting, scathing; **∼йтельное** замечание sarcastic remark; **∼йть** to bite, sting, taunt (*with*).

язык *анат.* tongue; language, tongue (*речь*); я. знаков language of signs; я. колокола clapper; я. цветов language of flowers; английский я. English (language);

воровской я. thieves' cant, thieves' Latin; газетный я. journalese; длинный я. long tongue, clapper; unruly member (*шут.*); живой я. living (modern) language (*противоп. мёртвому*); злой я. venomous (bitter, spiteful) tongue; иностранный я. a foreign language (tongue); копчёный я. smoked ox--tongue; литературный я. literary language (speech); матросский я. sailors' language; мёртвый я. dead language; обложенный я. furred (dirty, loaded) tongue (*больного*); олений я. *бот.* hart's-tongue; разговорный я. colloquial (familiar) speech; риторический я. dignified speech, rhetoric; родной я. one's mother-tongue; туземный, местный я. vernacular (language), popular language (*крестьян*); хорошо подвешенный я. ready tongue; держи я. за зубами keep your tongue within your teeth; никто тебя за я. не тянет you had better hold your tongue; показывать я. to put out one's tongue (*врачу—to*; *дразня кого-л.—at*); прикусить я. to bite one's tongue; воспаление ~á *мед.* glossitis; добыть ~а *уст. военн.* to get information from a war-prisoner; учитель иностранного ~a language-master, language-teacher; это слово вертится у меня на ~é the word is on the tip of my tongue; говорить на ломаном английском ~e to speak broken English; to mangle the king's English; свободно владеть (иностранным) ~óм to have a great command of the language; to speak a foreign language fluently; человек, говорящий на нескольких ~áх polyglot.

языков‖éд linguist, philologist; (сравнительное) ~éдение (comparative) philology, linguistics; '~ый lingual.

языч‖еский heathen(ish), pagan; я. мир heathendom; ~ество heathenism; paganism (*более высокой культуры*).

язычкóв‖ый: ~ые музыкальные инструменты the reeds.

язычник heathen; pagan.

язычóк *анат.* uvula; *муз.* reed.

язь ide (*рыба*).

яйч‖кó egg; *анат.* testicle, stone; ~ная скорлупа egg-shell; ~ник *анат.* ovary; воспаление ~ника ovaritis; удаление ~ника ovariotomy; spaying (*у животных*); ~ница scrambled eggs(*с молоком*); fried eggs (*глазунья*), omelet(te) (*омлет*).

яйце‖видный, egg-shaped; oviform, ovoid; ovate(*о форме листа*); ~клáд ovipositor (*у насекомых*); ~провóд *анат.* oviduct; ~родящие *зоол.* oviparous.

яйц‖ó egg; *биол.* ovum (*pl.* ova), egg; я. для высиживания egg for setting; я. из-под курицы new laid egg; я. «пашот» poached egg; выеденного ~á не стóит *разг.* is not worth a straw; '~а курицу не учат *посл.* don't teach your grandmother to suck eggs; сидеть на ~ax to brood; рюмка для яйц egg-cup.

як yak (*тибетский бык*).

якоби‖нец *ист.* Jacobin; ~нский Jacobinic; ~нство Jacobinism; ~т Jacobite; ~тство Jacobitism.

якобы as if, as though.

якор‖ный: ~ная стоянка anchorage; ~ь anchor; kedge; grapnel (*малый*); ~ь мотора *эл.* armature; мёртвый ~ь mooring-buoy; бросать ~ь to cast (drop) anchor; стоять на ~e to lie (ride) at anchor; служить кому-л. ~ем спасения to be one's sheet-anchor; веретено ~я shank; лапа ~я fluke; сняться с ~я to get under way (*тж. фиг.*).

якýт Yakut; Я-ск Yakutsk; Я~ская АССР the Yakutsk Autonomous Soviet Socialist Republic.

якшáться to hob-nob, to keep company, to associate, to consort (*with*).

яли‖к yawl, wherry; ~чник boatman, wherryman.

яловая barren, dry (*о корове*).

яловеть to give no milk, to be barren.

Ялта Yalta.

ям‖а pit; *ист.* debtors' prison; выгребная я. cesspool; не рой другому ~ы, сам в неё упадёшь *посл.* he that mischief hatches mischief catches.

Ямáйка Yamaica.

ямб *прос.* iamb, iambus (*pl.* -ses), iambic; пятистопный я. heroic verse.

ям(оч)ка little pit; hole (*в гольфе*); dimple (*на лице*).

ям‖скóй: ~ская слобода *ист.* coachmen's quarter (in a suburb); ~шик coachman.

январь January.

янки Yankee.

янсени‖зм Jansenism; ~ст Jansenist.

янтáр‖ный amber; ~ная кислота *хим.* succinic acid; ~ь amber.

Янус *миф.* Janus.

Ян-Цзы-Цзян the Yang-Tse-Kiang.

янычáр *ист.* janizary, janissary.

япóн ец Japanese; Jap (*sl.*); **~и**зáция Japaniz tion; **Я ~ия** Japan; **~ский** лак black j pan; **~ская** борьбá jiu-jitsu; **~ские** лакированные изделия japan.

яр I. steep bank (*крутой берег*).

яр II. heat (*у животных*).

ярд vard.

ярéмн ый: ~ые вены *анат.* jugular veins.

яри́ться to (be in) heat (*о животных*).

ярк ий bright, clear; blazing (*о пламени*); rich (*о красках*); я. пример striking instance; я. талант brilliant talent; **~ая** красота radiant (dazzling) beauty; **~ое** опи́сание vivid (lively) description; **~о** brightly *и пр.*; **~озелёный** (of) vivid green; **~окрáсный** ruby, bright red; **~оеть** brightness *и пр.*

ярлы́ к label; ханский я. *ист.* khan's charter; приклеивать я. to label; **~чóк** tag (*на ручн. багаже*).

я́рмарка fair.

ярмó yoke; *фиг.* burden; сбросить с себя я. to shake (throw) off the yoke.

я́ро in a rage, furiously, violently.

яров óе, ~óй хлеб summer-corn (*in Russia*).

Ярослáвль Yaroslavl.

я́рост ный furious, violent; **~но** furiously, violently; **~ь** fury, rage, passion; приводить в **~ь** to infuriate, enrage; приходить в **~ь** to fly into a rage (passion); вне себя от **~и** in a rage, transported with rage.

я́р оч)ка yearling ewe.

я́рус storey (*этаж, ряд*); *театр.* tier; *геол.* layer; верхний я. upper circle.

я́рый violent; ardent, zealous, eager (*рьяный*); я. воск *уст.* unbleached wax.

ярь-медя́нка verdigris (*краска*).

яcáк *ист.* tribute (paid in furs); **~чный** paying tribute (in furs).

я́сен евый ashen; **~ь** *бот.* ash; китайский **~ь** ailanthus.

я́сли crib; manger; я. для детей public nursery, crèche.

ясмéнник *бот.* woodruff.

яснéть to clear up.

я́сно clearly, bright(ly); evidently (*очевидно*); *неол.* yes, of course (*да*); я. без слов it goes without saying; я. как божий день it is as clear as (the sun at) (noon) day;

plain as a pike-staff; **~ви́дение** clairvoyance, second-sight; **~ви́дец, ~ви́дящая** clairvoyant, clairvoyante; **~сть** clearness, brightness; plainness (*очевидность*); внести **~сть** в положение to elucidate the situation.

я́сный clear, bright, serene (*о погоде, небе*); serene, placid (*о настроении*); clear, robust (*об уме*); neat, distinct, lucid (*о языке, стиле*); distinct, clear (*о произношении*); distinctly audible, clear (*ясно слышимый*); clearly visible (*ясно видимый*); clear, obvious, evident (*очевидный*); clear, plain, perspicuous, lucid (*понятный*); precise, distinct (*точный*); explicit (*обстоятельный*); clear, transparent (*прозрачный*).

я́ства *уст.* viands.

я́стреб hawk; **я.-перепелятник** sparrow-hawk; **я.-тетеревя́тник** goshawk; **~и́нка** *бот.* hawkweed; **~и́ные** *зоол.* accipitres.

ятагáн yataghan (*кривая сабля*).

ятры́шник *бот.* orchis.

ять the name of the abolished letter ѣ; сделать на ять *разг.* ≅ to do a thing to a T (*прибл.*).

яфети́ дологгия Japhetic philology; **~ческий** язык Japhetic language.

я́хонт gem, jewel; красный я. ruby; синий я. sapphire.

я́хта yacht; pleasure-boat.

яхт-клу́б yacht-club.

яче́й ка *биол.* cell (*тж. в пчеловодстве*); я. ВКП(б) Nucleus of the All-Union Communist Party (Bolsheviks); коммунистическая я. communist nucleus, communist cell; бюро **~и** nucleus bureau.

ячмéн ный: я. отвар barley-water; я. сахар barley-sugar; **~ное** зерно barley-corn; **~ь** barley (*злак*); stv, stye (*на глазу*).

ячнев ый: ~ая крупа barley reduced to very small grains.

я́шма *мин.* jasper.

я́щер *зоол.* pangolin; **~ица** lizard; gecko; **~ичные** *зоол.* the Sauria.

я́щи к box; chest (*большой*); package (*с товаром*); drawer (*выдвижной*); денежный я. till (*касса*); зарядный я. см. зарядный; мусорный я. dust-bin; забить (гвоздями) я. to nail up the box; откладывать в долгий я. to put off, to shelve; укладывать в **~ки** to package; рабочий **~чек** work-box, work-basket, work-bag.

я́щур *вет.* foot-and-mouth disease.

КРАТКИЕ ГРАММАТИЧЕСКИЕ УКАЗАНИЯ *

Мы не предполагаем здесь повторять то, что можно найти в любой элементарной английской грамматике, а хотели бы дать несколько простых советов для предупреждения обычных ошибок у русских, говорящих или пишущих по-английски. Эти ошибки обычно касаются употребления времен и последовательности времен, условных предложений, порядка слов и пр.

Употребление времен.

В английском глаголе имеются следующие временные формы:

I.	II.	III.
1. Present.	Past.	Future.
2. Present Continuous.	Past Continuous.	Future Continuous.
3. Present Perfect.	Past Perfect.	Future Perfect.
4. Present Perfect Continuous.	Past Perfect Continuous.	Future Perfect Continuous.

Например:

1. I write.	I wrote.	I shall write.
2. I am writing.	I was writing.	I shall be writing.
3. I have written.	I had written.	I shall have written.
4. I have been writing.	I had been writing.	I shall have been writing.

Англичане пользуются этими 12 временными формами. Употребление этих времен является затруднением для русских, так как в русском глаголе нет соответствующих оттенков. Русский глагол указывает совершилось ли или не совершилось действие; иными словами, совершенный или несовершенный вид есть одна из главных функций русского глагола, тогда как английский глагол, указывая вид, главным образом уточняет время происходящего, происходившего и будущего действия.

Мы имеем здесь три столбца, которые можно рассматривать с точки зрения настоящего, прошедшего и будущего времени. По горизонтальной линии все времена вполне соответствуют друг другу, так как выражают одни и те же моменты, но только в три разных периода времени—в настоящем, прошедшем и будущем. 2-я и 4-я горизонтальные линии показывают длительность процесса (*писал, буду писать*), 3-я горизонтальная линия указывает на процесс в его законченности (*написал, уже будет мной написано*). Так как в русском языке нет этих временных оттенков, то при переводе с английского на русский приходится прибегать к описанию этих временных оттенков посредством наречий *еще, уже* и пр., при переводе же с русского на английский приходится опускать эти добавочные слова, потому что глагольная форма уже заключает в себе значение наречия.

---

* Приносим благодарность преподавательнице английского языка Н. Ф. Анненковой, которая поделилась с нами своим педагогическим опытом и ценные советы которой помогли нам при составлении этого очерка. *С. Б.*

Обратимся к первому столбцу:

Present. I write.

а) Я часто ошибаюсь—I often make mistakes.
Я беру уроки два раза в неделю—I take lessons twice a week.
(Выражение обычного процесса.)

б) Солнце встает на востоке—The sun rises in the East.
Он говорит по-английски—He speaks English.
Я люблю музыку—I like music.
(Выражение постоянного процесса.)

в) Это настоящее употребляется в условных и временных придаточных предложениях для выражения будущего времени (после *if, when, until, till, before, after, provided, unless*).

Я дам вам знать, когда приеду в Москву—I shall let you know when I come to Moscow (*a не* when I shall come to Moscow).
Если я увижу его завтра, я ему скажу об этом—If I see him (*a не* shall see him) to-morrow I shall tell him.
Я обо всем переговорю, прежде чем решусь на что-либо—I shall talk the matter over before I decide anything.

Но если глагол—в настоящем времени, то после *when* (когда) в придаточном предложении ставится будущее время: ·

Я не знаю, когда вернусь—I do not know when I shall be back.

Present Continuous. I am writing.

Не мешайте, вы видите, я пишу—Don't interrupt: you see I am writing.
Где Николай?—Он сидит в своей комнате и пишет—Where is Nicholas?—He is sitting in his room (and) writing.
Смотрите! солнце встает—Look, the sun is rising!
Слушайте! она поет—Listen, she is singing!
(Процесс длится во время речи.)

Present Perfect. I have written.

Это время соответствует русскому совершенному виду и обозначает, что факт совершился независимо от времени, которое может совсем не упоминаться.

Я написал письмо—I have written the letter.

Я написал письмо независимо от времени: важно, что письмо написано. Но если подразумевать время, то его нужно понимать с точки зрения настоящего момента, как напр.: «Мы искони ваши» (*и в настоящую минуту ваши*)—«We have been yours for ages» (Пушкин, «Дубровский», 3 гл.).

Present Perfect употребляется:

а) Когда время совсем не упоминается, а важно указать на совершившийся факт:

Я прочел много английских книг—I have read many English books.

б) С неопределенными наречиями: *ever* (когда-нибудь), *never* (никогда), *always* (всегда), *sometimes* (иногда), *often* (часто), *scarcely* (едва), *rarely* и *seldom* (редко):

Я никогда его не видал—I have never seen him.
Я редко его встречал—I have seldom met him.

в) При обозначении неоконченного периода времени временными наречиями или выражениями, как: теперь, сегодня, на этой неделе, в этом году и т. п.:

Я сделал это теперь—I have done it now.
Сегодня я дал три урока—I have given three lessons to-day.

Я был три раза в театре па этой неделе—I have been to the theatre three times this week.

Я прожил в Москве 5 лет—I have lived in Moscow for five years *или* these five years (и в настоящее время продолжаю жить в Москве), *но*: I lived in Moscow for five years (и больше не живу в Москве—это уже в прошлом).

Я жил в Англии четыре года—I have been in England these four years *или* for four years (и продолжаю жить в настоящее время в Англии), *но* «I was in England four years» будет означать, что я прожил в Англии 4 года и теперь там не живу.

Он проболел весь август—He has been ill all the month of August (и продолжает хворать), *но*: He was ill all the month of August (и теперь выздоровел).

Present Perfect Continuous. I have been writing.

Я пишу с восьми часов утра—I have been writing since eight in the morning.

Наконец-то вы пришли, а я жду вас целый час—Oh, you have come at last, I have been waiting for a whole hour.

Что вы делали с тех пор, как мы не видались?—What have you been doing since I saw you last?

В данном случае ограничивается процесс длительности совершившегося действия; при этом употребляются выражения: *since then* (с тех пор), *for the last days* (за последние дни) и т. п.

В т о р о й столбец отличается от первого только тем, что процессы имели место до момента речи.

Past. I wrote.

Я написал письмо вчера (*или* час, минуту тому назад)—I wrote a letter yesterday (an hour, a minute ago).

В прошлом году я был в Англии—I was in England last year.

Процессы имели место до момента речи, а потому это время употребляется в историческом рассказе о прошлом.

Past Continuous. I was writing.

Это время выражает процесс в его длительности и соответствует русскому несовершенному виду.

Past Continuous употребляется:

а) Для выражения одновременности двух процессов:

Я писал письмо, когда вы вошли—I was writing a letter when you came in.

б) Когда точно указывается время:

Вчера в 3 часа я писал—I was writing at 3 o'clock yesterday.

Вчера я целый день работал—I was working all day yesterday.

Что вы делали прошлым летом?—What were you doing last summer?

Past Perfect. I had written.

Это время указывает на завершение одного процесса перед другим.

Когда он приехал в Москву, она уже уехала на дачу—When he arrived in Moscow she had gone to the country.

Когда я с ним встретился, всё уже было ему известно—When I met him he had been told of everything.

Когда вы пришли, письмо уже было написано—The letter had been written when you came.

Я с ним не виделся до того дня—I had not seen him before that day.

Past Perfect Continuous. I had been writing.

Я сказал ему, что я писал три часа—I told him that I had been writing for three hours.
Я спросил его, что он делал с тех пор, как мы расстались—I asked him what he had been doing since we parted.

Здесь полная аналогия с Perfect Continuous, но только с указанием на то, что один процесс длился раньше другого прошедшего. При этом употребляются те же выражения *since then* (с тех пор), *for the last days* (за последние дни) и т. п.

Т р е т и й столбец—будущее время.

Future. I (we) shall write.

You (they) will write.
Я напишу ему письмо—I shall write him a letter.

Future Continuous. I shall be writing.

Я буду писать свою статью на-днях—I shall be writing my article one of these days.
Вы все равно его не увидите: он будет давать урок в это время—You won't see him all the same: he will be giving a lesson then.

(У к а з а н и е   н а   д л и т е л ь н о с т ь   п р о ц е с с а   в   б у д у щ е м).

Future Perfect. I shall have written.

Когда вы придете, письмо будет написано мною—I shall have written the letter by the time you come (when you come).
В будущем августе будет семь лет, как я живу здесь—Next August I shall have lived here (for) seven years.

(У к а з а н и е   н а   з а к о н ч е н н о с т ь   п р о ц е с с а   в   б у д у щ е м).

Future Perfect Continuous. I shall have been writing.

В будущем августе будет семь лет, как я прожил (и живу) в этом доме—Next August I shall have been living in this house for seven years.
Я пишу с семи часов утра, и в 12 часов будет пять часов, как я пишу—I have been writing since seven in the morning and at twelve I shall have been writing for five hours.

(У к а з ы в а е т с я   д л и т е л ь н о с т ь   и с п о л н и в ш е г о с я   п р о ц е с с а   п р е д п о л о ж и т е л ь н о   в   б у д у щ е м).

Примеры.

Он лежал в креслах, на которые перенес его Владимир; правая рука его висела до полу, голова опущена была на грудь.
(Пушкин, «Дубровский», 4 гл.).

He was lying in the armchair where Vladimir had placed him. His right arm hung down to the ground, his head had dropped on his chest.

Смотритель... объявил, что лошади присланные из Кистеневки, ожидали его уже четвертые сутки.
(Пушкин, «Дубровский», 3 гл.).

The postmaster informed him that the horses sent from Kisteniovka had been waiting for him these last four days.

А мы искони ваши,—и отроду того не слыхали.
(Там же).

Whereas we have been yours for ages and have never in our lives heard the like.

— Я пришла к тебе против своей воли, — сказала она твердым голосом.
(Пушкин, «Пиковая дама», 5 гл.).

«I have come to you against my will» said she in a firm voice.

Сослагательное наклонение. Условные предложения.

Русское «бы» в сослагательном наклонении соответствует английскому should в 1-х лицах ед.и мн.ч.,would—в остальных лицах в главном предложении и всегда одному should—в условном предложении.

1-й тип. Время или не указывается или указывается будущее.

а) Я сказал бы ему об этом, если бы я его увидел (если я его увижу)—I should tell him if I should see him. Вместо «if I should see him» обычно говорят: «if I saw him» или *реже* «if I were to see him».

б) Он бы ему сказал, если бы его увидел (если его увидит)—He would tell him (if he should see him) if he saw him, if he were to see him.

в) Завтра она осталась бы (останется) дома, если бы вы провели с ней день—She would remain at home to-morrow if you came to spend the day with her.

Указывается будущее время, и сослагательное наклонение условного предложения может быть заменено по-русски будущим временем.

2-й тип. Указывается прошедшее время.

Я бы выехал третьего дня и застал бы его в живых, если бы во-время получил известие—I should have started the day before yesterday and should have found him alive if I had received the news in time.

В этом случае сослагательное наклонение условного предложения не может быть заменено будущим по-русски. Английская последовательность времен сохранена. Указывается на прошедший процесс, который передается в главном предложении формами «I (we) should have», «you (they) would have»; в условном предложении всегда ставится Past Perfect, причем не обозначается сослагательность частицы «бы».

Сослагательное наклонение может быть выражено:

Could, could have
might, might have $\Big\}$ мог бы

ought to, ought to have должен был бы,
которые употребляются точно так же, как should (would) и should have (would have).

1. а) Что мог бы я сделать (что мне делать, что я сделаю), если бы дом загорелся?—What could I do if the house (should catch fire) caught fire, were to catch fire?

б) Что мог бы я сделать, если бы дом загорелся вчера ночью?—What could I have done if the house had caught fire last night?

2. а) Он мог бы сделаться хорошим актером, если бы он работал—He might become a good actor if he (should work) worked, were to work.

б) Он мог бы сделаться хорошим актером, если бы он работал в молодости—He might have become a good actor if he had worked in his youth.

8. а) Я должен был бы это сделать хорошо, если бы вы мне помогли—I ought to do it well if you (should help me) helped me, were to help me.

б) Я должен был бы приехать раньше, если бы меня не задержала гроза—I ought to have arrived earlier, if the storm had not detained me.

[*May have* (может быть) и *must have* (должно быть, вероятно) сюда не относятся].

Примеры.

Он решился к нему ехать и даже выйти в отставку, если болезненное состояние отца потребует его присутствия.
(Пушкин, «Дубровский», 3 гл).

He resolved to go to him and even to retire from the army if his father's illness (should make) made his presence necessary.

Ноги .под ним подкосились и он бы упал, если бы сын не поддержал его.
(Там же).

His legs gave way beneath him and he would have fallen, if his son hadn't supported him.

Последовательность времен.

1. Если глагол главного предложения стоит в одном из времен I или III столбца, т. е. настоящих или будущих, то глагол придаточного предложения может быть в любом времени, т. е. в том же самом времени, в котором он стоит по-русски.

Я знаю, что он это говорил—I know that he said it.

Я никогда не поверю, что он это сказал—I shall never believe that he said such a thing.

Я слышал, что он возвращается—I have heard that he is coming back.

2. Если глагол главного предложения стоит в past (во временах II столбца), то глагол придаточного предложения непременно должен стоять в прошедшем времени.

Я спросил, как его зовут—I asked what his name was (*а не* what his name is).

Я сказал ему, что я приду—I told him I should come (*а не* I shall come).

Я сказал, что верну ему книгу через неделю—I said that I would return the book to him in a week's time.

Я сказал ему, что он может это сделать—I told him (that) he might do it.

Я поблагодарил его за все то внимание, которое я встретил в его доме—I thanked him for all the kindness I had met in his house.

Исключения.

1. Когда глагол придаточного предложения выражает факт, который действителен во все времена, то он может стоять в настоящем времени, хотя бы главный глагол и стоял в прошедшем.

Их учили, что земля движется вокруг солнца—They were taught that the Earth moves round the Sun.

2. Глагол в придаточном предложении после сравнительных союзов *than, as* может стоять в любом времени, как по-русски.

Он лучше говорил по-английски, чем я (говорю)—He spoke better English than I do.

Ваш брат был так же ленив, как и вы—Your brother was just as lazy as you are.

3. Глагол определительного придаточного предложения может быть в любом времени.

Вчера я видел человека, который награжден орденом—Yesterday I saw the man who is awarded an order.

Построение английского предложения.

Так как в английском языке почти отсутствуют окончания, которые показывали бы отношения слов друг к другу, то расположение слов в предложении приобретает первостепенное значение. Обыкновенный порядок таков: 1) подлежащее, 2) предикат, 3) прямое дополнение, 4) косвенное дополнение и 5) обстоятельственные слова.

Я привез жене вчера из города интересную книгу—I brought an interesting book for my wife from town yesterday.

Отступления.

1. Английское дополнение, при котором опущены предлоги *to* и *for*, ставится после глагола перед прямым дополнением.

Я купил моей матери книгу—I bought my mother a book, но: I bought a book for my mother.

Я написал ему письмо—I wrote him a letter, но: I wrote a letter to him.

2. Наречия ставятся после непереходного глагола (т. е. глагола, который не может иметь при себе прямого дополнения).

Он опоздал на концерт—He came late to the concert.

Он быстро вошел в комнату—He came hurriedly into the room.

3. Временные наречия *ever* (когда-нибудь), *never* (никогда), *sometimes* (иногда), *always* (всегда), *often* (часто), *seldom* и *rarely* (редко) и т. п. ставятся перед глаголом, но после глагола to be.

Он всегда опаздывает в театр—He always comes late to the theatre, но: He is always late at the theatre.

В сложных временах эти наречия ставятся между вспомогательным и главным глаголом:

Я никогда не видал лесного пожара—I have never seen a wood on fire.

4. При переходном глаголе (т. е. глаголе, который может иметь прямое дополнение) наречия ставятся или перед глаголом или после прямого дополнения.

Я очень редко с ним вижусь—I very rarely see him *или* I see him very rarely.

5. Прямое дополнение, как указано выше, ставится непосредственно за предикатом и до обстоятельственных слов, но если прямое дополнение осложнено придаточным предложением, то порядок меняется: прямое дополнение выносится ближе к придаточному предложению, а обстоятельственные слова ставятся на месте прямого дополнения.

Я видел небольшой домик на берегу моря—I saw a little house on the beach.

Я видел на берегу моря небольшой домик, который утопал в зелени и цветах—I saw on the beach a little house which was all surrounded by trees, bushes and flowers.

6. Наречия времени могут иногда ставиться в начале предложения.

Я уехал на дачу вчера утром—I went to the country yesterday morning *или* Yesterday morning I went to the country.

7. Обстоятельство места ставится перед временными наречиями и выражениями.

Летом мы живем на даче—We live in the country in summer.

8. Когда при существительном стоит несколько прилагательных (определений), то они расставляются в таком порядке: материал перед существительным, перед материалом цвет, перед цветом рост, размер и т. п., а впереди остальные определения.

Я видел прекрасную старинную голубую фарфоровую вазу— I saw a beautiful, old, blue china vase.

9. Подлежащее ставится после вспомогательного глагола в вопросах.

Купили ли вы книгу?—Have you bought the book?
Видели ли вы моего брата?—Did you see my brother?

10. Если подлежащее имеет много определений или сопутствуется определительным предложением, то перед подлежащим ставится глагол, предшествуемый *there*.

У дома стоял старик—An old man stood near the house.
У дома стоял старик с длинной белой бородой, серебристыми кудрями и острым взглядом—Near the house there stood an old man with a white beard, silver locks and a piercing gaze.
Только-что приехала делегация—A delegation has just arrived.
Только-что приехала делагация, которая хочет осмотреть все достопримечательности города—There has just arrived a delegation which wants to visit all the sights of the town.

11. Для живости повествования употребляется инверсия.
Дерево повалилось с сильным треском—The tree fell down with a loud crash.
Инверсия:
Down fell the tree with a loud crash.
Или:
Loud was the crash of the falling tree.

Употребление shall и will.

Вспомогательные глаголы *shall* и *will* употребляются для обозначения будущего времени: shall—в первых лицах ед. и мн. чисел, will—во вторых и третьих лицах ед. и мн. чисел.

Обратное употребление will на месте shall сообщает глагольному выражению оттенок желания и решимости что-либо сделать или предпринять, несмотря на возможные затруднения.

Обыкновенное будущее:
Я напишу письмо—I shall write a letter; он напишет письмо— he will write a letter;
но:
Я напишу ему по-английски, хотя он и просил меня писать ему по-русски—I will write to him in English though he asked me to write to him in Russian.
Я все-таки сделаю то, что я хочу—I will do what I like.

Когда shall стоит на месте will, то глагольному выражению сообщается оттенок приказания или обещания:
Он это сделает! (т. е. я заставлю его это сделать)—He shall do it.
Если ты приготовишь уроки, то пойдешь со мной в театр— If you do your lessons you shall go with me to the theatre.

Shall и will имеют прошедшее время *should* и *would*, которые употребляются, когда в главном предложении стоит прошедшее время, причем употребление should и would аналогично с употреблением shall и will:
Я сказал ему, что приду к нему сегодня—I told him that I should come to him to-day

(Если бы нужно было дать оттенок—«приду несмотря на затруднения», то следовало бы сказать: «... that I would come to him to-day»).

Я сказал ему, что вы придете к нему сегодня—I told him that you would come to him to-day.

Употребление should и would в сослагательном наклонении главных предложений.

Should и would употребляются в главных предложениях для выражения желания, предположения.

Как бы я хотел поехать на юг!—How I should like to go to the South!

Каким прекрасным руководителем он был бы!—What a splendid leader he would be!

Should употребляется для выражения совета, увещания, приказания.

Пошел бы ты погулять,—смотри, какая прекрасная погода— You should go and have a walk—see how fine the weather is!

Типы идиоматических выражений с should и would.

Should.

1. Выражение чувств в личной и безличной формах.

а) Я очень рад, что он пользуется таким успехом—I am very glad he should be so successful.

б) Как жаль, что вы так устали—What a pity you should be so tired.

2. Выражение вежливых приказаний, советов, предположений (причем should может быть заменено гл. ought).

Вам следовало бы купаться рано утром—You should bathe early in the morning.

Вам не следовало бы купаться сейчас после обеда—You shouldn't bathe just after dinner.

Would.

1. Выражение вежливой просьбы, предложения, приглашения что-либо сделать. Русскому «ли» соответствует would.

Не хотите ли чашку чаю?—Would you like a cup of tea?

Не дадите ли вы мне ваш словарь?—Would you lend me your dictionary?

2. Выражение многократного действия, передаваемого русским «бывало».

Прошлый год мы бывало часто ходили с ним в поле и долго говорили—Last year we would often go to the fields and have long talks.

3. Выражение упорства несмотря на предупреждение, затруднение, препятствие.

Они упорно продвигались вперед, несмотря на опасности— They would advance in spite of danger.

Он продолжал читать в постели и портить себе глаза несмотря на предупреждения доктора—He would read in bed and spoil his eyesight in spite of the doctor's warning.

Сравни: 1) He should knock at the door before coming in— Следовало бы ему постучать в дверь, прежде чем входить (*вежливое приказание, просьба*).

2) He would knock at the door before coming in—Он бывало постучит в дверь, прежде чем войти (*многократность действия в прошлом*).

3) He would knock at the door though I told him not to— Он все-таки продолжал стучать в дверь несмотря на мою просьбу этого не делать,

Вопросы.

Вы выходите, да? (нет?) *(в трамвае)*	1. Are you getting out? 2. *(более сильно)* You are getting out, aren't you?
Вы не выходите, нет? (да?)	1. Aren't you getting out? 2. *(более сильно)* You are not getting out, are you?
Вы пойдете сегодня в театр, да?	1. Are you going to the theatre to-night? 2. *(более сильно)* You are going to the theatre to-night, aren't you?
Вы не идете сегодня в театр, нет?	1. Aren't you going to the theatre to-night? 2. *(более сильно)* You are not going to the theatre to-night, are you?

1-й тип вопроса—простой, 2-й тип—усиленный.

Если в усиленном вопросе ожидается *утвердительный* ответ, то дополнительный вопрос выражается в вопросительно-*отрицательной* форме.

Если в усиленном вопросе ожидается *отрицательный* ответ, то дополнительный вопрос выражается в вопросительно-*утвердительной* форме.

Ответы должны быть или положительные или отрицательные. Нельзя, например, сказать: «No, I have» или «Yes, I haven't» (это—постоянная ошибка русских), а следует ответить: «Yes, I have» или «No, I haven't».

Например:

Вы, повидимому, не любите театра? — Нет, я люблю. — Да, не люблю.	You don't seem to be fond of the theatre? — Yes, I am. — No, I am not.
Вы не моете рук перед едой? — Нет, я мою.	You don't wash your hands before meals? — Yes, I do (*а не* No, I do).

Употребление to tell и to say.

Я сказал ему, что приду вечером—I told him that I should come in the evening.

Я сказал, что приду вечером—I said that I should come in the evening.

To tell всегда употребляется при указании лица, но без предлога *to*, to say не требует упоминания лица, но если лицо упоминается, то всегда с предлогом *to*.

Said (say) с *to* употребляется в прямой речи, напр.:

Он сказал ему: «Я приду завтра».— He said to him: «I shall come to-morrow».

В косвенной речи употребляется told, напр.:

Он сказал ему, что придет завтра—He told him he would come to-morrow.

May и can—(можно, могу ли) в вопросах.

Можно (ли) мне притти за книгой завтра?—May I come for the book to morrow?

Могу ли я выучиться английскому языку в 6 недель?—Can I learn English in six weeks?

May означает возможность, просьбу. Can (*будущее время*: shall be able) означает способность, искусность, ловкость.

О безличных выражениях.

Русские безличные предложения: *мне сказали, его предупредили, их наказали*—передаются по-английски страдательным залогом: I was told, he was warned, they were punished.

Употребление определенного члена.

Определенный член употребляется:

1. Когда мы говорим об определенном предмете:

Книга, которую я читаю, очень интересна—The book I am reading is very interesting.
Пойдемте к реке—Let us go to the river.

2. Перед названием рек, морей, цепи гор и группы островов:
Волга—the Volga;
Черное море—the Black Sea;
Тихий океан—the Pacific Ocean;
Уральские горы—the Ural Mountains;
Карпаты—the Carpathians;
Антильские о-ва—the Antilles;
Вест-Индия (*о-ва*)—the West Indies.

Но без члена:

а) Названия городов: Москва—Moscow, Берлин—Berlin; *искл.* the Hague—Гаага.
б) Названия гор: Везувий—Vesuvius, Казбек—Kasbek, Эльбрус—Elbruz, гора Арарат—Mount Ararat; *искл.*: the Jungfrau—Юнгфрау.

3. Перед названиями стран, которые употребляются только во мн. ч., а также и перед названиями некоторых стран в ед. ч.:

Соединенные Штаты—the United States (of America);
Нидерланды—the Netherlands;
Тироль—the Tyrol;
Украина—the Ukraine;
Крым—the Crimea;
Кавказ—the Caucasus.

4. Перед названиями стран и другими названиями в ед. ч., имеющими перед собой прилагательное, при условии, что определяемое существительное имя нарицательное:

Советский Союз—the Soviet Union;
Соединенное Королевство—the United Kingdom;
Британская империя—the British Empire.

Если же существительное, определяемое прилагательным, имя собственное, то член опускается:

Soviet Russia—Советская Россия;
South Africa—Южная Африка;
Central Asia—Центральная Азия.

5. Перед странами света: the North, the South, the East, the West.

6. Иногда перед названиями русских (вообще иностранных) улиц:
Каляевская—(the) Kaliaevskaja;
Арбат—(the) Arbat.

Но:

Площадь Урицкого—Uritski Square;
Соловьевский сквер—Solovjov Square.

7. Перед названиями известных зданий:
Дворец Труда—the Palace of Labour;
Музей Революции—the Museum of the Revolution.

Но: Westminster Abbey—Вестминстерское аббатство; Buckingham Palace—Букингемский дворец.

8. Перед конструкцией с предлогом *of*:

1-е Мая—The first of May;

Русская литература 20-го в.—The Russian Literature of the 20th century (*но*: Russian Literature).

9. Перед собирательным существительным в ед. ч.:

Автомобиль заменил лошадь—The motor has taken the place of the horse.

10. При собственном имени, которое стало нарицательным:

«Нестор негодяев знатных» (Грибоедов, «Горе от ума») — «The Nestor of the haughty rogues».

11. В фамилиях во мн. ч., когда обозначается целая семья:

«Об этом знает целый свет: Дрянские, Хворовы, Варлянские, Скачковы» («Горе от ума», IV)—«All the world knows about it: the Driánskys, the Hvorovs, the Varliánskys, the Skátchkovs».

Определенный член опускается:

1. При существительных собственных, отвлеченных, вещественных:

Пушкин жил в Михайловском—Pushkin lived at Mihaïlovskoye.

Золото добывается в Сибири—Gold is found in Siberia.

2. При названиях английских улиц, площадей, скверов, парков, напр.: Oxford Street, Trafalgar Square, Hyde Park.

Разница между who? what? и which? в вопросительных предложениях.

1. Кто это? а)—Это мой отец. б)—Это известный коммунист Димитров. — Who is that? a)—It is my father. б)—It is the renowned communist Dimitrov.

2. Кто он такой? (*т. е.* чем он занимается?)—Он известный актер. — What is that man?—He is a renowned actor.

В первом случае ответ касается лица (и употребляется **определенный** член), во втором—его профессии (и употребляется **неопределенный** член).

3. Который из них сказал это?— А тот, который стоит у окна. — Which of them said it?—The one standing near the window.

4. Какая это комната?—Это кабинет. — What room is it?—It's a study.

5. Которая это комната?—Вторая направо. — Which room is it?—The second to the right.

6. Который из них? (*о людях, животных, вещах*). — Which of them?

7. Который из борцов сильнее? — Which of the prize-fighters is the stronger?

Каждый.

Каждый из обоих мальчиков—Each of the two boys.

Каждый из мальчиков—Every one of the boys.

Each—о двух; every—о многих, но для усиления иногда можно сказать each о многих, напр.:

Было десять мальчиков; каждый из них получил по яблоку— There were ten boys; every one received an apple *или* each one received an apple *или* they received an apple each.

Every всегда должно стоять перед существительным или частью речи его заменяющей, each может не иметь после себя существительного или части речи его заменяющей:

Я встретил трёх девочек и каждая несла книгу—I met three girls and every girl carried a book или I met three girls and each carried a book.

Один—другой.

1. Бежали две собаки; одна держала кость в зубах, другая следовала за ней.

Two dogs were running along, one was carrying a bone, and the other was following it.

2. В вагоне было много пассажиров: один читал книгу, другой смотрел в окно, а остальные спали.

There were many passengers in the carriage: one was reading a book, another was looking out of the window and the rest were sleeping.

One... the other—о двух; one... another—о многих.

Разница между the other day и some other day.

Я видел его на-днях—I saw him the other day.
Я приду к вам в другой день—I shall come to you some other day.

Много, мало.

У меня (очень) много книг—I have (a great) many books.
У меня мало книг—I have few books.
У меня много сахару—I have much (a great deal of) sugar.
У меня немного сахару—I have little sugar.

Much, a great deal of, little—когда говорится о том, что можно свесить, смерить, но не сосчитать.

(A great) many, few—когда говорится об отдельных предметах, которые можно сосчитать.

О предлогах.

Предлог «на».

1. On (на поверхности).

На столе—On the table.
На набережной—On the embankment.
На реке—On the river.

2. In (на вопрос: где?).

На улице—In the street.
На Каляевской—In the Kaliaevskaya.
На поле—In the field.
На солнце—In the sun.

3. At (на вопрос где?).

Я был на жнитве, на станции, на митинге—I have been at the reaping, at the station, at the meeting.

4. To (на вопрос: куда?).

Я иду на митинг, на лекцию—I'm going to the meeting, to the lecture.

Предлог «в».

1. a) In (внутри, о месте).

В комнате—In the room.
В городе —In town.

В деревне—In the country.
В мешке—In the bag.
В театре, в институте (*т. е. в здании*)—In the theatre, in the institute.

б) (*В столице или большом городе*).

В Москве, в Ленинграде—In Moscow, in Leningrad.
Мы приехали в Москву, в Ленинград—We arrived in Moscow, in Leningrad.

2. а) At (*в небольшом городе или местечке*).

В Кисловодске—At Kislovodsk.
В Петергофе—At Peterhof.
Мы приехали в Кисловодск, в Петергоф—We arrived at Kislovodsk, at Peterhof.

б) At (*о месте занятий*).

Он работает в театре—He works at the theatre.
Он учится в университете—He studies at the university (*но: он профессор в университете*—He is professor in the university).

3. To, into (*на вопрос: куда?*).

Я иду в лес—I'm going to the wood.
Я посмотрел в ящик—I looked into the box.
Я вошел в комнату—I came into the room.

4. At (*о времени*).

В десять часов—At ten o'clock.
В начале, в конце месяца—At the beginning, at the end of the month.
В полдень—At midday, at noon.
В полночь—At midnight.

5. In (*о времени*).

В июле—In July.

6. On (*о времени*).

В пятницу, в девятый день—On Friday, on the ninth day.

7. In (*в продолжение, в течение*).

Он сделал это в 5 минут—He did it in five minutes.

8. At (*направление*).

Он выстрелил в него—He fired at him.

Предлог «к».

1. To (*направление*).
Я иду к нему—I'm going to him.

2. By (*о времени*).

Это должно быть готово к десяти утра—It must be ready by ten in the morning.

О наречиях.

1. Наречия времени, как: *often* часто; *rarely, seldom* редко; *always* всегда; *never* никогда; *ever* когда-либо; *sometimes* иногда и т. п. стоят:

а) В сложных временах между вспомогательным и главным глаголом.

He has never been to England—Он никогда не бывал в Англии.
He is always doing something—Он всегда что-нибудь делает.

б) Перед простым глаголом.

I always come late—Я всегда прихожу поздно.
He never prepares his lessons—Он никогда не готовит уроков.

в) После глагола to be.

I'm always very busy—Я всегда очень занят.
I'm never tired—Я никогда не устаю.

2. Наречие не должно отделять прямое дополнение от глагола и поэтому оно ставится или перед глаголом или после прямого дополнения:

He read the book quickly—Он быстро прочел книгу.
He hurriedly wrote the letter—Он поспешно написал письмо.

3. Наречия времени могут стоять или в начале или в конце фразы:
Yesterday I went to the theatre *или* I went to the theatre yesterday—Вчера я пошёл в театр.

4. Наречие места ставится перед наречием времени:
I came home late—Я поздно пришёл домой.

О числительных.

Числительные *сто, тысяча* и *миллион* всегда употребляются с неопределенным членом: a hundred, a thousand, a million. Когда после hundred следует другое числительное, тогда между ними ставится *and*, а в thousand ставится *and* перед десятками или единицами:

153 a hundred and fifty three;
1065 a thousand and sixty five;
1001 a thousand and one, *но*:
1600 a thousand six hundred.

Англичане считают предпочтительно сотнями и говорят: Ten hundred and sixty five, ten hundred and one, sixteen hundred.

В сложных числительных, оканчивающихся на 1, имя существительное ставится во мн. числе, а не в ед. ч., как по-русски: 21 стул— twenty one chairs.

ТАБЛИЦЫ ГЛАГОЛЬНЫХ ФОРМ.

Сильные глаголы образуют прошедшее время изменением коренного гласного звука через самодовлеющее (т. е. не под влиянием соседних звуков) явление, называемое чередованием (гласного звука), ср. напр. русск.: бер¦у, с¦бор; нес¦у, нос¦ка; тек¦у, (при)¦ток.

Причастие прош. времени сильных глаголов оканчивается на -en. Это окончание у иных глаголов является в неполном виде: -e, -n, *как* awoke, worn, или же отсутствует, *как* drunk, bit.

Слабые глаголы образуют прошедшее время и причастие прош. вр. добавлением к инфинитиву звуков -t, -d, *или* -ed. Из 300 староанглийских сильных глаголов 80 с лишком сохранились в английском языке, немного более 80 сделались слабыми, т. е. прош. вр. и прич. прош. вр. стали выражаться добавлением к инфинитиву -t, -d *или* -ed, а не через чередование коренного гласного звука. Некоторое количество так называемых смешанных глаголов в процессе изменений остановилось на полпути, т. е. имеют частью сильные, частью слабые формы.

Все новые глаголы в современном английском языке образуются по типу слабых.

Кроме сильных и слабых глаголов существуют вспомогательные и аномальные (дефективные, неполные) глаголы.

Не следует в глаголах типа:
beseech—besought, bring (*вм.* breng < braggjan)—brought, catch—caught, sell—sold (*см.* слабые глаголы, группа II) видеть в прош. вр. чередование гласного сильного глагола. Изменение гласного звука произошло под влиянием соседних звуков в более ранние периоды и эти изменения никакого отношения к чередованию не имеют. Конечные t или d этих глаголов есть окончание прош. вр. слабого глагола.

Сильные глаголы.

Инфинитив	Прошедшее время	Причастие прош. времени
I.		
Arise вставать	arose	arisen
Bear рождать, приносить. .	bore	born
Bear носить	bore	borne
Beget рождать	begot	begotten
Bid велеть	bade, bid	bidden, bid
Bind вязать	bound	bound (bounden*)
Bite кусать	bit	bitten, bit
Blow дуть	blew	blown
Break ломать	broke	broken
Chide бранить	chid	chidden, chid
Choose выбирать	chose	chosen
Draw тащить; рисовать . .	drew	drawn
Drink пить	drank	drunk (drunken*)
Drive гнать	drove	driven
Eat есть	ate	eaten
Fall падать	fell	fallen
Fly лететь	flew	flown
Forbear воздерживаться . .	forbore	forborne
Forget забывать	forgot	forgotten
Forsake покидать	forsook	forsaken
Freeze мерзнуть	froze	frozen
Get доставать	got	got (gotten*)
Give давать	gave	given
Go итти, ходить	went (от гл. to wend)	gone
Grow расти	grew	grown
Hide прятать	hid	hid (hidden*)
Know знать	knew	known
Lie лежать	lay	lain
Ride ездить	rode	ridden
Rise вставать	rose	risen
See видеть	saw	seen
Shake трясти	shook	shaken
Shrink съёживаться	shrank	shrunk (shrunken*)

---

* Прич. прош. вр.: bounden, drunken, sunken, stricken, shrunken, ill-gotten и hidden—употребляются как прилагательные, напр.: our bounden duty—наша прямая обязанность; a drunken man—пьяный человек; a sunken ship—потонувшее судно; a stricken deer—раненый на-смерть олень; the shrunken stream—пересохший ручей; ill-gotten wealth—нечестно нажитое добро; a hidden meaning—скрытый смысл.

Инфинитив	Прошедшее время	Причастие прош. времени
Sink опускать	sank	sunk (sunken*)
Slay убивать	slew	slain
Slide скользить	slid	slid
Smite ударять	smote	smitten, smit
Speak говорить	spoke	spoken
Steal красть	stole	stolen
Stride шагать	strode	stridden
Strike ударять	struck	struck (stricken*)
Strive стараться	strove	striven
Swear клясться	swore	sworn
Take брать	took	taken
Tear рвать	tore	torn
Throw бросать	threw	thrown
Tread ступать	trod	trodden, trod
Wear носить	wore	worn
Weave ткать	wove	woven
Write писать	wrote	written

II.

Abide жить	abode	abode
Awake просыпаться	awoke	awoke
Become делаться	became	become
Begin начинать	began	begun
Behold видеть	beheld	beheld
Cling цепляться	clung	clung
Come приходить	came	come
Dig копать	dug	dug
Fight сражаться	fought	fought
Find находить	found	found
Fling кидать	flung	flung
Grind молоть	ground	ground
Hold держать	held	held
Ring звонить	rang	rung
Run бежать	ran	run
Shine светить	shone	shone
Sing петь	sang	sung
Sit сидеть	sat	sat
Sling метать из пращи . . .	slung	slung
Slink красться	slunk	slunk
Spin прясть	spun	spun
Spring прыгать	sprang	sprung
Stand стоять	stood	stood
Stick липнуть	stuck	stuck

Инфинитив	Прошедшее время	Причастие прош. времени
Sting жалить	stung	stung
Stink вонять	stank	stunk
String нанизывать	strung	strung
Swim плавать	swam	swum
Swing качать	swung	swung
Win выигрывать	won	won
Wind мотать, наматывать .	wound	wound
Wring жать	wrung	wrung

Смешанные глаголы.

Инфинитив	Прошедшее время	Причастие прош. времени
Beat бить	beat	beaten
Cleave раскалывать	clove (cleft)	cloven, cleft
Do делать	did	done
Grave высекать	graved	graved (graven*)
Hang вешать	hung, hanged	hung, hanged
Hew рубить	hewed	hewed (hewn*)
Lade грузить	laded	laden
Melt плавить	melted	melted (molten*)
Mow косить	mowed	mown
Rive разрубать	rived	riven
Rot гнить	rotted	rotted (rotten*)
Saw пилить	sawed	sawn
Seethe кипеть	seethed	seethed (sodden*)
Sew шить	sewed	sewed (sewn*)
Shave брить	shaved	shaven
Shear стричь	sheared	sheared (shorn*)
Show показывать	showed	shown
Sow сеять	sowed	sown
Stave проламывать	stove, staved	stove, staved
Strew сыпать	strewed	strewn
Swell пухнуть	swelled	swollen
Thrive процветать	throve, thrived	thriven, thrived

* Прич. прош. вр. graven, hewn, molten, rotten, sewn, sodden, shorn употребляются как прилагательные, напр.: a graven image—высеченное изображение (*фиг.* истукан); a hewn log—обтесанное бревно; molten ore—расплавленная руда; rotten liberalism—гнилой либерализм; sodden—набухший, намокший (*тж. фиг.*); a shorn lamb—стриженая овца.

Слабые глаголы.

Инфинитив	Прошедшее время	Причастие прош. времени
I.		
Burn жечь	burnt	burnt
Creep ползать	crept	crept
Deal распределять	dealt	dealt
Dream видеть во сне	dreamt, dream-ed	dreamt, dream-ed
Dwell жить	dwelt	dwelt
Feel чувствовать	felt	felt
Keep держать	kept	kept
Kneel стоять на коленях	knelt	knelt
Lean опираться	leant, leaned	leant, leaned
Mean значить	meant	meant
Sleep спать	slept	slept
Smell пахнуть	smelt	smelt
Spell разбирать по складам	spelt, spelled	spelt, spelled
Spill проливать	spilt, spilled	spilt, spilled
Spoil портить	spoilt, spoiled	spoilt, spoiled
Sweep мести	swept	swept
Weep плакать	wept	wept
II.		
Beseech умолять	besought	besought
Bring приносить	brought	brought
Buy покупать	bought	bought
Catch поймать	caught	caught
Dare сметь	dared, durst	dared
Owe быть должным	ought, owed	owed
Say говорить	said	said
Seek искать	sought	sought
Sell продавать	sold	sold
Teach учить	taught	taught
Tell сказать	told	told
Think думать	thought	thought
Work работать	worked, wrought	worked, wrought
III.		
Bet держать пари	bet	bet
Burst лопаться	burst	burst
Cast бросать	cast	cast

Инфинитив	Прошедшее время	Причастие прош. времени
Cost стоить	cost	cost
Cut резать	cut	cut
Hit ударять	hit	hit
Hurt ушибать	hurt	hurt
Knit вязать :	knit	knit
Let позволять	let	let
Put класть	put	put
Quit оставлять	quitted, quit	quitted, quit
Rid освобождать	rid	rid
Set ставить	set	set
Shed терять	shed	shed
Shred кромсать	shredded, shred	shredded, shred
Shut закрывать	shut	shut
Slit разрезать	slit	slit
Spit плевать	spit, spat	spit
Split раскалывать	split	split
Spread распространять . . .	spread	spread
Sweat потеть	sweated, sweat	sweated, sweat
Thrust толкать	thrust	thrust

IV.

Bend сгибать	bent	bent
Build строить	built	built
Gild золотить	gilded	gilded, gilt
Gird опоясывать	girt, girded	girt
Lend одолжать	lent	lent
Rend рвать	rent	rent
Send посылать	sent	sent
Spend тратить	spent	spent
Wend итти, ходить	went	(нет)

V.

Bleed кровоточить	bled	bled
Breed порождать	bred	bred
Feed кормить	fed	fed
Lead водить	led	led
Light освещать	lit, lighted	lit, lighted
Meet встречать	met	met
Read читать	read	read
Shoot стрелять	shot	shot
Speed спешить	sped	sped

Характерное в словообразовании.

Так как в английском языке слово часто представляет собой обнаженный корень, то, зная это слово, легко сразу же узнать несколько новых слов, добавив к обнаженному корню суффикс.

Самый употребительный суффикс **-ing** имеет функции причастия, деепричастия, прилагательного и существительного, напр.: run—бегать, running—бегающий, бегущий, бегая, беганье.

Часто встречающиеся суффиксы с у щ е с т в и т е л ь н ы х:

-ness: dark—темный, darkness—темнота.

-age: bond—раб, bondage—рабство.

-er: read—читать, reader—читатель.

Характерные суффиксы:

-dom: free—свободный, freedom—свобода.

-hood: man—человек, manhood—возмужалость.

-ship: friend—друг, friendship—дружба.

-ment: to embank—запруживать, embankment— насыпь, набережная.

Часто встречающиеся суффиксы п р и л а г а т е л ь н ы х:

-ful: hope—надежда, hopeful—исполненный надежд.

-less: fear—боязнь, fearless—безбоязненный.

-some: trouble—беспокойство, troublesome—тягостный.

-able: remark—замечание, замечать, remarkable—замечательный.

(См. наиболее употребительные суффиксы в Англо-русском словаре В. К. Мюллера и С. К. Боянуса, изд. 3-е, Москва, 1933).

Несколько правил правописания.

Сочетание: **согл.+y** в конце слова раскладывается на **согл.+ie**:

а) у существительных и глаголов, когда во мн. числе и в 3-м л. ед. ч. наст. вр. добавляется окончание **-s**, напр.: study (научное занятие)—мн. ч. studies; to study (изучать)—he studies (он изучает);

б) у глаголов, когда в прош. вр. добавляется окончание **-ed**, напр.: to study (изучать)—he studied (он изучал);

в) у прилагательных, когда в сравн. и превосх. степени добавляется окончание **-er** и **-est**, напр.: happy (счастливый)—happier (счастливее), happiest (самый счастливый); но сочетание **согл.+y** у прилагательных меняется на **согл.+i** в образовании наречий при добавлении окончания **-ly**, напр.: happy (счастливый)—happily (счастливо).

Односложные прилагательные могут иметь два написания, как dry (сухой)—dryly *и* drily (сухо), sly (хитрый)—slyly *и* slily (хитро).

Наречия, образуемые от прилагательных на **-ble**, имеют написание **-bly**, напр.: remarkable (замечательный)—remarkably (замечательно).

Глаголы lie (лежать), die (умирать), tie (завязывать) имеют написание причастий: lying, dying, tying; dye (красить ткань)—dyeing.

Удвоение.

1. Конечные согласные удваиваются, когда добавляется окончание в виде лишнего слога при условии: 1) если слово односложное и конечная согласная стоит после краткой гласной буквы, напр.: rub—rubbing, rubbed, rubber; run—running, runner; 2) если неодносложное слово имеет ударение на последнем слоге, напр.: prefér—

preferring; но у д в о е н и я н е б ы в а е т, когда перед конечной согласной стоит двойная гласная или двугласная, напр.: feel—feeling, conceal—concealing.

2. Глаголы с конечным l удваивают согласные независимо от ударения, напр.: level—levelling, travel—travelling (искл.: гл. parallel—paralleling).

С. Боянус.

Библиография.

Harold E. Palmer, A Grammar of Spoken English, Cambridge, 1924.

J. C. Nesfield, English Grammar Past and Present, London, 1922.

G. Brackenbury, Studies in English Idiom, London, 1927.

Edgar C. Marshall and E. Schaap, A Manual of English for Foreign Students, Fifth Edition, Librairie Hachette.

Otto Jespersen, Essentials of English Grammar, London, 1933.

M. Ganshina and N. Vasilevskaya, English Grammar, Moscow, 1933.